1861 Paul Broca, médecin français, découvre une zone dans le lobe frontal gauche du cerveau, très importante dans la production du langage parlé (appelée aujourd'hui « aire de Broca »).

1869 Francis Galton, cousin de Charles Darwin, publie *Hereditary Genius*, dans lequel il déclare que l'intelligence est héréditaire. En **1876**, il invente l'expression « nature et culture » correspondant à « hérédité et environnement ».

1874 Carl Wernicke, neurologue allemand et psychiatre, montre que la lésion d'une zone spécifique du lobe temporal gauche entrave la capacité à comprendre et à produire un langage parlé ou écrit (aujourd'hui, cette zone est appelée « aire de Wernicke »).

1878 G. Stanley Hall reçoit du département de philosophie de l'université de Harvard le premier doctorat de psychologie délivré par les États-Unis, basé sur ses recherches en psychologie.

1879 Wilhelm Wundt ouvre le premier laboratoire de psychologie à l'université de Leipzig (Allemagne), qui devint le haut lieu de la psychologie pour les étudiants du monde entier.

1883 G. Stanley Hall, un étudiant de Wilhelm Wundt, installe le premier laboratoire de psychologie officiel à l'université Johns Hopkins.

1885 Hermann Ebbinghaus publie *On Memory*, où il résume ses recherches considérables sur l'apprentissage et la mémoire, y incluant la « courbe de l'oubli ».

1886 Joseph Jastrow reçoit de l'université Johns Hopkins le premier doctorat en psychologie délivré par un département de psychologie aux États-Unis.

1889 Alfred Binet et Henri Beaunis établissent le premier laboratoire de psychologie en France à la Sorbonne et le premier congrès international de psychologie est organisé à Paris.

1890 William James, philosophe et psychologue à l'université de Harvard, publie *The Principles of Psychology* ; il y décrit la psychologie comme étant « la science de la vie mentale ».

1891 James Mark Baldwin ouvre le premier laboratoire de psychologie du Commonwealth britannique à l'université de Toronto.

1892 G. Stanley Hall, fer de lance de la fondation de l'*American Psychological Association* (APA), en devient le premier président.

1893 Mary Whiton Calkins (en photo) et Christine Ladd-Franklin sont les premières femmes élues membres de l'APA.

1894 Margaret Floy Washburn est la première femme à recevoir un doctorat en psychologie (université de Cornell).

La candidature de Mary Whiton Calkins pour l'obtention du doctorat de l'université d'Harvard est refusée parce qu'elle est une femme. Hugo Münsterberg avait pourtant déclaré qu'elle était la meilleure étudiante qu'il n'avait jamais eue à Harvard.

1896 John Dewey publie *The Reflex Arc Concept in Psychology*, destiné à aider à la formation du courant de psychologie appelé « fonctionnalisme ».

1898 Edward L. Thorndike, de l'université de Columbia, publie un article intitulé « L'intelligence animale » dans lequel il décrit ses expériences de l'apprentissage chez des chats qu'il place dans des « boîtes à problèmes ». En **1905**, il proposa la « loi de l'effet ».

1931 Margaret Floy Washburn est élue à l'Académie nationale des sciences des États-Unis. C'est la première psychologue et la deuxième femme scientifique, toutes disciplines confondues, à être ainsi honorée.

1932 Walter B. Cannon dans *The Wisdom of the Body* utilise le terme *homéostasie*, discute de la réponse de « combat ou de fuite » et identifie les changements hormonaux liés au stress.

1933 Inez Beverly Prosser est la première femme afro-américaine à recevoir un doctorat de psychologie d'une institution américaine (Ph.D., université de Cincinnati).

1935 Christiana Morgan et Henry Murray introduisent le *Thematic Apperception Test* pour mettre à jour les fantasmes des personnes qui suivent une psychanalyse.

1936 Egas Moniz, un médecin portugais, publie ses travaux sur la première lobotomie frontale chez l'homme.

1938 B. F. Skinner publie *The Behavior of Organisms*, portant sur le conditionnement opérant chez l'animal.

Louis L. Thurstone publie *Primary Mental Abilities*, dans lequel il propose sept aptitudes.

Ugo Cerletti et Lucino Bini utilisent les électrochocs sur un patient humain.

1939 David Wechsler publie le test d'intelligence de Wechsler-Bellevue, précurseur du WISC (*Wechsler Intelligence Scale for Children*) pour les enfants et du WAIS (*Wechsler Adult Intelligence Scale*) pour les adultes.

Mamie Phipps Clark (en photo) obtient son master à l'université de Howard. Son sujet de thèse, « Le développement de la conscience du moi chez les enfants noirs d'âge préscolaire », fut ensuite approfondi avec la collaboration de Kenneth B. Clark. Leurs travaux furent cités à la Cour suprême des États-Unis en **1954** lors de la décision visant à abolir la ségrégation raciale dans les écoles publiques américaines.

Création de la *Canadian Psychological Association*. Edward Alexander Bott en est le fondateur et en devient le premier président en **1940**.

La Seconde Guerre mondiale offre l'opportunité aux psychologues de renforcer la popularité et l'influence de la psychologie, particulièrement dans les domaines appliqués.

1943 Le psychologue Starke Hathaway et le médecin J. Charnley McKinley publient le *Minnesota Multiphasic Personality Inventory* (MMPI)

1945 Karen Horney, qui critiqua la théorie freudienne s[...] sexuel de la femme, publie *Our Inner Conflicts*.

1946 Benjamin Spock publie la première édition de *The C*[...] *Baby and Child Care*. Cet ouvrage exerce une influenc[...] enfants en Amérique du Nord pendant plusieurs déce[...]

Su[...]

Psychologie

Chez le même éditeur

Collection « Psychiatrie »

Suicides et tentatives de suicide, par P. Courtet
Psychiatrie de la personne âgée, par J.-P. Clément
Les maladies dépressives, par J.-P. Olié, M.-F. Poirier et H. Loô
Les troubles de la personnalité, par A. Féline, J.-D. Guelfi et P. Hardy
Les schizophrénies, par J.-C. Scotto et T. Bougerol
Épidémiologie et santé mentale, par V. Kovess
Psychanalyse et psychothérapies, par A. Widlöcher et A. Braconnier
Thérapeutique médicamenteuse des troubles psychiatriques de l'adulte, par D. Ginestet et V. Kapsambelis

Dans d'autres collections

Cas cliniques en psychiatrie, par H. Loô et J.-P. Olié
Livre de l'interne en psychiatrie, par J.-P. Olié, T. Gallarda et E. Duaux
Traité de psychiatrie, par M.G. Gelder, R. Mayou et P. Cowen
Psychopharmacologie essentielle, par S.M. Stahl
Psychopharmacologie essentielle : le guide du prescripteur, par S.M. Stahl
Traité d'addictologie, par M. Reynaud
Addiction au cannabis, par M. Reynaud et A. Benyamina
Addiction à la cocaïne, par L. Karila et M. Reynaud
Thérapies cognitives et comportementales et addictions, par H. Rahioui et M. Reynaud
L'anxiété généralisée : actualité et devenir, par J.-D. Guelfi et J.-C. Samuelian
Maturation et vulnérabilité, par M. Reynaud, P. Labrune, E. Corruble et M. Speranza
Stress, pathologies et immunité, par J.-M. Thurin et N. Baumann
Le consentement en pratique clinique, par L. Colonna et B. Lachaux
Neuropsychologie du développement, par Cl. M.-J. Braun
La personnalité, par S.C. Cloninger
Dépression : risque suicidaire et indice de gravité, par V. Caillard, M. Bourgeois, P. Cialdella et L. Colonna
Tranquilisants, hypnotiques, vivre avec ou sans ? par P. Lemoine
Je déprime, c'est grave docteur ? par P. Lemoine
Je vais craquer, par H. Cuche et A. Gérard
J'ai mal docteur : comprendre et combattre la douleur, par P. Henry
Comprendre et combattre la migraine, par P. Henry
Soins infirmiers en psychiatrie, par D. Guérinet

Traité de médecine hospitalière, par J.-P. Grünfeld
Principes de médecine interne Harrison, par E. Braunwald, A.S. Fauci, D.L. Kasper, S.L. Hauser, D.L. Longo et J.L. Jameson
Traité de médecine, par P. Godeau, S. Herson et J.-C. Piette
La petite encyclopédie médicale Hamburger, par M. Leporrier
Guide du bon usage du médicament, par G. Bouvenot et C. Caulin
Le Flammarion médical, par M. Leporrier
Dictionnaire français-anglais/anglais-français des termes médicaux et biologiques et des médicaments, par G.S. Hill
L'anglais médical : *spoken and written medical english*, par C. Coudé et X.-F. Coudé

Psychologie

NEUVIÈME ÉDITION

David G. Myers

Hope College
Holland, Michigan

Médecine-Sciences
Flammarion

Crédits des pages de garde (début et fin), par date : 1637, Corbis-Bettmann ; 1859, Granger Collection ; 1878, 1879, 1890, Brown Brothers ; 1893, 1894, Wellesley College Archives ; 1898, Yale University Library ; 1905, Sovfoto ; 1913, 1920, 1933, 1939, Archives of the History of American Psychology, University of Akron ; 1924, Larsen/Watson Papers, Archives of the History of American Psychology, University of Akron ; 1938, Bettmann/Corbis ; 1945, Corbis ; 1951, avec l'autorisation de Carl Rogers Memorial Library ; 1954, Ted Polumbaum/*Life* magazine, © 1968 TimeWarner, Inc. ; 1959, Chris Felver/Archive Images ; 1963, avec l'autorisation de CUNY Graduate School and University Center ; 1966 (Johnson), © Art Shay ; 1966 (Garcia), avec l'autorisation de John Garcia ; 1971, avec l'autorisation d'Albert Bandura, Stanford University ; 1974, Russell Fernald, avec l'autorisation de Stanford University News Service ; 1979, avec l'autorisation d'Elizabeth Loftus, University of California, Irvine ; 1981, avec l'autorisation de Archives, California Institute of Technology ; 1987, Wellesley College Archives ; 1993, Chet Snedden/American Airlines Corporate Communications.

Pour l'édition américaine
Senior Publisher : Catherine Woods. Senior Acquisitions Editor : Kevin Feyen. Executive Marketing Manager : Katherine Nurre. Development Editors : Christine Brune, Nancy Fleming. Media Editor : Peter Twickler. Photo Editor : Bianca Moscatelli. Photo Researcher : Donna Ranieri. Art Director, Cover Designer : Babs Reingold. Interior Designer : Lissi Sigillo. Layout Designer : Lee Mahler-McKevitt. Illustration Researcher : Lyndall Culbertson. Associate Managing Editor : Tracey Kuehn. Illustration Coordinator : Bill Page. Illustrations : TSI Graphics, Keith Kasnot. Production Manager : Sarah Segal. Composition : TSI Graphics. Printing and Binding : RR Donnelley.

Couverture : *La Palme*, 1926 (huile sur toile), par Pierre Bonnard (1867-1947). ©ADAGP Paris 2010
©Phillips Collection, Washington DC, USA/Lauros/Giraudon/The Bridgeman Art Library

Worth Publishers
41 Madison Avenue
New York, NY 10010
www.worthpublishers.com

Les royalties de la vente de cet ouvrage reviennent à la David and Carol Myers Foundation, qui reçoit et distribue les fonds à d'autres organisations caritatives.

ISBN : 978-2-257-00099-6

11, rue Lavoisier
75008 Paris

À Tom Kling, Bill Davis, Rory Baruth et Greg Fallath,
avec toute ma gratitude pour votre soutien amical
tout au long de ces neuf éditions

Traduction française

Neuvième et huitième éditions
Florence Le Sueur-Almosni, traductrice scientifique.

Septième édition
Pierre Ahée, maîtrise de langues, lettres et civilisations étrangères, Paris-Sorbonne ; IUFM d'anglais.
Harold Born, diplômé en langues, lettres et civilisations étrangères mention anglais, en sciences du langage et en psychologie. Université Lumière Lyon II.
Alain Nicolas, M.D., Ph.D., responsable de l'unité d'exploration hypnologique, service universitaire de psychiatrie (Pr. J. Dalery), centre hospitalier Le Vinatier (Lyon), Bron.

Pour l'édition française

Directeur éditorial : Emmanuel Leclerc
Édition : Agnès Aubert
Couverture : Isabelle Godenèche
Composition : Nord Compo, Villeneuve-d'Ascq
Impression : La Tipografica Varese

À propos de l'auteur

David Myers a obtenu son doctorat en psychologie à l'université de l'Iowa. Il a poursuivi une carrière de professeur au Hope College, dans l'État du Michigan, où il a assuré des dizaines de cours d'introduction à la psychologie. Les étudiants du Hope College lui ont demandé de présider la remise des diplômes et l'ont unanimement élu « professeur d'exception ».

Les articles scientifiques de Myers ont été publiés, avec l'appui de la *National Science Foundation*, dans plus d'une vingtaine de périodiques scientifiques dont *Science*, *American Scientist*, *Psychological Science* et *American Psychologist*. Outre ses écrits universitaires spécialisés et ses manuels d'introduction à la psychologie et de psychologie sociale, il vulgarise également la psychologie pour le grand public. Ses écrits ont été aussi publiés dans des dizaines de magazines, allant de *Today's Education* à *Scientific American*. Il est également l'auteur de cinq livres s'adressant au lecteur non spécialiste dont *The Pursuit of Happiness* et *Intuition : Its Powers and Perils*.

David Myers a présidé la Commission aux relations humaines de sa ville, a contribué à la fondation d'un centre dynamique d'aide aux familles dans le besoin, et est intervenu dans des centaines d'universités et auprès de nombreux groupes communautaires. Ayant recours à son expérience, il a également écrit des articles et un livre (*A quiet World*) sur la perte de l'audition et il recommande une transformation de la technologie américaine d'assistance pour les malentendants (*voir* www.hearingloop.org).

Tout au long de l'année, il se rend au travail en vélo et improvise quotidiennement des exercices de basketball pour son plaisir. David et Carol Myers ont deux fils et une fille.

Sommaire abrégé

xvii AVANT-PROPOS À LA PREMIÈRE ÉDITION FRANÇAISE

xix PRÉFACE

1 INTRODUCTION
Histoire de la psychologie

15 CHAPITRE 1
Penser de manière critique grâce à la psychologie scientifique

47 CHAPITRE 2
La biologie de l'esprit

85 CHAPITRE 3
La conscience et les deux voies de l'esprit

133 CHAPITRE 4
L'inné, l'acquis et la diversité humaine

173 CHAPITRE 5
Le développement de l'individu tout au long de sa vie

229 CHAPITRE 6
La sensation et la perception

291 CHAPITRE 7
L'apprentissage

327 CHAPITRE 8
La mémoire

369 CHAPITRE 9
Pensée et langage

405 CHAPITRE 10
L'intelligence

443 CHAPITRE 11
La motivation et le travail

497 CHAPITRE 12
Émotions, stress et santé

553 CHAPITRE 13
La personnalité

593 CHAPITRE 14
Les troubles psychologiques

637 CHAPITRE 15
Traitements

673 CHAPITRE 16
Psychologie sociale

A-1 ANNEXE A
Carrières dans la psychologie

B-1 ANNEXE B
Réponses à « Testez-vous »

G-1 GLOSSAIRE

R-1 RÉFÉRENCES

IN-1 INDEX DES NOMS

IS-1 INDEX DES SUJETS

Sommaire

Avant-propos à la première édition française xvii
Préface xix

1
INTRODUCTION
Histoire de la psychologie

Qu'est-ce que la psychologie ? 2
Origines de la psychologie 2
Développement de la psychologie en tant que science 4
La psychologie contemporaine 6
La grande problématique de la psychologie 7
Les trois principaux niveaux d'analyse de la psychologie 8
Les champs de la psychologie 10
GROS PLAN : Quelques astuces pour bien étudier la psychologie 12

15
CHAPITRE 1
Penser de manière critique grâce à la psychologie scientifique

Le besoin d'une psychologie scientifique 15
L'a-t-on toujours su ? Le biais de l'après-coup 16
La confiance excessive 18
L'attitude scientifique 18
La réflexion (pensée) critique 20
Comment les psychologues posent-ils des questions et y répondent-ils ? 21
La méthode scientifique 21
Description 22
Corrélation 25
Expérimentation 30
Le raisonnement statistique dans la vie quotidienne 33
Décrire des données 34
Établir des inférences 37
Questions souvent posées à propos de la psychologie 38

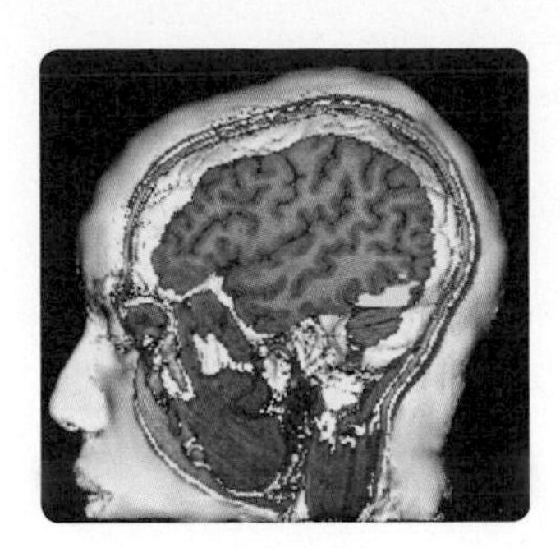

47
CHAPITRE 2
La biologie de l'esprit

Communication neuronale 48
Neurones 49
Comment les neurones communiquent-ils ? 51
Comment les neuromédiateurs nous influencent-ils ? 51
Le système nerveux 55
Le système nerveux périphérique 55
Le système nerveux central 56
Le système endocrinien 58
Le cerveau 60
Les outils de la découverte : l'examen de notre tête 61
Les structures cérébrales les plus anciennes 62
Le cortex cérébral 68
Notre cerveau partagé 75
Différences gauche/droite du cerveau intact 78

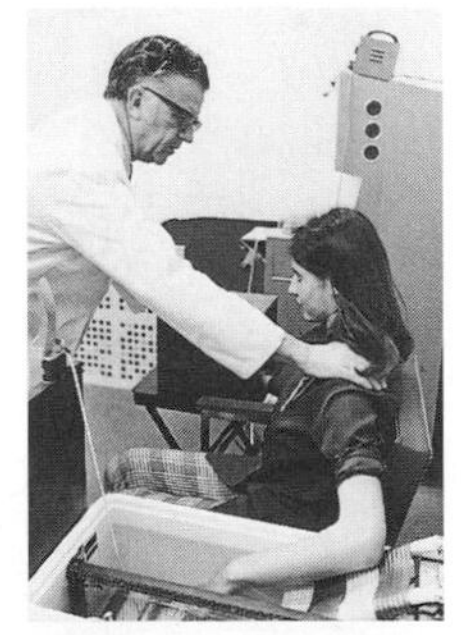

85
CHAPITRE 3
La conscience et les deux voies de l'esprit

Le cerveau et la conscience 86
Neurosciences cognitives 86
Théorie du double processus 87
Le sommeil et les rêves 91
Les rythmes biologiques et le sommeil 92
Pourquoi dormons-nous ? 97
Troubles du sommeil 101
Les rêves 103
Hypnose 108
Faits et mensonges 108
Expliquer l'état d'hypnose 110
Substances psychoactives et conscience 112
Dépendance et addiction 113
Substances psychoactives 114
Facteurs influençant l'usage des substances psychoactives 123
Expériences au seuil de la mort 126

133
CHAPITRE 4
L'inné, l'acquis et la diversité humaine

La génétique du comportement : prédire les différences entre les individus 134
Les gènes : les codes de notre vie 134
Les études de jumeaux et d'adoption 135
Tempérament et hérédité 139
L'héritabilité 140
Interaction entre les gènes et l'environnement 142
La nouvelle frontière : la génétique moléculaire 142
La psychologie évolutionniste : comprendre la nature humaine 143
Sélection naturelle et adaptation 144
La réussite de notre évolution permet d'expliquer nos similitudes 144
Une explication évolutionniste de la sexualité humaine 146
Parents et pairs 149
Les parents et les premières expériences 149
Influence des pairs 152
Les influences culturelles 153
Variations interculturelles 154
Variations au cours du temps 155
La culture et le soi 155
Culture et éducation des enfants 157
Similitudes de développement entre les groupes 158
Développement du genre 159
Similitudes et différences entre les genres 159
Caractères sexuels innés 162
Caractères sexuels acquis 164
Réflexions sur l'inné et l'acquis 166

173
CHAPITRE 5
Le développement de l'individu tout au long de sa vie

Développement prénatal et nouveau-né 173
Conception 173
Développement prénatal 174
Compétences du nouveau-né 175
Première et seconde enfance 177
Développement physique 177
Développement cognitif 179
La théorie de Piaget et les conceptions actuelles 181
GROS PLAN : L'autisme et la « cécité mentale » 186
Développement social 188
Adolescence 196
Développement physique 197
Développement cognitif 199
Développement social 202
Émergence de l'âge adulte 205
Âge adulte 206
Développement physique 207
Développement cognitif 212
Développement social 216
Réflexions sur deux questions majeures en psychologie du développement 223
Continuité et stades du développement 223
Stabilité et changements 224

229
CHAPITRE 6
La sensation et la perception

Sentir le monde : quelques principes de base 230
Seuils 231
Adaptation sensorielle 234
La vue 236
Le stimulus d'entrée : l'énergie lumineuse 236
L'œil 237
Traitement de l'information visuelle 240
Vision des couleurs 243
L'ouïe 245
Le stimulus d'entrée : les ondes sonores 245
L'oreille 246
Perte auditive et culture des Sourds 250
GROS PLAN : Vivre dans un monde silencieux 251
Les autres sens importants 252
Le toucher 252
La douleur 255
Le goût 258
L'odorat 260
Organisation de la perception 263
Perception des formes 264
Perception de la profondeur 266
Perception du mouvement 269
Constance perceptive 269
Interprétation perceptive 272
Privation sensorielle et recouvrement de la vue 273
Adaptation perceptive 274
Cadre perceptif 275
La perception et le facteur humain 279
Existe-t-il une perception extrasensorielle ? 282
Affirmations sur l'existence d'une PES 282
Prémonitions ou prétentions ? 282
Soumettre les PES à des tests expérimentaux 283

291
CHAPITRE 7
L'apprentissage

Comment apprenons-nous ? 291
Conditionnement classique 294
Les expériences de Pavlov 294
Extension des conclusions de Pavlov 299
L'héritage de Pavlov 302
GROS PLAN : Les traumatismes en tant que conditionnement classique 304

Conditionnement opérant 304
Les expériences de Skinner 305
Extension des conclusions de Skinner 311
L'héritage de Skinner 313
GROS PLAN : « Dresser son conjoint » 316
Comparaisons entre le conditionnement opérant et le conditionnement classique 316
Apprentissage par observation 317
Des miroirs dans le cerveau 318
Les expériences de Bandura 319
Les applications de l'apprentissage par observation 320

327
CHAPITRE 8
La mémoire
Le phénomène de la mémoire 327
Étude de la mémoire : les modèles de traitement de l'information 328
L'encodage : l'entrée de l'information 330
Comment nous encodons 330
Ce que nous encodons 333
Le stockage : la conservation de l'information 337
Mémoire sensorielle 337
Mémoire de travail/à court terme 338
Mémoire à long terme 339
Stockage des souvenirs dans le cerveau 340
Le rappel : la sortie de l'information 345
Indices de rappel 346
L'oubli 349
Échec de l'encodage 350
Le déclin du stockage 351
Échec du rappel 352
GROS PLAN : Se rappeler des mots de passe 354
La construction mnésique 356
Effets de la désinformation et de l'imagination 356
Amnésie de la source 358
Discerner les vrais souvenirs des faux 358
Les témoignages oculaires d'enfants 360
Les maltraitances : souvenirs fabriqués ou refoulés ? 361
Améliorer la mémoire 364

369
CHAPITRE 9
Pensée et langage
La pensée 369
Concepts 369
Résoudre des problèmes 371
Prendre des décisions et élaborer des jugements 373
REGARD CRITIQUE SUR : Le facteur « peur » – Avons-nous peur des bonnes choses ? 378
Le langage 382
Structure du langage 383
Développement du langage 384
Cerveau et langage 389
Pensée et langage 391
Le langage influence la pensée 391
Penser en images 393
Le langage et la pensée chez les animaux 395
À quoi pensent les animaux ? 396
Les animaux font-ils preuve d'une capacité de langage ? 398
Le cas des singes anthropoïdes (grands singes) 398
GROS PLAN : Parler avec les mains 399

405
CHAPITRE 10
L'intelligence
Qu'est-ce que l'intelligence ? 405
L'intelligence est-elle une capacité unique et générale ou plusieurs capacités spécifiques ? 406
Intelligence et créativité 410
L'intelligence émotionnelle 412
L'intelligence est-elle mesurable neurologiquement ? 413

Évaluer l'intelligence 415
Les origines des tests d'intelligence 415
Tests modernes des capacités mentales 418
Principes de construction des tests 419
La dynamique de l'intelligence 422
Stabilité ou changement ? 422
Les deux extrêmes de l'intelligence 424
Les influences de la génétique et de l'environnement sur l'intelligence 427
Les études de jumeaux et d'adoption 427
Héritabilité 429
Influences de l'environnement 429
Différences entre groupes dans les résultats aux tests d'intelligence 431
La question des biais 437

443
CHAPITRE 11
La motivation et le travail

Les concepts de la motivation 444
L'instinct et la psychologie évolutionniste 444
Les pulsions et les incitations 445
L'activation optimale 445
Une hiérarchie des motivations 446
La faim 447
La physiologie de la faim 448
La psychologie de la faim 451
Obésité et contrôle du poids 455
GROS PLAN : Gérer son tour de taille 463
Les motivations sexuelles 465
La physiologie sexuelle 465
La psychologie de l'acte sexuel 467
La sexualité chez l'adolescent 469
L'orientation sexuelle 471
Sexe et valeurs humaines 477
Le besoin d'appartenance 478
La motivation au travail 481
GROS PLAN : La psychologie I/O au travail 483
La psychologie du personnel 483
GROS PLAN : Découvrir vos atouts 484
Psychologie organisationnelle : motiver l'accomplissement 487
GROS PLAN : Bien faire tout en faisant du bien : « La grande expérience » 489

497
CHAPITRE 12
Émotions, stress et santé

Théories de l'émotion 498
L'émotion exprimée par le corps 500
Les émotions et le système nerveux autonome 500
Les similitudes physiologiques existant entre les émotions spécifiques 501
Les différences physiologiques existant entre les émotions spécifiques 501
Cognition et émotion 503
REGARD CRITIQUE SUR : La détection du mensonge 504
Exprimer l'émotion 507
Détecter les émotions 508
Genre, émotion et comportement non verbal 509
Culture et expression émotionnelle 511
Les effets des expressions faciales 513
Ressentir l'émotion 514
La peur 516
La colère 518
Le bonheur 519
GROS PLAN : Comment être plus heureux 525
Stress et santé 527
Stress et maladie 527
Le stress et le cœur 532
Stress et vulnérabilité aux maladies 534
Promouvoir la santé 538
Faire face au stress 538
GROS PLAN : Les animaux sont aussi nos amis 541
Gérer le stress 542
REGARD CRITIQUE SUR : Les médecines douces et parallèles 546
GROS PLAN : La réponse de relaxation 547

553
CHAPITRE 13
La personnalité

La perspective psychanalytique 554
Explorer l'inconscient 554

Les théories néo-freudiennes et psychodynamiques 558
Évaluer les processus inconscients 559
Évaluer la perspective psychanalytique 561
La perspective humaniste 564
Abraham Maslow : le développement personnel 565
Carl Rogers : une perspective centrée sur la personne 565
Évaluer le soi 566
Évaluer la perspective humaniste 566
La perspective dimensionnelle (les traits de personnalité) 567
Explorer les traits de personnalité 568
Évaluer les traits de personnalité 570
Les cinq facteurs de la personnalité : le « *Big Five* » 571
REGARD CRITIQUE SUR : Comment être un astrologue ou un chiromancien « à la mode » 572
Évaluer la perspective dimensionnelle 573
La perspective sociocognitiviste 576
Influences réciproques 577
Contrôle personnel 578
GROS PLAN : Vers une psychologie plus positive 581
Évaluer le comportement en situation 583
Évaluer la perspective sociocognitiviste 584
Explorer le soi 584
Les bienfaits de l'estime de soi 585
Biais d'autosatisfaction 586

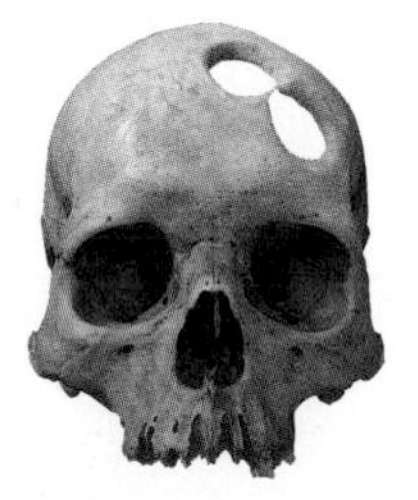

593
CHAPITRE 14
Les troubles psychologiques

Vue d'ensemble des troubles psychologiques 594
Définir les troubles psychologiques 594
REGARD CRITIQUE SUR : TDAH – hyperactivité normale ou véritable trouble ? 595
Comprendre les troubles psychologiques 596
Classer les troubles psychologiques 597
GROS PLAN : Le « non-DSM » : manuel diagnostique des aptitudes humaines 599
Étiqueter les troubles psychologiques 599
REGARD CRITIQUE SUR : La folie et la responsabilité 601
Troubles anxieux 601
Trouble de l'anxiété généralisée 602
Trouble panique 602
Phobies 603
Troubles obsessionnels compulsifs 603
Le syndrome de stress post-traumatique 604
Comprendre les troubles anxieux 606
Troubles somatoformes 608
Troubles dissociatifs 609
Trouble dissociatif de l'identité 609
Comprendre le trouble dissociatif de l'identité 610
Troubles de l'humeur 611
Trouble dépressif majeur 612
Trouble bipolaire 612
Comprendre les troubles de l'humeur 614
GROS PLAN : Le suicide 616
Schizophrénie 621
Symptômes de la schizophrénie 622
Apparition et développement de la schizophrénie 623
Comprendre la schizophrénie 624
Troubles de la personnalité 628
Trouble de la personnalité antisociale 629
Comprendre le trouble de la personnalité antisociale 629
Prévalence des troubles psychologiques 631

637
CHAPITRE 15
Traitements

Les thérapies psychologiques 638
Psychanalyse 638
Thérapies humanistes 641
Thérapies comportementales 642
Thérapies cognitives 646
Thérapies de groupe et thérapies familiales 649
Évaluation des psychothérapies 650
La psychothérapie est-elle efficace ? 651
REGARD CRITIQUE SUR : « Régresser » de l'anormal à la normale 652
L'efficacité relative des différentes thérapies 654
Évaluer les médecines parallèles 655
Caractères communs aux différentes psychothérapies 657
Culture et valeurs en psychothérapie 658
GROS PLAN : Un guide des psychothérapeutes 659
Les traitements biomédicaux 660
Traitements pharmacologiques 660
Stimulation cérébrale 664
Psychochirurgie 667
Modification thérapeutique du mode de vie 667
Prévenir les troubles psychologiques 668

673
CHAPITRE 16
Psychologie sociale

Pensée sociale 673
Attribuer un comportement aux personnes ou aux situations 673
Attitudes et actions 675
GROS PLAN : La prison d'Abu Ghraib : une « situation engendrant l'atrocité » ? 678
Influence sociale 680
Conformisme et soumission 680
Influence du groupe 687
Le pouvoir des individus 690
Relations sociales 691
Préjugés 691
GROS PLAN : Les préjugés automatiques 693
Agressivité 698
GROS PLAN : Une comparaison entre l'effet du tabagisme et l'effet de la violence dans les médias 704
Attirance 705
GROS PLAN : Mise en relation en ligne et *speed dating* 706
Altruisme 712
Conflits et médiation 714

A-1
ANNEXE A
Carrières dans la psychologie

Se préparer à une carrière de psychologie A-1
La licence A-1
Diplômes de troisième cycle A-3
Les domaines de la psychologie A-5
Se préparer tôt pour des études supérieures en psychologie A-9
Pour plus d'informations A-10

B-1
ANNEXE B
Réponses à « Testez-vous »

Glossaire G-1
Références R-1
Index des noms IN-1
Index des sujets IS-1

WEB

Vous pouvez trouver des QCM d'auto-évaluation et bien d'autres ressources sur le site www.worthpublishers.com/myers

Avant-propos à la première édition française

Cette première édition française du *Psychology* de David Myers est la traduction de la 4e édition américaine. *Psychology* a connu un succès considérable aux États-Unis (plus d'un million d'exemplaires vendus depuis la 1re édition en 1986) et dans le monde entier. Cet ouvrage et le matériel pédagogique qui l'accompagne sont devenus, au fil des années, une référence universitaire. Ce succès, inhabituel pour un ouvrage académique, est sans doute lié à sa forme très attractive, richement illustrée, mais aussi sans doute au souci de Myers de s'adresser aux lecteurs en confrontant sa réflexion de psychologue avec les questions que se posent habituellement tout un chacun à propos de la psychologie. Jetant un pont entre le sens commun et la psychologie académique et en privilégiant la simplicité de l'expression, *Psychologie* de Myers s'adresse, non seulement aux étudiants en psychologie, mais aussi à un public plus large intéressé par la discipline sur un plan professionnel ou désirant simplement se familiariser avec les bases de la psychologie.

Le principal intérêt de traduire ce livre en français réside non seulement dans le fait qu'il n'existe pas d'équivalent dans la littérature francophone, mais surtout dans l'originalité du travail de Myers qui a su réunir en un seul volume l'ensemble des champs explorés par la psychologie moderne.

Psychologie, en effet, est un **traité de psychologie générale** qui passe en revue les nombreuses questions de la discipline et propose un large panorama des connaissances issues de la recherche fondamentale et de la recherche appliquée. Les grandes controverses qui animent les débats du monde de la psychologie sont exposées et largement argumentées tout au long du livre. *Psychologie* décrit, au fur et à mesure des thèmes abordés, les méthodes d'investigation classiques ou modernes utilisées par les psychologues et expose les différents résultats obtenus avec un grand souci d'objectivité. Chaque proposition est discutée et soumise à la réflexion du lecteur. Myers s'inscrit résolument dans le courant de la **psychologie scientifique**, et ce, quel que soit le champ psychologique traité. Il replace la discipline entre les sciences humaines et les neurosciences en ébauchant les contours d'une identité spécifique. Il propose une réflexion sur la place des psychologues et de la psychologie dans la société d'aujourd'hui.

Psychologie est un formidable **outil pédagogique**, qui interroge le lecteur, qui suscite sa curiosité, qui l'encourage à faire des liens entre les différents thèmes abordés et entre ses propres expériences et les données objectives énoncées.

Comme le souligne Myers tout au long de son livre la culture nous influence, mais nous avons délibérément choisi de rester le plus proche possible du texte original en conservant les nombreux exemples empruntés à la culture américaine qui illustrent son propos, n'ayant pas rencontré de difficulté notable de compréhension tant, peut-être, nous sommes familiarisés avec celle-ci. D'autre part, nous avons constaté que, comme dans d'autres domaines, les préoccupations de la société américaine avaient tendance à nous concerner avec un certain retard comme vous pourrez vous en rendre compte à la lecture du livre pour des sujets tels que les abus sexuels, la violence dans les médias ou les rapports entre communautés ethniques.

La terminologie, elle, a fait l'objet de trois traitements différents :

1. soit elle a été conservée telle quelle, en anglais, lorsqu'il nous est apparu qu'il n'y avait pas d'équivalent en français et que le terme était largement utilisé, en anglais, dans la littérature francophone ;

2. soit le terme a été traduit en français, en conservant le terme anglais entre parenthèses, afin d'aider ceux qui désirent approfondir un sujet ou faire des recherches bibliographiques dans la littérature internationale ;
3. soit enfin, nous avons proposé une nouvelle traduction, dans de rares cas, plus proche de l'anglais en indiquant le terme français classiquement utilisé en note de bas de page.

Les références bibliographiques citées par l'auteur ont été conservées en anglais afin d'habituer les lecteurs, comme dans d'autres disciplines scientifiques, à cette langue devenue incontournable pour échanger au niveau international. Il est à noter, cependant, qu'un certain nombre de ces références sont disponibles en français et qu'elles peuvent être facilement retrouvées à partir des banques de données bibliographiques.

Après avoir lu *Psychologie*, vous aurez, nous semble-t-il, une bonne vision d'ensemble de ce qu'est la psychologie aujourd'hui, qui se définit comme la science du comportement et des processus mentaux, une science riche, vivante, aux multiples facettes et qui se modifie au contact de l'environnement.

Thierry HERGUETA

Préface

Chaque nouvelle édition m'amène à parcourir un chemin familier. Lorsqu'elle est publiée, je me sens soulagé après plusieurs mois de travail intense, et je frémis à la pensée qu'elle est certainement ce que j'ai fait de mieux. Mais très vite, à mesure qu'arrivent les résultats de nouvelles recherches donnant plus de détails sur les nouveaux concepts présentés dans cette nouvelle édition, que des enseignants et des élèves ayant beaucoup réfléchi commencent à m'écrire en me suggérant des améliorations, et enfin que des résultats d'enquêtes et des révisions commencent à arriver, je commence à réfléchir de nouveau sur l'apparente perfection de l'édition actuelle. Plus ma petite armoire où je stocke tous les chapitres les uns après les autres commence à se remplir de nouveaux matériaux, plus je deviens impatient d'écrire l'édition suivante. Au moment où la nouvelle édition est sur le point d'être publiée, je grimace en pensant aux personnes qui utilisent l'ancienne édition qui un jour me sembla si parfaite !

La neuvième édition de *Psychologie* ne fait pas exception à la règle, elle présente tellement d'améliorations par rapport à la précédente ! Je me réjouis de vous présenter les modifications suivantes :

- environ ***1 300 nouvelles recherches citées*** représentant les nouvelles découvertes les plus intéressantes et importantes de notre domaine ;
- des ***modifications de l'organisation*** fondées sur des changements dans ce domaine (par exemple, l'ancien chapitre « Conscience », largement remanié, suit maintenant le chapitre sur les neurosciences et est intitulé « La conscience et les deux voies de l'esprit » pour refléter les thèmes du double traitement de l'information et des neurosciences cognitives) ;
- une ***rédaction précise*** avec d'innombrables améliorations plus ou moins importantes dans la manière dont sont présentés les concepts, soutenue par la contribution et les idées créatives de centaines de professeurs et d'étudiants et par les auteurs qui travaillent depuis longtemps avec moi ;
- une ***nouvelle manière d'exposer*** et une ***nouvelle pédagogie*** pour un enseignement plus efficace ;
- un traitement plus approfondi ***des questions portant sur la diversité culturelle et sexuelle*** ;
- du fait de la demande du public, ***moins de chapitres***, l'ancienne version contenant 18 chapitres ayant été réduite à 16 seulement ;
- et environ ***50 pages de moins***.

Je suis moi-même fasciné par la psychologie contemporaine qui étudie la neuroscience de nos humeurs et de notre mémoire, l'étendue de notre inconscient adaptatif et le pouvoir de modelage du contexte socioculturel. La science de la psychologie est de plus en plus à l'écoute des effets relatifs de la nature et de la culture (de l'innée et de l'acquis), de la diversité sexuelle et culturelle, de notre traitement de l'information conscient et inconscient et de la biologie qui soustend notre comportement (*voir* Tableaux 1 et 2).

J'éprouve un sentiment de gratitude envers le privilège de pouvoir enseigner cette discipline d'ouverture d'esprit à tous ces étudiants, dans tous ces pays, à l'aide de tant de langues différentes. Être chargé de percevoir les connaissances de la psychologie et de les communiquer, c'est à la fois un grand honneur et une grande responsabilité.

Les milliers de professeurs et les millions d'étudiants dans le monde entier qui ont lu cet ouvrage ont apporté une contribution inestimable à son développement. Dans la plupart des cas, cela s'est fait spontanément par le biais de conversations ou de correspondances. Pour cette édition, nous avons également impliqué officiellement plus de 300 psychologues, chercheurs ou enseignants, ainsi que de nombreux étudiants afin de réunir des informations précises et actuelles dans le domaine de la psychologie et d'adapter le contenu et la pédagogie aux besoins des enseignants et des étudiants qui suivent ce cours d'introduction à la psychologie. Nous attendons vos réactions car nous nous efforçons à chaque nouvelle édition d'élaborer un ouvrage encore meilleur.

TABLEAU 1 Psychologie évolutionniste et génétique comportementale

*La **perspective évolutionniste** de la psychologie, traitée au chapitre 4, est également traitée dans les pages suivantes :*

Adaptation perceptive, pp. 274-275
Adaptation sensorielle, pp. 234-235
Amour, pp. 217-218
Aptitude à détecter les émotions, p. 432
Aptitudes mathématique et spatiale, p. 433
Attirance, p. 706
Besoin d'appartenance, pp. 478-479
Conscience, p. 86
Darwin, Charles, pp. 7, 416
Dépression, pp. 656, 657
Détection des caractéristiques, p. 241
Émotion, pp. 378-379, 512, 513, 517
Excès de confiance, p. 377
Exercice physique, p. 544
Faim et préférence de goût, pp. 451-452
Goût, p. 259
Instincts, pp. 444-445
Intelligence, pp. 407-408, 416, 434-437
Langage, pp. 383, 386-387
Ménopause, p. 208
Obésité, p. 456
Odorat, p. 263
Orientation sexuelle, p. 475
Ouïe, p. 245
Perspective évolutionniste, définie, p. 9
Peur, pp. 378-379, 516-517
Prédispositions biologiques dans l'apprentissage, pp. 299-302, 313
Préférences d'accouplement, pp. 147-149
Puberté, début de, pp. 205-206
Sensation, p. 230
Sexualité, pp. 147-149, 465
Sommeil, pp. 93, 100
Théorie de la détection du signal, pp. 231-232
Tronc cérébral, pp. 63-64
Troubles anxieux, pp. 606-607
Vieillissement, p. 209

*La **génétique comportementale**, traitée au chapitre 4, est également traitée dans les pages suivantes :*

Agressivité, p. 698
Amour romantique, p. 218
Apprentissage, pp. 299-302, 313
Bonheur, pp. 524-526
Caractères, p. 430
Dépendance aux substances psychoactives, p. 124
Développement moteur, p. 178
Émotion et cognition, pp. 503-506
Faim, préférence de goût, pp. 451-452
Intelligence, pp. 396-397, 413, 424-430
Langage, p. 387
Mauvais traitements, transmission intergénérationnelle des, p. 321
Mémoire, pp. 339, 341
Obésité et contrôle du poids, p. 460
Odorat, pp. 260-263
Orientation sexuelle, pp. 474-475
Perception, pp. 272-281
Perception de la profondeur, p. 266
Peur, pp. 516-517
Pulsions et incitations, p. 445
Sexualité, p. 465
Stress, personnalité, et maladies, pp. 532, 544
Traitements biomédicaux, pp. 660-668
Traits de personnalité, pp. 569-572
Troubles alimentaires, p. 454
Troubles psychologiques :
- perspective biopsychosociale, pp. 596-597
- schizophrénie, pp. 624-627
- TDAH, p. 595
- troubles anxieux, p. 607
- troubles de l'humeur, pp. 615-616
- troubles de la personnalité, pp. 610-611, 629-630

Usage de drogues, pp. 123-125

TABLEAU 2 Neurosciences

*Les **neurosciences** sont traitées au chapitre 2, ainsi que dans les pages suivantes :*

Agressivité, pp. 698-699
Activité cérébrale et
- démence et Alzheimer, pp. 211-212, 341
- émotion, pp. 199, 262-263, 341-342, 501-502, 506-507
- maladie, p. 250
- rêves, pp. 103-105
- sommeil, pp. 92-96
- vieillissement, pp. 210-211, 214-216, 350

Apprentissage de la peur, pp. 607-608
Autisme, p. 186
Biofeedback, pp. 544-545
Conscience, p. 88
Dépendance aux substances psychoactives, p. 124
Développement cérébral :
- adolescence, pp. 198-199
- différentiation sexuelle dans l'utérus, p. 163
- expérience et, pp. 149-150
- première et seconde enfance, p. 177

Douleur, pp. 255-258
- sensation du membre fantôme, pp. 256-257

Émotion et cognition, pp. 503-507
Faim, pp. 449-451
Hallucinations et :
- expériences au seuil de la mort, pp. 127-128
- hallucinogènes, pp. 121-122
- sommeil, pp. 105-106

Hormones et :
- contrôle du poids, pp. 449-451
- développement, pp. 162-163, 197-199
- émotion, pp. 500-501
- mauvais traitements, p. 192
- mémoire, pp. 341-342
- sexe, pp. 162-163, 197-198, 207, 465, 500
- stress, pp. 500, 517, 528-530, 532, 534, 542

Intelligence, pp. 413-415, 428
Intuition, pp. 371-372
Langage animal, p. 396
Langage, pp. 388-390
- apprentissage statistique, pp. 387-388

Mémoire
- sommeil, pp. 100-101, 105
- stockage physique de, pp. 340-341, 342-345

Neurones miroirs, p. 323
Neurotransmetteurs et
- dépression, pp. 596, 617-618
- drogues, pp. 114-115, 116-120
- exercice physique, p. 544
- mauvais traitements sur les enfants, p. 192
- narcolepsie, p. 102
- schizophrénie, pp. 624-625, 627
- traitements biomédicaux :
  - dépression, pp. 617-618, 662-664
  - électroconvulsivothérapie, pp. 664-666
  - psychochirurgie, p. 667
  - schizophrénie, pp. 624, 661
  - troubles obsessionnels compulsifs, pp. 648-649, 667
- troubles anxieux, pp. 607-608, 661-662
- troubles obsessionnels compulsifs, pp. 648-649, 667

Orientation sexuelle, pp. 474-477
Perception
- détection de caractéristiques, p. 241
- lésion cérébrale et, pp. 241, 242
- traitement de l'information visuelle, pp. 240-243
- transduction, p. 150
- vision de la couleur, pp. 243-245

Perspective neuroscientifique, définie, p. 9
Schizophrénie et anomalies cérébrales, pp. 624-625, 627
Sensation :
- adaptation sensorielle, p. 236
- goût, pp. 258-260
- odorat, pp. 260-263
- ouïe, pp. 248-250
- position du corps et mouvement, p. 254
- surdité, pp. 250-252
- toucher, pp. 252-254

Sommeil :
- mémoire et, pp. 100-101
- récupération pendant, p. 100

Syndrome d'alcoolisme fœtal et anomalies cérébrales, p. 175
Traitement parallèle/traitement en série, p. 242
Trouble de la personnalité antisociale, pp. 629-630

Qu'avons-nous gardé ? Quelles sont les nouveautés ?

Ma vision de *Psychologie* n'a cependant guère changé au cours des neuf éditions que compte cet ouvrage : *combiner une approche scientifique rigoureuse à une perspective humaine ouverte dans un livre qui engage à la fois le cœur et l'esprit.* Mon but a toujours été de créer un ouvrage moderne d'introduction à la psychologie, rédigé avec sensibilité, correspondant aux besoins et aux intérêts des étudiants. Mon aspiration est de pouvoir aider les étudiants à comprendre et à apprécier le caractère extraordinaire des phénomènes importants de leur vie. Je souhaite transmettre également l'esprit de curiosité inlassable avec lequel les psychologues *font* de la psychologie. L'étude de la psychologie, à mon avis, permet d'améliorer la capacité à contrôler notre intuition par la réflexion critique, de remplacer le jugement trop catégorique par la compassion, et l'illusion par la compréhension.

Ayant à l'esprit la pensée de Thoreau, selon laquelle « tout ce qui vit peut être exprimé aisément et naturellement à l'aide d'un langage simple », je cherche à transmettre le savoir de la psychologie en utilisant le style narratif précis et vivant du conte. En tant qu'auteur unique de cet ouvrage, je tiens à transmettre l'histoire de la psychologie de manière chaleureuse et personnelle tout en restant rigoureusement scientifique. J'aime beaucoup réfléchir aux rapports entre la psychologie et d'autres domaines tels que la littérature, la philosophie, l'histoire, le sport, la religion, la politique et la culture populaire. J'aime aussi tout ce qui suscite la réflexion, j'aime jouer avec les mots, et j'aime rire.

Les huit principes directifs

Malgré tous les changements importants, cette nouvelle édition garde le ton des précédentes ainsi qu'une grande partie de leur contenu et de leur organisation. Elle conserve aussi les objectifs, ou principes directifs, qui ont animé les huit précédentes éditions :

1. **Illustrer le processus d'enquête** Je m'efforce de ne pas montrer seulement à mes étudiants le résultat des recherches, mais comment le processus de recherche fonctionne. Le livre tente, d'un bout à l'autre, d'exciter la curiosité du lecteur. Les lecteurs sont invités à s'imaginer participer aux expérimentations classiques. Plusieurs chapitres parlent des travaux de recherche comme de mystères qui livreraient progressivement leurs secrets alors que les indices se mettent en place un par un (*voir*, par exemple, l'histoire de la recherche concernant la manière dont notre cerveau traite le langage, pp. 386-388).
2. **Enseigner la pensée critique** En présentant la recherche comme un travail intellectuel de détective, j'illustre une disposition d'esprit qui se veut curieuse, analytique. Que les étudiants étudient le développement, la cognition ou les statistiques, ils se sentiront vite concernés par la réflexion critique et en verront les bienfaits. De plus, ils découvriront combien une approche empirique peut les aider à se faire une opinion sur les idées et les prétentions contradictoires à propos de phénomènes hautement médiatisés (allant de la persuasion subliminale à la perception extrasensorielle, en passant par les médecines douces, l'astrologie, la régression sous hypnose, et les processus de refoulement et de récupération des souvenirs).
3. **Mettre les faits au service des concepts** Mon intention n'est pas de remplir le tiroir à dossiers intellectuels des étudiants avec des faits, mais de mettre à jour les concepts majeurs de la psychologie (afin d'enseigner aux étudiants comment réfléchir et leur soumettre des idées psychologiques sur lesquelles cela vaut vraiment la peine de réfléchir). Dans chaque chapitre, je mets l'accent sur ces concepts en espérant que les étudiants les fassent leur et ne les oublient pas après la fin du cours. J'essaie toujours de suivre la maxime d'Albert Einstein qui dit que « tout peut être fait aussi simplement que possible, mais pas de manière simpliste ». Les questions « Testez-vous » à la fin de chaque partie principale insistent sur le message à ramener chez soi transmis par cette partie.
4. **Être à jour autant que possible** Peu de chose refroidit aussi rapidement l'intérêt des étudiants que le sentiment de lire des nouvelles périmées. Tout en conservant les concepts et les connaissances classiques de la psychologie, je présente aussi les développements les plus récents de cette discipline. Plus de 600 références, dans cette édition, datent de 2007 ou de 2008.
5. **Mettre en relation les principes et leur mise en application** Tout au long de l'ouvrage (aux moyens d'anecdotes, de présentations de cas ou d'expositions de situations

hypothétiques), je mets en relation les découvertes de la recherche fondamentale avec leurs applications et implications. Là où la psychologie peut faire la lumière sur des problématiques humaines qu'il est urgent de traiter (que ce soit le racisme, le sexisme, la santé et le bonheur ou la violence et la guerre), je n'hésite pas à me servir de son éclairage. Les questions « Interrogez-vous » à la fin de chaque partie principale encouragent les étudiants à appliquer les concepts présentés à leur propre vie pour rendre les chapitres présentés plus significatifs et faciliter leur mémorisation.

6. **Améliorer la compréhension par la continuité** La plupart des chapitres traitent de sujets spécifiques, de thèmes qui unissent les sous-thèmes, formant un fil directeur qui relie les chapitres entre eux. Le chapitre sur l'apprentissage veut faire admettre l'idée que les penseurs aux idées hardies sont des pionniers dans le domaine intellectuel. Le chapitre sur la pensée et le langage soulève le problème de la rationalité et de l'irrationalité humaine. Le chapitre sur les troubles psychologiques manifeste de l'empathie et de la compréhension pour ces vies tourmentées. « L'uniformité d'un travail, observe Edward Gibbon, dénote la main d'un unique artiste. » Comme ce livre est le fait d'un seul auteur, les autres fils, tels que les neurosciences cognitives, le double traitement des informations et la diversité culturelle et sexuelle, sont tissés tout au long du livre, et les étudiants entendent une voix cohérente.
7. **Renforcer l'apprentissage à chaque étape** Les exemples tirés du quotidien et les questions rhétoriques encouragent les étudiants à traiter les documents de manière active. Des concepts introduits précédemment sont fréquemment appliqués et, par conséquent, renforcés dans les chapitres ultérieurs. Par exemple, au chapitre 3, les étudiants apprennent qu'une grande partie du traitement de l'information se passe *en dehors* de notre perception consciente. Les chapitres suivants renforcent ce concept. Les questions d'apprentissage, les tests d'auto-évaluation, les définitions en marge et la liste des concepts-clés en fin de chapitre aident les étudiants à maîtriser les concepts et les termes importants.
8. **Communiquer le respect pour la diversité et l'harmonie humaine** En particulier dans le chapitre 4, « L'inné, l'acquis et la diversité humaine », mais aussi tout au long de ce livre, les lecteurs trouveront des preuves de parenté chez les hommes (notre héritage biologique commun, les mécanismes d'observation et d'apprentissage que nous avons en commun, les phénomènes de faim, d'amour et de haine, les sentiments). Ils comprendront mieux aussi les dimensions de notre diversité (notre diversité *individuelle* en évolution et en aptitudes, en tempérament et en personnalité, en maladie et en santé ; et notre diversité *culturelle* en attitudes et en manières de s'exprimer, l'éducation des enfants, l'attention portée aux personnes âgées, et les priorités de la vie).

Un traitement plus approfondi des questions portant sur la diversité culturelle et sexuelle

Cette édition présente une approche transculturelle encore plus approfondie de la psychologie (TABLEAU 3) se reflétant par les résultats des recherches, les exemples de textes et les photographies. L'étude de la psychologie de l'homme et de la femme est intégrée à l'ensemble de l'ouvrage (*voir* TABLEAU 4). De plus, j'ai travaillé pour proposer une approche de la psychologie qui s'affranchisse des frontières et soit adaptée à nos étudiants cosmopolites. C'est pourquoi je cherche aux quatre coins du monde des résultats de travaux de recherches, des textes, des photographies, des exemples, conscient que mes lecteurs pourraient habiter Melbourne, Sheffield, Vancouver ou Nairobi. Les exemples nord-américains et européens se trouvent facilement, étant donné que j'habite aux États-Unis et que je suis en contact avec des collègues et amis vivant au Canada, que je suis abonné à de nombreux périodiques européens et que je réside régulièrement au Royaume-Uni. Cette édition, par exemple, présente 61 exemples explicitement canadiens et 151 exemples britanniques, ainsi que 72 mentions issues d'Australie et de Nouvelle-Zélande. Nous sommes tous citoyens d'un monde qui se réduit, du fait de l'augmentation des migrations et de l'importance croissante de l'économie mondiale. Ce qui fait que les étudiants américains bénéficient aussi d'informations et d'exemples qui internationalisent leur conscience du monde. Et si la psychologie cherche à expliquer le comportement *humain* (et pas seulement le comportement américain, canadien ou australien), plus l'appréhension de ce monde est large, plus notre image des êtres le peuplant sera juste. Mon but est de révéler le monde à tous les étudiants, au-delà de leur propre

TABLEAU 3 CULTURE ET EXPÉRIENCE MULTICULTURELLE

De l'introduction jusqu'au chapitre 16, les problématiques liées à la ***culture et à l'expérience multiculturelle*** *sont abordées dans les rubriques suivantes :*

Agressivité, pp. 698, 701, 702
Cannabis et alcoolisme, pp. 304-305
Apprentissage par observation :
 regarder la télévision, p. 193
 télévision et agressivité, pp. 321-323
Attirance, pp. 146-148, 705-706, 708
Attirance sexuelle, pp. 146-147
Besoin d'appartenance, pp. 478-479
Biais d'autosatisfaction, pp. 587, 588
Biais de l'après-coup, pp. 16-17
Bonheur, pp. 525, 526
Choc des cultures, pp. 154, 530, 580
Classement en catégories, p. 370
Colère, pp. 518-519
Conformisme, pp. 680-681, 682, 683
Contrôle du poids, p. 452
Culture et effet de contexte, p. 278
Culture et le soi, pp. 155-157
Culture des sourds, pp. 74, 78, 250-252, 385, 387-388, 393, 398, 399
Dépression, p. 616
Développement :
 adolescence, p. 197
 attachement, pp. 191-194
 développement cognitif, pp. 186-187
 développement moral, p. 201
 développement social, p. 191
 éducation des enfants, pp. 157-158
 similitudes du développement, p. 185
Différentes façons de diriger, p. 492
Diversité/parenté de l'être humain, pp. 41, 153-158
Effet de la culture sur le comportement, pp. 40-41, 141
Effet de Flynn, pp. 420-421
Émotion :
 aptitude à détecter les, pp. 508-509
 expérience et, pp. 515, 518-519
 expression des, pp. 510, 511-513
Espace personnel, p. 154
Espérance de vie, pp. 208-209
Estime de soi, p. 256
Éthique de la recherche animale, pp. 40-42
Flux, p. 482
Faim, p. 452
Genre
 réseau social, p. 201
 rôles sexués, pp. 164-166
Griefs, expression des, p. 222
Histoire de la psychologie, pp. 2-6
Homosexualité, vues sur l', p. 23
Horloge sociale, p. 217
Idéal corporel, pp. 454, 456
Individualisme/collectivisme, pp. 155-158
Intelligence, pp. 419-421, 434-437
 biais, pp. 437-438
Langage, pp. 153, 383, 384-385, 391-393
Management participatif (ou coopératif), pp. 492-493
Mariage, p. 218
Méditation, p. 547
Mémoire, encodage, pp. 336, 351
Ménopause, p. 208
Normes culturelles, pp. 154, 164-165
Obésité, pp. 460-461
Orientation sexuelle, pp. 471-473
Parapsychologie, p. 282
Perception de l'ennemi, p. 716
Personnalité, p. 578
Personnes ayant un handicap, p. 521
Perspective socioculturelle, pp. 8-11
Peur, p. 379
Préférences d'accouplement, pp. 147-148
Préférences gustatives, p. 452
Préjugé, pp. 691-697
Prototype du préjugé, p. 371
Psychothérapie :
 culture et valeur dans la, pp. 658-659
 technique de l'EMDR, p. 656
Psychanalyse, p. 639
Puberté et indépendance à l'âge adulte, pp. 205-206
Punition corporelle, p. 311
Quitter le nid, pp. 205-206
Régime, p. 457
Relations parents et pairs, pp. 204-205
Risques médicaux, p. 435
Rythme de vie, pp. 25, 154
Satisfaction de la vie, pp. 522-525
Sexualité chez l'adolescent, pp. 469-471
Sida, pp. 381, 536-549
Stress :
 adaptation à une nouvelle culture, p. 530
 pauvreté et inégalité/espérance de vie, pp. 539, 540
 racisme et, p. 531
Substances psychoactives, effets psychologiques des, pp. 114, 116
Suicide, p. 616
Taux de troubles mentaux, p. 631
Tester les biais, pp. 437-438
Troubles psychologiques :
 personnalité antisociale, p. 630
 schizophrénie, pp. 597, 623
 susto, pp. 596-597
 taijin-kyofusho, p. 597
 trouble dissociatif de l'identité, p. 610
 troubles de l'alimentation, pp. 454, 596
Vieillissement de la population, pp. 208-209

Voir aussi chapitre 16, « Psychologie sociale », pp. 672-721

TABLEAU 4 PSYCHOLOGIE DES HOMMES ET DES FEMMES

La ***psychologie des hommes et des femmes*** *est traitée aux pages suivantes :*

Abus sexuel, pp. 145, 192, 542
Agressivité, pp. 699
Agressivité sexuelle, p. 116
Alcool et dépendance, p. 115
Alcoolisme, pp. 114-116
Amour romantique, pp. 710-712
Apporter de l'aide, p. 713
Aptitude à détecter les émotions, pp. 432, 508-511
Attirance, pp. 705-712
Attirance sexuelle, pp. 146-148
Autisme, p. 186
Bonheur, pp. 520, 526
Cerveau sexué, pp. 163, 454, 465, 468, 476-477
Changements du développement physique, pp. 207-208
Contenu des rêves, p. 104
Crise du milieu de vie, pp. 216-217
Dépression, pp. 533, 612, 619
Discrimination envers les gens ayant une surcharge pondérale, pp. 457-458
Emploi générique du pronom il, pp. 392-393
Espérance de vie, pp. 208-209, 548
Expression des émotions, pp. 508-509
Fantasmes sexuels, pp. 467, 469
Femmes et psychologie, p. 4
Femmes et travail, p. 219
Genre et éducation de l'enfant, pp. 165-166, 453, 471
Grief, p. 221
Hormones et
 agressivité, p. 699
 comportement sexuel, pp. 466-467
 développement sexuel, pp. 162-163, 197-199
Image du corps, p. 454
Intelligence, pp. 432-434
 biais, pp. 437-438
Maladie cardiaque, pp. 532-533
Mariage, pp. 218-219, 541
Maturation, pp. 197-199
Ménarche, p. 198
Ménopause, pp. 207-208
Nid vide, p. 219
Obésité, pp. 456-457
Odorat, p. 262
Orientation sexuelle, pp. 471-477
Perspective freudienne, pp. 556, 561
Pornographie, pp. 468, 702-703
Préjugé, pp. 371, 692-694
Préjugés du genre, p. 692
Rendez-vous, p. 706
Régime alimentaire, pp. 457, 462
Religiosité, p. 548
Réseau social, p. 541
Rôles sexués, pp. 164-165
Schizophrénie, pp. 623-624
Sexe biologique/genre, pp. 162-163
Sexualité, pp. 146-147, 465-469
Soins paternels, pp. 191, 471
Sommeil, p. 98
Sommeil REM, éveil lors du, p. 94
Stéréotype, p. 278
Stress, pp. 532-537
 abus sexuel et, p. 542
 dans le mariage, p. 541
 réponse, pp. 529-530
Substances psychoactives et dépendances, p. 117
Suicide, pp. 616-617
Syndrome du savant, p. 407
Système immunitaire, p. 534
Tabagisme, p. 175
TDAH, p. 595
Troubles de l'alimentation, pp. 453-455
Troubles psychologiques, taux de, p. 632
Troubles sexuels, p. 466
Variation du comportement en fonction du sexe, p. 40
VIH, vulnérabilité au, p. 536
Viol, pp. 304, 333, 697, 700, 702-703

Voir aussi chapitre 16, « Psychologie sociale », pp. 672-721 culture. C'est pourquoi je continue à faire bon accueil à toutes les informations et toutes les suggestions de mes lecteurs.

Le débat sur la pertinence de la diversité culturelle et sexuelle commence à la première page du premier chapitre et se poursuit tout au long du livre. ***Le chapitre 4, intitulé « L'inné, l'acquis et la diversité humaine »***, se concentre sur ce thème et encourage les étudiants à apprécier les différences et les ressemblances entre les cultures et entre les sexes, et à considérer l'interaction entre notre nature et notre culture (l'inné et l'acquis).

Un éclairage particulier sur les niveaux d'analyse biologique, psychologique et socioculturel en psychologie

Cette neuvième édition explore les influences biologiques, psychologiques et socioculturelles sur notre comportement. Une nouvelle partie importante du chapitre « Introduction » présente l'approche par niveaux d'analyse, préparant le terrain pour les chapitres ultérieurs. Les figures sur les niveaux d'analyse que l'on trouvera dans plusieurs chapitres aideront les étudiants à comprendre les concepts selon le contexte biopsychosocial.

Une plus grande sensibilité vis-à-vis de la perspective clinique

Avec l'aide de mes collègues psychologues et cliniciens, j'ai pris davantage conscience de l'aspect clinique de divers concepts de la psychologie. Cela est particulièrement sensible, entre autres, dans les chapitres « Personnalité », « Troubles psychologiques », et « Traitements ». Par exemple, je présente maintenant les stratégies de la gestion du stress (*coping*) centrée sur la personne et centrée sur les émotions dans le chapitre consacré au stress et à la santé. De même, le chapitre sur l'intelligence décrit comment les tests d'intelligence sont utilisés dans les contextes cliniques.

Mise en valeur de la réflexion critique

J'ai pour objectif de présenter la réflexion critique aux étudiants tout au long de ce livre. De nouvelles questions d'apprentissage au début de chaque partie principale et une partie « Avant d'aller plus loin » à la fin encouragent une lecture critique permettant de comprendre les concepts importants. La neuvième édition donne également aux étudiants les opportunités suivantes d'apprendre ou de mettre en pratique leurs aptitudes à la réflexion critique.

- ***Le chapitre 1, penser de manière critique grâce à la psychologie scientifique,*** présente aux étudiants les méthodes de recherche en psychologie, en insistant sur les illusions de notre intuition et de notre sens commun dans la vie de tous les jours et sur la nécessité d'une psychologie scientifique. La réflexion critique est introduite comme un terme-clé dans ce chapitre (p. 20). Le débat autour du raisonnement statistique encourage les étudiants « à penser plus intelligemment en appliquant des principes statistiques simples à notre raisonnement quotidien » (pp. 33-38).
- ***Des encadrés « Regard critique sur... »*** parsèment le livre, fournissant aux étudiants des modèles d'approche critique de certains sujets-clés en psychologie. Par exemple, voir l'encadré actualisé « Regard critique sur : Le facteur peur – Avons nous peur des bonnes choses ? », page 378.
- ***Des récits écrits dans le style des histoires policières*** émaillant le livre encouragent les étudiants à penser de manière critique sur les thèmes-clés de la recherche en psychologie.
- ***Des discussions utilisant le style « appliquez ceci » ou « pensez à cela »*** maintiennent les étudiants actifs lors de leur étude de chaque chapitre.
- ***L'examen critique de la psychologie populaire*** éveille l'intérêt et fournit des leçons importantes pour réfléchir de manière critique aux sujets du quotidien.

Voir le TABLEAU 5 pour la liste complète des sujets de réflexion critique abordés dans ce livre et sur les encadrés « Regard critique sur ».

TABLEAU 5 La réflexion critique et la recherche fondamentale

Vous trouverez des références concernant la **réflexion critique** *ainsi que des études approfondies sur le processus de* **recherche scientifique** *en psychologie aux pages suivantes :*

Regard critique sur :

Le facteur « peur » – Avons nous peur des bonnes choses ? pp. 378-379

La détection du mensonge, pp. 504-505

Les médecines douces et parallèles, p. 546

Comment être un astrologue ou un chiromancien « à la mode », pp. 572-573

TDAH – hyperactivité normale ou véritable trouble ? p. 595

La folie et la responsabilité, p. 601

« Régresser » de l'anormal à la normale, p. 652

Examen critique de la psychologie populaire :

Percevoir un ordre dans les événements fortuits, pp. 29-30

N'utilisons-nous que 10 p. 100 de notre cerveau ? p. 72

L'hypnose peut-elle améliorer le rappel ? Contraindre un acte ? Être curative ? Soulager la douleur ? pp. 108-110

Le concept de « dépendance » est-il trop large ? pp. 113-114

Expériences au seuil de la mort, pp. 126-128

Critiquer la perspective évolutionniste, pp. 148-149

Dans quelle mesure les parents méritent-ils d'être félicités (ou blâmés) ? pp. 151-152

Restriction sensorielle, pp. 273-274

Existe-t-il une perception extrasensorielle ? pp. 282-285

Les animaux font-ils preuve d'une capacité de langage ? pp. 398-401

La pratique de l'aérobic est-elle thérapeutique ? pp. 543-544

Spiritualité et communautés religieuses, pp. 547-549

Le test de Rorschach est-il valide ? p. 560

Le refoulement : est-ce un mythe ? pp. 561-562

Freud est-il crédible ? pp. 561-564

Syndrome de stress post-traumatique, pp. 604-605

La psychothérapie est-elle efficace ? pp. 651-655

Évaluer les traitements parallèles, pp. 655-657

Les jeux vidéo apprennent-ils ou libèrent-ils la violence ? pp. 703-705

Penser de manière critique avec les sciences psychologiques :

Les limites de l'intuition et du sens commun, pp. 15-17

Attitude scientifique, pp. 18-20

« Pensée critique » en tant que mot-clé, p. 20

Méthode scientifique, pp. 21-22

Corrélation et causalité, pp. 27-28

Corrélation illusoire, pp. 28-29

Exploration de la cause et des effets, pp. 30-31

Répartition au hasard (randomisée), p. 31

Variables dépendante et indépendante, pp. 32-33

Raisonnement statistique, pp. 33-38

Décrire des données, pp. 34-36

Inférence statistique, pp. 37-38

Enquêtes scientifiques :

Est-il préférable de nourrir son enfant au sein plutôt qu'au lait de vache ? pp. 30-32

Le cerveau partagé, pp. 75-79

Pourquoi dormons-nous ? pp. 97-101

Pourquoi rêvons-nous ? pp. 105-107

L'hypnose est-elle une extension de la conscience normale ou un état modifié de la conscience ? pp. 110-112

Études d'adoption et études sur les jumeaux, pp. 135-139

Comment se développe l'esprit de l'enfant ? pp. 179-186

Vieillissement et intelligence, pp. 214-216

Traitement parallèle, pp. 242-243

Comment voyons-nous en couleur ? pp. 243-245

Comment stockons-nous les souvenirs dans notre cerveau ? pp. 340-345

Comment construisons-nous nos souvenirs ? pp. 356-364

Les animaux font-ils preuve d'une capacité de langage ? pp. 398-401

Pourquoi avons-nous faim ? pp. 448-451

Qu'est-ce qui détermine l'orientation sexuelle ? pp. 471-477

À la poursuite du bonheur : qui est heureux et pourquoi ? pp. 519-526

Pourquoi et chez qui le stress contribue-t-il aux maladies cardiovasculaires ? pp. 532-533

Comment et pourquoi le soutien social est-il lié à la santé ? pp. 540-542

Estime de soi versus biais d'autosatisfaction, pp. 586-589

Qu'est-ce qui entraîne les troubles de l'humeur ? pp. 614-621

Les infections virales prénatales augmentent-elles les risques de schizophrénie ? pp. 625-626

La psychothérapie est-elle efficace ? pp. 651-655

Pourquoi les gens ne réussissent-ils pas à apporter leur aide en cas d'urgence ? pp. 712-713

Une réactualisation complète

Malgré la continuité indispensable, chaque page a changé. Partout se trouvent des mises à jour et quelque 1300 références nouvelles, correspondant à près de 30 p. 100 de la bibliographie ! La psychologie est un domaine en mouvement et cette nouvelle édition reflète en grande partie cette excitante évolution.

Seize chapitres restructurés

Mes collègues enseignants m'ont demandé inlassablement de réduire le nombre de chapitres et quelque peu la longueur de l'ouvrage pour mieux adapter le livre à la durée du programme d'enseignement. J'ai donc réorganisé les chapitres, associant la sensation à la perception, ainsi que le stress et la santé à l'émotion afin de réduire le nombre de chapitres à 16. J'ai également œuvré de manière judicieuse pour raccourcir le texte, en enlevant souvent des exemples répétitifs de recherches (il est parfois très difficile de choisir entre différentes options) et en allégeant et en dépouillant ma façon d'écrire. Il en est sorti un ouvrage faisant 50 pages de moins.

La conscience et les deux voies de l'esprit

Ce chapitre fortement remanié couvre maintenant les neurosciences cognitives et le double traitement des informations, établissant ces deux thèmes plus fermement en tant qu'idées-clés de la psychologie. Afin d'aider les étudiants à relier ce chapitre à celui de la neuroscience (Chapitre 2), il a été placé juste après et est devenu le chapitre 3. Et il présente en avant-première de nouvelles preuves sur la part extrême du traitement automatique des informations qui s'effectue en dehors de notre conscience, y compris celui de nos souvenirs implicites et de nos attitudes.

Un programme pédagogique révisé et envisagé dans son ensemble

Cette édition inclut de nouvelles aides pour étudier :

- ***Des questions numérotées*** qui établissent les objectifs d'apprentissage de chaque partie significative du texte (environ 10 à 15 par chapitre) et dirigent la lecture de l'étudiant.
- ***La rubrique « Avant d'aller plus loin »*** située à la fin de chaque partie principale du texte comprend les ***questions « Interrogez-vous »*** qui encouragent les étudiants à appliquer les nouveaux concepts à leur propre expérience et les ***questions « Testez-vous »*** (dont les réponses se trouvent dans l'annexe B) qui évaluent la maîtrise de l'étudiant et encourage la réflexion sur des thèmes importants.
- ***La partie de révision à la fin de chaque chapitre*** reprend les questions numérotées et y répond par un résumé narratif. Elle est suivie des ***termes et concepts à retenir*** associés aux références de pages.

Un nouveau programme d'illustration

Nous avons travaillé avec soin avec des artistes talentueux pour créer tous les nouveaux dessins, anatomiques ou représentant des personnes, de l'ouvrage. Le résultat est plus efficace du point de vue pédagogique et plus agréable visuellement.

En remerciements

S'il est vrai que « celui qui fréquente les sages devient sage », alors je suis plus sage de toute la sagesse et des conseils que j'ai reçus de la part de mes collègues. Grâce à l'aide de près de mille spécialistes et critiques au cours des vingt dernières années, ce livre est devenu meilleur et plus juste que s'il avait été écrit par un seul auteur (du moins par l'auteur de ce livre). Comme les correcteurs et moi-même sommes restés nous-mêmes, nous sommes plus intelligents tous ensemble que ne l'est chacun d'entre nous.

Je me sens toujours redevable à chacun des éminents professeurs de l'influence qu'ils ont eu dans les huit précédentes éditions, aux innombrables chercheurs qui ont accepté de donner leur temps et de partager leurs compétences pour m'aider à présenter le plus précisément possible leurs recherches et aux 191 enseignants qui ont pris le temps de répondre à notre enquête préalable de rassemblement des informations. J'ai également apprécié l'aide de trois étudiants du Rick Maddigan (Memorial University) qui se sont chargés des données détaillées, Charles Collier, Alex Penney et Megan Freake.

Ma gratitude s'étend maintenant aux collègues qui ont apporté leur contribution par leurs critiques, leurs corrections et leurs idées créatives concernant le contenu, la pédagogie et l'organisation de cette nouvelle édition. Pour leur compétence et leurs encouragements, et le temps qu'ils ont consacré à l'enseignement de la psychologie, je remercie les personnes suivantes :

Richard Alexander,
Muskegon Community College

Carol Anderson,
Bellevue Community College

Aaron Ashly,
Weber State University

John Baker,
University of Wisconsin, Stevens Point

Dave Baskind,
Delta College

Beth Lanes Battinelli,
Union County College

Alan Beauchamp,
Northern Michigan University

Brooke Bennett,
Florida State University

Sylvia Beyer,
University of Wisconsin, Parkside

Patricia Bishop,
Cleveland State Community College

James Bodle,
College of Mount Saint Joseph

Linda Bradford,
Community College of Aurora

Steve Brasel,
Moody Bible Institute

June Breninger,
Cascade College

Tom Brothen,
University of Minnesota

Eric L. Bruns,
Campbellsville University

David Campell,
Humboldt State University

LeeAnn Cardaciotto,
La Salle University

Jill Carlivati,
George Washington University

Kenneth Carter,
Oxford College

Lorelei Carvajal,
Triton College

Sarah Caverly,
George Mason University

Clara Cheng,
American University

Jennifer Cina,
Barnard College

Virgil Davis,
Ashland Community and Technical College

Joyce C. Day,
Naugatuck Valley Community College

Dawn Delaney,
Madison Area Technical College

G. William Domhoff,
University of California, Santa Cruz

Darlene Earley-Hereford,
Southern Union State Community College, Opelika

Kimberly Fairchild,
Rutgers University, Livingston

Pam Fergus,
Inver Hills Community College

Christopher J. Ferguson,
Texas A&M International University

Faith Florer,
New York University

Jocelyn Folk,
Kent State University

Patricia Foster,
Austin Community College, Northridge

Lauren Fowler,
Weber State University

Daniel J. Fox,
Sam Houston State University

Alisha L. Francis,
Northwest Missouri State University

Ron Friedman,
Rochester University

Stan Friedman,
Southwest Texas State University

Sandra Geer,
Northeastern University

Sandra Gibbs,
Muskegon Community College

Bryan Gibson,
Central Michigan University

Carl Granrud,
University of Northern Colorado

Laura Gruntmeir,
Redlands Community College

R. Mark Hamilton,
Chippewa Valley Technical College

Lora Harpster,
Salt Lake Community College

Susan Harris-Mitchell,
College of DuPage

Lesley Hathorn,
University of Nevada, Las Vegas

Paul Hillock,
Algonquin College

Herman Huber,
College of Saint Elizabeth

Linda Jackson,
Michigan State University

Andrew Johnson,
Park University

Deanna Julka,
University of Portland

Regina Kakhnovets,
Alfred University

Paul Kasenow,
Henderson Community College

Teresa King,
Bridgewater State College

Kristina Klassen,
North Idaho College

Chris Koch,
George Fox University

Daniel Kretchman,
University of Rhode Island, Providence

Jean Kubek,
New York City College of Technology, CUNY

Priya Lalvani,
William Patterson University

Claudia Lampman,
University of Alaska, Anchorage

Deb LeBlanc,
Bay Mills Community College

Don Lucas,
Northwest Vista College

Angelina MacKewn,
University of Tennessee, Martin

Marion Mason,
Bloomsburg University of Pennsylvania

Sal Massa,
Marist College

Christopher May,
Carroll College

Paul Mazeroff,
McDaniel College

Donna McEwen,
Friends University

Brian Meier,
Gettysburg College

Michelle Merwin,
University of Tennessee, Martin

Dinah Meyer,
Muskingum College

Antoinette Miller,
Clayton State University

Robin Morgan,
Indiana University, Southeast

Jeffrey Nicholas,
Bridgewater State College

Dan Patanella,
John Jay College of Criminal Justice, CUNY

Shirley Pavone,
Sacred Heart University

Andrew Peck,
Penn State University

Tom Peterson,
Grand View College

Brady Phelps,
South Dakota State University

Michelle Pilati,
Rio Hondo College

Ron Ponsford,
North Nazarene University

Diane Quartarolo,
Sierra College

Sharon Rief,
Logan View High School, and Northeast Community College

Alan Roberts,
Indiana University, Bloomington

June Rosenberg,
Lyndon State College

Nicole Rossi,
Augusta State University

Wade Rowatt,
Baylor University

Michelle Ryder,
Ashland University

Patrick Saxe,
SUNY, New Paltz

Sherry Schnake,
Saint Mary-of-the-Woods College

Cindy Selby,
California State University, Chico

Dennis Shaffer,
Ohio State University

Mark Sibicky,
Marietta College

Randy Simonson,
College of Southern Idaho

David B. Simpson,
Valparaiso College

David D. Simpson,
Carroll College

Jeff Skowronek,
University of Tampa

Todd Smith,
Lake Superior State University

Bettina Spencer,
Saint Mary's College

O'Ann Steere,
College of DuPage

Barry Stennett,
Gainesville State College

Bruce Stevenson,
North Island College

Colleen Stevenson,
Muskingum College

Jaine Strauss,
Macalester College

Cynthia Symons,
Houghton College

Rachelle Tannenbaum,
Anne Arundel Community College

Sarah Ting,
Cerritos College

Barbara Van Horn,
Indian River Community College

Michael Verro,
Empire State College, SUNY

Craig Vickio,
Bowling Green State University

Denise Vinograde,
LaGuardia Community College, CUNY

Joan Warmbold,
Oakton Community College

Eric Weiser,
Curry College

Diane Wille,
Indiana University Southeast

Paul Young,
Houghton College

Chez Worth Publishers, une foule de gens ont joué un rôle-clé dans la création de cette neuvième édition.

Bien que la collecte d'informations puisse durer indéfiniment, le projet officiel a débuté au moment où l'équipe auteur-éditeur s'est retrouvée pour une retraite de deux jours en juin 2007. Cette rencontre joyeuse et créative réunissait John Brink, Martin Bolt, Thomas Ludwig, Richard Straub et moi-même pour l'équipe auteur, ainsi que mes assistantes Kathryn Brownson et Sara Neevel. Se sont joints à nous, les directeurs d'édition de Worth Publishers Tom Scotty, Elizabeth Widdicombe et Catherine Woods ; les éditeurs Christine Brune, Kevin Feyen, Nancy Fleming, Tracey Kuehn, Betty Probert et Peter Twickler ; le directeur artistique Babs Reingold ; et les cadres commerciaux et les responsables du marketing Kate Nurre, Tom Kling, Guy Geraghty, Sandy Manly, Amy Shefferd, Rich Rosenlof et Brendan Baruth. Les idées échangées et les brainstormings au cours de cette rencontre entre grands esprits ont donné naissance, entre autres choses, à la nouvelle pédagogie de cette édition et au chapitre 3, « La conscience et les deux voies de l'esprit », entièrement revu.

Christine Brune, éditrice en chef pour les sept dernières éditions, a accompli de véritables miracles. Elle nous a servi un mélange parfaitement dosé entre encouragements, remontrances courtoises, souci du détail et amour de l'excellence. Un auteur n'aurait pas pu en demander plus.

L'éditrice chargée du développement Nancy Fleming est l'une de ces rares éditrices qui est douée à la fois pour « penser grand » à propos d'un chapitre (avec un esprit proche du mien) et apporter ligne après ligne sa touche personnelle faite de sensibilité et d'élégance.

L'éditeur senior chargé des acquisitions en psychologie, Kevin Feyen, est devenu un meneur d'équipe inestimable, grâce à son dévouement, sa créativité et sa sensibilité. La directrice d'édition Catherine Woods nous a aidés à construire et à réaliser le projet de cette nouvelle édition avec ses suppléments. Catherine a montré des capacités d'harmonisation lorsque nous avons dû faire face à des séries de décisions pointilleuses sans fin tout au long de ce travail. Peter Twickler a coordonné la production du monceau de suppléments pour cette édition. Betty Probert a corrigé et réalisé les suppléments imprimés avec efficacité et, au cours de ce processus, nous a également aidés à peaufiner l'ensemble du livre. Lorraine Klimowich, aidée de Greg Bennetts, a apporté un soutien inestimable en réalisant et en organisant le travail de révision, en expédiant les informations aux professeurs, en accomplissant de nombreuses autres tâches quotidiennes en rapport avec la mise au point et la production de l'ouvrage. Lee Mahler-McKevitt a fait un superbe travail de mise en pages. Bianca Moscatelli et Donna Ranieri ont travaillé de concert pour trouver les nombreuses illustrations photographiques.

La directrice éditoriale associée, Tracey Kuehn, a fait preuve de ténacité, d'engagement et d'un impressionnant sens de l'organisation en dirigeant l'équipe, très douée, de production artistique de Worth et en coordonnant les apports des concepteurs à mesure que le travail avançait. La directrice de production Sarah Segal a su faire respecter, de manière magistrale, un calendrier serré et Babs Reingold, a dirigé avec compétence la création de la nouvelle maquette et du nouveau programme artistique. La directrice de production Stacey Alexander, associée à l'assistante de production Jenny Chiu a fait, comme à son habitude, un excellent travail en réalisant les nombreux suppléments.

Pour atteindre notre but, qui est de soutenir pédagogiquement l'enseignement de la psychologie, ce matériel didactique doit non seulement être écrit, revu, corrigé et produit mais aussi être mis à la disposition des enseignants. Pour l'avoir réussi de manière exceptionnelle, l'équipe d'auteurs exprime toute sa reconnaissance à l'équipe des professionnels de la vente et du marketing de Worth Publishers. Nous tenons spécialement à remercier la directrice exécutive du marketing Kate Nurre et la directrice du marketing Amy Shefferd ainsi que le consultant en psychologie et économie Tom Kling à la fois pour leurs incessants efforts destinés à informer nos collègues enseignants de notre apport à leur pédagogie et la joie de travailler avec eux.

À Hope College, parmi les membres de l'équipe travaillant pour cette édition il y a Kathryn Brownson qui a recherché d'innombrables informations, relu et corrigé des centaines de pages. Kathryn est devenue une conseillère sensible et cultivée dans de nombreux domaines et Sara Neevel est devenue notre développeur high-tech par excellence du manuscrit. Laura Myers a mis à jour, avec la pagination, tous les tableaux récapitulatifs.

Une nouvelle fois, j'exprime ma gratitude au poète Jack Ridl, mon maître en écriture pour son influence et son aide pour les corrections de mes écrits. Cette influence est perceptible dans la voix que vous entendrez dans les pages qui suivent. Plus que quiconque, il a fait mes délices en dansant avec le langage et m'a appris à appréhender l'écriture comme un métier qui perd progressivement ses contours pour devenir un art.

Après avoir entendu des dizaines de personnes dire que le matériel d'enseignement accompagnant ce livre avait hissé leur pédagogie à un niveau supérieur, je me dis que j'ai de la chance de faire partie d'une équipe où chacun a produit, en temps et en heure, un travail répondant à des critères hautement professionnels. Pour leurs talents exceptionnels, leur dévouement à long terme et leur amitié, je remercie Martin Bolt, John Brink, Thomas Ludwig et Richard Straub.

Ma reconnaissance s'adresse aussi aux nombreux étudiants et assistants qui m'ont écrit pour me faire des suggestions ou juste m'envoyer un mot d'encouragement. C'est pour eux et pour ceux qui sont sur le point de commencer des études de psychologie que j'ai fait de mon mieux pour présenter le domaine que j'adore.

Le jour même où cet ouvrage partait pour l'impression, je commençais à collecter des informations et des idées pour la dixième édition. Vos contributions auront une incidence sur le développement futur de ce livre. Alors n'hésitez surtout pas à me faire part de vos réflexions.

David Myers

Hope College
Holland, Michigan 49422-9000 USA
www.davidmyers.org

Psychologie

INTRODUCTION

Histoire de la psychologie

QU'EST-CE QUE LA PSYCHOLOGIE ?

Origines de la psychologie

Développement de la psychologie en tant que science

LA PSYCHOLOGIE CONTEMPORAINE

La grande problématique de la psychologie

Les trois principaux niveaux d'analyse de la psychologie

Les champs de la psychologie

Gros plan : Quelques astuces pour bien étudier la psychologie

Owen Gingerich, un astronome de Harvard (2006), disait qu'il existe plus de 100 milliards de galaxies. Parmi elles, notre minuscule galaxie se compose de quelque 200 milliards d'étoiles, dont beaucoup, comme notre soleil, sont entourées de planètes. À l'échelle de l'espace qui nous entoure, nous ne sommes même pas un des petits grains de sable qui recouvre les plages de nos océans et notre durée de vie relative ne dépasse pas la nanoseconde.

Cependant, rien ne nous inspire plus et ne nous absorbe que notre propre espace interne. Notre cerveau, poursuit Gingerich, « est de loin l'objet physique le plus complexe du cosmos que nous connaissons » (p. 29). Notre conscience - esprit sorti on ne sait comment de la matière - reste un mystère profond. Nous sommes fascinés par nos pensées, nos émotions et nos actions (ainsi que par la manière dont elles interagissent avec les pensées, les émotions et les actions des autres). L'espace qui nous entoure, de par sa taille, nous donne le vertige, mais notre espace interne nous captive. Entrez dans la science de la psychologie.

Pour ceux d'entre vous qui ont entendu parler de la psychologie dans les livres de vulgarisation, les magazines, la télévision ou Internet, les psychologues analysent la personnalité, offrent un soutien psychologique et donnent des conseils sur l'éducation des enfants. Le font-ils réellement ? Oui, mais ils font bien plus encore. Pensez à certaines questions de psychologie que vous vous posez parfois :

- Ne vous êtes-vous jamais trouvé en train de réagir exactement de la même manière qu'un de vos parents, peut-être d'une manière dont vous pensiez ne jamais réagir ? Ne vous êtes-vous pas demandé, alors, quelle était la part de votre personnalité dont vous aviez hérité ? *Jusqu'à quel point les différences de personnalité entre les hommes sont-elles prédisposées par nos gènes ? Et dans quelle mesure le sont-elles par notre environnement familial et notre entourage ?*
- Ne vous êtes-vous jamais posé de questions sur la manière de vous comporter avec une personne du sexe opposé ou bien d'origine ethnique ou de culture différente de la vôtre ? *En tant que membres de la famille des hommes, en quoi sommes-nous semblables ? En quoi sommes-nous différents ?*

« J'ai fait un effort incessant pour ne pas ridiculiser, pour ne pas mépriser, pour ne pas dédaigner les actions humaines, mais pour les comprendre. »
Baruch Spinoza, *Traité politique*, 1677

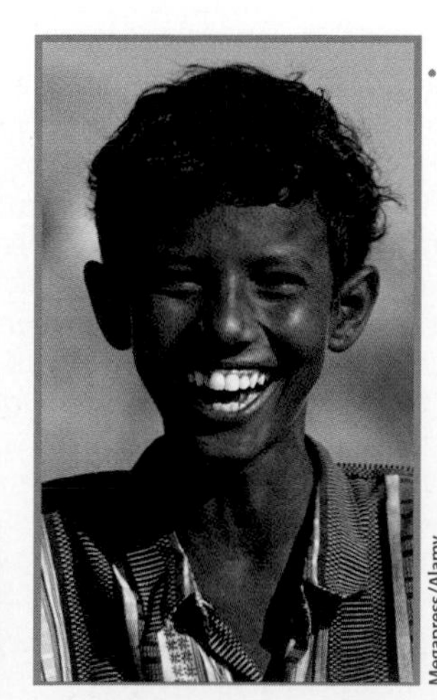

Le sourire est universel Tout au long de cet ouvrage, vous verrez non seulement des exemples de la diversité culturelle et sexuelle, mais aussi des exemples des similitudes qui définissent notre nature humaine commune. Les gens issus de cultures différentes n'ont pas la même manière de sourire (quand et à quelle fréquence), mais un sourire spontané a la même *signification* dans le monde entier.

- Ne vous êtes-vous jamais réveillé d'un cauchemar et, poussant un soupir de soulagement, demandé pourquoi vous faisiez des rêves aussi fous ? *À quelle fréquence et pourquoi rêvons-nous ?*
- Ne vous êtes-vous jamais demandé, alors que vous jouiez à cache-cache avec un enfant de 6 mois, pourquoi il trouvait ce jeu si amusant ? Le bébé réagit comme si, lorsque vous disparaissez momentanément derrière une porte, vous disparaissiez vraiment... même si vous réapparaissez, ensuite, revenu de nulle part. *Que perçoivent réellement les bébés et à quoi pensent-ils ?*
- Ne vous êtes-vous jamais demandé ce qui conduisait à la réussite scolaire et professionnelle ? Y a-t-il des gens qui naissent plus intelligents ? *L'intelligence en elle-même permet-elle d'expliquer pourquoi certaines personnes deviennent riches, pensent de manière plus créative, et relatent des événements avec plus de sensibilité ?*
- Ne vous êtes-vous jamais demandé, lorsque vous étiez déprimé ou anxieux, si un jour vous vous sentiriez « normal » à nouveau ? *Qu'est-ce qui est à l'origine des hauts et des bas de notre humeur ?*

De telles questions fournissent du grain à moudre aux psychologues, car la psychologie est une science qui cherche à répondre à toutes sortes de questions qui nous concernent tous : comment pensons-nous ? Comment ressentons-nous ? Comment agissons-nous ?

Qu'est-ce que la psychologie ?

Origines de la psychologie

IL ÉTAIT UNE FOIS, SUR UNE PLANÈTE de notre univers proche, la naissance d'une population. Très vite, les créatures de cette planète s'intéressèrent vivement à elles-mêmes et aux autres : « *Qui sommes-nous ? D'où viennent nos pensées ? Nos sentiments ? Nos actes ? Dans quelle mesure pouvons-nous comprendre et diriger ceux qui nous entourent ?* »

La science de la psychologie est née

1. De quelle façon et à quel moment la science de la psychologie a-t-elle commencé ?

Pour vous aider à apprendre de manière active, je vous donnerai régulièrement des objectifs d'apprentissage. Ils seront sous forme d'encadrés comportant des questions auxquelles vous pourrez répondre à mesure que vous poursuivrez votre lecture.

Être humain, c'est être curieux de nous-mêmes et du monde qui nous entoure. Au IVe siècle avant J.-C., Aristote, un philosophe et naturaliste grec, a émis des théories sur l'apprentissage et la mémoire, la motivation et l'émotion, la perception et la personnalité. De nos jours, nous rions devant certaines de ses pensées, par exemple lorsqu'il suggérait qu'un repas nous donnait envie de dormir en provoquant l'accumulation de gaz et de chaleur autour de notre cœur, source de notre personnalité. Mais nous reconnaissons qu'Aristote a posé les bonnes questions.

Les philosophes ont continué à réfléchir sur la pensée jusqu'à la naissance de la psychologie, telle que nous la connaissons aujourd'hui. Un jour de décembre 1879, dans une petite pièce du troisième étage de l'université allemande de Leipzig, deux jeunes garçons aidaient Wilhelm Wundt, un austère professeur d'une quarantaine d'années, à mettre au point un appareil d'expérimentation. Leur machine mesurait le léger retard séparant le moment où des individus entendaient une balle rebondir sur une plateforme et le moment où ils pressaient la touche d'un télégraphe (Hunt, 1993). Curieusement, les gens répondaient en 1/10e de seconde quand on leur demandait de presser la touche dès que le son retentissait et en environ 2/10e de seconde si on leur demandait de presser la touche dès qu'ils étaient pleinement conscients d'avoir perçu le son. (Être conscient d'être conscient prend un peu plus de temps.) Wundt cherchait à mesurer « la vitesse de la pensée » – le processus mental le plus simple et le plus rapide. Puis vinrent ensuite ce que beaucoup considèrent comme les premières expériences en psychologie avec l'ouverture du premier laboratoire de psychologie, dirigé par Wundt et ses étudiants de première année.

Les sources d'information sont citées entre parenthèses avec le nom et la date. Les références complètes se trouvent à la fin du livre dans la bibliographie générale.

Très vite, cette nouvelle science qu'est la psychologie s'organisa en plusieurs branches, ou écoles de pensée, chacune étant dirigée par des pionniers. Ces premières écoles comprenaient des mouvements de pensée tels que le *structuralisme* et le *fonctionnalisme*, décrits dans ce chapitre, et trois écoles décrites dans des chapitres ultérieurs : la psychologie gestaltiste (Chapitre 6), le behaviorisme (ou comportementalisme) (Chapitre 7) et la psychanalyse (Chapitre 13).

Monika Suteski

Wilhelm Wundt Wundt (à gauche) établit le premier laboratoire de psychologie à l'université de Leipzig en Allemagne.

Réflexion sur la structure de la pensée

Peu de temps après avoir été reçu à son doctorat en 1892, Edward Bradford Titchener (élève de Wundt) rejoignit la Cornell University et y introduisit le **structuralisme**. De la même manière que les physiciens et les chimistes essayaient de définir la structure de la matière, le but de Titchener était de découvrir les éléments structurels de la pensée. Sa méthode consistait à inciter les gens à l'*introspection* (observer l'intérieur d'eux-mêmes), les entraînant à raconter ce qu'ils ressentaient quand ils regardaient une rose, écoutaient un métronome, sentaient une odeur, ou goûtaient une substance. Quels étaient leurs sensations immédiates, leurs images et leurs sentiments ? Comment ces sensations étaient-elles reliées ? Titchener partageait avec l'essayiste anglais C.S. Lewis l'idée selon laquelle « il y a une chose, et uniquement une chose dans tout l'univers que nous connaissons bien mieux que ce que nous pourrions apprendre à partir d'observations externes ». Cette chose, c'est nous-mêmes, déclare Lewis. « Nous avons, en quelque sorte, accès à des informations internes. » (1960, pp. 18-19).

Hélas ! L'introspection nécessitait des gens à l'esprit vif et n'ayant pas peur de parler. Cette technique se révéla être peu fiable, variant d'une personne à l'autre et selon le type d'expériences vécues. De plus, nous ne savons souvent tout simplement pas pourquoi nous ressentons ce que nous ressentons, ou nous faisons ce que nous faisons. Des études récentes indiquent que les souvenirs des gens sont souvent empreints d'erreurs. Il en est de même des raisons qui les ont poussés à aider ou à nuire à une autre personne (Myers, 2002). Lorsque l'introspection commença son déclin, elle entraîna avec elle le structuralisme.

• Tout au long de cet ouvrage, les concepts importants sont indiqués en **caractère gras**. Lors de votre lecture, vous trouverez les définitions de ces termes dans la marge et dans le glossaire se trouvant à la fin du livre. •

« La rose a des pétales doux, et un arôme discret... »

Monika Suteski

Edward Bradford Titchener Il utilisait l'introspection pour chercher les éléments structurels de la pensée.

« Vous ne connaissez pas votre propre esprit. »
Jonathan Swift, *Polite Conversation*, 1738

Réflexion sur les fonctions de la pensée

Contrairement à ceux qui espéraient assembler la structure de la pensée à partir d'éléments simples – ce qui revient à essayer de comprendre le fonctionnement d'une voiture en examinant ses pièces détachées –, le philosophe et psychologue William James pensait qu'il était plus judicieux d'étudier les *fonctions* évoluées de nos pensées et de nos sentiments. Notre nez nous permet de sentir ; notre cerveau nous permet de penser. Mais pourquoi notre nez et notre cerveau font-ils ce genre de choses ? Influencé par la théorie évolutionniste de Charles Darwin, James considérait que la pensée et l'odorat s'étaient développés car ces deux phénomènes étaient *adaptatifs* et avaient contribué à la survie de nos ancêtres. La conscience a une fonction. Elle nous permet de réfléchir sur notre passé, de nous adapter aux circonstances présentes et de planifier notre futur. En tant que **fonctionnaliste**, James encouragea l'exploration des émotions basiques, des souvenirs, de la volonté, des habitudes et des flux de la conscience survenant d'un moment à l'autre.

:: Structuralisme : une des premières écoles de psychologie à utiliser l'introspection pour explorer les éléments structurels de l'esprit humain.

:: Fonctionnalisme : école de psychologie qui s'intéresse au fonctionnement des processus mentaux et comportementaux – la manière dont ils nous permettent de nous adapter, de survivre et de nous développer.

Monika Suteski

William James et Mary Whiton Calkins James, romancier et professeur légendaire, était le mentor de Calkins, qui devint l'une des pionnières de la recherche sur la mémoire et également la première femme présidente de l'*American Psychological Association*.

Toutefois, le plus gros héritage de James vient plus de son enseignement à Harvard et de ses écrits que de ses expériences de laboratoire. Quand il n'était pas malade ou dépressif, James était un homme audacieux, extraverti et joyeux, qui déclara un jour : « Le premier cours de psychologie que j'ai entendu est celui que j'ai donné. » Lors de l'un de ses cours, où il se permit de plaisanter, un étudiant l'interrompit et lui demanda d'être sérieux (Hunt, 1993). On dit qu'il fut l'un des premiers professeurs américains à demander à ses étudiants d'émettre un jugement sur son enseignement à la fin de la formation. Il aimait ses étudiants, sa famille et le monde des idées, mais était las des travaux fastidieux tels que la relecture des épreuves. « Ne m'envoyez plus d'épreuves ! », dit-il un jour à un éditeur. « Je vous les retournerai sans en avoir pris connaissance et ne vous adresserai plus la parole. » (Hunt, 1993, p. 145).

James fit encore preuve de courage quand il accepta Mary Calkins à son cours magistral en 1890, malgré les objections du président de l'université de Harvard (Scarborough et Furumoto, 1987). (À cette époque, les femmes n'avaient même pas le droit de vote.) La présence de Calkins au cours fit partir tous les autres étudiants (tous des hommes). C'est donc seule que Calkins reçut l'enseignement de James en vue du doctorat de Harvard et obtint de bien meilleurs résultats que ses camarades de sexe masculin à l'épreuve finale. Hélas ! Harvard refusa de lui attribuer le diplôme qui lui était dû et lui proposa à la place un diplôme du Radcliffe College, un établissement de moindre niveau réservé aux femmes. En réponse à cette injustice, Calkins refusa le diplôme. (Plus d'un siècle plus tard, les psychologues et les étudiants en psychologie font pression sur Harvard pour que Calkins reçoive à titre posthume son doctorat [*Feminist Psychologist*, 2002].) Calkins devint, néanmoins, un chercheur renommé spécialiste de la mémoire et fut la première femme à devenir présidente de l'*American Psychological Association* (APA) en 1905.

Monika Suteski

Margaret Floy Washburn Elle fut la première femme à obtenir un doctorat en psychologie. Elle publia ses recherches sur le comportement animal dans *The Animal Mind*.

Harvard refusa le premier doctorat féminin de psychologie à Calkins, ce qui laissa l'honneur à Margaret Floy Washburn, qui écrivit plus tard un livre important, *The Animal Mind*, et devint la deuxième femme présidente de l'APA en 1921. Bien que la thèse de Washburn fût la première étude étrangère à être publiée dans le journal de Wundt, le fait d'être une femme l'empêcha d'intégrer l'organisation de psychologie expérimentale fondée par Titchener, qui était pourtant son conseiller pédagogique (Johnson, 1997). (Quel monde différent du nôtre ! Entre 1996 et 2009, plus des deux tiers des doctorats en psychologie furent obtenus par des femmes et six des treize présidents des organisations américaines de psychologie furent des femmes. Au Canada et en Europe aussi, la plupart des doctorats les plus récents ont été obtenus par des femmes.)

L'influence de James alla bien au-delà de la douzaine d'articles qu'il publia et qui furent très appréciés, et l'éditeur Henry Holt lui proposa un contrat pour rédiger un ouvrage sur cette nouvelle science qu'était la psychologie. James accepta et commença à y travailler en 1878 en demandant deux années pour finir ce manuel. Ce travail s'avéra plus long que prévu et fut achevé 12 ans après. (Pourquoi ne suis-je donc pas surpris ?) Plus d'un siècle après sa sortie, on lit toujours *Principles of Psychology* et on s'émerveille toujours de l'élégance et de l'intelligence avec lesquelles James introduisit la psychologie à un public cultivé.

Développement de la psychologie en tant que science

2. Comment la psychologie s'est-elle développée de 1920 à nos jours ?

La psychologie est une science jeune qui s'est développée à partir de disciplines déjà bien établies que sont la philosophie et la biologie. Wundt était à la fois physiologiste et philosophe. James était un philosophe américain. Ivan Pavlov, pionnier des études sur l'apprentissage, était un physiologiste russe. Sigmund Freud, qui a développé la théorie très influente de la personnalité, était un médecin autrichien. Jean Piaget, le plus influent des observateurs de l'enfance du vingtième siècle, était un biologiste suisse. Cette liste de pionniers de la psychologie – « Magellans de l'esprit », comme les appelle Morton Hunt (1993) – montre que les racines de la psychologie se trouvent dans de nombreuses disciplines et de nombreux pays.

Monika Suteski

Sigmund Freud Fameux théoricien et thérapeute de la personnalité dont les idées controversées ont influencé la compréhension de l'humanité.

La suite de l'histoire de la psychologie (sujet de ce livre) s'est développée à plusieurs niveaux. Du fait de ses nombreuses activités qui s'étendent de l'étude de l'activité des cellules nerveuses à l'étude des conflits internationaux, il est difficile de définir la *psychologie*.

Aux premiers temps de la psychologie, Wundt et Titchener avaient concentré leurs recherches sur les sensations, les images et les sentiments internes. James s'était également engagé dans l'introspection pour examiner le flux de la conscience et des émotions. Freud avait insisté sur les façons par lesquelles les réponses émotionnelles aux expériences accumulées pendant l'enfance ainsi que nos processus de pensée inconscients affectaient notre comportement. De ce fait, jusqu'en 1920, la *psychologie* était définie comme la « science de la vie mentale ».

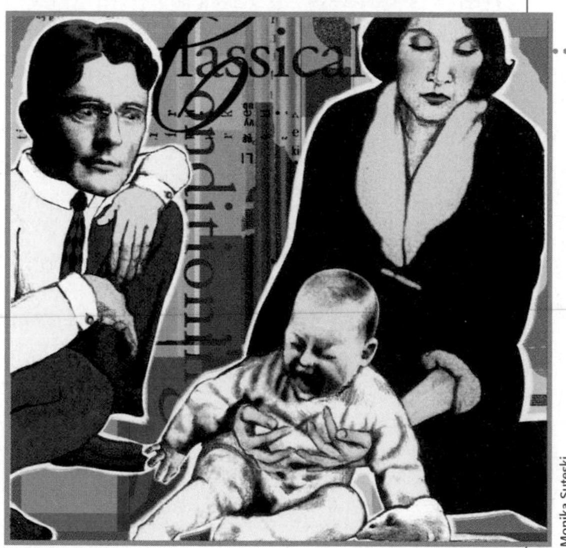

Monika Suteski

John B. Watson et Rosalie Rayner Travaillant en collaboration avec Rayner, Watson soutenait que la psychologie était la science du comportement et mettait en évidence les réponses conditionnées sur un bébé devenu célèbre sous le nom de « Petit Albert ».

À partir des années 1920, et ce jusque dans les années 1960, les psychologues américains (guidés initialement par l'extravagance et la provocation de John B. Watson et, plus tard, par celles de B.F. Skinner) ont abandonné l'introspection et redéfini la *psychologie* en termes « d'étude scientifique du comportement observable ». D'ailleurs, disaient ces **comportementalistes**, la science, en elle-même, est fondée sur l'observation. Vous ne pouvez pas observer une sensation, un sentiment ou une pensée, mais vous *pouvez* observer et enregistrer le *comportement* des gens lorsqu'ils répondent à diverses situations. (Nous présenterons ces psychologues plus en détail dans le chapitre 7.)

La **psychologie humaniste** s'est opposée à la psychologie freudienne et au comportementalisme. Ses fondateurs, Carl Rogers et Abraham Maslow, trouvaient que le comportementalisme, focalisé sur les comportements acquis, était trop mécanique. Plutôt que de se concentrer sur la signification des souvenirs de la petite enfance, comme les psychanalystes, les psychologues humanistes insistent sur l'importance que revêtent les influences environnementales sur notre potentiel d'épanouissement et sur l'importance de satisfaire notre besoin d'amour et de reconnaissance. (Ce courant sera développé dans le chapitre 13.)

Dans les années 1960, un nouveau mouvement s'est développé lorsque la psychologie a retrouvé son intérêt initial pour les processus mentaux. Cette *révolution cognitive* soutenait les idées développées par les premiers psychologues, comme l'importance de considérer comment notre esprit traite et conserve les informations. Mais la psychologie cognitive et, plus récemment, les **neurosciences cognitives** (étude de l'activité du cerveau liée à l'activité mentale) ont cherché à développer l'idée d'explorer scientifiquement nos manières de percevoir, de traiter et de nous souvenir des informations. Cette approche s'est montrée particulièrement intéressante en permettant le développement de nouvelles méthodes de compréhension et de traitement de troubles comme la dépression, comme nous le verrons dans les chapitres 14 et 15.

::Comportementalisme ou behaviorisme : courant selon lequel la psychologie (1) doit être une science objective qui (2) étudie les comportements sans référence aux processus mentaux. La plupart des chercheurs en psychologie sont d'accord avec la première partie de la définition mais pas avec la deuxième.

::Psychologie humaniste : perspective historiquement significative qui insistait sur le potentiel de développement des gens en bonne santé et le potentiel de chaque individu à l'épanouissement personnel.

::Neurosciences cognitives : étude interdisciplinaire de l'activité du cerveau liée à la cognition (comprenant la perception, la pensée, la mémoire et le langage).

Monika Suteski

B. F. Skinner Un des leaders du comportementalisme, qui abandonna l'introspection et étudia comment les conséquences d'un acte modèlent le comportement.

Afin de pouvoir englober dans le domaine de la psychologie *d'une part* le comportement observable, *d'autre part* les pensées et les sentiments internes, la **psychologie** se définit actuellement comme la *science du comportement et des processus mentaux.*

Décomposons un peu cette définition. Le *comportement* englobe tous les *agissements* d'un organisme – toutes les actions que nous pouvons observer et enregistrer. Hurler, sourire, cligner de l'œil, transpirer, parler et remplir un questionnaire sont tous des comportements observables. Les *processus mentaux* sont les expériences internes subjectives que nous déduisons des comportements – les sensations, les perceptions, les rêves, les pensées, les croyances et les sentiments.

Le mot *science* est la notion clé de la définition de la psychologie. Comme j'insisterai tout au long de ce livre, la psychologie est plus une manière de poser des questions et d'y répondre qu'un ensemble de découvertes. Mon objectif n'est pas simplement de retranscrire des résultats, mais de vous montrer comment les psychologues travaillent. Vous verrez comment les chercheurs examinent les opinions et les idées conflictuelles. Et vous apprendrez comment nous tous, que nous soyons scientifiques ou simples curieux, nous pouvons penser plus intelligemment en décrivant et en expliquant les événements de notre vie.

Des encadrés « Avant d'aller plus loin... » se trouvent à la fin de chaque partie principale. Ils comportent des questions « Interrogez-vous » qui vous permettront de réfléchir, de manière personnelle, aux notions présentées dans le texte (et vous permettront ainsi de mieux vous en souvenir). Si vous pouvez répondre aux questions « Testez-vous » qui portent sur les notions clés de la partie précédente, alors vous êtes prêt à poursuivre votre lecture ! Vous pouvez vérifier vos réponses aux questions « Testez-vous » dans l'annexe B à la fin de l'ouvrage.

AVANT D'ALLER PLUS LOIN...

➤ **INTERROGEZ-VOUS**

Selon vous, comment la psychologie va-t-elle évoluer maintenant que de plus en plus de personnes issues de pays non occidentaux apportent leurs idées dans ce domaine ?

➤ **TESTEZ-VOUS 1**

Quel est l'événement fondateur de la psychologie scientifique ?

Les réponses aux questions « Testez-vous » sont données dans l'annexe B à la fin de l'ouvrage.

La psychologie contemporaine

AUJOURD'HUI, LES PSYCHOLOGUES, TOUT COMME LEURS ANCÊTRES PIONNIERS, sont des citoyens de nombreux pays. L'*International Union of Psychological Science* compte 69 pays membres, allant de l'Albanie au Zimbabwe. Presque partout, l'appartenance aux associations de psychologie a fortement augmenté et est passée de 4 183 membres (*American Psychological Association*) en 1945 à près de 150 000 aujourd'hui ; on observe un phénomène similaire en Grande-Bretagne (de 1 100 membres à 45 000 pour la *British Psychological Society*). En Chine, le premier département de psychologie s'est ouvert dans une université en 1978. En 2008, on en comptait 200 (Tversky, 2008). Dans le monde entier, 500 000 personnes ont fait des études de psychologie et 130 000 d'entre elles font partie d'organismes européens (Tikkanen, 2001). De plus, grâce aux publications internationales, aux réunions et à Internet, la communication et la collaboration traversent les frontières plus que jamais : « Nous évoluons rapidement vers un monde unique des sciences psychologiques », déclare Robert Bjork (2000). La psychologie *se développe* et *se mondialise.*

Partout dans le monde, les psychologues débattent sur d'éternelles questions concernant le comportement, qu'ils envisagent selon les différentes perspectives issues des domaines dans lesquels ils enseignent, travaillent et effectuent des travaux de recherche.

La grande problématique de la psychologie

3. Quelle est la grande problématique historique de la psychologie ?

Durant sa courte histoire, la psychologie a peiné face à certaines questions que l'on verra réapparaître tout au long de ce livre. La question la plus importante et la plus prégnante (et qui sera traitée dans le chapitre 4) concerne la **problématique nature/culture** (inné/acquis), c'est-à-dire *les débats controversés sur les contributions relatives de la biologie et de l'expérience*. Les origines de ce débat sont très anciennes. Nos caractéristiques humaines se développent-elles avec l'expérience, ou alors venons-nous au monde avec elles ? Le philosophe grec Platon (428-348 av. J.-C.) considérait que le caractère et l'intelligence étaient en grande partie hérités, de même que certaines idées étaient innées. Aristote (384-322 av. J.-C.) lui opposa qu'il n'y avait rien dans l'esprit qui ne venait d'abord du monde extérieur à travers les sens. Au XVIIe siècle, les philosophes européens reprirent le débat. John Locke rejetait la notion d'idées innées et pensait que l'esprit était comme une page blanche à la naissance sur laquelle s'inscrivait l'expérience. René Descartes ne partageait pas son avis et pensait que certaines idées étaient innées.

Deux siècles plus tard, les idées de Descartes furent soutenues par un naturaliste curieux. En 1831, un étudiant médiocre mais fervent collectionneur de coléoptères, mollusques et coquillages, se lança dans un voyage autour du monde qui allait devenir historique. Ce voyageur de 22 ans n'était autre que Charles Darwin, qui se consacra pendant un certain temps à l'étude de l'incroyable diversité des espèces qu'il avait rencontrées, notamment des tortues trouvées sur une île, très différentes de celles des îles avoisinantes. Le livre de Darwin, *De l'origine des espèces* (1859), explique cette diversité en proposant le procédé évolutionniste de la **sélection naturelle** : parmi les variations dues au hasard, la nature sélectionne celles qui permettent le mieux à un organisme de survivre et de se reproduire dans un environnement spécifique. Le principe de la sélection naturelle de Darwin – « la meilleure idée que l'on n'ait jamais eue », selon le philosophe Daniel Dennett (1996) – est encore, 150 ans plus tard, un principe d'organisation en biologie. La théorie de l'évolution est également devenue un principe important pour la psychologie du XXIe siècle. Cela aurait certainement ravi Darwin, car il pensait que sa théorie expliquait non seulement l'aspect physique des animaux (pourquoi la fourrure des ours polaires est blanche par exemple) mais également le comportement animal (comme les émotions accompagnant le désir sexuel et la colère de l'homme).

Monika Suteski

Charles Darwin Il pense que la sélection naturelle influe sur le comportement autant que sur le corps.

Depuis l'Antiquité grecque, le débat inné-acquis a traversé les époques jusqu'à la nôtre. Les psychologues d'aujourd'hui continuent le débat en se demandant par exemple :

- Dans quelle mesure les hommes sont-ils semblables (du fait de leur biologie et de leur mode d'évolution communs) ou différents (du fait des différences d'environnements) ?
- Les différences entre les sexes sont-elles biologiquement prédisposées ou se construisent-elles par le biais de la vie sociale ?
- La grammaire des enfants est-elle innée ou formée par l'expérience ?
- En quoi les différences d'intelligence et de personnalité sont-elles influencées par l'hérédité et l'environnement ?
- Les comportements sexuels sont-ils « poussés » davantage par la biologie interne, ou « tirés » par des motivations externes ?
- Devons-nous considérer les troubles psychologiques, telle la dépression, comme des troubles cérébraux ? Des troubles de la pensée ? Ou les deux à la fois ?

Le débat continue. Cependant, de plus en plus, nous verrons que dans la science contemporaine la tension entre inné et acquis se relâche : *la culture se développe à partir de ce que la nature nous a donné*. Notre espèce est dotée, biologiquement, d'énormes capacités d'apprentissage et d'adaptation. De plus, chaque événement psychologique (chaque pensée, chaque émotion)

::Psychologie : science du comportement et des processus mentaux.

::Problématique nature/culture (inné/acquis) : ancienne controverse, qui persiste encore, concernant la contribution relative des gènes et de l'expérience dans le développement des traits psychologiques et des comportements. La science considère actuellement que les caractères et les comportements proviennent des interactions entre la nature et la culture (l'inné et l'acquis).

::Sélection naturelle : principe selon lequel les caractères héréditaires qui contribuent à la reproduction et à la survie ont plus de chances d'être transmis aux générations à venir.

Une expérience naturelle sur l'inné et l'acquis Comme les vrais jumeaux possèdent les mêmes gènes, ils constituent des sujets parfaits pour les études destinées à comprendre l'influence de l'hérédité et de l'environnement sur l'intelligence, la personnalité et d'autres traits de caractère. Les études effectuées sur les vrais et les faux jumeaux ont fourni un large éventail de découvertes, décrites ultérieurement dans ce livre, qui soulignent à la fois l'importance de l'inné et de l'acquis.

Mitch Diamond/Alamy

Gary Parker/Photo Researchers Inc.

correspond simultanément à un événement biologique. Par conséquent, la dépression peut être considérée *à la fois* comme un trouble cérébral *et* un trouble de la pensée.

Les trois principaux niveaux d'analyse de la psychologie

4. Quels sont les niveaux d'analyse de la psychologie et les perspectives qui leur sont liées ?

Chacun de nous représente un système complexe inclus dans un système social encore plus grand, mais nous sommes tous également composés de plus petits systèmes comme notre système nerveux et nos systèmes organiques, eux-mêmes composés de systèmes encore plus petits comme les cellules, les molécules et les atomes.

Ces systèmes à plusieurs niveaux suggèrent l'existence de différents **niveaux d'analyse**, qui offrent des perspectives complémentaires. C'est comme lorsque l'on cherche à expliquer pourquoi les grizzlis hibernent. Est-ce parce que l'hibernation a augmenté les chances de survie et de reproduction de leurs ancêtres ? Est-ce parce que leur physiologie interne les pousse à le faire ? Ou parce que l'environnement froid les empêche de trouver leur nourriture pendant l'hiver ? Ces perspectives sont complémentaires parce que « chaque chose est reliée à une autre » (Brewer, 1996). Réunis, ces différents niveaux d'analyse forment une **approche biopsychosociale** intégrée qui prend en considération les influences des facteurs biologiques, psychologiques et socioculturels (FIGURE 1).

➤ FIGURE 1
Approche biopsychosociale Ce point de vue intégré incorpore les divers niveaux d'analyse et permet d'obtenir une vision plus globale de chaque comportement ou processus mental donné.

Influences biologiques :
- Sélection naturelle des caractères adaptatifs
- Prédispositions génétiques répondant à l'environnement
- Mécanismes cérébraux
- Influences hormonales

Influences psychologiques :
- Craintes apprises ou autres attentes apprises
- Réponses émotionnelles
- Processus cognitifs et interprétations perceptuelles

Comportement ou processus mental

Influences socioculturelles :
- Présence des autres
- Attentes culturelles, sociales et familiales
- Influences des pairs et d'autres groupes
- Modèles captivants (comme les médias)

Chaque niveau fournit un point de vue intéressant sur le comportement, mais, pris isolément, aucun d'entre eux n'est complet. Comme différentes disciplines universitaires, les diverses perspectives de la psychologie posent différentes questions et présentent leurs propres limites. Une perspective peut insister sur le niveau biologique, psychologique ou socioculturel plus qu'une autre, mais les différentes perspectives décrites dans le TABLEAU 1 sont complémentaires. Considérons, par exemple, comment elles peuvent nous renseigner sur la colère.

- Une personne travaillant dans une *perspective neuroscientifique* pourrait étudier les circuits cérébraux qui nous font être « rouge de colère » et avoir des « bouffées de chaleur ».
- Une autre travaillant dans une *perspective évolutionniste* pourrait analyser la manière dont la colère a facilité la survie des gènes de nos ancêtres.
- Une autre encore travaillant dans une *perspective de génétique comportementale* pourrait étudier comment l'hérédité et l'expérience influencent nos différences de tempérament.
- Une personne travaillant dans une *perspective psychodynamique* pourrait interpréter une crise de colère comme étant l'exutoire d'une hostilité inconsciente.
- Celui qui travaille dans une *perspective comportementale* pourrait tenter de déterminer quels sont les stimuli externes qui déclenchent des réponses de colère ou des actes agressifs.
- Celui qui travaille dans une *perspective cognitiviste* pourrait étudier comment notre interprétation d'une situation peut avoir une incidence sur notre colère et comment notre colère peut affecter nos pensées.
- Enfin, quelqu'un travaillant dans une *perspective socioculturelle* pourrait étudier comment l'expression de cette colère varie dans différents contextes culturels.

Ce qu'il faut retenir : tout comme les différentes vues bidimensionnelles d'un objet en trois dimensions, chaque perspective de la psychologie est utile. Mais, prises isolément, elles ne peuvent rendre compte de la totalité de l'image.

Donc, gardez bien à l'esprit les limites de la psychologie. N'attendez pas d'elle qu'elle réponde aux questions fondamentales posées par le romancier russe Léon Tolstoï (1904) : « Pourquoi devrais-je vivre ? Pourquoi devrais-je faire quoi que ce soit ? Y a-t-il dans l'existence quelque dessein que la mort inévitable qui m'attend, ne ruine ou ne détruise ? » Au

::Niveaux d'analyse : différents points de vue complémentaires qui permettent d'analyser tout phénomène donné. Ils ont trait à la biologie, la psychologie et l'aspect socioculturel.

::Approche biopsychosociale : approche intégrée qui incorpore les niveaux d'analyse biologique, psychologique et socioculturel.

TABLEAU 1

PERSPECTIVES ACTUELLES DE LA PSYCHOLOGIE

Perspective	Centre d'intérêt	Exemples de question
Neuroscientifique	Comment le corps et le cerveau génèrent des émotions, des souvenirs et des expériences sensorielles	Comment les messages sont-ils transmis à travers le corps ? Comment la biochimie sanguine est-elle liée à nos humeurs et à nos motivations ?
Évolutionniste	Comment la sélection naturelle de certains traits de caractère entraîne la perpétuation des gènes	Comment l'évolution influence-t-elle les tendances comportementales ?
Génétique comportementale	Dans quelle mesure nos gènes et notre environnement influencent nos différences individuelles	Dans quelle mesure peut-on attribuer à nos gènes ou à notre environnement les caractéristiques psychologiques telles que l'intelligence, la personnalité, l'orientation sexuelle et la tendance à la dépression ?
Psychodynamique	Comment le comportement émane de motivations et de conflits inconscients	Pouvons-nous expliquer les traits de personnalité et les troubles en fonction de la sexualité et de l'agressivité qui en découlent ou comme des effets déguisés de désirs non accomplis et de traumatismes de l'enfance ?
Comportementale	Comment nous apprenons des réponses observables	Comment avons-nous appris à craindre certains objets ou certaines situations ? Quelle est la meilleure façon de modifier notre comportement, par exemple pour perdre du poids ou cesser de fumer ?
Cognitiviste	Comment nous encodons, traitons, stockons et avons accès à l'information	Comment utilisons-nous les informations pour nous souvenir, raisonner ou résoudre un problème ?
Socioculturelle	Comment les comportements et les modes de pensée varient selon les situations et les cultures	Dans quelle mesure, nous qui sommes humains, sommes-nous semblables et membres d'une unique famille humaine ? En tant que produits de contextes environnementaux différents, à quel point sommes-nous différents ?

« Je suis un chercheur en sciences sociales, Michael. Cela veut dire que je ne peux pas t'expliquer ce qu'est l'électricité ou des choses du même genre, mais si jamais tu veux savoir quelque chose à propos des gens, je suis celui qu'il te faut. »

contraire, attendez de la psychologie qu'elle vous aide à comprendre pourquoi les gens pensent, ressentent ou agissent comme ils le font. Vous trouverez alors l'étude de la psychologie à la fois utile et fascinante.

Les champs de la psychologie

5. Quels sont les principaux champs de la psychologie ?

Si l'on vous demande de peindre un chimiste en train de travailler, vous représenterez probablement un scientifique en blouse blanche entouré d'éprouvettes et d'appareils de haute technologie. Si vous deviez peindre un psychologue au travail, vous auriez raison de représenter :

- un scientifique en blouse blanche en train d'examiner le cerveau d'un rat ;
- un chercheur spécialiste de l'intelligence en train d'évaluer la vitesse à laquelle un enfant montre son ennui en se détournant d'une image qui lui est familière ;
- un cadre évaluant un nouveau programme de formation sur les « styles de vie plus sains » destinés aux employés ;
- une personne devant un ordinateur, analysant les données sur le tempérament d'adolescents adoptés afin d'évaluer s'il se rapproche plus de celui des parents adoptifs ou de celui des parents biologiques ;
- un thérapeute écoutant attentivement les pensées d'un patient dépressif ;
- un voyageur arrivant dans une autre culture et recueillant des données sur les variations des valeurs et des comportements humains ;
- un enseignant ou un écrivain partageant les joies de la psychologie avec d'autres.

Cet ensemble de champs que représente la psychologie a moins d'unité que la plupart des autres sciences. Mais il y a un avantage : la psychologie offre un terrain de rencontres pour différentes disciplines. John Cacioppo (2007), président de *l'Association for Psychological Science* considère que « la psychologie est une discipline scientifique centrale ». Elle constitue donc une « maison idéale » pour ceux dont les centres d'intérêts sont très divers. Dans leurs activités variées, qui vont de l'expérimentation biologique aux comparaisons culturelles, les psychologues ont en commun la même quête : décrire et expliquer les comportements et les processus mentaux qui les sous-tendent.

Certains psychologues mènent des **recherches fondamentales** qui permettent d'élaborer une connaissance de base de la psychologie. Dans les pages qui suivent, nous allons rencontrer nombre de ces chercheurs :

- les *psychologues biologistes* qui explorent les liens existant entre cerveau et esprit ;
- les *psychologues du développement* qui étudient nos capacités de changement tout au long de notre vie ;
- les *psychologues cognitivistes* qui étudient la manière dont nous percevons, réfléchissons et résolvons les problèmes ;
- les *psychologues de la personnalité* qui analysent nos traits de caractère durables ;
- les *psychosociologues* qui étudient comment nous percevons les autres et quelle influence nous avons les uns sur les autres.

Je te vois ! Un psychologue biologiste considère que cette réponse ravie de l'enfant est une preuve de la maturation de son cerveau. Un psychologue cognitiviste la verra comme une démonstration de la connaissance croissante de son environnement. Pour un psychologue spécialiste des influences culturelles, l'intérêt majeur sera l'analyse du rôle des grands-parents dans différentes sociétés. Comme nous le verrons tout au long de ce livre, des points de vue différents permettent d'avoir une vision complémentaire du comportement.

Ces psychologues effectuent également des **recherches appliquées** qui s'attaquent à des problèmes pratiques. Il en est de même pour les *psychologues industriels et organisationnels* (ou *psychologues du travail et des organisations*) qui utilisent sur les lieux de travail les concepts et les méthodes empruntés à la psychologie pour aider les organisations et les entreprises à sélectionner et former les employés, à améliorer l'esprit d'entreprise et la productivité, à concevoir des produits et à équiper de nouveaux systèmes.

Bien que tous les ouvrages de psychologie se focalisent sur la psychologie scientifique, la psychologie est aussi une profession destinée à aider les gens et qui se consacre à la résolution de questions pratiques telles que comment faire un mariage heureux, comment surmonter l'anxiété ou une dépression ou comment élever des enfants débordant de vie. En tant que science, la psychologie fonde ses interventions sur les preuves de leur efficacité. Les **psychologues du conseil et de l'orientation** aident les gens à faire face à différentes difficultés ou crises (comme des problèmes universitaires, professionnels et maritaux) et à améliorer leur manière d'agir personnelle et sociale. Les **psychologues cliniciens** étudient et traitent les troubles mentaux, comportementaux et émotionnels (APA, 2003).

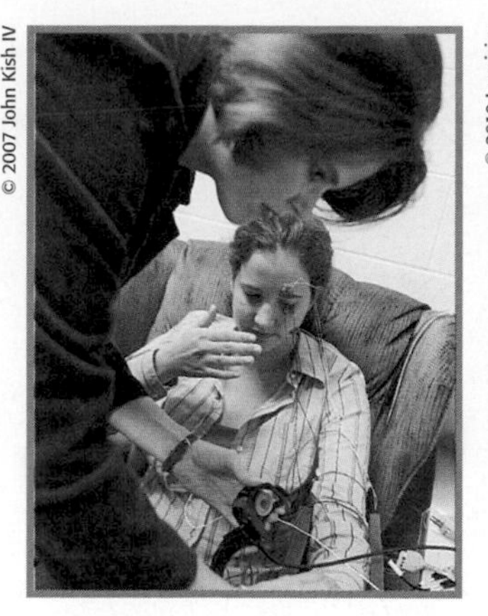

La psychologie : une science et une profession Les psychologues expérimentent, observent, testent et traitent les comportements. Ici nous voyons un psychologue faisant passer des tests à un enfant, un autre qui mesure les données physiologiques liées aux émotions, et enfin un entretien en face à face au cours d'une psychothérapie.

Les psychologues du conseil et de l'orientation et les psychologues cliniciens effectuent et interprètent des tests, donnent des conseils, mettent en place des thérapies et mènent parfois des recherches fondamentales et appliquées. En revanche, même s'ils conduisent souvent des psychothérapies, les **psychiatres** sont des médecins qui traitent les causes physiques des troubles psychologiques et ont le droit de prescrire des médicaments. (Certains psychologues cliniciens font pression pour avoir également le droit de prescrire des médicaments en relation avec la santé mentale. En 2002, l'État du Nouveau-Mexique puis en 2004 l'État de la Louisiane, ont été les premiers États à accorder ce droit aux psychologues diplômés ayant reçu une formation spécialisée.)

Avec des orientations allant du biologique au social et des lieux d'exercice allant du cabinet médical au laboratoire, la psychologie est en relation avec des domaines allant des mathématiques et de la biologie à la sociologie et à la philosophie. Les méthodes et les résultats de la psychologie contribuent, par ailleurs, de plus en plus aux autres disciplines. Les psychologues enseignent dans les facultés de médecine, de droit et de théologie ; ils travaillent dans les hôpitaux, les usines et les administrations. Ils sont engagés dans des études pluridisciplinaires telles que la psychohistoire (qui porte sur l'analyse psychologique des personnages historiques) et la psycholinguistique (qui traite des relations entre la langue et la manière de penser).

L'influence de la psychologie pénètre aussi la culture moderne. Le savoir nous transforme. Le fait d'apprendre à comprendre le système solaire et à appréhender la théorie microbienne des maladies modifie la manière dont les gens pensent et agissent. Connaître les découvertes de la psychologie change aussi les gens. Ils ne jugent plus les troubles psychologiques comme une faute morale qui peut être soignée par la punition ou l'ostracisme. Ils regardent et considèrent moins souvent les femmes comme étant inférieures aux hommes. Ils ne regardent plus et n'élèvent plus les enfants comme s'il s'agissait d'ignorants ou d'animaux qu'il faut domestiquer. « Dans chaque cas, note Morton Hunt (1990, p. 206), la connaissance a modifié les attitudes et, à travers elles, le comportement. » Une fois informé de certains principes de la psychologie – comment le corps et l'esprit sont reliés, comment la pensée d'un enfant se développe, comment nous construisons nos perceptions, comment nous nous souvenons (parfois mal) de nos expériences, de quelle manière les gens à travers le monde sont différents (ou semblables) –, votre esprit a des chances de ne plus être tout à fait le même.

Vous voulez en apprendre davantage ? Voir l'annexe A, « Carrières de la psychologie », à la fin de cet ouvrage, pour plus d'informations sur les divers champs de la psychologie et connaître les nombreuses options intéressantes vers lesquelles les diplômés d'une licence, d'une maîtrise ou d'un doctorat en psychologie peuvent s'orienter.

« Lorsqu'il s'étend à des idées plus larges, [l'esprit] ne retrouve jamais sa taille initiale. »
Oliver Wendell Holmes, 1809-1894

::Recherche fondamentale : science pure qui a pour but d'augmenter les connaissances de base scientifiques.

::Recherche appliquée : étude scientifique ayant pour but de résoudre des problèmes d'ordre pratique.

::Psychologie du conseil et de l'orientation : branche de la psychologie qui aide les personnes ayant des problèmes dans leur vie quotidienne (souvent liés à l'école, à leur travail ou à leur mariage) et cherche à améliorer leur bien-être.

::Psychologie clinique : branche de la psychologie qui étudie, évalue et traite ceux qui souffrent de troubles psychologiques.

::Psychiatrie : branche de la médecine traitant les troubles psychologiques. Elle est pratiquée par des médecins qui administrent parfois des traitements médicaux (par exemple des médicaments) ou conduisent des psychothérapies.

AVANT D'ALLER PLUS LOIN...

➤ Interrogez-vous

Quand vous avez choisi de suivre cette formation, que pensiez-vous de la psychologie ?

➤ Testez-vous 2

Quels sont les principaux niveaux d'analyse de la psychologie ?

Les réponses aux questions « Testez-vous » sont données dans l'annexe B à la fin de l'ouvrage.

GROS PLAN

Quelques astuces pour bien étudier la psychologie

6. Comment les principes de la psychologie peuvent-ils vous aider en tant qu'étudiant ?

L'investissement que vous faites en étudiant la psychologie peut vous permettre d'enrichir votre vie et d'élargir votre vision des choses. Si beaucoup de questions essentielles sur la vie dépassent la psychologie, d'autres, très importantes, peuvent trouver un éclaircissement déterminant même après un seul cours d'introduction à cette discipline. Grâce à des recherches de longue haleine, les psychologues ont pu être renseignés sur le cerveau et l'esprit, les rêves et les souvenirs, la dépression et la joie. Même les questions restées sans réponse peuvent nous enrichir, en nous redonnant ce goût du mystère à propos de ces « choses si merveilleuses » qu'il nous reste encore à découvrir. Plus encore, vos études de psychologie pourront vous aider à apprendre *comment poser des questions importantes et comment y répondre* – comment avoir un regard critique lorsque vous évaluez des idées ou des affirmations contradictoires.

Pour vous enrichir et élargir votre vision des choses (et obtenir de bonnes notes à vos examens), il vous faudra travailler de manière efficace. Comme vous le verrez au chapitre 8, pour dominer n'importe quel sujet, vous devez *le traiter activement*. Votre esprit n'est pas comme votre estomac, un organe que vous devez remplir passivement ; il ressemble davantage à un muscle qui se développe avec de l'exercice. Des expériences sans nombre ont montré qu'on apprenait et qu'on se souvenait mieux d'un sujet quand on l'avait traduit dans ses propres mots, qu'on l'avait répété, qu'on l'avait révisé puis répété encore une fois.

Une méthode en cinq étapes applique ces principes (Robinson, 1970). Vous pouvez vous en souvenir comme de la méthode **PIL2R** : faire le Plan, s'Interroger, Lire, Répéter et Revoir. (En anglais SQ3R pour *Survey*, *Question*, *Read*, *Rehearse*, *Review*).

Premièrement lorsque vous étudiez un chapitre, faites en le *plan* en survolant le texte. Passez en revue les différents titres et repérez l'organisation du chapitre.

Lorsque vous vous préparez à lire chaque partie, utilisez son titre ou son objectif d'apprentissage pour formuler une *question* à laquelle vous devrez répondre. Pour cette partie, vous auriez pu vous demander, « Comment puis-je maîtriser le plus efficacement et le plus sûrement les informations contenues dans ce livre ? »

Puis *lisez* en recherchant activement la réponse à votre question. À chaque séance ne lisez du chapitre que ce que vous pourrez assimiler sans montrer de signes de fatigue (en général une seule partie principale). Lisez de manière critique et active. Posez-vous des questions. Prenez des notes. Envisagez les applications : comment pouvez-vous relier ce que vous lisez à votre propre vie ? Cela conforte-t-il ou s'oppose-t-il à vos hypothèses ? Les preuves sont-elles convaincantes ?

Une fois que vous avez lu une partie, *répétez* ce que vous venez de lire avec vos propres mots. Testez-vous en essayant de répondre à vos propres questions, en répétant ce dont vous vous souvenez, puis en jetant un nouveau coup d'œil sur ce que vous avez oublié.

Pour finir, *revoyez*. Relisez toutes les notes que vous avez prises, revoyez l'organisation du chapitre puis relisez rapidement le chapitre en entier.

Faire le plan, s'interroger, lire, répéter, revoir. J'ai organisé les chapitres de ce livre pour vous permettre d'utiliser plus facilement la méthode PIL2R. Chaque chapitre commence par un *plan* qui vous permet d'en déterminer les grandes lignes. Les titres et les *questions* sur les objectifs d'apprentissage suggèrent les thèmes et les concepts que vous devrez envisager lors de votre *lecture*. Les chapitres sont organisés en parties d'une longueur raisonnable à lire. À la fin de chaque partie vous trouverez un encadré « Avant d'aller plus loin... » comportant des questions : « Interrogez-vous » et « Testez-vous » qui vous aideront à *répéter* ce que vous savez. La partie *Révision* du chapitre apporte des réponses aux questions sur les objectifs d'apprentissage et la liste des mots clé vous permet de vérifier votre maîtrise des concepts importants. Faire le plan, s'interroger, lire...

Cinq astuces supplémentaires concernant les méthodes de travail peuvent améliorer votre apprentissage :

Répartissez votre temps de travail. Une des plus anciennes trouvailles de la psychologie est que l'*apprentissage distribué* permet une meilleure rétention de l'information que l'*apprentissage en masse*. Vous vous rappellerez mieux un texte si vous espacez vos plages de travail sur plusieurs périodes d'étude, par exemple, une heure par jour, six jours par semaine, plutôt que de « bachoter » au cours d'une longue séance de travail. Par exemple, au lieu d'essayer de lire un chapitre entier en une seule fois, lisez uniquement une des sections principales et, ensuite, allez faire autre chose.

La répartition de vos plages de travail vous demandera une certaine discipline afin d'organiser votre temps.

Apprenez à penser de manière critique. Que vous soyez en train de lire ou en classe, notez les hypothèses des auteurs et leur valeur. Quelles perspectives ou biais se cachent derrière un argument ? Examinez les preuves. Sont-elles anecdotiques ? Corrélationnelles ? Expérimentales ? Évaluez les conclusions. Existe-t-il d'autres explications ?

En classe, écoutez activement. Écoutez les idées principales et les idées secondaires émises pendant les cours. *Écrivez-les*. Posez des questions pendant et après les cours. Pendant les cours et lorsque vous étudiez seul, traitez l'information de manière active ; vous la comprendrez et la retiendrez mieux. Comme le clamait le psychologue William James, il y a un siècle, « *pas de réception sans réaction, pas d'impression sans... expression* ».

Révisez. La psychologie nous a appris que les révisions amélioraient la rétention mnésique. Nous avons tendance à surestimer ce que nous savons. Vous pouvez avoir compris un chapitre lorsque vous l'avez lu, mais si vous consacrez du temps supplémentaire à vous interroger et revoir ce que vous pensez savoir, vous retiendrez vos nouvelles connaissances plus longtemps.

Soyez « futés » pendant les examens. Si un examen comprend, à la fois, des questions à choix multiples (QCM) et une question à rédiger, allez tout de suite à cette dernière. Lisez bien la question, notez exactement ce que l'examinateur demande. Au dos de la page, listez au crayon les points dont vous aimeriez parler et, ensuite, organisez-les. Avant de rédiger, mettez la question de côté et travaillez sur les QCM. (Pendant que vous le ferez, vous continuerez à vous imprégner de la question à rédiger. Parfois, les QCM peuvent vous donner des idées pertinentes.) Ensuite, relisez la question, repensez à votre réponse et commencez à écrire. Quand vous aurez terminé, relisez votre travail et corrigez les fautes d'orthographe et la syntaxe grammaticale qui risqueraient de vous faire passer pour moins compétent que vous ne l'êtes en réalité. Quand vous lisez les QCM, ne vous embrouillez pas en essayant d'imaginer comment chaque choix pourrait être le bon. Essayez, au contraire, de faire comme si c'était un formulaire à remplir. Cachez tout d'abord les réponses, et formulez la phrase dans votre tête, en vous rappelant ce que vous savez pour la compléter. Lisez ensuite les réponses proposées et trouvez l'alternative qui correspond le mieux à votre réponse.

En accumulant des connaissances en psychologie, vous apprendrez bien plus que des techniques de travail efficaces. La psychologie nous permet d'approfondir notre appréciation de la question du comment, en tant qu'hommes, nous percevons, pensons, ressentons et agissons. En faisant cela, elle peut enrichir notre vie et élargir notre façon de voir. À travers ce livre, j'espère que je pourrai vous aider à vous orienter dans cette direction. Charles Eliot, qui était éducateur, écrivit il y a un siècle : « Les livres sont les plus calmes et les plus constants des amis ainsi que les plus patients des professeurs. »

:: PIL2R : méthode d'étude comprenant cinq étapes : faire le Plan, s'Interroger, Lire, Répéter, Revoir.

RÉVISION : Histoire de la psychologie

Qu'est-ce que la psychologie ?

1. De quelle façon et à quel moment la science de la psychologie a-t-elle commencé ?

La science de la psychologie moderne a commencé en 1879 avec le premier laboratoire de psychologie fondé par Wilhelm Hundt, un philosophe et physiologiste allemand, et s'est développée avec les travaux effectués par d'autres universitaires issus de diverses disciplines et de nombreux pays.

2. Comment la psychologie s'est-elle développée de 1920 à nos jours ?

Ayant commencé comme une « science de la vie mentale », la psychologie a évolué dans les années 1920 pour devenir « l'étude scientifique des comportements observables ». Après avoir redécouvert l'esprit, à partir des années 1960, la *psychologie* a été largement redéfinie comme la *science du comportement et des processus mentaux*.

La psychologie contemporaine

3. Quelle est la grande problématique historique de la psychologie ?

La problématique la plus importante et la plus persistante de la psychologie concerne les contributions relatives des influences de la *nature* (gènes) et de la *culture* (toutes les autres influences reçues à partir du jour de la conception jusqu'à la mort) et leur interaction. De nos jours, la science insiste sur les interactions entre les gènes et les expériences dans des environnements spécifiques.

4. Quels sont les niveaux d'analyse de la psychologie et les perspectives qui leur sont liées ?

L'*approche biopsychosociale* intègre des informations issues des *niveaux d'analyse* biologique, psychologique et socioculturel. Les psychologues étudient les comportements et les processus mentaux de l'homme selon un grand nombre de perspectives (y compris les points de vue neuroscientifique, évolutionniste, de la génétique comportementale, psychodynamique, comportemental, cognitif et socioculturel).

5. Quels sont les principaux champs de la psychologie ?

Les champs de la psychologie comprennent la *recherche fondamentale* (souvent effectuée par les psychologues spécialisés en biologie, développement, cognition, personnalité et sociologie), la *recherche appliquée* (parfois menée par les psychologues industriels et organisationnels) et les sciences et applications cliniques (travail effectué par les *psychologues du conseil et de l'orientation* et les *psychologues cliniciens*). Les psychologues cliniciens étudient, évaluent et traitent (par la psychothérapie) les personnes qui souffrent de troubles psychologiques ; les *psychiatres* aussi étudient, évaluent et traitent les personnes qui présentent des troubles, mais en tant que médecins, ils peuvent prescrire des médicaments en plus de conduire une psychothérapie.

6. Comment les principes de la psychologie peuvent-ils vous aider en tant qu'étudiant ?

Des recherches ont montré que l'étude active améliorait l'apprentissage et la mémoire. La méthode d'étude PIL2R – faire le Plan, s'Interroger, Lire, Répéter, Revoir – applique les principes dérivés de ces recherches.

Termes et concepts à retenir

Structuralisme, p. 3
Fonctionnalisme, p. 3
Comportementalisme ou behaviorisme, p. 5
Psychologie humaniste, p. 5
Neurosciences cognitives, p. 5
Psychologie, p. 6
Problématique nature/culture (inné/acquis), p. 7
Sélection naturelle, p. 8
Niveaux d'analyse, p. 9
Approche biopsychosociale, p. 8
Recherche fondamentale, p. 10
Recherche appliquée, p. 10
Psychologie du conseil et de l'orientation, p. 10
Psychologie clinique, p. 10
Psychiatrie, p. 11
PIL2R, p. 12

CHAPITRE 1

Penser de manière critique grâce à la psychologie scientifique

LE BESOIN D'UNE PSYCHOLOGIE SCIENTIFIQUE

L'a-t-on toujours su ?

Le biais de l'après-coup

La confiance excessive

L'attitude scientifique

La réflexion (pensée) critique

COMMENT LES PSYCHOLOGUES POSENT-ILS DES QUESTIONS ET Y RÉPONDENT-ILS ?

La méthode scientifique

Description

Corrélation

Expérimentation

LE RAISONNEMENT STATISTIQUE DANS LA VIE QUOTIDIENNE

Décrire des données

Établir des inférences

QUESTIONS SOUVENT POSÉES À PROPOS DE LA PSYCHOLOGIE

En espérant satisfaire leur curiosité à propos des autres et remédier à leurs propres maux, des millions de personnes se tournent vers la « psychologie ». Ils suivent des talk-shows délivrant des conseils, lisent des articles sur le pouvoir du psychisme, participent à des séminaires ayant pour thème l'arrêt du tabac par l'hypnose et se plongent dans les sites Web ou la lecture de livres sur la signification des rêves, les secrets de l'amour extatique ou les clés du bonheur personnel.

D'autres, intrigués par les affirmations d'une vérité psychologique, s'interrogent : se crée-t-il vraiment un lien entre la mère et l'enfant dans les premières heures suivant la naissance ? Devons-nous prêter foi aux souvenirs qui réapparaissent à l'âge adulte à propos d'abus sexuels subis dans l'enfance et poursuivre leurs auteurs présumés ? Les aînés sont-ils plus poussés à réussir ? Les psychothérapies peuvent-elles soigner ?

En répondant à ces quelques questions, comment peut-on distinguer les simples opinions des résultats issus de recherches éprouvées ? *Comment peut-on utiliser la psychologie afin de comprendre pourquoi les gens pensent, ressentent et agissent comme ils le font ?*

Le besoin d'une psychologie scientifique

1. Pourquoi les réponses obtenues par l'approche scientifique sont-elles plus fiables que celles basées sur l'intuition et le sens commun ?

CERTAINS DISENT que la psychologie, en utilisant son propre jargon, ne fait que prouver ce que tout le monde sait déjà : « Qu'y a-t-il de nouveau alors ; on vous paye pour que vous utilisiez des méthodes alambiquées pour prouver ce que ma grand-mère savait déjà ? » D'autres placent leur foi en l'intuition humaine. Selon le Prince Charles (2000), « il existe une conscience instinctive, enfouie profondément en chacun d'entre nous, que nous ressentons avec notre cœur et qui, si on la laisse faire, représente notre meilleur guide ». Alors qu'il était gouverneur du Texas, Georges Bush (1999) déclara, « je sais qu'il n'existe aucune preuve de l'effet dissuasif de la peine de mort, mais, au plus profond de moi-même, je sens que cela doit être vrai ». Devenu président, il dit à Bob Woodward pour expliquer sa décision de déclencher la guerre en Irak (2002), « je suis un joueur instinctif, je me fie toujours à mon instinct ».

Le prince Charles et l'ex-président Bush ont de nombreux adeptes. Une longue liste de livres de vulgarisation sur la psychologie nous encourage à la « gestion intuitive de l'entreprise », et à l'utilisation de l'intuition « pour les investissements boursiers » ou « les processus de guérison » et bien plus. Actuellement, la psychologie scientifique parle d'un vaste esprit intuitif. Comme nous le verrons, notre pensée, notre mémoire et nos attitudes opèrent à deux niveaux, conscient et inconscient, et la majorité des actions s'effectue automatiquement, en dehors de l'écran de notre conscience. Tout comme les avions de ligne, nous volons le plus souvent sur pilote automatique.

Ainsi, est-ce intelligent d'écouter les chuchotements de notre sagesse, de faire simplement confiance à « notre force intérieure ». Ou bien devrions-nous plus souvent soumettre nos pressentiments intuitifs à un examen sceptique ?

Il semblerait que cet examen soit nécessaire. L'intuition est importante mais nous sous-estimons souvent ses dangers. Mon intuition

Les limites de l'intuition
Les spécialistes de l'entretien d'embauche du personnel ont tendance à avoir trop confiance en leurs sentiments instinctifs dans le choix d'un candidat. Leur présomption provient de leurs souvenirs des cas où leurs impressions favorables se sont avérées justes, et de leur ignorance des candidats non retenus qui ont réussi ailleurs.

géographique me dit que Reno est à l'est de Los Angeles, que Rome est au sud de New York, qu'Atlanta est à l'est de Détroit. Seulement je me trompe, encore et encore.

Dans les chapitres à venir, nous verrons que des expériences ont mis en évidence que nous surestimons fortement notre capacité à détecter les mensonges, à nous souvenir de témoignages oculaires, à évaluer un candidat lors d'un entretien, à prévoir les risques ainsi que notre talent à sélectionner les valeurs boursières sur lesquelles investir. Selon Richard Feynman (1997), « le premier principe est que vous ne devez pas vous laisser duper par vous-même, alors que vous êtes la personne la plus facile à duper ».

En vérité, note l'écrivain Madeleine L'Engle, « l'intellect nu est un instrument extraordinairement imprécis » (1973). Deux phénomènes, le biais de l'après-coup et l'excès de confiance dans notre jugement, illustrent pourquoi nous ne pouvons nous fier seulement à notre intuition et à notre sens commun.

« Celui qui se fie en son propre cœur est un idiot. »
Proverbes 28:26

L'a-t-on toujours su ? Le biais de l'après-coup

Il est facile de paraître astucieux quand on dessine la cible une fois que la flèche l'a touchée. Après que la première tour du World Trade Center a été frappée le 11 septembre 2001, les commentateurs dirent que les personnes qui se trouvaient dans la seconde tour *auraient dû* évacuer immédiatement (par la suite, il devint évident qu'il ne s'agissait pas d'un accident). Une fois que l'occupation de l'Irak par l'armée américaine a engendré une guerre civile sanglante au lieu d'une démocratie pacifique, les commentateurs ont parlé d'un résultat inévitable. *Avant* le lancement de l'invasion pourtant, ce résultat n'était absolument pas évident : lorsqu'ils ont voté pour l'invasion iraquienne, la plupart des sénateurs américains n'avaient pas anticipé le chaos qui semble si prévisible après coup. Le fait même d'apprendre qu'un événement s'est produit le rend inévitable. Cette tendance est appelée le **biais de l'après-coup** ou, encore, le *phénomène du « je l'ai toujours su »*.

« La vie est vécue par anticipation, mais elle n'est comprise qu'après coup. »
Søren Kierkegaard, philosophe, 1813-1855

Ce phénomène est facile à démontrer. Donnez à la moitié des membres d'un groupe des résultats supposés provenir de la recherche psychologique et à l'autre moitié des résultats qui vont dans le sens inverse. Dites au premier groupe : « Les psychologues ont montré que la séparation affaiblissait le désir ; comme dit le proverbe : « loin des yeux, loin du cœur ». Demandez-leur d'imaginer pourquoi cela peut être vrai. La plupart d'entre eux pourront le faire et presque tous considéreront alors cette découverte comme tout à fait évidente.

Dites exactement le contraire au second groupe : « Les psychologues ont montré que la séparation renforçait le désir ; comme dit le proverbe : « l'absence enchaîne les cœurs ». Ceux à qui on a proposé ce faux résultat sont, de la même manière, capables de l'expliquer et vont le considérer comme une banalité tombant sous le sens. Il est donc évident que lorsqu'une proposition et son contraire apparaissent comme faisant partie du sens commun, il y a un problème.

« Toute chose devient un lieu commun, une fois qu'elle est expliquée. »
Dr Watson à Sherlock Holmes

De telles erreurs au niveau de nos souvenirs et de nos explications montrent pourquoi nous avons besoin de la recherche en psychologie. Tout simplement poser la question aux gens « comment » et « pourquoi » ils se sont comportés ainsi ou se sentent ainsi peut parfois être trompeur. *Non* parce que le bon sens est généralement dans l'erreur, mais parce que le bon sens décrit plus aisément ce qui *s'est passé* qu'il ne prédit ce qui *va se passer*. Comme l'a dit le physicien Neils Bohr, « il est très difficile de prédire, en particulier le futur ».

Ce biais de l'après-coup est général. Plus de 100 études l'ont observé dans divers pays, aussi bien chez des enfants que chez des adultes (Blank et coll., 2007). Néanmoins, les grand-mères ont souvent raison. Comme le disait, un jour, Yogi Berra : « Vous pouvez observer beaucoup de choses en regardant. » (Nous devons remercier Berra pour d'autres perles du même genre telles que : « Personne ne vient jamais ici, il y a trop de monde ! » ou bien encore : « Si les gens ne veulent pas sortir des stades de base-ball, personne ne peut les en empêcher ! ».) Étant donné que nous sommes tous des « observateurs des comportements », il serait surprenant

:: Biais de l'après-coup : tendance à croire, après avoir eu connaissance d'un résultat, qu'on aurait pu le prévoir. (Ce biais est aussi connu sous le nom du *phénomène de « je l'ai toujours su »*.)

que de nombreuses découvertes faites par la psychologie *n'*aient *pas* été prédites. Beaucoup de gens pensent que l'amour est source de bonheur, et ils ont raison (comme le montre le chapitre 11, nous avons un fort « besoin d'appartenance »). En fait, remarquent Daniel Gilbert, Brett Pelham et Douglas Krull (2003), « les bonnes idées de la psychologie ont généralement une qualité étrangement familière et, au moment où nous les rencontrons, nous sommes certains d'avoir déjà pensé à peu près la même chose et simplement oublié de le noter ». Les bonnes idées sont comme les bonnes inventions ; une fois créées, elles semblent évidentes. (Pourquoi avons-nous donc tellement tardé pour inventer les valises à roulettes et les Post-it® ?)

AP Photo/The Roanoke Times, Matt Gentry

Le biais de l'après-coup
Après le massacre en 2007 de 32 personnes de l'université de Virginia Tech, il semblait évident que les responsables de l'université auraient dû fermer l'école (malgré qu'elle renferme l'équivalent de la population d'une petite ville) dès le meurtre des deux premières personnes. Après coup, tout semble évident à 100 pour 100.

Cependant, parfois l'intuition de nos grand-mères, nourrie par un nombre incalculable d'observations fortuites, se trompe. Dans les chapitres suivants, nous verrons comment les recherches ont réfuté certaines idées populaires, comme le fait que la familiarité engendre le mépris, que les rêves prédisent l'avenir, ou encore que nos réactions émotionnelles coïncident avec les menstruations. (*voir aussi* le TABLEAU 1.1). Nous verrons également à quel point nous avons été surpris par des découvertes telles que le contrôle de nos humeurs et de nos souvenirs par des messagers chimiques du cerveau, les effets du stress sur notre capacité à lutter contre les maladies ou encore les capacités des animaux.

TABLEAU 1.1

VRAI OU FAUX ?

La recherche psychologique que nous aborderons dans les chapitres suivants confirme ou réfute chacune des déclarations suivantes (adapté en partie de Furnham et coll., 2003). Pouvez-vous prédire quelles idées populaires ont été confirmées ou réfutées ? (Vérifiez votre réponse au bas du tableau)

1. Si vous voulez enseigner une habitude de manière à ce qu'elle persiste, donnez une récompense à chaque fois que le comportement désiré est obtenu et non pas de façon intermittente (*voir* Chapitre 7)
2. Les patients dont le cerveau a été chirurgicalement divisé en son milieu survivent et fonctionnent pratiquement comme ils le faisaient avant l'intervention (*voir* Chapitre 2)
3. Les expériences traumatisantes, par exemple subir des abus sexuels ou survivre à l'Holocauste, sont typiquement « refoulées » de la mémoire (*voir* Chapitre 8)
4. La plupart des enfants qui ont subi des abus *n'*en font *pas* subir lorsqu'ils sont adultes (*voir* Chapitre 5)
5. La plupart des très jeunes enfants reconnaissent leur propre reflet dans un miroir vers l'âge d'un an (*voir* Chapitre 5)
6. Les frères et sœurs adoptés n'ont pas tendance à développer une personnalité similaire, même s'ils sont élevés par les mêmes parents (*voir* Chapitre 4)
7. La peur d'objets inoffensifs, par exemple d'une fleur, est aussi facile à acquérir que la peur d'objets potentiellement dangereux, comme un serpent (*voir* Chapitre 12)
8. Les détecteurs de mensonge mentent souvent (*voir* Chapitre 12)
9. La plupart des gens n'utilisent que 10 p. 100 de leur cerveau (*voir* Chapitre 2)
10. Le cerveau reste actif pendant le sommeil (*voir* Chapitre 3)

Réponses : 1.F, 2.V, 3.F, 4.V, 5.F, 6.V, 7.F, 8.V, 9.F, 10.V.

La confiance excessive

Nous avons tendance, et c'est humain, à avoir une trop grande confiance en nous. Comme l'explique le chapitre 9, nous avons tendance à penser que nous en savons plus qu'en réalité. Lorsque l'on nous demande à quel point nous sommes sûrs de nos réponses à des questions précises comme : « la ville de Boston est-elle au nord ou au sud de Paris ? », nous avons tendance à être plus confiants que de raison[1]. Voyons, maintenant, ces trois anagrammes que Richard Goranson (1978) demandait aux gens de résoudre :

AEYRR → RAYER
EIOVL → VOILE
GRABE → BARGE

Combien de secondes pensez-vous que cela vous aurait pris pour résoudre chacun de ces anagrammes ?

Une fois que l'on connaît le mot cible, la vision après-coup le fait paraître évident, à tel point que l'on se surestime. On pense qu'on aurait trouvé la solution en une dizaine de secondes alors qu'en réalité, un sujet met en moyenne 3 minutes, ce qui serait aussi le cas pour vous, si l'anagramme vous était donné sans sa solution (essayez pour OCHSA, solution page suivante).

Sommes-nous meilleurs pour prédire les comportements sociaux ? Pour le savoir, Robert Valonne et ses collaborateurs (1990) avaient demandé à des étudiants au début de l'année universitaire de prédire s'ils allaient abandonner un cours, voter à une prochaine élection, appeler leurs parents plus de deux fois par mois, et ainsi de suite. En moyenne, les étudiants se sont sentis sûrs de leurs prédictions à 84 p. 100. Un questionnaire proposé en cours d'année à propos de leurs comportements réels montra que leurs prédictions s'étaient réalisées dans seulement 71 p. 100 des cas. Même lorsqu'ils étaient sûrs à 100 p. 100, leurs prédictions s'avéraient fausses dans environ 15 p. 100 des cas.

Il n'y a pas que les étudiants. Le psychologue de l'*Ohio State University*, Philip Tetlock (1998, 2005), a rassemblé plus de 27 000 prédictions faites par des experts sur des événements mondiaux comme le futur de l'Afrique du Sud ou la séparation entre Québec et Canada. À chaque fois, il a trouvé que les prédictions faites par des experts ayant en moyenne une confiance en eux de 80 p. 100 se sont avérées exactes dans moins de 40 p. 100 des cas. Néanmoins, même ceux qui se trompèrent continuaient à avoir confiance en eux en remarquant qu'ils avaient eu presque raison. « Les séparatistes québécois ont *presque* gagné le référendum. »

Ce qu'il faut retenir : le biais de l'après-coup et la confiance excessive nous conduisent souvent à surestimer notre intuition. Mais la recherche scientifique peut nous aider à laisser filtrer la vérité au milieu de toutes ces illusions.

Solutions drôles d'anagramme :
Niche = chien
Migraine = imaginer
Albert Einstein = rien n'est établi

« Nous n'aimons pas leur style et les groupes de guitaristes sont sur le déclin. »
La maison de disques Decca, après avoir rompu un contrat d'enregistrement avec les Beatles en 1962

« Les ordinateurs du futur ne devraient pas peser plus de 1,5 tonne. »
Popular Mechanics, 1949

« Les téléphones sont peut-être appropriés pour nos cousins américains, mais pas ici, car nous avons un nombre suffisant de garçons de courses. »
Évaluation d'un groupe d'experts britanniques à propos de l'invention du téléphone

« Ils ne pourraient pas toucher un éléphant à cette distance. »
Général John Sedgwick, juste avant d'être tué lors d'une bataille de la guerre de Sécession, 1864

L'attitude scientifique

2. Quelles sont les trois principales composantes de l'attitude scientifique ?

Derrière toute science, il y a d'abord une *curiosité* obstinée, une passion d'explorer et de comprendre sans tromper ni être trompé. Certaines questions comme « y a-t-il une vie après la mort ? » dépassent la science. Y répondre d'une manière ou d'une autre requiert d'avoir la foi. Pour beaucoup d'autres idées (« y a-t-il des personnes capables de démontrer les pouvoirs de la perception extrasensorielle ? »), c'est sur des preuves de leur existence que l'on pourra juger. Peu importe qu'une idée soit sensée ou absurde, la question que se pose celui qui pense de manière critique est : « *est-ce que ça marche ?* ». Mise à l'épreuve des tests, confirme-t-elle ses prédictions ?

L'approche scientifique a une longue histoire. Des personnages aussi anciens que Moïse utilisaient cette approche. Comment évaluer un prophète autoproclamé, lui demandait-on ? Sa réponse était : mettez le prophète à l'épreuve. Si l'événement prédit « n'a pas lieu ou s'avère faux », alors tant pis pour le prophète (Deutéronome 18:22). En laissant les faits parler d'eux-mêmes, Moïse utilisait ce que l'on appelle maintenant l'*approche empirique*. Le

« Le scientifique… doit être libre de poser toutes les questions, de douter de toute assertion, de rechercher toutes les preuves, de corriger toutes les erreurs. »
J. Robert Oppenheimer, physicien, *Life*, 10 octobre 1949

1. Boston est au sud de Paris.

magicien James Randi utilise la méthode proposée par Moïse pour tester ceux qui prétendent voir une « aura » autour du corps des gens.

Randi : Voyez-vous une aura autour de ma tête ?
Le voyant : Oui, bien sûr.
Randi : Voyez-vous toujours l'aura si je mets ce magazine devant mon visage ?
Le voyant : Bien sûr.
Randi : Donc, si j'étais amené à sauter derrière un mur à peu près aussi haut que moi, vous pourriez déterminer le lieu où je me trouverais à partir de l'aura visible autour de ma tête, n'est-ce pas ?

Randi m'a dit qu'aucun voyant n'avait à ce jour accepté de se prêter à cette expérience très simple.

Lorsqu'elles sont soumises à de telles expériences, certaines idées loufoques trouvent, parfois, un certain soutien. Au XVIIIe siècle, les scientifiques se gaussaient de l'idée selon laquelle les météorites pourraient avoir une origine extraterrestre. Lorsque deux d'entre eux, de l'université de Yale, tentèrent de se démarquer de cette position conventionnelle, Thomas Jefferson déclara, en se moquant d'eux : « Messieurs, je préférerais croire que ces deux professeurs yankees ont menti plutôt que de croire que des pierres peuvent tomber du ciel. » Parfois, les investigations scientifiques ont raison des sceptiques.

Le plus souvent, la science devient le broyeur d'ordures de la société en envoyant sur le tas de déchets des idées loufoques telles que le mouvement perpétuel, les traitements miracles pour guérir le cancer ou les voyages extracorporels dans le passé. Les « vérités » d'aujourd'hui deviennent parfois les erreurs de demain. Pouvoir opérer un tri minutieux entre ce qui relève du réel et de l'imaginaire, entre ce qui est sensé et insensé, requiert une attitude scientifique : il faut être sceptique sans être cynique, être ouvert sans être crédule.

Selon un proverbe polonais : « Pour croire avec certitude, il faut commencer par douter ». Les psychologues, en tant que scientifiques, se proposent eux aussi d'appréhender la sphère du comportement avec un *scepticisme curieux*. Ils posent, constamment, les deux questions suivantes : *qu'est-ce que vous voulez dire ?* et *comment le savez-vous ?*

Lorsque des idées entrent en compétition, des expériences menées par les sceptiques peuvent déterminer celles qui collent le mieux aux faits étudiés. Est-ce que le comportement des parents peut déterminer l'orientation sexuelle des enfants ? Les astrologues peuvent-ils prédire votre avenir en se fondant sur la position des planètes le jour de votre naissance ? Comme vous le verrez dans les chapitres suivants, les psychologues, en testant ces propositions, ont commencé à en douter.

Mettre en pratique une attitude scientifique demande non seulement du scepticisme, mais aussi de l'*humilité*, la conscience que nous sommes vulnérables et pouvons nous tromper et que nous devons être ouverts aux surprises et aux nouvelles perspectives. En dernière analyse, ce qui importe le plus, ce n'est pas mon opinion ou la vôtre, mais toute vérité que la nature révèle en réponse à nos questions. Si les gens ou les animaux ne se comportent pas de la manière que nous avions préalablement supposée, alors tant pis pour nos idées. Cette attitude humble s'exprime à travers un des premiers commandements de la psychologie : « Le rat a toujours raison. »

Les historiens des sciences nous disent que ces trois attitudes, scepticisme, curiosité et humilité, ont aidé la science moderne à émerger. Nombre de ses fondateurs, y compris Copernic et Newton, avaient des convictions religieuses qui les rendaient humbles devant la nature et sceptiques face à toutes formes d'autorité humaine (Hooykaas, 1972 ; Merton, 1938). De nos jours, la science, et en particulier la psychologie scientifique, est parfois perçue par les personnes

Avec l'aimable autorisation de James Randi Education Foundation

Randi le Merveilleux Le magicien James Randi illustre le scepticisme. Il a testé et démonté un grand nombre de phénomènes psychiques.

« Un sceptique est quelqu'un qui a la volonté de remettre en question toute vérité proclamée, recherchant à clarifier les définitions, une certaine cohérence dans la logique et des preuves adéquates. »

Paul Kurtz, philosophe, *The Skeptical Inquirer*, 1994

Non Sequitur

Reproduit avec la permission de Universal Press Syndicate. © 1997 Wiley.

Solution à l'anagramme de la page précédente : CHAOS.

« Mon sentiment profond est que si un Dieu ou quelque chose de ce genre existe, notre curiosité et notre intelligence nous ont été données par ce Dieu. Nous serions dédaigneux de ces dons... si nous réprimions notre passion d'explorer l'univers et nous-mêmes. »
Carl Sagan, *Le cerveau de Broca*, 1979

« Le but réel de la méthode scientifique est d'être certain que la nature ne vous induise pas en erreur en vous faisant penser que vous savez quelque chose qu'en réalité vous ne savez pas. »
Robert M. Pirsig, *Zen and the Art of Motorcycle Maintenance*, 1974

profondément religieuses comme une menace. Cependant, remarque le sociologue Rodney Stark (2003a,b), la révolution scientifique fut en grande partie menée par des personnes profondément religieuses agissant selon l'idée religieuse que « pour aimer et honorer Dieu, il est nécessaire d'apprécier pleinement les merveilles de son œuvre ».

Bien sûr, les scientifiques, comme les autres, peuvent avoir un ego géant et s'accrocher avec entêtement à leurs idées préconçues. Nous regardons tous la nature à travers le prisme de nos idées préconçues. Néanmoins, l'idéal qui unit les psychologues à tous les scientifiques, c'est l'examen curieux, sceptique, toujours humble, des idées qui se contredisent. Formant une communauté, les scientifiques vérifient à plusieurs reprises les résultats et les conclusions des uns et des autres.

La réflexion (pensée) critique

Cette attitude scientifique nous prépare à penser avec plus de discernement. Penser avec discernement, ou avoir une **réflexion critique**, c'est examiner les propositions, débusquer les valeurs cachées, jauger les preuves et soupeser les conclusions. Qu'ils lisent les informations ou qu'ils écoutent une conversation, les « penseurs critiques » posent des questions. Comme les scientifiques, ils se demandent : « comment savent-ils cela ? » et « quel est l'intérêt personnel de cette personne ? » La conclusion est-elle fondée sur de simples anecdotes et intuitions ou sur des preuves crédibles ? La preuve justifie-t-elle une relation de cause à effet ? Quelles sont les autres explications possibles ?

L'attitude autocritique de la psychologie a-t-elle permis des découvertes surprenantes ? Comme le montrent les chapitres suivants, la réponse est oui, assurément. Croyez-le ou non...

- Une perte massive de tissu cérébral intervenant dans les premiers jours suivant la naissance peut n'avoir que des effets minimes à long terme (*voir* Chapitre 2).
- Quelques jours après leur naissance, les nouveau-nés peuvent reconnaître la voix et l'odeur de leur mère (*voir* Chapitre 5).
- Les lésions cérébrales n'empêchent pas une personne d'acquérir de nouvelles compétences bien qu'elle n'en soit pas consciente (*voir* Chapitre 8).
- Les hommes et les femmes, les jeunes et les vieux, les riches et les pauvres, les classes aisées et les classes modestes, les personnes avec ou sans handicap font tous état du même niveau de bonheur personnel (*voir* Chapitre 12).
- La sismothérapie – délivrer un électrochoc au cerveau – est souvent un traitement très efficace des formes sévères de dépression (*voir* Chapitre 15).

La démarche de recherche critique a-t-elle démenti, de manière convaincante, les croyances populaires ? La réponse, comme les chapitres suivants l'illustrent, est à nouveau oui. Les preuves indiquent que...

- Les somnambules *ne* miment *pas* leurs rêves (*voir* Chapitre 3).
- Nos expériences passées *ne* sont *pas* toutes enregistrées dans notre cerveau et, à l'aide de stimulations cérébrales ou avec l'hypnose, on *ne peut pas* simplement « écouter la bande » et revivre des souvenirs qui étaient refoulés ou enterrés au plus profond de notre mémoire (*voir* Chapitre 8).
- La plupart des gens *ne* souffrent *pas* d'une faible estime d'eux-mêmes, et la haute estime de soi n'est pas toujours bonne (*voir* Chapitre 13).
- En général, les contraires *ne* s'attirent *pas* (*voir* Chapitre 16).

Pour chacun de ces exemples, et pour d'autres encore, ce que nous avons appris ne correspond pas toujours aux croyances générales.

AVANT D'ALLER PLUS LOIN...

➤ INTERROGEZ-VOUS

Comment la réflexion critique peut-elle nous aider à évaluer les interprétations des rêves faites par une personne ou sa prétendue communication avec l'au-delà ?

➤ TESTEZ-VOUS 1

Quelle est l'attitude scientifique et pourquoi est-elle importante pour la réflexion critique ?

Les réponses aux questions « Testez-vous » sont données dans l'annexe B à la fin de l'ouvrage.

Comment les psychologues posent-ils des questions et y répondent-ils ?

LES PSYCHOLOGUES RENFORCENT LEUR ATTITUDE SCIENTIFIQUE avec la *méthode scientifique*. La psychologie scientifique évalue les idées qui se contredisent en les observant attentivement et en les analysant rigoureusement. Dans sa quête pour décrire et expliquer la nature humaine, elle accueille les intuitions et les théories qui semblent plausibles. Elle les teste. Si la théorie « marche », c'est-à-dire si les résultats confortent ses prévisions, alors tout va pour le mieux pour cette théorie. Si les prévisions ne se réalisent pas, la théorie sera révisée ou rejetée.

La méthode scientifique

3. De quelle manière les théories font-elles avancer la psychologie scientifique ?

Dans les conversations courantes, nous utilisons souvent le terme *théorie* dans le sens d'« intuition ». Pour la science cependant, la théorie est liée à l'observation. Une **théorie** scientifique *explique*, à travers un choix de lois intégrées, ce qui *organise* les observations et *prédit* des comportements et des événements. En organisant des faits isolés, une théorie simplifie les choses. Il y a maintenant tellement de faits connus concernant le comportement que nous ne pouvons pas espérer tous les retenir. En reliant les faits et en les intégrant dans des lois ayant plus de portée, une théorie offre des raccourcis utiles. Au fur et à mesure que les lignes relient les points isolés, une image cohérente apparaît.

Une bonne théorie de la dépression, par exemple, nous aidera tout d'abord à organiser un grand nombre d'observations sur ce trouble et à établir, ensuite, une liste plus condensée de grands principes. Imaginez ainsi que l'on observe de manière récurrente que les déprimés décrivent leur passé, leur présent et leur avenir en termes sombres. Il devient alors possible de théoriser qu'une faible estime de soi réside au cœur de la dépression. Jusque-là tout va bien, notre principe sur la faible estime de soi résume clairement une longue liste de faits concernant les patients déprimés.

À partir de là, peu importe le caractère plausible que peut revêtir une théorie, et dans le cas présent une faible estime de soi semble être une explication raisonnable de la dépression, nous devons la mettre à l'épreuve. Une bonne théorie implique des prédictions vérifiables, appelées **hypothèses**. En nous permettant de tester et de rejeter ou de réviser une théorie, de telles prédictions donnent des orientations à la recherche. Elles spécifient par avance quels résultats pourraient soutenir la théorie et quels autres pourraient l'infirmer. Pour tester notre théorie de la faible estime de soi chez les individus dépressifs, nous pourrions évaluer l'estime de soi de ces individus en leur demandant d'indiquer s'ils sont d'accord avec certaines affirmations comme « j'ai de bonnes idées » et « on s'amuse avec moi ». Puis nous pourrions voir si, comme nous en avions fait l'hypothèse, les sujets qui rapportent une plus faible estime de soi sont aussi ceux qui sont les plus déprimés (FIGURE 1.1, page suivante).

En faisant cela, nous devrions être conscients que notre théorie peut biaiser nos observations subjectives. Partant du fait théorique que la dépression est due à une faible estime de soi, nous pourrions voir ce à quoi nous nous attendions. Nous pourrions être tentés de percevoir les commentaires neutres des patients déprimés comme des manifestations d'autodépréciation. Cette envie irrésistible de voir ce à quoi nous nous attendons est, pour nous tous, une tentation permanente (à l'intérieur comme à l'extérieur du laboratoire). Par exemple, selon la SSCI bipartite (Commission du renseignement du Sénat américain, 2004), les probabilités préconçues sur le fait que l'Irak était en possession d'armes de destruction massive ont conduit les analystes du renseignement à interpréter à tort toute observation ambiguë comme étant une confirmation de cette théorie. Les conclusions qu'ils en ont tirées les ont conduits à l'invasion américaine de l'Irak.

Afin de permettre la détection de leurs biais, les psychologues font des rapports suffisamment précis de leurs études, avec des **définitions opératoires** claires des procédures et des concepts. La *faim* par exemple peut être définie comme « des heures sans manger », la *générosité* comme le « don d'argent ». Ces énoncés utilisant des mots précis permettent à d'autres de **répliquer** (répéter) les observations. Si d'autres chercheurs reproduisent la même étude avec d'autres sujets et un matériel différent et qu'ils obtiennent des résultats similaires, alors notre confiance dans la validité des résultats augmente. La première étude sur le biais de l'après-coup a éveillé la curiosité des psychologues. Maintenant, après de nombreuses réplications faites avec succès, sur divers sujets et questions, nous sommes tout à fait sûrs du pouvoir de ce phénomène.

::Réflexion (pensée) critique : pensée qui n'accepte pas aveuglément les arguments et les conclusions, mais qui, au contraire, examine les hypothèses, débusque les valeurs cachées, évalue les preuves et juge les conclusions.

::Théorie : explication qui utilise un ensemble de principes pour organiser les observations et prédire des comportements ou des événements.

::Hypothèse : prédiction qui peut être testée, souvent inférée par une théorie.

::Définition opératoire : description des procédures (ou des opérations) qui sont utilisées pour définir les variables d'une recherche. Par exemple, l'*intelligence humaine* peut être définie de manière opératoire par ce que mesure un test d'intelligence.

::Réplication : répétition des principes de base d'une étude, généralement avec des sujets différents dans des conditions différentes, pour voir si les résultats de base peuvent être appliqués à d'autres sujets et d'autres circonstances.

➤ FIGURE 1.1
La méthode scientifique Une démarche autocorrective pour élaborer des questions et observer les réponses de la nature.

(1) Théories
Exemple : une faible estime de soi entretient la dépression

Conduit à

(2) Hypothèses
Exemple : les personnes ayant une faible estime de soi obtiennent des résultats plus élevés dans l'échelle de la dépression

Conduit à

(3) Recherche et observations
Exemple : réalisation de tests d'estime de soi et de dépression. Vérifier si des résultats faibles dans un test prédisent des résultats élevés dans l'autre

Confirme, rejette ou révise

• Une bonne théorie explique en :
1. organisant et en mettant en relation des faits observés ;
2. utilisant des hypothèses qui proposent des prédictions vérifiables et, parfois, des applications pratiques. •

Finalement, nos théories seront utiles si : (1) elles *organisent* de manière effective un éventail d'observations et de rapports, (2) elles infèrent des *prédictions* claires que tout le monde peut utiliser pour vérifier la théorie ou pour engendrer des applications pratiques. (Si nous améliorons l'estime de soi des sujets, leur dépression s'en ira-t-elle ?) Finalement, notre recherche aboutira probablement à une théorie modifiée (comme celle du chapitre 14) qui organise et prédit mieux ce que nous savons de la dépression.

Comme nous le verrons plus loin, nous pouvons tester nos hypothèses et affiner nos théories en utilisant des méthodes *descriptives* (qui décrivent les comportements, souvent en utilisant l'étude de cas, les enquêtes ou les observations naturalistes), *corrélationnelles* (qui associent différents facteurs) et *expérimentales* (qui manipulent les facteurs pour découvrir leurs effets). Nous devons reconnaître ces méthodes et savoir quelles conclusions nous pouvons en tirer, si nous voulons mener une réflexion critique sur les affirmations populaires ayant trait à la psychologie.

Le cas du langage des chimpanzés
Au cours d'études sur les chimpanzés, des psychologues se sont demandé si le langage était uniquement humain. Ici, le chimpanzé Nim Chimpsky effectue le geste « *serrer dans les bras* » lorsque son entraîneur, le psychologue Herbert Terrace, lui montre la marionnette Ernie. Mais Nim est-il réellement en train d'utiliser le langage ? Nous étudierons cette question dans le chapitre 9.

Susan Kuklin/Photo Researchers

Description

4. Comment les psychologues observent-ils et décrivent-ils un comportement ?

Le point de départ de toute science est la description. Dans la vie quotidienne, chacun de nous observe et décrit les gens, tirant souvent des conclusions sur les raisons de leur comportement. Les psychologues professionnels font à peu près la même chose, mais de manière plus objective et plus systématique.

L'étude de cas

L'**étude de cas** est l'une des plus anciennes méthodes de recherche. Elle consiste à étudier un individu en profondeur dans l'espoir de révéler des vérités valables pour tous. Par exemple, la plupart de nos plus anciennes connaissances sur le cerveau proviennent d'études de cas d'individus souffrant d'une détérioration particulière due à un traumatisme cérébral localisé. Jean Piaget nous a éclairés sur la pensée des enfants après avoir observé et questionné attentivement quelques enfants. Les études portant sur quelques chimpanzés ont pu mettre en évidence leurs capacités à comprendre et à utiliser le langage. Les études de cas particulièrement bien documentées sont parfois très instructives.

Les études de cas suggèrent souvent certaines orientations permettant de poursuivre les recherches. Elles nous montrent également ce qui *peut* se produire. Cependant, les cas individuels peuvent parfois nous induire en erreur si l'individu étudié est atypique. Des informations non représentatives sont une source fréquente de jugements et de conclusions erronés. De fait, chaque fois qu'un chercheur fait mention d'un résultat (« les fumeurs meurent plus jeunes : 95 p. 100 des hommes de 85 ans et plus sont non fumeurs »), il y a toujours quelqu'un pour donner un contre-exemple (« eh bien moi, j'ai un oncle qui fumait deux paquets par jour et qui a vécu jusqu'à 89 ans »). Les histoires spectaculaires et les expériences personnelles (même des exemples de cas psychologiques) dominent notre attention et nous nous en souvenons facilement. Parmi les affirmations suivantes, laquelle trouvez-vous la plus facile à retenir ? (1) « Au cours d'une étude de 1 300 rêves concernant un enfant kidnappé, seuls 5 p. 100 envisageaient, en accord avec les faits, la mort de l'enfant (Murray et Wheeler, 1937). » (2) « Mais moi, je connais une personne qui a rêvé que sa sœur avait un accident de voiture et, deux jours après, elle est morte dans une collision frontale ! » Les chiffres peuvent être consternants mais le pluriel d'*anecdote* n'est pas *preuve*. Comme le disait le psychologue Gordon Allport (1954, p. 9) : « À partir d'un gramme de faits [dramatiques], nous nous empressons de produire des tonnes de généralisations. »

Ce qu'il faut retenir : les études de cas peuvent donc susciter des idées fécondes. Ce qui est vrai pour nous tous l'est aussi pour chacun de nous. Cependant, d'autres méthodes sont nécessaires pour préciser les vérités générales mises en évidence par les études de cas individuels.

> « Eh bien, mon cher, dit Miss Marple, la nature humaine est pratiquement la même partout et bien évidemment on a la possibilité de l'observer de plus près dans un village. »
>
> Agatha Christie, *Miss Marple au Club du mardi*, 1933

::Étude de cas : technique d'observation par laquelle une personne est étudiée en profondeur dans l'espoir de mettre à jour des principes universels.

::Enquête : technique permettant de vérifier les attitudes et les comportements autodéclarés d'un groupe particulier de personnes, généralement en questionnant un échantillon représentatif, pris au hasard (randomisé), de ce groupe.

L'enquête

L'**enquête** s'intéresse à de nombreux cas, mais de manière moins approfondie. Les enquêtes interrogent les gens sur leurs comportements ou sur leurs opinions. Des questions sont posées au public sur n'importe quel sujet, qui peut aller des pratiques sexuelles aux opinions politiques. Aux États-Unis, par exemple, un sondage effectué par Harris et Gallup a révélé que 72 p. 100 des gens pensent qu'il y a trop de violence à la télévision, que 89 p. 100 sont favorables à ce que les homosexuels aient les mêmes possibilités d'embauche, que 89 p. 100 se disent confrontés à un stress très important, et que 96 p. 100 aimeraient changer quelque chose à leur apparence. En Grande-Bretagne, 7 personnes sur 10 âgées de 18 à 29 ans sont favorables au mariage homosexuel ; chez les personnes de plus de 50 ans, à peu près le même pourcentage s'y oppose (c'est le fossé entre les générations, observé dans de nombreux pays occidentaux). Cependant, poser des questions est un art difficile et les réponses peuvent tout aussi bien dépendre de la formulation que du choix des personnes pour y répondre.

L'effet « formulation » Un changement même subtil dans l'ordre ou dans la formulation des questions peut avoir des effets conséquents. Les publicités pour les cigarettes ou la pornographie devraient-elles être autorisées à la télévision ? Les gens auraient davantage tendance à approuver l'expression « ne pas permettre » de telles choses plutôt que les « interdire » ou « censurer ». Une enquête nationale montre que seulement 27 p. 100 des Américains sont favorables à une « censure gouvernementale » sur le sexe et la violence à la télévision, alors que 66 p. 100 sont d'accord pour avoir « plus de restrictions sur ce que l'on voit à la télévision » (Lacayo, 1995). De la même manière, les gens ont plus tendance à approuver l'« aide aux nécessiteux » que l'« aide sociale », les « mesures antidiscriminatoires en faveur des minorités » que les « traitements préférentiels », ou encore l'expression « majoration de revenus » plutôt que les « impôts ». Parce que la formulation des questions est un sujet délicat, les esprits critiques réfléchiront à la manière dont celle-ci peut affecter les opinions exprimées par ceux qui y répondent.

Échantillonnage aléatoire Vous pouvez décrire l'expérience humaine en utilisant des anecdotes spectaculaires et vos expériences personnelles. Mais pour avoir une image précise des expériences et des attitudes d'une population globale, il n'y a qu'une seule règle : l'échantillon représentatif.

Nous pouvons appliquer ce point de vue à chaque pensée quotidienne, dans la mesure où nous généralisons à partir des exemples que nous observons, en particulier les cas très marquants. Si nous prenons (a) le résumé statistique des évaluations d'un professeur faites par les étudiants et (b) les commentaires vifs de deux étudiants virulents, l'impression d'un inspecteur sur ce professeur peut être autant influencée par les deux étudiants mécontents que par les nombreuses évaluations favorables contenues dans le résumé statistique. La tentation de généraliser à partir de quelques cas marquants, mais non représentatifs, est presque irrésistible.

Ce qu'il faut retenir : l'échantillon représentatif est la meilleure base pour pouvoir généraliser.

This Modern World by Tom Tomorrow © 1991.

Les estimations deviennent assez fiables avec des échantillons importants. On estime que la lettre E représente 12,7 p. 100 des lettres écrites en anglais. En fait, la lettre E représente 12,3 p. 100 des 925 141 lettres de *Moby Dick*, de Melville, 12,4 p. 100 des 586 747 lettres dans *Le Conte de deux cités*, de Charles Dickens, et 12,1 p. 100 des 3 901 021 lettres de douze œuvres de Mark Twain (*Chance News*, 1997).

Par conséquent, comment obtiendriez-vous un échantillon représentatif, par exemple des étudiants de votre école ou de votre université ? Comment pourriez-vous choisir un groupe qui représenterait l'ensemble de la **population** estudiantine – l'ensemble du groupe que vous souhaitez étudier et décrire ? Classiquement, vous choisiriez un **échantillon au hasard**, dans lequel chaque personne de l'ensemble du groupe a la même chance de participer. Cela signifie que vous n'allez pas envoyer un questionnaire à tous les étudiants (les personnes consciencieuses qui vous le renverraient ne constitueraient pas un échantillon pris au hasard). Vous numéroterez plutôt les noms dans le listing général des étudiants et utiliserez alors une table de randomisation pour tirer au sort les participants de votre étude. Même si les grands échantillons valent mieux que les petits, il est préférable d'avoir un échantillon petit mais représentatif d'environ 100 sujets, plutôt qu'un grand échantillon non représentatif de 500 personnes.

Échantillonner des électeurs lors d'une enquête nationale pré-électorale revient au même. Mille cinq cents personnes échantillonnées de manière randomisée dans tout le pays donnent un aperçu remarquablement précis des opinions d'une nation. Sans procédure d'échantillonnage randomisé, de grands échantillons (échantillons téléphoniques, sondages télévisés et sur Internet) donnent souvent des résultats erronés.

Ce qu'il faut retenir : avant de croire aux résultats d'une enquête, ayez un regard critique, penchez-vous sur l'échantillon. Vous ne pouvez pas compenser un échantillon non représentatif en ajoutant un peu plus de monde.

« De quelle manière voulez-vous que je réponde à cette question ? En tant que membre de mon groupe ethnique, de mon niveau d'éducation, de mon groupe social ou de mon appartenance religieuse ? »

L'observation naturaliste

Une troisième méthode de recherche descriptive consiste à enregistrer les comportements dans leur environnement naturel. Ces **observations naturalistes** vont de la simple observation des sociétés de chimpanzés dans la jungle à l'enregistrement des différences ethniques dans la manière dont les étudiants s'assoient spontanément dans les cafétérias des écoles, en passant par des enregistrements vidéo « non interventionnistes » des interactions parents-enfants dans différentes cultures (suivis de leur analyse systématique).

Comme les études de cas et les enquêtes, l'observation naturaliste n'*explique* pas le comportement. Elle le *décrit*. Néanmoins, les descriptions peuvent être révélatrices. Nous pensions, par exemple, que seuls les humains utilisaient des outils. Grâce à l'observation naturaliste, nous savons maintenant que les chimpanzés utilisent parfois un bâton qu'ils introduisent dans des termitières puis le retirent et mangent les termites qui s'y sont accrochées. Ces observations naturalistes discrètes ont ouvert la voie à d'autres études sur la pensée, le langage et les émotions des animaux, et nous a également permis d'élargir notre compréhension de nos amis les animaux. Comme le constate l'observatrice et spécialiste des chimpanzés, Jane Goodall (1998) : « Les observations effectuées dans l'habitat naturel ont montré que les sociétés animales ainsi que leurs comportements sont bien plus complexes qu'on ne le pensait. » Il a été observé par exemple que les chimpanzés et les babouins utilisaient aussi la ruse. Les psychologues Andrew Whiten et Richard Byrne (1988) ont vu à plusieurs reprises un jeune babouin faire comme s'il avait été attaqué par un autre, pour pousser sa mère à éloigner cet autre babouin de sa nourriture. Par ailleurs, plus l'espèce de primate a un cerveau développé, plus il y a de chances qu'elle présente des comportements de ruse (Byrne et Corp, 2004).

Un observateur naturaliste Frans de Waal (2005), qui a mené des recherches sur les chimpanzés, se décrit ainsi : « Je suis un observateur né… lorsque je choisis une table au restaurant, j'essaye de faire face au plus grand nombre de tables possible. J'aime suivre la dynamique sociale qui m'entoure – amour, tension, ennui, antipathie – en me basant sur le langage corporel. Je considère qu'il m'apporte plus d'informations que les mots. Comme, de façon quasi automatique, je suis les autres à la trace, je n'ai eu aucun mal à me transformer en une petite souris dans une colonie de singes. »

L'observation naturaliste éclaire également le comportement humain. Voici trois exemples qui devraient vous intéresser.

- *Une découverte amusante.* Nous rions 30 fois plus en société que lorsque nous sommes seuls. (Avez-vous remarqué que vous riez rarement quand vous êtes seul ?) Lorsque nous rions aux éclats, 17 muscles contribuent à la contorsion de notre bouche et au plissement de nos yeux, et nous émettons une série de sons vocaliques d'une durée de 75 millisecondes et espacés d'environ un cinquième de seconde (Provine, 2001).

- *Sondage chez des étudiants.* Que disent et que font véritablement les étudiants en première année de psychologie au cours de leur vie de tous les jours ? Pour le savoir, Matthias Mehl et James Pennebaker (2003) ont équipé 52 étudiants de l'université du Texas d'un magnétophone portable à la ceinture activé électroniquement qui a enregistré, pendant 4 jours, 30 secondes toutes les 12,5 minutes de chaque heure de veille. Cela a permis aux chercheurs d'écouter plus de 10 000 demi-minutes de tranches de vie. Quel pourcentage de ces tranches de vie pensez-vous qu'ils ont trouvé les étudiants en train de parler à quelqu'un ? Quel pourcentage de temps les étudiants passent-ils devant leur ordinateur ? Les réponses sont respectivement 28 et 9 p. 100. (Quel pourcentage de *vos* heures éveillées passez-vous à ces activités ?)
- *Culture, climat et rythme de vie.* L'observation naturaliste a permis à Robert Levine et Ara Norenzayan (1999) de comparer le rythme de vie dans 31 pays différents. (Leur définition opérationnelle du *rythme de vie* inclut l'allure à laquelle les gens marchent, la vitesse avec laquelle les employés postaux effectuent une tâche simple et la précision des horloges publiques.) Ils concluent que le rythme de vie était plus rapide au Japon et en Europe occidentale, et plus lent dans les pays moins développés économiquement. Les gens vivant dans les pays au climat froid ont également tendance à vivre à un rythme plus rapide (et sont donc plus enclins à mourir d'une maladie cardiaque).

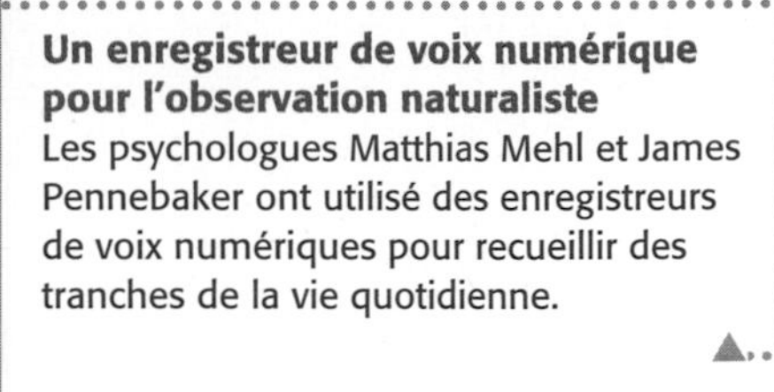

Avec l'autorisation de Matthias Mehl

Un enregistreur de voix numérique pour l'observation naturaliste
Les psychologues Matthias Mehl et James Pennebaker ont utilisé des enregistreurs de voix numériques pour recueillir des tranches de la vie quotidienne.

L'observation naturaliste donne souvent des « instantanés » intéressants de la vie de tous les jours, mais sans contrôler la totalité des facteurs pouvant influencer le comportement. C'est une chose que d'observer le rythme de vie dans divers pays, mais c'est autre chose que de comprendre ce qui pousse certaines personnes à marcher plus vite que d'autres. Cependant, l'observation naturaliste, tout comme les enquêtes, peut fournir des données pour la recherche corrélationnelle que nous allons aborder maintenant.

Corrélation

5. Qu'entend-on par corrélations positives et négatives ? Pourquoi permettent-elles de faire des prédictions mais ne fournissent-elles pas d'explication de cause à effet ?

Décrire un comportement constitue la première étape vers sa prédiction. Lorsque des enquêtes et l'observation naturaliste révèlent qu'un trait ou un comportement en accompagne un autre, nous disons que les deux sont **corrélés**. Le **coefficient de corrélation** est une mesure statistique qui exprime à quel point deux choses varient ensemble et par conséquent comment l'une *prédit* correctement l'autre. En sachant dans quelles mesures les résultats des tests d'aptitude *sont corrélés* à la réussite scolaire, nous savons comment ces résultats *prédisent* la réussite scolaire.

Tout au long de ce livre, nous nous interrogerons souvent sur le degré de relation qui existe entre deux choses : comment les tests de personnalité des vrais jumeaux sont-ils étroitement liés ? Comment les tests d'intelligence peuvent-ils prédire la réussite ? De quelle manière le stress est-il lié aux maladies ?

La FIGURE 1.2, page suivante, présente trois **nuages de points** illustrant les différentes corrélations possibles allant de la corrélation positive parfaite à la corrélation négative parfaite. (Les corrélations parfaites sont très rares dans le « monde réel »). Chaque point, dans un nuage de points, représente les valeurs dispersées de deux variables. Une corrélation positive signifie que deux ensembles de résultats, par exemple la taille et le poids, ont tendance à croître ou à décroître ensemble. Une corrélation négative n'a rien à voir avec sa force ou sa faiblesse (son intensité) ; une corrélation négative signifie que deux choses sont inversement liées (un

:: Population : tous les individus ou « cas » d'un groupe à partir duquel des échantillons peuvent être constitués pour une étude. (Excepté dans le cas des études nationales, cette définition *ne* s'applique *pas* à la population entière d'un pays.)

:: Échantillon randomisé (tiré au sort) : échantillon qui représente une population de la manière la plus juste parce que chacun de ses membres a les mêmes chances d'y être inclus.

:: Observation naturaliste : observation et enregistrement des comportements dans des situations telles qu'elles se présentent naturellement sans essayer de les manipuler ou de les contrôler.

:: Corrélation : mesure du degré de variation commune de deux facteurs et, par conséquent, de la façon dont chaque facteur prédit l'autre.

:: Coefficient de corrélation : indice statistique de la relation entre deux choses (varie entre −1 et +1).

:: Nuage de points : graphique constitué d'un ensemble de points qui représentent chacun la valeur de deux variables. La pente du nuage de points est une indication de la direction de la relation entre les deux variables. Le taux de dispersion indique l'intensité de la corrélation (une dispersion faible indique une corrélation élevée).

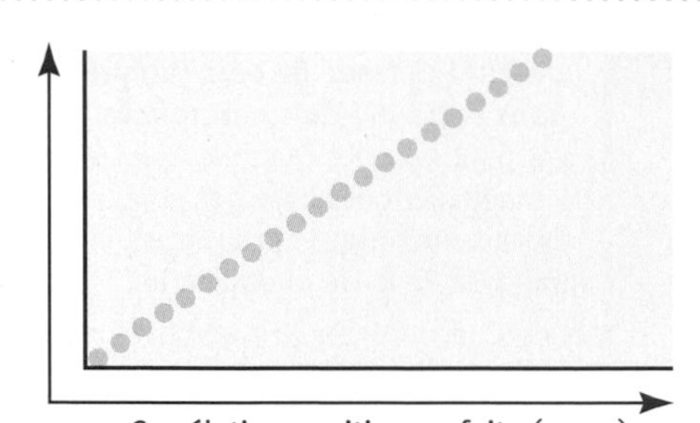

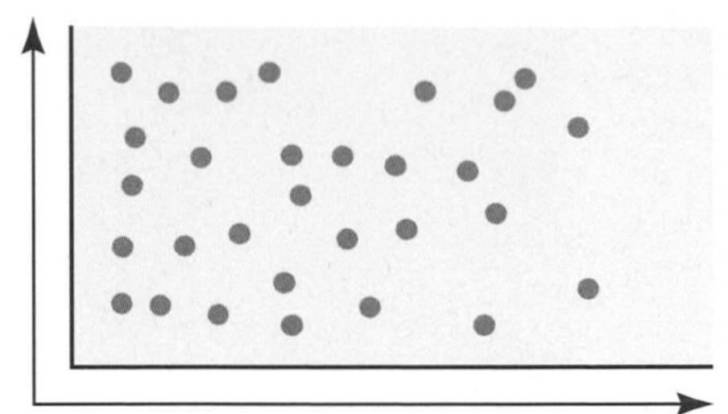

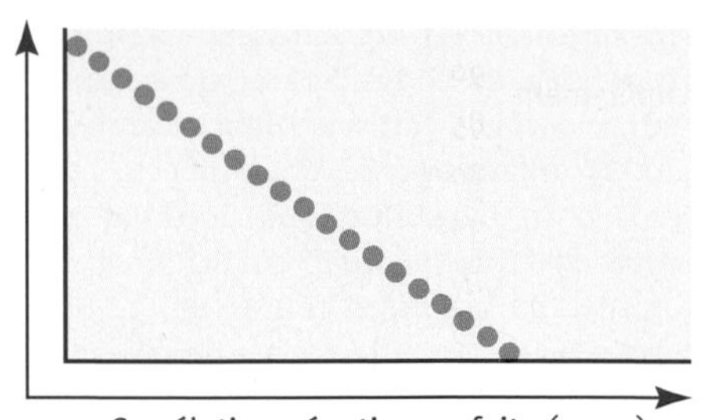

➤ FIGURE 1.2
Nuages de points indiquant différents types de corrélations Les corrélations peuvent varier entre +1,00 (les valeurs d'un ensemble augmentent en proportion directe avec l'accroissement de celles de l'autre ensemble) et –1,00 (les valeurs du premier ensemble augmentent exactement en même temps que celles du second diminuent).

ensemble de résultats croît à mesure que l'autre décroît). Le brossage des dents et les caries sont corrélés négativement. Quand la fréquence du brossage des dents croît à partir de zéro, les caries diminuent. Une corrélation faible, qui indique que la relation est minime, a un coefficient proche de zéro.

Voici quatre publications récentes de la recherche corrélationnelle. Certaines proviennent d'enquêtes ou d'observations naturalistes. Pouvez-vous établir lesquelles traduisent une corrélation positive et lesquelles une corrélation négative ? (*Voir* les réponses dans la marge).

1. Plus la télévision reste allumée à la maison, moins les jeunes enfants passent de temps à lire (Kaiser, 2003).
2. Plus les adolescents voient des émissions à teneur sexuelle à la télévision, plus ils sont à même d'avoir des rapports sexuels (Collins et coll., 2004).
3. Plus l'allaitement est long, plus la réussite universitaire des enfants est importante (Horwood et Fergusson, 1998).
4. Plus les adolescents prennent régulièrement un petit-déjeuner, plus leur indice de masse corporelle est faible (Timlin et coll., 2008).

• Réponses aux questions sur la corrélation : 1. négative ; 2. positive ; 3. positive ; 4. négative. •

TABLEAU 1.2

TAILLE ET TEMPÉRAMENT CHEZ 20 PERSONNES DU SEXE MASCULIN

Sujet	Taille en mètres	Tempérament
1	2,03	75
2	1,60	66
3	1,55	60
4	2,00	90
5	1,88	60
6	1,75	42
7	1,57	42
8	1,90	60
9	1,95	81
10	1,52	39
11	1,62	48
12	1,93	69
13	1,80	72
14	1,67	57
15	1,85	63
16	1,78	75
17	1,60	30
18	1,80	57
19	1,73	84
20	1,78	39

Les statistiques peuvent nous aider à voir ce qui est parfois invisible à l'œil nu. Pour le démontrer, imaginez une étude et demandez-vous si les personnes de grande taille ont une attitude plus décontractée que les autres. Récoltez deux séries de données : la taille des hommes et leur tempérament. Mesurez la taille de 20 hommes et demandez à une autre personne d'évaluer indépendamment leur tempérament ; les notes vont de 0 (personne très calme) à 100 (personne très réactive).

En ayant toutes les données sous les yeux (TABLEAU 1.2), pouvez-vous dire s'il existe une corrélation : (1) positive entre la taille d'un individu et son tempérament réactif, (2) faible ou nulle, ou (3) négative ?

En comparant les colonnes du tableau 1.2, la plupart des gens observent une relation très faible entre la taille et le tempérament. En fait, si nous établissons un nuage de points à partir de cet exemple imaginaire, nous voyons que la corrélation est moyennement positive (+0,63). Sur la FIGURE 1.3, la pente du nuage de points, ovoïde, croissant au fur et à mesure que l'on se

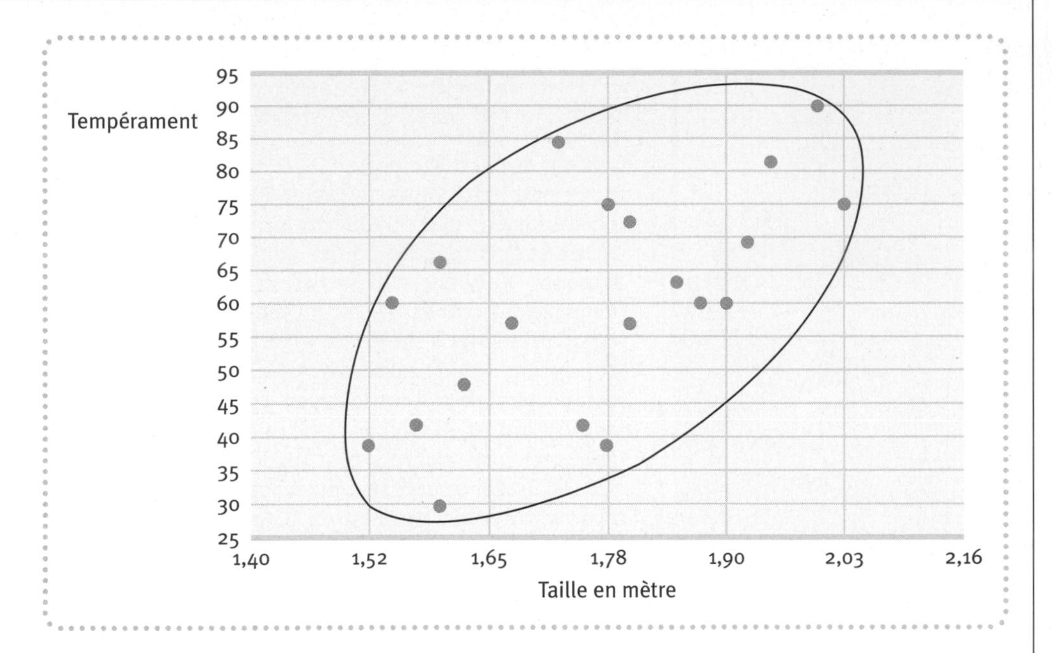

➤ FIGURE 1.3
Nuage de points représentant la relation entre la taille et le tempérament Les données issues de l'étude de 20 personnes imaginaires (chacune étant représentée par un point) indiquent une pente croissante révélatrice d'une corrélation positive. L'éparpillement considérable des résultats montre que la corrélation est bien inférieure à +1,0.

déplace vers la droite du graphique, indique que nos deux ensembles de valeurs imaginaires (taille et réactivité) ont tendance à croître en même temps.

S'il est déjà difficile d'établir une relation en observant des données classées comme dans le tableau 1.2, comment pourrions-nous le faire au quotidien ? Afin que nous puissions voir ce qui se trouve juste sous nos yeux, nous avons parfois besoin de l'aide des statistiques. Nous pouvons remarquer des indices évidents de discrimination sexuelle lorsque l'on nous propose des résumés d'informations statistiques sur le niveau hiérarchique dans un travail, l'ancienneté, la performance, le sexe et le salaire. En revanche, nous ne voyons plus de discrimination quand les informations sont présentées au cas par cas (Twiss et coll., 1989).

Ce qu'il faut retenir : le coefficient de corrélation nous aide à comprendre plus clairement le monde qui nous entoure en nous montrant le degré de relation entre deux choses.

Corrélation et causalité

Les corrélations nous permettent de prédire. Une faible estime de soi est corrélée à la dépression (et par conséquent peut la prédire). (Cette corrélation peut être indiquée par un coefficient de corrélation ou simplement par l'observation que les personnes ayant sur une échelle d'estime de soi un résultat situé dans la moitié la plus basse de l'échelle, présentent un taux de dépression élevé). Mais, la faible estime de soi est-elle la *cause* de la dépression ? Si, sur la base de l'existence de ces corrélations, vous estimez que c'est le cas, vous ne serez pas le seul. Une erreur de raisonnement presque irrésistible est de penser qu'une association, parfois présentée sous forme d'un coefficient de corrélation, prouve la cause. Mais quel que soit le degré de relation, cela ne *prouve* rien !

Comme le suggèrent les options 2 et 3 de la FIGURE 1.4, nous aurions la même corrélation négative entre la dépression et la faible estime de soi, si la dépression induisait une autodépréciation ou si un troisième facteur, tel que l'hérédité ou la biochimie cérébrale, était la cause à la fois d'une faible estime de soi et de la

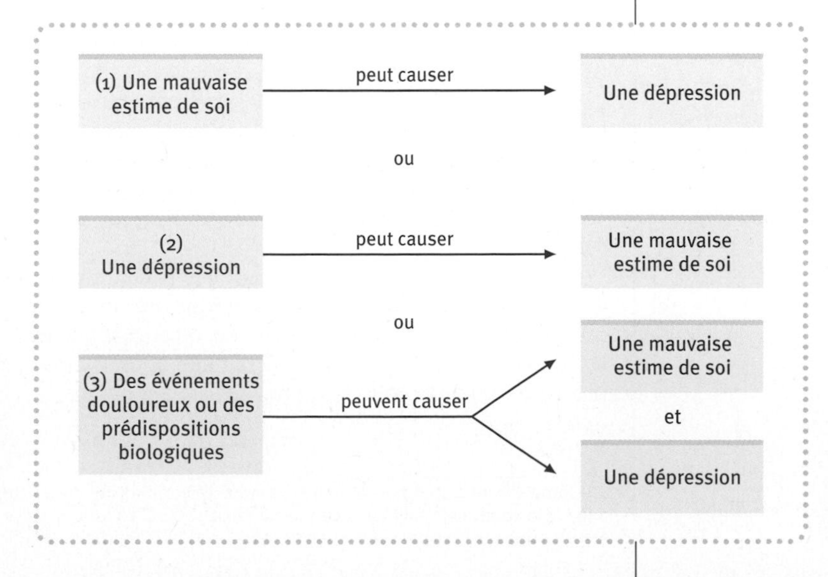

➤ FIGURE 1.4
Trois relations de cause à effet possibles Les personnes présentant une mauvaise estime de soi sont plus susceptibles de développer une dépression que les personnes qui ont une bonne estime de soi. Une des explications possibles de cette corrélation négative est qu'une mauvaise image de soi entraîne des idées noires. Mais, comme le montre ce diagramme, d'autres relations de cause à effet sont possibles.

Big Cheese Photo LLC/Alamy

La corrélation ne signifie pas une causalité La durée du mariage est corrélée avec la chute des cheveux chez l'homme. Cela signifie-t-il que le mariage entraîne la chute des cheveux chez les individus de sexe masculin ? (Ou que les hommes chauves font de meilleurs maris ?) Dans ce cas, comme dans beaucoup d'autres, il existe bien évidemment un troisième facteur qui explique cette corrélation : les noces d'or et la calvitie vont de pair avec l'âge.

dépression. Chez les hommes, par exemple, la durée du mariage est positivement corrélée avec la chute de leurs cheveux, parce que ces deux facteurs sont associés à un troisième : l'âge.

Ce point est si important – et si fondamental pour nous permettre de penser plus justement grâce à la psychologie – que cela mérite un autre exemple, tiré d'une enquête menée auprès de plus de 12 000 adolescents. Plus les adolescents se sentent aimés par leurs parents, moins ils auront tendance à adopter des comportements à risque : rapports sexuels précoces, consommation de tabac, abus d'alcool et de drogues, comportement violent (Resnick et coll., 1997). « Les adultes ont une influence prépondérante sur le comportement des enfants tout au long de leurs études secondaires » a proclamé un reportage de l'*Associated Press* sur l'étude en question. Cependant, la corrélation ne présente aucun indice sous-jacent de relation de cause à effet. Soit dit autrement (c'est le moment d'augmenter le volume !), *les associations ne prouvent en aucun cas une causalité*[2]. L'*Associated Press* aurait pu tout aussi bien déclarer : « Les adolescents bien élevés ont conscience de l'amour et du soutien de leur parents ; les adolescents "hors norme" ont plus tendance à penser que leurs parents sont des crétins irresponsables. »

Ce qu'il faut retenir : la corrélation indique une *possible* relation de cause à effet, *mais ne prouve pas une causalité.* Savoir que deux événements sont corrélés ne nous dit rien quant à la cause. Rappelez-vous de ce principe et vous serez plus prudents lorsque vous lirez ou entendrez des comptes rendus d'études scientifiques dans les journaux.

• Une étude publiée dans le *British Medical Journal* a établi que les jeunes qui s'identifient à la culture gothique, ont plus tendance que les autres à se faire du mal ou à se suicider (Young et coll., 2006). Pouvez-vous imaginer plusieurs explications plausibles expliquant cette association ? •

Corrélations illusoires

6. Qu'entend-on par corrélations illusoires ?

Les coefficients de corrélations rendent visibles des relations qui pourraient autrement nous échapper. Ils nous aident également à cesser de « voir » des relations là où il n'y en a pas. Une corrélation perçue, mais qui n'existe pas en réalité, est une **corrélation illusoire**. Quand nous *croyons* qu'il existe une relation entre deux choses, nous avons tendance à *remarquer* et à nous *rappeler* des exemples qui confirment cette conviction (Trolier et Hamilton, 1986).

• Un journaliste du *New York Times* publia une enquête à grande échelle montrant que « les adolescents dont les parents fumaient avaient 50 p. 100 plus de chances que les enfants de parents non fumeurs d'avoir eu des rapports sexuels ». Il conclut donc (êtes-vous d'accord ?) que l'enquête indiquait une relation de cause à effet : afin de « réduire les risques que leurs enfants aient des relations sexuelles trop jeunes », les parents devraient peut-être « cesser de fumer » (O'Neil, 2002). •

C'est parce que nous sommes sensibles aux événements dramatiques ou inhabituels que nous avons particulièrement tendance à remarquer et à nous souvenir de la survenue consécutive de deux événements de ce type, comme par exemple la prémonition d'un appel téléphonique peu probable et la survenue de celui-ci. Lorsque l'appel ne suit pas la prémonition, nous sommes moins portés à le remarquer et à nous souvenir de ce qui est, alors, un non-événement. Les corrélations illusoires nous permettent de comprendre bon nombre de croyances superstitieuses comme la croyance que les couples stériles sont plus susceptibles d'avoir un enfant après l'adoption d'un bébé (Gilovich, 1991). Ceux qui conçoivent après avoir adopté attirent notre attention. Ceux qui adoptent et n'ont pas d'enfants par la suite ou ceux qui ont des enfants naturellement sans adopter ont moins de chance d'être remarqués. En d'autres termes, des corrélations illusoires surviennent lorsque nous nous fions bien trop à la cellule en haut à gauche de la FIGURE 1.5 en ignorant les informations tout aussi essentielles présentées dans les autres cellules.

De telles idées illusoires expliquent que pendant des années les gens ont cru (et continuent de croire) que le sucre provoquait une hyperactivité chez les enfants, que le fait de prendre froid ou de se mouiller provoquait un rhume, ou encore que les changements climatiques réveillaient les douleurs arthritiques. Il semblerait que nous soyons assez doués pour détecter des modèles prédéfinis, qu'ils existent ou non.

:: Corrélation illusoire : perception d'une relation qui n'existe pas.

2. Comme beaucoup d'associations sont énoncées comme des corrélations, le principe bien connu est : « la corrélation ne prouve en aucun cas la causalité ». C'est vrai, mais ce principe s'applique aussi pour les associations vérifiées par d'autres statistiques non expérimentales (Hatfield et coll., 2006).

	Concevoir	Ne pas concevoir
Adopter	Confirme l'assertion	Infirme l'assertion
Ne pas adopter	Infirme l'assertion	Confirme l'assertion

➤ FIGURE 1.5
Corrélation illusoire au quotidien Beaucoup de gens pensent que les couples stériles sont plus susceptibles d'avoir un enfant après l'adoption d'un bébé. Cette croyance provient de l'attention accordée à de tels cas. Le grand nombre de couples qui adoptent sans concevoir ou qui conçoivent sans adopter attire moins l'attention. Afin de déterminer s'il existe vraiment une corrélation entre l'adoption et la conception, nous avons besoin des données de toutes les cellules composant cette figure. (D'après Gilovich, 1991.)

Ce qu'il faut retenir : quand nous remarquons des coïncidences, nous pouvons oublier qu'elles sont dues au hasard et voir des corrélations. Par conséquent, nous pouvons facilement nous fourvoyer en voyant ce qui, en réalité, n'existe pas.

Percevoir un ordre dans des événements fortuits

Du fait de notre désir naturel de donner du sens au monde qui nous entoure, ce que le poète Wallace Stevens appelait la « rage de l'ordre », nous recherchons un ordre, en face de n'importe quelles données même aléatoires. Et, en général, nous en trouvons un, parce que, fait étrange de la vie, *les séquences aléatoires n'en ont souvent pas l'air*. Si on lance une pièce six fois, quelle est la séquence de pile (P) ou de face (F) qui a le plus de chance de sortir : FFFPPP ou FPPFPF ou FFFFFF ?

Daniel Kahneman et Amos Tversky (1972) ont montré que la séquence qui avait le plus de chance de sortir pour la plupart des gens était la séquence FPPFPF. En fait, chacune des trois séquences a une probabilité égale (vous pourriez dire aussi une improbabilité égale) de se produire. Une main de bridge ou de poker contenant une suite, du 10 à l'as, unicolore à cœur, peut paraître extraordinaire, mais en réalité, cette combinaison n'est ni plus ni moins probable que n'importe quelle autre (FIGURE 1.6).

➤ FIGURE 1.6
Deux séries aléatoires La probabilité que l'on vous serve l'une ou l'autre de ces deux mains est exactement la même : 1 chance sur 2 598 960.

Dans les séquences réellement aléatoires, les modèles et les suites (comme des chiffres qui se répètent) se produisent plus souvent que les gens ne s'y attendent. Afin d'illustrer ce phénomène pour moi-même (vous pouvez en faire autant), j'ai lancé une pièce 51 fois et obtenu les résultats suivants :

1. F	10. P	19. F	28. P	37. P	46. F
2. P	11. P	20. F	29. F	38. P	47. F
3. P	12. F	21. P	30. P	39. F	48. P
4. P	13. F	22. P	31. P	40. P	49. P
5. F	14. P	23. F	32. P	41. F	50. P
6. F	15. P	24. P	33. P	42. F	51. P
7. F	16. F	25. P	34. P	43. F	
8. P	17. P	26. P	35. P	44. F	
9. P	18. P	27. F	36. F	45. P	

UNE SÉRIE ÉTRANGE DE CHIFFRES ALÉATOIRES GÉNÉRÉE PAR L'ORDINATEUR

Elle paraît peut-être bizarre, mais, en fait, elle ne l'est pas plus que n'importe quelle autre suite de chiffres aléatoires.

Lorsque nous passons en revue cette séquence de jeu de pile ou face, certaines structures nous sautent aux yeux : entre 10 et 22, nous avons une série de paires « pile » suivies de paires « face » presque parfaite. Les résultats entre 30 et 38 démontrent que j'ai eu la « main malheureuse » avec une seule fois « face » en huit lancements. Toutefois, j'ai eu la « main heureuse » à nouveau et j'ai obtenu sept fois « face » en neuf lancements. Des suites similaires se produisent presque aussi souvent que l'on peut s'y attendre lors de séquences aléatoires, lorsque l'on tire un panier de basket, qu'on renvoie la balle de base-ball, qu'on récolte les bénéfices des fonds communs de placement (Gilovich et coll., 1985 ; Malkiel, 1989, 1995 ; Myers, 2002). Ces séquences aléatoires n'ont souvent pas l'air fortuites et sont, par-là même, interprétées de façon erronée (« Quand on a de la chance, on a de la chance ! »).

Comment expliquer ces suites ? Ai-je eu un contrôle « paranormal » sur la pièce ? Suis-je sorti de ma poisse de pile pour surfer sur une vague de face ? Nul besoin de ces explications, car ce sont des phénomènes que l'on retrouve dans n'importe quelle série aléatoire. En comparant chaque lancement avec le suivant, 24 sur 50 « couples » de résultats produits sont différents (ce qui correspond à peu près au modèle 50/50 auquel on s'attend d'un jeu de pile ou face). Malgré les suites apparentes dans cet ensemble, le résultat d'un lancement n'indique rien sur le résultat du lancement suivant.

• Le 11 mars 1998, Ernie et Lynn Carey, originaires de l'Utah, ont eu trois nouveaux petits-enfants lorsque leurs trois filles ont accouché le même jour (*Los Angeles Times*, 1998). •

Cependant, certains événements semblent tellement extraordinaires que nous devons nous faire violence pour concevoir des explications banales ou liées au hasard, comme pour notre jeu de pile ou face. Dans ces cas-là, les statisticiens se laissent moins souvent mystifier. Lorsqu'Evelyn Marie Adams gagna *deux fois* à la loterie du New Jersey, les journaux écrivirent qu'elle n'avait qu'une chance sur 17 000 milliards de réaliser cet exploit. Cela est-il bizarre ? En réalité, une chance sur 17 000 milliards correspond à la probabilité, pour une personne donnée qui a acheté consécutivement deux billets de la loterie du New Jersey, de gagner à chaque fois. Mais les statisticiens Stephen Samuels et George McCabe (1989) ont noté que, étant donné les millions de gens qui achètent des billets de la Loterie nationale américaine, il était « pratiquement sûr » qu'un jour, quelque part, quelqu'un gagnerait deux fois le gros lot. D'ailleurs, comme le disaient les statisticiens Persi Diaconis et Frederick Mosteller (1989), « avec un échantillon suffisamment grand, n'importe quel événement ayant un caractère inouï a une chance de se produire ». Un événement qui n'arrive, chaque jour, qu'à une personne sur 1 milliard survient, environ, six fois par jour et 2 000 fois par an.

« Une journée tout à fait inhabituelle serait une journée dépourvue d'événements inhabituels ».
Persi Diaconis, statisticien (2002)

Expérimentation

7. De quelle manière l'expérimentation, contrôlée par la répartition au hasard, permet-elle de clarifier la cause et l'effet ?

Heureux sont ceux « qui ont été capables de découvrir la cause des choses », notait le poète romain Virgile. Pour isoler la cause et l'effet, les psychologues peuvent contrôler statistiquement les autres facteurs. Par exemple, les chercheurs ont trouvé un niveau d'intelligence légèrement plus élevé chez les enfants nourris au sein que chez les enfants nourris au biberon avec du lait maternisé (Angelsen et coll., 2001 ; Mortensen et coll., 2002 ; Quinn et coll., 2001). Ils ont aussi trouvé que les bébés anglais nourris au sein avaient plus de chances que les bébés nourris au biberon de finir par atteindre une classe sociale plus élevée (Martin et coll., 2007). Mais cet effet d'une « meilleure intelligence liée à l'allaitement » est bien moindre lorsque les chercheurs comparent les enfants d'une même famille dont certains ont été nourris au sein et d'autres au biberon (Der et coll., 2006).

Cela voudrait-il dire que les mères plus intelligentes (qui dans les pays plus développés allaitent plus fréquemment) ont des enfants plus intelligents ? Ou bien, selon l'avis de certains chercheurs, les éléments nutritifs du lait maternel contribuent-ils au développement du cerveau ? Afin de répondre à cette question, les chercheurs ont contrôlé (en supprimant les différences statistiques) certains autres facteurs comme l'âge, le niveau d'études et les revenus de la mère. Ils ont trouvé que pour la nutrition de l'enfant, le lait maternel était corrélé faiblement mais positivement à l'intelligence ultérieure.

La recherche corrélationnelle ne peut contrôler tous les facteurs possibles. Mais les chercheurs peuvent isoler la cause et l'effet par l'**expérimentation**. Les expérimentations permettent aux chercheurs de faire le point sur les effets possibles d'un ou de plusieurs facteurs (1) *en manipulant les facteurs à l'étude* et (2) *en maintenant constant (« en contrôlant ») les autres facteurs.*

Avec l'accord des parents, des chercheurs anglais ont réparti au hasard 424 enfants prématurés nés à l'hôpital dans deux groupes, l'un avec une alimentation standard à base de lait maternisé, tandis que l'autre groupe d'enfants fut nourri avec le lait maternel du lactarium (Lucas et coll., 1992). À l'âge de 8 ans, on leur fit passer des tests d'intelligence, et les enfants nourris au lait maternel démontrèrent un niveau d'intelligence significativement supérieur à celui des enfants nourris au lait maternisé.

Répartition au hasard

Bien entendu, aucune expérimentation isolée ne peut prétendre être concluante, mais ces chercheurs, **en répartissant au hasard** les enfants dans deux groupes de régimes alimentaires différents, furent capables de maintenir constants tous les facteurs, à l'exception de la nutrition. Cela a permis d'éliminer les explications alternatives et de conforter la conclusion que le lait maternel est en effet le meilleur pour le développement de l'intelligence (du moins pour les enfants nés prématurés).

Si un comportement (comme une performance à un test) change lorsque nous faisons varier un facteur expérimental (comme l'alimentation du nourrisson), alors nous savons que ce facteur a un effet. *Ce qu'il faut retenir :* contrairement aux études corrélationnelles qui mettent à jour des relations qui surviennent naturellement, une expérience manipule un facteur pour en étudier ses effets.

Considérons aussi comment nous pouvons évaluer une intervention thérapeutique. Notre tendance naturelle à essayer de nouveaux remèdes, lorsque nous sommes malades ou émotionnellement découragés, peut engendrer des témoignages erronés. Si 3 jours après le début d'un rhume nous commençons à prendre de la vitamine C et trouvons que les symptômes diminuent, nous aurons tendance à considérer que ce sont les comprimés qui ont fait de l'effet et non pas qu'il s'agit de l'apaisement naturel du rhume. De la même manière, si après avoir été particulièrement mauvais à un premier examen, nous écoutons des cassettes subliminales censées permettre un « apprentissage optimal » et qu'à l'examen suivant nos notes s'améliorent, nous pouvons créditer ces cassettes du « progrès » réalisé plutôt que de conclure que nos notes sont revenues aux alentours de notre moyenne habituelle. Au XVIIIe siècle, les saignées *semblaient* efficaces. Parfois, les patients se sentaient mieux après le traitement ; lorsque cela n'était pas le cas, le médecin en concluait que la maladie était à un niveau trop avancé pour être combattue (nous savons maintenant, bien sûr, que la saignée *n'*est *pas* un bon traitement). Donc, qu'un remède soit efficace ou non, ses utilisateurs enthousiastes le défendront sûrement. Pour prouver son efficacité réelle, nous devons l'expérimenter.

Et c'est précisément comme ça que nous évaluons les nouveaux traitements médicamenteux et les nouvelles formes de psychothérapie (Chapitre 15). Dans ces études, les sujets sont répartis au hasard dans les groupes de recherche et sont souvent *aveugles* (non informés) du traitement qu'ils reçoivent, s'il y en a un. Un groupe reçoit le traitement (un médicament ou une autre thérapie) et l'autre groupe reçoit un pseudo-traitement, un *placebo* inactif (une gélule sans médicament par exemple). Si l'étude utilise la **méthode dite en double aveugle**, ni le sujet ni l'assistant de recherche qui recueille les données ne savent quel est le groupe qui reçoit le traitement. Dans de telles études, les chercheurs peuvent déterminer les effets réels d'un traitement indépendamment de la croyance des participants sur son pouvoir de guérison et de l'enthousiasme de l'équipe de chercheurs pour son potentiel. Le simple fait de *penser* que l'on suit un traitement suffit pour remonter le moral, détendre le corps et conduire au soulagement des symptômes. L'**effet placebo** est bien connu dans les domaines de la douleur, de la dépression et de l'anxiété (Kirsch et Sapirstein, 1998). Et plus le placebo est onéreux, plus il vous semble « réel » ; une fausse gélule qui coûte 2,5 dollars marche bien mieux qu'une autre ne coûtant que 10 centimes (Waber et coll., 2008). Pour savoir jusqu'à quel point un traitement est véritablement efficace, les chercheurs doivent contrôler l'effet placebo possible.

Cette procédure en double aveugle est un moyen de créer un **groupe expérimental**, dans lequel les sujets reçoivent le traitement, et un **groupe contrôle**, à l'opposé, dans lequel aucun traitement n'est administré. En faisant une répartition au hasard entre les deux conditions, on devrait normalement avoir deux groupes identiques par ailleurs. La répartition au hasard permet une distribution à peu près égale des âges, des attitudes et de toutes les autres caractéristiques. Avec une répartition au hasard, comme dans l'expérience à propos des bébés nourris au sein, nous pouvons donc dire que les différences observées entre le groupe expérimental et le groupe contrôle sont le résultat du traitement.

:: Expérimentation : méthode de recherche par laquelle un investigateur manipule un ou plusieurs facteurs (variables indépendantes) pour observer leurs effets sur certains comportements ou processus mentaux (la variable dépendante). *En répartissant* les participants *au hasard*, l'expérimentateur cherche à contrôler les autres facteurs pertinents.

:: Répartition au hasard (randomisée) : action de répartir par tirage au sort les sujets entre le groupe expérimental et le groupe contrôle, de manière à minimiser les différences préexistantes entre les sujets des deux groupes.

:: Procédure en double aveugle : procédure expérimentale par laquelle le sujet et l'équipe des expérimentateurs ignorent (sont aveugles) si le sujet a reçu le traitement actif ou le placebo. Cette procédure est couramment utilisée dans les études d'évaluation des médicaments.

:: Effet placebo (du latin « je fais plaisir ») : résultats expérimentaux obtenus uniquement à partir des attentes ; tout effet sur le comportement occasionné par une substance inerte administrée à la place d'un agent présumé actif.

:: Groupe expérimental : dans une expérience, le groupe qui est exposé au traitement, c'est-à-dire à une version de la variable indépendante.

:: Groupe contrôle : dans une expérience, le groupe qui *n'*est *pas* exposé au traitement. S'oppose au groupe expérimental et sert de comparaison pour évaluer les effets du traitement.

« Si je ne pense pas que cela va marcher, cela marchera-t-il quand même ? »

::**Variable indépendante** : le facteur expérimental qui est manipulé ; la variable dont les effets sont étudiés.

::**Variable dépendante** : le facteur mesuré ; la variable qui peut être modifiée en réponse aux manipulations de la variable indépendante.

Variables indépendante et dépendante

Un exemple encore plus convaincant est celui de l'utilisation du Viagra® qui ne fut approuvé qu'après avoir effectué une série de 21 essais cliniques ; dans l'un de ces essais, les chercheurs administrèrent à un échantillon randomisé de 329 hommes souffrant d'impuissance soit du Viagra® (condition expérimentale), soit un placebo (condition contrôle). C'était une méthode en double aveugle : ni les sujets traités, ni les personnes chargées de donner les pilules ne savaient ce qui était administré. Résultat : pris à des doses élevées, le Viagra® permit à 69 p. 100 des hommes d'avoir des relations sexuelles fructueuses, comparé à 22 p. 100 pour les hommes qui avaient pris le placebo (Goldstein et coll., 1998). Le Viagra® marchait.

Cette expérience simple ne manipulait qu'un seul facteur : la posologie du médicament (rien versus dose maximale). Nous appelons ce facteur expérimental la **variable indépendante** parce qu'on peut la faire varier *indépendamment* d'autres facteurs, tels que l'âge, le poids ou la personnalité (qui doivent être contrôlés par les répartitions au hasard). Les expérimentateurs examinent l'effet d'une ou de plusieurs variables indépendantes sur plusieurs comportements mesurables appelés **variables dépendantes**. On les appelle ainsi parce qu'elles varient *en fonction* de ce qui se passe durant l'expérience. Chacune de ces variables a des *définitions opératoires* précises. Celles-ci spécifient les procédures qui manipulent la variable indépendante (le dosage précis du médicament et le facteur temps dans ce cas précis) ou mesurent la variable dépendante (les questions utilisées pour évaluer la réaction des sujets). Elles répondent ainsi à la question « que voulez-vous dire ? » avec un niveau de précision permettant à d'autres de refaire l'étude. (*Voir* FIGURE 1.7 pour la conception de l'expérience sur le lait maternel.)

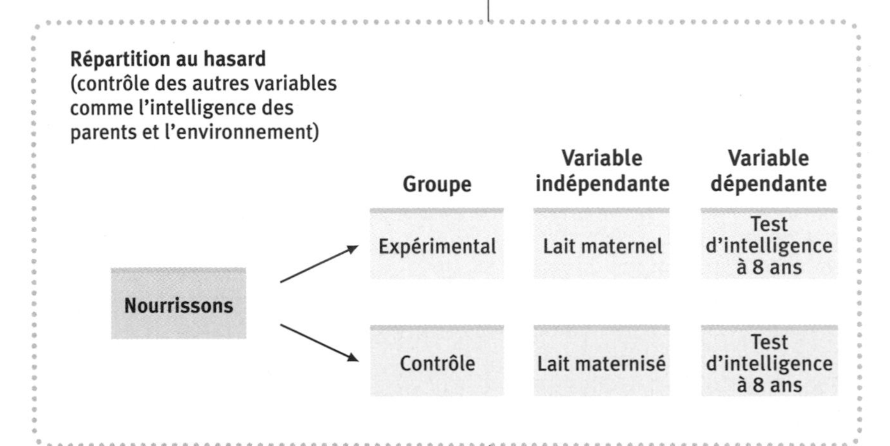

➤ FIGURE 1.7
Expérimentation Pour discerner la causalité, les psychologues peuvent assigner au hasard certains participants à un groupe expérimental et d'autres à un groupe contrôle. La mesure de la variable dépendante (résultat d'un test d'intelligence effectué ultérieurement au cours de l'enfance) déterminera les effets de la variable indépendante (type de lait).

Faisons une pause pour vérifier que vous avez bien compris en utilisant une expérience psychologique simple : pour tester les effets de la perception d'une ethnie sur la disponibilité d'une maison à louer, Adrien Carpusor et William Loges (2006) ont envoyé des requêtes identiques par mail à 1 115 propriétaires de Los Angeles. Les chercheurs ont modifié la connotation ethnique du nom de l'expéditeur et ont noté le pourcentage de réponses positives (invitations à visiter l'appartement en personne). « Patrick McDougall », « Said Al-Rahman » et « Tyrell Jackson » ont reçu respectivement 89 p. 100, 66 p. 100 et 56 p. 100 d'invitations. Dans cette expérience, quelle est la variable indépendante ? Quelle est la variable dépendante ?[3]

Les expériences peuvent aussi nous aider à évaluer des programmes sociaux. Les programmes d'enseignement dispensés dans la petite enfance améliorent-ils les chances de réussite des enfants pauvres ? Quels sont les effets des différentes campagnes anti-tabac ? Les programmes d'éducation sexuelle à l'école réduisent-ils le nombre de grossesses des adolescentes ? Pour répondre à ces questions, nous pouvons faire des expérimentations : si l'intervention est accueillie favorablement, mais que les finances dont on dispose sont faibles, il est possible d'utiliser un tirage au sort pour répartir au hasard les personnes (ou régions) qui subiront l'expérimentation du nouveau programme et celles qui subiront la condition contrôle. Si par la suite les deux groupes présentent des différences, les effets de cette intervention seront confirmés (Passell, 1993).

• Notez bien la distinction entre l'échantillon randomisé associé aux enquêtes (décrit p. 23) et la répartition au hasard (randomisée) des expériences (décrite dans la figure 1.7). L'*échantillon randomisé* nous permet de généraliser à une partie plus large de la population. La *répartition au hasard* permet de contrôler les influences externes, ce qui nous aide à établir la cause et l'effet. •

Récapitulons. Une *variable* est quelque chose qui peut changer (alimentation d'un enfant, intelligence, temps passé à regarder la télévision – en fait tout ce que l'on peut faire, dans la mesure où cela reste éthique). Les expérimentations ont pour but de *manipuler* une variable *indépendante*, de *mesurer* la variable *dépendante* et de *contrôler* toutes les autres variables. Une expérimentation comporte au moins deux groupes différents : un *groupe expérimental* et un *groupe contrôle* ou *de comparaison*. La *répartition au hasard* rend les groupes identiques avant les effets du traitement. De cette manière, l'expérience teste l'effet d'au moins une variable

3. La variable indépendante, que les chercheurs manipulent, était les noms liés à une ethnie. La variable dépendante, qu'ils ont mesurée, était le taux de réponses positives.

TABLEAU 1.3

COMPARAISON DES MÉTHODES DE RECHERCHE

Méthode de recherche	But principal	Réalisation	Ce qui est manipulé	Problèmes éventuels
Descriptive	Observer et enregistrer les comportements	Études de cas, enquêtes et observations naturalistes	Rien	Pas de contrôle des variables ; les cas isolés peuvent conduire à des erreurs
Corrélationnelle	Mettre en évidence des relations qui surviennent naturellement ; évaluer le caractère prédictif d'une variable sur une autre	Calcul d'association statistique, parfois en utilisant les résultats d'une enquête	Rien	N'indique pas la cause et l'effet
Expérimentale	Rechercher la cause et l'effet	Manipuler un ou plusieurs facteurs en utilisant la répartition au hasard	La (les) variable(s) indépendante(s)	Parfois infaisable ; les résultats ne peuvent pas être étendus à d'autres contextes ; il n'est pas éthique de manipuler certaines variables

indépendante (ce que nous manipulons) sur au moins une variable dépendante (la réponse que l'on mesure). Le TABLEAU 1.3 compare les caractéristiques des méthodes de recherche en psychologie.

AVANT D'ALLER PLUS LOIN...

➤ **INTERROGEZ-VOUS**

Si vous deveniez un chercheur en psychologie, quelles questions aimeriez-vous explorer au cours de vos expériences ?

➤ **TESTEZ-VOUS 2**

Pourquoi, lorsque l'on essaie un nouveau médicament contre l'hypertension artérielle, apprenons-nous plus à propos de son efficacité en l'administrant à la moitié des sujets d'un groupe de 1 000 personnes plutôt qu'à la totalité des 1 000 participants ?

Les réponses aux questions « Testez-vous » sont données dans l'annexe B à la fin de l'ouvrage.

Le raisonnement statistique dans la vie quotidienne

LORS DE LA RECHERCHE DESCRIPTIVE, CORRÉLATIONNELLE et expérimentale, les statistiques sont des outils qui nous aident à voir et à interpréter ce que l'œil seul ne pourrait pas voir. Mais la compréhension des statistiques ne bénéficie pas seulement aux chercheurs. Pour être une personne instruite de nos jours, il faut être capable d'appliquer les principes statistiques simples au raisonnement de tous les jours. Nous n'avons pas besoin de mémoriser des formules complexes pour réfléchir plus clairement et de manière plus critique sur les résultats.

Les estimations faites « à vue de nez » donnent souvent une mauvaise vision de la réalité et induisent le public en erreur. Il suffit que quelqu'un nous propose un important chiffre rond. D'autres personnes vont alors le reprendre et, en un rien de temps, cet important chiffre rond devient une désinformation généralisée au sein de la population. En voici quelques exemples :

- *Dix pour cent des personnes sont homosexuelles.* Ou bien s'agit-il de 2 ou 3 p. 100, comme le démontrent plusieurs enquêtes publiques (Chapitre 11) ?

« Les statistiques peuvent être trompeuses : j'ai donc écrit une chanson qui, à mon avis, exprime les performances réelles de l'entreprise lors du dernier trimestre. »

:: Mode : résultat(s) le(s) plus fréquent(s) dans une distribution.

:: Moyenne : moyenne arithmétique d'une distribution, obtenue en additionnant toutes les valeurs et en divisant cette somme par le nombre de celles-ci.

:: Médiane : résultat situé au milieu d'une distribution ; la moitié des valeurs sont situées au-dessus et l'autre moitié au-dessous.

:: Étendue : différence entre la valeur la plus basse et la valeur la plus élevée d'une distribution.

:: Écart type : mesure informatisée de l'importance de la variation des résultats par rapport à la moyenne.

- *Habituellement nous n'utilisons que 10 p. 100 de notre cerveau.* Ou est-ce en fait un chiffre plus proche de 100 p. 100 (Chapitre 2) ?
- *Le cerveau humain comporte 100 milliards de cellules nerveuses.* Ou ne serait-ce pas plutôt 40 milliards comme le suggèrent les extrapolations des comptages faits sur des échantillons (Chapitre 2) ?

Ce qu'il faut retenir : méfiez-vous des chiffres importants arrondis et non documentés. Plutôt que d'avaler des estimations grossières, essayez de réfléchir plus intelligemment en appliquant des principes de statistiques simples à votre raisonnement quotidien.

Décrire des données

8. Comment peut-on décrire des données avec les mesures de la tendance centrale et de la variation ?

Une fois que les chercheurs ont rassemblé leurs données brutes, leur première tâche est de les organiser de manière significative. Une manière de le faire est de convertir les données en un simple *graphique à bâtons*, comme celui de la FIGURE 1.8, qui montre la distribution des camions de différentes marques encore sur les routes après une dizaine d'années. Faites attention quand vous regardez des graphiques comme ceux-ci. Il est facile de concevoir un type graphique précis pour que la même différence paraisse importante (FIGURE 1.8a) ou faible (FIGURE 1.8b). Le secret réside dans l'échelle que vous choisissez pour l'axe vertical (axe y).

Ce qu'il faut retenir : réfléchissez plus intelligemment. Lorsque vous observez des statistiques dans les magazines ou à la télévision, lisez toujours les échelles et notez leur étendue.

Mesures de la tendance centrale

L'étape suivante consiste à résumer les données en utilisant certaines *mesures de la tendance centrale*, un résultat unique qui représente un ensemble de résultats. La mesure la plus simple est le **mode**, ou résultat(s) le(s) plus fréquent(s). La mesure la plus souvent donnée est la **moyenne** ou moyenne arithmétique correspondant à la somme de tous les résultats divisée par le nombre de résultats. Sur une autoroute, la médiane correspondrait au milieu. C'est le même cas avec des données. La **médiane** est le résultat moyen correspondant au 50e percentile ; si vous disposez tous les résultats dans l'ordre, du plus élevé au plus faible, la moitié d'entre eux seront au-dessous de la médiane et l'autre moitié au-dessus.

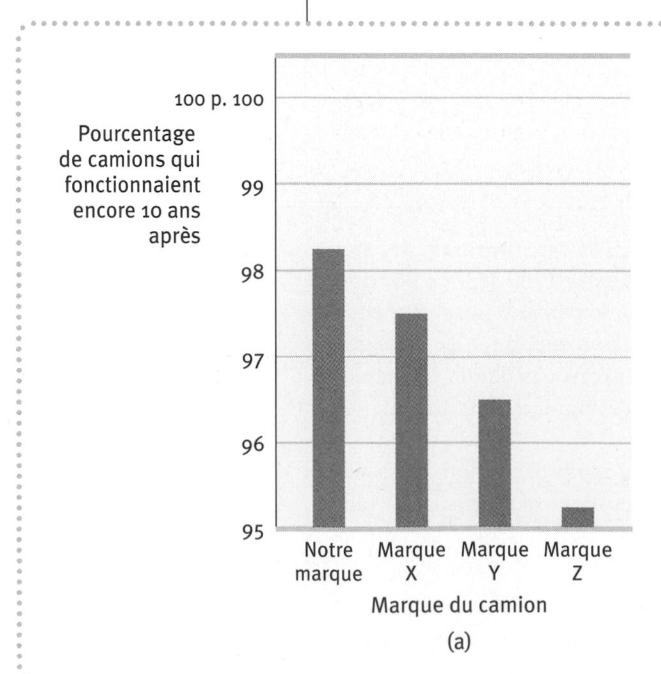

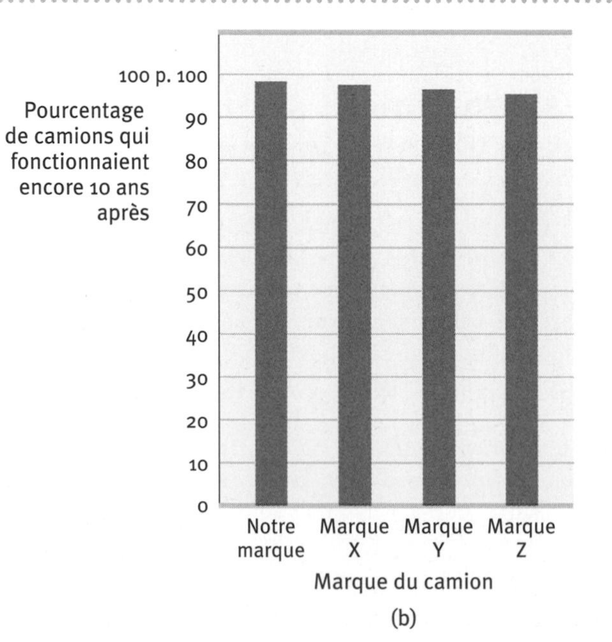

➤ FIGURE 1.8
Lire les échelles Un fabricant américain de camions a présenté un graphique (a) avec des noms de marque réels pour insister sur la longévité bien supérieure de ses camions. Notez cependant à quel point la différence apparente rétrécit lorsque l'on change l'échelle des ordonnées dans le graphique (b).

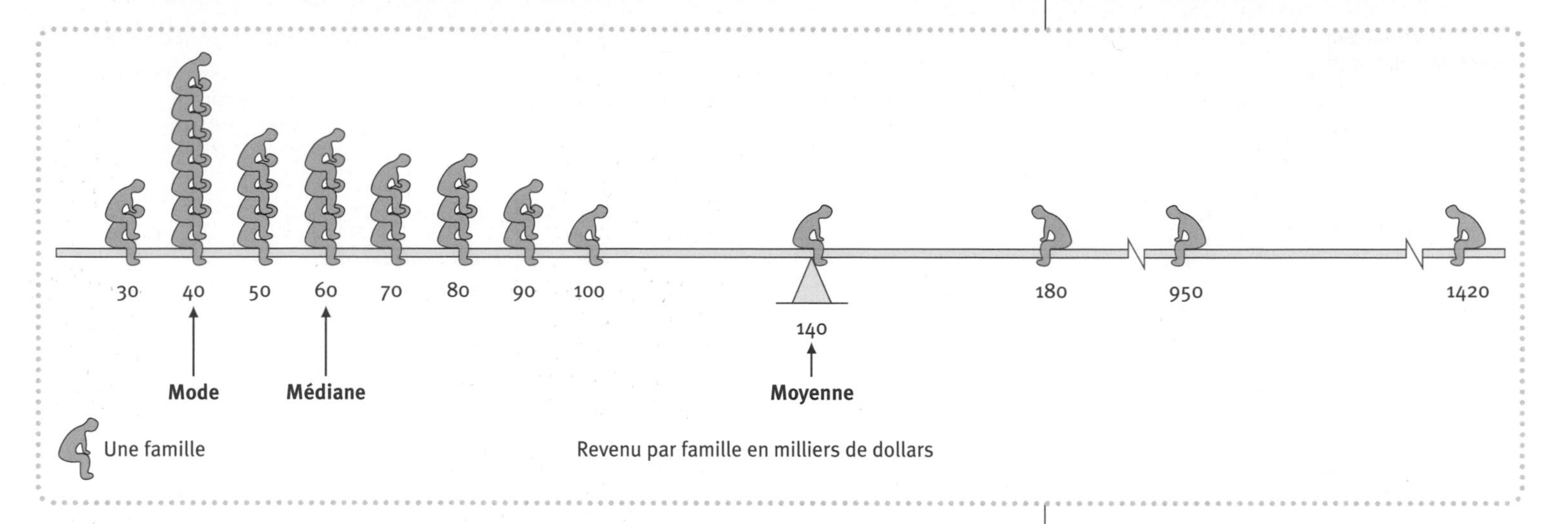

➤ FIGURE 1.9
Une distribution asymétrique Cette représentation graphique de la distribution des revenus d'une municipalité montre les trois mesures de la tendance centrale : le mode, la médiane et la moyenne. Notez comment quelques revenus élevés rendent la moyenne, point où s'équilibrent les hauts et les bas revenus, anormalement élevée.

Ces mesures de la tendance centrale résument bien les données. Mais voyez ce qui arrive à une moyenne lorsque la distribution est *asymétrique*. Dans le cas des données relatives au revenu familial, le mode, la médiane et la moyenne donnent souvent des résultats très différents (FIGURE 1.9). Cela se produit parce que la moyenne est biaisée par quelques résultats extrêmes. Lorsque le cofondateur de Microsoft, Bill Gates, s'assoit dans un café, le client moyen devient instantanément milliardaire. Si vous comprenez cela, vous pouvez comprendre comment un journal britannique a pu titrer avec précision : « Le revenu de 62 p. 100 de la population est au-dessous de la moyenne » (Waterhouse, 1993). Car la *moitié* la plus pauvre des salariés britanniques perçoit seulement un *quart* de l'ensemble des salaires, si bien que la majeure partie des Britanniques, comme la majeure partie des gens de n'importe quel pays, ont un revenu inférieur à la moyenne. Aux États-Unis, les républicains ont tendance à se vanter d'une croissance économique solide depuis 2000 en utilisant le revenu moyen ; les démocrates se lamentent de la croissance économique médiocre en se servant du revenu médian (Paulos, 2006). La moyenne et la médiane racontent différentes histoires vraies.

Ce qu'il faut retenir : notez toujours quelle est la mesure de la tendance centrale utilisée et s'il s'agit d'une moyenne, voyez si elle n'est pas déformée par quelques résultats atypiques.

• **L'individu moyen possède un ovaire et un testicule.** •

Mesures de la variation

Connaître la valeur d'une mesure appropriée de la tendance centrale peut nous apprendre beaucoup, mais ce seul chiffre peut faire rater d'autres informations. Il est également utile de savoir de quelle manière les données peuvent *varier* – jusqu'à quel point les résultats peuvent être similaires ou éloignés. Les moyennes obtenues à partir des mesures ayant une faible variabilité sont plus fiables que celles qui sont fondées sur des mesures ayant une variabilité plus grande. Si une joueuse de basket marque entre 13 et 17 points à chacun des dix premiers matchs de la saison, nous pourrons dire avec plus de confiance qu'elle obtiendra à peu près 15 points à son prochain match que si ses scores avaient varié entre 5 et 25 points.

L'**étendue** des valeurs, qui est l'intervalle entre la valeur la plus élevée et la valeur la plus faible, ne donne qu'une estimation grossière de la variation. En effet, deux valeurs extrêmes, dans un échantillon par ailleurs relativement uniforme (950 000 et 1 420 000 dollars, *voir* la figure 1.9), vont aboutir à une étendue très large mais trompeuse.

La mesure la plus fréquemment utilisée pour exprimer à quel point deux valeurs sont éloignées l'une de l'autre est l'**écart type**. Il évalue mieux si les valeurs sont rassemblées ou dispersées, car il utilise des informations provenant de chacune d'elles (TABLEAU 1.4, page suivante). Le calcul nous renseigne sur la différence entre les valeurs individuelles par rapport à la moyenne. Si votre école ou université attire des élèves d'une certaine capacité, les évaluations des tests intellectuels auront un écart type moins important que celui d'une communauté plus diverse, extérieure à votre établissement.

« Les pauvres deviennent plus pauvres, mais comme les riches deviennent plus riches, tout ceci s'équilibre à long terme. »

TABLEAU 1.4

L'ÉCART TYPE DONNE BIEN PLUS D'INFORMATIONS QUE LA MOYENNE SEULE

Notez que les résultats des tests dans la classe A et dans la classe B ont la même moyenne (80), mais des écarts types très différents, ce qui nous en apprend bien plus sur la façon dont les étudiants de chaque classe se débrouillent réellement.

Résultats des tests dans la classe A			Résultats des tests dans la classe B		
Résultat	**Écart par rapport à la moyenne**	**Écart élevé au carré**	**Résultat**	**Écart par rapport à la moyenne**	**Écart élevé au carré**
72	−8	64	60	−20	400
74	−6	36	60	−20	400
77	−3	9	70	−10	100
79	−1	1	70	−10	100
82	+2	4	90	+10	100
84	+4	16	90	+10	100
85	+5	25	100	+20	400
87	+7	49	100	+20	400
Total = 640		Somme des (écarts)² = 204	Total = 640		Somme des (écarts)² = 2 000

Classe A :

Moyenne = 640 ÷ 8 = 80

Écart type =

$$\sqrt{\frac{\textit{Somme des (écarts)}^2}{\textit{Nombre de résultats}}} = \sqrt{\frac{204}{8}} = 5{,}0$$

Classe B :

Moyenne = 640 ÷ 8 = 80

Écart type =

$$\sqrt{\frac{\textit{Somme des (écarts)}^2}{\textit{Nombre de résultats}}} = \sqrt{\frac{2\,000}{8}} = 15{,}8$$

:: **Courbe normale (distribution normale)** : courbe symétrique en forme de cloche qui décrit la distribution d'un grand nombre de types de données ; la plupart des résultats sont regroupés autour de la moyenne (68 p. 100 se trouvent à moins d'un écart type de part et d'autre de la moyenne) et plus on se dirige vers les extrêmes moins on trouve de valeurs.

Vous pouvez comprendre la notion d'écart type si vous considérez la manière dont les résultats ont tendance à se distribuer. Un grand nombre de résultats comme la hauteur, le poids, les scores aux tests d'intelligence, les rangs sociaux (mais pas les revenus) forment souvent une courbe de distribution symétrique, en forme de cloche. La plupart des cas sont proches de la moyenne et plus nous nous éloignons vers les extrêmes, moins nous trouvons de cas. Cette distribution en cloche est si typique que nous avons appelé cette courbe la **courbe normale**.

Comme le montre la FIGURE 1.10, une propriété très intéressante de la courbe normale est que grossièrement 68 p. 100 des cas se trouvent à moins d'un écart type de part et d'autre de la moyenne. Environ 95 p. 100 des cas se trouvent à moins de deux écarts types. De ce fait, le chapitre 10 remarque qu'environ 68 p. 100 des personnes passant un test d'intelligence obtiendront un nombre de points compris entre 100 ± 15 et environ 95 p. 100 auront un nombre de points compris entre 100 ± 30.

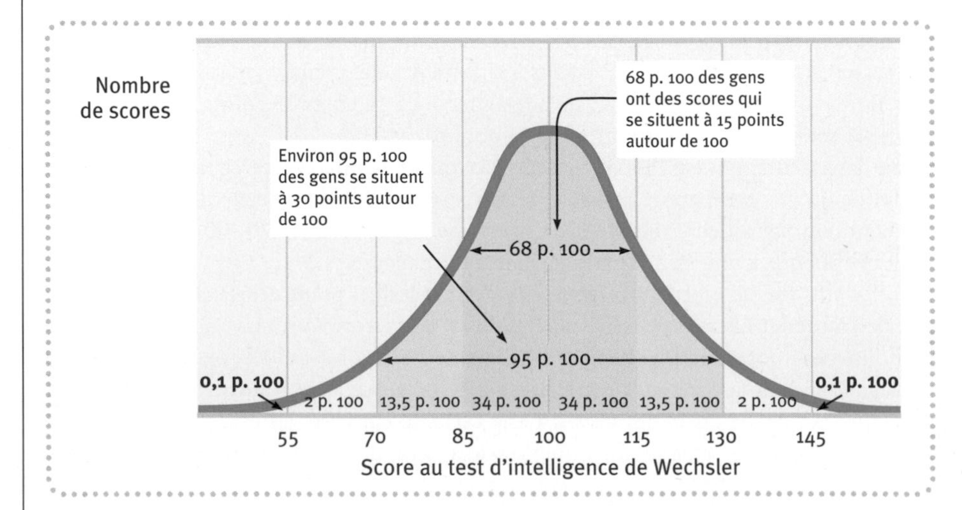

➤ FIGURE 1.10
La courbe normale Les résultats aux tests d'aptitude ont tendance à former une courbe en cloche, dite normale. L'échelle de Wechsler (qui est un test d'intelligence adulte), par exemple, désigne le score moyen par le chiffre 100.

Établir des inférences

9. Quels principes nous permettent-ils d'établir des généralités à partir d'échantillons et de décider si les différences sont significatives ?

Les données sont « parasitées ». Le résultat moyen d'un groupe (enfants nourris au sein) peut, théoriquement, différer de celui d'un autre groupe (enfants nourris au lait maternisé) non pas parce qu'ils sont réellement différents, mais à cause d'une variation aléatoire dans l'échantillon des personnes étudiées. Dans ces conditions, jusqu'à quel point pouvons-nous être sûrs qu'une différence observée est réelle ? Pour nous guider, nous pouvons nous demander jusqu'à quel point nous pouvons nous fier à ces différences et si elles sont significatives ou non.

Quand peut-on se fier à une différence observée ?

Pour décider si l'on peut ou non généraliser à partir d'un échantillon, il est important de garder à l'esprit trois grands principes.

1. **Les échantillons représentatifs sont meilleurs que les échantillons biaisés.** Comme nous l'avons vu, la meilleure base pour une généralisation n'est pas constituée des cas exceptionnels et mémorables que l'on trouve aux extrêmes, mais d'un échantillon de cas représentatifs. Aucune recherche ne comporte un échantillon de la population humaine dans son ensemble. Il est donc important de garder à l'esprit quelle est la population échantillonnée dans une étude.
2. **Des observations ayant une faible variation sont plus fiables que des observations à plus forte variation.** Comme nous l'avons noté dans l'exemple de la joueuse de basket dont les résultats étaient homogènes, une moyenne est plus fiable lorsqu'elle provient de valeurs ayant une faible variation.
3. **Trop de cas valent mieux que pas assez.** Un élève de terminale impatient visite deux campus universitaires, pendant une journée chacun. Dans le premier, il assiste à deux cours au hasard et trouve chaque enseignant spirituel et intéressant. Dans l'autre campus, l'échantillon des deux enseignants lui semble mou et peu engageant. De retour à la maison, l'étudiant (faisant peu de cas de la petite taille de l'échantillon composé uniquement de deux professeurs pour chaque université) décrit à ses amis les « grands professeurs » du premier campus et les « raseurs » de l'autre. Comme toujours, nous le savons, mais nous l'ignorons : *les moyennes fondées sur un grand nombre de cas sont plus fiables* (elles varient moins) que celles issues d'un petit nombre de cas.

Ce qu'il faut retenir : ne soyez pas trop impressionnés par des résultats anecdotiques. Les généralisations fondées seulement sur quelques cas non représentatifs ne sont pas fiables.

Quand une différence devient-elle significative ?

Les tests statistiques nous aident à déterminer si les différences sont significatives. Voici leur logique sous-jacente : lorsque les moyennes issues de deux échantillons sont chacune des évaluations fiables de leur population respective (comme dans le cas où chacune est fondée sur de nombreuses observations qui présentent une faible variabilité), alors la *différence* entre les deux échantillons a également des chances d'être fiable. (Exemple : plus la variabilité entre les niveaux d'agressivité chez l'homme et chez la femme est faible, plus nous pourrons être sûrs que les moindres différences observées entre les sexes seront fiables.) Mais lorsque la différence entre les moyennes des deux échantillons est *importante*, nous sommes encore plus assurés que cette différence reflète une véritable différence entre leurs populations.

En bref, lorsque les moyennes des échantillons sont fiables et que la différence entre elles est importante, nous disons que la différence a une **significativité statistique** (est statistiquement significative). Cela signifie simplement que cette différence n'est probablement pas due à une variation aléatoire entre échantillons.

Pour juger de la significativité statistique, les psychologues sont conservateurs. Ils sont comme des jurés qui partent de l'hypothèse de l'innocence du prévenu tant que sa culpabilité n'est pas prouvée. Pour la majorité des psychologues, il existe une limite au doute : c'est de ne pas accorder foi à une découverte si la probabilité qu'elle soit due au hasard est supérieure à 5 p. 100 (critère arbitraire).

:: **Significativité statistique** : affirmation statistique indiquant la probabilité qu'un résultat observé soit dû au hasard.

PEANUTS

En parcourant des résultats d'une recherche, vous devez vous rappeler que si l'on considère des échantillons assez homogènes et assez importants, une différence entre eux peut être « statistiquement significative », mais ne pas avoir la moindre importance pratique. Si l'on compare, par exemple, les résultats moyens aux tests d'intelligence de quelque 100 000 individus, aînés et cadets de famille, les aînés ont une tendance hautement significative à avoir des notes moyennes plus élevées que leurs cadets (Kristensen et Bjerkedal, 2007 ; Zajonc et Markus, 1975). Cependant, comme ces scores ne diffèrent que d'un à trois points, la différence n'a pas d'importance pratique. De tels résultats ont poussé les psychologues à préconiser des alternatives à ces tests fondés sur la signification statistique (Hunter, 1997). Ils conseillent d'utiliser d'autres méthodes pour exprimer *la taille de l'effet* d'un résultat : son importance et sa fiabilité.

Ce qu'il faut retenir : la signification statistique indique la *probabilité* qu'un résultat soit dû au hasard. Elle n'indique pas l'*importance* d'un résultat.

AVANT D'ALLER PLUS LOIN...

➤ INTERROGEZ-VOUS

Essayez de trouver un graphique dans une publicité d'une revue populaire. De quelle façon l'agent de publicité a-t-il utilisé (ou abusé) des statistiques pour faire remarquer un détail précis ?

➤ TESTEZ-VOUS 3

Considérez la question suivante, posée par Christopher Jepson, David Krantz et Richard Nisbett (1983) aux étudiants de première année de psychologie à l'université du Michigan :

> Le secrétaire général de l'université du Michigan a découvert qu'habituellement, au terme de leur premier semestre à l'université, environ 100 étudiants inscrits en arts et en sciences obtiennent des notes excellentes. Toutefois, seulement 10 à 15 étudiants achèvent leurs études avec de telles notes. Qu'est-ce qui, à votre avis, explique de la façon le plus probable le fait qu'il y ait plus de notes excellentes au terme du premier semestre qu'en fin d'études ?

Les réponses aux questions « Testez-vous » sont données dans l'annexe B à la fin de l'ouvrage.

Questions souvent posées à propos de la psychologie

NOUS AVONS RÉFLÉCHI SUR LA MANIÈRE dont l'approche scientifique pouvait réduire les biais. Nous avons vu comment les études de cas, les enquêtes et les observations naturalistes nous permettaient de décrire les comportements. Nous avons noté que les études corrélationnelles permettaient d'évaluer la relation entre deux facteurs, indiquant comment une chose pouvait en prédire une autre. Nous avons examiné la logique qui sous-tendait les expériences qui utilisent des conditions contrôles et des répartitions au hasard des sujets pour isoler les effets d'une variable indépendante sur une variable dépendante. Enfin, nous avons envisagé comment les outils statistiques pouvaient nous aider à voir et interpréter le monde qui nous entoure.

Cependant, même en sachant cela, il se peut que vous abordiez la psychologie avec une curiosité teintée d'appréhension. Donc, avant de nous y plonger, divertissons-nous avec quelques questions fréquemment posées.

10. Les expériences de laboratoire peuvent-elles nous éclairer sur la vie quotidienne ?

Quand vous lisez ou écoutez un rapport sur une recherche psychologique, ne vous demandez-vous jamais si les comportements des gens en laboratoire permettent de prédire leurs comportements dans la vie réelle ? Par exemple, est-ce que le fait de détecter un faible éclat de lumière rouge dans une chambre noire nous renseigne, d'une quelconque manière, sur le pilotage d'un avion la nuit ? La propension qu'a un homme excité (sexuellement) à appuyer sur un bouton censé délivrer un choc électrique à une femme, après avoir vu un film contenant des scènes érotiques et violentes, révèle-t-elle quelque chose concernant l'effet de la pornographie et de la violence sur les facteurs de risque de viol ?

Avant de répondre, considérez ceci : les expérimentateurs *essayent* de traduire, dans l'environnement du laboratoire, une version simplifiée de la réalité, dans laquelle des caractéristiques importantes de la vie de tous les jours peuvent être simulées et contrôlées. Comme une soufflerie qui permet aux ingénieurs en aéronautique de recréer, dans des conditions contrôlées, les forces atmosphériques, une expérience menée en laboratoire permet aux psychologues de recréer, dans des conditions contrôlées, les forces psychologiques.

Le but de l'expérimentateur n'est pas de recréer exactement les comportements de tous les jours mais de tester les *principes théoriques* (Mook, 1993). Dans les études sur l'agressivité, la décision d'appuyer sur un bouton qui délivre des chocs électriques n'est pas exactement la même chose que de gifler quelqu'un, mais le principe est le même. *Ce sont les principes qui en découlent et non les résultats spécifiques qui nous aident à expliquer les comportements de tous les jours.*

Lorsque les psychologues appliquent la recherche en laboratoire sur l'agressivité à la violence réelle, ils appliquent des principes théoriques concernant les comportements agressifs, principes qui sont ensuite affinés à travers de nombreuses expériences. De la même manière, ce sont les principes de fonctionnement de l'appareil visuel mis en évidence à partir d'expériences réalisées en conditions artificielles, comme regarder des lumières rouges dans le noir, que nous appliquons à des comportements plus complexes comme le pilotage de nuit. Comme le démontrent de nombreuses investigations, les principes extrapolés à partir d'un laboratoire reflètent véritablement le monde dans lequel nous vivons (Anderson et coll., 1999).

Ce qu'il faut retenir : l'intérêt des psychologues porte moins sur des comportements particuliers que sur des principes généraux qui, eux, aident à expliquer de nombreux comportements.

11. Le comportement dépend-il de la culture ou du sexe de l'individu ?

Quels enseignements les études psychologiques réalisées dans un lieu et à une époque donnés, souvent chez des Européens ou des Nord-Américains blancs, peuvent-elles réellement nous donner sur les gens en général ? Comme nous le verrons toujours et encore, la **culture** (idées et comportements communs transmis de génération en génération) joue un rôle important. Notre culture façonne notre comportement. Elle influence les normes établies concernant le temps que nous mettons à répondre en général et le degré de notre franchise, notre attitude vis-à-vis des relations sexuelles avant le mariage et des différences d'apparence physique individuelle, notre tendance à être plutôt strict ou décontracté, la façon dont nous rencontrons le regard des autres, la distance que nous mettons lorsque nous conversons, et bien d'autres choses encore. Le fait d'être conscient de telles différences nous permet de réduire notre propension à supposer que les autres penseront ou agiront comme nous le faisons. Étant donné que les mélanges et les confrontations de cultures sont de plus en plus nombreux, une telle prise de conscience devient urgente.

Cependant, il est également vrai que notre héritage biologique commun nous unit au sein d'une même famille universelle. Partout, les mêmes principes sous-jacents nous guident :

- Les personnes atteintes de dyslexie (un trouble de la lecture) présentent exactement les mêmes défaillances cérébrales, qu'elles soient italiennes, françaises ou anglaises (Paulesu et coll., 2001).
- La diversité des langues peut gêner la communication entre les différentes cultures. Néanmoins, toutes les langues partagent des principes grammaticaux de base et des habitants de deux points opposés du globe peuvent communiquer à travers un sourire ou un froncement de sourcil.
- La perception de la solitude diffère en fonction de la culture, mais dans toutes les cultures, la timidité, le fait d'avoir une faible estime de soi et de ne pas être marié augmentent cette perception (Jones et coll., 1985 ; Rokach et coll., 2002).

:: Culture : comportements, idées, attitudes et traditions durables partagés par un groupe de personnes et transmis de génération en génération.

On peut dire que chacun d'entre nous est à la fois, par certains aspects, comme tous les autres, comme certains autres ou comme aucun autre. Étudier des gens d'origine ethnique et de culture différentes nous aide à prendre conscience de nos ressemblances et de nos dissemblances, de notre parenté et de notre diversité.

Comme vous le verrez tout au long de ce livre, la question du sexe est également importante. Par exemple, les chercheurs ont montré des différences entre les sexes en ce qui concerne le contenu des rêves, l'expression et la perception des émotions, et dans les facteurs de risque pour l'alcoolisme, la dépression et les troubles alimentaires. L'étude de telles différences n'est pas seulement intéressante mais peut également être bénéfique. De nombreux chercheurs pensent, par exemple, que les femmes communiquent principalement afin d'établir des relations sociales alors que les hommes parleraient plus pour donner des informations ou des avis (Tannen, 1990). C'est en connaissant ces différences que nous pouvons prévenir des conflits et des malentendus dans les contacts quotidiens.

Quoi qu'il en soit, il est important de se rappeler que sur le plan psychologique comme sur le plan biologique, les hommes et les femmes sont éminemment semblables. Que l'on soit garçon ou fille, nous apprenons à marcher à peu près au même âge, nous faisons l'expérience des mêmes sensations lumineuses et sonores, nous ressentons les mêmes affres de la faim, du désir et de l'angoisse. De même, nous faisons preuve, globalement, de la même intelligence et du même bonheur.

Ce qu'il faut retenir : même si des attitudes ou des comportements particuliers varient d'une culture à l'autre, ou d'un sexe à l'autre et c'est souvent le cas, les lois sous-jacentes sont à peu près les mêmes.

> « Tous les peuples sont les mêmes ; ce sont seulement leurs habitudes qui diffèrent. »
> Confucius, 551-479 av. J.-C.

12. Pourquoi les psychologues étudient-ils les animaux ? Est-il éthique de mener des expériences sur les animaux ?

Beaucoup de psychologues étudient les animaux parce qu'ils les trouvent fascinants. Leur but est de comprendre comment les différentes espèces apprennent, pensent et se comportent. Les psychologues les étudient aussi pour approfondir les connaissances sur les hommes, en réalisant des expériences qui ne sont possibles que chez l'animal. La physiologie humaine ressemble néanmoins à celle de beaucoup d'autres animaux. Les hommes ne *ressemblent* pas à des animaux ; ce *sont* des animaux. C'est pourquoi l'expérimentation animale a permis de mettre au point des traitements pour des maladies humaines comme l'insuline pour le diabète, les vaccins pour prévenir la poliomyélite et la rage, ou bien des transplantations pour remplacer des organes défaillants.

> « Les rats ressemblent beaucoup aux êtres humains sauf qu'ils ne sont pas assez stupides pour acheter des billets de loterie. »
> Dave Barry, 2 juillet 2002

De la même manière, les processus par lesquels les hommes voient, expriment leurs émotions ou deviennent obèses existent aussi chez les rats ou les singes. Pour approfondir les fondements de l'apprentissage chez l'homme, les chercheurs étudient même les limaces de mer. Pour comprendre comment fonctionne un moteur à combustion, vous avez plus intérêt à étudier une tondeuse à gazon qu'une Mercedes®. Le système nerveux des hommes, comme les Mercedes®, est plus complexe. C'est précisément la simplicité du système nerveux de la limace de mer qui nous permet d'apprendre bien des choses sur les mécanismes d'apprentissage au niveau neuronal.

Dans la mesure où nous partageons d'importantes similarités avec les autres animaux, ne devrions-nous pas les laisser tranquilles ? « Nous ne pouvons pas défendre nos travaux scientifiques chez l'animal sur la base des ressemblances entre eux et nous, et ensuite les défendre à un niveau moral sur la base de nos différences », remarquait Roger Ulrich (1991). Les associations de protection des animaux protestent contre leur utilisation dans les recherches psychologiques, biologiques et médicales. Les chercheurs nous rappellent que les animaux utilisés chaque année pour la recherche dans le monde entier représentent moins de 1 p. 100 des milliards d'animaux tués chaque année pour être mangés. Et chaque année, pour un chien ou un chat utilisé dans une expérience et traité selon des règles humanitaires, cinquante autres sont tués dans les refuges pour animaux (Goodwin et Morrison, 1999).

> « Il me semble que le fait d'empêcher, de paralyser ou de compliquer inutilement la recherche qui peut soulager la souffrance des animaux ou celle de l'homme, est profondément inhumain, cruel et immoral. »
> Neal Miller, psychologue (1983)

Certaines associations de protection des animaux préconisent l'observation naturaliste plutôt que l'expérimentation en laboratoire. Les chercheurs qui effectuent des recherches sur les animaux ont répondu qu'il ne s'agit pas d'un problème moral concernant le bien et le mal, mais d'un problème d'opposition entre compassion envers l'animal et compassion envers l'homme. Combien d'entre nous auraient critiqué les expériences de Louis Pasteur sur la rage, qui firent souffrir quelques chiens, mais qui en contrepartie permirent de mettre au point un vaccin qui épargna à des millions de gens et de chiens de mourir après une lente agonie ? De même, aurions-nous souhaité nous priver des études chez l'animal qui ont permis de développer des méthodes efficaces de rééducation pour les enfants souffrant de troubles mentaux, de comprendre le vieillissement, de soulager l'angoisse, la dépression ? Les réponses à ces questions varient selon les cultures. Selon l'enquête Gallup menée au Canada et aux États-Unis, près de 60 p. 100 des adultes jugent les tests médicaux sur les animaux « moralement acceptables ». En Grande-Bretagne, seulement 37 p. 100 pensent ainsi (Mason, 2003).

Deux questions émergent de ce débat brûlant. La plus fondamentale est de savoir si l'élévation du bien-être de l'homme au-dessus de celui des animaux est justifiée. Dans les expériences sur le stress et le cancer, a-t-on le droit de provoquer des tumeurs chez la souris pour que les hommes n'en aient pas ? Certains singes doivent-ils être exposés à un virus similaire au VIH pour développer un vaccin contre le SIDA ? L'utilisation et la consommation par l'homme des autres animaux sont-elles aussi naturelles que le comportement carnivore des faucons, des chats et des baleines ? Ceux qui défendent l'expérimentation animale rétorquent que celui qui a mangé un hamburger, porté des chaussures en cuir, toléré la chasse et la pêche ou supporté l'extermination de la vermine qui détruit les cultures ou qui est vecteur de la peste, est déjà d'accord pour dire qu'effectivement, il est parfois permis de sacrifier des animaux au nom du bien-être de l'humanité.

Scott Plous (1993) remarquait que notre compassion envers les animaux variait comme variait notre compassion envers les gens, en fonction du degré de similitude que nous ressentions vis-à-vis d'eux. Comme le chapitre 16 l'explique, nous nous sentons plus attirés, nous fournissons plus d'aide et nous agissons moins agressivement envers ceux qui nous ressemblent. De la même manière, la valeur que nous attribuons aux animaux varie en fonction de leur degré de parenté avec nous. Les primates et les animaux de compagnie occupent la première place. (Les populations occidentales chassent ou piègent les renards et les visons pour leur fourrure, mais pas les chiens, ni les chats.) Les autres mammifères occupent la seconde marche tout en haut de l'échelle, suivis par les oiseaux, les poissons et les reptiles au troisième rang. Viennent enfin les insectes qui se trouvent relégués tout en bas. En décidant quels animaux peuvent jouir de droits, chacun de nous trace une limite quelque part à travers le règne animal.

Si nous donnons la priorité à la vie humaine, la seconde question est la priorité qui est donnée au bien-être des animaux dans la recherche. Quelles barrières doivent protéger les animaux ? La plupart des chercheurs se sentent aujourd'hui obligés, pour des raisons éthiques, d'améliorer le bien-être des animaux en captivité et de les protéger contre des souffrances inutiles. Dans une enquête menée auprès des scientifiques spécialisés dans la recherche animale, 98 p. 100 ont accueilli positivement la législation en faveur de la protection des primates, des chiens et des chats, et 74 p. 100 soutenaient des règlements obligeant à un traitement humain envers les rats et les souris (Plous et Herzog, 2000). Beaucoup d'associations professionnelles et d'organismes de financement possèdent maintenant de telles directives. Par exemple, les directives de la *British Psychological Society* requièrent que les animaux soient hébergés dans des conditions raisonnablement naturelles et qu'ils aient la compagnie de leurs semblables (Lea, 2000). Les directives de l'*American Psychological Association* (2002) obligent à assurer que les animaux bénéficient « de confort, de santé et d'un traitement humain » et à minimiser les « infections, maladies et douleurs chez les sujets animaux ». Une attitude humaine conduit aussi à une science plus efficace car la douleur et le stress modifieraient le comportement des animaux lors des expériences.

On peut dire que les animaux eux-mêmes ont bénéficié de l'expérimentation animale. Une équipe de chercheurs en psychologie de l'Ohio a mesuré les niveaux des hormones du stress chez des millions de chiens abandonnés chaque année dans les refuges pour animaux, et étudié des méthodes pour les manipuler et les caresser afin de réduire le stress et faciliter leur transition vers d'autres foyers d'adoption (Tuber et coll., 1999). Grâce aux études sur le comportement animal, les animaux du zoo du Bronx, autrefois oisifs, peuvent maintenant échapper à l'ennui et à l'apathie en travaillant à l'obtention de leur nourriture, tout comme leurs semblables en

« S'il vous plaît, n'oubliez pas ceux d'entre nous qui souffrent d'infirmités ou de maladies incurables et qui ont foi en la découverte d'un traitement nécessitant des recherches chez l'animal. »
Dennis Feeney, psychologue (1987)

« Le juste connaît les besoins de ses animaux. »
Proverbes 12:10

« La grandeur d'une nation peut être jugée sur la façon dont elle traite les animaux. »
Mahatma Gandhi, 1869-1948

Ami Vitale/Getty Images

La recherche animale au bénéfice des animaux Grâce, en partie, aux travaux de recherche centrés sur l'attrait de la nouveauté, le contrôle et la stimulation, ces gorilles du zoo du Bronx profitent d'une meilleure qualité de vie.

milieu sauvage (Stewart, 2002). D'autres études ont aidé à améliorer les soins et le traitement des animaux dans leur habitat naturel. En mettant à jour les similitudes comportementales que nous pouvons avoir avec les animaux, et l'intelligence remarquable des chimpanzés, des gorilles et d'autres animaux, les expériences ont également augmenté notre empathie vis-à-vis d'eux et notre désir de les protéger. Dans l'idéal, une psychologie qui se préoccupe des hommes et qui est attentive aux animaux peut contribuer au bien-être des deux.

13. L'expérimentation chez l'homme est-elle éthique ?

Si l'image de chercheurs délivrant des soi-disant chocs électriques vous choque, vous pourrez trouver rassurant de savoir que dans la plupart des études psychologiques, en particulier dans celles qui utilisent des participants humains, des lumières qui clignotent, des mots qui apparaissent de manière fugace et des interactions sociales agréables sont plus fréquents.

Occasionnellement, cependant, les chercheurs provoquent des stress temporaires ou déstabilisent les gens, mais uniquement quand c'est jugé essentiel à des fins qui peuvent être justifiées comme, par exemple, comprendre et contrôler les comportements violents ou étudier des modifications de l'humeur. De telles expériences ne marcheraient pas si les participants savaient à l'avance le contenu des expériences. Les participants, dans le but d'aider l'expérimentateur, chercheraient peut-être à confirmer ses hypothèses.

Les principes éthiques stipulés par l'*American Psychological Association* (1992), la *British Psychological Society* (1993) et par les psychologues internationaux (Pettifor 2004), imposent aux investigateurs (1) d'obtenir le consentement éclairé des participants potentiels, (2) de leur éviter toute douleur ou inconfort, (3) de traiter les informations individuelles de manière confidentielle, et (4) d'expliquer complètement les principes de la recherche une fois celle-ci terminée. De plus, la plupart des universités, aujourd'hui, se sont dotées de comités d'éthique qui contrôlent les projets de recherche et protègent le bien-être des participants.

L'idéal est que le chercheur donne suffisamment d'information *et* soit attentif au fait que le participant reparte avec un sentiment au moins aussi bon vis-à-vis de lui-même que lorsqu'il est venu faire l'expérience. Mieux encore, serait qu'il soit récompensé en ayant appris quelque chose. S'ils sont traités avec respect, la plupart des participants apprécient et acceptent leur engagement (Epley et Huff, 1998 ; Kimmel, 1998). En fait, disent les défenseurs de la psychologie, les professeurs engendrent bien plus d'anxiété lorsqu'ils font passer un examen et en donnent les résultats que les chercheurs menant une expérimentation classique.

Les travaux de recherche sont, pour la plupart, effectués à l'extérieur des laboratoires des universités où il n'y a peut-être pas de comité d'éthique. Par exemple, les grandes surfaces surveillent les gens constamment, photographient leur comportement à l'achat, suivent leurs comportements à la consommation et testent l'efficacité publicitaire. Curieusement, de telles investigations semblent attirer moins l'attention que la recherche scientifique que l'on mène dans le but de faire progresser la compréhension humaine.

14. La psychologie est-elle dépourvue de jugements de valeur ?

Bien sûr, la psychologie n'est absolument pas dépourvue de systèmes de valeurs. Celles-ci affectent ce que nous étudions, comment nous l'étudions et comment nous interprétons les résultats. Les valeurs des chercheurs influencent les choix qu'ils font concernant leurs sujets de recherche. Par exemple, vont-ils étudier plutôt la productivité des travailleurs ou plutôt leur motivation, la discrimination sexuelle ou les différences entre les sexes, le conformisme ou l'indépendance ? Les valeurs peuvent aussi transformer « les faits ». Comme nous l'avons noté plus tôt, nos idées préconçues peuvent biaiser nos observations et nos interprétations ; parfois, nous voyons ce que nous voulons ou ce que nous nous attendons à voir (FIGURE 1.11).

➤ FIGURE 1.11
Que voyez-vous ? Les gens interprètent les informations ambiguës dans le sens de leurs idées préconçues. Voyez-vous un canard ou un lapin ? En montrant cette image à vos amis, demandez-leur s'ils voient le canard allongé sur le dos (ou le lapin dans l'herbe). (D'après Shepard, 1990.)

Même les mots que nous utilisons pour décrire un phénomène peuvent être le reflet de nos valeurs. Les pratiques sexuelles éloignées de celles pratiquées par un individu sont-elles des « perversions » ou des « variations sexuelles » ? À l'intérieur comme à l'extérieur de la psychologie, les mots décrivent et les mots évaluent. Il en est de même dans la conversation de tous les jours : la « rigidité » de quelqu'un est considérée comme de la « rigueur » pour d'autres, ou bien la « foi » de quelqu'un est considérée comme du « fanatisme » par un autre. Quand nous décrivons quelqu'un en des termes tels que « ferme » ou « entêté », « prudent » ou « chipoteur », « réservé » ou « secret », nous révélons ce que nous ressentons.

Les applications populaires de la psychologie contiennent également des valeurs cachées. Lorsque que les gens se soumettent aux conseils des « professionnels » sur la manière de se comporter dans la vie – comment élever ses enfants, comment s'épanouir, que faire avec ses désirs sexuels ou comment progresser dans sa vie professionnelle – ils acceptent du même coup les valeurs qui les sous-tendent. Une science des comportements et des processus mentaux est en mesure de nous aider à atteindre nos aspirations, mais elle ne peut pas les déterminer pour nous.

Si certains considèrent la psychologie comme du simple bon sens, d'autres ont un avis contraire et pensent qu'elle devient dangereusement puissante. Est-ce un hasard si l'astronomie est la science la plus ancienne et la psychologie la plus récente ? Pour certains, explorer l'univers qui nous entoure semble bien moins dangereux que d'explorer notre propre univers intérieur ! La psychologie peut-elle être utilisée pour manipuler les gens ?

Le savoir, comme tous les pouvoirs, peut être utilisé pour le meilleur comme pour le pire. La puissance nucléaire a permis d'éclairer les villes... mais aussi de les détruire. Le pouvoir de persuasion a permis d'éduquer les gens... mais aussi de les tromper. Bien qu'elle ait le pouvoir de nous tromper, la psychologie a pour but de nous ouvrir les yeux. Tous les jours, les psychologues explorent les moyens d'améliorer l'apprentissage, la créativité et la compassion. La psychologie traite aussi des grands problèmes de notre monde, comme la guerre, la surpopulation, les préjugés, les crises familiales ou la criminalité, qui tous mettent en jeu des comportements et des attitudes. La psychologie s'intéresse aussi aux plus fondamentaux des besoins humains tels que l'amour, le bonheur et la nourriture. La psychologie ne peut aborder toutes les grandes questions de la vie, mais elle s'attaque à celles qui sont sans doute les plus importantes.

« Il est sans aucun doute impossible de se pencher sur un problème humain avec l'esprit libre de tout a priori. »

Simone de Beauvoir, *Le Deuxième Sexe*, 1953

AVANT D'ALLER PLUS LOIN...

➤ Interrogez-vous

Parmi les « Questions souvent posées à propos de la psychologie », en avez-vous trouvé certaines qui reflétaient vos propres interrogations ? Avez-vous d'autres questions ou préoccupations concernant la psychologie ?

➤ Testez-vous 4

De quelle manière les sujets participant à des recherches sur les hommes et les animaux sont-ils protégés ?

Les réponses aux questions « Testez-vous » sont données dans l'annexe B à la fin de l'ouvrage.

RÉVISION : Penser de manière critique grâce à la psychologie scientifique

Le besoin d'une psychologie scientifique

1. Pourquoi les réponses obtenues par l'approche scientifique sont-elles plus fiables que celles basées sur l'intuition et le sens commun ?

Bien que le sens commun nous serve bien, nous sommes enclins au *biais de l'après-coup* (appelé aussi phénomène du « je l'ai toujours su »), notre tendance à croire, après avoir appris un résultat, que nous l'avions déjà prédit. Nous sommes aussi habituellement bien trop confiants en notre jugement, en partie du fait de notre propension (biais) à ne rechercher que les informations qui le confirment. Bien que limitée par les questions vérifiables qu'elle peut poser, l'approche scientifique nous aide à discerner la réalité de l'illusion et à restreindre les biais de notre seule intuition.

2. Quelles sont les trois principales composantes de l'attitude scientifique ?

Les trois composantes de l'attitude scientifique sont (1) une impatience curieuse à (2) étudier de manière sceptique des idées entrant en compétition et (3) une humilité sans parti pris devant la nature. Cette attitude est mise en pratique dans la vie de tous les jours sous la forme de la *réflexion critique* qui examine les propositions, débusque les valeurs cachées, jauge les preuves et soupèse les résultats. Tester les idées même les plus « loufoques » nous aide à séparer ce qui est sensé de ce qui ne l'est pas.

Comment les psychologues posent-ils des questions et y répondent-ils ?

3. De quelle manière les théories font-elles avancer la psychologie scientifique ?

Les *théories* psychologiques organisent les observations et infèrent les *hypothèses* que l'on peut prédire. Après avoir établi avec précision la *définition opératoire* des procédures, les chercheurs testent leurs hypothèses (prédictions), valident et affinent leur théorie et suggèrent, parfois, des applications pratiques. Si d'autres chercheurs peuvent *répliquer* cette étude et obtiennent les mêmes résultats, nous pouvons avoir une plus grande confiance dans les conclusions obtenues.

4. Comment les psychologues observent-ils et décrivent-ils un comportement ?

Les psychologues observent et décrivent les comportements en utilisant les *études de cas* individuels, les *enquêtes* au sein d'*échantillons* d'une *population pris au hasard* et les *observations naturalistes*. En tirant des généralités des observations, souvenez-vous que les échantillons représentatifs sont de meilleurs guides que les anecdotes impressionnantes.

5. Qu'entend-on par corrélations positives et négatives ? Pourquoi permettent-elles de faire des prédictions mais ne fournissent-elles pas d'explication de cause à effet ?

Les *nuages de points* nous aident à voir des *corrélations*. Une corrélation positive (intervalle entre 0 et +1,00) indique dans quelle mesure les deux facteurs croissent ensemble. Lors d'une corrélation négative (intervalle entre 0 et −1,00), un des facteurs croît à mesure que l'autre décroît. Une association (parfois proposée sous la forme d'un *coefficient de corrélation*) indique la possibilité d'une relation de cause à effet mais ne prouve pas la direction de l'influence ni l'existence éventuelle d'un troisième facteur sous-jacent pouvant expliquer la corrélation.

6. Qu'entend-on par corrélations illusoires ?

Les *corrélations illusoires* sont des événements aléatoires que nous remarquons et que nous considérons par erreur comme liés. Des modèles ou des suites se produisent naturellement par groupes de résultats aléatoires, mais nous avons tendance à interpréter ces modèles comme ayant des liens sensés, peut être dans une tentative de donner un sens au monde qui nous entoure.

7. De quelle manière l'expérimentation, contrôlée par la répartition au hasard, permet-elle de clarifier la cause et l'effet ?

Pour découvrir les relations de cause à effet, les psychologues mènent des *expérimentations* en manipulant un ou plusieurs facteurs à étudier et en contrôlant les autres facteurs. La *répartition au hasard* minimise les différences préexistantes entre les *groupes expérimentaux* (exposés au traitement) et le *groupe contrôle* (recevant un placebo ou une version différente du traitement). La *variable indépendante* est le facteur que vous manipulez pour étudier ses effets. La *variable dépendante* est le facteur que vous mesurez pour découvrir toute variation se produisant en réponse à ces manipulations. Les études peuvent utiliser une *procédure en double aveugle* pour éviter l'*effet placebo* et le biais du chercheur.

Le raisonnement statistique dans la vie quotidienne

8. Comment peut-on décrire des données avec les mesures de la tendance centrale et de la variation ?

Les trois mesures de la tendance centrale sont la *médiane* (résultat central d'un groupe de données), le *mode* (résultat le plus souvent observé) et la *moyenne* (moyenne arithmétique). Les mesures de la variation nous indiquent l'importance de la similarité ou de la diversité entre les données. L'*étendue* décrit l'intervalle entre le résultat le plus faible et le résultat le plus élevé. La mesure la plus intéressante est l'*écart type* qui nous permet d'établir l'importance de la variation des résultats par rapport à la moyenne. La *courbe normale* est une courbe en cloche qui décrit la distribution de nombreux types de données.

9. Quels principes nous permettent-ils d'établir des généralités à partir d'échantillons et de décider si les différences sont significatives ?

Il faut se souvenir de trois principes essentiels : (1) Des échantillons représentatifs valent mieux que des échantillons biaisés. (2) Les observations qui présentent peu de variation sont plus fiables que celles qui sont plus variables. (3) Il vaut mieux examiner un grand nombre de cas qu'un petit nombre.

Lorsque les moyennes issues de deux échantillons sont chacune des mesures fiables de leur propre population et que les différences entre elles sont relativement importantes, nous pouvons supposer que la différence est *statistiquement significative* – le résultat ne s'est pas produit uniquement par hasard.

Questions souvent posées à propos de la psychologie

10. Les expériences de laboratoire peuvent-elles nous éclairer sur la vie quotidienne ?

Les chercheurs testent les principes théoriques en créant intentionnellement au laboratoire un environnement artificiel sous contrôle. Ces principes généraux permettent d'expliquer de nombreux comportements quotidiens.

11. Le comportement dépend-il de la culture ou du sexe de l'individu ?

Les attitudes et les comportements varient selon les *cultures*. Toutefois, les principes qui les sous-tendent varient bien moins, en particulier du fait de notre héritage biologique commun. Bien que les différences entre sexes aient tendance à attirer l'attention, il est important de se souvenir des similitudes bien plus importantes.

12. Pourquoi les psychologues étudient-ils les animaux ? Est-il éthique de mener des expériences sur les animaux ?

Certains psychologues étudient principalement le comportement animal. D'autres étudient les animaux afin de mieux comprendre les processus physiologiques et psychologiques qu'ils partagent avec l'homme. Du fait des directives éthiques et légales, il est rare que les animaux qui font l'objet d'expérimentations souffrent. Néanmoins, les associations de protection des droits des animaux soulèvent une question importante : est-il justifié de faire souffrir un animal temporairement, même si cela a pour but de soulager la souffrance humaine ?

13. L'expérimentation chez l'homme est-elle éthique ?

De temps en temps, les chercheurs stressent ou déstabilisent temporairement les gens afin d'apprendre quelque chose d'important. L'éthique professionnelle a établi des directives concernant le traitement des participants aux recherches (aussi bien des animaux que des hommes).

14. La psychologie est-elle dépourvue de jugements de valeur ?

Les propres valeurs de chaque psychologue l'influencent dans le choix de ses sujets de recherche, ses théories et ses observations, sa dénomination des comportements et ses conseils professionnels. Les applications des principes de la psychologie ont surtout été mises au service de l'humanité.

Termes et concepts à retenir

Biais de l'après-coup, p. 16
Réflexion (pensée) critique, p. 20
Théorie, p. 21
Hypothèse, p. 21
Définition opératoire, p. 21
Réplication, p. 21
Étude de cas, p. 22
Enquête, p. 23
Population, p. 24
Échantillon randomisé (tiré au sort), p. 24
Observation naturaliste, p. 24
Corrélation, p. 25
Coefficient de corrélation, p. 25
Nuage de points, p. 25
Corrélation illusoire, p. 28
Expérimentation, p. 31
Répartition au hasard (randomisée), p. 31
Procédure en double aveugle, p. 31
Effet placebo, p. 31
Groupe expérimental, p. 31
Groupe contrôle, p. 31
Variable indépendante, p.32
Variable dépendante, p. 32
Mode, p. 34
Moyenne, p. 34
Médiane, p. 34
Étendue, p. 35
Écart type, p. 35
Courbe normale, p. 36
Significativité statistique, p. 37
Culture, p. 39

CHAPITRE 2

La biologie de l'esprit

COMMUNICATION NEURONALE

Neurones

Comment les neurones communiquent-ils ?

Comment les neuromédiateurs nous influencent-ils ?

LE SYSTÈME NERVEUX

Le système nerveux périphérique

Le système nerveux central

LE SYSTÈME ENDOCRINIEN

LE CERVEAU

Les outils de la découverte : l'examen de notre tête

Les structures cérébrales les plus anciennes

Le cortex cérébral

Notre cerveau partagé

Différences gauche/droite du cerveau intact

Il n'y a rien de plus important pour la psychologie contemporaine, et pour cet ouvrage, que le principe suivant : *ce qui est psychologique est en même temps biologique*. Chacune de vos idées, de vos humeurs ou encore de vos envies est un événement biologique. Vous aimez, vous riez et vous pleurez avec votre corps. Sans votre corps (gènes, cerveau, apparence), vous n'êtes personne. Bien qu'il semble plus aisé de parler séparément des influences biologiques et psychologiques sur notre comportement, vous devez vous souvenir que penser, ressentir ou agir sans le corps revient à essayer de courir sans avoir de jambes.

La science d'aujourd'hui se concentre sur les parties les plus étonnantes de notre corps : notre cerveau, les composants du système nerveux et leurs schémas génétiques. Quel est le défi ultime de notre cerveau ? Tout simplement se comprendre lui-même. Comment se font l'organisation et la communication au sein de notre cerveau ? Comment notre hérédité et notre expérience peuvent-elles agir de concert pour « effectuer l'installation » de notre cerveau ? Comment notre cerveau traite-t-il l'information dont nous avons besoin pour tirer un panier au basket, apprécier les notes d'un guitariste ou encore se souvenir de notre premier baiser ?

Notre compréhension du cerveau et de la manière dont il engendre l'esprit vient de très loin. Le philosophe grec Platon localise très justement l'esprit dans notre tête sphérique (c'est pour lui une forme parfaite). Aristote, son élève, pense que l'esprit se situe au niveau du cœur, car il apporte chaleur et vitalité au corps. Le cœur reste toujours le symbole de l'amour, mais la science a dépassé la philosophie depuis bien longtemps à ce sujet. C'est notre cerveau qui tombe amoureux et non notre cœur.

Nous avons fait beaucoup de progrès depuis le début du XIXe siècle, époque à laquelle le médecin allemand Franz Gall inventa la *phrénologie*, une théorie populaire vouée à l'échec qui affirmait que les bosses du crâne permettaient de révéler nos capacités mentales et nos traits de caractère (FIGURE 2.1). À une époque, la Grande-Bretagne possédait 29 sociétés de phrénologie, et les phrénologistes parcouraient toute l'Amérique du Nord pour effectuer des « lectures » du crâne (Hunt, 1993). L'humoriste Marc Twain mit un jour à l'épreuve un de ces fameux phrénologues ; il vint en consultation sous un pseudonyme pour une lecture du crâne : « Il trouva une cavité (et) m'alarma en me disant que cette cavité

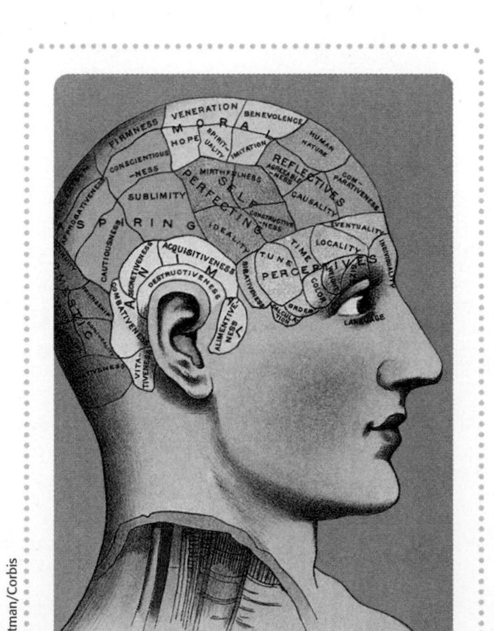

Bettman/Corbis

➤ FIGURE 2.1
Une théorie vouée à l'échec
Bien que la théorie de Franz Gall ait été initialement bien accueillie, les bosses du crâne ne nous apprennent rien sur le fonctionnement profond de notre cerveau. Toutefois, certaines hypothèses se sont révélées exactes : différentes parties du cerveau contrôlent différents aspects du comportement, comme nous le verrons tout au long de ce chapitre.

représentait une absence totale de sens de l'humour ! » Trois mois plus tard, Twain se présenta pour une seconde lecture, cette fois sous son vrai nom. Maintenant, « la cavité était partie et, à sa place, il y avait... la plus grande bosse d'humour qu'il n'avait jamais vue de toute sa longue expérience ! » (Lopez, 2002). Toutefois, la phrénologie n'avait pas totalement tort dans la mesure où elle montrait que les différentes régions du cerveau avaient des fonctions spécifiques.

Contrairement à Gall, nous avons le privilège de vivre à une époque où les découvertes concernant l'interrelation entre notre biologie et nos comportements ou nos processus mentaux avancent à une vitesse phénoménale. En un peu plus d'un siècle, les chercheurs qui tentaient de comprendre la biologie du cerveau ont découvert que :

- le corps est composé de cellules ;
- parmi celles-ci, existent les cellules nerveuses, qui conduisent de l'électricité et « communiquent » entre elles en envoyant des messages chimiques à travers l'étroite fente qui les sépare ;
- des systèmes particuliers du cerveau exercent des fonctions bien précises (qui ne sont pas, cependant, les fonctions que Gall supposait) ;
- nous intégrons les informations traitées dans ces différents systèmes du cerveau pour mettre en forme notre expérience de la vision et des sons, des significations et de la mémoire, de la douleur et de la passion ;
- notre cerveau adaptatif se tisse par nos expériences.

« Si j'étais un étudiant aujourd'hui, je ne pense pas que je pourrais résister à l'appel de la neuroscience. »
Tom Wolfe, romancier, 2004

En étudiant les liens entre l'activité biologique et les phénomènes psychologiques, les **psychologues biologistes** comprennent mieux le sommeil et les rêves, la dépression et la schizophrénie, la faim et le désir sexuel, le stress et les maladies.

Nous avons également réalisé que chacun d'entre nous est un système composé de sous-systèmes organisés eux-mêmes en sous-systèmes encore plus réduits. De minuscules cellules s'organisent pour former les organes de notre corps, tels l'estomac, le cœur et le cerveau. Ces organes vont, à leur tour, former des systèmes plus importants assurant la digestion, la circulation du sang ou le traitement des informations. Les systèmes en question sont des éléments d'un système encore plus vaste : l'individu, qui appartient à une famille, à une communauté et à une culture. Ainsi, nous sommes des systèmes *biopsychosociaux*. Afin de mieux comprendre le comportement, il nous faut étudier comment ces systèmes biologiques, psychologiques et sociaux fonctionnent et interagissent.

Dans ce livre, nous allons commencer par le plus simple pour aller progressivement vers le plus complexe, en partant des neurones jusqu'au cerveau dans ce chapitre, pour atteindre, dans les chapitres suivants, les influences environnementales et culturelles qui interfèrent avec la biologie. Nous procéderons aussi de l'amont vers l'aval, à mesure que nous considérerons comment nos pensées et nos émotions peuvent influencer notre cerveau et notre santé. À chaque niveau, les psychologues analysent notre façon de traiter l'information : comment nous la recevons, l'organisons, l'interprétons et la mettons en mémoire. Et comment nous l'utilisons.

Le système d'information de notre corps qui coordonne toutes ces tâches est constitué de milliards de cellules reliées les unes aux autres, appelées *neurones*. Pour mieux comprendre nos pensées et nos actions, notre mémoire et nos humeurs, nous devons d'abord comprendre comment les neurones travaillent et communiquent.

Communication neuronale

POUR LES SCIENTIFIQUES, C'EST UN HEUREUX HASARD de la nature que les systèmes d'information des animaux fonctionnent de la même manière que ceux des hommes. La similarité est si parfaite qu'il est même difficile de faire la distinction entre les échantillons de tissu cérébral d'un homme et d'un singe. Cette ressemblance permet aux chercheurs de travailler sur des animaux assez simples, tels que les calamars ou les limaces de mer, afin de découvrir comment fonctionne notre système nerveux, et d'étudier le cerveau d'autres mammifères avec l'objectif de mieux comprendre l'organisation de notre propre cerveau. Les voitures, bien que différentes, ont toutes un moteur, un accélérateur, des roues motrices et des freins. Un Martien pourrait en étudier une, n'importe laquelle, et comprendre son mode opératoire. De la même façon, les animaux sont différents, mais leur système nerveux opère de manière similaire. Même si le cerveau de l'homme est plus complexe que celui du rat, ils suivent tous deux les mêmes principes.

:: **Psychologie biologique** : branche de la psychologie traitant des liens entre la biologie et le comportement (certains psychologues biologistes s'appellent eux-mêmes *neurocomportementalistes, neuropsychologues, généticiens comportementaux, psychophysiologistes* ou *biopsychologues*).

Neurones

1. Qu'est-ce qu'un neurone et comment transmet-il l'information?

Le système d'information neuronale de notre corps est un ensemble complexe d'éléments simples. Sa structure de base est constituée par des cellules nerveuses ou **neurones**. Les **neurones sensoriels** transportent les messages des tissus du corps et des organes sensoriels jusque dans le cerveau et la moelle épinière pour qu'ils soient traités. Le cerveau et la moelle épinière envoient alors leurs instructions jusqu'aux tissus du corps par les **neurones moteurs**. Entre l'influx sensoriel entrant et l'influx moteur sortant, l'information est traitée dans le système de communication interne du cerveau par l'intermédiaire d'**interneurones**. Notre complexité réside surtout dans notre système d'interneurones. Notre système nerveux possède quelques millions de neurones sensoriels, quelques millions de neurones moteurs et des milliards et des milliards d'interneurones. Tous sont des variations d'une cellule de même type (FIGURE 2.2). Chaque neurone est formé d'un *corps cellulaire* et d'une arborescence de fibres. Les fibres **dendritiques** ramifiées reçoivent l'information et la conduisent jusqu'au corps cellulaire. À partir de là, l'**axone** de la cellule transmet le message à d'autres neurones, à des muscles ou à des glandes. Les axones parlent, les dendrites écoutent.

Contrairement aux dendrites qui sont courtes, les axones peuvent être très longs et s'étendre sur plusieurs dizaines de centimètres à travers le corps. Un neurone qui commande le muscle d'une jambe possède un corps cellulaire et un axone dont la taille correspondrait à celle d'un ballon de basket attaché à une corde d'environ 7 kilomètres de long. Un peu comme les fils électriques de votre maison qui sont isolés, la **gaine de myéline**, couche de cellules riches en lipides, isole les axones de certains neurones et accélère la propagation de l'influx nerveux. À mesure que la myéline se dépose jusque vers l'âge de 25 ans, l'efficacité des neurones, le jugement et le self-control s'accroissent (Fields, 2008). Si la gaine de myéline dégénère, il se produit une *sclérose en plaques*. Il en résulte un ralentissement de la communication vers les muscles qui peut conduire à une perte totale du contrôle musculaire.

La vitesse de l'influx nerveux varie en fonction du type de fibre; elle peut être relativement lente, de l'ordre de 3 km/h, ou atteindre des niveaux impressionnants, de l'ordre de 320 km/h. Mais même cette vitesse très rapide est 3 millions de fois plus lente que la vitesse de propagation de l'électricité à travers un fil électrique. La vitesse de l'activité cérébrale se mesure en millisecondes (le millième de la seconde), alors que la vitesse de l'activité d'un ordinateur se mesure en nanosecondes (le milliardième de la seconde). Cela permet d'expliquer pourquoi, contrairement à la réponse quasi instantanée d'un ordinateur puissant, nous avons besoin d'un quart de seconde ou plus pour réagir à un événement soudain, comme par exemple un enfant surgissant devant notre voiture. Notre cerveau est infiniment plus vaste et complexe qu'un ordinateur, mais plus lent dans l'exécution des réponses simples.

Un neurone transmet un message lorsqu'il reçoit des signaux provenant des récepteurs sensoriels ou lorsqu'il est lui-même stimulé par des messages chimiques provenant d'autres neurones voisins. À ce moment-là, le neurone déclenche un influx, appelé **potentiel d'action**, une décharge électrique brève qui se propage le long de l'axone.

:: **Neurone** : cellule nerveuse; élément de base du système nerveux.

:: **Neurones sensitifs** : neurones transportant l'information qui arrive en provenance des récepteurs sensoriels vers le système nerveux central (cerveau et moelle épinière).

:: **Neurones moteurs** : neurones transportant l'information issue du système nerveux central vers les muscles et les glandes.

:: **Interneurones** : neurones du système nerveux central qui communiquent en interne et interviennent directement entre les influx sensoriels entrants et les influx moteurs sortants.

:: **Dendrite** : ramification d'un neurone qui reçoit les messages et conduit l'influx nerveux jusqu'au corps cellulaire.

:: **Axone** : extension d'un neurone qui se termine par un bouquet de fibres ramifiées, au travers desquelles des messages sont envoyés aux autres neurones, aux muscles ou aux glandes.

:: **Gaine de myéline** : couche de cellules riches en lipides et enroulées de façon segmentée autour des fibres de nombreux neurones; cette couche permet de transmettre les influx nerveux à des vitesses beaucoup plus importantes au fur et à mesure que l'influx saute d'un nœud à l'autre.

:: **Potentiel d'action** : influx nerveux; brève décharge électrique qui se propage le long de l'axone.

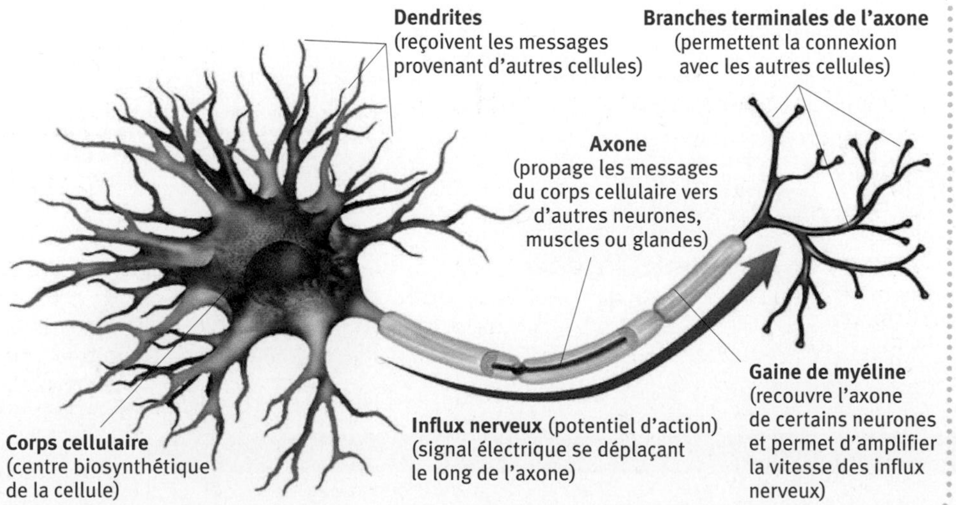

➤ FIGURE 2.2
Neurone moteur

« Je chante le corps électrique. »
Walt Whitman,
« Children of Adam », 1855

Les neurones, telles de petites batteries, génèrent de l'électricité à partir des événements chimiques. Le processus électrochimique consiste en un échange d'atomes chargés d'électricité appelés *ions*. Le liquide intérieur d'un axone au repos possède un surplus d'ions chargés négativement, alors que le liquide extérieur à la membrane axonale possède plus d'ions chargés positivement. Cette polarisation de la membrane, positif à l'extérieur, négatif à l'intérieur, est appelée *potentiel de repos*. Telle une forteresse bien gardée, la surface de l'axone (membrane cellulaire) sélectionne les éléments qu'elle doit laisser pénétrer. Nous disons que la membrane cellulaire possède une *perméabilité sélective*. Par exemple, un axone au repos possède des portes qui empêchent le passage des ions sodium chargés positivement.

Toutefois, quand un neurone déclenche un influx, les paramètres de sécurité changent : la première partie de l'axone ouvre ses portes, tout comme des soupapes qui s'ouvrent subitement afin de laisser pénétrer les ions sodium chargés positivement à travers le canal membranaire (FIGURE 2.3). Cela *dépolarise* cette portion de l'axone, provoquant ainsi l'ouverture des canaux voisins, puis des suivants, comme une rangée de dominos où chacun entraîne la chute du suivant. Il s'ensuit une courte pause (que l'on appelle la *période réfractaire*, comparable au flash d'un appareil photo qui se met en pause pour se recharger) pendant laquelle le neurone refoule le surplus d'ions sodium chargés positivement vers l'extérieur. Alors, il peut de nouveau envoyer un influx. (Dans le cas des neurones myélinisés, la vitesse du potentiel d'action augmente en sautant d'une « saucisse » de myéline à l'autre, comme on peut le voir dans la figure 2.2.) Notre esprit reste songeur à l'idée que ces processus électrochimiques se renouvellent jusqu'à 100 fois et même 1000 fois par seconde. Mais vous n'êtes qu'au début de vos surprises.

« Un neurone ne fait que rapporter à un autre neurone l'intensité de son excitation. »
Francis Crick,
The Astonishing Hypothesis, 1994

Le neurone est un mécanisme miniature doté de compétences décisionnelles et capable d'effectuer des calculs très complexes, car il reçoit des centaines et même de milliers de signaux d'autres neurones. La plupart de ces signaux sont *excitateurs*, comme si l'on appuyait sur l'accélérateur du neurone. D'autres sont *inhibiteurs*, comme si l'on appuyait sur le frein. Si la somme des signaux excitateurs moins celle des signaux inhibiteurs dépasse une intensité minimale, appelée **seuil**, alors l'ensemble des signaux déclenche un influx, le potentiel d'action. (On peut imaginer cela ainsi : si, lors d'une soirée, le potentiel excitateur des fêtards est supérieur à celui

➤ FIGURE 2.3
Potentiel d'action

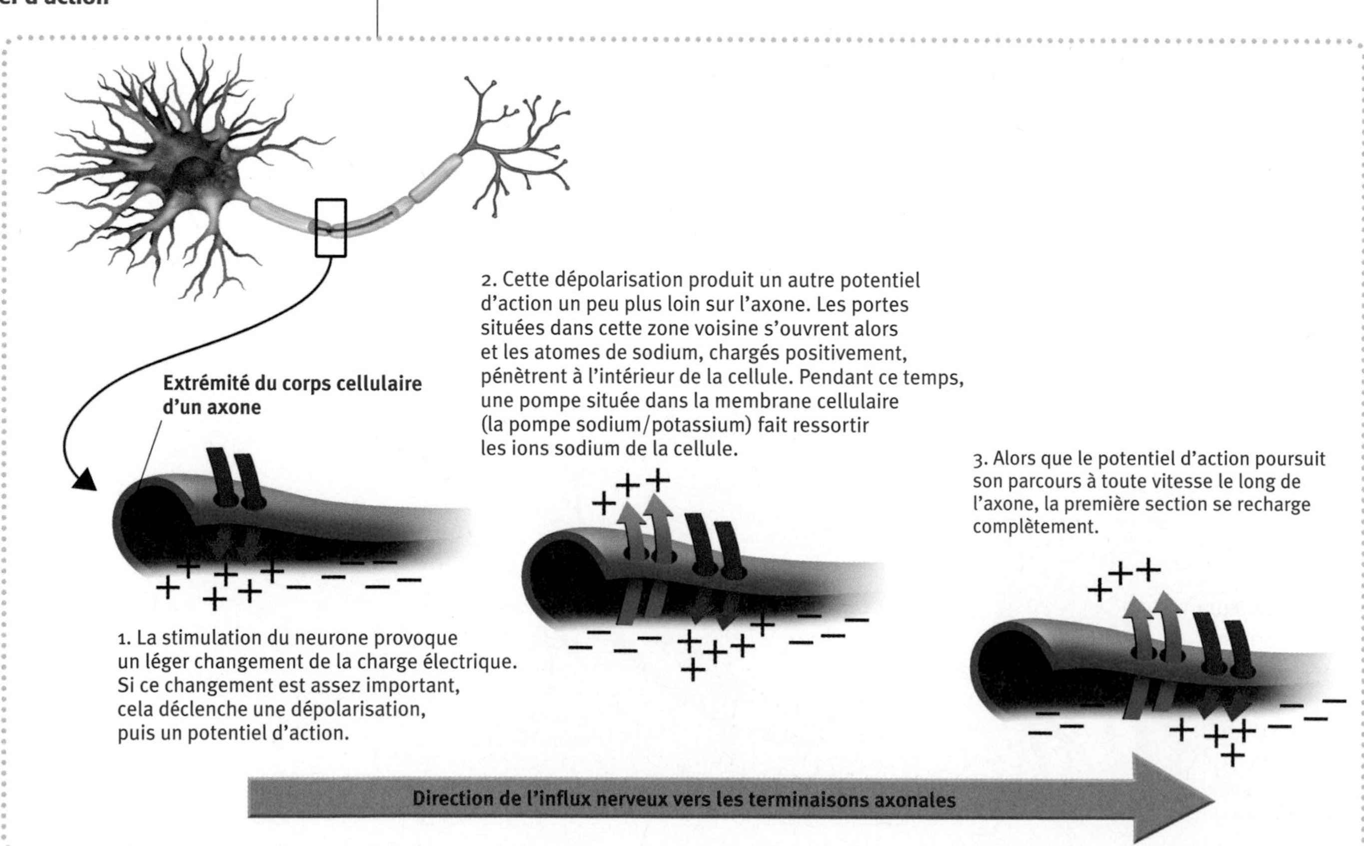
Extrémité du corps cellulaire d'un axone
1. La stimulation du neurone provoque un léger changement de la charge électrique. Si ce changement est assez important, cela déclenche une dépolarisation, puis un potentiel d'action.
2. Cette dépolarisation produit un autre potentiel d'action un peu plus loin sur l'axone. Les portes situées dans cette zone voisine s'ouvrent alors et les atomes de sodium, chargés positivement, pénètrent à l'intérieur de la cellule. Pendant ce temps, une pompe située dans la membrane cellulaire (la pompe sodium/potassium) fait ressortir les ions sodium de la cellule.
3. Alors que le potentiel d'action poursuit son parcours à toute vitesse le long de l'axone, la première section se recharge complètement.
Direction de l'influx nerveux vers les terminaisons axonales

des rabat-joie, la fête est assurée.) Le potentiel d'action se propage le long de l'axone, qui se ramifie aux jonctions de centaines ou milliers d'autres neurones, aux muscles du corps et aux glandes.

Augmenter la stimulation au-dessus du seuil n'augmentera toutefois pas l'intensité du potentiel d'action. La réaction du neurone est une réponse du type «*tout ou rien*»; comme un fusil, un neurone fait feu ou non. Comment faire pour déterminer l'intensité d'un stimulus? Comment faisons-nous alors pour différencier une simple caresse d'une forte étreinte? Un stimulus de forte intensité - une claque au lieu d'une tape - peut déclencher un *nombre plus important* de neurones et accroître leur fréquence de déclenchement. Cependant, il n'affecte pas la puissance ou la vitesse du potentiel d'action. Ce n'est pas parce qu'on appuie plus fort sur la gâchette que la balle du fusil ira plus vite.

Comment les neurones communiquent-ils?

2. Comment les cellules nerveuses communiquent-elles entre elles?

L'entrelacement des neurones est si complexe que, même avec un microscope, il est difficile de distinguer où commence et se termine un neurone. Par le passé, les scientifiques pensaient que l'axone d'une cellule fusionnait avec les dendrites d'une autre cellule dans un tissu ininterrompu. Puis, le physiologiste britannique Sir Charles Sherrington (1857-1952) remarqua que les influx nerveux mettaient plus de temps qu'ils n'auraient dû pour traverser un circuit nerveux. Il en déduisit que la transmission devait être marquée par une brève interruption et donna le nom de **synapse** au point de rencontre entre deux neurones.

Nous savons maintenant que l'extrémité axonale d'un neurone est en fait séparée du neurone receveur par un espace étroit, la *fente synaptique*, d'une largeur inférieure à un millionième de centimètre. Santiago Ramón y Cajal (1852-1934), anatomiste espagnol, s'émerveilla de cette promiscuité de neurones et lui donna le nom de «baisers protoplasmiques». Diane Ackerman (2004) remarquait: «Tout comme les femmes élégantes qui envoient dans l'air leur baiser pour ne pas abîmer leur maquillage, les dendrites et les axones ne se touchent pas.» En quoi consiste ce baiser protoplasmique? Comment l'information peut-elle traverser la fente synaptique? La réponse constitue l'une des découvertes scientifiques les plus importantes de notre époque.

Lorsque le potentiel d'action atteint les terminaisons en forme de bouton, situées à l'extrémité de l'axone, le potentiel d'action déclenche la libération de messagers chimiques appelés **neuromédiateurs** (FIGURE 2.4, page suivante). En moins de 1/10000ᵉ de seconde, les molécules de neuromédiateurs traversent la fente synaptique pour se fixer sur les sites récepteurs du neurone receveur, de manière aussi précise qu'une clé qui entre dans une serrure. Pendant un bref instant, le neuromédiateur provoque l'ouverture de canaux ioniques sur le neurone receveur. Cela permet à des ions (atomes chargés électriquement) de pénétrer dans ce neurone pour stimuler ou inhiber ses capacités de décharge. Par la suite, le surplus de molécules de neuromédiateur est réabsorbé par le neurone émetteur à travers un processus appelé **recapture** ou *reuptake* en anglais.

Comment les neuromédiateurs nous influencent-ils?

3. Comment les neuromédiateurs influencent-ils le comportement? De quelle manière les médicaments et d'autres produits chimiques peuvent-ils affecter la neurotransmission?

Au cours de leur quête pour comprendre la communication neuronale, les chercheurs ont découvert des dizaines de neuromédiateurs différents, et se sont posé presque autant de nouvelles questions: certains neuromédiateurs ne sont-ils présents qu'à des endroits bien spécifiques? Comment affectent-ils notre humeur, notre mémoire et nos capacités mentales? Peut-on augmenter ou diminuer leurs effets par des médicaments ou notre alimentation?

Dans les prochains chapitres, nous verrons comment les neuromédiateurs influencent la dépression et l'euphorie, la faim et la pensée, les addictions et les thérapies. Pour le moment, nous allons nous pencher sur la manière dont les neuromédiateurs influencent nos mouvements et nos émotions. Nous savons désormais qu'une voie nerveuse particulière dans le

:: Seuil : niveau de stimulation nécessaire pour déclencher un influx nerveux.

:: Synapse : jonction entre l'extrémité de l'axone du neurone émetteur et la dendrite ou le corps cellulaire du neurone receveur. La fente étroite existant au niveau de cette jonction est appelée *fente synaptique*.

:: Neuromédiateurs : messagers chimiques qui traversent la fente synaptique entre des neurones. Lorsqu'ils sont libérés par les neurones émetteurs, les neuromédiateurs diffusent à travers la synapse et s'associent à des récepteurs situés sur les neurones receveurs, où ils vont influencer le déclenchement d'influx nerveux.

:: Recapture : réabsorption des neurotransmetteurs par le neurone émetteur.

« Tout traitement de l'information dans le cerveau implique une "conversation" entre les neurones au niveau des synapses. »
Solomon H. Snyder, chercheur en neurosciences (1984)

« Lorsqu'il s'agit du cerveau, si vous voulez voir de l'action, suivez les neuromédiateurs. »
Floyd Bloom, chercheur en neurosciences (1993)

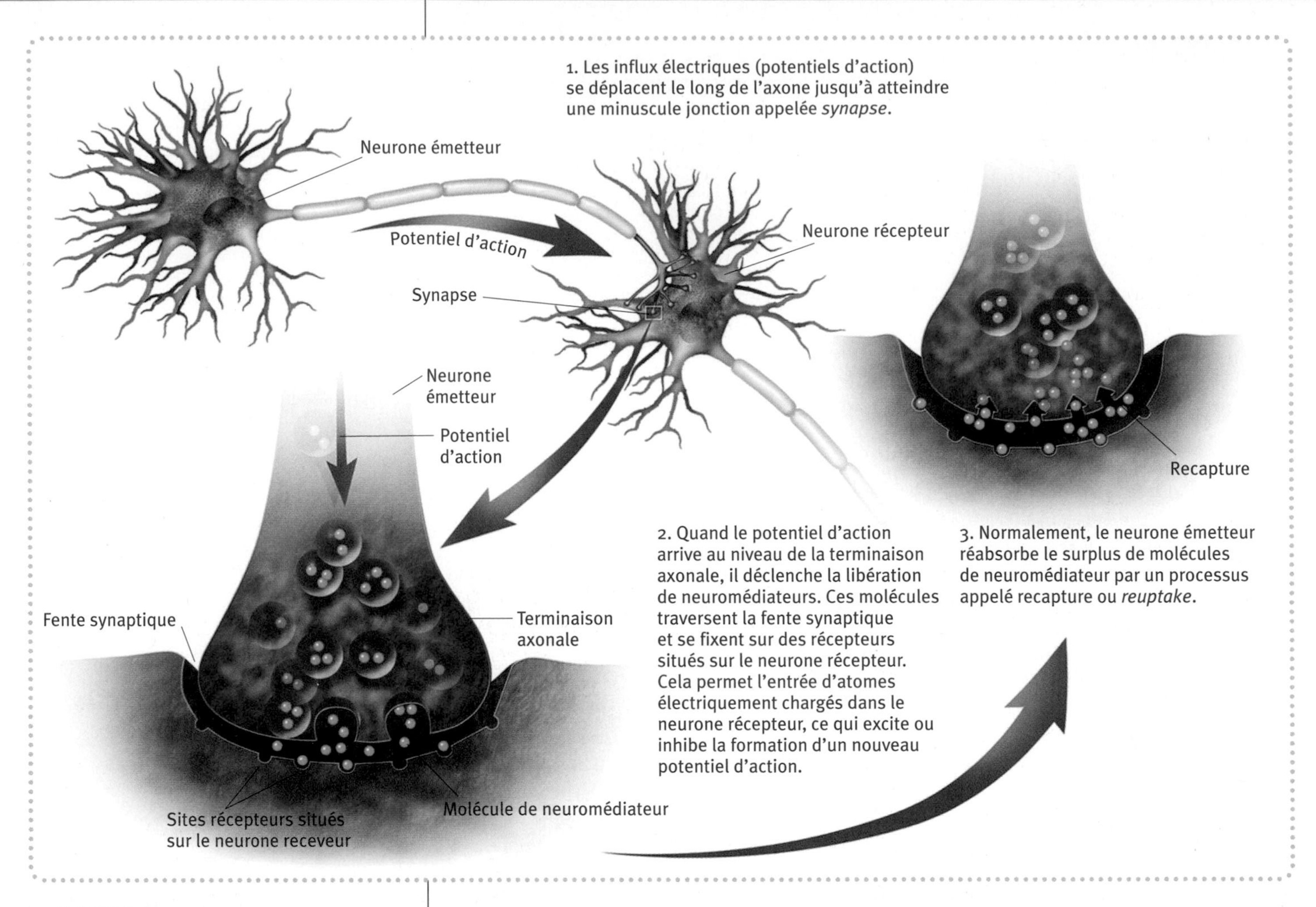
1. Les influx électriques (potentiels d'action) se déplacent le long de l'axone jusqu'à atteindre une minuscule jonction appelée *synapse*.
Neurone émetteur
Potentiel d'action
Neurone récepteur
Synapse
Neurone émetteur
Potentiel d'action
Recapture
2. Quand le potentiel d'action arrive au niveau de la terminaison axonale, il déclenche la libération de neuromédiateurs. Ces molécules traversent la fente synaptique et se fixent sur des récepteurs situés sur le neurone récepteur. Cela permet l'entrée d'atomes électriquement chargés dans le neurone récepteur, ce qui excite ou inhibe la formation d'un nouveau potentiel d'action.
3. Normalement, le neurone émetteur réabsorbe le surplus de molécules de neuromédiateur par un processus appelé recapture ou *reuptake*.
Fente synaptique
Terminaison axonale
Sites récepteurs situés sur le neurone receveur
Molécule de neuromédiateur

➤ FIGURE 2.4
Comment les neurones communiquent-ils ?

cerveau ne peut utiliser qu'un ou deux neuromédiateurs (FIGURE 2.5), et que certains d'entre eux peuvent avoir des effets bien précis sur le comportement et les émotions (quelques exemples sont présentés dans le TABLEAU 2.1). L'*acétylcholine* (*ACh*) est l'un des neuromédiateurs les mieux connus. En plus de son rôle dans l'apprentissage et la mémoire, l'ACh sert de messager à chaque jonction entre un motoneurone et un muscle. Quand l'ACh est libérée à proximité de nos cellules musculaires, le muscle se contracte. Si la transmission de l'ACh est bloquée, comme au

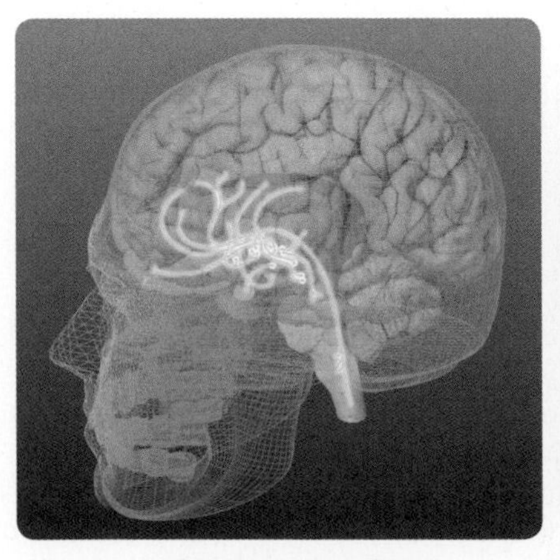

Voies sérotoninergiques

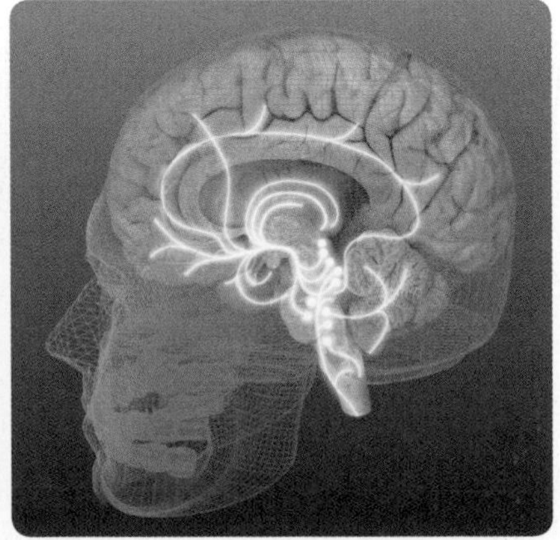

Voies dopaminergiques

➤ FIGURE 2.5
Les voies des neuromédiateurs
Chacun des différents messagers chimiques de notre cerveau emprunte des voies opérationnelles qui lui sont propres, comme le montrent les schémas ci-contre, pour la sérotonine et la dopamine (Carter, 1998).

TABLEAU 2.1

QUELQUES NEUROMÉDIATEURS ET LEURS FONCTIONS

Neuromédiateurs	Fonctions	Exemples de dysfonctionnement
Acétylcholine (ACh)	Permet l'activité musculaire, l'apprentissage et la mémoire	Lors de la maladie d'Alzheimer, les neurones producteurs d'ACh se détériorent
Dopamine	A une influence sur le mouvement, l'apprentissage, l'attention et l'émotion	L'excès d'activité sur les récepteurs des neurones dopaminergiques est associé à la schizophrénie. Lorsqu'il est privé de dopamine, le cerveau provoque les tremblements et la diminution de la mobilité, caractéristiques de la maladie de Parkinson
Sérotonine	A une influence sur l'humeur, la faim, le sommeil et l'éveil	Son insuffisance est associée à la dépression. Le Prozac® (fluoxétine) et autres antidépresseurs augmentent le niveau de sérotonine
Noradrénaline	Permet de contrôler la vivacité de l'esprit et l'éveil	Son insuffisance peut avoir des conséquences sur l'humeur
GABA (acide γ-aminobutyrique)	Neuromédiateur inhibiteur très important	Son insuffisance est associée aux crises d'épilepsie, aux tremblements et à l'insomnie
Glutamate	Neuromédiateur stimulateur majeur ; impliqué dans la mémoire	L'excès peut surexciter le cerveau, provoquant des migraines ou des crises d'épilepsie (raison pour laquelle certains évitent les aliments contenant du glutamate de sodium)

cours de certains types d'anesthésies, nos muscles ne peuvent pas se contracter et nous sommes paralysés.

Candace Pert et Solomon Snyder (1973) firent une découverte fascinante à propos des neuromédiateurs. Ils fixèrent un traceur radioactif à de la morphine, ce qui leur permit de voir avec exactitude l'endroit où elle s'accumulait dans le cerveau d'un animal. La morphine, un opiacé qui améliore l'humeur et calme la douleur, se fixe sur des récepteurs se trouvant dans des zones associées à l'humeur et à la douleur. Mais pourquoi le cerveau posséderait-il ces « récepteurs opiacés » ? Pourquoi le cerveau disposerait-il d'une serrure chimique sans en avoir naturellement la clé pour pouvoir l'ouvrir ?

Des chercheurs confirmèrent peu après que le cerveau produisait effectivement ses propres opiacés. Notre corps libère divers types de neuromédiateurs analogues à la morphine en réponse à la douleur ou à un exercice vigoureux. Ces **endorphines** (une abréviation de m*orphine* *endo*gène, c'est-à-dire produite à l'intérieur) aident à expliquer toute une série de sensations agréables telles que l'« euphorie du marathonien », l'effet analgésique de l'acupuncture ou encore l'insensibilité à la douleur que peuvent avoir certains blessés graves. Mais là encore, ces nouvelles connaissances ont suscité de nouvelles questions.

Le médecin Lewis Thomas à propos des endorphines : « Il y a là un acte biologique et universel de miséricorde. Je ne peux l'expliquer sauf en disant que je l'aurais mis là, si j'avais été présent au commencement du monde, siégeant parmi les membres du comité directeur. »
The Youngest Science, 1983

Comment les médicaments et d'autres produits chimiques modifient-ils la neurotransmission ?

Si, en effet, les endorphines calment la douleur et améliorent l'humeur, pourquoi ne pas inonder le cerveau d'opioïdes artificiels, intensifiant de ce fait la chimie du « bien-être » du cerveau ? Le problème est que le cerveau, s'il est baigné par des drogues opiacées telles que l'héroïne ou la morphine, peut cesser de produire ses propres opioïdes naturels. Lorsque la prise de drogue cesse, le cerveau peut être privé de toute forme d'opioïdes, ce qui engendre une douleur intense. À supprimer la production de neuromédiateurs endogènes, il faut s'attendre à en payer le prix.

Des médicaments et d'autres produits chimiques agissent sur la chimie cérébrale au niveau des synapses, en amplifiant ou en bloquant l'activité d'un neuromédiateur. Un *agoniste* peut être une molécule chimique assez identique au neuromédiateur pour mimer ses effets (FIGURE 2.6b, page suivante) ou bloquer sa recapture. Par exemple, certains opiacés procurent une sensation temporaire d'« euphorie » en amplifiant les sensations normales d'éveil et de plaisir. Les effets du venin de la veuve noire sont bien moins plaisants : il entraîne un flux synaptique d'ACh qui provoque de violentes contractions et des convulsions pouvant entraîner la mort.

:: **Endorphines** : morphines endogènes, neuromédiateurs naturels analogues aux opiacés, associés au contrôle de la douleur et au plaisir.

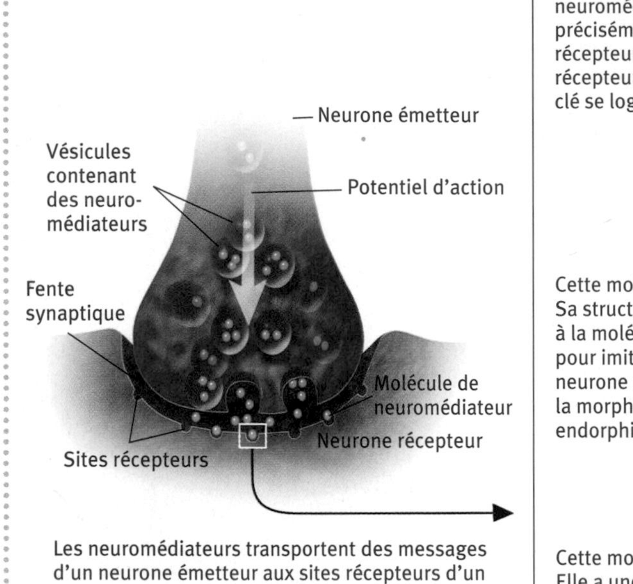

Les neuromédiateurs transportent des messages d'un neurone émetteur aux sites récepteurs d'un neurone récepteur à travers la fente synaptique.

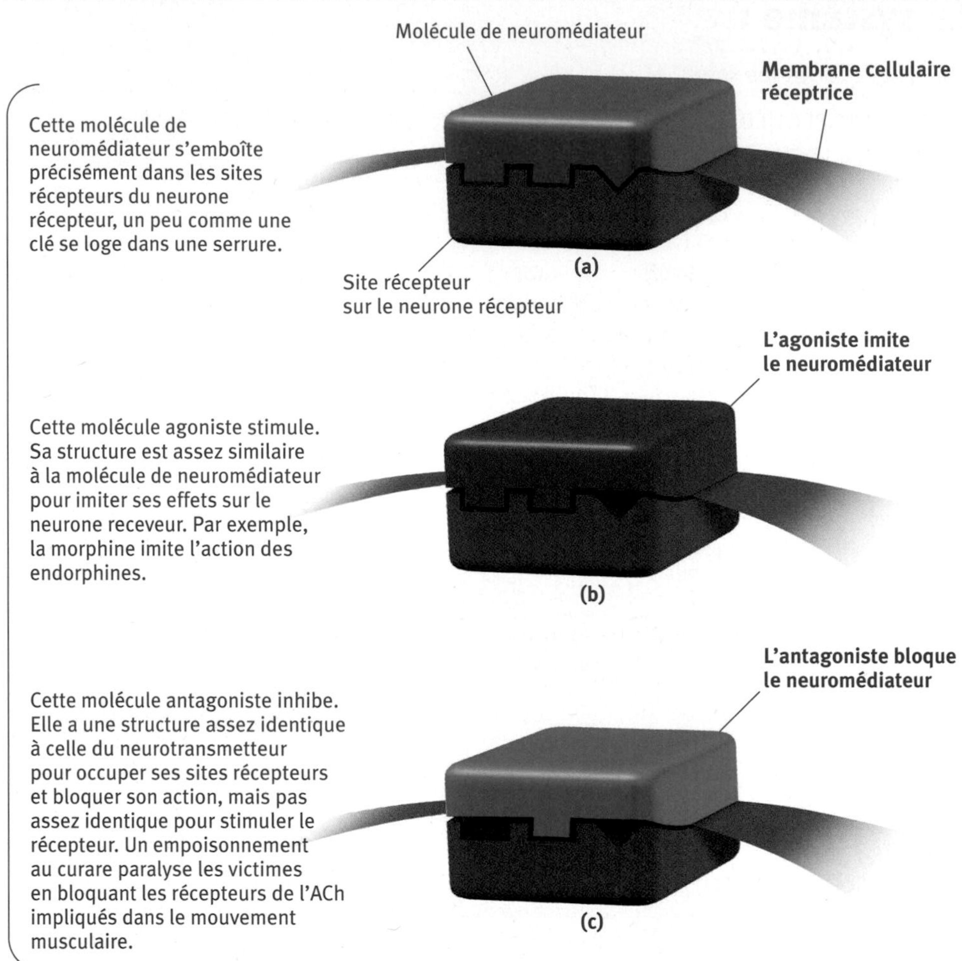

Molécule de neuromédiateur
Membrane cellulaire réceptrice
Cette molécule de neuromédiateur s'emboîte précisément dans les sites récepteurs du neurone récepteur, un peu comme une clé se loge dans une serrure.
Site récepteur sur le neurone récepteur
(a)
L'agoniste imite le neuromédiateur
Cette molécule agoniste stimule. Sa structure est assez similaire à la molécule de neuromédiateur pour imiter ses effets sur le neurone receveur. Par exemple, la morphine imite l'action des endorphines.
(b)
L'antagoniste bloque le neuromédiateur
Cette molécule antagoniste inhibe. Elle a une structure assez identique à celle du neurotransmetteur pour occuper ses sites récepteurs et bloquer son action, mais pas assez identique pour stimuler le récepteur. Un empoisonnement au curare paralyse les victimes en bloquant les récepteurs de l'ACh impliqués dans le mouvement musculaire.
(c)

➤ FIGURE 2.6
Agonistes et antagonistes

Les *antagonistes* bloquent le fonctionnement du neuromédiateur. La toxine botulinique, poison qui peut se former dans des boîtes de conserve avariées, provoque la paralysie en bloquant la libération d'ACh. (Les injections d'une faible quantité de botuline, encore appelée Botox®, réduisent les rides en paralysant les muscles faciaux sous-jacents). D'autres antagonistes peuvent avoir une forme suffisamment proche d'un neuromédiateur naturel pour occuper son récepteur et bloquer son effet, comme dans la figure 2.6c, mais suffisamment différente pour empêcher la stimulation du récepteur (de façon similaire à une pièce étrangère que l'on insère dans un distributeur automatique de boissons ou bonbons et, bien que la taille soit compatible et acceptée par la machine, celle-ci refuse de fonctionner). Le curare, un poison utilisé par certaines tribus d'Indiens d'Amérique du Sud pour enrober la pointe de leurs flèches, occupe et bloque les sites récepteurs de l'ACh, ce qui empêche le neuromédiateur d'agir sur les muscles. Touché par l'une de ces flèches, l'animal est paralysé.

AVANT D'ALLER PLUS LOIN...

➤ INTERROGEZ-VOUS

Pouvez-vous vous remémorer une situation où les endorphines vous ont protégé d'une douleur intense ?

➤ TESTEZ-VOUS 1

Comment les neurones communiquent-ils les uns avec les autres ?

Les réponses aux questions « Testez-vous » sont données dans l'annexe B à la fin de l'ouvrage.

Le système nerveux

4. Quelles sont les fonctions des principales divisions du système nerveux?

VIVRE, C'EST RECUEILLIR DES INFORMATIONS PROVENANT du monde extérieur et des tissus du corps, prendre des décisions et renvoyer des informations et des ordres aux tissus. Tout cela se produit grâce au réseau de communication électrochimique rapide de notre corps, notre **système nerveux** (FIGURE 2.7). Le cerveau et la moelle épinière constituent le **système nerveux central (SNC)** qui communique avec les récepteurs sensitifs, les muscles et les glandes par le biais du **système nerveux périphérique (SNP)**.

Les neurones sont les composants de base de notre système nerveux. Les informations du SNP voyagent par les axones qui sont rassemblés dans des câbles électriques appelés **nerfs**. Le nerf optique, par exemple, rassemble presque un million de fibres axonales en un seul câble transportant les messages que chaque œil envoie au cerveau (Mason et Kandel, 1991). Comme nous l'avons déjà dit auparavant, les informations voyagent dans le système nerveux via les neurones sensitifs, les neurones moteurs et les interneurones.

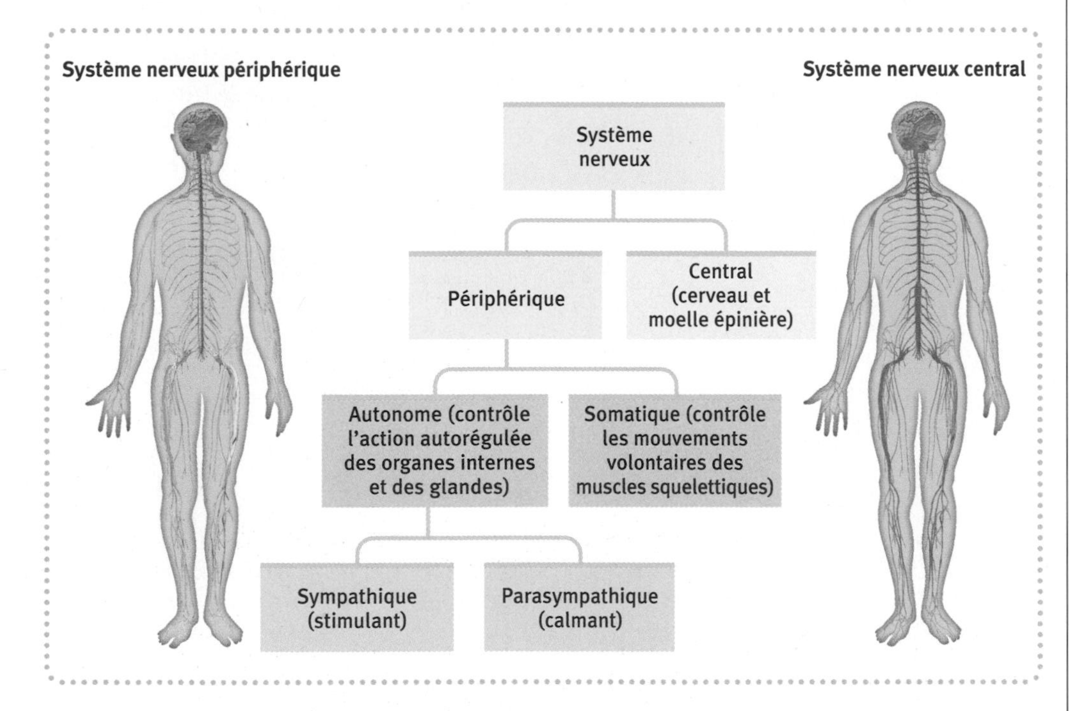

➤ FIGURE 2.7
Divisions fonctionnelles du système nerveux humain

::Système nerveux : réseau de communication électrochimique rapide de l'organisme, formé de l'ensemble des cellules nerveuses des systèmes nerveux central et périphérique.

::Système nerveux central (SNC) : cerveau et moelle épinière.

::Système nerveux périphérique (SNP) : neurones sensitifs et moteurs connectant le système nerveux central (SNC) au reste de l'organisme.

::Nerfs : « câbles » neuronaux contenant de multiples axones connectant le système nerveux central aux muscles, aux glandes et aux organes des sens.

::Système nerveux somatique : partie du système nerveux périphérique contrôlant les muscles squelettiques (également appelé *système nerveux squelettique* ou *système moteur somatique*).

::Système nerveux autonome : partie du système nerveux périphérique contrôlant les glandes et les muscles des organes internes (tels que le cœur). Sa partie sympathique stimule, sa partie parasympathique calme.

::Système nerveux sympathique : partie du système nerveux autonome impliquée dans l'éveil de l'organisme, mobilisant son énergie dans les situations stressantes.

Le système nerveux périphérique

Notre système nerveux périphérique a deux composants : le système somatique et le système autonome. Le **système nerveux somatique** contrôle les mouvements volontaires de nos muscles squelettiques. Quand vous atteindrez le bas de cette page, le système nerveux somatique transmettra à votre cerveau l'état de vos muscles squelettiques et renverra des instructions qui pousseront votre main à tourner la page.

Notre **système nerveux autonome** contrôle les glandes et les muscles de nos organes internes, influençant des fonctions comme les battements du cœur, la digestion et l'activité glandulaire. Comme pour un pilote automatique, on peut de façon consciente outrepasser ses fonctions. Mais d'une manière générale, il agit seul (de manière autonome).

Le système nerveux autonome permet deux fonctions fondamentales importantes (FIGURE 2.8, page suivante). Le **système nerveux sympathique** nous met en éveil et entraîne une dépense énergétique. Si quelque chose vous contrarie, vous rend furieux ou vous met au défi, votre

➤ FIGURE 2.8
La double fonction du système nerveux autonome Le système nerveux autonome contrôle les fonctions internes les plus autonomes (autorégulatrices). La partie sympathique stimule et augmente la dépense d'énergie. La partie parasympathique calme et économise l'énergie, ce qui permet d'entretenir une activité de base. Par exemple, la stimulation sympathique accélère le rythme cardiaque, alors que la stimulation parasympathique le diminue.

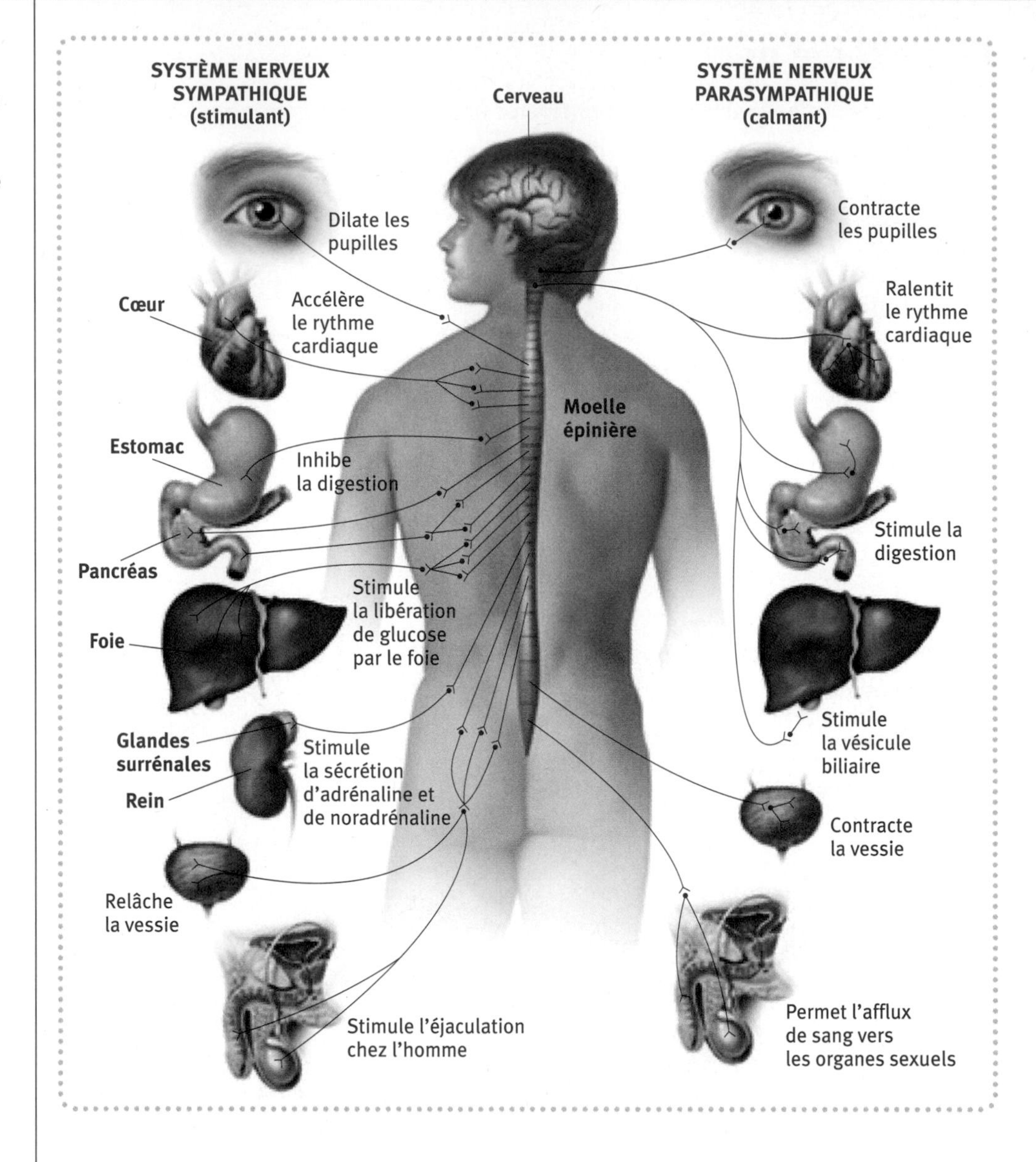

© Tom Swick

« Le corps est constitué de millions et de millions de miettes. »

système sympathique accélère le rythme cardiaque, augmente votre pression sanguine, ralentit votre digestion, augmente votre glycémie et vous rafraîchit par le biais de la transpiration : il vous rend donc vigilant et prêt à l'action. Quand le stress s'apaise, le **système nerveux parasympathique** produit des effets opposés. Il conserve l'énergie en vous calmant, en diminuant votre rythme cardiaque, réduisant la concentration de sucre dans le sang et ainsi de suite. Au quotidien, les systèmes sympathique et parasympathique travaillent ensemble pour nous maintenir dans un état interne stable.

Le système nerveux central

La complexité du système nerveux central (cerveau et moelle épinière) émerge de la simplicité des neurones qui communiquent.

C'est le cerveau qui nous confère notre humanité, nous permet de penser, de ressentir et d'agir. Des dizaines de milliards de neurones, chacun communiquant avec des milliers d'autres, constituent un réseau en perpétuel remaniement qui surpasse l'activité de l'ordinateur le plus complexe. Avec quelque 40 milliards de neurones, chacun ayant environ 10 000 connexions avec d'autres neurones, on arrive vite à des connexions synaptiques corticales de l'ordre de

400 trillions, qui représentent autant de lieux de rencontre et d'échange entre neurones (de Courten-Myers, 2005). La moindre parcelle de votre cerveau, de la taille d'un minuscule grain de sable, contient 100 000 neurones et un milliard de synapses «parlantes» (Ramachandran et Blakeslee, 1998).

Les neurones se rassemblent en groupes de travail appelés *réseaux neuronaux*. Pour mieux comprendre pourquoi, Stephen Kosslyn et Olivier Koenig (1992, p. 12) nous invitent à «réfléchir sur l'existence des villes : pourquoi les gens ne se dispersent-il pas plus uniformément dans la campagne?» Comme des personnes en contact avec d'autres personnes, les neurones entrent en contact avec des neurones voisins avec lesquels ils peuvent établir des connexions brèves et rapides. Comme le montre la FIGURE 2.9, les cellules de chaque couche du réseau neuronal se connectent à diverses cellules de la couche suivante. L'apprentissage survient à mesure que le rétrocontrôle renforce des connexions. Par exemple, l'apprentissage du violon construit des connexions neuronales. Les neurones qui se déclenchent ensemble envoient le message ensemble.

Stephen Colbert : « Comment le cerveau fonctionne-t-il? En 5 mots maximum. »
Steven Pinker : « Par activation de réseaux neuronaux. »
The Colbert Report, 8 février 2007

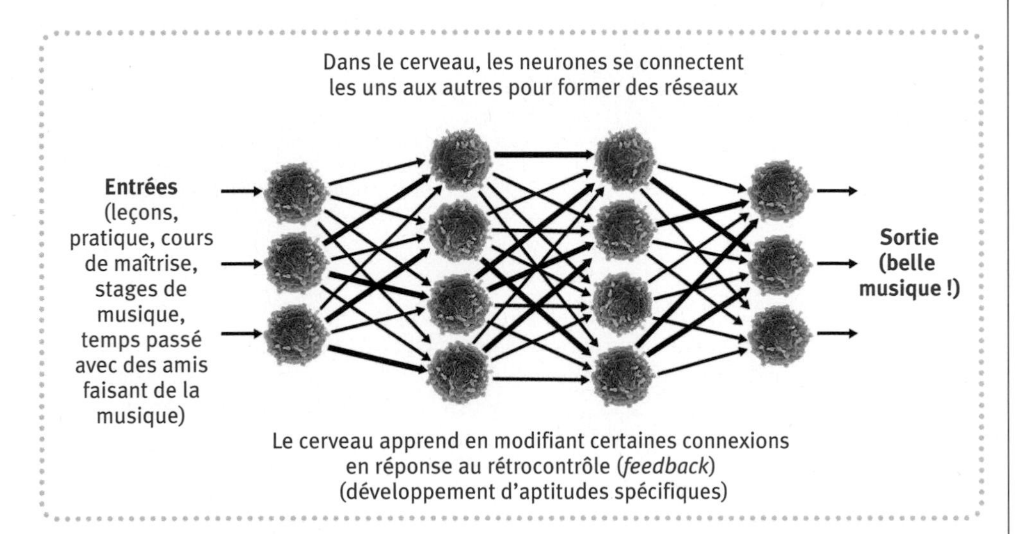
Dans le cerveau, les neurones se connectent les uns aux autres pour former des réseaux
Entrées (leçons, pratique, cours de maîtrise, stages de musique, temps passé avec des amis faisant de la musique)
Sortie (belle musique !)
Le cerveau apprend en modifiant certaines connexions en réponse au rétrocontrôle (*feedback*) (développement d'aptitudes spécifiques)

➤ FIGURE 2.9
Schématisation d'un réseau neuronal : apprendre à jouer du violon
Les neurones se connectent avec des neurones voisins. Encodée dans ces réseaux de neurones corrélés les uns aux autres, se trouve votre identité immuable (en tant que musicien, qu'athlète, qu'ami dévoué), votre sentiment d'être celui que vous êtes au fil du temps.

La *moelle épinière* est une autoroute de l'information qui relie le système nerveux périphérique au cerveau. Des faisceaux nerveux ascendants envoient des informations sensorielles et des faisceaux descendants envoient en retour des informations motrices. Les circuits nerveux qui gouvernent nos **réflexes** – nos réponses automatiques aux stimuli – illustrent bien le rôle de la moelle épinière. Le circuit d'un réflexe spinal simple est composé d'un neurone sensitif unique et d'un neurone moteur unique, qui communiquent souvent par le biais d'un interneurone. Par exemple, le réflexe rotulien implique l'un de ces circuits simples; un corps qui vient d'être décapité peut effectuer ce réflexe.

:: Système nerveux parasympathique : partie du système nerveux autonome qui apaise l'organisme et conserve son énergie.

:: Réflexe : réponse simple et automatique, à un stimulus sensoriel, par exemple le réflexe rotulien.

Un autre circuit semblable permet la réponse réflexe à la douleur (FIGURE 2.10, page suivante). Lorsque vos doigts touchent une flamme, l'activité nerveuse déclenchée par la chaleur voyage via des neurones sensitifs jusqu'aux interneurones de la moelle épinière. Ces interneurones répondent en activant les neurones moteurs qui conduisent aux muscles de votre bras. Comme le réflexe douloureux simple traverse la moelle épinière et redescend, vous retirez votre main de la flamme *avant même* que votre cerveau ne reçoive et ne réponde à l'information qui vous fait ressentir la douleur. C'est la raison pour laquelle vous avez l'impression que, par une action indépendante de votre volonté, votre main se retire toute seule.

Les informations voyagent jusqu'au cerveau et redescendent en passant par la moelle épinière. Si la partie supérieure de votre moelle épinière était endommagée, vous ne ressentiriez pas une telle douleur. Il en serait de même pour la sensation de plaisir. Si votre cerveau était littéralement «déconnecté» de votre corps, vous perdriez toute sensation et tout mouvement volontaire dans les régions du corps dont les neurones moteurs et sensitifs seraient connectés à la moelle épinière au-dessous de la zone lésée. Le réflexe rotulien se produirait sans que vous ne ressentiez une tape sur le genou. En raison de la déconnexion d'avec le centre cérébral chargé de freiner l'érection, les hommes paralysés en-dessous de la taille peuvent aisément avoir une érection (un réflexe simple) en réponse à une stimulation de leurs organes génitaux

« Si le système nerveux est coupé entre le cerveau et les autres parties du corps, les expériences de ces parties n'existent plus pour le cerveau. L'œil devient aveugle, l'oreille devient sourde, la main devient insensible et immobile. »
William James, *Principles of Psychology*, 1890

➤ FIGURE 2.10
Un reflexe simple

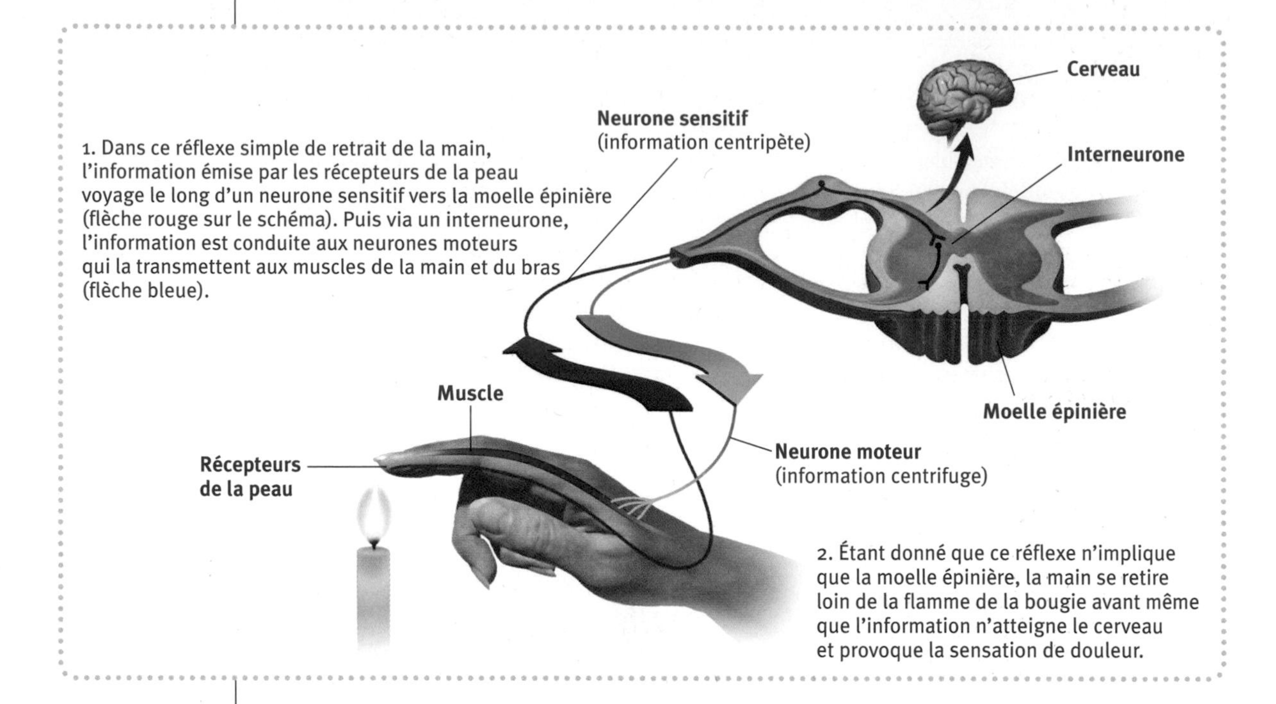

Cerveau
Neurone sensitif
(information centripète)
Interneurone
1. Dans ce réflexe simple de retrait de la main, l'information émise par les récepteurs de la peau voyage le long d'un neurone sensitif vers la moelle épinière (flèche rouge sur le schéma). Puis via un interneurone, l'information est conduite aux neurones moteurs qui la transmettent aux muscles de la main et du bras (flèche bleue).
Muscle
Moelle épinière
Récepteurs
de la peau
Neurone moteur
(information centrifuge)
2. Étant donné que ce réflexe n'implique que la moelle épinière, la main se retire loin de la flamme de la bougie avant même que l'information n'atteigne le cerveau et provoque la sensation de douleur.

(Goldstein, 2000). Les femmes souffrant de la même paralysie présentent une lubrification vaginale. Mais il se peut que ces personnes n'aient aucune réaction ni aucune sensation génitale à la vue d'images érotiques. Cela dépend du niveau auquel la moelle épinière est endommagée et également de la gravité de la lésion (Kennedy et Over, 1990; Sipski et Alexander, 1999). Pour produire une sensation corporelle de douleur ou de plaisir, l'information sensorielle doit atteindre le cerveau.

AVANT D'ALLER PLUS LOIN...

➤ **INTERROGEZ-VOUS**

Est-ce que la structure de notre système nerveux – avec ses fentes synaptiques traversées en un éclair par des molécules de messagers chimiques – vous surprend? Auriez-vous personnellement élaboré une structure différente?

➤ **TESTEZ-VOUS 2**

Comment l'information se diffuse-t-elle à travers le système nerveux quand vous saisissez une fourchette? Pouvez-vous résumer ce processus ?

Les réponses aux questions «Testez-vous» sont données dans l'annexe B à la fin de l'ouvrage.

Le système endocrinien

5. De quelle manière le système endocrinien (système d'information plus lent du corps) transmet-il l'information?

CE CHAPITRE S'EST JUSQUE-LÀ CONCENTRÉ SUR LE SYSTÈME d'information électrochimique rapide de l'organisme. Il existe toutefois un autre système de communication, le **système endocrinien** (FIGURE 2.11), relié au système nerveux. Les glandes du système endocrinien sécrètent un autre type de messagers chimiques, des **hormones**, qui sont libérées dans le sang pour aller toucher d'autres tissus, y compris le cerveau. Les hormones agissant sur le cerveau influencent notre intérêt pour le sexe, la nourriture ou l'agressivité.

:: **Système endocrinien** : système de communication chimique «lente» de l'organisme; ensemble de glandes qui sécrètent des hormones dans la circulation sanguine.

:: **Hormones** : messagers chimiques essentiellement fabriqués par les glandes endocrines et qui sont transportés dans le sang et agissent sur d'autres tissus.

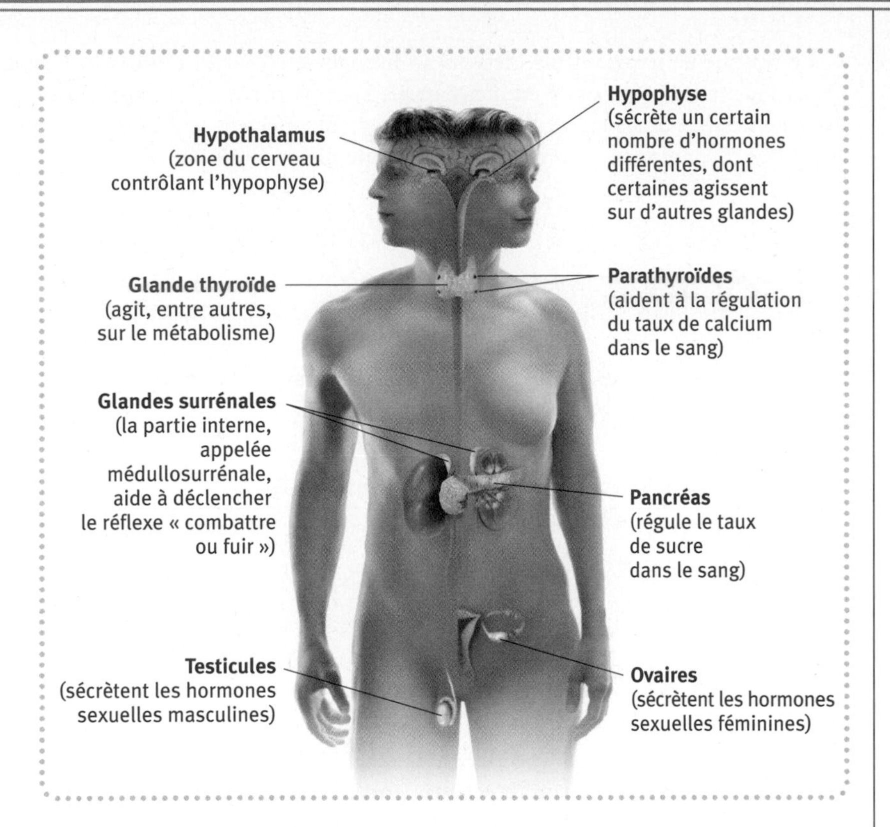

➤ FIGURE 2.11
Le système endocrinien

Certaines hormones ont une composition chimique identique à celle des neuromédiateurs (ces messagers chimiques qui diffusent à travers une synapse et stimulent ou inhibent les neurones adjacents). Le système endocrinien et le système nerveux sont donc des systèmes de la même famille : tous deux sécrètent des molécules qui vont activer des récepteurs situés ailleurs. Mais comme beaucoup de systèmes apparentés, ils diffèrent également. Le système nerveux, rapide, transmet en une fraction de seconde des messages de l'œil au cerveau puis à la main. Les messages endocriniens avancent avec peine dans le système sanguin, prenant plusieurs secondes voire plus pour aller de la glande au tissu cible. Si le système nerveux de communication transmet des messages à la fréquence d'un e-mail, le système endocrinien les transmet à la vitesse du courrier postal. Cependant, avancer lentement, mais sûrement, permet parfois de gagner la course. Les messages endocriniens ont des effets qui ont tendance à durer plus longtemps que ceux d'un message nerveux. Cela explique aussi pourquoi, parfois, lorsqu'une nouvelle stressante a préoccupé notre esprit conscient, nous avons le sentiment durable que quelque chose ne va pas. Nous mettons un certain temps à nous calmer. En situation de danger, par exemple, le système nerveux autonome va ordonner aux **glandes surrénales**, situées au-dessus des reins, de libérer de l'*adrénaline* et de la *noradrénaline*. Ces hormones augmentent le rythme cardiaque, la tension artérielle et la concentration de sucre dans le sang, nous fournissant une bouffée d'énergie. Lorsque le danger est passé, les hormones et la sensation d'excitation persistent un moment. Les hormones du système endocrinien influencent de nombreux aspects de notre vie comme la croissance, la reproduction, le métabolisme et l'humeur, gardant chaque chose en équilibre pendant que nous répondons au stress, produisons un effort ou suivons nos pensées intérieures.

La glande endocrine qui exerce la plus grande influence est l'**hypophyse**, une structure de la taille d'un petit pois située à la base du cerveau, où elle est contrôlée par une aire adjacente du cerveau appelée l'hypothalamus (dont nous parlerons plus en détail bientôt). L'hypophyse sécrète les hormones qui contrôlent la croissance, et ses sécrétions jouent également un rôle sur la libération d'hormones par d'autres glandes endocrines. L'hypophyse est une sorte de glande maîtresse (dont le seul maître est l'hypothalamus). Par exemple, sous l'influence du cerveau, l'hypophyse stimule la libération par les glandes sexuelles d'hormones qui peuvent, à leur tour, influencer votre cerveau et votre comportement.

::Glandes surrénales : paire de glandes endocrines situées juste au-dessus des reins. Les surrénales sécrètent des hormones (l'adrénaline et la noradrénaline) qui participent à l'éveil de l'organisme en situation de stress.

::Hypophyse (glande pituitaire) : glande la plus influente du système endocrinien. Sous le contrôle de l'hypothalamus, l'hypophyse régule la croissance et contrôle les autres glandes endocrines.

Ce système de rétrocontrôle (cerveau → hypophyse → autres glandes → hormones → cerveau) illustre les connexions étroites entre le système nerveux et le système endocrinien : le système nerveux dirige les sécrétions endocrines, qui affectent le système nerveux. Le maestro qui dirige et coordonne cet orchestre électrochimique est le cerveau.

AVANT D'ALLER PLUS LOIN...

➤ **INTERROGEZ-VOUS**

Vous souvenez-vous avoir ressenti un malaise persistant après un événement particulièrement stressant? Combien de temps ce sentiment a-t-il duré?

➤ **TESTEZ-VOUS 3**

Pourquoi l'hypophyse est-elle appelée la «glande maîtresse»?

Les réponses aux questions «Testez-vous» sont données dans l'annexe B à la fin de l'ouvrage.

«T'es beaucoup moins marrant depuis ton opération.»

Le cerveau

SUR UN PRÉSENTOIR, DANS LE DÉPARTEMENT DE PSYCHOLOGIE de la Cornell University, est exposé un bocal contenant le cerveau (fort bien conservé) d'Edward Bradford Titchener, un maître de la psychologie expérimentale du début du siècle dernier, adepte de l'étude de la conscience. Imaginez-vous en train d'observer cette masse ridée de tissu grisâtre en vous demandant s'il y a encore quelque chose de Titchener dans ce récipient[1].

Vous pourriez très bien répondre qu'en l'absence du crépitement vivant de l'activité électrochimique, il ne reste rien de Titchener dans ce cerveau conservé. Imaginez maintenant une expérience à laquelle Titchener lui-même aurait pu rêver un jour. Imaginez que quelques instants avant sa mort, quelqu'un ait retiré le cerveau du corps de Titchener et l'ait maintenu en vie en le perfusant avec du sang enrichi tandis qu'il flottait dans un réservoir de liquide céphalorachidien. Une partie de Titchener aurait-elle subsisté à l'intérieur? Poussez votre imagination jusqu'à ses limites, et imaginez que quelqu'un ait transplanté le cerveau encore vivant dans le corps d'une personne ayant un cerveau gravement endommagé. Dans quelle maison serait retourné le malade après son rétablissement?

Le fait d'élaborer de telles questions montre bien à quel point nous sommes persuadés de vivre «quelque part au nord de notre cou» (Fodor, 1999). Et pour de bonnes raisons; le cerveau engendre l'esprit : voir, entendre, sentir, se souvenir, penser, ressentir, parler et rêver. Le poète Diane Ackerman (2004, p. 3) parle du cerveau en ces termes : «ce monticule brillant de l'être... cette fabrique de rêves... cette troupe de neurones pouvant interpréter toutes les pièces... ce lieu de plaisir capricieux».

De plus, le cerveau s'auto-analyse. Quand nous *pensons à* notre cerveau, nous *pensons avec* notre cerveau, en déclenchant des millions de synapses et en libérant des milliards de molécules de neuromédiateurs. Les effets des hormones sur les expériences comme l'amour nous rappellent que nous n'aurions pas le même esprit si nous étions un cerveau sans corps. Cerveau + corps = esprit. Néanmoins, comme le disent les chercheurs en neurosciences, *l'esprit est produit par le cerveau*. Si tous vos organes étaient transplantés, vous serez toujours la même personne, à moins, comme l'a dit le psychologue Jonathan Haidt, qu'un de ces organes soit le cerveau. Mais, précisément, à quel endroit et de quelle manière les fonctions de notre esprit sont-elles reliées au cerveau? Voyons tout d'abord comment les scientifiques explorent ces problèmes.

«Je ne suis qu'un cerveau, Watson : le reste n'est qu'une annexe.»
Sherlock Holmes, *The Adventure of the Mazarin Stone*, Arthur Conan Doyle

1. L'ouvrage *Le cerveau de Broca* (1979) de Carl Sagan a inspiré cette question.

Les outils de la découverte : l'examen de notre tête

6. Comment les neuroscientifiques peuvent-ils étudier les connexions entre notre cerveau d'une part et le comportement et l'esprit d'autre part?

Pendant des siècles, nous avons manqué d'instruments assez puissants et assez délicats pour explorer le cerveau vivant. Les observations cliniques révélaient certaines connexions entre le cerveau et notre pensée. Certains médecins observèrent par exemple que la détérioration d'un côté du cerveau provoquait souvent un engourdissement ou une paralysie du côté opposé du corps, ce qui impliquait que le côté droit du corps était relié au côté gauche du cerveau et vice versa. D'autres constatèrent que la détérioration de la partie postérieure du cerveau abolissait la vision et que la détérioration de la partie frontale gauche du cerveau entraînait des problèmes de langage. Peu à peu, ces premiers explorateurs ont cartographié le cerveau.

Ce processus de cartographie du cerveau a bien changé depuis lors. L'organe le plus étonnant de tout l'univers est en train d'être exploré et cartographié par une nouvelle génération de cartographes des neurones. Que ce soit dans l'intérêt de la science ou de la médecine, nous pouvons **léser** (détruire) sélectivement de petits amas de cellules cérébrales saines ou endommagées sans détruire les cellules voisines. Ce type d'étude a mis en évidence, par exemple, qu'une lésion située dans une région de l'hypothalamus du cerveau d'un rat réduit son appétit, et l'animal se laisse mourir de faim si on ne le nourrit pas de force. Au contraire, une lésion dans une autre zone provoque la *boulimie*.

De nos jours, les scientifiques peuvent stimuler différentes parties du cerveau par des moyens électriques, chimiques ou magnétiques afin de noter les effets produits. Nous pouvons aussi bien étudier les messages de neurones individuels que l'action combinée de milliards de neurones. Nous pouvons voir des images en couleurs représentant la consommation d'énergie du cerveau. Ces techniques qui permettent de scruter le cerveau lorsqu'il pense ou qu'il ressent sont aussi importantes pour la psychologie que l'ont été le microscope pour la biologie et le télescope pour l'astronomie. Regardons quelques unes de ces techniques et voyons comment les neuroscientifiques peuvent étudier le cerveau en plein travail.

Enregistrer l'activité électrique du cerveau

En ce moment, votre activité mentale émet des signaux électriques, métaboliques et magnétiques qui permettraient à des chercheurs en neurosciences d'observer votre cerveau pendant qu'il travaille. Les extrémités des microélectrodes modernes sont si fines qu'elles peuvent détecter le flux électrique dans un seul neurone. Par exemple, on peut désormais détecter avec exactitude l'information qui voyage dans le cerveau d'un chat quand quelqu'un lui tire les moustaches.

L'activité électrique des milliards de neurones du cerveau s'écoule en ondes régulières à travers sa surface. L'**électroencéphalogramme (EEG)** est un tracé amplifié de ces ondes. L'étude électroencéphalographique de l'activité brute du cerveau revient à étudier le fonctionnement du moteur d'une voiture en écoutant son ronflement. Cependant, en appliquant de façon répétée un stimulus et en filtrant à l'aide d'un ordinateur l'activité électrique sans relation avec le stimulus, il est possible d'identifier les ondes électriques provoquées par celui-ci (FIGURE 2.12).

AJ Photo/Photo Researchers, Inc.

➤ FIGURE 2.12
L'électroencéphalographie permet l'enregistrement amplifié des ondes d'activité électrique qui se propagent dans le cerveau Elle montre ici l'activité cérébrale d'une petite fille de 4 ans souffrant de crises d'épilepsie.

:: **Lésion** : destruction d'un tissu. Une lésion cérébrale est une destruction naturelle ou expérimentale de tissu cérébral.

:: **Électroencéphalogramme (EEG)** : enregistrement amplifié des ondes d'activité électrique qui se propagent à la surface du cerveau. Ces ondes sont mesurées en plaçant des électrodes sur le scalp.

Avec l'autorisation de Brookhaven National Laboratories

➤ FIGURE 2.13
La TEP Pour obtenir une image de TEP, les chercheurs injectent aux volontaires une dose faible et inoffensive d'un sucre radioactif à courte durée de vie. Les détecteurs situés autour de la tête du sujet enregistrent la libération de rayons gamma par le sucre qui s'est accumulé dans les zones actives du cerveau. Un ordinateur analyse alors ces signaux et les transforme en une carte montrant le cerveau au travail.

Techniques d'imagerie cérébrale

Dans une lettre adressée à son fils en 1746, lord Chesterfield lui conseillait : « Tu dois voir à l'intérieur des gens aussi bien que tu les vois de l'extérieur ». Les nouvelles fenêtres ouvertes sur le cerveau nous donnent la capacité, digne de Superman, de voir à l'intérieur du cerveau sans l'endommager. Par exemple, la **TEP** (ou **PET scan**) ou **tomographie par émission de positons** (Figure 2.13) nous montre l'activité du cerveau en suivant dans chaque aire cérébrale la consommation du glucose, son combustible chimique. Les neurones actifs utilisent beaucoup de glucose. Lorsque l'on administre à une personne une forme radioactive de glucose à courte durée de vie, la TEP localise et mesure la radioactivité, permettant de déterminer le trajet de cette « nourriture de la pensée ». Tout comme les points lumineux des images des satellites météorologiques nous montrent l'intensité de la pluviométrie, ceux de la TEP nous montrent les aires cérébrales les plus actives quand la personne effectue des calculs mathématiques, regarde des visages ou rêve éveillée.

Dans l'**imagerie par résonance magnétique (IRM)**, la tête est placée dans un champ magnétique de forte amplitude qui aligne les atomes de molécules cérébrales en train de tourner. Puis, une brève impulsion d'ondes radio désoriente ces atomes pendant un court instant. Lorsqu'ils retrouvent leur rotation normale, les atomes émettent des signaux qui fournissent une image détaillée des tissus mous du cerveau. (L'IRM est également utilisée pour scanner d'autres parties du corps.) Les IRM ont mis en évidence la présence d'une zone neuronale plus importante que la moyenne dans le cerveau gauche des musiciens qui présentent une « oreille absolue » (Schlaug et coll., 1995). Elles ont également mis en évidence une dilatation d'aires cérébrales contenant du liquide céphalorachidien chez les patients atteints de schizophrénie, un trouble psychologique handicapant (Figure 2.14).

➤ FIGURE 2.14
Examen IRM d'une personne en bonne santé (à gauche) et d'une personne schizophrène (à droite) Notez à droite la zone du cerveau dilatée et remplie de liquide céphalorachidien.

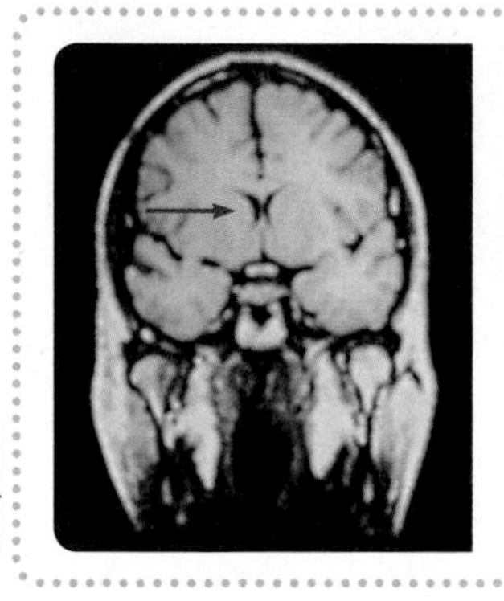

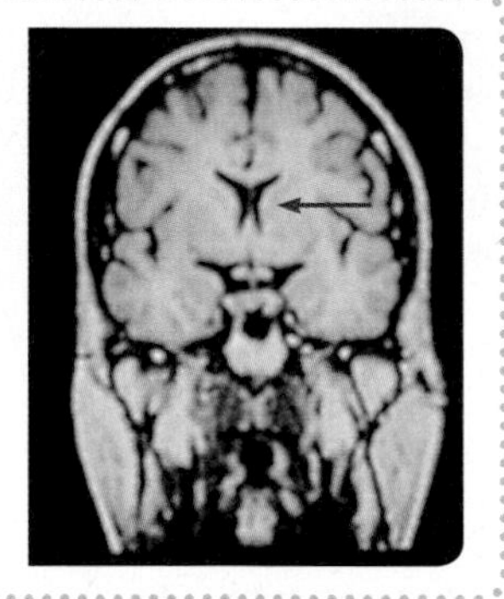

Chaque photo : Daniel Weinberger, M.D., CBDB, NIMH

Une application particulière de l'IRM, l'**IRM fonctionnelle (IRMf)**, peut révéler le fonctionnement et la structure du cerveau. Le sang se dirige en particulier dans les zones les plus actives du cerveau. En prenant des images à moins d'une seconde d'intervalle, l'IRM peut montrer le cerveau « qui s'allume » (sous l'effet de l'augmentation du flux sanguin chargé d'oxygène) quand le patient effectue différentes opérations mentales. Quand une personne regarde une scène par exemple, l'IRM fonctionnelle détecte l'afflux sanguin à l'arrière du cerveau, zone qui traite l'information visuelle (*voir* Figure 2.25). Ces clichés des changements de l'activité cérébrale nous apportent de nouvelles informations sur la manière dont le cerveau répartit son travail.

Apprendre les neurosciences aujourd'hui, c'est comme apprendre la géographie du monde quand Magellan explorait les mers. Nous sommes clairement à l'âge d'or de la science du cerveau.

Les structures cérébrales les plus anciennes

7. Quelles sont les fonctions des principales structures les plus profondes du cerveau ?

Si vous pouviez ouvrir le crâne et regarder à l'intérieur, la première chose que vous remarqueriez est la taille du cerveau. Chez les dinosaures, le cerveau représente $1/100\,000^{e}$ de la masse du corps, chez les baleines $1/10\,000^{e}$, chez les éléphants $1/600^{e}$ et chez l'homme $1/45^{e}$. Il semble ainsi qu'une règle se dégage. Mais attention. Chez les souris, le cerveau représente $1/40^{e}$ de la masse et chez le ouistiti $1/25^{e}$. Il y a donc des exceptions à la règle énonçant que le rapport entre le poids du cerveau et celui du corps indique l'intelligence d'une espèce.

L'étude des structures cérébrales apporte des indications plus utiles sur les capacités d'un animal. Chez les animaux primitifs tels que les requins, un cerveau bien moins complexe régule principalement les fonctions fondamentales de survie : la respiration, le repos et l'alimentation. Chez les mammifères inférieurs, tels que les rongeurs, la présence d'un cerveau plus complexe leur permet d'avoir des émotions et une mémoire plus importante. Chez les mammifères supérieurs, comme l'homme, le cerveau traite plus d'informations, permettant d'anticiper nos actions.

Pour permettre cet accroissement de la complexité, les espèces ont élaboré de nouveaux systèmes cérébraux au-dessus des anciens, tout comme les paysages de la Terre recouvrent l'ancien par du nouveau. Si l'on creuse, on découvre les restes fossiles du passé, les composants du tronc cérébral opérant encore comme ils le faisaient chez nos ancêtres lointains. Explorons maintenant le cerveau en commençant par le tronc cérébral pour remonter vers les nouveaux systèmes.

Le tronc cérébral

Le **tronc cérébral** est la région la plus ancienne et la plus profonde du cerveau. Il débute à l'endroit où la moelle épinière pénètre dans le crâne et s'évase légèrement, formant le **bulbe rachidien** (FIGURE 2.15). C'est là que s'effectue le contrôle de votre rythme cardiaque et de votre respiration. Juste au-dessus du bulbe rachidien se trouve le *pont de Varole*, qui joue un rôle dans la coordination des mouvements. Si le tronc cérébral d'un chat est séparé du reste du cerveau siégeant au-dessus de lui, l'animal pourra encore respirer, vivre et même courir, grimper, se toiletter (Klemm, 1990). Mais si l'on coupe le tronc cérébral des régions supérieures du cerveau, le chat ne pourra plus courir vers un but précis, ni grimper pour obtenir de la nourriture.

Le tronc cérébral est également un point de croisement où les nerfs de chaque partie du cerveau sont connectés à la partie opposée du corps. Cet étrange point de connexion constitue l'une des nombreuses surprises que nous offre le cerveau.

À l'intérieur du tronc cérébral, entre vos oreilles, se trouve la **formation réticulée** (semblable à un filet) : un réseau de neurones en forme de doigt qui s'étend de la moelle épinière au thalamus. Lorsque l'influx sensoriel provenant de la moelle épinière remonte jusqu'au thalamus, une partie traverse la formation réticulée, qui filtre les stimuli entrant et fait passer les informations importantes aux autres aires du cerveau.

En 1949, Giuseppe Moruzzi et Horace Magoun découvrirent que la stimulation électrique de la formation réticulée d'un chat endormi produisait presque instantanément un état d'éveil et

::Tomographie par émission de positons (TEP ou PET scan) : mise en évidence visuelle de l'activité du cerveau, qui suit le devenir d'une forme radioactive du glucose au moment où le cerveau accomplit une tâche donnée.

::Imagerie par résonance magnétique (IRM) : technique utilisant des champs magnétiques et des ondes radio pour produire des images des tissus mous générées par ordinateur ; cette technique permet de voir l'anatomie du cerveau.

::IRM fonctionnelle (IRMf) : technique qui met en évidence le flux sanguin et, de ce fait, l'activité cérébrale en comparant différentes IRM successives. Les IRM fonctionnelles présentent le fonctionnement du cerveau.

::Tronc cérébral : partie la plus ancienne et profonde du cerveau, commençant au niveau où la moelle s'élargit en pénétrant dans le crâne ; il est responsable des fonctions automatiques de survie.

::Bulbe rachidien : base du tronc cérébral qui contrôle la respiration et les battements du cœur.

::Formation réticulée : réseau de nerfs dans le tronc cérébral jouant un rôle important dans le contrôle de l'éveil.

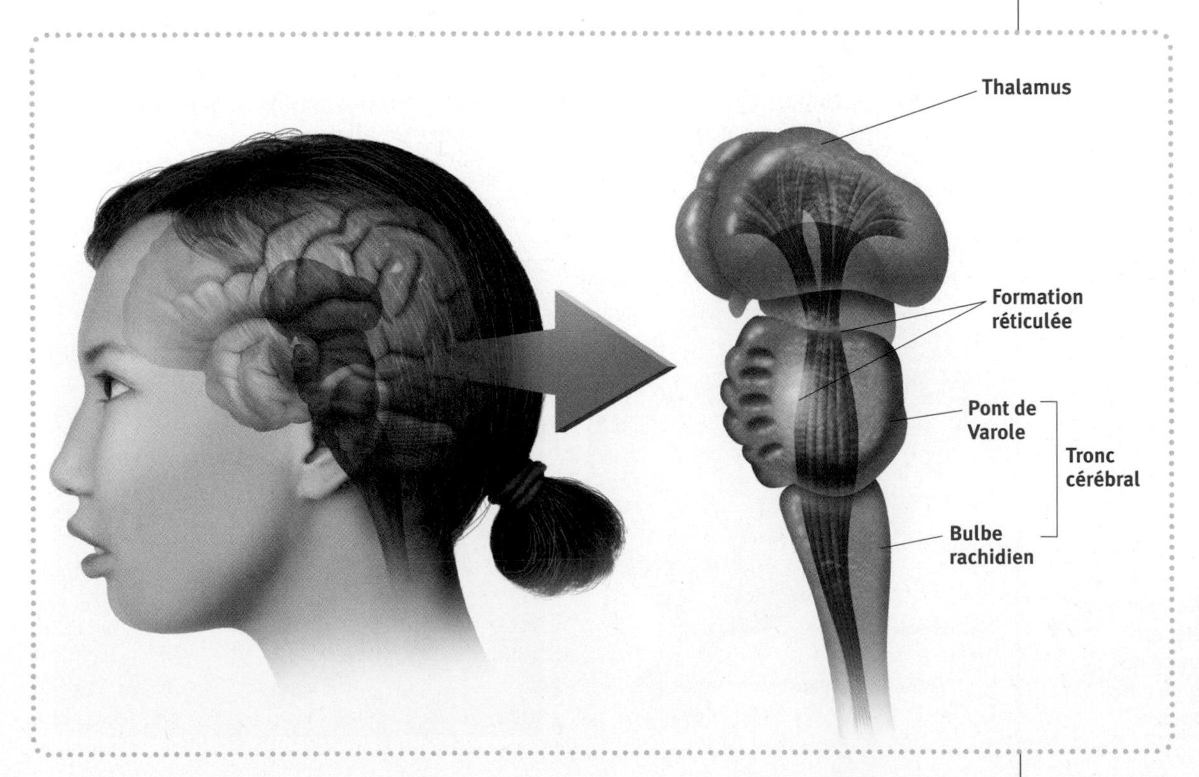

➤ FIGURE 2.15
Le tronc cérébral et le thalamus Le tronc cérébral, comprenant le pont de Varole et le bulbe rachidien, est un prolongement de la moelle épinière ; le thalamus est fixé à son sommet et la formation réticulée traverse les deux structures.

:: **Thalamus** : relais sensoriel du cerveau ; situé au sommet du tronc cérébral, il dirige les messages vers les aires sensorielles réceptrices du cortex et transmet les réponses au cervelet et au bulbe rachidien.

:: **Cervelet** : le « petit cerveau » est une structure placée à l'arrière du tronc cérébral ; il contribue au traitement des influx sensoriels, à la coordination des mouvements volontaires et à l'équilibre.

d'alerte chez l'animal. Magoun *sépara* la formation réticulée d'un chat du reste des régions supérieures du cerveau sans endommager les voies sensorielles voisines. L'effet fut spectaculaire : le chat tomba dans un coma dont il ne sortit jamais. Magoun pouvait claquer des mains près de l'oreille du chat et pouvait même le pincer, sans obtenir de réponse. Conclusion : la formation réticulée est impliquée dans l'état d'éveil.

Le thalamus

Au sommet du tronc cérébral se trouvent deux structures jointives en forme d'œuf que l'on appelle le **thalamus** (Figure 2.15) : c'est le relais sensoriel du cerveau. Il reçoit l'information provenant des sens (excepté l'odorat) et l'achemine vers les régions supérieures du cerveau qui traitent la vision, l'audition, le goût et le toucher. Imaginez le thalamus comme étant au trafic nerveux ce que Paris est au réseau ferroviaire français : un centre de répartition à travers lequel passe le trafic pour aboutir aux destinations diverses. Le thalamus reçoit également en retour certaines réponses des niveaux supérieurs, qu'il dirige ensuite vers le cervelet et le bulbe rachidien.

Le cervelet

Le **cervelet** s'étend à l'arrière du tronc cérébral : avec ses deux hémisphères plissés, il ressemble tout à fait à un « petit cerveau », de la taille d'une balle de base-ball (FIGURE 2.16). Comme vous le verrez au chapitre 8, le cervelet permet un type d'apprentissage non verbal et la mémoire. Il nous permet également d'évaluer le temps, de moduler nos émotions et de différencier des sons et des textures (Bower et Parsons, 2003). Il coordonne également les mouvements volontaires. Lorsque la star du football, David Beckham envoie le ballon dans les buts avec un mouvement parfaitement chronométré, attribuez une partie du mérite à son cervelet. Si vous endommagiez votre cervelet, vous auriez des difficultés à marcher, à garder votre équilibre ou à serrer la main de quelqu'un. Vos mouvements seraient désordonnés et exagérés. L'alcool agit sur le cervelet et entraîne un manque de coordination lors de la marche, comme ont pu le constater de nombreux conducteurs contrôlés sur le bord de la route.

Note : ces anciennes fonctions cérébrales se produisent toutes sans effort conscient, ce qui illustre bien l'un des thèmes récurrents de ce livre : *notre cerveau traite énormément d'informations sans même que nous en soyons conscients*. Nous sommes conscients des *résultats* de l'activité de notre cerveau (par exemple notre expérience visuelle actuelle), mais pas de la *façon* dont nous construisons cette image visuelle. De la même manière, que nous soyons endormis ou éveillés, notre tronc cérébral gère nos fonctions vitales, laissant les régions plus récentes de notre cerveau libres de rêver, de penser, de parler ou encore de savourer un souvenir.

« La conscience n'est qu'une petite partie de ce qu'accomplit le cerveau. »
Joseph LeDoux, neuroscientifique, *Mastery of Emotions*, 2006

➤ FIGURE 2.16
L'organe cérébral de l'agilité Situé à l'arrière du cerveau, le cervelet est responsable de la coordination de nos mouvements volontaires, comme lorsque David Beckham dirige le ballon avec précision.

Le système limbique

Aux limites (« les limbes ») des parties les plus anciennes du cerveau et des *hémisphères cérébraux* (les deux moitiés du cerveau) se trouve le **système limbique** (FIGURE 2.17). Nous verrons au chapitre 8 comment l'un des composants du système limbique, l'*hippocampe*, joue un rôle dans la mémoire. (Si les animaux ou les hommes perdent leur hippocampe à la suite d'une lésion ou d'une intervention chirurgicale, ils deviennent incapables de traiter les nouveaux souvenirs de faits ou d'événements.) Pour le moment, nous allons nous pencher sur le lien qui existe entre le système limbique et les émotions telles que la crainte ou la colère, et les motivations des comportements fondamentaux tels que les comportements alimentaires ou sexuels.

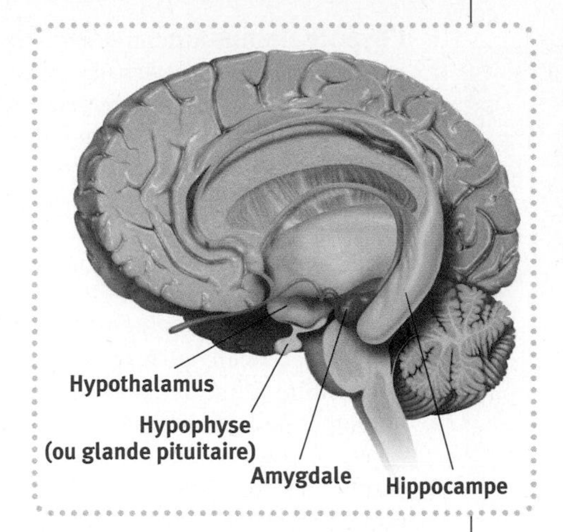

➤ FIGURE 2.17
Le système limbique Ce système nerveux est situé aux limites des parties les plus anciennes du cerveau et des hémisphères cérébraux. Une de ces structures limbiques, l'hypothalamus, contrôle l'hypophyse, située à son voisinage.

L'amygdale Dans le système limbique se trouvent deux petits noyaux de neurones en forme d'amande que l'on appelle **amygdale** ; elle influence l'agressivité et la peur (FIGURE 2.18). En 1939, le psychologue Heinrich Klüver et le neurochirurgien Paul Bucy lésèrent chirurgicalement une partie du cerveau d'un singe Rhésus, comprenant l'amygdale. Cette opération transforma le singe, réputé pour son caractère acariâtre, en la plus douce des créatures. On pouvait le pousser, le pincer, lui faire à peu près tout ce qui normalement aurait déclenché une réponse brutale, mais l'animal restait placide. D'autres études réalisées plus tard par des chercheurs sur d'autres animaux sauvages, comme le lynx, le glouton ou le rat sauvage montrèrent exactement les mêmes résultats. Que se passerait-il donc si l'on stimulait électriquement l'amygdale d'un animal domestique d'un naturel placide tel que le chat ? En le stimulant à un certain endroit, le chat se prépare à attaquer : il crache en faisant le gros dos, ses pupilles se dilatent et ses poils se hérissent. Mais, si l'on déplace l'électrode juste un peu vers l'intérieur de l'amygdale et qu'on l'enferme dans une cage avec une souris, il se blottit dans un coin, terrorisé.

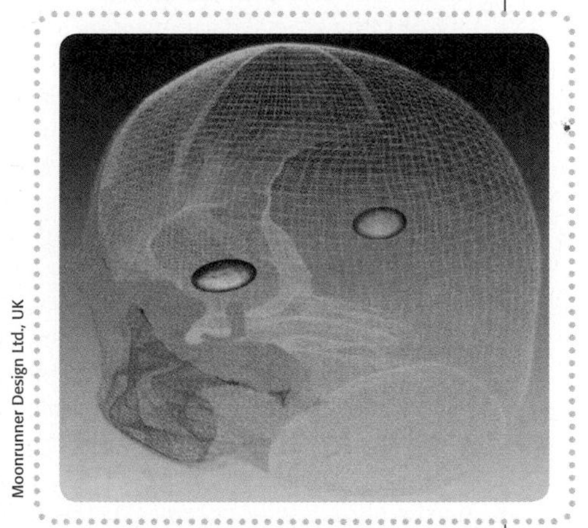

Moonrunner Design Ltd., UK

➤ FIGURE 2.18
L'amygdale

Ces expériences attestent le rôle de l'amygdale dans les émotions telles que la colère et la peur, sans compter la perception de ces émotions et le traitement des souvenirs émotionnels (Anderson et Phelps, 2000 ; Poremba et Gabriel, 2001). Cependant, nous devons rester prudents. Le cerveau n'est pas organisé aussi précisément en structures correspondant à nos types de comportement. En fait, les comportements d'agressivité ou de crainte mettent en jeu une activité nerveuse à tous les niveaux du cerveau. Même à l'intérieur du système limbique, la stimulation de structures autres que l'amygdale peut susciter ce type de comportement. De même, si vous rechargez la batterie à plat de votre voiture, vous pouvez faire démarrer le moteur. Cependant, la batterie ne représente qu'un élément du système intégré permettant le démarrage d'une voiture.

Frank Siteman/Stock, Boston

L'agression vue comme un état du cerveau Le dos arqué et le pelage hérissé, ce chat furieux est prêt à attaquer. La stimulation électrique de l'amygdale d'un chat provoque des réactions similaires à celles montrées ici, suggérant le rôle de l'amygdale dans les émotions telles que la colère. Quelle partie du système nerveux autonome est activée par cette stimulation ?

Le chat est mis en éveil par son système nerveux sympathique. ▲

:: Système limbique : système nerveux (comprenant l'*hippocampe*, l'*amygdale* et l'*hypothalamus*), situé sous les hémisphères cérébraux ; associé aux émotions et aux pulsions.

:: Amygdale : deux centres nerveux, en forme d'amande, faisant partie du système limbique et impliqués dans les émotions.

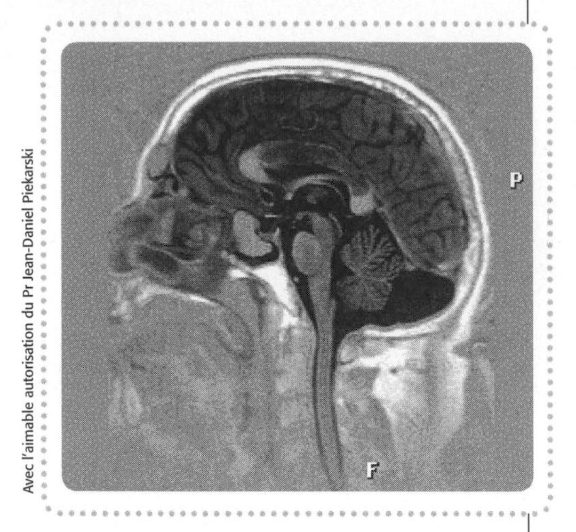

➤ FIGURE 2.19
L'hypothalamus Cette structure, petite mais importante, contribue à maintenir le milieu intérieur de l'organisme à l'état d'équilibre.

L'hypothalamus Juste au-dessous (*hypo*) du thalamus, se trouve l'**hypothalamus** (FIGURE 2.19), un chaînon important dans la chaîne des commandes qui assure les fonctions de conservation de l'organisme. Certains groupes de neurones de l'hypothalamus ont une influence sur la faim, d'autres régulent la soif, la température du corps et le comportement sexuel.

L'hypothalamus surveille la chimie sanguine et reçoit des ordres des autres parties du cerveau. Par exemple, une pensée érotique (dans le cortex cérébral de votre cerveau) va susciter une sécrétion hormonale dans votre hypothalamus. Par le biais de ces hormones, l'hypothalamus contrôle la « glande maîtresse » adjacente, l'hypophyse (*voir* Figure 2.17) qui, à son tour, stimule la libération d'hormones par d'autres glandes endocrines. (Notez de nouveau l'interaction entre le système nerveux et le système endocrinien : le cerveau influence le système endocrinien, qui à son tour influence le cerveau.)

L'histoire d'une remarquable découverte concernant l'hypothalamus montre comment le progrès de la recherche scientifique se produit souvent lorsque des chercheurs curieux et à l'esprit ouvert font une observation inattendue. James Olds et Peter Milner (1954), deux jeunes neuropsychologues de la McGill University, firent une magistrale erreur en essayant d'implanter des électrodes dans les formations réticulées de rats blancs. Chez l'un des rats, ils placèrent une électrode de façon incorrecte dans ce qu'ils découvrirent plus tard être une région de l'hypothalamus (Olds, 1975). Curieusement, le rat s'obstinait à retourner à l'endroit de la cage où il avait été stimulé par l'électrode mal placée, comme s'il recherchait encore plus de stimulations. En découvrant leur erreur, les chercheurs astucieux comprirent qu'ils étaient tombés sur un centre du cerveau qui produisait un effet agréable (récompense).

Dans une série d'expériences méticuleuses, Olds (1958) essaya de localiser d'autres « centres du plaisir », comme il les appelait. (Il n'y a que les rats qui savent ce qu'ils ressentent, mais ils ne peuvent pas le raconter. Les scientifiques d'aujourd'hui, qui ne veulent pas attribuer des sentiments humains aux rats, n'utilisent pas le terme de « centre du plaisir », mais plutôt celui de *centre de récompense*.) Lorsque Olds permit aux rats de déclencher leurs propres stimulations dans ces zones en appuyant sur un levier, il remarqua que certains le faisaient parfois à un rythme effréné (pouvant atteindre 7000 fois par heure, jusqu'à l'épuisement total). De plus, ils auraient fait n'importe quoi pour obtenir cette stimulation, allant jusqu'à traverser un plancher électrifié, chose qu'un rat même affamé ne ferait pas pour atteindre de la nourriture (FIGURE 2.20).

D'autres centres de récompense similaires, situés à l'intérieur ou à proximité de l'hypothalamus, ont été découverts plus tard chez d'autres espèces telles que le poisson rouge, le dauphin et le singe. En fait, la recherche animale a révélé à la fois l'existence d'un système de récompense général qui provoque la libération d'un neuromédiateur (la dopamine) et l'existence d'autres centres spécifiques associés au plaisir de manger, boire et copuler. Il semble que les animaux naissent équipés de systèmes de récompense intégrés pour les activités essentielles à leur survie.

D'autres expériences plus récentes ont permis de découvrir de nouveaux moyens d'utiliser la stimulation limbique chez les animaux afin de contrôler leur réaction. En utilisant la stimulation cérébrale pour récompenser les rats d'avoir tourné à gauche ou à droite, Sanjiv Talwar et ses collègues (2002) furent capables d'entraîner des rats qui n'avaient jamais vécu hors de leurs cages à évoluer dans un environnement naturel (FIGURE 2.21). En appuyant sur les boutons d'un ordinateur portable, les chercheurs peuvent « télécommander » un rat (qui porte un récepteur, une batterie et une caméra vidéo sur le dos), le faire tourner et grimper aux arbres, le faire courir sur les branches et le faire revenir. Ce qui laisse envisager de nouvelles applications pour les opérations de sauvetage.

L'homme possède-t-il aussi des centres limbiques pour le plaisir ? En effet, il en possède. Un neurochirurgien a implanté des électrodes dans de telles aires pour calmer des patients violents. Les sujets traités ont témoigné d'une sensation de plaisir modérée, mais contrairement aux

« Si vous deviez concevoir un robot pour aller dans le futur et y survivre… vous le construiriez de telle sorte que les comportements qui assurent sa propre survie ou celle de l'espèce, tels que la reproduction ou l'alimentation, soient naturellement renforcés. »
Candace Pert (1986)

:: **Hypothalamus** : structure nerveuse située sous (*hypo*) le thalamus ; il gouverne différentes activités de conservation (faim, soif, température corporelle), contribue à la régulation du système endocrinien par l'intermédiaire de l'hypophyse et est impliqué dans les émotions et les récompenses.

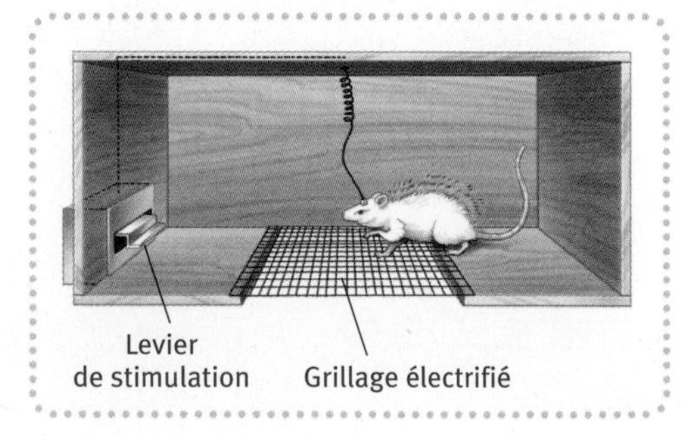

➤ FIGURE 2.20
Rat avec une électrode implantée
Une électrode implantée dans un centre de la récompense de l'hypothalamus, le rat traverse facilement un grillage électrifié, acceptant des chocs douloureux pour pouvoir accéder au levier délivrant des impulsions électriques à ce « centre du plaisir ».

➤ FIGURE 2.21
Un « ratbot » en excursion
Lorsque ce rat est stimulé à distance, il peut suivre l'ordre de traverser un champ et même de grimper sur un arbre.

rats d'Olds, ils n'ont pas atteint un état de frénésie (Deutsch, 1972; Hooper et Teresi, 1986). Certains chercheurs pensent que les comportements de dépendance, tels que l'alcoolisme, l'abus de drogue ou la compulsion alimentaire, peuvent venir d'un *syndrome de déficience de la récompense* : une déficience génétique du plaisir et du bien-être dans les systèmes cérébraux naturels qui conduit les gens à avoir un besoin maladif de substitut leur procurant ce plaisir absent et leur permettant de se débarrasser des sentiments négatifs (Blum et coll., 1996).

La FIGURE 2.22 montre la localisation des aires cérébrales présentées dans ce chapitre, y compris celle du cortex cérébral, notre prochain sujet d'étude.

➤ FIGURE 2.22
Structures cérébrales et fonctions

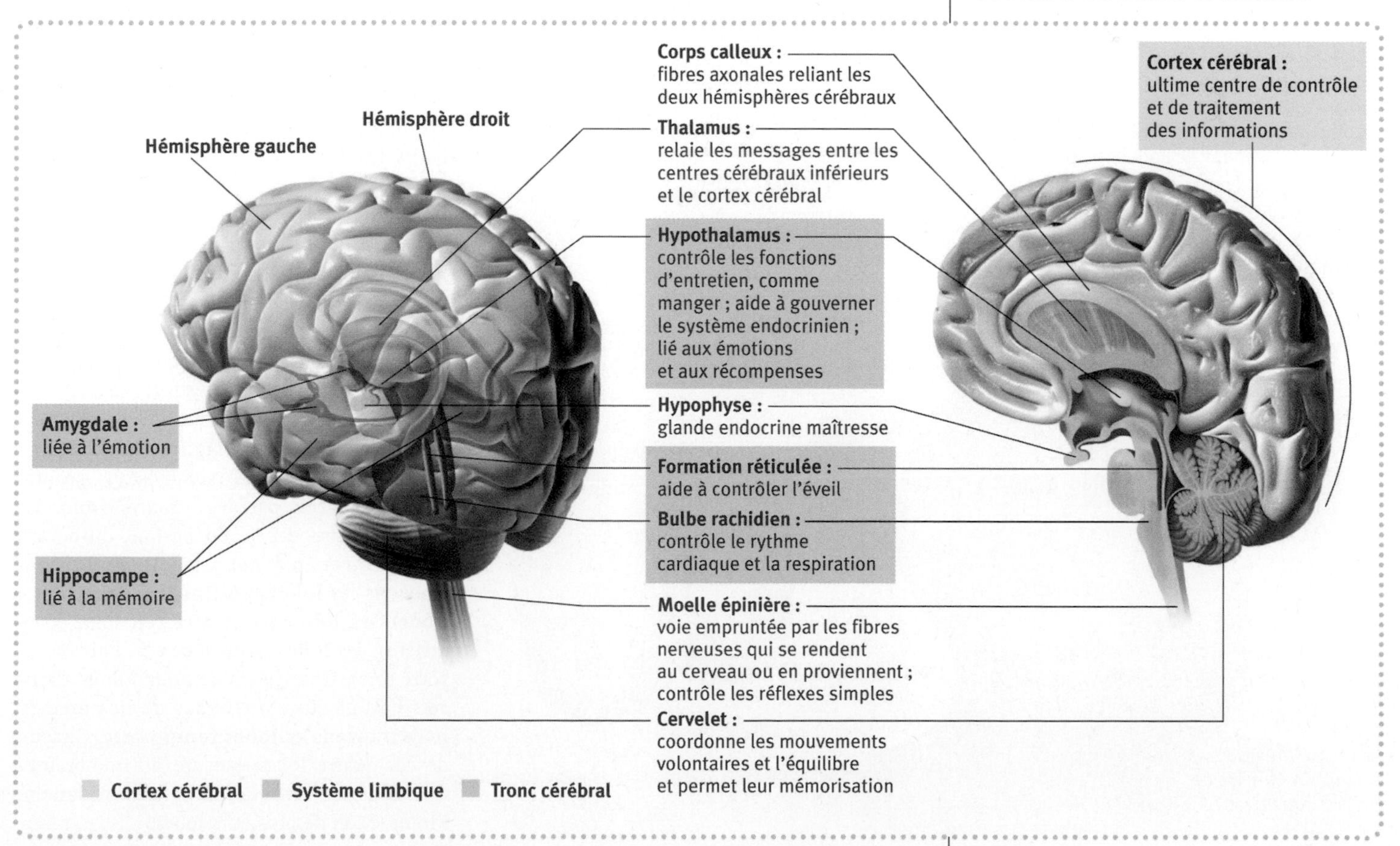

• Les personnes qui les premières disséquèrent et classèrent les différentes parties du cerveau utilisaient la langue des savants : le latin et le grec. Les termes qu'ils utilisèrent sont en réalité inspirés de descriptions imagées : par exemple, *cortex* veut dire « écorce », le *cervelet* signifie « petit cerveau » et le *thalamus* est une « chambre intérieure ». •

:: **Cortex cérébral** : tissu formé de neurones imbriqués et interconnectés qui recouvre les hémisphères cérébraux ; il constitue l'ultime centre de contrôle et de traitement des informations de l'organisme.

:: **Cellules gliales** : cellules du système nerveux qui apportent leur support, des éléments nutritifs et leur protection aux neurones.

:: **Lobes frontaux** : partie du cortex cérébral située juste derrière le front ; impliqués dans la parole et les mouvements des muscles, mais aussi dans l'élaboration de plans et de jugements.

:: **Lobes pariétaux** : partie du cortex cérébral située au sommet du crâne, vers l'arrière ; reçoivent les influx sensoriels liés au toucher et à la position du corps.

:: **Lobes occipitaux** : partie du cortex cérébral située à l'arrière de la tête, comprenant des aires qui reçoivent des informations des champs visuels.

:: **Lobes temporaux** : partie du cortex cérébral située au niveau des tempes et comprenant les aires auditives, dont chacune reçoit principalement les informations auditives provenant de l'oreille opposée.

Le cortex cérébral

8. Quelles sont les fonctions desservies par les diverses régions du cortex cérébral ?

Les réseaux cérébraux les plus anciens soutiennent les fonctions vitales basiques et permettent la mémoire, les émotions et les pulsions fondamentales. Les réseaux neuronaux plus récents à l'intérieur du *cerveau* – les deux gros hémisphères cérébraux représentant 85 p. 100 du poids du cerveau – forment des équipes de travail spécialisées qui nous permettent de percevoir, penser et parler. Couvrant ces hémisphères, comme l'écorce d'un arbre, le **cortex cérébral** est une mince couche de cellules nerveuses interconnectées. C'est la clé de voûte de votre pensée, l'ultime centre de contrôle et de traitement d'informations de votre corps.

Si l'on remonte la pyramide de l'évolution du monde animal, le cortex cérébral s'étend, le contrôle génétique strict se relâche et les capacités d'adaptation de l'organisme augmentent. C'est ainsi que les amphibiens, comme les grenouilles, ont un petit cortex et opèrent essentiellement à partir d'instructions génétiques préprogrammées. Le cortex des mammifères, plus important, leur confère des capacités d'apprentissage et de pensée plus grandes, qui les rendent plus adaptables. La majeure partie de ce qui distingue l'homme des animaux provient des fonctions complexes de son cortex cérébral.

Structure du cortex

Si l'on ouvrait un crâne humain pour observer le cerveau, on verrait un organe plissé ayant un peu la forme d'une noix géante. Dépourvu de ces plis et mis à plat, le cortex cérébral prendrait trois fois plus de place, presque celle d'une pizza de très grande taille. Les hémisphères gauche et droit (en forme de ballon) sont essentiellement remplis de connexions axonales entre la surface du cerveau et ses autres régions. Le cortex cérébral – fine couche superficielle des hémisphères cérébraux – est composé de 20 à 23 milliards de cellules nerveuses et de près de 300 trillions de connexions synaptiques (de Courten-Myers, 2005). Il faut beaucoup de nerfs pour être un homme.

Ces milliards de cellules nerveuses comptent avec le soutien d'un nombre neuf fois plus important de **cellules gliales** en forme d'araignée (cellules « gluantes »). On pourrait comparer les neurones à la reine des abeilles : ils ne peuvent se nourrir ou se protéger eux-mêmes. Les cellules gliales sont leurs nourrices. Elles leur fournissent des nutriments et de la myéline qui les isole, servent de guide aux connexions nerveuses et absorbent les ions et les neuromédiateurs. Elles pourraient également jouer un rôle dans l'apprentissage et la pensée. En communiquant avec les neurones, elles participeraient également à la transmission de l'information et à la mémoire (Miller, 2005).

Si l'on remonte la pyramide de l'évolution du monde animal, on observe une augmentation de la proportion de cellules gliales par rapport aux neurones. Une récente analyse post-mortem du cerveau d'Einstein n'a pas trouvé plus de neurones ni de neurones plus grands que la normale, mais a révélé une concentration bien plus importante de cellules gliales que celle observée dans la tête d'un Albert moyen (Fields, 2004).

Prenons du recul pour considérer le cortex dans son ensemble : chaque hémisphère est divisé en quatre *lobes*, subdivisions géographiques séparées par des *scissures* profondes ou plis (FIGURE 2.23). En partant du devant du cerveau et en allant vers le sommet, nous trouvons les **lobes frontaux** (derrière votre front), les **lobes pariétaux** (en haut et en arrière), les **lobes occipitaux** (à l'arrière de votre tête). Changeons de direction et allons vers l'avant, juste au-dessus de nos oreilles, nous trouvons les **lobes temporaux**. Chacun de ces quatre lobes exécute de nombreuses fonctions, et certaines fonctions réclament l'interaction de plusieurs lobes.

➤ FIGURE 2.23
Le cortex et ses subdivisions fondamentales

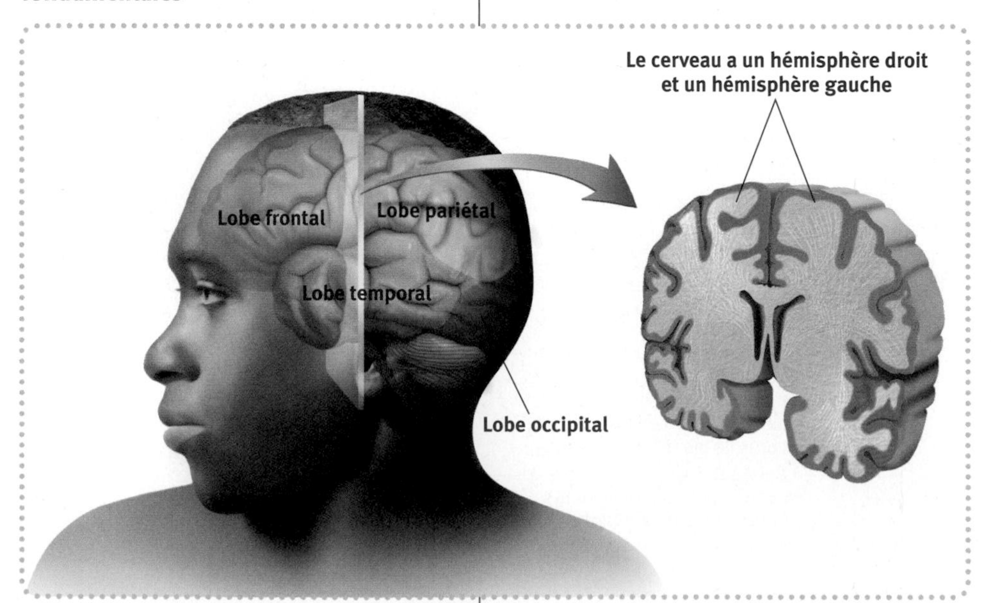

Fonctions du cortex

Il y a plus d'un siècle, des autopsies pratiquées chez les sujets partiellement paralysés ou incapables de parler ont mis en évidence des lésions de régions du cortex. Cependant, ces observations plutôt grossières n'ont pas permis aux chercheurs d'affirmer que des parties précises du cortex accomplissent des fonctions bien spécifiques. Après tout, si le contrôle de la parole et du mouvement était réparti dans tout le cortex, la lésion de pratiquement n'importe quelle zone pourrait produire le même effet. De la même manière, un poste de télévision tombera en panne si l'on coupe son cordon d'alimentation; mais ce serait une erreur de penser que l'origine des images se trouve dans le cordon.

Fonctions motrices Les scientifiques ont réussi à localiser des fonctions relativement simples du cerveau. Ainsi, en 1870, les médecins allemands Gustav Fritsch et Eduard Hitzig appliquèrent une stimulation électrique modérée sur le cortex de chiens, ce qui leur permit de faire une découverte importante : ils arrivaient à faire bouger différentes parties du corps. Les effets étaient sélectifs : la stimulation ne provoquait un mouvement que lorsqu'elle était appliquée dans une région arquée située à l'arrière du lobe frontal et s'étendant à peu près d'une oreille à l'autre en passant par le sommet du cerveau. De plus, lorsque les chercheurs stimulaient des zones précises de cette région, situées dans l'hémisphère gauche ou droit, ils provoquaient des mouvements de parties précises du corps localisées du côté *opposé*. Fritsch et Hitzig venaient de découvrir ce que nous appelons désormais le **cortex moteur** (FIGURE 2.24).

Cartographie du cortex moteur Quelle chance pour les neurochirurgiens et leurs patients, le cerveau ne possède pas de récepteurs sensitifs. Sachant cela, Otfrid Foerster et Wilder Penfield ont réussi à cartographier le cortex moteur de centaines de patients conscients, en stimulant différentes zones corticales pour noter les réponses du corps. Ils découvrirent que différentes zones du corps qui nécessitent un contrôle précis comme les doigts et la bouche, occupaient la plus grande partie de la surface corticale.

:: **Cortex moteur** : zone située à l'arrière des lobes frontaux qui contrôle les mouvements volontaires.

• *Démonstration* : essayez de faire un mouvement circulaire avec votre main droite, comme si vous appliquiez de la cire sur la table. Faites maintenant le même mouvement avec le pied droit en le synchronisant avec la main. Ensuite essayez de bouger le pied dans le sens inverse (mais pas la main). Difficile, n'est-ce pas ? En revanche, il est plus facile d'essayer de tourner le pied *gauche* dans le sens inverse de celui de la main droite. Les membres gauches et droits sont contrôlés par des parties opposées du cerveau, raison pour laquelle leurs activités inverses interfèrent moins les unes avec les autres. •

➤ FIGURE 2.24
Tissus de l'hémisphère gauche consacrés à chaque partie du corps dans le cortex moteur et le cortex sensoriel Comme vous pouvez le voir sur cette représentation classique bien qu'inexacte, la quantité du cortex consacrée à une partie du corps n'est pas proportionnelle à la taille de cette zone. Le cerveau consacre en fait plus de tissus aux zones sensibles et à celles nécessitant un contrôle précis. Ainsi, les doigts ont une représentation plus importante dans le cortex que le bras.

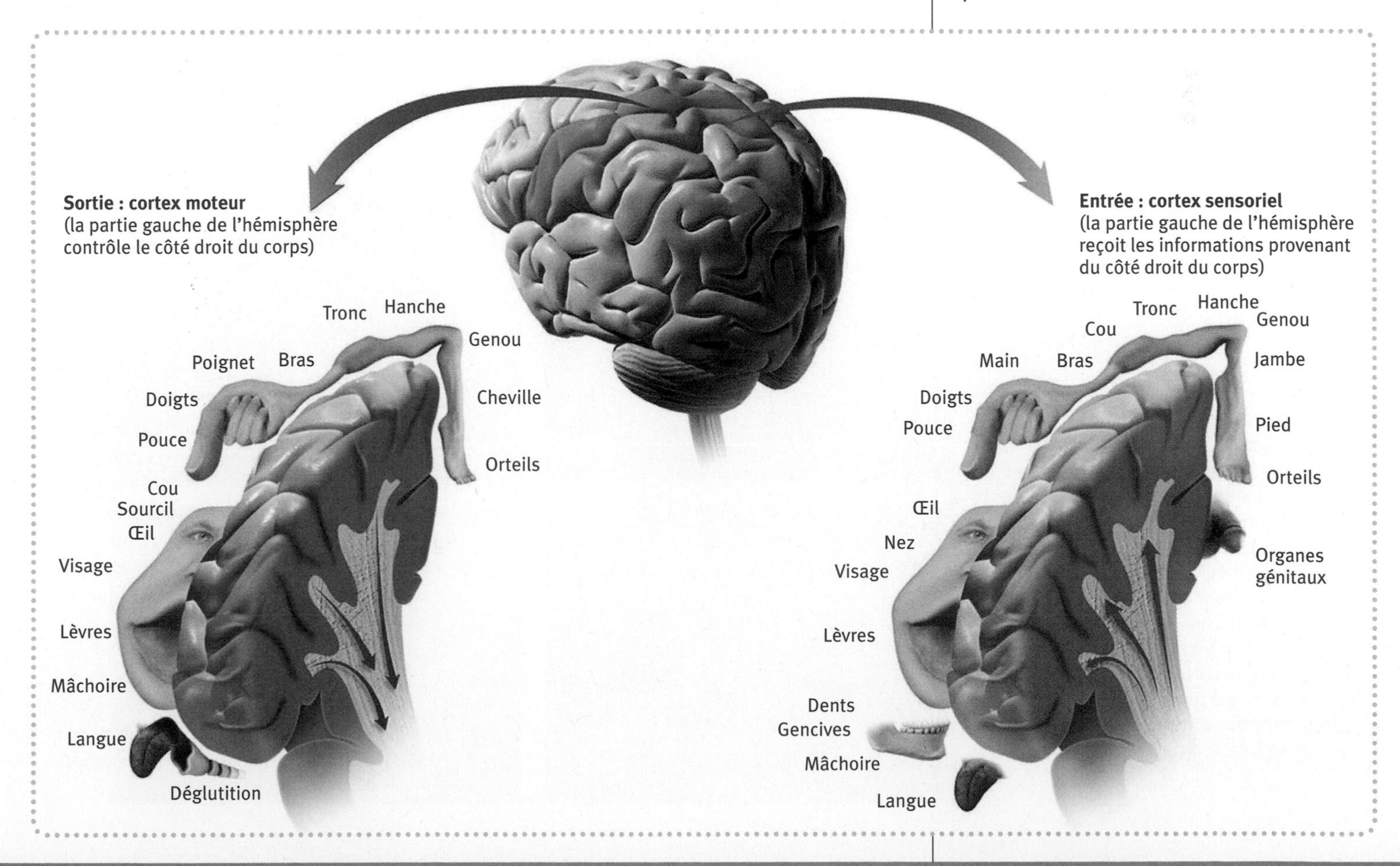

Le neurobiologiste espagnol José Delgado a plusieurs fois mis en évidence la mécanique du comportement moteur. Chez un homme, il provoqua la fermeture du poing droit en stimulant un certain point sur la partie gauche du cortex moteur. Le patient, à qui l'on demandait de garder les doigts ouverts lors de la stimulation suivante et dont les doigts se fermaient malgré ses efforts, remarqua : « Docteur, j'ai l'impression que votre électricité est plus forte que ma volonté. » (Delgado, 1969, p. 114).

Plus récemment, des scientifiques ont été capables de prévoir le mouvement du bras d'un singe 1/10e de seconde avant qu'il ne bouge, en mesurant constamment l'activité du cortex moteur précédant les mouvements spécifiques du bras (Gibbs, 1996). Certains chercheurs pensent que ces résultats ont ouvert la voie d'une nouvelle génération de *prothèses* (remplacement de parties du corps par des membres artificiels).

Prothèses neurales De la même façon, en mettant le cerveau électroniquement « sur écoute », ne serait-il pas possible de permettre à quelqu'un (peut-être une personne paralysée) de faire bouger un membre artificiel ou de donner un ordre à un curseur d'écrire un e-mail ou de surfer sur le Web ? Pour répondre à cette question, des chercheurs spécialistes du cerveau de l'université de Brown implantèrent 100 électrodes enregistreuses minuscules dans le cortex moteur de trois singes (Nicolelis et Chapin, 2002 ; Serruya et coll., 2002). Lorsque les singes utilisaient une manette pour déplacer un curseur et poursuivre une cible rouge en mouvement (afin d'être récompensés), les chercheurs faisaient correspondre les signaux cérébraux aux mouvements du bras. Ensuite, ils ont programmé l'ordinateur pour qu'il surveille les signaux et manœuvre la manette sans l'aide du singe. Lorsqu'il arrivait à un des singes de simplement penser au mouvement, l'ordinateur répondait en déplaçant le curseur avec à peu près la même compétence que le singe. Au cours d'une expérience ultérieure, deux singes ont été entraînés à contrôler un bras robotisé pouvant attraper de la nourriture (Velliste et coll., 2008).

Des recherches ont également enregistré des messages, non pas issus des neurones moteurs qui contrôlent directement le bras du singe, mais d'une zone cérébrale impliquée dans la planification et l'intention (Musallam et coll., 2004). Un programme informatisé a enregistré l'activité dans cette aire cérébrale chez des singes qui attendaient un signal leur demandant de toucher un point (pour recevoir un jus comme récompense) qui s'était allumé auparavant sur un écran et pouvait avoir huit localisations différentes. En faisant correspondre l'activité cérébrale à chaque pointage du singe (suivant la localisation du point), les chercheurs lisant dans la pensée pouvaient alors programmer le curseur afin qu'il se déplace en réponse à la pensée du singe. Le singe pense, l'ordinateur agit.

Si cette technique marche au niveau des aires cérébrales motrices, pourquoi ne pas l'utiliser pour capturer les mots qu'une personne pourrait penser sans pouvoir les dire (par exemple

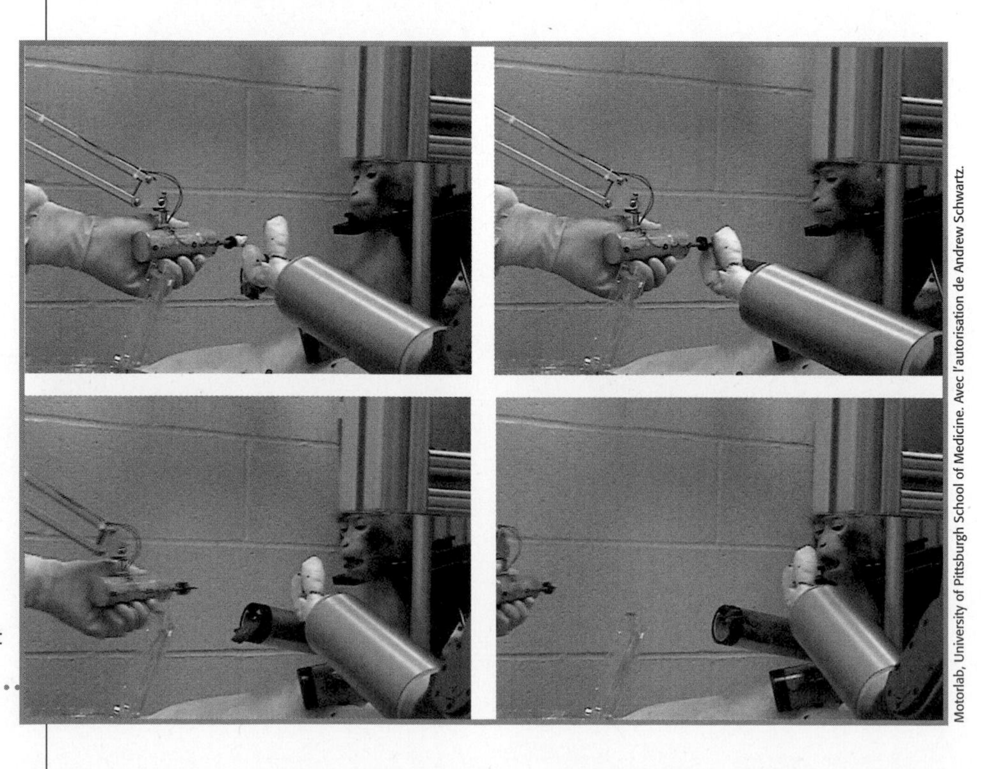

Motorlab, University of Pittsburgh School of Medicine. Avec l'autorisation de Andrew Schwartz.

L'esprit sur la matière Guidés par un minuscule implant cérébral comportant 100 électrodes, des singes ont appris à contrôler un membre artificiel qui pouvait attraper des friandises et les mettre dans leur bouche (Velliste et coll., 2008). Même si les dispositifs d'électrodes implantables ne sont pas encore totalement efficaces, ces recherches permettent d'espérer qu'un jour, les sujets paralysés des membres pourront utiliser leurs propres signaux cérébraux pour contrôler des ordinateurs et des membres artificiels mécanisés.

du fait d'un accident vasculaire cérébral) ? Richard Andersen (2004, 2005), neuroscientifique de Cal Tech, a émis l'hypothèse que des chercheurs pourraient implanter des électrodes dans les aires de la parole, « demander au patient de penser à différents mots et observer de quelle manière les cellules se déclenchent. Ils pourraient ainsi établir une base de données et lorsque le patient pense à un mot, comparer le signal émis avec leur base de données et prévoir les mots auxquels pense le patient. Ces signaux émis seraient ensuite pris et connectés à un synthétiseur vocal. C'est exactement ce que nous faisons pour le contrôle moteur. »

En 2004, la *Food and Drug Administration* américaine a autorisé le premier essai clinique de prothèse neurale chez l'homme paralysé (Pollack, 2004, 2006). Le premier patient, un jeune homme paralysé, âgé de 25 ans, a pu contrôler mentalement une télévision, dessiner des formes sur un écran d'ordinateur et jouer à des jeux vidéo - tout cela grâce à une puce de la taille d'un cachet d'aspirine pourvue de 100 électrodes enregistrant l'activité de son cortex moteur (Hochberg et coll., 2006).

Fonctions sensorielles Si le cortex moteur envoie des messages vers le corps, à quel endroit sont reçus les messages entrant dans le cortex ? Penfield a identifié une zone corticale spécialisée dans la réception des informations provenant de la peau (le toucher) et des mouvements du corps. Cette zone, parallèle au cortex moteur et située juste derrière lui, sur le devant des lobes pariétaux, est maintenant appelée **cortex sensoriel** (Figure 2.24). Si l'on stimule un point situé au sommet de cette bande de tissu cérébral, la personne dit que quelqu'un l'a touchée sur l'épaule; si l'on stimule un point sur le côté, la personne ressent quelque chose au niveau du visage.

:: Cortex sensoriel : zone située en avant des lobes pariétaux, qui enregistre et traite les sensations de toucher et de mouvement éprouvées par l'organisme.

Plus une région du corps est sensible, plus grande sera la partie du cortex sensoriel qui lui sera consacrée (Figure 2.24) ; vos lèvres, qui sont très sensibles, se projettent sur une zone cérébrale plus grande que celle consacrée à vos orteils. (C'est l'une des raisons pour laquelle on préfère s'embrasser avec les lèvres plutôt que de se toucher les orteils.) De même, les rats ont une zone importante du cerveau réservée aux sensations tactiles venant de leurs moustaches, et les hiboux aux sensations auditives.

Des scientifiques ont identifié d'autres aires où le cortex reçoit des informations provenant des autres sens. En ce moment, vous recevez des informations visuelles dans les lobes occipitaux situés à l'arrière de votre cerveau (Figures 2.25 et 2.26). Un mauvais coup à cet endroit peut vous rendre aveugle. Si on stimulait cette partie, vous pourriez voir des éclairs de lumière ou des taches de couleur. (En un sens, nous avons *effectivement* des yeux derrière la tête !) À partir de vos lobes occipitaux, les informations visuelles que vous êtes en train de traiter vont dans d'autres zones du cerveau spécialisées dans certaines tâches telles que l'identification des mots, la détection des émotions et la reconnaissance des visages.

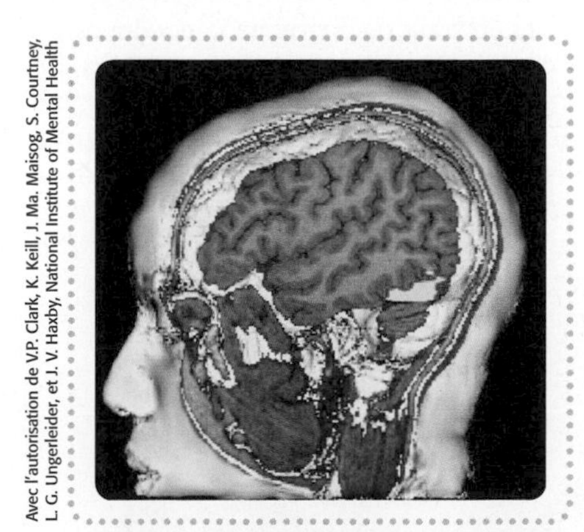

Avec l'autorisation de V.P. Clark, K. Keill, J. Ma. Maisog, S. Courtney, L. G. Ungerleider, et J. V. Haxby, National Institute of Mental Health

➤ FIGURE 2.25
Une technologie moderne montre le cerveau en action Cette IRM fonctionnelle (IRMf) montre le cortex visuel, situé dans les lobes occipitaux, en action lorsque le sujet regarde une photographie (l'intensité du flux sanguin est indiquée en couleur). Lorsque le sujet cesse de regarder la photographie, cette région se calme instantanément.

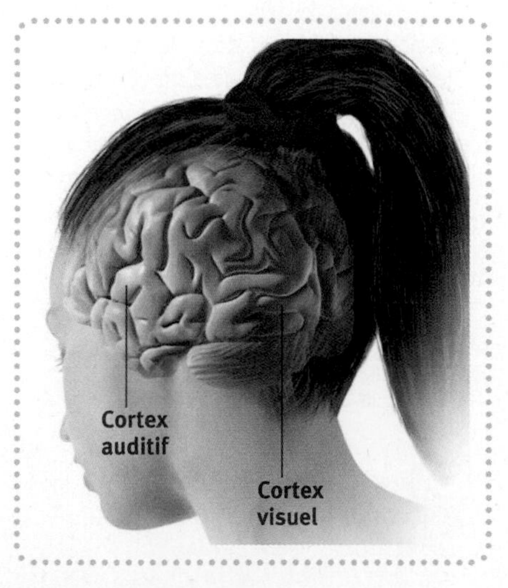

➤ FIGURE 2.26
Cortex visuel et auditif Le cortex visuel situé dans les lobes occipitaux se trouvant à l'arrière de votre cerveau reçoit l'information provenant de vos yeux. Le cortex auditif situé dans vos lobes temporaux reçoit l'information provenant de vos oreilles.

:: Aires associatives : aires du cortex cérébral qui ne sont pas impliquées dans des fonctions motrices ou sensorielles primaires; elles sont plutôt impliquées dans des fonctions mentales supérieures telles que l'apprentissage, la mémoire, la pensée et la parole.

Chaque son que vous entendez est traité au niveau des aires auditives dans vos lobes temporaux (Figure 2.26). (Imaginez que votre poing serré représente votre cerveau et tenez-le devant vous : votre pouce correspond alors grossièrement à un de vos lobes temporaux.) La majeure partie de cette information auditive emprunte un circuit détourné, partant d'une oreille pour aboutir à la zone de réception des sons derrière l'oreille opposée. Si l'on vous stimulait à cet endroit, vous pourriez percevoir un son. Les examens IRM de personnes atteintes de schizophrénie montrent que les aires auditives du lobe temporal sont actives quand elles ont des hallucinations auditives (Lennox et coll., 1999). Même le sifflement imaginaire ressenti par des personnes souffrant d'une perte auditive (s'il ne se manifeste que dans une seule oreille) est associé à l'activité du lobe temporal situé sur le côté opposé du cerveau (Muhlnickel, 1998).

Aires associatives Jusqu'à présent, nous nous sommes intéressés à de petites zones du cortex qui soit reçoivent des informations sensorielles, soit dirigent la réponse musculaire. Chez l'homme, cela laisse à peu près les trois quarts de la mince couche plissée constituant le cortex cérébral non engagés sur le plan de l'activité musculaire et sensorielle. Que se passe-t-il donc dans cette vaste région du cerveau ? Les neurones situés dans ces **aires associatives** (zones rosées sur la FIGURE 2.27) intègrent l'information et participent de façon active à la pensée, en associant les diverses entrées sensorielles aux souvenirs en mémoire.

La stimulation électrique de ces aires associatives ne déclenche aucune réponse décelable. Contrairement aux aires motrices et sensorielles, nous ne pouvons donc pas cartographier nettement les fonctions de ces aires associatives. Ce silence a conduit à ce que Donald McBurney (1996, p. 44) qualifiait « d'une des mauvaises herbes les plus résistantes dans le jardin de la psychologie » : le mythe selon lequel nous n'utilisons en général que 10 p. 100 de notre cerveau. (Comme s'il y avait 90 p. 100 de chances qu'une balle tirée dans votre cerveau atterrisse dans une zone que vous n'utilisez pas !) L'observation d'animaux ayant subi des lésions chirurgicales ou d'hommes au cerveau lésé nous apprend que les aires associatives ne sont pas dormantes. Au contraire, les aires associatives interprètent, intègrent et agissent sur les informations traitées par les aires sensorielles.

Les aires associatives sont réparties dans les quatre lobes. Celles des lobes frontaux nous permettent de juger, de planifier et de traiter de nouveaux souvenirs. Les personnes dont les lobes frontaux sont endommagés peuvent avoir une mémoire intacte, réussir brillamment les tests d'intelligence ou encore être tout à fait capables de faire cuire un gâteau; cependant, ils peuvent être incapables de prévoir quand il faut *commencer* à faire cuire le gâteau pour fêter un anniversaire (Huey et coll., 2006).

Les lésions du lobe frontal peuvent également altérer la personnalité d'un individu, en levant ses inhibitions. Le cas classique de Phineas Gage, un ouvrier du chemin de fer, en est la preuve. Un après-midi de 1848, Gage, alors âgé de 25 ans, était en train de mettre de la poudre explosive dans un trou fait dans la roche avec une barre d'acier. Une étincelle enflamma la poudre, projetant en l'air la barre d'acier qui traversa sa joue gauche et ressortit par le sommet du crâne, endommageant gravement les lobes frontaux (FIGURE 2.28). À la stupéfaction de tous, Gage fut immédiatement capable de s'asseoir et de parler; il reprit son travail une fois la blessure cicatrisée. Mais Phineas Gage d'un naturel affable et paisible, était devenu irritable, capricieux et proférait des jurons. Bien que ses capacités mentales et sa mémoire fussent intactes, ce n'était pas le cas de sa personnalité. Cette personne, disaient ses amis, « n'était plus Gage ». Il perdit finalement son travail et finit par gagner sa vie comme phénomène de foire.

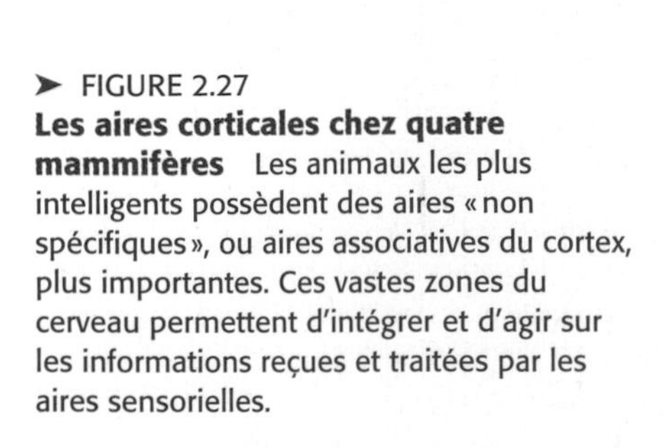
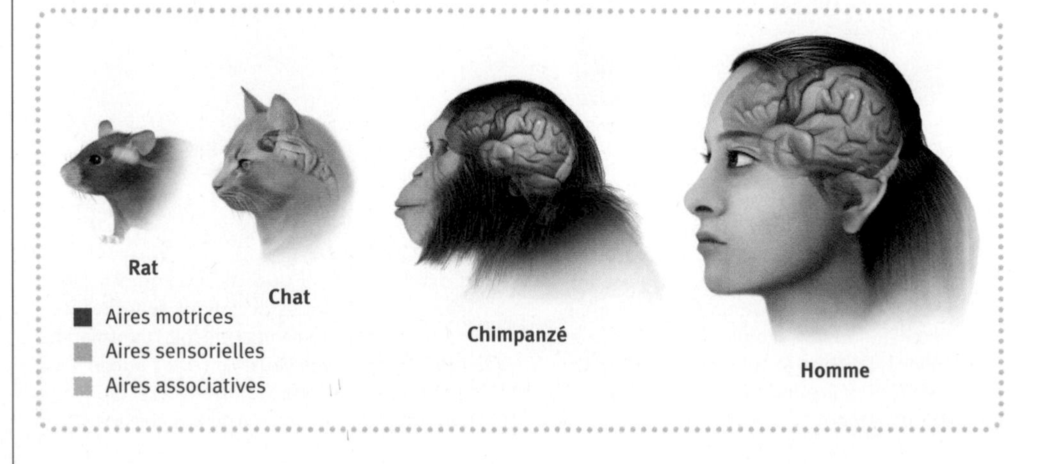

➤ FIGURE 2.27
Les aires corticales chez quatre mammifères Les animaux les plus intelligents possèdent des aires « non spécifiques », ou aires associatives du cortex, plus importantes. Ces vastes zones du cerveau permettent d'intégrer et d'agir sur les informations reçues et traitées par les aires sensorielles.

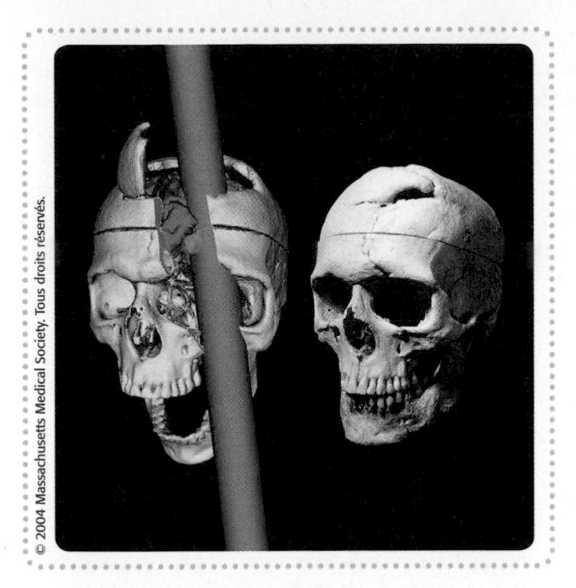

➤ FIGURE 2.28
Le cas de Phineas Gage réexaminé
En utilisant les dimensions de son cerveau (gardées dans son dossier médical) et les techniques modernes d'imagerie neurologique, le chercheur Hanna Damasio et ses collègues (1994) ont fait une reconstruction du parcours probable effectué par la barre d'acier à travers le cerveau de Gage.

Avec ses lobes frontaux déconnectés, ses repères moraux avaient perdu le contact avec son comportement. Des cas semblables de perte de discernement moral ont été récemment observés lors d'études de personnes ayant subi des lésions au niveau des lobes frontaux. Non seulement elles étaient moins inhibées (le lobe frontal ne refreinant plus leurs pulsions), mais leurs jugements moraux ne semblaient plus freinés par les émotions normales. Conseilleriez-vous de pousser quelqu'un devant un wagon lancé à pleine vitesse pour en sauver cinq autres ? La plupart d'entre nous ne le pourraient pas, contrairement aux personnes qui présentent des lésions des aires cérébrales situées en arrière des yeux (Koenigs et coll., 2007).

Les aires associatives accomplissent également d'autres fonctions mentales. Par exemple, les lobes pariétaux, de taille importante et de forme peu commune chez Einstein (dont le cerveau avait un poids normal), jouent un rôle dans les raisonnements mathématiques et les raisonnements dans l'espace (Witelson et coll., 1999). Une aire située du côté inférieur du lobe temporal droit nous permet de reconnaître les visages. Si un accident vasculaire ou une blessure à la tête détruisent cette aire, vous serez encore capable de décrire les caractéristiques du visage et de reconnaître le sexe et l'âge de quelqu'un, mais vous serez bizarrement incapable de reconnaître la personne ; vous ne ferez pas la différence entre Johnny Halliday et votre grand-mère.

Toutefois, nous devons rester prudents avant d'utiliser les images des « points rouges » du cerveau pour créer une nouvelle phrénologie qui localiserait les fonctions nerveuses complexes dans une région cérébrale précise (Uttal, 2001). Les fonctions mentales complexes ne sont pas localisées dans un endroit unique. Il n'existe pas, dans le petit cortex associatif du rat, une zone unique qui, une fois détruite, va effacer sa capacité à apprendre ou à reconnaître un labyrinthe. Les capacités humaines complexes, telles que la mémoire, le langage et l'attention, résultent de la coordination étroite de nombreuses aires du cerveau (Knight, 2007).

• Pour plus d'informations sur la manière dont la coordination cérébrale des différents réseaux nerveux permet le langage, se reporter au chapitre 9. •

La plasticité du cerveau

9. Jusqu'à quel point un cerveau lésé peut-il se réorganiser de lui-même ?

Le cerveau n'est pas uniquement façonné par nos gènes, mais aussi par nos expériences. Des IRM montrent que les pianistes bien entraînés présentent une zone du cortex auditif plus importante que la normale qui code les sons du piano (Bavelier et coll., 2000 ; Pantev et coll., 1998). Dans le chapitre 4, nous nous intéresserons plus à la manière dont nos expériences façonnent le cerveau mais, pour l'instant, voyons les études qui ont mis en évidence la **plasticité** cérébrale, c'est-à-dire la capacité du cerveau à s'automodifier après certains types de lésions.

Contrairement à votre peau après une coupure, vos neurones sectionnés ne se régénèrent pas (si votre moelle épinière est lésée, il est probable que vous resterez paralysé à vie). Et certaines fonctions cérébrales très spécifiques semblent pré-assignées à des zones précises. Un nouveau-né qui souffre d'une lésion au niveau des zones de reconnaissance des visages sur les deux lobes temporaux ne récupérera jamais une capacité normale à reconnaître les visages (Farah et coll.,

:: **Plasticité** : capacité du cerveau à se modifier, en particulier chez l'enfant, en se réorganisant après une lésion ou en développant de nouvelles voies fondées sur l'expérience.

➤ FIGURE 2.29
Plasticité cérébrale Si un accident ou une intervention chirurgicale détruit une partie du cerveau d'un enfant, ou, comme dans le cas de cette enfant de 6 ans lors de l'ablation chirurgicale totale d'un *hémisphère* (afin d'éliminer des crises d'épilepsie), le cerveau compensera cette perte en mettant au travail les autres zones. Une équipe médicale de Johns Hopkins s'est intéressée aux hémisphèrectomies qu'ils ont effectuées. Bien que l'utilisation de la main opposée reste compromise, ils avouent avoir été « stupéfaits » de voir les enfants conserver leur mémoire, leur personnalité et leur sens de l'humour après avoir subi l'ablation de l'un de leurs hémisphères cérébraux (Vining et coll., 1997). Plus l'enfant est jeune, plus il y a de chances que l'hémisphère restant se charge des fonctions de celui qui a été retiré chirurgicalement (Choi, 2008).

Joe McNally/Joe McNally Photography

2000). Cependant, voici une bonne nouvelle : certains tissus nerveux peuvent se *réorganiser* en réponse aux lésions subies. Cela peut se produire chez chacun de nous, après de légers incidents, tandis que le cerveau se répare tout seul.

Notre cerveau est plus malléable lorsque nous sommes des jeunes enfants (Kolb, 1989; *voir aussi* FIGURE 2.29). La *thérapie par contrainte induite* a pour but de « reprogrammer » le cerveau en bloquant un membre fonctionnant parfaitement et en forçant l'utilisation de la « mauvaise main » ou de la jambe non coopérative. Peu à peu cette thérapie reprogramme le cerveau, améliorant la dextérité d'un enfant au cerveau lésé ou même d'un adulte victime d'un accident vasculaire cérébral (Taub, 2004). Le traitement d'un chirurgien de 50 ans, victime d'un AVC, a consisté à nettoyer une table alors que sa main et son bras valides étaient bloqués. Peu à peu le bras « défaillant » a retrouvé ses capacités. À mesure que les fonctions de la partie lésée de son cerveau ont migré dans d'autres régions cérébrales, il a réappris à écrire et même à jouer du tennis (Doidge, 2007).

Cette plasticité cérébrale est une bonne nouvelle pour les aveugles et les sourds. La cécité ou la surdité rendent les aires du cerveau non utilisées disponibles pour d'autres fonctions (Amedi et coll., 2005). Si une personne aveugle utilise un doigt pour lire le braille, la zone cérébrale consacrée à ce doigt va se développer à mesure que le sens du toucher envahit la partie du cerveau qui permet habituellement à l'individu de voir (Barinaga, 1992a; Sadato et coll., 1996). Si vous « inactivez totalement » temporairement le cortex visuel par une stimulation magnétique, une personne née aveugle fera plus d'erreurs sur les tâches liées au *langage* (Amedi et coll., 2004). Parmi les sourds qui utilisent le langage des signes pour communiquer visuellement, la zone du lobe temporal normalement consacrée aux informations auditives attend en vain des stimulations et cherche finalement d'autres informations à traiter, telles celles du système visuel. Cela permet d'expliquer pourquoi, selon certaines études, les sourds ont une vision périphérique plus développée (Bosworth et Dobkins, 1999).

Cette plasticité est particulièrement évidente après une lésion grave. Si une tumeur de l'hémisphère gauche, se développant lentement, perturbe le langage, l'hémisphère droit peut compenser (Thiel et coll., 2006). Perdez un doigt et le cortex sensoriel qui reçoit les données afférentes commencera à recevoir les influx des doigts adjacents, qui deviendront plus sensibles (Fox, 1984). La perte d'un doigt met également en évidence un autre phénomène mystérieux. Comme le montre la figure 2.24, la région de la main est située entre celles du visage et du bras sur le cortex sensoriel. En caressant le bras d'une personne dont la main avait été amputée, V. S. Ramachandran découvrit que la personne éprouvait des sensations sur la partie caressée, mais également au niveau des doigts (fantômes) qui avaient été sectionnés. Les terminaisons sensorielles des aires adjacentes avaient envahi la partie du cerveau qui n'était plus occupée par la main.

Il faut également remarquer que la région des orteils est adjacente à celle des organes génitaux. Pouvez-vous imaginez les sensations ressenties, lors d'une relation sexuelle, par un patient de Ramachandran dont la jambe a été amputée ? « Je ressens l'orgasme sexuel dans mon pied. Et cet orgasme est bien plus important qu'avant car il ne se limite plus à mes organes génitaux seulement » (Ramachandran et Blakeslee, 1998, p. 36).

Bien que les modifications cérébrales prennent souvent la forme de réorganisations, des preuves révèlent que, contrairement à ce que l'on a cru pendant bien longtemps, les souris adultes et les hommes ont la capacité de générer de nouvelles cellules cérébrales (Jessberger et coll., 2008). Le cerveau d'un singe montre cette **neurogenèse** en fabriquant chaque jour des milliers de nouveaux neurones. Ces jeunes neurones prennent naissance dans les zones profondes du cerveau, puis migrent vers le lobe frontal de la pensée et forment de nouvelles connexions avec les neurones avoisinants (Gould, 2007). On a découvert des « cellules souches » dans le cerveau fœtal de l'homme capables de se transformer en n'importe quel type de cellule. En les reproduisant en grande quantité dans un laboratoire et les injectant dans un cerveau

:: Neurogenèse : formation de nouveaux neurones.

lésé, se pourrait-il que ces cellules souches nerveuses puissent remplacer les cellules perdues du cerveau? Serait-il possible d'imaginer qu'un jour nous puissions refabriquer des cerveaux endommagés de la même manière que l'on replante la pelouse abîmée de notre jardin? De nouveaux médicaments pourraient-ils stimuler la production de nouveaux neurones? Restez à l'écoute! De nos jours, les industries de biotechnologie travaillent d'arrache-pied sur ces possibilités (Gage, 2003). Pendant ce temps, nous pouvons tous tirer profit d'autres promoteurs naturels de la neurogenèse comme l'exercice, le sommeil et les environnements stimulants non stressants (Iso et coll., 2007; Pereira et coll., 2007; Stranahan et coll., 2006).

:: **Corps calleux** : large bande de fibres nerveuses connectant les deux hémisphères et transportant les messages entre eux.

:: **Cerveau partagé (*split brain*)** : situation résultant d'une opération chirurgicale au cours de laquelle les deux hémisphères cérébraux sont isolés, après section des fibres qui les relient entre eux (essentiellement celles du corps calleux).

Notre cerveau partagé

10. Que nous révèlent les cerveaux partagés sur les fonctions de nos deux hémisphères cérébraux?

Depuis plus d'un siècle, il existe des preuves cliniques montrant que les deux côtés du cerveau assurent des fonctions différentes. La spécialisation des hémisphères (ou *latéralisation*) est visible après une lésion cérébrale. Les blessures, les accidents vasculaires ou les tumeurs touchant l'hémisphère gauche perturbent en général la lecture, l'écriture, la parole, le raisonnement mathématique et la compréhension. Des lésions similaires dans l'hémisphère droit ont rarement des effets si dramatiques.

À partir des années 1960, l'hémisphère gauche a été décrit comme l'hémisphère «majeur» ou «dominant», et son compagnon silencieux à sa droite comme l'hémisphère «dominé» ou «mineur». Puis, les chercheurs ont découvert que l'hémisphère droit «mineur» n'était pas si limité que ça. L'histoire de cette découverte constitue un chapitre fascinant de l'histoire de la psychologie.

Séparer le cerveau en deux

En 1961, Philip Vogel et Joseph Bogen, deux neurochirurgiens de Los Angeles, firent l'hypothèse que des crises d'épilepsie sévères étaient provoquées par l'amplification d'une activité anormale du cerveau qui se répercutait entre les deux hémisphères cérébraux. Ils se demandèrent donc s'il serait possible de mettre fin à cette «partie de tennis biologique» en coupant le **corps calleux** (Figure 2.30), large bande de fibres axonales reliant les deux hémisphères et voie de passage empruntée par les messages allant de l'un à l'autre.

Vogel et Bogen savaient que les psychologues Roger Sperry, Ronald Myers et Michael Gazzaniga avaient divisé de cette manière le cerveau de chats ou de singes sans effets secondaires importants. Ils décidèrent donc d'opérer. Résultat : les crises furent pratiquement éliminées et les patients ayant leur **cerveau partagé** semblaient étonnamment normaux, leur personnalité et leur intelligence étant à peine affectées. En se réveillant de l'opération, un patient se mit même à plaisanter en disant qu'il avait un «mal de tête partagé» (Gazzaniga, 1967).

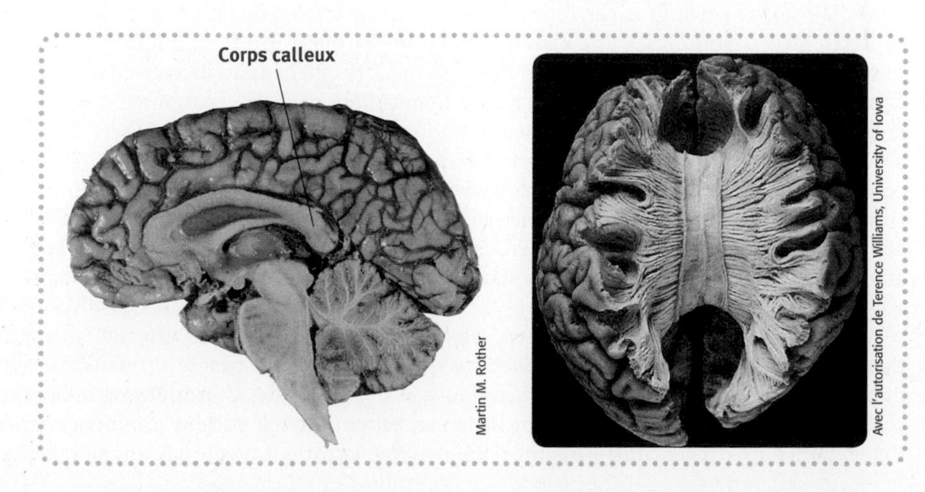

➤ FIGURE 2.30
Le corps calleux Cette large bande comporte un faisceau de fibres nerveuses connectant les deux hémisphères. Afin de photographier une moitié du cerveau (à gauche), les deux hémisphères ont été séparés au niveau du corps calleux et des régions inférieures du cerveau. À droite, le chirurgien a enlevé des tissus cérébraux afin de mieux exposer le corps calleux avec son faisceau de fibres.

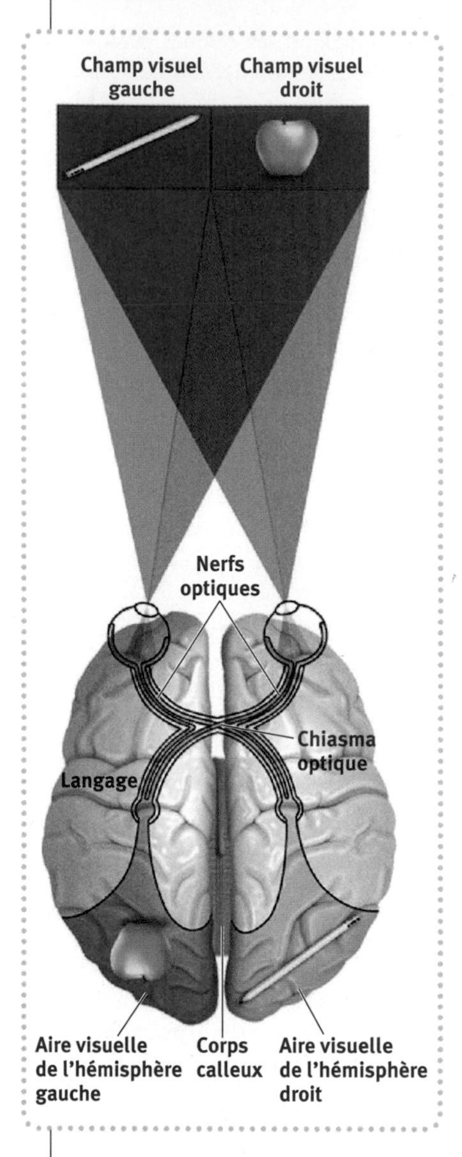

➤ FIGURE 2.31
Une autoroute de l'information entre l'œil et le cerveau L'information provenant de la partie gauche de votre champ visuel est reçue par votre hémisphère droit, et l'information de la partie droite de votre champ visuel aboutit à votre hémisphère gauche, qui contrôle normalement le langage. (Notez, en revanche, que chaque œil reçoit des informations sensorielles venant des champs visuels gauche et droit.) Les données reçues par l'un ou l'autre des hémisphères sont rapidement transmises à l'autre à travers le corps calleux. Chez un patient dont le corps calleux a été sectionné, cet échange d'information n'a pas lieu.

Les études de Sperry et Gazzaniga sur des patients au cerveau partagé fournirent la clé nécessaire à la compréhension des fonctions complémentaires des hémisphères. Comme l'explique la FIGURE 2.31, la nature singulière de notre circuit visuel a permis aux chercheurs d'envoyer des informations au cerveau droit ou gauche du patient, en demandant au patient de fixer le regard sur un point et en projetant un stimulus à gauche ou à droite. Ils pourraient faire la même chose avec vous, mais dans le cas de votre cerveau intact, l'hémisphère ayant reçu l'information transmettrait immédiatement les nouvelles à son partenaire de l'autre côté de la vallée. Ce n'est pas le cas chez les patients ayant subi une chirurgie de déconnexion interhémisphérique. Dans ce cas, les «lignes téléphoniques» transmettant les messages d'un hémisphère à l'autre, c'est-à-dire le corps calleux, ont été sectionnées, permettant aux chercheurs d'interroger séparément chaque hémisphère.

Au cours d'une expérience menée quelques années plus tôt, Gazzaniga (1967) demanda à des patients au cerveau partagé de fixer un point pendant qu'il projetait le mot HE•ART (cœur) sur un écran (FIGURE 2.32). Ainsi, HE fut projeté dans leur champ visuel gauche (qui transmet à la partie droite du cerveau) et ART dans leur champ visuel droit (qui transmet à la partie gauche du cerveau). Quand il leur demanda ce qu'ils avaient vu, les patients répondirent le mot ART, mais lorsqu'on leur demanda de pointer le mot du doigt, ils furent tous étonnés lorsque leur main gauche (contrôlée par la partie droite du cerveau) pointa vers HE. Si on leur donne l'occasion de s'exprimer individuellement, chaque hémisphère va rapporter uniquement ce qu'il a vu. Le cerveau droit (contrôlant la main gauche) savait, intuitivement, ce qu'il ne pouvait pas désigner verbalement.

Lorsque l'image d'une petite cuillère fut projetée à leur hémisphère droit, les patients furent incapables de dire ce qu'ils avaient vu. Mais lorsqu'on leur demanda d'*identifier* ce qu'ils avaient vu en tâtant avec leur main gauche un assortiment d'objets cachés, ils sélectionnèrent aisément la cuillère. Si l'examinateur disait alors «exact», le patient répondait : «quoi ? exact ? comment est-il possible que je prenne l'objet correct étant donné que je ne sais pas ce que j'ai vu ?» C'est bien évidemment l'hémisphère gauche qui parle ici, laissé perplexe par ce que l'autre hémisphère non verbal sait déjà.

Certaines personnes ayant subi une chirurgie de déconnexion interhémisphérique ont été temporairement perturbées par l'indépendance incontrôlable de leur main gauche, qui pouvait très bien déboutonner une chemise alors que la main droite la boutonnait, ou encore remettre les articles dans les rayons d'un magasin alors que la main droite venait de les mettre dans le charriot. C'était comme si chaque hémisphère pensait séparément : «j'ai à moitié envie de porter ma chemise verte (bleue) aujourd'hui». En fait, précise Sperry (1964), cette chirurgie de déconnexion laisse les personnes opérées avec «deux esprits séparés». Avec un cerveau partagé, les deux hémisphères peuvent comprendre et suivre l'instruction pour dessiner des figures différentes, *simultanément*, avec la main gauche et la main droite (Franz et coll., 2000 ; *voir aussi* FIGURE 2.33). (En lisant ces récits, je m'amuse à l'idée qu'une personne au cerveau partagé puisse jouer toute seule au jeu de «pierre, papier, ciseaux» : main gauche contre main droite.)

Lorsque les «deux esprits» sont en conflit, l'hémisphère gauche effectue une gymnastique mentale pour rationaliser les réactions qu'il ne comprend pas. Si un patient obéit à un ordre envoyé à l'hémisphère droit («marche»), il se produit des choses étranges. N'ayant pas conscience de l'ordre, l'hémisphère gauche ne sait pas pourquoi le patient commence à marcher. Cependant si on lui demande «pourquoi» il marche, le patient ne dit pas «je ne sais pas». Au

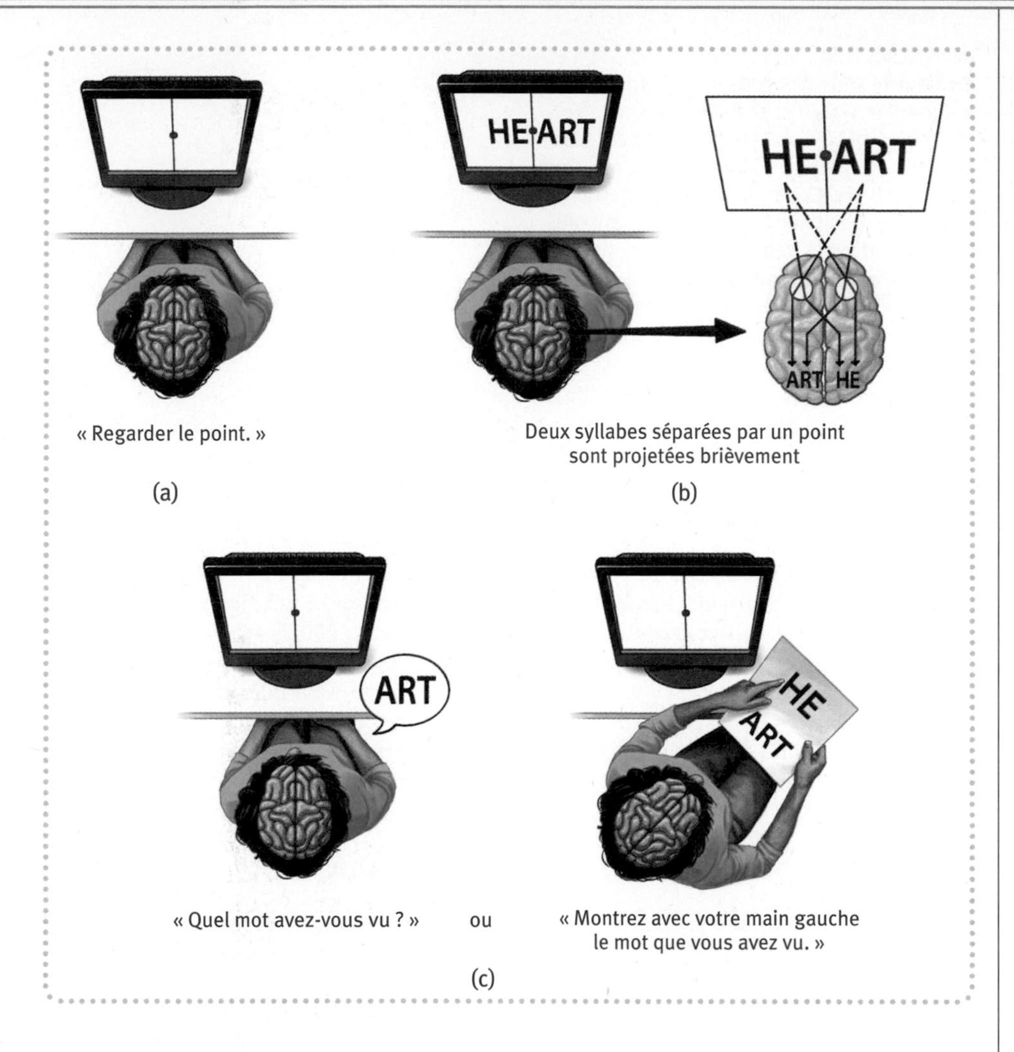
HE•ART
HE•ART
ART HE
« Regarder le point. »
(a)
Deux syllabes séparées par un point
sont projetées brièvement
(b)
ART
HE
ART
« Quel mot avez-vous vu ? »
ou
« Montrez avec votre main gauche
le mot que vous avez vu. »
(c)

➤ FIGURE 2.32
Test d'un cerveau partagé Lorsqu'un expérimentateur projette le mot HEART dans le champ visuel d'une femme au cerveau partagé, celle-ci dit avoir vu la portion du mot transmise à son hémisphère gauche, mais si on lui demande de montrer avec la main gauche ce qu'elle a vu, elle montre la partie du mot transmise à son hémisphère droit. (D'après Gazzaniga, 1983.)

lieu de cela, l'hémisphère gauche va se justifier en trouvant une explication simple («je vais dans la maison pour prendre un coca»). Michael Gazzaniga (1988), qui considère que ces patients sont «les plus fascinants du monde», conclut donc que l'hémisphère gauche est un «interprète» ou un «attaché de presse» qui construit instantanément des théories pour expliquer notre comportement.

BBC

➤ FIGURE 2.33
Essayez ceci ! Joe, un homme au cerveau partagé, peut dessiner simultanément deux figures différentes.

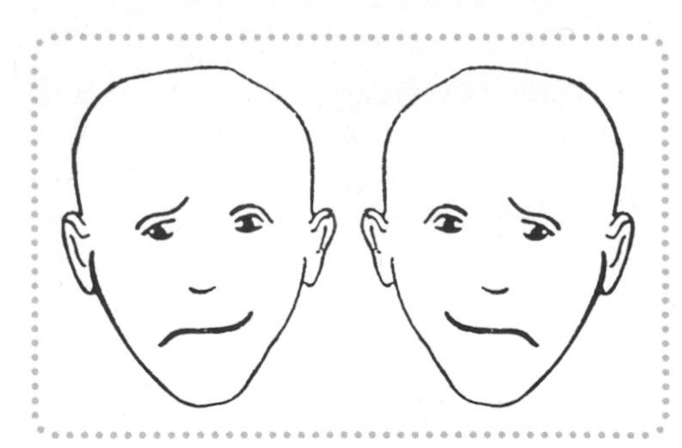

➤ FIGURE 2.34
Qui est le plus heureux? Regardez bien au centre d'un visage et ensuite de l'autre. Avez-vous l'impression que l'un des deux est plus heureux? La plupart des gens disent que c'est celui de droite. Certains chercheurs pensent que c'est parce que l'hémisphère droit, étant plus spécialisé dans le traitement de l'émotion, reçoit des informations provenant du côté gauche de chaque visage (lorsque l'on regarde le centre).

• *Question* : si nous envoyons une lumière rouge à l'hémisphère droit d'un patient au cerveau partagé et une lumière verte à l'hémisphère gauche, chacun va-t-il observer sa propre couleur ? La personne sera-t-elle consciente que les couleurs sont différentes ? Que va dire la personne concernant ce qu'elle a vu ?

• *Réponses* : Oui. Non. Vert.

Ces expériences démontrent que l'hémisphère gauche est plus actif lorsqu'une personne doit délibérer d'une décision (Roger, 2003). Lorsque l'hémisphère gauche, rationnel, est actif, les sujets ne tiennent souvent pas compte des informations désagréables (Drake, 1993). L'hémisphère droit comprend des demandes simples et perçoit aisément les objets. Il est plus engagé lorsqu'une réponse rapide et intuitive est nécessaire. L'hémisphère droit est également supérieur au gauche pour copier des dessins, reconnaître des visages. Il est doué pour percevoir des émotions et les exprimer par l'intermédiaire du côté gauche du visage, le plus expressif (Figure 2.34). Les lésions de l'hémisphère droit interrompent de ce fait bien plus intensément le traitement des émotions et la conduite sociale (Tranel et coll., 2002).

La plupart des organes doubles du corps (les reins, les poumons, les seins) accomplissent les mêmes fonctions, de sorte qu'il existe un système de réserve si l'un des côtés vient à défaillir. Ce n'est pas la même chose pour les deux moitiés du cerveau qui effectuent simultanément des fonctions différentes avec une duplication minime des efforts. Il en découle un couple biologique étrange, mais intelligent, ayant chacun apparemment son propre esprit.

Différences gauche/droite du cerveau intact

Qu'en est-il des plus de 99,99 p. 100 d'entre nous dont le cerveau n'est pas partagé ? Chacun de *nos* hémisphères effectue-t-il des fonctions différentes ? Plusieurs types d'études ont montré que c'était le cas.

Lorsque quelqu'un accomplit une tâche de *perception*, l'activité électrique du cerveau, le flux sanguin cérébral et la consommation de glucose augmentent dans l'hémisphère *droit* ; lorsqu'une personne parle ou calcule, l'activité augmente dans l'hémisphère *gauche*.

La spécialisation des hémisphères est mise en évidence de façon encore plus nette avant certaines chirurgies effectuées sur le cerveau. Pour repérer la localisation du centre du langage, le chirurgien injecte un sédatif dans l'artère du cou qui alimente l'hémisphère gauche. Avant l'injection, le patient est couché les bras en l'air en discutant librement avec le médecin. On peut facilement deviner ce qui va se produire lorsque le produit se répandra dans l'artère conduisant à l'hémisphère gauche : en quelques secondes, le bras droit va retomber, inerte. Le sujet sera en général muet jusqu'à ce que la substance se dissipe. Lorsque la substance est injectée dans l'artère conduisant à l'hémisphère droit, le bras *gauche* retombe mollement, mais le sujet peut encore parler.

Quel est, d'après vous, l'hémisphère qui serait capable de permettre le langage des signes chez les sourds-muets ? Est-ce l'hémisphère droit, à cause de sa supériorité visuelle et spatiale, ou le gauche du fait de son aptitude à traiter le langage ? Des études ont montré que, de la même façon que les entendants utilisent l'hémisphère gauche pour traiter le langage, les sourds utilisent l'hémisphère gauche pour traiter le langage des signes (Corina et coll., 1992 ; Hickok et coll., 2001). Un accident vasculaire dans l'hémisphère gauche va ainsi affecter la capacité d'expression en langage des signes chez un sourd comme il va troubler chez un entendant l'utilisation de la langue parlée. La même aire cérébrale joue un rôle similaire dans la langue parlée ou le langage des signes (Corina, 1998). Pour le cerveau, le langage est un langage, qu'il soit parlé ou signé. (Pour en savoir plus sur la manière dont le cerveau permet le langage, se reporter au chapitre 9).

Bien que l'hémisphère gauche soit très habile pour interpréter le langage de façon rapide et fidèle, l'hémisphère droit excelle dans le domaine des déductions subtiles (Beeman et Chiarello, 1998 ; Bowden et Beeman, 1998 ; Mason et Just, 2004). Si on projette rapidement le mot *pied*, l'hémisphère gauche va rapidement reconnaître un mot sémantiquement proche comme *talon*. Mais si on lui propose les mots *pied*, *pleurer* et *verre*, l'hémisphère droit reconnaîtra plus rapidement un autre mot vaguement lié au trois mots : *couper*. Et si on lui présente un problème qui requiert de l'intuition : un mot qui soit associé à *chaussure de marche, été* et *terrain*? C'est l'hémisphère droit qui accèdera plus facilement à la solution : *camp de scout*. Comme l'a expliqué un patient ayant souffert d'un accident vasculaire cérébral de l'hémisphère droit, « je comprends des mots, mais il me manque les sous-titres ».

L'hémisphère droit nous permet de moduler notre discours afin de lui apporter une signification claire, comme lorsque nous disons la phrase « as-tu des sous, Pierre ? » et « as-tu des soupières ? » (Heller, 1990).

L'hémisphère droit semble également nous aider à orchestrer notre sens du « moi ». Les patients souffrant de paralysie partielle s'obstinent parfois à nier leur handicap si la lésion se situe au niveau de l'hémisphère droit, déclarant étrangement qu'ils peuvent bouger leur membre paralysé (Berti et coll., 2005). D'autres patients présentant des lésions de l'hémisphère droit ont certaines difficultés à percevoir qui, parmi les personnes présentes, sont des proches parents, comme cet homme qui considérait que ses infirmières faisaient partie de sa famille (Feinberg et Keenan, 2005). D'autres ne se reconnaissent pas dans un miroir, ou considèrent que leur bras ou leur jambe est celui de quelqu'un d'autre (« c'est le bras de mon mari »). Une expérience met bien en évidence ce pouvoir de cerveau droit. On projette à des sujets ayant des cerveaux normaux une série d'images d'un visage d'un collègue se transformant peu à peu en leur visage. Dès que les sujets se reconnaissent, une partie de leur cerveau droit présente une certaine activité. Mais lorsqu'une stimulation magnétique interrompt l'activité normale de leur cerveau droit, ils ont du mal à se reconnaître sur les photographies (Uddin et coll., 2005, 2006).

En jetant un simple regard sur les deux hémisphères, dont l'apparence est identique à l'œil nu, qui pourrait supposer qu'ils contribuent de façon si singulière à l'harmonie de l'ensemble ? Et pourtant, un grand nombre d'observations, comprenant des sujets au cerveau partagé et des personnes avec un cerveau normal, convergent admirablement vers un même point, ne laissant aucun doute sur le fait que nous avons des « cerveaux unifiés » avec des parties spécialisées.

Organisation du cerveau et latéralité

11. De quelle manière la latéralité est-elle liée à l'organisation de notre cerveau ?

À peu près 90 p. 100 des gens sont droitiers (Leask et Beaton, 2007 ; Medland et coll., 2004 ; Peters et coll., 2006). Les 10 p. 100 restants sont gauchers (un peu plus chez les hommes que chez les femmes). (Quelques personnes écrivent de la main droite et envoient une balle de la main gauche ou vice versa.) Les tests montrent que 96 p. 100 environ des droitiers traitent la parole essentiellement dans l'hémisphère gauche, qui a tendance à être légèrement plus gros (Hopkins, 2006). Les gauchers varient plus. Sept gauchers sur dix traitent le langage dans l'hémisphère gauche, comme les droitiers. Les autres traitent le langage dans l'hémisphère droit ou dans les deux hémisphères.

La plupart des gens tirent avec leur pied droit, regardent au microscope avec leur œil droit et (l'avez-vous remarqué ?) embrassent en penchant leur tête et leur nez vers la droite (Güntürkün, 2003).

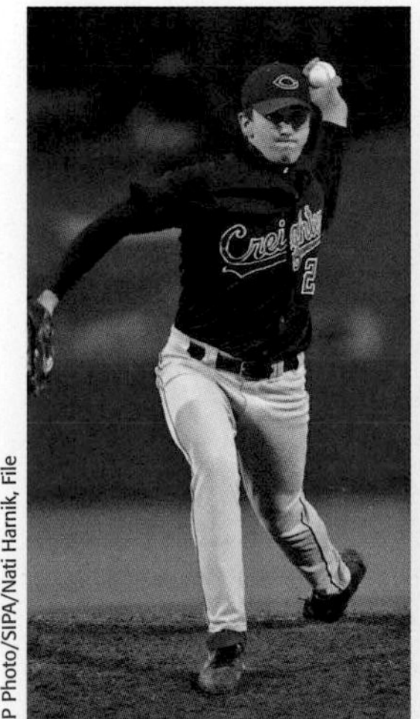

AP Photo/SIPA/Nati Harnik, File

Un joueur de base-ball très particulier : un lanceur ambidextre
Se servant d'un gant comportant deux pouces, Pat Venditte, un lanceur de l'équipe de l'université de Creighton, photographié ici au cours d'un match en 2008, lance la balle aux frappeurs droitiers de sa main droite puis change de position pour lancer la balle aux frappeurs gauchers de sa main gauche. Quand un frappeur ambidextre a changé de côté du marbre, Venditte a changé son gant de main. Le frappeur a donc décidé de repasser de l'autre côté du marbre et ainsi de suite. L'arbitre a fini par arrêter cette comédie en appliquant une règle peu connue : le lanceur doit déclarer de quel bras il va tirer avant d'envoyer sa première balle au frappeur (Schwarz, 2007).

Une preuve remet en question l'explication génétique de la latéralité : la latéralité manuelle est l'un des rares caractères que des jumeaux génétiquement identiques ne partageront pas forcément (Halpern et Coren, 1990).

La latéralité est-elle héréditaire ? D'après les dessins rupestres, les outils et les os (bras et mains) des hommes préhistoriques, cette orientation vers la droite est apparue il y a bien longtemps dans le développement de l'espèce humaine (Corballis, 1989 ; Steele, 2000). L'utilisation de la main droite prévaut dans toutes les cultures humaines. De plus, elle apparaît avant l'impact culturel. Les observations réalisées par échographie montrent que 9 fœtus sur 10 sucent leur pouce droit (Hepper et coll., 1990, 2004). Cette préférence pour la main droite est typique de l'homme et des primates qui sont les plus proches de nous, comme les chimpanzés et les bonobos (Hopkins, 2006). Chez les autres primates, la répartition entre les gauchers et les droitiers est bien plus uniforme.

En observant 150 nouveau-nés au cours des deux premiers jours suivant leur naissance, George Michel (1981) observa que les deux tiers préféraient nettement se reposer avec la tête tournée vers la droite. En étudiant de nouveau un échantillon de ces enfants 5 mois après, pratiquement tous les bébés préférant tourner la tête à droite touchaient les objets de la main droite et, inversement, ceux préférant tourner la tête à gauche utilisaient leur main gauche. Ces observations, ainsi que la prévalence quasi universelle des droitiers, indiquent que des gènes ou un facteur prénatal quelconque exercent une influence sur la latéralité.

Alors, est-ce bien d'être gaucher ? En écoutant nos conversations de tous les jours, on se rend compte qu'il ne fait pas bon être gaucher. L'expression comme « se lever du pied gauche » n'est pas moins péjorative que de traiter quelqu'un de « gauche ». Par ailleurs, être droitier est associé à diverses expressions : « être droit », un « homme droit »...

Les gauchers sont plus nombreux chez des gens ayant des problèmes de lecture, des allergies et des migraines (Geschwind et Behan, 1984). Cependant, en Iran, où l'on demande aux étudiants de quelle main ils écrivent lorsqu'ils passent l'examen d'entrée à l'université, les gauchers obtiennent de meilleurs résultats que les droitiers, quelle que soit la matière (Noroozian et coll., 2003). Les gauchers sont aussi moins rares parmi les musiciens, les mathématiciens, les joueurs professionnels de base-ball et de cricket, les architectes et les artistes, avec en particulier certaines célébrités comme Michel-Ange, Léonard de Vinci et Picasso[2]. Bien que les gauchers doivent subir les coups de coude pendant les dîners, les bureaux avec retour à droite et les ciseaux à l'envers, il semble qu'être gaucher présente autant d'avantages que d'inconvénients.

***

Nous avons ici un aperçu de la pertinence de notre principe de base : tout événement psychologique est en même temps biologique. Dans ce chapitre, nous avons montré de quelles façons nos pensées, nos sentiments et nos actions pouvaient naître de notre cerveau à la fois spécialisé et intégré. Les chapitres à venir vont explorer plus profondément la signification de la révolution biologique en psychologie.

De la phrénologie du XIXe siècle jusqu'aux neurosciences d'aujourd'hui, nous avons parcouru une longue route. Mais, ce qui est inconnu l'emporte encore sur ce qui est connu. Nous pouvons décrire le cerveau, apprendre les rôles de ses différentes parties et étudier comment celles-ci communiquent. Mais comment peut-on séparer l'esprit de sa substance ? Comment est-il possible que le simple ronronnement électrochimique d'un gros morceau de tissu de la taille d'un cœur de laitue puisse susciter de l'allégresse, des idées créatives ou des souvenirs de grand-mère ?

Selon Sperry, de la même manière que l'air et le gaz, au-delà d'une certaine concentration, donnent naissance à un élément différent – le feu –, le cerveau humain complexe donne également naissance à un élément différent, la conscience. Il soutient que l'esprit émerge d'une danse d'ions dans le cerveau, mais cela ne se résume pas à cela. On ne peut pas se limiter à l'activité des atomes pour expliquer le fonctionnement des cellules, ni à l'activité des cellules pour expliquer l'esprit. La psychologie est enracinée dans la biologie qui s'imbrique à son tour dans la chimie qui s'enchevêtre dans la physique. Cependant, la psychologie est bien plus que de la physique appliquée. Comme nous l'a rappelé Jerome Kagan (1998), la signification du discours de Lincoln à Gettysburg (*The Gettysburg Address*) ne se réduit pas à l'activité de neurones. Une

2. En sport, des facteurs stratégiques expliquent un pourcentage de gauchers supérieur à la normale. Par exemple, dans une équipe de football, c'est un avantage d'avoir des joueurs jouant du pied gauche pour occuper la partie gauche du terrain (Wood et Aggleton, 1989). Au golf, cependant, aucun gaucher n'avait gagné le tournoi des Maîtres (le *Masters*) avant le Canadien Mike Weir, en 2003.

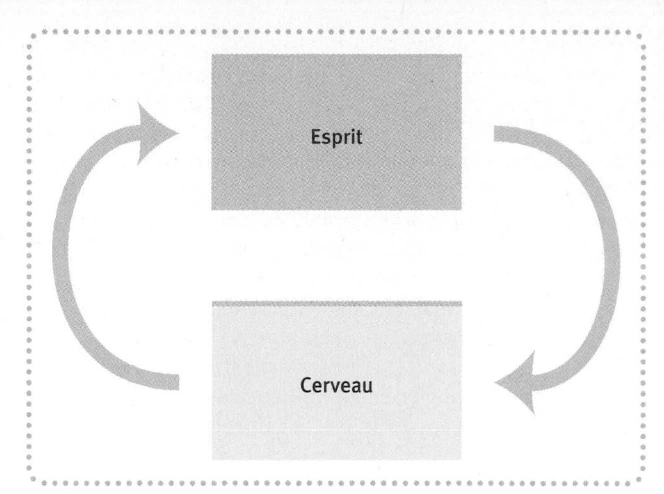

➤ FIGURE 2.35
L'esprit et le cerveau en tant que système holistique Selon Roger Sperry, le cerveau crée et contrôle l'esprit naissant, qui influence par la suite le cerveau. (Pensez très intensément que vous mordez dans un citron et vous saliverez peut-être.)

relation sexuelle ne se limite pas à un afflux sanguin vers les organes génitaux. D'après Sperry (1992), on peut envisager les notions de responsabilité et de moralité une fois que l'on commence à concevoir l'esprit comme un «système holistique» (FIGURE 2.35). Nous ne sommes pas de simples robots bavards.

L'esprit cherchant à comprendre le cerveau : c'est en effet un des défis scientifiques suprêmes. Et il en sera toujours ainsi. Pour paraphraser le cosmologue John Barrow, un cerveau suffisamment simple pour être compris serait trop simple pour produire un esprit capable de le comprendre.

AVANT D'ALLER PLUS LOIN...

➤ INTERROGEZ-VOUS

Comment vous sentiriez-vous avec deux hémisphères séparés, tous les deux contrôlant vos pensées et vos actions, mais l'un d'entre eux dominant votre conscience et votre parole? De quelle façon cela affecterait-il votre identité, votre conscience d'être une personne indivisible?

➤ TESTEZ-VOUS 4

Si vous étiez incapable de sauter à la corde, quelle zone de votre cerveau serait le plus probablement endommagée? Ou bien si vous étiez insensible au goût et au son? Quelle zone lésée du cerveau vous ferait peut-être tomber dans le coma? Sans le moindre battement de cœur, ni le moindre souffle de vie?

Les réponses aux questions «Testez-vous» sont données dans l'annexe B à la fin de l'ouvrage.

RÉVISION : La biologie de l'esprit

Communication neuronale

1. Qu'est-ce qu'un neurone et comment transmet-il l'information ?

Les *neurones* sont les composants élémentaires de notre système nerveux, le système d'information électrochimique le plus rapide de notre corps. Les *neurones sensitifs* transportent les informations provenant des récepteurs sensoriels jusqu'au cerveau et à la moelle épinière et les *neurones moteurs* transportent les informations issues du cerveau et de la moelle épinière jusqu'aux muscles et aux glandes. Les *interneurones* forment les communications internes du cerveau et de la moelle épinière et relient les neurones sensitifs et moteurs. Un neurone envoie des signaux par le biais de son *axone* et les reçoit par l'intermédiaire de ses *dendrites* ramifiées. Si la somme de ces signaux est suffisamment élevée, le neurone déclenche et transmet un influx électrique (le *potentiel d'action*) qui se propage le long de son axone via un processus électrochimique. La réponse d'un neurone suit la règle du tout ou rien.

2. Comment les cellules nerveuses communiquent-elles entre elles ?

Lorsque les potentiels d'action atteignent l'extrémité de l'axone (terminaison axonale), ils stimulent la libération de *neuromédiateurs*. Ces messagers chimiques, qui transportent le message issu du neurone émetteur, traversent la *synapse* et se fixent sur les récepteurs situés sur le neurone récepteur. Normalement, le neurone émetteur réabsorbe ensuite le surplus de molécules de neuromédiateur se trouvant dans la fente synaptique, un processus appelé *recapture*. Si les signaux issus de ce neurone et d'autres neurones sont suffisamment forts, le neurone récepteur génère son propre potentiel d'action et transmet le message à d'autres cellules.

3. Comment les neuromédiateurs influencent-ils le comportement ? De quelle manière les médicaments et d'autres produits chimiques peuvent-ils affecter la neurotransmission ?

Chaque neuromédiateur suit une voie opérationnelle au niveau du cerveau et a un effet particulier sur le comportement et les émotions. L'acétylcholine agit sur les contractions musculaires, l'apprentissage et la mémoire. Les *endorphines* sont des opiacés naturels libérés en réponse à une douleur ou un exercice. Les médicaments, ainsi que d'autres substances chimiques, affectent la communication au niveau des synapses. Les agonistes ont un effet stimulant en mimant certains neuromédiateurs spécifiques ou en bloquant leur recapture. Les antagonistes inhibent la libération d'un neuromédiateur particulier ou bloquent ses effets.

Le système nerveux

4. Quelles sont les fonctions des principales divisions du système nerveux ?

Le *système nerveux central (SNC)*, composé du cerveau et de la moelle épinière, forme l'une des deux parties principales du *système nerveux*. La seconde est représentée par le *système nerveux périphérique (SNP)*, qui relie le SNC au reste du corps par l'intermédiaire de *nerfs*. Le système nerveux périphérique se subdivise en deux grands systèmes. Le *système nerveux somatique* permet le contrôle volontaire des muscles squelettiques. Le *système nerveux autonome* contrôle le fonctionnement involontaire (autonome) des muscles et des glandes par le biais de ses branches *sympathiques* et *parasympathiques*. Les neurones se regroupent en réseaux de travail.

Le système endocrinien

5. De quelle manière le système endocrinien (système d'information plus lent du corps) transmet-il l'information ?

Le *système endocrinien* forme un ensemble de glandes sécrétant des *hormones* dans la circulation sanguine qui voyagent dans l'organisme pour agir sur d'autres tissus, y compris le cerveau. L'*hypophyse* est la glande maîtresse du système endocrinien. Elle influence la libération d'hormones par d'autres glandes. Par un système de rétrocontrôle complexe, l'*hypothalamus*, situé dans le cerveau, influence l'hypophyse, qui influence d'autres glandes libérant des hormones, et ces dernières, à leur tour, influencent le cerveau.

Le cerveau

6. Comment les neuroscientifiques peuvent-ils étudier les connexions entre notre cerveau d'une part et le comportement et l'esprit d'autre part ?

Les observations cliniques et les interventions *lésant* des parties du cerveau ont révélé les effets généraux de lésions cérébrales. De nos jours, l'*IRM* permet d'identifier les différentes structures cérébrales et, grâce à l'EEG, la *TEP* et l'*IRM fonctionnelle (IRMf)*, nous pouvons voir l'activité cérébrale.

7. Quelles sont les fonctions des principales structures les plus profondes du cerveau ?

Le *tronc cérébral* est la partie la plus ancienne du cerveau. Il est responsable des fonctions automatiques de survie. Il est composé du *bulbe rachidien* (qui contrôle le rythme cardiaque et la respiration), du pont de Varole (qui facilite la coordination des mouvements) et de la *formation réticulée* (qui influe sur l'éveil). Reposant au-dessus du tronc cérébral, le *thalamus* est le relais sensoriel du cerveau. Le *cervelet*, fixé à l'arrière du tronc cérébral, coordonne les mouvements musculaires et joue un rôle dans le traitement des informations sensorielles.

Le *système limbique* est lié aux émotions, à la mémoire et aux motivations. Son centre nerveux, comprend l'*amygdale*, impliqué dans les réponses d'agressivité et de crainte, et l'*hypothalamus*, qui joue un rôle dans diverses fonctions d'entretien de l'organisme, les récompenses liées au plaisir et le contrôle du système hormonal. L'hypophyse (la glande endocrine maîtresse) contrôle l'hypothalamus en stimulant la libération de ses hormones. L'hippocampe traite la mémoire.

8. Quelles sont les fonctions desservies par les diverses régions du cortex cérébral ?

Dans chaque hémisphère, le *cortex cérébral* comporte quatre lobes, *frontal*, *pariétal*, *occipital* et *temporal*. Chaque lobe a diverses fonctions et agit en partenariat avec d'autres aires du cortex. Le *cortex moteur* contrôle les mouvements volontaires. Le *cortex sensoriel* enregistre et traite les sensations du corps. Les parties du corps qui nécessitent un contrôle précis ou qui sont particulièrement sensibles occupent le plus grand espace dans le cortex moteur et le cortex sensoriel respectivement. La plus grande partie du cortex – la plus grande partie de chaque lobe – est composée d'*aires associatives* non spécialisées, qui intègrent les informations impliquées dans l'apprentissage, la mémoire, la pensée et d'autres fonctions d'un niveau supérieur.

9. Jusqu'à quel point un cerveau lésé peut-il se réorganiser de lui-même ?

Si un hémisphère est endommagé dès le plus jeune âge, l'autre recueillera un grand nombre de ses fonctions. La *plasticité* diminue par la suite. Certaines aires du cerveau sont capables de *neurogenèse* (formation de nouveaux neurones).

10. Que nous révèlent les cerveaux partagés sur les fonctions de nos deux hémisphères cérébraux ?

Les recherches sur les *cerveaux partagés* (expériences faites sur des personnes ayant subi une section du *corps calleux*) ont confirmé que, chez la plupart d'entre nous, l'hémisphère gauche est le plus verbal et que l'hémisphère droit excelle dans la perception visuelle et la reconnaissance des émotions. Des études menées sur des personnes en bonne santé ayant un cerveau intact ont confirmé que chaque hémisphère contribuait de manière spécifique au fonctionnement intégré du cerveau.

11. De quelle manière la latéralité est-elle liée à l'organisation de notre cerveau ?

Environ 10 p. 100 d'entre nous sont gauchers. Presque tous les droitiers traitent la parole dans l'hémisphère gauche tout comme plus de la moitié des gauchers.

Termes et concepts à retenir

Psychologie biologique, p. 48
Neurone, p. 49
Neurones sensitifs, p. 49
Neurones moteurs, p. 49
Interneurones, p. 49
Dendrite, p. 49
Axone, p. 49
Gaine de myéline, p. 49
Potentiel d'action, p. 49
Seuil, p. 50
Synapse, p. 51
Neuromédiateurs, p. 51
Recapture, p. 51
Endorphines, p. 53
Système nerveux, p. 55
Système nerveux central (SNC), p. 55
Système nerveux périphérique (SNP), p. 55
Nerfs, p. 55
Système nerveux somatique, p. 55
Système nerveux autonome, p. 55
Système nerveux sympathique, p. 55
Système nerveux parasympathique, p. 56
Réflexe, p. 57
Système endocrinien, p. 58
Hormones, p. 58
Glandes surrénales, p. 59
Hypophyse (glande pituitaire), p. 59
Lésion, p. 61
Électroencéphalogramme (EEG), p. 61
Tomographie par émission de positons (TEP ou PET scan), p. 62
Imagerie par résonance magnétique (IRM), p. 62
IRM fonctionnelle (IRMf), p. 62
Tronc cérébral, p. 63
Bulbe rachidien, p. 63
Formation réticulée, p. 63
Thalamus, p. 64
Cervelet, p. 64
Système limbique, p. 65
Amygdale, p. 65
Hypothalamus, p. 66
Cortex cérébral, p. 68
Cellules gliales, p. 68
Lobes frontaux, p. 68
Lobes pariétaux, p. 68
Lobes occipitaux, p. 68
Lobes temporaux, p. 68
Cortex moteur, p. 69
Cortex sensoriel, p. 71
Aires associatives, p. 72
Plasticité, p. 73
Neurogenèse, p. 74
Corps calleux, p. 75
Cerveau partagé (*split brain*), p. 75

CHAPITRE 3

La conscience et les deux voies de l'esprit

LE CERVEAU ET LA CONSCIENCE
Neurosciences cognitives
Théorie du double processus

LE SOMMEIL ET LES RÊVES
Les rythmes biologiques et le sommeil
Pourquoi dormons-nous ?
Troubles du sommeil
Les rêves

HYPNOSE
Faits et mensonges
Expliquer l'état d'hypnose

SUBSTANCES PSYCHOACTIVES ET CONSCIENCE
Dépendance et addiction
Substances psychoactives
Facteurs influençant l'usage des substances psychoactives

EXPÉRIENCES AU SEUIL DE LA MORT

La conscience peut être une drôle de chose. Elle nous permet de vivre des expériences surnaturelles comme lorsque nous plongeons dans notre sommeil ou quittons un rêve. Parfois nous pouvons nous demander qui est véritablement aux commandes des manettes. Après m'avoir mis sous influence de protoxyde d'azote, mon dentiste m'a demandé de tourner la tête vers la gauche. Mon esprit conscient a résisté : « Il n'en est absolument pas question », ai-je dit en silence. « Vous ne pouvez pas m'y obliger ! » Cependant, ignorant mon esprit conscient, ma tête robotisée s'est mise docilement sous le contrôle du dentiste.

Pendant mes parties de basket, le midi, je me sens parfois légèrement irrité lorsque mon corps fait une passe alors que ma conscience me dit : « Non, arrête, t'es fou !, Peter va l'intercepter ! » Hélas, mon corps fait la passe de sa propre initiative. D'autres fois, comme le remarque Daniel Wegner (2002) dans *Illusion of Conscious Will*, les gens pensent que c'est leur conscience qui contrôle leurs agissements alors que ce n'est pas le cas. Lors d'une expérience, on a demandé à des participants de contrôler à deux une souris d'ordinateur (le partenaire auquel ils étaient associés étant en réalité le complice de l'expérimentateur). Même lorsque le partenaire bloquait la souris dans un carré déterminé à l'avance, les participants percevaient que c'étaient grâce à *eux* qu'elle s'était arrêtée à cet endroit.

Dans certains cas, notre conscience semble se diviser en deux. Lorsque je lisais pour la énième fois *Green Eggs and Ham* à l'un de mes enfants, les mots sortaient avec complaisance de ma bouche tandis que mon esprit vagabondait ailleurs. Et si l'on rentre dans mon bureau au moment où je tape cette phrase sur mon ordinateur, ce n'est pas un problème. Mes doigts pourront finir d'écrire tandis que j'engagerai la conversation.

Mon expérience dentaire sous influence anesthésique est-elle apparentée à celle des gens qui prennent d'autres *substances psychoactives* (qui modifient l'humeur et la perception) ? Mon obéissance automatique à mon dentiste ressemble-t-elle aux réponses d'un individu face à un hypnotiseur ? Cette séparation de notre conscience, que nous présentons lorsque notre esprit vagabonde tandis que nous lisons ou écrivons à l'ordinateur, peut-elle expliquer notre comportement sous hypnose ? À quel moment de notre sommeil apparaissent ces rêves étranges ? Pourquoi ?

Mais commençons par la principale question : qu'est-ce que la *conscience* ? Dans chaque domaine de la science, il existe des concepts si fondamentaux qu'ils sont presque impossibles à définir. Les biologistes sont d'accord sur ce qui est vivant, mais pas précisément sur ce qu'est la vie. En physique, la *matière* et l'*énergie* échappent à des définitions simples. De même, pour les psychologues, la conscience est un concept fondamental, mais difficile à cerner.

À son origine, la *psychologie* était définie comme « la description et l'explication des états de la conscience » (Ladd, 1887). Mais la difficulté de l'étude scientifique de la conscience a conduit de nombreux psychologues, y compris les adeptes du *behaviorisme*, une nouvelle école de psychologie apparue pendant la première moitié du siècle dernier, à se tourner vers l'observation directe du comportement (Chapitre 7). Dans les années 1960, la psychologie avait presque « perdu » la conscience et se définissait elle-même comme la science du comportement. La conscience était considérée comme le compteur de vitesse d'une voiture : « Il ne fait pas avancer la voiture, il reflète simplement ce qui se passe » (Seligman, 1991, p. 24).

Après 1960, les concepts mentaux ont recommencé à émerger. Les progrès des neurosciences ont permis de relier l'activité du cerveau à

« Ni [le psychologue] Steve Pinker, ni moi ne pouvons expliquer la conscience subjective humaine… Nous ne la comprenons pas. »
Richard Dawkins, biologiste de l'évolution (1999)

« La psychologie doit rejeter toute référence à la conscience. »
John B. Watson, psychologue comportementaliste (1913)

➤ FIGURE 3.1
Les états de la conscience En plus de la conscience classique liée à l'éveil, il existe des états modifiés de la conscience qui nous apparaissent au cours de nos rêveries diurnes, du sommeil, de la méditation et des hallucinations induites par diverses substances psychoactives.

Bill Ling/Digital Vision/Getty Images

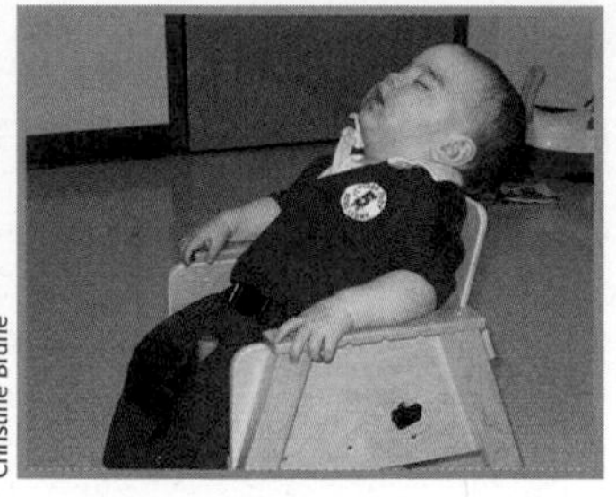

Christine Brune

Certains états se produisent spontanément	Rêveries diurnes	Somnolence	Rêve
Certains sont induits physiologiquement	Hallucinations	Orgasme	Privation d'aliments ou d'oxygène
D'autres sont induits psychologiquement	Privation sensorielle	Hypnose	Méditation

différents états mentaux, tels que le sommeil et le rêve. Les chercheurs ont commencé à étudier les états modifiés de la conscience induits par l'hypnose ou les substances psychoactives. Les psychologues de toutes obédiences ont affirmé l'importance des processus mentaux (la *cognition*) ; la psychologie retrouvait la conscience.

Aujourd'hui, pour la plupart des psychologues, la **conscience** correspond à la perception que nous avons de nous-mêmes et de notre environnement. Faire appel à notre conscience nous permet d'assembler les informations issues de nombreuses sources tandis que nous réfléchissons sur notre passé et que nous planifions notre futur. Lorsque nous apprenons un concept ou un comportement complexe, comme la conduite d'une voiture, notre conscience focalise notre concentration sur la voiture et la circulation. Avec l'habitude, conduire devient automatique et ne demande plus une attention soutenue, libérant ainsi notre conscience pour se fixer sur d'autres tâches. Au cours d'une journée, d'une semaine ou d'un mois, nous passons par divers *états de conscience* tels le sommeil, l'éveil et bien d'autres (FIGURE 3.1).

:: **Conscience** : perception que nous avons de nous-mêmes et de notre environnement.

Le cerveau et la conscience

1. Quel est ce « double processus » révélé par les neurosciences cognitives actuelles ?

DE NOS JOURS, COMPRENDRE LA BIOLOGIE de la conscience est l'une des quêtes principales de la recherche. Les psychologues de l'évolution ont émis l'hypothèse que la conscience pouvait représenter un avantage reproductif (Barash, 2006). La conscience pourrait nous aider à agir selon notre intérêt à long terme (en nous permettant de considérer les conséquences) plutôt que de nous amener à rechercher simplement le plaisir à court terme et à éviter la douleur. La conscience pourrait peut-être également augmenter notre survie en nous permettant de prévoir ce que les autres pensent de nous et en nous aidant à lire dans leurs pensées. (« Il a l'air vraiment en colère ! Je ferai bien de prendre mes jambes à mon cou ! ») Mais même s'il en est ainsi, il nous reste un problème plutôt « ardu » à résoudre : comment les cellules de notre cerveau, en bavardant les unes avec les autres, engendrent-elles notre conscience du goût d'un taco, de la douleur d'une rage de dent, du sentiment de peur ?

Neurosciences cognitives

En reprenant les mots du neuroscientifique Marvin Minski (1986, p. 287), les scientifiques pensent que « l'esprit est ce que fait le cerveau ». Mais nous ne savons pas *comment* il le fait. Même en utilisant toutes les substances chimiques, toutes les puces informatiques et toute l'énergie dont nous disposons, nous n'avons toujours pas trouvé *comment* fabriquer un robot conscient. Actuellement, les **neurosciences cognitives**, étude interdisciplinaire de l'activité cérébrale liée aux processus mentaux, font les premiers pas en reliant des états spécifiques du cerveau à des expériences conscientes. Nous savons, par exemple, que la partie supérieure du tronc cérébral contribue à la conscience parce que certains enfants nés sans cortex cérébral présentent des signes de conscience (Merker, 2007).

Une autre preuve étonnante d'un certain niveau de conscience a été mise en évidence sur les scanners d'une patiente de 23 ans ne pouvant plus communiquer après un accident de voiture et ne présentant plus aucun signe extérieur de sensation consciente (Owen et coll., 2006). Lorsque les chercheurs lui ont demandé de *s'imaginer* jouer au tennis ou déambuler dans sa maison, les IRMf ont montré une activité cérébrale identique à celle d'un patient sain. Lorsqu'elle s'imaginait jouer au tennis par exemple, une aire de son cerveau contrôlant les mouvements de ses bras et de ses jambes s'activait (FIGURE 3.2). Les chercheurs en ont conclu que même dans un corps immobile, le cerveau et l'esprit peuvent encore être actifs.

Cependant, la plupart des neuroscientifiques cognitivistes explorent et cartographient les fonctions *conscientes* du cortex. En se basant sur votre type d'activation corticale, ils peuvent maintenant lire votre cerveau, même si cela reste encore assez limité. Ils peuvent dire, par exemple, quel objet, parmi 10 similaires (un marteau, une perceuse...), vous êtes en train de regarder (Shinkareva et coll., 2008). Malgré ces progrès, il reste de nombreux points de désaccords. Selon un groupe de chercheurs, les expériences conscientes proviennent de l'activation spécifique de circuits spécialisés de neurones. Selon un autre, les expériences conscientes sont issues de l'activité synchrone du cerveau dans son ensemble (Koch et Greenfield, 2007). Mais comment le cerveau produit-il l'esprit ? Nous n'avons toujours pas percé ce mystère.

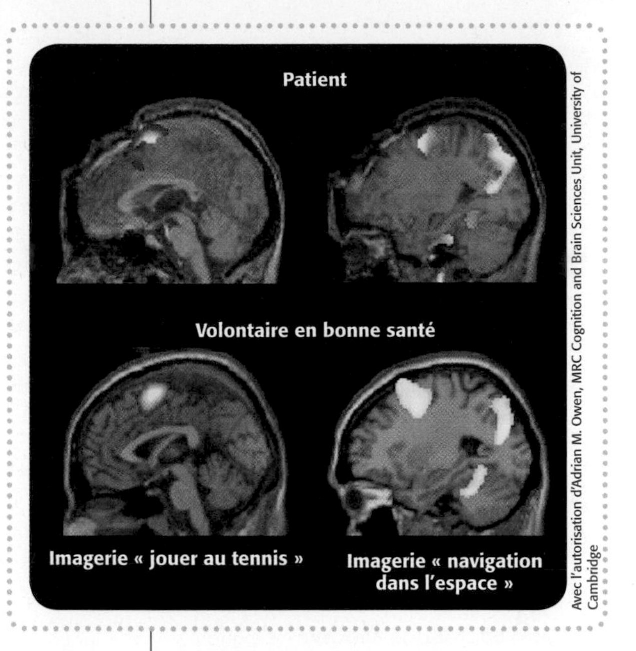

➤ FIGURE 3.2
Les preuves de notre conscience ?
Lorsque nous demandons au cerveau végétatif d'un patient (en haut) d'imaginer qu'il joue au tennis ou parcourt sa maison, il présente une activité similaire au cerveau d'une personne en bonne santé (en bas). Bien que ce cas reste exceptionnel, les chercheurs se demandent si ce type d'IRMf pourrait permettre de « converser » avec des patients ne pouvant plus répondre en leur demandant par exemple de répondre à leurs questions par *oui* en imaginant qu'il joue au tennis ou par *non* en imaginant qu'il se promène dans sa maison.

Théorie du double processus

Beaucoup de découvertes des neurosciences cognitives ont mis en évidence l'existence d'une région du cerveau s'activant du fait d'une expérience consciente particulière. Bien que ces résultats semblent intéressants, beaucoup de chercheurs n'en sont pas particulièrement étonnés. (Si tout ce qui est psychologique est également biologique, nos idées, nos émotions et notre spiritualité doivent alors se trouver d'une certaine manière dans notre corps.) Ce qui *est* par contre hallucinant pour beaucoup d'entre nous, c'est qu'il existe de plus en plus de preuves que nous ayons, si l'on peut dire, deux esprits, chacun pourvu de son propre équipement nerveux.

À chaque instant, vous et moi avons conscience d'un peu plus de choses que ce que nous voyons sur l'écran de notre conscience. Mais une des grandes idées des neurosciences cognitives récentes est que la majeure partie du travail de notre cerveau s'effectue hors écran, sans que nous le percevions. Nous avons déjà abordé cette idée dans le paragraphe du chapitre 2 traitant des expériences menées sur les patients au cerveau partagé et mettant en évidence un « cerveau gauche » conscient et un « cerveau droit » plus intuitif. Dans les chapitres suivants, nous explorerons notre esprit caché en plein travail grâce aux recherches sur l'*amorçage* inconscient, sur la mémoire consciente (*explicite*) et inconsciente (*implicite*), sur les préjugés conscients et inconscients (automatiques), et sur le traitement hors écran de l'information qui permet d'avoir des intuitions subites et des moments créatifs. La perception, la mémoire, la pensée, le langage et les attitudes s'effectuent tous sur deux niveaux, empruntant une voie supérieure consciente, délibérée, et une voie plus profonde automatique inconsciente. Les chercheurs actuels parlent de la **théorie du double processus**. Nous en savons plus que ce que nous savons que nous savons.

Les deux voies de l'esprit

Une étude scientifique illustre ces deux niveaux de l'esprit. Parfois la réflexion critique aidée par la science confirme largement les croyances. Mais parfois, comme cette histoire le montre, la science est plus étrange que la science-fiction.

Pendant mon séjour à l'université anglaise de St Andrew, j'ai été amené à connaître deux neuroscientifiques, Melvyn Goodale et David Milner (2004, 2006). Une femme de là-bas, qu'ils appelaient D. F., a été intoxiquée par du monoxyde de carbone un jour alors qu'elle prenait sa douche. Les lésions cérébrales qui ont résulté l'ont laissée incapable de reconnaître

:: **Neurosciences cognitives** : étude interdisciplinaire de l'activité cérébrale liée à la cognition (incluant la perception, la pensée, la mémoire et le langage).

:: **Théorie du double processus** : principe selon lequel l'information est souvent traitée simultanément par deux voies séparées, l'une consciente et l'autre inconsciente.

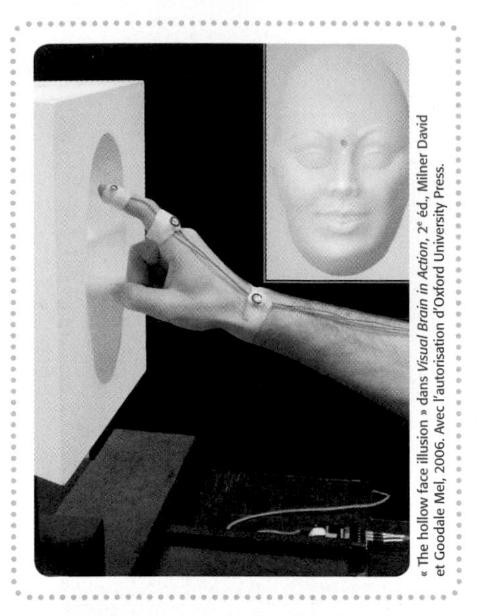

« The hollow face illusion » dans *Visual Brain in Action*, 2e éd., Milner David et Goodale Mel, 2006. Avec l'autorisation d'Oxford University Press.

➤ FIGURE 3.3
L'illusion du masque concave Ce que vous voyez (l'illusion d'un visage en relief sur la face interne d'un masque, comme sur l'encadré en haut à droite) peut être différent de ce que vous faites (toucher une punaise sur le visage à l'intérieur du masque).

➤ FIGURE 3.4
Le cerveau est-il en avance sur la pensée ? Pendant cette expérience, des volontaires regardent une horloge d'ordinateur qui effectue sa révolution en 2,56 secondes et notent le moment où ils décident de bouger leur poignet. Environ un tiers de seconde avant d'avoir pris cette décision de bouger, leurs ondes cérébrales se sont activées, indiquant un *potentiel de préparation* à l'action. De ce fait, en regardant l'enregistrement des mouvements au ralenti, les chercheurs peuvent prédire le moment où le sujet est sur le point de décider de bouger (après quoi, il bouge effectivement son poignet) (Libet, 1985, 2004).

et de différencier visuellement les objets. Cependant, elle n'était que partiellement aveugle, car elle agissait comme si elle voyait. Lorsqu'on lui demandait de glisser une carte postale dans la fente horizontale ou verticale d'une boîte aux lettres, elle pouvait le faire sans la moindre erreur. Bien qu'incapable de donner la largeur d'un cube situé en face d'elle, elle pouvait l'attraper en écartant correctement son pouce et son index.

Comment cela se peut-il ? N'avons-nous pas un seul système visuel ? Goodale et Milner savaient d'après les recherches animales que les yeux envoyaient des informations simultanément à plusieurs zones cérébrales assumant différentes tâches. Comme on pouvait s'y attendre, un scanner de l'activité cérébrale du cerveau de D. F. a mis en évidence une activité normale dans la région concernée par l'atteinte et la saisie des objets, alors que la zone concernée par la reconnaissance consciente des objets apparaissait endommagée.

Des lésions inverses entraîneraient-elles des symptômes opposés ? En effet, quelques patients sont capables de voir et de reconnaître des objets mais ont des difficultés à les montrer du doigt ou à les saisir.

Goodale et Milner concluent dans leur livre justement intitulé *Sight Unseen* (« la vision invisible ») que la vision est une chose étrangement complexe. On pourrait considérer que notre vision est un système unique qui contrôle nos actions sous guidage visuel. En réalité, il s'agit d'un système suivant deux processus. La *piste de la perception visuelle* nous permet de « créer le matériel mental qui nous permet de penser au monde qui nous entoure », de reconnaître les choses et de planifier nos actions futures. La *piste de l'action visuelle* guide nos actions à chaque instant.

Dans de rares cas, ces processus entrent en conflit. Lorsqu'on leur montre l'*illusion du masque concave*, les sujets perçoivent de manière erronée un visage en relief à l'intérieur du masque (FIGURE 3.3). Cependant, sans la moindre hésitation et avec précision, ils peuvent atteindre un objet (par exemple, une punaise) collé sur le visage. Ce que leur esprit conscient ignore, est connu de leurs mains.

La plupart des pensées, des sentiments et des actions de tous les jours s'effectuent sans que nous en ayons conscience, et comme le remarquent les psychologues de l'université de New York, John Bargh et Tanya Chartrand (1999), « il nous est difficile d'accepter » cette idée fondamentale. Nous sommes, c'est compréhensible, biaisés par la pensée que notre vie est gouvernée par nos propres intentions et nos choix délibérés. Mais dans notre esprit, enfoui profondément, il y a bien plus pour être humain.

Ainsi, la conscience, bien qu'elle nous permette d'exercer un contrôle volontaire et de communiquer notre état mental aux autres, n'est que le sommet de l'iceberg du traitement de l'information. Sous la surface, le traitement inconscient de l'information se déroule simultanément en suivant plusieurs pistes parallèles. Quand nous regardons le vol d'un oiseau, nous percevons consciemment le résultat de notre traitement cognitif (« c'est un colibri ! »), mais pas celui de notre traitement subconscient de la couleur, de la forme, du mouvement, de la distance et de l'identité de l'oiseau.

De nos jours, les neuroscientifiques identifient l'activité neurologique précédant la conscience. Lors de certaines expériences de provocation, Benjamin Libet (1985, 2004) a observé que lorsque vous bougez votre poignet volontairement, vous percevez consciemment cette décision de le bouger 0,2 seconde avant le mouvement réel. Rien d'étonnant. Mais vos ondes cérébrales se sont activées environ 0,35 seconde avant que vous n'ayez perçu consciemment cette décision (FIGURE 3.4) ! De ce fait, avant que vous ne soyez vous-même conscient de votre décision de bouger votre poignet, il semble que votre cerveau vous ait précédé. De même, si l'on vous demande d'appuyer sur un bouton dès que vous ressentez une tape sur l'épaule, vous êtes capable de répondre en 1/10e de seconde, c'est-à-dire moins de temps qu'il ne faut pour prendre conscience que vous avez répondu (Wegner, 2002). Au cours d'une expérience avec suivi, des IRMf du cerveau ont permis à des chercheurs de prédire, avec une précision de 60 p. 100 et jusqu'à 7 secondes avant, la décision des participants d'appuyer sur un bouton avec leur doigt droit ou gauche (Soon et coll., 2008). Ces expériences nous amènent à une conclusion étonnante : la conscience arrive parfois en retard à la réunion de prise de décision.

Tous ces traitements inconscients des informations se produisent simultanément sur de multiples voies parallèles. Lorsque vous conduisez sur une route qui vous est familière, vos mains et vos pieds effectuent la tâche de conduite, alors que votre esprit revoit votre emploi du temps de la journée. L'utilisation de ce pilote automatique permet à la conscience - le PDG de votre esprit - de surveiller tout le système et de se mesurer à de nouveaux défis, pendant que de nombreux assistants prennent automatiquement en charge les affaires courantes.

Le traitement conscient s'effectue en série, et bien que plus lent que le traitement parallèle, il n'a pas son pareil pour résoudre les nouveaux problèmes qui nécessitent toute votre attention. Essayez cela : si vous êtes droitier, vous pouvez faire tourner doucement votre pied droit dans le sens inverse des aiguilles d'une montre ou écrire plusieurs fois le chiffre 3 de la main droite, mais vous n'arriverez probablement pas à faire les deux en même temps ! (Si vous êtes musicien, essayez quelque chose d'aussi difficile : tapez simultanément un rythme à trois temps de la main gauche et un rythme à quatre temps de la main droite.) Ces deux tâches réclament une attention consciente qui ne peut être focalisée qu'en un seul endroit à la fois. Si le temps est le moyen qu'a trouvé la nature pour empêcher que tout se produise au même moment, alors la conscience est son subterfuge pour nous éviter de penser ou de faire tout en même temps.

Attention sélective

2. À combien d'informations pouvons-nous consciemment prêter attention en même temps ?

Au moyen de l'**attention sélective**, notre perception consciente se concentre, comme un faisceau électrique, uniquement sur un aspect très limité de ce que nous sommes capables de ressentir. Selon une estimation, nos cinq sens reçoivent 11 000 000 bits d'informations par seconde, parmi lesquels nous ne traitons consciemment que 40 bits (Wilson, 2002). Et pourtant, nous nous servons intuitivement des 10 999 960 bits restants. Avant de lire cette phrase, vous n'étiez pas conscient que vos chaussures comprimaient vos pieds ou que votre nez était dans votre champ de vision. Maintenant, et de façon soudaine, votre centre d'intérêt se déplace, vos pieds se sentent en cage ou votre nez fait irruption avec obstination sur la page devant vous. En fixant votre attention sur ces mots, vous avez également été dans l'impossibilité de percevoir consciemment les informations provenant de votre vision périphérique. Mais vous pouvez changer cela. En fixant le X ci-dessous, remarquez ce qui entoure votre livre (les marges de la page, le dessus de votre bureau, etc.).

X

Un autre exemple d'attention sélective est ce qu'on appelle l'*effet cocktail*, c'est-à-dire la capacité à écouter sélectivement une voix parmi beaucoup d'autres (mais si une autre voix vous appelle par votre nom, votre radar cognitif la fera instantanément entrer dans votre conscience). Cette écoute sélective a un prix. Imaginez que vous écoutiez avec un casque deux conversations, une dans chaque oreille, et que l'on vous demande de répéter le message perçu par l'oreille gauche en même temps qu'il est prononcé. Si vous portez attention à ce qui est dit dans votre oreille gauche, vous ne percevrez pas ce qui est dit dans votre oreille droite. Si ensuite on vous demande quel langage a entendu votre oreille droite, vous ne pourrez pas répondre (bien que vous puissiez donner le sexe de la personne ayant parlé et l'intensité de sa voix).

Attention sélective et accidents Si vous parlez au téléphone en même temps que vous conduisez, votre attention passera sans cesse de la route au téléphone et inversement. Cela explique pourquoi vous vous arrêterez probablement de parler lorsqu'une situation particulière requerra toute votre attention. Ce processus de changement d'attention peut prendre un certain laps de temps, parfois fatal, en particulier lorsqu'il faut passer à des tâches complexes (Rubenstein et coll., 2001). La sécurité routière américaine (2006) a estimé que près de 80 p. 100 des accidents de voiture étaient provoqués par un conducteur distrait. Lors d'une expérience de simulation de conduite effectuée à l'université d'Utah, les étudiants qui discutaient par téléphone portable mettaient plus de temps à détecter les feux, les panneaux de signalisation et les autres voitures (Strayer et Johnston, 2001 ; Strayer et coll., 2003).

Comme l'attention est sélective, une conversation au téléphone (ou l'attention portée à un GPS ou à un DVD) provoque de l'inattention sur d'autres choses. Ainsi, lorsque Suzanne McEvoy et ses collègues de l'université de Sydney (2005, 2007) ont analysé les appels téléphoniques des instants précédents les accidents de la route, ils ont trouvé que les usagers de portables (même disposant d'un kit mains libres) présentaient quatre fois plus de risques. Le transport d'un passager n'augmente le risque que de 1,6 fois. Cette différence de risque a également été mise en évidence au cours d'une expérience où l'on demandait aux conducteurs de s'arrêter sur une aire de repos située à une dizaine de kilomètres. Parmi les conducteurs bavardant avec leur passager, 88 p. 100 l'ont fait. Parmi ceux qui téléphonaient, 50 p. 100 ont raté l'arrêt (Strayer et Drews, 2007). Même les conversations avec un kit mains libres entraînent plus de distraction qu'une conversation avec le passager, qui peut voir les besoins du conducteur et arrêter la conversation.

:: **Attention sélective** : concentration de l'éveil conscient sur un stimulus particulier.

Conduite et distraction
Lors d'un test de simulation de conduite, les personnes dont l'attention est détournée par une conversation téléphonique avec un portable font beaucoup plus d'erreurs de conduite.

Parler tout en marchant peut aussi être dangereux comme a pu le constater l'observation naturaliste de piétons menée par l'université d'État de l'Ohio (Nasar et coll., 2008). La moitié des piétons en conversation téléphonique sur leur portable traversent la route de manière dangereuse (par exemple en traversant alors qu'une voiture arrive), ce que l'on observe seulement chez un quart des piétons qui ne sont pas au téléphone.

Inattention sélective Consciemment, nous ne voyons qu'une infime partie de l'immense éventail de stimuli visuels qui sont constamment devant nous. Ulric Neisser (1979) ainsi que Robert Becklen et Daniel Cervone (1983) l'ont démontré de façon impressionnante. Ils montrèrent à plusieurs personnes une vidéo d'une minute dans laquelle les images de trois basketteurs en maillot noir se passant un ballon étaient superposées aux images de trois basketteurs en maillot blanc faisant la même chose. Ils demandèrent aux spectateurs de presser un bouton chaque fois que les joueurs en noir se passaient le ballon. La plupart des spectateurs se focalisaient tellement sur les joueurs en noir qu'ils ne remarquèrent pas une jeune femme flânant avec un parapluie traversant l'écran en plein milieu de la cassette. Quand les chercheurs leur repassèrent la cassette, les spectateurs furent étonnés de la voir. Leur attention étant dirigée ailleurs, les spectateurs ont présenté une **cécité inattentionnelle** (Mack et Rock, 2000). Deux chercheurs plutôt malins, Daniel Simons et Christopher Chabris (1999), ont récemment répété cette expérience en envoyant un assistant déguisé en gorille au milieu des joueurs (FIGURE 3.5). Pendant les 5 à 9 secondes de sa brève apparition, le gorille s'est arrêté pour se taper le poitrail. Près de la moitié des participants consciencieux qui comptaient les passes ne l'ont même pas vu.

Dans d'autres expériences, les participants ont également présenté une cécité au changement. Après une brève interruption visuelle, une grosse bouteille de coca peut disparaître de la scène, une balustrade peut apparaître ou encore la couleur des vêtements de notre interlocuteur peut changer : dans la plupart des cas, les gens ne le remarquent pas (Resnick et coll., 1997 ; Simons, 1996 ; Simons et Ambinder, 2005). Cette forme de cécité inattentionnelle, également appelée **cécité au changement**, s'est produite chez des gens donnant des indications à un ouvrier du bâtiment qui, pendant ce temps, est remplacé par un autre ouvrier. Les deux tiers des personnes ne remarquent pas que leur interlocuteur a changé (FIGURE 3.6). Loin des yeux, loin de l'esprit. Une *surdité au changement* peut également se produire. Au cours d'une expérience, 40 p. 100 des gens concentrés sur la répétition d'une liste de mots quelquefois difficiles n'ont même pas remarqué la substitution de la personne qui parlait (Vitevitch, 2003).

Les magiciens exploitent notre cécité au changement en attirant spécifiquement notre attention sur une action spectaculaire effectuée d'une main, ce qui entraîne l'inattention aux changements effectués de l'autre main.

Le phénomène de *cécité au choix*, découvert par une équipe de chercheurs suédois, est une forme tout aussi étonnante de cécité inattentionnelle. Petter Johansson et ses collaborateurs (2005) ont montré deux visages de femmes pendant au moins 2 à 5 secondes à 120 volontaires. Ils leur ont ensuite demandé laquelle ils trouvaient la plus attirante. Ils ont placé les deux photographies face cachée et ont donné aux participants la photographie qu'ils avaient choisie, les invitant à expliquer leur choix. Dans 3 cas sur 15, les chercheurs, plutôt rusés, utilisèrent un tour de

➤ FIGURE 3.5
Des gorilles parmi nous
Lorsqu'ils sont occupés par une activité (compter des passes de basket échangées par l'une des deux équipes de trois joueurs), près de la moitié des personnes regardant la scène présentent une cécité inattentionnelle et ne remarquent pas le gorille pourtant bien visible qui traverse le groupe.

➤ FIGURE 3.6
La cécité au changement Alors que l'homme aux cheveux blancs donne des instructions à un ouvrier, deux expérimentateurs déplaçant une porte passent entre eux. Pendant cette courte interruption, l'ouvrier est remplacé par une autre personne qui porte des vêtements de couleur différente. La plupart des individus, concentrés sur les instructions qu'ils sont en train de donner, ne remarquent pas le changement.

passe-passe pour échanger les photographies et montrer aux volontaires celle qu'ils *n'avaient pas* choisie. Non seulement les participants se sont rarement aperçus de la supercherie (seulement 13 p. 100 des échanges) mais, en plus, ils ont facilement expliqué pourquoi ils préféraient le visage qu'ils avaient en fait rejeté. « Je l'ai choisie parce qu'elle sourit », dit une personne (après avoir choisi le visage sérieux). Après l'expérience, les chercheurs leur demandèrent si dans l'« hypothèse » où les photographies auraient été échangées, ils se seraient aperçus de cet échange, 84 p. 100 répondirent que oui, bien sûr. Ils montrent une cécité à un phénomène que les chercheurs ont appelé la *cécité à la cécité au choix* (voyez-vous ce petit éclair malicieux dans leurs yeux ?).

Cependant, certains stimuli sont si puissants qu'ils nous *sautent aux yeux* (phénomène du *pop-out*). C'est le cas, par exemple, lorsqu'un stimulus particulièrement différent, comme celui de l'unique visage souriant de la FIGURE 3.7, attire notre regard. Nous ne choisissons pas de faire attention à ce stimulus : c'est lui qui attire notre attention.

Notre attention sélective s'étend même à notre sommeil, moment où nous ignorons la majeure partie (mais pas la totalité) de ce qui se produit autour de nous. Nous pouvons penser que nous sommes « partis de ce monde » mais ce n'est pas le cas.

➤ FIGURE 3.7
Le phénomène de *pop-out*
(« sauter aux yeux »)

AVANT D'ALLER PLUS LOIN...

➤ **INTERROGEZ-VOUS**

Pouvez-vous vous souvenir d'un événement récent où votre attention était tellement concentrée sur une tâche précise que vous n'avez pas prêté attention à quelque chose d'autre, comme une douleur, l'arrivée d'une personne ou une musique de fond ?

➤ **TESTEZ-VOUS 1**

Qu'entend-on par les deux voies de l'esprit, révélées par la théorie du « double processus » ?

Les réponses aux questions « Testez-vous » sont données dans l'annexe B à la fin de l'ouvrage.

Le sommeil et les rêves

LE SOMMEIL – TENTATION IRRÉSISTIBLE à laquelle nous succombons inévitablement. Le sommeil – qui rend égaux les présidents et les paysans. Le sommeil – doux, régénérateur et mystérieux.

Même lorsque vous êtes profondément endormis votre fenêtre perceptuelle n'est pas véritablement totalement close. Vous bougez dans votre lit mais vous vous débrouillez pour ne

:: **Cécité inattentionnelle** : incapacité à voir des objets visibles lorsque notre attention est occupée par autre chose.

:: **Cécité au changement** : incapacité à remarquer un changement dans notre environnement.

« J'aime dormir, et vous ? N'est-ce pas génial ? C'est vraiment le meilleur des deux mondes. Vous arrivez à être vivant et inconscient en même temps. »
Rita Rudner, comédienne, 1993

• Lorsque les dauphins, les marsouins et les baleines dorment, un seul côté de leur cerveau est endormi (Miller et coll., 2008). •

• Vers l'âge de 20 ans (légèrement plus tôt chez les femmes), nous commençons à glisser du hibou stimulé par le soir à l'alouette aimant le matin (Roenneberg et coll., 2004). La plupart des étudiants, à l'université, sont des « gens du soir » (May et Hasher, 1998). Typiquement, leurs performances s'améliorent au cours de la journée. La plupart des adultes sont des « gens du matin », dont les performances déclinent alors que le jour avance. Dans les maisons de retraite, tout est calme dès le milieu de la soirée alors que dans les résidences universitaires la journée est loin d'être finie. •

pas en tomber. Le bruit occasionnel d'un véhicule passant à proximité peut ne pas perturber votre sommeil profond, mais les pleurs venant de la chambre du bébé vont l'interrompre rapidement, tout comme l'appel de votre nom. L'enregistrement de l'EEG confirme que le cortex auditif de notre cerveau répond aux stimuli sonores même pendant le sommeil (Kutas, 1990). Quand nous sommes endormis, tout comme lorsque nous sommes réveillés, nous traitons la plupart des informations hors de notre perception consciente.

Aujourd'hui, la plupart des mystères du sommeil ont été résolus, tandis que des milliers de gens ont dormi reliés à des appareils d'enregistrement pendant que d'autres les observaient. En enregistrant les ondes cérébrales et l'activité musculaire des dormeurs, en les observant et en les réveillant de temps en temps, les chercheurs ont découvert des choses que des milliers d'années de bon sens ne nous avaient pas révélées. Peut-être pouvez-vous deviner certaines de leurs découvertes. Les affirmations suivantes sont-elles vraies ou fausses ?

1. Lorsque les gens rêvent qu'ils exécutent une activité quelconque, leurs membres bougent souvent en suivant le rêve.
2. Les personnes âgées dorment plus que les jeunes adultes.
3. Les somnambules mettent leurs rêves en action.
4. Les spécialistes du sommeil recommandent de traiter occasionnellement l'insomnie avec un somnifère.
5. Certaines personnes rêvent chaque nuit alors que d'autres ne rêvent que rarement.

Toutes ces affirmations sont fausses (adaptées d'après Palladino et Carducci, 1983). Voyons maintenant pourquoi.

Les rythmes biologiques et le sommeil

3. De quelle manière notre rythme biologique influence-t-il notre mode de fonctionnement quotidien, notre sommeil et nos rêves ?

Comme l'océan, la vie est rythmée par des marées. Notre corps fluctue selon des rythmes de périodes variées, et notre esprit en fait de même. Intéressons-nous de plus près à deux de ces rythmes biologiques : notre horloge biologique qui fonctionne sur 24 heures et notre cycle de sommeil réglé sur 90 minutes.

Le rythme circadien

Le rythme quotidien reproduit le rythme de la vie, depuis notre réveil, à la naissance d'un nouveau jour, jusqu'à notre retour, le soir, à ce que Shakespeare appelait la « fausse mort ». Notre corps se synchronise grossièrement avec le cycle de 24 heures du jour et de la nuit par l'intermédiaire d'une horloge biologique que l'on appelle **rythme circadien** (du latin *circa*, « environ », et *diem*, « jour »). Notre température corporelle augmente lorsqu'arrive le matin, atteint son maximum pendant la journée, décline temporairement en début d'après-midi (à l'heure où de nombreuses personnes font la sieste) et diminue de nouveau avant que nous allions dormir. L'esprit est plus affûté et la mémoire plus efficace quand les gens sont au maximum diurne de leur rythme circadien d'activité. Si habituellement vous faites des nuits complètes, vous tirer de votre sommeil à 4 heures du matin vous laissera groggy, mais vous retrouverez un second souffle quand l'heure habituelle de votre lever sera arrivée.

Le matin, la lumière intense ajuste l'horloge circadienne en activant des protéines photosensibles au niveau de la rétine ; ces dernières contrôlent l'horloge circadienne en envoyant des signaux vers le *noyau suprachiasmatique* du cerveau, situé dans l'hypothalamus et formé de deux amas de 20 000 cellules en grain de riz (Foster, 2004). Ce contrôle se fait en partie en induisant une diminution (le matin) ou une augmentation (le soir) de la production de *mélatonine* (hormone inductrice du sommeil) par la glande pinéale (Figure 3.8).

La nuit, la lumière intense permet de retarder le sommeil en remettant à l'heure notre horloge biologique lorsque nous veillons tard le soir et faisons la grasse matinée le week-end (Oren et Terman, 1998). Ceux qui dorment jusqu'à midi le dimanche et se recouchent seulement 11 heures plus tard pour se préparer à une nouvelle semaine de travail ont souvent du mal à trouver le sommeil. Ils sont comme les New-Yorkais dont la biologie serait à l'heure de la Californie. Et qu'en est-il des Nord-Américains qui prennent l'avion pour l'Europe et

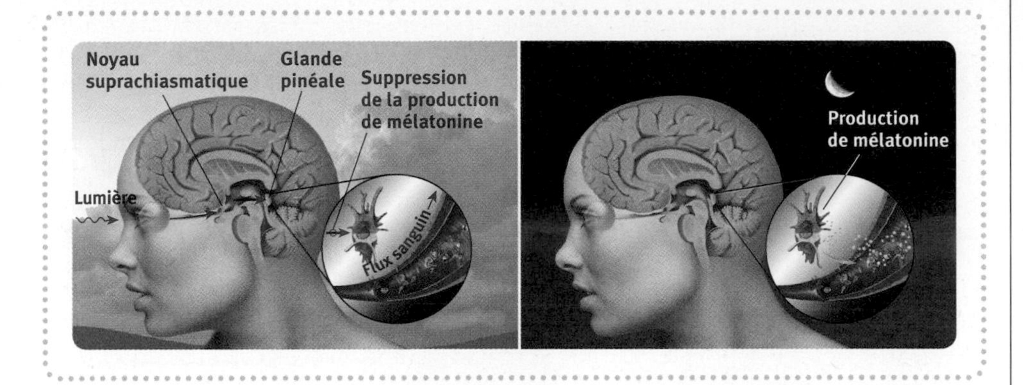

➤ FIGURE 3.8
L'horloge biologique La lumière frappant la rétine active le noyau suprachiasmatique qui envoie un signal supprimant la production de mélatonine (l'hormone du sommeil) au niveau de la glande pinéale. La nuit, ce noyau n'est plus activé et laisse la glande pinéale libérer la mélatonine dans la circulation sanguine.

doivent être réveillés au moment où leur rythme circadien leur crie « dors ! ». Les études menées en laboratoire et chez les travailleurs qui font les trois-huit montrent que la lumière intense aide à remettre à l'heure nos horloges biologiques (par exemple en passant la journée dehors) (Czeisler et coll., 1986, 1989 ; Eastman et coll., 1995).

Sachant que les horloges corporelles de nos ancêtres étaient réglées sur le lever et le coucher du soleil d'un jour de 24 heures, il est curieux d'observer que, de nos jours, de nombreux jeunes adultes adoptent un rythme proche d'un jour de 25 heures en restant éveillés trop tard pour conserver 8 heures de sommeil. C'est grâce à (ou à cause de) Thomas Edison, l'inventeur de l'ampoule électrique, que de tels phénomènes sont possibles. Être baigné dans la lumière perturbe notre horloge biologique fixée sur 24 heures (Czeisler et coll., 1999 ; Dement, 1999). Cela nous aide à comprendre pourquoi nous devons nous discipliner jusqu'à nos vieux jours pour aller au lit à l'heure et nous forcer à nous lever. La plupart des animaux sont dans le même cas : placés dans un environnement artificiel avec une lumière artificielle constante, ils adoptent un rythme de plus de 24 heures. La lumière artificielle retarde donc le sommeil.

• **Si notre rythme circadien naturel était calé sur un cycle de 23 heures, ne devrions-nous pas, au contraire, nous discipliner pour rester debout plus tard le soir et dormir plus longtemps le matin ?** •

Les stades de sommeil

4. Quel est le cycle biologique de notre sommeil ?

Lorsque le sommeil s'abat sur nous et que les différentes parties de notre cortex arrêtent de communiquer entre elles, notre conscience s'affaiblit (Massimini et coll., 2005). Mais le cerveau endormi encore actif n'émet pas une tonalité constante, car il existe aussi un rythme biologique durant le sommeil. Toutes les 90 minutes environ, nous parcourons un cycle constitué de cinq stades distincts de sommeil. Ce fait élémentaire était inconnu jusqu'au moment où Armond Aserinsky, un enfant de 8 ans, se coucha une nuit de 1952. Son père, Eugène, un étudiant diplômé de l'université de Chicago, avait besoin de tester un électroencéphalographe qu'il avait réparé durant la journée (Aserinsky, 1988 ; Seligman et Yellen, 1987). Il plaça les électrodes à proximité des yeux d'Armond pour enregistrer les mouvements de rotation des yeux supposés se produire pendant le sommeil. Peu après, la machine devint folle, traçant de profonds zigzags sur le papier. Aserinsky pensa que la machine était encore cassée. Mais comme la nuit avançait, l'activité revint périodiquement, indiquant, comme Aserinsky le comprit finalement, des mouvements oculaires rapides et saccadés accompagnés d'une activité cérébrale intense. Lorsqu'il réveilla Armond durant l'un de ces épisodes, le garçon raconta qu'il avait fait un rêve. Aserinsky venait de découvrir ce que nous connaissons maintenant sous le terme de **sommeil REM** (sommeil avec mouvements oculaires rapides : *rapid eye movement sleep*).

Pour déterminer si de tels cycles survenaient pendant le sommeil des adultes, Nathaniel Kleitman (1960) et Aserinsky mirent au point des protocoles qui ont été utilisés depuis sur des milliers de volontaires. Pour prendre la mesure à la fois de leurs méthodes et de leurs découvertes, imaginez-vous à la place d'un participant. Au fur et à mesure que l'heure avance, vous commencez à combattre la somnolence et bâillez en réponse à une réduction de votre métabolisme cérébral. Le bâillement (qui peut être socialement contagieux) étire les muscles du cou et augmente le rythme cardiaque, augmentant ainsi votre vigilance (Moorcroft, 2003). Lorsque vous êtes prêt à vous coucher, le chercheur place des électrodes sur votre cuir chevelu à l'aide d'un sparadrap (pour détecter vos ondes cérébrales), juste au coin des yeux (pour détecter les mouvements des yeux), sur votre menton (pour détecter l'activité musculaire) (FIGURE 3.9, page suivante). D'autres appareils permettent d'enregistrer votre rythme cardiaque, votre rythme respiratoire, ainsi que le degré de votre excitation génitale.

:: Rythme circadien : l'horloge biologique ; rythmes corporels réguliers (par exemple, celui de la température et de l'éveil) qui surviennent sur un cycle de 24 heures.

:: Sommeil REM : sommeil avec mouvements oculaires rapides, une phase de sommeil récurrente durant laquelle surviennent habituellement des rêves intenses. Aussi connu sous le terme de *sommeil paradoxal*, car les muscles sont totalement relâchés (à l'exception de contractions minimes) alors que les autres systèmes corporels sont actifs.

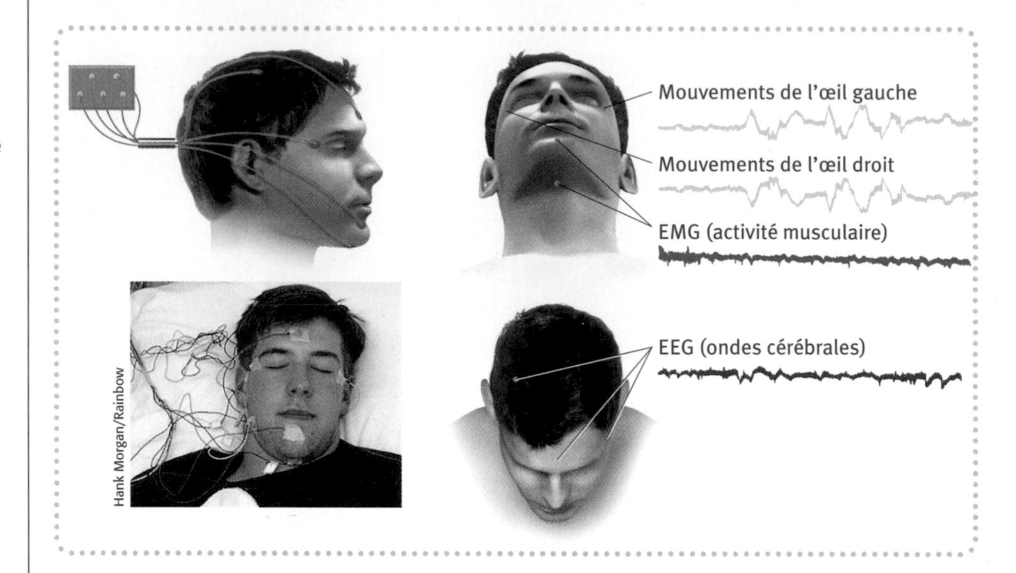

➤ FIGURE 3.9
Mesure de l'activité durant le sommeil Les chercheurs spécialisés dans l'étude du sommeil mesurent les ondes cérébrales, les mouvements des yeux et l'activité musculaire à l'aide d'électrodes qui détectent de faibles signaux électriques émanant du cerveau, des yeux et des muscles faciaux. (D'après Dement, 1978.)

Lorsque vous êtes au lit les yeux fermés, le chercheur, dans une pièce adjacente, voit sur l'EEG les **ondes alpha** relativement lentes, caractéristiques de votre état de veille relaxée (FIGURE 3.10). Au fur et à mesure que vous vous habituez à l'appareillage et que la fatigue vous gagne, vous plongez dans le **sommeil** à un moment dont vous ne vous rappellerez pas. Cette transition est marquée par le ralentissement de la respiration et l'apparition des ondes cérébrales irrégulières du stade 1 (FIGURE 3.11).

Chez l'un de ses 15 000 sujets, William Dement (1999) a observé l'instant où la porte perceptuelle séparant le cerveau et le monde extérieur se ferme brusquement. Après que le jeune homme ait été privé de sommeil, couché sur le dos avec les paupières maintenues ouvertes, Dement lui a demandé d'appuyer sur un bouton chaque fois qu'une lumière clignotante située devant ses yeux s'allumerait (environ toutes les 6 secondes). Au bout de quelques minutes, le sujet en manqua une. Quand on lui demanda pourquoi il n'avait pas appuyé sur le bouton, il répondit : « parce que la lumière ne s'est pas allumée ». Elle s'était pourtant bien allumée, et il l'avait manquée, car (et son activité cérébrale le montra) il s'était endormi pendant 2 secondes.

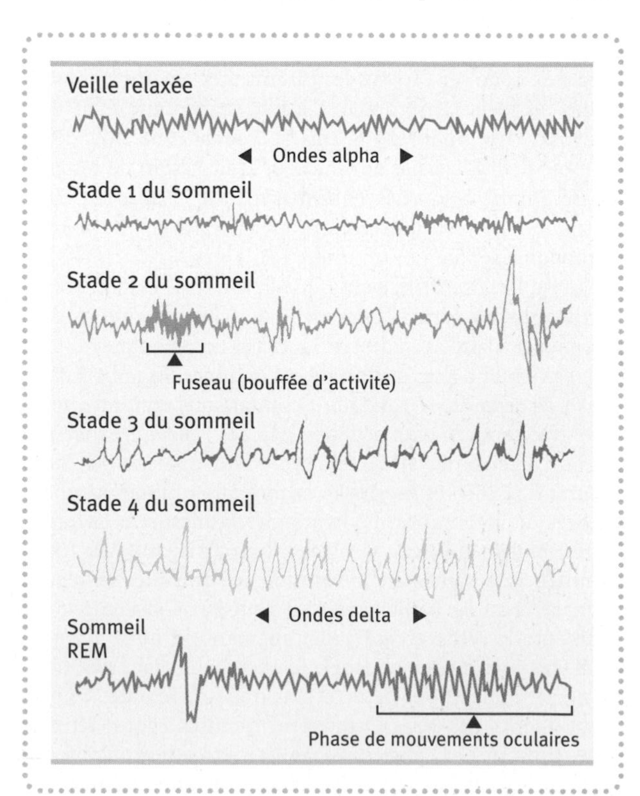

➤ FIGURE 3.10
Ondes cérébrales et stades de sommeil Les ondes alpha régulières d'un stade de veille relaxée sont assez différentes des ondes delta, plus amples et plus lentes, caractérisant le stade 4 du sommeil profond. Bien que les ondes rapides du sommeil REM ressemblent à celles du stade 1 proche de l'éveil, le corps est plus activé au cours du sommeil REM qu'au cours du stade 1. (D'après Dement, 1978.)

:: Ondes alpha : ondes cérébrales relativement lentes présentes au cours de l'état de veille relaxée.

:: Sommeil : perte de conscience périodique, naturelle et réversible, distincte de l'inconscience résultant d'un coma, d'une anesthésie générale ou de l'hibernation. (D'après Dement, 1999.)

:: Hallucinations : expériences sensorielles trompeuses, telles que la vision d'un objet en l'absence de stimulus visuel externe.

:: Ondes delta : ondes amples et lentes associées au sommeil profond.

Sommeil

1 seconde

➤ FIGURE 3.11
Le moment du sommeil (l'endormissement) Nous semblons inconscients du moment où nous sombrons dans le sommeil, mais un observateur qui jetterait un œil sur vos ondes cérébrales pourrait vous le dire. (D'après Dement, 1999.)

Non conscient de ce fait, il avait non seulement manqué la lumière située à 15 centimètres de son nez, mais aussi l'instant de son endormissement subit.

Durant ce stade 1, très bref, de sommeil léger, vous pouvez voir des images fantastiques, qui ressemblent à des **hallucinations**, des expériences sensorielles qui surviennent sans stimulus sensoriel. Vous pouvez éprouver une sensation de chute (à cet instant votre corps peut sursauter brusquement) ou bien de flottement en état d'apesanteur. De telles sensations *hypnagogiques* peuvent être secondairement incorporées parmi les souvenirs. Les personnes qui déclarent avoir été enlevées par des extraterrestres, généralement peu de temps après s'être couchées, se rappellent souvent avoir été emportées en flottant hors de leur lit (Clancy, 2005).

• **Pour faire votre propre expérience hypnagogique, vous pouvez utiliser le mode « Répéter » (*Snooze*) de l'alarme qui existe sur certains réveils.** •

Bientôt, vous vous détendez plus profondément ; commence alors une période d'environ 20 minutes de sommeil de stade 2, caractérisée par l'apparition périodique de *fuseaux de sommeil* : des bouffées d'activité cérébrale rapides et rythmiques (*voir* Figure 3.10). Bien qu'il soit encore possible de vous réveiller sans trop de difficulté durant cette phase, vous êtes maintenant réellement endormi. La somniloquie (parler en dormant), en général mal articulée ou sans signification, peut se produire dans ce stade 2 mais aussi dans n'importe quel stade de sommeil (Mahowald et Ettinger, 1990).

Ensuite, pendant quelques minutes, vous passez par le stade 3, un stade de transition vers le sommeil profond du stade 4. Durant le stade 3, votre cerveau commence à émettre des ondes amples et lentes, les **ondes delta**, qui augmentent encore au stade 4. L'ensemble de ces deux stades est appelé sommeil à ondes lentes. Il dure environ 30 minutes pendant lesquelles vous êtes difficile à réveiller. Curieusement, c'est à la fin de la période de sommeil profond du stade 4 que les enfants peuvent mouiller leur lit ou se mettre à marcher pendant leur sommeil. Environ 20 p. 100 des enfants de 3 à 12 ans ont au moins un épisode de somnambulisme, en général d'une durée de 2 à 10 minutes ; 5 p. 100 d'entre eux font des épisodes répétés (Giles et coll., 1994).

Le sommeil REM

Environ une heure après le début de votre sommeil, une chose étrange se produit. Plutôt que de continuer à dormir profondément, vous remontez de votre plongeon initial dans le sommeil. Repassant par les stades 3 et 2 (dans lequel vous passez environ la moitié de votre nuit), vous entrez dans la phase de sommeil la plus curieuse de toutes, le sommeil REM (Figure 3.12). Pendant environ 10 minutes, vos ondes cérébrales deviennent rapides et en dents de scie, assez proches de celles du stade 1, lui-même si proche de l'éveil. Mais au contraire du sommeil

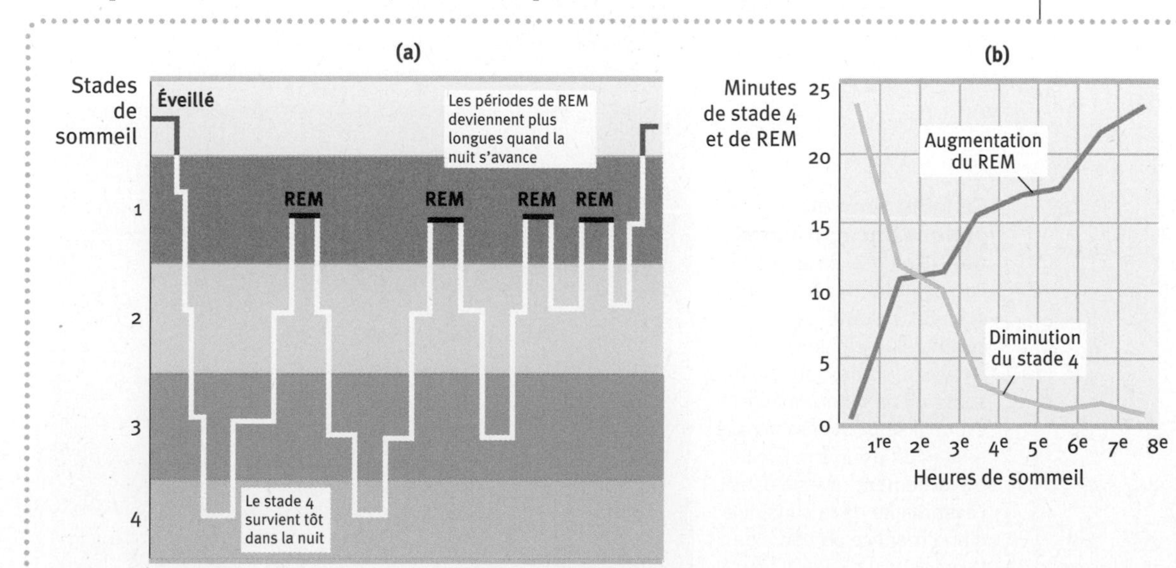

➤ FIGURE 3.12
Les stades au cours d'une nuit de sommeil ordinaire La plupart des gens passent plusieurs fois par un cycle comprenant les cinq stades de sommeil (graphique a), avec une diminution progressive des périodes de stade 4 puis 3 et une augmentation de la durée des périodes de sommeil REM. Le second graphique visualise l'augmentation du sommeil REM et la diminution du sommeil profond à partir de données issues de 30 jeunes adultes. (D'après Cartwright, 1978 ; Webb, 1992.)

« Mon Dieu, que mes yeux sont fatigués ! J'ai fait du sommeil REM toute la nuit. »

de stade 1, pendant le sommeil REM, votre fréquence cardiaque augmente, votre respiration devient rapide et irrégulière et environ toutes les 30 secondes, vos yeux sursautent derrière vos paupières closes en bouffées d'activité temporaire. Alors que tout le monde peut remarquer ces bouffées de REM en regardant les yeux d'un dormeur, il est étonnant que la science ait ignoré le sommeil REM jusqu'en 1952.

Excepté pendant des rêves très effrayants, vos organes génitaux sont excités au cours du sommeil REM et vous présentez une érection ou une augmentation de la lubrification vaginale et une turgescence clitoridienne indépendamment du contenu, sexuel ou non, des rêves (Karacan et coll., 1966). Chez l'homme, la classique « érection du matin » découle de la dernière période de sommeil REM de la nuit, souvent juste avant de s'éveiller. Chez les hommes jeunes, l'érection liée au sommeil déborde des périodes REM, durant en moyenne 30 à 45 minutes (Karacan et coll., 1983 ; Schiavi et Schreiner-Engel, 1988). Un homme normal de 25 ans a donc une érection pendant à peu près la moitié de sa nuit de sommeil, un homme de 65 ans pendant un quart. Beaucoup d'hommes souffrant de *troubles de l'érection* (impuissance) ont des érections matinales, ce qui suggère que le problème ne se situe pas entre leurs jambes.

Bien que votre cortex cérébral moteur soit actif durant le sommeil REM, votre tronc cérébral bloque ses messages, laissant vos muscles relâchés, tellement relâchés qu'à l'exception de contractions occasionnelles d'un doigt, d'un orteil ou du visage, vous êtes pratiquement paralysé. De plus, vous ne pouvez pas être réveillé facilement. C'est pour cette raison que le sommeil REM est parfois appelé *sommeil paradoxal* ; vu de l'extérieur, le corps semble calme alors qu'il est soumis à une activation interne intense.

• Les chevaux, qui passent 92 p. 100 de leur journée debout et peuvent dormir debout, doivent se coucher pendant leur sommeil REM (Morrison, 2003). •

Ce qui est encore plus intrigant que la nature paradoxale du sommeil REM, c'est ce qu'annoncent les mouvements rapides des yeux : le début du rêve. Même ceux qui prétendent ne jamais rêver, dans 80 p. 100 des cas, se rappellent un rêve lorsqu'ils sont réveillés pendant le sommeil REM. À la différence des images fugaces du sommeil de stade 1 (« je pensais à mon examen d'aujourd'hui » ou « j'étais en train d'essayer d'emprunter quelque chose à quelqu'un »), les rêves du sommeil REM ont souvent un contenu émotionnel, sont structurés comme une histoire et sont plus riches en hallucinations :

> Mon mari et moi étions chez des amis, mais nos amis étaient absents. Leur télévision était toujours en marche, mais, outre cela, tout était calme. Après que nous avons circulé un peu partout pendant un moment, leur chien a fini par nous remarquer et a commencé à aboyer et à grogner très fort en montrant les dents.

Au cours de la nuit, le cycle de sommeil se répète environ toutes les 90 minutes. En avançant dans la nuit, le sommeil profond de stade 4 se raccourcit progressivement, puis disparaît, et les périodes de sommeil REM et de stade 2 s'allongent (*voir* Figure 3.12b). Au matin, 20 à 25 p. 100 de notre sommeil nocturne, en moyenne 100 minutes, ont été passés en sommeil REM. Trente-sept pour cent des personnes disent ne pas avoir de rêves dont ils « se souviennent le matin » ou seulement très rarement (Moore, 2004). Sans qu'ils le sachent, ils passent en fait 600 heures par an à vivre environ 1 500 rêves, soit plus de 100 000 rêves pour une vie moyenne, tous absorbés par la nuit et jamais joués, grâce à la paralysie protectrice du sommeil REM.

• Les gens ronflent rarement durant leurs rêves. Lorsque les mouvements oculaires rapides commencent, les ronflements s'arrêtent. •

Certains dorment profondément, d'autres non Le cycle de sommeil fluctuant permet à ces soldats de dormir en sécurité sur le champ de bataille. L'un des intérêts du sommeil en communauté est qu'il se trouvera toujours quelqu'un pour être éveillé ou facilement réveillé dans l'éventualité de la survenue d'une menace au cours de la nuit.

Pourquoi dormons-nous ?

L'idée que « tout le monde a besoin de 8 heures de sommeil » est fausse. Les nouveau-nés passent à peu près deux tiers de leur journée à dormir, les adultes à peine un tiers. Les différences de durée de sommeil en fonction de l'âge rivalisent avec les différences de durée moyenne de sommeil entre les individus, quel que soit leur âge. Certains se portent très bien avec moins de 6 heures par nuit ; d'autres dorment régulièrement 9 heures et plus. Les habitudes de sommeil pourraient être sous l'influence de la génétique. Lorsque Wilse Webb et Scott Campbell (1983) ont étudié la durée et les habitudes de sommeil chez les vrais et les faux jumeaux, seuls les vrais jumeaux étaient remarquablement semblables.

Les habitudes de sommeil sont également influencées par la culture. Aux États-Unis et au Canada, par exemple, la moyenne de sommeil des adultes est de 8 heures par nuit (Hurst, 2008 ; Robinson et Martin, 2007). (La durée moyenne de sommeil les jours de semaine de nombreux étudiants et employés est en dessous de cette limite [NSF, 2008].) Les Nord-Américains dorment cependant moins que leurs ancêtres d'il y a cent ans. À cause des ampoules électriques modernes, du travail en équipe et des divertissements sociaux, les gens qui se seraient couchés à 21 heures sont maintenant debout jusqu'à 23 heures, voire plus. Thomas Edison (1948, p. 52, 178) était fier d'endosser cette responsabilité car, pour lui, la réduction du sommeil représentait un gain de temps et d'opportunités :

> Quand je suis allé en Suisse, j'ai pris une voiture, j'ai ainsi pu visiter les petites villes et les villages. J'ai remarqué l'effet de la lumière électrique sur les habitants. Là où l'hydroélectricité et l'éclairage électrique avaient été développés, tout le monde semblait normalement intelligent. Quand ces techniques n'existaient pas, les autochtones devaient se coucher avec les poules et rester couchés jusqu'au lever du jour ; ils étaient beaucoup moins intelligents.

D'après Stanley Coren (1996), laissés à eux-mêmes, la plupart des humains dormiraient au moins 9 heures par nuit. Avec cette quantité de sommeil, nous ne nous sentons pas groggy, nous nous réveillons reposés, notre humeur est plus stable, et nous effectuons un travail plus efficace et précis que les personnes qui ont moins dormi. Pourtant, après plusieurs nuits successives de 5 heures, nous accumulons une dette de sommeil qui ne peut être récupérée par une seule nuit de 10 heures. « Le cerveau tient un compte précis de la dette de sommeil sur au moins deux semaines », dit William Dement (1999, p. 64). Privés de sommeil, nous allons commencer à nous sentir très mal, notre corps réclamera son compte de sommeil. Si vous essayez de rester réveillé, vous allez échouer. Dans la bataille de la fatigue, le sommeil gagne toujours.

De toute évidence, nous avons besoin de sommeil. Le sommeil commande grossièrement un tiers de notre vie, soit 25 ans en moyenne. Mais pourquoi ? La réponse semble simple : maintenez des gens éveillés pendant quelques jours et observez la détérioration de leurs performances. Si vous étiez le sujet d'une telle expérience, comment pensez-vous que cela affecterait votre corps et votre esprit ? Évidemment, vous seriez terriblement somnolent par moments, surtout pendant les heures où votre horloge biologique vous programme pour dormir. Mais le manque de sommeil peut-il causer des dommages physiques ? Peut-il altérer de manière notable votre biochimie ou les organes de votre corps ? Peut-il vous perturber sur le plan émotionnel ou désorienter votre intellect ?

• En 1989, Michael Doucette a été élu le jeune conducteur le plus prudent d'Amérique. En 1990, alors qu'il rentrait chez lui en voiture du lycée, il s'endormit au volant et percuta une voiture venant en face, se tuant ainsi que le conducteur de l'autre voiture. Le moniteur d'auto-école de Michael reconnu plus tard qu'il n'avait jamais mentionné les dangers de la privation de sommeil et de la conduite en hypovigilance (Dement, 1999). •

Les effets de la privation de sommeil

5. De quelle manière la privation de sommeil nous affecte-t-elle ?

Bonne nouvelle ! Les psychologues ont découvert un traitement qui renforce la mémoire, augmente la concentration, améliore l'humeur, modère la faim et l'obésité, fortifie le système immunitaire qui permet de lutter contre les maladies et diminue le risque d'accidents fatals. Encore mieux : on se sent bien avec ce traitement, on peut se l'administrer tout seul, il n'y a pas de problèmes d'approvisionnement, il est délivré gratuitement ! Si vous êtes l'étudiant typique à l'université, que vous allez souvent vous coucher vers 2 heures du matin pour sortir du lit 6 heures plus tard à cause de votre réveil, le traitement est simple : ajouter simplement une heure de sommeil par nuit.

La marine américaine et le NIH (Institut national américain de la santé) ont mis en évidence les avantages de l'absence de restriction de sommeil au cours d'expériences pendant lesquelles des volontaires devaient rester couchés 14 heures par jour pendant au moins une semaine. Pendant les premiers jours, les sujets dormaient au moins 12 heures par jour en moyenne. Apparemment, ils payaient une dette de sommeil d'environ 25 à 30 heures. Après cela, ils sont retournés à des nuits de sommeil de 7,5 à 9 heures, sans aucun manque de sommeil, et se sentaient en forme et plus heureux (Dement, 1999). Selon une enquête Gallup (Mason, 2005), 63 p. 100 des adultes qui disent dormir autant qu'ils en ont besoin considèrent aussi qu'ils sont « très satisfaits » de leur vie personnelle (alors que ce n'est le cas que chez 36 p. 100 des personnes qui ont besoin de plus de sommeil). Lorsque Daniel Kahneman et ses collaborateurs (2004) invitèrent 909 femmes ayant une vie professionnelle à décrire leurs envies au quotidien, ils furent frappés par ce qui avait peu d'importance pour elles, comme l'argent (tant qu'elles n'étaient pas aux prises avec la pauvreté) et par ce qui en avait beaucoup – diminuer la pression au travail et passer une bonne nuit de sommeil.

• En 2001, une enquête Gallup a montré que 61 p. 100 des hommes, mais seulement 47 p. 100 des femmes, disent dormir suffisamment. •

Malheureusement, les gens d'aujourd'hui souffrent plus que jamais d'habitudes de sommeil qui entraînent la somnolence, mais surtout leur donne une sensation de malaise général (Mikulincer et coll., 1989). Les adolescents ont, en général, besoin de 8 à 9 heures de sommeil, mais à l'heure actuelle, ils dorment moins de 7 heures, soit presque 2 heures de moins que leurs homologues d'il y a 80 ans (Holden, 1993 ; Maas, 1999). Selon une étude, 28 p. 100 des étudiants reconnaissent s'endormir pendant les cours au moins une fois par semaine (Sleep Foundation, 2006). Lorsque le cours devient indigeste, les étudiants commencent à faire la sieste.

« Tiger Woods déclare que l'une des meilleures choses que lui ait apporté son départ de Stanford, quand il a intégré le circuit des golfeurs professionnels, est qu'il a enfin pu dormir suffisamment. »
William Dement, chercheur spécialisé dans le sommeil à Stanford, 1997

Même éveillés, ils fonctionnent souvent en deçà de leur maximum. Et ils le savent : quatre adolescents américains sur cinq et trois Américains sur cinq âgés de 18 à 29 ans souhaiteraient pouvoir dormir plus pendant la semaine (Mason, 2003, 2005). Cependant, celui qui titube à regrets alors qu'il est sorti de son lit par une sonnerie importune, qui bâille pendant tous ses cours du matin et se sent à moitié déprimé toute la journée sera probablement très en forme à 23 heures et ne se souciera pas du déficit de sommeil du jour suivant (Carskadon, 2002).

À l'université de Stanford, William Dement (1997) signale que 80 p. 100 des étudiants « sont dangereusement privés de sommeil ». Ces individus « sont à haut risque pour certains types d'accident... La privation de sommeil [entraîne] des difficultés à se concentrer sur ses études, une diminution de la productivité, une tendance à l'erreur, une irritabilité, une fatigue ». Une importante dette de sommeil « vous rend stupide », dit Dement (1999, p. 231).

• Si vous voulez savoir si vous êtes l'un des nombreux étudiants privés de sommeil, allez voir le tableau 3.1. •

La privation de sommeil peut aussi nous rendre plus gros. Elle augmente le taux d'une hormone, la ghréline, qui entraîne la sensation de faim et abaisse le taux de l'hormone couplée, la leptine, qui supprime la faim. Elle entraîne également l'augmentation du taux de cortisol, hormone du stress qui stimule la fabrication de graisse par le corps. Il est certain que les enfants et les adultes qui dorment moins que la normale sont plus gros que ceux qui dorment plus (Chen et coll., 2008 ; Knutson et coll., 2007 ; Schoenborn et Adams, 2008). Une expérience de privation de sommeil effectuée chez des adultes a entraîné chez eux une augmentation de l'appétit et de ce qu'ils mangeaient (Nixon et coll., 2008 ; Patel et coll., 2006 ; Spiegel et coll., 2004 ; Van Cauter et coll., 2007). Cela peut expliquer le gain de poids fréquemment observé chez les étudiants en manque de sommeil (bien qu'une revue de 11 études ait mis en évidence que la légendaire *freshman 15*, correspondant à une prise de poids rapide d'environ 7 kg des étudiants en 1re année, soit en moyenne plus proche d'une prise de poids de 2 kg environ [Hull et coll., 2007]).

En plus de nous rendre plus vulnérable à l'obésité, la privation de sommeil a une action suppressive sur les cellules immunitaires qui combattent les infections virales et les cancers (Motivala et Irwin, 2007). Cela pourrait expliquer pourquoi les personnes qui dorment 7 à 8 heures par nuit ont tendance à vivre plus longtemps que celles qui manquent chroniquement de sommeil et pourquoi les adultes plus âgés qui n'ont pas de difficultés à s'endormir ou à dormir longtemps ont tendance à vivre plus vieux (Dement, 1999 ; Dew et coll., 2003). Habituellement, quand nous sommes soumis à une infection, nous dormons plus, stimulant ainsi nos cellules immunitaires.

TABLEAU 3.1

Selon James Maas, psychologue à l'université Cornell, la plupart des étudiants dorment moins qu'ils ne devraient et en subissent les conséquences. Si vous voulez savoir si vous êtes parmi eux, répondez aux questions suivantes :

Vrai	Faux	
——	——	1. J'ai besoin d'un réveil pour me lever à l'heure
——	——	2. Je dois lutter pour sortir du lit le matin
——	——	3. Pendant la semaine, je suspends plusieurs fois la sonnerie de mon réveil pour pouvoir dormir plus
——	——	4. Je me sens fatigué, irritable et stressé toute la semaine
——	——	5. J'ai du mal à me concentrer et à mémoriser
——	——	6. Je me sens ralenti dans les tâches demandant une réflexion critique, une résolution de problème et de la créativité
——	——	7. Je m'endors souvent devant la télévision
——	——	8. Je m'endors souvent dans les réunions ou les cours ennuyeux et dans les pièces trop chauffées
——	——	9. Je m'endors souvent après des repas copieux ou après avoir bu un peu d'alcool
——	——	10. Je m'endors souvent quand je me détends après le déjeuner
——	——	11. Je m'endors souvent dans les 5 minutes qui suivent mon coucher
——	——	12. Je me sens souvent somnolent pendant que je conduis
——	——	13. Je dors souvent quelques heures de plus le week-end
——	——	14. J'ai souvent besoin d'une sieste pour aller au bout de la journée
——	——	15. J'ai les yeux cernés

Si vous répondez « vrai » à trois ou plus de ces questions, vous ne dormez probablement pas assez. Afin de déterminer vos besoins de sommeil, Maas conseille de « se coucher 15 minutes plus tôt que d'habitude au cours de la semaine suivante, et de poursuivre cette méthode en ajoutant 15 minutes chaque semaine, jusqu'à ce que vous puissiez vous débrouiller sans réveil et que vous vous sentiez alerte tout au long de la journée ». (Test reproduit avec la permission de James B. Maas, *Power sleep : The revolutionary program that prepares your mind and body for peak performance* [New York : HarperCollins, 1999].)

Le manque chronique de sommeil altère aussi le fonctionnement métabolique et hormonal en accélérant le vieillissement et en favorisant l'hypertension et les troubles de la mémoire (Spiegel et coll., 1999 ; Taheri, 2004). On observe d'autres effets tels que l'irritabilité, le ralentissement des performances, des troubles de la créativité, de la concentration et de la communication (Harrison et Horne, 2000). Notre temps de réaction se ralentit et le taux d'erreurs augmente concernant des tâches visuelles, par exemple le contrôle des bagages dans les aéroports, les interventions chirurgicales ou l'interprétation des clichés radiographiques (Horowitz et coll., 2003).

Les effets de la privation de sommeil peuvent aussi être dévastateurs pour la conduite et le pilotage ou la préparation du matériel. La fatigue au volant est aussi responsable d'environ 20 p. 100 des accidents de la route aux États-Unis (Brody, 2002) et de près de 30 p. 100 des décès survenus sur les autoroutes australiennes (Maas, 1999). La marée noire de l'*Exxon Valdez* en 1989, le désastre de l'usine d'Union Carbide de Bhopal en Inde en 1984, les accidents nucléaires de Three Mile Island en 1979 et de Tchernobyl en 1986 se sont tous passés après minuit, alors que les techniciens de garde étaient probablement à leur maximum de somnolence et insensibles aux signaux qui nécessitaient le déclenchement de l'alerte. Quand des lobes frontaux somnolents sont confrontés à une situation inattendue, on peut s'attendre à une catastrophe.

« La somnolence, c'est l'alerte rouge ! »
William Dement, *The Promise of Sleep*, 1999

➤ FIGURE 3.13
Accidents de la route au Canada
Au cours du lundi suivant le passage à l'heure d'été, quand les gens perdent une heure de sommeil, les accidents augmentent par rapport au lundi précédent. En automne, les accidents sont en augmentation en raison des chutes de neige, du verglas et de l'obscurité prolongée ; pourtant ils diminuent après le changement d'heure.
(Adapté d'après Coren, 1996.)

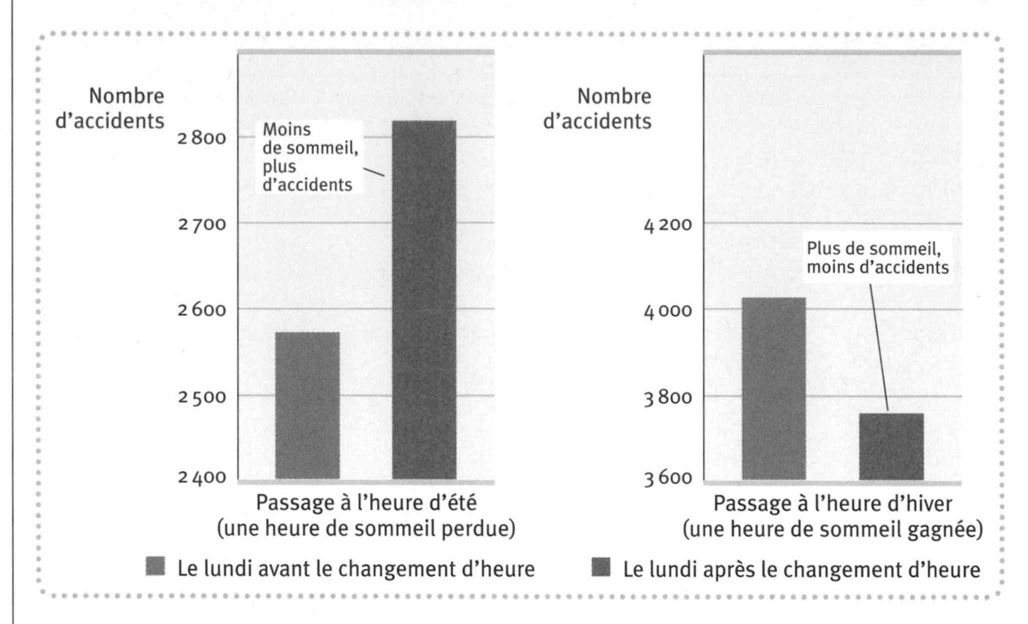

Afin de mettre en évidence le coût de la privation de sommeil, Stanley Coren s'est intéressé à une expérience naturelle de manipulation de la durée du sommeil qui touche de nombreux Nord-Américains : l'avancement d'une heure pour passer à l'heure d'été, puis le retour à l'heure normale. Après avoir analysé des millions de dossiers, il découvrit qu'au Canada et aux États-Unis, l'augmentation du nombre des accidents suivant le passage à l'heure d'été était étroitement associée à un raccourcissement de la durée du sommeil (FIGURE 3.13).

Mais soyons positifs : dormir suffisamment pour se réveiller spontanément et bien reposé, signifie être plus alerte, plus productif, en meilleure santé, plus en sécurité et plus heureux.

Les théories du sommeil

6. Quel est le rôle du sommeil ?

Ainsi, la nature nous fait payer nos dettes de sommeil. Mais pourquoi avons-nous donc besoin de dormir ?

Nous avons très peu de réponses, mais le sommeil pourrait s'être développé pour quatre raisons. Premièrement, *le sommeil nous protège*. Quand l'obscurité empêchait nos ancêtres de chasser et de rassembler de la nourriture, et rendait les déplacements hasardeux, il était préférable pour eux de dormir tranquillement dans une caverne, hors de danger. Nos ancêtres qui n'essayaient pas de naviguer entre les rochers et les falaises au cœur de la nuit avaient plus de chances d'avoir une descendance. Notre manière de dormir correspond à la niche écologique que nous occupons. Les animaux qui ont besoin de beaucoup de nourriture et qui sont peu aptes à se cacher vont moins dormir. L'éléphant et le cheval dorment 3 à 4 heures par jour, le gorille 12 heures et le chat 14 heures. Dans le cas de la chauve-souris et du tamia (*chipmunk*) oriental, qui dorment tous deux 20 heures, la vie se résume à manger et dormir (Moorcroft, 2003). (Préféreriez-vous plutôt être une girafe qui dort 2 heures par jour ou une chauve-souris qui dort 20 heures ?)

« Dormez plus vite, nous avons besoin des oreillers. »
Proverbe yiddish

« Les lignes de l'oreiller en velours côtelé s'impriment dans notre tête. »
Anonyme

En second lieu, *le sommeil nous aide à récupérer*. Il facilite la restauration et la réparation des tissus, en particulier au niveau cérébral. Les chauves-souris et d'autres animaux qui, à l'état de veille, ont un métabolisme important, brûlent beaucoup de calories et produisent de nombreuses molécules, ou *radicaux libres*, toxiques pour les neurones. Le fait de dormir longtemps donne le temps à leurs neurones au repos de se réparer d'eux-mêmes tout en permettant aux connexions non utilisées de s'affaiblir (Siegel, 2003 ; Vyazovski et coll., 2008). Réfléchissez-y de cette façon : lorsque la conscience quitte la maison, les bâtisseurs du cerveau y entrent pour y faire les transformations.

Mais le sommeil ne sert pas seulement à nous maintenir en bonne santé et à réparer notre cerveau. Il sert aussi à nous *souvenir*, à restaurer et reconstruire notre mémoire pâlissante des expériences de la journée. Les personnes entraînées à effectuer certaines tâches s'en souviennent mieux après une nuit de sommeil ou même une courte sieste qu'après plusieurs heures de veille (Walker et Stickgold, 2006). Chez l'homme comme chez le rat, l'activité neuronale au cours du sommeil à ondes lentes reconstitue et favorise le rappel des nouvelles expériences récentes (Peigneux et coll., 2004 ; Ribeiro et coll., 2004). Au cours d'une expérience, les participants ont été exposés au parfum de roses tout en apprenant à localiser diverses images. Lorsqu'ils furent réexposés au même parfum pendant leur sommeil à ondes lentes, leur hippocampe, bloc-notes de leur mémoire, a été réactivé et ils se sont souvenus de la disposition des images de manière presque parfaite le lendemain (Rasch et coll., 2007).

Le sommeil nourrit également la pensée créative. Parfois, les rêves ont inspiré remarquablement des œuvres littéraires, artistiques et scientifiques comme ce rêve qui a permis à Auguste Kekulé, chimiste, de trouver la clé de la structure du benzène (Ross, 2006). Le plus souvent, une bonne nuit complète de sommeil relance nos pensées et notre apprentissage. Après avoir travaillé sur une tâche, puis avoir dormi, les personnes résolvent les problèmes de manière plus perspicace que ceux qui restent éveillés (Wagner et coll., 2004). Ils peuvent aussi, après avoir dormi, mieux discerner comment sont reliés entre eux différents éléments d'information (Ellenbogen et coll., 2007). Même des enfants âgés de 15 mois, s'ils sont testés de nouveau après la sieste, se rappellent mieux les relations entre de nouveaux mots (Gómez et coll., 2006). Pour penser intelligemment et comprendre les relations, il est souvent payant de prendre conseil de son oreiller.

Enfin, *le sommeil pourrait aussi jouer un rôle dans le processus de croissance.* Au cours du sommeil profond, l'hypophyse sécrète de l'hormone de croissance. Lors du vieillissement, les adultes produisent moins de cette hormone et passent moins de temps en sommeil profond (Pekkanen, 1982). Ces découvertes dans le domaine de la physiologie sont un début de réponse à l'éternelle énigme du sommeil.

:: Insomnie : problèmes récurrents d'endormissement ou de maintien du sommeil.

Troubles du sommeil

7. Quels sont les principaux troubles du sommeil ?

Quel que soit leur besoin normal de sommeil, 1 adulte sur 10, et près d'une personne âgée sur 4, se plaint d'**insomnie** – non pas d'une incapacité occasionnelle de trouver le sommeil du fait de l'anxiété ou de l'excitation, mais d'un véritable problème persistant d'endormissement ou de maintien du sommeil (Irwin et coll., 2006).

Après 40 ans, le sommeil est rarement ininterrompu. L'éveil occasionnel devient la norme, et non quelque chose dont il faut s'inquiéter ou qu'il faut traiter par des médicaments. Certaines personnes s'inquiètent à tort de leur sommeil (Coren, 1996). Les études montrent qu'en laboratoire les insomniaques dorment effectivement moins que les autres, mais surestiment habituellement leur temps d'endormissement en le multipliant par deux. Au contraire, ils sous-estiment leur durée de sommeil et pensent dormir seulement la moitié de leur temps effectif de sommeil. Même si l'on n'est resté éveillé qu'une heure ou deux, on *a l'impression* d'avoir très peu dormi au cours de la nuit, car on ne mémorise que les épisodes de veille.

off the mark.com par Mark Parisi

POUR RÉSUMER, CELA FAIT DEUX HEURES CONSÉCUTIVES QUE VOUS N'AVEZ PAS DORMI, C'EST BIEN CELA ?

INSOMNIE FÉLINE

Concernant la véritable insomnie, les remèdes rapides les plus classiques, les hypnotiques (somnifères) et l'alcool, peuvent être des sources d'aggravation. Ils réduisent tous deux le sommeil REM et suscitent des lendemains pénibles. L'utilisation régulière des somnifères (dont les ventes ont augmenté de 60 p. 100 entre 2000 et 2006, Saul, 2007) nous pousse à augmenter les doses pour obtenir un effet suffisant et, si on les arrête brutalement, l'insomnie empire.

Les scientifiques essayent d'identifier les molécules naturelles qui sont abondantes au cours du sommeil dans l'espoir de les synthétiser et d'obtenir ainsi des hypnotiques n'ayant aucun effet secondaire. Pendant ce temps, les spécialistes du sommeil proposent les alternatives naturelles suivantes :

- Faire régulièrement de l'exercice, mais pas en fin de soirée (de préférence en fin d'après-midi).
- Éviter la caféine (y compris le chocolat) après la fin de l'après-midi et éviter les aliments riches juste avant le coucher. Un verre de lait peut être utile (le lait fournit les éléments de base nécessaires à la production de sérotonine, un neuromédiateur qui facilite le sommeil).

« Le lion et l'agneau se coucheront ensemble, mais l'agneau n'aura pas tellement sommeil. »
Woody Allen, dans le film *Guerre et amour*, 1975

« Le sommeil est comme l'amour ou le bonheur, si vous le poursuivez trop ardemment, il vous échappe. »
Wilse Webb, 1992 (p. 170).

Le stress vole le sommeil
Les officiers de la police urbaine, surtout ceux qui sont soumis au stress, dorment moins bien et moins longtemps que la moyenne de la population (Neylan et coll., 2002).

Dwayne Newton/PhotoEdit

« En 1757, Benjamin Franklin nous donnait l'axiome "tôt couché, tôt levé, rend l'homme robuste, riche et sage". Il serait plus exact de dire "couché à la même heure, levé à la même heure..." »
James B. Maas, *Power Sleep*, 1999

- Baisser la lumière et se détendre avant d'aller au lit.
- Dormir à heures régulières (se lever à la même heure, même après une mauvaise nuit) et éviter les siestes. Des horaires de sommeil réguliers améliorent aussi la vigilance diurne, comme l'a montré une étude au cours de laquelle des étudiants de l'université d'Arizona ont dormi 7,5 heures par nuit selon des horaires réguliers ou irréguliers (Manber et coll., 1996).
- Cacher son réveil pour ne pas être tenté de le regarder constamment.
- Se rassurer en se disant que le manque de sommeil temporaire n'est pas si nocif.
- Rendez-vous compte que pour tout organisme stressé, la vigilance est une réponse naturelle et adaptative. Si l'on est personnellement impliqué dans un conflit au cours de la journée, il y a fort à parier que la nuit de sommeil sera agitée (Åkerstedt et coll., 2007 ; Brisette et Cohen, 2002). La gestion de votre niveau de stress vous permettra un sommeil plus calme (*voir* Chapitre 12 pour en savoir plus sur le stress).
- Si rien ne marche, envisager une durée de sommeil plus courte, en se couchant plus tard ou en se levant plus tôt.

D'autres troubles du sommeil, comme la *narcolepsie*, l'*apnée du sommeil*, les *terreurs nocturnes* et le *somnambulisme*, sont plus rares mais aussi bien plus gênants.

Les personnes souffrant de **narcolepsie** (de *narco*, « engourdissement » et *lêpsis*, « attaque ») éprouvent des accès de somnolence périodiques et incoercibles. Ces épisodes durent moins de 5 minutes, mais surviennent parfois à des moments particulièrement inopportuns, comme après avoir frappé un coup terrible au cours d'une partie de base-ball, en riant de bon cœur, au cours d'un accès de colère ou encore en faisant l'amour (Dement, 1978, 1999). Dans les cas graves, la personne tombe directement dans une courte période de sommeil REM, avec la perte du tonus musculaire qui lui est associée. Ceux qui souffrent de narcolepsie (environ 1 personne sur 2000, d'après le Centre d'étude de la narcolepsie de l'université de Stanford) doivent vivre en prenant d'extrêmes précautions. Selon l'*American Sleep Disorders Association*, dans la hiérarchie des dangers de la route, « la somnolence vient juste après l'alcool », et les patients narcoleptiques présentent des risques élevés dans ce domaine (Aldrich, 1989).

• Imaginez une personne souffrant de narcolepsie au Moyen Âge. De tels symptômes et les hallucinations associées n'auraient-ils pas évoqué une possession démoniaque ? •

:: **Narcolepsie** : trouble du sommeil caractérisé par des attaques de sommeil incoercibles. Les patients atteints peuvent entrer directement en sommeil REM, souvent au moment le plus inopportun.

:: **Apnées du sommeil** : trouble du sommeil caractérisé par des arrêts temporaires de la respiration au cours du sommeil, lesquels entraînent des réveils momentanés.

:: **Terreurs nocturnes** : trouble du sommeil caractérisé par un haut niveau d'activation chez un sujet qui semble terrifié ; contrairement aux cauchemars, les terreurs nocturnes surviennent durant le stade 4 du sommeil, dans les 2 ou 3 heures suivant l'endormissement, et sont rarement mémorisées.

À la fin du siècle, des chercheurs ont découvert un gène responsable de la narcolepsie chez le chien (Lin et coll., 1999 ; Taheri, 2004). Les gènes aident au façonnement du cerveau et les neuroscientifiques recherchent les anomalies du cerveau liées à la narcolepsie. Une équipe à découvert l'absence partielle d'un centre nerveux hypothalamique produisant un neuromédiateur de veille appelé *hypocrétine* (ou orexine) (Taheri et coll., 2002 ; Thannickal et coll., 2000). (Cette découverte a conduit à des essais cliniques d'un nouvel hynotique agissant en bloquant l'activité d'éveil de l'hypocrétine.) Il est actuellement démontré que la narcolepsie est bien une maladie cérébrale et n'est pas seulement « dans la tête » du patient. Il est donc possible d'espérer soulager efficacement les patients atteints de narcolepsie, grâce à des médicaments qui reproduisent l'action de l'hypocrétine manquante et peuvent traverser la barrière hémato-encéphalique (Fujiki et coll., 2003 ; Siegel, 2000). Actuellement, les médecins prescrivent d'autres médicaments pour soulager la somnolence liée à la narcolepsie chez l'homme.

Les **apnées du sommeil** sont un autre trouble du sommeil qui engendre chez des millions de personnes un plus grand risque d'accident de la route (Teran-Santos et coll., 1999). Bien qu'une personne sur 20 souffre d'apnées du sommeil, cette maladie était inconnue avant les recherches modernes sur le sommeil. *Apnée* signifie « arrêt de la respiration » et les personnes qui en souffrent arrêtent de respirer de manière intermittente pendant leur sommeil. Après environ une minute sans air, la diminution de la teneur en oxygène du sang pousse le dormeur à se réveiller et à reprendre son souffle pendant quelques secondes. Le phénomène peut se répéter des centaines de fois par nuit, privant la personne de sommeil à ondes lentes. Malgré les plaintes de somnolence et d'irritabilité pendant la journée, et les reproches de leur conjoint concernant leurs ronflements bruyants, ceux qui souffrent d'apnées ne sont souvent pas au courant de leur trouble. Le matin suivant, ils n'ont aucun souvenir de ces crises et déclarent seulement qu'ils se sentent fatigués et déprimés (Peppard et coll., 2006).

L'apnée du sommeil est associée à l'obésité. Quand le nombre d'obèses a augmenté aux États-Unis, les syndromes d'apnées du sommeil ont fait de même, en particulier chez les hommes en surpoids, y compris certains joueurs de football américain (Keller, 2007). Chez toute personne qui ronfle la nuit, qui se sent fatiguée pendant la journée et qui peut aussi être hypertendue (ce qui augmente les risques d'accident vasculaire cérébral ou de crise cardiaque), on doit rechercher un syndrome d'apnées du sommeil (Dement, 1999). Dans les cas graves, les médecins donnent souvent au dormeur une sorte de masque relié à une pompe à air qui maintient les voies respiratoires ouvertes et la respiration régulière. Si la personne ne craint pas de paraître ridicule pendant la nuit (imaginez-vous à une soirée pyjama avec un masque et un tuba !), ce traitement est généralement efficace sur l'apnée et ses conséquences comme la baisse de l'énergie et les troubles de l'humeur.

Contrairement aux apnées du sommeil, les **terreurs nocturnes** touchent surtout les enfants, qui peuvent se redresser dans leur lit, se mettre à marcher au hasard, parler de façon incohérente, voir leurs fréquences cardiaque et respiratoire multipliées par deux et paraître terrifiés (Hartmann, 1981). Ils se réveillent rarement complètement et ne se souviennent de rien, ou presque, le lendemain matin, tout au plus quelques images floues et effrayantes. Les terreurs nocturnes ne sont pas des cauchemars qui, eux, se produisent typiquement durant le sommeil REM du petit matin, comme les autres rêves. Les terreurs nocturnes se produisent pendant les premières heures du sommeil, au cours du stade 4.

Le *somnambulisme* (un autre trouble du stade 4 du sommeil) et la *somniloquie* atteignent surtout les enfants et se retrouvent au sein d'une même famille. Des études finlandaises effectuées chez les jumeaux montrent que le somnambulisme occasionnel se retrouve dans un tiers des cas chez les faux jumeaux et dans la moitié des cas chez les vrais jumeaux. Il en est de même pour la somniloquie (Hublin et coll., 1997, 1998). La plupart du temps, le somnambulisme ne présente pas de danger et ne laisse pas de souvenir le lendemain matin. En général, les somnambules retournent d'eux-mêmes dans leur lit, parfois avec l'aide des membres de leur famille. Les jeunes enfants, qui produisent le stade 4 le plus profond et le plus long, sont plus facilement sujets aux terreurs nocturnes et au somnambulisme. En prenant de l'âge, le stade 4 de sommeil profond diminue, de même que les terreurs nocturnes et le somnambulisme. Après une privation de sommeil, les individus dorment plus profondément, ce qui augmente la tendance au somnambulisme (Zadra et coll., 2008).

Archivo Iconografico, S.A./Corbis

Brahms avait-il besoin de ses propres berceuses ? Grincheux, obèse et sujet aux « petits sommes », Johannes Brahms présentait les symptômes classiques du syndrome d'apnées du sommeil (Margolis, 2000).

Les rêves

8. À quoi rêvons-nous ?

Actuellement à l'affiche du théâtre interne près de chez-vous : la première montrant le rêve vivant d'une personne endormie. Cette pièce mentale encore jamais vue présente des personnages captivants engagés dans une intrigue si originale et peu probable mais si confuse et semblant si réelle que le spectateur s'émerveille devant sa création.

En se réveillant d'un rêve troublant, tout secoué par ses émotions, qui parmi nous ne s'est pas posé de questions sur cet état mystérieux de notre conscience ? Comment notre cerveau peut-il construire ce monde parallèle conscient si créatif, coloré et complet ? Dans cette zone d'ombre entre notre conscience éveillée et notre sommeil, nous pouvons même nous demander pendant un moment ce qui est vraiment réel.

La découverte du lien entre le sommeil REM et le rêve a ouvert une ère nouvelle dans la recherche sur les rêves. Au lieu de se fonder sur les souvenirs plus ou moins vagues de quelqu'un, quelques heures ou quelques jours après un rêve, les chercheurs pouvaient saisir le rêve au moment où il survenait. Ils pouvaient réveiller leurs sujets durant une période de sommeil REM, ou dans les trois minutes qui suivaient, et écouter un compte rendu vivant du rêve.

> « Je ne crois pas être en train de rêver, mais je ne peux pas prouver que ce n'est pas le cas. »
> Bertrand Russell, philosophe (1872-1970)

Le contenu de nos rêves

Les **rêves** du sommeil REM (« hallucinations de l'esprit endormi », Loftus & Ketcham, 1994, p. 67) sont vivants, émotionnels et bizarres. Ils ne ressemblent pas aux rêveries diurnes, qui ont tendance à impliquer des détails familiers de notre vie quotidienne – imaginer, par exemple, une autre approche de ce que nous avons à faire ou nous dépeindre en train d'expliquer à un professeur pourquoi notre copie aura du retard ou rejouer dans notre tête une rencontre personnelle que nous avons particulièrement aimée ou que nous regrettons. Cependant, les rêves sont si vivants que nous pouvons les confondre avec la réalité. En se réveillant d'un cauchemar, un enfant de 4 ans peut très bien se plaindre de la présence d'un ours dans la maison.

Nous passons six années de notre vie dans nos rêves, dont la plupart sont tout sauf agréables. Pour les femmes comme pour les hommes, 8 rêves sur 10 sont marqués par des émotions ou au moins un événement négatif (Domhoff, 2007). Les gens rêvent souvent d'échecs répétés dans la réalisation de quelques chose, qu'ils sont attaqués, poursuivis ou rejetés ; ou encore qu'ils subissent des calamités (Hall et coll., 1982). Les rêves à connotation sexuelle se produisent moins souvent que vous ne pourriez l'imaginer. Dans une étude, on a montré que seul 1 rêve sur 10 chez les jeunes hommes et 1 sur 30 chez les jeunes femmes avaient une connotation sexuelle (Domhoff, 1996). Le plus souvent, le fil de l'histoire de nos rêves, ce que Sigmund Freud appelait le **contenu manifeste**, incorpore parfois des traces des expériences et des préoccupations des jours précédents (De Koninck, 2000) :

- Après avoir subi un traumatisme, les gens signalent des cauchemars (Levin et Nielsen, 2007). Un échantillon d'Américains qui se rappelaient leurs rêves au cours du mois de septembre 2001 a décrit une augmentation du nombre de rêves effrayants après l'attentat du 11 septembre (Propper et coll., 2007).
- Après avoir joué à « Tetris » pendant sept heures d'affilée sur leur ordinateur et avoir été réveillés plusieurs fois au cours de leur première heure de sommeil, trois joueurs sur quatre ont signalé avoir rêvé de la chute des blocs, caractéristique du jeu (Stickgold et coll., 2000).
- Les individus appartenant à des communautés de chasseurs-cueilleurs rêvent souvent d'animaux, alors que les Japonais vivant en ville le font rarement (Mestel, 1997).
- Comparés aux personnes ne faisant pas de musique, les musiciens rêvent deux fois plus de musique (Uga et coll., 2006).

• Pensez-vous que les aveugles de naissance puissent rêver ? Des études menées sur des aveugles en France, en Hongrie, en Égypte et aux États-Unis, ont toutes démontré qu'ils rêvaient en utilisant d'autres sens que la vue : l'ouïe, le toucher, l'odorat et le goût (Buquet, 1988 ; Taha, 1972 ; Vekassy, 1997). •

> « Quoi qu'on ait fait durant le jour, ces choses sont vues dans les visions de la nuit. »
> Ménandre d'Athènes (342-292 av. J.-C.), *Fragments*

Les stimuli sensoriels de notre environnement de sommeil peuvent aussi faire intrusion. Une odeur particulière ou la sonnerie du téléphone peuvent être ingénieusement tissées dans la trame du rêve. Au cours d'une expérience classique, William Dement et Edward Wolpert (1958) ont légèrement vaporisé de l'eau froide sur le visage de personnes en train de rêver. Comparés à des dormeurs qui n'avaient pas reçu d'eau, ces sujets ont eu plus tendance à rêver d'eau, de chute d'eau, de toit percé, voire d'être aspergés par quelqu'un. Même plongés dans le sommeil REM, centrés sur nos stimuli internes, nous conservons une certaine conscience des changements de notre environnement.

• Un mythe répandu à propos du sommeil : si vous rêvez que vous êtes en train de tomber, puis que vous heurtez le sol (ou si vous rêvez de votre mort), vous mourrez. (Malheureusement, ceux qui pourraient confirmer ces idées ne sont plus là pour le dire. Certaines personnes, cependant, ont vécu un tel rêve et sont vivantes pour le raconter.) •

MAXINE

Pouvons-nous alors apprendre une langue étrangère en écoutant des cassettes pendant notre sommeil ? Si seulement c'était aussi facile. En dormant, nous pouvons apprendre à associer un son avec un choc électrique modéré (et à réagir au son en conséquence). Mais nous ne nous rappelons pas des informations d'une cassette diffusée pendant que nous sommes profondément endormis (Eich, 1990 ; Wyatt et Bootzin, 1994). En fait, tout ce qui survient pendant les cinq minutes qui précèdent l'endormissement n'est généralement pas mémorisé (Roth et coll., 1988). Cela explique pourquoi les patients souffrant d'apnées du sommeil, qui se réveillent très souvent en suffoquant et se rendorment immédiatement, ne se souviennent pas de ces épisodes. Cela explique aussi pourquoi les rêves qui nous réveillent momentanément sont, dans la plupart des cas, oubliés le lendemain. Pour vous souvenir d'un rêve, levez-vous et restez éveillé pendant un moment.

« Réalisez vos rêves, excepté ceux où vous vous retrouvez nu au travail. »
Attribué à Henny Youngman

Pourquoi nous rêvons

9. À quoi cela sert-il de rêver ?

Ceux qui émettent des théories sur les rêves ont proposé diverses explications possibles à leur existence. Examinons quelques-unes d'entre elles :

Pour satisfaire nos souhaits. Dans son livre fondamental publié en 1900, *De l'interprétation des rêves*, Freud nous offrait « la plus précieuse de toutes les découvertes qu'[il a] eu la chance de faire ». Il prétendait qu'un rêve est une soupape de sécurité psychique qui, en assouvissant des désirs, permet de se libérer de sensations qui seraient autrement inacceptables. Selon Freud, le *contenu manifeste* du rêve est une version symbolique censurée du **contenu latent**, qui consiste en des pulsions et des désirs inconscients qui pourraient être dangereux s'ils étaient exprimés directement. Bien que la plupart des rêves ne contiennent pas d'images sexuelles manifestes, Freud pensait pourtant que la plupart des rêves des adultes pouvaient « trouver leur origine, au cours de l'analyse, dans des désirs érotiques ». D'après Freud, un fusil, par exemple, pourrait être une représentation déguisée d'un pénis.

« Quand les gens interprètent [un rêve] comme s'il signifiait quelque chose et vendent ensuite ces interprétations, c'est du charlatanisme. »
J. Allan Hobson, chercheur dans le domaine du sommeil (1995)

Freud considérait que les rêves étaient la clé de la compréhension de nos conflits internes. Pourtant, ses détracteurs disent qu'il est temps de s'affranchir de la théorie des rêves de Freud, qui s'avère être un cauchemar scientifique. En se fondant sur l'accumulation de résultats scientifiques, le chercheur William Domhoff (2003), spécialistes des rêves, note qu'« il n'y a aucune raison de croire les diverses affirmations spécifiques de Freud sur les rêves et leur objet ». Certains soutiennent que, même si les rêves sont symboliques, on peut les interpréter comme on le souhaite. D'autres maintiennent qu'il n'y a rien de caché dans les rêves. Un rêve à propos d'un fusil n'est rien d'autre qu'un rêve à propos d'un fusil. La légende dit que même Freud, qui aimait fumer le cigare, admettait que « parfois, un cigare est juste un cigare ». La théorie des rêves de Freud a beaucoup contribué à l'avènement de nouvelles théories.

Pour archiver notre mémoire. Les chercheurs qui voient les rêves comme un *traitement de l'information* croient qu'ils servent à filtrer, trier et fixer en mémoire nos expériences de la journée. Comme nous l'avons dit précédemment, les sujets testés ont généralement de meilleures performances le jour suivant une nuit de consolidation mnésique. Les personnes qui sont privées à la fois de sommeil à ondes lentes et de sommeil REM ne les améliorent pas autant (même après deux nuits de sommeil de récupération) que celles qui ont dormi normalement après leur apprentissage (Stickgold et coll., 2000, 2001). Des sujets qui écoutent des phrases inhabituelles ou apprennent à retrouver des images cachées juste avant de se coucher se rappellent moins bien des tâches le lendemain matin s'ils sont réveillés à chaque fois qu'ils commencent un épisode de sommeil REM, que s'ils sont réveillés au cours des autres stades de sommeil (Empson et Clarke, 1970 ; Karni et Sagi, 1994).

Des scanners cérébraux ont confirmé le lien entre le sommeil REM et la mémoire. Les zones cérébrales, qui s'activent quand un rat apprend à s'orienter dans un labyrinthe ou quand une personne apprend à effectuer une tâche de détection visuelle, s'activent à nouveau au cours du sommeil REM suivant (Louie et Wilson, 2001 ; Maquet, 2001). La répartition de l'activité est si précise que les chercheurs peuvent dire quelle serait la position du rat dans le labyrinthe s'il était éveillé.

Certains chercheurs ne sont pas convaincus par les résultats de ces études (Siegel, 2001 ; Vertes et Siegel, 2005). Ils ont remarqué que la consolidation mnésique pouvait se produire indépendamment des rêves, y compris en dehors des phases de sommeil REM. Mais ce qui semble vrai, c'est qu'une nuit complète de sommeil (et de rêves) occupe une place importante dans notre vie : elle nous permet de dormir, et peut-être de nous souvenir. C'est une nouvelle très importante pour les étudiants, dont la plupart, pense le chercheur Robert Stickgold

:: Rêve : séquence d'images, d'émotions et de pensées traversant l'esprit d'une personne endormie. Les rêves sont remarquables en raison de leur imagerie hallucinatoire, de leur discontinuité et de leurs incongruités. On doit aussi noter que le rêveur accepte leur contenu sans le critiquer et a du mal à s'en souvenir plus tard.

:: Contenu manifeste : selon Freud, le scénario de rêve dont on se souvient (distinct de son contenu latent, ou caché).

:: Contenu latent : selon Freud, la signification sous-jacente d'un rêve (à distinguer du contenu manifeste).

(2000), souffrent d'une sorte de boulimie de sommeil, en particulier pendant le week-end. Mais Stickgold souligne que « si vous ne dormez pas assez après avoir appris de nouvelles choses, vous ne les intégrez pas effectivement dans vos souvenirs ». Cela pourrait expliquer pourquoi les lycéens qui obtiennent les meilleures notes (A et B en moyenne) dorment environ 25 minutes de plus et se couchent 40 minutes plus tôt que leurs camarades de classe qui n'obtiennent que des C, D et E (Wolfson et Carskadon, 1998).

Pour développer et préserver nos voies nerveuses. Certains chercheurs pensent que les rêves peuvent également remplir une *fonction physiologique*. L'activité cérébrale qui est associée au sommeil REM pourrait fournir des stimulations périodiques au cerveau endormi. Cette théorie prend un sens d'un point de vue développemental. Comme nous le verrons au chapitre 5, les stimulations développent et préservent les circuits neuronaux du cerveau. Les nourrissons, dont les réseaux neuronaux sont en phase de développement rapide, passent beaucoup de temps en sommeil REM (FIGURE 3.14).

• Les mouvements oculaires rapides, entre autres, remuent le liquide situé derrière la cornée, permettant un approvisionnement en oxygène des cellules cornéennes et prévenant leur asphyxie. •

Pour donner un sens à la statique neuronale. D'autres théories physiologiques suggèrent que les rêves jaillissent de l'activité neuronale du tronc cérébral qui se propage vers le haut (Antrobus, 1991 ; Hobson, 2003, 2004). Selon l'une de ces théories (la théorie de l'*activation-synthèse*), cette activité neuronale est aléatoire et les rêves ne constituent qu'une tentative du cerveau pour donner un sens à tout cela. De même qu'un neurochirurgien peut produire des hallucinations en stimulant différentes zones du cortex d'un patient, les stimulations qui naissent du cerveau pourraient également activer les aires cérébrales qui traitent les images visuelles (mais pas les aires du cortex visuel qui reçoivent les informations brutes en provenance des yeux). Comme Freud s'y serait attendu, les imageries TEP réalisées chez des sujets endormis montrent également une augmentation de l'activité dans le système limbique lié à l'émotion (en particulier l'amygdale) au cours du sommeil REM, alors que les régions des lobes frontaux responsables de l'inhibition et de la pensée rationnelle marchent au ralenti, ce qui explique pourquoi nos rêves sont moins inhibés que nous ne le sommes (Maquet et coll., 1996). Ajoutez la tonalité émotionnelle du système limbique aux bouffées d'activation visuelle du cerveau et voilà, nous rêvons. Lésez le système limbique ou les centres visuels actifs pendant le rêve et vous pourrez empêcher le rêve lui-même (Domhoff, 2003).

• *Question* : la consommation de mets épicés augmente-t-elle les rêves ? *Réponse* : toute nourriture qui a tendance à augmenter le nombre d'éveils augmente la probabilité de se souvenir d'un rêve (Moorcroft, 2003) •

Pour refléter le développement cognitif. Certains chercheurs critiquent aussi bien la théorie freudienne que celle de l'activation-synthèse, préférant voir les rêves comme un élément de la maturation cérébrale et du développement cognitif (Domhoff, 2003 ; Foulkes, 1999). Par exemple, avant l'âge de 9 ans, les rêves des enfants ressemblent plus à une suite de diapositives qu'à une histoire active dont le rêveur devient l'acteur. Les rêves se superposent à la cognition de l'état de veille et construisent des discussions cohérentes. Ils s'inspirent de nos concepts et de nos connaissances. Le TABLEAU 3.2 compare ces principales théories des rêves.

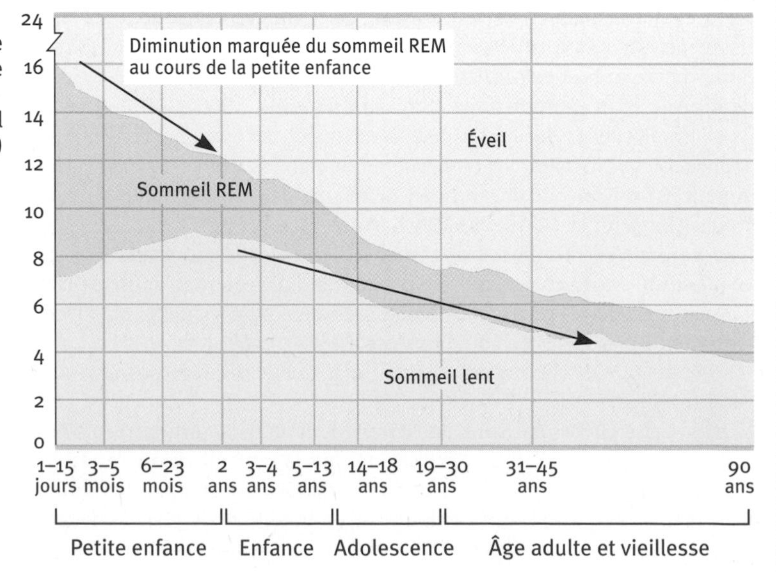

➤ FIGURE 3.14
Le sommeil tout au long de la vie
En vieillissant, nos rythmes de sommeil changent. Au cours des tout premiers mois, nous passons de moins en moins de temps en sommeil REM. Pendant les 20 premières années, nous passons de moins en moins de temps à dormir. (D'après Snyder et Scott, 1972.)

TABLEAU 3.2

THÉORIES DES RÊVES

Théorie	Explication	Considérations critiques
Assouvissement des désirs selon Freud	Les rêves représentent une « soupape de sécurité psychique » en exprimant des sentiments autrement inacceptables ; ils contiennent un contenu manifeste (mémorisé) et un contenu latent (plus profondément enfoui), une signification cachée	Absence de tout soutien scientifique ; les rêves peuvent être interprétés de nombreuses façons différentes
Traitement de l'information	Les rêves aident à trier les événements de la journée et à consolider notre mémoire	Mais pourquoi rêvons-nous de choses que nous n'avons pas vécues ?
Fonction physiologique	La stimulation régulière du cerveau par le sommeil REM peut aider à développer et à conserver nos voies neuronales	Cela peut être vrai mais n'explique pas pourquoi nous vivons des rêves ayant un sens
Activation-synthèse	Le sommeil REM déclenche des influx qui provoquent une mémoire visuelle aléatoire, que notre cerveau endormi tisse en histoires	Le cerveau de chacun tisse les histoires, ce qui nous en apprend un peu sur le rêveur
Théorie cognitive	Le contenu des rêves reflète le développement cognitif du rêveur, ses connaissances et sa compréhension	N'aborde pas la neuroscience des rêves

Bien que les chercheurs spécialistes du sommeil continuent de débattre sur la fonction des rêves, certains restant même sceptiques sur le fait que les rêves possèdent la moindre fonction, il y a bien une chose sur laquelle toutes les théories sont d'accord : nous avons besoin de sommeil REM. Privés de cette phase de sommeil par des réveils répétés, les sujets replongent de plus en plus vite en stade REM lorsqu'on les laisse se rendormir. Quand on leur permet finalement de dormir sans être dérangés, ils vont littéralement dormir comme des bébés, avec un sommeil REM accru, un phénomène appelé **rebond en REM**. L'arrêt des hypnotiques suppresseurs du sommeil REM augmente également ce stade de sommeil, mais s'accompagne de cauchemars.

La plupart des autres mammifères expérimentent aussi le phénomène de rebond en REM, ce qui suggère que les causes et les fonctions du sommeil REM sont profondément ancrées dans la biologie. Sa présence chez les mammifères et non chez d'autres animaux, comme les poissons, dont le comportement est moins influencé par l'apprentissage, est également en accord avec la théorie du rôle des rêves dans le traitement de l'information.

Si les rêves remplissent des fonctions physiologiques et étendent la cognition normale, sont-ils pour autant dénués de signification psychologique ? Pas nécessairement : toute expérience significative sur le plan psychologique implique un cerveau actif. Tout ceci nous aide à nous rappeler, encore une fois, un concept de base : *les explications biologiques et psychologiques du comportement ne sont pas opposées mais complémentaires.* Les rêves peuvent être, comme l'art abstrait, susceptibles de plusieurs interprétations.

Les rêves sont un état modifié de la conscience tout à fait fascinant. Mais ce ne sont pas les seuls. L'hypnose, la consommation de substances psychoactives ou même les expériences au seuil de la mort peuvent également altérer notre perception consciente.

AVANT D'ALLER PLUS LOIN...

➤ INTERROGEZ-VOUS

Dans certains pays, comme en Angleterre, la journée de classe d'un adolescent commence à 9 heures et se termine à 16 heures en moyenne. Dans d'autres pays, comme aux États-Unis, c'est plutôt entre 8 heures et 15 heures, voire entre 7 heures 30 et 14 heures 30. Le réveil précoce ne rend pas les enfants intelligents, disent les critiques, mais plutôt somnolents. Pour obtenir une vigilance optimale et un bien-être général, les adolescents ont besoin de 8 à 9 heures de sommeil par nuit. Donc, pensez-vous qu'il faille décaler les départs matinaux vers des heures plus tardives, même si cela nécessite l'achat de bus supplémentaires ou la permutation des horaires de départ avec ceux des écoles élémentaires ? Cela vous semble-t-il peu pratique, ou insuffisant, pour remédier au problème de la fatigue des adolescents ?

➤ TESTEZ-VOUS 2

Dormez-vous assez ? Que devez-vous vous demander afin de répondre à cette question ?

Les réponses aux questions « Testez-vous » sont données dans l'annexe B à la fin de l'ouvrage.

::Rebond en REM : tendance du sommeil REM à augmenter après une privation de ce stade (provoquée par des éveils répétés durant le sommeil REM).

Hypnose

10. Qu'est-ce que l'hypnose ? Quel pouvoir l'hypnotiseur a-t-il sur un sujet hypnotisé ?

IMAGINEZ QUE VOUS ÊTES SUR LE POINT d'être hypnotisé. L'hypnotiseur vous invite à vous asseoir, à fixer votre regard sur un point situé sur le mur et à vous relaxer. D'une voix douce et paisible, l'hypnotiseur suggère : « vos yeux vous piquent... vos paupières deviennent lourdes... de plus en plus lourdes... elles commencent à se fermer... vous êtes de plus en plus détendu... votre respiration est profonde et régulière... vos muscles sont de plus en plus relâchés. Votre corps tout entier commence à être lourd comme du plomb ».

Après quelques minutes de cette *induction hypnotique*, vous allez être sous **hypnose**. Lorsque l'hypnotiseur suggère « vos paupières sont si étroitement fermées que vous ne pouvez pas les ouvrir, même si vous essayez », vos paupières pourraient bien rester fermées et vous pouvez avoir l'impression de ne pas arriver à les ouvrir. Si l'on vous dit d'oublier le chiffre 6, vous serez sans doute perplexe en comptant 11 doigts à vos mains. Invité à respirer un parfum suave, qui est en fait de l'ammoniac, vous pourrez vous attarder avec délice sur son odeur âcre. Si l'on vous dit que vous ne pouvez pas voir un certain objet, par exemple une chaise, vous allez en effet dire qu'elle n'est pas là, même si vous vous débrouillez pour l'éviter en passant (ce qui illustre une fois encore les deux voies de votre esprit).

Avant de considérer si l'état hypnotique est en fait un état *modifié* de la conscience, essayons d'envisager les points sur lesquels il y a consensus.

Faits et mensonges

Ceux qui étudient l'hypnose concèdent que son pouvoir réside plus dans la suggestibilité du sujet que dans l'habileté de l'hypnotiseur (Bowers, 1984). Les hypnotiseurs n'ont aucun pouvoir magique de contrôle de l'esprit ; ils utilisent simplement la capacité des sujets à focaliser leur attention sur certaines images ou comportements. Mais jusqu'à quel point sommes-nous donc ouverts à cette suggestibilité ?

Peut-on hypnotiser tout le monde ?

Dans une certaine mesure, presque tout le monde est suggestible. Lorsque vous êtes debout, les yeux fermés, et que l'on vous répète que vous êtes en train de vous balancer d'avant en arrière, la plupart d'entre vous vont osciller légèrement. Le *balancement postural* est d'ailleurs l'un des éléments de l'échelle de sensibilité hypnotique de l'université de Stanford, qui évalue la susceptibilité à l'hypnose d'un individu. Les personnes qui répondent à de telles suggestions sans être hypnotisées sont celles qui seront aptes à être hypnotisées (Kirsch et Braffman, 2001).

Après avoir réalisé une courte induction hypnotique, l'hypnotiseur propose une série d'expériences suggérées allant des plus faciles (les bras tendus du sujet vont se mouvoir ensemble) aux plus difficiles (les yeux ouverts, le sujet va voir une personne qui n'existe pas). Ceux qui sont facilement hypnotisables, soit les 20 p. 100 qui peuvent obéir à la suggestion de ne pas sentir ou de ne pas réagir face à une bouteille d'ammoniac présentée sous leur nez, sont souvent absorbés par des activités d'imagination (Barnier et McConkey, 2004 ; Silva et Kirsch, 1992). Elles ont généralement une vie fantasmatique riche, et sont facilement captivées par les événements imaginaires d'un film ou d'un roman. (Peut-être vous souvenez-vous d'avoir été captivé par un film qui vous a mis dans une sorte d'état de transe et vous a fait oublier les personnes ou les bruits autour de vous.) Ainsi, de nombreux chercheurs désignent la « sensibilité à l'hypnose » par le terme de *capacité* hypnotique, c'est-à-dire la « capacité » à focaliser totalement leur attention sur une tâche donnée, de plonger en elle par votre imagination, de jouir d'un grand potentiel fantasmatique.

En fait, toute personne qui est capable d'un certain degré d'introspection et d'imagination peut être, au moins partiellement, hypnotisée, car l'hypnose n'est rien d'autre. Pratiquement n'importe qui peut être sensible à l'hypnose si on l'amène à y être *réceptif*. Imaginez qu'on vous demande de fixer un point en hauteur puis d'écouter que « vos yeux se fatiguent... vos paupières deviennent lourdes ». Les yeux de n'importe qui seraient fatigués dans ces conditions (essayez de regarder en l'air pendant 30 secondes). Mais si l'hypnotiseur réussit, le sujet va attribuer la lourdeur de ses paupières au pouvoir de l'hypnotiseur et sera plus sensible aux suggestions suivantes.

:: **Hypnose** : type d'interaction sociale dans lequel une personne (l'hypnotiseur) suggère à une autre (le sujet) que certaines perceptions, sensations, pensées ou comportements vont se produire spontanément.

L'hypnose peut-elle faciliter le rappel d'événements oubliés ?

Les séances d'hypnose peuvent-elles permettre à certains de se souvenir de leurs camarades de maternelle ? De retrouver les détails oubliés ou dissimulés d'un crime ? Les témoignages obtenus sous hypnose sont-ils recevables devant une cour de justice ?

La plupart des gens pensent, à tort comme nous le verrons au chapitre 8, que toutes nos expériences sont « à l'intérieur », que tout ce qui nous arrive est inscrit dans notre cerveau et peut être remémoré, pour peu que nous puissions contourner nos propres défenses (Loftus, 1980). Une enquête effectuée dans la population générale montre que 3 personnes sur 4 sont persuadées à tort que l'hypnose permet de « retrouver des souvenirs précis remontant jusqu'à la naissance » (Johnson et Hauck, 1999). Mais 60 années de recherches vont à l'encontre des affirmations concernant la *régression* – capacité supposée à revivre les expériences de notre enfance. Les sujets soumis à une expérience de régression agissent comme ils croient que le feraient des enfants, mais ils manquent généralement leur objectif en exagérant les comportements d'enfant de l'âge indiqué (Silverman et Retzlaff, 1986). Ils peuvent, par exemple, *se sentir* comme un enfant et écrire grossièrement comme ils savent que le ferait un enfant de 6 ans, mais ils le font souvent avec une orthographe parfaite et sans aucun changement de leurs ondes cérébrales, de leurs réflexes ou de leurs perceptions d'adultes.

Les souvenirs « rafraîchis sous hypnose » combinent les faits réels et la fiction. Sans que personne ne s'en rende compte, l'allusion de l'hypnotiseur – « avez-vous entendu un grand bruit ? » – peut semer des idées qui deviennent le pseudo-souvenir du sujet. Ainsi, un nombre croissant de cours de justice américaines, australiennes et britanniques refuse le témoignage des personnes qui ont été hypnotisées (Druckman et Bjork, 1994 ; Gibson, 1995 ; McConkey, 1995).

Les dizaines de milliers de personnes qui, depuis 1980, disent avoir été enlevées par des ovnis, sont des exemples frappants de souvenirs créés sous hypnose. Les études ont montré que la plupart des rapports concernant les ovnis proviennent de personnes prédisposées à croire aux extraterrestres, qui sont hautement hypnotisables et ont subi une hypnose (Newman et Baumeister, 1996 ; Nickell, 1996).

« L'hypnose n'est pas un sérum de vérité psychologique, et la considérer comme telle a été la source de problèmes considérables. »
Kenneth Bowers, chercheur (1987)

• *Voir* le chapitre 8 pour une discussion plus détaillée sur la manière dont les gens peuvent construire de faux souvenirs. •

L'hypnose peut-elle obliger les gens à agir contre leur gré ?

Des chercheurs ont amené des sujets hypnotisés à effectuer un acte apparemment dangereux – tremper brièvement leur main dans un « acide » fumant et jeter ensuite l'« acide » à la figure de l'expérimentateur (Orne et Evans, 1965). Questionnés le lendemain à ce sujet, ils ne gardaient aucun souvenir de leur acte et niaient fermement être capables d'obéir à un tel ordre.

L'hypnose donne-t-elle à l'hypnotiseur un pouvoir spécial capable de contrôler les personnes contre leur volonté ? Pour le savoir, Martin Orne et Frederich Evans eurent recours à cet ennemi de tant de croyances illusoires : le groupe contrôle. Orne demanda à quelques sujets supplémentaires de *faire comme* s'ils étaient hypnotisés. L'expérimentateur ne sachant pas que ces sujets contrôles n'avaient pas été hypnotisés traita tout le monde de la même manière. Le résultat ? Tous les sujets *non* hypnotisés (pensant peut-être que le contexte du laboratoire assurait leur sécurité) accomplirent les mêmes actes que les sujets hypnotisés.

Cela illustre un principe que le chapitre 16 soulignera : *une personne revêtue de l'autorité et placée dans un contexte légitime peut inciter les gens, hypnotisés ou non, à se livrer à des actes invraisemblables.* Nicholas Spanos, un chercheur spécialiste de l'hypnose, l'exprime simplement (1982) : « le comportement visible des sujets hypnotisés est tout à fait dans les limites de la normale ».

« Ce n'était pas ce à quoi je m'attendais. Mais les faits sont les faits, et si l'on vous prouve que vous vous êtes trompé, vous devez être humble et recommencer. »
Miss Marple d'Agatha Christie

L'hypnose peut-elle être thérapeutique ?

Les *hypnothérapeutes* essaient d'aider les patients à utiliser leurs propres capacités de guérison (Baker, 1987). La **suggestion post-hypnotique** peut aider à soulager les maux de tête, l'asthme et les problèmes de peau liés au stress. Une femme, qui souffrait d'ulcères sur tout le corps depuis plus de 20 ans, devait s'imaginer nageant dans un liquide chatoyant et lumineux capable de nettoyer sa peau et devait ressentir la douceur et la netteté de son épiderme. En trois mois, ses ulcères avaient disparu (Bowers, 1984).

Dans une méta-analyse regroupant 18 études, les personnes dont la psychothérapie était assortie d'hypnose montraient plus d'amélioration que 70 p. 100 de ceux qui n'en bénéficiaient

:: Suggestion post-hypnotique : suggestion faite au cours de la séance d'hypnose et qui doit être exécutée alors que le sujet n'est plus hypnotisé. Elle est utilisée par certains cliniciens pour aider à contrôler certains symptômes ou comportements indésirables.

pas (Kirsch et coll., 1995, 1996). L'hypnose semble particulièrement utile dans le traitement de l'obésité ; en revanche, les addictions telles que l'alcoolisme, les toxicomanies ou le tabagisme y répondent mal (Nash, 2001). Des études contrôlées montrent que l'hypnose accélère la disparition des verrues, mais pas plus que ne le fait la suggestion positive, sans hypnose (Spanos, 1991, 1996).

L'hypnose peut-elle soulager la douleur ?

Oui, l'hypnose *peut* atténuer la douleur (Druckman et Bjork, 1994 ; Patterson, 2004). Lorsque des personnes non hypnotisées plongent leurs bras dans un bain glacé, elles ressentent une douleur intense en moins de 25 secondes. Lorsque des sujets hypnotisés font la même chose après qu'on leur a suggéré qu'ils ne sentiront aucune douleur, ils disent en effet ne ressentir qu'une faible douleur. Comme le savent certains dentistes, même une hypnose légère peut réduire la crainte et donc l'hypersensibilité à la douleur.

Quelque 10 p. 100 d'entre nous peuvent être si profondément hypnotisés que même une opération chirurgicale majeure peut être effectuée sans anesthésie. Sous hypnose, près de la moitié de la population peut profiter d'une atténuation au moins partielle de la douleur. Des expériences faites lors d'interventions chirurgicales ont montré que les patients hypnotisés nécessitaient moins de médicaments, récupéraient plus vite et quittaient l'hôpital plus tôt que les témoins non hypnotisés, grâce à l'inhibition de l'activité cérébrale liée à la douleur (Askay et Patterson, 2007 ; Spiegel, 2007). L'emploi de l'hypnose en chirurgie s'est fortement développé en Europe et une équipe médicale belge a effectué plus de 500 interventions chirurgicales en associant l'hypnose à une anesthésie locale et une légère sédation (Song, 2006).

Expliquer l'état d'hypnose

11. L'hypnose est-elle l'extension d'un état normal de la conscience ou un état modifié de celle-ci ?

Nous avons vu que l'hypnose implique une suggestibilité élevée et qu'elle ne confère pas de pouvoir particulier. Mais elle peut parfois aider à vaincre des troubles d'origine psychologique ou aider à apaiser la douleur. Donc, qu'*est*-ce au juste que l'hypnose ?

L'hypnose en tant que phénomène social

Certains chercheurs pensent que les phénomènes observés sous hypnose reflètent le pouvoir d'influences sociales (Lynn et coll., 1990 ; Spanos et Coe, 1992). Ils insistent sur le fait que nos interprétations et notre manière de diriger notre attention influencent puissamment nos perceptions ordinaires.

Cela veut-il dire que les gens truquent consciemment l'hypnose ? Non, comme des acteurs pris dans leur rôle, ils commencent à se sentir et à se comporter de façon appropriée à leur rôle de « bon sujet hypnotisable ». Plus ils apprécient et croient en l'hypnotiseur et sont motivés à montrer un comportement hypnotique, plus ils lui permettent de gouverner leur attention et leur imagination (Gfeller et coll., 1987). « Les intentions de l'hypnotiseur deviennent la pensée du sujet, explique Theodore Barber (2000), et la pensée du sujet produit les sensations et les comportements sous hypnose. » Si on leur dit plus tard de se gratter l'oreille lorsqu'ils entendent le mot *psychologie*, les sujets vont le faire seulement s'ils pensent que l'expérience est toujours en cours (et que le fait de se gratter est donc attendu). Si un expérimentateur élimine la motivation à jouer l'hypnose – en disant aux sujets que l'hypnose révèle leur « crédulité » –, ils y deviennent insensibles.

En se fondant sur ce type de résultats, les partisans de la *théorie de l'influence sociale* prétendent que les phénomènes hypnotiques ne sont pas propres à l'hypnose. Comme les comportements associés à d'autres soi-disant états modifiés – tels que les personnalités multiples (Chapitre 14) ou les possessions par des esprits ou des démons – les phénomènes hypnotiques seraient plutôt une extension du comportement social de tous les jours (Spanos, 1994, 1996).

L'hypnose vue comme un état divisé de la conscience

La plupart des chercheurs travaillant sur l'hypnose admettent que les processus sociaux et cognitifs normaux jouent un rôle dans l'hypnose, mais ils pensent néanmoins que l'hypnose est plus que le simple fait de vouloir être un « bon sujet ». Cela pour au moins une raison : les sujets hypnotisés exécutent parfois les comportements suggérés même s'ils croient que personne ne les regarde (Perugini et coll., 1998). De plus, différentes activités spécifiques du cerveau accompagnent l'hypnose. Au cours d'une expérience, il fut demandé à des personnes sous hypnose profonde d'imaginer une couleur. Des aires cérébrales se sont « allumées » lorsqu'ils regardaient effectivement cette couleur. Ce qui n'aurait été simplement que de l'imagination dans un état non hypnotique était devenu, pour le cerveau de la personne hypnotisée, une hallucination captivante (Kosslyn et coll., 2000). Au cours d'une autre expérience, des sujets hypnotisables et non hypnotisables furent invités à donner les couleurs de lettres, une tâche facile qui est plus lente lorsque par exemple des lettres vertes forment le mot ROUGE (Raz et coll., 2005). Lorsqu'on suggérait aux sujets facilement hypnotisables de percevoir les lettres comme une suite sans le moindre sens, ils étaient beaucoup moins ralentis par le conflit entre le mot et sa couleur. (Les aires cérébrales qui décodent les mots et détectent les conflits restaient inactives).

Ces résultats n'auraient pas surpris Ernest Hilgard, un chercheur chevronné (1986, 1992), car il pensait que l'hypnose mettait en jeu non seulement l'influence sociale, mais aussi un état de **dissociation** particulier, un clivage entre différents niveaux de la conscience. Hilgard voyait la dissociation hypnotique comme une forme extrême de la capacité quotidienne de cliver son esprit tout comme lorsqu'on griffonne en écoutant un cours ou que l'on finit de taper une phrase sur son clavier tout en commençant une conversation. Hilgard pensait que, par exemple, les personnes hypnotisées plongeant leur bras dans un bain d'eau glacée, comme sur la FIGURE 3.15, dissociaient la sensation du stimulus douloureux (alors que les sujets en sont conscients) de la souffrance émotionnelle qui définit leur façon de ressentir la douleur. L'eau glacée semble de ce fait, froide, très froide, mais pas douloureuse.

L'atténuation de la douleur sous hypnose peut aussi être due à une autre forme du double traitement de l'information dont nous avons déjà parlé, l'*attention sélective*, comme lorsqu'un athlète blessé, concentré sur la compétition, ne ressent aucune douleur, ou très peu, jusqu'à la fin de l'épreuve. Des arguments en faveur de cette hypothèse sont apportés par l'imagerie TEP montrant que l'hypnose réduit l'activité cérébrale dans une région qui traite les stimuli douloureux, mais pas au niveau du cortex sensoriel qui reçoit les messages douloureux bruts (Rainville et coll., 1997). L'hypnose ne bloque donc pas les entrées sensorielles, bien qu'elle puisse bloquer notre *attention* envers ces stimuli.

Même si la théorie selon laquelle l'hypnose serait un état divisé de la conscience est l'objet de controverses, il semble clair que vous et moi pensons et agissons bien plus que ce dont nous avons conscience. Notre traitement de l'information qui commence par l'attention sélective emprunte ensuite deux voies simultanées, une consciente et l'autre inconsciente. Sous hypnose comme dans la vie, *la plupart de nos comportements se déroulent en pilotage automatique*. Nous avons un esprit à deux voies.

:: **Dissociation** : clivage au sein de la conscience qui permet que certaines pensées et certains comportements surviennent simultanément.

« La totalité de la conscience peut être partagée en parties qui coexistent, mais s'ignorent mutuellement. »
William James, *Principles of Psychology*, 1890

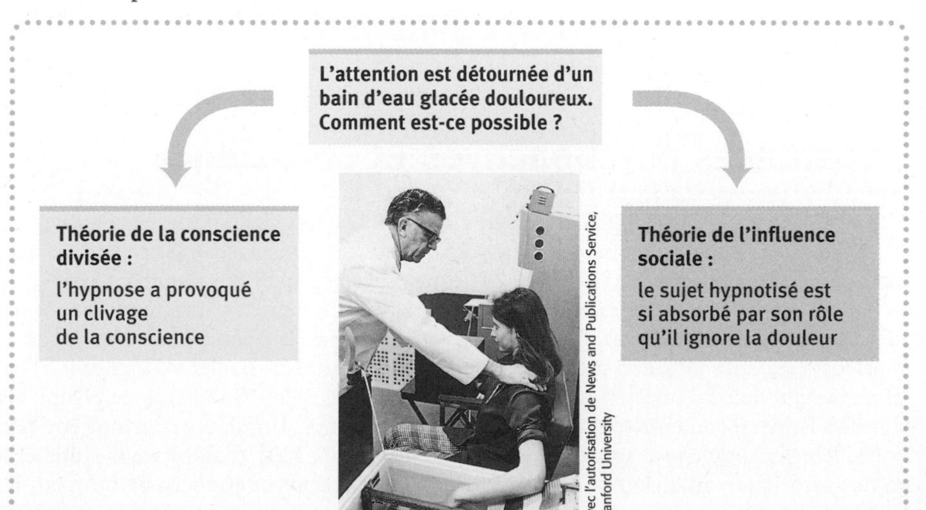

L'attention est détournée d'un bain d'eau glacée douloureux. Comment est-ce possible ?
Théorie de la conscience divisée :
l'hypnose a provoqué un clivage de la conscience
Théorie de l'influence sociale :
le sujet hypnotisé est si absorbé par son rôle qu'il ignore la douleur
Avec l'autorisation de News and Publications Service, Stanford University

➤ FIGURE 3.15
Dissociation ou « comédie » ?
Cette femme hypnotisée en train d'être étudiée par Ernest Hilgard ne montrait aucune douleur lorsque son bras était plongé dans un bain glacé. Mais lorsqu'on lui demandait d'appuyer sur un bouton si une partie quelconque de son corps ressentait la douleur, elle le faisait. Selon Hilgard, cela était la preuve de la dissociation ou de la conscience divisée. Les partisans de la théorie de l'influence sociale maintiennent cependant que les personnes qui répondent ainsi sont absorbées par leur rôle de « bon sujet ».

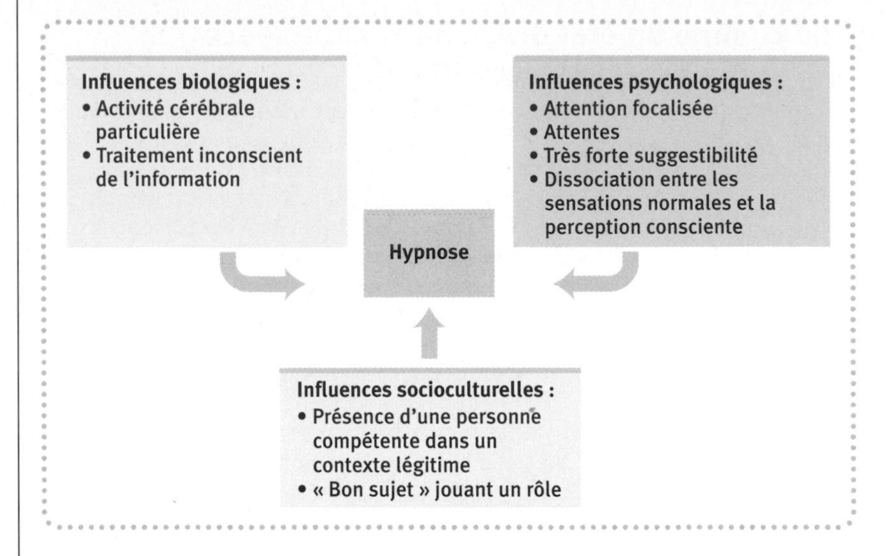

➤ FIGURE 3.16
Niveaux d'analyse de l'hypnose
Par l'approche biopsychosociale, les chercheurs explorent l'hypnose à la recherche de points de vue complémentaires.

Là encore, il y a peu de doute que les influences sociales jouent un rôle important dans l'hypnose. Ainsi, les deux points de vue que sont l'influence sociale et la conscience divisée peuvent-ils être reliés ? Les chercheurs John Kihlstrom et Kevin McConkey (1990) pensent qu'il n'y a pas de contradiction entre les deux approches, qui peuvent finalement converger vers une *présentation unifiée de l'hypnose*. Ils suggèrent que l'hypnose est une extension *à la fois* des principes normaux de l'influence sociale *et* des dissociations banales entre notre conscience et nos comportements automatiques. De ce fait, actuellement, les chercheurs qui s'intéressent à l'hypnose vont plus loin que le débat « l'hypnose est une influence sociale » *versus* « l'hypnose est un état divisé de la conscience » (Killeen et Nash, 2003 ; Woody et McConkey, 2003). Ils explorent plutôt comment l'activité cérébrale, l'attention et les influences sociales affectent les phénomènes hypnotiques (Figure 3.16).

AVANT D'ALLER PLUS LOIN...

➤ **Interrogez-vous**

Nous vous avons présenté deux exemples de conscience dissociée : parler en tapant sur son clavier d'ordinateur et penser à quelque chose d'autre en lisant une histoire bien connue pour endormir son enfant. Pouvez-vous vous souvenir d'un épisode personnel de conscience dissociée ?

➤ **Testez-vous 3**

Dans quels cas l'utilisation de l'hypnose peut-elle être dangereuse ? Quand peut-elle être utile ?

Les réponses aux questions « Testez-vous » sont données dans l'annexe B à la fin de l'ouvrage.

« Explique-moi un peu où, vous les jeunes, vous avez trouvé l'idée de prendre toutes ces drogues. »

Substances psychoactives et conscience

S'IL PERSISTE DES CONTROVERSES CONCERNANT la spécificité des effets de l'hypnose sur la conscience, on ne peut discuter l'effet des substances psychoactives sur cette dernière. Les **substances psychoactives** (SPA) sont des composés chimiques qui modifient les perceptions et l'humeur en agissant sur les synapses nerveuses (*voir* Chapitre 2). Imaginons la journée d'un consommateur de SPA légales. Il commence par un café au lait pour se réveiller. Jusqu'à midi, plusieurs cigarettes ont servi à calmer ses nerfs à vif avant son rendez-vous chez le chirurgien plastique qui doit lui injecter du Botox® pour aplanir ses rides. Une pilule de régime avant le dîner va l'aider à contenir son appétit, pilule dont les effets stimulants pourront être plus tard partiellement annulés par un verre de vin et deux Tylenol PM® (paracétamol + diphénhydramine : association antalgique + hypnotique léger). Et si l'on veut être plus performant, il existe aussi des bêtabloquants pour augmenter les performances sur le moment, le Viagra® pour les hommes d'âge mûr, les « patches libido » libérant des hormones pour les femmes d'âge mûr et la Ritaline® pour les étudiants qui espèrent augmenter leur concentration. Avant de sombrer dans un sommeil amputé de sa phase REM, notre consommateur hypothétique de SPA est consterné par un reportage télévisé concernant l'augmentation de la consommation de comprimés au sein des étudiants d'université (prise de comprimés en groupe, prise de mélanges de comprimés) et la mort de plusieurs célébrités (Anna Nicole Smith, Heath Ledger) attribuée à des overdoses accidentelles et létales d'associations de médicaments.

Dépendance et addiction

12. Comment définir les termes tolérance, dépendance et addiction ? Quelles sont les fausses idées fréquentes sur l'addiction ?

Pourquoi une personne qui boit rarement de l'alcool peut-elle être grisée par une seule cannette de bière, alors qu'un buveur régulier ne sera pas ivre avant l'ouverture du deuxième pack de six ? La consommation prolongée d'alcool et d'autres substances psychoactives induit une **tolérance**. À mesure que son cerveau adapte sa biochimie pour compenser les effets de la substance (un processus appelé *neuroadaptation*), l'utilisateur a besoin de doses de plus en plus importantes pour ressentir l'effet de la substance (FIGURE 3.17). En dépit de la connotation du mot « tolérance », le cerveau, le cœur et le foie des alcooliques souffrent de dommages dus à la consommation excessive d'alcool qu'ils sont censés « tolérer ».

Les consommateurs de SPA qui arrêtent d'en prendre peuvent ressentir les effets secondaires désagréables du **sevrage**. Lorsque le corps réagit à l'absence de la substance, le consommateur peut éprouver des douleurs physiques et un besoin irrésistible de reprendre une dose. Cela est l'indice d'une **dépendance physique** à la substance. Les gens peuvent aussi développer une **dépendance psychologique**, en particulier vis-à-vis des substances utilisées pour apaiser le stress. Bien que ce type de produits puisse ne pas provoquer de dépendance physique, la substance prend une place importante dans la vie du consommateur, souvent comme moyen de calmer les émotions négatives. Que la dépendance soit physique ou psychologique, l'unique pensée du consommateur est de se procurer et de consommer cette substance.

::Substance psychoactive : substance chimique qui altère la perception et l'humeur.

::Tolérance : diminution de l'effet après l'utilisation régulière de la même dose de produit, ce qui nécessite la prise de doses de plus en plus importantes pour obtenir l'effet désiré.

::Sevrage : malaise et angoisse qui suivent l'arrêt d'une drogue entraînant une dépendance.

::Dépendance physique : besoin physique d'une drogue, caractérisé par des symptômes de sevrage pénibles lors de l'arrêt de la drogue.

::Dépendance psychologique : besoin psychologique de consommer une drogue, de manière à réduire les émotions négatives.

::Addiction : désir irrépressible et consommation compulsive d'une drogue malgré les conséquences néfastes.

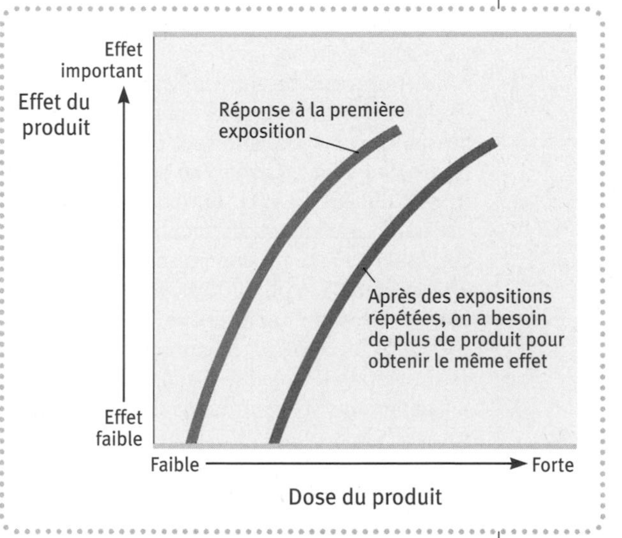

➤ FIGURE 3.17
Tolérance aux SPA L'exposition répétée à des SPA diminue leur effet. Ainsi, il est nécessaire d'utiliser des doses plus importantes pour obtenir l'effet désiré.

Idées fausses sur l'addiction

Une **addiction** est un besoin irrésistible d'une substance malgré ses conséquences indésirables, et qui s'accompagne souvent de symptômes physiques de dépendance tels que douleurs, nausées et malaise consécutifs à un sevrage brutal. Selon l'Organisation mondiale de la santé (2008), partout dans le monde, 90 millions de personnes souffrent de ce type de problème lié à l'alcool et à d'autres SPA.

Récemment, dans la psychologie populaire, la séduction soi-disant irrésistible conférée à l'addiction a été étendue à de nombreux comportements antérieurement considérés comme de mauvaises habitudes ou même des péchés. Le concept a-t-il été dévoyé ? Les addictions sont-elles aussi irrésistibles que la croyance populaire le dit ? De nombreux chercheurs spécialisés dans les SPA pensent que les trois idées suivantes sont des *mythes* :

Mythe 1. Les SPA addictives rendent vite « accro » : par exemple, la morphine prise dans le cadre du traitement de la douleur est puissamment addictive et conduit souvent à une toxicomanie à l'héroïne. Ceux à qui l'on donne de la morphine pour calmer la douleur développent rarement le besoin irrésistible caractérisant les gens dépendants qui consomment de la morphine pour ses effets sur l'humeur (Melzack, 1990). Mais certaines personnes (environ 10 p. 100) ont, en effet, du mal à les consommer avec modération ou à les arrêter tout à fait. Cependant, il y a beaucoup plus de consommateurs raisonnables et occasionnels que de personnes dépendantes aux substances telles que l'alcool ou le cannabis (Gazzaniga, 1988 ; Siegel, 1990). « Même pour une drogue très addictive comme la cocaïne, seuls 15 à 16 p. 100

Risques de devenir « accro » après l'essai de diverses drogues :

Cannabis :	9 p. 100
Alcool :	15 p. 100
Héroïne :	23 p. 100
Tabac :	32 p. 100

Source : *National Academy of Science, Institute of Medicine* (Brody, 2003).

des personnes développent une addiction dans les dix premières années de consommation », remarquent Terry Robinson et Kent Berridge (2003). Il en est de même pour les rats, dont seuls quelques uns présentent une addiction compulsive vis-à-vis de la cocaïne (Deroche-Garmonet et coll., 2004).

Mythe 2. L'addiction ne peut pas être vaincue par la seule volonté du sujet : une psychothérapie est nécessaire. Les addictions peuvent être puissantes et certaines personnes dépendantes peuvent bénéficier de programmes thérapeutiques. Les Alcooliques Anonymes, par exemple, ont soutenu beaucoup de gens dans leur victoire sur la dépendance alcoolique. Mais les critiques disent que les taux de réussite du sevrage des groupes traités par rapport aux sujets non traités diffèrent moins qu'on ne le pense. La psychothérapie ou les groupes de soutien peuvent apporter une aide, mais la plupart des gens s'en sortent par eux-mêmes.

De plus, voir l'addiction comme une maladie comparable au diabète peut saper la confiance en soi et la volonté de combattre ces envies irrépressibles qui, sans traitement, ne peuvent être « l'affaire d'un seul homme ». Et ce serait fort regrettable, de l'avis des critiques, car de nombreuses personnes arrêtent volontairement leur consommation de substances addictives, sans aucun traitement. La plupart des 41 millions d'ex-fumeurs américains se sont débarrassés tout seul de leur problème, en général après avoir fait des traitements ou des tentatives infructueuses.

> « Environ 70 p.100 des Américains ont touché aux drogues illégales, mais [...] seul un petit pourcentage l'a fait dans les derniers mois [...]. Passé 35 ans, l'utilisation ponctuelle de drogues illégales disparaît en pratique. » Ayant fait l'expérience des plaisirs et de leurs effets secondaires, « la plupart des gens s'en éloignent pour de bon ».
>
> Michael Gazzaniga, neuropsychologue (1997)

Mythe 3. On peut étendre le concept d'addiction, au-delà de la dépendance aux SPA, à un large spectre de comportements répétitifs orientés vers la recherche de plaisir. On peut le faire, et on l'a fait, mais en a-t-on le droit ? Le concept de l'addiction « vue comme une maladie nécessitant un traitement » a été proposé comme un terme générique recouvrant des comportements pulsionnels excessifs concernant l'alimentation, les achats, le sport, la sexualité, le jeu et le travail. En principe, on devrait utiliser le terme de manière métaphorique (« je suis "accro" à la science-fiction »), mais si l'on prend la métaphore au pied de la lettre, l'addiction peut devenir une excuse facile. Ceux qui détournent des fonds pour assouvir leur « addiction au jeu », ceux qui surfent sur le réseau Internet pendant la moitié de la nuit pour satisfaire leur « addiction au Net », ou ceux encore qui agressent ou trompent pour donner libre cours à leur « addiction au sexe » peuvent ainsi donner une explication plausible de leur comportement en le faisant passer pour une maladie.

Parfois, cependant, des comportements comme le jeu, les jeux vidéo ou surfer sur Internet deviennent vraiment compulsifs et anormaux, tout à fait comme l'abus de drogues (Griffiths, 2001 ; Hoeft et coll., 2008). Certains internautes par exemple présentent effectivement une incapacité apparente à résister à se connecter et à surfer, même lorsque cette utilisation abusive gêne leur travail et leurs relations avec les autres (Ko et coll., 2005). Cela justifie-t-il qu'on étende le concept d'addiction aux comportements sociaux ? Le débat sur le modèle de « l'addiction vue comme une maladie » est encore d'actualité.

Substances psychoactives

Les trois catégories majeures de SPA (les *dépresseurs*, les *stimulants* et les *hallucinogènes*) agissent au niveau des synapses cérébrales. Ils stimulent, bloquent ou imitent l'activité des neuromédiateurs, les messagers chimiques du cerveau. Mais nos attentes, influencées par notre culture, jouent également un rôle sur la façon dont ces drogues nous affectent (Ward, 1994). Si une culture considère qu'un produit particulier entraîne une euphorie (ou de l'agressivité ou une excitation sexuelle) alors qu'une autre pense différemment, chacune a des chances de voir ses attentes satisfaites.

« Ce n'est pas une des sept habitudes des individus de haut niveau »

Dépresseurs

13. Qu'est-ce qu'un dépresseur ? Quels sont ses effets ?

Les **dépresseurs** sont des substances comme l'alcool, les barbituriques (tranquillisants) et les opiacés qui apaisent l'activité nerveuse et ralentissent les fonctions corporelles.

Alcool Vrai ou faux ? En quantité importante, l'alcool est un dépresseur ; en petite quantité, c'est un stimulant. *Faux*, une petite quantité de « spiritueux » peut en effet animer un buveur, mais cela est dû à son action de ralentissement de l'activité cérébrale qui contrôle le jugement et les inhibitions. L'alcool diminue nos inhibitions, ralentit le traitement nerveux des informations, interrompt la formation de la mémoire et réduit notre conscience de soi.

Ray Ng/Time & Life Pictures/Getty Images

Perte d'inhibition dangereuse La consommation d'alcool conduit à un sentiment d'invincibilité qui devient particulièrement dangereux au volant comme le montre cette voiture après son accident provoqué par un adolescent ivre au volant. Cette exposition présentée lors de la semaine de prise de conscience sur l'alcoolisme de l'université du Colorado a poussé de nombreux étudiants à afficher leur propre promesse anti-alcoolisme (drapeaux blancs).

Désinhibition L'alcool est une substance non polarisée : elle augmente les tendances négatives, comme lorsque les personnes en colère deviennent agressives après avoir bu ; elle augmente aussi les tendances altruistes, comme quand un client éméché laisse d'extravagants pourboires (M. Lynn, 1988). *Les pulsions qui sont déjà en vous lorsque vous êtes sobre sont celles qui ont le plus de chance d'émerger sous l'emprise de l'alcool.*

::**Dépresseurs** : substances (telles que l'alcool, les barbituriques et les opiacés) qui réduisent l'activité nerveuse et ralentissent les fonctions corporelles.

Ralentissement du traitement nerveux de l'information De faibles doses d'alcool détendent le buveur en diminuant l'activité du système nerveux sympathique. Avec des doses plus importantes, l'alcool peut devenir un problème plus déstabilisant : les réflexes sont ralentis, la parole devient hésitante et l'habileté diminue. Associé au manque de sommeil, l'alcool devient un puissant sédatif. (Bien que le manque de sommeil et la boisson puissent mettre indépendamment l'un de l'autre le conducteur en danger, leur combinaison est encore plus mortelle.) Ces effets physiques, combinés à la levée des inhibitions, contribuent aux pires conséquences de l'alcool, comme les centaines de milliers de vies perdues chaque année dans le monde entier au cours d'accidents de la route ou de crimes violents liés à l'alcool. Les accidents se produisent en dépit de la conviction des buveurs (lorsqu'ils sont sobres) qu'il ne faut pas conduire sous l'emprise de l'alcool, et même s'ils tiennent à affirmer qu'ils ne le feraient pas. Ainsi, à mesure que le taux d'alcool dans le sang augmente, le jugement moral des gens devient immature, leurs scrupules concernant le fait de « boire ou conduire » s'estompent, et pratiquement tous rentrent chez eux en voiture en sortant d'un bar, même si on leur fait passer un alcootest qui montre qu'ils sont ivres (Denton et Krebs, 1990 ; MacDonald et coll., 1995).

Troubles de la mémoire L'alcool perturbe également le traitement des expériences récentes et leur stockage en mémoire à long terme sous forme de souvenirs. Ainsi, le lendemain d'une beuverie, les grands buveurs peuvent ne pas se rappeler qui ils ont rencontré ou ce qu'ils ont dit ou fait durant la nuit précédente. Ces oublis résultent en partie de la suppression du sommeil REM par l'alcool, qui aide à fixer les expériences de la journée dans la mémoire permanente.

Les effets de la consommation importante d'alcool sur le cerveau et la cognition peuvent avoir des conséquences à long terme. Chez le rat, à une période de son développement correspondant à l'adolescence chez l'homme, les « beuveries » diminuent la genèse des cellules nerveuses, empêchent la croissance des connexions synaptiques et contribuent à la mort des neurones (Crew et coll., 2006, 2007). L'imagerie en résonance magnétique (IRM) montre que la consommation excessive et prolongée d'alcool peut affecter aussi la cognition en « rétrécissant » le cerveau, en particulier chez les femmes (FIGURE 3.18) qui manquent d'une enzyme gastrique destinée à la digestion de l'alcool (Wuethrich, 2001). Les jeunes filles et les jeunes femmes peuvent également devenir plus vite dépendantes à l'alcool que les garçons et les jeunes hommes, et risquent plus de développer des lésions pulmonaires, cérébrales et hépatiques pour des consommations moins fortes d'alcool (CASA, 2003).

➤ FIGURE 3.18
L'alcoolisme réduit le cerveau L'IRM montre la réduction du cerveau chez les femmes alcooliques (gauche) par rapport aux femmes appartenant à un groupe contrôle (droite).

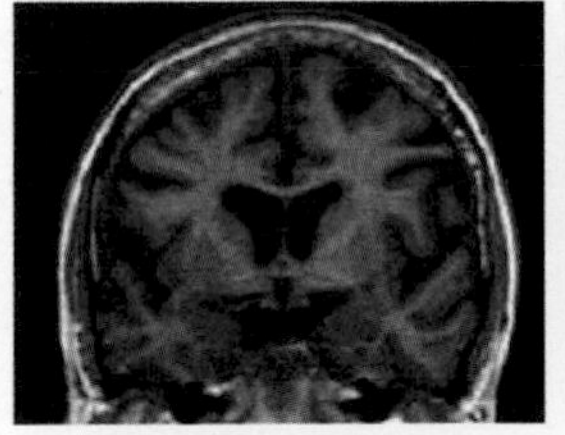

Image du cerveau d'une femme alcoolique

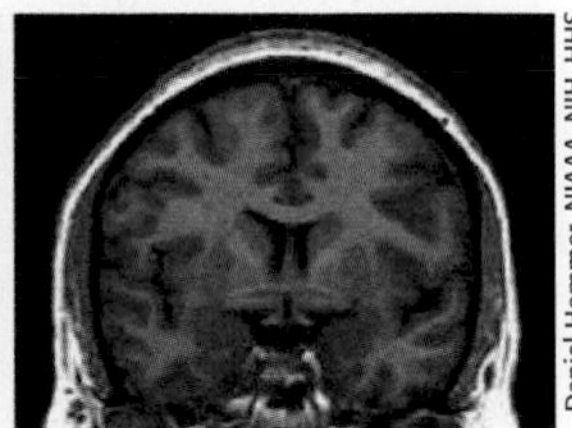

Image du cerveau d'une femme non alcoolique

Daniel Hommer, NIAAA, NIH, HHS

Diminution de la conscience de soi et du contrôle de soi L'alcool diminue non seulement les jugements et la mémoire, mais réduit aussi la conscience de soi (Hull et coll., 1986). Cela explique peut-être pourquoi ceux qui souhaitent oublier leurs sentiments d'échec ou leurs insuffisances sont plus enclins à boire que les gens qui ont une bonne estime d'eux. Un échec professionnel, sportif ou sentimental peut parfois déclencher une alcoolisation massive. L'alcoolisme est particulièrement fréquent lorsque les personnes ayant une faible estime de soi subissent un échec sentimental (DeHart et coll., 2008). En centrant l'attention sur le présent et en l'éloignant des conséquences futures, l'alcool libère également les pulsions auxquelles l'individu pourrait résister en temps normal (Steele et Josephs, 1990). Selon des enquêtes, plus de la moitié des violeurs reconnaissaient avoir bu avant de perpétrer leur acte (Seto et Barbaree, 1995).

Effets attendus Comme pour les autres SPA, les effets de l'alcool sur le comportement proviennent non seulement des altérations de la chimie cérébrale, mais aussi des attentes du consommateur. De nombreuses études ont montré que lorsque les gens croient que l'alcool affecte leur comportement social d'une certaine façon et croient, à tort ou à raison, avoir bu de l'alcool, ils se comportent en accord avec cette conviction (Leigh, 1989). David Abrams et Terence Wilson (1983) ont mis en évidence ce fait avec une expérience devenue classique. Ils donnèrent à des hommes employés par l'université Rutgers, volontaires pour une étude sur « l'alcool et la stimulation sexuelle », soit une boisson alcoolisée, soit une boisson non alcoolisée (les deux boissons avaient un goût puissant masquant la présence éventuelle d'alcool). Dans chaque groupe, la moitié des sujets *pensaient* qu'ils buvaient de l'alcool et l'autre moitié qu'ils n'en buvaient pas. Après avoir vu un court-métrage érotique, les hommes qui pensaient avoir bu de l'alcool avaient une probabilité plus grande de décrire des fantasmes érotiques intenses et de n'éprouver aucun sentiment de culpabilité. Savoir qu'ils pouvaient *attribuer* leur réponse sexuelle à l'alcool libérait leurs inhibitions, qu'ils aient bu ou non de l'alcool. Si, comme on le pense habituellement, l'alcool est un remontant des plus rapides, l'effet revient en partie à ce puissant organe sexuel qu'est l'esprit.

Alcool + sexe = l'orage parfait Les effets de l'alcool sur le contrôle de soi et les attentes sociales convergent souvent dans les situations à caractère sexuel. Plus de 600 études ont exploré le lien entre la boisson et le risque d'agression sexuelle et l'immense majorité a trouvé une corrélation entre les deux (Cooper, 2006). Bien sûr, on ne peut pas tirer simplement une flèche de cause à effet pour expliquer ces corrélations. Dans le cas présent, trois facteurs semblent influencer ces dernières :

1. La présence d'une « troisième variable » sous-jacente comme la recherche de sensation ou l'influence des pairs, peut simultanément pousser les gens à boire et à avoir des expériences sexuelles à risque.
2. Le désir sexuel conduit les gens à boire et à faire boire leur partenaire. Les étudiants d'université enclins à avoir des rapports sexuels par la force, par exemple, peuvent diminuer les inhibitions de leur partenaire en la faisant boire (Abbey, 1991 ; Mosher et Anderson, 1986).
3. Boire enlève les inhibitions et, une fois excités sexuellement, les hommes sont plus disposés à agresser sexuellement. Les hommes comme les femmes sont aussi plus disposés à avoir des rapports sexuels sans lendemain (Davis et coll., 2006 ; Grello et coll., 2006). Les étudiantes sous l'influence de l'alcool trouveront l'idée d'un rendez-vous avec un homme attirant ayant des mœurs sexuelles libres potentiellement plus séduisante que si elles étaient sobres. Sheila Murphy et ses collaborateurs (1998) font l'hypothèse que « quand les gens ont bu, les forces modératrices de la raison s'affaiblissent et cèdent sous la pression des désirs ».

• Un sondage effectué sur le campus de l'université de l'Illinois a montré qu'avant une agression sexuelle, 80 p. 100 des hommes responsables et 70 p. 100 des victimes féminines avaient bu (Camper, 1990). Un autre sondage auprès de 89 874 étudiants américains a révélé que l'alcool et les SPA étaient impliqués dans 79 p. 100 des rapports sexuels non désirés (Presley et coll., 1997). •

Barbituriques Les **barbituriques**, ou *tranquillisants*, imitent les effets de l'alcool. Comme ils diminuent aussi l'activité du système nerveux sympathique, les barbituriques, comme le Nembutal®, le Séconal® et l'Amytal® sont parfois prescrits pour induire le sommeil ou réduire l'anxiété. À fortes doses, ils peuvent perturber la mémoire et le jugement. En combinaison avec l'alcool, comme quand on prend un somnifère après avoir bu pendant la soirée, l'effet dépresseur résultant sur les fonctions corporelles peut être fatal[1].

Opiacés Les **opiacés** – l'opium et ses dérivés, morphine et héroïne – ont également un effet dépresseur sur le fonctionnement nerveux. Les pupilles se contractent, la respiration se ralentit et le consommateur devient léthargique, tandis qu'un plaisir béat remplace la douleur et

:: **Barbituriques** : substances qui diminuent l'activité du système nerveux central, réduisant ainsi l'anxiété, mais altérant la mémoire et le jugement.

:: **Opiacés** : l'opium et ses dérivés tels que la morphine et l'héroïne ; ils réduisent l'activité nerveuse et atténuent temporairement la douleur et l'anxiété.

1. N.d.T. : En France, la plupart des barbituriques utilisés autrefois comme somnifères ont été retirés du marché en 1990 à cause de leur toxicité et surtout de leur utilisation possible associée à l'alcool pour des suicides. Certains sont encore employés à faible dose chez l'homme, dans le traitement de l'épilepsie ou en anesthésiologie, pour préparer des anesthésies générales.

l'anxiété. Mais ce court plaisir a un prix pour le consommateur : un besoin dévorant d'une nouvelle dose, un besoin de doses progressivement croissantes et le terrible malaise du sevrage. Baigné de façon répétitive par les opiacés de synthèse, le cerveau va finalement arrêter de produire ses propres opiacés, les *endorphines*. Quand l'effet de la drogue cesse, le cerveau ne dispose plus d'une quantité normale de ces neuromédiateurs antalgiques. Ceux qui ne peuvent pas tolérer cet état (ou choisissent de ne pas le tolérer) peuvent en payer le prix ultime : la mort par overdose.

Stimulants

14. Qu'est-ce qu'un stimulant ? Quels sont ses effets ?

Les **stimulants** comme la caféine et la nicotine excitent temporairement l'activité nerveuse et activent les fonctions corporelles. Les personnes les consomment pour rester éveillées, perdre du poids, améliorer l'humeur ou augmenter les performances sportives. Cette catégorie de substances comporte également les **amphétamines** et des substances peut-être encore plus puissantes comme la cocaïne, l'ecstasy et enfin la **méthamphétamine** (surnommée *speed*) chimiquement apparentée à sa molécule mère, l'*amphétamine* (NIDA, 2002, 2005). Tous ces stimulants puissants augmentent les rythmes cardiaque et respiratoire. Les pupilles se dilatent, l'appétit diminue (car la glycémie s'élève), l'énergie et la confiance en soi augmentent. Comme pour les autres drogues, ces avantages ont un coût. Ces substances peuvent entraîner une dépendance et induire une « descente » après l'arrêt de la stimulation, accompagnée de fatigue intense, de maux de tête, d'irritabilité et de dépression (Silverman et coll., 1992).

Méthamphétamine Les effets de la méthamphétamine sont plus importants encore avec une augmentation de l'énergie et une euphorie qui peuvent durer huit heures ou plus. Elle déclenche la libération de dopamine, un neuromédiateur qui stimule les cellules nerveuses augmentant l'énergie et améliorant l'humeur. En réponse à une dose typique d'amphétamine, les hommes libèrent plus de dopamine que les femmes, ce qui explique peut-être leur addiction plus importante (Munro et coll., 2006).

Avec le temps, il semble que la méthamphétamine réduise la concentration basale en dopamine, ce qui engendre, chez le consommateur, un ralentissement fonctionnel permanent. Cette substance entraîne une forte dépendance et ses effets de manque peuvent inclure une irritabilité, des insomnies, une hypertension, des convulsions, un isolement social, une dépression et, occasionnellement, des comportements violents (Homer et coll., 2008). Le gouvernement du Royaume-Uni considère maintenant le *crystal meth*, la forme cristallisée de méthamphétamine qui induit une forte dépendance, comme l'une des drogues les plus dangereuses, au même titre que la cocaïne et l'héroïne (BBC, 2006).

Caféine La caféine, la substance psychoactive la plus consommée dans le monde, peut non seulement se trouver dans le café, le thé et le soda, mais aussi dans les jus de fruits, les bonbons à la menthe, les boissons énergétiques, les barres énergétiques, les gels, et même dans les savons. Les différents cafés et thés n'ont pas les mêmes concentrations en caféine, et une tasse de café issue d'un distributeur contient, cela peut surprendre, plus de caféine qu'un expresso, les thés en contenant moins ; une légère dose de caféine dure généralement trois ou quatre heures et, si elle est prise le soir, peut être suffisamment longue pour empêcher le sommeil. Comme d'autres substances psychoactives, la caféine absorbée régulièrement à fortes doses induit une tolérance : ses effets stimulants diminuent. Et l'arrêt de la prise de caféine à fortes doses produit souvent des symptômes de sevrage comme de la fatigue et un mal de tête.

Nicotine Imaginez que les cigarettes soient inoffensives – et qu'une seule cigarette sur 25 000 paquets, ressemblant tout à fait aux autres, contienne de la dynamite à la place du tabac. Le risque de vous faire sauter la cervelle n'est, après tout, pas si énorme. Mais, avec les 250 millions de paquets consommés par jour dans le monde entier, on peut s'attendre à plus de 10 000 morts atroces par jour (trois fois plus que lors des attentats du 11 septembre, et ce chaque jour), ce qui est certainement une excellente raison pour bannir la cigarette[2].

2. Cette analogie, adaptée avec des chiffres mondiaux, a été suggérée par les mathématiciens Sam Saunders, comme l'a rapporté K. C. Cole (1998).

:: Stimulants : substances (telles que la caféine, la nicotine ainsi que les amphétamines, la cocaïne et l'ecstasy, plus puissantes) qui stimulent l'activité nerveuse et accélèrent les fonctions corporelles.

:: Amphétamines : substances psychoactives qui stimulent l'activité nerveuse, entraînant une accélération des fonctions corporelles et les modifications d'énergie et d'humeur associées.

:: Méthamphétamine : drogue entraînant une très forte dépendance, qui stimule le système nerveux central en accélérant les fonctions corporelles et les modifications d'énergie et d'humeur associées ; avec le temps, la concentration basale en dopamine semble réduire.

« Selon un important consensus dans le monde scientifique et le monde médical, la cigarette est responsable du cancer des poumons, des maladies cardiaques, de l'emphysème et d'autres maladies propres aux fumeurs. Ces derniers ont beaucoup plus de risques de développer des maladies graves, comme le cancer des poumons, que les personnes qui ne fument pas. »
Philip Morris Companies Inc., 1999

Le nombre de victimes que provoqueraient ces cigarettes remplies de dynamite est à peu près comparable à celui des victimes réelles du tabac. Chaque année, à travers le monde, le tabac tue près de 5,4 millions de consommateurs sur 1,3 milliard, rapporte l'Organisation mondiale de la santé (2005). (Imaginez le carnage si des terroristes faisaient s'écraser 25 jumbo-jets tous les jours.) Et en 2030, le taux de mortalité annuelle atteindra 8 millions, selon les prévisions de l'OMS, ce qui signifie qu'*un milliard* de personnes du XXIe siècle (répétez ce nombre lentement) mourront de tabagisme (OMS, 2008).

Un individu qui commence à fumer à l'adolescence et continue jusqu'à la fin de sa vie a 50 p. 100 de risques de mourir des conséquences du tabagisme, souvent de façon prématurée et atroce, admet le producteur de tabac américain Philip Morris en 2001. En réponse aux plaintes déposées par la République tchèque concernant les coûts médicaux entraînés par le tabagisme, Philip Morris a rassuré les Tchèques en déclarant qu'ils réalisaient « une nette économie des coûts médicaux due au taux de mortalité prématurée », ainsi qu'une économie sur les pensions non attribuées et les maisons de retraite (Herbert, 2001).

Éliminer le tabagisme augmenterait bien plus l'espérance de vie que toute autre mesure préventive. Pourquoi donc y a-t-il autant de fumeurs ?

• Lorsque vous fumez une cigarette, la nature vous fait payer, ironiquement, 12 minutes de votre vie, environ le temps qu'il vous faut pour la fumer (*Discover*, 1996). •

Le tabagisme chez l'adolescent

Pratiquement tous les fumeurs commencent à fumer à l'adolescence. Pour éviter que les ventes chutent, les vendeurs de cigarette incitent les adolescents à fumer en montrant des fumeurs socialement habiles, durs à cuire et séduisants. Dans les années 1990, Hollywood a vu une résurgence des modèles de fumeurs. Gwyneth Paltrow, Julia Roberts, Brad Pitt, et Johnny Depp transmettaient tous l'image de stars sympathiques ou rebelles en tirant une bouffée sur une cigarette ou un cigare. Les adolescents ont bien reçu le message et le nombre d'adolescents dépendants à la nicotine a grimpé en flèche.

L'usage du tabac commence en général au début de l'adolescence. Si vous êtes au lycée ou à l'université et que l'industrie du tabac n'a pas réussi à vous attirer, il y a de fortes chances que vous restiez non-fumeur pour toujours. Les adolescents sont conscients de leur image et pensent souvent que le monde entier les observe. Ils sont donc particulièrement vulnérables à l'attitude du fumeur. Il se peut donc qu'ils commencent à fumer pour imiter des célébrités qu'ils trouvent séduisantes, pour être reconnus socialement par ceux qui fument et pour projeter l'image d'une personne mature (Cin et coll., 2007 ; Tickle et coll., 2006). Les compagnies productrices de tabac, conscientes de cette tendance, ont recours à des publicités qui ciblent les jeunes avec des thèmes tels que la sophistication, l'indépendance, la recherche d'aventure et l'approbation sociale. Généralement, les adolescents qui commencent à fumer ont des amis qui fument et vantent les plaisirs de la cigarette en leur en offrant (Eiser, 1985 ; Evans et coll., 1988 ; Rose et coll., 1999). Parmi les adolescents dont les parents et les amis proches sont non-fumeurs, le taux de fumeurs est proche de zéro (Moss et coll., 1992, *voir aussi* FIGURE 3.19).

Une fois dépendant de la nicotine, il est très difficile d'arrêter car les constituants du tabac sont aussi toxicomanogènes que la cocaïne ou l'héroïne. Comme pour les autres drogues, le fumeur devient dépendant ; chaque année, moins d'un fumeur sur sept qui veut arrêter y parvient. Le fumeur développe également une tolérance et peut éventuellement avoir besoin de doses de plus en plus importantes pour obtenir le même effet. L'arrêt du tabac provoque des symptômes de manque à la nicotine, comme le désir impérieux de fumer, l'insomnie, l'anxiété et l'irritabilité. Même les tentatives pour arrêter la cigarette une semaine après avoir

L'humoriste Dave Barry (1995) se rappelle l'été où il a fumé sa première cigarette, à l'âge de 15 ans : « Arguments contre la cigarette : c'est une dépendance repoussante qui, lentement mais sûrement, vous transforme en un invalide dévoré par le cancer, essoufflé, à la peau grise, crachant des déchets toxiques sous forme de glaires brunâtres avec son seul poumon rescapé. Argument pour la cigarette : les autres adolescents le font. La cause est entendue ! Allumons-la ! »

« Une cigarette dans la main d'une star hollywoodienne à l'écran est un pistolet pointé sur un adolescent de 12 à 14 ans. »
Joe Eszterhas, scénariste, 2002

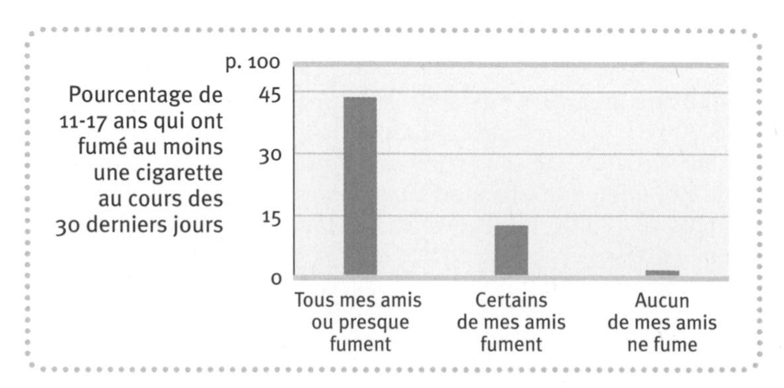

➤ FIGURE 3.19
L'influence des pairs
Les enfants ne fument pas si leurs amis ne fument pas non plus (Philip Morris, 2003). Question de cause à effet : le lien étroit entre le tabagisme chez l'adolescent et la consommation de tabac par les amis est-il un reflet de l'influence des pairs ? D'adolescents à la recherche d'amis qui leur ressemblent ? Ou bien les deux ?

commencé sont généralement des échecs, car les symptômes de manque se mettent en place (DiFranza, 2008). Et il suffit d'une cigarette, un distributeur portable de nicotine, pour apaiser ces états pénibles.

Comme pour toutes les drogues qui engendrent une dépendance, la nicotine induit non seulement un besoin compulsif en modifiant l'humeur, mais joue aussi le rôle de renforçateur. La cigarette dispense l'effet de la nicotine en 7 secondes, stimulant la libération d'adrénaline et de noradrénaline, qui à leur tour diminuent l'appétit et stimulent la vigilance et l'efficacité intellectuelle (FIGURE 3.20). En même temps, la nicotine stimule le système nerveux central et déclenche la libération de neuromédiateurs qui calment l'anxiété et réduisent la sensibilité à la douleur. La nicotine, par exemple, augmente la libération de dopamine et, comme l'héroïne et la morphine, stimule la libération des opioïdes naturels (Nowak, 1994 ; Scott et coll., 2004). Ces récompenses maintiennent les fumeurs dans la dépendance tabagique, même quand ils souhaitent arrêter et lorsqu'ils savent qu'ils se suicident à petit feu (Saad, 2002). Une exception pour information : les patients présentant une lésion du cerveau de la taille d'une prune au niveau d'une région du lobe frontal (*l'insula*) qui s'active lorsque les personnes sont en manque, sont capables d'arrêter de fumer instantanément (Naqvi et coll., 2007).

Néanmoins, la moitié des Américains qui ont commencé à fumer ont réussi à s'arrêter et 81 p. 100 de ceux qui ne l'ont pas encore fait souhaitent s'arrêter (Jones, 2007). Pour ceux qui les endurent, les symptômes de manque et le désir impérieux de fumer finissent par disparaître progressivement au bout de six mois (Ward et coll., 1997). Les personnes qui ne fument pas se portent mieux et sont aussi plus heureuses. Le tabagisme est corrélé à un taux plus élevé de dépression, d'infirmités chroniques et de divorces (Doherty et Doherty, 1998 ; Vita et coll., 1998). Il semble qu'une bonne hygiène de vie prolonge la vie de quelques années et améliore sa qualité.

Cocaïne La cocaïne est le chemin le plus direct de l'euphorie à la catastrophe. Quand la cocaïne raffinée est sniffée, et plus particulièrement lorsqu'elle est fumée (sous forme de cocaïne base) ou injectée, elle passe rapidement dans le sang, avec pour résultat une « bouffée » d'euphorie qui épuise les réserves du cerveau en dopamine, noradrénaline et sérotonine, et en 15 à 30 minutes, on assiste à une chute vertigineuse vers un état anxiodépressif au moment où l'effet de la drogue s'évanouit (FIGURE 3.21, page suivante).

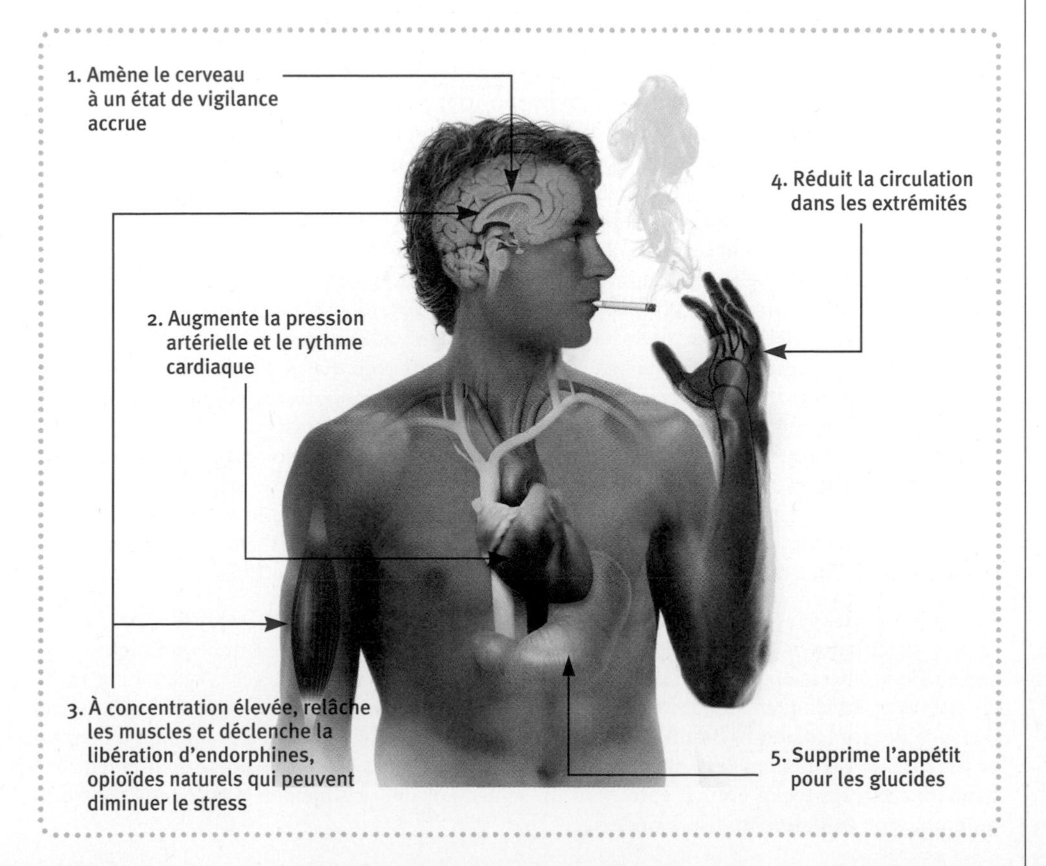
1. Amène le cerveau à un état de vigilance accrue
2. Augmente la pression artérielle et le rythme cardiaque
3. À concentration élevée, relâche les muscles et déclenche la libération d'endorphines, opioïdes naturels qui peuvent diminuer le stress
4. Réduit la circulation dans les extrémités
5. Supprime l'appétit pour les glucides

À la question suivante : « si vous pouviez revenir en arrière, commenceriez-vous à fumer ? », plus de 85 p. 100 des adultes fumeurs répondent *non* (Slovic et coll., 2002).

« Arrêter de fumer est la chose la plus facile à faire ; j'en sais quelque chose, car je l'ai fait un millier de fois. »
Mark Twain, 1835-1910

➤ FIGURE 3.20
Là où il y a de la fumée... : les effets physiologiques de la nicotine
La nicotine atteint le cerveau en 7 secondes, deux fois plus vite que l'héroïne en intraveineuse. En quelques minutes, la quantité de nicotine dans le sang augmente.

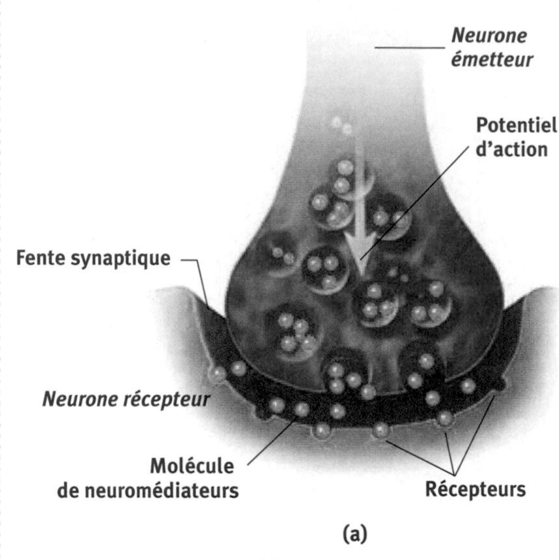

(a)

Les neuromédiateurs transmettent un message d'un neurone émetteur à travers une synapse vers un neurone récepteur.

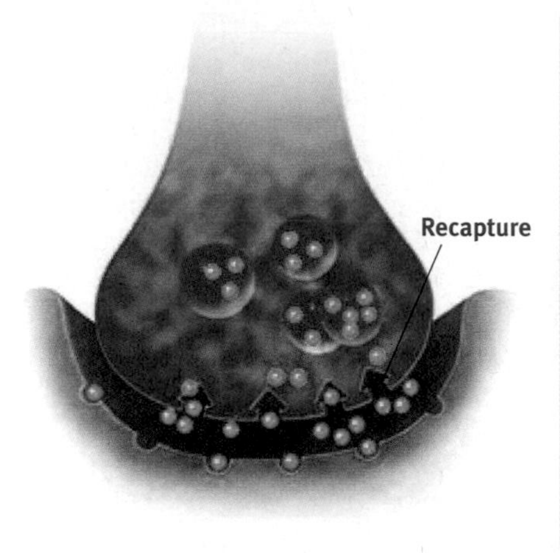

(b)

Le neurone émetteur récupère habituellement les molécules de neuromédiateurs en excès : un processus appelé recapture.

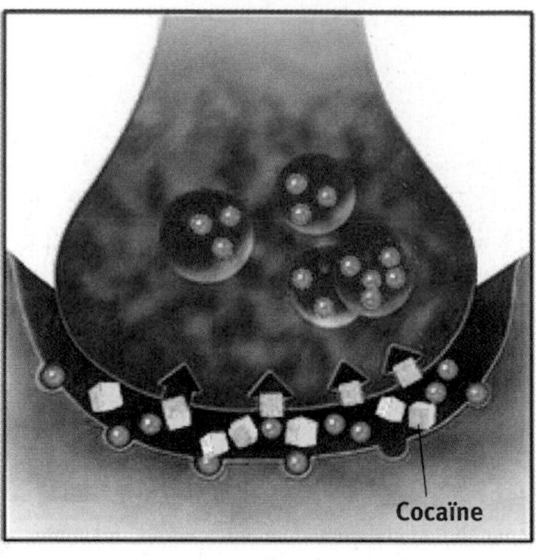

(c)

En se fixant sur les sites qui, habituellement, récupèrent les molécules de neuromédiateurs, la cocaïne bloque la recapture de la dopamine, de la noradrénaline et de la sérotonine (Ray et Ksir, 1990). Les molécules de neuromédiateurs en excès restent alors au niveau de la synapse, augmentant leur effet normal sur l'humeur et produisant une bouffée d'euphorie. Lorsque la concentration de cocaïne diminue, l'absence de neuromédiateurs provoque la « descente ».

➤ FIGURE 3.21
L'euphorie et la « descente » de la cocaïne

À l'origine, la recette du Coca-Cola® comprenait un extrait de coca (plante d'où l'on tire la cocaïne), ce qui en faisait un tonique à la cocaïne pour les personnes âgées fatiguées. Entre 1896 et 1905, le « Coke » était vraiment la « boisson branchée ».

« La cocaïne fait de vous un homme nouveau. Et la première chose que souhaite cet homme nouveau, c'est plus de cocaïne. »
George Carlin, comédien (1937-2008)

Lors d'enquêtes nationales, 5 p. 100 des élèves américains de terminale et 5 p. 100 des Anglais âgés de 18 à 24 ans ont reconnu avoir essayé la cocaïne au cours de l'année écoulée (Home Office, 2003 ; Johnston et coll., 2008). Près de la moitié des élèves de terminale disaient avoir fumé du *crack*, une forme cristallisée puissante de cocaïne. Le crack a un effet encore plus rapide, avec une période d'euphorie plus brève mais plus intense et une « descente » également plus forte, associée à un besoin irrépressible de prendre une autre dose ; ce besoin disparaît après quelques heures, mais revient quelques jours plus tard (Gawin, 1991).

Des singes dépendants de la cocaïne peuvent pousser un levier jusqu'à 12 000 fois pour obtenir chaque injection de cocaïne (Siegel, 1990). Beaucoup de consommateurs réguliers de cocaïne (les animaux comme les hommes) deviennent dépendants. Dans des situations propices à l'agressivité, l'absorption de cocaïne peut augmenter les réactions agressives. Les rats en cage se battent s'ils sont soumis à des chocs électriques sur les pattes, et ils se battent davantage encore s'ils ont, en plus, reçu de la cocaïne. Lors d'une expérience de laboratoire, les hommes qui avaient ingéré de fortes doses de cocaïne administraient de plus forts chocs électriques à un adversaire présumé que ceux qui n'avaient reçu qu'un placebo (Licata et coll., 1993). La consommation de cocaïne peut entraîner des perturbations émotionnelles, de la suspicion, des convulsions, une détresse respiratoire ou un arrêt cardiaque.

Comme avec toutes les substances psychoactives, les effets psychologiques de la cocaïne dépendent non seulement de la dose et de la forme sous laquelle cette drogue est absorbée, mais également de l'attente du sujet, de sa personnalité et de la situation. Un cocaïnomane auquel on donne un placebo, mais qui *pense* prendre de la cocaïne, va souvent éprouver une sensation semblable à celle produite par la cocaïne (Van Dyke et Byck, 1982).

Ecstasy L'**ecstasy**, nom commun du **MDMA** (méthylène-dioxy-méthamphétamine), est à la fois stimulante et légèrement hallucinogène. Comme tout dérivé amphétaminique, elle déclenche la libération de dopamine. Mais son effet principal est de libérer la sérotonine mise en réserve et de bloquer sa réabsorption, ce qui a pour effet de prolonger la vague de bien-être due à ce neuromédiateur (Braun, 2001). Une demi-heure après la prise d'une pilule d'ecstasy et pendant 3 à 4 heures, les consommateurs perçoivent leurs émotions plus intensément et, dans un contexte social donné, éprouvent un sentiment de « connexion » avec tous ceux qui les entourent (« j'aime tout le monde »).

AP Photo/SIPA/Dale Sparks

La drogue « collé-serré »
La MDMA, aussi connue sous le nom d'ecstasy, induit une euphorie et un sentiment d'intimité. Mais son usage répété détruit les neurones producteurs de sérotonine et peut déprimer l'humeur et altérer la mémoire de manière permanente.

À la fin des années 1990, l'ecstasy est rapidement devenue la drogue « festive », d'usage courant dans les boîtes de nuit et les *rave-parties* durant toute la nuit (Landry, 2002). Il y a pourtant de nombreuses raisons de ne pas s'extasier sur l'ecstasy. En premier lieu, la déshydratation qu'elle entraîne, associée à la danse prolongée, entraîne un risque de coup de chaleur grave, d'hypertension et peut mener à la mort. À long terme, la « vampirisation » répétée de la sérotonine cérébrale endommage les neurones produisant ce neuromédiateur, ce qui réduit le niveau de sérotonine et augmente le risque de dépression permanente (Croft et coll., 2001 ; McCann et coll., 2001 ; Roiser et coll., 2005). D'autres recherches montrent que l'ecstasy a un effet suppresseur sur le système immunitaire, altère la mémoire et les autres fonctions cognitives et perturbe le sommeil en interférant avec le contrôle sérotoninergique de l'horloge circadienne (Laws et Kokkalis, 2007 ; Pacifici et coll., 2001 ; Schilt et coll., 2007). L'ecstasy enchante vos nuits, mais au petit matin c'est vous qui déchantez.

Hallucinogènes

15. Qu'est-ce qu'un hallucinogène ? Quels sont ses effets ?

Les **hallucinogènes** entraînent une distorsion des perceptions et suscitent des images sensorielles en l'absence de stimulation sensorielle (c'est pourquoi ces substances sont aussi appelées *psychédéliques*, ce qui signifie « manifestations de l'esprit »). Certains hallucinogènes sont des substances naturelles, comme le cannabis (hallucinogène léger). D'autres sont synthétiques, les deux plus connus étant le LSD et la MDMA (ecstasy).

LSD En 1943, Albert Hofmann raconta avoir « perçu un flot ininterrompu d'images fantastiques, de formes extraordinaires, avec un jeu de couleurs intenses ressemblant à un kaléidoscope » (Siegel, 1984). Un vendredi après-midi d'avril, Hofmann, chimiste de profession, ingéra accidentellement un peu du produit qu'il venait de créer, le **LSD** (acide lysergique diéthylamide). Cela lui rappela une expérience mystique de l'enfance qui le laissa désirer ardemment une autre vision de cette « réalité miraculeuse, puissante et impénétrable » (Smith, 2006).

Le LSD et les autres hallucinogènes puissants sont chimiquement proches et peuvent donc bloquer l'action d'un sous-type de la sérotonine, un neuromédiateur (Jacobs, 1987). Les émotions ressenties pendant un *trip* de LSD varient de l'euphorie, au détachement, voire à la panique. L'humeur de la personne au moment de la prise et son attente colorent les sensations émotionnelles, mais les modifications de la perception et les hallucinations qui en découlent ont des caractères communs. Le psychologue Ronald Siegel (1982) souligne que, quel que soit le moyen employé afin de provoquer des hallucinations (hypoxie, privation sensorielle profonde ou drogues), « votre cerveau va halluciner à peu près de la même manière ». La sensation commence en général par des formes géométriques simples : un treillis, une toile d'araignée ou une spirale. La phase suivante consiste en des images ayant une signification plus nette ; certaines peuvent être projetées sur un tunnel ou un entonnoir, d'autres sont le rappel d'expériences émotionnelles antérieures. Au sommet de l'expérience hallucinogène, les gens se sentent souvent séparés de leur corps et vivent des scènes qui ressemblent à des rêves comme si elles étaient bien réelles – si réelles qu'ils peuvent paniquer ou se blesser.

::Ecstasy (MDMA) : stimulant de synthèse, modérément hallucinogène. L'ecstasy induit une euphorie et facilite les contacts sociaux, mais au prix de risques à court terme pour la santé et d'une dégradation à long terme des neurones produisant la sérotonine, de l'humeur et des capacités cognitives.

::Hallucinogènes : substances psychédéliques (« manifestations de l'esprit »), telles que le LSD, qui entraînent une distorsion de la perception de la réalité et suscitent des images sensorielles en l'absence de stimulation.

::LSD : puissant hallucinogène aussi connu sous le nom d'acide (*acide lysergique diéthylamide*).

::**THC** : principal composant actif du cannabis. Il déclenche divers effets et notamment des hallucinations modérées.

Cannabis (marijuana) La marijuana provient des feuilles et des fleurs du chanvre indien ou cannabis, qui est cultivé pour ses fibres depuis plus de 5 000 ans. Le principal composant actif du cannabis est le **THC** (Δ_9-tétrahydrocannabinol). Qu'il soit fumé ou ingéré, le THC produit un ensemble d'effets (fumée, la drogue parvient au cerveau en 7 secondes environ, en produisant un effet plus important que l'ingestion dont le pic plasmatique est atteint plus lentement et de façon imprévisible). Comme l'alcool, le cannabis détend, désinhibe et peut induire une bouffée d'euphorie. Mais le cannabis agit également comme un hallucinogène modéré en amplifiant la sensibilité aux couleurs, aux sons, aux goûts et aux odeurs. À la différence de l'alcool, qui est éliminé par l'organisme en quelques heures, le THC et ses dérivés stagnent dans le corps pendant un mois et plus. Ainsi, contrairement au phénomène classique de tolérance, les consommateurs réguliers peuvent parvenir à une période euphorique avec des quantités de drogue plus faibles que celles que devrait prendre un consommateur occasionnel pour obtenir le même effet.

La sensation du fumeur de cannabis varie selon la situation. Si la personne se sent anxieuse ou déprimée, le produit peut amplifier ces sensations. Et des études avec contrôle de la consommation d'autres drogues et des traits de caractère personnels ont mis en évidence que plus on utilise le cannabis, plus le risque d'anxiété, de dépression ou même de schizophrénie est important (Hall, 2006 ; Murray et coll., 2007 ; Patton et coll., 2002). La consommation quotidienne est bien pire que l'usage occasionnel.

Aux États-Unis, l'Académie nationale de médecine (1982, 1999) et l'Institut national sur l'abus de drogues (2004) ont identifié d'autres conséquences du cannabis. Comme l'alcool, le cannabis perturbe la coordination motrice, les facultés de perception et allonge le temps de réaction nécessaire à l'utilisation d'une voiture ou d'une machine en toute sécurité. Selon Ronald Siegel, « le THC provoque des erreurs de jugement chez les animaux » (1990, p. 163). « Les pigeons attendent trop longtemps pour répondre à des lumières ou à des sonneries leur signalant que la nourriture est disponible pour un court instant ; et les rats tournent du mauvais côté dans les labyrinthes. » Le cannabis perturbe la formation de la mémoire et interfère avec le rappel immédiat d'informations apprises seulement quelques minutes auparavant. Ces effets cognitifs persistent bien au-delà de la période où l'on fume (Messinis et coll., 2006). L'exposition prénatale au cannabis par le biais de la consommation de la mère empêche aussi le bon développement du cerveau (Berghuis et coll., 2007 ; Huizink et Mulder, 2006). La consommation régulière de fortes doses pendant 20 ans entraîne un rétrécissement des régions cérébrales qui traitent la mémoire et les émotions (Yücel et coll., 2008).

Les chercheurs ont éclairé d'un jour nouveau l'influence qu'exerce le cannabis sur la cognition, l'humeur et la motricité, en mettant en évidence de fortes concentrations de récepteurs au THC au niveau des lobes frontaux, du système limbique et du cortex moteur (Iversen, 2000). On se souvient que dans les années 1970, la découverte des récepteurs morphiniques a conduit à la découverte des neuromédiateurs de type morphinique (les endorphines). De même, la découverte de *récepteurs cannabinoïdes* a mené à la mise en évidence de molécules naturelles proches du THC qui se fixent sur ces récepteurs et jouent peut-être un rôle dans le contrôle de la douleur. Si c'est le cas, cela pourrait expliquer pourquoi l'usage du cannabis possède également des vertus thérapeutiques, pour ceux qui souffrent de douleurs, de nausées ou d'une importante perte de poids associée au SIDA (Watson et coll., 2000). Ces effets thérapeutiques ont motivé, dans certains états des États-Unis, une législation permettant l'usage légal du cannabis à usage médical. Pour contrer la toxicité du cannabis fumé qui peut, comme le tabac, entraîner des cancers, des pathologies pulmonaires et des complications au cours de la grossesse, l'Institut de médecine américain recommande d'utiliser un inhalateur pour administrer le THC à des fins thérapeutiques.

***

Malgré leurs différences, les substances psychoactives présentées dans le TABLEAU 3.3 partagent des caractéristiques communes : elles déclenchent des effets secondaires qui effacent leurs effets positifs immédiats et s'accentuent avec la répétition des prises. Cela permet de mieux expliquer à la fois la tolérance et le sevrage. Comme les réactions négatives, opposées, deviennent de plus en plus fortes, le consommateur a besoin de doses de plus en plus importantes pour déclencher l'euphorie (tolérance), et les réactions s'aggravent en l'absence de drogue (sevrage). Ce phénomène déclenche à son tour un besoin d'éliminer les symptômes du « manque » en prenant davantage de drogue.

« Quelle chose étrange que cette sensation que les hommes appellent plaisir ! Et comme sa relation avec ce que l'on pense être son contraire, la douleur, est curieuse… Partout où l'un se trouve, l'autre immédiatement le suit. »

Platon, *Phédon*, IVe siècle av. J.-C.

TABLEAU 3.3

GUIDE DE CERTAINES SUBSTANCES PSYCHOACTIVES

Substance	Type	Effets agréables	Effets néfastes
Alcool	Dépresseur	Euphorie initiale suivie de relaxation et de désinhibition	Dépression, perte de mémoire, lésions organiques, réflexes perturbés
Héroïne	Dépresseur	Bouffée d'euphorie, calme la douleur	Ralentissement physiologique, sevrage angoissant
Caféine	Stimulant	Augmentation de la vigilance et de l'éveil	Anxiété, activité incessante et insomnie à haute dose, sevrage désagréable
Méthamphétamine	Stimulant	Euphorie, vigilance, énergie	Irritabilité, insomnie, hypertension, crises convulsives
Cocaïne	Stimulant	Bouffée d'euphorie, énergie, confiance en soi	Stress cardiovasculaire, méfiance, « descente » dépressive
Nicotine	Stimulant	Activation et détente, sensation de bien-être	Maladies cardiaques, cancer
Ecstasy (MDMA)	Stimulant, hallucinogène modéré	Émotions intenses, désinhibition	Déshydratation, coup de chaleur, dépression, troubles cognitifs et immunitaires
Cannabis	Hallucinogène modéré	Augmente les sensations, apaise la douleur, modifie la perception du temps, détente	Troubles mnésiques et d'apprentissage, augmentation du risque de troubles psychologiques, lésions pulmonaires (dues à la fumée)

Facteurs influençant l'usage des substances psychoactives

16. Pourquoi certaines personnes deviennent-elles des consommateurs réguliers de substances psychoactives ?

La prise de SPA par la jeunesse nord-américaine a augmenté durant les années 1970. Depuis, grâce à une meilleure éducation dans ce domaine et à une démythification de l'image médiatique de la prise de drogue, la consommation de SPA a drastiquement diminué. Depuis le début des années 1990, le discours anti-drogue s'est adouci et les drogues ont retrouvé une image prestigieuse dans un certain type de musique et de films. Prenons en considération les tendances suivantes liées au cannabis :

- L'enquête annuelle de l'université du Michigan, effectuée auprès de 15 000 élèves de terminale, a montré que la proportion de ceux qui considèrent la consommation régulière de cannabis comme un « grand risque » est passée de 35 p. 100 en 1978 à 79 p. 100 en 1991, pour retomber à 55 p. 100 en 2007 (Johnston et coll., 2008).
- Après avoir atteint un pic en 1978, la consommation de cannabis dans cette tranche d'âge a décliné régulièrement jusqu'en 1992 pour augmenter de nouveau, puis récemment rebaisser (FIGURE 3.22, page suivante). Parmi les jeunes Canadiens âgés de 15 à 24 ans, 23 p. 100 reconnaissent prendre du cannabis tous les mois, toutes les semaines ou tous les jours (Health Canada, 2007).

Pour certains adolescents, la consommation occasionnelle de SPA représente seulement une recherche de sensation. Pourquoi, pour d'autres, devient-elle régulière ? Pour y répondre, les chercheurs se sont penchés sur les analyses biologique, psychologique et socioculturelle.

Influences biologiques

Certaines personnes pourraient bien avoir une certaine vulnérabilité biologique à certaines SPA. Par exemple, de plus en plus d'arguments suggèrent que l'hérédité pourrait influencer les tendances alcooliques, en particulier celles qui apparaissent au début de l'âge adulte (Crabbe, 2002) :

- Les individus adoptés sont plus enclins à l'alcoolisme si l'un de leurs parents biologiques, ou les deux, a des antécédents d'alcoolisme.
- Le fait d'avoir un vrai jumeau alcoolique augmente le risque individuel de développer des troubles dans ce domaine (Kendler et coll., 2002). (Les vrais jumeaux présentent également plus de ressemblances dans leur consommation de cannabis que les faux jumeaux.)

➤ FIGURE 3.22
Évolution de la consommation des SPA
Le pourcentage des élèves de terminale qui disent avoir pris de l'alcool, du cannabis ou de la cocaïne au cours des 30 derniers jours a diminué entre la fin des années 1970 et 1992, puis a connu un rebond partiel pendant quelques années. (D'après Johnston et coll., 2008.)

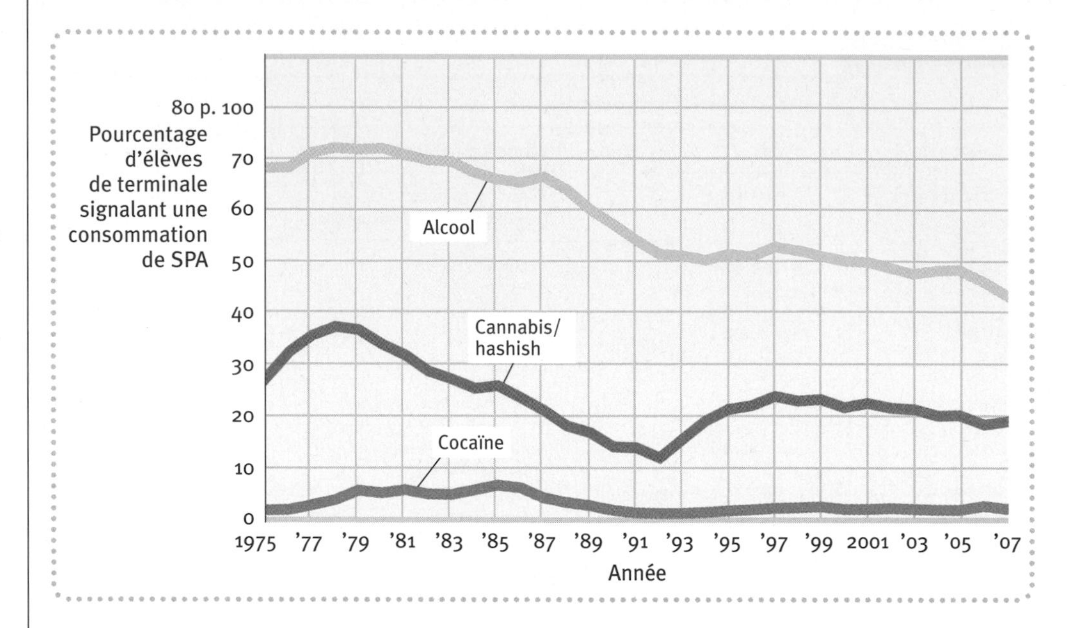

Les signes d'alarme de l'alcoolisme
- Surconsommation occasionnelle
- Regrets d'actes ou de paroles survenus sous l'emprise de l'alcool
- Sentiment d'infériorité et de culpabilité après avoir bu
- Manquement à la promesse de boire moins
- Boire pour soulager la dépression ou l'anxiété
- Éviter la famille et les amis lorsque l'on boit

- Les garçons qui, à l'âge de 6 ans, sont excitables, impulsifs et téméraires (des traits sous forte influence génétique) seront plus enclins à fumer, à boire et à consommer des drogues au cours de leur adolescence (Masse et Tremblay, 1997).
- Des chercheurs ont isolé des souches de rats préférant les boissons alcoolisées à l'eau. L'une de ces souches présente une diminution du taux d'un composé chimique cérébral nommé NPY. Les souris modifiées afin de *produire en excès* le NPY sont très sensibles à l'effet sédatif de l'alcool et boivent peu (Thiele et coll., 1998).
- Les chercheurs ont identifié des gènes qui sont plus fréquents chez les personnes et les animaux prédisposés à l'alcoolisme et recherchent des gènes pouvant contribuer à la dépendance au tabac (NIH, 2006 ; Nurnberger et Bierut, 2007). Ces gènes coupables peuvent, par exemple, induire une déficience du système dopaminergique de récompense au niveau du cerveau qui est surchargé par les substances entraînant une addiction. Lors d'une utilisation répétée, ces SPA déclenchent non seulement le plaisir produit par la dopamine mais perturbent également l'équilibre normal de la dopamine. Les études sur la manière selon laquelle les SPA reprogramment les systèmes de récompense cérébraux amènent l'espoir de découvrir des substances anti-dépendance qui pourraient bloquer ou réduire les effets de l'alcool et d'autres SPA (Miller, 2008 ; Wilson et Kuhn, 2005).

Influences psychologiques et socioculturelles

Les facteurs psychologiques et socioculturels peuvent aussi contribuer à la consommation de drogue (FIGURE 3.23). Dans leurs études portant sur les adolescents et les jeunes adultes, Michael Newcomb et L. L. Harlow (1986) ont montré que l'un des facteurs psychologiques présents est le sentiment que leur vie n'a ni signification ni but - un sentiment fréquent chez les jeunes qui abandonnent précocement l'école et qui n'ont pas de formation professionnelle, de ressources, ni beaucoup d'espoir. Quand les jeunes adultes célibataires quittent la maison, leur consommation d'alcool et d'autres drogues augmente ; quand ils se marient et ont des enfants, elle diminue (Bachman et coll., 1997).

Les grands consommateurs d'alcool, de cannabis ou de cocaïne ont souvent subi d'autres influences psychologiques. Beaucoup ont vécu des situations de stress ou d'échec et sont déprimés. Les jeunes filles qui ont souffert de dépression, de troubles du comportement alimentaire ou de violences sexuelles ou physiques présentent un risque de dépendance aux drogues, tout comme les jeunes filles lors d'un changement d'école ou d'un déménagement (CASA, 2003 ; Logan et coll., 2002). Les singes, eux aussi, finissent par développer un goût prononcé pour la boisson quand ils subissent un stress de séparation d'avec leur mère dès la naissance (Small, 2002). En apaisant temporairement la douleur induite par la conscience de soi, l'alcool peut éviter d'avoir à faire face à la dépression, à la colère, à l'anxiété ou à l'insomnie. Comme nous le verrons dans le chapitre 7, les comportements sont plus souvent contrôlés par les conséquences immédiates que par les conséquences à long terme.

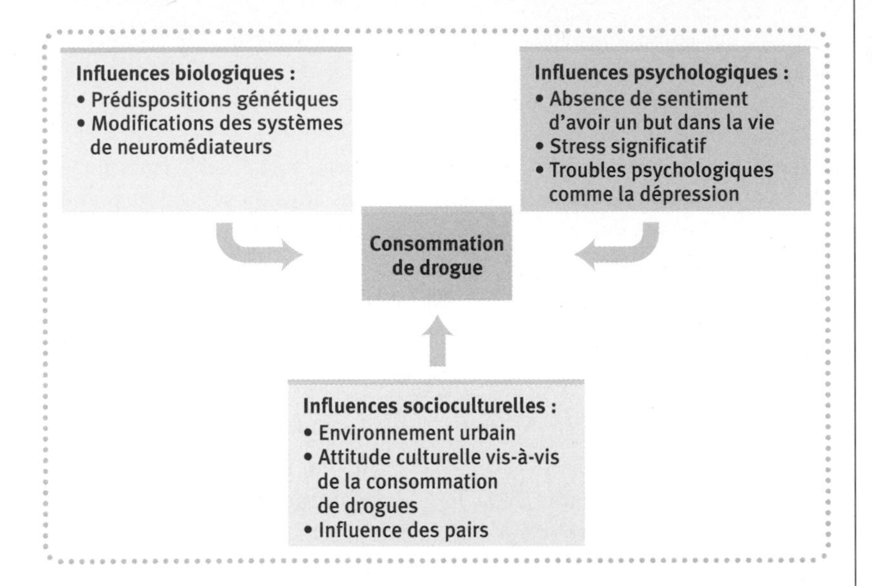

➤ FIGURE 3.23
Niveaux d'analyse de la consommation de drogues L'approche biopsychosociale permet aux chercheurs d'étudier la consommation de drogues suivant des perspectives complémentaires.

La consommation de SPA a aussi des racines sociales, en particulier pour les adolescents. La plupart des adolescents boivent pour des raisons sociales, et non pas pour faire face à des problèmes (Kuntsche et coll., 2005). Les influences sociales sont mises en évidence lorsque l'on compare l'incidence de l'usage des drogues au sein de groupes culturels ou ethniques variés. Une enquête menée en 2003 sur 100 000 adolescents dans 35 pays européens a montré que l'utilisation de cannabis dans les 30 jours qui précédaient l'enquête allait de 0 à 1 p. 100 en Roumanie et en Suède à 20 à 22 p. 100 au Royaume-Uni, en Suisse et en France (ESPAD, 2003). Des études indépendantes du gouvernement, portant sur la consommation de SPA dans les familles à travers tous les États-Unis et chez les collégiens des 50 états révèlent que les adolescents afro-américains boivent moins, fument moins et prennent moins de cocaïne (Jonhston et coll., 2007). Aux États-Unis, la dépendance à l'alcool ou à d'autres SPA est très rare chez les Amish, les Mennonites, les Mormons et les Juifs orthodoxes (Trimble, 1994). Selon Lisa Legrand et ses collaborateurs (2005), dans les petites villes et les zones rurales où les habitants ne consomment pas de drogue, toutes les prédispositions génétiques à l'utilisation de drogue sont réfrénées. « Les villes offrent plus d'opportunités » à ceux dont les prédispositions génétiques poussent à l'utilisation de ces substances psychoactives et la surveillance est moindre.

• Dans la réalité, l'alcool représente moins d'un sixième des boissons consommées. Dans le monde télévisuel, la consommation d'alcool apparaît plus souvent que celles réunies de café, de thé, de sodas et d'eau (Gerbner, 1990). •

Culture et alcool
Pourcentage de la population buvant au moins une fois par semaine :

États-Unis	30 p. 100
Canada	40 p. 100
Royaume-Uni	58 p. 100

(Gallup Poll, d'après Moore, 2006)

Que ce soit dans les villes ou à la campagne, notre entourage influence notre attitude envers les drogues. Les pairs organisent aussi les soirées et fournissent les drogues. Si les amis d'un adolescent prennent de la drogue, le risque est grand qu'il finisse par le faire aussi. En revanche, s'ils n'en prennent pas, il se peut que la tentation n'ait jamais lieu. Les adolescents issus de familles sans problème, qui n'ont pas commencé à boire avant l'âge de 14 ans et qui réussissent à l'école consomment rarement des drogues, essentiellement parce qu'ils fréquentent peu ceux qui en prennent (Bachman et coll., 2007 ; Hingson et coll., 2006 ; Oetting et Beauvais, 1987, 1990).

L'influence de l'entourage n'est pas simplement le fait de ce que disent et font les amis, mais aussi de ce que les adolescents *croient* que leurs amis font et préfèrent. Dans une étude concernant les étudiants de première de 22 états américains, 14 p. 100 d'entre eux pensaient que leurs amis fumaient du cannabis, alors que seulement 4 p. 100 reconnaissaient le faire (Wren, 1999). À l'université, les étudiants ne sont pas exempts de ces erreurs de jugement : boire est une activité dominante dans les réunions sociales, en partie parce que les étudiants surestiment l'enthousiasme de leurs camarades pour la boisson et sous-estiment leur conception des risques (Prentice et Miller, 1993 ; Self, 1994) (TABLEAU 3.4).

TABLEAU 3.4

FAITS CONCERNANT UNE ÉDUCATION « SUPÉRIEURE »

Les étudiants de lycée et d'université boivent plus d'alcool que leurs homologues qui ont quitté l'école et présentent un taux de consommation abusive de SPA 2,5 fois supérieure à celle de la population générale
Comparés aux non-membres, près de deux fois plus de membres de confréries et de cercles féminins reconnaissent consommer de grandes quantités d'alcool
Depuis 1993, le taux de fumeurs sur les campus a diminué, la consommation d'alcool est restée stable mais la consommation abusive d'opiacés, de stimulants, de tranquillisants et de sédatifs a augmenté tout comme la consommation de cannabis
Source : NCASA, 2007.

INSTANTANÉS

HIGH SCHOOL
Un beau jour, Bob s'est mis à fumer poussé par ses camarades.
RESTAURANT
Vingt ans plus tard, ils le poussèrent à arrêter.
(c) Love A141

Ceux qui consomment des drogues ont plus de chances de s'arrêter un jour lorsque cet usage a été influencé par leur entourage (Kandel et Raveis, 1989). Généralement, lorsque les amis s'arrêtent ou lorsque le réseau social change, ils font de même. Une étude qui a suivi 12 000 adultes pendant 32 ans a observé que les fumeurs avaient tendance à arrêter en groupe (Christakis et Fowler, 2008). Au sein d'un réseau social, les risques qu'une personne arrête de fumer augmentent lorsque son époux(se), ses amis ou ses collègues arrêtent également. La plupart des soldats qui étaient devenus dépendants au Vietnam ont arrêté lors de leur retour au pays (Robins et coll., 1974).

Comme toujours avec les corrélations, l'interaction entre la consommation des amis et celle du sujet est à double sens : nos amis nous influencent, notre réseau social nous influence, mais nous choisissons comme amis ceux qui partagent nos préférences et nos aversions.

Ces observations suggèrent trois moyens d'agir dans les programmes de prévention et de traitement :

- Informer les jeunes sur le coût à long terme entraîné par un plaisir temporaire.
- Aider les jeunes à améliorer leur estime de soi et les aider à trouver un but dans la vie.
- Essayer de modifier leur entourage ou leur apprendre à résister à la pression de l'entourage et à « savoir dire non ».

Les gens ont très peu de risque de surconsommer des SPA s'ils en comprennent le prix physique et psychologique, s'ils se sentent bien dans leur peau et ont un but dans leur vie, et s'ils ont des amis qui désapprouvent la consommation de SPA. Ces facteurs psychologiques, sociaux ou éducatifs permettent d'expliquer pourquoi 42 p. 100 des Américains ayant abandonné leurs études fument alors que seuls 15 p. 100 des diplômés le font (Ladd, 1998).

AVANT D'ALLER PLUS LOIN...

➤ INTERROGEZ-VOUS

À l'université, boire est une activité dominante dans les soirées lorsque les étudiants surestiment l'attrait de leurs camarades pour la boisson. Pensez-vous que ces malentendus existent sur votre campus ? Comment pourriez-vous vous en assurer ?

➤ TESTEZ-VOUS 4

Une enquête du gouvernement américain concernant 27 616 personnes ayant ou ayant eu des problèmes de boisson a montré que 40 p. 100 de ceux qui ont commencé à boire avant l'âge de 15 ans restent dépendants de l'alcool. On ne retrouve ce phénomène que chez 10 p. 100 de ceux qui ont commencé à 21 ou 22 ans (Grant et Dawson, 1998). Quelle pourrait être l'explication de la corrélation entre la consommation précoce et la dépendance à long terme ?

Les réponses aux questions « Testez-vous » sont données dans l'annexe B à la fin de l'ouvrage.

Expériences au seuil de la mort

17. Qu'est-ce que les expériences au seuil de la mort ? Quelle est la controverse sur leur explication ?

Un homme… s'entend déclarer mort par son médecin. Il commence à entendre un bruit déplaisant, une sonnerie ou un bourdonnement intense, et se sent en même temps emporté rapidement le long d'un interminable tunnel sombre. Ensuite, il se retrouve brusquement en dehors de son enveloppe corporelle… et voit son corps de loin, comme s'il en était le spectateur… Bientôt, d'autres événements commencent à se produire. D'autres viennent à sa rencontre pour l'aider. Il perçoit les esprits de parents ou d'amis déjà morts, et un esprit, aimant et chaleureux, d'un genre qu'il n'a jamais rencontré auparavant, un être de lumière, lui apparaît… Il est submergé par une intense sensation de joie, de paix et d'amour. Malgré lui, pourtant, il réintègre, d'une façon ou d'une autre, son corps physique et survit (Moody, 1976, p. 23-24).

« *J'ai vu tout mon futur défiler devant mes yeux.* »

Voici une description composite d'une **expérience au seuil de la mort**. Au cours des études des personnes qui se sont approchées de la mort suite à un arrêt cardiaque ou à un autre traumatisme physique, 12 à 40 p. 100 se souviennent d'une expérience de ce genre (Gallup, 1982 ; Ring, 1980 ; Schnaper, 1980 ; Van Lommel et coll., 2001).

Cette description d'une expérience au seuil de la mort ne vous paraît-elle pas familière ? La similitude avec la description donnée par Ronald Siegel (1977) des effets typiques des hallucinogènes est frappante : rappels de souvenirs anciens, sensation de sortie hors du corps, vision en tunnel ou en entonnoir et lumières brillantes ou êtres de lumière (FIGURE 3.24). Après avoir ressuscité d'une mort apparente, sans respirer ni présenter de pouls pendant au moins 30 secondes, beaucoup d'enfants présentent également des souvenirs du seuil de la mort (Morse, 1994). À travers le monde entier, les personnes proches de la mort racontent parfois des visions d'un autre monde ; cependant, le contenu de ces visions dépend de la culture (Kellehear, 1996).

Les patients qui ont vécu une crise d'épilepsie temporale racontent des expériences mystiques intenses parfois semblables à celles des expériences au seuil de la mort. Quand des chercheurs stimulèrent une zone spécifique du lobe temporal de l'une de ces patientes, elle signala avoir la sensation de « flotter » au niveau du plafond et de se voir elle-même allongée sur le lit (Blanke et coll., 2002, 2004). Les navigateurs solitaires et les explorateurs polaires présentent aussi des expériences « hors du corps » quand ils sont soumis à la monotonie, à la solitude et au froid (Suedfeld et Mocellin, 1987). L'hypoxie (manque d'oxygène) peut aussi provoquer de telles hallucinations, avec une vision en tunnel (Woerlee, 2004, 2005). Comme le souligne Susan Blackmore (1991, 1993), lorsque le manque d'oxygène diminue l'activité des neurones inhibiteurs du cerveau, l'activité nerveuse augmente dans le cortex visuel. Dans ce cerveau privé d'oxygène, le résultat est la formation d'un point lumineux qui grandit et ressemble tout à fait à ce que l'on peut voir en traversant un tunnel. Selon Siegel (1980), on comprend mieux l'expérience au seuil de la mort si on la considère comme une « activité hallucinatoire du cerveau ».

➤ FIGURE 3.24
Vision au seuil de la mort ou hallucination ? Le psychologue Ronald Siegel (1977) signale que, sous l'influence de substances hallucinogènes, les gens voient souvent « une lumière brillante au centre de leur champ visuel… L'emplacement de ce point de lumière crée une perspective en tunnel ».

:: Expérience au seuil de la mort : état modifié de la conscience signalé après avoir frôlé la mort (comme lors d'un arrêt cardiaque) ; souvent semblable aux hallucinations induites par des drogues.

Certains chercheurs qui s'intéressent aux expériences au seuil de la mort objectent que toutes les personnes qui ont expérimenté à la fois les hallucinations et les sensations au seuil de la mort nient toute similitude entre les deux. De plus, un voyage au seuil de la mort peut changer les gens d'une façon qui n'est pas observée après une prise de drogue. Ceux qui ont été « étreints par la lumière » deviennent plus aimables, s'intéressent à la spiritualité et croient plus en une vie après la mort. Ils ont tendance à mieux supporter le stress, en prenant souvent le taureau par les cornes au lieu d'être traumatisés (Britton et Bootzin, 2004). Les septiques répondent que ces effets sont dus au contexte de l'expérience directement en relation avec la mort.

***

La controverse concernant l'interprétation de ces expériences est l'un des aspects d'un débat plus large concernant les rêves, les fantasmes, les états d'hypnose et les hallucinations induites par les SPA. Dans tous ces cas, la science répond à notre interrogation à propos de la conscience et de la nature humaine. Bien qu'il demeure des questions auxquelles elle ne peut répondre, la science nous aide à nous faire une idée de qui nous sommes, de nos potentialités et de nos limites humaines.

AVANT D'ALLER PLUS LOIN...

➤ Interrogez-vous

Votre compréhension des sciences sur la relation cerveau-esprit, votre philosophie personnelle ou votre foi vous porte-t-elle plutôt à accepter ou à nier les « expériences au seuil de la mort » ?

➤ Testez-vous 5

En quoi les expériences au seuil de la mort sont-elles semblables aux hallucinations induites par les substances psychoactives ?

Les réponses aux questions « Testez-vous » sont données dans l'annexe B à la fin de l'ouvrage.

RÉVISION : La conscience et les deux voies de l'esprit

Le cerveau et la conscience

1. Quel est ce « double processus » révélé par les neurosciences cognitives actuelles ?

Les *neuroscientifiques cognitivistes* ainsi que d'autres psychologues ont étudié les mécanismes du cerveau sous-jacents à la *conscience* et à la cognition et ont découvert que l'esprit humain empruntait deux voies, chacune ayant son propre traitement nerveux des informations. Ce *double processus* affecte nos perceptions, notre mémoire et nos attitudes à un niveau conscient et explicite mais également à un niveau inconscient et implicite.

2. À combien d'informations pouvons-nous consciemment prêter attention en même temps ?

Nous *prêtons attention sélectivement* et traitons une partie très limitée des informations qui nous proviennent, bloquant la plupart des autres et faisant passer notre attention d'une chose à l'autre. Les limites de notre attention contribuent aux accidents de la route aussi bien en tant qu'automobiliste qu'en tant que piéton. Nous présentons même une *cécité inattentionnelle* aux événements et changements de notre champ visuel.

Le sommeil et les rêves

3. De quelle manière notre rythme biologique influence-t-il notre mode de fonctionnement quotidien, notre sommeil et nos rêves ?

Notre horloge biologique interne engendre des fluctuations physiologiques périodiques. Le *rythme circadien* de 24 heures régule notre rythme quotidien de veille et de sommeil, en partie en réponse à la lumière qui atteint notre rétine et déclenche des modifications de la concentration de mélatonine, l'hormone induisant le sommeil. Les changements de rythme peuvent réinitialiser cette horloge biologique.

4. Quel est le cycle biologique de notre sommeil ?

Le *cycle du sommeil* composé de cinq stades dure environ 90 minutes. Laissant les *ondes alpha* du stade d'éveil relaxé, nous descendons vers le stade 1 de transition du sommeil, en ayant souvent la sensation de tomber ou de flotter. Le stade 2 du sommeil (stade le plus long) survient environ 20 minutes plus tard avec ses fuseaux caractéristiques de sommeil. Puis surviennent les stades 3 et 4, durant ensemble environ 30 minutes et composés d'*ondes delta* lentes et larges. Retournant sur nos pas, nous repassons par ces divers stades, mais avec une différence : environ une heure après nous être endormis, nous commençons par environ 10 minutes de *sommeil REM* (*mouvements oculaires rapides*), au cours duquel se produisent la plupart des rêves. Pendant ce cinquième stade (appelé aussi sommeil paradoxal), nous sommes intérieurement éveillés, mais extérieurement paralysés. Au cours du sommeil d'une nuit normale, les périodes de sommeil de stades 3 et 4 se raccourcissent progressivement tandis que s'allonge le sommeil REM.

5. De quelle manière la privation de sommeil nous affecte-t-elle ?

La privation de sommeil engendre de la fatigue et diminue les capacités de concentration et de communication. Elle peut également contribuer à l'obésité, à l'hypertension, à une diminution du système immunitaire, une plus grande irritabilité et à un ralentissement des performances (qui rend plus vulnérable aux accidents).

6. Quel est le rôle du sommeil ?

Le sommeil pourrait avoir joué un rôle protecteur au cours de l'évolution de l'homme en le maintenant en vie pendant les périodes potentiellement dangereuses. Le sommeil permet au cerveau de guérir en lui laissant le temps de restaurer et de réparer les neurones endommagés. Au cours du sommeil, nous restaurons et reconstruisons nos souvenirs des expériences de la journée et une bonne nuit de sommeil nous permet de résoudre, le jour d'après, les problèmes avec perspicacité. Le sommeil favorise également la croissance ; l'hypophyse sécrète l'hormone de croissance au cours du stade 4 du sommeil.

7. Quels sont les principaux troubles du sommeil ?

Les troubles du sommeil incluent l'*insomnie* (incapacité récurrente à dormir), la *narcolepsie* (endormissement ou chute dans un sommeil REM, survenant brutalement de manière incontrôlable), les *apnées du sommeil* (arrêts de la respiration pendant le sommeil), les *terreurs nocturnes* (haut niveau d'activation et aspect de terreur), le somnambulisme et la somniloquie. Les apnées du sommeil touchent surtout les hommes en surpoids. Les enfants sont plus souvent atteints de terreurs nocturnes, de somnambulisme et de somniloquie.

8. À quoi rêvons-nous ?

Nous *rêvons* généralement d'événements ordinaires et de nos expériences quotidiennes, et la plupart des rêves mettent en jeu une certaine anxiété ou la malchance. Moins de 10 p. 100 des rêves (et encore moins chez la femme) ont une connotation sexuelle. La plupart des rêves se produisent au cours du sommeil REM ; ceux qui se produisent pendant le sommeil non REM ont tendance à contenir des images floues et fugitives.

9. À quoi cela sert-il de rêver ?

Il existe cinq conceptions majeures sur les raisons de nos rêves. (1) Freud pensait que les rêves constituaient une soupape de sécurité parce que leur *contenu manifeste* (ou fil de l'histoire) représentait une version censurée du *contenu latent* (signification sous-jacente qui satisfait nos souhaits inconscients). (2) La théorie du traitement de l'information par le rêve considère que les rêves nous aident à trier nos expériences quotidiennes et à les fixer dans notre mémoire. (3) La théorie de la stimulation cérébrale considère que le sommeil conserve les voies nerveuses cérébrales. (4) L'explication activation-synthèse des rêves considère que notre cerveau essaye de tisser une histoire pour donner un sens à la statique nerveuse. (5) Selon l'hypothèse de la maturation cérébrale et du développement cognitif, les rêves reflètent le niveau de développement du rêveur, ses connaissances et sa compréhension. En dépit de leurs différences, la plupart des théoriciens du sommeil sont d'accord sur le fait que le sommeil REM et ses rêves ont une fonction importante, ce que montre le *rebond de REM* qui se produit après la privation de REM.

Hypnose

10. Qu'est-ce que l'hypnose ? Quel pouvoir l'hypnotiseur a-t-il sur un sujet hypnotisé ?

L'*hypnose* est une interaction sociale au cours de laquelle une personne suggère à une autre que certaines perceptions, sentiments, pensées ou comportements se produiront spontanément. Les personnes hypnotisées ne sont pas plus vulnérables que les personnes non hypnotisées à agir contre leur volonté et l'hypnose n'accroît pas le rappel d'événements oubliés (elle peut même engendrer des faux souvenirs). Les personnes hypnotisées, tout comme celles qui ne le sont pas, peuvent effectuer des actes étranges lorsqu'une personne dotée d'autorité leur demande de le faire. Les *suggestions post-hypnotiques* ont aidé des personnes à développer leur propre pouvoir de guérison mais ne sont pas efficaces pour traiter les addictions. L'hypnose peut contribuer au soulagement significatif de la douleur.

11. L'hypnose est-elle l'extension d'un état normal de la conscience ou un état modifié de celle-ci ?

Beaucoup de psychologues pensent que l'hypnose est une forme dérivée de l'influence sociale et que la personne sous hypnose agit en exécutant le rôle du « bon sujet ». D'autres psychologues considèrent que l'hypnose produit une *dissociation*, une séparation entre les sensations normales et la perception consciente. Un compte rendu unifié de l'hypnose mélange ces deux conceptions et étudie de quelle manière l'activité cérébrale, l'attention et les influences sociales interagissent sous hypnose.

Substances psychoactives et conscience

12. Comment définir les termes tolérance, dépendance et addiction ? Quelles sont les fausses idées fréquentes sur l'addiction ?

Les *substances psychoactives* modifient la perception et l'humeur. La consommation régulière de ces substances produit une *tolérance* (besoin de doses supérieures pour obtenir un effet semblable) et peut conduire à une *dépendance physique* ou *psychologique*. L'*addiction* est un besoin effréné associé à une consommation compulsive de ces substances. Les trois fausses idées fréquentes sur l'addiction sont que : (1) les substances entraînant une dépendance corrompent rapidement ; (2) une psychothérapie est toujours nécessaire pour arrêter cette dépendance ; (3) le concept de dépendance peut être raisonnablement étendu au-delà de la dépendance chimique à un grand nombre de comportements.

13. Qu'est-ce qu'un dépresseur ? Quels sont ses effets ?

Les *dépresseurs* comme l'alcool, les *barbituriques* et les *opiacés* réduisent l'activité nerveuse et ralentissent les fonctions organiques. L'alcool est un désinhibiteur. Il augmente la probabilité que nous commettions des actes impulsifs, qu'ils soient agressifs ou serviables. Il ralentit également l'activité du système nerveux, réduit le jugement et la conscience de soi, et interrompt les processus mnésiques en supprimant le sommeil REM. Les attentes des consommateurs influencent fortement les effets comportementaux de l'alcool.

14. Qu'est-ce qu'un stimulant ? Quels sont ses effets ?

Les *stimulants* – caféine, nicotine, *amphétamines*, cocaïne et *ecstasy* – excitent l'activité nerveuse et accélèrent les fonctions organiques. Ils entraînent tous une addiction importante. Les effets de la nicotine font qu'il est difficile d'arrêter de fumer. Néanmoins, le pourcentage d'Américains qui fument diminue de plus en plus. La consommation régulière de *méthamphétamine* peut réduire de manière permanente la production de dopamine. La cocaïne donne au consommateur une bouffée d'euphorie de 15 à 30 minutes suivie d'une « descente » vertigineuse. Elle risque d'engendrer des troubles cardiovasculaires et un état de paranoïa. L'ecstasy est à la fois stimulante et modérément hallucinogène, et entraîne une euphorie et un sentiment d'intimité. Sa consommation répétée peut provoquer une dépression du système immunitaire, une altération durable de la mémoire et de l'humeur. Associée à l'activité physique, elle peut entraîner une déshydratation conduisant à un coup de chaleur.

15. Qu'est-ce qu'un hallucinogène ? Quels sont ses effets ?

Les *hallucinogènes*, comme le *LSD* et le cannabis, modifient les perceptions et provoquent des *hallucinations*, images sensorielles en l'absence de stimulation sensorielle. L'humeur du consommateur et ses attentes influencent les effets du LSD, mais ceux-ci sont fréquemment composés d'hallucinations et d'émotions qui vont de l'euphorie à la panique. La principale substance active du cannabis est le *THC* qui peut déclencher un sentiment de désinhibition, un état d'euphorie, un sentiment de relaxation, un soulagement de la douleur et une sensibilité intense aux stimuli sensoriels. Il peut également augmenter le sentiment d'anxiété ou de dépression, bloquer la coordination motrice et ralentir le temps de réaction, interrompre le processus de formation mnésique et – comme il est inhalé sous forme de fumée – entraîner des lésions pulmonaires.

16. Pourquoi certaines personnes deviennent-elles des consommateurs réguliers de substances psychoactives ?

Les facteurs psychologiques (comme le stress, la dépression et le désespoir) et sociaux (comme la pression de l'entourage) s'associent pour conduire nombre d'entre nous à essayer les substances psychoactives et parfois à en devenir dépendants. La consommation de substances psychoactives varie selon les groupes ethniques et culturels. Certaines personnes sont biologiquement plus enclines à devenir dépendantes de substances comme l'alcool. Chacune de ces influences – biologique, psychologique et socioculturelle – offre une voie possible pour la prévention de la consommation de drogue et la mise au point de programmes thérapeutiques.

Expériences au seuil de la mort

17. Qu'est-ce que les expériences au seuil de la mort ? Quelle est la controverse sur leur explication ?

Beaucoup de ceux qui ont survécu à une rencontre avec la mort, par exemple lors d'un arrêt cardiaque, se souviennent d'*expériences au seuil de la mort*. Celles-ci révèlent parfois des sensations de « sortie du corps » et de vision ou de voyage vers une lumière. Certains chercheurs pensent que ce type d'expérience est très proche des hallucinations et pourrait être le résultat d'un cerveau soumis à un stress. D'autres rejettent cette analyse.

Termes et concepts à retenir

Conscience, p. 86
Neurosciences cognitives, p. 87
Théorie du double processus, p. 87
Attention sélective, p. 89
Cécité inattentionnelle, p. 90
Cécité au changement, p. 90
Rythme circadien, p. 92
Sommeil REM, p. 93
Ondes alpha, p. 94
Sommeil, p. 94
Hallucinations, p. 95
Ondes delta, p. 95
Insomnie, p. 101
Narcolepsie, p. 102
Apnées du sommeil, p. 102
Terreurs nocturnes, p. 103
Rêve, p. 104
Contenu manifeste, p. 104
Contenu latent, p. 105
Rebond en REM, p. 107
Hypnose, p. 108
Suggestion post-hypnotique, p. 109
Dissociation, p. 111
Substance psychoactive, p. 112
Tolérance, p. 113
Sevrage, p. 113
Dépendance physique, p. 113
Dépendance psychologique, p. 113
Addiction, p. 113
Dépresseurs, p. 114
Barbituriques, p. 116
Opiacés, p. 116
Stimulants, p. 117
Amphétamines, p. 117
Méthamphétamine, p. 117
Ecstasy (MDMA), p. 120
Hallucinogènes, p. 121
LSD, p. 121
THC, p. 122
Expérience au seuil de la mort, p. 127

CHAPITRE 4

L'inné, l'acquis et la diversité humaine

LA GÉNÉTIQUE DU COMPORTEMENT : PRÉDIRE LES DIFFÉRENCES ENTRE LES INDIVIDUS
- Les gènes : les codes de notre vie
- Les études de jumeaux et d'adoption
- Tempérament et hérédité
- L'héritabilité
- Interaction entre les gènes et l'environnement
- La nouvelle frontière : la génétique moléculaire

LA PSYCHOLOGIE ÉVOLUTIONNISTE : COMPRENDRE LA NATURE HUMAINE
- Sélection naturelle et adaptation
- La réussite de notre évolution permet d'expliquer nos similitudes
- Une explication évolutionniste de la sexualité humaine

PARENTS ET PAIRS
- Les parents et les premières expériences
- Influence des pairs

LES INFLUENCES CULTURELLES
- Variations interculturelles
- Variations au cours du temps
- La culture et le soi
- Culture et éducation des enfants
- Similitudes de développement entre les groupes

DÉVELOPPEMENT DU GENRE
- Similitudes et différences entre les genres
- Caractères sexuels innés
- Caractères sexuels acquis

RÉFLEXIONS SUR L'INNÉ ET L'ACQUIS

Qu'est-ce qui vous définit ? Sur bien des plans, chacun d'entre nous est un être unique. Nous n'avons pas le même aspect physique, nous ne parlons pas tous la même langue, nous n'avons pas les mêmes personnalités ni les mêmes intérêts, nos origines culturelles et familiales varient.

Nous sommes également les feuilles d'un même arbre. Les membres de la famille humaine partagent non seulement un héritage biologique commun (coupez-nous et nous saignons), mais également des tendances de comportement communes. Notre architecture cérébrale commune nous prédispose à ressentir le monde, à développer un langage et à éprouver la faim par l'intermédiaire des mêmes mécanismes. Que nous vivions sur les terres arctiques ou sous les tropiques, nous préférons les goûts sucrés aux goûts amers. Nous divisons le spectre lumineux en un même ensemble de couleurs et nous nous sentons poussés vers des comportements qui engendrent et protègent la descendance.

Notre parenté se manifeste aussi dans notre comportement social. Que notre nom de famille soit Wong, Nkomo, Smith ou Gonzales, nous avons peur des étrangers à partir de l'âge de 8 mois et, à l'âge adulte, nous préférons la compagnie d'individus dont les attitudes et les caractéristiques sont semblables aux nôtres. Quelle que soit la partie du globe d'où nous venons, nous savons comment lire les sourires et les froncements de sourcils d'un étranger. En tant que membres d'une même espèce, nous fraternisons, nous nous conformons, nous rendons des services, nous punissons les offenses, nous organisons des hiérarchies de statut et nous pleurons la mort d'un enfant. Un visiteur venu de l'espace pourrait atterrir n'importe où et trouver des hommes dansant et festoyant, chantant et adorant un dieu, pratiquant un sport et jouant à des jeux, riant et pleurant, vivant en famille et formant des groupes. Pris dans leur ensemble, de tels comportements universels définissent notre nature humaine.

Quelle est la cause de cette diversité frappante et de notre nature humaine commune ? Dans quelle mesure nos différences génétiques façonnent-elles les différences entre les hommes ? Et les différences de notre *environnement*, c'est-à-dire toutes les influences externes que nous avons subies depuis que notre mère nous a nourris in utero jusqu'au soutien social dont nous bénéficions à la fin de notre vie ? Dans quelle mesure sommes-nous formés par notre éducation ? Par notre culture ? Par nos situations actuelles ? Les réactions des gens à nos dispositions génétiques ? Ce chapitre raconte le début de cette histoire complexe, qui explique comment nos gènes (l'*inné*) et l'environnement (la *culture*) nous définissent.

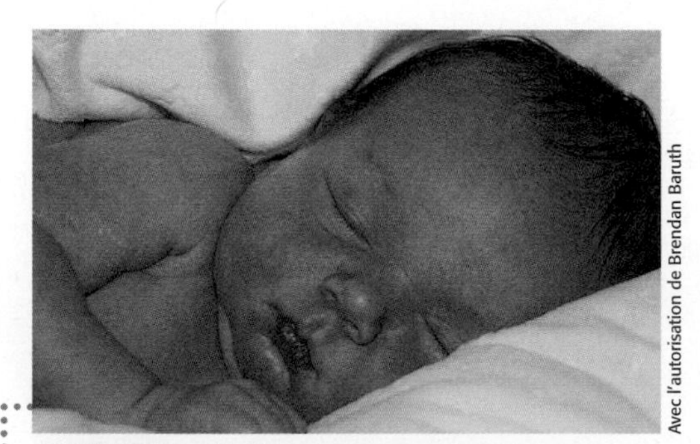

Avec l'autorisation de Brendan Baruth

L'éducation de l'inné Partout, les parents se demandent : mon enfant sera-t-il calme ou plutôt agressif en grandissant ? Aura-t-il un physique ordinaire ou séduisant ? Réussira-t-il ce qu'il entreprend ou aura-t-il des difficultés pour y arriver ? Qu'est-ce qui est inné et qu'est-ce qui est acquis ? Et comment ? Les recherches ont révélé que l'inné et l'acquis œuvraient ensemble pour façonner notre développement, c'est-à-dire chaque étape de notre cheminement.

« Merci pour tout papa ; enfin presque tout. »

La génétique du comportement : prédire les différences entre les individus

1. Qu'est-ce qu'un gène ? Comment les généticiens du comportement expliquent-ils nos différences individuelles ?

SI JADEN AGASSI, FILS DES CHAMPIONS DE TENNIS André Agassi et Stéphanie Graf, devient un champion de tennis, doit-on attribuer ce don aux « gènes du Grand Chelem » qu'il possède, à son éducation dans un milieu voué au tennis, au fait que nous attendons beaucoup de lui ? Ces questions intriguent les **généticiens du comportement** qui étudient nos différences et soupèsent les effets relatifs de l'hérédité et de l'**environnement**.

Les gènes : les codes de notre vie

Derrière l'histoire de notre corps et de notre cerveau – qui sont certainement les deux choses les plus fascinantes sur notre petite planète – figure l'hérédité qui interagit avec notre expérience pour façonner à la fois notre nature humaine universelle et notre diversité sociale et individuelle. Qui aurait pu penser, il y a à peine un siècle, que le noyau de chaque cellule du corps humain contenait la totalité du code génétique de l'organisme. C'est comme si dans chaque pièce de l'Empire State Building il y avait un livre contenant les plans de l'architecte pour la totalité du bâtiment. Le plan de notre propre livre s'étend sur 46 chapitres, 23 transmis par la mère (par le biais de l'ovule) et 23 par le père (par le spermatozoïde). Ces chapitres, appelés **chromosomes**, sont composés chacun d'une chaîne hélicoïdale d'une molécule d'**ADN** (*acide désoxyribonucléique*). Des petits segments de cette longue molécule d'ADN, les **gènes**, forment les mots qui constituent ces chapitres (FIGURE 4.1). Nous possédons en moyenne 30 000 gènes. Ces gènes peuvent être actifs (*exprimés*) ou inactifs. Les événements de l'environnement activent les gènes, un peu comme l'eau chaude permet à un sachet de thé d'exprimer son arôme. Lorsqu'ils sont activés, les gènes nous donnent le code qui nous permet de fabriquer des *protéines* – les constituants de base de notre développement physique.

:: Génétique du comportement : étude du pouvoir et des limites relatifs de la génétique, et des influences environnementales sur le comportement.

:: Environnement : toute influence non génétique, allant de la nutrition prénatale aux personnes et aux choses qui nous entourent.

:: Chromosomes : structures filamenteuses formées de molécules d'ADN et qui contiennent les gènes.

:: ADN (acide désoxyribonucléique) : molécule complexe contenant l'information génétique et qui est le principal constituant des chromosomes.

:: Gènes : unités biochimiques de l'hérédité, constituant les chromosomes ; segment d'ADN qui permet la synthèse d'une protéine.

:: Génome : ensemble des instructions qui permettent de construire un organisme, représentées par l'ensemble du matériel génétique contenu dans ses chromosomes.

:: Vrais jumeaux : jumeaux qui se développent à partir d'un zygote unique (ovule fertilisé) qui se divise en deux, créant deux organismes génétiquement identiques.

:: Faux jumeaux : jumeaux qui se développent à partir de zygotes distincts. Ils ne sont pas plus proches génétiquement que des frères et sœurs, mais bénéficient du même environnement fœtal.

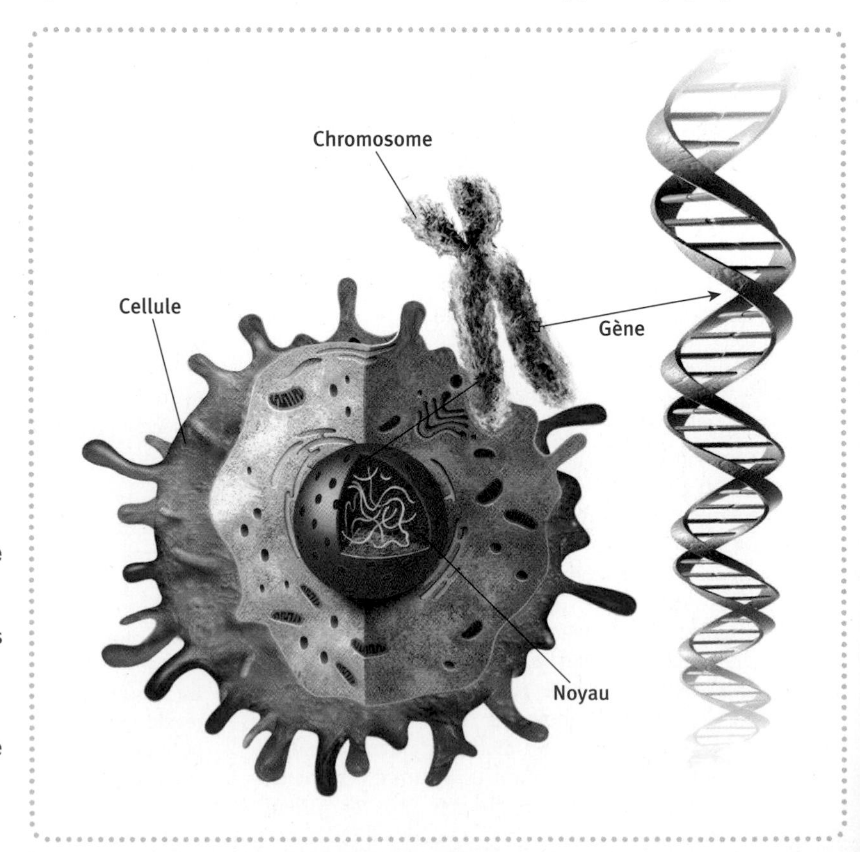

➤ FIGURE 4.1
Les constituants de base de l'homme
Dans le noyau de chacune des milliards de cellules de notre corps se trouvent les chromosomes. Chaque chromosome contient deux brins d'ADN reliés en une double hélice.

D'un point de vue génétique, chaque être humain pourrait être votre jumeau identique. Les chercheurs du **génome** humain ont découvert la séquence commune constituant la molécule d'ADN de l'homme. Ce profil génétique commun fait de nous des hommes plutôt que des chimpanzés ou des tulipes.

En fait, nous ne sommes pas si différents de nos cousins les chimpanzés, avec qui nous partageons près de 96 p. 100 de nos séquences d'ADN (Mikkelsen et coll., 2005). D'après une équipe de généticiens moléculaires, au niveau de sites ADN « fonctionnellement importants », la ressemblance entre l'ADN de l'homme et celui du chimpanzé est de 99,4 p. 100 (Wildman et coll., 2003). C'est cette petite différence qui change tout. Bien que les chimpanzés aient des capacités remarquables, ils se contentent de grogner, alors que Shakespeare a finement tissé près de 24 000 mots lors de l'écriture de ses chefs-d'œuvre de la littérature. Et de petites différences entre les chimpanzés importent également. Deux espèces, les chimpanzés et les bonobos, dont les génomes diffèrent de bien moins de 1 p. 100, présentent également des différences comportementales évidentes. Les chimpanzés communs sont agressifs et suivent la règle de la dominance du mâle. Les bonobos sont pacifiques et leur société est de type matriarcal.

Les généticiens et les psychologues s'intéressent également aux variations occasionnelles dans des sites particuliers d'un gène. De légères variations dans l'ADN commun entre deux personnes font de chaque personne un être unique et expliquent pourquoi l'une d'entre elles aura une maladie alors que l'autre ne l'aura pas, pourquoi certains sont grands, d'autres petits, et pourquoi certains sont extravertis alors que d'autres sont timides.

La plupart de nos caractéristiques sont influencées par de nombreux gènes. Votre taille, par exemple, reflète la hauteur de votre visage, les dimensions de vos vertèbres, la longueur de votre tibia et ainsi de suite ; chacune de ces caractéristiques est influencée par des gènes différents qui interagissent avec votre environnement. De la même manière, les caractéristiques humaines complexes (comme l'intelligence, la joie, l'agressivité) sont influencées par des groupes de gènes. Nos prédispositions génétiques - nos caractéristiques influencées génétiquement - nous permettent d'expliquer à la fois notre nature humaine commune et notre diversité.

> « Votre ADN et le mien sont identiques à 99,9 pour cent... Au niveau de l'ADN nous faisons clairement tous partie d'une seule et même grande famille mondiale. »
> Francis Collins, responsable du Projet Génome Humain, 2007

> « Nous partageons la moitié de nos gènes avec la banane. »
> Robert May, biologiste de l'évolution et président de la *Britain's Royal Society*, 2001

Les études de jumeaux et d'adoption

Pour démêler scientifiquement les influences liées à l'hérédité de celles liées à l'environnement, les généticiens du comportement ont dû concevoir deux types d'études. La première pour étudier les variations liées à l'hérédité dans un environnement familial sous contrôle. La deuxième pour étudier les variations de l'environnement familial dans le contexte d'une hérédité sous contrôle. Mener ces expériences sur des enfants humains aurait été contraire à l'éthique, mais heureusement, la nature a fait ce travail pour nous.

Vrais jumeaux versus faux jumeaux

Les **vrais jumeaux**, qui se développent à partir d'un seul œuf fécondé qui se scinde en deux, sont *génétiquement* identiques (FIGURE 4.2, page suivante). Ce sont de véritables clones humains naturels, des clones qui ont en commun les mêmes gènes, qui ont été conçus à l'identique, ont partagé le même utérus, ont la même date de naissance et en général les mêmes antécédents culturels. Deux légères restrictions :

- Bien que les vrais jumeaux aient les mêmes gènes, ils n'ont pas toujours le même *nombre de copies* de ces gènes. Cela peut aider à comprendre pourquoi un des jumeaux peut être plus sensible au développement de telle ou telle maladie (Bruder et coll., 2008).
- La plupart des vrais jumeaux partagent le même placenta pendant le développement in utero, mais dans un cas sur trois les placentas sont séparés. Un des placentas peut apporter une meilleure alimentation ce qui peut contribuer à des différences entre deux vrais jumeaux (Davis et coll., 1995 ; Phelps et coll., 1997 ; Sokoll et coll., 1995).

Les **faux jumeaux** se développent à partir d'ovules séparés. Ils partagent le même environnement fœtal mais ne sont pas plus proches sur le plan génétique que des frères et sœurs ordinaires.

Les gènes partagés peuvent se traduire en expériences partagées. Une personne dont le vrai jumeau est atteint de la maladie d'Alzheimer a 60 p. 100 de risques de partager cette affection.

➤ FIGURE 4.2
Même ovule, mêmes gènes ; ovules différents, gènes différents Les vrais jumeaux se développent à partir d'un seul ovule fertilisé, les faux jumeaux à partir de deux ovules.

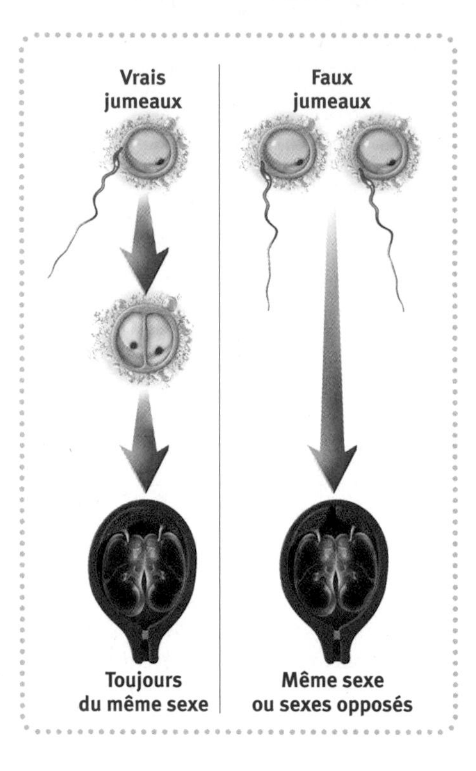

« Il est inévitable que nous mettrons en évidence une forte composante génétique associée à de plus en plus d'aspects que nous attribuons à l'existence de l'homme comme les sous-types de notre personnalité, nos capacités de langage, notre habileté mécanique, notre intelligence, notre activité et nos préférences sexuelles, la pensée intuitive, la qualité de notre mémoire, notre volonté, notre tempérament, nos capacités sportives, etc. »
J. Craig Venter, chercheur en génomique, 2006

Si un faux jumeau est atteint de la maladie, le risque pour l'autre n'est que de 30 p. 100 (Plomin et coll., 1997).

Les vrais jumeaux, qui sont deux répliques génétiques, développent-ils davantage de similitudes dans leur comportement que les faux jumeaux ? Des études effectuées sur des milliers de paires de jumeaux suédois, finlandais et australiens ont apporté une réponse fiable : à la fois en ce qui concerne l'extraversion (ouverture vers l'extérieur) et le névrosisme (instabilité émotionnelle), les vrais jumeaux sont beaucoup plus proches que ne le sont les faux jumeaux.

Si les gènes peuvent influencer des traits comme l'instabilité émotionnelle, peuvent-ils aussi agir sur les effets sociaux de ces traits ? Pour le mettre en évidence, Matt McGue et David Lykken (1992) ont étudié le taux de divorce chez 1 500 paires de jumeaux, de même sexe et d'âge moyen. Les résultats ont montré que si votre faux jumeau a divorcé, la probabilité de votre divorce est multipliée par 1,6 (comparée à la probabilité obtenue si votre jumeau n'a pas divorcé). Si votre vrai jumeau a divorcé, la probabilité de votre divorce est multipliée par 5,5. À

Toujours plus de jumeaux Curieusement, la fréquence des jumeaux varie suivant les groupes ethniques. Cette fréquence chez les Caucasiens est approximativement deux fois plus importante que chez les Asiatiques et moitié moins importante que chez les Africains. En Afrique et en Asie, la plupart des jumeaux sont de vrais jumeaux. Dans les pays occidentaux, la plupart des jumeaux sont de faux jumeaux et leur fréquence augmente avec l'utilisation des traitements contre la stérilité (Hall, 2003 ; Steinhauer, 1999).

Ethel Wolvovitz/The ImageWorks

ACE Stock Limited/Alamy

Peter Arnold, Inc./Biosphoto

partir de ces données, McGue et Lykken estimèrent que le risque de divorce peut être attribué pour environ 50 p. 100 à des facteurs génétiques.

Lorsque John Loehlin et Robert Nichols (1976) ont adressé des questionnaires à 850 paires de jumeaux américains, les vrais jumeaux, plus que les faux jumeaux, ont également dit avoir été traités de la même façon. Est-ce donc leur expérience plutôt que leurs gènes qui est responsable de leurs ressemblances ? Non, répondent Loehlin et Nichols. Des vrais jumeaux élevés de la même façon par leurs parents ne sont pas plus proches sur le plan psychologique que de vrais jumeaux qui n'ont pas reçu exactement la même éducation. Les gènes sont essentiels pour expliquer les différences individuelles.

Jumeaux séparés

Imaginez une expérience de science-fiction au cours de laquelle un scientifique fou décide de séparer des vrais jumeaux à la naissance et de les élever dans des environnements différents. Mais avant tout, considérons cette histoire *vraie*.

Par une matinée fraîche d'un samedi de février 1979 dans l'Ohio, Jim Lewis, peu de temps après avoir divorcé de sa première femme (Linda), se réveille dans son appartement modeste aux côtés de sa deuxième femme (Betty). Jim, qui était soucieux de préserver son mariage, avait l'habitude de laisser dans la maison des petits mots d'amour à Betty. Allongé sur son lit, il pensait à ceux qu'il aime : son fils, James Alan, et son fidèle chien, Toy.

Ayant installé un atelier dans un coin de sa cave, Jim se réjouissait à l'idée de consacrer une partie de son temps libre à travailler le bois. Il prenait plaisir à passer des heures à construire des meubles, des cadres et d'autres éléments en bois, tel ce petit banc circulaire blanc autour d'un arbre dans la cour de devant. Jim aimait également conduire sa Chevrolet®, regarder les courses de stock-car et boire de la bière allégée Miller®.

Jim était à peu près en bonne santé excepté quelques migraines qui se déclenchaient en fin d'après-midi et une tension un peu élevée, peut-être du fait qu'il fumait beaucoup. Il avait pris un peu de poids quelque temps auparavant, qu'il avait perdu assez vite. Ayant subi une vasectomie, il était stérile.

Ce qu'il y avait d'extraordinaire avec Jim Lewis, c'est qu'au même moment (je n'invente rien), un autre homme, qui s'appelait aussi Jim vivait des choses identiques (jusqu'au nom du chien)[1]. Il s'avère que 38 ans plus tôt, cet autre Jim, Jim Springer, avait partagé avec lui la même poche utérine. Ils avaient été séparés 37 jours après leur naissance, adoptés par des familles d'ouvriers, élevés sans avoir de contact et ignorant chacun l'existence de l'autre jusqu'au jour où Jim Lewis reçut un appel de son clone génétique (qui, après avoir appris l'existence de son jumeau, avait effectué des recherches).

Un mois plus tard, les frères devinrent les premiers jumeaux à être testés par le psychologue Thomas Bouchard et ses collaborateurs de l'université du Minnesota, qui commencèrent

1. En fait, cette description des deux Jim diffère sur un point : Jim Lewis a appelé son fils James Alan, alors que Jim Springer a appelé son fils James Allan.

La Suède possède le plus important registre national de jumeaux avec 140 000 paires de jumeaux recensés, vivants ou morts. Ils font partie des 600 000 jumeaux actuellement examinés au cours de la plus grande étude mondiale effectuée sur les jumeaux (Wheelwright, 2004 ; www.genomeutwin.org).

Les voitures des jumelles Lorraine et Levinia Christmas se sont percutées alors qu'elles se dirigeaient l'une et l'autre vers Flitcham (Angleterre) pour s'offrir leurs cadeaux de Noël (Shepherd, 1997).

La fameuse recherche de Bouchard sur les jumeaux s'est déroulée de manière tout à fait adaptée à Minneapolis, la « ville des jumeaux » (avec St Paul) qui abrite l'équipe de base-ball « les jumeaux du Minnesota ».

De vrais jumeaux, deux personnes identiques Vrais jumeaux, Jim Lewis et Jim Springer ont été séparés à la naissance et élevés dans des foyers différents sans savoir qu'ils avaient un frère jumeau. Les recherches ont montré des similitudes étonnantes dans les choix de vie de jumeaux séparés, ce qui donne un argument en faveur de l'idée selon laquelle les gènes ont une influence sur la personnalité.

une étude sur les jumeaux séparés et qui est toujours en cours (Holden, 1980a,b ; Wright, 1998). Les tests destinés à mesurer l'intelligence, la personnalité, le rythme cardiaque et les ondes cérébrales révélèrent que les jumeaux Jim (bien qu'ayant été séparés pendant 38 ans) étaient aussi identiques que si l'on avait testé la même personne à deux reprises. L'intonation et les inflexions de leurs voix étaient si identiques que Jim Springer crut reconnaître sa propre voix en écoutant une interview enregistrée : « C'est moi. » Faux ! C'était son frère.

Deux vrais jumeaux, Oskar Stohr et Jack Yufe, avaient également des similitudes frappantes. L'un avait été élevé par sa grand-mère en Allemagne et était catholique et nazi, l'autre par son père dans les Caraïbes dans la religion juive. Malgré tout, ils avaient en commun de nombreuses caractéristiques et habitudes. Ils aimaient tous les deux la nourriture épicée et les liqueurs douces, avaient l'habitude de s'endormir devant la télévision, tiraient la chasse d'eau avant d'aller aux toilettes, accumulaient des élastiques autour de leur poignet et trempaient leurs tartines beurrées dans leur café. Stohr était dominateur envers les femmes et criait contre son épouse, comme le faisait Yufe avant que lui et sa femme ne se séparent. Ils épousèrent tous deux des femmes qui s'appelaient Dorothy Jane Scheckelburger (...c'est une blague !). Mais comme le faisait remarquer Judith Rich Harris (2006), ce serait à peine plus étrange que les autres coïncidences décrites.

« Dans certains domaines, il semble que de vrais jumeaux, bien qu'élevés séparément, soient... aussi semblables que de vrais jumeaux élevés ensemble. C'est une découverte fascinante et je peux vous assurer qu'aucun d'entre nous n'attendait un tel degré de ressemblance. »
Thomas Bouchard (1981)

Aidés par la publicité et les articles de journaux, Bouchard et ses collaborateurs (1990 ; DiLalla et coll., 1996 ; Segal, 1999) ont identifié et étudié 80 paires de vrais jumeaux élevés séparément. Ils continuent à trouver des ressemblances, non seulement de goût et d'aspect physique, mais aussi de personnalité, d'aptitudes, d'attitudes, d'intérêts et même de craintes.

En Suède, Nancy Pedersen et ses collaborateurs (1988) ont recensé 99 paires de vrais jumeaux séparés et plus de 200 paires de faux jumeaux élevés séparément. Comparés à des échantillons équivalents de vrais jumeaux élevés ensemble, les vrais jumeaux séparés ont des personnalités plus dissemblables, des façons de penser, de ressentir et d'agir caractéristiques de chacun d'eux. Cependant, des jumeaux séparés sont plus proches lorsqu'ils sont génétiquement identiques que lorsque ce sont de faux jumeaux. La séparation peu après la naissance (plutôt que vers 8 ans par exemple) n'amplifie pas les différences de personnalité.

Les coïncidences ne sont pas l'apanage des jumeaux. Patricia Kern, du Colorado, née le 13 mars 1941, a été baptisée Patricia Ann Campbell. Patricia DiBiasi, de l'Oregon, est née également le 13 mars 1941 et a été baptisée Patricia Ann Campbell. Toutes les deux ont un père prénommé Robert, sont libraires et, à l'époque de cette comparaison, avaient des enfants âgés de 21 et 19 ans. Toutes les deux ont étudié la cosmétologie, aiment la peinture à l'huile et ont épousé des militaires, à onze jours d'intervalle. Elles n'ont aucun lien génétique. (D'après une dépêche de l'AP, 2 mai 1983.)

Ces histoires particulières à propos des similitudes chez les jumeaux n'impressionnent pas les critiques de Bouchard qui nous rappellent que « le pluriel d'*anecdote* n'est pas *données* ». Ils prétendent que si deux étrangers passaient des heures à comparer leurs habitudes et leur vie, ils découvriraient probablement de nombreuses ressemblances fortuites. Si les chercheurs créaient un groupe contrôle de paires d'individus du même âge, de même sexe et de même origine ethnique, n'ayant aucun lien biologique, n'ayant pas grandi ensemble, mais étant semblables sur le plan économique et culturel comme le sont beaucoup de jumeaux séparés, ne trouverait-on pas des similitudes frappantes dans les paires du groupe contrôle (Joseph, 2001) ? Bouchard réplique que les similitudes des faux jumeaux séparés ne sont pas comparables à celles des vrais jumeaux séparés. Nancy Segal, qui a fait des recherches sur les jumeaux (2000), a remarqué que les *jumeaux virtuels* – enfants du même âge, biologiquement non apparentés – sont également bien plus dissemblables.

Même les données les plus impressionnantes concernant les évaluations de personnalité sont faussées par le fait que la réunion de la plupart des jumeaux séparés a eu lieu dans bien des cas plusieurs années avant l'étude. De plus, les jumeaux séparés ont en commun la même apparence physique et les réponses que celle-ci suscite. Les organismes d'adoption ont tendance à placer des jumeaux séparés dans des foyers comparables. Malgré ces critiques, les résultats étonnants de ces études sur les jumeaux ont permis aux scientifiques d'évoluer vers une prise en compte plus importante des influences génétiques.

« Nous menons jusqu'à notre tombe l'essence du zygote que nous étions au départ. »
Mary Pipher, *Seaking Peace : Chronicles of the Worst buddhist in the World*, 2009

Parents biologiques versus parents adoptifs

Pour les généticiens du comportement, une autre expérience issue de la vie réelle, l'adoption, crée deux types de familles : les *parents « génétiques »* de l'enfant adopté (parents biologiques et leurs enfants) et les *parents « environnementaux »* (parents adoptifs avec leurs enfants). Pour chaque caractère, on peut se demander si les enfants adoptés sont plus proches de leurs parents biologiques, responsables de leurs gènes ou de leurs parents adoptifs, qui sont responsables de leur environnement domestique. Partageant le même environnement domestique, les frères et sœurs adoptifs vont-ils avoir des traits communs ?

La découverte sensationnelle issue de l'étude de centaines de familles adoptives est que les gens qui ont grandi ensemble ne se ressemblent pas du point de vue de leur personnalité, qu'ils soient ou non biologiquement apparentés (McGue et Bouchard, 1998 ; Plomin et coll., 1998 ; Rowe 1990). Les traits de caractère des enfants adoptés (leur caractère extraverti, leur amabilité, etc. ont plus de similitudes avec ceux de leurs parents biologiques qu'avec ceux de leurs parents adoptifs.

La découverte est si étonnante qu'elle mérite d'être répétée : les facteurs environnementaux partagés par les enfants d'une même famille n'ont pratiquement aucune influence sur leur personnalité. Deux enfants adoptés et élevés dans le même foyer ont autant de chance d'avoir la même personnalité que de partager celle-ci avec un enfant habitant à l'autre bout de la rue. L'hérédité façonne aussi la personnalité d'autres primates. Les macaques élevés par une mère nourricière montrent des comportements sociaux qui ressemblent plus à ceux de leur mère biologique qu'à ceux de leur mère nourricière (Maestripieri, 2003). Ajoutez cela aux ressemblances des vrais jumeaux, qu'ils soient élevés ensemble ou séparément, et les effets d'un environnement commun semblent particulièrement dérisoires.

Ce que nous avons là est peut-être « le plus important mystère dans l'histoire de la psychologie », déclare Steven Pinker (2002). Pourquoi les enfants d'une même famille sont-ils si différents ? Pourquoi le même environnement familial a-t-il aussi peu d'effets visibles sur la personnalité des enfants ? Est-ce parce que chaque membre de la fratrie subit un environnement différent, soumis à l'influence des copains et aux événements de la vie ? Parce que les relations entre frères et sœurs ricochent les unes sur les autres pour amplifier leurs différences ? Parce que les frères et sœurs, bien qu'ayant en commun la moitié de leurs gènes, ont des combinaisons de gènes très différentes et provoquent des modes d'éducation parentale très différents ? Ces questions alimentent la curiosité des généticiens du comportement.

Cet effet minime de l'environnement commun ne signifie pas cependant que l'éducation des parents adoptifs est vaine. Bien que les brides génétiques limitent l'influence de l'environnement familial sur la personnalité, les parents influencent les attitudes, les valeurs, les manières, les croyances et l'orientation politique de leurs enfants (Reifman et Cleveland, 2007). Deux enfants adoptés ou de vrais jumeaux *auront* des croyances religieuses davantage similaires s'ils ont été élevés dans le même foyer et, en particulier, pendant leur adolescence (Kelley et De Graaf, 1997 ; Koenig et coll., 2005 ; Rohan et Zanna, 1996). L'éducation parentale a son importance !

De plus, dans les foyers adoptifs, les négligences, les mauvais traitements ou même le divorce sont rares. (Les parents adoptifs sont soigneusement choisis ; les parents naturels ne le sont pas.) C'est pourquoi il n'est pas surprenant qu'en dépit d'un risque plus élevé de troubles psychologiques, la plupart des enfants adoptés s'épanouissent, surtout s'ils ont été adoptés très jeunes (Loehlin et coll., 2007 ; van Ijzendoorn et Juffer, 2006 ; Wierzbicki, 1993). Sept enfants sur huit affirment être très attachés à l'un des parents adoptifs ou aux deux. En tant qu'enfants de parents généreux, ils ont tendance à devenir plus généreux et plus altruistes que la moyenne (Sharma et coll., 1998). Beaucoup d'entre eux ont de meilleurs résultats que leurs parents biologiques dans les tests d'intelligence et deviennent des adultes plus heureux et plus stables. Dans une étude suédoise, les enfants ayant été adoptés avaient moins de problèmes en grandissant que les enfants dont les mères biologiques voulaient les faire adopter et ont décidé finalement de les élever elles-mêmes (Bohman et Sigvardsson, 1990). Quelles que soient les différences de personnalité entre les enfants et leurs parents adoptifs, l'adoption est bénéfique pour les enfants.

« Maman peut avoir un full alors que papa a une quinte flush, cependant quand le petit reçoit au hasard la moitié des cartes de chacun, il peut tirer une main de poker perdante. »

David Lykken (2001)

• La plus grande uniformité des foyers adoptifs – qui sont la plupart du temps des environnements sains dispensant une bonne éducation – permet d'expliquer qu'il y ait peu de différences entre les enfants issus de différentes familles adoptives (Stoolmiller, 1999). •

Tempérament et hérédité

Comme beaucoup de parents vous le diront après avoir eu leur deuxième enfant, les bébés sont différents avant même leur premier souffle. Considérons un aspect de la personnalité se manifestant très rapidement. Le **tempérament** d'un enfant en bas âge représente son excitabilité émotionnelle – l'enfant est soit réactif, vif et agité, soit calme, placide et facile à vivre. Dès les premières semaines de la vie, les bébés « *difficiles* » sont plus irritables, vifs et imprévisibles. Les bébés « *faciles* » sont enjoués, détendus et ont des heures de sommeil et de repas régulières. Les nourrissons « *lents à s'échauffer* » ont tendance à s'opposer aux personnes ou aux situations étrangères et ne les recherchent pas (Chess et Thomas, 1987 ; Thomas et Chess, 1977).

:: Tempérament : réactivité et intensité émotionnelles caractéristiques de chacun.

« Oh, il est mignon, c'est vrai, mais il a le tempérament d'une alarme de voiture. »

Les différences de tempérament ont tendance à persister. Considérons ces découvertes :

- Les nouveau-nés les plus émotifs ont tendance à être les plus réactifs à l'âge de 9 mois (Wilson et Matheny, 1986 ; Worobey et Blajda, 1989).
- Les enfants de 2 ans qui sont très inhibés et craintifs sont encore souvent timides à l'âge de 8 ans, et la moitié d'entre eux deviendront des adolescents introvertis (Kagan et coll., 1992, 1994).
- Les enfants préscolaires les plus émotifs ont tendance à devenir de jeunes adultes assez réactifs (Larsen et Diener, 1987). Dans une étude menée sur plus de 900 Néo-Zélandais, les enfants de 3 ans les plus émotifs et impulsifs sont devenus à 21 ans de jeunes adultes plus impulsifs, agressifs et recherchant le conflit (Caspi, 2000).

L'hérédité prédispose aux différences de tempérament (Rothbart, 2007). Comme nous l'avons vu, comparativement aux faux jumeaux, les vrais jumeaux ont des personnalités plus similaires, y compris dans leur tempérament. Des tests physiologiques ont révélé que les enfants anxieux et inhibés ont un rythme cardiaque élevé et irrégulier et un système nerveux très réactif. Ils sont plus excités physiologiquement lorsqu'ils sont face à une nouvelle situation ou à une situation inhabituelle (Kagan et Snidman, 2004). Un des gènes régulant la sérotonine, un neuromédiateur, prédispose à un tempérament craintif et, en l'absence de soins attentifs, conduit à un enfant inhibé (Fox et coll., 2007). De telles constatations confirment la conclusion suivante : notre tempérament enraciné dans notre biologie nous aide à nous forger une personnalité durable (McCrae et coll., 2000, 2007 ; Rothbart et coll., 2000).

L'héritabilité

2. Qu'est-ce que l'héritabilité ? De quelle manière est-elle liée aux individus et aux groupes ?

Utilisant les études effectuées sur les jumeaux et l'adoption, les généticiens du comportement peuvent estimer mathématiquement l'**héritabilité** d'un trait de caractère - ce qui permet d'attribuer les variations entre individus aux différences entre leurs gènes. Comme nous le verrons au chapitre 10, si l'héritabilité de l'intelligence est d'environ 50 p. 100, cela *ne* signifie *pas* que les gènes soient responsables de 50 p. 100 de *votre* intelligence. (De la même manière, dire que l'héritabilité de la taille est de 90 p. 100 ne signifie pas qu'une femme de 1,52 m peut rendre responsables ses gènes pour 1,37 m et son environnement pour les 15 cm restants.) Cela veut plutôt dire que nous pouvons attribuer à l'hérédité 50 p. 100 des variations observées *au sein d'un groupe de personnes*. Ce point est si souvent mal compris que je le répète : nous ne pouvons jamais dire quelle proportion de la personnalité ou de l'intelligence d'un *individu* est héritée. Cela n'a aucun sens de dire que notre personnalité provient à *x* p. 100 de notre hérédité et à *y* p. 100 de notre environnement. Au contraire, l'héritabilité se rapporte à la proportion dans laquelle *les différences entre les gens* peuvent être attribuées aux gènes.

Même cette conclusion doit être prise avec précaution, car l'héritabilité peut varier d'une étude à l'autre. Si l'on suivait la proposition de l'humoriste Mark Twain (1835-1910) et qu'on élevait des enfants dans un tonneau en les nourrissant par une ouverture jusqu'à l'âge de 12 ans, ils auraient tous des scores d'intelligence inférieurs à la normale à l'âge de 12 ans. Bien que se trouvant dans un environnement identique, on pourrait attribuer les différences de QI de chacun de ces enfants à l'hérédité seulement. En d'autres termes, l'héritabilité, leurs différences dues aux gènes, approcherait les 100 p. 100. Quand l'environnement est semblable, l'hérédité devient un facteur plus important pour expliquer les différences entre les individus. Si toutes les écoles étaient de même qualité, que toutes les familles donnaient la même dose d'amour et que le voisinage était uniformément sain, l'héritabilité augmenterait (car les différences imputables à l'environnement diminueraient). En revanche, si tous les individus ayant une hérédité semblable étaient élevés dans des environnements totalement différents (un tonneau contre une maison confortable par exemple), l'héritabilité serait bien plus faible.

Différences entre groupes

Si l'influence génétique permet d'expliquer les différences individuelles pour des caractéristiques telles que l'agressivité, contribue-t-elle aussi aux différences entre groupes - entre hommes et femmes ou entre les membres de différentes ethnies ? Pas nécessairement. Les différences individuelles de taille et de poids sont hautement héréditaires, mais les habitudes alimentaires plus que l'influence génétique permettent d'expliquer pourquoi les adultes d'aujourd'hui, en tant que groupe, sont plus grands et plus lourds qu'il y a cent ans. Les deux groupes diffèrent, bien que le bagage génétique humain n'ait pas changé en l'espace d'un siècle.

Qu'il s'agisse du poids, de la taille, de la personnalité ou des scores d'intelligence, les différences individuelles dues à l'héritabilité n'impliquent pas obligatoirement de différences liées à l'héritabilité au sein d'un groupe. Si certains individus sont génétiquement disposés à être plus agressifs que d'autres, cela n'explique pas pourquoi certains groupes sont plus agressifs que d'autres. Le fait de mettre les gens dans un contexte social nouveau peut permettre de modifier leur comportement agressif. Les populations scandinaves, aujourd'hui tout à fait pacifiques, ont hérité d'un très grand nombre de gènes de leurs ancêtres, les Vikings, particulièrement belliqueux.

:: Héritabilité : proportion de variation entre individus qu'il est possible d'attribuer aux gènes. L'héritabilité d'un caractère peut varier en fonction de l'étendue des populations et des environnements étudiés.

L'inné et l'acquis

Parmi nos similitudes, la plus importante - la marque de fabrique du comportement de notre espèce - est une énorme capacité d'adaptation. Certaines caractéristiques humaines, comme le fait d'avoir deux yeux, se développent de la même manière dans pratiquement tous les environnements. Mais d'autres caractéristiques s'expriment uniquement dans des environnements particuliers. Marchez pieds nus pendant tout un été et vous aurez progressivement des callosités au niveau des pieds - une adaptation biologique due au frottement du sol. En revanche, votre voisin chaussé gardera un pied tendre. La différence entre vous et votre voisin est, bien sûr, un effet de l'environnement. Mais c'est également le produit d'un mécanisme biologique - l'adaptation. Notre biologie commune laisse libre cours au développement de notre diversité (Buss, 1991).

« Tous les hommes ont des natures semblables : ce sont leurs habitudes qui les éloignent. »
Confucius, *Les Entretiens*, 500 av. J.-C.

Une analogie peut nous aider à comprendre : les gènes et l'environnement - l'inné et l'acquis - travaillent de concert comme deux mains qui collaborent pour applaudir. Les gènes ne servent pas uniquement à coder des protéines spécifiques, ils répondent également à l'environnement. Un papillon d'Afrique, vert en été, devient marron à l'automne grâce à une commutation génétique contrôlée par la température. Le gène qui produit la couleur « marron » dans une situation, produit la couleur « vert » dans une autre. De ce fait, les gènes *s'autorégulent*. Plutôt que de suivre un plan qui conduit au même résultat quel que soit le contexte, les gènes réagissent. Les personnes qui ont des gènes identiques, mais subissent des expériences différentes, ont donc des pensées similaires, mais un esprit différent. Un jumeau peut tomber amoureux d'une personne assez différente de celle choisie par son frère.

Comme nous le verrons au chapitre 14, on connaît au moins un gène qui, en réponse aux stress majeurs de la vie, code une protéine qui contrôle les fonctions d'un neuromédiateur entraînant la dépression. Pris isolément, ce gène ne provoque pas la dépression, mais il fait partie de la recette. De même, cette stimulation de l'intelligence suite à l'allaitement maternel dont nous avons parlé au chapitre 1 ne se vérifie que chez les 90 p. 100 de nourrissons dotés d'un gène qui leur permet de dégrader les acides gras présents dans le lait maternel (Caspi et coll., 2007). Des études menées sur 1 037 adultes néo-zélandais et 2 232 Anglais âgés de 12 et 13 ans n'ont trouvé aucune stimulation de l'intelligence par l'allaitement maternel chez les sujets dépourvus de ce gène. Comme cela arrive souvent, l'inné et l'acquis travaillent de concert.

De ce fait, se demander si votre personnalité est le résultat de vos gènes ou de l'environnement revient à se demander si l'aire d'un champ est déterminée davantage par sa longueur que par sa largeur. On pourrait toutefois se demander si les aires différentes de deux champs sont le résultat d'une *différence* de longueur ou de largeur et si les différences de personnalité d'une personne à l'autre sont plutôt influencées par l'inné ou par l'acquis. Les différences humaines sont presque toujours le résultat d'influences à la fois génétiques et environnementales. Ainsi (pour donner un aperçu des chapitres à venir), les troubles de l'alimentation sont influencés génétiquement : certains individus, plus que d'autres, sont des sujets à risque. Mais la culture a également son importance - les troubles de l'alimentation sont, avant tout, un phénomène culturel contemporain observé dans les pays occidentaux.

« L'hérédité distribue les cartes ; l'environnement joue la partie. »
Charles L. Brewer, psychologue (1990)

Interaction entre les gènes et l'environnement

Dire que les gènes et l'expérience sont *tous deux* importants est vrai. Plus précisément, ils **interagissent**. Imaginons deux bébés, dont l'un est génétiquement prédisposé à être plus attirant, plus sociable et facile à vivre que l'autre. Supposons maintenant que le premier bébé reçoive plus d'affection et de soins que le second, il deviendra plus tard une personne chaleureuse et extravertie. À mesure que les deux enfants grandissent, celui qui est plus ouvert vers l'extérieur cherchera plus souvent à être impliqué dans des activités et à avoir des amis et acquerra une assurance en société.

Qu'est-ce qui a entraîné leur différence de personnalité ? L'hérédité et l'expérience ne peuvent agir seules. L'environnement déclenche l'activité de certains gènes. (À l'heure actuelle, les scientifiques explorent les influences de l'environnement sur le moment où certains gènes se mettent à fabriquer des protéines.) L'autre partenaire, nos caractères influencés génétiquement, *engendre* également des réponses significatives chez les autres. Ainsi, un enfant impulsif et agressif peut se faire gronder par un enseignant qui, en revanche, parlera très gentiment à un autre élève modèle de la classe. Les parents aussi peuvent traiter leurs enfants différemment : un enfant se fera punir contrairement à l'autre. Dans ce cas, l'acquis de l'enfant interagit avec l'inné des parents. Aucun ne fonctionne sans l'autre. Les gènes et le décor dansent ensemble.

Ces interactions évocatrices nous permettent de comprendre pourquoi deux vrais jumeaux élevés dans des familles différentes se souviennent de la chaleur de leurs parents de manière similaire – presque aussi similaire que s'ils avaient eu les mêmes parents (Plomin et coll., 1988, 1991, 1994). Les faux jumeaux se rappellent de leur petite enfance au sein de leur famille de manière assez différente – même s'ils ont été élevés dans la même famille ! Selon Sandra Scarr (1990) : « Les enfants nous perçoivent comme des parents différents en fonction de leur propre personnalité. » De plus, à mesure que nous vieillissons, nous *sélectionnons* les environnements qui correspondent à notre nature.

Ainsi, dès notre conception, nous sommes le résultat d'une cascade d'interactions entre nos prédispositions génétiques et notre environnement. Nos gènes influencent la manière dont les autres réagissent à notre égard et nous influencent en retour. L'apparence biologique peut entraîner des conséquences sociales. Il faut donc oublier le débat sur l'inné *versus* l'acquis et réfléchir plutôt à la question de l'acquis *via* l'inné.

La nouvelle frontière : la génétique moléculaire

3. Quelles sont les promesses apportées par les recherches sur la génétique moléculaire ?

Les généticiens du comportement se sont donc interrogés au-delà de la question : « Les gènes influencent-ils le comportement ? » La nouvelle frontière de leurs recherches est l'étude « ascendante » de la **génétique moléculaire**, la quête pour identifier les *gènes spécifiques* influençant le comportement.

Comme nous l'avons déjà vu, la plupart des caractéristiques humaines sont influencées par des groupes de gènes. Par exemple, d'après les études consacrées aux jumeaux et à l'adoption, l'hérédité joue un rôle sur le poids corporel, mais n'implique pas un unique « gène de l'obésité ». Il est plus probable que certains gènes régulent la vitesse avec laquelle l'estomac dit au cerveau « je suis rassasié ». D'autres gènes peuvent coder la quantité de combustible nécessaire aux muscles, le nombre de calories brûlées quand on bouge ou encore la manière dont le corps transforme les calories superflues en graisse (Vogel, 1999). Le but de la *génétique moléculaire du comportement* est d'identifier certains gènes qui influencent les caractères humains normaux comme le poids du corps, l'orientation sexuelle et l'extraversion, et également d'explorer les mécanismes qui contrôlent l'expression des gènes (Tsankova et coll., 2007).

Grâce aux tests génétiques, il est maintenant possible de repérer les populations dites « à risque » pour une douzaine de maladies au moins. Les recherches se poursuivent dans des laboratoires du monde entier, où les spécialistes en génétique moléculaire s'associent aux psychologues pour isoler des gènes susceptibles d'entraîner chez les individus des risques de maladies génétiquement influencées comme les troubles d'apprentissage, la schizophrénie, la dépression et l'alcoolisme. (Nous verrons par exemple, au chapitre 14, que des efforts de recherche dans le monde entier sont réalisés afin d'identifier les gènes responsables des dérèglements de l'humeur dans le cadre du trouble bipolaire, que l'on nommait auparavant maladie maniaco-dépressive.) Pour déterminer les gènes impliqués, les spécialistes de la génétique moléculaire tentent de trouver des liens entre certains gènes ou des segments de chromosomes et des troubles particuliers. Pour commencer, ils s'adressent à des familles atteintes de la maladie depuis plusieurs générations. À l'aide de prélèvements sanguins ou pratiqués à l'intérieur de la bouche de tous les membres de la famille, atteints ou non, les chercheurs examinent l'ADN pour comparer les différences. Robert Plomin et John Crabbe (2000) déclarent : « Le plus grand potentiel de l'ADN est de prédire les risques afin de prendre des mesures et d'empêcher les problèmes avant qu'ils ne surviennent. »

À l'aide de nouvelles techniques peu coûteuses permettant d'isoler des séquences d'ADN intéressantes, le personnel médical devient capable d'informer les futurs parents sur les anomalies génétiques du fœtus et sur leurs conséquences. Cet avantage s'accompagne toutefois d'un risque. Le fait de coller une étiquette sur un fœtus, comme par exemple « risque de trouble de l'apprentissage », ne conduit-il pas à la discrimination ? Le dépistage prénatal pose des problèmes d'éthique. En Chine et en Inde, où l'on accorde plus de valeur aux garçons, la recherche du sexe du futur enfant a entraîné des avortements sélectifs, ce qui a suscité des millions - oui, des millions - de « femmes manquantes ».

En imaginant que cela soit possible, les futurs parents devraient-ils apporter leurs ovules et leurs spermatozoïdes dans un laboratoire de génétique pour procéder à un dépistage avant de les associer pour produire un embryon ? Devons-nous permettre aux parents de passer au crible leurs œufs une fois fécondés pour savoir s'ils seront beaux, en bonne santé ou quel sera l'état de leur cerveau ? Le progrès est une épée à double tranchant : il apporte à la fois des possibilités prometteuses et des problèmes sérieux. En « sélectionnant » certains de nos traits de caractère, nous risquons de perdre de futurs Haendel, van Gogh, Churchill, Lincoln, Tolstoï et Dickinson - tous des esprits tourmentés.

« Je pensais que dans les banques de sperme, les donneurs restaient anonymes. »

AVANT D'ALLER PLUS LOIN...

➤ INTERROGEZ-VOUS

Souhaiteriez-vous soumettre vos futurs enfants à des tests génétiques in utero ? Que feriez-vous si vous appreniez que votre enfant sera hémophile ? Présentera des troubles de l'apprentissage ? De forts risques d'être dépressif ? Serait-ce une perte ou un bénéfice pour la société de procéder à l'avortement de tels embryons ?

➤ TESTEZ-VOUS 1

Qu'est-ce que l'*héritabilité* ?

Les réponses aux questions « Testez-vous » sont données dans l'annexe B à la fin de l'ouvrage.

::Interaction : dépendance de l'effet d'un facteur (tel que l'environnement) par rapport à un autre facteur (tel que l'hérédité).

::Génétique moléculaire : partie de la biologie qui étudie la structure moléculaire et la fonction des gènes.

::Psychologie évolutionniste : étude de l'évolution du comportement et de l'esprit, qui utilise les principes de la sélection naturelle.

::Sélection naturelle : principe selon lequel les caractéristiques héritées qui contribuent à une augmentation de la reproduction et de la survie auront plus de chances d'être transmises aux générations à venir.

La psychologie évolutionniste : comprendre la nature humaine

4. Comment les psychologues évolutionnistes se servent-ils de la sélection naturelle pour expliquer les tendances comportementales ?

LES GÉNÉTICIENS DU COMPORTEMENT EXPLORENT LES racines génétiques et environnementales des différences humaines. En revanche, les **psychologues évolutionnistes** se concentrent surtout sur ce qui nous rend si semblables en tant qu'hommes. Ils utilisent le principe de la **sélection naturelle** de Darwin pour comprendre les origines de notre comportement et de nos processus mentaux. Richard Dawkins (2007) parle de la sélection naturelle comme de « l'idée la plus capitale qu'un homme n'ait jamais eue à l'esprit ». Cette idée, résumée, est la suivante :

- Les descendants de divers organismes entrent en compétition pour survivre.
- Certaines variations biologiques et comportementales augmentent leurs chances de se reproduire et de survivre dans leur environnement.
- Les descendants qui survivent ont plus de chances de transmettre leurs gènes aux générations suivantes.
- Ainsi, avec le temps, les caractéristiques des populations peuvent changer.

Pour comprendre la manière dont ces principes agissent, considérons d'abord un exemple manifeste chez le renard.

Sélection naturelle et adaptation

Un renard est un animal sauvage et méfiant. Si vous capturez un renard et que vous essayez de l'apprivoiser, méfiez-vous. Mettez votre main dans la cage et si le renard, farouche, ne peut s'enfuir, vos doigts lui serviront sûrement de déjeuner. Travaillant à la *Russian Academy of Science's Institute of Cytology and Genetics*, Dmitry Belyaev se demandait comment nos ancêtres avaient réussi à domestiquer les chiens, les descendants des loups. Réussirait-il, en une période de temps plus courte, un tel exploit : transformer un renard craintif en un animal affectueux ?

L. N. Trut, *American Scientist* (1999) 87: 160-169

De la « bête » à la « belle » Après 40 ans d'expérience dans l'élevage des renards, une grande partie de la descendance est docile et capable de nouer des liens affectifs avec l'homme.

Pour ce faire, Belyaev a réalisé des expériences sur 30 renards mâles et 100 renards femelles. En partant de leur descendance, il a sélectionné et accouplé 5 p. 100 des mâles et 20 p. 100 des femelles les plus dociles. (Il a mesuré la docilité par les réponses des renards quand on essayait de les nourrir, de les manipuler et de les caresser.) Belyaev et son successeur Lyudmila Trut répétèrent cette technique sur plus de 30 générations de renards. Quarante ans et 45 000 renards plus tard, ils avaient obtenu une nouvelle race de renards qui, selon Trut (1999), « sont dociles, très désireux de plaire et que l'on peut considérer sans la moindre erreur comme domestiqués... Le "loup" s'est changé en "agneau" sous nos yeux, et le comportement agressif de la meute sauvage sur laquelle nous avons commencé à travailler a totalement disparu ». Ils sont amicaux, recherchent le contact humain, et sont toujours prêts à gémir pour attirer l'attention et à lécher les gens comme des chiens affectueux ; à tel point que l'institut à court d'argent y a vu un moyen de recueillir des fonds et vend les renards comme animaux de compagnie.

Quand on *sélectionne* certains traits de caractère en conférant un avantage reproducteur à un individu ou à une espèce, ces traits finissent avec le temps par prévaloir. Comme nous le rappellent Robert Plomin et ses collaborateurs (1997), les éleveurs de chiens nous ont donné des chiens de bergers qui gardent les troupeaux, des *retrievers* qui rapportent le gibier, des limiers qui traquent et des chiens d'arrêt qui indiquent une direction. Les psychologues élèvent également des chiens, des souris et des rats dont les gènes les prédisposent à être calmes ou réactifs, à la vivacité ou à la lenteur d'esprit.

La sélection naturelle explique-t-elle également nos tendances humaines ? À partir des **mutations** (erreurs aléatoires dans la réplication des gènes) et des nouvelles combinaisons génétiques résultant de chaque conception, la nature a sélectionné des variations avantageuses. Mais les brides génétiques bien serrées qui prédisposent un chien à rapporter un objet, un chat à bondir sur sa proie ou les fourmis à construire une fourmilière sont plus lâches chez l'homme. Les gènes qui ont été sélectionnés au cours de notre histoire ancestrale nous donnent bien plus qu'un simple guide ; ils nous dotent d'une grande capacité d'apprentissage qui nous permet de nous *adapter* à différents environnements – de la toundra à la jungle. Les gènes et l'expérience s'allient pour effectuer les connexions cérébrales. Notre capacité d'adaptation à différents environnements contribue à notre *bonne santé*, à notre capacité à survivre et à nous reproduire.

La réussite de notre évolution permet d'expliquer nos similitudes

Bien que nos différences attirent notre attention, notre profonde similarité nécessite aussi quelques explications. D'un point de vue général, nos vies sont remarquablement similaires. Si vous vous rendez dans le hall des arrivées internationales de l'aéroport d'Amsterdam Schiphol, vous découvrirez un point de rencontre où les passagers qui viennent d'atterrir retrouvent les

:: Mutation : erreur attribuée au hasard dans la réplication des gènes et qui entraîne un changement.

personnes qu'ils aiment avec excitation. Vous verrez la même joie sur les visages de grands-mères indonésiennes, d'enfants chinois, ou encore de Hollandais rentrant chez eux. Steven Pinker, un psychologue évolutionniste (2002, p. 73), pense qu'il n'est pas étonnant que nos émotions, nos besoins et notre raisonnement « suivent la même logique, quelle que soit la culture ». Nos caractères humains communs « ont été façonnés par la sélection naturelle qui s'est déroulée au cours de l'évolution de l'homme ».

Nos similarités comportementales et biologiques découlent de notre génome commun. Les différences entre les populations n'ont pas engendré plus de 5 p. 100 de différences génétiques entre les hommes. Au sein d'une même population, on trouve en revanche près de 95 p. 100 des variations génétiques entre individus (Rosenberg et coll., 2002). La différence génétique typique entre deux villageois islandais ou entre deux Kenyans est plus importante que la différence *moyenne* entre les deux groupes. Ainsi, déclare le généticien Richard Lewontin (1982), si après une catastrophe mondiale, il ne restait que des Islandais ou des Kenyans, l'espèce humaine ne subirait qu'une « réduction anecdotique » de sa diversité génétique.

Comment avons-nous développé ce génome humain commun ? À l'aube de l'histoire de l'humanité, nos ancêtres étaient confrontés à certaines questions : qui est mon allié et qui est mon ennemi ? Quelle nourriture dois-je manger ? Avec qui dois-je m'accoupler ? Les réponses de certains furent plus fructueuses que d'autres. Par exemple, au cours des trois premiers mois critiques de leur grossesse, certaines femmes ont des nausées, ce qui les prédispose à éviter les aliments amers, très parfumés et qu'elles ne connaissent pas. Le fait d'éviter ces aliments avait un intérêt pour la survie car, le plus souvent, ce sont des aliments particulièrement toxiques pour le développement embryonnaire (Schmitt et Pilcher, 2004). Les premiers hommes qui étaient disposés à ingérer des aliments nutritifs plutôt que toxiques ont survécu et ont légué leurs gènes aux générations ultérieures. Ce n'est pas le cas de ceux qui pensaient que le léopard était un animal « agréable à caresser ».

De la même manière, ceux qui s'accouplaient avec une personne dans le but d'avoir et d'élever une progéniture avaient plus de chances de transmettre leurs gènes. Sur un grand nombre de générations, les individus qui ne se sont pas reproduits ont vu leurs gènes disparaître du pool génétique humain. À mesure que les gènes contribuant à la réussite continuaient d'être sélectionnés, des tendances comportementales ainsi qu'une capacité à penser et à apprendre sont apparues et ont permis à nos ancêtres de l'âge de pierre de survivre, se reproduire et transmettre leurs gènes aux générations futures.

Tendances démodées

En tant qu'héritiers de ce legs génétique issu de la préhistoire, nous sommes prédisposés à avoir des comportements qui permettaient à nos ancêtres de survivre et de se reproduire. Nous aimons le goût des aliments sucrés et gras, qui étaient difficiles à trouver à l'époque de la préhistoire, mais qui préparaient nos ancêtres à combattre la famine. Ironiquement, l'obésité est devenue un problème croissant dans les cultures occidentales où la famine est rare et où nous sommes sans cesse tentés par des aliments sucrés et gras que ce soit dans les supermarchés, les fast-foods ou les distributeurs automatiques. Nos dispositions naturelles, enracinées profondément dans notre passé, ne sont plus adaptées à la *junk-food* que nous trouvons dans notre environnement actuel (Colarelli et Dettman, 2003). D'une certaine manière, nous sommes biologiquement préparés à un monde qui n'existe plus.

• Malgré le fort taux de mortalité infantile et les maladies sévissant au cours des millénaires passés, aucun de vos innombrables ancêtres n'est mort sans avoir eu d'enfants. •

La psychologie évolutionniste actuelle

Depuis longtemps, la théorie de l'évolution de Charles Darwin est devenue un principe d'organisation en biologie. Selon Jared Diamond (2001) « pratiquement aucun scientifique contemporain ne considère que Darwin avait fondamentalement tort ». Aujourd'hui, la théorie de Darwin continue d'exister du fait de la « seconde révolution darwinienne » : l'application des principes évolutionnistes à la psychologie. Quand il conclut son livre *De l'origine des espèces*, Darwin prédit un « champ d'études ouvert à des recherches plus importantes. La psychologie sera basée sur de nouvelles fondations » (1859, p. 346).

Les psychologues évolutionnistes explorent maintenant des questions telles que :

- Pourquoi les enfants développent-ils la peur de l'étranger quand ils commencent à se mouvoir ?
- Pourquoi les pères biologiques ont-ils moins de risques d'assassiner ou de maltraiter leurs enfants que les petits amis de la mère n'ayant aucun lien de parenté avec les enfants et vivant sous le même toit ?

• Ceux qui sont troublés par le conflit existant entre la science et la religion sur l'origine de l'homme devraient se souvenir (Chapitre 1) que différentes perspectives de la vie peuvent être complémentaires. Par exemple, le scientifique essaie de démontrer le *quand* et le *comment* ; les récits religieux ont pour but de nous révéler le *qui* et le *pourquoi*. Comme l'expliqua Galilée à la grande-duchesse Christina, « la Bible apprend comment aller au ciel, mais pas comment il fonctionne ». •

- Pourquoi tant de gens ont-ils la phobie des araignées et des serpents alors qu'ils ne craignent pas les armes à feu et l'électricité qui sont beaucoup plus dangereuses ?
- Pourquoi les hommes partagent-ils des idées morales universelles ?
- En quoi les hommes et les femmes se ressemblent-ils ? En quoi et pourquoi la sexualité des hommes diffère-t-elle de celle des femmes ?

Nous aborderons ces questions dans les chapitres ultérieurs. Mais arrêtons-nous maintenant sur la dernière question pour comprendre les pensées et le raisonnement des psychologues évolutionnistes.

Une explication évolutionniste de la sexualité humaine

5. De quelle manière un psychologue évolutionniste peut-il expliquer les différences liées au genre dans nos préférences reproductrices ?

Ayant dû faire face à de nombreux défis similaires tout au long de leur histoire, les hommes et les femmes se sont adaptés de manière similaire. Que nous soyons un homme ou une femme, nous mangeons les mêmes aliments, nous évitons les mêmes prédateurs et nous percevons, apprenons et nous remémorons les choses de la même façon. Selon les psychologues évolutionnistes, nous ne sommes différents que dans les domaines où nous avons eu à faire face à des défis différents pour nous adapter et, en particulier, dans nos comportements liés à la reproduction.

Les différences liées au genre dans notre sexualité

Comme le disent les psychologues Roy Baumeister, Kathleen Catanese et Kathleen Vohs (2001), nous sommes dans ce cas véritablement différents. Ces derniers nous invitent à nous demander lequel des deux sexes a les besoins sexuels les plus intenses, lequel souhaite avoir des relations sexuelles plus fréquentes, pense plus au sexe, se masturbe le plus souvent, déclenche l'acte sexuel et est prêt à faire des sacrifices dans le but d'avoir un rapport sexuel ? La réponse à toutes ces questions est : *l'homme, l'homme, l'homme, l'homme* et encore *l'homme*. Par exemple, selon une enquête menée par la BBC sur plus de 200000 individus issus de 53 pays, les hommes ont reconnu bien plus haut et fort qu'ils « avaient des besoins sexuels plus intenses » et qu'il « n'en fallait pas beaucoup pour les exciter sexuellement » (Lippa, 2008).

« Pas ce soir, chéri, j'ai une commotion cérébrale. »

En effet, comme l'expliquent Marshall Segall (psychologue spécialisé en recherches interculturelles) et ses collaborateurs (1990, p. 244) : « hormis quelques exceptions dans le monde, les hommes ont plus tendance que les femmes à amorcer un rapport sexuel ». Il s'agit de l'une des plus importantes différences liées au **genre** dans le domaine de la sexualité (Regan et Atkins, 2007). Considérons les points suivants :

- Dans une étude réalisée en 2004 sur 289 452 étudiants américains entrant à l'université, 58 p. 100 des hommes (contre 34 p. 100 des femmes) trouvent normal que « deux personnes qui s'apprécient vraiment aient des rapports sexuels même si elles ne se connaissent que depuis peu de temps » (Pryor et coll., 2005). « Je n'ai aucun problème à m'imaginer avoir des rapports sexuels de temps en temps avec différent(e)s partenaires », déclarent 48 p. 100 des hommes contre 12 p. 100 des femmes dans une étude effectuée sur 4 901 Australiens (Bailey et coll., 2000).
- Dans une autre étude effectuée sur 3 432 citoyens américains âgés de 18 à 59 ans, 48 p. 100 des femmes contre seulement 25 p. 100 des hommes considéraient l'affection comme un facteur important pour envisager un premier rapport sexuel. À quelle fréquence pensent-ils au sexe ? « Tous les jours ou plusieurs fois par jour », répondirent 54 p. 100 des hommes contre 19 p. 100 des femmes (Laumann et coll., 1994). Idem en ce qui concerne les pensées sexuelles des Canadiens : 11 p. 100 des femmes contre 46 p. 100 des hommes ont répondu « plusieurs fois par jour » (Fischtein et coll., 2007).
- Selon les enquêtes, les gays (comme les hétérosexuels) sont plus attirés par le sexe sans attache affective, par des stimuli sexuels visuels, et se sentent plus concernés par l'aspect physique de leur partenaire que les lesbiennes (Bailey et coll., 1994 ; Doyle, 2005 ; Schmitt, 2007).

> « On ne peut pas dire que les gays ne pensent qu'au sexe ; ce sont juste des hommes dont les désirs masculins rebondissent sur les désirs d'autres hommes plutôt que sur les désirs des femmes. »
> Steven Pinker, *Comment fonctionne l'esprit*, 1997

Les différences d'attitudes entre les deux sexes s'étendent aux différences comportementales. Les homosexuels masculins reconnaissent avoir plus de rapports sexuels que les couples de lesbiennes (Peplau et Fingerhut, 2007). Au cours de la première année où les unions civiles homosexuelles ont été acceptées dans le Vermont, les mariages entre gays ne représentaient qu'un tiers des unions officialisées (Rothblum, 2007).

Le sexe facile et rapide est plus fréquent chez les hommes qui présentent des attitudes masculines traditionnelles (Pleck et coll., 1993). Russell Clark et Elaine Hatfield (1989, 2003) observèrent cette différence frappante entre les deux sexes quand, en 1978, ils demandèrent à des étudiants (assistants de recherche) assez séduisants de se promener dans l'université d'État de Floride. Après avoir choisi une personne séduisante du sexe opposé, le chercheur s'approchait et demandait : « Je vous ai remarqué sur le campus et je vous trouve très attirant(e). Voudriez-vous coucher avec moi ce soir ? » Irritées, les femmes répondaient toujours de manière négative. (« Mais ça ne va pas, espèce de pervers ! Laissez-moi tranquille ! ») En revanche, 75 p. 100 des hommes étaient prêts à accepter et faisaient souvent des commentaires comme « Pourquoi attendre ce soir ? ». (Les chercheurs leur ont ensuite expliqué qu'il s'agissait en vérité d'une expérience.) Assez étonnés par leurs résultats, Clark et Hatfield répétèrent leur étude en 1982 et réalisèrent deux autres études à la fin des années 1980, alors que le sida sévissait fortement aux États-Unis (Clark, 1990). À chaque fois, pratiquement toutes les femmes refusaient, mais plus de la moitié des hommes acceptait de coucher avec une personne étrangère.

Les hommes ont également un seuil de perception moins élevé que les femmes pour interpréter une attitude chaleureuse comme une invitation sexuelle. De nombreuses études montrent que les hommes (plus souvent que les femmes) considèrent l'amitié d'une femme comme étant un intérêt sexuel (Abbey, 1987 ; Johnson et coll., 1991). Le fait de confondre la cordialité féminine avec une invitation au plaisir peut aider à expliquer, sans toutefois excuser, la grande assurance sexuelle des hommes (Kolivas et Gross, 2007). Les conséquences malheureuses de cette méprise vont du harcèlement sexuel au viol.

:: **Genre** : en psychologie, caractéristiques (qu'elles soient biologiques ou influencées socialement) par lesquelles un individu se définit comme étant un *homme* ou une *femme*.

Sélection naturelle et préférences reproductrices

De la même manière que les biologistes utilisent la sélection naturelle pour expliquer le comportement reproducteur de nombreuses espèces, les psychologues évolutionnistes utilisent ce concept pour expliquer l'approche différente des hommes et des femmes envers la sexualité, retrouvée partout dans le monde. Les femmes ont généralement une approche plus relationnelle alors que les hommes associent la sexualité à un moment de détente (Schmitt, 2005, 2007). Leur explication est la suivante : pendant qu'une femme porte et allaite un enfant, un homme peut distribuer ses gènes à d'autres femmes. Notre désir naturel reflète la manière dont nos gènes se perpétuent. Dans notre histoire ancestrale, la femme a toujours privilégié la qualité pour s'accoupler et léguer ses gènes, alors que les hommes ont privilégié la quantité. « Les êtres humains sont des fossiles vivants - un ensemble de mécanismes produits par une pression de sélection antérieure », déclare le psychologue évolutionniste David Buss (1995).

Qu'est-ce qui attire les hommes et les femmes hétérosexuels chez le sexe opposé ? Certains aspects de l'attirance traversent les pays et les époques. Dans des cultures très diverses, de l'Australie à la Zambie (Figure 4.3), les hommes trouvent que les femmes sont plus attirantes si elles ont une apparence jeune (Buss, 1994). Selon les psychologues évolutionnistes, les hommes qui sont attirés par une femme en bonne santé qui semble fertile - une femme à la peau douce et à l'allure jeune laisse présager de nombreuses grossesses à venir - ont de meilleures chances de léguer leurs gènes. Et bien évidemment, les hommes se sentent plus

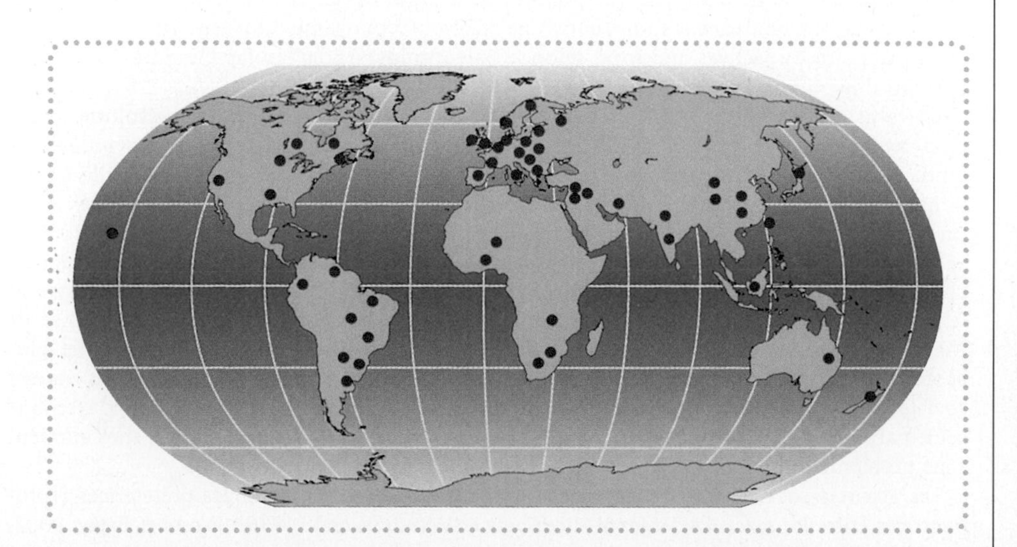

➤ FIGURE 4.3
Préférences universelles dans le choix d'un partenaire Dans les diverses cultures étudiées (indiquées par les points rouges), les hommes (plus que les femmes) préfèrent des caractéristiques physiques attractives suggérant la jeunesse et la santé – et un potentiel reproductif. Les femmes (plus que les hommes) préfèrent un partenaire ayant des ressources et un statut social correct. Les chercheurs reconnaissent (ou blâment) les mérites de la sélection naturelle (Buss, 1994).

« J'ai vraiment passé un bon moment, Steve. Veux-tu entrer, t'installer à la maison et fonder une famille ? »

attirés par les femmes dont le tour de taille est (ou a été modifié chirurgicalement pour être) un tiers plus étroit que le tour de hanche – signe de fertilité. Comme les psychologues évolutionnistes l'avaient prévu, les hommes sont plus attirés par les femmes dont l'âge correspond au pic de fertilité maximal (tel qu'il était chez nos ancêtres, dont la première ovulation se produisait plus tard que maintenant). Selon Douglas Kenrick et ses collaborateurs (sous presse), les adolescents sont attirés par des femmes plus âgées qu'eux. Aux alentours de 25 ans, les hommes préfèrent les femmes du même âge et les hommes d'âge mûr sont attirés par les jeunes femmes. Ils constatent que ces préférences apparaissent systématiquement dans les petites annonces pour célibataires dans les pays d'Europe, les petites annonces matrimoniales indiennes et les mariages enregistrés en Amérique du Nord et du Sud, en Afrique et aux Philippines (Singh, 1993, Singh et Randall, 2007).

Les femmes, en revanche, sont plutôt attirées par les hommes d'âge mur qui resteront avec elles que par les jeunes hommes volages. Elles sont attirées par des hommes mûrs, dominants, audacieux et ayant une situation financière intéressante (Singh, 1995). Elles préfèrent avoir un conjoint qui souhaite une relation à long terme et s'investisse dans leur progéniture commune (Gangestad et Simpson, 2000). Selon les psychologues évolutionnistes, de tels attributs sont synonymes de soutien et de protection (Buss, 1996, 2000 ; Geary, 1998). Une étude a mis en évidence que les femmes étaient très habiles pour repérer les hommes qui seraient le plus susceptible de regarder la photo d'un bébé et appréciaient plus ce type d'homme en tant que partenaire potentiel durable (Roney et coll., 2006).

Selon les psychologues évolutionnistes, nous pouvons en déduire une règle : la nature favorise les comportements en augmentant la probabilité de transmettre nos gènes aux générations futures. En tant que machines génétiques mobiles, nous préférons les choses qui ont fonctionné pour nos ancêtres dans leur environnement. Ils étaient prédisposés à agir de manière à laisser des petits-enfants derrière eux ; si cela n'avait pas été le cas, nous ne serions probablement pas là. Et, en tant que porteurs de leur héritage génétique, nous sommes prédisposés à agir de même.

Critiques des perspectives évolutionnistes

6. Quelles sont les principales critiques de la psychologie évolutionniste ?

Sans contester la théorie selon laquelle la sélection naturelle favorise des caractéristiques augmentant les chances de survie des gènes, les critiques notent certains problèmes dans la psychologie évolutionniste. Selon eux, elle part souvent d'une conséquence (comme la différence de sexualité entre les hommes et les femmes) pour remonter en arrière et proposer une explication. De la sorte, imaginons une autre observation et remontons à ses raisons. Si les hommes étaient tous fidèles à leur compagne, pourrait-on se demander si les enfants issus de pères qui s'investissent et qui apportent un soutien ont plus de chances de survivre et de transmettre leurs gènes ? Les hommes ne devraient-ils pas se lier à une seule femme – pour favoriser ses chances de fécondation et l'éloigner des avances des autres hommes ? Une union officielle ou un mariage ne protègent-ils pas les femmes du harcèlement sexuel des hommes ? De telles suggestions expliquent, d'un point de vue évolutionniste, pourquoi les hommes ont tendance à s'unir dans une relation monogame. On peut vite se perdre en explications rétrospectives, qui sont, selon le paléontologue Stephen Jay Gould (1997), « un cocktail d'hypothèses et de spéculations ».

Certains critiques s'inquiètent des conséquences sociales de la psychologie évolutionniste. Cela implique-t-il un déterminisme génétique frappant de plein fouet les efforts progressifs tendant à redéfinir la société (Rose, 1999) ? La psychologie évolutionniste réduit-elle la responsabilité morale ? Pourrait-elle être utilisée pour tenter d'expliquer que « les hommes ayant un statut social élevé se marient à la chaîne avec des femmes jeunes et fertiles » (Looy, 2001) ?

Une grande partie de ce que nous sommes *n'est pas* figée et définitive, reconnaissent les psychologues évolutionnistes. Ce que nous considérons comme attirant varie quelque peu selon le lieu et l'époque. L'idéal féminin des années 1950, représenté par l'image voluptueuse de Marilyn Monroe, a été remplacé au XXIe siècle par l'image d'une femme plus mince et plus sportive. De plus, les attentes culturelles peuvent modifier les sexes. Si les hommes étaient socialement conditionnés pour avoir une relation à vie, ils ne s'accoupleraient qu'avec une seule partenaire ; si les femmes étaient conditionnées pour accepter le sexe facile, elles auraient sans problème plusieurs partenaires.

Les attentes sociales conditionnent aussi les différences concernant les préférences reproductrices entre les sexes. Présentez à Alice Eagly et Wendy Wood (1999 ; Wood et Eagly, 2002,

2007) une culture montrant des différences entre sexes – où les hommes sont des pourvoyeurs de biens et les femmes s'occupent de la maison – et elles vous montreront une culture où les hommes recherchent la jeunesse et des qualités domestiques chez leur partenaire et où les femmes recherchent un partenaire ayant un statut social élevé et de bons revenus. Montrez à Eagly et Wood une culture où règne l'égalité des sexes, et elles vous montreront une culture où les préférences dans le choix du partenaire sont moindres.

Les psychologues évolutionnistes nous rassurent sur le fait que les deux sexes, ayant eu à faire face à des problèmes similaires d'adaptation, sont bien plus semblables que différents. Ils insistent sur le fait que l'homme possède une grande capacité à apprendre et à évoluer socialement. (Nous venons au monde avec une capacité d'adaptation et de survie, que ce soit dans un igloo ou dans une cabane construite dans un arbre.) Ils insistent sur la cohérence et le pouvoir explicatif des principes évolutionnistes, en particulier ceux qui apportent des prédictions testables (par exemple, que nous serions plus aptes à rendre un service à ceux qui partagent nos gènes ou à ceux qui peuvent nous retourner ce service). Ils nous rappellent que l'étude de notre évolution ne nous dicte en aucun cas la manière dont nous *devons* nous comporter. Parfois, le fait de comprendre nos tendances naturelles nous aide à les surmonter.

AVANT D'ALLER PLUS LOIN...

➤ INTERROGEZ-VOUS

Quel raisonnement trouvez-vous le plus persuasif – celui des psychologues évolutionnistes ou de leurs critiques ? Pourquoi ?

➤ TESTEZ-VOUS 2

Quelles sont les trois principales critiques de l'explication évolutionniste de la sexualité humaine ?

Les réponses aux questions « Testez-vous » sont données dans l'annexe B à la fin de l'ouvrage.

Parents et pairs

7. Dans quelle mesure nos vies sont-elles façonnées par nos premières stimulations, par nos parents, par notre entourage ?

NOUS AVONS VU COMMENT NOS GÈNES, ÉTANT exprimés dans un environnement spécifique, influençaient nos différences de développement. Comme le remarquent Douglas Kenrick et ses collaborateurs (sous presse), nous ne sommes pas des « tableaux blancs ». Nous ressemblons plutôt à un livre de coloriage avec certaines lignes prédessinées et nos expériences remplissant l'image. Nous sommes formés par l'inné *et* l'acquis. Mais quels sont les composants de notre environnement qui ont le plus d'influence ? De quelle manière, nos premières expériences, notre famille, notre entourage et toutes les autres expériences que nous vivons guident-ils notre développement et contribuent-ils à notre diversité ?

Les parents et les premières expériences

Le complot entre l'inné et l'acquis qui nous forme commence dès la conception, dans notre environnement utérin prénatal, car les embryons reçoivent une alimentation différente et sont exposés plus ou moins fortement aux agents toxiques (*voir* Chapitre 5 pour plus de détails). L'environnement poursuit son influence après la naissance, et nos premières expériences favorisent le développement de notre cerveau.

Expérience et développement du cerveau

Nos gènes gouvernent notre architecture cérébrale globale, mais l'expérience gouverne les détails, développant des connexions nerveuses et préparant notre cerveau à la pensée, au langage et aux expériences ultérieures. Mais comment les expériences précoces laissent-elles « leurs empreintes » dans le cerveau ? Mark Rosenzweig et David Krech ont ouvert une brèche sur ce processus quand ils élevèrent quelques jeunes rats dans un isolement complet et d'autres dans un terrain de jeux commun. Quand ils analysèrent leur cerveau par la suite, les rats qui

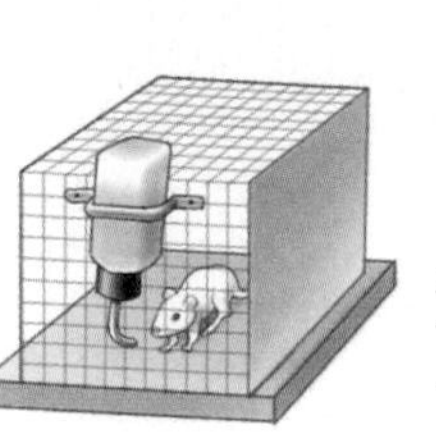

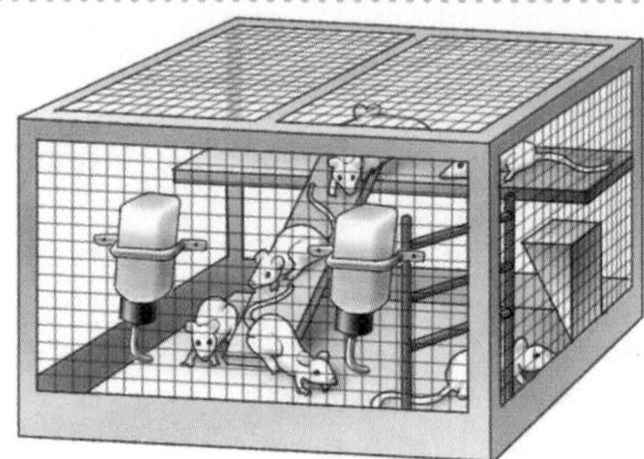

➤ FIGURE 4.4
L'expérience affecte le développement du cerveau Mark Rosenzweig et David Krech élevèrent des rats soit seuls dans une cage nue, soit avec d'autres dans un environnement équipé de jeux qui étaient changés quotidiennement. Dans les 14 des 16 répétitions de cette expérience de base, les rats placés dans un environnement amélioré avaient un cortex cérébral plus développé (par rapport au reste du tissu cérébral) que ceux placés dans un environnement pauvre.

étaient morts entourés de nombreux jouets avaient « gagné ». Les rats vivant dans un environnement enrichi, qui simulait un environnement naturel, avaient en général un cortex cérébral plus épais et plus lourd que celui des autres rats (FIGURE 4.4).

Rosenzweig a été tellement surpris par cette découverte qu'il a répété ses expériences plusieurs fois avant de publier ses résultats (Renner et Rosenzweig, 1987 ; Rosenzweig, 1984). Les effets sont si surprenants que, si on vous montrait des vidéos de rats, vous pourriez déduire de leur activité et de leur curiosité s'ils ont été élevés dans un milieu amélioré ou un milieu appauvri (Renner et Renner, 1993). Bryan Kolb et Ian Whishaw (1998) rapportent qu'après avoir gardé pendant 60 jours des rats dans un environnement enrichi, les modifications étaient extraordinaires : le poids de leur cerveau avait augmenté de 7 à 10 p. 100 et leur nombre de synapses avait proliféré d'environ 20 p. 100.

Ces résultats ont encouragé l'amélioration de l'environnement mis en place dans les laboratoires, les fermes et les parcs zoologiques – et, pour les enfants, dans les institutions. Les bébés rats et les enfants prématurés tirent un bénéfice de la stimulation par manipulation ou massage (Field et coll., 2007). Les bébés « manipulés », dans chacune des deux espèces, prennent du poids plus rapidement et se développent plus vite sur le plan neurologique. Les unités néonatales de soins intensifs appliquent maintenant ces résultats en effectuant une thérapie de massage chez les prématurés, ce qui leur permet de rentrer plus tôt chez eux (Field et coll., 2006).

L'inné et l'acquis « sculptent » nos synapses. Après que la maturation du cerveau ait fourni un grand nombre de connexions nerveuses, nos expériences déclenchent un *processus appelé « pruning »*, ou élagage. Ce que l'on voit, sent, touche et ressent active des connexions nerveuses et les renforce. Les voies nerveuses non utilisées s'affaiblissent et dégénèrent. Comme des sentiers dans une forêt, les chemins peu utilisés sont abandonnés peu à peu, les chemins fréquentés sont élargis. À la puberté, il se produit de ce fait une perte massive de connexions inemployées.

Un réseau qui se développe dès le plus jeune âge Les musiciens qui ont commencé à jouer d'un instrument à cordes avant l'âge de 12 ans possèdent un réseau de neurones plus dense et plus complexe contrôlant les doigts de la main gauche (ceux qui créent les notes) que ceux qui ont appris à jouer plus tard (Elbert et coll., 1995).

C'est là, à la jonction entre nature et culture, que se trouve la réalité biologique concernant l'éducation précoce de la petite enfance. C'est au cours de ces premières années d'enfance, tandis que les connexions en surnombre sont encore accessibles, que les plus jeunes peuvent aisément maîtriser des domaines comme la grammaire et l'accent d'une autre langue. Privée du contact avec le langage jusqu'à l'adolescence, une personne ne maîtrisera jamais aucun langage (*voir* Chapitre 9).

De la même manière, privées d'expériences visuelles pendant leurs premières années, les personnes dont la vision est récupérée par ablation de la cataracte ne retrouveront jamais des perceptions normales (*voir* Chapitre 6). Les cellules cérébrales normalement consacrées à la vision sont mortes ou ont été utilisées à d'autres fins. Pour obtenir un développement optimal du cerveau, une stimulation normale est capitale durant les premières années. Pour le cerveau en cours de maturation, la règle semble être : « Tu l'utilises ou tu le perds ».

Cependant, le développement du cerveau ne s'achève pas avec l'enfance. Comme nous l'avons vu dans le chapitre 2 lorsque nous avons abordé la plasticité du cerveau, notre tissu nerveux se modifie constamment. Si un singe est entraîné à pousser un levier avec son doigt des milliers de fois par jour, le tissu cérébral qui contrôle le doigt va se modifier pour prendre en compte l'expérience. Le cerveau humain travaille de la même façon (FIGURE 4.5). Que l'on apprenne à faire de la saisie ou du roller, nos capacités s'améliorent à mesure que notre cerveau intègre l'apprentissage.

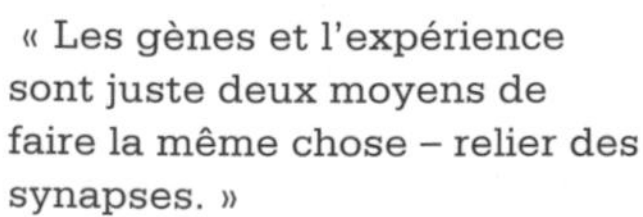

« Les gènes et l'expérience sont juste deux moyens de faire la même chose – relier des synapses. »
Joseph LeDoux, *The Synaptic Self*, 2002

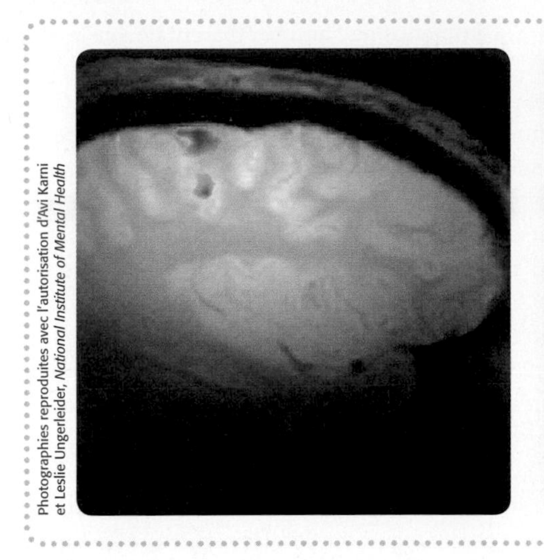
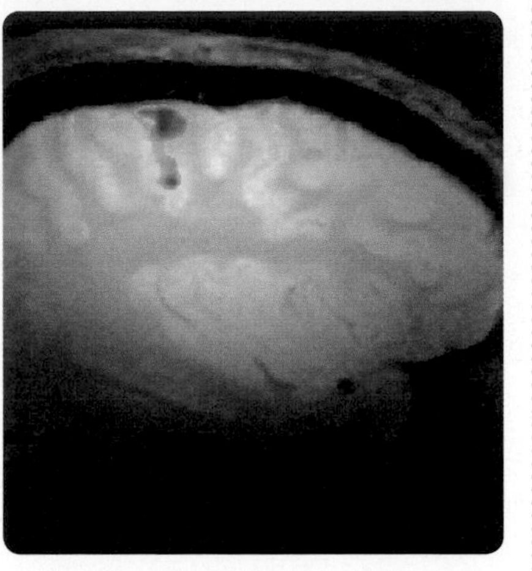

➤ FIGURE 4.5
Un cerveau entraîné Une épreuve de pianotage bien apprise active plus de neurones du cortex moteur (zone orange à droite). Comme nous le voyons sur la photographie de gauche, les neurones sont moins actifs avant l'entraînement. (D'après Karni et coll., 1998.)

Dans quelle mesure les parents méritent-ils d'être félicités (ou blâmés) ?

Lors de l'acte de procréation, une femme et un homme brassent leurs cartes comportant leurs gènes et distribuent ensuite ces cartes à leur futur enfant qui sera soumis à un nombre incalculable d'influences bien au-delà de leur contrôle. Néanmoins, en général, les parents se sentent très fiers du succès de leurs enfants et coupables ou honteux de leurs échecs. Ils rayonnent de joie quand un enfant obtient un diplôme. Ils se demandent où ils se sont trompés avec l'enfant qui est régulièrement convoqué chez le directeur. La psychiatrie et la psychologie freudienne ont, à un moment, été la source de telles idées en attribuant les problèmes, depuis l'asthme jusqu'à la schizophrénie, à une « carence maternelle ». La société renforce cette dénonciation des parents : croyant que les parents modèlent leurs enfants comme le potier façonne l'argile, les gens ont tôt fait de féliciter les parents pour les qualités de leurs enfants et de les blâmer pour leurs défauts. La pensée populaire n'arrête pas de pointer la souffrance psychologique infligée par les parents à leurs enfants fragiles. Pas étonnant que cela semble risqué d'avoir des enfants et de les élever.

• Même chez les chimpanzés, lorsqu'un bébé est blessé par un autre, la mère de la victime attaque souvent la mère du coupable (Goodall, 1968). •

Mais les parents produisent-ils de futurs adultes ayant en eux un enfant blessé en étant (faites votre choix dans la liste des toxiques) : autoritaires ou non impliqués ? Ambitieux ou permissifs ? Surprotecteurs ou distants ? Les enfants sont-ils effectivement si facilement blessés ? S'il en est ainsi, devons-nous blâmer nos parents pour nos propres erreurs, et nous-mêmes pour les erreurs de nos enfants ? Devrions-nous faire passer un arrêté municipal pour punir les parents des mauvaises actions de leurs enfants ? Ou alors, tous les débats qui considèrent que l'on peut blesser des enfants fragiles à travers des erreurs éducatives bénignes risquent-ils de banaliser des brutalités ou de véritables mauvais traitements ?

Peter Neubauer et Alexander Neubauer (1990, p. 20-21) montrent comment nous pouvons, a posteriori, reprocher des choses à nos parents et les critiquer à tort :

> De vrais jumeaux de 30 ans, séparés à la naissance et élevés dans des pays différents par leur famille adoptive respective, étaient si soigneux que cela en était presque maladif. Il n'y avait jamais un faux pli sur leurs vêtements, ils respectaient scrupuleusement les horaires de leurs rendez-vous et se lavaient les mains souvent jusqu'au sang. Quand on demanda à l'un d'eux pourquoi il ressentait le besoin d'être aussi propre, sa réponse fut simple.
>
> « Ma mère. Durant mon enfance, ma mère tenait toujours la maison parfaitement en ordre. Elle tenait à ce que chaque chose retourne à sa place et les horloges – on en avait des douzaines – étaient toutes réglées pour sonner à midi. Elle était intraitable là-dessus. J'ai tout appris de ma mère. Que pouvais-je faire d'autre ? »
>
> L'autre jumeau, qui était également obsédé par la propreté, expliqua son comportement de la manière suivante : « La raison est tout à fait simple. Je réagis en fonction du comportement de ma mère qui était le contraire de moi ; c'était une véritable rustaude. »

« Donc je te reproche tout – c'est la faute à qui ? »

« Pour être franc, monsieur le policier, mes parents ne m'ont jamais fixé de limites. »

Les parents ont réellement de l'importance. L'influence de l'autorité parentale sur le modelage de nos différences est plus claire dans les cas extrêmes. Le chapitre 5 nous apportera quelques exemples probants : les enfants maltraités qui deviennent maltraitants, les enfants négligés qui deviennent négligents, et enfin les enfants aimés et élevés avec une certaine rigueur qui deviennent sûrs d'eux et socialement compétents. Le pouvoir de l'environnement familial est manifeste dans les attitudes politiques des enfants, leurs croyances religieuses et leurs manières personnelles. Et cela apparaît chez les enfants des migrants (*boat people*) *fuyant* le Vietnam et le Cambodge, qui réussissent remarquablement bien dans le domaine scolaire et professionnel, une réussite attribuée aux familles très soudées et exigeantes, apportant un soutien énorme à leur progéniture (Caplan et coll., 1992).

Toutefois, en ce qui concerne la personnalité, les influences environnementales partagées - y compris le foyer que partagent les frères et sœurs - sont en général responsables pour moins de 10 p. 100 de la différence de personnalité entre enfants. Pour reprendre les mots de Robert Plomin et Denise Daniels (1987), généticiens du comportement : « Deux enfants de la même famille [sont en général] aussi différents que deux enfants tirés au hasard dans une population. » Pour Sandra Scarr (1993), psychologue du développement, cela implique que « l'on devrait moins féliciter les parents pour les exploits de leurs enfants et moins les blâmer pour leurs échecs ». Si nos enfants ne sont pas des pantins de bois sculptés par l'éducation parentale, nous autres parents pouvons peut-être nous détendre davantage et aimer nos enfants pour ce qu'ils sont vraiment.

« Si vous voulez blâmer vos parents pour vos problèmes d'adultes, vous êtes en droit de critiquer les gènes qu'ils vous ont transmis ; mais vous ne pouvez pas – à ce que je sache – critiquer la manière dont ils vous ont éduqué... Nous ne sommes pas prisonniers de notre passé. »

Martin Seligman, *What You Can Change and What You Can't*, 1994

Influence des pairs

À mesure que l'enfant grandit, quelles autres expériences permettent le travail d'acquisition ? À tout âge, mais en particulier pendant notre enfance et notre adolescence, nous cherchons à nous adapter dans divers groupes et nous sommes soumis à l'influence de notre entourage.

Considérons le pouvoir de notre entourage (Harris, 1998, 2000) :

- Les enfants préscolaires qui refusent certains aliments les consommeront plus volontiers s'ils sont à table avec d'autres enfants qui aiment ces aliments.
- Un enfant qui entend un accent anglais à la maison et un autre dans son entourage ou à l'école adoptera immanquablement l'accent de ses pairs, et non celui de ses parents. Les accents (et les expressions argotiques) reflètent la culture et, remarque Harris (2007), « les enfants tirent leur culture de leurs pairs ».
- Les adolescents qui commencent à fumer ont souvent des amis qui leur servent de modèles, qui vantent les plaisirs de la cigarette et leur en offrent (J. S. Rose et coll., 1999 ; R. J. Rose et coll., 2003). Une partie de la similarité avec les pairs peut être due à un *effet de sélection*, c'est-à-dire que les enfants cherchent des camarades ayant les mêmes attitudes et les mêmes intérêts qu'eux. Ceux qui fument (ou ne fument pas) peuvent choisir leurs amis en fonction de ce facteur.

« Les hommes ressemblent plus à leur époque qu'à leurs pères. »

Ancien proverbe arabe

Howard Gardner (1998) conclut que les parents et les pairs sont complémentaires :

> L'influence des parents est plus importante quand il s'agit d'éducation, de discipline, de responsabilité, d'ordre, de charité et des moyens d'agir avec une personne représentant l'autorité. Les pairs sont plus importants pour apprendre la coopération, le chemin de la popularité et comment inventer des moyens d'interaction entre des individus du même âge. Les plus jeunes peuvent trouver leurs pairs plus intéressants, mais quand il s'agit de faire des projets dans le futur, ils se tournent vers leurs parents. De plus, ce sont les parents qui choisissent (le plus souvent) l'environnement et l'école où leurs enfants rencontreront leurs pairs.

Comme Gardner le fait remarquer, les parents peuvent influencer la culture qui façonne l'entourage en aidant leurs enfants à choisir leurs camarades et leur école. Et comme l'influence du voisinage a son importance, les parents peuvent vouloir être impliqués dans les programmes d'intervention pour les jeunes ciblés sur une école entière ou un quartier. Si les vapeurs d'une atmosphère toxique ont des répercussions sur la vie d'un enfant, il faut changer l'atmosphère et non pas le comportement de l'enfant. Même ainsi, les pairs sont un support de l'influence culturelle.

AVANT D'ALLER PLUS LOIN...

➤ **INTERROGEZ-VOUS**

Dans quelle mesure, et de quelle manière, votre entourage et vos parents vous ont-ils aidé à vous construire ?

➤ **TESTEZ-VOUS 3**

Pour prédire si un adolescent fumera, demandez-lui combien de ses amis fument. Une des explications de cette corrélation est l'influence des pairs. Quelle est l'autre ?

Les réponses aux questions « Testez-vous » sont données dans l'annexe B à la fin de l'ouvrage.

« Pour qu'un enfant grandisse, il faut tout un village. »
Proverbe africain

Les influences culturelles

8. De quelle manière les normes culturelles affectent-elles notre comportement ?

COMPARATIVEMENT AU CHEMIN ÉTRIQUÉ emprunté par les mouches, les poissons et les renards, la route sur laquelle l'environnement nous guide est plus large. La marque de notre espèce - un grand don de la nature - est notre capacité à apprendre et à nous adapter. Nous venons au monde en possession d'un gigantesque disque dur cérébral prêt à emmagasiner des gigabytes d'informations culturelles.

La **culture** est définie par les comportements, les idées, les attitudes, les valeurs et les traditions partagés par un groupe de personnes et transmis d'une génération à la suivante (Brislin, 1988). Comme le souligne Roy Baumeister (2005), il semble que la nature humaine soit conçue pour la culture. Nous ne sommes pas seulement des animaux socialisés. Les loups sont des animaux socialisés : ils vivent et chassent en meutes. Les fourmis sont toujours en groupe, jamais seules. Mais, selon Baumeister, la « culture est le meilleur moyen de se socialiser ». Les loups réagissent pratiquement comme ils le faisaient déjà il y a 10 000 ans. Vous et moi apprécions des choses inconnues de la plupart des individus qui vivaient il y a cent ans, comme l'électricité, les sanitaires à l'intérieur, les antibiotiques et Internet. La culture a agi.

Comme nous le verrons au chapitre 9, les primates présentent des rudiments de culture, car ils ont des habitudes locales comme celle d'utiliser des outils, de se nettoyer ou d'effectuer leur parade nuptiale. Les plus jeunes chimpanzés et les macaques inventent parfois des habitudes - l'une d'entre elles, très connue, étant de laver les pommes de terre - et les transmettent à leurs pairs et à leur descendance. Toutefois, la culture humaine fait encore plus. Elle soutient la survie de notre espèce et notre reproduction en permettant l'existence de systèmes sociaux et économiques qui nous avantagent.

Grâce à notre maîtrise du langage, nous autres humains profitons de la *préservation de l'innovation*. Au cours de cette journée, j'ai, grâce à ma culture, fait bon usage des notes placées sur mes Post-it®, de Google® et d'un café court, au lait écrémé. À plus grande échelle, les connaissances accumulées par notre culture nous ont permis d'augmenter, en un siècle, notre espérance de vie d'une trentaine d'années dans la plupart des pays où ce livre est lu. La culture nous permet également de *répartir le travail* efficacement. Même s'il n'y a qu'une seule personne qui a eu la chance de voir son nom inscrit sur la couverture de ce livre, ce dernier est réellement le fruit de la coordination et de l'engagement d'une équipe de femmes et d'hommes qui, s'ils avaient travaillé seuls, n'auraient jamais pu produire un tel résultat.

Selon la culture, nous différons par notre langage, notre système monétaire, nos activités sportives, les fourchettes qui nous servent à manger (s'il y en a), et même par le côté de la route sur lequel nous roulons. Mais, au-delà de ces différences, notre ressemblance est grande - nous sommes tous capables d'avoir une culture. Celle-ci nous apporte les habitudes et les croyances communes que nous transmettons et qui nous permettent de communiquer, d'échanger nos monnaies pour acheter des choses, de jouer, de manger et de conduire selon des règles approuvées sans nous rentrer les uns dans les autres. C'est cette capacité commune à avoir une culture qui permet toutes nos différences. La nature humaine se manifeste par la diversité humaine.

Si nous vivions tous en tant que groupe ethnique homogène dans des régions séparées du monde, comme le font encore certains peuples, la diversité culturelle aurait moins d'importance. Au Japon, près de 99 p. 100 des 127 millions d'habitants sont d'origine japonaise.

:: **Culture** : comportements, idées, attitudes, valeurs et traditions persistants partagés par un groupe de personnes et transmis de génération en génération.

Les différences culturelles internes sont minimes en comparaison de celles que l'on trouve à Los Angeles, où les écoles publiques enseignent 82 langues différentes, ou à Toronto ou Vancouver, où les minorités constituent le tiers de la population et où beaucoup sont des immigrants (comme le sont 13,4 p. 100 des Canadiens et 23 p. 100 des Australiens) (Axiss, 2007 ; Statistics Canada, 2002). Je suis tout à fait conscient que les lecteurs de ce livre sont issus de cultures différentes qui s'étendent de l'Australie à l'Afrique, en passant par Singapour et la Suède.

Variations interculturelles

Notre faculté d'adaptation d'une culture à une autre se manifeste dans nos croyances, nos valeurs, dans notre manière d'élever nos enfants et d'enterrer nos morts, et dans les vêtements que nous portons (si nous en portons). Vivre dans une culture homogène revient à se laisser pousser par le vent en faisant du vélo : à mesure qu'il nous pousse, on ne le remarque même plus. En revanche, si nous essayons d'aller *contre* ce vent, nous sentons sa force. Face à une culture différente, nous prenons conscience de la puissance d'une culture. Quand les Américains du Nord visitent l'Europe, ils sont étonnés par la petitesse des voitures, par l'utilisation de la fourchette avec la main gauche et par les tenues très dénudées sur les plages. Stationnés en Irak, en Afghanistan et au Koweït, les soldats américains et européens apprécient la culture libérale de leur pays. Quand ils arrivent en Amérique du Nord, les visiteurs venant du Japon et d'Inde essaient de comprendre pourquoi tant de gens portent leurs chaussures *de ville* sales chez eux.

Chaque groupe culturel élabore ses propres **normes**, c'est-à-dire des règles pour un comportement accepté et attendu. Beaucoup d'Asiatiques du Sud, par exemple, utilisent uniquement les doigts de la main droite pour manger. Les Anglais suivent des règles pour faire la queue dans les files d'attente. Parfois, les attentes sociales semblent oppressantes : « Pourquoi la façon dont je suis habillé a-t-elle de l'importance ? » Cependant, les normes mettent également de l'huile dans la mécanique sociale et nous libèrent de toute préoccupation. Lorsque nous savons quand applaudir ou saluer, quelle fourchette utiliser en premier lors d'un dîner et quelles sortes de gestes ou de compliments sont appropriés, savoir par exemple s'il faut se saluer en se serrant la main ou en s'embrassant sur la joue, nous pouvons nous détendre et avoir plaisir à être ensemble sans craindre la gêne ou l'insulte.

Lorsque les cultures se heurtent, leurs normes différentes sèment souvent la confusion. Par exemple, si quelqu'un envahit notre **espace personnel**, c'est-à-dire la zone tampon que nous aimons maintenir autour de notre corps, nous nous sentons mal à l'aise. Les Scandinaves, les Nord-Américains et les Britanniques préfèrent avoir plus d'espace personnel que les Latino-Américains, les Arabes et les Français (Sommer, 1969). Dans une soirée, un Mexicain cherchant une distance de conversation confortable pourra valser tout autour d'une pièce avec un Canadien reculant devant lui. (Vous pouvez en faire l'expérience dans une soirée en jouant les Envahisseurs d'Espace Personnel en même temps que vous parlez à quelqu'un.) Pour le Canadien, le Mexicain va sembler envahissant ; pour le Mexicain, le Canadien va sembler distant.

Annie Griffiths Belt/Corbis

Les cultures diffèrent Les comportements considérés comme appropriés dans une culture peuvent violer les normes d'un autre groupe. Dans les pays arabes, contrairement aux cultures occidentales, les gens se saluent souvent en s'embrassant.

Les cultures varient également dans leur mode d'expression. Les personnes dont les racines proviennent d'une culture du nord de l'Europe perçoivent souvent les gens des cultures méditerranéennes comme chaleureux et charmants, mais inefficaces. Les Méditerranéens, à l'inverse, jugent les Européens du Nord efficaces, mais froids et préoccupés par la ponctualité (Triandis, 1981).

Les cultures varient aussi dans leur rythme de vie. Les Japonais, issus d'un pays où chaque minute compte, où les horloges des banques sont à l'heure exacte, où les piétons marchent d'un pas vif et où les employés des bureaux de poste répondent rapidement aux demandes, risquent de se sentir impatients en visitant l'Indonésie, où les horloges sont moins à l'heure et où le rythme de vie est plus lent (Levine et Norenzayan, 1999). La première vague de volontaires du *U.S. Peace Corps* (organisme américain de coopération), en s'adaptant à leurs pays hôtes, a relaté que deux de leurs chocs culturels majeurs, après la différence de langage, ont été le rythme de vie plus lent et les différences de ponctualité des gens (Spradley et Phillips, 1972).

Variations au cours du temps

Il faut également considérer que les cultures changent rapidement avec le temps. Le poète anglais Geoffrey Chaucer (1342-1400) n'est séparé d'un poète anglais moderne que par 20 générations, mais ils auraient des difficultés à converser ensemble. De 1960 à nos jours, période qui constitue une fine tranche de l'histoire, la plupart des cultures occidentales ont changé à une vitesse étonnante. Les gens appartenant à la classe moyenne voyagent dans des endroits qu'ils ne voyaient auparavant que dans des livres, envoient des e-mails au lieu d'utiliser les services postaux, travaillent dans des endroits climatisés et ne suffoquent plus sous l'effet de la chaleur. Ils apprécient le plaisir de faire leurs courses sur Internet, d'utiliser leur téléphone portable n'importe quand et n'importe où et, grâce à des revenus ayant doublé, mangent au restaurant deux fois plus souvent que leurs parents dans les années 1960. Grâce à une indépendance économique certaine, les femmes d'aujourd'hui se marient plus par amour et risquent moins de subir des relations abusives uniquement pour subvenir à leurs besoins. Les diverses minorités apprécient l'expansion des droits de l'homme.

Mais il semblerait que certains changements soient moins positifs qu'on ne le pense. Si vous vous étiez endormi aux États-Unis en 1960 et que vous vous réveilliez aujourd'hui, vous ouvririez les yeux sur une culture ayant plus de divorces, de délinquance et de dépressions. Vous trouveriez aussi que les Nord-Américains, comme leurs homologues britanniques, australiens et néo-zélandais, passent plus de temps au travail, moins d'heures à dormir et moins de temps à fréquenter leurs amis et leur famille (Frank, 1999 ; Putnam, 2000).

Que vous aimiez ou détestiez ces changements, on ne peut pas nier qu'ils sont survenus à la vitesse de l'éclair. On ne peut pas les expliquer par la génétique, qui évolue bien trop lentement pour justifier ces transformations culturelles rapides. Les cultures varient. Les cultures changent. Et les cultures façonnent nos vies.

La culture et le soi

9. De quelle manière les influences culturelles collectivistes et individualistes affectent-elles les individus ?

Les cultures varient selon qu'elles donnent la priorité aux acquis et à l'expression de l'identité personnelle ou à celle de l'identité d'un groupe. Pour saisir la différence, imaginez que quelqu'un brise vos connexions sociales, faisant de vous un réfugié solitaire dans un pays étranger, quelle part de votre identité demeurerait intacte ? La réponse peut dépendre en grande partie de la priorité que vous donnez au « soi » indépendant qui marque l'**individualisme** ou au « soi » interdépendant qui marque le **collectivisme**.

Kevin R. Morris/Corbis

Le port de l'uniforme
Dans les cultures occidentales individualistes, on a souvent tendance à considérer la culture japonaise traditionnelle comme étant très fermée. Mais d'un point de vue japonais, les traditions expriment « une sérénité qui permet de savoir exactement ce que l'on peut attendre les uns des autres » (Weisz et coll., 1984).

::Norme : règle convenue concernant les comportements attendus et acceptés. Les normes prescrivent les comportements « adéquats ».

::Espace personnel : zone tampon que nous aimons maintenir autour de notre corps.

::Individualisme : donner la priorité à ses propres buts plutôt qu'à ceux du groupe, et définir son identité en termes d'attributs personnels plutôt que par son appartenance à un groupe.

::Collectivisme : donner la priorité aux buts du groupe auquel on appartient (souvent la famille élargie ou l'entreprise) et définir son identité par rapport à lui.

AP Photo/SIPA/Xinhua Chenxie

Interdépendance Ce jeune homme vient en aide à un de ses camarades pris dans les décombres de ce qui était leur école avant le tremblement de terre dévastateur, survenu en Chine en 2008. En s'identifiant fortement avec leur famille et d'autres groupes, les Chinois ont tendance à avoir un sens collectiviste du « moi » et un réseau de soins et d'accompagnement qui les a peut-être aidés à surmonter les conséquences de ce désastre.

Si comme notre voyageur solitaire vous êtes fier de votre individualisme, une bonne partie de votre identité resterait intacte, à savoir le noyau même de votre être, le sens du « moi », la conscience de vos convictions et de vos valeurs personnelles. Les individualistes (souvent issus d'Amérique du Nord, d'Europe de l'Ouest, d'Australie ou de Nouvelle-Zélande) donnent la priorité à leurs buts personnels et définissent essentiellement leur identité en termes d'attributs personnels (Schimmack et coll., 2005). Ils s'efforcent d'avoir une certaine maîtrise de soi et de s'accomplir individuellement. Dans la culture américaine, où le « je » est plus important que le « nous », 85 p. 100 des gens disent qu'il est possible d'« être à peu près celui qu'on a envie d'être » (Sampson, 2000).

Les individualistes partagent le besoin humain d'appartenance. Ils forment des groupes. Mais ils sont moins centrés sur l'harmonie du groupe et sur le fait de faire leur devoir pour le groupe (Brewer et Chen, 2007). Étant plus autonomes, les individualistes vont et viennent facilement au sein de groupes sociaux. Ils se sentent relativement libres de changer de lieu de culte, de quitter un travail pour un autre ou même de quitter leur famille en déménageant. Le mariage dure tant que les deux conjoints éprouvent des sentiments.

Si vous êtes abandonné dans un pays étranger en tant que collectiviste, cela peut entraîner une perte d'identité beaucoup plus importante. Coupé de votre famille, de votre groupe et de vos amis fidèles, vous allez perdre les liens qui ont défini qui vous êtes. Dans une culture collectiviste, l'identification à un groupe leur donne une notion d'appartenance, un ensemble de valeurs, un réseau d'individus attentifs et une assurance de sécurité. En retour, les collectivistes donnent la priorité aux buts de leur groupe, souvent leur famille, leur clan ou leur équipe de travail. Les Coréens, par exemple, mettent moins l'accent sur l'expression systématique des concepts personnels et uniques, privilégiant ainsi des habitudes communes et traditionnelles (Choi et Choi, 2002).

Comme ils apprécient la solidarité communautaire, les gens des cultures collectivistes s'attachent en premier à préserver l'esprit de groupe et à s'assurer que les autres ne perdent jamais la face. Ce qu'ils disent ne reflète pas seulement ce qu'ils ressentent (leurs attitudes intérieures), mais aussi ce qu'ils supposent que ressentent les autres (Kashima et coll., 1992). Évitant la confrontation directe, la sincérité brutale et les sujets sensibles, ils se plient aux souhaits des autres et montrent une humilité polie et effacée (Markus et Kitayama, 1991). Les collectivistes agissent souvent timidement dans de nouveaux groupes et se sentent plus facilement embarrassés que les individualistes (Singelis et coll., 1995, 1999). Comparé aux populations occidentales, les populations asiatiques (comme les Chinois et les Japonais), par exemple, montrent une réserve plus grande vis-à-vis des étrangers et ont un sens plus développé de la loyauté et de l'harmonie sociale (Bond, 1988 ; Cheek et Melchior, 1990 ; Triandis, 1994). Les plus âgés et les supérieurs suscitent le respect. Le devoir envers la famille peut avoir plus d'importance que la préférence personnelle pour une carrière. Lorsque la priorité est le « nous » et non le « moi », l'attitude individualiste avec laquelle un Nord-Américain passe sa commande dans un café, précisant que son café doit être « court, déca, au lait écrémé et très chaud », ressemble plutôt à un ordre égoïste dans une ville comme Séoul (Kim et Markus, 1999).

> « On doit cultiver l'esprit de sacrifice du *petit moi* afin d'atteindre les bienfaits du *grand moi*. »
>
> Dicton chinois

Pour sûr, il existe une certaine diversité à l'intérieur des cultures. Même dans les pays les plus individualistes, certaines personnes manifestent des valeurs collectivistes. Il existe également des différences régionales à l'intérieur des cultures comme l'esprit individualiste de l'île d'Hokkaido, « frontière nord » du Japon (Kitayama et coll., 2006). Cependant, en général, dans les cultures individualistes et compétitives, les gens (et en particulier les hommes) ont plus de liberté personnelle, sont moins liés à leur famille sur le plan géographique, jouissent de plus d'intimité et tirent davantage de fierté de leurs réussites personnelles (TABLEAU 4.1). Pendant les jeux Olympiques de 2000 et 2002, les médaillés d'or américains attribuaient leur réussite principalement à leurs performances d'athlètes elles-mêmes, ce qui était repris dans leurs interviews faites aux médias (Markus et coll., 2006). Misty Hyman, médaillée d'or en natation, expliquait : « Je pense que je suis simplement restée concentrée. Il était temps de montrer au monde que je pouvais le faire et je suis simplement extrêmement heureuse d'avoir réussi. » Naoko Takahashi, d'origine japonaise, médaillée d'or du marathon féminin, a donné quand à elle une autre explication : « Voici le meilleur entraîneur du monde, le meilleur manageur du monde et tous les gens qui m'ont soutenu. Tout cela ensemble s'est transformé en médaille d'or. » Même lorsqu'ils parlent de leurs amis, les Occidentaux ont tendance à utiliser des adjectifs décrivant les traits personnels (« elle est serviable ») alors que les Asiatiques utilisent le plus souvent des verbes qui décrivent les comportements dans un contexte (« elle aide ses amis ») (Maass et coll., 2006).

TABLEAU 4.1

DIFFÉRENCES DE VALEURS ENTRE L'INDIVIDUALISME ET LE COLLECTIVISME

Concept	Individualisme	Collectivisme
Concept du soi	Indépendant (identité donnée par les traits individuels)	Interdépendant (identité donnée par l'appartenance)
But de l'existence	Découvrir et exprimer son caractère d'unicité	Maintenir les liens, s'insérer, jouer un rôle
Ce qui est important	Moi – la réussite et l'accomplissement personnel ; les droits et les libertés ; l'estime de soi	Nous – les buts du groupe et la solidarité ; les responsabilités et les relations sociales ; le devoir envers la famille
Méthode de gestion	Changer la réalité	S'accommoder de la réalité
Moralité	Définie par les individus (fondée sur le soi)	Définie par les réseaux sociaux (fondée sur le devoir)
Relations	Nombreuses, souvent temporaires ou fortuites, possibilité de confrontation	Peu nombreuses, proches et durables ; l'harmonie est nécessaire
Comportement d'attribution	Le comportement reflète la personnalité et les attitudes	Le comportement reflète les rôles et les normes sociales

Sources : adapté de Thomas Schoeneman (1994) et Harry Triandis (1994).

Les bénéfices de l'individualisme ont un prix : les individualistes sont plus solitaires, ont plus de risques de divorcer, commettent plus d'homicides et sont plus vulnérables aux maladies liées au stress (Popenoe, 1993 ; Triandis et coll., 1988). Les individus des cultures plus individualistes demandent plus d'amour et d'accomplissement personnel dans le mariage, ce qui soumet la relation maritale à plus de pression (Dion et Dion, 1993). Dans une enquête, l'item « garder l'amour vivant » fut considéré comme important pour un bon mariage par 78 p. 100 des femmes américaines, mais seulement 29 p. 100 des femmes japonaises (*American Enterprise*, 1992). En Chine, les chansons d'amour expriment souvent un engagement et une amitié durables (Rothbaum et Tsang, 1998). Comme on peut l'entendre dans une de ces chansons : « À partir d'aujourd'hui nous sommes ensemble... je ne changerai jamais. »

Culture et éducation des enfants

Les pratiques éducatives reflètent les valeurs culturelles et varient selon l'époque et le lieu. Préférez-vous les enfants indépendants ou ceux qui se soumettent ? Si vous vivez dans une culture occidentale, il est probable que vous préfériez l'indépendance. La plupart des parents dans les sociétés occidentales désirent que leurs enfants pensent par eux-mêmes. Nos familles et nos écoles nous disent : « Vous êtes responsables de vous-même. Suivez votre conscience. Soyez en accord avec vous-même. Découvrez vos dons. Assouvissez vos aspirations personnelles. » Mais il y a 50 ans, les valeurs culturelles occidentales accordaient une priorité plus importante à l'obéissance, au respect et à l'attention aux autres (Alwin, 1990 ; Remley, 1988). « Soyez fidèles à vos traditions », disaient les parents à leurs enfants. « Soyez loyaux envers votre pays et votre héritage. Montrez du respect envers vos parents et vos supérieurs. » Les cultures peuvent changer.

Beaucoup d'Asiatiques ou d'Africains vivent dans des cultures qui privilégient la proximité émotionnelle. Plutôt que d'avoir leur chambre à coucher personnelle et d'être placés dans une crèche, les enfants dorment le plus souvent avec leur mère et passent leur journée avec un membre de la famille (Morelli et coll., 1992 ; Whiting et Edwards, 1988). Les enfants des cultures communautaires grandissent avec une plus forte notion du « *sens de la famille* », un sentiment que ce qui fait honte à l'enfant fait honte à la famille et que ce qui fait honneur à la famille est bon pour soi.

Selon le pays et l'époque, les enfants se développent selon des systèmes d'éducation différents. Les parents issus de la classe aristocratique anglaise avaient tendance à confier l'éducation quotidienne des enfants à des nurses, puis à les placer dans des internats dès l'âge de 10 ans. Généralement, ces enfants devenaient les piliers de la société anglaise, tout comme leurs parents et leurs camarades d'internat. En Afrique, dans la société Gusii, les bébés sont nourris au sein par n'importe quelle femme et passent la plus grande partie de leur journée perchés sur le dos de leur mère – il y a beaucoup de contacts corporels,

Les cultures varient Dans la ville de Stromness, dans l'archipel des Orcades (Écosse), la confiance sociale permet aux parents de laisser les enfants dans leurs poussettes à l'extérieur des magasins.

Copyright Steve Reehl

José Luis Pelaez, Inc./Corbis

L'implication des parents favorise le développement Dans chaque culture, les parents facilitent la découverte de leur monde par leurs enfants, mais les cultures diffèrent par ce qu'elles jugent comme étant important. Les cultures asiatiques accordent plus d'importance à l'école et au travail acharné que ne le fait la culture d'Amérique du Nord. Cela peut expliquer pourquoi les jeunes Japonais ou Taïwanais ont des résultats supérieurs aux tests mathématiques.

« Lorsque [quelqu'un] a découvert pourquoi les hommes dans Bond Street portaient des chapeaux noirs, il a au même instant compris pourquoi les hommes à Tombouctou portaient des plumes rouges. »
G. K. Chesterton, *Hérétiques*, 1905

mais peu de contacts face à face et de dialogue. Quand la mère est à nouveau enceinte, l'enfant est sevré et confié à quelqu'un d'autre, souvent un frère ou une sœur aînés. Les Occidentaux peuvent très bien se demander si cette absence de communication orale n'est pas de nature à entraîner des effets négatifs, mais les Gusii d'Afrique peuvent aussi se demander pourquoi les mères des pays occidentaux promènent leur bébé dans une poussette, les mettent dans des parcs ou dans des sièges auto (Small, 1997). Une telle diversité dans l'éducation des enfants nous montre qu'il ne faut pas affirmer que notre mode d'éducation est le meilleur pour élever des enfants avec succès.

Similitudes de développement entre les groupes

Pleinement conscients de la différence existant entre nous et les autres, nous en arrivons souvent à négliger les similitudes inhérentes à notre biologie commune. Une étude menée sur 49 pays a mis en évidence que les différences entre nations sur le plan des traits de la personnalité comme la minutie et l'extraversion sont plus faibles que nous ne le pensons (Terracciano et coll., 2006). Les Australiens se considèrent comme extravertis, les Suisses allemands se voient comme des gens consciencieux et les Canadiens s'estiment agréables. En vérité, ces stéréotypes nationaux exagèrent les différences qui, bien que réelles, restent modestes. Comparées aux différences d'une personne à l'autre à l'intérieur d'un groupe, les différences entre les groupes sont faibles. Quelle que soit notre culture, nous, les hommes, sommes plus semblables que différents. Nous partageons le même cycle de vie. Tous, nous parlons à nos enfants de la même façon et réagissons pareillement à leurs cris et à leurs gazouillis (Bornstein et coll., 1992a,b). Partout dans le monde, les parents chaleureux et attentifs ont des enfants qui se sentent mieux dans leur peau et sont moins agressifs envers les autres que les enfants de parents punitifs et qui les rejettent (Rohner, 1986 ; Scott et coll., 1991).

Même les différences *à l'intérieur* d'une même culture, comme celles parfois attribuées à l'ethnie, peuvent souvent s'expliquer par les interactions entre notre biologie et notre culture. David Rowe et ses collaborateurs (1994, 1995) illustrent cette notion par une analogie : on sait que les hommes noirs ont tendance à présenter une tension artérielle supérieure à celle des hommes blancs. Supposez (1) que dans les deux groupes la consommation de sel soit corrélée à la tension artérielle et (2) que les Noirs consomment plus de sel que les Blancs. La différence « due à l'origine ethnique » en ce qui concerne la tension artérielle pourrait être en réalité en partie causée par une différence d'*alimentation* – une préférence culturelle pour certains aliments.

Ces résultats, selon Rowe et ses collaborateurs, correspondent aux découvertes psychologiques. Bien que les Américains noirs, hispaniques, asiatiques, blancs ou les Indiens d'Amérique présentent des différences en termes de niveau d'étude ou de taux de délinquance, celles-ci sont extrêmement ténues. Les variables telles que la structure familiale, l'influence de l'entourage ou le mode d'éducation susceptibles de prédire le comportement dans un groupe ethnique donné s'appliquent également dans les autres groupes.

De façon superficielle, nous pouvons présenter des différences, mais en tant que membres d'une même espèce nous sommes tous soumis aux mêmes forces psychologiques. Nos langages varient, mais reflètent malgré tout des principes de grammaire universels (Chapitre 9). Nos goûts varient, mais reflètent cependant des principes communs de la faim (Chapitre 11). Nos comportements sociaux varient, mais traduisent les principes universels de l'influence humaine (Chapitre 16). La recherche transculturelle nous aide à nous rendre compte à la fois de notre diversité culturelle *et* de notre parenté humaine.

AVANT D'ALLER PLUS LOIN...

➤ **INTERROGEZ-VOUS**

Quel concept vous décrit le mieux, le collectivisme ou l'individualisme ? Entrez-vous totalement dans l'une de ces catégories ou vous sentez-vous parfois collectiviste et parfois individualiste ?

➤ **TESTEZ-VOUS 4**

En quoi les cultures individualistes et collectivistes diffèrent-elles ?

Les réponses aux questions « Testez-vous » sont données dans l'annexe B à la fin de l'ouvrage.

Développement du genre

COMME NOUS LE VERRONS DANS LE CHAPITRE 9, NOUS sommes, en tant qu'hommes, irrésistiblement enclins à organiser le monde qui nous entoure en catégories très simples. Parmi notre façon de classer les gens - petit ou grand, maigre ou gros, intelligent ou idiot - une catégorie se détache : à votre naissance, la première chose que chacun veut savoir c'est : « est-ce une fille ou un garçon ? ». Notre sexe biologique permet de définir notre *genre*, c'est-à-dire les caractéristiques biologiques et sociales qui nous rendent homme ou femme. Considérons la façon dont l'inné et l'acquis œuvrent ensemble pour créer la diversité sociale : le genre arrive en première place. Nous n'avons vu jusqu'à maintenant qu'une seule différence significative entre les genres - celle de l'intérêt et du comportement sexuels. Considérons les autres variations de genre se rapportant au thème de ce chapitre qui est, rappelons-le, que l'inné et l'acquis œuvrent ensemble pour engendrer nos différences et nos similitudes.

Similitudes et différences entre les genres

10. De quels points de vue les hommes et les femmes ont-ils tendance à être semblables ? À être différents ?

Ayant dû faire face aux mêmes difficultés pour s'adapter, nous nous ressemblons en beaucoup de points. Les hommes et les femmes ne viennent pas de deux planètes différentes - Mars et Vénus - mais bien d'une même planète, la Terre. Si vous m'apprenez que vous êtes une femme ou un homme, je n'aurai pour autant pratiquement aucun renseignement sur l'étendue de votre vocabulaire et de votre intelligence, sur votre sentiment de bonheur ou sur les mécanismes qui vous permettent d'entendre, de voir, d'apprendre ou de vous souvenir. Votre sexe « opposé » est en réalité très similaire au vôtre. Est-ce surprenant ? Sur nos 46 chromosomes, 45 sont unisexes.

Toutefois, les hommes et les femmes sont aussi différents et ces différences attirent l'attention. Certaines différences sont assez faibles comme l'a montré Janet Hyde (2005) en représentant graphiquement les différences de genre concernant l'estime de soi révélées dans diverses études (FIGURE 4.6). D'autres sont plus évidentes. Comparée à l'homme moyen, la femme moyenne entre en puberté 2 ans avant, vit 5 ans de plus, possède 70 p. 100 de graisse en plus, 40 p. 100 de muscle en moins et mesure environ 12 cm de moins. Tout au long de ce livre, vous verrez également d'autres différences. Les femmes peuvent redevenir sexuellement excitées immédiatement après l'orgasme, sentir les odeurs même légères, exprimer librement leurs émotions et se voir proposer de l'aide dans certaines situations. Elles sont également deux fois plus vulnérables à la dépression et à l'anxiété et dix fois plus sujettes aux troubles alimentaires. En revanche, le taux de suicide ou d'alcoolisme est quatre fois plus élevé chez l'homme.

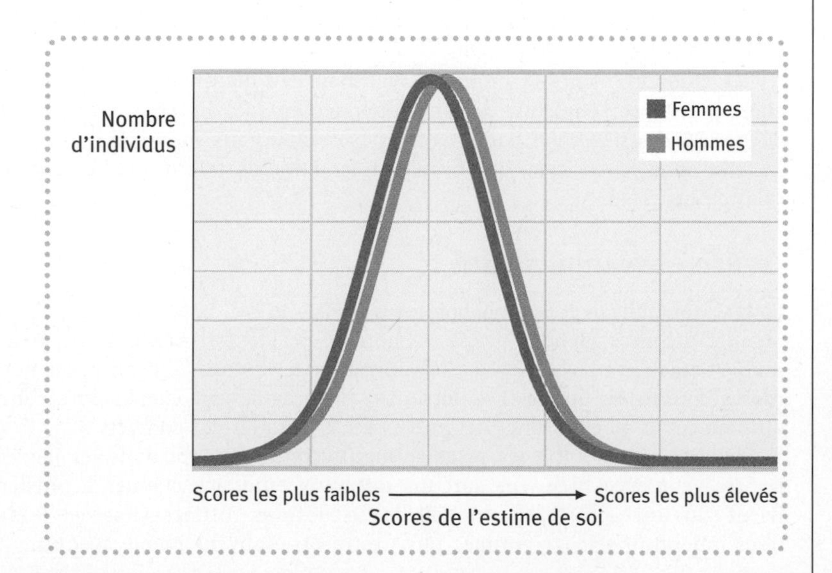

➤ FIGURE 4.6
Beaucoup de bruit pour une petite différence Janet Hyde (2005) nous montre deux courbes de distribution normales représentant l'estime de soi selon le genre et qui diffèrent par la magnitude approximative atteinte (écart type de 0,21), en faisant une moyenne de tous les échantillons disponibles. Bien que nous puissions identifier une différence selon le sexe, les variations individuelles entre les femmes d'une part et entre les hommes d'autre part, sont largement plus importantes que celles qui existent entre l'homme moyen et la femme moyenne.

:: Agressivité : tout comportement physique ou verbal ayant pour but de faire du mal ou de détruire.

Les diagnostics d'autisme, de daltonisme, d'hyperactivité (chez l'enfant) ou de troubles de la personnalité antisociale (chez l'adulte) sont bien plus fréquents. Choisissez votre genre, vous trouverez vos points faibles.

Jusqu'à quel point la biologie façonne le genre ? Quelle part de nos différences est établie socialement – par les rôles que notre culture nous assigne et par notre mode de socialisation étant enfant ? Pour répondre à ces questions, regardons de plus près certaines différences moyennes en ce qui concerne l'agressivité, la dominance sociale et les rapports sociaux.

Genre et agressivité

D'après les enquêtes, les hommes admettent plus d'**agressivité** que les femmes et les expérimentations confirment que les hommes ont tendance à se comporter de manière plus agressive, par exemple en administrant les chocs électriques qu'ils considèrent comme les plus douloureux (Bettencourt et Kernahan, 1997). Ce fossé entre les genres dans le domaine de l'agressivité se rapporte plutôt au domaine des agressions *physiques* (frapper quelqu'un) que verbales ou *relationnelles* (par exemple, l'exclusion d'une personne) et s'observe dans notre vie quotidienne, à divers âges et dans diverses cultures, en particulier celles se basant sur une inégalité des sexes (Archer, 2004, 2006). Concernant les relations de couple, les actes violents (comme donner une claque ou s'envoyer des objets) sont souvent mutuels (Straus, 2008). Le taux de crimes violents illustre de manière plus frappante cette différence. Le ratio hommes/femmes des arrestations, par exemple, est de 10/1 aux États-Unis et de 7/1 au Canada (FBI, 2007 ; Statistics Canada, 2007).

Partout dans le monde, la chasse, le combat et la guerre sont principalement des activités masculines (Wood et Eagly, 2002, 2007). Les hommes sont également plus enclins à soutenir la guerre. La guerre en Irak, par exemple, a toujours été soutenue par plus d'hommes américains que de femmes américaines (Newport et coll., 2007).

Genre et pouvoir social

N'importe où dans le monde, du Nigéria à la Nouvelle-Zélande, l'homme est perçu comme l'individu le plus dominant, le plus puissant et le plus indépendant. La femme est plus respectueuse, attentionnée et attachée (Williams et Best, 1990). Effectivement, dans la plupart des sociétés, ce *sont* les hommes qui dominent socialement. Lorsque des groupes se forment, que ce soient des jurys ou des assemblées, la direction a tendance à revenir aux hommes (Colarelli et coll., 2006). Partout dans le monde, les hommes donnent plus d'importance au pouvoir et à l'accomplissement (Schwartz et Rubel, 2005). En tant que chef, les hommes ont tendance à être plus directifs, voire autocratiques, alors que les femmes ont tendance à être plus démocratiques, plus ouvertes à la participation de leurs subalternes à la prise de décision (Eagly et Carli, 2007 ; van Engen et Willemsen, 2004). Dans les débats, les hommes ont plutôt tendance à émettre des opinions, les femmes à exprimer leur soutien (Aries, 1987 ; Wood, 1987). Dans leur comportement quotidien, les hommes ont tendance à agir comme le feraient des individus puissants – ils parlent de manière autoritaire, coupent la parole, initient le contact, sourient peu et fixent du regard (Hall, 1987 ; Leaper et Ayres, 2007 ; Major et coll., 1990).

• En 2008, la représentation des femmes aux parlements nationaux allait de 9 p. 100 pour les pays arabes à 41 p. 100 en Scandinavie, en passant par 17 p. 100 aux États-Unis et 24 p. 100 au Canada (IPU, 2008). •

Ces comportements facilitent le maintien des inégalités du pouvoir social. Lorsque les chefs politiques sont élus, ce sont généralement des hommes et, en 2008, ils détenaient 82 p. 100 des sièges des parlements gouvernementaux mondiaux (IPU, 2008). Lorsque les salariés sont payés, ceux qui occupent les emplois traditionnellement masculins ont un salaire plus élevé.

Genre et réseau social

Pour Carol Gilligan et ses collaborateurs (1982, 1990), la lutte « normale » pour se créer une identité définie s'applique plutôt à l'homme occidental individualiste qu'à la femme, qui a plutôt tendance à rechercher les relations avec les autres. Gilligan pense que les femmes sont moins concernées que les hommes par le fait de se voir elles-mêmes comme des individus différenciés et qu'elles sont plus intéressées à « établir des contacts ».

Ces différences entre les sexes se manifestent assez tôt dans les jeux des enfants et se poursuivent avec l'âge. Les garçons ont plus tendance à jouer à plusieurs : ils se focalisent sur une activité et ont peu de discussions intimes (Rose et Rudolph, 2006). Les filles jouent au sein de groupes plus restreints, souvent même avec une seule amie. Leurs

Dex Image/Getty Images

Chacun pour soi ou aller vers les autres et se lier d'amitié ?
Les différences sexuelles dans la manière dont nous nous comportons les uns envers les autres apparaissent dès le plus jeune âge.

jeux sont moins compétitifs que ceux des garçons et s'inspirent davantage des relations sociales. Aussi bien dans leurs jeux que dans d'autres domaines, les filles sont plus ouvertes et réceptives aux remarques d'autrui que les garçons (Maccoby, 1990 ; Roberts, 1991). Aux questions difficiles : « Savez-vous pourquoi le ciel est bleu ? », « Savez-vous pourquoi les gens de petite taille vivent plus longtemps ? », les hommes ont plus tendance à répondre au hasard car ils ne veulent pas admettre qu'ils ne connaissent pas la réponse ; c'est un phénomène que Traci Giuliano et ses collaborateurs (1998a,b) appellent le *syndrome de la réponse masculine*.

Les femmes sont plus *interdépendantes* que les hommes. À l'adolescence, les filles passent plus de temps avec des amis que seules (Wong et Csikszentmihalyi, 1991). À la fin de l'adolescence, elles passent plus de temps sur les sites Internet de réseaux sociaux (Pryor et coll., 2007). À l'âge adulte, elles prennent plus de plaisir à parler en face à face et utilisent plus les conversations pour explorer les relations. Les hommes apprécient les activités côte à côte et ont tendance à utiliser les conversations pour véhiculer des solutions (Tannen, 1990 ; Wright, 1989). Ces différences de communication s'observent également dans les e-mails envoyés par les étudiants, et dans une étude menée en Nouvelle-Zélande, deux fois sur trois les sujets pouvaient deviner sans se tromper le sexe de l'auteur (Thomson et Murachver, 2001).

Question : pourquoi faut-il 200 millions de spermatozoïdes pour fertiliser un ovule ?
Réponse : parce qu'ils ne s'arrêtent pas pour demander leur chemin.

Ces différences de genre se reflètent parfois dans le type de communication téléphonique. En France, 63 p. 100 des communications téléphoniques sont effectuées par des femmes qui passent plus de temps à discuter entre elles (7,2 minutes) que ne le font les hommes entre eux (4,6 minutes) (Smoreda et Licoppe, 2000). Cela confirme-t-il l'idée que les femmes sont plus bavardes ? Pour vérifier cette hypothèse, Matthias Mehl et ses collaborateurs (2007) ont compté le nombre de mots que 396 étudiants disaient au cours d'une journée moyenne. (Combien de mots pensez-vous dire dans une journée ?) Ils ont trouvé que le caractère « bavard » variait énormément, les participants les plus bavards disant environ 45 000 mots de plus que les étudiants les moins bavards. Mais contrairement aux stéréotypes des femmes qui jacassent, les hommes comme les femmes disent en moyenne 16 000 mots par jour.

Partout dans le monde, les femmes s'intéressent et se consacrent plus aux autres qu'aux choses (Lippa, 2005, 2006, 2008). Au travail, elles sont souvent moins motivées par leur salaire et leur statut et choisissent plus volontiers de réduire leur nombre d'heures de travail (Pinker, 2008). À la maison, elles sont plus attentionnées et s'occupent plus des jeunes enfants et des personnes âgées. Elles achètent 85 p. 100 des cartes de vœux (Time, 1997). Cette importance qu'accordent les femmes à prendre soin explique un autre résultat intéressant : bien que 69 p. 100 des gens affirment être proches de leur père, 90 p. 100 se sentent plus proches de leur mère (Hugick, 1989). Lorsque l'on recherche de la compréhension et quelqu'un avec qui partager ses peines et ses tourments, les hommes comme les femmes se tournent généralement vers les femmes et tous décrivent leurs relations d'amitié avec les femmes comme plus intimes, agréables et gratifiantes (Rubin, 1985 ; Sapadin, 1988).

Les liens et les sentiments de soutien sont aussi plus solides entre les femmes qu'entre les hommes (Rossi et Rossi, 1993). Les liens entre les femmes, que ce soit en tant que mères, filles, sœurs, tantes ou grands-mères, ont tendance à unir les familles. Sur le plan de l'amitié, elles parlent plus souvent et plus ouvertement (Berndt, 1992 ; Dindia et Allen, 1992). Et lorsqu'il s'agit de faire face au stress, les femmes vont plus souvent rechercher de l'aide auprès des autres – elles *vont vers les autres et se lient d'amitié* (Tamres et coll., 2002 ; Taylor, 2002).

Se comportant généralement comme des gens qui ont les pleins pouvoirs, les hommes accordent plus d'importance aux notions de liberté et d'autosuffisance. Cela explique pourquoi les hommes de tout âge et de tous les pays accordent moins d'importance à la religion et prient moins souvent que les femmes (Benson, 1992 ; Stark, 2002). Les hommes sont aussi des « professionnels » du scepticisme. Les 10 gagnants et les 14 seconds favoris d'une liste au titre de « sceptiques rationalistes les plus remarquables du XXe siècle » (*Skeptical Inquirer*) étaient tous des hommes. Dans la rubrique « Science et paranormal » du catalogue 2007 de *Prometheus Books* (la plus importante publication sur le scepticisme), on pouvait compter 94 hommes et seulement 4 femmes parmi les auteurs. Dans une étude réalisée par la *Skeptics Society*, près de 4 réponses sur 5 étaient faites par des hommes (Shermer, 1999). Il semblerait que les femmes soient plus ouvertes à la spiritualité, et aussi plus susceptibles de devenir auteur d'un livre sur la spiritualité que sur le scepticisme.

Les différences de genre sur le plan du pouvoir, des relations et des autres traits de caractère sont à leur maximum à la fin de l'adolescence et au début de l'âge adulte, les années les plus souvent étudiées (qui sont également les années des rencontres et de l'accouplement). En tant qu'adolescentes, les filles deviennent progressivement moins autoritaires et plus charmantes ; les garçons deviennent plus dominateurs et inexpressifs. Mais vers 50 ans, ces différences se sont estompées. Les hommes deviennent plus empathiques et moins dominants, et les femmes, en particulier si elles travaillent, deviennent plus autoritaires et confiantes en elles (Kasen et coll., 2006 ; Maccoby, 1998).

> « Plus les années passent, plus ils se ressemblent ; l'homme à la femme et la femme à l'homme. »
> Alfred Lord Tennyson, *La Princesse*, 1847

Caractères sexuels innés

11. Comment l'inné et l'acquis œuvrent-ils ensemble pour former notre genre ?

Qu'est-ce qui explique notre diversité sexuelle ? Est-ce le sort de la biologie ? Sommes-nous façonnés par notre culture ? Un aspect biopsychosocial suggère que ces deux propositions sont vraies, du fait de l'interrelation entre nos dispositions biologiques, nos expériences acquises au cours du développement et notre situation actuelle (Wood et Eagly, 2002, 2007).

Dans les domaines où les hommes et les femmes ont eu à faire face à des difficultés identiques – la régulation de la température du corps par la sudation, le développement du goût pour la nourriture ou encore l'apparition de callosités quand la peau est soumise à un frottement –, les hommes et les femmes sont identiques. Même quand ils décrivent le compagnon idéal, les hommes et les femmes mettent des mots comme « gentillesse », « honnêteté » et « intelligence » en haut de leur liste. Mais les psychologues évolutionnistes s'accordent pour dire que dans certains domaines ayant trait à l'accouplement, les mâles se comportent comme des mâles, que ce soient des éléphants, des éléphants de mer, des paysans ou les PDG d'une entreprise. De telles différences peuvent être influencées génétiquement, par nos différences de *chromosomes sexuels*, et physiologiquement par notre différence de concentration en *hormones sexuelles*.

Avec l'autorisation de Nick Downes.

Les hommes et les femmes sont des variantes d'une forme unique. Sept semaines après la conception, on ne peut distinguer anatomiquement un garçon d'une fille. Puis les gènes activent notre sexe biologique, qui est déterminé par votre vingt-troisième paire de chromosomes, les chromosomes sexuels. De votre mère, vous avez reçu un **chromosome X**. Des 46 chromosomes légués par votre père, vous avez reçu celui qui n'est pas unisexe : soit un chromosome X, faisant de vous une fille, soit un **chromosome Y**, faisant de vous un garçon. Le chromosome Y contient un gène unique qui émet un signal impérieux déclenchant le développement des testicules et la production de l'hormone mâle principale, la **testostérone**. Les femmes aussi ont de la testostérone, mais bien moins. Cette plus grande libération de testostérone chez le garçon entraîne le développement des organes sexuels masculins externes autour de la septième semaine.

Une autre période-clé dans la détermination du sexe apparaît lors du quatrième et du cinquième mois de la grossesse, quand les hormones sexuelles baignent le cerveau fœtal et influencent les connexions cérébrales. Différents modèles pour les hommes et les femmes se développent sous l'influence de la testostérone chez le garçon et des hormones ovariennes chez la femme (Hines, 2004 ; Udry, 2000). Récemment, des recherches ont confirmé l'existence de différences homme/femme se produisant au cours du développement dans des zones cérébrales composées de nombreux récepteurs aux hormones sexuelles (Cahill, 2005). Chez l'adulte, une zone des lobes frontaux, impliquée dans l'aisance verbale, est plus dense chez les femmes. Une zone du lobe pariétal, une région-clé pour la perception de l'espace, est plus dense chez l'homme. D'autres études notent une différence sexuelle au niveau de l'hippocampe, de l'amygdale et du volume de la *substance grise* (renfermant les corps des neurones) par rapport à la *substance blanche* (contenant les axones et les dendrites).

Étant donné l'influence des hormones sexuelles sur le développement, que pensez-vous qu'il arrive quand un dysfonctionnement glandulaire ou des injections d'hormones exposent un embryon femelle à un surplus de testostérone ? Ces enfants génétiquement de sexe féminin naissent avec des organes génitaux masculins qui peuvent être soit acceptés, soit corrigés par la chirurgie. Jusqu'à la puberté, ces filles ont tendance à être plus agressives et à avoir un comportement de « garçon manqué » ; elles ont également des jeux et une manière de s'habiller assez proches de ceux des garçons (Berenbaum et Hines, 1992 ; Ehrhardt, 1987). Si on leur donne le choix dans un éventail de jouets, elles joueront plus avec des petites voitures et des pistolets en plastique qu'avec des poupées et des crayons. En grandissant, certaines peuvent devenir lesbiennes, mais la plupart – comme toutes les filles ayant des intérêts traditionnellement féminins – deviennent hétérosexuelles. De plus, les hormones n'inversent pas leur identité sexuelle : elles se considèrent comme des filles et non pas comme des garçons (Berenbaum et Bailey, 2003).

Le comportement de « garçon manqué » de ces jeunes filles est-il dû aux hormones prénatales ? Si c'est le cas, doit-on conclure que les différences de sexe d'ordre biologique entraînent des différences de comportement sexué ? Les singes vervet semblent suggérer une réponse. Les singes vervet mâles, comme la plupart des petits garçons, passent plus de temps à jouer avec des jouets de « garçon » comme des camions et les femelles, comme la plupart des petites filles, avec des jouets de « fille » comme des poupées (Hines, 2004). Des expériences menées sur différentes espèces, des rats aux singes, confirment que les embryons femelles à qui l'on administre des hormones mâles auront plus tard une apparence typiquement masculine et auront un comportement plus agressif (Hines et Green, 1991). Mais un tableau plus complexe apparaît lorsque l'on considère les influences sociales. Les filles exposées avant la naissance à une quantité excessive de testostérone ont fréquemment un look masculin et sont connues pour être « différentes » ; c'est peut-être la raison pour laquelle les gens les traitent davantage comme des garçons. Ainsi, les effets de l'exposition précoce aux hormones sexuelles les affectent directement, dans leur apparence biologique et indirectement en influençant l'entourage social qui les façonne. Comme les deux mains d'un sculpteur travaillant un morceau d'argile, l'inné et l'acquis travaillent ensemble.

Des preuves supplémentaires de l'influence de la biologie sur le développement sexuel ont été apportées par des études menées sur des individus génétiquement mâles qui, malgré une concentration normale en hormones sexuelles et des testicules normaux, naissent sans pénis ou avec un pénis très petit. Selon l'une d'entre elles menée chez 14 enfants ayant subi une chirurgie précoce de reconstruction de l'appareil génital (opération actuellement controversée) et élevés comme des filles, six ont déclaré ultérieurement qu'ils se sentaient hommes, cinq vivaient comme des femmes et trois n'avaient pas d'identité sexuelle bien claire (Reiner et Gearhart, 2004). Dans un cas célèbre, les parents d'un garçon canadien, qui a perdu son pénis au cours d'une circoncision mal faite, ont suivi les conseils de l'élever comme une fille plutôt que comme un garçon mutilé. Hélas, « Brenda » Reimer n'était pas comme les autres filles. « Elle » n'aimait pas les poupées. Elle déchirait ses vêtements en jouant à la bagarre. À la puberté, elle ne voulait pas entendre parler des garçons qui l'embrassaient. Finalement, les parents de Brenda lui révélèrent la vérité. Sur quoi, Brenda rejeta immédiatement son identité féminine, coupa ses cheveux, pris un prénom masculin (David). Il finit par se marier avec une femme, devint un beau-père puis malheureusement se suicida (Colapinto, 2000).

La *National Academy of Sciences* en conclut que « le sexe a de l'importance » (2001). Associés à l'environnement, les gènes et la physiologie liés au sexe « entraînent des différences comportementales et cognitives entre les hommes et les femmes ».

:: Chromosome X : chromosome sexuel présent aussi bien chez l'homme que chez la femme. Les femmes ont deux chromosomes X ; les hommes en ont un. L'apport d'un chromosome X par chacun des parents donne une fille.

:: Chromosome Y : chromosome sexuel présent uniquement chez les hommes ; apparié à un chromosome X provenant de la mère, cela donne un garçon.

:: Testostérone : la plus importante des hormones sexuelles masculines. Elle est présente à la fois chez les hommes et les femmes, mais la testostérone, plus abondante chez les hommes, stimule le développement des organes sexuels masculins chez le fœtus et le développement des caractères sexuels secondaires masculins lors de la puberté.

« Les gènes, s'ils agissaient seuls, seraient comme des graines semées sur le bitume : incapables de produire quoi que ce soit. »
Frans B. M. de Waal, primatologue (1999)

« Le sexe nous a réunis, mais notre genre nous a séparés. »

Caractères sexuels acquis

Bien qu'influencé biologiquement, le genre est aussi construit socialement. Ce que la biologie initie, l'environnement l'accentue.

Rôles sexués

Le sexe est important. Mais du point de vue de la perspective biopsychosociale, la culture et la situation immédiate ont aussi de l'importance. La *culture*, comme nous l'avons déjà dit, représente tout ce qu'un groupe partage et transmet de génération en génération. Nous pouvons voir le pouvoir de la culture à nous façonner dans les attentes sociales qui guident le comportement des hommes et des femmes. En psychologie, comme au théâtre, un **rôle** se réfère à un ensemble d'actions prescrites – les comportements qu'on attend de ceux qui occupent une position sociale particulière. Un ensemble de normes définit les attentes de notre culture en ce qui concerne notre **rôle sexué** – les attentes concernant la manière dont les hommes et les femmes doivent se comporter. Il y a 30 ans, aux États-Unis, les hommes faisaient les premiers pas, conduisaient la voiture et payaient l'addition ; les femmes décoraient la maison, achetaient et s'occupaient des vêtements des enfants et choisissaient les cadeaux de mariage.

Les rôles sexués existent également en dehors de la maison. Comparés aux employées féminines, aux États-Unis, les employés masculins passent une heure et demie de plus par jour au travail et environ une heure de moins par jour aux activités domestiques et à s'occuper des autres (Amato et coll., 2007 ; Bureau of Labor Statistics, 2004 ; Fischer et coll., 2006). Et, nul besoin de dire lequel des deux parents – dans 90 p. 100 des familles biparentales américaines – reste à la maison quand un enfant est malade, cherche un(e) baby-sitter ou appelle le docteur (Maccoby, 1995). En Australie, les femmes consacrent 54 p. 100 de temps en plus que les hommes à effectuer des tâches domestiques non payées et 71 p. 100 de temps en plus à s'occuper des enfants (Trewin, 2001).

Les rôles sexués peuvent faciliter les relations sociales, évitant des décisions délicates au sujet de qui fait la lessive cette semaine et qui tond la pelouse. Mais il y a souvent un prix à payer : si nous dévions de telles conventions, nous pouvons nous sentir anxieux.

Les rôles sexués reflètent-ils ce qui est biologiquement naturel pour l'homme et la femme ? Ou bien est-ce la culture qui les a établis ? La diversité des rôles sexués à travers les cultures et le temps indique que la culture a une forte influence. Dans les sociétés nomades, où les gens vivent de la chasse et de la cueillette, la répartition des tâches par sexe est minimale. Les garçons et les filles reçoivent à peu près la même éducation. Dans les sociétés agricoles, où les femmes travaillent dans les champs à proximité de la maison et les hommes, souvent plus libres, gardent les troupeaux, les enfants sont typiquement socialisés dans des rôles sexués distincts (Segall et coll., 1990 ; Van Leeuwen, 1978).

Dans les pays industrialisés, les rôles sexués et les attitudes changent considérablement (Unicef, 2006). C'est en Australie et en Scandinavie que l'équité entre les sexes est la plus

Le tsunami « sexué »
Au Sri Lanka, en Indonésie et en Inde, la division sexuée du travail permet d'expliquer le nombre excessif de femmes tuées par le tsunami de 2004. Dans certains villages, 80 p. 100 des personnes tuées étaient des femmes restées, pour la plupart, à la maison pendant que les hommes étaient probablement sortis pêcher ou travaillaient à l'extérieur de chez eux (Oxfam, 2005).

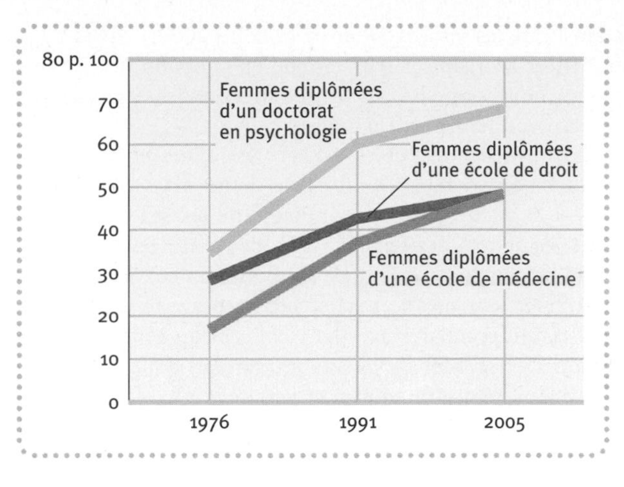

➤ FIGURE 4.7
Femmes et professions
Certains métiers attirent de plus en plus les femmes comme le droit, la médecine et la psychologie (données issues des associations professionnelles et recueillies par A. Cynkar, 2007).

:: Rôle : ensemble d'attentes (normes) à propos d'une position sociale définissant comment ceux qui occupent cette position doivent se conduire.

:: Rôle sexué : ensemble de comportements attendus de la part des hommes et des femmes.

:: Identité sexuelle : sentiment individuel de masculinité ou de féminité.

:: Identification sexuée : acquisition d'un rôle masculin ou féminin traditionnel.

:: Théorie de l'apprentissage social : théorie selon laquelle nous apprenons les comportements sociaux en observant, en imitant et en étant récompensés ou punis.

importante, alors qu'au Moyen-Orient et dans les pays d'Afrique du Nord, l'équité est bien moindre (Social Watch, 2006). Considérez ceci : diriez-vous que la vie est plus satisfaisante lorsque les deux conjoints travaillent et partagent la garde des enfants ? Si vous répondez oui, vous êtes comme la plupart des gens dans 41 pays sur 44, selon une enquête de la *Pew Global Attitudes* (2003). Mais même dans ce cas, les différences entre cultures étaient énormes, allant de l'Égypte où 2 personnes contre 1 n'étaient pas d'accord jusqu'au Vietnam où 11 personnes contre 1 étaient d'accord.

Les rôles sexués changent avec le temps. Au début du siècle dernier, la Nouvelle-Zélande était le seul pays à accorder le droit de vote aux femmes (Briscoe, 1997). À la fin des années 1960 et au début des années 1970, en un clin d'œil, le nombre d'étudiantes américaines espérant devenir des femmes au foyer à plein-temps a fortement baissé. Au cours des trente années qui ont suivi 1976, le pourcentage des femmes suivant des études de médecine, de droit et de psychologie a presque doublé (FIGURE 4.7).

La conception du genre change d'une culture à l'autre, d'une époque à l'autre mais aussi d'une génération à l'autre. Quand des familles émigrent d'Asie au Canada et aux États-Unis, les enfants immigrés grandissent souvent avec des pairs d'une autre culture. Beaucoup d'enfants d'immigrés, les filles en particulier, peuvent se sentir déchirés entre des normes contradictoires présentées par leurs pairs et leurs parents (Dion et Dion, 2001).

Le genre et l'éducation des enfants

Comme la société assigne à chacun d'entre nous un genre, une catégorie sociale masculine ou féminine, le résultat inévitable est notre forte **identité sexuelle**, notre *sentiment* de masculinité ou de féminité. À des degrés divers, nous acquérons aussi une **identification sexuée**. C'est-à-dire que certains garçons, plus que d'autres, montrent des traits et des intérêts traditionnellement masculins et que certaines filles, plus que d'autres, deviennent particulièrement féminines.

La **théorie de l'apprentissage social** considère que les enfants apprennent les comportements liés au genre en observant et imitant, ainsi qu'en étant récompensés ou punis. « Nicole, tu es une très bonne mère pour tes poupées. » « Les grands garçons ne pleurent pas, Alex. » Les conformations au modèle parental et les récompenses ne sont pas suffisantes pour expliquer l'identification sexuée (Lytton et Romney, 1991). En fait, même lorsque leur famille désapprouve l'identification sexuée traditionnelle, les enfants s'organisent eux-mêmes en « monde de garçons » ou en « monde de filles », chacun étant guidé par les règles concernant ce que font les garçons et les filles.

La cognition (ou pensée) a également de l'importance. Au cours de votre propre enfance, alors que vous vous efforciez de comprendre le monde, vous – comme tous les autres enfants – avez formé des *schémas*, ou des concepts, vous aidant à donner un sens à votre monde. Un de ces schémas était celui de votre propre genre (Bem, 1987, 1993). Votre *schéma sexuel* devient alors un objectif à travers lequel vous considérez vos expériences. L'apprentissage social façonne les schémas sexuels. Avant l'âge d'un an, les enfants commencent à différencier les

« C'est quoi son genre ? »

voix masculines des voix féminines ainsi que les visages (Martin et coll., 2002). Après l'âge de 2 ans, le langage les force à commencer à organiser leur monde en fonction des genres. L'anglais, par exemple, utilise le pronom *he* (il) ou *she* (elle) ; d'autres langues classent les objets selon qu'ils sont masculins (*le* train) ou féminins (*la* table).

Comme l'expliquent Carol Lynn Martin et Diane Ruble (2004), les jeunes enfants sont les « détectives » du genre. Une fois qu'ils ont compris qu'il existe deux sortes d'individus – et qu'ils font partie de l'une d'elles – ils recherchent des indices sur les sexes et ils les trouvent dans le langage, les vêtements, les jouets, les chansons. Ils peuvent décider que les filles ont des cheveux longs. Une fois qu'ils ont divisé le monde humain en deux moitiés, les enfants de 3 ans se mettent alors à préférer leur propre sexe et recherchent les enfants du même type pour jouer. Une fois qu'ils se sont comparés avec leur concept du genre, ils vont ajuster leur comportement de manière à s'y accorder (« Je suis un garçon, donc masculin, fort et agressif » ou « Je suis une fille, donc féminine, douce et serviable »). La rigidité de leurs stéréotypes sur les garçons et les filles culmine vers l'âge de 5 ou 6 ans. Si le nouveau voisin est un garçon, une petite fille de 6 ans supposera directement qu'il est impossible qu'il ait des centres d'intérêt communs avec les siens. Pour les jeunes enfants, le genre occupe une place importante.

AVANT D'ALLER PLUS LOIN...

➤ INTERROGEZ-VOUS

Considérez-vous que votre identification sexuée est particulièrement *forte* ou plutôt *faible* ? Quels sont, selon vous, les facteurs qui ont contribué à votre sentiment de masculinité ou de féminité ?

➤ TESTEZ-VOUS 5

Qu'appelle-t-on les rôles sexués, et en quoi leurs variations nous renseignent-elles sur l'aptitude de l'être humain à apprendre et à s'adapter ?

Les réponses aux questions « Testez-vous » sont données dans l'annexe B à la fin de l'ouvrage.

Réflexions sur l'inné et l'acquis

« IL Y A DES VÉRITÉS INSIGNIFIANTES ET DES GRANDES vérités », déclare le physicien Niels Bohr à propos des paradoxes de la science moderne. « Le contraire d'une vérité insignifiante est tout simplement faux. Le contraire d'une grande vérité est également vrai. » Il semble vrai que notre histoire ancestrale a permis de former notre espèce. Dans une certaine mesure, là où il y a variation, sélection naturelle et hérédité, il y a aussi évolution. Notre combinaison génétique unique, créée quand l'ovule de notre mère et le spermatozoïde de notre père ont fusionné, a prédisposé nos caractères communs en tant qu'hommes et nos différences individuelles. C'est l'une des grandes vérités de la nature humaine : ce sont les gènes qui nous forment.

Mais il est vrai aussi que nos expériences nous forment. Dans notre famille ou dans les relations avec notre entourage, nous acquérons des manières de penser et d'agir. Nos différences innées peuvent être amplifiées par notre environnement. Si les gènes et les hormones prédisposent les hommes à être physiquement plus agressifs que les femmes, la culture peut amplifier cette différence entre les sexes par le biais de normes qui encouragent les hommes à être machos et les femmes à être gentilles et douces. Si les hommes sont encouragés à endosser des rôles impliquant leur force physique et les femmes des rôles plus maternels, il se peut que chacun agisse en fonction de ce qu'on attend de ceux qui correspondent à ces rôles et ont été façonnés pour les remplir. Les rôles restructurent les joueurs. Les présidents en période électorale se comportent davantage en présidents, les serviteurs sont plus serviles. De la même façon les rôles sexués nous façonnent.

Cependant, les rôles sexués sont convergents. La force à l'état brut est devenue de moins en moins adaptée pour atteindre le pouvoir et une situation (pensez à Bill Gates et Oprah Winfrey). Les hommes comme les femmes sont maintenant devenus « pleinement capables d'assumer efficacement des rôles organisationnels à tous les niveaux », comme le disent Wendy

San Diego Museum of Man, photographie de Rose Tyson

Importance de la culture Comme l'illustre cette œuvre exposée au musée de l'Homme de San Diego, les enfants apprennent leur culture. Le pied d'un bébé peut marcher dans n'importe quelle culture.

Wood et Alice Eagly (2002). Et à mesure que l'emploi de femmes dans des postes autrefois destinés aux hommes a augmenté, les différences sexuelles liées à la traditionnelle masculinité/féminité et dans ce que nous recherchons chez un partenaire ont diminué (Twenge, 1997). Comme les rôles que nous jouons se modifient avec le temps, nous changeons avec eux.

*****

Si l'inné et l'acquis s'associent pour nous former, sommes-nous pour autant « uniquement » le produit de l'inné et de l'acquis ? Sommes-nous déterminés de manière rigide ?

Nous *sommes* le produit de l'inné et de l'acquis (Figure 4.8), mais nous sommes aussi un système ouvert. Les gènes sont omniprésents, mais ne sont pas tout-puissants. Certaines personnes peuvent défier leurs dispositions génétiques pour la reproduction en choisissant le célibat. La culture est également omniprésente, mais pas toute-puissante. Certaines personnes peuvent aller à l'encontre des pressions de leurs pairs et faire le contraire de ce que l'on attend d'eux. Tenter d'excuser nos échecs en rejetant la faute sur notre nature et notre

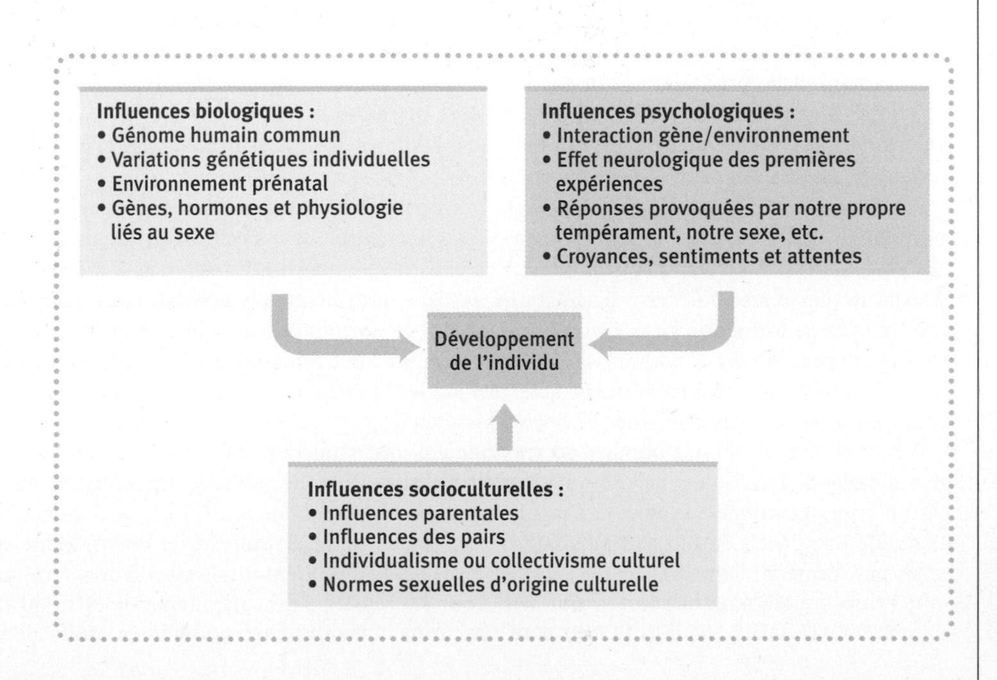

➤ FIGURE 4.8
Approche biopsychosociale du développement

environnement est ce que le philosophe-écrivain Jean-Paul Sartre appelle la « mauvaise foi » – estimer que notre destin est dû à de mauvais gènes ou à une mauvaise influence.

En réalité, nous sommes à la fois les créatures et les créateurs de notre monde. Nous sommes – c'est une grande vérité – le produit de nos gènes et de notre environnement. Pourtant, et c'est une autre grande vérité : la succession des événements qui façonneront notre futur découlera de nos choix présents. Nos décisions actuelles construisent notre environnement de demain. L'esprit a son importance. L'environnement humain n'est pas comme le temps qu'il fait – quelque chose qui arrive juste comme ça. Nous en sommes les architectes. Nos espoirs, nos buts et nos attentes influencent notre futur. C'est ce qui permet à nos cultures de varier et d'évoluer si rapidement.

*****

« Espérons que ce n'est pas vrai ; mais si c'est vrai, espérons que cela ne s'ébruitera pas trop. »
Lady Ashley, commentant la théorie de Darwin

D'après le courrier que je reçois et les enquêtes d'opinion publique, je sais que certains lecteurs se sentent troublés par le naturalisme et l'évolutionnisme de la science contemporaine. Lecteurs des autres pays, soyez indulgents, mais aux États-Unis, il existe un large fossé entre la pensée populaire et celle des scientifiques concernant l'évolution. Un éditorial de *Nature* (un des magazines de sciences des plus importants) déclarait en 2007 que « l'idée que l'esprit de l'homme est le produit de l'évolution est... indéniable ». Ce sentiment correspond à la déclaration conjointe des académies des sciences de 66 pays sur l'existence de « faits fondés sur des preuves » concernant la question de l'évolution (IAP, 2006). Dans *The Language of God*, Francis Collins, directeur du Projet Génome Humain (2006, p. 141, 146), qui se décrit lui-même comme un chrétien évangéliste, réunit les preuves « totalement irréfutables » qui l'ont conduit à conclure que la grande idée de Darwin est « incontestablement correcte ». Cependant, selon une enquête Gallup menée en 2007, la moitié des Américains adultes ne croit pas au rôle de l'évolution sur « l'apparition des êtres humains sur Terre » (Newport, 2007). Beaucoup de ceux qui contestent l'histoire scientifique se désolent qu'une science du comportement, et en particulier une science évolutionniste, détruise notre sens de la beauté, du mystère et de l'aspect spirituel de la créature humaine. Pour ceux qui sont troublés, je dois apporter quelques explications rassurantes.

« N'est-il pas exaltant de comprendre comment fonctionne réellement le monde – que la lumière blanche est composée de couleurs, que la couleur est faite de longueurs d'ondes, et que l'air transparent reflète la lumière... ? Essayer d'apprendre des choses sur le coucher de soleil n'enlève rien à sa magie. »
Carl Sagan, *Skies of Other Worlds*, 1988

Quand Isaac Newton expliqua le mystère de l'arc-en-ciel en termes de rayons lumineux de longueurs d'ondes différentes, le poète Keats pensait que Newton avait détruit la beauté mystérieuse de l'arc-en-ciel. Cependant, remarque Richard Dawkins (1998) dans *Les Mystères de l'arc-en-ciel*, l'analyse de Newton a conduit à un mystère encore plus profond : la théorie de la relativité d'Einstein. De plus, il n'y a aucune raison pour que l'explication de Newton vienne ternir l'élégance d'un arc-en-ciel se formant dans un ciel assombri par la pluie.

Quand Galilée assembla des preuves pour démontrer que la Terre tournait autour du soleil (et non le contraire), il n'apporta pas une preuve irréfutable de sa théorie, mais une explication cohérente fondée sur des observations variées, telles que l'ombre changeante d'une montagne projetée par la lune. Son explication fut fructueuse car elle expliquait et décrivait les choses d'une manière cohérente. De la même manière, la grande théorie de Darwin est une explication cohérente de l'histoire naturelle. Elle propose un principe d'organisation qui permet de rassembler des observations éparses.

Francis Collins n'est pas la seule personne à avoir la foi et à trouver que l'idée scientifique des origines de l'homme est en harmonie avec sa spiritualité. Au ve siècle, Saint-Augustin (cité par Wilford, 1999) écrivait : « L'univers est né sous une forme inachevée, mais a été doté de la capacité de se transformer à partir d'une matière informe en un éventail merveilleux de structures et de formes de vie. » Le pape Jean-Paul II (s'exprimant sur le débat entre la science et la religion en 1996), 1600 ans plus tard, trouve qu'il est remarquable que la théorie évolutionniste « ait été progressivement acceptée par les chercheurs, et ait permis une série de découvertes dans divers domaines de la connaissance ».

Parallèlement, un grand nombre de scientifiques sont stupéfaits par cette compréhension grandissante de l'univers et de l'homme. On croit rêver – il y a 14 milliards d'années, l'univers parti d'un point infime a explosé et a pris instantanément une taille cosmologique. Si l'énergie de ce Big Bang avait été un peu plus faible, l'univers se serait écroulé sur lui-même et ne se serait pas formé. Si l'énergie avait été un peu trop puissante, il en aurait résulté une sorte de soupe trop liquide pour supporter toute vie. Pour sir Martin Rees, astronome, il existe juste six nombres (*Just Six Numbers*, 1999) dont chacun, s'il avait changé ne serait-ce qu'un petit peu, aurait produit un cosmos dans lequel la vie n'aurait pu exister. Si la gravité avait été plus faible ou plus forte ou si la masse d'un proton de carbone avait été légèrement différente, notre univers n'aurait pas fonctionné.

Qu'est ce qui a formé cet univers finement réglé, trop beau pour être vrai ? Pourquoi existe-t-il quelque chose au lieu de rien ? Comment se fait-il, pour reprendre les mots de l'astrophysicien Owen Gingerich (1999) du centre Harvard-Smithsonian, « qu'il soit si parfait, qu'il semble avoir été conçu pour produire des êtres intelligents et sensibles » ? Y a-t-il une intelligence bienveillante derrière tout cela ? Ou y a-t-il eu un nombre infini d'univers et avons-nous été assez chanceux pour que l'un d'eux soit réglé de manière à donner naissance à l'homme ? Ou alors cette idée viole-t-elle le *rasoir d'Occam*, le principe selon lequel nous devons préférer la plus simple des explications contradictoires ? Face à de telles questions, le silence humble et respectueux de la science est de rigueur. Selon le philosophe Ludwig Wittgenstein : « Ce dont on ne peut parler, il faut le taire. »

Plutôt que de craindre la science, nous pouvons la remercier d'élargir nos connaissances et d'éveiller notre stupéfaction. Dans *The Fragile Species*, Lewis Thomas (1992) décrit son étonnement face à notre planète Terre qui, à des époques différentes, a donné naissance aux bactéries et aussi à la *Messe en si mineur* de Bach. En l'espace d'à peine 4 milliards d'années, la vie est passée du néant à des structures aussi complexes qu'une chaîne d'ADN composée de 6 milliards de bases et à l'incompréhensible complexité du cerveau humain. Les mêmes atomes que ceux qui constituent un rocher ont formé d'une manière ou d'une autre des entités dynamiques devenues conscientes. Selon le cosmologue Paul Davies (2007), la nature semble astucieusement conçue pour produire des systèmes extraordinaires de traitement d'information autoréplicatifs : c'est-à-dire nous. Bien qu'il semble que nous ayons été créés à partir de la poussière, à travers des éternités, le résultat final est une créature qui n'a pas de prix, une créature dont le potentiel dépasse notre imagination.

« Les causes de l'histoire de la vie ne peuvent résoudre les mystères du sens de la vie. »
Stephen Jay Gould, *Et Dieu dit : « Que Darwin soit ! » : science et religion, enfin la paix ?*, 1999

AVANT D'ALLER PLUS LOIN...

➤ Interrogez-vous

De quelle manière votre hérédité et votre environnement ont-ils influencé ce que vous êtes aujourd'hui ? Vous souvenez-vous d'un moment important où vous avez déterminé votre propre destin en étant en total désaccord avec la pression que vous sentiez issue de votre hérédité ou de votre environnement ?

➤ Testez-vous 6

De quelle manière l'approche biopsychosociale peut-elle expliquer notre développement individuel ?

Les réponses aux questions « Testez-vous » sont données dans l'annexe B à la fin de l'ouvrage.

RÉVISION : L'inné, l'acquis et la diversité humaine

La génétique du comportement : prédire les différences entre les individus

1. Qu'est-ce qu'un gène ? Comment les généticiens du comportement expliquent-ils nos différences individuelles ?

Les *chromosomes* sont formés d'*ADN*, enroulé sur lui-même, contenant des segments de *gènes* qui, lorsqu'ils sont « activés » (s'expriment), codent pour la synthèse des protéines qui forment les constituants de base de notre organisme. La plupart des caractères humains sont influencés par de nombreux gènes œuvrant ensemble. Les *généticiens du comportement* s'intéressent particulièrement à l'étendue de l'influence de la génétique et de l'*environnement* sur nos traits de caractère. Les études menées sur les *vrais jumeaux*, les *faux jumeaux* et les familles d'adoption ont aidé à spécifier les influences de l'inné (d'origine génétique) et de l'acquis (d'origine environnementale) ainsi que les *interactions* entre elles (signifiant que les effets de chacun dépendent de l'autre). La stabilité du *tempérament* suggère l'existence d'une prédisposition génétique.

2. Qu'est-ce que l'héritabilité ? De quelle manière est-elle liée aux individus et aux groupes ?

L'*héritabilité* décrit l'étendue des variations entre individus d'un groupe qu'il est possible d'attribuer aux gènes. Les différences de caractères héritables entre les individus, comme la taille ou l'intelligence, n'expliquent pas les différences de groupe. Si les gènes expliquent en grande partie pourquoi certains sont plus grands que d'autres, ils n'expliquent pas pourquoi les gens d'aujourd'hui sont plus grands que ceux qui vivaient il y a cent ans.

3. Quelles sont les promesses apportées par les recherches sur la génétique moléculaire ?

Les *généticiens moléculaires* étudient la structure moléculaire et la fonction des gènes. Les psychologues et les généticiens moléculaires coopèrent pour identifier certains gènes spécifiques - ou, plus souvent, des groupes de gènes - qui entraînent chez certaines personnes une augmentation du risque de certaines maladies.

La psychologie évolutionniste : comprendre la nature humaine

4. Comment les psychologues évolutionnistes se servent-ils de la sélection naturelle pour expliquer les tendances comportementales ?

Les *psychologues évolutionnistes* essayent de comprendre comment la *sélection naturelle* a façonné nos caractères et nos tendances comportementales. Le principe de la sélection naturelle établit que les variations qui ont le plus de chances d'être transmises aux générations futures sont celles qui augmentent les chances de survivre et de se reproduire. Certaines de ces variations proviennent de *mutations* (erreurs aléatoires de la réplication génique), d'autres de nouvelles combinaisons géniques au moment de la conception. Charles Darwin, dont la théorie sur l'évolution a longtemps été l'un des principes de l'organisation en biologie, a anticipé l'application contemporaine des principes évolutionnistes en psychologie.

5. De quelle manière un psychologue évolutionniste peut-il expliquer les différences liées au genre dans nos préférences reproductrices ?

Les hommes approuvent plus volontiers les rapports sexuels occasionnels, pensent plus souvent au sexe et sont plus enclins à interpréter à tort l'amitié comme un intérêt sexuel. Pour les femmes plus que pour les hommes, l'affection est très souvent considérée comme la raison du premier rapport sexuel et elles voient, dans l'acte sexuel, un aspect relationnel. Appliquant les principes de la sélection naturelle, les psychologues évolutionnistes interprètent le fait que l'homme soit attiré par de nombreuses femmes fécondes et en bonne santé, par l'augmentation de ses chances de transmettre largement ses gènes. En revanche, comme les femmes doivent attendre le temps de la grossesse puis nourrir leur enfant, elles augmentent leurs propres chances de survie et celles de leurs enfants en recherchant un partenaire ayant des ressources économiques et le potentiel pour s'investir à long terme dans leur progéniture commune.

6. Quelles sont les principales critiques de la psychologie évolutionniste ?

Les critiques soutiennent que les psychologues évolutionnistes partent de l'effet puis remontent en arrière pour trouver son explication, que les perspectives évolutionnistes sous-estiment les influences sociales et que le point de vue évolutionniste absout les gens à prendre des responsabilités concernant leur comportement sexuel. Les psychologues évolutionnistes répondent que le fait de comprendre nos prédispositions peut nous aider à les surmonter. Ils citent également la valeur des prédictions testables fondées sur les principes évolutionnistes ainsi que la cohérence et le pouvoir explicatif de ces principes.

Parents et pairs

7. Dans quelle mesure nos vies sont-elles façonnées par nos premières stimulations, par nos parents, par notre entourage ?

Pendant sa maturation, le cerveau d'un enfant se modifie à mesure qu'il se développe davantage de connexions nerveuses dans les zones associées aux activités stimulantes et que les synapses non utilisées dégénèrent. Les parents influencent leurs enfants du point de vue de leurs manières et de leurs croyances politiques ou religieuses mais pas dans d'autres domaines, comme la personnalité. Le langage et d'autres comportements sont influencés par les groupes de pairs car les enfants s'adaptent pour s'y conformer. En choisissant le voisinage de leurs enfants et leurs écoles, les parents peuvent exercer une certaine influence sur la culture du groupe de pairs.

Les influences culturelles

8. De quelle manière les normes culturelles affectent-elles notre comportement ?

Les *normes* culturelles sont des règles permettant d'avoir les comportements, les idées, les attitudes et les valeurs acceptées et attendues. Selon le lieu et l'époque, les *cultures* diffèrent. Malgré ces variations culturelles, en tant qu'humain, nous partageons des forces communes qui influencent notre comportement.

9. De quelle manière les influences culturelles collectivistes et individualistes affectent-elles les individus ?

Les cultures fondées sur l'*individualisme* autonome, comme la plupart de celles observées aux États-Unis, au Canada et en Europe occidentale, valorisent l'indépendance et l'épanouissement personnel. L'identité se définit en termes d'estime de soi, d'objectifs et de réussites personnels ainsi que de droits et de libertés personnels. Les cultures fondées sur le *collectivisme* social, comme celles de nombreux pays asiatiques et africains, valorisent l'interdépendance, les traditions et l'harmonie. L'identité se définit en termes d'objectifs et d'obligations de groupe ainsi que d'appartenance à un seul groupe. Quelle que soit la culture, le degré d'individualisme ou de collectivisme varie entre les individus.

Développement du genre

10. De quels points de vue les hommes et les femmes ont-ils tendance à être semblables ? À être différents ?

Les hommes et les femmes sont plus semblables que différents du fait de leur composition génétique semblable. Quel que soit notre sexe, nous voyons, entendons, apprenons et nous souvenons de la même façon. Les hommes et les femmes diffèrent par leur quantité de graisse corporelle, leur musculature, leur taille, l'âge d'apparition de la puberté et leur espérance de vie. Ils diffèrent également du fait de leur vulnérabilité vis-à-vis de certains troubles, dans leur *agressivité*, leur pouvoir social et leurs relations sociales.

11. Comment l'inné et l'acquis œuvrent-ils ensemble pour former notre genre ?

Le sexe biologique est déterminé par la vingt-troisième paire de chromosomes à laquelle la mère apporte un *chromosome X* et le père soit un chromosome X (donnant une fille), soit un *chromosome Y* (donnant un garçon). Le chromosome Y déclenche la libération en plus grande quantité de *testostérone* et le développement des organes génitaux masculins. Le *genre* se définit comme l'ensemble des caractéristiques biologiques ou socialement influencées qui permettent aux individus de se définir en tant qu'homme ou femme. Les gènes et les hormones liés au sexe influencent les différences sexuelles observées dans le comportement, probablement en influençant le développement du cerveau. Nous apprenons également des *rôles sexués* qui varient selon les cultures, d'un endroit à l'autre et d'une époque à l'autre. Selon la *théorie de l'apprentissage social*, nous apprenons notre *identité sexuelle* comme nous apprenons autre chose, par le renforcement, la punition et l'observation.

Termes et concepts à retenir

Génétique du comportement, p. 134
Environnement, p. 134
Chromosomes, p. 134
ADN (acide désoxyribonucléique), p. 134
Gènes, p. 134
Génome, p. 135
Vrais jumeaux, p. 135
Faux jumeaux, p. 135
Tempérament, p. 139
Héritabilité, p. 140
Interaction, p. 142
Génétique moléculaire, p. 142
Psychologie évolutionniste, p. 143
Sélection naturelle, p. 143
Mutation, p. 144
Genre, p. 146
Culture, p. 153
Norme, p. 154
Espace personnel, p. 154
Individualisme, p. 155
Collectivisme, p. 155
Agressivité, p. 160
Chromosome X, p. 162
Chromosome Y, p. 162
Testostérone, p. 162
Rôle, p. 164
Rôle sexué, p. 164
Identité sexuelle, p. 165
Identification sexuée, p. 165
Théorie de l'apprentissage social, p. 165

CHAPITRE 5

Le développement de l'individu tout au long de sa vie

DÉVELOPPEMENT PRÉNATAL ET NOUVEAU-NÉ
Conception
Développement prénatal
Compétences du nouveau-né

PREMIÈRE ET SECONDE ENFANCE
Développement physique
Développement cognitif
La théorie de Piaget et les conceptions actuelles
Gros plan : l'autisme et la « cécité mentale »
Développement social

ADOLESCENCE
Développement physique
Développement cognitif
Développement social
Émergence de l'âge adulte

ÂGE ADULTE
Développement physique
Développement cognitif
Développement social

RÉFLEXIONS SUR DEUX QUESTIONS MAJEURES EN PSYCHOLOGIE DU DÉVELOPPEMENT
Continuité et stades du développement
Stabilité et changements

Alors que nous avançons dans la vie, de l'utérus à la tombe, quand et comment nous développons-nous ? En pratique, chacun d'entre nous commence à marcher vers un an et à parler à 2 ans. Enfants, nous sommes tous engagés dans un jeu social qui nous prépare au travail sérieux de l'existence. Adultes, nous sourions et pleurons, aimons et haïssons, et parfois réfléchissons au fait qu'un jour nous mourrons. La **psychologie du développement** examine notre développement constant, du point de vue physique, cognitif et social, de l'enfance à la vieillesse. La majeure partie des recherches est consacrée à trois problèmes centraux :

1. **L'inné/l'acquis :** comment notre développement est-il influencé par notre héritage génétique (*caractéristiques innées*) et nos expériences (*les caractères acquis que nous avons reçus*) ?
2. **Continuité/stades :** le développement est-il un processus progressif et continu comme lorsque l'on se trouve sur un escalator ? Ou bien procède-t-il par une succession de stades séparés, comme lorsque l'on grimpe sur les barreaux d'une échelle ?
3. **Stabilité/changement :** nos traits personnels persistent-ils avec l'âge ? Ou bien devenons-nous des personnes différentes en vieillissant ?

Dans le chapitre 4, nous avons abordé la question de l'inné et l'acquis. À la fin de ce chapitre, nous réfléchirons aux questions de continuité et de stabilité du développement.

::Psychologie du développement : branche de la psychologie qui étudie l'évolution physique, cognitive et sociale tout au long de la vie.

Développement prénatal et nouveau-né

1. Comment la vie se développe-t-elle avant la naissance ?

Conception

Rien n'est plus naturel qu'une espèce qui se reproduit et pourtant rien n'est plus merveilleux. Chez les humains, le processus démarre lorsque l'ovaire de la femme libère un ovule mature, une cellule dont la taille est à peu près celle du point qui termine cette phrase. La femme naît avec la totalité des ovules immatures qu'elle possédera dans sa vie, même si seulement 1 ovule sur 5 000 parviendra à maturité puis sera libéré. À l'opposé, un homme ne commence à produire des spermatozoïdes qu'au moment de la puberté. Ce processus de fabrication continue 24 heures sur 24 pendant le reste de son existence, bien que la vitesse de production, plus de 1 000 spermatozoïdes formés pendant la seconde nécessaire pour lire cette phrase, diminue avec l'âge.

Comme des voyageurs de l'espace approchant une vaste planète, les 200 millions ou plus de spermatozoïdes déposés au moment de l'« accouplement » commencent leur course en remontant en direction d'une cellule environ 85 000 fois plus grosse qu'eux. Les quelques rares spermatozoïdes qui s'approchent de l'ovule libèrent des enzymes qui digèrent la membrane protectrice entourant cet ovule (FIGURE 5.1, page suivante). Dès lors qu'un spermatozoïde commence à s'introduire puis pénètre dans l'ovule, la surface de ce dernier bloque la pénétration de tous les autres. Avant que 12 heures ne se soient écoulées, le noyau de l'ovule et le noyau du spermatozoïde

> « L'inné est tout ce que l'homme possède quand il vient au monde ; l'acquis est tout ce qui peut l'influencer après sa naissance. »
> Francis Galton, *English Men of Science*, 1874

➤ FIGURE 5.1
La vie est transmise sexuellement
Lorsqu'un spermatozoïde pénètre dans la membrane pellucide qui entoure l'ovocyte, une série d'événements chimiques se produit, entraînant la fusion des deux cellules en une seule. Si tout se passe bien, cette cellule se divisera de multiples fois pour donner naissance 9 mois plus tard à un être humain, constitué de 100 trillions de cellules.

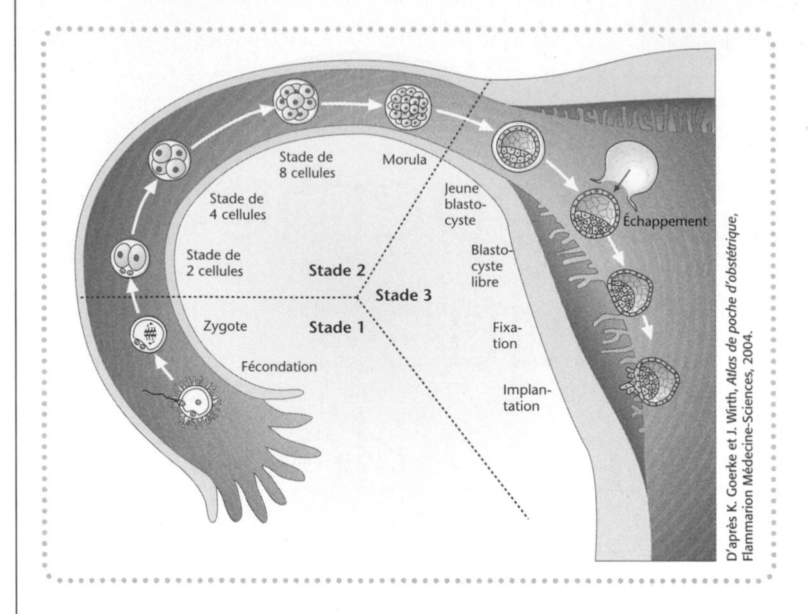

fusionnent. Les deux sont devenus un. Considérez cet événement comme l'un des moments les plus chanceux de votre existence. Parmi 200 millions de spermatozoïdes, celui qui était nécessaire pour vous donner naissance, en combinaison avec cet ovule particulier, a gagné la course.

Développement prénatal

Moins de la moitié des ovules fertilisés, appelés **zygotes**, vont survivre au-delà des 2 premières semaines (Grobstein, 1979 ; Hall, 2004). Mais pour vous et moi, la chance l'a emporté. Une cellule devient deux cellules, puis quatre, chacune identique à la première, jusqu'à ce que cette division cellulaire aboutisse à un zygote d'environ 100 cellules au bout d'une semaine environ. Puis ces cellules commencent à se différencier, c'est-à-dire à acquérir des structures et des fonctions spécialisées. Comment des cellules identiques font cela (comme si elles décidaient entre elles : « Je deviens le cerveau et tu deviens les intestins ! ») est une énigme que les scientifiques commencent à peine à déchiffrer.

Environ 10 jours après la conception, le zygote va s'attacher à la paroi de l'utérus maternel, inaugurant à peu près les 37 semaines de la relation humaine la plus intime qui soit. Les cellules internes du zygote deviennent un **embryon** (FIGURE 5.2). Pendant les 6 semaines suivantes, les organes commencent à se former et à fonctionner. Le cœur se met à battre.

➤ FIGURE 5.2
Développement prénatal L'embryon croît et se développe rapidement. Les aspects et stades du développement embryonnaire et fœtal sont montrés ci-contre à un mois (a), deux mois (b : les caractéristiques du visage, les mains et les pieds sont formés), quatre mois (c) et six mois (d).

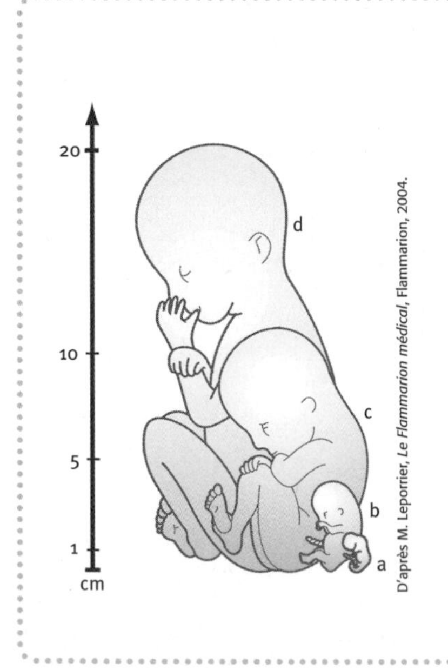

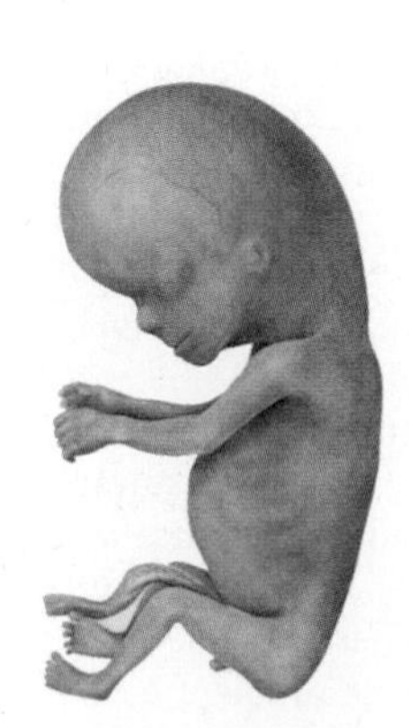
Fœtus 9e semaine

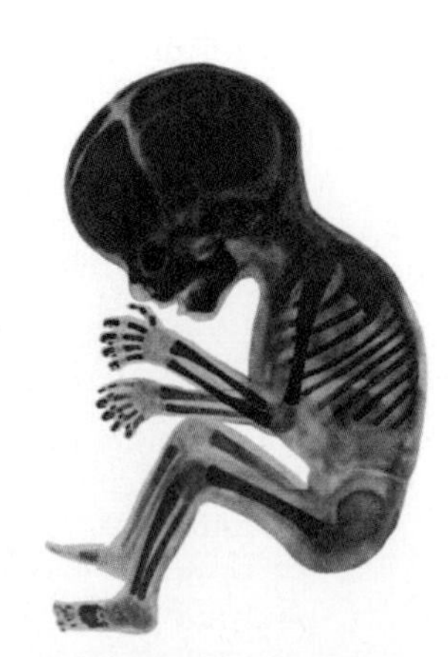
Fœtus 16e semaine, développement du squelette (rouge d'alizarine)

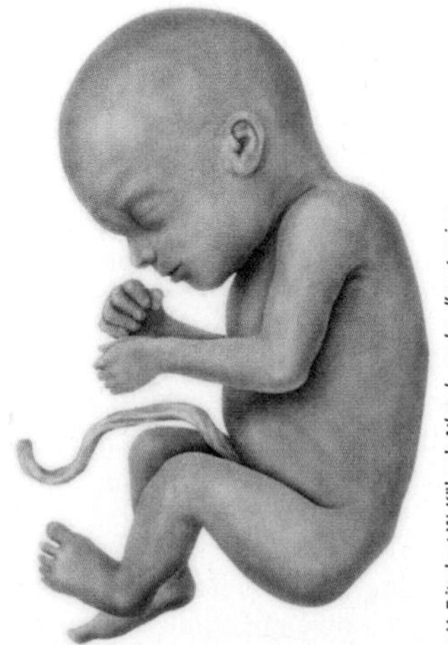
Fœtus 20e semaine

D'après H. Fritsch et W. Kühnel, *Atlas de poche d'anatomie : les viscères*, Flammarion Médecine-Sciences, 2007.

Neuf semaines après la conception, l'embryon prend indubitablement une apparence humaine (FIGURE 5.2) et constitue maintenant un **fœtus** (mot latin signifiant « progéniture » ou « jeune »). À la fin du sixième mois, les organes comme l'estomac sont suffisamment formés et fonctionnels pour donner à un fœtus né prématurément une chance de survivre. À ce stade, le fœtus est également sensible aux sons (Hepper, 2005). Des enregistrements obtenus en plaçant un microphone à l'intérieur de l'utérus montrent que le fœtus perçoit la voix étouffée de sa mère (Ecklund-Flores, 1992). Dès la naissance, après avoir vécu sous l'eau pendant près de 38 semaines, le nouveau-né préfère la voix de sa mère à celle d'une autre femme ou à celle de son père (Busnel et coll., 1992 ; DeCasper et coll., 1984, 1986, 1994).

À chaque stade prénatal, les facteurs génétiques *et* environnementaux affectent notre développement. Le *placenta*, qui se forme lorsque les cellules externes du zygote s'attachent à la paroi utérine, transmet des nutriments et de l'oxygène de la mère au fœtus, tout en filtrant les substances qui peuvent être nocives. Mais certaines substances arrivent à passer, y compris des **agents tératogènes** très nocifs, tels que des virus et des drogues. Si elle est porteuse du virus du SIDA, il se peut que son bébé le soit aussi. Si une femme est héroïnomane, son bébé naîtra héroïnomane. Une femme enceinte ne fume jamais seule ; aussi bien elle que son bébé absorbent la nicotine et subissent une réduction de l'oxygène sanguin. Si elle fume beaucoup, le fœtus recevra moins de nutriments, pourra naître avec un poids inférieur à la normale et sera plus sensible à divers problèmes (Pringle et coll., 2005).

Il n'y a pas de quantité d'alcool « sans danger » pour une femme enceinte. L'alcool qui pénètre dans le sang d'une femme pénètre également dans le sang du fœtus et affaiblit l'activité de leurs deux systèmes nerveux centraux. La descendance d'une femme qui consomme de l'alcool pendant la grossesse peut aimer l'alcool. Les adolescents dont les mères buvaient pendant leur grossesse risquent d'être de forts consommateurs d'alcool et de devenir alcooliques. Au cours d'expériences, les chercheurs ont fait boire de l'alcool à des rates gestantes, et leur descendance a présenté par la suite une attirance pour l'odeur de l'alcool (Youngentob et coll., 2007). Même une légère consommation d'alcool peut avoir des répercussions sur le cerveau fœtal (Braun, 1996 ; Ikonomidou et coll., 2000). Si une femme boit beaucoup, son bébé risque de présenter des anomalies congénitales et une déficience mentale. Chez un enfant sur 800, les effets du **syndrome d'alcoolisme fœtal (SAF)** sont visibles : une tête de petite taille, mal proportionnée, et des anomalies cérébrales définitives (May et Gossage, 2001).

• Développement prénatal
Zygote : de la conception jusqu'à 2 semaines
Embryon : de 2 à 8 semaines
Fœtus : de 9 semaines à la naissance •

« Tu concevras et porteras un fils. Et maintenant, ne bois ni vin ni liqueur forte. »
Juges 13:7

Compétences du nouveau-né

2. Quelles sont les capacités du nouveau-né et comment les chercheurs explorent-ils les capacités mentales des nourrissons ?

Ayant survécu aux risques de la période prénatale, le nouveau-né vient au monde avec des réflexes parfaitement adaptés à sa survie. Il retire l'un de ses membres pour échapper à la douleur. Mettez-lui un vêtement sur la figure, gênant sa respiration, il tournera la tête d'un côté puis de l'autre et tapera dessus.

Les jeunes parents sont souvent impressionnés par la séquence coordonnée de réflexes grâce à laquelle le nourrisson obtient de la nourriture. Lorsque quelque chose touche ses joues, le bébé se tourne en direction de ce qui l'a touché, ouvre la bouche et se met vigoureusement à *rechercher* un mamelon. S'il en trouve un, il referme la bouche dessus et commence à *téter*, ce qui en soi réclame une séquence coordonnée de *mouvements de langue*, de *déglutition* et de *respiration*. S'il ne trouve pas satisfaction, le bébé affamé peut *crier*, un comportement que les parents sont prédisposés à trouver très déplaisant à entendre et très agréable à faire cesser.

Le psychologue américain William James, un pionnier de la psychologie, supposait que le nouveau-né ressentait une « confusion épanouissante et bourdonnante ». Jusque dans les années 1960, peu de gens étaient en désaccord avec cette façon de voir. On pensait qu'excepté un mélange flou de lumière et d'ombre sans signification, le nouveau-né ne pouvait pas voir. Mais les scientifiques ont découvert que les bébés peuvent nous en apprendre beaucoup si nous savons les interroger. Pour ce faire, il faut utiliser de façon judicieuse ce que le bébé est capable de faire (fixer du regard, sucer, tourner la tête). Équipés de machines capables de suivre les mouvements des yeux et de tétines reliées à des capteurs électroniques, les chercheurs s'emploient à répondre à l'éternelle question des parents : qu'est-ce que mon bébé peut voir, entendre, sentir et penser ?

Une des techniques que les chercheurs en psychologie du développement utilisent pour répondre à ces questions est une des formes les plus simples d'apprentissage appelée

« Je me sentais comme un homme enfermé dans le corps d'une femme. C'est alors que je suis né. »
Le comédien Chris Bliss

:: Zygote : l'œuf fertilisé ; après 2 semaines de divisions cellulaires rapides, il devient un embryon.

:: Embryon : organisme humain en développement, 2 semaines après la fertilisation jusqu'à la fin du 2e mois.

:: Fœtus : organisme humain en développement entre la 9e semaine après la conception et la naissance.

:: Agents tératogènes : agents tels que les virus ou les produits chimiques susceptibles d'atteindre l'embryon ou le fœtus au cours du développement prénatal et de provoquer des malformations.

:: Syndrome d'alcoolisme fœtal (SAF) : anomalies physiques et cognitives de l'enfant provoquées par une consommation excessive d'alcool de la mère durant la grossesse. Dans les cas graves, les symptômes comprennent des malformations faciales notables.

::Habituation : diminution de la réponse à une stimulation répétée. Par exemple, lorsqu'un nourrisson est familiarisé à un stimulus visuel par une exposition répétée, son intérêt disparaît et il va bientôt regarder ailleurs.

Prêts à boire et à manger Les animaux sont prédisposés à répondre aux cris de faim de leur progéniture.

Lightscapes Photography, Inc. Corbis

habituation (la diminution d'une réponse à une stimulation répétée). Un stimulus nouveau attire davantage l'attention quand il est présenté pour la première fois. Mais, plus le stimulus est répété, plus la réponse s'amenuise. Ce désintérêt apparent face aux stimuli familiers nous permet de savoir ce que les enfants voient et ce dont ils se souviennent.

Janine Spencer, Paul Quinn et leurs collaborateurs (1997 ; Quinn, 2002) ont utilisé la *méthode des préférences de la nouveauté* afin de voir comment les enfants de 4 mois reconnaissaient les chiens et les chats. En premier lieu, les chercheurs ont montré une série de photos de chats et de chiens aux enfants. D'après vous, lequel des deux animaux se trouvant à la FIGURE 5.3 aurait présenté plus d'intérêt pour les enfants (en mesurant le temps passé à regarder l'image) après qu'ils aient vu une série de chats ? C'était l'animal hybride à la tête de chien (ou avec une tête de chat s'ils avaient vu auparavant une série de photographies de chiens). Cela montre bien que, tant chez les enfants que chez les adultes, c'est le visage et non le corps qui attire l'attention en premier.

➤ FIGURE 5.3
Vite : lequel des deux est le chat ?
Les chercheurs utilisent des images d'animaux hybrides (moitié chien/moitié chat) pour voir comment l'enfant va catégoriser les animaux.

Avec l'autorisation de Paul Quinn, © John Wiley & Sons

En fait, nous sommes nés en préférant les images et les bruits qui facilitent la réponse sociale. Nourrissons, nous tournons la tête dans la direction des voix humaines. Nous fixons plus longuement un dessin d'un visage humain (FIGURE 5.4) que le schéma d'un œil-de-bœuf. Mais nous fixons plus longuement le dessin d'un œil-de-bœuf, qui a un contraste assez proche de celui d'un œil humain, qu'un disque plein (Fantz, 1961). Nous préférons regarder des objets à une distance de 20 à 30 cm, qui, miracle, est justement la distance existant entre les yeux du bébé et ceux de sa mère quand elle s'en occupe (Maurer et Maurer, 1988).

Quelques jours après sa naissance, les réseaux neuronaux du cerveau d'un bébé sont imprégnés de l'odeur du corps de sa mère. Un bébé d'une semaine nourri au sein, placé entre une compresse de gaze du soutien-gorge de sa mère et celle venant d'une autre mère allaitant, se tournera en général vers celle portant l'odeur de sa mère (MacFarlane, 1978). À l'âge de 3 semaines, un bébé suçant une tétine qui déclenche soit un enregistrement de la voix de sa mère, soit celui de la voix d'une autre femme, tétera plus vigoureusement en entendant la voix devenue familière de sa mère (Mills et Melhuish, 1974). Ainsi, non seulement le nourrisson peut voir ce qu'il a besoin de voir, sent bien et entend bien, mais il utilise déjà son appareil sensoriel pour apprendre.

➤ FIGURE 5.4
La préférence des nouveau-nés pour les visages Lorsqu'on leur a montré ces stimuli avec les mêmes éléments, des nouveau-nés italiens ont passé deux fois plus de temps à regarder l'image de gauche, qui ressemble à un visage (Johnson et Morton, 1991). Une autre étude effectuée avec des nouveau-nés canadiens (âgés en moyenne de 53 minutes) a montré la même préférence innée vis-à-vis des visages (Mondloch et coll., 1999).

AVANT D'ALLER PLUS LOIN...

➤ INTERROGEZ-VOUS

Êtes-vous étonné par ce que vous apprenez sur l'étendue des capacités d'un nouveau-né ou le saviez-vous déjà ?

➤ TESTEZ-VOUS 1

Une de vos amies qui boit régulièrement désire avoir un enfant rapidement. Elle arrête de boire. Pourquoi est-ce une bonne idée ? Quels sont les effets négatifs de la consommation d'alcool sur le fœtus pendant la grossesse ?

Les réponses aux questions « Testez-vous » sont données dans l'annexe B à la fin de l'ouvrage.

Première et seconde enfance

DURANT LA PREMIÈRE ENFANCE, LE NOURRISSON SE DÉVELOPPE pour devenir un jeune enfant qui commence à marcher. Durant la seconde enfance, le jeune enfant va évoluer jusqu'à l'adolescence. Nous suivons tous ce chemin en nous développant sur les plans physique, cognitif et social. À partir de la petite enfance, le cerveau et l'esprit, le réseau neuronal et le programme cognitif, se développent de concert.

« C'est un rare privilège que de suivre la naissance, le développement et les premières luttes hésitantes d'un esprit humain vivant. »
Annie Sullivan, dans le livre de Helen Keller : *The Story of My Life*, 1903

Développement physique

3. Durant la première et la seconde enfance, comment le cerveau et les aptitudes motrices se développent-elles ?

Développement du cerveau

Quand vous étiez dans l'utérus maternel, votre cerveau en développement a formé des cellules nerveuses à la vitesse prodigieuse d'environ 250 000 par minute. Le cortex cérébral en développement surproduit des neurones et atteint son niveau maximal au terme de 28 semaines, se stabilisant finalement à environ 23 milliards de neurones au moment de la naissance (Rabinowicz et coll., 1996, 1999 ; de Courten-Myers, 2002). Le jour de votre naissance, vous possédez pratiquement toutes les cellules cérébrales dont vous ne disposerez jamais. Cependant, votre système nerveux est immature. Après la naissance, les réseaux neuronaux qui vous permettent de marcher, de parler et de vous souvenir ont une phase de croissance débordante (FIGURE 5.5). Entre l'âge de 3 et 6 ans, la croissance la plus rapide s'effectue dans vos lobes frontaux, qui permettent une planification rationnelle. Ce phénomène permet d'expliquer pourquoi chez les enfants non encore scolarisés la capacité à contrôler leur attention et leur comportement se développe rapidement (Garon et coll., 2008).

Les aires associatives du cortex, liées à la pensée, à la mémoire et au langage, sont les dernières aires du cerveau à se développer. À mesure qu'elles se développent, nos capacités mentales apparaissent (Chugani et Phelps, 1986 ; Thatcher et coll., 1987). Les fibres nerveuses associées au langage et à l'agilité continuent leur développement à la puberté. Après quoi, un processus d'élagage (*pruning*) élimine les connexions en excès, et en renforce d'autres (Paus et coll., 1999 ; Thompson et coll., 2000).

De même qu'une fleur s'ouvre selon son propre code génétique, nous obéissons également à un processus de croissance biologique, selon une suite d'étapes ordonnées, appelée **maturation**. La maturation régit une gamme importante de nos structures de base, allant du simple fait de se lever avant de marcher à l'utilisation des noms et des adjectifs dans l'ordre correct. Les carences affectives sévères ou les mauvais traitements peuvent retarder le développement de l'enfant tandis qu'une relation riche avec des parents qui parlent et lisent à leur enfant contribue au bon développement des connexions neuronales. Cependant, la propension génétique à la croissance est un facteur inné. La maturation détermine les grandes étapes du développement, l'expérience l'ajuste.

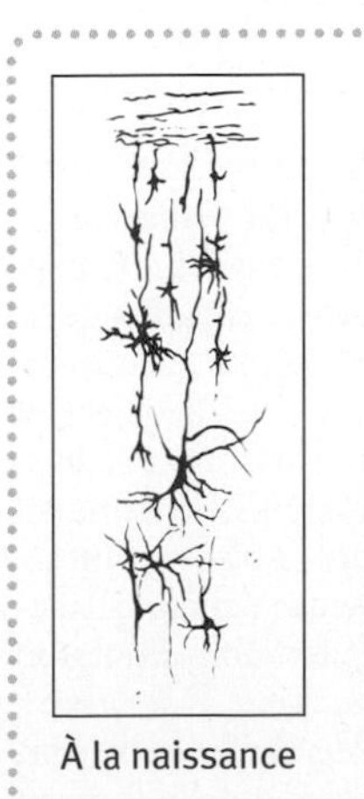
À la naissance

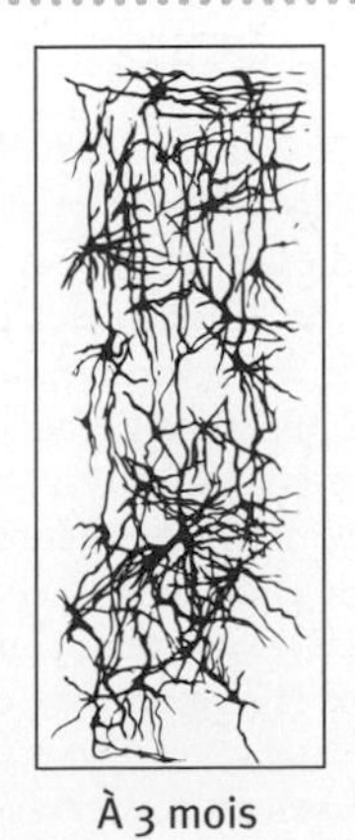
À 3 mois

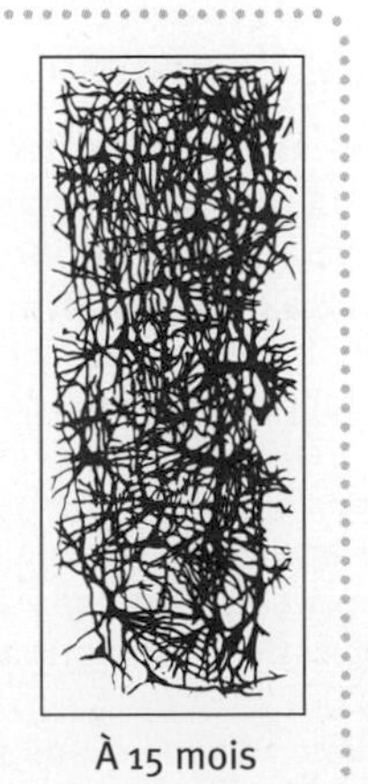
À 15 mois

➤ FIGURE 5.5
Dessins de coupes du cortex cérébral humain Chez l'homme, le cerveau est immature à la naissance. Au fur et à mesure que l'enfant grandit, les réseaux neuronaux deviennent de plus en plus complexes.

::Maturation : processus biologique de croissance permettant des changements séquentiels du comportement, relativement peu influencés par l'expérience.

« Voici le chemin vers l'âge adulte. Toi, tu es là ! »

• Au cours des huit années qui ont suivi la campagne d'éducation américaine « *back to sleep* » (dormir sur le dos) en 1994, le nombre d'enfants dormant sur le ventre a chuté de 70 à 11 p. 100 et le syndrome de mort subite du nourrisson (SMSN) a diminué de moitié (Braiker, 2005). •

Développement moteur

Le développement du cerveau permet aussi la coordination physique. Au fur et à mesure que les muscles et le système nerveux de l'enfant se développent, des capacités plus complexes apparaissent. À quelques exceptions près, l'ordre selon lequel se produit le développement physique (la coordination motrice) est universel. Les bébés roulent sur eux-mêmes avant de se tenir assis tout seuls et avancent à quatre pattes avant de marcher (FIGURE 5.6). Ces comportements ne proviennent pas d'un processus d'imitation, mais d'une maturation du système nerveux ; les enfants aveugles aussi rampent avant de marcher.

Mais il existe des différences individuelles dans le déroulement temporel de cette suite d'événements. Aux États-Unis, 25 p. 100 des bébés savent marcher à l'âge de 11 mois, 50 p. 100 dans la première semaine suivant leur premier anniversaire et 90 p. 100 à l'âge de 15 mois (Frankenburg et coll., 1992). Du fait de la position de sommeil actuellement recommandée, consistant à *mettre les bébés sur le dos* (pour réduire les risques de mort par étouffement), il semble que les bébés rampent légèrement plus tard. Toutefois, aucun retard concernant la marche n'a été constaté (Davis et coll., 1998 ; Lipsitt, 2003).

Les gènes jouent un rôle prépondérant dans le développement moteur. Les vrais jumeaux commencent à s'asseoir et à marcher pratiquement le même jour (Wilson, 1979). La maturation, y compris le développement rapide du cervelet à l'arrière du crâne, nous permet d'être prêts à marcher à peu près vers 1 an. L'entraînement avant cet âge ne joue qu'un rôle limité. Cela est également vrai pour d'autres aptitudes physiques, en particulier le contrôle de l'intestin et de la vessie. Avant que le processus de maturation nécessaire ne s'achève sur le plan musculaire et sur le plan nerveux, il est inutile de supplier, de harceler ou de punir un enfant dans le but de lui apprendre la propreté.

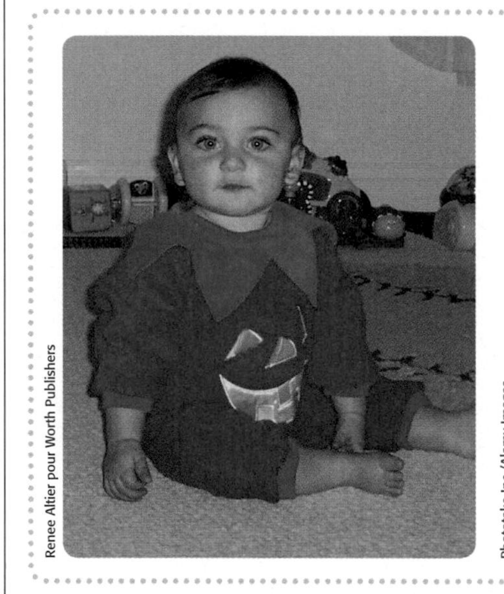

Renee Altier pour Worth Publishers

Phototake Inc./Alamy Images

➤ FIGURE 5.6
Des bébés triomphants S'asseoir, avancer à quatre pattes, marcher, courir : on retrouve la même séquence d'étapes du développement moteur partout dans le monde ; seul l'âge peut varier selon les bébés.

Maturation et mémoire de l'enfant

Nos premiers souvenirs sont rarement antérieurs à l'âge de 3 ans. Nous avons pu constater cette *amnésie infantile* dans les souvenirs d'un groupe d'enfants d'âge préscolaire ayant dû évacuer d'urgence le bâtiment où ils se trouvaient à la suite d'un incendie déclenché par une machine à pop-corn. Sept ans plus tard, les enfants âgés de 4 à 5 ans lors de l'événement étaient capables de se rappeler de l'alarme d'incendie et de ce qui l'avait déclenchée. En revanche, les enfants qui avaient 3 ans au moment de l'incident ne se rappelaient guère de la raison de l'évacuation des lieux et ont même cru se rappeler, à tort, qu'ils se trouvaient déjà à l'extérieur lors du signal d'alarme (Pillemer, 1995). D'autres études confirment que l'âge moyen de la mémoire consciente la plus lointaine est 3 ans et demi (Bauer, 2002). Vers 4-5 ans, l'amnésie infantile commence à céder la place au mécanisme de mémorisation des événements (Bruce et coll., 2000). Cependant, même pendant l'adolescence, les aires cérébrales responsables de la mémorisation (l'hippocampe et les lobes frontaux) poursuivent leur maturation (Bauer, 2007).

• Vous rappelez-vous de votre premier jour de maternelle (ou de l'anniversaire de vos 3 ans) ? •

Bien que peu de souvenirs précédant l'âge de 4 ans ne soient conservés de façon *consciente*, notre mémoire a traité des informations pendant cette période. En 1965, alors qu'elle finissait son doctorat, Carolyn Rovee-Collier a observé la mémoire des nourrissons. Elle était également une jeune mère, et les coliques de son petit Benjamin, âgé de 2 mois, pouvaient être calmées en faisant bouger un mobile fixé sur son berceau. Fatiguée de tirer sur le mobile, elle le relia au pied de Benjamin à l'aide d'un ruban. Très vite, il donna des coups de pieds pour faire bouger son mobile. En réfléchissant sur son expérience involontaire, Rovee-Collier réalisa que, contrairement à l'idée populaire de l'époque, les bébés étaient capables d'apprendre. Pour s'assurer que son petit Benjamin n'était pas simplement un petit génie, Rovee-Collier recommença son expérience sur d'autres enfants (Rovee-Collier, 1989, 1999). Bien entendu, ils se sont également mis à remuer leur pied plus souvent lorsqu'ils étaient reliés à un mobile, que ce soit le jour de l'expérience mais aussi le jour suivant. Ils avaient appris le lien existant entre le mouvement de leur pied et le mouvement du mobile. Cependant, si elle attachait leur pied à un mobile différent le jour suivant, les nourrissons ne montraient pas d'apprentissage. Cette action indique qu'ils se souvenaient du premier mobile et qu'ils étaient capables de reconnaître la différence. De plus, lorsqu'un mois plus tard, ils étaient à nouveau reliés au mobile familier, ils se sont souvenus de l'association et ont recommencé à donner des coups de pieds (FIGURE 5.7).

L'existence du traitement précoce des informations a également été mise en évidence lors d'une étude où l'on montrait à des enfants de 10 ans des photographies de jeunes enfants et à qui on demandait de repérer leurs anciens camarades de classe. Bien qu'ils aient reconnu consciemment un camarade sur cinq, leur réponse physiologique (critère de mesure fondé sur le taux de transpiration cutanée) était plus élevée lorsqu'ils regardaient des photographies de leurs anciens copains de classe, qu'ils les reconnaissent consciemment ou pas (Newcombe et coll., 2000). Ce que l'esprit conscient ne savait pas et ne pouvait pas exprimer avec des mots, le système nerveux s'en souvenait d'une certaine façon.

Michael Newman/PhotoEdit

➤ FIGURE 5.7
Un nourrisson en plein travail
Les bébés âgés seulement de 3 mois peuvent apprendre qu'avec un coup de pied ils peuvent faire bouger un mobile et peuvent s'en souvenir pendant un mois. (D'après Rovee-Collier, 1989, 1997.)

Développement cognitif

4. Selon la perspective de Piaget et des chercheurs actuels, de quelle manière l'esprit d'un enfant se développe-t-il ?

La **cognition** se réfère à toutes les activités mentales associées à la pensée, à la connaissance, aux souvenirs et à la communication. À un moment de votre voyage précaire de l'« œuf à la personne » (Broks, 2007), vous êtes devenu conscient. Quand cela s'est-il produit ? Comment votre esprit s'est-il déployé à partir de là ? Le psychologue du développement, Jean Piaget, a passé sa vie à chercher des réponses à ces questions. Son intérêt débuta en 1920 alors qu'il travaillait à Paris à la mise au point de questions destinées à tester l'intelligence des enfants. En faisant passer ces tests, Piaget fut intrigué par les *mauvaises* réponses des enfants qui, remarqua-t-il, étaient souvent étrangement semblables parmi les enfants d'un âge donné. Là où les autres ne voyaient que des erreurs enfantines, Piaget perçut l'intelligence au travail.

Le demi-siècle que Piaget passa avec les enfants le convainquit que l'esprit d'un enfant n'est pas un modèle miniature de celui d'un adulte. Grâce en partie à son travail, nous savons maintenant que les enfants raisonnent *différemment,* « d'une manière étonnamment illogique lorsqu'ils sont confrontés à des problèmes auxquels les adultes proposent des solutions qui leur semblent évidentes » (Brainerd, 1996).

Bill Anderson/Photo Researchers, Inc.

Jean Piaget (1896-1980) « Si nous examinons le développement intellectuel d'un individu ou de la totalité de l'humanité, nous trouverons que l'esprit humain passe par une succession de stades tous différents les uns des autres » (1930).

« Qui connaît les pensées d'un enfant ? »
Nora Perry, poète.

« L'enfance a sa propre manière de voir, de penser et de sentir, et il n'y a rien de plus idiot que de tenter de mettre la nôtre à sa place. »
Jean-Jacques Rousseau, philosophe, 1798

::Cognition : activités mentales associées à la pensée, au savoir, au souvenir et à la communication.

➤ FIGURE 5.8
Erreurs d'échelle Selon les psychologues Judy DeLoache, David Uttal et Karl Rosengren (2004), les enfants de 18 à 30 mois n'arrivent pas à prendre en compte la taille de l'objet lorsqu'ils essayent de l'utiliser pour réaliser des actions impossibles. À gauche, un enfant de 21 mois essaye de glisser sur un toboggan miniature. À droite, un enfant de 24 mois ouvre la porte d'une voiture miniature et essaye d'y entrer.

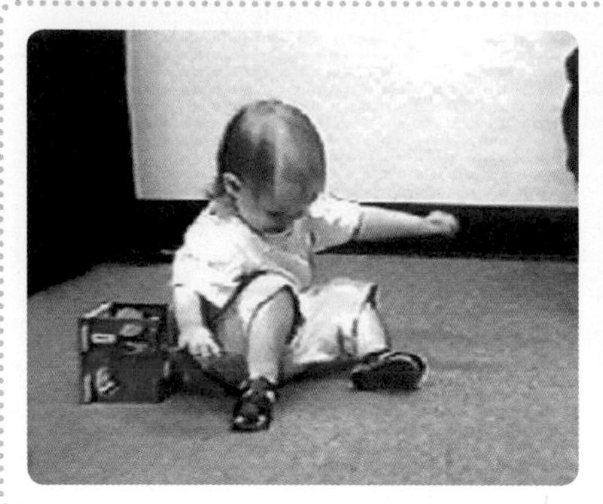

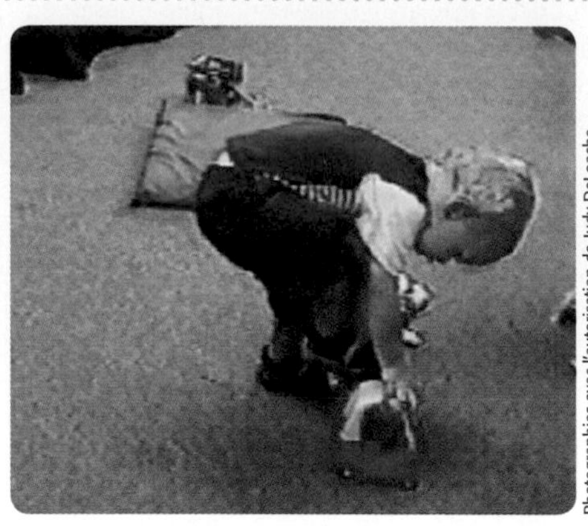

Photographies avec l'autorisation de Judy DeLoache

FIGURE 5.9
Un objet impossible Regardez attentivement le « diapason du diable » ci-contre. Maintenant regardez ailleurs, ou plutôt, étudiez-le d'abord de plus près et puis regardez ailleurs et dessinez-le… Pas si facile, n'est-ce pas ? Parce que ce diapason est un objet impossible, vous ne disposez d'aucun schème avec lequel vous pourriez assimiler ce que vous voyez.

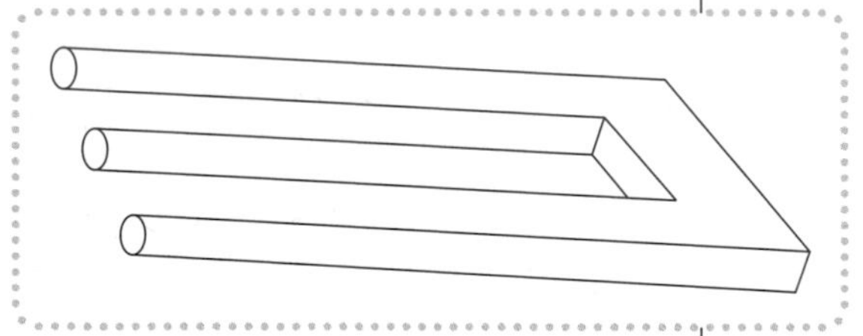

➤ FIGURE 5.10
Verser l'expérience dans un moule mental Nous utilisons nos schèmes existants afin d'*assimiler* de nouvelles expériences. Mais nous avons parfois besoin de *réajuster* nos schèmes afin de pouvoir intégrer de nouvelles expériences.

Les études de Piaget l'ont mené à croire que l'esprit d'un enfant se développe selon une succession de stades, en une marche en avant depuis les réflexes simples du nouveau-né jusqu'à la capacité de raisonnement abstrait de l'adulte. Un enfant de 8 ans peut ainsi comprendre des choses qu'un enfant de 3 ans ne peut pas assimiler. Il peut, par exemple, percevoir l'analogie suivante : « Avoir une idée, c'est comme si l'on allumait une lumière dans la tête », ou qu'un toboggan miniature est trop petit pour pouvoir y glisser et qu'une voiture miniature est bien trop petite pour y entrer (FIGURE 5.8). Mais notre esprit adulte permet de la même manière des raisonnements qu'un enfant de 8 ans ne peut comprendre.

Le concept de base de Piaget est que la force motrice derrière notre progression intellectuelle est notre lutte incessante pour donner un sens à nos expériences. « Les enfants pensent activement et essayent constamment de construire des modèles de compréhension du monde plus avancés » (Siegler et Ellis, 1996). À cette fin, le cerveau en cours de maturation échafaude des **schèmes**, concepts ou moules mentaux dans lesquels nous versons nos expériences (FIGURE 5.9). À l'âge adulte, nous avons construit d'innombrables schèmes allant du *chat* ou du *chien* à notre conception de l'*amour*.

Piaget a proposé deux concepts pour expliquer comment nous utilisons et ajustons nos schèmes. D'abord, nous **assimilons** de nouvelles expériences que nous interprétons en fonction de notre compréhension actuelle (schèmes). Ayant un schème simple pour une *vache*, un enfant qui commence à marcher va appeler *vache* tous les animaux à quatre pattes. Mais, à mesure que nous interagissons avec le monde, nous ajustons ou **accommodons** également nos schèmes pour y incorporer les informations apportées par nos nouvelles expériences. Ainsi, l'enfant va apprendre très vite que le schème originel de la *vache* est trop large et va accommoder en affinant la catégorie (FIGURE 5.10).

Gabriella, 2 ans, a appris le schème correspondant à « vache » dans son imagier.

Gabriella voit un élan et l'appelle une « vache ». Elle essaie d'assimiler ce nouvel animal à un schème existant. Sa mère lui dit : « Non, c'est un élan. »

Gabriella accommode son schème pour les animaux à poils et de grande taille. Elle continue à modifier ce schème pour inclure « maman élan », « bébé élan », etc.

Piaget pensait que, comme les enfants construisent leur compréhension en interagissant avec le monde, ils connaissent des poussées de changement suivies de moments de stabilité, en passant d'un plateau de développement cognitif au suivant. Il considérait que ces plateaux formaient des stades. Regardons maintenant chacun des stades de Piaget à la lumière des conceptions actuelles.

La théorie de Piaget et les conceptions actuelles

Piaget proposait que le développement cognitif des enfants passait par quatre stades ayant chacun des caractéristiques particulières qui permettent un mode de pensée spécifique (Tableau 5.1).

TABLEAU 5.1

Les stades du développement cognitif selon Piaget

Classe d'âges	Description du stade	Étapes majeures
De la naissance à presque 2 ans	*Sensori-moteur* Contacts avec le monde par l'intermédiaire des sens et des actions (regarder, entendre, toucher, porter à la bouche et saisir)	• Permanence des objets • Peur de l'étranger
De 2 à 6 ou 7 ans	*Préopératoire* Représentation des choses avec des mots ou des images ; utilisation de l'intuition plutôt que du raisonnement logique	• Jouer à faire semblant • Égocentrisme
De 7 à 11 ans environ	*Opérations concrètes* Pensées logiques à propos d'événements concrets ; compréhension d'analogies concrètes et capacité à exécuter des opérations arithmétiques	• Conservation • Transformations mathématiques
De 12 ans environ à l'âge adulte	*Opérations formelles* Raisonnement abstrait	• Logique abstraite • Potentiel pour un raisonnement moral mature

Stade sensori-moteur Au cours du **stade sensori-moteur**, depuis la naissance jusqu'à pratiquement l'âge de 2 ans, les bébés comprennent le monde par l'intermédiaire de leurs sens et de leurs actions, en regardant, entendant, touchant, attrapant et portant à la bouche.

Les très jeunes bébés semblent vivre dans le présent : loin des yeux, loin de l'esprit. Dans l'un de ses tests, Piaget montrait à un enfant un jouet fascinant puis mettait son béret dessus. Avant l'âge de 6 mois, les enfants agissaient comme si le jouet avait cessé d'exister. Les très jeunes enfants n'ont pas la notion de **permanence de l'objet**, c'est-à-dire la conscience du fait que les objets continuent d'exister lorsqu'ils ne les voient pas (Figure 5.11). À 8 mois, les enfants commencent à manifester un souvenir des choses qu'ils ne voient plus. Cachez l'objet

::**Schème (ou schéma)** : concept ou cadre qui organise et interprète l'information.

::**Assimilation** : interprétation d'une expérience nouvelle selon un schème existant.

::**Accommodation** : adaptation d'un schème actuel de compréhension pour y intégrer une information nouvelle.

::**Stade sensori-moteur** : selon la théorie de Piaget, c'est le stade (depuis la naissance jusqu'à 2 ans environ) au cours duquel les enfants connaissent le monde essentiellement en termes d'impressions sensorielles et d'activités motrices.

::**Permanence de l'objet** : perception que les choses continuent d'exister même si on ne les voit pas.

Milt et Patti Putnam/Corbis

➤ FIGURE 5.11
Permanence de l'objet Les enfants de moins de 6 mois ne comprennent pas que les objets continuent d'exister lorsqu'ils sont hors de leur vue. Mais pour cet enfant, être hors de vue ne signifie pas être hors de l'esprit.

Doug Goodman

et l'enfant le cherchera pendant quelques instants. Un ou deux mois plus tard, l'enfant le cherchera, même si on l'en a empêché pendant plusieurs secondes.

Mais la permanence de l'objet va-t-elle vraiment éclore à 8 mois, comme les tulipes éclosent au printemps ? Aujourd'hui, les chercheurs voient le développement de façon plus continue que Piaget et considèrent la permanence de l'objet comme un processus qui se met progressivement en place. Même le jeune nourrisson va chercher au moins momentanément un jouet où il l'a vu caché une seconde avant (Wang et coll., 2004).

Les chercheurs pensent que Piaget et ses successeurs ont sous-estimé la compétence du jeune enfant. Considérons quelques expériences simples qui démontrent la pensée logique du bébé :

- Tel un adulte regardant un tour de magie avec incrédulité (expression du « Ouah, c'est dingue ! »), les enfants regardent plus longuement lorsqu'on leur montre une scène inattendue et non familière, comme une voiture semblant passer à travers un objet solide, ou un ballon arrêté entre ciel et terre, ou encore un objet allant à l'encontre du principe de permanence lorsqu'il disparaît de façon magique (Baillargeon, 1995, 2008 ; Wellman et Gelman, 1992). Au cours d'une autre expérience astucieuse, Sarah Shuwairi et ses collaborateurs (2007) ont montré à des bébés âgés de 4 mois l'image d'un cube (Figure 5.12) sur laquelle une petite zone était masquée. Une fois que les enfants se sont habitués à l'image, ils ont regardé plus longtemps l'image de la version impossible du cube que celle de la version possible. Il semble que les bébés soient davantage capables de pensées intuitives concernant les lois simples de la physique que ne le pensait Piaget.
- Les bébés ont aussi des dispositions pour les nombres. Karen Wynn (1992, 2000) a montré à des enfants de 5 mois un ou deux objets. Ensuite, elle a caché les objets derrière un écran, enlevant ou ajoutant parfois un objet de manière visible (Figure 5.13). Lorsqu'elle retirait l'écran, les enfants y regardaient parfois à deux fois, regardant plus longuement lorsqu'on leur montrait un nombre d'objets erroné. Les enfants réagissaient-ils simplement à un nombre plus ou moins important d'objets plutôt qu'au changement numérique (Feigenson et coll., 2002) ? Des expériences menées plus tard ont montré que la perception des nombres chez les bébés s'étendait à des nombres plus importants, à des battements de tambour et aux mouvements (McCrink et Wynn, 2004 ; Spelke et Kinzler, 2007 ; Wynn et coll., 2002). Si on les habitue à ce qu'une marionnette de Duffy Duck saute sur le plateau trois fois, ils se montreront surpris si elle ne saute que deux fois. Décidément, les bébés sont plus intelligents que ne le pensait Piaget. Même lorsque nous n'étions que des bébés, nous avions beaucoup de choses à l'esprit.

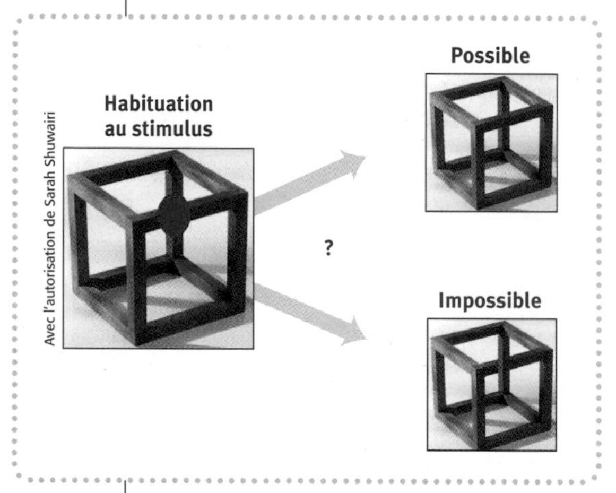

➤ FIGURE 5.12
Les bébés peuvent différencier les objets possibles des objets impossibles Une fois habitués au stimulus de gauche, les bébés de quatre mois regardent plus longtemps l'image lorsqu'on leur montre la version impossible du cube, où la barre verticale de la face arrière passe par-dessus la barre horizontale de la face avant (Shuwairi et coll, 2007).

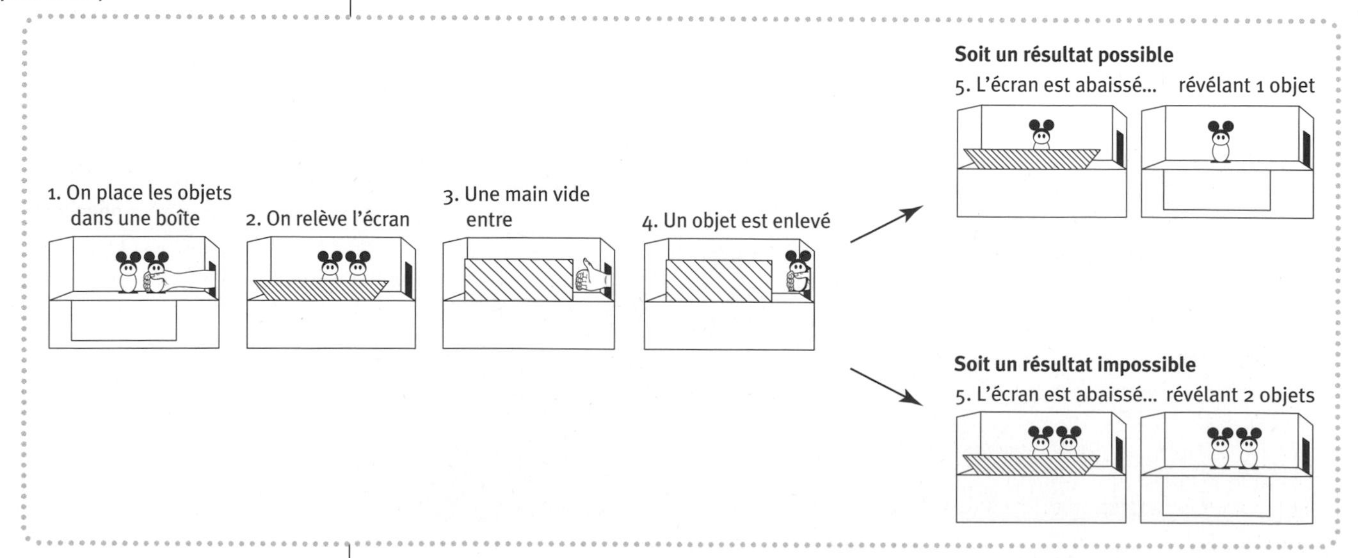

➤ FIGURE 5.13
Les maths chez bébé Si on leur montre un résultat numérique impossible, les bébés âgés de 5 mois regardent plus longuement. (D'après Wynn, 1992.)

Stade préopératoire Piaget pensait que, jusqu'à l'âge de 6 ou 7 ans environ, les enfants se trouvaient à un **stade préopératoire** et étaient trop jeunes pour l'exécution d'opérations mentales. Pour un enfant de 5 ans, la quantité de lait qui est « trop importante » dans un verre étroit et haut peut devenir une quantité acceptable si elle est versée dans un verre bas et large. Se focalisant uniquement sur la hauteur, cet enfant est incapable d'exécuter l'opération consistant à reverser mentalement le lait dans l'autre verre parce qu'il ne possède pas le concept de **conservation**, principe selon lequel la quantité demeure la même en dépit du changement de forme (FIGURE 5.14).

Bianca Moscatelli/Worth Publishers

➤ FIGURE 5.14
Test de conservation chez Piaget Cet enfant au stade préopératoire ne comprend pas encore le principe de la conservation de la substance. Lorsqu'on verse le lait dans un verre plus haut et plus étroit, il lui semble soudainement qu'il y en a plus que dans le verre plus petit mais plus large. Dans un an ou deux, elle comprendra que le volume est resté le même.

Piaget ne voyait pas la transition entre les stades comme un phénomène abrupt. Toutefois, le raisonnement symbolique peut être observé à un âge plus précoce qu'il ne le pensait. Judy DeLoache (1987) le découvrit en montrant à un groupe d'enfants la maquette d'une chambre et en y cachant un jouet (un minuscule chien en peluche derrière un canapé miniature). Les enfants de 2 ans et demi furent facilement capables de se souvenir de l'endroit où se trouvait le jouet miniature, mais ne purent utiliser ce modèle pour trouver un vrai chien en peluche dans une vraie pièce. À l'âge de 3 ans (soit 6 mois plus tard), les enfants réussirent à aller droit vers l'animal en peluche dans la pièce réelle, montrant leur *aptitude* à penser au modèle comme un symbole de la chambre. Piaget aurait probablement été surpris par cette découverte.

Égocentrisme Selon Piaget, les enfants préscolaires (enfants de moins de 6 ans) sont **égocentriques**. Ils ne peuvent pas percevoir les choses en adoptant le point de vue de quelqu'un d'autre. Gabriella, 2 ans, à qui l'on demanda : « montre ta photo à maman », lui montra la photo en la mettant face à ses propres yeux. Gray, 3 ans, pense être « invisible » quand il met ses mains sur ses yeux, car comme il ne voit pas ses grands-parents, ces derniers ne peuvent pas le voir. La conversation des enfants révèle aussi leur égocentrisme, comme le démontre un jeune garçon (Phillips, 1969, p. 61) :

> « *As-tu un frère ?* »
> « *Oui.* »
> « *Quel est son nom ?* »
> « *Jim.* »
> « *Est-ce que Jim a un frère ?* »
> « *Non.* »

Comme Gabriella, les très jeunes téléspectateurs qui vous empêchent de regarder la télévision en se mettant devant l'écran considèrent que vous voyez la même chose qu'eux. Ils n'ont tout simplement pas encore développé la capacité à prendre en compte le point de vue des autres. Même une fois adulte, nous pensons souvent que les autres partagent nos opinions et nos perspectives bien plus qu'ils ne le font en réalité, comme lorsque nous supposons que les choses sont claires pour les autres parce qu'elles le sont pour nous, ou que les destinataires de nos mails « comprennent » la teneur « ironique » de notre message (Epley et coll., 2004 ; Kruger et coll., 2005). Les enfants, cependant, sont encore plus sensibles à ce *fléau du savoir*.

• Question : si la plupart des enfants de 2 ans et demi ne comprennent pas comment les poupées et les jouets miniatures peuvent symboliser des objets réels, doit-on utiliser des poupées ayant une anatomie proche de l'homme pour interroger les enfants sur des sujets tels que les abus sexuels et les maltraitances physiques ? Judy DeLoache (1995) déclare que « les très jeunes enfants ne trouvent ni naturel ni facile d'utiliser une poupée en tant que représentation d'eux-mêmes ». •

::Stade préopératoire : selon la théorie de Piaget, stade (entre 2 et 6 ou 7 ans) au cours duquel un enfant apprend à utiliser un langage, mais ne comprend pas encore les opérations mentales de la logique concrète.

::Conservation : principe (que Piaget considérait comme un élément du raisonnement opératoire concret) selon lequel les propriétés telles que la masse, le volume ou le nombre demeurent les mêmes en dépit d'un changement de forme des objets.

::Égocentrisme : selon la théorie de Piaget, incapacité de l'enfant au stade préopératoire à voir les choses selon le point de vue d'autrui.

• Tracez un E majuscule sur votre front avec votre doigt. Lorsqu'Adam Galinsky et ses collaborateurs (2006) ont invité des personnes à faire cet exercice, les personnes conditionnées auparavant pour se sentir puissantes avaient tendance à être plus égocentriques (c'est-à-dire qu'elles avaient moins tendance à le dessiner en pensant à la personne les regardant en face). D'autres études ont confirmé que lorsqu'on se sent puissant, on est moins sensible à la manière dont les autres voient, pensent et ressentent. •

Family Circus® Bil Keane

« Tu ne t'en souviens pas Mamie ? T'étais là pourtant. »

Théorie de l'esprit Lorsque le Petit chaperon rouge se rend compte que sa « grand-mère » est un loup, il révise immédiatement son jugement à propos des intentions de l'animal et s'éloigne en courant. Bien qu'encore égocentriques, les enfants d'âge préscolaire développent la capacité à déduire les états mentaux des autres lorsqu'ils commencent à développer une **théorie de l'esprit** (terme inventé par les psychologues David Premack et Guy Woodruff pour décrire la capacité apparente des chimpanzés à lire les intentions).

Au fur et à mesure que se développe leur capacité à prendre en compte les points de vue d'autrui, les enfants cherchent à comprendre ce qui met un copain en colère, ce qui motive un frère ou une sœur à partager quelque chose, ce qui incite peut-être un parent à acheter un jouet. C'est alors qu'ils commencent à taquiner, à s'identifier et à persuader. Entre 3 ans et demi et 4 ans et demi, partout dans le monde, les enfants commencent à se rendre compte que les autres personnes peuvent se tromper (Callaghan et coll., 2005 ; Sabbagh et coll., 2006). Jennifer Jenkins et Janet Astington (1996) montrèrent une boîte de pansements adhésifs à des enfants de Toronto et leur demandèrent ce qu'elle contenait. S'attendant naturellement à des pansements, les enfants furent surpris de voir que les boîtes contenaient, en fait, des crayons. Lorsque l'on demanda à des enfants de 3 ans ce qu'un enfant qui n'avait jamais vu ce genre de boîte auparavant penserait de son contenu, ils répondirent, bien entendu, « des crayons ». Lorsqu'ils atteignirent l'âge de 4 et 5 ans, la « théorie de l'esprit » avait fait de grands progrès chez ces enfants et, cette fois, ils avaient prévu que leurs camarades se tromperaient en croyant que la boîte contenait des pansements.

Au cours d'une expérience avec suivi (FIGURE 5.15), les enfants voient une poupée (appelée Sally) qui range son ballon dans un placard rouge. Une autre poupée (Anne) déplace le ballon

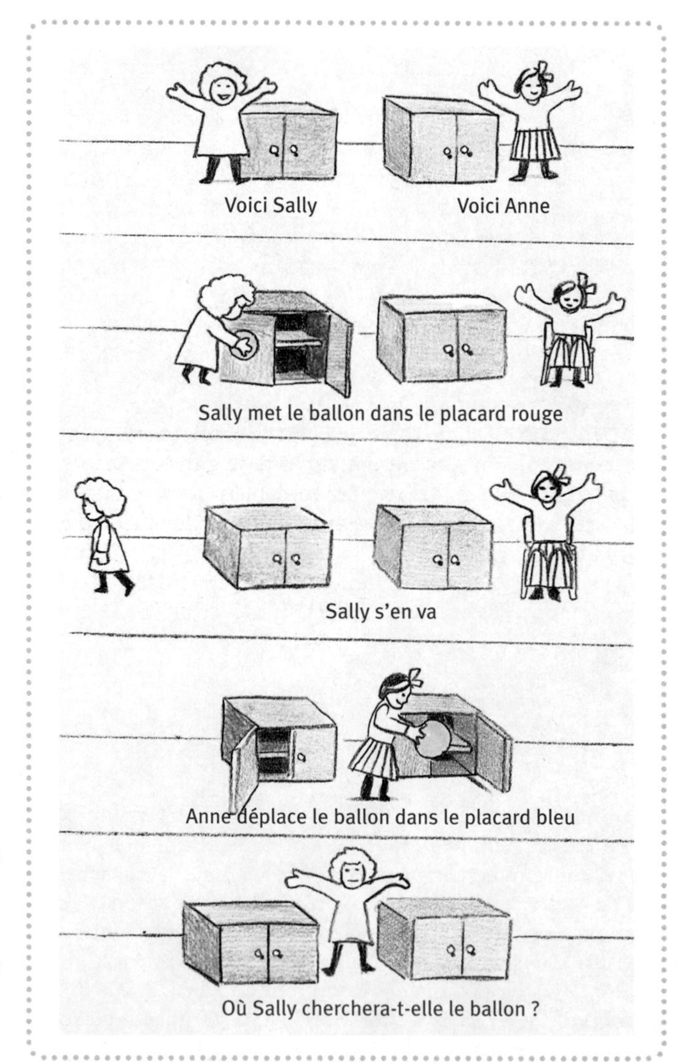

Voici Sally
Voici Anne
Sally met le ballon dans le placard rouge
Sally s'en va
Anne déplace le ballon dans le placard bleu
Où Sally cherchera-t-elle le ballon ?

➤ FIGURE 5.15
Test de la théorie de l'esprit chez les enfants Ce simple problème illustre comment les chercheurs étudient les suppositions des enfants quant aux états mentaux d'autrui. (D'après Baron-Cohen et coll., 1985.)

dans un placard bleu. Les chercheurs posent ensuite la question suivante aux enfants : lorsque Sally reviendra, où cherchera-t-elle le ballon ? Les enfants *autistes* (*voir* Gros plan : L'autisme, page suivante) ont du mal à comprendre que l'état mental de Sally puisse être différent de leur état mental, et que Sally, ignorant que le ballon a été déplacé, retournera vers le placard rouge. Ils ont également du mal à réfléchir à leur propre état mental. Par exemple, ils utilisent moins les pronoms « je » ou « moi ». Les enfants sourds de parents entendants, ayant accès à peu de situations de communication, présentent des difficultés similaires lorsqu'il s'agit de déduire les états mentaux d'autrui (Peterson et Siegal, 1999).

Nos capacités à effectuer des opérations mentales, à penser de manière symbolique et à réfléchir selon la perspective d'une autre personne ne sont pas totalement absentes pendant le stade préopératoire et n'apparaissent pas miraculeusement après. Ces capacités commencent très tôt et se développent progressivement (Wellman et coll., 2001). Nous sommes, par exemple, capables d'apprécier les perceptions et les sentiments des autres avant d'apprécier les *croyances* des autres (Saxe et Powell, 2006).

Vers l'âge de 7 ans, les enfants deviennent davantage aptes à penser avec des mots, et à utiliser ces mots pour trouver les solutions à des problèmes. Le psychologue russe Lev Vygotsky (1896-1934) a remarqué que les enfants parviennent à ce processus en intériorisant le langage de leur culture et en se fiant plutôt à un discours intérieur. Les parents qui disent « non » à un enfant en écartant sa main du gâteau lui apprennent aussi un mécanisme d'autocontrôle (ou maîtrise de soi). Lorsque, plus tard, il aura besoin de résister à une tentation, il se peut que l'enfant se dise « non ». Les enfants qui marmonnent en faisant des calculs mathématiques en CM1 seront plus à l'aise en maths en CM2 (Berk, 1994). Que ce soit à voix haute ou de manière inaudible, le fait qu'un enfant se parle à lui-même l'aide à maîtriser son comportement et ses émotions et lui permet aussi d'acquérir de nouvelles compétences.

Stade des opérations concrètes Selon Piaget, à l'âge de 6 ou 7 ans, les enfants entrent dans le **stade des opérations concrètes**. Si on leur donne des éléments concrets, ils commencent à saisir la notion de conservation. Comprenant que le changement de la forme ne signifie pas le changement de la quantité, ils peuvent mentalement verser le lait successivement dans des récipients de formes différentes. Ils aiment également les plaisanteries qui leur permettent d'utiliser ce nouveau concept :

> M. Jones alla dîner au restaurant et commanda une pizza. Lorsque le garçon lui demanda s'il devait la couper en six ou huit parts, M. Jones dit : « Vous feriez mieux d'en faire 6, je ne pourrai jamais en manger 8 ! » (McGhee, 1976)

Selon Piaget, pendant ce stade des opérations concrètes, les enfants acquièrent totalement la capacité mentale de comprendre les transformations mathématiques et la conservation. Lorsque ma fille Laura était âgée de 6 ans, je fus étonné de son incapacité à inverser des opérations mathématiques. Lorsqu'on lui demandait : « combien font 8 plus 4 ? », elle avait besoin de 5 secondes pour calculer « 12 » et encore de 5 secondes pour ensuite calculer « 12 moins 4 ». À l'âge de 8 ans, elle pouvait répondre instantanément à la seconde question.

Stade des opérations formelles Vers l'âge de 12 ans, le raisonnement se développe du niveau purement concret (impliquant l'expérience vécue) jusqu'à aboutir à la pensée abstraite (mettant en jeu des réalités imaginées et des symboles). Pour Piaget, beaucoup d'enfants deviennent capables, à l'approche de l'adolescence, de résoudre des propositions hypothétiques et d'en déduire les conséquences : *si* ceci, *alors* cela. Le raisonnement systématique que Piaget appelait raisonnement **opératoire formel** est maintenant à leur portée.

Bien que l'épanouissement de la logique et du raisonnement attende jusqu'à l'adolescence, les rudiments du raisonnement opératoire formel commencent bien plus tôt que ne le pensait Piaget. Considérez ce problème simple :

> Si John est à l'école, alors Mary est à l'école. John est à l'école. Que pouvez-vous dire de Mary ?

Les enfants au stade opératoire formel n'ont aucune difficulté à répondre à cette question. Il en est de même de la plupart des enfants de 7 ans (Suppes, 1982).

:: Théorie de l'esprit : raisonnement sur son propre état mental et sur celui d'autrui (sentiments, perceptions et pensées), à partir duquel il est possible de prédire les comportements.

:: Stade des opérations concrètes : selon la théorie de Piaget, stade du développement cognitif (entre 6 ou 7 ans et 11 ans) au cours duquel l'enfant acquiert les processus mentaux qui lui permettent de penser logiquement à propos d'événements concrets.

:: Stade des opérations formelles : selon la théorie de Piaget, stade du développement cognitif (commençant normalement à l'âge de 12 ans) au cours duquel l'individu commence à penser de façon logique à propos de concepts abstraits.

GROS PLAN

L'autisme et la « cécité mentale »

Ozier Muhammad/The New York Times-REA

L'autisme Cette orthophoniste aide un enfant autiste à apprendre à former des sons et des mots. L'autisme qui touche quatre fois plus de garçons que de filles est marqué par un déficit de la communication sociale et des difficultés à comprendre les états de l'esprit des autres.

Les diagnostics d'**autisme**, un trouble caractérisé par une grande difficulté à communiquer et des comportements répétitifs, sont en progression selon de récentes estimations. Autrefois, ce trouble touchait 1 enfant sur 2 500, aujourd'hui, l'autisme ou les troubles qui lui sont associés touchent 1 enfant américain sur 150 et, dans la banlieue de Londres, 1 enfant sur 86 (Baird et coll., 2006 ; CDC, 2007 ; Lilienfeld et Arkowitz, 2007). Certaines personnes ont attribué « l'épidémie d'autisme » moderne aux faibles quantités de mercure dans les vaccins pour enfant, conduisant près de 5 000 parents d'enfants atteints d'autisme à entamer des poursuites judiciaires contre le gouvernement américain. Mais, en 2001, le composant chargé de mercure fut retiré des vaccins et le nombre d'autistes n'a pas diminué depuis (Normand et Dallery, 2007 ; Schechter et Grether, 2008). De plus, l'augmentation du nombre de diagnostics d'autisme a été compensée par une baisse du nombre d'enfants considérés atteints de handicap cognitif et de troubles de l'apprentissage, ce qui suggère une nouvelle nomenclature des troubles des enfants (Gernsbacher et coll., 2005 ; Grinker, 2007 ; Shattuck, 2006).

On sait que la source sous-jacente des symptômes de l'autisme semble être une mauvaise communication entre les régions cérébrales qui travaillent normalement de concert pour nous permettre de considérer le point de vue d'autrui. Cela semble résulter d'un nombre inconnu de gènes liés à l'autisme interagissant avec l'environnement selon des voies encore mal comprises (Blakeslee, 2005 ; Wiekelgren, 2005).

On dit des enfants autistes que leur théorie de l'esprit est compromise (Rajendran et Mitchell, 2007). Ils éprouvent des difficultés à inférer les pensées ou les sentiments d'autrui. Ils n'apprécient guère que leurs camarades de jeu ou leurs parents puissent avoir un point de vue différent. Un enfant atteint d'autisme a des difficultés pour lire dans les pensées, ce que la plupart d'entre nous faisons intuitivement (*ce visage affiche-t-il un sourire de joie, un sourire narquois ou un sourire moqueur méprisant ?*). La plupart des enfants apprennent que lorsqu'un autre enfant fait la moue, c'est un signe de tristesse, et que des yeux pétillants connotent la joie ou la malice. Un enfant atteint d'autisme ne comprend pas ces signaux (Frith et Frith, 2001).

Pour prendre en compte les diverses formes d'autisme, les chercheurs actuels parlent de *troubles du spectre autistique* (TSA). Le *syndrome d'Asperger* représente un de ces troubles autistiques, une forme d'autisme de « haut niveau ». Le syndrome d'Asperger est caractérisé par une intelligence normale, souvent accompagnée de capacités ou de dons exceptionnels dans des domaines spécifiques, mais aussi par un déficit des aptitudes sociales et de la communication (et donc une incapacité à avoir des relations normales avec leurs pairs).

Selon le psychologue Simon Baron-Cohen (2008) l'autisme, qui touche 4 garçons pour 1 fille, représenterait la « forme extrême du cerveau masculin ». Il prétend que les filles sont naturellement prédisposées à l'empathie. Elles lisent mieux les expressions du visage et la gestuelle, une tâche délicate pour les autistes. Bien qu'il existe un chevauchement de ces tendances entre les sexes, il pense que les garçons ont plutôt tendance à la systématisation, c'est-à-dire à comprendre ce qui suit des règles ou des lois comme les systèmes mathématiques ou mécaniques.

Selon la théorie de Baron-Cohen, si deux « systématiciens » ont un enfant, ils ont plus de risques qu'il soit autiste. Et comme les couples cherchent à être *assortis* – à rechercher des partenaires qui partagent leurs intérêts – il n'est pas rare que deux « systématiciens » forment un couple. Il remarque : « Je n'élimine pas les facteurs environnementaux. Je dis juste : n'oubliez pas la biologie. »

L'influence de la biologie apparaît dans les études sur les vrais jumeaux. Si un des jumeaux est atteint d'autisme, il y a 70 p. 100 de risques que son vrai jumeau le soit également (Sebat et coll., 2007). Le frère cadet d'un enfant atteint d'autisme présente 15 p. 100 plus de risques d'être atteint également (Sutcliffe, 2008). Des mutations génétiques aléatoires au niveau des cellules productrices de spermatozoïdes pourraient également jouer un rôle. À mesure que l'homme vieillit, ces mutations sont de plus en plus fréquentes ce qui pourrait également expliquer pourquoi les hommes âgés de plus de 40 ans présentent bien plus de risques d'engendrer un enfant atteint d'autisme que les hommes de moins de 30 ans (Reichenberg et coll.,

« Évaluer l'influence de Piaget sur la psychologie du développement revient à évaluer l'influence de Shakespeare sur la littérature anglaise. »
Harry Beilin, psychologue du développement, 1992

Réflexions sur la théorie de Piaget

Que reste-t-il des idées de Piaget sur la pensée de l'enfant ? Énormément de choses : assez pour que Piaget soit désigné par le journal *Time* comme étant l'un des vingt scientifiques et penseurs les plus influents du XXe siècle et comme le plus grand psychologue du XXe siècle par une enquête menée sur les psychologues britanniques (*Psychologist*, 2003). Piaget a identifié des étapes importantes sur le plan du développement cognitif, ce qui a suscité un intérêt mondial sur la question du développement mental. Il a davantage insisté sur l'ordre séquentiel que sur l'âge auquel les enfants franchissent des étapes spécifiques. Des études effectuées dans le monde entier, chez les aborigènes d'Australie, en

2007). Les influences génétiques semblent entraîner ces dommages en altérant les synapses cérébrales (Crawley, 2007 ; Garber, 2007).

Le rôle de la biologie dans l'autisme apparaît dans les études comparant le fonctionnement du cerveau d'enfants atteints et non atteints d'autisme. Les individus non atteints d'autisme bâillent souvent après avoir vu les autres bâiller. Et lorsqu'ils voient et imitent les autres qui sourient ou sont renfrognés, ils ressentent ce que l'autre ressent, grâce aux *neurones miroir* de leur cerveau (plus de détails dans le chapitre 7). Ce n'est pas le cas des enfants autistes qui ont moins tendance à imiter et dont les zones cérébrales impliquées dans la répétition des actions des autres sont bien moins actives (Dapretto et coll., 2006 ; Perra et coll., 2008 ; Senju et coll., 2007). Par exemple, lorsqu'une personne autiste regarde les mouvements de la main d'une autre personne, son cerveau montre moins d'activité d'imitation que la normale (Oberman et Ramachandran, 2007 ; Théoret et coll., 2005).

Ces découvertes ont lancé l'exploration de nouveaux traitements qui pourraient soulager certains symptômes de l'autisme en activant l'activité des neurones miroir (Ramachandran et Oberman, 2006). Par exemple, cherchant à « systémiser l'empathie », Baron-Cohen et ses collaborateurs de l'université de Cambridge (2007 ; Golan et coll., 2007) ont collaboré avec la *National Autistic Society* du Royaume-Uni et une société productrice de films. Sachant que les émissions télévisées montrant des véhicules étaient les préférées des enfants autistes, ils ont créé une série d'animations en plaçant une série de visages véhiculant des émotions sur des jouets représentant un tramway, un train et un tracteur dans la chambre d'un enfant (FIGURE 5.16). Lorsque l'enfant part pour l'école, ses jouets s'animent et connaissent des aventures qui les amènent à afficher diverses émotions (je suis sûr que vous aimerez voir ce film sur www.thetransporters.com). Les enfants ont exprimé une capacité surprenante à généraliser ce qu'ils avaient appris dans un contexte nouveau et réel. À la fin de l'intervention, leurs capacités préalablement déficientes à reconnaître les émotions sur les vrais visages égalaient maintenant celles des enfants non autistes.

(a) Visages communiquant des émotions ajoutés à l'avant des petits trains

(b) Faire correspondre les nouvelles scènes et les visages (et les données pour les deux essais)

« Le chien du voisin a déjà mordu des gens. Il aboie devant Louise. »

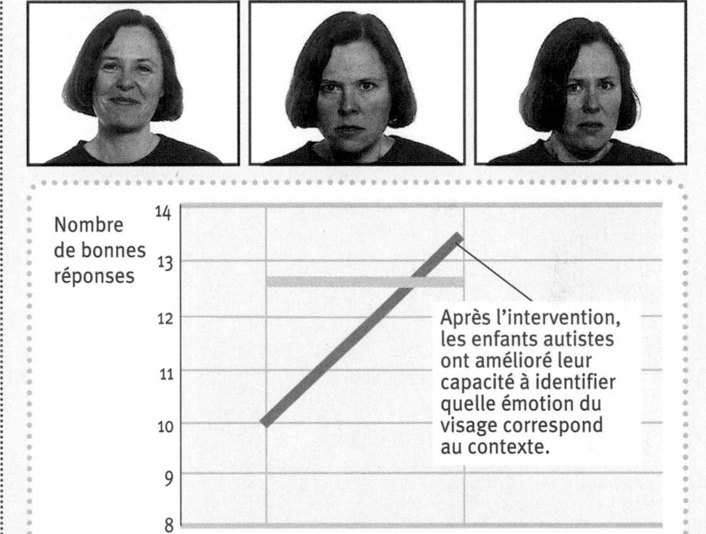

➤ FIGURE 5.16

Transporté dans un mode d'émotion (a) Une équipe de chercheurs du centre de recherche sur l'autisme de l'université de Cambridge a initié des enfants autistes aux émotions ressenties et affichées par de petits jouets représentant des véhicules. (b) Après avoir regardé ces animations pendant quatre semaines, les enfants présentaient une capacité nettement plus marquée à reconnaître les émotions chez l'homme ainsi que sur les visages placés sur les jouets.

Algérie ou en Amérique du Nord, ont confirmé que la cognition humaine se développe globalement selon la séquence que Piaget a décrite (Lourenco et Machado, 1996 ; Segall et coll., 1990).

Cependant, les chercheurs considèrent aujourd'hui que le développement est plus continu que ne le pensait Piaget. En établissant le début de chacun des types de pensée à des âges plus précoces, ils ont mis à jour des capacités conceptuelles que Piaget n'avait pas détectées. En outre, ils perçoivent la logique formelle comme une plus petite partie de la cognition que ne l'avait fait Piaget. Du fait de notre propre développement cognitif, il ne serait certainement pas surpris que nous accommodions aujourd'hui ses idées pour prendre en compte les nouvelles découvertes.

::Autisme : trouble débutant précocement dans l'enfance, caractérisé par une grande difficulté à communiquer et à interagir socialement, et par une incapacité à comprendre l'état d'esprit d'autrui.

James V. Wertsch/Washington University

Lev Vygotsky (1895-1934) Vygotsky, psychologue du développement d'origine russe, photographié ici avec sa fille, a étudié comment l'esprit de l'enfant se nourrissait du langage de l'interaction sociale.

L'importance que Piaget donnait à la manière dont l'esprit d'un enfant se développe grâce aux interactions avec l'environnement physique est complétée par l'importance que donnait Vygotsky à la manière dont l'esprit d'un enfant se développe grâce aux interactions avec l'environnement *social*. Si l'enfant de Piaget était un bon scientifique, celui de Vygotsky était un jeune apprenti. En guidant les enfants et en leur donnant de nouveaux mots, les parents et les autres leur donnent un *échafaudage* provisoire grâce auquel les enfants peuvent accéder à de plus hauts niveaux de pensée (Renninger et Granott, 2005). Selon Vygotsky (né la même année que Piaget mais mort prématurément de tuberculose), le langage, un ingrédient important du guidage social, apporte les éléments de base à la pensée.

Implications pour les parents et les professeurs Futurs parents et professeurs, souvenez-vous de ceci : les jeunes enfants sont incapables de saisir la logique du monde adulte. Les enfants de moins de 6 ans qui se tiennent au milieu du chemin ou ignorent les instructions négatives n'ont simplement pas appris à considérer le point de vue d'autrui. Ce qui semble simple et évident pour nous, comme le fait de savoir que quitter soudainement un jeu à bascule entraînera la chute brutale de son compagnon de l'autre côté, peut être incompréhensible pour un enfant de 3 ans. Souvenez-vous aussi que les enfants ne sont pas des récipients qui attendent passivement d'être remplis par la connaissance. Il vaut mieux construire à partir de ce qu'ils savent déjà, en les invitant à reproduire des démonstrations concrètes et en les incitant à penser par eux-mêmes. Enfin, acceptez aussi l'adaptabilité de l'immaturité cognitive des enfants. La nature met en œuvre ses propres stratégies pour maintenir les enfants près des adultes qui les protègent, leur donnant ainsi du temps pour l'apprentissage et pour la socialisation (Bjorklund et Green, 1992).

Développement social

5. Comment se forment les liens parents-enfants ?

Peur de l'étranger Nouvelle capacité consistant à détecter les personnes non familières représentant une menace potentielle et qui aide les bébés de 8 mois et plus à se protéger.

© Christina Kennedy/PhotoEdit

Dès la naissance, les bébés de toutes les cultures sont des créatures sociales, développant un lien intense avec les personnes qui s'occupent d'eux. Le nouveau-né préfère les voix et les visages familiers et se met à gazouiller quand il reçoit l'attention de son père ou de sa mère.

Dès que la notion de permanence de l'objet apparaît et que l'enfant devient mobile, un événement curieux survient. Vers 8 mois, il développe la **peur de l'étranger**. Il accueille les étrangers en pleurant et en tendant les bras vers les personnes qui lui sont familières et qui s'occupent de lui. Ce cri de détresse semble vouloir dire : « Non ! Ne m'abandonnez pas ! » C'est à peu près à cet âge que les enfants développent des schèmes pour les visages familiers ; quand ils ne parviennent pas à intégrer de nouveaux visages dans ces schèmes mémorisés, ils s'angoissent (Kagan, 1984). Cela illustre un principe important : *le cerveau, l'esprit ainsi que le comportement social et émotionnel se développent simultanément*.

Origines de l'attachement

À 12 mois, les enfants s'agrippent généralement fermement à l'un de leurs parents, lorsqu'ils sont effrayés ou qu'ils craignent une séparation. À nouveau réunis, ils les inondent de sourires et de câlins. Aucun comportement social n'est plus remarquable que cet amour intense et mutuel entre enfants et parents. Le lien d'**attachement** est une pulsion de survie puissante qui garde les enfants à proximité de ceux qui s'occupent d'eux. L'enfant s'attache aux personnes, habituellement ses parents, réconfortantes et familières. Pendant de nombreuses années, les psychologues du développement ont pensé que les enfants s'attachaient à ceux qui satisfaisaient leurs besoins en nourriture. Cela paraissait logique. Mais une découverte fortuite renversa cette explication.

Contact corporel Durant les années 1950, des psychologues de l'université du Wisconsin, Harry Harlow et Margaret Harlow, élevaient des singes pour leurs expériences d'apprentissage. Pour harmoniser les expériences des bébés singes et éviter la dissémination des maladies, ils séparaient les singes de leur mère peu après la naissance et les élevaient dans des cages individuelles hygiéniques qui comprenaient une couverture de bébé en laine (Harlow et coll., 1971). De façon surprenante, les bébés montrèrent les signes du plus grand désespoir lorsque les couvertures étaient enlevées pour être lavées.

Les Harlow comprirent bientôt que cet attachement intense à la couverture était en contradiction avec l'idée que l'attachement provient de l'association à la nourriture. Mais était-il possible de le montrer de façon plus convaincante ? Pour évaluer le pouvoir d'attraction d'une source alimentaire par rapport au contact confortable d'une couverture, ils créèrent deux mères artificielles. L'une était composée d'un cylindre en grillage nu, avec une tête en bois, sur laquelle était fixé un biberon, l'autre d'un cylindre entouré d'un tissu éponge.

Élevés avec les deux, les singes préférèrent nettement la mère en tissu confortable (FIGURE 5.17). Comme des bébés humains se cramponnant à leur mère, les singes s'accrochaient à leur mère en tissu lorsqu'ils étaient anxieux. Quand ils s'aventuraient dans leur environnement, ils l'utilisaient également comme une base sécurisante, comme s'ils étaient attachés à la mère par un élastique invisible qui s'étirait jusqu'à un certain point et ramenait ensuite le bébé vers son port d'attache. Les chercheurs apprirent bientôt que d'autres qualités, comme le bercement, la chaleur ou la nourriture, pouvaient rendre la mère en tissu encore plus attirante.

Harlow Primate Laboratory, University of Wisconsin

➤ FIGURE 5.17
Les mères de Harlow
Les psychologues Harry Harlow et Margaret Harlow ont élevé des singes avec deux mères artificielles. L'une était constituée d'un grillage cylindrique surmonté d'une tête en bois et d'un biberon, l'autre d'un cylindre recouvert de caoutchouc mousse et enveloppé dans du tissu éponge, mais sans biberon. La découverte des Harlow surprit bon nombre de psychologues : les singes préfèrent le contact de la mère recouverte d'une matière confortable, et ce même lorsqu'ils sont nourris par la « mère nourricière ».

Chez les bébés humains, aussi, l'attachement se développe à partir du contact corporel avec les parents qui sont doux et chauds et qui vous bercent, vous nourrissent et vous caressent. La plus grande partie de la communication émotionnelle parents-enfants passe par le toucher (Hertenstein et coll., 2006), qui peut être soit calmant (prendre dans ses bras), soit stimulant (chatouilles). De plus, pour les hommes, l'attachement s'incarne dans une personne fournissant à l'autre un havre de paix en cas de détresse, et une base sécurisante à partir de laquelle explorer le monde. Lorsque nous grandissons, nos bases et nos havres de paix se déplacent de nos parents à notre entourage et à nos partenaires (Cassidy et Shaver, 1999). Mais à tout âge, nous sommes des créatures sociales. Nous nous sentons plus forts lorsque quelqu'un nous offre un havre de paix et nous dit, à travers des mots ou des actions : « Je serai là. Je m'intéresse à toi. Quoi qu'il arrive, je te soutiendrai de toutes mes forces » (Crowell et Waters, 1994).

• **Lee Kirkpatrick (1999) déclare que, pour certaines personnes, la relation qu'elles perçoivent avec Dieu fonctionne exactement comme les autres types d'attachement et apporte une base sûre à leur désir d'explorer de nouvelles choses et un havre de paix quand une menace se fait ressentir.** •

Familiarité Le contact est l'une des clés de l'attachement ; la familiarité en est une autre. Chez de nombreux animaux, les attachements fondés sur la familiarité se forment également durant une **période critique**, une période optimale durant laquelle certains événements doivent avoir lieu pour qu'un développement correct puisse se produire (Bornstein, 1989). Pour un oison, un caneton ou un poussin, cette période survient dans les heures qui suivent l'éclosion, lorsque le premier objet mobile qu'ils voient est normalement leur mère. À partir de ce moment précis, le jeune oiseau la suit et elle seulement.

Konrad Lorenz (1937) a exploré ce processus rigide d'attachement, appelé l'**empreinte**. Il s'est demandé ce que feraient des canetons s'il était la première créature mobile qu'ils voyaient. Ce qu'ils firent, c'est de le suivre partout. Partout où Konrad allait, les canards

Alastair Miller

Attachement
Quand le pilote français Christian Moullec fait décoller son ULM, les oies marquées de son « empreinte », qu'il a élevées dès leur éclosion, le suivent de très près.

:: **Peur de l'étranger** : crainte des étrangers que manifestent en général les bébés et qui commence à environ 8 mois.

:: **Attachement** : lien affectif avec une autre personne ; mis en évidence chez les jeunes enfants par leur façon de rechercher le contact avec ceux qui s'occupent d'eux et par leur détresse en cas de séparation.

:: **Période critique** : période optimale située peu après la naissance et durant laquelle l'exposition d'un organisme à certaines expériences ou à certains stimuli déclenche un développement adéquat.

:: **Empreinte** : processus par lequel certains animaux forment un attachement au cours d'une période critique située au tout début de la vie.

étaient certains d'aller. D'autres tests montrèrent que bien que les jeunes oiseaux avaient une meilleure empreinte pour leur propre espèce, ils s'attachaient aussi à une grande variété d'objets mobiles, tels qu'un animal d'une autre espèce, une boîte sur roulettes ou encore une balle qui rebondit (Colombo, 1982 ; Johnson, 1992). Une fois formé, cet attachement est difficile à défaire.

Les enfants, contrairement aux canetons, ne subissent pas d'empreinte. Cependant, ils ont tendance à s'attacher à ce qu'ils ont connu. Un *simple contact* avec les gens ou les choses favorise l'affection (*voir* Chapitre 16). C'est ainsi que les enfants aiment relire les mêmes livres, revoir les mêmes films et répéter les mêmes traditions familiales. Ils préfèrent manger des nourritures familières, vivre dans le même environnement familier, aller à l'école avec les mêmes vieux copains. La familiarité est synonyme de sécurité. La familiarité engendre la satisfaction.

Les différents modes d'attachement

6. Comment les psychologues ont-ils étudié les différents modes d'attachement et qu'ont-ils appris ?

Qu'est-ce qui explique les différents modes d'attachement des enfants ? Placés dans une *situation étrange* (le plus souvent une salle de jeux dans un laboratoire), environ 60 p. 100 des enfants montrent un *mode d'attachement assuré*. En présence de leur mère, ils jouent confortablement et semblent heureux d'explorer leur nouvel environnement. Quand elle part, ils sont angoissés ; quand elle revient, ils cherchent son contact. D'autres enfants évitent l'attachement ou montrent un *mode d'attachement non assuré*. Ils sont moins susceptibles d'explorer ce qui les entoure ; et dans certains cas, ils peuvent même s'agripper à leur mère. Quand elle part, soit ils pleurent et restent tristes, soit ils semblent indifférents à ses allées et venues (Ainsworth, 1973, 1989 ; Kagan, 1995 ; van IJzendoorn et Kroonenberg, 1988).

Mary Ainsworth (1979), qui a conçu les expériences dans les situations étranges, a étudié des différences d'attachement en observant des couples mères-enfants, chez eux, pendant leurs 6 premiers mois. Puis elle a observé les enfants âgés d'un an placés dans une situation étrange et sans leur mère. Les mères sensibles et attentionnées, c'est-à-dire des mères qui regardaient en permanence ce que leur enfant faisait et qui fournissaient une réponse appropriée, avaient des enfants qui montraient un mode d'attachement assuré. Les mères inattentives et froides, qui ne prêtaient attention à leur bébé que lorsqu'elles en avaient envie et les ignoraient à d'autres moments, avaient souvent des enfants dont le mode d'attachement n'était pas assuré. L'étude des Harlow avec les singes ayant des mères artificielles inattentives, a mis en évidence des effets encore plus frappants. Placés dans une situation étrange, en l'absence de leur mère artificielle, les bébés soumis à la privation étaient terrifiés (Figure 5.18).

D'autres études menées par la suite ont confirmé que les mères (ainsi que les pères) sensibles ont tendance à avoir des enfants dont le mode d'attachement est assuré (De Wolff et van IJzendoorn, 1997). Cependant, comment cette corrélation peut-elle s'expliquer ? Le mode d'attachement est-il le *résultat* de l'éducation des parents ? Ou est-il le résultat du *tempérament* génétiquement influencé de l'enfant, cette réactivité et cette intensité émotionnelles caractéristiques d'une personne ? Peu de temps après la naissance, certains enfants sont particulièrement *difficiles* - irritables, tendus, imprévisibles. D'autres sont *faciles* - joyeux, détendus, mangeant et dormant selon un rythme régulier et prévisible (Chess et Thomas, 1987). Effectuer ces études en négligeant le facteur de l'hérédité serait comme « comparer des chiens errants élevés dans des chenils avec des caniches élevés dans des appartements », s'exclame Judith Harris (1998). Afin de faire la différence entre l'inné et l'acquis, la chercheuse néerlandaise Dymphna van den Boom (1990, 1995) a fait varier le mode de maternage tout en contrôlant les tempéraments. (Arrêtez-vous et réfléchissez : à la place de cette chercheuse comment auriez-vous réalisé cela ?)

La solution de van den Boom fut de répartir au hasard une centaine d'enfants de 6 à 9 mois au tempérament difficile, les uns dans une situation expérimentale où les mères recevaient une formation personnelle pour répondre avec sensibilité et attention, les autres dans une situation de contrôle sans formation de la mère. À l'âge d'un an, 68 p. 100 des enfants appartenant au groupe expérimental furent notés comme ayant un mode d'attachement assuré, contre seulement 28 p. 100 des enfants de la situation contrôle. D'autres études ont montré également que les programmes interventionnistes pouvaient augmenter la sensibilité des parents et, à un moindre degré, le mode d'assurance de l'attachement de l'enfant (Bakermans-Kranenburg et coll., 2003 ; Van Zeijl et coll., 2006).

➤ FIGURE 5.18
La peur et la privation sociale Les singes élevés par des mères artificielles étaient terrorisés si on les plaçait dans une situation inhabituelle sans leur mère nourricière. (De nos jours, le climat de respect pour le bien-être des animaux ne permet plus ce genre d'études.)

Comme le montrent ces exemples, les chercheurs ont plus souvent étudié les soins apportés par la mère que les soins donnés par le père. On dit des enfants privés des soins de leur mère qu'ils souffrent d'une « carence maternelle » ; ceux dont le père est absent sont en général désignés comme ayant subi une « absence paternelle ». Cela reflète une attitude générale où « être père » d'un enfant signifiait autrefois féconder, « être mère » signifiait nourrir et élever. Mais les pères ne sont pas de simples banques de sperme mobiles. Environ une centaine d'études menées à travers le monde a montré que l'amour et l'acceptation paternels avaient les mêmes conséquences sur le bien-être et la santé des enfants que l'amour maternel (Rohner et Veneziano, 2001). Une étude anglaise gigantesque a suivi 7 259 enfants de la naissance à l'âge adulte. Les résultats montrent que ceux dont le père était très impliqué dans son rôle (les promenait, leur faisait la lecture, s'intéressait à leur éducation) avaient tendance à mieux réussir à l'école, même après avoir contrôlé de nombreux facteurs comme l'éducation parentale et l'aisance familiale (Flouri et Buchanan, 2004).

© Barry Hewlett

Un père fantastique Chez les peuples Aka d'Afrique Centrale, les pères tissent des liens particulièrement étroits avec leurs enfants, leur donnant même le sein lorsque la faim les rend impatients en attendant le retour de leur mère. Selon l'anthropologue Barry Hewlett (1991), dans cette culture, les pères tiennent leur bébé ou sont à proximité 47 p. 100 du temps.

Que l'enfant vive avec un parent ou avec les deux, qu'il reste à la maison ou aille à la crèche, qu'il vive en Amérique du Nord, au Guatemala ou dans le désert de Kalahari, l'angoisse d'être séparé de ses parents atteint son paroxysme à l'âge de 13 mois, puis baisse progressivement (FIGURE 5.19). Cela signifie-t-il que notre besoin d'aimer et d'être aimé diminue ? Pas du tout. Au contraire, notre capacité à aimer a tendance à s'accroître et notre plaisir de toucher et de serrer ceux que l'on aime ne cesse jamais. Néanmoins, le pouvoir d'attachement de la petite enfance se relâche petit à petit, ce qui permet de faire face à une gamme plus large de situations, de communiquer avec les étrangers plus librement et de rester attaché émotionnellement à ceux que l'on aime, malgré la distance.

Erik Erikson, un spécialiste du développement (1902-1994), collaborant avec sa femme Joan Erikson, disait que les enfants ayant un mode d'attachement assuré abordaient la vie avec un sentiment de **confiance de base**, un sentiment que le monde est prévisible et fiable. Il attribuait cette confiance générale non pas à un environnement ou à un tempérament inné mais au comportement initial des parents. Il pensait que les enfants qui ont le bonheur d'avoir des parents aimants et attentifs acquièrent pour toute leur vie une attitude de confiance plutôt que de crainte.

« En dehors du conflit entre la confiance et la méfiance, le petit enfant développe l'espoir, l'une des toutes premières formes de ce qui progressivement deviendra la foi chez les adultes. »
Erik Erikson, 1983

Bien que le débat continue, de nombreux chercheurs pensent que nos premiers modes d'attachement constituent une base pour nos relations futures et notre facilité à éprouver de l'affection et de l'intimité (Birnbaum et coll., 2006 ; Fraley, 2002). À l'âge adulte, nos habitudes amoureuses s'accompagnent soit d'attachement assuré et confiant, soit d'attachement anxieux et peu sûr, ou encore de l'évitement de tout attachement (Feeney et Noller, 1990 ; Shaver et Mikulincer, 2007 ; Rholes et Simpson, 2004). De plus, ces modes d'attachement de l'adulte affectent à leur tour nos relations avec nos enfants, les personnes cherchant à éviter l'attachement trouvant l'éducation parentale plus stressante et peu satisfaisante (Rholes et coll., 2006). Andrew Elliot et Harry Reis (2003) remarquent que le mode d'attachement est également associé à la motivation. Les personnes au mode d'attachement assuré ont moins peur de l'échec et sont plus motivées à réussir.

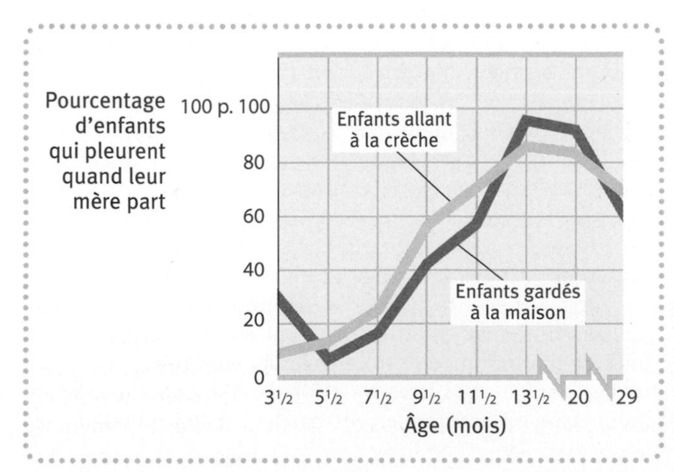

➤ FIGURE 5.19
Anxiété des enfants face à la séparation d'avec leurs parents Au cours d'une expérience, des groupes d'enfants furent laissés seuls par leur mère dans une pièce étrangère. Dans les deux groupes, le pourcentage de ceux qui pleuraient lorsque leur mère les quittait atteignait un maximum vers 13 mois. Le fait que l'enfant ait connu ou non l'expérience des crèches importait peu. (D'après Kagan, 1976.)

:: Confiance de base : d'après Erik Erikson, sentiment selon lequel le monde est fiable et prévisible ; on considère qu'il se forme au cours de l'enfance par des contacts appropriés avec des parents ou des adultes nourriciers attentifs.

« Habitude du berceau dure jusqu'au tombeau. »
Proverbe français

Privation d'attachement

7. La négligence parentale, la rupture du noyau familial ou les crèches affectent-elles les modes d'attachement de l'enfant ?

Si un attachement assuré nourrit la compétence sociale, qu'arrive-t-il lorsque les circonstances empêchent les enfants de former des attaches ? Il n'y a pas de littérature psychologique plus affligeante que celle consacrée à ce domaine. Les enfants élevés dans des institutions, sans l'attention et la stimulation d'un parent, ou enfermés à la maison dans des conditions de maltraitance ou de négligence extrême, sont souvent renfermés, effrayés et même mutiques. Les enfants abandonnés dans les orphelinats roumains au cours des années 1980 ressemblaient « horriblement aux singes [de Harlow] » (Carlson, 1995). Lorsqu'ils sont placés dans ces établissements pendant plus de 8 mois, ils portent fréquemment des séquelles émotionnelles irréversibles (Chisholm, 1998 ; Malinosky-Rummell et Hansen, 1993 ; Rutter et coll., 1998).

Les singes de Harlow présentaient le même genre de séquelles quand ils étaient élevés dans un isolement total, sans même une mère artificielle. À l'âge adulte, ils se recroquevillaient effrayés ou devenaient agressifs en présence d'autres singes de leur âge. Arrivés à maturité sexuelle, la plupart étaient incapables de s'accoupler. Des femelles inséminées artificiellement étaient souvent négligentes, abusives, voire meurtrières envers leur premier-né. Une expérience récente menée sur des primates confirme le phénomène de maltraitance engendrant de la maltraitance. Qu'elles soient élevées par des mères biologiques ou adoptives, 9 femelles sur 16 qui avaient été maltraitées par leur mère sont devenues des mères maltraitantes ; par contre aucune femelle élevée par une mère non maltraitante ne le devint (Maestripieri, 2005).

Chez l'homme aussi, le mal-aimé devient souvent un mal-aimant. La plupart des parents maltraitants, et beaucoup de meurtriers condamnés, rapportent également avoir été négligés ou battus dans leur enfance (Kempe et Kempe, 1978 ; Lewis et coll., 1998). Mais cela signifie-t-il que la victime d'aujourd'hui est de façon prévisible le bourreau de demain ? La réponse est non. Bien que la plupart des personnes maltraitantes aient été maltraitées dans leur enfance, la plupart des enfants maltraités *ne* deviennent *pas* plus tard des criminels violents ou des parents maltraitants. La plupart des enfants qui grandissent dans l'adversité, comme les enfants qui ont survécu à l'Holocauste, font preuve de *résilience* et deviennent des adultes normaux (Helmreich, 1992 ; Masten, 2001).

Cependant, les enfants n'ayant pas rompu avec leur passé de mauvais traitements ne s'en remettent pas si facilement. Environ 30 p. 100 de ceux qui ont été maltraités maltraiteront leurs enfants, ce qui représente un pourcentage plus faible que celui observé dans l'étude sur les primates mais quatre fois supérieur à la moyenne d'enfants maltraités aux États-Unis (Dumont et coll., 2007 ; Kaufman et Zigler, 1987 ; Widom, 1989a,b).

Il semble que les traumatismes graves de l'enfance laissent des traces sur le plan cérébral. Lorsque des animaux normalement placides, comme les hamsters, subissent des agressions et des menaces fréquentes à un jeune âge, ils deviennent lâches lorsqu'ils sont placés dans des cages avec d'autres hamsters de la même taille ou tyranniques dans des cages remplies de hamsters plus faibles (Ferris, 1996). Ces animaux montrent des modifications du taux de sérotonine dans le cerveau, qui permet habituellement de calmer les impulsions agressives. Un faible niveau de sérotonine a également été retrouvé chez des enfants maltraités, devenus des adolescents ou des adultes agressifs. « Le stress peut déclencher une cascade de changements hormonaux et figer de façon définitive la manière dont le cerveau d'un enfant affrontera un environnement malveillant », conclut le chercheur Martin Teicher (2002).

Ces résultats permettent d'expliquer pourquoi les jeunes enfants terrorisés par des maltraitances physiques ou les atrocités de la guerre (enfants battus, témoins de tortures, vivant dans la crainte permanente) peuvent souffrir d'autres blessures persistantes – cauchemars récurrents, dépression et une adolescence troublée par la consommation excessive de drogues, la boulimie ou l'agressivité (Kendall-Tackett et coll., 1993, 2004 ; Polusny et Follette, 1995 ; Trickett et McBride-Chang, 1995). Les sévices sexuels sur les enfants, en particulier s'ils sont graves et prolongés, prédisposent ces enfants à des troubles de santé, des troubles psychologiques, la consommation excessive de drogues et la criminalité (Freyd et coll., 2005 ; Tyler, 2002). *S'ils* sont porteurs d'une variation génique qui stimule la production des hormones de stress, les victimes de maltraitance sont considérablement plus sujettes à la dépression (Bradley et coll., 2008). Comme nous le verrons encore et encore, le comportement et les émotions se produisent dans un environnement particulier qui interagit avec des gènes particuliers.

Rupture de l'attachement Qu'arrive-t-il à un enfant lorsque l'attachement est rompu ? Séparés de leur famille, les bébés singes comme les bébés humains sont bouleversés et demeurent pendant longtemps renfermés et même désespérés (Bowlby, 1973 ; Mineka et Suomi, 1978). Craignant que le stress de la séparation puisse causer des dommages durables (et, en cas de doute, pour protéger les droits des parents), les juges sont en général réticents à retirer les enfants de leur foyer.

Toutefois, placés dans un environnement plus agréable et plus stable, la plupart des enfants se remettent du chagrin de la séparation. Dans des études portant sur des enfants adoptés, Leon Yarrow et ses collaborateurs (1973) observèrent que lorsque des enfants de 6 à 16 mois étaient séparés de leur mère, ils avaient au début des difficultés à manger, à dormir ou à établir une relation avec leur nouvelle mère. Mais lorsque ces enfants firent à nouveau l'objet d'une étude à l'âge de 10 ans, il n'en restait que peu d'effets visibles. En effet, ils ne se portaient pas plus mal que des enfants placés avant l'âge de 6 mois (avec peu de détresse associée). De façon similaire, les orphelins roumains présentant un manque social mais correctement nourris, adoptés durant leur première ou deuxième enfance dans une maison où ils ont été entourés d'amour, ont progressé rapidement, particulièrement dans leur développement cognitif. S'ils étaient transférés puis adoptés après l'âge de 2 ans, ils avaient plus de risque de présenter des difficultés d'attachement. Cependant, le transfert d'un enfant d'une famille d'accueil à une autre, empêchant ainsi l'attachement, peut être très destructeur, comme l'est la séparation fréquente et prolongée d'avec la mère.

Adultes, nous souffrons quand nos liens d'attachement sont rompus. Que ce soit lors d'un décès ou d'une séparation, une rupture produit une suite prévisible de préoccupations anxieuses concernant le partenaire perdu, suivies d'une tristesse profonde et, finalement, du commencement d'un détachement émotionnel et d'un retour à une vie normale (Hazan et Shaver, 1994). Même des partenaires récemment séparés, qui avaient cessé depuis bien longtemps d'éprouver de l'affection l'un pour l'autre, sont souvent surpris par leur envie de se rapprocher de leur ancien compagnon. Un attachement ancien et profond se brise rarement rapidement. Se détacher de quelqu'un est un processus et non un événement.

Faire garder son enfant pendant la journée peut-il affecter l'attachement ? Au cours des années 1950 et 1960, lorsque la mère au foyer représentait la norme sociale, des chercheurs se sont demandés : « Confier son enfant à quelqu'un d'autre pendant la journée est-il mauvais pour les enfants ? Cela perturbe-t-il l'attachement des enfants à leurs parents ? » Dans le cas des crèches de bonne qualité étudiées en général, la réponse était *non*. Dans son livre *Mother Care/Other Care*, Sandra Scarr (1986), une spécialiste de la psychologie du développement, expliquait que les enfants sont « sur le plan biologique des individus vigoureux... qui peuvent se développer dans un large éventail de situations ». Scarr parlait au nom des nombreux psychologues du développement dont les recherches n'ont montré aucun impact majeur du travail des mères sur le développement des enfants (Erel et coll., 2000 ; Goldberg et coll., 2008).

Les travaux de recherche se sont tournés vers les effets que pouvaient avoir les crèches de différentes qualités sur des enfants différents et d'âges divers. Scarr (1997) explique que, partout dans le monde, « un service de garderie d'enfants de qualité doit pouvoir offrir des rapports chaleureux et rassurants avec des adultes, dans un environnement sain, sûr et stimulant... Une mauvaise prise en charge engendre de l'ennui et ne répond guère aux besoins d'un enfant ». Récemment, des recherches ont confirmé l'importance des crèches de bonne qualité. Elles ont également trouvé que la pauvreté poussait souvent les familles à confier leurs enfants à des crèches de mauvaise qualité, entraînait plus d'instabilité et d'agitation familiale ainsi qu'une éducation parentale plus autoritaire (imposant des règles strictes et de l'obéissance). Ces enfants avaient également moins accès aux livres et restaient plus longtemps devant la télévision (Love et coll., 2003 ; Evans, 2004).

Une étude en cours dans 10 villes américaines suit 1 100 enfants depuis l'âge d'un mois. Les chercheurs ont trouvé que les enfants âgés de 4 ans et demi à 6 ans, qui avaient séjourné plus longuement dans des crèches, présentaient des capacités linguistiques et de réflexion légèrement plus élevées, mais aussi plus d'agressivité et un esprit plus rebelle (NICHD, 2002, 2003, 2006). Pour Eleanor Maccoby, psychologue du développement (2003), la corrélation positive entre l'augmentation du taux de problèmes comportementaux et le temps passé dans des crèches suggère qu'il existe « certains risques chez certains enfants qui restent longtemps dans certaines crèches telles qu'elles sont maintenant aménagées ». Toutefois, le tempérament de l'enfant, la sensibilité

Un exemple d'un mode de garde de qualité Les études ont montré que, dans un environnement sûr et stimulant, les jeunes enfants se développent à la fois sur le plan social et intellectuel. Un rapport d'une puéricultrice pour 3 à 4 enfants paraît fondamental pour obtenir un tel résultat.

de la mère et le niveau économique et éducatif familial ont plus d'importance que le temps passé dans les crèches.

Comme le remarque le chercheur Jay Belsky (2003), il peut être controversé de faire des recherches dans des crèches et d'en « suivre les résultats ». Les esprits des opposants et des partisans aux crèches sont très échauffés. Comme le dit Belsky, « il en résulte qu'il est très fréquent de reprocher au scientifique qui décrit des résultats peu populaires de les avoir engendrés ». Les météorologistes prévoient la pluie, mais peuvent aimer le soleil. De même, l'objectif des scientifiques est de révéler et de décrire les choses telles qu'elles sont, même s'ils souhaiteraient qu'il en soit autrement.

Nous ne devons pas être surpris par la capacité des enfants à se développer dans diverses formes de prise en charge sensible, compte tenu des variations culturelles de l'attachement. Les structures d'attachement occidentales comportent un ou deux parents et leurs enfants. Dans d'autres cultures, comme celle des Pygmées Efe du Zaïre, la norme permet des parents nourriciers multiples (Field, 1996 ; Whaley et coll., 2002). Avant même que la mère ne tienne son nouveau-né dans ses bras, le bébé doit être tenu dans les bras de plusieurs autres femmes. Dans les semaines suivantes, le bébé sera constamment tenu et allaité par d'autres femmes. Il en résulte de multiples attachements très forts. Comme l'exprime un proverbe africain, « Il faut tout un village pour élever un enfant ».

Il existe peu de polémique quant à la nécessité d'accorder une meilleure attention aux enfants de moins de 6 ans, laissés *seuls* pendant une partie de la journée de travail de leurs parents. Il en est de même pour les enfants qui ont à peine le sentiment d'« exister » pendant 9 heures par jour dans une garderie d'enfants mal équipée et manquant de personnel. Des relations chaleureuses et régulières avec des personnes qui leur apprennent à faire confiance sont ce dont les enfants ont besoin. L'importance de ce genre de relations s'étend bien au-delà des années préscolaires, comme l'a observé la psychologue finlandaise Lea Pulkkinen (2006) qui a étudié tout au long de sa carrière 285 sujets depuis l'âge de 8 ans jusqu'à l'âge de 42 ans. Après avoir observé que la surveillance des enfants par les adultes était associée à des résultats favorables, elle a décidé d'entreprendre, avec le soutien du parlement finlandais, un programme national d'activités, destiné à tous les enfants de CP et de CE1, supervisé par les adultes (Pulkkinen, 2004 ; Rose, 2004).

Image de soi

8. Comment se développe le concept de l'image de soi chez l'enfant ? De quelle manière les traits de caractère sont-ils liés au mode d'éducation parental ?

L'image dans un miroir fascine les enfants à partir de l'âge de 6 mois environ. Mais ce n'est que vers 18 mois que l'enfant reconnaît que l'image dans le miroir est « moi ».

Au cours de la petite enfance (première enfance), le premier acquis social est l'attachement. Le principal acquis social de la *seconde enfance* est un sentiment positif de soi. À la fin de l'enfance, à l'âge de 12 ans environ, la plupart des enfants ont développé une **image de soi**, une compréhension et une appréciation de ce qu'ils sont. Les parents se demandent souvent quand et comment se développe cette notion de soi. « Ma petite fille est-elle consciente d'elle-même, sait-elle qu'elle est une personne différente des autres ? »

Bien qu'il ne soit pas possible de le demander directement au bébé, nous pouvons de nouveau nous fonder sur ce qu'il peut faire, laissant son *comportement* nous donner des indications sur le début de sa conscience de soi. En 1877, le biologiste Charles Darwin avait proposé une idée : la reconnaissance de soi débute lorsqu'un enfant se reconnaît dans un miroir. En prenant ce critère, la reconnaissance de soi se forme progressivement en une année environ, commençant à peu près vers le sixième mois, lorsque l'enfant tend le bras vers le miroir pour toucher son image comme s'il s'agissait d'un autre enfant (Courage et Howe, 2002 ; Damon et Hart, 1982, 1988, 1992).

Comment pouvons-nous savoir quand l'enfant reconnaît que la petite fille qui est dans le miroir est effectivement elle-même et pas simplement une agréable compagne de jeu ? Grâce à une modification assez simple de la technique du miroir, les chercheurs ont discrètement barbouillé de rouge le nez de l'enfant avant de le mettre en face du miroir. À partir de 15 à 18 mois, les enfants touchent leur propre nez en voyant la tache rouge dans le miroir (Butterworth, 1992 ; Gallup et Suarez, 1986). Apparemment, les enfants de 18 mois ont une idée de ce à quoi leur visage doit ressembler. C'est comme s'ils se demandaient « Qu'est-ce que cette tache fait sur *ma* figure ? ».

Commençant avec cette simple reconnaissance de lui-même, l'image de soi de l'enfant devient progressivement plus prégnante. Les enfants, après l'âge de 6 ans, commencent à se décrire en termes d'appartenance à un sexe ou à un groupe et en fonction de traits psychologiques, et ils se comparent aux autres enfants (Newman et Ruble, 1988 ; Stipek, 1992). Ils commencent à se percevoir comme habiles et bons dans certains domaines et pas dans d'autres. Ils commencent à définir les qualités qu'ils aimeraient posséder idéalement. À l'âge de 8 ou 10 ans, l'image d'eux-mêmes devient assez stable.

En tant qu'adolescents et adultes, notre estime de soi sera-t-elle plus faible si nous avons été adoptés ? C'est ce que les chercheurs hollandais Femmie Juffer et Marinus van IJzendoorn (2007) avaient prédit, du fait que certains enfants adoptés auront souffert de négligence ou de maltraitance à leur plus jeune âge, sauront que leurs parents biologiques les ont abandonnés, et seront souvent différents de leurs parents adoptifs. Pour vérifier leur hypothèse ils ont exploité les données issues de 88 études comparant le score de l'estime de soi de 10 977 enfants adoptés et de 33 862 enfants non adoptés. À leur grand étonnement, ils n'ont trouvé « aucune différence d'estime de soi ». Cela était vrai même chez les enfants adoptés issus d'autres ethnies ou provenant d'autres pays. Beaucoup d'enfants adoptés font face à des difficultés, reconnaissent les chercheurs, mais « soutenus par les importants investissements de leurs familles adoptives », ils font preuve de résilience.

La façon dont les enfants se voient eux-mêmes influence leurs actions. Les enfants qui ont une image positive d'eux-mêmes sont plus confiants, plus indépendants, plus optimistes, plus sûrs d'eux et plus sociables (Maccoby, 1980). Cela pose une question importante : comment les parents peuvent-ils encourager une vision positive de soi tout en restant réalistes ?

AP Photo/SIPA/National Academy of Sciences, avec l'autorisation de Joshua Plotnik, Frans de Waal et Diana Reiss

Conscience de soi animale Après une exposition prolongée devant un miroir, certains animaux (le chimpanzé, l'orang-outan, le gorille et le dauphin, l'éléphant et la pie) ont montré qu'ils pouvaient reconnaître leur propre image devant un miroir (Gallup, 1970 ; Reiss et Marino 2001 ; Prior et coll., 2008). Joshua Plotnik et ses collaborateurs (2006) ont mené une expérience au cours de laquelle ils ont remarqué qu'un éléphant d'Asie, lorsqu'il se regarde dans un miroir, utilise de manière répétitive sa trompe pour toucher un X dessiné au-dessus de son œil (mais il ne touchait pas un autre X identique dessiné au-dessus de l'autre œil et visible uniquement en lumière noire).

Modes d'éducation parentale

Certains parents donnent des fessées, d'autres raisonnent. Certains sont stricts et d'autres laxistes. Certains dispensent peu d'affection, d'autres serrent leurs enfants dans leurs bras et les embrassent spontanément. Ces différences affectent-elles les enfants ?

L'aspect le plus largement étudié des pratiques d'éducation a été de déterminer comment, et jusqu'à quel point, les parents cherchent à contrôler leurs enfants. Plusieurs chercheurs ont identifié trois styles d'éducation :

1. Les parents **autoritaires** imposent des règles et attendent l'obéissance : « Ne m'interromps pas », « Range ta chambre », « Ne reste pas dehors trop tard ou tu seras grondé », « Pourquoi ? Parce que c'est comme ça ! ».
2. Les parents **permissifs** se soumettent aux désirs de leurs enfants, ne demandent que peu de choses et n'emploient pratiquement pas de punitions.
3. Les parents **directifs** sont à la fois exigeants et attentifs. Ils exercent un contrôle non seulement en fixant des règles et en les mettant en vigueur, mais également en expliquant leurs raisons. Et, surtout avec les enfants plus âgés, ils encouragent la discussion au moment de fixer les règles et permettent les exceptions.

Ces styles ont été respectivement qualifiés comme étant : « trop dur », « trop doux », « correct ». Les études effectuées par Stanley Coopersmith (1967), Diana Baumrind (1996) et John Buri et ses collaborateurs (1988) montrent que les enfants qui ont la meilleure image d'eux-mêmes, la meilleure confiance en eux et le meilleur comportement social ont en général des parents *directifs*, chaleureux et attentifs. (Ceux dont les parents sont autoritaires ont tendance à avoir moins d'aptitudes sociales et une moins bonne estime de soi, alors que ceux dont les parents sont permissifs ont tendance à être plus agressifs et immatures.) La plupart des études ayant porté sur des familles blanches de classe moyenne, certaines critiques ont suggéré que le mode d'éducation efficace pouvait varier selon les cultures. Cependant des études réalisées dans des familles d'autres origines ethniques et dans plus de 200 cultures à travers le monde confirment les bénéfices sociaux et scolaires dus à des parents aimants et directifs (Rohner et Veneziano, 2001 ; Sorkhabi, 2005 ; Steinberg et Morris, 2001). Et les effets sont plus importants lorsque les enfants sont élevés au sein d'une *communauté directive* formée d'adultes ayant des relations entre eux et représentant les modèles d'une bonne vie (*Commission on Children at Risk*, 2003).

:: **Image de soi** : compréhension et appréciation de ce que nous sommes.

Quelques mots de prudence : l'association entre certains modes d'éducation (être ferme, mais ouvert) et les effets sur l'enfant (compétence sociale) est corrélationnelle. *Une corrélation n'indique pas la relation de cause à effet.* Voici deux autres explications possibles du lien entre le mode d'éducation et la compétence sociale. (Pouvez-vous en imaginer d'autres ?)

- Il se peut que le caractère de l'enfant influe plus sur l'éducation qu'il reçoit que le contraire. La chaleur et le contrôle parental peuvent varier d'un enfant à l'autre au sein d'une même famille (Holden et Miller, 1999). Il est possible que les enfants faciles, mûrs et agréables *suscitent* de la part de leurs parents une confiance plus grande et plus de chaleur que ne le font des enfants moins coopératifs et plus immatures. Les études sur les jumeaux admettent cette éventualité (Kendler, 1996).
- Il peut y avoir un troisième facteur sous-jacent. Peut-être que, par exemple, les parents compétents et leurs enfants compétents ont en commun des gènes prédisposant à la compétence sociale. Les études de jumeaux soutiennent également cette possibilité (South et coll., 2008).

Les parents qui se débattent avec des avis opposés et avec les difficultés de l'éducation des enfants devraient se souvenir que les *conseils reflètent les valeurs de la personne donnant le conseil*. Pour ceux qui apprécient les enfants qui obéissent sans discuter, un mode autoritaire peut avoir l'effet désiré. Pour ceux qui prisent la sociabilité des enfants et leur confiance en eux, une éducation directive, ferme mais ouverte, doit être conseillée.

« Vous êtes les arcs par lesquels vos enfants, comme des flèches vivantes, sont décochés dans l'avenir. »
Kahlil Gibran, *Le Prophète*, 1923

L'investissement que demande l'éducation d'un enfant suscite de nombreuses années de joie et d'amour, mais aussi de soucis et d'irritation. Malgré tout, pour la plupart des parents, un enfant est un legs biologique et social, un investissement personnel dans le futur de l'humanité. Rappelez à de jeunes adultes qu'ils sont mortels et ils exprimeront plus le désir d'avoir des enfants (Wisman et Goldenberg, 2005). Pour paraphraser le psychiatre Carl Jung, nous sommes reliés au passé par nos parents et au futur par nos enfants, mais nous sommes aussi liés par leurs propres enfants, à un futur que nous ne verrons jamais, mais dont nous devons cependant prendre soin.

AVANT D'ALLER PLUS LOIN...

➤ INTERROGEZ-VOUS

Avez-vous déjà mal entendu les paroles d'une chanson en les *assimilant* à votre propre *schème* ? (Vous trouverez des centaines d'exemples de ce type sur le site suivant : www.kissthisguy.com.)

➤ TESTEZ-VOUS 2

En utilisant les trois premiers stades du développement cognitif de Piaget, expliquez pourquoi l'esprit du jeune enfant n'est pas un modèle miniature de celui de l'adulte.

Les réponses aux questions « Testez-vous » sont données dans l'annexe B à la fin de l'ouvrage.

Adolescence

::**Adolescence** : période de transition entre l'enfance et l'âge adulte, s'étendant de la puberté à l'indépendance.

::**Puberté** : période de maturation sexuelle, lorsqu'on devient capable de se reproduire.

::**Caractères sexuels primaires** : organes (ovaires, testicules, ainsi que les organes génitaux externes) qui rendent possible la reproduction sexuelle.

::**Caractères sexuels secondaires** : caractères sexuels non liés à la reproduction tels que les hanches et les seins chez la femme, la voix grave et la pilosité du corps chez l'homme.

DE NOMBREUX PSYCHOLOGUES PENSAIENT que l'enfance forgeait nos traits de caractère. À l'heure actuelle, les psychologues du développement pensent que le développement se poursuit tout au long de la vie. Lors d'une réunion ayant lieu 5 ans après la fin du lycée, des anciens amis peuvent être surpris par leurs divergences ; dix ans plus tard, ils peuvent avoir des difficultés à poursuivre une conversation.

Au fur et à mesure que se dessinait cette nouvelle perspective, les psychologues ont commencé à étudier comment la maturation et l'expérience pouvaient nous modeler dans la première et la seconde enfance, mais aussi au cours de l'adolescence et au-delà. L'**adolescence** se situe entre l'enfance et l'âge adulte. Elle débute avec les premiers signes physiques de la maturité sexuelle et se termine avec l'accomplissement social que constitue le statut d'adulte indépendant (ce qui signifie que dans certaines cultures où les enfants sont indépendants dès l'âge de 12 ans, l'adolescence est quasi inexistante).

Dans les pays industrialisés, à quoi ressemblent ces années d'adolescence ? Dans *Anna Karénine* de Léon Tolstoï, les années d'adolescence sont plutôt « cette période bienheureuse, lorsque l'enfance touche juste à sa fin et qu'en dehors de ce vaste cercle heureux et gai, un chemin se dessine ». Mais dans son journal, écrit alors qu'elle se cachait des Nazis, Anne Franck, une autre adolescente, décrit les sensations tumultueuses de son adolescence :

> La façon dont on me traite varie tellement. Un jour c'est : Anne est tellement sensée, elle a le droit de tout savoir ; et le lendemain j'entends qu'Anne n'est qu'une petite chèvre stupide qui ne connaît rien à rien et s'imagine avoir appris des choses remarquables dans les livres... Il y a tant de choses qui bouillonnent en moi lorsque je suis couchée dans mon lit, ayant à supporter des gens que je ne supporte plus et qui interprètent toujours mes intentions de travers.

Pour G. Stanley Hall (1904), un des premiers psychologues à décrire l'adolescence, la tension entre la maturité biologique et la dépendance sociale créait une période « de tempête et de stress ». En effet, après 30 ans, beaucoup de gens, ayant grandi dans des cultures occidentales prônant l'indépendance, se retournent sur leurs années d'adolescence et considèrent cette période comme un moment qu'ils n'aimeraient pas revivre, un moment où l'approbation sociale des copains était indispensable, où son propre avis sur le sens de la vie était très changeant et où l'aliénation vis-à-vis des parents était la plus intense (Arnett, 1999 ; Macfarlane, 1964).

Mais pour beaucoup, l'adolescence est une période de vitalité sans les soucis de l'âge adulte, un moment d'amitiés gratifiantes, une période d'idéalisme et d'intense excitation face à toutes les possibilités offertes par l'existence.

Quel regard aurez-vous sur votre vie dans 10 ans ? Vous souviendrez-vous avec satisfaction des choix que vous faites aujourd'hui ?

Développement physique

9. Quels sont les changements physiques qui marquent l'adolescence ?

L'adolescence commence à la **puberté**, le début de la maturation sexuelle. La puberté survient après une poussée hormonale, qui peut augmenter les sautes d'humeur et qui entraîne pendant une période d'environ 2 ans un développement physique rapide. Elle commence généralement chez les filles vers l'âge de 11 ans et vers 13 ans chez les garçons. C'est à la puberté que la taille moyenne des garçons va dépasser celle des filles (FIGURE 5.20). Durant cette poussée de croissance, les **caractères sexuels primaires**, les organes génitaux internes et externes, se développent de façon importante. C'est le cas également pour les **caractères sexuels secondaires**, les traits ne participant pas à la reproduction tels que l'augmentation de la taille des seins ou des hanches chez les filles ou la pousse de la barbe et la mue de la voix chez les

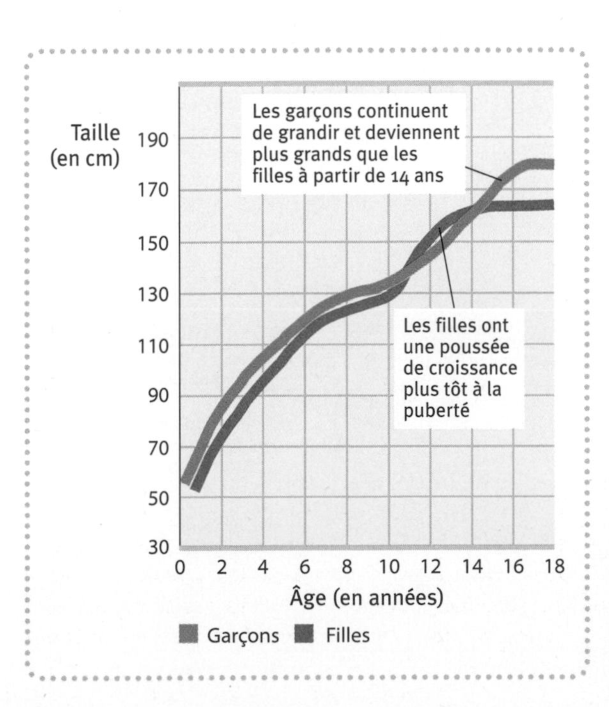

➤ FIGURE 5.20
Différences de taille Pendant l'enfance, les garçons et les filles ont la même taille. À la puberté, les filles prennent la tête pendant un court moment, mais ensuite, vers l'âge de 14 ans, les garçons les dépassent. (Données de Tanner, 1978.) Des études récentes montrent que le développement sexuel et la poussée de croissance commencent légèrement plus tôt qu'il y a 50 ans (Herman-Giddens et coll., 2001).

:: **Ménarche** : période des premières règles.

• La ménarche semble se produire légèrement plus tôt en moyenne chez les filles qui ont subi un stress lié à l'absence du père ou des sévices sexuels (Vigil et coll., 2005 ; Zabin et coll., 2005). •

garçons, ou bien encore le développement pour les deux sexes de la pilosité du pubis et des aisselles (Figure 5.21). Un an ou deux avant la puberté, cependant, les filles et les garçons ressentent leurs premiers élans de désir envers les personnes du sexe opposé (ou du même sexe) (McClintock et Herdt, 1996).

Chez les filles, la puberté commence par le développement de la poitrine qui, maintenant, apparaît souvent dès l'âge de 10 ans (Brody, 1999). Les événements clés de la puberté sont la première éjaculation chez les garçons, qui survient à peu près vers 14 ans, et les premières menstruations (règles) chez les filles, qui surviennent vers 12 ans et demi (Anderson et coll., 2003). La période des premières règles, appelée **ménarche**, est un événement mémorable dont presque toutes les femmes gardent le souvenir à l'âge adulte. La plupart l'ont ressenti et s'en souviennent comme d'un mélange de fierté, d'excitation, d'embarras et d'appréhension (Greif et Ulman, 1982 ; Woods et coll., 1983). Les filles bien préparées aux premières règles les ressentent en général comme une transition positive dans leur vie. La plupart des hommes, de la même manière, se souviennent de leur première éjaculation (*spermarche*), qui se produit en général sous forme d'une émission nocturne (Fuller et Downs, 1990).

Comme pour les premiers stades de la vie, la *séquence* des modifications physiques à la puberté (par exemple la poitrine bourgeonne avant qu'apparaissent les poils pubiens, qui eux-mêmes se développent avant les règles) est beaucoup plus facile à prévoir que le *moment* où ces modifications apparaissent. Certaines filles commencent leur poussée de croissance à l'âge de 9 ans, alors que certains garçons ne la débutent pas avant 16 ans. De telles variations n'ont que peu d'influence sur la taille à maturité, mais peuvent avoir des conséquences sur le plan psychologique. Une maturation précoce est un avantage pour les garçons. Les garçons précoces, étant plus forts et plus athlétiques au début de leur adolescence, ont tendance à être plus populaires, sûrs d'eux et indépendants. Ils ont, cependant, plus tendance à consommer de l'alcool, être délinquant et à avoir une activité sexuelle précoce (Lynne et coll., 2007 ; Steinberg et Morris, 2001). Pour les filles, en revanche, une maturation précoce peut être stressante (Mendle et coll., 2007). Si le corps d'une jeune fille n'est pas en accord avec sa maturité émotionnelle et avec le développement physique et l'expérience de ses amies, elle peut fréquenter des amis plus âgés ou encore se sentir embarrassée ou être l'objet de harcèlement sexuel. Ce n'est pas uniquement l'âge de la maturation qui compte, mais aussi la façon dont les gens réagissent à notre développement physique, génétiquement influencé. Souvenez-vous, *l'hérédité et l'environnement interagissent*.

Le cerveau des adolescents est aussi un travail en progression. Jusqu'à la puberté, les cellules cérébrales augmentent le nombre de connexions neuronales, comme font les arbres qui développent des racines et des branches. Par la suite, pendant l'adolescence, commence un processus d'élimination sélective (*pruning*) des connexions et des neurones non utilisés (Blakemore,

➤ FIGURE 5.21
Le corps change à la puberté À l'âge d'environ 11 ans pour les filles et de 13 ans pour les garçons, une poussée hormonale déclenche une multitude de changements physiques.

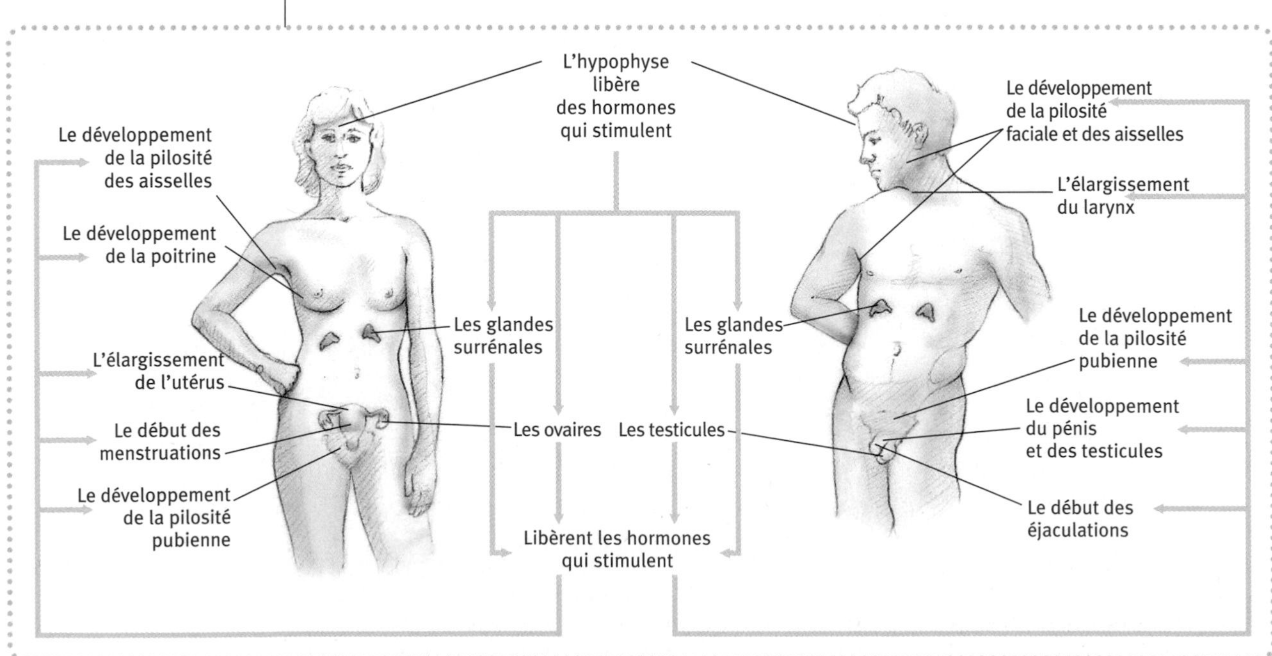

2008). Ce que nous n'utilisons pas, nous le perdons. Cela ressemble au travail des ingénieurs responsables de la circulation d'une ville qui réduisent les embouteillages en condamnant certaines rues et en construisant des périphériques pour que l'on puisse circuler plus facilement.

À mesure que l'adolescent devient plus mature, ses lobes frontaux poursuivent leur développement. La croissance de la *myéline*, ce tissu graisseux qui entoure les axones et accélère la neurotransmission, permet une meilleure communication avec les autres régions du cerveau (Kuhn, 2006 ; Silveri et coll., 2006). Ces développements apportent une capacité accrue de jugement, un meilleur contrôle des impulsions et une capacité de planification à long terme plus importante.

La maturation du lobe frontal prend du retard sur celle du système limbique participant aux émotions. La poussée hormonale pubertaire et le développement du système limbique expliquent les attitudes parfois impulsives, les comportements à risque et les tempêtes émotionnelles des adolescents comme lorsqu'ils claquent les portes et mettent la musique à fond (Casey et coll., 2008). Il n'est pas étonnant que les jeunes adolescents (dont les lobes frontaux, inachevés, ne possèdent pas l'équipement complet leur permettant d'échafauder des plans à long terme et de réfréner leurs pulsions) succombent aussi souvent au piège de la cigarette alors que la plupart des fumeurs adultes peuvent leur dire qu'ils le regretteront par la suite. En réalité, les adolescents ne sous-estiment pas les risques du tabagisme, de la conduite rapide, ou des relations sexuelles non protégées, ils considèrent seulement que les avantages pèsent plus lourd sur la balance, raisonnant avec leurs entrailles (Reyna et Farley, 2006 ; Steinberg, 2007).

Ainsi lorsque leur Benjamin conduit avec imprudence ou s'autodétruit sur le plan scolaire, ses parents peuvent-ils se rassurer en se disant : « Il n'y peut rien, son cortex frontal n'est pas encore totalement développé » ? Ils peuvent au moins garder espoir : le cerveau avec lequel Benjamin commence son adolescence n'est pas celui avec lequel il la finira. Sauf s'il ralentit le développement de son cerveau en buvant beaucoup (ce qui le laissera sensible à l'impulsivité et aux addictions), ses lobes frontaux continueront leur maturation jusque vers 25 ans (Beckman, 2004 ; Crew et coll., 2007).

En 2004, l'Association américaine de psychologie (APA) a déposé, avec sept autres associations de médecine et de santé mentale, un dossier à la Cour suprême de justice des États-Unis pour s'opposer à la peine capitale pour les jeunes âgés de 16 à 17 ans. Ce dossier présentait l'immaturité du cerveau dans les « zones qui ont une influence sur la prise de décision des adolescents ». Les adolescents sont « moins coupables en raison de l'adolescence », suggèrent Laurence Steinberg, psychologue, et Elizabeth Scott, professeur de droit (2003). En 2005, la Cour suprême a approuvé cette requête à 5 voix contre 4, et a déclaré non constitutionnelle la peine de mort pour les adolescents.

« Jeune homme, retourne dans ta chambre et restes-y jusqu'à ce que ton cortex cérébral ait mûri. »

« Si une arme à feu était placée sous le contrôle du cortex préfrontal d'un adolescent de 15 ans, meurtri et avide de vengeance, et pointé sur un être humain, il y a de fortes chances pour que le coup parte. »

National Institutes of Health Brain, Daniel R. Weinberger, scientifique spécialiste du cerveau, *A Brain Too Young for Good Judgment* (2001)

« Quand le pilote nous demanda de nous accroupir et d'attraper nos chevilles, la première chose qui me vint à l'esprit fut que nous devions tous avoir l'air stupide. »

Jeremiah Rawlings (12 ans), après le crash du DC-10 survenu à Sioux City (Iowa) en 1989

Développement cognitif

10. De quelle manière Piaget, Kohlberg et les chercheurs qui leur ont succédé ont-ils décrit le développement cognitif et moral de l'adolescent ?

Alors que les jeunes adolescents deviennent capables de réfléchir à leurs propres pensées et aux pensées d'autres personnes, ils commencent à imaginer ce que d'autres peuvent penser d'*eux*. (Les adolescents se soucieraient beaucoup moins de ce que les autres adolescents pensent d'eux s'ils savaient à quel point ceux-ci sont également concernés par leur propre personne.) En même temps que leurs capacités cognitives mûrissent, de nombreux adolescents commencent à penser à ce qui est idéalement possible et à le comparer avec la réalité imparfaite de leur société, de leurs parents et d'eux-mêmes.

Développement de la puissance du raisonnement

Au cours des premières années de l'adolescence, le raisonnement est souvent centré sur soi-même. Les adolescents peuvent penser que leurs expériences personnelles sont uniques et que leurs parents ne peuvent tout simplement pas comprendre : « Mais maman, *tu* ne sais vraiment pas ce que l'on ressent lorsqu'on est amoureux » (Elkind, 1978).

Progressivement, cependant, la plupart atteignent le sommet intellectuel que Piaget appelait stade des *opérations formelles*, et deviennent davantage capables d'avoir un raisonnement abstrait. Les adolescents réfléchissent et débattent sur la nature humaine, le bien et le mal, la vérité et la justice. Ayant laissé derrière eux les images concrètes de l'enfance, ils peuvent maintenant rechercher une conception plus profonde de Dieu et de l'existence (Elkind, 1970 ; Worthington, 1989). La capacité des adolescents à raisonner

« Ben est dans sa première année de lycée et il remet en cause toutes les choses établies. »

Manifestations de leur capacité à raisonner
Bien que les adolescents soient en désaccord total sur le débat sur la guerre en Irak, ils font preuve de leur nouvelle capacité à raisonner logiquement sur des sujets abstraits. Selon Piaget, ils se trouvent au stade des opérations formelles, le stade final du développement cognitif.

William Thomas Cain/Getty Images

de manière hypothétique et à tirer des conclusions leur permet de déceler les incohérences dans le raisonnement d'autrui, mais aussi de repérer l'hypocrisie. Cela peut conduire à des débats passionnés avec leurs parents et au serment silencieux de ne jamais perdre de vue leurs idéaux (Peterson et coll., 1986).

Développement du sens moral

Les deux tâches cruciales de l'enfance et de l'adolescence sont l'apprentissage du bien et du mal et le développement du caractère, qui sont comme des muscles psychologiques permettant de contrôler les pulsions. La majeure partie de notre sens moral est enracinée dans des réactions instinctives (« viscérales ») que l'esprit cherche à rationaliser (Haidt, 2006). Souvent la raison justifie les passions comme le dégoût ou le penchant. Cependant, avoir un sens moral, c'est *penser* et *agir* en conséquence.

« C'est une belle harmonie quand le faire et le dire vont ensemble. »
Michel de Montaigne (1533-1592)

Piaget (1932) pensait que le jugement moral des enfants se construisait à partir de leur développement cognitif. Se référant à cette théorie, Lawrence Kohlberg (1981, 1984) chercha à décrire les stades de développement du *raisonnement moral*, c'est-à-dire les processus de la pensée qui apparaissent lorsque nous considérons le bien et le mal. Au cours de ses recherches, Kohlberg posait des dilemmes moraux (par exemple s'il fallait voler des médicaments pour sauver la vie de la personne aimée) et demandait à des enfants, des adolescents et des adultes s'ils trouvaient cette action bonne ou mauvaise. Il analysait ensuite leurs réponses pour vérifier l'existence d'étapes distinctes dans le développement du raisonnement moral.

Ces observations l'amenèrent à croire que, à mesure que nous nous développons intellectuellement, nous passons par trois stades fondamentaux de la pensée morale :

- ***Sens moral préconventionnel*** Avant l'âge de 9 ans, la plupart des enfants ont un sens moral fondé sur leur propre intérêt : ils obéissent soit pour éviter une punition, soit pour obtenir une récompense concrète.
- ***Sens moral conventionnel*** Au début de l'adolescence, le sens moral se concentre sur les autres et intègre les lois et les règles sociales tout simplement parce que ce sont des lois et des règles.
- ***Sens moral post-conventionnel*** Ceux qui vont développer le raisonnement abstrait, correspondant à la pensée formelle opérationnelle, peuvent aboutir à un troisième degré. Les actions sont jugées « bonnes » parce qu'elles sont issues des droits de chacun ou de principes qu'ils perçoivent comme des principes éthiques fondamentaux.

Les affirmations de Kohlberg impliquaient que ces différents niveaux forment une échelle morale. Comme dans toutes les théories « par stades », la séquence est immuable, nous débutons sur le barreau du bas et nous grimpons à des hauteurs variables.

La recherche confirme que, dans diverses cultures, les enfants progressent de façon séquentielle du stade que Kohlberg a appelé préconventionnel jusqu'au stade dit conventionnel (Gibbs et coll., 2007). En revanche, le stade post-conventionnel est plus controversé. Il apparaît essentiellement dans les classes moyennes, éduquées, européennes ou nord-américaines qui encouragent l'*individualisme* en privilégiant les objectifs individuels par rapport à ceux du groupe (Eckensberger, 1994 ; Miller et Bersoff, 1995). Les détracteurs pensent donc que la théorie est biaisée, en défaveur du raisonnement moral de ceux qui vivent dans des sociétés collectivistes comme en Chine ou en Inde. De plus, la pensée des individus sur les choix moraux dans la vraie vie éveille leurs émotions et les sentiments moraux ne s'adaptent pas facilement aux stades biens ordonnés de Kohlberg (Krebs et Denton, 2005).

« Je me méfie de toutes ces théories qui prônent que le stade moral le plus élevé est celui où les gens s'expriment comme des professeurs d'université. »
James Q. Wilson, *Le sens moral*, 1993

Sentiment moral Notre esprit porte des jugements moraux, de façon rapide et automatique, selon un processus semblable aux jugements esthétiques. Nous éprouvons un sentiment de dégoût lorsque l'on voit des individus se comporter de manière dégradante ou inhumaine, et nous nous sentons *élevés* (sentiment de picotement chaud et radieux à la poitrine) lorsque nous voyons des personnes faire preuve d'une générosité exceptionnelle, de compassion et de courage.

Une femme se rappelait de l'anecdote suivante, alors qu'elle traversait un jour son quartier enneigé en voiture avec trois jeunes hommes : « Une dame âgée se trouvait dans l'allée de sa maison avec une pelle à la main. Je n'y prêtais pas vraiment attention, quand subitement l'un des trois jeunes hommes demanda au conducteur de s'arrêter et de le laisser descendre... Je le vis bondir du siège et s'approcher de cette vieille dame, et restai bouche bée quand je compris qu'il lui proposait de déblayer son allée avec la pelle. » Témoin de cet acte de bonté inattendu, elle éprouva un sentiment d'élévation en elle : « J'avais envie de sortir de la voiture et de serrer ce jeune homme dans mes bras, j'avais envie de chanter et de courir, de gambader et de rire. Je ressentais le besoin de dire du bien des gens » (Haidt, 2000).

D'après le compte rendu « *social intuitionnist* » de Jonathan Haidt (2002, 2007, 2008) concernant la moralité, le sentiment moral précèderait le jugement moral. « Est-il possible que la moralité humaine soit gouvernée par les émotions morales », se demanda-t-il, « alors que le raisonnement moral prend des grands airs et prétend avoir le contrôle ? » En effet, conjectura-t-il, « le jugement moral fait appel à un sentiment rapide et instinctif, ou à des intuitions chargées d'émotion, qui déclenchent par la suite le raisonnement moral ». Le jugement moral sert à convaincre nous-mêmes et autrui de ce que l'on ressent intuitivement - une sorte de porte-parole de notre esprit.

L'explication de l'intuitionnisme social s'appuie sur l'étude des paradoxes moraux. Imaginez qu'un tramway sans conducteur se dirige sur cinq personnes. Celles-ci seront certainement tuées, à moins que vous n'actionniez l'aiguillage pour faire dévier le tramway sur une autre voie où il ne tuera qu'une personne. Devriez-vous actionner l'aiguillage ?

La plupart des gens disent *oui* : on en tue un, mais on en sauve cinq. Imaginez la même situation, sauf que maintenant il vous faut pousser un inconnu corpulent sur les rails, stoppant ainsi le tramway et sauvant les cinq autres personnes. On en tue un, on en sauve cinq ?

La plupart des gens disent *non*, bien que la logique soit la même. Cherchant à comprendre pourquoi, une équipe de recherche de Princeton, dirigée par Joshua Greene (2001), a utilisé les techniques d'imagerie cérébrale afin d'observer les réponses neuronales de personnes confrontées à de tels dilemmes. Les zones du cerveau chargées de l'émotion ne s'éclairaient que quand ces personnes devaient faire face au second type de dilemme, c'est-à-dire quand elles devaient pousser l'inconnu sur les rails. Bien que la logique soit la même, le dilemme personnel engageait des émotions qui modifiaient le jugement moral. Donc, le jugement moral n'est pas seulement intellectuel : c'est aussi un sentiment instinctif.

Les sentiments instinctifs qui conduisent nos jugements moraux s'avèrent être largement partagés. Pour Marc Hauser, neuroscientifique (2006), cela suggère que les hommes sont programmés pour les sentiments moraux. Face à des choix moraux, partout dans le monde, les gens dont les cerveaux ont évolué de manière similaire, présentent des intuitions morales similaires. Par exemple, est-il acceptable de tuer un homme en bonne santé qui marche dans un hôpital où se trouvent cinq patients en train de mourir mais qui pourraient être sauvés s'il donnait ses organes ? La plupart d'entre nous diront *non*. Nous semblons tous inconsciemment assumer que le mal provoqué par une action est pire que le mal provoqué par l'absence d'action (Cushman et coll., 2006). En présence d'une lésion sur une zone du cerveau responsable des émotions, cependant, les personnes appliquent des raisonnements moraux plus froidement en présence de dilemmes moraux (Koenigs et coll., 2007).

« Ceci pourrait ne pas être éthique. Est-ce un problème pour quelqu'un ? »

Action morale Nos raisonnements et sentiments moraux influencent certainement notre discours moral, mais bavarder est parfois facile et les émotions sont fugaces. Le sens moral implique de *faire* ce qui est juste, et ce que nous faisons dépend également des influences

Sur le besoin de l'humanité de retarder sa satisfaction pour répondre au changement climatique global : « Les avantages d'une action forte et précoce l'emportent considérablement sur les coûts. »

The Economics of Climate Change, ministère de l'économie du gouvernement du Royaume-Uni, 2007

sociales. Selon Hannah Arendt (1963), théoricienne politique, durant la deuxième Guerre mondiale, beaucoup de gardes des camps de concentration nazis avaient un sens moral « ordinaire » et avaient été corrompus par une situation diaboliquement puissante.

Néanmoins, à mesure que notre *pensée* mûrit, nos *comportements* deviennent également moins égoïstes et plus attentionnés (Krebs et Van Hesteren, 1994 ; Miller et coll., 1996). Actuellement, les programmes d'éducation du caractère ont tendance à se concentrer à la fois sur les problèmes moraux et sur l'apprentissage à *faire* ce qui est bien. Ainsi, ils apprennent aux enfants à avoir de l'*empathie* pour les sentiments des autres et à acquérir l'autodiscipline nécessaire à freiner leurs élans – attendre pour obtenir des gratifications satisfaisantes plutôt que de se contenter de petits plaisirs immédiats. Ceux qui apprennent à *retarder les gratifications* deviennent plus responsables socialement, obtiennent de meilleurs résultats scolaires et sont plus efficaces (Funder et Block, 1989 ; Mischel et coll., 1988, 1989). Dans les programmes d'apprentissage de la notion de service, les adolescents instruisent, nettoient l'environnement et viennent en aide aux personnes âgées, et leur sentiment de compétence et leur désir de rendre service se développent en même temps que le taux d'absentéisme et d'abandon des études diminue (Andersen, 1998 ; Piliavin, 2003). Les actions morales nourrissent les attitudes morales.

Développement social

11. Quels sont les tâches sociales et les défis de l'adolescence ?

Le théoricien Erik Erikson (1963) prétendait que chaque stade de la vie possède sa propre tâche *psychosociale*, une crise qui doit être résolue. Les jeunes enfants sont aux prises avec des problèmes de *confiance*, puis d'*autonomie* (indépendance) et enfin d'*initiative* (Tableau 5.2).

John Eastcott/Yves Momatiuk/The Image Works

Compétence versus infériorité

Jeff Greenberg/PhotoEdit

Intimité versus isolement

TABLEAU 5.2

Stades du développement psychosocial selon Erikson

Stade (âge approximatif)	Conflits	Description de la tâche
Petite enfance (première année)	Confiance/méfiance	Si leurs besoins sont comblés de façon stable, les enfants développent un sentiment de confiance de base
Jeune enfance (de 1 à 3 ans)	Autonomie/honte et doute	Les jeunes enfants apprennent à exercer leur volonté et à faire les choses par eux-mêmes, ou ils vont douter de leurs capacités
Jeune enfant d'âge préscolaire (3 à 6 ans)	Initiative/culpabilité	Les enfants apprennent à commencer une tâche et à faire des projets, ou ils vont se sentir coupables à propos de leurs efforts d'indépendance
École élémentaire (de 6 ans à la puberté)	Compétence/infériorité	Les enfants apprennent le plaisir de s'appliquer à un travail, ou ils vont se sentir inférieurs
Adolescence (de 13 à 20 ans)	Identité/confusion des rôles	Les adolescents travaillent à définir leur identité en jouant des rôles puis en les intégrant pour former une seule identité, ou bien ils ne savent plus qui ils sont
Âge adulte (première partie : de 20 ans jusqu'au début de la quarantaine)	Intimité/isolement	Les jeunes adultes luttent pour établir des relations étroites et avoir des relations amoureuses, ou ils vont se sentir socialement isolés
Âge adulte (seconde partie : de 40 à 60 ans)	Créativité/stagnation	À l'âge mûr, les adultes découvrent un sens à leur contribution au monde, à travers leur famille ou leur travail, ou ils peuvent se sentir inutiles
Âge adulte (troisième partie : au-delà de 60 ans)	Intégrité/désespoir	En réfléchissant sur sa vie, l'adulte âgé peut ressentir de la satisfaction ou une impression d'échec

Les enfants d'âge scolaire développent des *compétences*, le sentiment d'être capable et efficace. Selon Erikson, la tâche de l'adolescent est de synthétiser les possibilités passées, présentes et futures en une conception plus claire de soi-même. L'adolescent se demande : « Qui suis-je ? Qu'est-ce que je veux faire de ma vie ? Quelles sont mes valeurs ? En quoi est-ce que je crois ? » Erikson appelait cette quête la *recherche d'identité* des adolescents.

Comme cela arrive parfois en psychologie, l'intérêt d'Erikson avait été nourri par sa propre expérience. Fils d'une mère juive et d'un père danois, non israélite, Erikson se sentait « doublement rejeté », raconte Morton Hunt (1993, p. 391). Il était « méprisé à l'école en tant que juif et on se moquait de lui à la synagogue où il était traité de « goy » à cause de ses cheveux blonds et de ses yeux bleus ». De tels épisodes ont suscité son intérêt pour la lutte des adolescents pour la construction de leur identité.

::Identité : sentiment que l'on a de soi ; selon Erikson, la tâche de l'adolescent est de forger son identité en testant et en intégrant des rôles différents.

::Identité sociale : l'aspect « nous » de notre concept du moi : la partie de notre réponse à la question « Qui suis-je ? » provenant des membres de notre groupe.

Développement de l'identité

Pour affirmer la perception de leur identité, les adolescents dans les cultures individualistes essayent généralement d'exprimer différents « moi » dans des situations variées, montrant peut-être une facette à la maison, une autre avec les amis et une autre encore à l'école ou sur Facebook®. Si deux de ces situations interfèrent (par exemple, lorsqu'un adolescent ramène des amis à la maison), la gêne peut être considérable. L'adolescent se demande : « Qui dois-je être ? Quel est mon moi réel ? » La réponse est une autodéfinition qui unifie les différentes facettes du moi en une notion cohérente et confortable de qui l'on est, c'est-à-dire de son **identité**.

Pour les adolescents comme pour les adultes, des groupes d'identités se forment par rapport à ce qui nous différencie de ceux qui nous entourent. Lorsque nous vivions au Royaume-Uni, je me suis rendu compte de mon américanisme. Lorsque j'ai passé quelque temps avec ma fille en Afrique, je suis devenu conscient de ma minorité ethnique (en tant que Blanc). Lorsque je suis entouré de femmes, j'ai à l'esprit mon identité sexuelle. Pour les étudiants internationaux, pour ceux d'un groupe ethnique minoritaire, pour les personnes souffrant d'un handicap, pour ceux faisant partie d'une équipe, une **identité sociale** se forme souvent autour de ce qui les distingue.

« La conscience de soi, c'est la reconnaissance d'une créature par elle-même en tant que « moi » ; (elle ne peut) exister sauf par opposition avec un « autre », quelque chose qui n'est pas moi. »
C. S. Lewis, *The Problem of Pain*, 1940

Mais cela n'est pas toujours le cas. Erikson a remarqué que certains adolescents forgeaient très tôt leur identité, simplement en adoptant les valeurs et les attentes de leurs parents. (Les cultures traditionnelles et moins individualistes disent aux adolescents qui ils sont au lieu de les laisser décider eux-mêmes.) D'autres adolescents peuvent adopter une identité définie par opposition à celle de leurs parents, mais en accord avec un groupe particulier de « pairs » : les sportifs, les BCBG, les nuls, les gothiques, etc.

La plupart des jeunes développent un sentiment de satisfaction en regardant leur vie. Lorsqu'on a demandé à des adolescents américains de cocher, parmi plusieurs propositions, celle qui les définissait le mieux, 81 p. 100 ont répondu : « J'aurais choisi la même vie que celle que j'ai actuellement ». Cependant, d'autres semblent ne jamais se trouver complètement. Les 19 p. 100 restants ont coché la proposition : « J'aimerais bien être quelqu'un d'autre ». En réponse à une autre question, 28 p. 100 ont reconnu « Je me demande souvent pourquoi j'existe » (Lyons, 2004). Lorsqu'ils réfléchissent sur leur existence, 75 p. 100 des étudiants américains disent qu'ils « discutent de religion et de spiritualité » avec leurs amis, qu'ils prient et sont d'accord avec le fait que « nous sommes tous des êtres spirituels » et que « nous cherchons une signification, un but dans la vie » (Astin et coll., 2004 ; Bryant et Astin, 2008). Cela ne surprendrait pas William Damon et ses collaborateurs, psychologues à Stanford (2003), qui prétendent qu'une des principales tâches du développement de l'adolescent est de réaliser un objectif – le désir d'accomplir quelque chose ayant de l'importance à leurs yeux et qui les différencie du monde qui les entoure.

Les dernières années de l'adolescence, c'est-à-dire le moment où de nombreux jeunes des pays industrialisés commencent à fréquenter l'université ou à travailler à plein-temps, fournissent des opportunités nouvelles pour essayer des rôles potentiels. À la fin de leurs études universitaires, de nombreux étudiants ont une identité mieux définie et plus positive que celle qu'ils avaient en première année (Waterman, 1988). Leur identité intègre la plupart du temps une représentation d'eux-mêmes de plus en plus positive. Dans plusieurs études effectuées dans tout le pays, des chercheurs ont présenté à de jeunes Américains des tests pour évaluer l'estime qu'ils avaient d'eux-mêmes (une des affirmations étant par exemple : « Je suis capable de faire des choses aussi bien que la plupart des gens »). Entre 10 et 15 ans, l'estime de soi s'affaiblit et, chez les filles, le nombre des dépressions augmente souvent. Toutefois, l'estime de soi remonte à nouveau en fin d'adolescence et après 20 ans (Robins et coll., 2002 ; Twenge et Campbell, 2001 ; Twenge et Nolen-Hoeksema, 2002).

L'identité tend à s'individualiser. Daniel Hart (1988) a demandé à des jeunes d'âges différents d'imaginer une machine pouvant « cloner » (a) ce qu'ils pensaient et ressentaient, (b) leur apparence exacte, et (c) leurs relations avec leurs amis et leur famille. Il leur demanda ensuite de désigner le clone le plus proche d'eux. Parmi les élèves de cinquième, les trois quarts choisirent le clone (c), correspondant au même réseau social. Parmi les élèves de troisième, les trois quarts choisirent le clone (a), celui correspondant à leurs sentiments et à leurs pensées personnelles.

Erikson prétendait que l'étape identitaire chez l'adolescent était suivie chez le jeune adulte par le développement d'une capacité à avoir des rapports **intimes**. Une fois que vous avez une notion de vous-même claire et confortable, disait Erikson, vous êtes prêt à avoir des relations étroites sur le plan émotionnel. Ces relations constituent, pour la plupart d'entre nous, une énorme source de plaisir. Lorsque Mihaly Csikszentmihalyi et Jeremy Hunter (2003) ont utilisé un biper pour recueillir les expériences quotidiennes des adolescents américains, ils ont trouvé qu'ils étaient plus malheureux lorsqu'ils étaient seuls et plus heureux lorsqu'ils étaient avec leurs amis. Comme Aristote l'avait reconnu il y a très longtemps, l'homme est « un animal social ».

Les relations avec les parents et les pairs

Dans les cultures occidentales, au fur et à mesure que les adolescents cherchent à se forger leur propre identité, ils commencent à s'éloigner de leurs parents (Shanahan et coll., 2007). L'enfant de moins de 6 ans qui n'est jamais assez près de sa mère, qui aime la toucher et s'accrocher à elle, devient par la suite l'adolescent de 14 ans qui préférerait mourir plutôt que d'être surpris en train de tenir la main de sa mère. Cette transition survient progressivement (FIGURE 5.22). À l'adolescence, les disputes se font plus fréquentes et concernent des choses ordinaires telles que les tâches ménagères, l'heure d'aller au lit ou les devoirs scolaires (Tesser et coll., 1989). Les conflits entre les parents-enfant pendant la transition de l'adolescence ont tendance à être plus intenses avec les aînés qu'avec les frères et sœurs (Shanahan et coll., 2007).

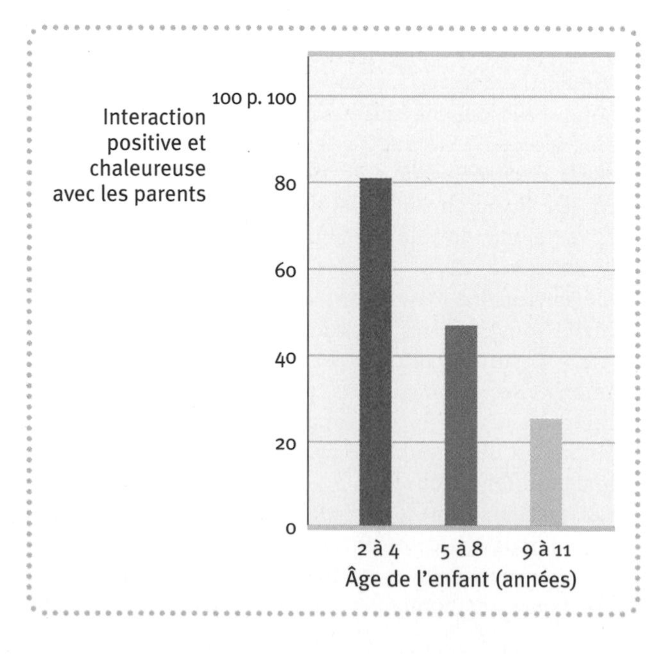

➤ FIGURE 5.22
Le changement de la relation parents-enfant Des interviews issues d'une importante étude nationale sur les familles canadiennes ont révélé que la relation étroite et chaleureuse qu'entretient l'enfant préscolaire avec ses parents se relâche au fur et à mesure que l'enfant grandit. (Données de *Statistics Canada*, 1999.)

:: **Intimité** : selon la théorie d'Erikson, capacité de développer des liens étroits et affectifs avec quelqu'un. Il s'agit d'une tâche du développement primaire qui survient à la fin de l'adolescence et au début de l'âge adulte.

Pour une minorité de parents et d'adolescents, ces différends peuvent mener à un réel éloignement et à un stress important (Steinberg et Morris, 2001). Mais la plupart des désaccords restent au niveau de la chamaillerie innocente. Une étude menée sur 6 000 adolescents dans 10 pays (Australie, Bengladesh, Turquie, etc.) a montré que la plupart d'entre eux aimaient leurs parents (Offer et coll., 1988). Comme le disent souvent les adolescents : « Généralement on s'entend bien mais... » (Galambos, 1992 ; Steinberg, 1987).

Des relations positives avec les parents et des relations positives avec les camarades vont de pair. Les lycéennes qui ont une relation affective intense avec leur mère ont également tendance à apprécier une amitié plus intime avec leurs amies (Gold et Yanof, 1985). De plus, les adolescents qui se sentent proches de leurs parents sont heureux, en bonne santé et réussissent leur scolarité (Resnick et coll., 1997). Bien entendu, on peut considérer cette corrélation dans le sens inverse : les adolescents qui se conduisent mal ont plus tendance à avoir des relations tendues avec leurs parents et les autres adultes.

L'adolescence est généralement une période où l'influence parentale diminue et où celle des camarades est plus importante. Dans une enquête, on a demandé à des parents s'ils avaient déjà eu une « discussion sérieuse » avec leurs enfants sur l'usage illégal des drogues : 85 p. 100 des parents américains ont répondu *oui*. Quelquefois, les adolescents font la sourde oreille et n'écoutent pas les précieux conseils car seulement 45 p. 100 se sont rappelé avoir eu ce genre de discussion (Morin et Brossard, 1997).

Comme nous l'avons déjà vu au chapitre 4, l'hérédité fait la plus grosse partie du travail en modelant les différences de caractères et la personnalité de chacun ; l'influence des parents et de l'entourage fait le reste. On pourrait comparer les adolescents à des « animaux grégaires ». Ils parlent, s'habillent et agissent plus comme leurs camarades que comme leurs parents. Ils deviennent souvent ce que sont leurs amis et font « ce que tout le monde fait. » Dans les appels reçus au service de conseils pour les adolescents, les relations avec les autres sont le principal sujet (Boehm et coll., 1999). Pour ceux qui se sentent exclus, cela peut être très douloureux. « Dans la plupart des collèges et lycées, il règne une atmosphère sociale pernicieuse où l'esprit de groupe et l'exclusion sont monnaie courante », observe le psychologue social Elliot Aronson (2001). La plupart « des étudiants exclus souffrent en silence... une minorité réagit par des actes de violence contre des camarades de classe ». Quand ils sont rejetés, les adolescents se replient sur eux-mêmes et sont enclins à la solitude, à une faible estime d'eux-mêmes et à la dépression (Steinberg et Morris, 2001). L'approbation de leurs camarades est importante.

Les adolescents considèrent que l'influence de leurs parents est plus importante dans d'autres domaines : par exemple, dans le choix et la pratique d'une religion, le choix de l'université et de la carrière (*Emerging Trends*, 1997). Une enquête Gallup sur les jeunes a révélé que la plupart partagent les opinions politiques de leurs parents (Lyons, 2005).

« Je vous aime. »
Dernier texto d'Emily Keyes envoyé à ses parents avant de mourir lors d'une prise d'otage dans son école du Colorado, en 2006

« Comment s'est passée ma journée ? Comment s'est passée ma journée ? T'as besoin de régenter ma vie ? »

Neuf fois sur dix, la pression vient des camarades.

Émergence de l'âge adulte

12. Qu'est-ce que l'émergence de l'âge adulte ?

Chez le jeune adulte, les liens émotionnels entre parents et enfants se relâchent davantage. Vers 20 ou 22 ans, la plupart s'appuient encore sur leurs parents. Vers 26 ou 28 ans, la plupart se sentent plus à l'aise et indépendants vis-à-vis de leurs parents et plus aptes en tant qu'adultes à entretenir une relation de sympathie avec eux (Frank, 1998 ; White, 1983). De nos jours, cette progression de l'adolescence vers l'âge adulte a tendance à être plus longue.

Dans les pays occidentaux, l'adolescence s'étend à peu près de 13 à 19 ans. Autrefois, et encore aujourd'hui dans d'autres parties du monde, l'adolescence n'était qu'un bref interlude (Baumeister et Tice, 1986). Peu après la maturité sexuelle, certaines sociétés conféraient le statut et les responsabilités d'adulte à la jeune personne, célébrant souvent l'événement avec une initiation complexe, un *rite de passage* public. Avec la bénédiction de la société, le nouvel adulte travaillait, se mariait et avait des enfants.

Sous l'influence de la scolarité obligatoire dans de nombreux pays occidentaux, l'indépendance de l'adulte a commencé à apparaître plus tardivement. Dans les cultures des pays industrialisés, de l'Europe jusqu'en Australie, les adolescents mettent plus de temps à terminer leurs études universitaires, à quitter le nid et à construire une carrière. Aux États-Unis par exemple, la moyenne d'âge du premier mariage varie selon les groupes ethniques mais a progressé de 4 ans depuis 1960 (27 ans pour les hommes, 25 ans pour les femmes).

➤ FIGURE 5.23
La transition à l'âge adulte s'étire par les deux bouts Dans les années 1890, l'intervalle moyen entre la première période des règles et le mariage qui marquait typiquement la transition à l'âge adulte était d'environ 7 ans ; aujourd'hui, dans les pays industrialisés, il est d'environ 12 ans (Guttmacher, 1994, 2000). Bien que beaucoup d'adultes ne soient pas mariés, le mariage plus tardif associé à une éducation plus longue et à l'apparition précoce des premières règles expliquent l'étirement de l'adolescence.

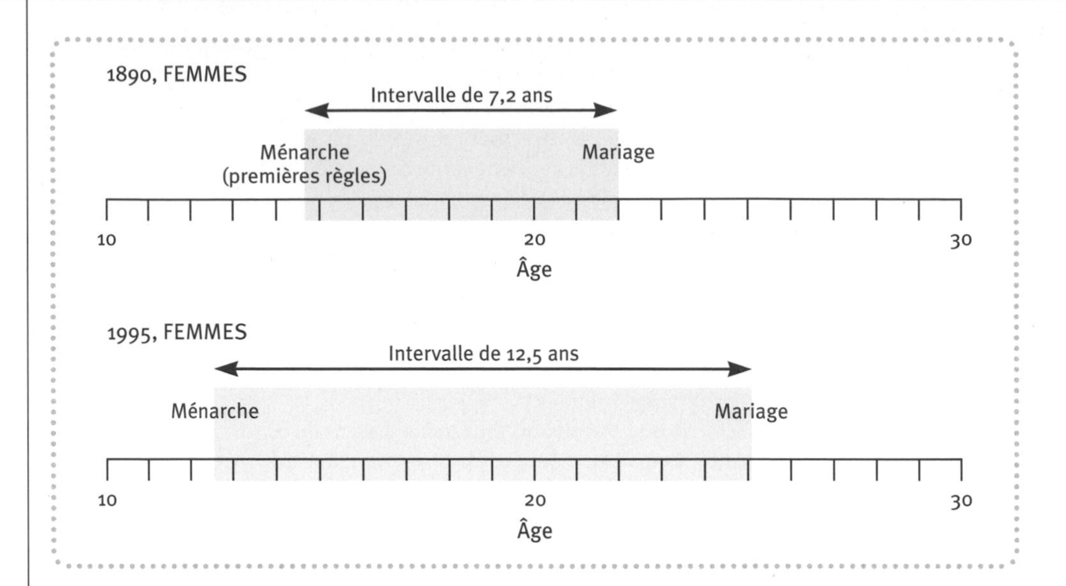

« Quand j'avais ton âge, j'étais adulte. »

À mesure que les traditions culturelles changeaient, les adolescents occidentaux commençaient également à se développer plus tôt. La maturité sexuelle plus précoce actuellement est liée à la fois à l'augmentation du tissu adipeux corporel (qui permet d'assurer la grossesse et l'allaitement) et aux liens parents-enfant qui s'affaiblissent (y compris du fait de pères absents) (Ellis, 2004). Ensemble, la puberté plus précoce et l'indépendance plus tardive ont prolongé l'intervalle autrefois bref entre la maturité biologique et l'indépendance sociale (FIGURE 5.23).

En particulier pour ceux qui étudient encore, la période comprise entre 18 et 25 ans constitue une phase de la vie où l'on n'est pas encore stabilisé, une phase que certains appellent **phase adulte émergente** (Arnett, 2006, 2007 ; Reitzle, 2006). Contrairement à certaines autres cultures ayant un passage brutal à l'âge adulte, les occidentaux facilitent généralement ce passage dans ce nouveau statut. Ceux qui quittent la maison pour l'université, par exemple, sont séparés de leurs parents et, plus que jamais auparavant, gèrent leur temps et leurs priorités. Cependant, ils peuvent continuer à dépendre du soutien financier et émotionnel de leurs parents et revenir à la maison pour les vacances. Pour beaucoup d'autres, la maison parentale reste le seul endroit qu'ils peuvent s'offrir pour vivre. Ces « adultes émergents » ne sont plus des adolescents, mais n'ont pas encore acquis les responsabilités et l'indépendance dignes d'un adulte, ils se sentent « entre les deux ». L'âge adulte émerge, petit à petit, souvent avec de moins en moins de périodes de dépression ou de colère et une augmentation de l'estime de soi (Galambos et coll., 2006).

AVANT D'ALLER PLUS LOIN...

➤ **INTERROGEZ-VOUS**

Quels sont les souvenirs les plus positifs et les plus négatifs de votre adolescence ? À qui en attribuez-vous les mérites et les responsabilités : à vos parents ou à vos camarades ?

➤ **TESTEZ-VOUS 3**

De quelle manière la transition entre l'enfance et l'âge adulte s'est-elle modifiée dans les cultures occidentales au cours des 100 dernières années ?

Les réponses aux questions « Testez-vous » sont données dans l'annexe B à la fin de l'ouvrage.

« Je continue à apprendre. »
Michel Ange, 1560, à l'âge de 85 ans

Âge adulte

À UNE CERTAINE ÉPOQUE, LES PSYCHOLOGUES CONSIDÉRAIENT les années correspondant au milieu de l'existence, entre l'adolescence et la vieillesse, comme un long plateau. Ce n'est plus le cas. Ceux qui étudient l'évolution de la vie des adultes pensent maintenant que le développement est continu.

« Joyeux anniversaire ! Pour tes 40 ans, je vais prendre le tonus musculaire de tes bras, le timbre féminin de ta voix, ton incroyable résistance à la caféine et ta capacité à digérer les frites. Tu peux garder le reste. »

:: Émergence de l'âge adulte : pour certaines personnes dans les cultures modernes, c'est la période entre 18 et 25 ans qui comble le fossé entre la dépendance de l'adolescent et l'indépendance totale et les responsabilités de l'adulte.

:: Ménopause : période d'arrêt naturel des règles ; se rapporte également aux changements biologiques vécus par la femme pendant les années du déclin de sa fécondité.

Il est plus difficile de généraliser à propos des stades de l'âge adulte qu'à propos des premières années de la vie. Si vous savez seulement que James a 1 an et Jamal 10 ans, vous pouvez déjà dire pas mal de choses à leur sujet. Ce n'est pas si évident avec des adultes qui ont 10 ans d'écart. Le patron peut avoir 30 ou 60 ans, le marathonien 20 ou 50 ans, une personne de 19 ans peut être parent d'un enfant à charge ou un enfant recevant encore une aide financière. Néanmoins, le cours de nos vies est d'une certaine façon assez semblable. Sur les plans physique, cognitif et surtout social, les gens de 50 ans sont différents de ce qu'ils étaient à 25 ans.

• Selon vous, quel âge doit avoir une personne pour que vous la considériez comme vieille ? La plupart des gens de 18 à 29 ans répondent 67 ans. En général, les personnes de 60 ans et plus répondent 76 ans (Yankelovich, 1995). •

Développement physique

13. Quels sont les changements physiques qui se produisent au milieu de l'âge adulte et à la fin de celui-ci ?

Nos capacités physiques, telles que la force musculaire, le temps de réaction, l'acuité sensorielle et le débit cardiaque, atteignent un pic vers 25 ans. Comme la lumière du jour qui décline après le solstice d'été, le déclin de nos capacités physiques commence de manière imperceptible. Les athlètes sont souvent les premiers à s'en apercevoir. Les sprinters et les nageurs de niveau mondial atteignent le sommet de leur carrière peu après leur vingtième année. Les femmes qui atteignent la maturité plus vite que les hommes, atteignent aussi leur sommet plus tôt. Mais la plupart des individus, en particulier ceux dont la vie de tous les jours n'exige pas de performance physique de haut niveau, perçoivent à peine les premiers signes de déclin.

Changements physiques de l'âge mûr

Comme les athlètes d'âge mûr (après 40 ans) le savent bien, le déclin physique s'accélère progressivement (Figure 5.24, page suivante). En tant que joueur de basket régulier, à l'âge de 65 ans, je me demande parfois si mon équipe a vraiment besoin que je coure après cette balle perdue. Toutefois, même si la force physique diminue, elle est compatible avec des activités normales. De plus, durant le début et le milieu de l'âge adulte, la forme physique a moins à voir avec l'âge qu'avec l'état de santé et l'entraînement de la personne. Beaucoup d'hommes de 50 ans en bonne condition physique peuvent courir sans problème 6 ou 7 kilomètres, tandis que des hommes sédentaires de 25 ans sont essoufflés après avoir monté deux étages.

Le vieillissement entraîne également un déclin progressif de la fertilité. Pour les femmes âgées de 35 à 39 ans, un rapport sexuel a deux fois moins de chance d'entraîner une grossesse que chez une femme de 19 à 26 ans (Dunson et coll., 2002). Le premier signe biologique du vieillissement chez la femme est l'apparition de la **ménopause** : c'est la fin du cycle menstruel, qui débute généralement à l'approche de la cinquantaine. Ses attentes et ses attitudes influencent l'impact émotionnel de l'événement. Voit-elle la ménopause comme un signe de

« Si nous connaissions la vérité, il faudrait diagnostiquer [chez les femmes âgées] une LPM (liberté post-menstruelle). »
Jacqueline Goodchilds, psychosociologue (1987)

Moyenne de réception des balles : 18 joueurs avec 20 ans de carrière

Moyenne des coups réussis

320
310
300
290
280
270
260
250

0 5 10 15 20

Années

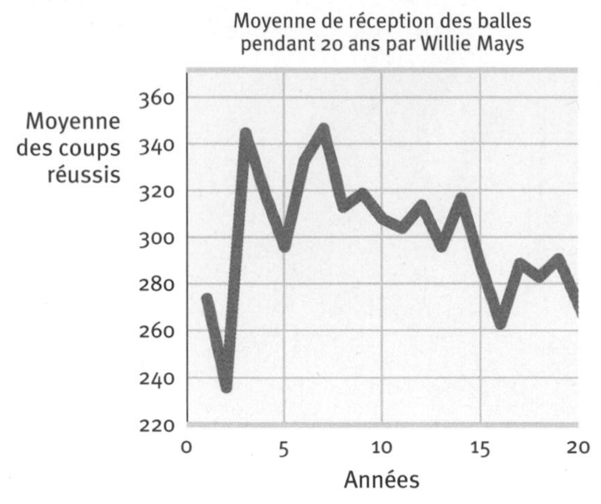

Bettmann/Corbis

➤ FIGURE 5.24
Accélération progressive du déclin
Une analyse de la relation entre le vieillissement et la fréquence de réception des balles chez les joueurs de base-ball des plus grandes équipes du XXe siècle a mis en évidence un déclin qui s'accélère progressivement chez les joueurs plus âgés (Schall et Smith, 2000). La courbe de performance de la carrière du célèbre Willie Mays illustre bien ce phénomène.

« Ce qui vous empêche d'avoir des relations sexuelles en vieillissant est exactement la même chose que ce qui vous empêche de faire du vélo (vous êtes en mauvaise santé, vous vous imaginez que c'est ridicule ou vous n'avez pas de vélo). »
Alex Comfort, *The Joy of Sex*, 2002

perte de féminité et de vieillissement ? Ou voit-elle dans cet événement une libération vis-à-vis des cycles menstruels, de la crainte d'une grossesse ? Comme c'est souvent le cas, nos attentes influencent nos perceptions.

Des données recueillies en Afrique confortent la théorie de l'évolution de la ménopause : les enfants ayant une grand-mère maternelle vivante, typiquement un membre de la famille attentif et investi, et qui n'a pas de jeunes enfants lui-même, avaient plus de chances de survivre (Shanley et coll., 2007).

Les hommes ne subissent pas de phénomènes équivalents à la ménopause : pas d'arrêt de la fertilité, pas de chute brutale des hormones sexuelles. Mais ils connaissent une diminution plus progressive du nombre de spermatozoïdes, du niveau de testostérone et de la vitesse d'érection et d'éjaculation. Certains peuvent également ressentir un malaise psychologique lié au sentiment d'une perte de virilité et de déclin de leurs capacités physiques. Toutefois, la plupart des hommes vieillissent sans rencontrer ce genre de problèmes.

Au cours d'une enquête nationale menée sur des Canadiens âgés de 40 à 64 ans, 3 d'entre eux sur 10 trouvaient que leur vie sexuelle était moins agréable qu'au cours de leurs 20 ans (Wright, 2006). Après la cinquantaine, la plupart des hommes et des femmes sont encore capables d'avoir une activité sexuelle satisfaisante. Une étude menée par le *National Council on Aging* sur les plus de 60 ans a montré que 39 p. 100 étaient satisfaits de leur activité sexuelle et que 39 p. 100 désiraient avoir des rapports sexuels plus fréquents (Leary, 1998). Et au cours d'une enquête menée au sein d'une association américaine de retraités, ce n'étaient qu'après 75 ans que la plupart des femmes et la moitié des hommes disaient avoir peu de désir sexuel (DeLamater et Sill, 2005).

Changements physiques du sujet âgé

La vieillesse est-elle « plus à craindre que la mort » (Juvénal, *Satires*) ? Ou la vie est-elle « plus agréable lorsque l'on est sur la pente descendante » (Sénèque, *Lettres à Lucilius*) ? À quoi ressemble le vieillissement ? Pour tester vos connaissances sur le sujet répondez à ce questionnaire par vrai ou faux :

1. Les personnes âgées sont plus sensibles aux maladies virales ou infectieuses.
2. Au cours de la vieillesse, beaucoup de neurones du cerveau meurent.
3. S'ils vivent au-delà de 90 ans, la plupart des gens âgés deviennent séniles.
4. La mémoire de reconnaissance, c'est-à-dire la capacité à identifier des choses déjà rencontrées, décline avec l'âge.
5. La joie de vivre est à son apogée vers la cinquantaine et décline ensuite progressivement après 65 ans.

Espérance de vie Les affirmations ci-dessus, toutes fausses, font partie des mythes qui entourent le vieillissement et ont été invalidées par des recherches récentes. Dans le monde entier, l'espérance de vie à la naissance est passée de 49 ans en 1950, à 67 ans en 2004 et à 80 ans et plus dans les pays les plus développés (PRB, 2004 ; Sivard, 1996). Cette augmentation de l'espérance de vie (la plus grande prouesse de l'humanité selon certains) s'associe à la baisse du taux de natalité, pour faire des personnes âgées une part de plus en plus importante de la population. D'où une augmentation de la demande de bateaux de croisière, d'appareils auditifs, de villages retraite et de maisons de retraites.

Vers 2050, environ 35 p. 100 de la population européenne aura certainement plus de 60 ans (Fernández-Ballesteros et Caprara, 2003). Il est clair que les pays qui comptent sur les enfants pour prendre soin des personnes âgées sont destinés à un « tsunami démographique ». Selon les Nations unies (Brooks, 2005), la Russie et l'Europe occidentale vont également droit à la dépopulation – passant de 146 millions à 104 millions d'habitants en Russie vers 2050. Comme le prédit George Weigel (2005), « lorsque tout un continent, qui se trouve être en meilleure santé, plus riche et plus sûr que jamais, ne peut créer un futur humain au sens le plus élémentaire, c'est-à-dire engendrer une nouvelle génération, nous courons vers de très graves ennuis ».

L'espérance de vie diffère entre les hommes et les femmes ; les hommes ont plus de risques de mourir. Bien qu'il y ait 126 embryons de garçons pour 100 embryons de filles, à la naissance, le sex-ratio descend à 105 garçons pour 100 filles (Strickland, 1992). Au cours de la première année, le taux de mortalité chez les garçons est supérieur d'un quart à celui des filles. Partout dans le monde, les femmes survivent aux hommes de 4 ans environ, et de 5 à 6 ans en moyenne au Canada, aux États-Unis et en Australie. (Plutôt que de se marier avec un homme plus âgé qu'elles, les femmes de 20 ans souhaitant un mari ayant la même espérance de vie qu'elles devraient attendre que des garçons de 15 ans deviennent matures.) À l'âge de 100 ans, il y a cinq fois plus de femmes que d'hommes.

Mais peu d'entre nous vivent jusqu'à 100 ans. Même si personne ne mourait avant l'âge de 50 ans et si les maladies cardiovasculaires, les maladies infectieuses et le cancer étaient éliminés, l'espérance de vie ne dépasserait pas les 85 ans (Barinaga, 1991). Le corps vieillit. Ses cellules cessent de se diviser. Il devient fragile et vulnérable à de petits incidents (la chaleur, une chute, une légère infection) qui auraient été anodins à l'âge de 20 ans.

Avec l'âge (en particulier s'il est accentué par le tabagisme, l'obésité ou le stress), l'extrémité des chromosomes humains (les *télomères*) s'effrite un peu comme l'extrémité d'un lacet s'effiloche. À mesure que ces extrémités protectrices se raccourcissent, les cellules vieillissantes meurent sans être remplacées par des copies génétiques parfaites (Blackburn et coll., 2007 ; Valdes et coll., 2005 ; Zhang et coll., 2007).

Pourquoi finissons-nous par nous user ? Pourquoi ne vieillissons-nous pas sans flétrir comme les conifères à feuilles persistantes, les rascasses ou certaines reines d'insectes sociaux ? Une théorie, proposée par les biologistes de l'évolution, soutient que la réponse réside dans notre survie en tant qu'espèce : nous transmettons nos gènes avec nos meilleures chances de succès lorsque nous élevons nos jeunes, puis cessons de consommer nos ressources. De plus, une fois que nous avons accompli notre potentiel de reproduction génétique, la pression de la sélection naturelle ne s'exerce plus contre les gènes responsables de la dégénérescence au cours de la vieillesse (Olshansky et coll., 1993 ; Sapolsky et Finch, 1991).

L'esprit humain peut aussi affecter l'espérance de vie. Comme nous le verrons au chapitre 12, l'irritation ou la dépression chronique augmentent nos risques de maladie et de mort prématurée. Les chercheurs ont même observé un phénomène de *report de la mort* très surprenant. Par exemple, Mitsuru Shimizu et Brett Pelham (2008) se sont aperçus lors d'une étude menée sur une période récente de 15 ans, qu'il y avait entre 2 000 et 3 000 Américains de plus qui mouraient au cours des deux jours qui suivent Noël que le jour de Noël et les deux jours qui précèdent (FIGURE 5.25). Le taux de mortalité *augmente* aussi lorsque les gens atteignent la date de leur anniversaire, tout comme cela a été le cas pour ceux qui survécurent à l'événement que représentait le premier jour du nouveau millénaire.

Record mondial de longévité ?
La Française Jeanne Calment, sûrement la personne la plus vieille de toute l'histoire de l'humanité, est morte en 1998 à l'âge de 122 ans. À 100 ans, elle faisait encore du vélo ! À 114 ans, elle devint l'actrice la plus âgée de tous les temps en interprétant son propre personnage dans *Vincent et moi*.

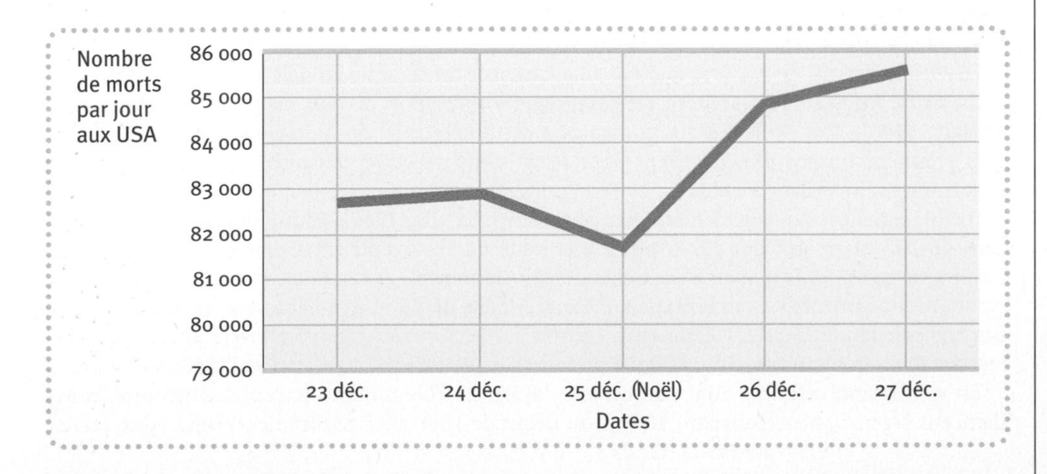

➤ FIGURE 5.25
Différer le rendez-vous avec la grande faucheuse ? Le nombre total de décès quotidiens entre 1987 et 2002 augmente dans les jours qui suivent Noël. Pour les chercheurs Mitsuru Shimizu et Brett Pelham (2008) cela concorde avec les preuves de plus en plus nombreuses d'un phénomène d'ajournement de la mort.

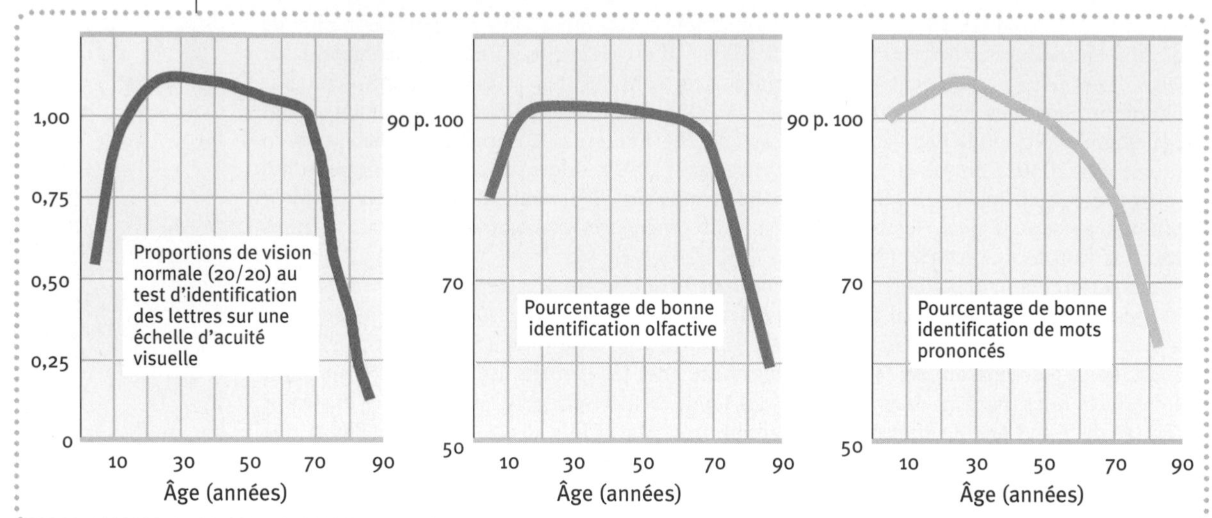

➤ FIGURE 5.26
Le vieillissement des sens La vue, l'odorat et l'ouïe sont moins précis chez les plus de 70 ans. (D'après Doty et coll., 1984.)

« Pour je ne sais quelles raisons, peut-être pour économiser de l'encre, les restaurants avaient commencé à imprimer leurs menus avec des lettres ayant la taille de bactéries. »
Dave Barry, *Dave Barry Turns Fifty*, 1998

• La plupart des chutes dans les escaliers chez les personnes âgées surviennent à la première marche du haut, à l'endroit précis où la personne passe du couloir éclairé par la lumière du jour à la cage d'escalier sombre (Fozard et Popkin, 1978). Nos connaissances sur le vieillissement pourraient être utilisées pour aménager des environnements permettant de réduire ce genre d'accidents (*National Research Council*, 1990). •

Capacités sensorielles Bien que le déclin physique commence au début de l'âge adulte, ce n'est que bien plus tard, au cours de la vieillesse, que les gens s'en aperçoivent réellement. L'acuité visuelle diminue, l'évaluation des distances et l'adaptation au changement de luminosité sont moins rapides. La force musculaire, le temps de réaction et la résistance diminuent également de façon notable, ainsi que la vue, le sens olfactif et l'ouïe (FIGURE 5.26). Pour un vieillard, les escaliers sont plus raides, les journaux sont écrits plus petits et les gens semblent marmonner beaucoup plus. Au Pays de Galles, pour décourager les adolescents de traîner autour des supermarchés, certains utilisent un appareil qui émet un bruit désagréable dans une tonalité très aiguë qui ne peut être entendue par la très grande majorité des personnes âgées de plus de 30 ans (Lyall, 2005). Certains étudiants utilisent cette même tonalité à leur avantage sur leur téléphone portable pour que leurs professeurs ne l'entendent pas (Vitello, 2006).

Avec l'âge, la pupille se rétracte et le cristallin devient moins transparent, réduisant la quantité de lumière parvenant à la rétine. En effet, la rétine d'une personne de 65 ans ne reçoit environ qu'un tiers de la lumière parvenant à la rétine de quelqu'un de 20 ans (Kline et Schieber, 1985). Donc, pour voir aussi bien qu'une personne de 20 ans quand elle lit ou conduit, une personne de 65 ans a besoin de trois fois plus de lumière. Voilà une bonne raison pour acheter des voitures avec des pare-brise non teintés ! Cela explique aussi pourquoi les personnes âgées demandent parfois aux jeunes : « N'avez-vous pas besoin d'une lumière plus forte pour lire ? ».

Santé Pour ceux qui vieillissent, il y a à la fois de bonnes et de mauvaises nouvelles en ce qui concerne la santé. Les mauvaises nouvelles : le système immunitaire, système de défense de l'organisme contre les maladies, s'affaiblit, rendant les personnes âgées plus vulnérables à des maladies potentiellement mortelles comme le cancer ou les pneumonies. Les bonnes nouvelles : ayant accumulé des anticorps pendant toute leur vie, les plus de 65 ans souffrent moins souvent de maladies bénignes telles que la grippe ou certains rhumes d'origine virale. Par exemple, ils ont une probabilité deux fois plus faible que les gens de 20 ans et cinq fois plus faible que les enfants de moins de 6 ans de contracter chaque année une affection des voies respiratoires supérieures (*National Center for Health Statistics*, 1990). C'est une des raisons pour lesquelles les travailleurs âgés ont un taux d'absentéisme moins élevé (Rhodes, 1983).

Le vieillissement, cependant, prélève une taxe sur le cerveau en ralentissant les processus neuronaux. Jusqu'à l'adolescence, nous traitons l'information de plus en plus rapidement (Fry et Hale, 1996 ; Kail, 1991). Mais, comparés à des adolescents ou à de jeunes adultes, les gens âgés prennent un peu plus de temps pour réagir, pour résoudre des puzzles ou même pour se souvenir de noms (Bashore et coll., 1997 ; Verhaeghen et Salthouse, 1997). Ce retard s'accentue particulièrement lorsque la tâche devient complexe (Cerella, 1985 ; Poon, 1987). La plupart des gens de 70 ans ne peuvent pas rivaliser avec ceux de 20 ans aux jeux vidéo. Aussi, comme le montre la FIGURE 5.27, le taux d'accidents de voiture mortels (mesuré au nombre de kilomètres parcourus) augmente nettement après 75 ans. À l'âge de 85 ans, il dépasse le taux d'accidents des adolescents de 16 ans. Néanmoins, comme les personnes âgées conduisent moins, ils sont responsables de moins de 10 p. 100 des accidents de voiture (Coughlin et coll., 2004).

En vieillissant, certaines zones du cerveau, ayant un rôle important dans la mémoire, commencent à s'atrophier (Schacter, 1996). Au début de l'âge adulte, commence une perte faible,

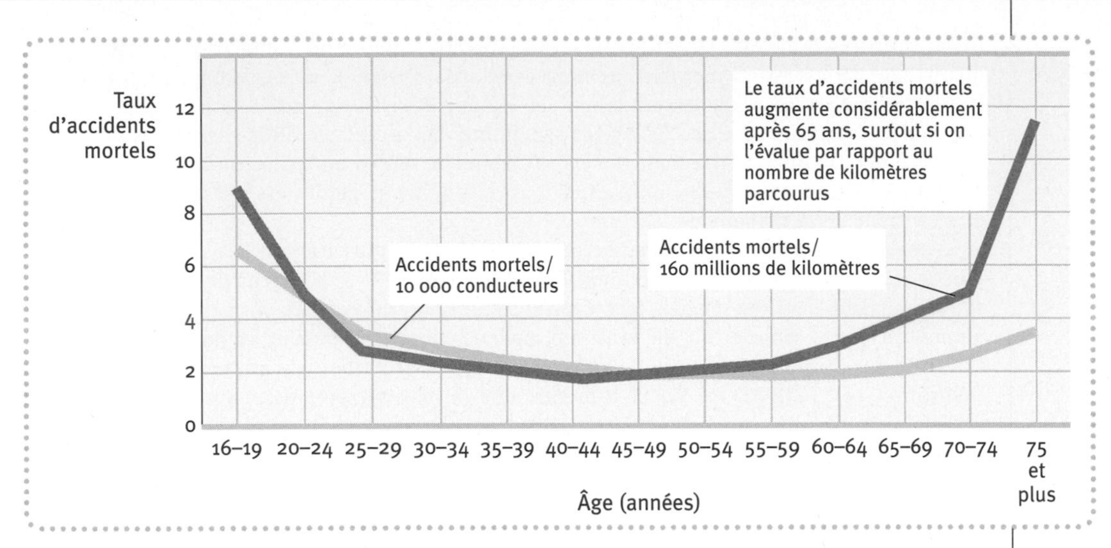

➤ FIGURE 5.27
L'âge et les accidents mortels
Des réflexes plus lents contribuent à augmenter les risques d'accident chez les personnes âgées de plus de 75 ans et, du fait de leur plus grande fragilité, le risque de décès en cas d'accident est plus important (NHTSA, 2000). Seriez-vous favorable à un examen de conduite fondé sur la performance plutôt que sur l'âge, permettant de détecter les personnes présentant des réflexes lents ou des déficiences sensorielles qui constituent des risques d'accident ?

mais progressive de cellules cérébrales, représentant une diminution d'environ 5 p. 100 du poids du cerveau à l'âge de 80 ans. Nous avons vu plus tôt que la maturation tardive des lobes frontaux rendait compte de l'impulsivité des adolescents. Plus tard au cours de la vie, l'atrophie des lobes frontaux contrôlant les inhibitions pourrait expliquer les questions parfois brutales des personnes âgées (« T'aurais pas grossi ? ») et leurs commentaires plutôt francs (von Hippel, 2007).

L'exercice corporel renforce les muscles, les os et l'énergie, et permet de prévenir l'obésité et les maladies cardiovasculaires. Il nourrit également le cerveau et permet de compenser la perte de cellules (Coleman et Flood, 1986). L'exercice physique stimule le développement des cellules cérébrales et les connexions nerveuses, en augmentant le flux d'oxygène et de nutriments (Kempermann et coll., 1998 ; Pereira et coll., 2007). Cela peut expliquer pourquoi les personnes âgées actives ont tendance à être des personnes âgées mentalement rapides et pourquoi, selon 20 études, des personnes âgées sédentaires désignées au hasard pour suivre un programme de gymnastique aérobique ont amélioré leurs capacités mnésiques et développé leur sens de jugement (Colcombe et Kramer, 2003 ; Colcombe et coll., 2004 ; Weuve et coll., 2004). L'exercice corporel favorise la neurogenèse (naissance de nouvelles cellules nerveuses) dans l'hippocampe, une région du cerveau importante pour la mémoire (Pereira et coll., 2007). Et l'exercice aide à maintenir les télomères qui protègent l'extrémité de nos chromosomes (Cherkas et coll., 2008). Nous avons plus de risques de nous rouiller en restant inoccupés que de nous user en nous utilisant.

Démence et maladie d'Alzheimer Certains adultes vont, malheureusement, subir une perte importante de cellules cérébrales. Jusqu'à l'âge de 95 ans, l'incidence de la démence double tous les 5 ans environ (Figure 5.28). Une série de petits accidents vasculaires cérébraux,

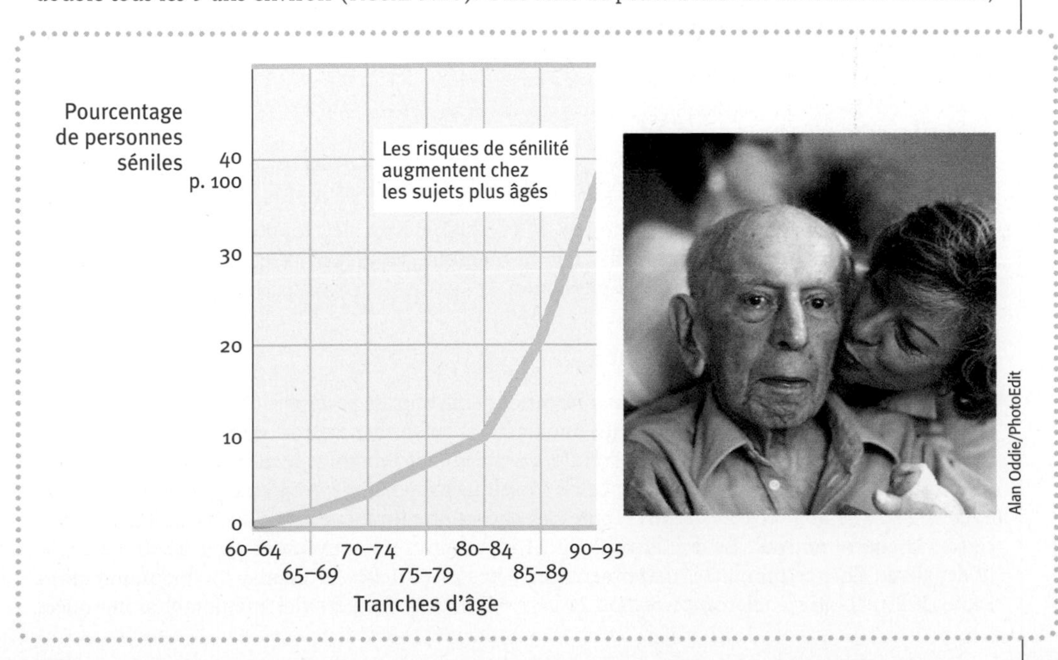

➤ FIGURE 5.28
Incidence de l'âge sur la démence sénile (détérioration mentale)
Les risques de démence liés à la maladie d'Alzheimer ou à de multiples accidents vasculaires cérébraux doublent tous les 5 ans chez le sujet âgé. (D'après Jorm et coll., 1987, fondé sur 22 études faites dans des pays industrialisés.)

« Nous maintenons les gens en vie de manière à ce qu'ils vivent assez longtemps pour être atteints de la maladie d'Alzheimer. »
Steve McConnell, vice-président de l'*Alzheimer's Association*, 2007

une tumeur cérébrale ou l'alcoolisme peuvent progressivement endommager le cerveau, provoquant cette détérioration mentale que nous appelons *démence*. C'est également ce que produit la plus redoutée des maladies cérébrales, la *maladie d'Alzheimer*, qui touche 3 p. 100 de la population mondiale âgée de 75 ans. Les symptômes de la maladie d'Alzheimer *ne* sont *pas* les mêmes que ceux du vieillissement normal. (Oublier de temps en temps où l'on a mis ses clés de voiture ne doit pas causer d'inquiétude ; en revanche, se perdre en rentrant chez soi peut être un signe de la maladie d'Alzheimer.)

La maladie d'Alzheimer peut même détruire l'esprit le plus brillant. La mémoire d'abord, puis le raisonnement vont se détériorer. Robert Sayre (1979) se souvient de son père criant à sa mère malade de « penser plus fort » lorsque confuse, embarrassée, au bord des larmes, elle ne pouvait pas se rappeler où elle avait mis quelque chose et cherchait au hasard dans la maison. Une diminution du sens de l'odorat est associée à la pathologie qui prédit un Alzheimer (Wilson et coll., 2007). Au fur et à mesure que la maladie progresse, après 5 à 20 ans, le malade devient émotionnellement passif, désorienté et désinhibé, puis incontinent et, finalement, mentalement absent, une sorte de mort-vivant, juste un corps privé de son humanité.

Derrière les symptômes de cette maladie, on observe une perte des cellules nerveuses et une détérioration des neurones qui produisent un neuromédiateur, l'acétylcholine. Privées de ce messager chimique vital, la mémoire et la pensée souffrent. Une autopsie révèle deux anomalies caractéristiques dans ces neurones produisant l'acétylcholine : des filaments protéiques dénaturés dans le corps cellulaire et des plaques (zones de tissus en dégénérescence) à l'extrémité des ramifications neuronales. Une des voies de la recherche scientifique s'oriente vers le développement de médicaments qui bloquent l'agrégation des protéines en plaques ou qui abaissent le taux de ces protéines responsables, un peu comme les médicaments qui abaissent le taux de cholestérol peuvent aider à éviter les maladies cardiaques (Grady, 2007 ; Wolfe, 2006).

➤ FIGURE 5.29
Prévoir la maladie d'Alzheimer Lors d'un test de mémoire, les images IRM des personnes présentant un risque de maladie d'Alzheimer (à gauche) ont révélé une activité plus intense (en jaune, en orange, puis en rouge) que celle des cerveaux normaux (à droite). Les scanners cérébraux et les tests génétiques permettent d'identifier ceux qui risquent fort d'être atteints d'une maladie d'Alzheimer. Voudriez-vous être testé ? À quel âge ?

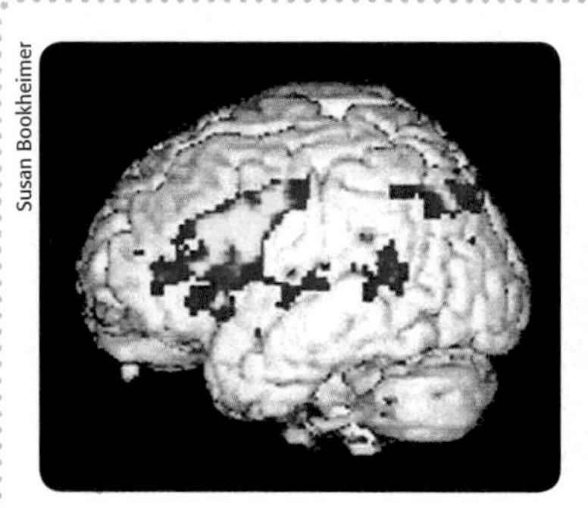

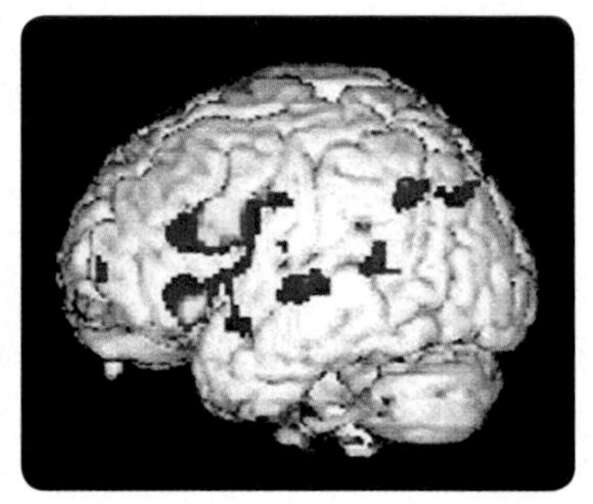

Susan Bookheimer

Les scientifiques font des progrès dans la connaissance des origines chimiques, neuronales et génétiques de la maladie d'Alzheimer (Gatz, 2007 ; Rogaeva et coll., 2007). Chez les personnes présentant un risque de maladie d'Alzheimer, les scanners cérébraux (FIGURE 5.29) révèlent, avant que les symptômes n'apparaissent, une dégénérescence des cellules-clés du cerveau ainsi qu'une baisse de l'activité cérébrale dans les zones atteintes par la maladie d'Alzheimer (Apostolova et coll., 2006 ; Johnson et coll., 2006 ; Wu et Small, 2006). Lorsque le patient mémorise des mots, les scanners montrent également une activité cérébrale diffuse, comme s'il lui fallait plus d'effort pour accomplir la même tâche (Bookheimer et coll., 2000). Les personnes physiquement actives et non obèses ont moins de risques de développer la maladie d'Alzheimer (Abbott et coll., 2004 ; Gustafson et coll., 2003 ; Marx, 2005). Il en est de même des individus ayant un esprit actif et stimulé, souvent l'esprit d'un lecteur instruit et actif (Wilson et Bennett, 2003). Même conseil pour le cerveau que pour les muscles : ceux qui l'utilisent, le perdent moins souvent.

Développement cognitif

14. Comment la mémoire et l'intelligence changent-elles avec l'âge ?

Une des questions des plus intrigantes de la psychologie du développement est de savoir si le déclin des capacités cognitives, telles que la mémoire, la créativité et l'intelligence, se fait parallèlement au déclin des capacités physiques.

Mémoire et vieillissement

• Si vous avez entre 15 et 25 ans, quelle est l'expérience de l'année passée que vous êtes peu susceptible d'oublier ? (Ce sera le moment de votre vie dont vous vous souviendrez le mieux lorsque vous aurez 50 ans.) •

Quand nous vieillissons, nous arrivons à bien nous souvenir de certaines choses. En repensant à leur vie passée, la plupart des gens à qui on demande de se remémorer un ou deux événements importants ayant eu lieu dans les 50 dernières années, ont tendance à citer des événements qui se sont produits durant leur adolescence ou lorsqu'ils avaient une vingtaine d'années (Conway et coll., 2005 ; Rubin et coll., 1998). Toutes les choses que l'on a vécues à ce stade de la vie, que ce soit la guerre en Irak, les événements du 11 septembre, le mouvement pour les droits civils, la deuxième Guerre mondiale, deviennent des dates essentielles (Pillemer, 1998 ; Schuman et Scott, 1989). Notre adolescence et nos 20 ans sont aussi des périodes mémorables, marquées par les « premières fois » : premier rendez-vous amoureux, premier emploi, première fois que l'on va à l'université, ou encore la première rencontre avec les beaux-parents.

Pour certains processus d'apprentissage et de mise en mémoire, le début de l'âge adulte constitue une période faste. Lors d'une expérience, Thomas Crook et Robin West (1990) ont demandé à 1 205 personnes d'apprendre des noms. Ils ont visionné quatorze personnes sur une bande vidéo, où chacune disait son nom en employant une formulation habituelle comme : « Bonjour, je m'appelle Larry. » La deuxième fois, les mêmes personnes disaient des choses comme : « Je viens de Philadelphie », fournissant ainsi des indices visuels *et* vocaux leur permettant de se rappeler le nom de chaque personne. Comme l'indique la FIGURE 5.30, toutes les personnes soumises à l'expérience ont retenu plus de noms lors de la seconde et de la troisième présentation, mais les adultes plus jeunes ont fait preuve d'une capacité supérieure à se rappeler des noms. Il n'est peut-être pas surprenant alors, que près des deux tiers des personnes de plus de 40 ans disent que leur mémoire est bien plus mauvaise qu'elle ne l'était 10 ans auparavant (KRC, 2001).

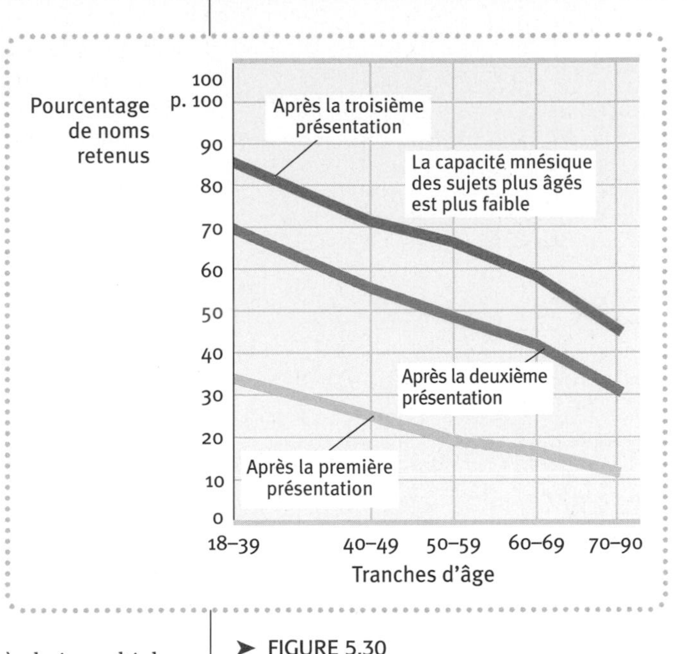

➤ FIGURE 5.30
Tests de mémoire Les jeunes adultes présentent une meilleure capacité à se souvenir des noms nouveaux (présentés une, deux ou trois fois) que les personnes plus âgées. (Données provenant de Crook et West, 1990.)

Considérons une autre expérience (Schonfield et Robertson, 1966) au cours de laquelle on a demandé à des adultes d'âges divers d'apprendre une liste de 24 mots. Sans donner aucun indice, les chercheurs ont demandé à un groupe de *se souvenir* d'autant de mots de la liste qu'ils pouvaient, et à l'autre groupe de simplement *reconnaître* les mots à l'aide d'un questionnaire à choix multiples. Bien que les jeunes adultes aient démontré une meilleure capacité mnésique, les chercheurs n'ont pas pu constater de déclin mnésique dû à l'âge avec les tests de reconnaissance (FIGURE 5.31). Par conséquent, la précision de la mémoire chez les personnes plus âgées dépend-elle : de la *reconnaissance* simple de ce qu'elles ont essayé de mémoriser (déclin mnésique minimal), ou du *rappel* des mots sans qu'aucune aide ne leur soit apportée (déclin mnésique plus important) ?

La *mémoire potentielle* (se souvenir de) reste forte quand certains événements aident à la déclencher, par exemple le fait de se rappeler d'acheter du lait en passant devant une épicerie. Les tâches d'ordre temporel (se rappeler que l'on a un rendez-vous à 15 h 00) s'avèrent plus difficiles pour les plus âgés. Les tâches habituelles, comme prendre des médicaments trois fois par jour, peuvent également constituer un véritable défi (Einstein et coll., 1990, 1995, 1998). Les adolescents et les jeunes adultes sont bien meilleurs que les jeunes enfants et les personnes de 70 ans pour se souvenir de faire quelque chose (Zimmerman et Meier, 2006). Pour réduire au minimum les problèmes associés au déclin de la mémoire potentielle, les adultes âgés se fient plus à leur agenda (ou à un planning) et utilisent des aide-mémoire, par exemple des notes qu'ils prennent pour eux (Henry et coll., 2004).

Les scientifiques qui travaillent sur notre capacité d'apprentissage et de mémorisation sont conscients d'une autre complication importante : l'écart entre les sujets continue à augmenter au cours du vieillissement. Les jeunes adultes diffèrent beaucoup les uns des autres dans

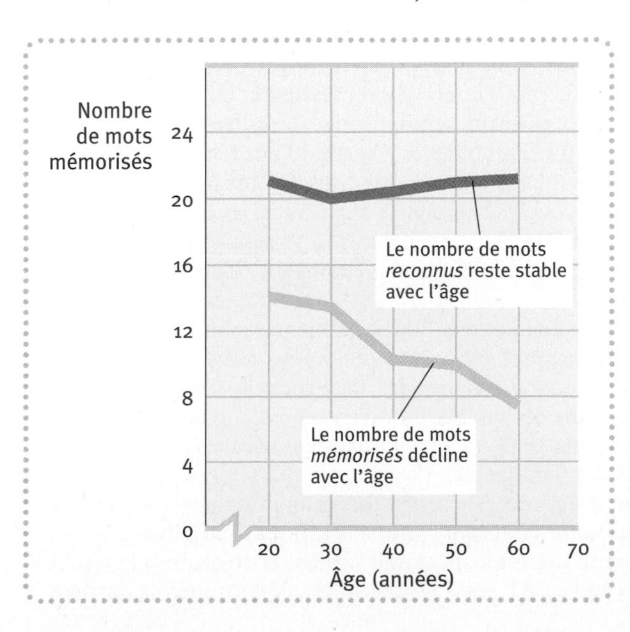

➤ FIGURE 5.31
Mémoire et reconnaissance à l'âge adulte Dans cette expérience, la capacité à *se souvenir* d'informations nouvelles décline au début de l'âge adulte puis à nouveau vers 50 ans, mais la capacité à *reconnaître* des informations nouvelles ne diminue pas. (D'après Schonfield et Robertson, 1966.)

leur aptitude à apprendre et à mémoriser, mais les personnes de 70 ans sont encore plus différentes entre elles. « Les différences entre les personnes de 70 ans les plus compétentes et les moins compétentes sont plus importantes que celles entre les personnes de 50 ans les plus compétentes et les moins compétentes », rapporte Patrick Rabbitt (2006), chercheur à Oxford. Certaines personnes de 70 ans ont des performances inférieures à celles de la plupart des jeunes de 20 ans ; toutefois, d'autres sujets âgés de 70 ans peuvent avoir des performances équivalentes ou supérieures à celles d'un jeune de 20 ans.

Mais peu importe notre vivacité ou notre lenteur, la mémorisation semble également dépendre du type d'information que nous essayons de retrouver. Si l'information est dénuée de sens - des syllabes n'ayant aucune signification, ou des événements sans la moindre importance - plus nous serons âgés, plus nous risquons de faire des erreurs. Si l'information est *importante*, le réseau bien développé des connaissances existant chez les personnes âgées les aidera à saisir l'information, même s'ils mettent un peu plus de temps que les jeunes adultes pour *produire* les mots ou les choses qu'ils savent (Burke et Shafto, 2004). (Les gagnants des jeux de réflexion rapides sont souvent de jeunes adultes ou des adultes d'âge mûr.) La *capacité* d'apprentissage et de mémorisation des personnes âgées décline également moins que leur mémoire verbale (Graf, 1990 ; Labouvie-Vief et Shell, 1982 ; Perlmutter, 1983).

Intelligence et vieillissement

Qu'arrive-t-il à notre capacité intellectuelle au sens large lorsque nous vieillissons ? Va-t-elle décliner progressivement comme notre capacité à nous souvenir d'un élément nouveau ? Ou bien demeure-t-elle constante, comme le fait notre capacité à reconnaître un élément ayant du sens ? La quête des réponses à ces questions constitue une page d'histoire intéressante, qui illustre les mécanismes d'autocorrection de la psychologie (Woodruff-Pak, 1989). Cette recherche s'est développée par phases.

Phase I : études transversales montrant un déclin intellectuel Dans des **études transversales**, les chercheurs testent et comparent au même moment des gens d'âges différents. Lorsqu'ils font passer des tests d'intelligence à un échantillon représentatif de la population, les chercheurs trouvent de façon systématique que les adultes plus âgés donnent moins de réponses correctes que les jeunes adultes. David Wechsler (1972), créateur du test d'intelligence pour adulte le plus utilisé, concluait donc que « le déclin des capacités intellectuelles avec l'âge est une composante du processus général [de vieillissement] de l'organisme pris dans son ensemble ».

Pendant longtemps, cette vision plutôt sombre du déclin mental n'a pas été contestée. Bien des dirigeants prévoyaient des mises à la retraite obligatoires pensant que leurs entreprises pourraient tirer un bénéfice du remplacement des travailleurs vieillissants par des employés plus jeunes et présumés plus compétents. Comme chacun « sait », on ne peut pas apprendre à un vieux chien de nouveaux tours.

➤ FIGURE 5.32
Méthode transversale versus méthode longitudinale pour tester l'intelligence chez des sujets d'âges différents Dans ce test d'un type particulier d'intelligence verbale (raisonnement inductif), la méthode transversale a mis en évidence un déclin des résultats avec l'âge. La méthode longitudinale (dans laquelle les mêmes personnes étaient testées à nouveau quelques années après) a mis en évidence une légère augmentation des résultats vers la cinquantaine. (Adapté de Schaie, 1994.)

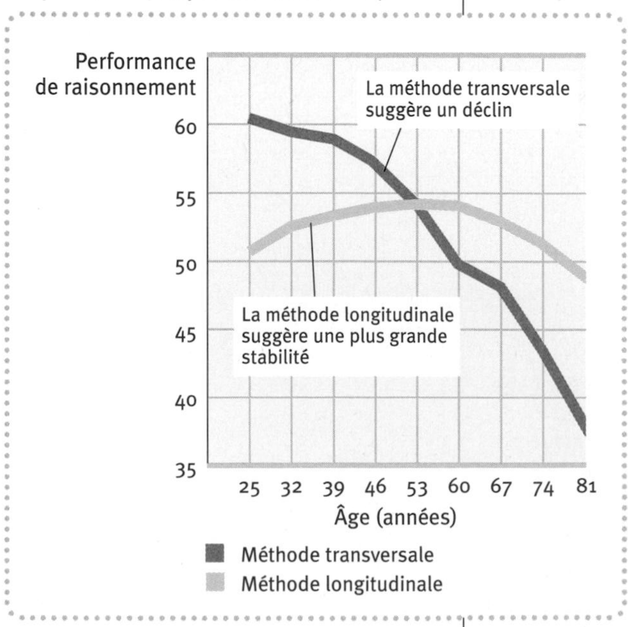

Phase II : études longitudinales montrant une stabilité de l'intelligence Quand les universités ont commencé à faire passer des tests d'intelligence aux nouveaux étudiants vers 1920, plusieurs psychologues ont vu là l'occasion d'étudier l'intelligence de façon **longitudinale**, en testant à nouveau les mêmes personnes plusieurs années après. Ce qu'ils s'attendaient à trouver était le déclin de l'intelligence après l'âge de 30 ans (Schaie et Geiwitz, 1982). Ce qu'ils constatèrent fut une surprise : jusqu'à un âge avancé, l'intelligence restait stable (FIGURE 5.32) et même augmentait pour certains tests.

Comment alors expliquer les résultats des études transversales ? Rétrospectivement, les chercheurs virent le problème. Lorsqu'une étude transversale compare des personnes de 30 ans à d'autres de 70, elle compare non seulement deux populations d'âges différents, mais aussi de deux époques différentes. Elle compare généralement des gens peu éduqués (nés au début du XXe siècle) à d'autres ayant reçu une meilleure éducation (nés après 1950), des gens élevés dans des familles nombreuses à d'autres nés dans des familles plus réduites, et des gens grandissant dans des familles peu fortunées à d'autres élevés dans des familles aisées.

Selon cette vision plus optimiste, le mythe du déclin brutal de l'intelligence avec l'âge est mis au rebut. À 70 ans, John Rock inventa la pilule contraceptive ; à 78 ans, grand-mère Moses se mit à peindre et continua jusqu'à plus de 100 ans. À l'âge de 81 ans (17 ans avant de terminer sa carrière d'entraîneur de football universitaire), Amos Alonzo Stagg fut élu « entraîneur de l'année ». À 89 ans, l'architecte Frank Lloyd Wright conçut le musée Guggenheim de New York. Comme chacun le sait, si vous avez la santé, vous n'êtes jamais trop vieux pour apprendre.

Phase III : tout dépend Il est clair que quelque chose ne va pas si « tout le monde connaît » deux faits différents et totalement opposés sur l'âge et l'intelligence. Tout d'abord, les études longitudinales génèrent leurs propres inconvénients. En effet, ceux qui survivent à la fin d'une étude de ce type peuvent être des gens particulièrement brillants et en bonne santé dont l'intelligence a moins de chance de diminuer. (Peut-être y avait-il un certain déclin d'intelligence chez les personnes plus jeunes décédées avant la fin de l'expérience.) Après avoir ajusté les résultats en tenant compte des individus disparus, comme dans le cas d'une étude récente menée auprès de 2 000 sujets de plus de 75 ans à Cambridge, en Angleterre, il a été constaté qu'il y avait en effet un déclin plus important de l'intelligence. Cela est d'autant plus vrai chez les sujets de plus de 85 ans (Brayne et coll., 1999).

Le problème s'est compliqué depuis que l'on a mis en évidence que l'intelligence n'était pas un trait isolé mais plutôt un ensemble de capacités distinctes (*voir* Chapitre 10). Les tests d'intelligence qui mesurent la rapidité de raisonnement mettent sans doute les gens âgés en position défavorable à cause d'une plus grande lenteur de leurs mécanismes neuronaux à traiter l'information. Lorsque nous rencontrons des anciens amis dans la rue, les noms sont plus lents à refaire surface à l'esprit – « comme des bulles d'air dans la mélasse » selon David Lykken (1999). Mais, être plus lent ne signifie pas forcément être moins intelligent. Quand on donne d'autres tests évaluant le vocabulaire général, les connaissances et la capacité à intégrer des informations, les personnes âgées se défendent bien en général (Craik, 1986). Les Canadiens d'un certain âge dépassent les jeunes Canadiens lorsqu'ils doivent répondre à des questions comme « Quelle est la province qui s'est un jour appelé Nouvelle-Calédonie ? ». Au cours de quatre études, les meilleures performances moyennes de remplissage de grilles de mots croisés du *New York Times* (en 15 minutes) étaient obtenues par les adultes ayant de 50 à 60 et 70 ans (Figure 5.33).

Le chercheur allemand Paul Baltes et ses collaborateurs (1993, 1994, 1999) ont développé des tests sur la « sagesse » dans le but d'évaluer les « connaissances sur la vie en général, le sens du jugement ainsi que l'aptitude à pouvoir donner des conseils quant à la meilleure manière de procéder face à des circonstances complexes et incertaines ». Leurs résultats suggèrent que les adultes âgés font mieux que seulement participer. Ainsi, bien que les gens de 30 ans pensent rapidement, nous choisissons en général des gens plus âgés pour diriger les entreprises, les universités ou les pays. L'âge est sage. Pour reprendre les termes d'une personne de 60 ans : « Il y a 40 ans, j'avais une très bonne mémoire, mais j'étais stupide. »

Ainsi, l'augmentation ou la diminution de l'intelligence avec l'âge va donc dépendre de ce que nous mesurons et comment nous le mesurons. L'**intelligence cristallisée**, c'est-à-dire les connaissances que nous accumulons, mises en évidence par des tests de vocabulaire et d'analogies, *augmente* jusqu'à un âge avancé. L'**intelligence fluide**, c'est-à-dire notre capacité à raisonner rapidement et de façon abstraite, par exemple résoudre des problèmes de logique nouveaux, *diminue* lentement jusqu'à l'âge de 75 ans, puis plus rapidement après

::Étude transversale : étude au cours de laquelle des gens d'âges différents sont comparés les uns aux autres.

::Étude longitudinale : étude au cours de laquelle les mêmes personnes sont étudiées et testées à plusieurs reprises sur une longue période de temps.

::Intelligence cristallisée : connaissance et capacités verbales accumulées par quelqu'un ; elle tend à augmenter avec l'âge.

::Intelligence fluide : capacité d'une personne à raisonner rapidement et de façon abstraite ; elle tend à diminuer avec l'âge.

Tout comme les personnes âgées, les gorilles âgés traitent plus lentement les informations (Anderson et coll., 2005).

« La jeunesse nous permet d'apprendre ; la maturité nous permet de comprendre. »
Marie Von Ebner-Eschenbach, *Aphorisms*, 1883

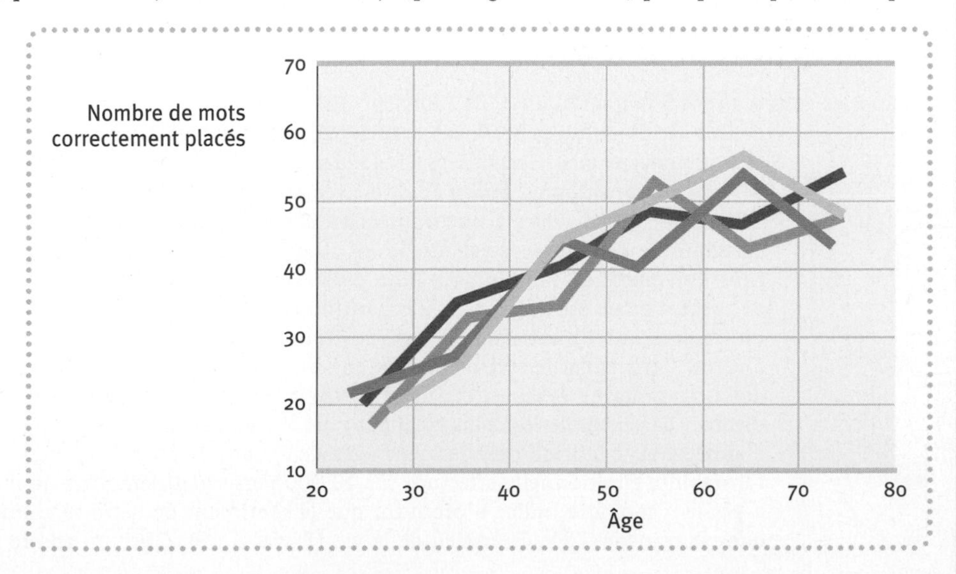

➤ FIGURE 5.33
Le pouvoir des mots croît avec l'âge
Selon quatre études résumées par Timothy Salthouse (2004), les amateurs de mots croisés plus âgés excellent lorsqu'on leur donne 15 minutes pour remplir une grille du *New York Times*.

85 ans (Cattell, 1963 ; Horn, 1982). Nous pouvons voir ce phénomène à travers les scores d'intelligence d'un échantillon national d'adultes (Kaufman et coll., 1989). Après pondération, pour tenir compte du niveau d'éducation, les scores verbaux (reflétant l'intelligence cristallisée) restent sensiblement stables de l'âge de 20 ans à 74 ans, tandis que l'intelligence non verbale, celle qui permet de résoudre les puzzles, diminue. Avec l'âge nous perdons certes mais nous gagnons aussi. Nous perdons notre mémoire de rappel et notre vitesse de traitement de l'information, mais nous gagnons du vocabulaire et des connaissances (Park et coll., 2002). Nos décisions sont également moins faussées par nos émotions négatives comme l'anxiété, la dépression et la colère (Blanchard-Fields, 2007 ; Carstensen et Mikels, 2005).

Ces différences cognitives expliquent pourquoi les mathématiciens et les scientifiques produisent une grande part de leur travail créatif entre 25 et 35 ans, tandis que les écrivains, les philosophes et les historiens produisent souvent leurs meilleurs ouvrages vers la quarantaine, la cinquantaine ou plus tard, après avoir accumulé davantage de connaissances (Simonton, 1988, 1990). Les poètes par exemple (qui se fient à l'intelligence fluide) atteignent le sommet de leur art plus tôt que les auteurs de prose (qui ont besoin d'une réserve de connaissances plus importante). Cela s'observe dans toutes les grandes traditions littéraires, qu'il s'agisse d'une langue morte ou d'une langue vivante.

Malgré les modifications cognitives liées à l'âge, des études menées dans plusieurs pays indiquent que l'âge n'est qu'un indice modeste des capacités telles que la mémoire et l'intelligence. Les aptitudes mentales sont plus fortement corrélées à la proximité de la mort. Dites-moi si cette personne a 70 ans, 80 ans ou 90 ans et vous ne m'en avez pas dit beaucoup sur la finesse mentale de cette personne. Mais si vous me dites qu'une personne est à 8 mois ou à 8 ans de sa mort, quel que soit son âge, vous me donnerez de meilleurs indices sur les capacités mentales de cette personne. En particulier, les trois ou quatre dernières années de la vie, le déclin cognitif s'accélère typiquement (Wilson et coll., 2007). Les chercheurs appellent cette descente vers la mort le *déclin terminal* (Backman et MacDonald, 2006).

Développement social

15. Quels thèmes et influences marquent notre voyage social du début de l'âge adulte à notre mort ?

Beaucoup de différences entre les jeunes adultes et les adultes plus âgés sont le produit d'événements significatifs de notre vie. Un nouveau travail signifie de nouvelles relations, de nouvelles attentes et de nouvelles exigences. Le mariage apporte les joies de l'intimité, mais aussi le stress induit par la « fusion » de sa vie avec celle de quelqu'un d'autre. La naissance d'un enfant apporte des responsabilités et bouleverse le sens de votre vie. La mort d'un être cher induit une impression de perte irréparable. Ces événements normaux de la vie adulte vont-ils entraîner une succession prévisible de changements dans l'existence ?

« Au milieu du chemin de notre vie je me retrouvai dans une forêt obscure car la voie droite était perdue. »
Dante, *La Divine Comédie*, 1314

Stades et âges de l'adulte

Quand les gens arrivent à la quarantaine, ils subissent une transition vers la seconde partie de leur vie d'adulte, et prennent conscience que la vie est davantage derrière eux que devant eux. Certains psychologues pensent que, pour beaucoup, la période de transition du *milieu de vie* est vécue comme une crise, une période de lutte, de regret, voire à une impression d'être dépassé par la vie. L'image classique de cette crise existentielle est l'homme d'une quarantaine d'années qui quitte sa famille pour une compagne plus jeune et une voiture de sport. Le fait est qu'à partir d'échantillons importants de la population, on observe que l'insatisfaction dans le travail et le mariage, mais aussi le divorce, l'anxiété et le suicide *ne* surviennent *pas* particulièrement au début de la quarantaine (Hunter et Sundel, 1989 ; Mroczek et Kolarz, 1998). Le divorce, par exemple, est plus fréquent chez les jeunes ayant une vingtaine d'années, et le suicide chez les gens âgés de 70 ans et plus. Une étude sur l'instabilité émotionnelle effectuée sur 10 000 personnes démontra qu'il n'y a pas le « moindre indice » prouvant que le sentiment de détresse culmine dans la tranche d'âge du milieu de la vie (FIGURE 5.34). Chez un adulte sur

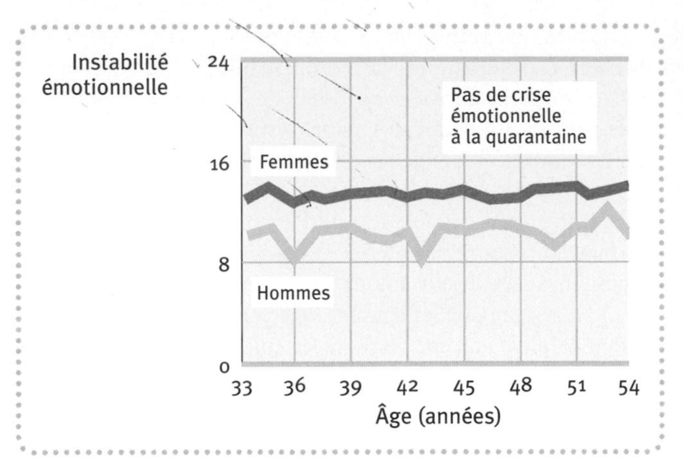

➤ FIGURE 5.34
Y a-t-il une crise de la quarantaine ? Parmi les 10 000 personnes ayant répondu à une enquête nationale sur la santé, aucun résultat ne démontrait l'augmentation d'une instabilité émotionnelle (« névrose ») survenant à 40 ans. (D'après McCrae et Costa, 1990.)

:: **Horloge sociale** : organisation temporelle consensuelle sur le plan culturel des événements sociaux tels que le mariage, la parentalité ou la retraite.

quatre qui décrit avoir vécu une expérience de crise existentielle, ce qui l'a déclenché n'est pas l'âge, mais un événement majeur comme une maladie, un divorce ou la perte du travail (Lachman, 2004).

Les événements de la vie déclenchent des transitions vers de nouveaux stades à différents âges. L'**horloge sociale**, la définition du « bon moment » pour quitter la maison, trouver un travail, se marier, avoir des enfants et prendre sa retraite, varie d'une époque à l'autre et d'une culture à l'autre. En Europe de l'Ouest, moins de 10 p. 100 des hommes de plus de 65 ans continuent à travailler contre 16 p. 100 aux États-Unis, 36 p. 100 au Japon et près de 69 p. 100 au Mexique (Davies et coll., 1991). Aujourd'hui, dans les pays occidentaux, la succession des rôles dévolus aux femmes, à savoir études, premier travail, mère au foyer et retour au travail, a disparu. Les femmes modernes occupent ces rôles dans n'importe quel ordre ou bien tous en même temps. L'horloge sociale continue de tourner mais chacun se sent plus libre d'être ou non synchrone avec elle.

« Les événements importants de la vie d'une personne sont le produit d'une chaîne d'événements hautement improbables. »
Joseph Traub, « *Traub's law* », 2003

Même les *événements fortuits* peuvent avoir des conséquences durables, nous orientant sur un chemin plutôt qu'un autre (Bandura, 1982). L'attirance amoureuse, par exemple, est souvent le fruit d'une rencontre fortuite. Albert Bandura (2005) nous rappelle l'histoire ironique, mais pourtant vraie, de cet écrivain qui vint à l'une de ses conférences sur la « Psychologie des rencontres fortuites et les chemins de l'existence » et finit par se marier avec la femme se trouvant assise à côté de lui. La séquence des événements qui m'a conduit à être l'auteur de ce livre (qui n'était pas mon idée) a commencé le jour où je me suis assis à côté d'un de mes distingués collègues dans une conférence internationale où j'ai fait sa connaissance.

Ainsi, les événements fortuits, y compris les rencontres sentimentales, peuvent changer notre vie. Considérons une étude de vrais jumeaux qui avaient tendance à faire des choix semblables dans le domaine de l'amitié, de l'habillement, des vacances, du travail et dans d'autres domaines encore. Donc, si votre jumeau tombe amoureux de quelqu'un, ne devriez-vous pas (étant donné que vous lui ressemblez tellement) être attiré par cette même personne ? De façon surprenante, seulement la moitié des vrais jumeaux se souviennent avoir réellement apprécié le choix du partenaire de leur frère jumeau ou sœur jumelle, et 5 p. 100 seulement disent qu'ils auraient pu tomber amoureux du partenaire de leur jumeau. Les chercheurs David Lykken et Auke Tellegen (1993) supposent que l'amour ressemble plutôt au mécanisme d'empreinte observé chez le canard. En effet, si vous avez des contacts fréquents avec quelqu'un après l'enfance, vous pouvez créer un lien amical, voire amoureux, avec toute personne qui aurait un passé et un niveau de séduction globalement similaires et qui répondrait à votre affection.

Engagements de l'âge adulte

Deux aspects fondamentaux de notre vie vont cependant dominer notre existence en tant qu'adulte. Erik Erikson les appelait *intimité* (formation de relations étroites) et *engendrement* (être productif et soutenir les générations suivantes). Les chercheurs ont choisi des termes variés : *filiation* et *réalisation*, *attachement* et *productivité*, *engagement* et *compétence*. Sigmund Freud (1935) l'exprimait plus simplement : « L'adulte en bonne santé est quelqu'un qui peut *aimer* et *travailler*. »

« Dans ce monde, on peut mener une vie extraordinaire si l'on sait comment travailler et comment aimer. »
Léon Tolstoï, 1856

Amour Nous flirtons, tombons amoureux et nous nous marions avec une seule personne à la fois. « L'appariement est une des caractéristiques de l'animal humain », remarquait l'anthropologue Helen Fisher (1993). Du point de vue évolutionniste, cet appariement relativement monogame a un sens : les parents qui coopèrent pour élever leurs enfants jusqu'à l'âge adulte ont plus de chance de transmettre leurs gènes à la postérité que ceux qui ne le font pas.

Le lien de l'amour est plus satisfaisant et plus durable lorsqu'il est marqué par une similitude d'intérêts et de valeurs, le partage d'un soutien matériel et émotionnel, et un abandon intime (*voir* Chapitre 16). Les couples qui scellent leur amour par un engagement, par (selon une étude réalisée dans le Vermont) le mariage pour les couples hétérosexuels et l'union civile pour les couples homosexuels, durent le plus souvent (Balsam et coll., 2008). Les liens du mariage sont en général durables lorsque les couples se marient après l'âge de 20 ans et ont un bon niveau d'éducation. Comparés à leurs homologues d'il y a 40 ans, les habitants des pays occidentaux *sont* mieux éduqués et se marient plus tard ; ironiquement, ils sont deux fois plus susceptibles de divorcer. (Au Canada et aux États-Unis, on compte maintenant 1 divorce pour 2 mariages [*Bureau of the Census*, 2007] et en Europe, le divorce n'est que légèrement moins fréquent.) Le taux de divorce montre en partie que les femmes sont moins dépendantes économiquement et que, comme les hommes, elles ont un désir d'ascension sociale. De nos jours, nous n'espérons pas de notre partenaire seulement une relation durable, mais aussi qu'il ou elle gagne sa vie, qu'il soit un ami intime et attentionné et une personne aimante chaleureuse et réceptive.

La vie en concubinage peut-elle faire office de « mariage à l'essai » et réduire ainsi les risques de divorce ? Dans une enquête Gallup (2001) menée sur des Américains âgés d'une vingtaine d'années, 62 p. 100 ont affirmé que oui (Whitehead et Popenoe, 2001). En réalité, en Europe, au Canada et aux États-Unis, ceux qui cohabitaient avant le mariage avaient des taux de divorce et de difficultés maritales plus *élevés* que ceux qui ne cohabitaient pas (Dush et coll., 2003 ; Popenoe et Whitehead, 2002). Le risque d'un mauvais mariage semble supérieur chez ceux qui cohabitent avant le mariage (Kline et coll., 2004).

Deux facteurs peuvent expliquer pourquoi les enfants américains nés de parents concubins ont près de cinq fois plus de risques de connaître la séparation de leurs parents que les enfants nés de parents mariés (Osborne et coll., 2007). Tout d'abord, ceux qui vivent en concubinage sont moins attachés à l'idéal d'un mariage durable. Deuxièmement, ils deviennent encore moins favorables au mariage lorsqu'ils cohabitent.

Néanmoins, l'institution du mariage perdure. D'après les Nations unies, 9 hétérosexuels sur 10 se marient, et ce dans le monde entier. Le mariage est un vecteur de bonheur, de santé, de satisfaction sexuelle et de revenus. Les enquêtes menées par le *National Opinion Research Center* sur plus de 40 000 Américains depuis 1972 révèlent que 40 p. 100 des adultes mariés se sentent « très heureux » contre seulement 23 p. 100 des adultes non mariés. Les couples de lesbiennes décrivent également un plus grand bien-être que celles qui sont seules (Peplau et Fingerhut, 2007 ; Wayment et Peplau, 1995). De plus, les quartiers où le taux de mariage est élevé sont généralement moins enclins à certaines pathologies sociales, telles que le crime, la délinquance et les troubles émotionnels chez les enfants (Myers et Scanzoni, 2005).

Les mariages qui durent ne sont pas toujours dépourvus de conflits. Certains couples ont des disputes, mais peuvent aussi se couvrir d'affection. D'autres couples n'élèvent jamais la voix, mais ils ne se font des compliments ou ne se blottissent l'un contre l'autre que rarement. Les deux styles peuvent durer. Après avoir observé les interactions existant chez 2 000 couples, John Gottman (1994) donne un indicateur concernant les chances de succès d'un mariage : l'existence d'un rapport d'au moins cinq interactions positives pour une interaction négative. Les mariages stables comportent cinq fois plus de sourires, de caresses, de compliments et de rires que de sarcasmes, de critiques ou d'insultes. Donc, si vous voulez prédire quels nouveaux mariés resteront ensemble, surtout ne tenez pas compte de l'intensité de la passion qu'ils expriment. Les couples qui durent sont le plus souvent ceux qui évitent d'exprimer des reproches. Pour prévenir une négativité néfaste, ces couples apprennent à combattre avec fair-play (en faisant par exemple part de leurs impressions sans insulter l'autre) et à éviter que les conflits ne s'enveniment en faisant des remarques comme : « Je sais, ce n'est pas de ta faute » ou bien « Calme-toi un moment et écoute ».

• Selon vous, le mariage est-il en corrélation avec le bonheur parce qu'il apporte un soutien et une certaine intimité, parce que les gens heureux ont plus tendance à se marier et à le rester, ou bien les deux ? •

Bien souvent, l'amour engendre des enfants. Pour la plupart des gens, le plus durable des changements de l'existence est un événement heureux. Selon une enquête nationale, 93 p. 100 des mères américaines « ressentent un amour profond pour leurs enfants qui ne ressemble en rien à ce qu'elles ressentent pour quelqu'un d'autre » (Erickson et Aird, 2005). Beaucoup de pères ressentent la même chose. Quelques semaines après la naissance de mon premier enfant, je réalisais soudain : « C'est donc *cela* que mes parents ressentent pour moi ! »

Cependant, quand les enfants commencent à nécessiter beaucoup de temps, d'argent et d'énergie émotionnelle, la satisfaction du mariage peut diminuer. C'est tout particulièrement le cas chez les femmes qui travaillent et qui vont avoir, plus qu'elles ne pouvaient l'imaginer, à porter le fardeau des tâches ménagères. L'effort investi dans la création d'une relation équitable peut apporter des bénéfices doubles, assurant un mariage plus heureux et des relations plus saines entre parents et enfants (Erel et Burman, 1995).

Bien que l'amour engendre des enfants, les enfants finissent un jour par quitter la maison. Ce départ est un événement important et la séparation parfois difficile. Pour la plupart des gens, le « nid vide » est un endroit heureux (Adelmann et coll., 1989 ; Glenn, 1975). Comparées à des femmes d'âge moyen ayant toujours des enfants à la maison, celles dont le nid a été déserté se disent plus heureuses et plus satisfaites de leur mariage. Beaucoup de parents vivent une « lune de miel d'après l'envol », surtout s'ils conservent des relations étroites avec leurs enfants (White et Edwards, 1990). Comme le disait Daniel Gilbert (2006), « le seul symptôme connu du "syndrome du nid vide" est l'augmentation du nombre de sourires. »

• Si vous avez déjà quitté le foyer familial, vos parents ont-ils souffert du « syndrome du nid vide », un sentiment de détresse s'accompagnant d'une perte d'intérêt ainsi que d'une perte relationnelle avec les autres ? Ont-ils regretté les joies perdues de se réveiller en vous entendant pleurer aux petites heures du samedi matin ? Ou ont-ils découvert une nouvelle forme de liberté, une quiétude et (s'ils sont toujours mariés) un regain de satisfaction dans leur couple ? •

Travail Pour les adultes, une grande partie de la réponse à la question « Qui êtes-vous ? » est la réponse à la question « Que faites-vous dans la vie ? ». Pour les hommes aussi bien que pour les femmes, le choix d'une carrière est difficile ; surtout de nos jours, car le monde du travail est en perpétuel changement. Durant leurs deux premières années d'université, la plupart des étudiants sont incapables de prédire leur futur plan de carrière. La plupart vont abandonner les matières principales étudiées à l'université, beaucoup vont ensuite trouver des emplois dans des domaines non directement liés à leur spécialité et la plupart vont changer de carrière (Rothstein, 1980). Finalement, le bonheur, c'est d'avoir un travail qui corresponde à vos intérêts et vous procure un sentiment de maîtrise et d'accomplissement. C'est d'avoir un partenaire qui soit un compagnon proche, qui peut vous soutenir et qui encourage votre accomplissement (Gable et coll., 2006). Pour certains c'est aussi d'avoir des enfants affectueux, que vous aimez et dont vous êtes fier.

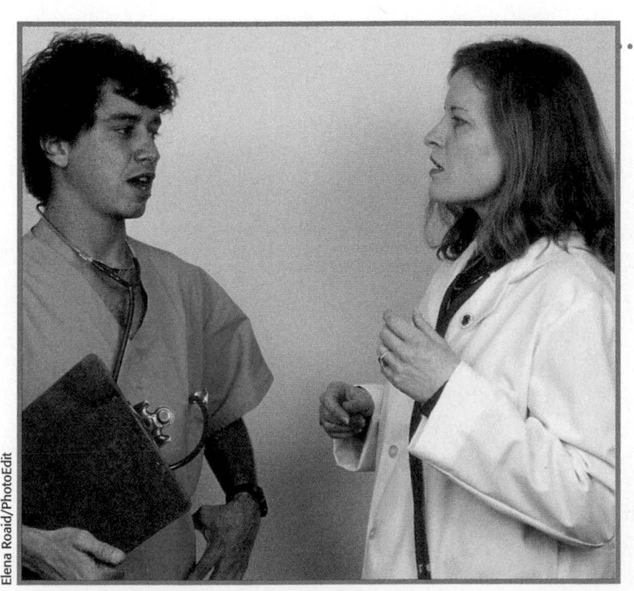

Elena Roaid/PhotoEdit

Le plaisir de travailler et le plaisir de vivre
Le travail peut nous apporter un sentiment d'identité et de compétence, mais aussi des opportunités pour nous réaliser. C'est peut-être la raison pour laquelle une activité stimulante et intéressante augmente notre satisfaction.

Bien-être au cours de la vie

Vivre c'est vieillir. Vous n'avez jamais été aussi vieux qu'à ce moment précis et vous ne serez jamais aussi jeune à l'avenir. Cela veut dire que vous portez un regard sur le passé avec satisfaction ou regret, ou bien vers l'avenir, avec espoir ou appréhension. Lorsque l'on demande aux gens ce qu'ils feraient différemment s'ils pouvaient revivre leur vie, la réponse la plus courante est : « J'aurais pris mes études plus au sérieux et travaillé davantage » (Kinnier et Metha, 1989 ; Roese et Summerville, 2005). D'autres regrets (« J'aurais dû dire à mon père que je l'aimais » ou « Je regrette de n'être jamais allé en Europe ») mettent moins l'accent sur les erreurs commises que sur les choses que l'*on n'a pas pu faire* (Gilovich et Medvec, 1995).

Du début de l'âge adulte jusque vers la quarantaine, les gens connaissent typiquement un renforcement de l'identité, de la confiance et de l'estime de soi (Miner-Rubino et coll., 2004 ; Robin et Trzesniewski, 2005). Vers la fin de la vie, des problèmes surgissent : les revenus diminuent, le travail cesse, le corps se détériore, les souvenirs s'évaporent, l'énergie nous quitte, les membres de la famille et les amis disparaissent ou déménagent et nous nous rapprochons de notre grande ennemie, la mort. Il n'y aurait rien d'étonnant à ce que la plupart des gens considèrent que le bonheur décline à la fin de notre vie (Lacey et coll., 2006). Mais les plus de 65 ans ne sont pas notablement malheureux comme l'a découvert Ronald Inglehart (1990) après avoir réuni des entretiens menés au cours des années 1980 sur des échantillons représentatifs de près de 170 000 personnes dans 16 pays (FIGURE 5.35). De nouvelles enquêtes menées sur 2 millions de personnes dans le monde entier confirment que le bonheur est légèrement supérieur chez les jeunes adultes et les personnes âgées que les chez adultes d'âge mûr. De plus, des études nationales menées au Royaume-Uni et en Australie ont révélé que le risque de dépression diminuait peu à peu avec l'âge (Blanchflower et Oswald, 2008 ; Troller et coll., 2007).

« J'espère mourir avant de devenir vieux » chantait le rockeur Pete Townshend quand il avait 20 ans.

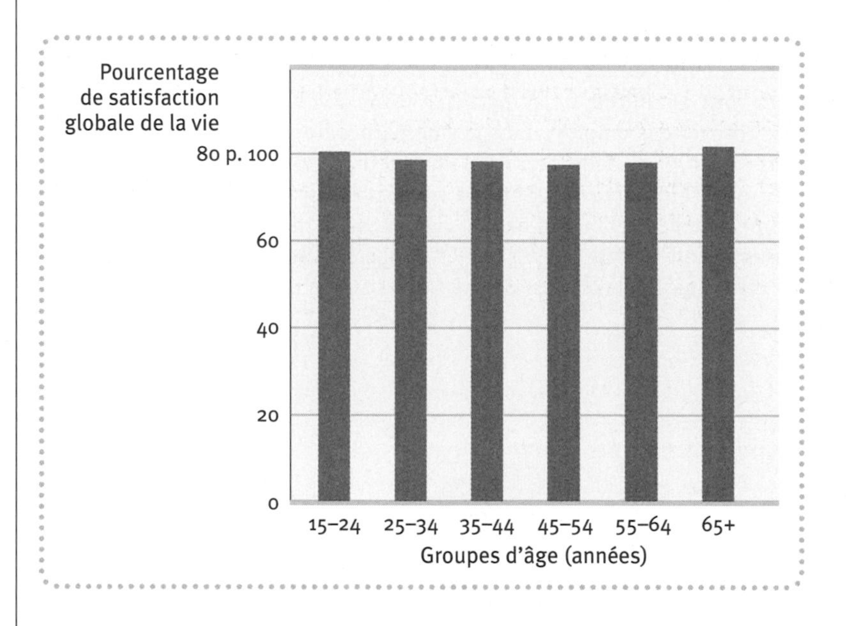

➤ FIGURE 5. 35
Âge et satisfaction de la vie Étant donné que les tâches du début de la vie adulte se trouvent maintenant derrière eux, beaucoup d'adultes plus âgés ont davantage de temps à consacrer à leur intérêt personnel. Il n'est donc pas étonnant que la satisfaction de la vie reste élevée, et puisse même augmenter s'ils sont actifs et en bonne santé. Comme le montre ce graphique fondé sur des enquêtes menées auprès de 170 000 personnes dans 16 pays, la différence d'âge n'a pas d'influence sur la satisfaction de la vie. (Données d'Inglehart, 1990.)

À l'âge mûr, les sentiments positifs ont plutôt tendance à augmenter, alors que les sentiments négatifs ont tendance à diminuer (Charles et coll., 2001 ; Mroczek, 2001). Considérez ceci :

- Les adultes âgés utilisent plus souvent des mots qui traduisent des émotions positives (Pennebaker et Stone, 2003).
- Les adultes âgés s'occupent de moins en moins des informations négatives. Par exemple, ils perçoivent plus lentement que les jeunes adultes les visages dont l'expression est négative (Carstensen et Mikels, 2005).
- L'amygdale, le centre de traitement nerveux des émotions, présente une baisse d'activité en réponse aux événements négatifs chez les adultes âgés alors qu'elle maintient sa réactivité vis-à-vis des événements positifs (Mather et coll., 2004 ; Williams et coll., 2006).
- Les réactions des ondes cérébrales aux images négatives diminuent avec l'âge (Kisley et coll., 2007).

« À vingt ans, on se soucie de ce que les autres pensent de nous. À quarante ans, on se fiche de ce que les autres pensent de nous. À soixante ans, on s'aperçoit que les autres n'ont jamais pensé à nous. »
Anonyme

De plus, à tout âge, les mauvaises sensations que nous associons aux événements négatifs s'évanouissent plus vite que les bonnes sensations que nous associons aux sentiments positifs (Walker et coll., 2003). Cela contribue au sentiment partagé par la plupart des personnes âgées, que la vie, en fin de compte, a été plutôt bonne. Puisque vieillir est le résultat d'une vie, et que la plupart d'entre nous préfèrent ce résultat à une mort précoce, cette constatation paraît donc réconfortante. De plus en plus de personnes s'épanouissent lorsqu'ils sont âgés, grâce aux influences biologiques, psychologiques et sociales (FIGURE 5.36).

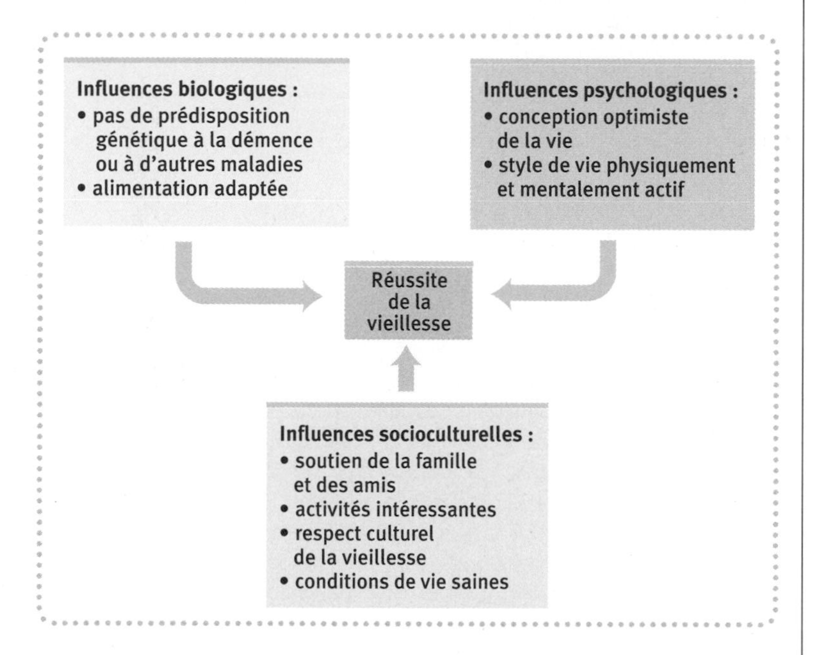

➤ FIGURE 5.36
Influences biopsychosociales sur la réussite de la vieillesse Beaucoup de facteurs biologiques, psychologiques et socioculturels affectent la façon dont nous vieillissons. Avec les bons gènes, nous avons une chance accrue de réussir notre vieillesse si nous conservons une conception positive et si nous restons physiquement et mentalement actifs, ainsi que liés à notre famille et à nos amis au sein de la communauté.

L'étonnante stabilité de la sensation de bien-être au cours de la vie masque certaines différences intéressantes liées à l'âge sur le plan émotionnel. Bien que la satisfaction de la vie ne décline pas avec l'âge, elle se fane souvent au cours de la phase de déclin terminale, à mesure que la mort approche (Gerstorf et coll., 2008). Au fur et à mesure que les années passent, les sentiments s'adoucissent (Costa et coll., 1987 ; Diener et coll., 1986). Les hauts deviennent moins hauts, les bas moins bas. Ainsi, bien que nous nous sentions moins souvent déprimés et que le niveau *moyen* de nos sensations ait tendance à rester stable, nous nous sentons, avec l'âge, moins souvent excités, intensément fiers ou au sommet du monde. Les compliments provoquent moins d'exaltation et les critiques moins de désespoir. En effet, compliments et critiques constituent essentiellement des jugements supplémentaires qui viennent s'accumuler sur une montagne de jugements positifs ou négatifs.

Les psychologues Mihaly Csikszentmihalyi et Reed Larson (1984) ont décrit le vécu émotionnel de personnes à qui ils avaient demandé de rendre compte, périodiquement grâce à un alphapage, de leurs activités ou de leurs sentiments présents. Ils ont observé que les adolescents pouvaient de façon typique s'effondrer ou sortir du trou en moins d'une heure. Les modifications de l'humeur chez l'adulte sont moins extrêmes, mais durent plus longtemps. Pour la plupart des gens, la vieillesse offre moins de joies extrêmes, mais plus de contentement et de spiritualité, surtout pour ceux qui maintiennent une vie sociale active (Harlow et Cantor, 1996 ; Wink et Dillon, 2002). Au fur et à mesure que nous vieillissons, la vie est moins chargée d'émotions.

« Ce qu'il y a de mieux quand on a 100 ans c'est qu'*on ne subit plus la pression de nos pairs.* »
Lewis W. Kuester, 2005, atteignant l'âge de 100 ans

Mort et agonie

La plupart d'entre nous vont souffrir de la mort de parents ou d'amis et ensuite la surmonter. Habituellement, la disparition la plus difficile à surmonter est celle du conjoint, une perte qu'endurent cinq fois plus les femmes que les hommes. Quand la mort survient à un âge avancé de la vie, ce qui est souvent le cas, la période de chagrin peut être plus courte (la FIGURE 5.37, page suivante, montre les émotions typiques avant et après la mort du conjoint). Mais même 20 ans après avoir perdu son conjoint, les personnes parlent encore de lui en moyenne une fois par mois (Carnelley et coll., 2006).

« L'amour – pourquoi, je vais te dire ce qu'est l'amour : c'est toi à 75 ans et elle à 71 ans, chacun écoutant les pas de l'autre dans la pièce à côté, redoutant qu'un silence soudain, un cri soudain, puisse signifier la fin de cette conversation de toute une vie. »
Brian Moore, *The Luck of Ginger Coffey*, 1960

➤ FIGURE 5.37
Satisfaction de la vie avant, l'année de et après la mort d'un conjoint
Richard Lucas et ses collaborateurs (2003) ont étudié les résultats de plusieurs enquêtes longitudinales annuelles effectuées sur plus de 30 000 Allemands. Les chercheurs ont identifié 513 personnes mariées qui ne se sont pas remariées après le décès de leur conjoint. Ils ont découvert que la satisfaction de la vie commençait à baisser pendant l'année précédant la période de veuvage, baissait très nettement pendant l'année de décès du conjoint, et finalement revenait au niveau initial. (*Source* : Richard Lucas.)

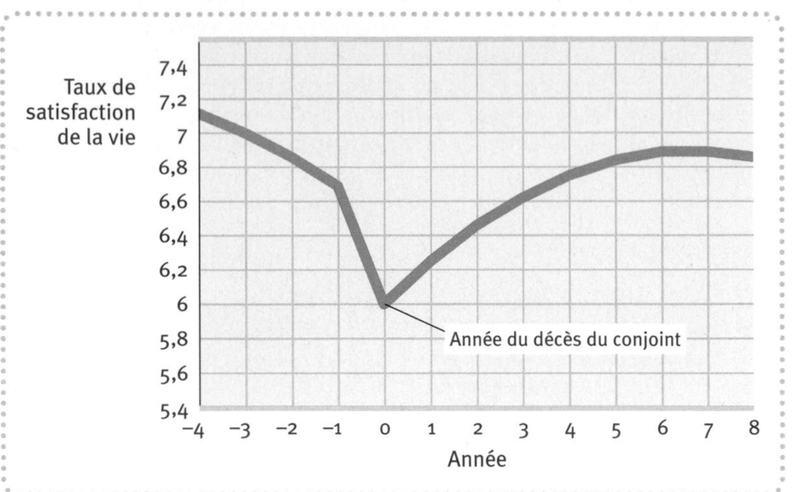

« Donald est très fataliste – il est convaincu qu'il va vieillir puis mourir. »

Le chagrin est particulièrement intense lorsque la mort d'une personne aimée survient brusquement et avant le moment prévu par l'horloge sociale. La mort accidentelle d'un enfant ou la maladie soudaine dont est victime un conjoint de 45 ans peut entraîner une année ou plus de deuil submergée de souvenirs, aboutissant finalement à une dépression modérée (Lehman et coll., 1987).

Pour certains, cependant, la perte est insupportable. Une étude, qui a suivi plus d'un million de Danois pendant la deuxième moitié du XXe siècle, a trouvé que plus de 17 000 personnes avaient souffert de la mort d'un enfant de moins de 18 ans. Dans les 5 ans qui ont suivi ce décès, 3 p. 100 d'entre eux effectuaient une première hospitalisation psychiatrique. Ce taux était 67 p. 100 plus élevé que le taux enregistré chez les parents qui n'avaient pas perdu d'enfant (Li et coll., 2005).

La gamme normale des réactions qui s'expriment à la suite de la mort d'une personne aimée est plus vaste que ne le pensent la plupart des gens. Certaines cultures encouragent les pleurs et les gémissements publics alors que d'autres cachent leur chagrin. Au sein de chaque culture, les individus diffèrent. Pour une perte semblable, certains individus expriment leur chagrin plus ouvertement et intensément que d'autres (Ott et coll., 2007). Contrairement à certains mythes populaires :

- les malades en phase terminale et les familles en deuil ne traversent pas d'étapes prévisibles identiques telles que la dénégation avant la colère (Nolen-Hoeksema et Larson, 1999). Une étude menée à Yale a suivi pendant un certain temps 233 personnes endeuillées. Elle a permis de constater cependant que le désir ressenti pour l'être aimé par les personnes endeuillées atteignait son point culminant quatre mois après la perte, et que le sentiment de colère atteignait son maximum en moyenne un mois plus tard (Maciejewski et coll., 2007) ;
- ceux qui expriment leur chagrin avec le plus d'intensité sur le moment ne le surmontent pas plus rapidement (Bonanno et Kaltman, 1999 ; Wortman et Silver, 1989) ;
- le « travail de deuil » et les groupes de soutien apportent une aide mais celle-ci est identique à celle apportée par le temps qui passe et le réconfort des amis, ou par l'aide et le soutien que l'on donne aux autres (Brown et coll., 2008). Les époux en deuil qui en parlent avec les autres ou font appel à un soutien psychologique ne se rétablissent pas mieux que ceux qui le vivent d'une manière plus privée (Bonanno, 2001, 2004 ; Genevro, 2003 ; Stroebe et coll., 2001, 2002, 2005).

« Ami, toi qui passes ici,
pense que ce que tu es maintenant
je le fus autrefois. Ce que je suis
désormais, tu le deviendras.
Prépare-toi donc à me suivre. »
Épitaphe écossaise

Nous pouvons être reconnaissants du déclin de cette attitude de déni de la mort. Faire face à la mort avec dignité et franchise aide les gens à achever le cycle de leur vie avec l'impression qu'elle a eu un sens et une unité, le sentiment que leur existence a été bonne et que la vie et la mort font partie d'un cycle naturel. Bien que la mort puisse ne pas être la bienvenue, la vie elle-même peut y trouver son affirmation. C'est particulièrement le cas des gens qui revoient leur vie, non avec désespoir, mais avec ce qu'Erik Erikson appelait une impression d'*intégrité*, le sentiment que leur vie a eu un sens et qu'elle méritait d'être vécue.

AVANT D'ALLER PLUS LOIN...

➤ **INTERROGEZ-VOUS**

Lorsque vous faites le bilan des dernières années de votre vie (années d'études si vous êtes un jeune adulte), que regrettez-vous le plus ? De quoi êtes-vous le plus fier ?

➤ **TESTEZ-VOUS 4**

La recherche montre que le fait d'avoir vécu en concubinage avant le mariage permet de prédire une importante probabilité de divorce futur. Pouvez-vous proposer deux explications possibles pour cette corrélation ?

Les réponses aux questions « Testez-vous » sont données dans l'annexe B à la fin de l'ouvrage.

Réflexions sur deux questions majeures en psychologie du développement

NOUS AVONS COMMENCÉ NOTRE ÉTUDE DE LA PSYCHOLOGIE du développement en identifiant trois questions récurrentes : (1) le développement est-il gouverné par les gènes et par l'expérience ? (2) le développement est-il un processus progressif et continu ou s'effectue-t-il à travers une série de stades discrets ? et (3) le développement est-il davantage caractérisé au cours du temps par la stabilité ou par le changement ? Nous avons vu la première question au chapitre 4. Il est maintenant temps de réfléchir à la deuxième et à la troisième question.

Continuité et stades du développement

Les adultes diffèrent-ils des enfants comme le séquoia géant de son jeune plant, une différence engendrée par une croissance progressive et cumulative ? Ou bien, comme dans le cas d'un papillon et d'une chenille, par une différence liée à l'existence de plusieurs stades de développement ?

De manière générale, les chercheurs qui privilégient l'expérience et l'apprentissage voient le développement comme un processus de formation lent et continu. Ceux qui insistent sur la maturation biologique ont tendance à envisager le développement comme une succession d'étapes ou de stades génétiquement prédéterminés ; bien que la progression à travers les différents stades puisse être rapide ou lente, chacun les traverse dans le même ordre.

De la même manière que le développement physique est ordonné en stades (ramper, marcher, etc.), le développement psychologique est-il régi par des stades bien définis ? Nous nous sommes intéressés à la théorie de Jean Piaget en ce qui concerne le développement cognitif, à celle de Lawrence Kohlberg pour le développement du sens moral et à celle d'Erik Erikson à propos du développement psychosocial (FIGURE 5.38, page suivante). Nous avons vu, par ailleurs, que leurs théories avaient été critiquées. Les jeunes enfants possèdent certaines capacités que Piaget attribuait à des stades ultérieurs. Kohlberg généralisait au monde entier les caractéristiques décrites chez des hommes éduqués dans des cultures favorisant l'individualisme, et peut-être a-t-il également trop privilégié la pensée au détriment du comportement. Les idées d'Erikson sont contredites par les recherches montrant que la vie adulte ne progresse pas à travers une série d'étapes prédéfinies et prévisibles.

Bien que la recherche mette en doute l'idée selon laquelle la vie passe par des stades liés à l'âge et nettement définis, ce concept de stades reste néanmoins utile. Le cerveau humain subit des poussées de croissance

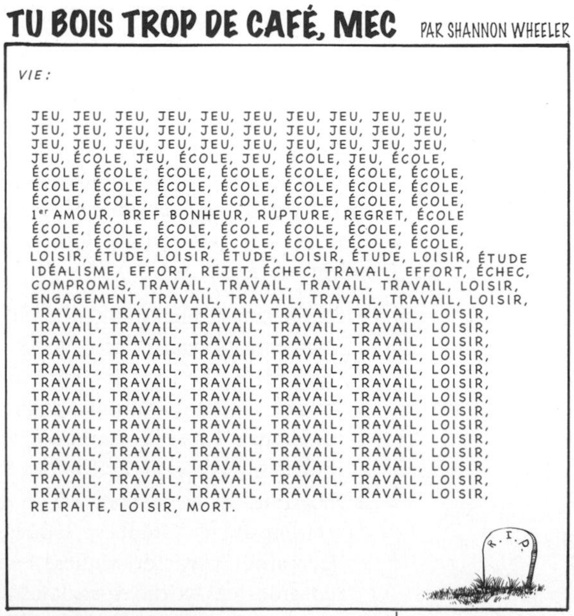

TU BOIS TROP DE CAFÉ, MEC
PAR SHANNON WHEELER
VIE :
JEU, JEU, JEU, JEU, JEU, JEU, JEU, JEU, JEU, JEU,
JEU, JEU, JEU, JEU, JEU, JEU, JEU, JEU, JEU, JEU,
JEU, JEU, JEU, JEU, JEU, JEU, JEU, JEU, JEU, JEU,
JEU, ÉCOLE, JEU, ÉCOLE, JEU, ÉCOLE, JEU, ÉCOLE,
ÉCOLE, ÉCOLE, ÉCOLE, ÉCOLE, ÉCOLE, ÉCOLE, ÉCOLE,
ÉCOLE, ÉCOLE, ÉCOLE, ÉCOLE, ÉCOLE, ÉCOLE, ÉCOLE,
ÉCOLE, ÉCOLE, ÉCOLE, ÉCOLE, ÉCOLE, ÉCOLE, ÉCOLE,
1er AMOUR, BREF BONHEUR, RUPTURE, REGRET, ÉCOLE
ÉCOLE, ÉCOLE, ÉCOLE, ÉCOLE, ÉCOLE, ÉCOLE, ÉCOLE,
ÉCOLE, ÉCOLE, ÉCOLE, ÉCOLE, ÉCOLE, ÉCOLE, ÉCOLE,
LOISIR, ÉTUDE, LOISIR, ÉTUDE, LOISIR, ÉTUDE, LOISIR, ÉTUDE
IDÉALISME, EFFORT, REJET, ÉCHEC, TRAVAIL, EFFORT, ÉCHEC,
COMPROMIS, TRAVAIL, TRAVAIL, TRAVAIL, TRAVAIL, LOISIR,
ENGAGEMENT, TRAVAIL, TRAVAIL, TRAVAIL, TRAVAIL, LOISIR,
TRAVAIL, TRAVAIL, TRAVAIL, TRAVAIL, TRAVAIL, LOISIR,
TRAVAIL, TRAVAIL, TRAVAIL, TRAVAIL, TRAVAIL, LOISIR,
TRAVAIL, TRAVAIL, TRAVAIL, TRAVAIL, TRAVAIL, LOISIR,
TRAVAIL, TRAVAIL, TRAVAIL, TRAVAIL, TRAVAIL, LOISIR,
TRAVAIL, TRAVAIL, TRAVAIL, TRAVAIL, TRAVAIL, LOISIR,
TRAVAIL, TRAVAIL, TRAVAIL, TRAVAIL, TRAVAIL, LOISIR,
TRAVAIL, TRAVAIL, TRAVAIL, TRAVAIL, TRAVAIL, LOISIR,
TRAVAIL, TRAVAIL, TRAVAIL, TRAVAIL, TRAVAIL, LOISIR,
TRAVAIL, TRAVAIL, TRAVAIL, TRAVAIL, TRAVAIL, LOISIR,
TRAVAIL, TRAVAIL, TRAVAIL, TRAVAIL, TRAVAIL, LOISIR,
TRAVAIL, TRAVAIL, TRAVAIL, TRAVAIL, TRAVAIL, LOISIR,
TRAVAIL, TRAVAIL, TRAVAIL, TRAVAIL, TRAVAIL, LOISIR,
TRAVAIL, TRAVAIL, TRAVAIL, TRAVAIL, TRAVAIL, LOISIR,
TRAVAIL, TRAVAIL, TRAVAIL, TRAVAIL, TRAVAIL, LOISIR,
RETRAITE, LOISIR, MORT.
R.I.P.

Les stades de la vie

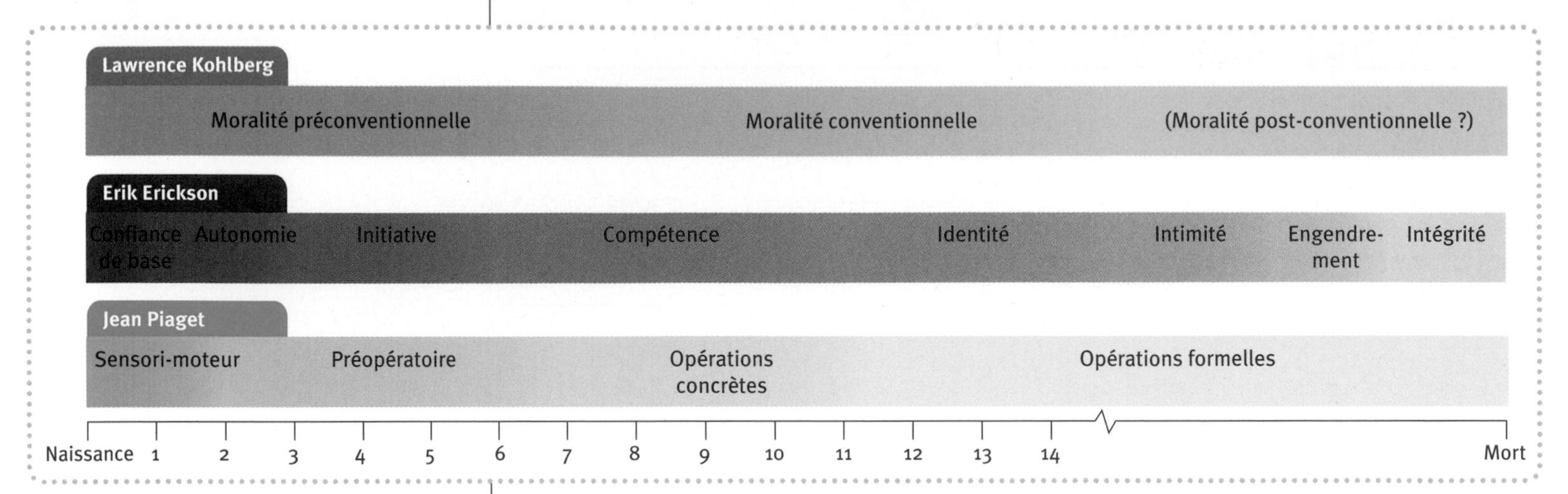

➤ FIGURE 5.38
Comparaison des théories des stades
(Merci au Dr Sandra Gibbs du *Muskegon Community College* pour avoir inspiré cette illustration.)

durant l'enfance et la puberté qui correspondent à peu près aux stades de Piaget (Thatcher et coll., 1987). La théorie des stades donne, tout au long de la vie, une perspective développementale avec des indications sur la façon dont les individus d'un âge donné peuvent penser et agir différemment quand ils vieillissent.

Quand l'adulte vieillit le « moi » persiste.

Stabilité et changements

Cela nous amène à la dernière question : la personnalité des gens reste-t-elle stable ou change-t-elle avec le temps ? Si l'on vous fait rencontrer un camarade d'école perdu de vue depuis longtemps, allez-vous instantanément reconnaître « ce vieil Andy qui n'a pas changé » ? Une personne semble-t-elle différente à deux périodes différentes de sa vie ? (Voici ce qui est arrivé à un de mes amis qui n'a pas reconnu une ancienne camarade de classe à la réunion des 40 ans de sa promotion universitaire. La camarade, horrifiée, à qui il s'adressa, était en fait son ex-femme qu'il avait épousé il y a bien longtemps.)

Des chercheurs ayant observé des personnes au fil du temps ont mis en évidence l'existence non seulement de changements, mais aussi de stabilité. Bien que la personnalité d'un individu révèle une certaine constance, fort heureusement pour les enfants et les adolescents en difficulté, la vie est un processus de « devenir » : les épreuves de la vie présente peuvent poser les fondements d'un avenir plus heureux. Plus précisément, les chercheurs s'accordent généralement sur les points suivants :

1. Les deux premières années de la vie constituent une base limitée pour prédire les traits de caractère (Kagan et coll., 1978, 1998). Les enfants plus âgés et les adolescents changent également. Bien que les enfants délinquants démontrent des taux élevés de conflits liés au travail, d'abus de substances illicites et de criminalité, beaucoup d'enfants troublés et perdus ont réussi à s'épanouir et à devenir des adultes mûrs et heureux (Moffitt et coll., 2002 ; Roberts et coll., 2001 ; Thomas et Chess, 1986).
2. Lorsque les gens vieillissent, les traits de la personnalité se stabilisent peu à peu (Hampson et Goldberg, 2006 ; Johnson et coll., 2005 ; Terracciano et coll., 2006). Certaines caractéristiques, comme le tempérament, sont plus stables que d'autres comme les attitudes sociales (Moss et Susman, 1980). Lorsqu'une équipe de chercheurs, menée par Avshalom Caspi (2003), a étudié 1 000 Néo-Zélandais âgés de 3 à

« Tu seras à 70 ans comme à 7 ans. »
Proverbe juif

26 ans, ils ont été frappés par la constance du tempérament et de l'émotivité au cours du temps.

3. D'une certaine façon, nous changeons tous avec l'âge. La plupart des très jeunes enfants timides et peureux commencent à s'ouvrir vers l'âge de 4 ans. Au cours des années suivant l'adolescence, la plupart des gens deviennent plus calmes, plus posés, plus agréables et ont une confiance en eux plus importante (McCrae et Costa, 1994 ; Roberts et coll., 2003, 2006, 2008). Beaucoup d'irresponsables de 18 ans mûrissent par la suite et deviennent, à la quarantaine, des responsables commerciaux ou culturels. (Si vous faites partie des premiers, cela ne vous est pas encore arrivé.) De tels changements peuvent survenir sans que cela modifie pour autant la position d'un individu *par rapport à ceux* de son âge. Le jeune adulte à la conduite sportive peut globalement s'adoucir au fil de sa vie, mais rester un citoyen âgé à la conduite sportive.

Nous devrions finalement nous souvenir que la vie exige *à la fois* du changement et de la stabilité. La stabilité nous permet de compter sur les autres, nous procure une identité, motive notre intérêt pour une bonne formation des enfants. Le changement motive notre attention pour les influences présentes, soutient notre espoir d'un futur meilleur, et nous permet de nous adapter et de nous développer avec l'expérience.

« À 70 ans, je dirais qu'on a l'avantage de prendre la vie plus calmement. On sait bien que "ça aussi ça passera" ! »
Eleanor Roosevelt, 1954

AVANT D'ALLER PLUS LOIN...

➤ INTERROGEZ-VOUS

Êtes-vous la même personne que lorsque vous étiez à l'âge préscolaire ? Que lorsque vous aviez 10 ans ? Que lorsque vous aviez 13-14 ans ? En quoi êtes-vous différent ? En quoi êtes-vous pareil ?

➤ TESTEZ-VOUS 5

Quelles observations de la psychologie soutiennent la théorie des stades du développement ainsi que l'idée de stabilité de la personnalité au cours de la vie ? Quelles sont les conclusions susceptibles de contester ces idées ?

Les réponses aux questions « Testez-vous » sont données dans l'annexe B à la fin de l'ouvrage.

RÉVISION : Le développement de l'individu tout au long de sa vie

Développement prénatal et nouveau-né

1. Comment la vie se développe-t-elle avant la naissance ?

Les *psychologues du développement* étudient les changements physiques, mentaux et sociaux tout au long de la vie. Le cycle de la vie commence au moment de la conception, lorsqu'un spermatozoïde s'unit avec un ovule pour former un *zygote*. Fixé sur la paroi utérine de la mère, les principaux organes de l'*embryon* commencent à se former et à fonctionner. Vers la 9ᵉ semaine, le *fœtus* est reconnaissable comme un être humain. Les *tératogènes* sont des agents potentiellement dangereux qui peuvent traverser le filtre placentaire et nuire à l'embryon ou au fœtus qui se développe, comme on l'observe lors du *syndrome d'alcoolisme fœtal*.

2. Quelles sont les capacités du nouveau-né et comment les chercheurs explorent-ils les capacités mentales des nourrissons ?

Les nouveau-nés naissent avec un équipement sensoriel et des réflexes qui les aident à survivre et à développer des interactions sociales avec les adultes. Par exemple, ils apprennent rapidement à reconnaître l'odeur et la voix de leur mère. Pour explorer les capacités des enfants, les chercheurs utilisent des techniques qui testent l'*habituation*, comme les tests de préférence de la nouveauté.

Première et seconde enfance

3. Durant la première et la seconde enfance, comment le cerveau et les aptitudes motrices se développent-elles ?

Les cellules nerveuses sont sculptées par l'hérédité et l'expérience ; leurs connexions se multiplient rapidement après la naissance. Nos capacités motrices complexes (s'asseoir, se lever et marcher) se développent selon une séquence prévisible dont l'apparition est fonction de la *maturation* et de la culture individuelles. Nous perdons la mémoire consciente des expériences que nous avons vécues avant l'âge de 3 ans et demi en partie parce que les régions majeures du cerveau ne sont pas encore matures.

4. Selon la perspective de Piaget et des chercheurs actuels, de quelle manière l'esprit d'un enfant se développe-t-il ?

Piaget proposait que les enfants construisent activement leur compréhension du monde et la modifient par l'*assimilation* et l'*accommodation*. Ils forment des *schèmes* qui leur permettent d'organiser leurs expériences. Progressant du simple *stade sensori-moteur* des deux premières années, au cours duquel ils développent le sens de la *permanence de l'objet*, les enfants passent dans un stade de pensée plus complexe. Au cours du *stade préopératoire*, ils développent une *théorie de l'esprit* (qui n'existe pas chez les enfants *autistes*) mais sont *égocentriques* et incapables d'effectuer des opérations simples logiques. Vers 6 ou 7 ans, ils entrent dans le *stade des opérations concrètes* où ils deviennent capables d'effectuer des opérations concrètes comme celles nécessaires à appréhender le principe de la *conservation*. Vers l'âge de 12 ans, ils entrent dans le *stade des opérations formelles* et peuvent raisonner systématiquement. Les recherches ont conforté la séquence proposée par Piaget pour le développement de la *cognition* humaine mais elles ont également montré que les jeunes enfants étaient capables de plus de choses que ce que pensait Piaget et que leur développement est un processus plus continu.

5. Comment se forment les liens parents-enfants ?

Vers l'âge de 8 mois, les enfants séparés de la personne qui s'en occupe présentent une *peur de l'étranger*. Les enfants forment des *attachements* pas simplement parce que leurs parents répondent à leurs besoins biologiques mais, ce qui est plus important, parce qu'ils offrent un sentiment de confort, qu'ils sont familiers et attentifs. Les canards et d'autres animaux présentent des processus d'attachement plus rigides, que l'on appelle l'*empreinte* et qui se produit au cours d'une *période critique*. La négligence ou la maltraitance peuvent détruire le processus d'attachement. Les différents modes d'attachement des enfants reflètent leur tempérament individuel et l'attention de leurs parents et des personnes qui s'occupent d'eux.

6. Comment les psychologues ont-ils étudié les différents modes d'attachement et qu'ont-ils appris ?

L'attachement a été étudié dans des conditions expérimentales appelées « situations étranges », qui montrent que certains enfants ont un mode d'attachement assuré et d'autres un mode d'attachement non assuré. Les parents sensibles et attentifs ont tendance à avoir des enfants dont le mode d'attachement est assuré. Les relations à l'âge adulte semblent refléter les modes d'attachement de la première enfance confortant l'idée d'Erik Erikson que la *confiance de base* se forme durant la petite enfance par notre expérience avec les personnes attentives qui s'occupent de nous.

7. La négligence parentale, la rupture du noyau familial ou les crèches affectent-elles les modes d'attachement de l'enfant ?

Les enfants sont très résilients. Mais ceux qui sont transférés d'un endroit à un autre, sévèrement négligés par leurs parents ou qui n'ont pu d'une manière ou d'une autre former des attachements vers l'âge de 2 ans peuvent présenter des risques de troubles de l'attachement. Les crèches de qualité, où des adultes attentifs sont interactifs avec les enfants et où l'environnement est sain et stimulant, ne semblent pas nuire aux capacités de réflexion et de langage des enfants. Certaines études ont trouvé un lien entre l'augmentation de l'agressivité et de l'esprit de provocation et un temps excessif passé en crèche mais d'autres facteurs, comme le tempérament de l'enfant, la sensibilité des parents et le niveau économique et éducatif de la famille, ainsi que leur culture peuvent également avoir de l'importance.

8. Comment se développe le concept de l'image de soi chez l'enfant ? De quelle manière les traits de caractère sont-ils liés au mode d'éducation parental ?

L'apparition du concept de l'*image de soi*, le sens de l'identité et de la valeur personnelle, est progressive. Vers 15 à 18 mois, l'enfant reconnaît sa propre image dans un miroir. Lorsqu'il entre à l'école, il peut décrire beaucoup de ses traits personnels et, vers l'âge de 8 à 10 ans, son image de lui-même est stable. Les différents modes d'éducation parentale, autoritaire, permissif ou directif, reflètent divers degrés de contrôle. Les enfants ayant une haute estime d'eux-mêmes ont tendance à avoir des parents directifs et à avoir confiance en eux et être socialement compétents, mais la direction du lien de cause à effet dans cette relation n'est pas claire.

Adolescence

9. Quels sont les changements physiques qui marquent l'adolescence ?

L'*adolescence* est la période de transition entre la *puberté* et l'indépendance sociale. Pendant ces années, les *caractères sexuels primaires et secondaires* se développent de manière spectaculaire. Les garçons semblent tirer profit d'une maturation précoce et les filles d'une maturation plus tardive. Les lobes frontaux du cerveau connaissent une maturation pendant l'adolescence jusque vers 20 ans, permettant une amélioration du jugement, du contrôle des impulsions et de la planification à long terme.

10. De quelle manière Piaget, Kohlberg et les chercheurs qui leur ont succédé ont-ils décrit le développement cognitif et moral de l'adolescent ?

Selon Piaget, les adolescents développent une capacité pour les opérations formelles, et ce développement est à la base du jugement moral. Kohlberg a proposé une théorie par stades du raisonnement moral, allant du sens moral préconventionnel, fondé sur notre propre intérêt, au sens moral conventionnel, fondé sur la fidélité à la loi et aux règles sociales. Pour certaines personnes, le sens moral post-conventionnel se fonde sur les principes éthiques universels. Les critiques de Kohlberg notent que la moralité réside dans des actions et des émotions mais aussi dans les pensées et que ce stade post-conventionnel représente la moralité du point de vue des hommes de sexe masculin, individualistes, de classe moyenne.

11. Quels sont les tâches sociales et les défis de l'adolescence ?

Selon Erickson, la principale tâche de l'adolescence est de solidifier son sens du moi, son *identité*. Cela signifie souvent « essayer » plusieurs rôles différents. Pendant l'adolescence, l'influence parentale diminue et l'influence des pairs augmente.

12. Qu'est-ce que l'émergence de l'âge adulte ?

La transition entre l'adolescence et l'âge adulte prend maintenant plus de temps. L'*émergence de l'âge adulte* est la période qui s'étend de 18 ans à 25 ans environ, lorsque beaucoup de jeunes ne sont pas encore totalement indépendants. Mais les critiques notent que ce stade s'observe surtout actuellement dans les cultures occidentales.

Âge adulte

13. Quels sont les changements physiques qui se produisent au milieu de l'âge adulte et à la fin de celui-ci ?

La force musculaire, le temps de réaction, les aptitudes sensorielles et le débit cardiaque commencent à décliner avant le début de la trentaine et ce déclin se poursuit chez les adultes d'âge mûr et les personnes âgées. Vers l'âge de 50 ans, la *ménopause* termine la période de fertilité de la femme mais en général elle ne déclenche pas de troubles psychologiques ni interfère avec la satisfaction de la vie sexuelle. Les hommes ne subissent pas de chute similaire de leurs niveaux d'hormones ni de leur fertilité.

14. Comment la mémoire et l'intelligence changent-elles avec l'âge ?

À mesure que les années passent, le rappel des souvenirs commence à décliner, en particulier celui des informations ayant peu d'importance, mais la mémoire de reconnaissance reste forte. Les *études transversales* et *longitudinales* ont montré que l'*intelligence fluide* déclinait à la fin de la vie contrairement à l'*intelligence cristallisée*.

15. Quels thèmes et influences marquent notre voyage social du début de l'âge adulte à notre mort ?

Les adultes n'évoluent pas selon une séquence ordonnée de stades sociaux liée à l'âge. Les événements de la vie sont plus importants tout comme le relâchement des exigences strictes de l'*horloge sociale,* l'ordre culturel consensuel des événements de la vie. Les thèmes dominants de l'âge adulte sont l'amour et le travail, avec ce qu'Erickson appelle l'*intimité* et l'engendrement. La satisfaction de la vie a tendance à rester élevée tout au long de la vie.

Termes et concepts à retenir

Psychologie du développement, p. 173
Zygote, p. 174
Embryon, p. 174
Fœtus, p. 175
Agents tératogènes, p. 175
Syndrome d'alcoolisme fœtal (SAF), p. 175
Habituation, p. 176
Maturation, p. 177
Cognition, p. 179
Schème (ou schéma), p. 180
Assimilation, p. 180
Accommodation, p. 180
Stade sensori-moteur, p. 181
Permanence de l'objet, p. 181
Stade préopératoire, p. 183
Conservation, p. 183
Égocentrisme, p. 183
Théorie de l'esprit, p. 184
Stade des opérations concrètes, p. 185
Stade des opérations formelles, p. 185
Autisme, p. 186
Peur de l'étranger, p. 188
Attachement, p. 188
Période critique, p. 189
Empreinte, p. 189
Confiance de base, p. 189
Image de soi, p. 194
Adolescence, p. 196
Puberté, p. 197
Caractères sexuels primaires, p. 197
Caractères sexuels secondaires, p. 197
Ménarche, p. 198
Identité, p. 203
Identité sociale, p. 203
Intimité, p. 204
Émergence de l'âge adulte, p. 206
Ménopause, p. 207
Étude transversale, p. 214
Étude longitudinale, p. 214
Intelligence cristallisée, p. 215
Intelligence fluide, p. 215
Horloge sociale, p. 217

CHAPITRE 6

La sensation et la perception

SENTIR LE MONDE : QUELQUES PRINCIPES DE BASE
Seuils
Adaptation sensorielle

LA VUE
Le stimulus d'entrée : l'énergie lumineuse
L'œil
Traitement de l'information visuelle
Vision des couleurs

L'OUÏE
Le stimulus d'entrée : les ondes sonores
L'oreille
Perte auditive et culture des Sourds
Gros plan : Vivre dans un monde silencieux

LES AUTRES SENS IMPORTANTS
Le toucher
La douleur
Le goût
L'odorat

ORGANISATION DE LA PERCEPTION
Perception des formes
Perception de la profondeur
Perception du mouvement
Constance perceptive

INTERPRÉTATION PERCEPTIVE
Privation sensorielle et recouvrement de la vue
Adaptation perceptive
Cadre perceptif
La perception et le facteur humain

EXISTE-T-IL UNE PERCEPTION EXTRASENSORIELLE ?
Affirmations sur l'existence d'une PES
Prémonitions ou prétentions ?
Soumettre les PES à des tests expérimentaux

« J'ai une vision parfaite », m'explique ma collègue Heather Sellers, un écrivain reconnu qui enseigne également l'art d'écrire. Sa vision est peut-être très fine, mais sa perception pose problème : elle ne peut pas reconnaître les visages.

Dans son livre, *Face First*, Sellers (2010) raconte un de ces moments embarrassants provoqué par sa *prosopagnosie*, une véritable « cécité » des visages, dont elle souffre depuis toujours :

> Alors que j'étais à l'université, un ami m'a donné rendez-vous dans une pizzeria. En revenant des toilettes, je me suis assise à la mauvaise table, en face du mauvais homme. Je ne me suis pas aperçue que ce n'était pas l'homme avec qui j'avais rendez-vous, même lorsque mon « petit ami » (un parfait étranger pour moi) accosta le « mauvais » homme avant de quitter le restaurant furieux. Je suis incapable de différencier les acteurs dans les films de télévision ou de cinéma. Je ne me reconnais pas sur les photos et les vidéos. Je ne peux pas reconnaître mon beau-fils dans l'équipe des joueurs de football ; je n'arrive pas à déterminer qui est mon mari dans une réception, un centre commercial, au marché.

Du fait de son incapacité à reconnaître les personnes qu'elle connaît, elle est souvent perçue comme quelqu'un de snob, froid ou distant. « Pourquoi es-tu passée devant moi sans même me dire bonjour ? », lui demande-t-on parfois. Comme ceux qui ont perdu l'audition et qui font semblant d'entendre au cours des conversations sociales banales, Sellers fait aussi parfois semblant de reconnaître les gens. Elle sourit souvent aux personnes devant qui elle passe, au cas où elle les connaîtrait. Elle fait comme si elle connaissait la personne avec qui elle parle. (Pour éviter le stress associé à ces déficits perceptifs, les personnes qui présentent une perte auditive sévère ou sont atteints de prosopagnosie évitent les situations sociales où il y a beaucoup de monde.) Mais il y a un côté positif : quand elle rencontre quelqu'un qui l'a énervé précédemment, elle ne se sent absolument pas mal à l'aise, parce qu'elle ne le reconnaît pas.

Ce mélange curieux de « vision parfaite » et de cécité des visages illustre la différence entre la *sensation* et la *perception*. Lorsque Sellers regarde un ami, sa sensation est normale : ses récepteurs sensoriels détectent les mêmes informations que vous et moi, et transmettent cette information au cerveau. Sa perception aussi (l'organisation et l'interprétation des informations sensorielles qui lui permettent de reconnaître consciemment les objets) est presque normale. Ainsi, elle peut reconnaître les personnes par leurs cheveux, leur allure, leur voix ou leur aspect physique particulier, mais pas leur visage. Elle peut voir les éléments de leur visage, leur nez, leurs yeux et leur menton et cependant, lors d'une réception elle nous raconte : « Je suis allée dire bonjour TROIS FOIS à ma collègue Gloria ». Son expérience, c'est un peu comme si vous ou moi luttions désespérément pour reconnaître un pingouin particulier au milieu d'une colonie qui se dandine.

Grâce à une région de la partie inférieure de votre hémisphère cérébral droit, vous pouvez reconnaître les visages humains (mais pas ceux des pingouins) en un septième de seconde. Dès que vous avez détecté un visage, vous le reconnaissez (Jacques et Rossion, 2006). Comment faites-vous ?

Vingt-quatre heures sur vingt-quatre, d'innombrables stimuli provenant du monde extérieur bombardent votre corps. Dans un monde intérieur d'obscurité absolue, silencieux et feutré, flotte votre cerveau. De lui-même, il ne voit rien, n'entend rien, ne ressent rien. *Comment le monde extérieur pénètre-t-il à l'intérieur ?*

Pour formuler la question scientifiquement : comment construisons-nous nos représentations du monde extérieur ? Comment représentons-nous les craquements, le vacillement et l'odeur d'un feu de camp sous forme d'un ensemble de connexions neuronales actives ? Et comment, à partir de cette neurochimie vivante, créons-nous notre expérience consciente de son mouvement et de sa chaleur, de son arôme et de sa beauté ? Pour trouver des réponses à ces questions, voyons de plus près ce que les psychologues ont appris sur la manière dont nous sentons et nous percevons le monde qui nous entoure.

Sentir le monde : quelques principes de base

1. Qu'est-ce que la *sensation* et la *perception* ? Que signifient les termes de *traitement de bas en haut* et de *traitement de haut en bas* ?

DANS NOS EXPÉRIENCES QUOTIDIENNES, **sensation** et **perception** se mêlent de façon indissociable pour former un processus continu. Dans ce chapitre, nous allons ralentir ce processus pour en étudier les différentes étapes.

Nous allons débuter par les récepteurs sensoriels et remonter jusqu'aux niveaux de traitement plus élevés. Les psychologues appellent **traitement de bas en haut** (*bottom-up processing*) une analyse sensorielle dont le point de départ se situe au niveau de l'entrée. Mais notre cerveau *interprète* également ce que nos sens *détectent*. Nous construisons des perceptions fondées non seulement sur les sensations de bas en haut parvenant au cerveau, mais également sur nos expériences et nos attentes, ce que les psychologues appellent le **traitement de haut en bas** (*top-down processing*). Par exemple, à mesure que notre cerveau déchiffre les informations de la FIGURE 6.1, le traitement de bas en haut permet à notre système sensoriel de détecter les lignes, les angles et les couleurs qui forment les chevaux, le cavalier et le paysage. En utilisant le traitement de haut en bas, nous envisageons le titre du tableau, remarquons les expressions de crainte et dirigeons alors notre attention vers des aspects de la peinture qui vont donner un sens à ces observations.

Les dons sensoriels dont nous comble la nature répondent à chacun de nos besoins. Ils permettent aux organismes d'obtenir des informations indispensables. Considérons les cas suivants :

- Une grenouille, qui se nourrit d'insectes volants, possède des yeux munis de cellules réceptrices qui ne se déclenchent qu'en réponse à de petits objets mobiles et sombres. Une grenouille plongée jusqu'au cou dans un nuage de mouches immobiles peut se laisser mourir de faim. Mais si une mouche vient bourdonner par là, la cellule « détectrice d'insectes » de la grenouille se réveille brusquement.
- Le mâle du bombyx (ver à soie) possède des récepteurs tellement sensibles à l'odeur des phéromones sexuelles de la femelle qu'il suffit à celle-ci d'en libérer 30 milliardièmes de gramme par seconde pour attirer tous les mâles dans un rayon de 1 500 m. C'est grâce à cela que les vers à soie se perpétuent.

➤ FIGURE 6.1
Que se passe-t-il ici ? Nos processus sensoriels et perceptifs travaillent ensemble pour nous permettre d'évaluer les images complexes (comme les visages cachés) de cette peinture de Bev Doolittle, *The Forest Has Eyes* (« La forêt a des yeux »).

- De la même manière, nous sommes conçus pour détecter ce qui constitue les caractéristiques importantes de notre environnement. Nos oreilles sont surtout sensibles aux fréquences qui incluent les sonorités de la voix humaine et les cris d'un bébé.

Nous commencerons notre exploration des dons sensoriels par des questions qui concernent l'ensemble de nos systèmes sensoriels. Quels stimuli franchissent nos seuils de perception consciente ?

Seuils

2. Qu'est-ce que le seuil absolu et le seuil différentiel, et les stimuli en dessous du seuil absolu ont-ils une quelconque influence ?

Nous vivons dans un océan d'énergie. En ce moment, vous et moi sommes assaillis par des rayons X et des ondes radio, par de la lumière ultraviolette et infrarouge et par des ondes sonores de très haute ou très basse fréquence. Mais nous y sommes totalement sourds et aveugles. Certains animaux sont capables de repérer tout un univers qui se trouve au-delà de l'expérience humaine (Hughes, 1999). Les oiseaux migrateurs utilisent le compas magnétique ; les dauphins et les chauves-souris repèrent leurs proies par le biais du sonar (écholocalisation des objets fondée sur l'émission et le retour des ultrasons). Par temps nuageux, les abeilles s'orientent en analysant la polarisation de la lumière solaire invisible pour l'homme.

Les volets de nos sens sont à peine entrouverts, nous autorisant seulement une conscience restreinte de ce vaste océan d'énergie. Voyons ce que la **psychophysique** a découvert à propos de l'énergie physique que nous pouvons détecter et ses effets sur notre expérience psychologique.

Seuils absolus

Nous sommes extrêmement sensibles à certains types de stimuli. Debout, au sommet d'une montagne, dans l'obscurité totale, par une nuit claire, la plupart d'entre nous peuvent voir la flamme d'une bougie sur le sommet d'une autre montagne à près de 50 kilomètres. Nous pouvons sentir l'aile d'une abeille tombant sur notre joue. Nous pouvons sentir une seule goutte de parfum dans un appartement de trois pièces (Galanter, 1962).

Notre conscience de ces faibles stimuli illustre nos **seuils absolus**, c'est-à-dire la stimulation minimale nécessaire pour détecter, dans 50 p. 100 des cas, un stimulus particulier (lumière, son, pression, goût, odeur). Pour tester votre seuil absolu des sons, un spécialiste de l'audition expose chaque oreille à différents niveaux sonores. Pour chaque tonalité, le test d'audition définit le point auquel vous détectez correctement le son dans la moitié des cas et le point auquel vous ne détectez pas le son. Pour chacun des sens, le point 50-50 définit ainsi votre seuil absolu.

Les seuils absolus peuvent varier avec l'âge. La sensibilité aux tonalités élevées décline avec le vieillissement normal, laissant les oreilles « âgées » dans le besoin de sons plus forts pour détecter la sonnerie aiguë d'un portable. Comme nous l'avons déjà noté dans le chapitre 5, ce fait de la vie a été exploité par certains étudiants qui ont recherché une tonalité de sonnerie pour leur téléphone portable inaudible par leurs professeurs, et par certains propriétaires de supermarché du Pays de Galles qui diffusent des sons particulièrement désagréables pour entraîner la dispersion les adolescents rôdant autour de leur magasin, sans pour autant repousser les autres adultes.

Détection du signal

Détecter un faible stimulus, ou signal, dépend non seulement de l'intensité du signal (tel que la tonalité lors d'un test d'audition), mais également de notre état psychologique – notre expérience, nos attentes, nos motivations et notre vigilance. La **théorie de la détection du signal** prédit notre capacité à détecter de faibles signaux, en mesurant la proportion de réponses correctes par rapport aux « fausses alarmes ». Les théoriciens spécialistes de la détection du signal cherchent à comprendre pourquoi les gens répondent différemment à un même stimulus et pourquoi les réactions d'une même personne varient selon les circonstances. Les parents épuisés d'un nouveau-né vont remarquer le plus petit gémissement provenant du berceau, tandis que des bruits plus forts, mais sans importance, resteront ignorés.

Dans une situation de guerre, l'absence de détection d'un intrus peut signifier la mort. Pensant sans cesse à leurs nombreux camarades morts, les soldats et les policiers mobilisés en Irak ont probablement bien plus de risques de remarquer un bruit presque imperceptible

:: Sensation : processus par lequel nos récepteurs sensoriels et notre système nerveux reçoivent et représentent les énergies du stimulus provenant de notre environnement.

:: Perception : processus d'organisation et d'interprétation des informations sensorielles qui nous permet de reconnaître les événements et les objets qui ont un sens.

:: Traitement de bas en haut : analyse dont le point de départ se situe au niveau des récepteurs sensoriels et qui avance progressivement jusqu'à l'intégration cérébrale des informations sensorielles.

:: Traitement de haut en bas : traitement de l'information, commandé par des processus mentaux élevés, tels que la construction des perceptions fondées sur nos expériences et nos attentes.

:: Psychophysique : étude des relations entre les caractéristiques physiques des stimuli (leur intensité, par exemple) et l'expérience psychologique que nous en avons.

:: Seuil absolu : stimulation minimale nécessaire pour détecter un stimulus particulier dans 50 p. 100 des cas.

:: Théorie de la détection du signal : théorie consistant à juger de la présence d'un faible stimulus (*signal*) au sein d'une stimulation de fond (*bruit*). Selon cette théorie, il n'y a pas de seuil absolu unique, et la détection d'un signal faible dépend en partie de l'expérience de la personne, de ce qu'elle attend, de sa motivation et de son niveau de fatigue.

• Essayez cette vieille énigme sur vos amis. « Vous conduisez un bus contenant 12 passagers. À votre premier arrêt, 6 passagers descendent. Au deuxième arrêt, 3 passagers descendent. Au troisième arrêt, 2 passagers descendent, mais 3 nouvelles personnes montent. De quelle couleur sont les yeux du chauffeur de bus ? » Vos amis détectent-ils le signal (« Qui est le conducteur du bus ? ») dans l'environnement bruyant ? •

Détection du signal Avec quelle rapidité remarqueriez-vous le spot radar signalant l'approche d'un objet ? Assez rapidement si (1) vous vous attendez à une attaque, (2) il est important que vous le détectiez, (3) vous êtes vigilant.

Carol Lee/Tony Stone Images

et de faire feu. Cette réactivité extrême explique l'augmentation du taux de fausses alarmes, et pourquoi, par exemple, les militaires américains ont tiré sur la voiture qui venait de libérer une journaliste italienne maintenue en otage et ont tué l'agent des services secrets italiens qui l'avait sauvée. En temps de paix, ces soldats américains, n'ayant aucune crainte pour leur vie, auraient eu besoin d'un signal bien plus intense pour se sentir en danger.

La détection d'un signal peut être un problème de vie ou de mort lorsque, par exemple, des gens sont responsables de la détection d'armes aux points de contrôle de sécurité d'un aéroport, du suivi de l'écran de contrôle dans une unité de soins intensifs ou de la détection d'échos sur un écran radar. Des études ont montré, par exemple, que la capacité des sujets à capter un faible signal diminue après 30 minutes. Mais cette diminution de l'attention dépend du type de tâche, du moment de la journée ou encore de l'entraînement régulier des personnes (Warm et Dember, 1986). Pour motiver les agents de sécurité examinant les bagages dans les aéroports, la TSA (organisme américain de sûreté des transports) ajoute régulièrement des images d'armes à feu, de couteaux ou d'autres objets représentant une menace dans les sacs passant aux rayons X. Lorsque le signal est détecté, le système félicite l'agent de sécurité et l'image disparaît (Winerman, 2006). L'expérience est également importante. Selon une étude, le fait de jouer 10 heures à un jeu vidéo d'action, pour rechercher et répondre instantanément à toute intrusion, a augmenté les capacités de détection du signal d'un joueur débutant (Green et Bavelier, 2003). (*Voir* Chapitre 16 pour les conséquences sociales nettement moins positives des jeux vidéo violents.)

Stimulation subliminale

Espérant pénétrer notre inconscient, des commerçants proposent des cassettes supposées parler directement à notre cerveau pour nous aider à perdre du poids, à arrêter de fumer ou à améliorer notre mémoire. Masqués par des bruits marins apaisants, des messages non perceptibles tels que : « Je suis mince », « Le tabac a mauvais goût », « Je réussis tous mes examens, je me souviens parfaitement de mes cours » influencent soi-disant notre comportement. Ces affirmations reposent sur deux suppositions : (1) nous pouvons inconsciemment percevoir des stimuli **subliminaux** (littéralement « au-dessous du seuil ») et (2) sans que nous en soyons conscients, ces stimuli ont un pouvoir de suggestion considérable. Est-ce le cas ?

Pouvons-nous ressentir des stimuli qui sont au-dessous de nos seuils absolus ? Sous certaines conditions, la réponse est clairement *oui*. Rappelez-vous que le seuil « absolu » correspond au niveau auquel nous détectons un stimulus *dans la moitié des cas* (Figure 6.2). À ce seuil, ou légèrement au-dessous, nous détecterons encore le stimulus de temps en temps.

Pouvons-nous être affectés par des stimuli si faibles que nous ne les remarquons pas ? Dans certaines conditions, la réponse est encore *oui*. Un mot ou une image invisible peut brièvement **amorcer** la réponse à une question posée par la suite. Dans le cas d'une expérience pratiquée de façon courante, une image ou un mot est projeté rapidement, puis remplacé par un stimulus fonctionnant comme une sorte de *masque* qui interrompt le traitement de l'information dans le cerveau avant la perception consciente. Par exemple, une expérience consiste à projeter rapidement, de façon subliminale, soit des scènes positives sur le plan

:: Subliminal : au-dessous du seuil absolu pour une perception consciente.

:: Amorçage : activation implicite (souvent inconsciente) de certaines associations qui prédispose les gens à une certaine perception, mémoire ou réponse.

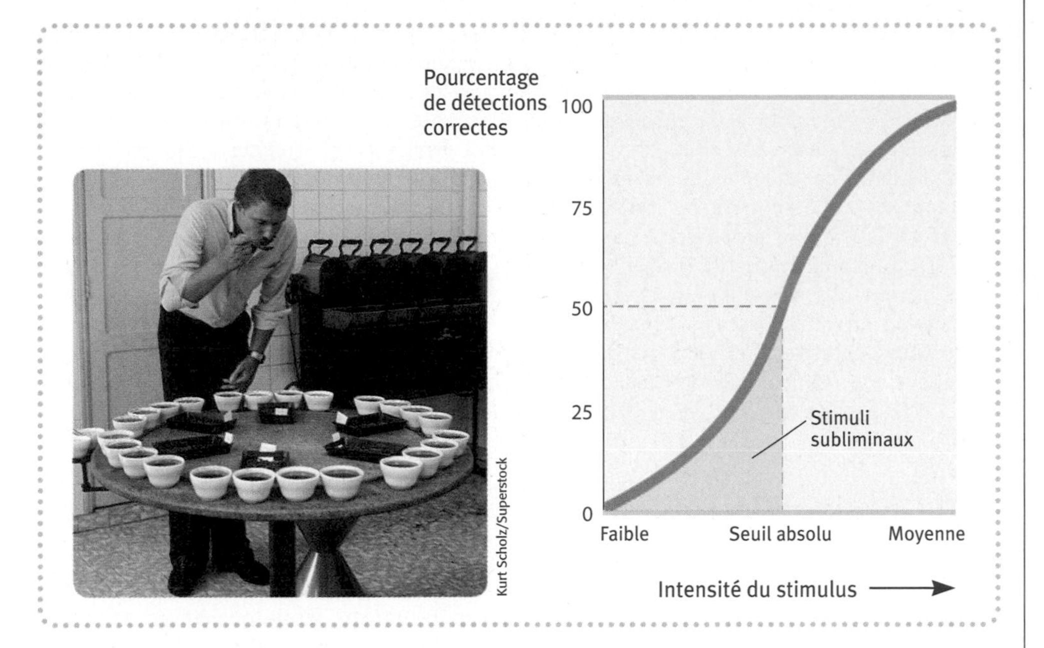

➤ FIGURE 6.2
Le seuil absolu Quelle différence subtile puis-je détecter dans ces différents échantillons de café ? Quand les stimuli ne sont détectables que dans moins de 50 p. 100 des cas, on dit qu'ils sont « subliminaux ». Le *seuil absolu* est l'intensité nécessaire à la détection d'un stimulus dans la moitié des cas.

émotionnel (des chatons, un couple d'amoureux), soit des scènes négatives (un corps sans vie ou un loup-garou) pendant quelques instants avant de montrer aux sujets des diapositives de différentes personnes (Krosnick et coll., 1992). Les sujets n'ont perçu de chaque scène de façon consciente qu'un éclair de lumière. Cependant, d'une certaine façon, les gens semblent plus gentils si leur photographie suit immédiatement celle d'un chaton non perçu plutôt que celle d'un loup-garou non perçu. Une autre expérience a exposé les sujets à des odeurs subliminales, agréables, neutres ou désagréables (Li et coll., 2007). Malgré qu'ils n'aient eu aucune conscience de ces odeurs, les participants considéraient un visage d'expression neutre comme étant plus agréable lorsqu'ils avaient été exposés aux odeurs agréables plutôt qu'aux odeurs désagréables.

Cette expérience illustre un aspect curieux : nous *ressentons* parfois ce que nous ne savons pas ni ne pouvons décrire. Une stimulation brève et imperceptible déclenche souvent une réponse faible qui *peut* être détectée par l'imagerie cérébrale (Blankenburg et coll., 2003 ; Haynes et Rees, 2005, 2006). Conclusion (augmentez le son maintenant) : *la majeure partie du traitement de l'information s'effectue automatiquement, sans que l'on s'en aperçoive, en dehors de l'écran radar de notre esprit conscient.*

Mais l'existence de *sensations* subliminales est-elle une preuve de la *persuasion* subliminale mise en avant par les agences de publicité ? Les publicitaires peuvent-ils réellement nous manipuler avec un « mécanisme de persuasion cachée » ? La réponse quasi consensuelle donnée par les chercheurs est *non*. Leur verdict est semblable à celui des astronomes qui disent que les astrologues *ont raison* d'affirmer que les étoiles et les planètes existent, mais qu'ils *ont tort* de déclarer qu'elles nous influencent directement. Les recherches effectuées en laboratoire ont révélé un effet *subtil* et *éphémère* sur la pensée. Peut-être que le fait de soumettre des sujets ayant soif au mot *soif* de façon subliminale pendant un intervalle très bref pourrait rendre une publicité de boisson désaltérante plus persuasive (Strahan et coll., 2002). De même, soumettre des personnes qui ont soif au mot *Lipton Ice Tea®* pourrait augmenter leur choix de cette marque (Karremans et coll., 2006). Toutefois, ce que prétendent les vendeurs bonimenteurs de cassettes subliminales est une chose tout à fait différente : un effet *puissant* et *durable* sur le comportement.

Pour savoir si les cassettes subliminales avaient un effet autre que placebo – c'est-à-dire avaient l'effet que l'on croit qu'elles ont –, Anthony Greenwald et ses collègues (1991, 1992) ont réparti aléatoirement en deux groupes des étudiants motivés pour leur faire écouter tous les jours pendant cinq semaines des cassettes subliminales vendues dans le commerce et ayant pour but d'améliorer soit l'estime de soi, soit la mémoire. Ensuite, les chercheurs manipulèrent un facteur expérimental. Sur la moitié des cassettes, ils échangèrent les étiquettes. Les étudiants *pensaient* recevoir des cassettes sur l'estime de soi alors qu'ils écoutaient, en fait, les cassettes destinées à améliorer la mémoire. Les autres avaient les cassettes sur l'estime de soi mais ils pensaient que leur mémoire allait être renforcée.

« Le cœur a ses raisons que la raison ignore. »
Pascal, *Pensées*, 1670

Persuasion subliminale ? Bien que les stimuli subliminaux *puissent* avoir une légère influence sur les gens, les expériences discréditent l'utilisation des publicités subliminales et des cassettes délivrant des messages imperceptibles destinés à nous faire progresser dans divers domaines. (Toutefois, le message amusant de cette image n'est pas subliminal, puisque vous pouvez le percevoir.)

:: **Seuil différentiel** : différence minimale qu'un sujet peut détecter entre deux stimuli dans 50 p. 100 des cas. Nous ressentons ce seuil différentiel comme *une différence tout juste perceptible* (également appelée *différence tout juste détectable*).

:: **Loi de Weber** : principe selon lequel la perception de la différence entre deux stimuli est possible s'ils diffèrent d'un pourcentage minimal constant (plutôt que d'une quantité constante).

:: **Adaptation sensorielle** : diminution de sensibilité consécutive à une stimulation constante.

Les cassettes furent-elles efficaces ? Les scores des tests de mémoire et d'estime de soi effectués avant et après cinq semaines ne montrèrent aucun effet. Cependant, ceux qui *pensaient* avoir écouté la cassette mémoire *croyaient* que leur mémoire s'était améliorée. Il en était de même pour ceux qui pensaient avoir écouté la cassette estime de soi. Même si les cassettes étaient sans effet, les sujets s'étaient *persuadés* eux-mêmes qu'ils en avaient retiré le bénéfice *attendu*. En lisant ces résultats, nous entendons comme un écho des témoignages qui jalonnent les catalogues de vente par correspondance. En effet, ayant acheté quelque chose supposée ne pas pouvoir être entendue (et n'entendant effectivement rien !), beaucoup de clients écrivent des choses comme : « Je suis convaincu que vos cassettes furent très précieuses dans la reprogrammation de mon esprit. » Pendant 10 ans, Greenwald effectua 16 expériences en double aveugle pour tester les cassettes subliminales autosuggestives. Ses résultats furent tous identiques : aucune cassette n'avait d'effet thérapeutique (Greenwald, 1992). Sa conclusion : « Les procédés subliminaux ont peu, sinon rien à offrir de tangible aux professionnels du marketing » (Pratkanis et Greenwald, 1988).

Le Seigneur est mon berger,
Je ne manquerai de rien,
Il me fait reposer
dans de verts pâturages.
Il me conduit
auprès des eaux reposantes,
Il restaure les forces de mon âme.
Il me mène
dans le droit chemin,
Pour l'honneur de son nom.
Quand même j'aurais à marcher dans la vallée
des ombres de la mort,
Je ne craindrais aucun mal,
parce que vous êtes avec moi.
Votre bâton, votre houlette,
Voilà mon réconfort.
Vous me dressez une table
Sous les yeux mêmes de mes ennemis.
Vous versez le parfum sur ma tête,
Ma coupe est débordante.
Les bienfaits de votre bonté
m'accompagneront
Tous les jours de ma vie.
Et j'habiterai
de longs jours
Dans la maison du Seigneur.

Le seuil différentiel Dans cette copie du Psaume 23, produite par un ordinateur, la taille du caractère de chaque ligne change imperceptiblement. De combien de lignes avez-vous besoin pour identifier la différence à peine détectable ?

Seuils différentiels

Pour fonctionner de façon effective, nous avons besoin de seuils absolus suffisamment bas pour nous permettre de détecter des images, des sons, des textures, des odeurs et des goûts importants. Nous avons également besoin de détecter de faibles différences entre les stimuli. Un musicien doit détecter des discordances minimes dans le réglage d'un instrument. Des parents doivent détecter la voix de leur enfant parmi celles d'autres enfants. Même après avoir vécu deux années en Écosse, le *bêlement* des moutons raisonne de manière identique dans mes oreilles. Mais pas dans celles des brebis que j'ai observées, après avoir été tondues, courir tout droit vers le « bèèè » de leur agneau au milieu des bêlements des autres agneaux en détresse.

Le **seuil différentiel** (encore appelé *différence tout juste détectable*) est la différence minimale qu'une personne (ou un mouton) peut détecter entre deux stimuli quelconques dans 50 p. 100 des cas. Le seuil différentiel augmente avec la magnitude du stimulus. Ajouter 10 g à un poids de 100 g et vous remarquerez la différence ; ajouter 10 g à un poids de 1 kg et vous ne le pourrez probablement pas. Il y a plus d'un siècle, Ernst Weber remarquait quelque chose de si simple et si largement applicable que nous y faisons toujours référence sous l'appellation de **loi de Weber** : pour que leur différence soit perceptible deux stimuli devaient différer d'une *proportion* constante et non pas d'une quantité constante. La proportion exacte varie selon le stimulus. Pour qu'une personne normale puisse percevoir leurs différences, deux lumières doivent avoir une intensité différant de 8 p. 100. Deux objets doivent avoir un poids différant de 2 p. 100 et deux tons doivent avoir une différence de fréquence de seulement 0,3 p. 100 (Teghtsoonian, 1971).

« Nous avons surtout besoin de savoir ce qui change ; personne n'a besoin ou envie de se rappeler pendant 16 heures par jour qu'il porte des chaussures. »
David Hubel, spécialiste en neurosciences (1979)

Adaptation sensorielle

3. Quelle est la fonction de l'adaptation sensorielle ?

En entrant dans le salon de vos voisins, vous sentez une odeur de moisi. Vous vous demandez comment ils peuvent supporter cela, mais au bout de quelques minutes vous ne la remarquerez même plus. L'**adaptation sensorielle**, notre sensibilité décroissante à un stimulus constant, est venue à votre secours. (Pour vous rendre compte de ce phénomène, remontez votre montre de 3 cm sur votre poignet : vous allez la sentir – mais seulement pendant quelques instants.) Après une exposition constante à un stimulus, nos cellules nerveuses sont moins fréquemment stimulées.

Pourquoi donc, si nous fixons un objet sans cligner des yeux, ne disparaît-il pas de notre vision ? Parce que, sans que nous le remarquions, nos yeux sont toujours en mouvement, passant d'un point à un autre juste assez pour que la stimulation sur les récepteurs rétiniens change continuellement (FIGURE 6.3).

• **Pour 9 personnes sur 10, et curieusement pour seulement 1 patient schizophrène sur 3, ce nystagmus s'arrête lorsque l'œil suit une cible mouvante (Holzman et Matthyss, 1990).** •

Que se passerait-il si vous pouviez empêcher vos yeux de bouger ? Les objets que vous voyez s'évanouiraient-ils comme les odeurs ? Pour le savoir, les psychologues ont développé un instrument ingénieux permettant de maintenir une image constante sur la rétine. Imaginez que nous équipions un sujet, Mary, avec l'un de ces instruments : un projecteur miniature monté

➤ FIGURE 6.3
L'œil sauteur John Henderson, psychologue de l'université d'Édimbourg (2007) nous montre de quelle manière le regard d'une personne saute d'un point à un autre à chaque trentième de seconde environ. Un appareil suivant la trace de l'œil nous montre comment une personne regarde typiquement la photographie du jardin botanique Princes Street Garden à Édimbourg. Les cercles représentent les moments où le sujet fixe l'image et les chiffres indiquent la durée de cette fixation en millisecondes (300 millisecondes = 3 dixièmes de seconde).

sur une lentille de contact (Figure 6.4a). Lorsque les yeux de Mary bougent, l'image du projecteur bouge. Ainsi, partout où regarde Mary, l'image s'y trouve aussi.

Si nous projetons un visage de profil à travers ce projecteur, que va voir Mary ? Au début, elle va voir le profil complet. Mais après quelques secondes, lorsque ses récepteurs sensoriels vont commencer à se fatiguer, les choses vont devenir étranges. Peu à peu l'image disparaît, pour seulement réapparaître plus tard, puis disparaître à nouveau en fragments reconnaissables ou en totalité (Figure 6.4b).

Bien que l'adaptation sensorielle réduise notre sensibilité, elle offre un avantage important : elle nous laisse la liberté de fixer notre attention sur des modifications *instructives* de notre environnement sans être distraits par des stimulations constantes, sans intérêt, de l'arrière-plan. Nos récepteurs sensoriels sont alertés par la nouveauté ; ennuyez-les par la répétition et ils vont libérer notre attention pour des choses plus intéressantes. Les personnes qui sentent mauvais ou se parfument de trop ne remarquent pas leur odeur parce que, comme vous et moi, ils s'adaptent à ce qui est constant et ne détectent que le changement. Cela renforce une leçon fondamentale : *nous ne percevons pas le monde comme il est exactement, mais comme il est utile pour nous de le percevoir.*

« Je soupçonne que l'univers est non seulement plus bizarre que nous ne le supposons, mais encore plus étrange que nous ne pouvons le supposer. »
J. B. S. Haldane, *Possible Worlds*, 1927

Notre sensibilité à un stimulus qui varie constamment permet d'expliquer le contrôle que la télévision exerce sur notre attention. Les coupures, les montages, les panoramiques, les effets de zoom et les bruits inattendus exigent de l'attention, même pour les chercheurs spécialistes de la télévision : comme l'a remarqué Percy Tannenbaum (2002), « même lors d'une conversation très intéressante, je ne peux absolument pas m'empêcher de jeter régulièrement un coup d'œil sur l'écran ».

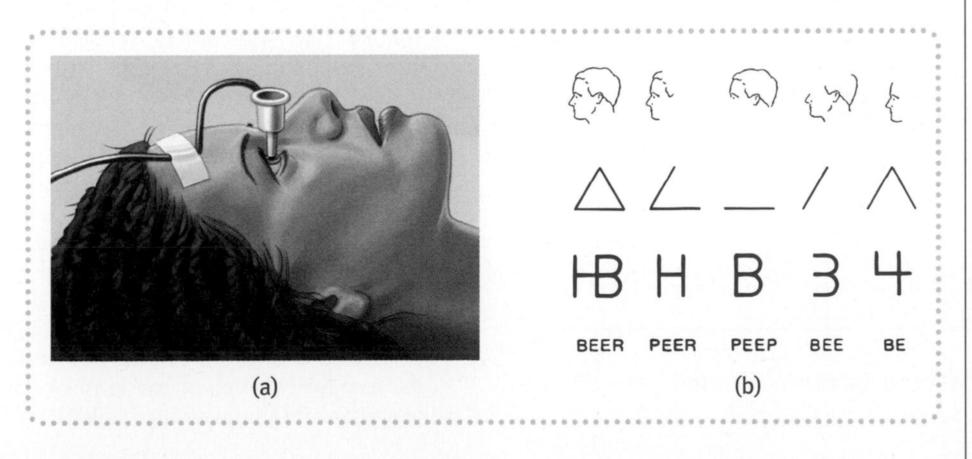

➤ FIGURE 6.4
L'adaptation sensorielle : vous la voyez, vous ne la voyez plus ! (a) Un projecteur monté sur une lentille de contact permet à l'image projetée de bouger avec l'œil. (b) Au départ, le sujet voit l'image stabilisée, mais bientôt il ne voit que des fragments s'estompant et réapparaissant. (D'après « *Stabilized images on the retina* » de R. M. Pritchard. Copyright © 1961 Scientific American, Inc. Tous droits réservés.)

::Transduction : conversion d'une forme d'énergie en une autre. Dans le cas d'une sensation, c'est la transformation de l'énergie d'un stimulus comme la lumière, les sons et les odeurs, en influx nerveux que notre cerveau peut interpréter.

Les seuils sensoriels et l'adaptation ne sont pas les seuls facteurs communs de nos sens. Tous nos sens reçoivent une stimulation sensorielle, la transforment en information neuronale et délivrent cette information au cerveau. Comment nos sens fonctionnent-ils ? Comment voyons-nous ? Comment entendons-nous, sentons-nous, goûtons-nous, ressentons-nous la douleur ? Comment maintenons-nous notre équilibre ?

AVANT D'ALLER PLUS LOIN...

➤ **INTERROGEZ-VOUS**

Quelles formes d'adaptation sensorielle avez-vous expérimenté ces dernières 24 heures ?

➤ **TESTEZ-VOUS 1**

De façon sommaire, comment distingue-t-on la sensation de la perception ?

Les réponses aux questions « Testez-vous » sont données dans l'annexe B à la fin de l'ouvrage.

➤ FIGURE 6.5
Le spectre de l'énergie électromagnétique Ce spectre s'étend des rayons gamma, dont la longueur d'onde est aussi petite que le diamètre d'un atome, jusqu'aux ondes radio, de plus de 1 500 mètres de long. L'étroite bande de longueurs d'ondes visibles pour l'œil humain (agrandie sur la figure) s'étend des ondes plus courtes du bleu-violet jusqu'aux ondes, plus longues, de la lumière rouge.

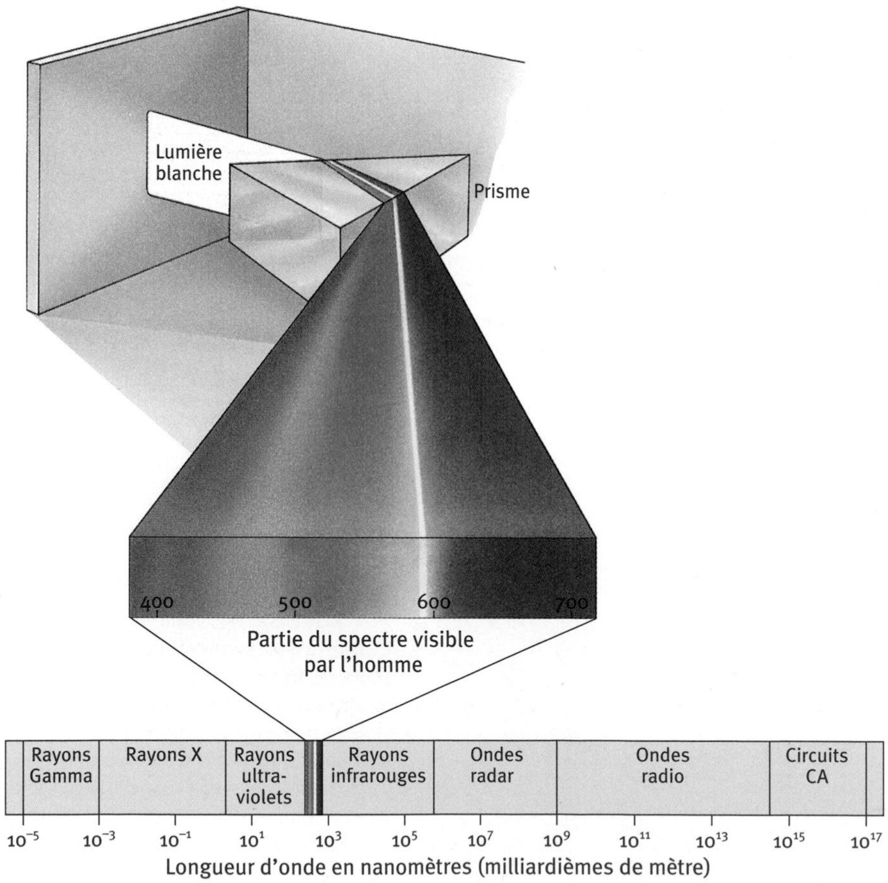

La vue

4. Quelle est l'énergie que nous voyons sous forme de lumière visible ?

L'UNE DES PLUS GRANDES MERVEILLES DE LA NATURE N'EST ni bizarre ni lointaine, mais banale : comment notre corps construit-il notre expérience visuelle consciente ? Comment transformons-nous les particules d'énergie lumineuse en images colorées ?

Une partie de notre génie est la capacité de notre organisme à transformer une forme d'énergie en une autre. Nos yeux, par exemple, reçoivent de l'énergie lumineuse et la transforment (**transduction**) en messages neuronaux, que le cerveau traite finalement pour former ce que nous voyons consciemment. Comment cette capacité remarquable, qui semble aller de soi, est-elle possible ?

Le stimulus d'entrée : l'énergie lumineuse

D'un point de vue scientifique, ce qui atteint nos yeux n'est pas de la couleur, mais des vibrations d'énergie électromagnétique que notre système visuel perçoit comme une couleur. La lumière visible que nous percevons n'est qu'une mince bande du spectre complet des radiations électromagnétiques. Comme le montre la FIGURE 6.5, ce *spectre électromagnétique* va des ondes imperceptibles ultracourtes, ou rayonnement gamma, jusqu'aux ondes longues des transmissions radio et des circuits CA en passant par la bande étroite que nous percevons sous forme de lumière visible. D'autres organismes sont sensibles à des parties différentes du spectre. Les abeilles, par exemple, ne voient pas le rouge, mais peuvent voir la lumière ultraviolette.

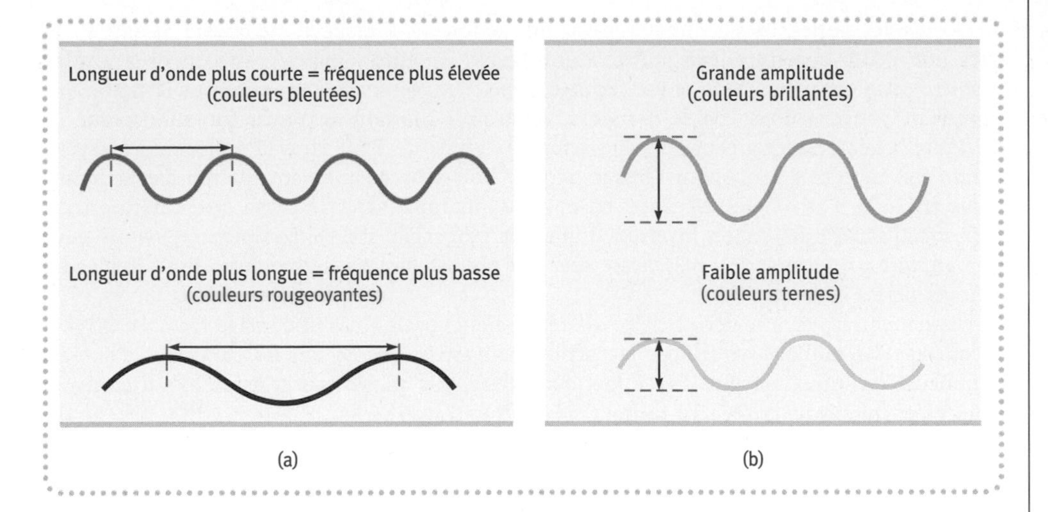

➤ FIGURE 6.6
Propriétés physiques des ondes
(a) Les ondes diffèrent par leur longueur d'onde, la distance entre deux sommets successifs. Leur fréquence, c'est-à-dire le nombre d'ondes entières qui passent par un point en un temps donné, dépend de la longueur d'onde. Plus la longueur d'onde est petite et plus la fréquence est élevée.
(b) Les ondes varient aussi en amplitude, la hauteur entre deux pics de sens opposé. L'amplitude des ondes détermine l'intensité des couleurs.

Deux caractéristiques physiques de la lumière nous aident à déterminer l'expérience sensorielle que nous en avons. La **longueur d'onde** de la lumière, qui est la distance entre le sommet d'une onde et celui de la suivante (FIGURE 6.6a), détermine sa **teinte** (la couleur que nous percevons, comme le bleu ou le vert). L'**intensité**, la quantité d'énergie présente dans les ondes lumineuses (déterminée par l'*amplitude* d'une onde ou sa hauteur), influence sa brillance (FIGURE 6.6b). Pour comprendre *comment* nous transformons l'énergie physique en couleur et en signification, nous devons d'abord comprendre le fonctionnement de l'œil, la fenêtre de notre esprit.

::Longueur d'onde : distance entre le sommet d'une onde lumineuse ou sonore et celui de la suivante. Les longueurs des ondes électromagnétiques varient depuis les longues pulsations des ondes radio jusqu'aux signaux très courts des rayons cosmiques.

::Teinte : dimension d'une couleur déterminée par la longueur d'onde de la lumière ; c'est ce que nous nommons *bleu*, *vert* et ainsi de suite.

::Intensité : quantité d'énergie dans une onde lumineuse ou sonore, que nous percevons comme la luminosité ou la sonorité ; elle dépend de l'amplitude de l'onde.

L'œil

5. Comment l'œil transforme-t-il l'énergie lumineuse en un message nerveux ?

La lumière pénètre dans l'œil à travers la *cornée*, qui protège l'œil et qui courbe les rayons lumineux afin de permettre une mise au point (FIGURE 6.7). Puis elle passe à travers la **pupille**, une petite ouverture dont la taille varie et qui est entourée de l'**iris**, un muscle coloré qui ajuste l'absorption lumineuse. L'iris s'ajuste à l'intensité lumineuse et même à nos émotions internes en se dilatant et en se contractant. (Quand nous sommes amoureux, nos pupilles dilatées et nos yeux sombres révèlent notre intérêt.) Le caractère unique de chaque iris permet aux appareils d'identification de l'iris de confirmer l'identité d'une personne.

Derrière la pupille se trouve le **cristallin** qui concentre les rayons lumineux entrants en formant une image sur la **rétine,** un tissu multicouche situé sur la surface interne sensible du globe oculaire. Le cristallin concentre les rayons en changeant sa courbure, un processus appelé **accommodation**.

::Pupille : ouverture variable au centre de l'œil par laquelle entre la lumière.

::Iris : anneau de tissu musculaire qui forme la partie colorée de l'œil autour de la pupille et qui contrôle la taille de son ouverture.

::Cristallin : structure transparente située derrière la pupille qui change de forme pour concentrer les images sur la rétine.

::Rétine : surface interne de l'œil, sensible à la lumière, contenant les récepteurs en forme de cônes et de bâtonnets et des couches de neurones qui commencent le traitement de l'information visuelle.

::Accommodation : processus permettant au cristallin de changer de forme pour condenser l'image des objets proches ou lointains sur la rétine.

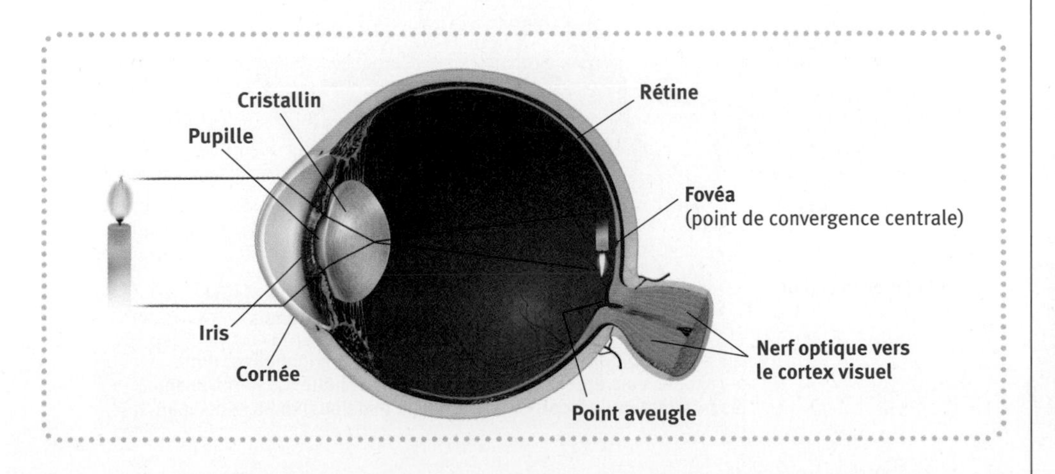

➤ FIGURE 6.7
L'œil Les rayons lumineux réfléchis par la bougie traversent la cornée, la pupille et le cristallin. La courbure et l'épaisseur du cristallin se modifient pour amener des objets proches ou lointains à converger sur la rétine. Ainsi, les rayonnements provenant du sommet de la bougie atteignent le bas de la rétine et ceux du côté gauche de la bougie touchent la partie droite de la rétine. L'image de la bougie sur la rétine est inversée et renversée.

:: Bâtonnets : récepteurs rétiniens qui détectent le noir, le blanc et le gris ; nécessaires à la vision périphérique et crépusculaire, lorsque les cônes ne répondent pas.

:: Cônes : récepteurs rétiniens concentrés à proximité du centre de la rétine et qui fonctionnent à la lumière du jour ou dans des conditions de bon éclairage. Les cônes détectent les détails fins et sont à l'origine de la sensation de couleur.

:: Nerf optique : nerf qui véhicule les influx nerveux de l'œil au cerveau.

:: Point aveugle : point au niveau duquel le nerf optique quitte l'œil. Il est dit « aveugle » car il n'existe aucune cellule réceptrice à cet endroit.

:: Fovéa : point focal au centre de la rétine, autour duquel les cônes de l'œil sont regroupés.

Depuis des siècles, les scientifiques savaient que lorsque l'image d'une bougie passait à travers une petite ouverture, elle projetait une image en miroir inversée sur un mur sombre derrière cette ouverture. Si la rétine reçoit ce type d'image inversée, comme sur la figure 6.7, comment pouvons-nous voir le monde à l'endroit ? Léonard de Vinci, toujours animé de curiosité, eut une idée : peut-être que l'humeur vitrée de l'œil pouvait infléchir les rayons lumineux, inversant à nouveau l'image dans le bon sens au moment d'atteindre la rétine. Mais en 1604, l'astronome et expert en optique Johannes Kepler montra que la rétine recevait effectivement des images inversées du monde (Crombie, 1964). Comment pouvions-nous comprendre un tel monde ? « Je laisse cela aux philosophes de la nature », disait Kepler un peu perplexe.

Finalement, la réponse devint claire : la rétine ne « voyait » pas une image formant un seul bloc, mais ses millions de cellules réceptrices convertissaient en fait les particules d'énergie lumineuse en influx nerveux. Ces influx étaient envoyés au cerveau et assemblés *à ce niveau* pour créer une image perçue à l'endroit.

La rétine

Si vous pouviez suivre une seule particule d'énergie lumineuse à l'intérieur de l'œil, vous verriez qu'elle se fraye d'abord un chemin à travers la couche externe des cellules de la rétine jusqu'à des cellules réceptrices enfouies : les **cônes** et les **bâtonnets** (FIGURE 6.8). À cet endroit, vous verriez que l'énergie lumineuse déclenche des modifications chimiques qui allument des signaux neuronaux, activant les *cellules bipolaires* voisines. Celles-ci activent à leur tour d'autres cellules voisines, les *cellules ganglionnaires*. En suivant le cheminement de ces particules, vous verriez des axones issus de ce réseau de cellules ganglionnaires qui convergent, comme les brins d'une corde, pour former le **nerf optique** qui transporte l'information jusqu'au cerveau (où le thalamus reçoit puis distribue les informations). Près d'un million de messages peuvent être envoyés en même temps par le nerf optique par l'intermédiaire d'environ un million de fibres ganglionnaires. (Le nerf auditif, qui nous permet d'entendre, transporte beaucoup moins d'informations via ses 30000 fibres.) À l'endroit où le nerf optique quitte l'œil, il n'y a pas de cellules réceptrices, ce qui crée un **point aveugle** (FIGURE 6.9). Fermez un œil et vous ne verrez pas cependant un trou noir sur votre écran TV. Sans demander votre accord, votre cerveau comble ce trou.

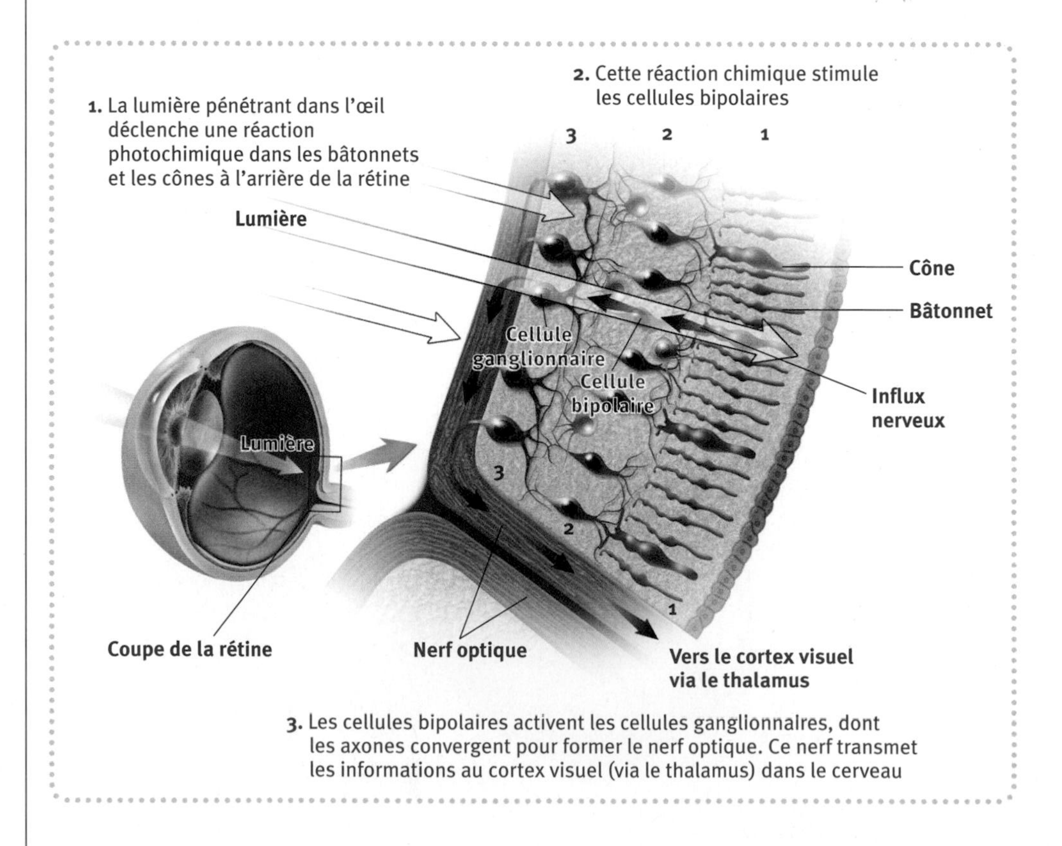
1. La lumière pénétrant dans l'œil déclenche une réaction photochimique dans les bâtonnets et les cônes à l'arrière de la rétine
2. Cette réaction chimique stimule les cellules bipolaires
3
2
1
Lumière
Cône
Bâtonnet
Cellule ganglionnaire
Cellule bipolaire
Influx nerveux
Lumière
3
2
1
Coupe de la rétine
Nerf optique
Vers le cortex visuel via le thalamus
3. Les cellules bipolaires activent les cellules ganglionnaires, dont les axones convergent pour former le nerf optique. Ce nerf transmet les informations au cortex visuel (via le thalamus) dans le cerveau

➤ FIGURE 6.8
Réaction de la rétine à la lumière

➤ FIGURE 6.9
Le point aveugle À l'endroit où le nerf optique quitte l'œil (*voir* Figure 6.8), il n'y a pas de cellule réceptrice. Cela crée un point aveugle dans notre vision. Pour le démontrer, fermez votre œil gauche, regardez le point et éloignez la page de votre visage d'environ 30 cm, jusqu'au moment où la voiture disparaît. Dans la vision quotidienne, le point aveugle ne gêne pas votre vision parce que vos yeux bougent et qu'un œil saisit ce que l'autre ne voit pas.

Les cônes et les bâtonnets ont une répartition géographique différente et des tâches différentes (Tableau 6.1). Les cônes sont regroupés dans et autour de la **fovéa**, partie de la rétine correspondant à la zone centrale où se concentre le faisceau lumineux (*voir* Figure 6.7). De nombreux cônes ont leur propre ligne directe jusqu'au cerveau, des cellules bipolaires qui contribuent à relayer leurs messages individuels jusqu'au cortex visuel. Celui-ci consacre une grande partie de sa surface totale aux influx provenant de la fovéa. Ces connexions directes préservent l'information précise des cônes, leur permettant de détecter plus facilement les détails fins. Les bâtonnets n'ont pas ce genre de ligne directe ; ils partagent à plusieurs la même cellule bipolaire, envoyant des messages combinés. Pour illustrer cette différence de sensibilité vis-à-vis des détails, fixez un mot de cette phrase, en concentrant ainsi son image sur les cônes de la fovéa : vous verrez que les mots situés à quelques centimètres sur le côté apparaissent brouillés. C'est parce que leur image atteint la région la plus périphérique de votre rétine, où prédominent les bâtonnets. La prochaine fois que vous prendrez votre voiture ou votre vélo, vous remarquerez aussi que vous pouvez détecter une voiture au niveau de votre vision périphérique bien avant d'en percevoir les détails.

Les cônes nous permettent également de voir les couleurs. Dans la pénombre, les cônes deviennent inefficaces, c'est pourquoi vous ne voyez pas les couleurs. Les bâtonnets, qui permettent la vision en noir et blanc, demeurent sensibles en lumière faible, et plusieurs bâtonnets vont canaliser la faible énergie qu'ils reçoivent vers une seule cellule bipolaire. Ainsi, les cônes et les bâtonnets possèdent chacun leur type de sensibilité : les cônes pour le détail et la couleur, et les bâtonnets pour la lumière faible.

Quand vous entrez dans une salle de théâtre obscure ou que vous éteignez la lumière, la nuit, vos pupilles se dilatent pour permettre à un maximum de lumière d'atteindre votre rétine. En général, cela prend au moins 20 minutes (parfois plus) avant que vos yeux ne soient complètement adaptés. Vous pouvez mettre en évidence cette adaptation à l'obscurité en fermant ou en couvrant un œil pendant plus de 20 minutes. Ensuite, baissez la lumière jusqu'à ce qu'elle ne soit plus assez forte pour lire ce livre avec votre œil ouvert. Enfin, ouvrez l'œil adapté à l'obscurité et lisez (très facilement). Cette période d'adaptation à l'obscurité reproduit la transition naturelle du crépuscule entre le coucher du soleil et l'obscurité.

TABLEAU 6.1

Récepteurs de l'œil humain : cônes (de forme conique) et bâtonnets (de forme allongée)

	Cônes	Bâtonnets
Nombre	6 millions	120 millions
Localisation dans la rétine	Centre	Périphérie
Sensibilité à la lumière faible	Faible	Élevée
Sensibilité à la couleur	Élevée	Faible
Sensibilité au détail	Élevée	Faible

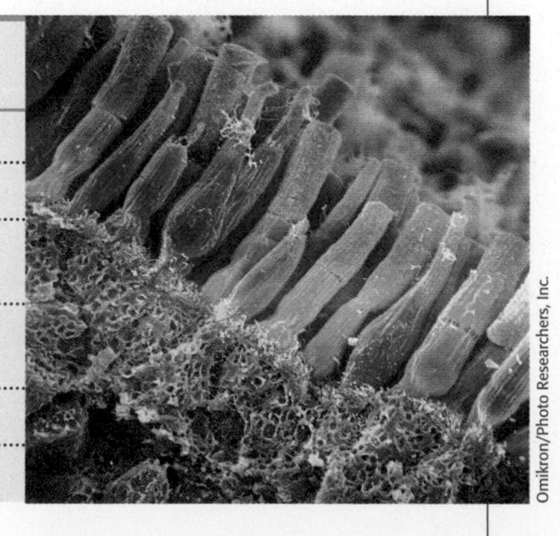

Omikron/Photo Researchers, Inc.

Certains animaux nocturnes comme les crapauds, les souris, les rats et les chauves-souris ont des rétines formées presque entièrement de bâtonnets, ce qui leur permet de bien fonctionner en lumière faible. Ces animaux ont très probablement une très mauvaise vision des couleurs. Avec ces connaissances de l'œil, pouvez-vous expliquer pourquoi un chat voit beaucoup mieux que vous la nuit ?[1]

Traitement de l'information visuelle

6. De quelle manière le cerveau traite-t-il les informations visuelles ?

L'information visuelle traverse des niveaux de plus en plus abstraits. Au niveau de l'entrée, la rétine traite l'information avant de la diriger vers le cortex via le thalamus. Les couches de neurones de la rétine, qui est en fait une partie du cerveau ayant migré vers l'œil au cours du développement fœtal précoce, ne servent pas seulement à transmettre les influx électriques, elles contribuent aussi à l'analyse et au codage de l'information sensorielle. Dans l'œil d'une grenouille, par exemple, la troisième couche de neurones contient les cellules « détectrices d'insectes » qui n'émettent des impulsions qu'en réponse à un stimulus ressemblant à une mouche en mouvement.

L'information traitée par les 130 millions de récepteurs - cônes et bâtonnets - de la rétine est transmise par les millions de cellules ganglionnaires dont les axones forment le nerf optique qui envoie les informations au cerveau. Chaque zone de la rétine relaie son information vers une zone correspondante située dans le lobe occipital - le cortex visuel à l'arrière du cerveau (FIGURE 6.10).

La même sensibilité qui permet aux cellules de la rétine d'émettre des messages peut aussi bien les pousser à se déclencher à tort. Tournez vos yeux vers la gauche, fermez-les et maintenant frottez doucement le côté droit de votre paupière droite avec le bout de votre doigt. Notez la tâche de lumière à gauche qui se déplace en même temps que votre doigt. Pourquoi voyez-vous de la lumière et pourquoi à gauche ?

1. Il y a au moins deux raisons : la pupille du chat peut s'ouvrir plus largement que la vôtre, laissant entrer davantage de lumière ; le chat possède une proportion plus élevée de bâtonnets sensibles à la lumière (Moser, 1987). Mais il y a un inconvénient : avec une proportion plus faible de cônes, un chat ne voit pas les détails ou les couleurs aussi bien que vous.

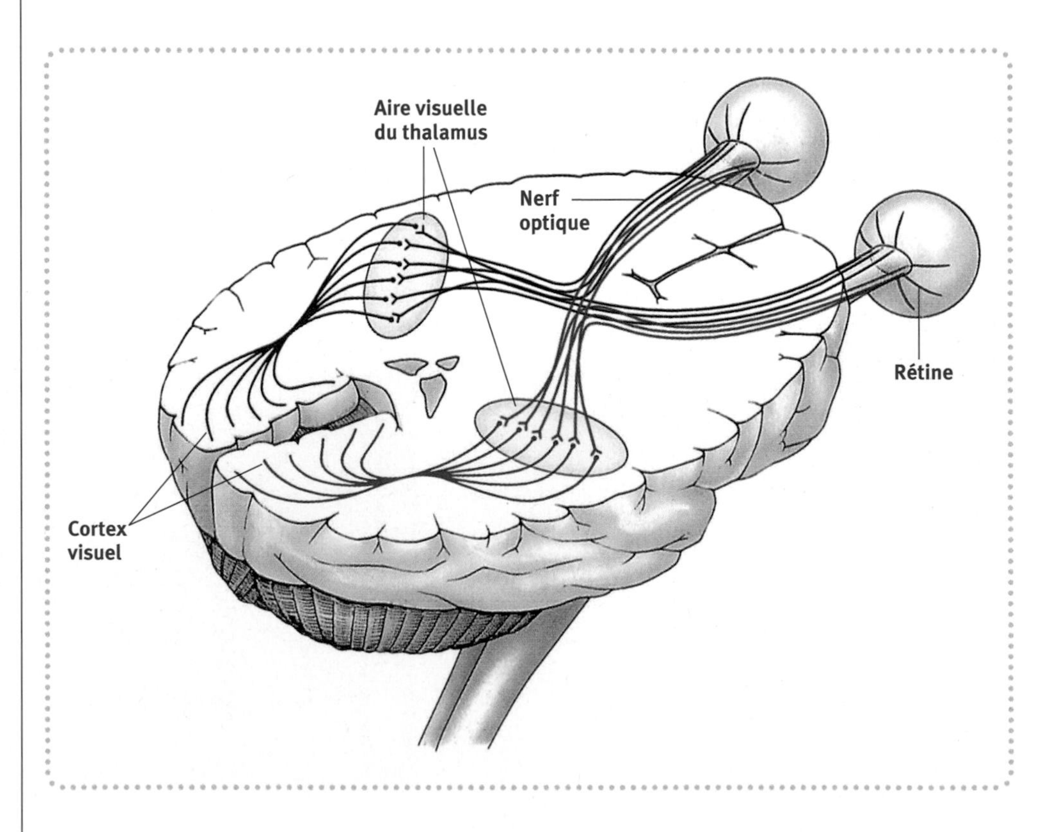

➤ FIGURE 6.10
Voies allant de l'œil au cortex visuel
Les axones des ganglions qui forment les nerfs optiques s'étendent jusqu'au thalamus ; là, ils forment des synapses avec des neurones qui se dirigent vers le cortex visuel.

Vos cellules rétiniennes sont si sensibles que même la pression les stimule. Mais votre cerveau interprète ces signaux comme de la lumière. De plus, il interprète cette lumière comme venant de la gauche - qui est l'emplacement normal d'où provient la lumière lorsqu'elle active la partie droite de la rétine.

Détection de caractéristiques

Les prix Nobel David Hubel et Torsten Wiesel (1979) ont démontré que les neurones dans le lobe occipital du cortex visuel recevaient des informations des cellules ganglionnaires individuelles rétiniennes. Ces **détecteurs de caractéristiques** sont appelés ainsi du fait de leur capacité à répondre à certaines des caractéristiques d'une scène : des bordures, des lignes, des angles particuliers ou des mouvements.

Les détecteurs de caractéristiques du cortex visuel transmettent l'information à d'autres zones corticales où des équipes de cellules (*amas de supercellules*) répondent à des schémas plus complexes. Une zone du lobe temporal se trouvant juste derrière notre oreille droite nous permet, par exemple, de percevoir les visages. Si cette zone était lésée, vous ne pourriez pas, comme Heather Sellers, reconnaître les visages familiers, alors que vous reconnaîtriez les autres formes et les autres objets. D'autres zones cérébrales s'allument sur les enregistrements des IRM fonctionnelles lorsqu'un sujet regarde d'autres catégories d'objets (Downing et coll., 2001). Les lésions de ces zones bloquent d'autres perceptions, mais n'empêchent pas la reconnaissance des visages. Des activités combinées spécifiques étonnantes peuvent se produire (FIGURE 6.11). « En se fondant sur la structure de son activité cérébrale, on peut savoir si une personne regarde une chaussure, une chaise ou un visage », remarque le chercheur James Haxby (2001).

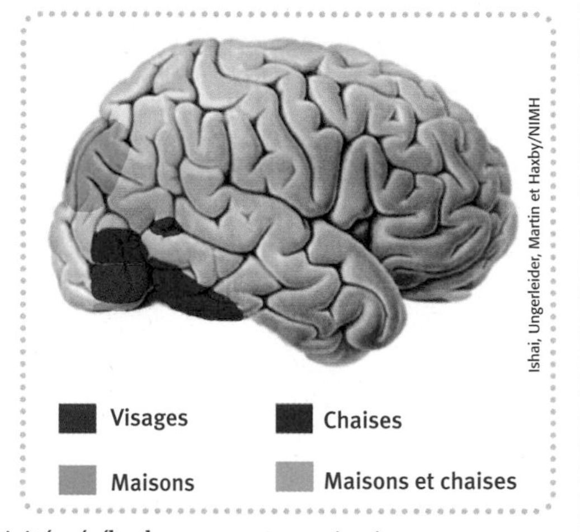

➤ FIGURE 6.11
Le cerveau révélateur Le fait de regarder des visages, des maisons et des chaises active différentes régions de ce cerveau vu du côté droit.

Le psychologue David Perrett et ses collaborateurs (1988, 1992, 1994) rapportent que, pour des objets et des événements biologiques importants, le cerveau des singes (et sûrement le nôtre également) possède une « vaste encyclopédie visuelle » distribuée sous forme de cellules qui répondent à un seul type de stimulus comme un certain positionnement de la tête, un regard spécifique, une posture donnée ou encore un mouvement du corps. D'autres ensembles cellulaires intègrent ces informations et ne déclenchent un influx nerveux que lorsque tous les signaux confondus indiquent la direction et l'intention d'une personne qui s'approche. Cette analyse instantanée, qui a permis la survie de nos ancêtres, permet également à un gardien de but d'anticiper la direction que va prendre le ballon au moment même où un joueur shoote dedans, ou encore à un conducteur d'anticiper le prochain mouvement d'un piéton.

::Détecteurs de caractéristiques : cellules nerveuses du cerveau qui répondent aux caractéristiques précises d'un stimulus : forme, angle ou encore mouvement.

Des supercellules très développées Au cours de ce match de la Coupe du monde, en 2007, la Brésilienne Marta (en jaune) a instantanément traité les informations visuelles concernant la position et les mouvements des défenseurs australiens et du gardien de but (Melissa Barbieri) et a réussi à ce que le ballon contourne les joueurs, marquant ainsi le but.

::**Traitement parallèle** : traitement de l'information durant lequel différents aspects d'un problème sont abordés en même temps. C'est le mode naturel de traitement de l'information du cerveau applicable à de nombreuses fonctions, dont la vision. Il se distingue du traitement en série (pas à pas) de la plupart des ordinateurs ou de la résolution consciente d'un problème.

Traitement parallèle

À la différence de la majorité des ordinateurs qui effectuent des *traitements en série*, étape par étape, notre cerveau réalise des **traitements parallèles**, ce qui signifie que nous pouvons faire plusieurs choses à la fois. Le cerveau divise une scène visuelle en sous-dimensions comme la couleur, la profondeur, le mouvement et les formes (FIGURE 6.12) et travaille sur chaque aspect simultanément (Livingstone et Hubel, 1988). Nous construisons ensuite nos perceptions en rassemblant le travail des différentes activités visuelles fonctionnant en parallèle.

Pour reconnaître un visage, par exemple, le cerveau intègre des informations que la rétine projette sur différentes zones du cortex visuel, les compare aux informations qu'il a en stock et vous permet de reconnaître l'image, par exemple, de votre grand-mère. Le processus complet de reconnaissance d'un visage nécessite une puissance cérébrale considérable : 30 p. 100 du cortex, 10 fois plus que ce que le cerveau consacre à l'audition. Si des chercheurs bloquent momentanément les aires cérébrales consacrées au traitement des visages par des ondes magnétiques, les sujets deviennent incapables de reconnaître les visages. Ils seront en revanche capables de reconnaître des maisons. Le processus de traitement cérébral des visages est différent du processus de perception des objets (McKone et coll., 2007 ; Pitcher et coll., 2007).

Cependant, si vous détruisez ou inactivez le poste de travail nerveux adapté à d'autres sous-tâches visuelles, vous obtenez un résultat étrange, comme ce qui est arrivé à Madame M. (Hoffman, 1998). Ayant subi des lésions postérieures des deux côtés du cerveau après un accident vasculaire cérébral, elle est incapable de percevoir le mouvement. Les gens qui bougent dans une pièce se trouvent « subitement ici ou là, mais je ne les ai pas vus bouger ». Verser du thé dans une tasse est devenu un véritable défi car le liquide semble figé et elle n'arrive pas à évaluer le niveau de remplissage de la tasse.

Les gens qui ont perdu une partie de leur cortex visuel après une intervention chirurgicale ou un accident vasculaire cérébral peuvent présenter une cécité dans certaines zones de leur champ de vision, un phénomène appelé *vision aveugle* (ou vision implicite, *blindsight*) (Weiskrantz, 1986, *voir aussi* Chapitre 2). Ils disent ne rien voir quand on place une série de bâtons dans leur champ visuel aveugle. Cependant, si on leur demande de déterminer si les bâtons sont placés verticalement ou horizontalement, leur intuition visuelle donne infailliblement la bonne réponse. Si on leur dit « vous avez bien répondu », ils sont ébahis. Il existe, semble-t-il, un deuxième « esprit » - un système de traitement parallèle - qui opère sans être vu. (Souvenez-vous de la discussion, dans le chapitre 3, sur la manière dont les deux systèmes visuels séparés (perception visuelle et action visuelle) illustrent la théorie du double processus - les deux voies de l'esprit.)

Jennifer Boyer et ses collaborateurs (2005) ont montré qu'il n'y a pas que les personnes présentant des lésions cérébrales qui possèdent deux systèmes d'information visuelle. Au cours d'études menées sur des personnes ne présentant pas ce type de lésions, les chercheurs ont utilisé des ondes magnétiques pour inactiver la région cérébrale du cortex visuel primaire. Ils ont ensuite montré à ces sujets, temporairement handicapés, une ligne horizontale ou verticale, ou un point rouge ou vert. Bien qu'ils disaient ne rien voir, les participants devinaient dans 75 p. 100 des cas l'orientation de la ligne et dans 81 p. 100 des cas la couleur du point.

La connaissance scientifique dans le domaine du traitement de l'information visuelle a impressionné de nombreux neuropsychologues. Comme l'a observé Roger Sperry (1985) : « Les avancées de la science n'ont fait qu'augmenter plutôt que diminuer nos sentiments de respect, de révérence et de crainte admirative. » Réfléchissez : lorsque vous regardez

➤ FIGURE 6.12
Traitement parallèle Les études réalisées chez des patients cérébro-lésés suggèrent que le cerveau délègue le travail de traitement des couleurs, du mouvement, de la forme et de la profondeur à des aires différentes. Après avoir décortiqué une scène, comment le cerveau peut-il intégrer ces différentes sous-dimensions en une image perçue ? La réponse à cette question constitue la quête du Graal de la recherche sur la vision.

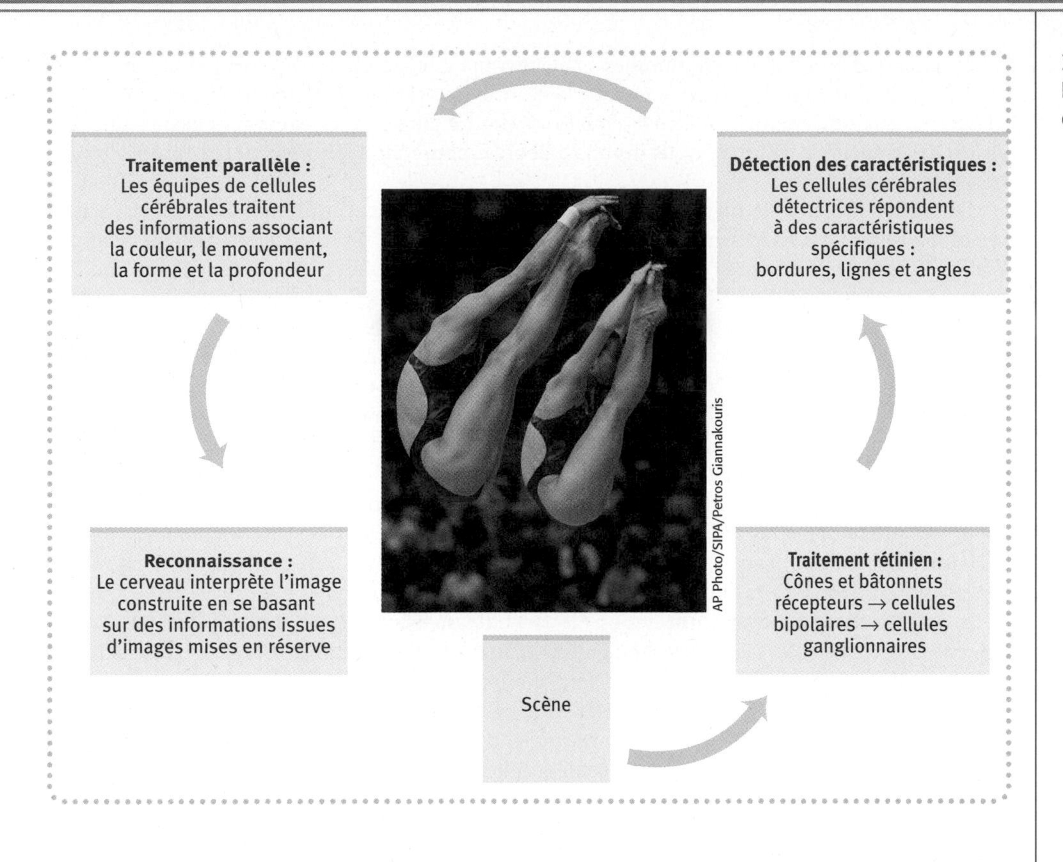

➤ FIGURE 6.13
Résumé simplifié du traitement de l'information visuelle

quelqu'un, l'information visuelle est convertie et envoyée à votre cerveau sous forme de millions d'influx neuronaux, puis identifiée dans ses composantes spécifiques et finalement, d'une façon encore bien mystérieuse, traitée afin de rendre une image porteuse de sens ; celle-ci est ensuite comparée à d'autres images précédemment enregistrées et reconnue : « C'est Sara ! ». De même, lorsque vous lisez cette page, les gribouillis imprimés sont transmis sur votre rétine par les rayons lumineux réfléchis, ce qui déclenche un processus envoyant des influx nerveux indéfinis à diverses aires de votre cerveau qui intègrent l'information et décodent sa signification, terminant ainsi le transfert de l'information de mon esprit au vôtre à travers le temps et l'espace. Le processus complet (FIGURE 6.13) est encore plus complexe que celui qui consiste à démonter une voiture, morceau par morceau, et à la transporter en un endroit différent, où des ouvriers spécialisés vont la reconstruire. Que tout cela se produise instantanément, sans effort et de façon continue, peut effectivement susciter une certaine crainte teintée d'admiration.

« J'ai été fait d'une manière... merveilleuse. »
David, Psaume 139:14

Vision des couleurs

7. Quelles théories nous permettent de comprendre la vision des couleurs ?

Les gens parlent comme si les objets possédaient une couleur. Nous disons « la tomate est rouge ». Peut-être avez-vous réfléchi à la vieille question : « Si un arbre tombe dans la forêt et que personne ne l'entend, cela fait-il du bruit ? ». Nous pouvons poser la même question à propos de la couleur : « Si personne ne voit la tomate, est-elle rouge ? »

La réponse est *non*. D'abord, la tomate est tout *sauf* rouge, parce qu'elle *renvoie* (réfléchit) les longueurs d'ondes élevées du rouge. Ensuite, la couleur de la tomate est notre construction mentale. Comme le notait Isaac Newton (1704), « Les rayons [lumineux] ne sont pas colorés ». La couleur, comme tous les aspects de la vision, réside non dans l'objet, mais dans le théâtre de notre cerveau, ce qui est prouvé par nos rêves en couleur.

« L'esprit seul voit et entend ; toutes les autres choses sont sourdes et aveugles. »
Epicharmus, *Fragments*, 550 av. J.-C.

Dans l'étude de la vision, l'un des mystères les plus fondamentaux et les plus intrigants est de savoir comment nous voyons le monde en couleur. Comment, à partir de l'énergie lumineuse frappant la rétine, le cerveau fabrique-t-il notre expérience de la couleur et d'une telle multitude de couleurs ? Notre seuil différentiel pour les couleurs est si bas que nous pouvons distinguer quelque 7 millions de couleurs différentes (Geldard, 1972).

::Théorie trichromatique (trois couleurs) de Young-Helmholtz : théorie selon laquelle la rétine contient des récepteurs distincts pour trois couleurs, les uns surtout sensibles au rouge, d'autres au vert et d'autres encore au bleu, et dont la stimulation combinée peut aboutir à la perception de n'importe quelle couleur.

::Théorie des couleurs complémentaires : théorie selon laquelle des processus antagonistes de la rétine (rouge-vert, jaune-bleu, blanc-noir) permettent la vision des couleurs. Par exemple, certaines cellules sont stimulées par le vert et inhibées par le rouge ; d'autres sont stimulées par le rouge et inhibées par le vert.

La plupart d'entre nous en sommes capables, mais, chez environ 1 personne sur 50, la vision des couleurs est déficiente – et cette personne est vraisemblablement un homme, car ce défaut est génétiquement lié au sexe. Pour comprendre pourquoi certaines personnes ont une vision des couleurs déficiente, nous devons d'abord comprendre comment fonctionne la vision normale des couleurs.

Les recherches sur le mystère de la vision de la couleur commencèrent au XIXe siècle lorsqu'Hermann von Helmholtz paracheva les intuitions d'un physicien anglais, Thomas Young. Sachant que chaque couleur peut être créée par la combinaison des ondes lumineuses de trois couleurs primaires – le bleu, le rouge et le vert, Young et Helmholtz en déduisirent que l'œil devait posséder trois types de récepteurs, un pour chaque couleur primaire. Bien des années plus tard, les chercheurs mesurèrent la réponse de différents cônes à des stimuli de couleurs différentes et confirmèrent la **théorie trichromatique (trois couleurs) de Young-Helmholtz** qui énonce que la rétine restaure la magie des couleurs grâce à une équipe de trois couleurs. En effet, la rétine possède trois types de récepteurs à la couleur, chacun particulièrement sensible à une des trois couleurs. Et ces couleurs sont en effet le rouge, le vert et le bleu. Lorsque nous stimulons des combinaisons de ces cônes, nous voyons d'autres couleurs. Par exemple, il n'existe aucun récepteur particulièrement sensible au jaune. Cependant, lorsque des cônes sensibles au rouge et au vert sont stimulés en même temps, nous voyons du jaune.

La plupart des gens ayant une vision de la couleur déficiente ne sont en fait pas « daltoniens » (*colorblind*), mais ils manquent plutôt de cônes fonctionnels sensibles au rouge ou au vert, ou à ces deux couleurs. Même s'ils ne le savent peut-être pas parce que depuis toujours leur vision leur *semble* normale, ils ont en fait une vision monochromatique (une seule couleur) ou dichromatique (deux couleurs), et non trichromatique, rendant difficile la distinction entre le rouge et le vert, comme dans la FIGURE 6.14 (Boynton, 1979). Les chiens, également, manquent de récepteurs pour les longueurs d'ondes du rouge, ce qui leur donne une vision des couleurs limitée, dichromatique (Neitz et coll., 1989).

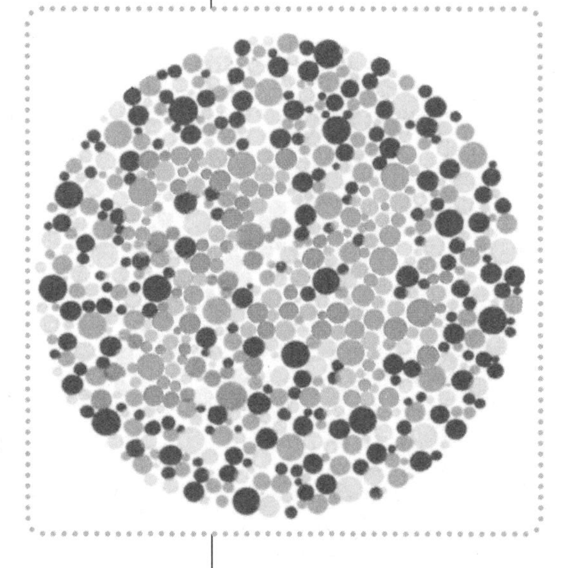

➤ FIGURE 6.14
Vision déficiente de la couleur Les gens qui voient mal le rouge et le vert ont des difficultés à percevoir le nombre à l'intérieur de ce dessin.

Mais la théorie trichromatique ne résout pas tout le mystère de la vision des couleurs, comme le physiologiste Ewald Hering le remarqua rapidement. Par exemple, nous voyons du jaune en mélangeant des lumières rouge et verte. Mais comment se fait-il que les gens aveugles au rouge et au vert puissent souvent voir le jaune ? Et pourquoi le jaune apparaît-il comme une couleur pure et non comme un mélange de rouge et de vert, de même que le violet paraît comme un mélange de rouge et de bleu ?

Hering, un physiologiste, trouva une solution dans le phénomène bien connu de *post-image*. Lorsque vous fixez pendant un moment un carré vert et qu'ensuite vous regardez une feuille de papier blanc, vous voyez du rouge, la *couleur complémentaire* du vert. Regardez un carré jaune et vous verrez ensuite sa couleur complémentaire, le bleu, sur la feuille blanche (*voir* la démonstration du drapeau à la FIGURE 6.15). Hering soupçonna qu'il y avait deux traitements complémentaires des couleurs, l'un responsable de la perception du rouge par rapport au vert et l'autre de la perception du bleu par rapport au jaune.

Un siècle plus tard, les chercheurs ont confirmé la **théorie des couleurs complémentaires** de Hering (théorie du processus antagoniste). Après avoir quitté les cellules réceptrices,

➤ FIGURE 6.15
L'effet post-image Fixez le centre du drapeau pendant une minute et déplacez ensuite vos yeux vers le point dans l'espace blanc à côté. Que voyez-vous ? (Après avoir affaibli votre réponse nerveuse au noir, au vert et au jaune, vous devez voir leurs couleurs complémentaires.) Si vous regardez un mur blanc, vous pouvez remarquer que la taille du drapeau grandit en raison de la distance de projection.

l'information visuelle est analysée en termes de couleurs complémentaires, *rouge et vert, bleu et jaune, noir et blanc*. Dans la rétine et le thalamus (où les influx provenant de la rétine sont relayés vers le cortex visuel), certains neurones sont « allumés » par le rouge, mais « éteints » par le vert. D'autres sont allumés par le vert et éteints par le rouge (DeValois et DeValois, 1975).

La théorie des couleurs complémentaires explique l'effet de post-image (image consécutive), comme dans la démonstration du drapeau, dans laquelle nous épuisons notre réponse verte en regardant du vert. Lorsque maintenant nous fixons du blanc (qui contient toutes les couleurs y compris du rouge), seule la partie rouge du couple rouge/vert sera normalement perçue.

La solution actuelle au mystère de la vision des couleurs est schématiquement celle-ci : le traitement des couleurs s'effectue en deux étapes. Les cônes rouges, verts et bleus de la rétine répondent à des degrés variables à différents stimuli colorés, comme le suggère la théorie trichromatique de Young-Helmholtz. Leurs signaux sont ensuite traités par les cellules du processus antagoniste du système nerveux, en route vers le cortex visuel.

AVANT D'ALLER PLUS LOIN...

➤ **INTERROGEZ-VOUS**

Si vous deviez abandonner un sens, lequel choisiriez-vous et pourquoi ?

➤ **TESTEZ-VOUS 2**

Faites une reconstitution de la séquence rapide des différentes étapes qui se succèdent lorsque vous voyez et reconnaissez une personne de votre connaissance.

Les réponses aux questions « Testez-vous » sont données dans l'annexe B à la fin de l'ouvrage.

L'ouïe

POUR L'HOMME, LA VUE EST NOTRE SENS MAJEUR. Une plus grande partie de notre cortex cérébral est consacrée à la vue, bien plus que pour tous les autres sens. Cependant, sans le sens de l'ouïe, du toucher, de la position et du mouvement du corps, du goût et de l'odorat, nos capacités à ressentir le monde seraient fortement diminuées.

Comme nos autres sens, notre ouïe, ou **audition**, est dotée d'une grande capacité d'adaptation. Nous entendons une gamme étendue de sons, mais nous sommes surtout capables de percevoir les sons dans une gamme de fréquences proche de celle de la voix humaine. Nous sommes également extrêmement sensibles aux sons faibles, un avantage évident pour la survie de nos ancêtres lorsqu'ils chassaient ou étaient chassés, ou pour détecter le gémissement d'un bébé. (Si nos oreilles étaient plus sensibles encore, nous percevrions un sifflement permanent provenant des mouvements des molécules d'air.)

De plus, nous sommes particulièrement sensibles aux variations de son. Nous pouvons aisément détecter des différences entre des milliers de voix humaines. Au téléphone, nous reconnaissons un ami dès qu'il nous dit « bonjour ». Une fraction de seconde après que cet événement ait stimulé nos récepteurs situés dans l'oreille, des millions de neurones ont travaillé de manière simultanée et coordonnée pour en extraire les caractéristiques essentielles, les comparer avec nos expériences passées et identifier le stimulus (Freeman, 1991). Pour l'audition comme pour la vision, la question fondamentale est : comment le faisons-nous ?

Le stimulus d'entrée : les ondes sonores

8. Quelles sont les caractéristiques des ondes de pression que nous percevons comme des sons ?

Faites glisser un archer sur un violon et le stimulus énergétique qui en résulte est formé d'ondes sonores, des molécules d'air qui se bousculent, chacune butant dans la suivante,

::Audition : sens correspondant à l'ouïe.

comme un mouvement de poussée transmis à travers le couloir de sortie encombré d'une salle de concert. Les vagues résultant de l'air comprimé et dilaté ressemblent aux ondulations en cercles faites sur une mare, à l'endroit où une pierre a été lancée. Au fur et à mesure que nous nageons dans cet océan de molécules d'air en mouvement, l'oreille détecte les changements brefs de pression de l'air. Exposé à un son très intense de basse fréquence (grave) – provenant par exemple d'une guitare basse ou d'un violoncelle – nous pouvons également *ressentir* une vibration et entendre à la fois par conduction aérienne et conduction osseuse.

L'oreille transforme alors les vibrations de l'air en influx nerveux que notre cerveau décode sous forme de sons. La force, ou *amplitude*, des ondes sonores détermine leur *intensité* (rappelez-vous la figure 6.6, qui illustre l'amplitude liée à la vision). Les ondes varient aussi en longueur et donc en **fréquence**. Leur fréquence détermine leur **hauteur tonale** : les ondes longues ont une fréquence basse et une hauteur tonale basse ; les ondes courtes ont une fréquence élevée et une hauteur tonale haute. Un violon produit des ondes sonores bien plus courtes et rapides qu'un violoncelle.

Les décibels sont l'unité de mesure de l'énergie sonore. Le seuil absolu pour l'audition est fixé de façon arbitraire à 0 décibel. Chaque tranche de 10 décibels correspond à une augmentation d'un facteur 10 de l'intensité du son. Une conversation normale (60 décibels) est environ 10000 fois plus forte qu'un chuchotement (20 décibels). Et le son, à peine tolérable, de 100 décibels d'un métro qui passe est 10 milliards de fois plus fort que le son détectable le plus faible.

L'oreille

9. De quelle manière l'oreille transforme-t-elle l'énergie sonore en un message nerveux ?

Pour entendre, nous devons d'une façon ou d'une autre convertir des ondes sonores en activité neuronale. L'oreille humaine accomplit cette prouesse par l'intermédiaire d'une réaction en chaîne mécanique complexe (FIGURE 6.16). En premier lieu, l'*oreille externe* visible canalise les ondes sonores à travers le canal auditif jusqu'au *tympan*, une membrane tendue qui vibre avec les ondes. L'**oreille moyenne** transmet les vibrations du tympan via un piston formé de trois petits os (le *marteau*, l'*enclume* et l'*étrier*) à un tube en forme d'escargot dans l'**oreille interne** : la **cochlée**. Les vibrations venant de l'extérieur provoquent, par l'intermédiaire de la membrane de la cochlée (la *fenêtre ovale*), la vibration du liquide qui remplit ce tube. Ce mouvement provoque des oscillations dans la *membrane basilaire* qui courbent les *cellules ciliées* tapissant sa surface tout comme le vent fait onduler un champ de blé. Ce mouvement des cellules ciliées déclenche des influx dans les fibres nerveuses adjacentes dont les axones convergent pour former le *nerf auditif* qui envoie les messages neuronaux (via le thalamus) jusqu'au *cortex auditif* du lobe temporal. De l'air qui vibre jusqu'au mouvement du piston, en passant par la propagation des ondes dans un liquide qui engendre des impulsions électriques aboutissant au cerveau : voilà ! Nous entendons !

De mon point de vue, l'étape la plus magique du processus de l'ouïe se produit au niveau des cellules ciliées. Un rapport de l'*Howard Hughes Medical Institute* (2008) sur ces « faisceaux frémissants qui nous permettent d'entendre » exprimait son émerveillement face à leur « extrême sensibilité et à leur rapidité étonnante ». Une cochlée possède 16000 cellules ciliées, ce qui paraissait énorme jusqu'à ce qu'on les compare aux 130 millions (environ) de photorécepteurs de l'œil. Considérons maintenant leur capacité de réponse. L'inflexion des minuscules rangées de stéréocils (ou cils vibratiles) situés aux extrémités des cellules ciliées d'un dixième de millionième de millimètre (la taille d'un atome) – ce qui équivaut à déplacer le sommet de la tour Eiffel d'un centimètre et demi – suffit pour que les cellules ciliées vigilantes déclenchent un influx nerveux grâce à une protéine particulière située à leur extrémité (Corey et coll., 2004).

Les lésions des cellules ciliées sont responsables de la majorité des pertes auditives. Elles ont été comparées aux longues fibres d'un tapis. Si vous marchez dessus, elles reprendront forme après un rapide coup d'aspirateur, mais si vous laissez un meuble lourd pendant une longue

:: **Fréquence** : nombre de longueurs d'ondes complètes qui passent en un point en un temps donné (par exemple, par seconde).

:: **Hauteur tonale** : hauteur d'un son (grave ou aigu) ; dépend de la fréquence.

:: **Oreille moyenne** : chambre entre le tympan et la cochlée ; elle contient trois petits os (marteau, enclume et étrier) qui concentrent les vibrations du tympan sur la fenêtre ovale de la cochlée.

:: **Cochlée** : tube osseux enroulé, rempli de liquide, situé dans l'oreille interne et au niveau duquel les ondes sonores déclenchent des influx nerveux.

:: **Oreille interne** : partie la plus profonde de l'oreille, contenant la cochlée, les canaux semi-circulaires et les sacs vestibulaires.

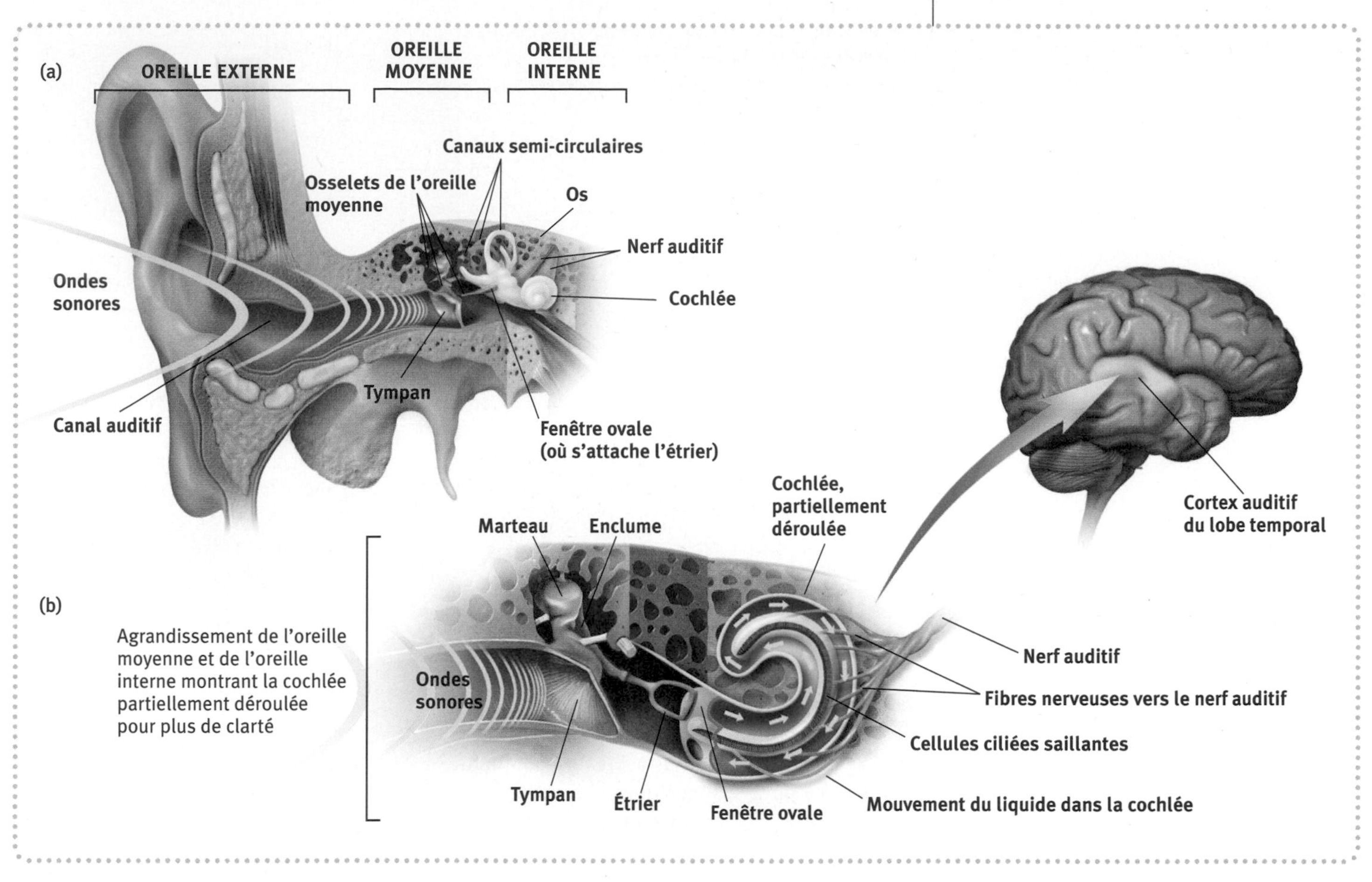

➤ FIGURE 6.16
Écoutez donc : comment transformons-nous les ondes sonores en influx nerveux que notre cerveau interprète ? (a) L'oreille externe guide les ondes sonores jusqu'au tympan. Les os de l'oreille moyenne amplifient et relaient les vibrations du tympan à travers la fenêtre ovale jusqu'à la cochlée remplie de liquide. (b) Comme l'indique la coupe détaillée de l'oreille moyenne et de l'oreille interne, les changements de pression qui en résultent dans le liquide cochléaire provoquent un plissement de la membrane basilaire et font onduler les cellules ciliées à sa surface. Le mouvement des cellules ciliées déclenche des influx à la base des cellules nerveuses, dont les fibres convergent pour former le nerf auditif qui envoie des messages nerveux jusqu'au thalamus puis au cortex auditif.

période, elles risquent de ne jamais retrouver leur forme initiale. En général, si votre voix ne parvient pas à couvrir un bruit, cela signifie qu'il est potentiellement dangereux, surtout s'il est prolongé et répétitif (Roesser, 1998). Cette expérience est fréquente lorsque les sons dépassent 100 décibels comme cela se produit dans les stades de sport au moment des rencontres

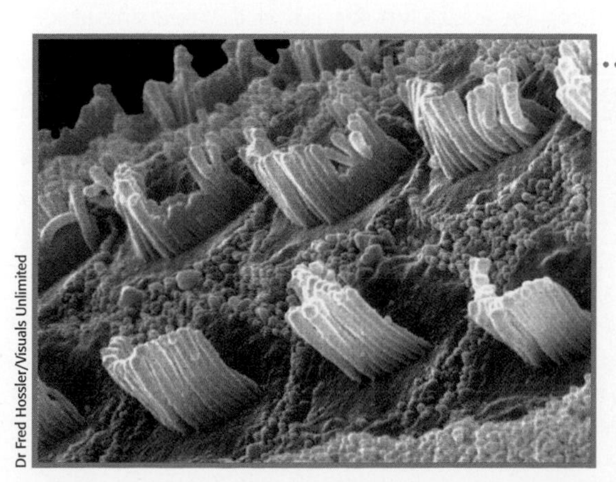

Ne maltraitez pas vos cellules ciliées Quand elles vibrent en réponse à un son, les cellules ciliées montrées ici, qui tapissent la cochlée, produisent un signal électrique.

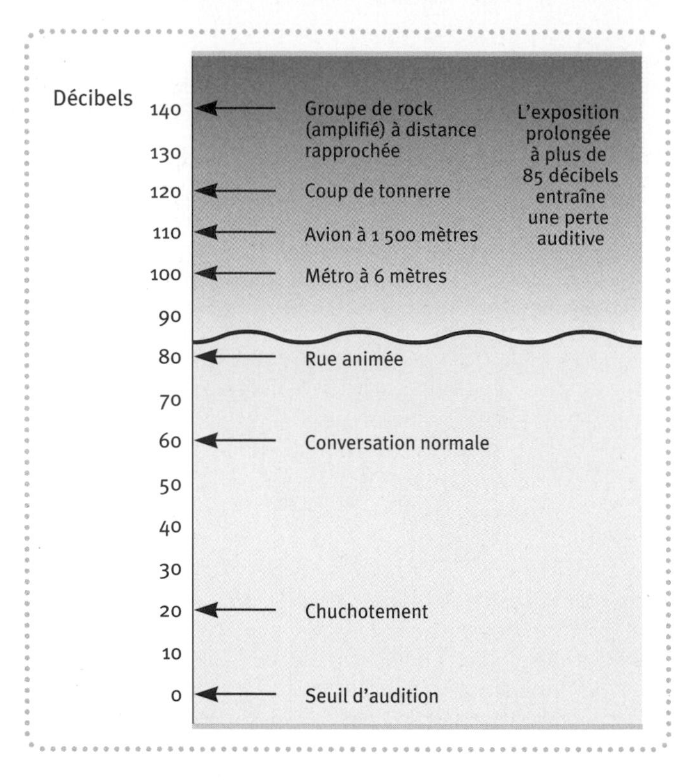

➤ FIGURE 6.17
Intensité de quelques sons courants À une distance rapprochée, le coup de tonnerre qui suit un éclair a une intensité de 120 décibels.

survoltées, chez les joueurs de cornemuse ou ceux qui écoutent leur iPod® au volume maximal (FIGURE 6.17). Si nous avons des bourdonnements d'oreilles après avoir été exposés à de la musique ou à des machines bruyantes, cela signifie que nous avons maltraité nos pauvres cellules ciliées. De la même manière que la douleur annonce une blessure corporelle, les bourdonnements d'oreilles annoncent une éventuelle lésion auditive. Pour l'oreille, cela équivaut à une hémorragie.

Les adolescents davantage que les adolescentes et les adultes se font exploser leurs oreilles en écoutant des sons à fort volume pendant de longues périodes (Zogby, 2006). L'exposition plus importante des hommes au bruit peut expliquer pourquoi l'audition des hommes a tendance à être moins fine que celle des femmes. Mais hommes comme femmes, les gens qui passent toute leur journée derrière une tondeuse à moteur ou un marteau-piqueur ou qui travaillent dans un night-club devraient porter des bouchons d'oreille. Les éducateurs sexuels déclarent : « Le préservatif ou l'abstinence, ce qui est encore plus sûr » ; les spécialistes de l'audition déclarent : « Portez des protections auditives ou alors fuyez ».

Percevoir l'intensité

Comment détectons-nous l'intensité d'un son ? Ce n'est pas, comme j'aurais pu le supposer, par l'intensité de la réponse des cellules ciliées. En réalité, un son pur et de faible amplitude n'activera que les cellules ciliées sensibles à sa fréquence. Des sons de plus forte amplitude entraîneront la réponse des cellules ciliées voisines, ce qui permettra au cerveau d'interpréter l'intensité sonore en calculant le *nombre* de cellules ciliées activées.

Même si une cellule ciliée perd sa sensibilité aux sons de faible intensité, il est possible qu'elle réponde encore aux sons de forte intensité. Cela explique un autre fait surprenant : les sons de très forte intensité peuvent être perçus de la même manière chez les personnes présentant ou non une perte auditive. Comme je souffre de perte auditive, j'avais l'habitude de me demander, quand j'étais en présence d'une musique vraiment très forte, ce que j'entendrais si mon audition était normale. Je réalise maintenant que ce doit être à peu près la même chose : la différence ne réside que dans notre sensation des sons de faible intensité. C'est la raison pour laquelle nous, les malentendants, ne voulons pas que *tous* les sons (forts et faibles) soient amplifiés. Nous voulons que les sons soient *compressés*, autrement dit que les sons faibles soient davantage amplifiés que les sons forts (ce dispositif est disponible dans les appareils auditifs digitaux modernes).

Percevoir les hauteurs tonales

10. Quelles sont les théories qui nous permettent de comprendre la perception de la hauteur tonale ?

Comment savons-nous qu'un son est le pépiement aigu à haute fréquence d'un oiseau ou le ronflement grave, à basse fréquence, d'un camion ? Les idées actuelles concernant la façon dont nous distinguons la hauteur d'un son, comme celles concernant la façon dont nous discriminons les couleurs combinent deux théories.

La **théorie de l'emplacement** d'Hermann von Helmholtz suppose que nous entendons différentes hauteurs car les différentes ondes sonores déclenchent une activité à des endroits différents le long de la membrane basilaire de la cochlée. Le cerveau peut ainsi déterminer la hauteur d'un son en repérant l'endroit spécifique de la membrane qui a généré le signal neuronal. Lorsque le futur prix Nobel Georg von Békésy (1957) découpa des fenêtres dans la cochlée de cadavres humains ou de cochons d'Inde pour en observer l'intérieur au microscope, il découvrit que la cochlée vibrait en réponse au son, un peu comme un drap de lit que l'on secoue : les ondes à haute fréquence déclenchaient une activité principalement à proximité du début de la membrane de la cochlée, et les ondes à basse fréquence à proximité de la fin de la membrane.

::Théorie de l'emplacement : pour l'audition, théorie qui relie la hauteur du son que nous entendons à l'endroit où la membrane de la cochlée est stimulée.

::Théorie des fréquences : pour l'audition, théorie selon laquelle le rythme de l'influx nerveux remontant le nerf auditif correspond à la fréquence d'un ton, nous permettant ainsi de ressentir sa hauteur.

Mais il reste un problème avec cette théorie de l'emplacement. Elle peut expliquer comment nous entendons les sons aigus, mais pas comment nous entendons les sons graves, car les signaux neuronaux qu'ils engendrent ne sont pas aussi nettement localisés sur la membrane basilaire. La **théorie des fréquences** propose une autre solution : le cerveau analyse la hauteur tonale en surveillant la fréquence des influx nerveux remontant le long du nerf auditif. L'ensemble de la membrane basilaire vibre avec l'onde sonore qui arrive et cela déclenche vers le cerveau un influx neuronal qui a la même fréquence que l'onde sonore. Si une onde sonore a une fréquence de 100 ondes par seconde, 100 influx par seconde remontent le nerf auditif.

La théorie des fréquences peut expliquer comment nous percevons les sons graves. Mais cette théorie pose également des problèmes : des neurones isolés ne peuvent émettre des influx à un rythme supérieur à 1000 cycles par seconde. Comment pouvons-nous alors percevoir des sons dont la fréquence est supérieure à 1000 ondes par seconde (à peu près le troisième tiers supérieur d'un clavier de piano et au-delà) ? Prenez en compte le *principe de la salve* : comme des soldats qui tirent de façon alternée, de sorte que certains peuvent tirer tandis que les autres rechargent, les neurones peuvent émettre des impulsions de façon alternée. En se déclenchant en salves rapides, ils peuvent atteindre une *fréquence combinée* allant bien au-delà de 1000 cycles par seconde.

La théorie de l'emplacement explique surtout comment nous percevons les sons aigus, et la théorie des fréquences comment nous entendons les sons les plus graves. Une combinaison des deux processus semble prendre en compte les sons de hauteur intermédiaire.

Localiser les sons

11. Comment localisons-nous les sons ?

Pourquoi ne sommes-nous pas dotés d'une seule grosse oreille, au-dessus du nez par exemple ? « C'est pour mieux t'entendre », dit le loup au Petit Chaperon Rouge. De la même manière que l'emplacement de nos yeux nous permet de percevoir la profondeur, l'emplacement de nos oreilles offre une audition stéréophonique (« tridimensionnelle »).

Pour deux raisons au moins, deux oreilles valent mieux qu'une. Si une voiture klaxonne à votre droite, votre oreille droite reçoit un son plus *intense* un peu *plus tôt* que votre oreille gauche (Figure 6.18). Étant donné que le son voyage à 1000 km/h et que nos oreilles ne sont séparées que de 20 centimètres environ, la différence d'intensité et le temps de latence sont extrêmement faibles. Mais notre système auditif est si sensible qu'il peut détecter une différence aussi minime (Brown et Deffenbacher, 1979 ; Middlebrooks et Green, 1991). Une différence tout juste perceptible dans la direction d'où proviennent deux sons correspond à une différence de temps de 0,000027 seconde ! Pour simuler ce que les oreilles perçoivent lorsque des sons proviennent de différents endroits, des logiciels audio peuvent émettre des sons à partir de deux enceintes stéréophoniques avec des retards et des intensités variables. Le résultat : nous pouvons percevoir le bourdonnement vif d'une abeille dans une oreille, puis son éloignement lorsqu'elle s'envole dans la pièce, suivi d'un nouveau bourdonnement lorsqu'elle s'approche de l'autre oreille (Harvey, 2002).

➤ FIGURE 6.18
Comment localisons-nous les sons ?
Les ondes sonores atteignent une oreille plus rapidement et plus intensément que l'autre. À partir de cette information, notre cerveau alerte calcule l'emplacement du son. Par conséquent, comme on peut s'y attendre, les gens qui perdent l'audition d'une oreille ont souvent des difficultés à localiser les sons.

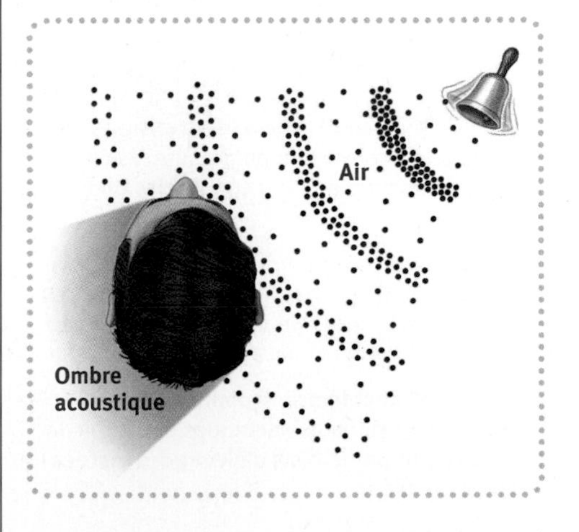

Avec quel degré de précision pensez-vous que vous puissiez localiser un son dont la source est équidistante de vos deux oreilles, comme celui venant directement de face, de derrière, au-dessus ou au-dessous de vous ? De façon assez imprécise. Pourquoi ? Car de tels sons frappent les deux oreilles simultanément. Asseyez-vous les yeux fermés pendant que l'un de vos amis claque des doigts autour de votre tête. Vous allez facilement indiquer la direction du son lorsqu'il vient d'un côté ou de l'autre, mais vous allez sans doute faire une erreur lorsqu'il vient d'en face de vous, de derrière, d'en haut ou d'en bas. C'est pourquoi, lorsque vous essayez de localiser un son, vous redressez la tête de façon que vos deux oreilles reçoivent des messages légèrement différents.

Perte auditive et culture des Sourds

12. Quelles sont les principales causes de perte auditive ? Pourquoi existe-t-il des controverses autour des implants cochléaires ?

« En plaçant ma main sur les lèvres et la gorge de quelqu'un, j'ai acquis une idée des nombreuses vibrations spécifiques et de leur interprétation : le rire étouffé d'un garçon, le « ouah ! » de surprise d'un homme, le « hum » d'ennui ou de perplexité, le gémissement de douleur, un murmure, un cri, un sanglot, un raclement de gorge, un hoquet ou une voix étranglée. »
Helen Keller, 1908

La structure complexe et fragile de l'oreille la rend vulnérable aux détériorations. Les problèmes touchant le système mécanique qui conduit les ondes sonores jusqu'à la cochlée provoquent une **surdité de conduction** (ou surdité de transmission). Si le tympan est percé ou si les petits os de l'oreille moyenne perdent leur capacité à vibrer, la capacité de l'oreille à conduire les vibrations diminue.

Une lésion des récepteurs des cellules ciliées de la cochlée ou de leurs nerfs associés peut provoquer la surdité la plus fréquente : la **surdité neurosensorielle** (ou surdité de perception). Parfois, une maladie peut provoquer une surdité neurosensorielle, mais ce sont le plus souvent les changements biologiques d'origine héréditaire, liés à l'âge ou à l'exposition prolongée à un bruit ou à une musique trop intense qui en sont responsables (*voir* Gros plan : Vivre dans un monde silencieux).

Jusqu'à maintenant, la seule solution dont on dispose pour restaurer l'audition chez les gens atteints d'une surdité de perception est une sorte d'oreille bionique, un **implant cochléaire**. Cet appareil électronique traduit les sons en impulsions électriques qui sont directement appliquées sur les nerfs cochléaires, convoyant ainsi certaines informations concernant les sons jusqu'au cerveau. L'implant permet aux enfants d'acquérir des compétences sur le plan de la communication orale (en particulier s'il est mis en place avant l'entrée à l'école ou même avant l'âge d'un an) (Dettman et coll., 2007 ; Schorr et coll., 2005). Les modèles d'implants cochléaires plus récents peuvent également améliorer l'audition chez la plupart des adultes (à l'exception des adultes sourds dont le cerveau n'a jamais appris à traiter les sons dans l'enfance). En 2003, environ 60 000 personnes dans le monde portaient un implant cochléaire et des millions d'autres sont des candidats potentiels (Gates et Miyamoto, 2003).

• Des expériences sont également en cours dans le but de restaurer la vision – en utilisant une rétine bionique (une puce électronique de 2 millimètres de diamètre composée de photorécepteurs qui stimulent les cellules rétiniennes endommagées) ou à l'aide d'une caméra vidéo et un ordinateur qui stimulent le cortex visuel. Les tests de ces deux appareils ont permis à des personnes aveugles de recouvrer partiellement la vue (Boahen, 2005 ; Steenhuysen, 2002). •

L'utilisation d'implants cochléaires entraîne des débats houleux. D'un côté, plus de 90 p. 100 des enfants sourds ont des parents entendants, dont la plupart souhaitent offrir à leurs enfants cette ouverture sur le monde des sons et de la parole et, s'ils veulent que l'implant soit efficace, ils ne peuvent retarder la décision jusqu'à ce que l'enfant atteigne l'âge de donner son consentement. De l'autre, on trouve les partisans de la culture des Sourds, qui s'opposent à l'utilisation des implants chez les enfants sourds avant l'apprentissage de la parole. La *National*

::**Surdité de conduction (de transmission)** : perte auditive provoquée par une lésion du système mécanique qui conduit les ondes sonores à la cochlée.

::**Surdité neurosensorielle (de perception)** : perte auditive provoquée par une lésion des cellules réceptrices de la cochlée ou du nerf auditif.

::**Implant cochléaire** : appareil qui traduit les sons en signaux électriques et stimule le nerf auditif par le biais d'électrodes placées sur la cochlée.

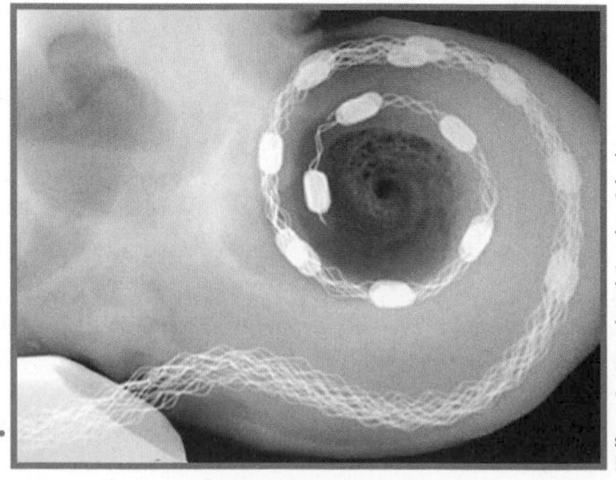

Dispositif permettant d'entendre Cette radiographie montre un implant cochléaire composé d'un dispositif de câbles menant à 12 sites de stimulation situés sur le nerf auditif.

Wolfgang Gstottner. (2004) *American Scientist*, Vol. 92, Number 5. (p. 437)

GROS PLAN

Vivre dans un monde silencieux

Les 500 millions de personnes dans le monde qui vivent avec une perte auditive constituent un groupe hétérogène (Phonak, 2007). Certains sont profondément sourds ; d'autres ont une ouïe limitée. Certains étaient déjà sourds avant de parler (avant de développer le langage) ; d'autres ont connu le monde de l'audition. Certains communiquent avec la langue des signes et s'identifient linguistiquement à la culture des Sourds ; d'autres, particulièrement ceux qui sont devenus sourds après avoir acquis la langue orale, sont ainsi nommés « oralistes » et conversent avec les entendants par le biais de la lecture labiale ou d'annotations écrites. D'autres encore se meuvent entre les deux cultures.

Malgré ces nombreuses variations, vivre sans entendre est un véritable défi. Lorsque les personnes âgées malentendantes doivent déployer des efforts pour entendre les mots, il leur reste moins de capacités cognitives disponibles pour s'en souvenir et les comprendre (Wingfield et coll., 2005). Au cours de plusieurs études, les personnes malentendantes, en particulier lorsqu'elles ne portent pas d'appareil auditif, se décrivent également comme étant plus tristes, moins socialement engagées et supportent plus souvent l'irritation des autres (Chisolm et coll., 2007 ; Fellinger et coll., 2007 ; *National Council on Aging*, 1999).

Les enfants qui ont grandi avec d'autres Sourds s'identifient davantage à leur culture et ont une estime positive d'eux-mêmes. Élevés dans une maison où l'on communique par les signes, que ce soit par des parents Sourds ou entendants, les enfants sourds se sentent souvent mieux acceptés et ont une meilleure estime d'eux-mêmes (Bat-Chava, 1993, 1994). (Pour insister sur leur statut de « différents mais égaux », les partisans de la culture des Sourds préfèrent écrire *Sourd* avec une capitale lorsqu'ils se réfèrent aux personnes atteintes de surdité et à la communauté des Sourds en général.)

Séparés de la communauté qui les soutient, les Sourds font face à de nombreuses difficultés (Braden, 1994). Incapables de communiquer de manière habituelle, les enfants sourds et leurs camarades entendants doivent s'efforcer de coordonner leurs jeux. Comme toutes les matières enseignées sont enracinées dans les langages *parlés*, il peut y avoir des conséquences sur la réussite scolaire. Les adolescents sourds peuvent souffrir d'une exclusion sociale et de la faible confiance en eux qui en découle.

Même les adultes dont l'audition s'est dégradée plus tard dans la vie peuvent ressentir une sorte de timidité. « C'est presque universel chez les sourds que de vouloir créer le moins d'ennuis possible aux entendants », note Henry Kisor (1990, p. 244), éditeur et éditorialiste d'un journal de Chicago, devenu sourd à l'âge de 3 ans. « Nous pouvons nous effacer et être timides jusqu'à en devenir invisibles. Cette tendance peut parfois être paralysante et je dois tout le temps lutter contre elle. » Helen Keller, sourde et aveugle remarquait : « La cécité coupe les gens des choses. La surdité les coupe de leurs semblables ».

Je connais bien le problème. Ma mère, avec laquelle nous communiquions en écrivant des petits mots sur une « ardoise magique » effaçable, a passé les douze dernières années de sa vie dans un monde de silence, s'étant depuis longtemps affranchie du stress et de la contrainte d'essayer de communiquer avec les gens en dehors d'un petit cercle de famille et de vieux amis. Avec ma propre audition qui décline maintenant selon une trajectoire qui va rejoindre la sienne, je me surprends à m'asseoir devant et au milieu dans des salles de conférences ou au théâtre, à chercher des coins tranquilles dans les restaurants, à demander à ma femme de passer les coups de téléphone nécessaires à des amis dont l'accent diffère du nôtre et à utiliser une nouvelle technologie, qui lorsque je presse sur un bouton, transforme mon appareil auditif en un haut-parleur interne qui me transmet les sons issus du téléphone, de la télévision et des discours publics (*voir* hearingloop.org). Mais la plus grande frustration survient lorsque, avec ou sans appareil auditif, je ne peux entendre une plaisanterie qui fait rire tout le monde autour de moi ; lorsque, après des essais répétés, je ne peux même pas saisir la question de cette personne exaspérée et que je ne peux pas m'en sortir en bluffant ; lorsque les membres de ma famille renoncent et disent « laisse tomber » après avoir essayé trois fois de me dire une chose sans importance.

Au fur et à mesure que ma mère vieillissait, elle en vint à penser que la recherche des interactions sociales ne valait pas la peine qu'on se donnait. Cependant, je partage l'avis de l'éditorialiste Kisor, selon lequel la communication en vaut la peine (p. 246) : « Donc… je serre les dents et je fonce ». Entrer en contact, essayer d'atteindre et de communiquer avec les autres, même à travers un gouffre de silence, c'est affirmer notre humanité en tant qu'être social.

AP Photo/Seth Perlman

Les signes du succès Les participants sourds applaudissent un candidat dans un concours d'orthographe.

Association of the Deaf, par exemple, décrète que la surdité *n*'est *pas* un handicap, parce que les individus dont la langue maternelle est la langue des signes ne sont pas handicapés sur le plan linguistique. William Stokoe, un linguiste de la Gallaudet University, a démontré dans son livre *Sign Language Structure*, écrit en 1960, ce que même ceux dont la langue maternelle est la langue des signes n'avaient pas encore totalement compris : cette langue est une langue à part entière avec sa propre grammaire, sa syntaxe et sa sémantique.

Certains partisans de la culture des Sourds prétendent que la surdité pourrait aussi bien être considérée comme une « amélioration de la vision » que comme un « déficit de l'audition ». Les gens qui perdent un sens semblent compenser cette perte par une légère amélioration de

Les partisans de la culture des Sourds préfèrent mettre une capitale au mot Sourd lorsqu'ils se réfèrent aux personnes atteintes de surdité et à la communauté des Sourds en général. Lorsqu'ils se réfèrent aux enfants qui n'entendent pas, sourd est souvent écrit en minuscule parce que ces jeunes enfants n'ont pas encore eu l'opportunité de décider, en étant pleinement informé, s'ils voulaient ou non faire partie de la communauté des Sourds. J'ai suivi cette différence dans mon livre.

leurs autres capacités sensorielles (Backman et Dixon, 1992 ; Levy et Langer, 1992). Voici quelques exemples :

- Les musiciens aveugles (comme Stevie Wonder) sont plus susceptibles que ceux qui voient de développer une perception parfaite de la hauteur tonale (l'oreille absolue) (Hamilton, 2000).
- De même, avec une oreille bouchée, les personnes aveugles arrivent mieux à détecter une source sonore que les personnes voyantes (Gougoux et coll., 2005 ; Lessard et coll., 1998).
- Fermez vos yeux et indiquez avec votre main la largeur d'une boîte d'une douzaine d'œufs. D'après les chercheurs de l'université d'Otago, les aveugles réussissent cet exercice avec plus de précision que les personnes voyantes (Smith et coll., 2005).
- Les personnes qui sont sourdes depuis la naissance font bien plus attention à leur vision périphérique (Bavelier et coll., 2006). Leur cortex auditif privé de stimulation sensorielle reste largement intact et finit par réagir au sens du toucher et de la vue (Emmorey et coll., 2003 ; Finney et coll., 2001 ; Penhune et coll., 2003).

Fermez vos yeux et vous noterez vous aussi immédiatement que votre attention est attirée vers vos autres sens. Au cours d'une expérience, des sujets qui avaient passé 90 minutes assis tranquillement avec un bandeau sur les yeux les empêchant de voir devenaient plus précis pour localiser des sons (Lewald, 2007). Lorsqu'ils s'embrassent, les amoureux éliminent au maximum toute distraction en fermant les yeux, ce qui augmente leur sensibilité au toucher.

AVANT D'ALLER PLUS LOIN...

➤ INTERROGEZ-VOUS

Si vous êtes une personne entendante, imaginez que vous êtes né sourd. Accepteriez-vous de recevoir un implant cochléaire ? Êtes-vous étonné que les adultes Sourds de naissance soient opposés à l'implant, pour eux et pour leurs enfants ?

➤ TESTEZ-VOUS 3

Quelles sont les étapes fondamentales de la transformation des ondes sonores en sons perçus ?

Les réponses aux questions « Testez-vous » sont données dans l'annexe B à la fin de l'ouvrage.

Les autres sens importants

BIEN QUE NOTRE CERVEAU DONNE À LA VUE et à l'audition la priorité pour la distribution du tissu cortical, des événements extraordinaires se dissimulent dans les quatre autres sens : le toucher, le goût, l'odorat et le sens de la position du corps et du mouvement. Le requin et le chien se fient à leur remarquable sens de l'odorat, aidés en cela par l'importante surface de cortex qui lui est consacrée. Néanmoins, sans notre sens du toucher, notre goût, notre odorat et notre sens du mouvement et de la position du corps, nous autres humains serions sérieusement handicapés, et nos possibilités de jouir du monde qui nous entoure seraient diminuées de façon dramatique.

Bruce Ayres/Stone/Getty Images

Le précieux sens du toucher Comme l'écrivit William James dans ses *Principles of Psychology* (1890), « le toucher est l'alpha et l'oméga de l'affection ».

Le toucher

13. Comment percevons-nous le toucher ainsi que la position de notre corps et son mouvement ? Comment ressentons-nous la douleur ?

Bien que cela ne soit pas le premier sens qui nous vienne à l'esprit, le toucher pourrait être notre sens prioritaire. Dès le début, le toucher est indispensable à notre développement. Les bébés rats, lorsqu'ils ne sont pas toilettés par leur mère, produisent moins d'hormones de croissance et ont une activité métabolique plus faible, un bon moyen de rester en vie jusqu'à ce que leur mère revienne, mais une réaction qui retarde la croissance si la mère tarde. Les bébés singes auxquels on permet de voir, d'entendre et de sentir leur mère, mais non de la toucher sont très malheureux ; ceux qui sont séparés de leur mère par un écran percé de trous permettant de la toucher le sont beaucoup moins. Comme nous l'avons noté au chapitre 4, les bébés prématurés prennent plus rapidement du poids et peuvent rentrer plus tôt chez eux s'ils sont stimulés par des massages. En amour, nous brûlons du désir de toucher, d'embrasser, de caresser et de se blottir l'un contre l'autre. Même des étrangers, ne se touchant que les avant-bras et séparés par un rideau, peuvent communiquer leur colère, leur crainte, leur dégoût, leur amour, leur gratitude et leur sympathie d'une manière qui est loin d'être due au hasard (Hertenstein et coll., 2006).

L'humoriste Dave Barry a peut-être raison de dire de la peau qu'elle est ce qui « empêche les gens de voir l'intérieur de votre corps, qui est repoussant, et qui empêche vos organes de tomber par terre ». Mais la peau fait plus que cela. Notre « sens du toucher » est en fait un mélange de plusieurs sens distincts, car il existe dans la peau différents types d'extrémités neuronales spécialisées. Toucher différents points de la peau avec une douce chevelure, un fil métallique chaud ou froid ou la pointe d'une aiguille montre que certains points sont essentiellement sensibles à la pression, d'autres au chaud, au froid ou encore à la douleur.

De façon surprenante, il n'y a pas de relation simple entre ce que nous ressentons en un point précis et le type d'extrémité nerveuse qui s'y trouve. Seule la pression possède des récepteurs bien identifiables. Les autres sensations de la peau sont des variations des quatre phénomènes de base (pression, chaleur, froid et douleur) :

- La caresse de centres adjacents sensibles à la pression engendre un chatouillis.
- La caresse répétée d'un point sensible à la douleur va créer une démangeaison.
- Toucher deux points adjacents sensibles au froid et à la pression crée une sensation d'humidité que vous pouvez ressentir en touchant un morceau de métal sec et froid.
- La stimulation de deux points rapprochés sensibles au chaud et au froid produit une sensation de brûlure (FIGURE 6.19).

Cependant, la sensation du toucher implique bien plus qu'une stimulation tactile. Le fait de se chatouiller nous-même produit une réponse du cortex somatosensoriel plus faible que si l'on est chatouillé par quelque chose ou quelqu'un d'autre (Blakemore et coll., 1998). (Le cerveau est assez sage pour être surtout sensible à des stimulations inattendues.) L'influence de haut en bas sur la sensation du toucher est également illustrée par l'*illusion de la main en caoutchouc*. Imaginez-vous en train de regarder une main en caoutchouc factice, mais très réaliste, alors que votre propre main est cachée (FIGURE 6.20, page suivante). Si un expérimentateur touche simultanément vos deux mains (la fausse et la vraie), vous allez

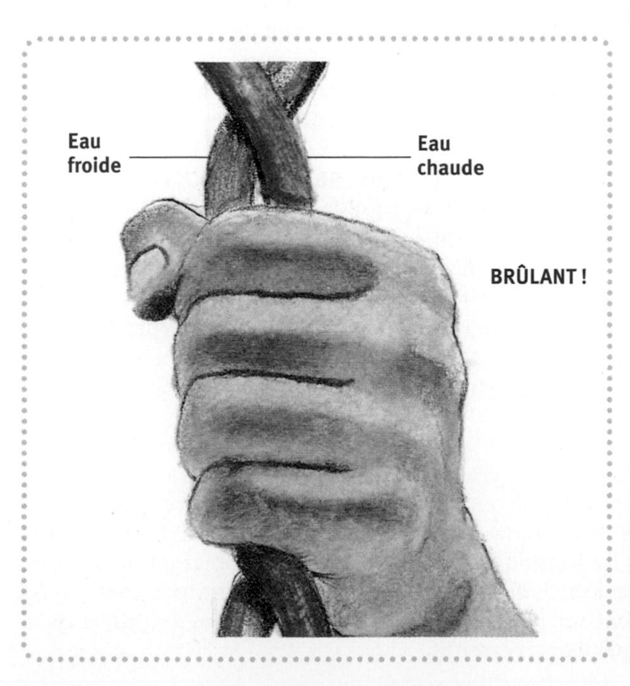

➤ FIGURE 6.19
Chaud + froid = brûlant
Lorsqu'une eau glacée passe dans l'un des tuyaux et que de l'eau agréablement chaude circule dans l'autre, nous percevons la sensation combinée comme une chaleur brûlante.

:: Kinesthésie : système permettant d'évaluer la position et le mouvement des différentes parties du corps.

:: Sens vestibulaire (de l'équilibre) : sens évaluant le mouvement et la position de l'ensemble du corps y compris le sens de l'équilibre.

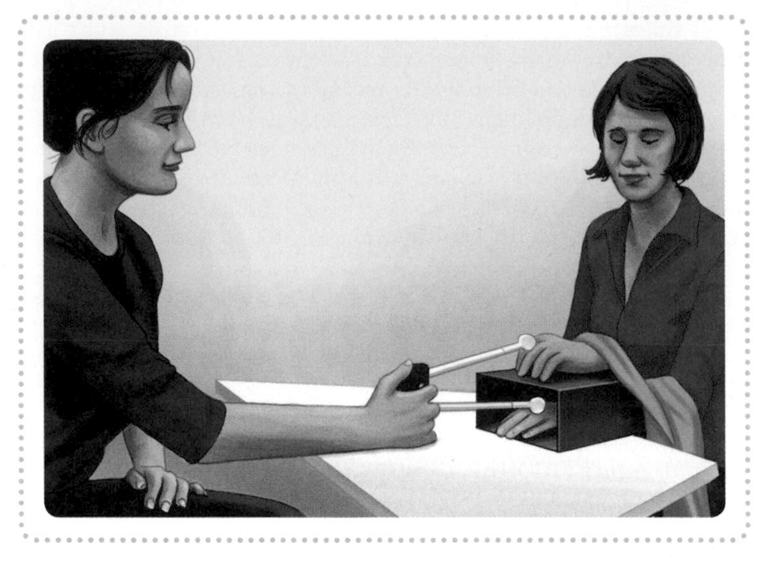

➤ FIGURE 6.20
L'illusion de la main en caoutchouc
Lorsque Deirdre Desmond, chercheuse à Dublin, touche simultanément les deux mains (la vraie et la fausse) du volontaire, ce dernier a la sensation que la main factice qu'il voit est la sienne.

probablement percevoir la main en caoutchouc comme votre propre main et sentir qu'on la touche. Même « toucher » simplement la main factice avec une lumière laser produit, chez la plupart des gens, une sensation illusoire de chaleur ou de toucher au niveau de leur main réelle invisible (Durgin et coll., 2007). Le toucher n'est pas uniquement une propriété de bas en haut de vos sens mais aussi le produit de haut en bas de votre cerveau et de vos attentes.

D'importants capteurs situés dans les tendons, les articulations, les os et les oreilles ainsi que des capteurs situés dans notre peau permettent de sentir la position et le mouvement des parties de notre corps, ce qu'on appelle la **kinesthésie**. Si vous fermez les yeux ou bouchez vos oreilles vous pouvez imaginer pendant un instant que vous êtes aveugle ou sourd. Mais quel effet cela ferait-il de vivre sans le sens du toucher ou sans la kinesthésie, et donc sans être capable de sentir la position de vos membres lorsque vous vous réveillez la nuit ? Ian Waterman (Hampshire, Angleterre) le sait fort bien. En 1972, à l'âge de 19 ans, Waterman contracta une maladie virale rare qui détruisit les nerfs contrôlant son sens du toucher léger, de la position de son corps et de ses mouvements. Les personnes étant dans le même cas rapportent qu'elles se sentent désincarnées, comme si leur corps ne leur appartenait plus et n'était plus réel, comme si leur corps était mort (Sacks, 1985). Grâce à une rééducation de longue haleine, Waterman réapprit à marcher et à manger en se concentrant visuellement sur ses membres afin de les diriger. Mais si la lumière s'éteint, il s'écroule par terre (Azar, 1998). Même pour nous, la vision interagit avec la kinesthésie. Tenez-vous debout en plaçant votre talon droit devant les orteils de votre pied gauche. C'est facile, n'est-ce pas ? Maintenant, fermez les yeux et vous allez certainement vaciller.

Un sens associé, appelé **sens vestibulaire ou de l'équilibre**, surveille la position et les mouvements de la tête (et donc de l'ensemble du corps). Les gyroscopes biologiques responsables de notre sens de l'équilibre sont situés dans l'oreille interne. Les *canaux semi-circulaires,* qui ressemblent à un bretzel en trois dimensions (Figure 6.16a), et les *sacs vestibulaires*, qui relient les canaux à la cochlée, contiennent du liquide qui se déplace lorsque la tête tourne ou s'incline. Ces mouvements stimulent des récepteurs dotés de cils vibratiles qui envoient des messages au cervelet situé à l'arrière du cerveau, nous permettant de percevoir continuellement la position de notre corps et de maintenir notre équilibre.

Si vous tournez sur vous-même et que vous vous arrêtez brusquement, le liquide contenu dans vos canaux semi-circulaires et vos récepteurs kinesthésiques ne reviennent pas immédiatement à l'état de repos. La rémanence de l'effet trompe votre cerveau pris de vertige en vous donnant la sensation que vous êtes toujours en train de tourner. Cela illustre un principe qui sous-tend les illusions perceptives. Les mécanismes qui nous donnent normalement une perception exacte du monde peuvent, dans certaines conditions, nous leurrer. Comprendre comment nous avons été trompés nous donne des pistes pour savoir comment fonctionne notre système perceptif.

Michal Cizek/AFP/Getty Images

La complexité du sens vestibulaire
Ces artistes du Cirque du Soleil peuvent remercier leur oreille interne pour les informations qu'elle fournit à leur cerveau afin qu'il puisse contrôler aussi habilement la position de leur corps.

La douleur

Il faut être reconnaissant aux douleurs occasionnelles. La douleur est la façon dont votre corps vous indique qu'il se passe quelque chose d'anormal. Elle attire votre attention sur une brûlure, une fracture ou une entorse, et vous signale qu'il faut immédiatement modifier votre comportement : « Tu viens de te tordre la cheville, ne bouge plus ! » Les rares personnes nées sans la capacité à ressentir la douleur peuvent subir de graves lésions ou même mourir avant d'atteindre l'âge adulte. Privés de la gêne qui nous fait de temps à autre changer de position, leurs articulations cèdent sous des contraintes excessives. En l'absence de douleur, les effets des infections et des blessures ignorées s'accumulent (Neese, 1991).

Beaucoup plus nombreux sont ceux qui vivent avec des douleurs chroniques, un peu comme une alarme qui ne veut pas s'éteindre. La souffrance de ces gens et de ceux qui souffrent de maux de dos persistants ou récurrents, d'arthrite, de migraines ou de douleurs associées aux cancers pose deux questions : qu'est-ce que la douleur ? Comment peut-on la contrôler ?

Comprendre la douleur

Notre expérience de la douleur varie grandement en fonction de notre physiologie, de nos expériences et de notre attention, mais aussi de la culture à laquelle nous appartenons (Gatchel et coll., 2007). De ce fait, notre sensation de la douleur associe des sensations venant de bas en haut et un traitement allant de haut en bas.

Influences biologiques À la différence de la vision, le système de la douleur n'est pas localisé dans un simple cordon nerveux allant d'un système détecteur à une zone définie du cerveau. De plus, il n'existe pas un type spécifique de stimulus déclenchant la douleur (comme la lumière déclenche la vision). En revanche, il existe différents *nocicepteurs*, des récepteurs sensoriels qui détectent les températures, les pressions ou les produits chimiques nocifs (FIGURE 6.21, page suivante).

Bien qu'aucune théorie de la douleur n'explique toutes les découvertes existantes, la **théorie du contrôle du « portillon »** (*gate control*) de Ronald Melzack et du biologiste Patrick Wall (1965, 1983) fournit un modèle utile. La moelle épinière contient des fibres nerveuses de petite taille qui véhiculent la plupart des signaux douloureux et des fibres plus grosses qui conduisent la plupart des autres signaux sensoriels. Melzack et Wall pensent que la moelle épinière contient une sorte de « porte » neurologique. Lorsqu'un tissu est lésé, les fibres de petite taille activent et ouvrent la porte, et vous ressentez la douleur. L'activité des grandes fibres referme le portillon, bloquant les signaux de la douleur et les empêchant d'atteindre le cerveau. Ainsi, une façon de traiter une douleur chronique est de stimuler (électriquement, par massage ou même par acupuncture) l'activité de « fermeture du portillon » dans les grandes fibres neuronales (Wall, 2000). Frotter la zone entourant un orteil que l'on vient de cogner produit une stimulation rivale qui abolit une partie du message douloureux.

> « Lorsque le ventre douloureux gonfle, peu importe ce qui va bien par ailleurs. »
> Sadi, *The Gulistan*, 1258

Tim Heitman/NBAE via Getty Images

Jouer malgré la douleur Dans un match de championnat de la NBA en 2008, Paul Pierce de l'équipe des Boston Celtic hurla de douleur après qu'un joueur de l'équipe adverse marcha sur son pied droit entraînant la rotation de son genou et la luxation de la rotule. Sorti du terrain, il revint et termina le match malgré la douleur qui réclama toute son attention à la fin du match.

:: Théorie du contrôle du « portillon » (*gate control*) : théorie qui suggère que la moelle épinière contient une « porte » neurologique qui interdit ou permet aux signaux douloureux de remonter jusqu'au cerveau. La « porte » est ouverte par l'activité des signaux douloureux remontant par les fibres nerveuses de petit diamètre et fermée par l'activité des fibres de grand diamètre ou par des informations en provenance du cerveau.

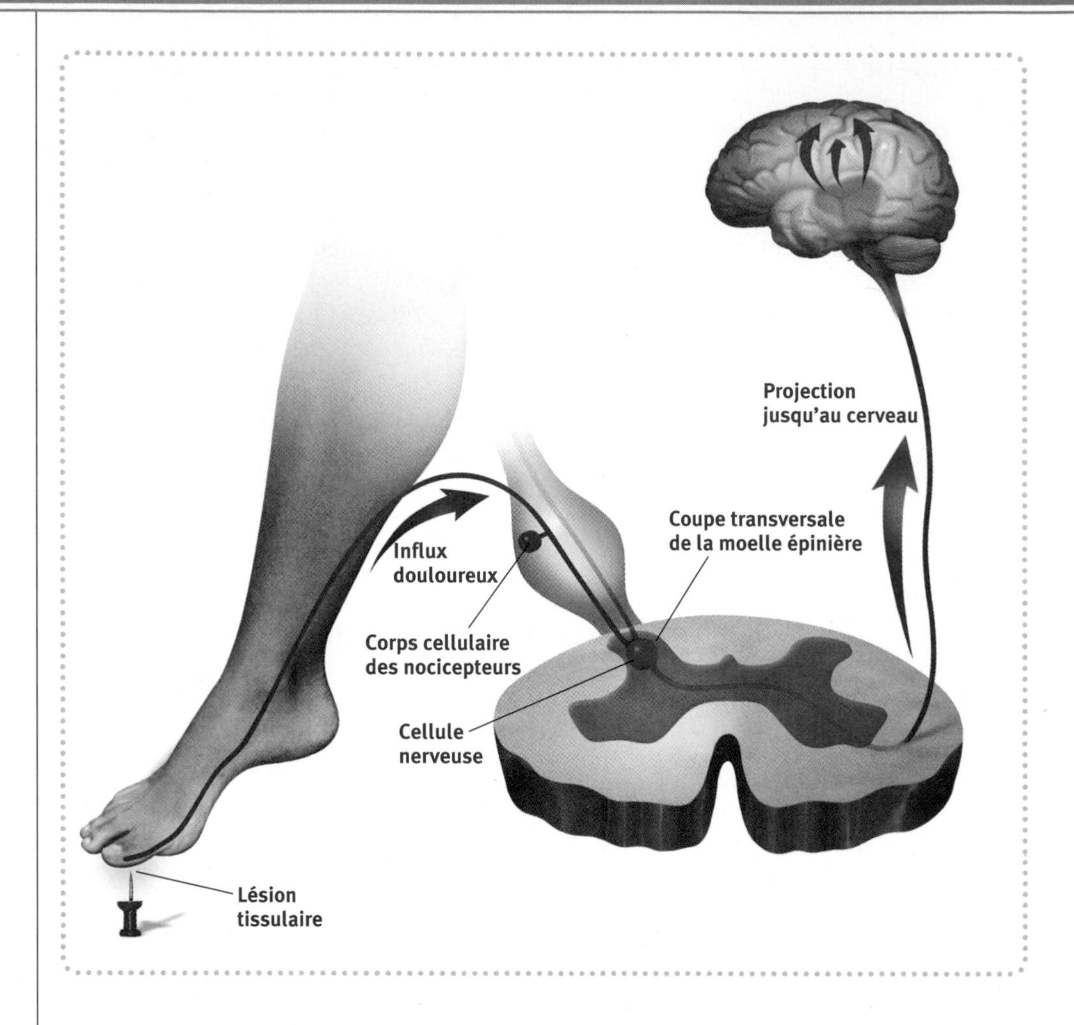

➤ FIGURE 6.21
Le circuit douloureux Les récepteurs sensoriels (nocicepteurs) répondent aux stimuli potentiellement blessants en envoyant un influx à la moelle épinière qui transmet le message au cerveau, celui-ci interprétant le signal comme de la douleur.

« La douleur est accrue par l'attention qu'on y porte. »
Charles Darwin,
L'expression des émotions chez l'homme et les animaux, 1872

La douleur n'est pas seulement un phénomène physique impliquant des nerfs lésés qui envoient des impulsions au cerveau, comme si l'on tirait une sonnette. Melzack et Wall pensent que les messages allant du cerveau vers la moelle épinière peuvent également fermer les portes de la douleur, ce qui permet d'expliquer certaines influences marquantes sur la douleur. Lorsque nous sommes distraits de la douleur (influence psychologique) et apaisés par la libération d'*endorphines*, substances naturelles qui abolissent la douleur (influence biologique), notre sensation de douleur peut être considérablement atténuée. Les blessures dues au sport peuvent rester inaperçues jusqu'au moment de la douche. Les individus porteurs d'un gène qui augmente la disponibilité des endorphines sont moins gênés par la douleur et leur cerveau répond moins à celle-ci (Zubieta et coll., 2003). D'autres qui sont porteurs d'une mutation génique qui interrompt la neurotransmission des circuits douloureux peuvent être incapables de ressentir la douleur (Cox et coll., 2006). Ces découvertes peuvent permettre d'entrevoir de nouveaux traitements antalgiques pouvant mimer ces effets génétiques.

Le cerveau crée aussi la douleur comme il le fait par exemple lors des expériences de *sensations de membres fantômes* où il interprète de façon erronée l'activité spontanée du système nerveux central survenant en l'absence d'une stimulation sensorielle normale. Comme celui qui rêve peut voir avec les yeux fermés, 7 personnes amputées sur 10 vont ainsi ressentir une douleur ou des mouvements dans leur membre absent, remarque le psychologue Melzack (1992, 2005). (Une personne amputée peut très bien essayer de se relever d'un lit à l'aide d'une jambe absente ou de soulever une tasse avec une main absente.) Même les personnes qui sont nées avec un membre en moins ressentent des sensations provenant de ce membre absent. Melzack (1998) soutient que le cerveau est préparé pour « s'attendre à recevoir des informations provenant d'un corps qui possède des membres ».

On remarque un phénomène analogue avec les autres sens. Les personnes souffrant d'une perte auditive entendent souvent le « son du silence » – des sons fantômes, une sensation de sifflement dans les oreilles que l'on appelle *acouphène*. Les personnes qui perdent la vue à la suite d'un glaucome, d'une cataracte, du diabète ou d'une dégénérescence maculaire ont parfois des visions fantômes – des hallucinations non menaçantes (Ramachandran et Blakeslee, 1998). D'autres ayant des lésions nerveuses ont des saveurs fantômes : de l'eau glacée peut sembler atrocement sucrée (Goode, 1999). D'autres personnes ont pu faire l'expérience d'odeurs fantômes, comme l'odeur inexistante de nourriture en putréfaction. Ce qu'il faut retenir : *nous ressentons, nous voyons, nous entendons, nous sentons et nous goûtons avec notre cerveau* et celui-ci peut sentir même en l'absence de sens fonctionnels.

Influences psychologiques Les effets psychologiques de la distraction sont clairs si l'on regarde les athlètes qui, concentrés sur leur envie de gagner, jouent malgré la douleur. Carrie Armel et Vilayanur Ramachandran (2003) ont illustré intelligemment les influences psychologiques sur la douleur par une version légèrement différente de l'illusion de la main en caoutchouc. Ils ont légèrement replié vers l'arrière un doigt de la main cachée de 16 volontaires en même temps qu'ils faisaient très « mal » (en le pliant fortement) à un doigt de la main factice en caoutchouc. Les volontaires ont eu la sensation que c'était leur doigt qui était retourné et ont répondu par une augmentation de leur perspiration cutanée.

Il semble également que nous modifiions nos *souvenirs* de douleur, qui sont souvent différents de la douleur que nous avons réellement subie. Au cours d'expériences ou après des examens médicaux, les gens ont tendance à négliger la durée de la douleur. Leur mémoire enregistre par contre deux facteurs : tout d'abord, les gens ont tendance à se souvenir du moment de son *niveau maximal*, ce qui a tendance à les conduire à se souvenir d'une douleur d'intensité variable ayant des pics d'intensité maximale, comme étant pire que la douleur réellement ressentie (Stone et coll., 2005). Ensuite, ils enregistrent le niveau de douleur ressenti à la *fin*. Daniel Kahneman et ses collaborateurs (1993) découvrirent ce phénomène en demandant à des gens de plonger une main pendant 60 secondes dans une eau douloureusement froide, puis de plonger l'autre main pendant 60 secondes dans la même eau suivie par une période supplémentaire de 30 secondes dans une eau légèrement moins froide. Quelle expérience vous attendez-vous à vous souvenir comme étant la plus douloureuse ?

Curieusement, lorsqu'on leur demanda quelle expérience ils préféreraient répéter, la plupart des sujets préférèrent l'expérience la plus longue, avec une douleur totale plus importante, mais moins pénible vers la fin. Lors d'une expérience, un médecin a appliqué cette méthode chez des patients qui subissaient un examen du côlon : il a prolongé la sensation pénible d'une minute, mais en diminuant son intensité (Kahneman, 1999). Bien que cette sensation modérée ait été ajoutée à l'expérience d'une douleur franche, les patients qui ont expérimenté cette méthode ont eu plus tendance, par la suite, à qualifier l'examen de moins douloureux que les personnes qui avaient subi un arrêt net de la douleur.

Influences socioculturelles Notre perception de la douleur varie également selon notre situation sociale et nos traditions culturelles. Nous avons tendance à percevoir une douleur plus importante et la supportons moins bien lorsque d'autres personnes semblent également souffrir (Symbaluk et coll., 1997). Cela peut expliquer un autre aspect social apparent de la douleur. Par exemple, au cours des années 1980, dans certaines régions d'Australie, les opérateurs de saisie étaient sujets à des crises de douleurs aiguës causées par leurs travaux dactylographiques ou par d'autres tâches répétitives. Ils ne présentaient pourtant pas d'anomalies physiques visibles (Gawande, 1998). Parfois, la douleur d'une entorse est surtout localisée dans notre cerveau. Et lorsque nous ressentons de la compassion pour la douleur d'une autre personne, l'activité de notre propre cerveau peut en partie refléter celle du cerveau de la personne qui souffre (Singer et coll., 2004).

Ainsi, notre perception de la douleur est un phénomène biopsychosocial (FIGURE 6.22). Le fait de considérer la douleur de cette manière peut nous aider à mieux comprendre comment faire face à la douleur et la traiter.

➤ FIGURE 6.22
Perspectives biopsychosociales de la douleur Nos expériences de la douleur sont bien plus que des messages nerveux envoyés au cerveau.

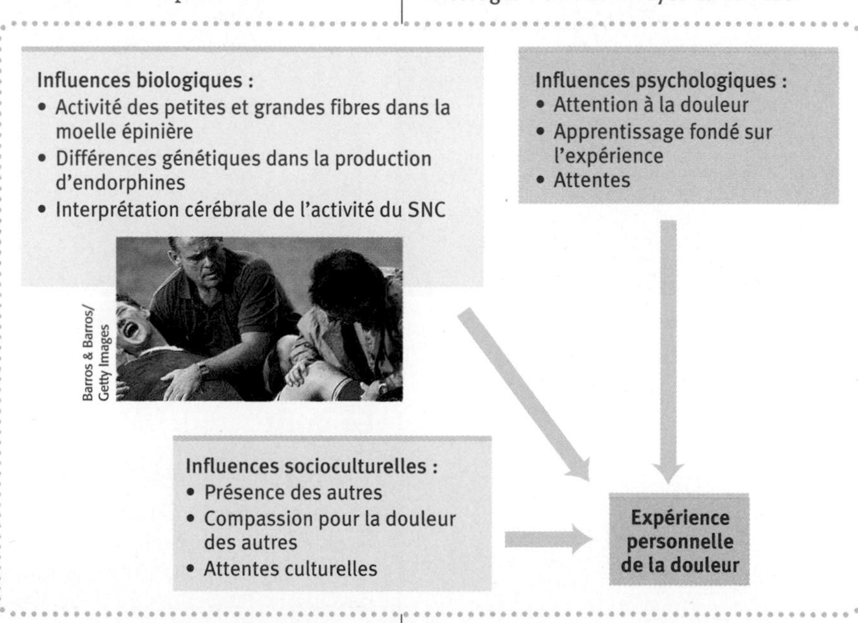

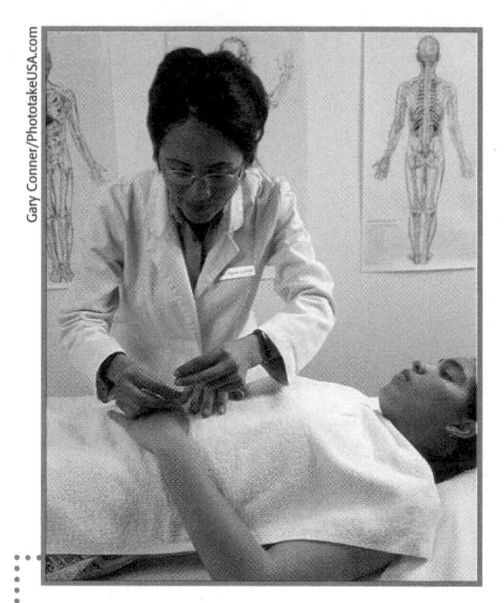

Gary Conner/PhototakeUSA.com

Rechercher un soulagement
Cet acupuncteur essaye de soulager une femme qui souffre de mal de dos en plaçant des aiguilles sur certains points de la main de la patiente.

Contrôler la douleur

Si la douleur se trouve à la frontière entre l'esprit et le corps, si elle est bien un phénomène physique et psychologique, elle peut alors être traitée à la fois sur les plans physique et psychologique. Selon les symptômes, les cliniciens utilisent, pour diminuer la douleur, une ou plusieurs armes thérapeutiques dans un arsenal comprenant les médicaments, la chirurgie, l'acupuncture, les stimulations électriques, les massages, l'exercice, l'hypnose, la relaxation et la distraction.

Même un placebo inerte peut aider à atténuer l'attention et la réponse du cerveau vis-à-vis d'expériences douloureuses et mimer ainsi les analgésiques (Wager 2005). Après avoir reçu une injection d'eau salée piquante dans la mâchoire, les sujets d'une expérience ont reçu un placebo qui, leur a-t-on dit, devait soulager leur douleur. Ils se sont immédiatement sentis mieux, et ce résultat a été associé à l'activité d'une zone cérébrale libérant des opiacés antalgiques naturels (Scott et coll., 2007 ; Zubieta et coll., 2005). Le fait d'administrer de faux antalgiques chimiques entraîne la libération des vrais par le cerveau. Un commentateur remarquait (Thernstrom, 2006) : « La croyance devient réalité, l'esprit s'unit avec le corps. »

Une autre expérience a opposé deux placebos (des comprimés factices et une prétendue acupuncture) (Kaptchuk et coll., 2006). Des sujets ressentant une douleur persistante au bras (270 patients) ont reçu soit la fausse acupuncture (avec de fausses aiguilles qui se rétractaient avant de piquer la peau), soit des comprimés bleus d'amidon qui ressemblaient aux comprimés souvent prescrits pour une entorse. Un quart des sujets traités par les fausses aiguilles et 31 p. 100 des sujets recevant les faux comprimés se sont plaints d'effets secondaires, par exemple des douleurs cutanées, une sécheresse de la bouche et de la fatigue. Au bout de deux mois, les patients des deux groupes relataient une baisse de la douleur, le groupe traité par acupuncture factice relatant la baisse la plus importante.

Distraire les gens avec des images agréables (« pensez à un environnement chaud et agréable ») ou détourner leur attention de la stimulation douloureuse (« comptez à l'envers de 3 en 3 ») est une façon très efficace d'augmenter la tolérance à la douleur (Fernandez et Turk, 1989 ; McCaul et Malott, 1984). Une infirmière entraînée va distraire les patients qui craignent les piqûres en bavardant et en leur demandant de regarder ailleurs au moment de piquer. Pour les victimes de brûlures qui reçoivent des soins extrêmement douloureux, l'immersion dans un monde virtuel en 3D généré par ordinateur apporte une distraction encore plus efficace, comme la scène sous la neige montrée sur la FIGURE 6.23. Les images d'IRM fonctionnelle révèlent que le fait de jouer dans une réalité virtuelle réduit l'activité cérébrale liée à la douleur (Hoffman, 2004). Puisque les maux sont dans le cerveau, le divertir peut apporter un soulagement.

➤ FIGURE 6.23
Le contrôle de la douleur par la réalité virtuelle Pour les grands brûlés qui subissent une chirurgie réparatrice de la peau douloureuse, s'échapper dans une réalité virtuelle peut considérablement diminuer la douleur en détournant leur attention ainsi que la réponse de leur cerveau aux stimulations douloureuses. Ces images d'IRM montrent une baisse de la réponse douloureuse lorsque le patient est distrait.

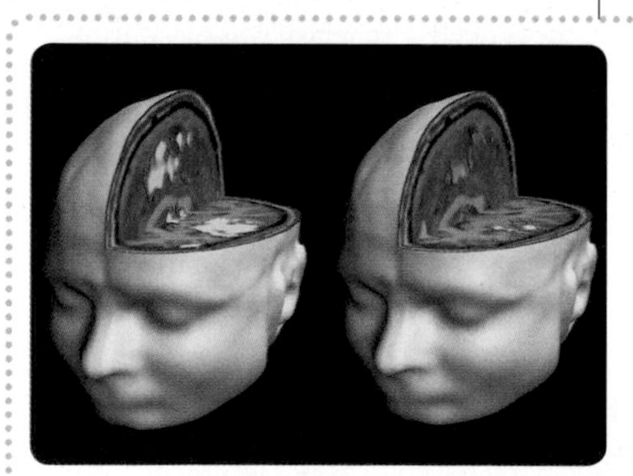

Pas de distraction — Distraction

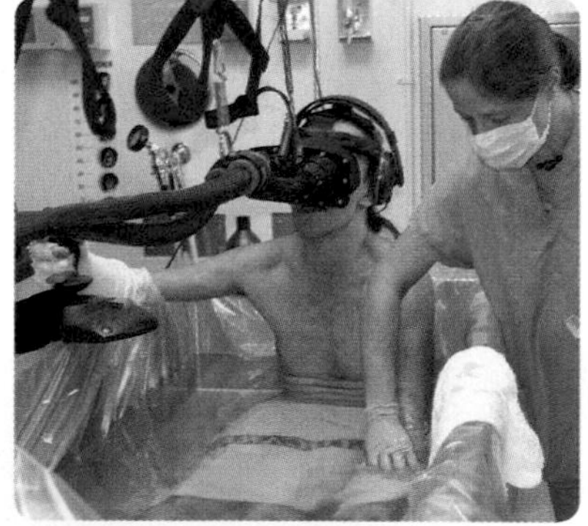

Images de Todd Richards et Aric Bills, U.W. © Hunter Hoffman, www.vrpain.com

Le goût

14. Comment ressentons-nous le goût ?

Comme le toucher, notre sens du goût met en jeu plusieurs sensations de base. Jusque récemment, on pensait que les sensations du goût étaient le sucré, l'acide, le salé et l'amer (McBurney et Gent, 1979), la plupart des autres goûts résultant d'un mélange de ces quatre sensations. Puis, alors qu'ils recherchaient des fibres nerveuses spécialisées pour chacune des quatre sensations de base du goût, les chercheurs ont découvert un récepteur spécialisé dans un cinquième goût, celui de l'*umami*, pour la saveur de la viande (mot japonais qui signifie délicieux, semblable au goût prononcé du glutamate monosodique).

Le goût n'est pas uniquement là pour notre plaisir (*voir* TABLEAU 6.2). Les goûts agréables ont attiré nos ancêtres vers les aliments riches en énergie et en protéines qui leur ont permis de survivre. Les goûts désagréables les ont détournés des nouveaux aliments qui pouvaient être toxiques. Nous voyons la transmission héréditaire de cette sagesse biologique chez nos enfants de 2 à 6 ans qui sont typiquement des mangeurs difficiles, en particulier lorsqu'on leur présente de nouvelles viandes ou des légumes au goût amer comme les épinards et les choux de Bruxelles (Cooke et coll., 2003). Pour nos ancêtres et, en particulier pour leurs enfants, les toxines des viandes et des végétaux étaient des sources potentielles de danger et d'empoisonnement. Cependant, les enfants d'aujourd'hui commencent à accepter ces aliments au goût déplaisant, en prenant de petites quantités de manière répétée (Wardle et coll., 2003).

Le goût est un sens chimique. À l'intérieur des petites protubérances situées sur le dessus et les côtés de la langue existent plus de 200 papilles gustatives. Chacune contient un pore qui recueille les composants chimiques de la nourriture. Dans chaque pore des papilles gustatives, 50 à 100 cellules réceptrices du goût projettent des filaments semblables à des antennes qui ressentent les molécules de la nourriture. Certains de ces récepteurs sont surtout sensibles au goût sucré, d'autres à l'acide, à l'amer, au salé ou à l'umami. Il faut peu de chose pour déclencher une réponse qui alerte le lobe temporal de votre cerveau. Lorsqu'un jet d'eau est dirigé sur la langue, l'addition d'une substance concentrée au goût sucré ou salé est repérée en seulement un dixième de seconde (Kelling et Halpern, 1983). Lorsque l'un de vos amis vous demande votre verre « juste pour goûter », vous pouvez lui enlever la paille après une fraction de seconde.

Les récepteurs du goût se renouvellent toutes les 1 à 2 semaines, si bien que ce n'est pas très grave si vous vous brûlez la langue avec de la nourriture très chaude. Cependant, lorsque vous vieillissez, le nombre de papilles gustatives diminue, tout comme la sensibilité au goût (Cowart, 1981). (Il n'y a rien d'étonnant à ce que les adultes apprécient des nourritures au goût prononcé que les enfants refusent.) Le tabac et l'alcool accélèrent ce déclin. Ceux qui ont perdu leur sens du goût disent que la nourriture ressemble à de la « paille », difficile à avaler (Cowart, 2005).

Bien que les papilles gustatives soient essentielles pour le goût, il faut davantage qu'un simple contact avec la langue pour susciter un goût. Comme pour les autres sens, vos attentes influencent les réponses de votre cerveau. Si on prévient les participants d'une expérience que le goût va être désagréable, leur cerveau répond plus activement aux goûts négatifs et les participants les trouvent très désagréables. Si on les amène à croire que ce *même goût* n'est que légèrement désagréable, la région cérébrale qui répond aux goûts aversifs est moins active et ils diront que ce goût est moins désagréable (Nitschke et coll., 2006). De même, si on vous dit que cette bouteille de vin coûte 65 euros (alors qu'en réalité elle n'en coûte que 7), ce vin peu cher aura bien meilleur goût et entraînera plus d'activité dans la zone du cerveau qui répond aux expériences plaisantes (Plassmann et coll., 2008). Comme cela se produit avec l'effet placebo sur la douleur, les lobes frontaux de la pensée donnent des informations à d'autres régions du cerveau qui agissent en conséquence.

TABLEAU 6.2

LES FONCTIONS DE SURVIE DES GOÛTS DE BASE

Goût	Indique
Sucré	Source d'énergie
Salé	Sodium essentiel aux processus physiologiques
Acide	Acides potentiellement toxiques
Amer	Poisons potentiels
Umami	Protéines pour la croissance et la réparation tissulaire

(Adapté de Cowart, 2005.)

Interaction sensorielle

Le goût montre un autre phénomène curieux. Bouchez-vous le nez, fermez les yeux et demandez à quelqu'un de vous donner des aliments variés. On peut alors confondre un morceau de pomme avec un carré de pomme de terre crue ; et un steak peut avoir un goût de carton. Privés de leur odeur, il est difficile de distinguer une tasse de café froid d'un verre de vin rouge. Pour savourer un goût, nous respirons normalement l'arôme par le nez – c'est pourquoi il est beaucoup moins agréable de manger quand nous sommes enrhumés. L'odorat ne rehausse pas seulement notre perception du goût, mais il peut aussi la changer. L'odeur de fraise d'une boisson augmente votre perception de son goût sucré. Cela correspond à la mise en œuvre d'une **interaction sensorielle**, principe selon lequel un sens peut en influencer un autre. Odeur + texture + goût = saveur.

L'interaction sensorielle peut également influencer ce que nous entendons. Si moi (qui ai des problèmes d'audition), je regarde un film avec les sous-titres simultanés, je n'ai aucun problème à entendre les mots que je vois (ce qui peut m'amener à penser que je n'ai pas besoin des sous-titres). Si alors j'arrête le sous-titrage, je réalise soudain que j'en

:: **Interaction sensorielle** : principe selon lequel un sens peut en influencer un autre, comme lorsque l'odeur de la nourriture influence son goût.

➤ FIGURE 6.24
Interaction sensorielle
Lorsqu'une personne malentendante voit sur un ordinateur l'image d'un visage qui articule les mots prononcés à l'autre bout du téléphone, ces derniers deviennent plus faciles à entendre (Knight, 2004).

ai besoin (FIGURE 6.24). Mais que supposez-vous qu'il arrive si nous *voyons* une personne prononcer une syllabe alors que l'on *entend* une autre syllabe ? Surprise, il se peut que l'on perçoive une troisième syllabe qui est en fait un mélange des deux informations. En regardant une bouche prononcer la syllabe *ga* alors que l'on entend la syllabe *ba*, nous percevrons la syllabe *da* ; un phénomène connu sous le nom d'*effet McGurk* (nommé ainsi après avoir été découvert par le psychologue Harry McGurk et son assistant John MacDonald en 1976).

Le même phénomène s'applique aux sens du toucher et de la vue. Un léger clignotement de lumière que nous avons du mal à percevoir devient plus visible s'il est accompagné de légers sons répétitifs (Kayser, 2007). Lorsque le cerveau détecte les événements, il peut associer simultanément les signaux tactiles et visuels, grâce à la projection des neurones provenant des aires corticales somatosensitives vers le cortex visuel (Macaluso et coll., 2000).

Ainsi, les sens interagissent : la vue, l'ouïe, le toucher, le goût et l'odorat ne constituent pas des voies séparées. Lorsqu'il interprète le monde, le cerveau mélange tous les stimuli qu'il reçoit. Chez un petit nombre d'individus, les sens se rejoignent en un phénomène appelé *synesthésie*, au cours duquel un type de sensation (par exemple, le fait d'entendre un son) en produit une autre (par exemple, voir une couleur). De ce fait, écouter de la musique ou voir un nombre particulier peut activer des régions corticales sensibles à la couleur et déclencher une sensation de couleur (Brang et coll., 2008 ; Hubbard et coll., 2005). Le fait de voir le chiffre 3 peut provoquer une sensation de goût (Ward, 2003). Pour beaucoup d'entre nous, une odeur, de menthe ou de chocolat par exemple, peut évoquer une sensation de goût (Stevenson et Tomiczek, 2007).

L'odorat

15. Comment ressentons-nous les odeurs ?

Inspirez, expirez, inspirez, expirez. Les respirations fonctionnent toujours par paire sauf à deux moments de l'existence : la naissance et la mort. Entre ces deux moments, vous inspirez ou expirez chaque jour à peu près 20 000 bouffées d'air nécessaires pour vous maintenir en vie, vous baignez vos narines dans un flot de molécules chargées de senteurs. Les expériences sensorielles olfactives (*olfaction*) qui en découlent sont étonnamment intimes : vous inhalez quelque chose de la personne ou de la chose que vous sentez.

Comme le goût, l'odorat est un sens chimique. Nous sentons quelque chose lorsque des molécules d'une substance, transportées par l'air, atteignent un petit groupe d'environ 5 millions de cellules réceptrices situées au sommet de chaque cavité nasale (FIGURE 6.25). Ces récepteurs olfactifs, ondulant comme des anémones de mer sur un récif, répondent sélectivement à l'arôme d'un gâteau en train de cuire, à une bouffée de fumée de cigarette,

• Impressionnez vos amis avec votre nouveau mot du jour : on dit que les personnes incapables de voir sont atteintes de cécité, que les personnes incapables d'entendre sont atteintes de surdité et que les personnes incapables de sentir sont atteintes d'*anosmie*. •

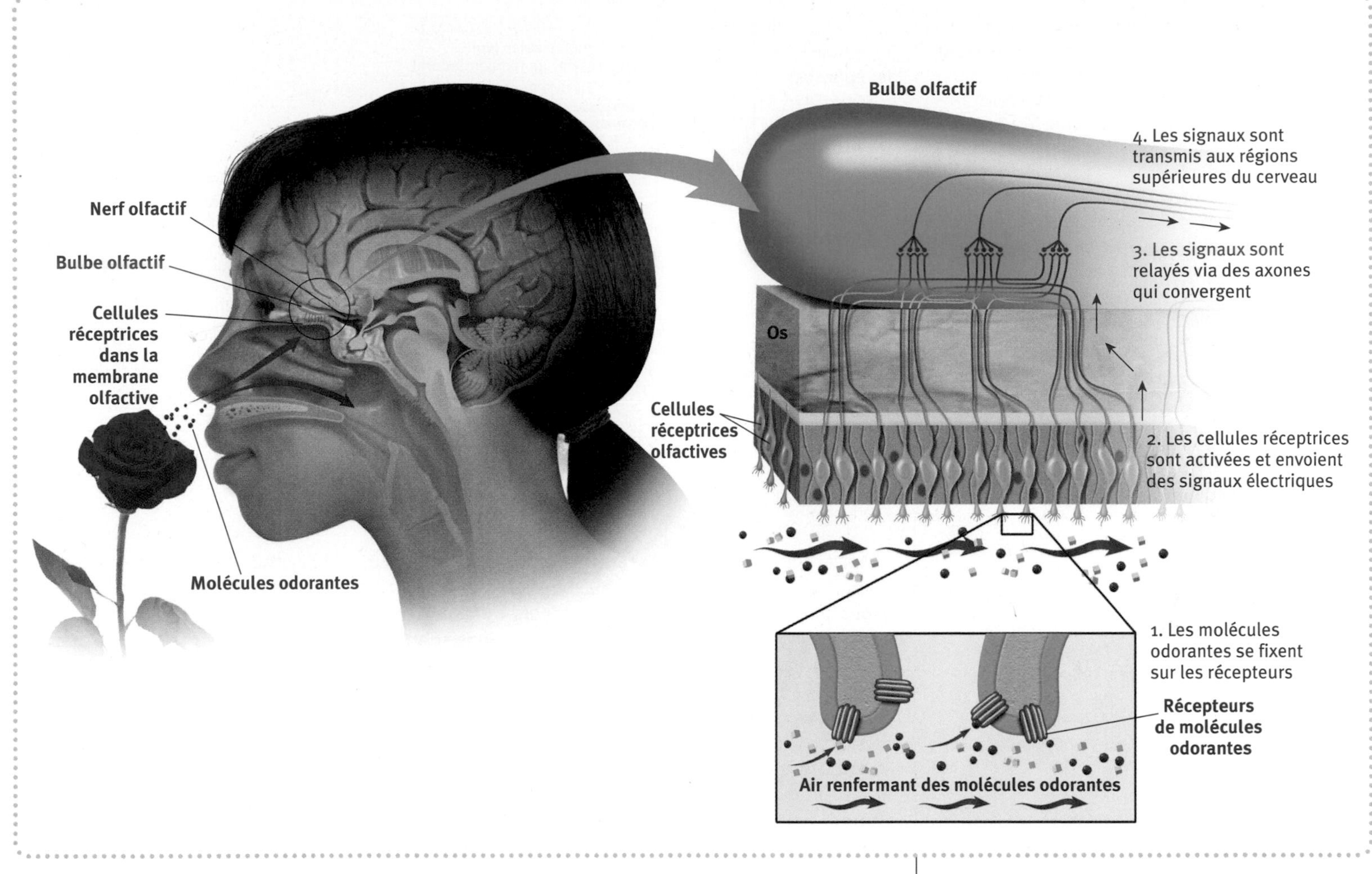

➤ FIGURE 6.25
Le sens de l'odorat Pour que nous sentions une fleur, les molécules aéroportées de son parfum doivent atteindre les récepteurs situés au sommet du nez. Renifler fait tourbillonner l'air jusqu'aux récepteurs, augmentant ainsi l'arôme. Les cellules réceptrices envoient des messages au bulbe olfactif du cerveau, qui sont transmis au cortex olfactif primaire du lobe temporal, puis vers les parties du système limbique impliquées dans la mémoire et dans les émotions.

au parfum d'un ami, et alertent immédiatement le cerveau par le biais de leurs fibres axonales.

Même les nourrissons et leur mère mettent en place une chimie relationnelle, car chacun apprend rapidement à reconnaître l'odeur de l'autre (McCarthy, 1986). Aidée par son odorat, une mère phoque retournant vers une plage bondée de petits retrouvera le sien. Cependant, notre odorat est moins impressionnant que l'acuité de notre vision ou de notre ouïe. Regardant dehors dans le jardin, nous voyons sa forme et ses couleurs dans ses moindres détails et nous entendons les oiseaux qui gazouillent, mais nous ne sentons pratiquement rien sauf si nous plongeons notre nez dans les fleurs.

Les molécules odorantes ont des tailles et des formes si variées qu'il faut un grand nombre de récepteurs différents pour les détecter. Une importante famille de gènes conçoit environ les 350 protéines réceptrices qui reconnaissent des molécules odorantes particulières (Miller, 2004). Richard Axel et Linda Buck (1991), qui reçurent pour leurs travaux le prix Nobel en 2004, ont découvert que ces protéines réceptrices sont encastrées à la surface des neurones de la cavité nasale. Comme une clé s'insère dans une serrure, les molécules odorantes s'insèrent dans ces récepteurs. Cependant, il ne semble pas que nous ayons un récepteur distinct pour chaque odeur. Cela indique que certaines odeurs stimulent une combinaison de récepteurs, dont le modèle est interprété par le cortex olfactif. De la même manière que les 26 lettres de l'alphabet s'associent pour former de nombreux mots, les molécules olfactives se fixent sur différents ensembles de récepteurs pour produire les quelque 10 000 odeurs que nous pouvons détecter (Malnic et coll., 1999). C'est l'association des récepteurs olfactifs qui activent différents ensembles de neurones, qui nous permet de différencier l'arôme d'un café qui vient d'être fait de celui d'un café passé depuis plusieurs heures (Zou et coll., 2005).

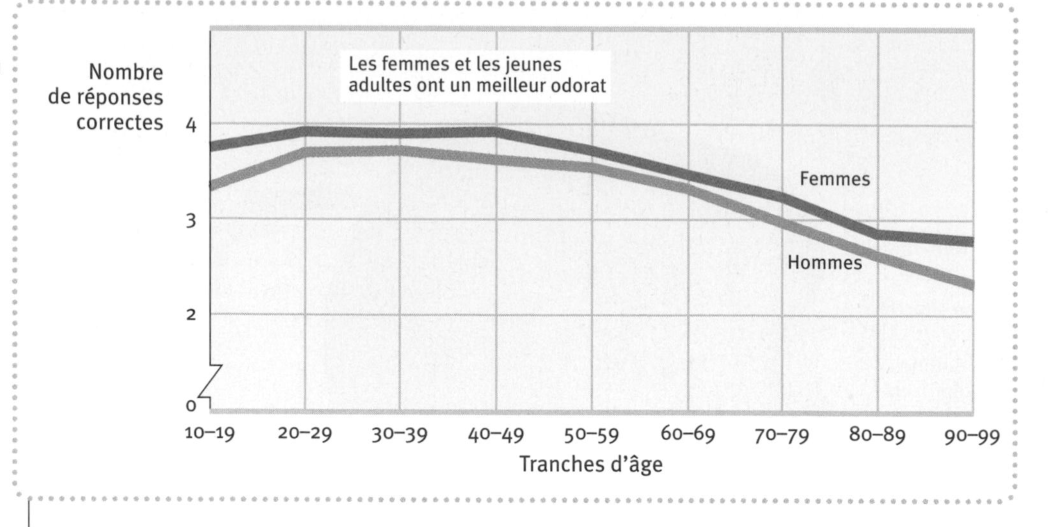

➤ FIGURE 6.26
Âge, sexe et sens de l'odorat Parmi les 1,2 million de personnes qui ont répondu à une enquête du magazine *National Geographic*, les femmes et les jeunes adultes ont obtenu les meilleurs résultats lors de la reconnaissance de six échantillons d'odeurs à identifier après grattage (d'après Wysocki et Gilbert, 1989). Les fumeurs, les alcooliques ou les personnes atteintes de la maladie d'Alzheimer ou de Parkinson ont typiquement un sens de l'odorat diminué (Doty, 2001).

« Même s'il y avait une pile de pneus de camions brûlant dans mon salon, je ne suis pas certain que j'en sentirais l'odeur. Par contre, ma femme est capable de détecter un seul grain de raisin abîmé à deux maisons d'ici. »

Dave Barry, 2005

Un être humain possède 10 à 20 millions de récepteurs olfactifs. Un limier en possède 200 millions (Herz, 2001).

« L'odeur et la saveur restent encore longtemps [...] à porter sans fléchir, sur leur gouttelette presque impalpable, l'édifice immense du souvenir. »

Marcel Proust, *À la recherche du temps perdu. Du côté de chez Swann*, 1913, romancier français décrivant comment l'arôme et la saveur d'une madeleine trempée dans du thé ressuscitent les vieux souvenirs de la maison de son enfance.

La capacité à identifier les senteurs atteint un pic au début de l'âge adulte et décroît progressivement ensuite (FIGURE 6.26). En dépit de notre capacité à discriminer les fragrances, nous avons plus de difficultés à les décrire. Les mots décrivent plus facilement le son du café qui coule que son arôme. Comparées aux sensations et aux souvenirs évoqués par la vue et l'ouïe, les odeurs paraissent plus primaires, plus difficiles à décrire et à se remémorer (Richardson et Zucco, 1989 ; Zucco, 2003).

Comme n'importe quel chien ou chat possédant un bon nez pourrait nous le dire, chacun d'entre nous possède sa signature chimique propre. (Une exception est notable : un chien suivra la trace d'un vrai jumeau, comme si elle avait été faite par l'autre [Thomas, 1974].) Les animaux, qui ont beaucoup plus de récepteurs olfactifs que nous, utilisent aussi leur sens de l'odorat pour communiquer et s'orienter. Bien avant que le requin n'ait pu voir sa proie ou le papillon sa femelle, les odeurs guident leur chemin. Des saumons migrateurs suivent des indices olfactifs très faibles pour retourner à leur rivière natale. Des saumons placés dans un appareil à éclosion, exposés à un ou deux produits chimiques empreints d'une odeur particulière, chercheront deux ans plus tard à retrouver la rivière qui porte l'odeur familière du site où ils ont été élevés (Barinaga, 1999).

Pour l'homme également, l'attirance des odeurs dépend des associations qu'il a acquises (Herz, 2001). Les bébés ne viennent pas au monde avec une préférence innée pour l'odeur des seins de leur mère, mais ils l'acquièrent au cours de l'allaitement. Après qu'une expérience agréable ait été associée à une odeur particulière, les personnes en viennent à apprécier cette odeur, ce qui permet d'expliquer pourquoi les Américains ont tendance à apprécier bien plus l'odeur de la gaulthérie (qu'ils associent à des bonbons et des chewing-gums) que les Anglais (pour lesquels elle est le plus souvent associée à des médicaments). Dans un autre exemple d'odeurs évoquant des émotions désagréables, Rachel Herz et ses collaborateurs (2004) ont frustré des étudiants de l'université Brown à l'aide d'un jeu informatique truqué placé dans une pièce parfumée. Par la suite, s'ils étaient exposés à la même odeur pendant qu'ils travaillaient sur une tâche verbale, leur frustration était ravivée et ils abandonnaient plus vite que les étudiants exposés à une autre odeur ou à aucune.

Bien qu'il soit difficile de se rappeler des odeurs par leur nom, nous avons une capacité remarquable à reconnaître des odeurs oubliées depuis longtemps ainsi que les souvenirs qui y sont associés (Engen, 1987 ; Schab, 1991). L'odeur de la mer, la fragrance d'un parfum ou un arôme issu de la cuisine d'un parent cher, nous remémorent des souvenirs heureux. Ce phénomène a été bien compris par Lunn Poly, une chaîne anglaise d'agences de voyages. Pour évoquer des souvenirs de détente au soleil sur une plage de sable chaud, cette chaîne diffuse des odeurs d'huile solaire à la noix de coco dans ses magasins (Fracassini, 2000).

Nos circuits cérébraux permettent d'expliquer ce pouvoir d'évoquer des souvenirs et des sentiments (FIGURE 6.27). Une ligne directe relie les zones du cerveau qui reçoivent les informations

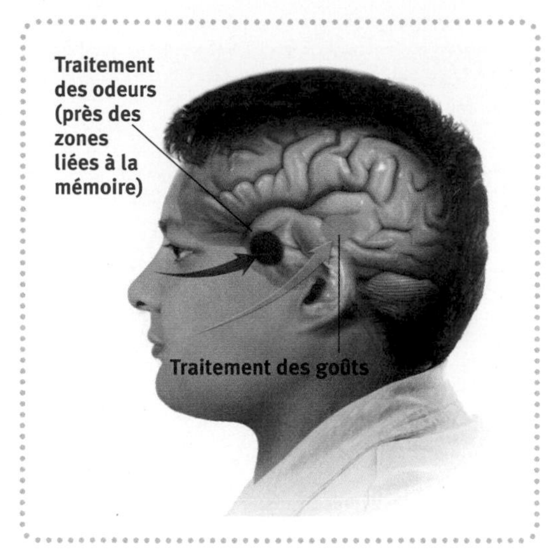

➤ FIGURE 6.27
Le cerveau olfactif Les informations provenant des papilles gustatives (flèche jaune) voyagent jusqu'à une zone du lobe temporal, assez proche de celle où est reçue l'information olfactive qui interagit avec le goût. Les circuits cérébraux de l'odorat (flèche rouge) sont également reliés à des zones impliquées dans le stockage de la mémoire, ce qui aide à comprendre pourquoi une odeur peut déclencher une explosion de souvenirs.

provenant du nez et les anciens centres limbiques du cerveau qui sont associés à la mémoire et à l'émotion. L'odorat est primitif. Des milliards d'années avant que les zones analytiques élaborées de notre cortex cérébral n'aient évolué pleinement, nos ancêtres les mammifères reniflaient pour trouver de la nourriture et détecter les prédateurs.

AVANT D'ALLER PLUS LOIN...

➤ **INTERROGEZ-VOUS**

Avez-vous le souvenir d'un moment dans votre vie où votre attention était si concentrée sur une activité précise que vous ne ressentiez pas la douleur due à une plaie ou une blessure ?

➤ **TESTEZ-VOUS 4**

De quelle manière notre système responsable de l'odorat diffère-t-il de nos systèmes sensoriels responsables de la vue, du toucher et du goût ?

Les réponses aux questions « Testez-vous » sont données dans l'annexe B à la fin de l'ouvrage.

Organisation de la perception

16. De quelle manière les psychologues gestaltistes comprennent-ils l'organisation de la perception ?

NOUS AVONS EXAMINÉ LES PROCESSUS qui nous permettent de voir et d'entendre, de toucher et de sentir les mouvements, de goûter et de sentir. Maintenant notre question centrale est, pourquoi ne voyons-nous pas seulement des formes et des couleurs mais une rose éclose, le visage de l'être aimé, un magnifique coucher de soleil ? Pourquoi n'entendons-nous pas seulement un mélange de hauteurs tonales et de rythmes mais le cri de douleur d'un enfant, le bruit sourd de la circulation éloignée, une symphonie ? En bref, comment organisons-nous et interprétons-nous nos sensations de manière à ce qu'elles deviennent des perceptions chargées de signification ?

Au début du XXe siècle, un groupe de psychologues allemands a remarqué que face à un ensemble de sensations, les gens ont tendance à les organiser en un **Gestalt**, mot allemand qui signifie « forme » ou « tout ». Par exemple, regardez le cube de Necker de la FIGURE 6.28, page suivante. Notez que les éléments individuels de cette figure ne sont rien d'autre que huit cercles bleus, chacun contenant trois lignes blanches convergentes. Mais, lorsque nous les voyons tous ensemble, nous voyons une forme *globale*, un cube. Les psychologues gestaltistes, qui avaient des intérêts divers, aimaient à dire que, dans le cas d'une perception, le tout peut

::Gestalt : un tout organisé. Les psychologues gestaltistes insistent sur notre tendance à organiser les éléments d'information en un tout ayant une signification.

➤ FIGURE 6.28
Le cube de Necker Que voyez-vous : des cercles avec des traits blancs ou un cube ? Si vous fixez le cube, vous pouvez remarquer qu'il peut changer de perspective selon que vous visualisez le petit X du centre de l'image sur l'arête de devant ou celle de derrière. À certains moments, le cube semble flotter devant la page, avec les cercles derrière lui ; à d'autres moments, les cercles peuvent devenir des trous dans la page, à travers lesquels apparaît le cube, comme s'il flottait derrière la page. Il y a bien plus que la perception qui atteint vos yeux. (D'après Bradley et coll., 1976.)

dépasser la somme de ses parties. Mélangez du sodium, un métal corrosif, avec du chlore, un gaz dangereux, et quelque chose de très différent apparaît : le sel de cuisine. De la même manière, une forme perçue comme unique émerge à partir des composantes d'un stimulus (Rock et Palmer, 1990).

Au cours du temps, les psychologues gestaltistes ont apporté des preuves captivantes et ont décrit les principes selon lesquels nous organisons nos sensations en perceptions. À mesure que vous allez approfondir votre lecture sur ces principes, gardez en mémoire la vérité fondamentale qu'ils illustrent : *notre cerveau fait plus qu'enregistrer simplement des informations du monde environnant*. Percevoir n'est pas seulement ouvrir un obturateur et laisser l'image s'imprimer dans notre cerveau. Nous filtrons en permanence les informations sensorielles et les perceptions qui en découlent de façon à ce que cela ait un sens pour nous. C'est l'esprit qui prime.

Perception des formes

17. De quelle manière les principes de la relation figure/fond et du regroupement contribuent-ils à notre perception ?

Imaginez que vous vouliez développer un système vidéo assisté par ordinateur qui, comme votre système œil/cerveau, puisse reconnaître les visages au premier coup d'œil. De quelles aptitudes aurait-il besoin ?

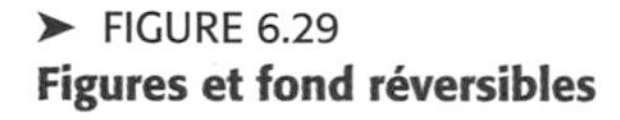

➤ FIGURE 6.29
Figures et fond réversibles

Time Saving Suggestion, © 2003, Roger N. Shepard.

Figure et fond

Pour commencer, le système aurait besoin de distinguer les visages de leur fond. De la même manière, notre premier niveau de perception est d'appréhender un objet quelconque, appelé figure, comme distinct de son environnement, appelé fond. Parmi les voix que vous entendez dans une réception, celle sur laquelle vous fixez votre attention est la figure ; les autres représentent le fond. Lorsque vous lisez, les mots constituent les figures et le papier blanc le fond. Sur la FIGURE 6.29, la relation **figure/fond** s'inverse continuellement, mais nous organisons toujours le stimulus sous la forme d'une figure vue par rapport à un fond. De telles images réversibles figure/fond démontrent de nouveau que le même stimulus peut déclencher plus d'une perception.

Regroupement

Maintenant que nous avons distingué la figure du fond, nous devons (ainsi que notre système vidéo/ordinateur) organiser la figure en une forme ayant une signification. Certaines caractéristiques fondamentales d'une scène, telles que la couleur, le mouvement ou le contraste lumineux, sont traitées de façon instantanée et automatique

(Treisman, 1987). Pour mettre en ordre et en forme ces sensations de base, notre esprit suit certaines règles de **regroupement** des stimuli. Ces règles, identifiées par les psychologues gestaltistes et déjà appliquées par des enfants de 6 mois, illustrent le principe selon lequel la perception d'un tout diffère de la simple somme de ses constituants (Quinn et coll., 2002 ; Rock et Palmer, 1990) :

Proximité Nous regroupons les figures proches, comme sur la FIGURE 6.30. Nous ne voyons pas six lignes séparées, mais trois ensembles de deux lignes.

Similitude Nous regroupons les figures similaires. Nous voyons les cercles et les triangles comme des colonnes verticales de formes similaires, et non comme des lignes horizontales de formes différentes.

Continuité Nous percevons des schémas lisses et continus plutôt que discontinus. Le schéma dans le coin inférieur gauche de la figure 6.30 pourrait être une série alternée de demi-cercles, mais nous le percevons sous forme de deux lignes continues : une ligne droite et une sinusoïde.

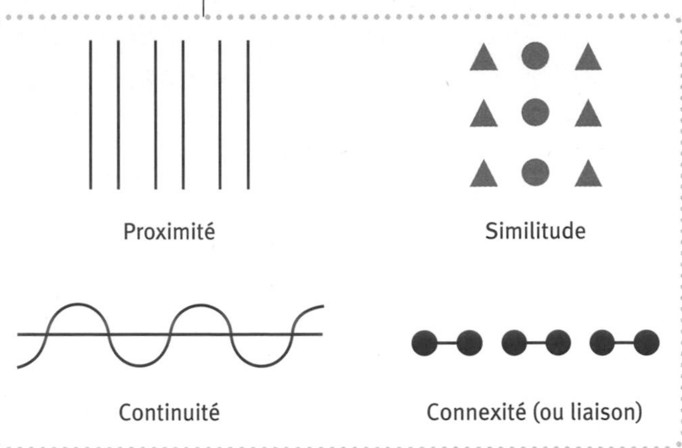

➤ FIGURE 6.30
Organiser les stimuli en groupes
Nous pourrions percevoir les stimuli montrés ici de différentes manières ; cependant, nous les voyons tous de la même façon. Selon les psychologues gestaltistes, le cerveau utilise des « règles » pour regrouper les informations sensorielles.

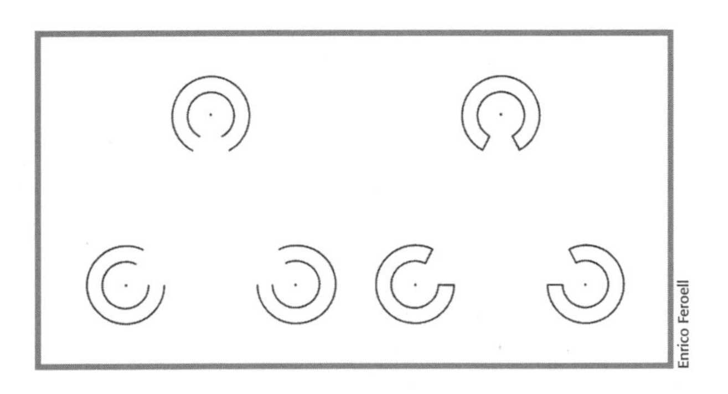

Connexité Parce qu'ils sont uniformes et reliés, nous percevons chaque ensemble formé de deux points reliés par une ligne comme une entité unique.

Fermeture Nous comblons les vides pour créer un objet complet. Nous supposons que les cercles (à gauche ci-dessus) sont complets mais partiellement bloqués par le triangle (illusoire). En ajoutant seulement des traits afin de fermer les cercles (à droite ci-dessus), votre cerveau n'essaie plus de construire un triangle.

Les principes du regroupement nous aident habituellement à percevoir la réalité, mais ils nous égarent parfois comme dans le cas de notre perception de la niche de la FIGURE 6.31.

➤ FIGURE 6.31
Principes de regroupement
Quel est le secret de cette niche impossible ? Vous percevez probablement cette niche comme un gestalt, une structure complète (quoiqu'impossible). En fait, votre cerveau impose ce sens de la globalité sur cette image. Comme le montre la figure 6.36, les principes gestaltistes de regroupement tels que la fermeture et la continuité sont ici mis en œuvre.

:: Figure/fond : organisation du champ visuel en objets (les *figures*) qui se détachent de leur environnement (le *fond*).

:: Regroupement : tendance perceptive à organiser les stimuli en groupes cohérents.

Perception de la profondeur

18. Comment pouvons-nous voir le monde en trois dimensions ?

Des images bidimensionnelles parviennent à nos rétines et, cependant, nous réorganisons une perception tridimensionnelle. Voir les objets en trois dimensions, ce que l'on appelle **perception de la profondeur**, nous permet d'estimer la distance qui nous en sépare. En un clin d'œil, nous estimons la distance d'une voiture qui arrive en face de nous ou la hauteur d'une maison. Cette aptitude est en partie innée. Eleanor Gibson et Richard Walk (1960) l'ont découvert en utilisant une falaise miniature dont le précipice était recouvert d'un verre épais. L'idée de ces expériences vint à Gibson un jour où elle pique-niquait sur le bord du Grand Canyon. Elle se demanda : est-ce qu'un jeune enfant, regardant par-dessus, percevrait le dangereux précipice et reculerait ?

De retour dans leur laboratoire de l'université Cornell, Gibson et Walk placèrent des enfants de 6 à 14 mois au bord d'un canyon sécurisé : une **falaise visuelle** (FIGURE 6.32). Leurs mères les encouragèrent ensuite à ramper sur la vitre. La plupart refusèrent, indiquant ainsi qu'ils étaient capables d'apprécier la profondeur. Les enfants qui marchent à quatre pattes venaient au laboratoire après avoir appris beaucoup de choses. Cependant, des animaux nouveau-nés n'ayant pratiquement aucune expérience visuelle, tels que des chatons, une chèvre d'un jour ou des poussins juste éclos, répondent de la même manière. Pour Gisbon et Walk, cela suggérait que les animaux nouveau-nés qui peuvent se déplacer viennent au monde préparés pour percevoir la profondeur.

➤ FIGURE 6.32
Falaise visuelle
Eleanor Gibson et Richard Walk ont construit cette falaise miniature avec un précipice recouvert d'une vitre, pour voir si les enfants marchant à quatre pattes et les animaux nouveau-nés pouvaient percevoir la profondeur. Même encouragés, les enfants hésitaient à s'aventurer sur la vitre au-dessus du vide.

Chaque espèce, à partir du moment où elle est capable de se mouvoir, possède les capacités perceptives dont elle a besoin. Mais si la maturation biologique nous prédispose à nous méfier des hauteurs, cette prudence est accrue par l'expérience. La prudence des enfants augmente avec l'expérience de la reptation, quel que soit l'âge où elle débute (Campos et coll., 1992). Et pour estimer la distance de ce qu'ils veulent atteindre, les bébés âgés de 7 mois utilisent l'ombre projetée d'un jouet pour percevoir la distance alors que les bébés de 5 mois en sont incapables (Yonas et Granrud, 2006). Cela suggère que chez les très jeunes enfants, la perception de la profondeur s'accroît avec l'âge.

Comment faisons-nous cela ? Comment transformons-nous deux images rétiniennes bidimensionnelles distinctes en une perception tridimensionnelle unique ? Ce processus commence par les indices de profondeur, dont certains dépendent de l'utilisation des deux yeux et d'autres sont accessibles à chaque œil séparément.

Indices binoculaires

Essayez donc ceci : les deux yeux ouverts, tenez deux stylos ou deux crayons à papier devant vous en joignant leurs extrémités. Faites maintenant la même chose avec un œil fermé. La tâche devient nettement plus difficile, ce qui montre l'importance des **indices binoculaires** pour estimer la distance des objets proches ; deux yeux sont plus efficaces qu'un seul.

:: Perception de la profondeur : capacité à voir des objets en trois dimensions bien que l'image qui frappe notre rétine soit bidimensionnelle ; elle nous permet d'estimer les distances.

:: Falaise visuelle : montage de laboratoire pour tester la perception de la profondeur chez les enfants avant deux ans et les jeunes animaux.

:: Indices binoculaires : indices de profondeur, par exemple la disparité rétinienne, qui dépendent de l'usage simultané des deux yeux.

:: Disparité rétinienne : indice binoculaire permettant de percevoir la profondeur : en comparant les images issues des deux globes oculaires, le cerveau calcule la distance : plus la disparité (différence) entre les deux images est importante, plus l'objet est proche de nous.

:: Indices monoculaires : indices de profondeur, par exemple la perspective linéaire ou l'interposition, accessibles à chacun des deux yeux séparément.

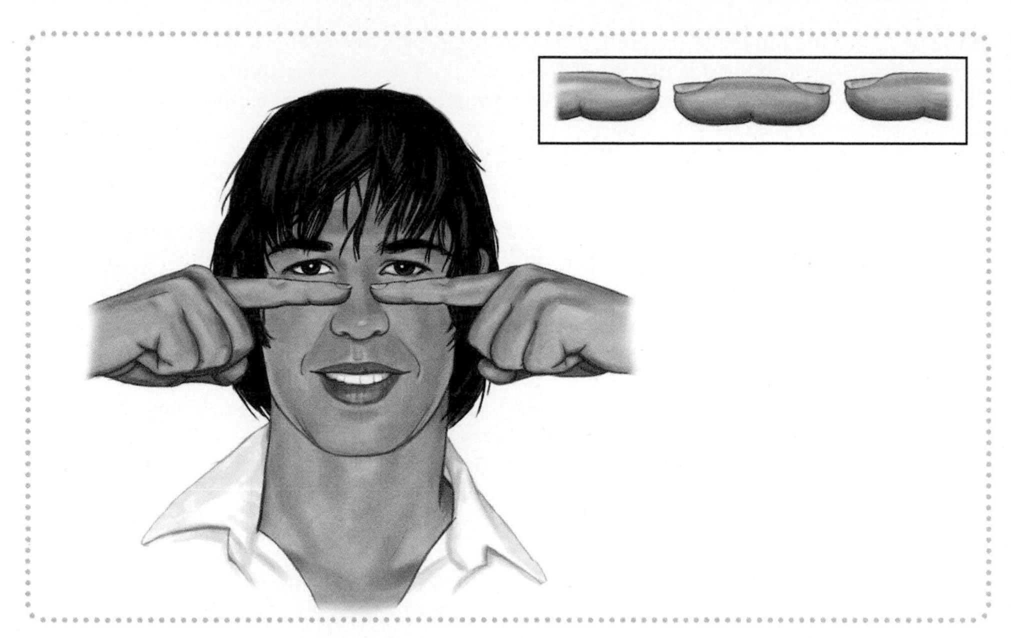

➤ FIGURE 6.33
Une saucisse flottante de doigts Tenez vos deux index à environ 15 cm devant vos yeux, les deux extrémités séparées d'un à deux centimètres. Maintenant, regardez au fond de la pièce au-delà de vos doigts, vous constaterez un résultat étrange. Déplacez vos doigts plus loin et la disparité rétinienne ainsi que la saucisse de doigts vont s'amenuiser.

Nos yeux étant séparés d'environ 7 à 8 cm, nos rétines reçoivent des images du monde environnant légèrement différentes. Lorsque le cerveau compare ces deux images, leur **disparité rétinienne** (la différence entre les deux images) fournit une indication importante de la distance relative de différents objets. Lorsque vous placez votre doigt juste devant votre nez, vos deux rétines le voient assez différemment. (Vous pouvez le constater en fermant un œil puis l'autre, ou en créant un doigt en forme de saucisse comme dans la FIGURE 6.33.) À une distance plus importante, par exemple si vous regardez votre doigt bras tendu, la différence est plus faible.

Les réalisateurs de films en trois dimensions (3D) simulent ou amplifient la disparité rétinienne en photographiant une scène avec deux appareils placés à quelques centimètres de distance l'un de l'autre (une caractéristique que nous aimerions sans doute introduire dans notre ordinateur capable de reconnaissance visuelle). Lorsque l'image d'un film en relief est vue à travers des lunettes spéciales qui permettent à l'œil gauche de ne voir que l'image enregistrée par la caméra de gauche et à l'œil droit de ne voir que l'image provenant de la caméra de droite, l'effet 3D reproduit ou accentue la disparité rétinienne normale. De même, des appareils à double chambre placés sur un avion permettent de prendre des photographies qui serviront à créer des cartes 3D.

Indices monoculaires

Comment pouvons-nous déterminer si une personne est à 10 mètres ou à 100 mètres de nous ? Dans les deux cas, la disparité rétinienne, lorsque nous regardons droit devant, est faible. À cette distance, nous dépendons des **indices monoculaires** (disponibles pour chaque œil pris séparément). Ces indices monoculaires influencent également notre perception de tous les jours. Cette arche à St. Louis (FIGURE 6.34) est la plus grande illusion qui ait été créée par l'homme dans le monde. Est-elle plus haute que large ? Ou vice versa ? Pour la majorité des gens, elle apparaît plus haute. En vérité, sa hauteur et sa largeur sont égales. La hauteur relative peut contribuer à cette *illusion horizontale-verticale* inexpliquée : nous percevons les dimensions verticales comme plus longues que les mêmes dimensions horizontales. Pas étonnant que les gens (et même les barmans habitués) versent moins de jus de fruit dans un grand verre étroit que dans un petit verre large (Wansink et van Ittersum, 2003, 2005).

Un autre indice monoculaire de profondeur est l'effet d'ombre et de lumière. Il a contribué à plusieurs accidents lorsque les marches du nouveau complexe sportif de notre campus ont été malencontreusement peintes en noir sur les côtés (ce qui donne l'impression qu'elles sont plus éloignées) et d'une couleur argentée brillante sur la surface

➤ FIGURE 6.34
L'arche de St. Louis (Missouri) Est-elle plus haute que large ou vice versa ?

Rick Friedman/Black Star

plane de la marche inférieure (ce qui fait qu'elles semblent plus proches). Il en résulte une perception erronée de l'absence de marche et (pour certains) des entorses au niveau des chevilles et des vertèbres lombaires. La FIGURE 6.35 illustre des indices monoculaires comme, entre autres, la hauteur relative ou l'ombre et la lumière.

➤ FIGURE 6.35
Indices monoculaires

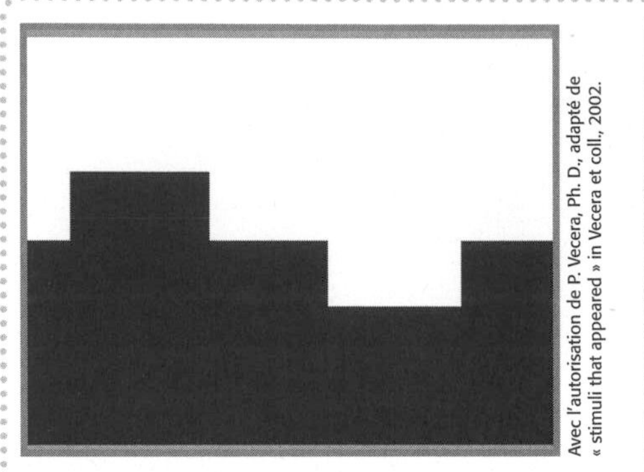

Avec l'autorisation de P. Vecera, Ph. D., adapté de « stimuli that appeared » in Vecera et coll., 2002.

Hauteur relative Nous percevons les objets les plus hauts dans notre champ de vision comme les plus éloignés. Parce que nous percevons la partie inférieure d'une illustration figure/fond comme étant plus proche, nous la percevons en tant que figure (Vecera et coll., 2002). En inversant l'illustration ci-dessus, la partie noire devient le fond, comme un ciel de nuit.

Je ne perçois pas la profondeur. Est-ce un policier qui se tient au coin de la rue ou portez-vous une personne minuscule sur votre tête ?
Comics Against Evil
DRY CLEANERS
BIZARRO.COM
PIRARO 6-8-04

Taille relative Si nous admettons que deux objets ont une taille semblable, *la plupart* d'entre nous perçoivent celui qui projette l'image la plus petite sur la rétine comme étant le plus éloigné.

René Magritte, *Le Blanc-Seing*, huile sur toile, National Gallery of Art, Washington. Collection de M. et Mme Paul Mellon. Photo de Richard Carafelli.

Interposition Si un objet masque partiellement la vue d'un autre objet, nous le percevons comme plus proche. Les indices de profondeur fournis par l'interposition rendent cette image impossible.

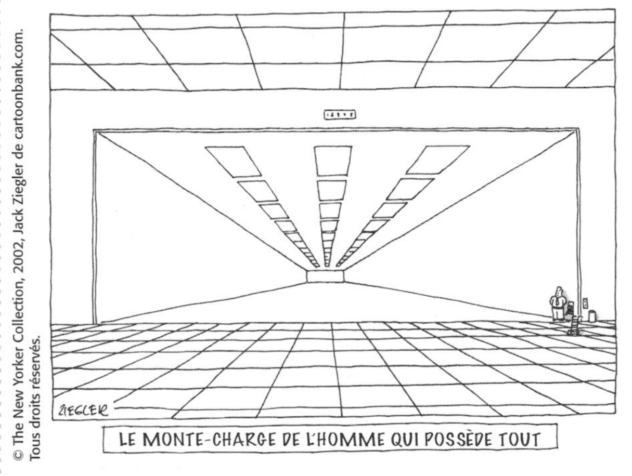

ZIEGLER
LE MONTE-CHARGE DE L'HOMME QUI POSSÈDE TOUT

Perspective linéaire Des lignes parallèles, telles que des rails de chemin de fer, semblent converger avec la distance. Plus les lignes convergent et plus la distance perçue est grande.

Ombre et lumière Les objets proches reflètent plus de lumière vers nos yeux. Si l'on considère donc deux objets identiques, le plus terne semble le plus éloigné. L'ombre produit également une sensation de profondeur en accord avec notre hypothèse que la lumière vient du dessus. Inversez l'illustration ci-dessous et le trou dans le cercle du bas deviendra une colline.

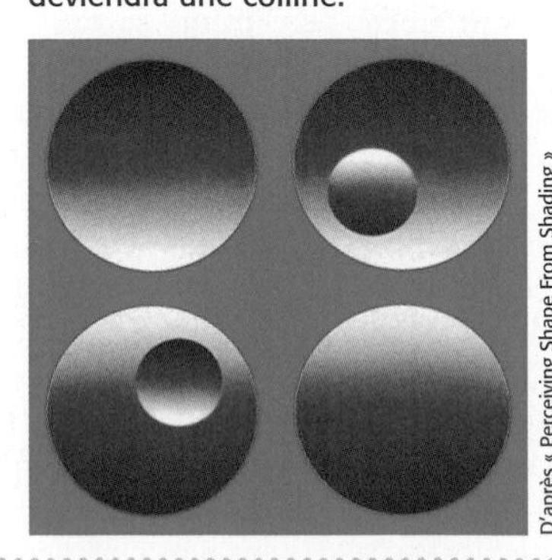

Direction du mouvement du passager ⟶

Mouvement relatif Lorsque nous bougeons, les objets immobiles semblent se déplacer. Si, voyageant en bus, vous fixez votre regard sur un objet quelconque, disons une maison, les objets situés au-delà de votre point de fixation semblent se déplacer avec vous. Les objets situés en face du point de fixation semblent se déplacer vers l'arrière. Plus un objet est loin du point de fixation, plus il semble se déplacer rapidement.

Perception du mouvement

19. Comment percevons-nous le mouvement ?

Imaginez que vous puissiez percevoir la couleur, la forme et la profondeur du monde, mais que vous ne puissiez pas en voir le mouvement. Non seulement vous ne pourriez pas faire du vélo ni conduire une voiture, mais vous auriez aussi des problèmes pour écrire, manger ou marcher.

Normalement, notre cerveau calcule le mouvement en se fondant en partie sur l'hypothèse que les objets qui diminuent s'éloignent (et ne deviennent pas plus petits), tandis que ceux qui grandissent se rapprochent. Mais nous ne sommes pas experts en perception du mouvement. Les gros objets, comme les trains, donnent l'impression d'avancer plus lentement que les objets plus petits, comme les voitures roulant à la même vitesse. (Peut-être avez-vous remarqué, à l'aéroport, que les gros avions semblent atterrir plus lentement que les petits jets.)

Pour attraper une balle en vol, les joueurs de softball ou de cricket (contrairement aux conducteurs) veulent entrer en collision avec la balle lancée dans leur direction. Pour ce faire, ils suivent inconsciemment une règle qu'ils ne peuvent expliquer mais qu'ils connaissent intuitivement. Ils courent pour maintenir la balle dans un angle de vision qui augmente de manière constante (McBeath et coll., 1995). Un chien qui attrape un frisbee fait de même (Shaffer et coll., 2004).

Le cerveau perçoit également un mouvement continu s'il regarde une série rapide d'images variant légèrement (un phénomène appelé *mouvement stroboscopique*). Comme le savent les créateurs de dessins animés, ils peuvent créer cette illusion en projetant 24 images fixes à la seconde. Le mouvement que nous voyons dans ces aventures populaires pleines d'action n'est pas dans le film, qui n'est qu'une projection très rapide de diapositives, mais une reconstruction dans notre tête. Les lumières des chapiteaux et des fêtes créent parfois un autre type d'illusion à l'aide du **phénomène phi**. Lorsque deux lumières adjacentes clignotent successivement et de façon rapide, nous percevons une seule lumière entre les deux qui se déplace d'avant en arrière. Les enseignes lumineuses exploitent le phénomène phi en utilisant une succession de lumières clignotantes pour créer l'impression, par exemple, d'une flèche en mouvement.

Toutes ces illusions renforcent une leçon fondamentale : la perception n'est pas simplement la projection du monde sur notre cerveau. Il semble plutôt que les sensations soient désassemblées en morceaux d'informations que le cerveau réassemble pour créer son propre modèle fonctionnel du monde extérieur. *Notre cerveau construit nos perceptions.*

➤ FIGURE 6.36
La solution Une autre vue de la niche impossible de la figure 6.31 révèle le secret de cette illusion. Compte tenu de l'angle de la photo sur la figure 6.31, le principe de fermeture nous incitait à percevoir les planches comme continues.

::Phénomène phi : illusion de mouvement créée par le clignotement successif rapide d'au moins deux lumières adjacentes.

::Constance perceptive : percevoir des objets comme inchangés (ayant une luminosité, une couleur, une forme, une taille constantes) même quand l'éclairage et l'image rétinienne se modifient.

Constance perceptive

20. De quelle manière la constance perceptive peut-elle nous aider à organiser nos sensations en des perceptions ayant une signification ?

Jusqu'à présent, nous avons vu que notre système vidéo/ordinateur doit d'abord percevoir les objets comme nous le faisons, c'est-à-dire ayant une forme, une localisation et peut-être un mouvement distincts. Sa tâche suivante est encore plus délicate : il s'agit de reconnaître l'objet sans être trompé par ses changements de taille, de forme, de brillance ou de couleur, une capacité que nous appelons la **constance perceptive**. Ainsi, du fait de ce traitement de haut en bas, nous pouvons identifier les choses et les personnes sans tenir compte de l'angle, de la distance et de l'éclairage à travers lesquels nous les voyons et en moins de temps qu'il n'en faut pour le dire. Cet exploit de la perception humaine, qui a piqué la curiosité des chercheurs depuis des dizaines d'années, offre un défi monumental à notre ordinateur capable de percevoir.

Constances de forme et de taille

Parfois, la taille effective d'un objet ne change pas, mais cet objet *semble* changer de forme avec notre angle de vision (FIGURE 6.37). Le plus souvent, grâce à la *constance de forme*, nous percevons les objets familiers, comme la porte de la FIGURE 6.38 de la page suivante, sous une forme constante même si les images rétiniennes que nous avons d'eux changent.

➤ FIGURE 6.37
Perception de forme Ces deux dessus de table sont-ils de dimensions différentes ? Ils semblent l'être. Mais, croyez-le ou non, ils sont identiques. (Mesurez et constatez.) Avec ces deux tables, nous ajustons nos perceptions par rapport à notre angle de vision.

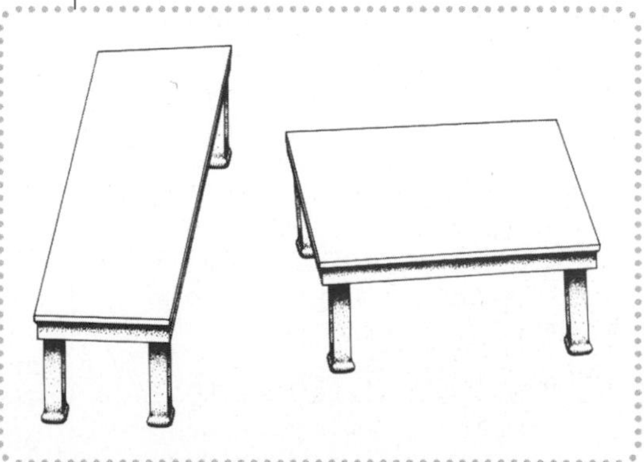

:: Constance des couleurs : perception que les objets familiers ont une couleur constante, même si un changement de lumière modifie les longueurs d'ondes réfléchies par l'objet.

➤ FIGURE 6.38
Constance de forme Une porte projette, lorsqu'elle s'ouvre, une image de plus en plus trapézoïdale sur notre rétine. Cependant, nous continuons à la percevoir comme rectangulaire.

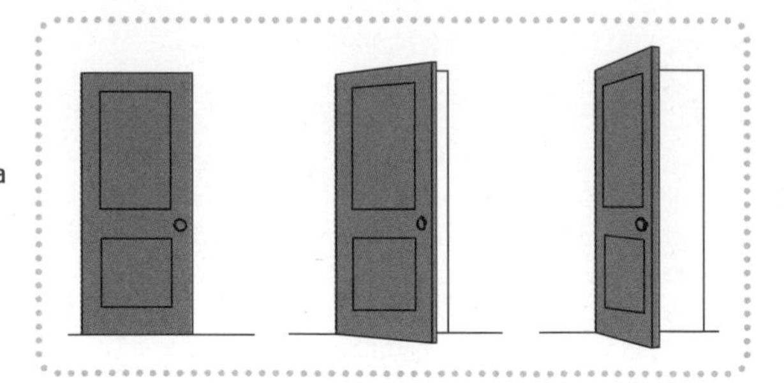

Grâce à la *constance de taille*, nous percevons les objets comme ayant une taille constante même si la distance qui nous en sépare varie. Cela nous permet de supposer qu'une voiture est assez grande pour contenir des personnes, même si nous voyons son image minuscule à deux pâtés de maisons de là. Cela illustre la relation étroite entre la *distance* perçue d'un objet et sa *taille* perçue. Percevoir la distance d'un objet nous donne une indication concernant sa taille. De même, la connaissance de sa taille standard (par exemple, une voiture) nous donne des indications concernant sa distance.

L'aspect merveilleux de la perception de la taille, c'est de se rendre compte à quel point elle s'effectue sans effort. Compte tenu de la distance perçue d'un objet et de la taille de son image sur la rétine, nous déduisons instantanément et inconsciemment la taille de l'objet. Bien que les monstres de la FIGURE 6.39a projettent les mêmes images sur la rétine, la perspective linéaire dit à notre cerveau que le monstre poursuivant est plus éloigné. Nous le percevons donc comme plus grand.

D'après Shepard (1990)

(a)

Alan Choisnet/The Image Bank

(b)

➤ FIGURE 6.39
Interaction entre la taille perçue et la distance (a) Les indices monoculaires de distance, comme la perspective linéaire et la hauteur relative, font que le monstre poursuivant semble plus grand que le monstre poursuivi, mais ce n'est pas le cas ! (b) Cette astuce visuelle, dite illusion de Ponzo, est fondée sur le même principe que celui des deux monstres en fuite : les deux barres rouges projettent des images identiques sur notre rétine. Mais notre expérience nous dit qu'un objet plus éloigné ne peut créer une image identique à l'objet qui est plus proche que s'il est plus grand. Nous percevons donc la barre qui semble plus éloignée comme plus grande.

Cette interaction entre taille perçue et distance perçue aide à comprendre plusieurs illusions bien connues. Pouvez-vous, par exemple, imaginer pourquoi la lune semble environ 50 p. 100 plus grande lorsqu'elle est proche de l'horizon que lorsqu'elle est haute dans le ciel ? Pendant au moins 22 siècles, les savants ont débattu cette question (Hershenson, 1989). Une des raisons de cette *illusion lunaire* serait que les indications de distance des objets font que la lune située à l'horizon paraît plus lointaine et de ce fait plus grande que la lune se trouvant haut dans le ciel, tout comme le monstre éloigné de la figure 6.39a et la barre éloignée de l'*illusion de Ponzo* de la FIGURE 6.39b (Kaufman et Kaufman, 2000). Éliminez ces indices d'éloignement en regardant la lune à l'horizon (ou les monstres ou encore les barres) à travers un tube de papier, et elle va immédiatement rétrécir.

Les relations taille/distance expliquent également pourquoi sur la FIGURE 6.40, les filles qui ont le même âge semblent de taille si différente. Comme le révèle le schéma, les deux filles ont en réalité presque la même taille mais la pièce est déformée. Vus avec un œil à travers un judas, les murs trapézoïdaux donnent la même image que celle d'une pièce rectangulaire normale, vue avec les deux yeux. Lorsqu'on lui montre la vue prise par l'œil unique de l'appareil photo, le cerveau fait l'hypothèse raisonnable que la pièce *est* normale et que chacune des filles se trouve à égale distance de nous. Étant donné les tailles différentes des images sur la rétine, notre cerveau finit par estimer que les deux filles ont des tailles très différentes.

Nos erreurs de perception occasionnelles mettent en évidence le fonctionnement normalement efficace de nos processus de perception. La relation perçue entre distance et taille est en général correcte mais, dans des circonstances particulières, elle peut nous induire en erreur comme lorsqu'elle contribue à créer l'illusion lunaire, ou celle de Ames.

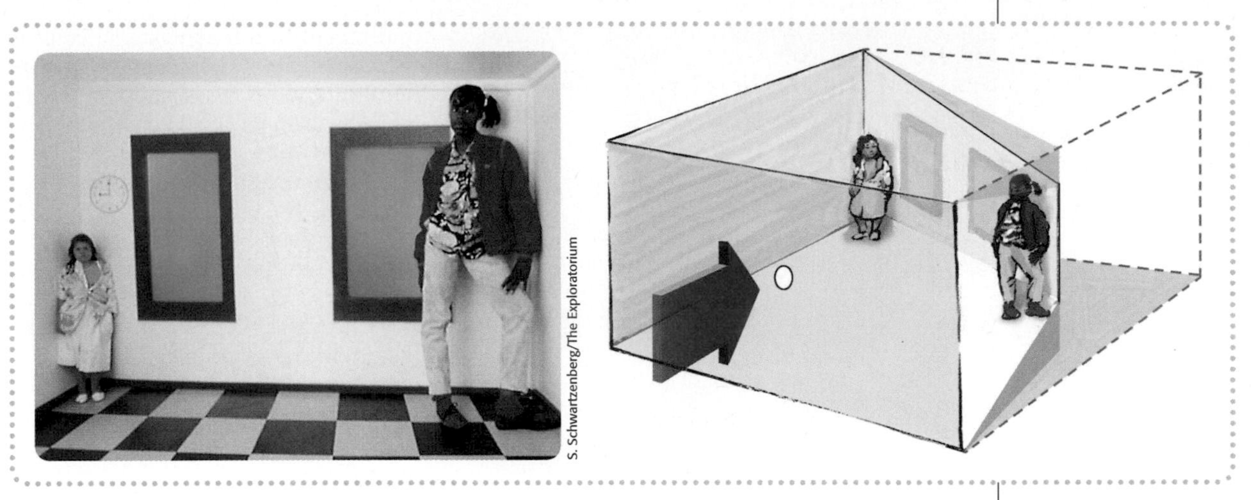

➤ FIGURE 6.40
L'illusion des filles qui grandissent ou rétrécissent Cette chambre déformée, dessinée par Adelbert Ames, semble avoir une forme rectangulaire normale quand nous la voyons avec un œil à travers un judas. La fille dans le coin le plus proche apparaît anormalement grande car nous jugeons sa taille en nous fondant sur l'hypothèse, fausse, qu'elle est à la même distance que la fille dans le coin le plus éloigné.

Constance de luminosité

Le papier blanc reflète 90 p. 100 de la lumière qui l'éclaire, le papier noir seulement 10 p. 100. À la lumière du soleil, le papier noir peut refléter jusqu'à 100 fois plus de lumière que le papier blanc à l'intérieur, mais il semble toujours noir (McBurney et Collings, 1984). Cela illustre la *constance de luminosité* (encore appelée *constance de brillance*), c'est-à-dire le fait que nous percevons un objet comme ayant une luminosité constante, même si son éclairage varie.

La luminosité perçue dépend de la *luminance relative*, la quantité de lumière que reflète un objet par rapport à son environnement (FIGURE 6.41). Si vous regardez un morceau de papier noir au soleil à travers un tube étroit de telle façon que rien d'autre ne soit visible, il peut sembler gris, car sous un soleil éclatant, il reflète une bonne quantité de lumière. Regardez-le sans le tube et il est de nouveau noir, car il reflète beaucoup moins de lumière que les objets qui l'entourent.

➤ FIGURE 6.41
Luminance relative Croyez-le ou non, les carrés A et B ont la même couleur. (Si vous ne le croyez pas, photocopiez l'image, découpez les carrés, et comparez.) Et pourtant nous percevons B comme étant plus clair du fait de son environnement.

Constance des couleurs

Même lorsque la lumière change, une pomme rouge dans une corbeille de fruits conserve sa teinte rouge parce que notre expérience de la couleur dépend plus que de la seule information sur la longueur d'onde que les cônes de notre rétine reçoivent. Ce quelque chose de plus, c'est le *contexte* environnant. Si vous voyez seulement une partie d'une pomme rouge, sa couleur semblera changer avec la lumière. Mais si vous voyez la pomme entière comme un objet dans une corbeille de fruits frais, sa couleur restera à peu près constante même lorsque la lumière et les longueurs d'ondes changeront, un phénomène connu sous le nom de **constance des couleurs**. Dorothea Jameson (1985) remarqua qu'un éclat de bois coloré en bleu sous un éclairage intérieur équivalait aux longueurs d'ondes réfléchies par un éclat doré à la lumière du soleil. Cependant, si vous mettez un oiseau bleu à l'intérieur, il ne ressemblera pas à un chardonneret. De même, une feuille verte pendant à une branche brune peut, lorsque la lumière change, réfléchir la même énergie lumineuse que celle qui venait auparavant de la branche brune. Néanmoins, pour nous, la feuille reste verte et la branche brunâtre. Si vous mettez des lunettes de ski aux verres teintés en jaune, vous verrez la neige, une seconde plus tard, aussi blanche qu'avant.

Bien que nous considérions cette constance des couleurs comme acquise, ce phénomène reste remarquable. Il démontre que notre expérience de la couleur ne vient pas seulement de l'objet – la couleur n'est pas dans la feuille isolée – mais également de tout ce qu'il y a autour de lui. Vous et moi voyons les couleurs grâce aux analyses qu'effectue notre cerveau de la lumière réfléchie par un objet quelconque *par rapport aux objets environnants*. Mais cela ne se produit, semble-t-il, que si nous grandissons sous une lumière normale. Si l'on élève des singes en leur fournissant une gamme de longueurs d'ondes restreinte, ils auront ultérieurement de grandes difficultés à reconnaître la même couleur lorsque l'illumination variera (Sugita, 2004).

Dans un contexte stable, nous maintenons la constance des couleurs. Mais qu'arrive-t-il si l'on change le contexte ? Étant donné que le cerveau analyse la couleur d'un objet

« De là-bas à ici, d'ici à là-bas, les choses curieuses sont partout. »
Dr Seuss, *One Fish, Two Fish, Red Fish, Blue Fish*, 1960

➤ FIGURE 6.42
La couleur dépend du contexte
Croyez-le ou non, ces trois disques bleus sont de la même couleur.

par rapport à son contexte, la couleur perçue va changer (comme le montre de façon très nette la FIGURE 6.42). Le principe selon lequel nous percevons les objets, non de façon isolée, mais dans leur environnement, est particulièrement important pour les artistes, les décorateurs d'intérieur et les stylistes. Notre perception de la couleur d'un mur ou d'une tache de peinture sur une toile n'est pas seulement déterminée par la couleur dans le récipient, mais également par les couleurs qui l'entourent. La leçon à retenir est : les comparaisons gouvernent nos perceptions.

***

La perception des formes, de la profondeur, du mouvement et la constance perceptive illustrent la manière dont nous organisons notre expérience visuelle. L'organisation des perceptions s'applique également aux autres sens. Elle explique pourquoi nous regroupons les *tics tics tics* réguliers de l'horloge en ensembles de type *Tic-Tac, Tic-Tac*. En écoutant un langage qui ne nous est pas familier, nous avons des difficultés à percevoir quand un mot s'arrête et quand commence le suivant. Si nous écoutons notre propre langue, nous entendons automatiquement des mots bien distincts. C'est également une forme d'organisation des perceptions. Mais cela va plus loin, car nous pouvons même organiser une succession de lettres – THEDOGATEMEAT – en mots constituant une phrase intelligible. Nous l'interpréterons plus vraisemblablement comme « *The dog ate meat* » (« Le chien a mangé de la viande ») plutôt que « *The do gate me at* » (« Le faire porte moi à ») (McBurney et Collings, 1984). Ce processus implique non seulement une organisation, dont nous avons discuté, mais aussi une interprétation, c'est-à-dire trouver une signification à ce que nous percevons, le sujet que nous allons aborder.

AVANT D'ALLER PLUS LOIN...

➤ **INTERROGEZ-VOUS**

Essayez de représenter par un dessin réaliste ce que vous voyez à travers votre fenêtre. De combien d'indices monoculaires aurez-vous besoin pour ce dessin ?

➤ **TESTEZ-VOUS 5**

Lorsque nous disons, en parlant de la perception, que le tout n'est pas égal à la somme des parties, qu'entendons-nous par là ?

Les réponses aux questions « Testez-vous » sont données dans l'annexe B à la fin de l'ouvrage.

Interprétation perceptive

LES PHILOSOPHES ONT DISCUTÉ l'origine de nos capacités perceptives : l'inné ou l'acquis ? Jusqu'à quel point *apprenons*-nous à percevoir ? Le philosophe allemand Emmanuel Kant (1724-1804) prétendait que la connaissance provenait de notre façon *innée* d'organiser les expériences sensorielles. En effet, nous naissons avec la capacité à traiter des informations sensorielles. Mais le philosophe britannique John Locke (1632-1704) affirmait que nous *apprenons* également à percevoir le monde à travers nos expériences. En effet, nous apprenons à associer la distance d'un objet avec sa taille. Mais quelle est l'importance réelle de l'expérience ? Jusqu'à quel point va-t-elle modeler l'interprétation de nos perceptions ?

« Supposons maintenant que le cerveau soit, comme nous disons, une feuille blanche vierge de tout caractère, sans aucune idée : comment pourrait-il se remplir ?... À cela je réponds en un mot, par l'EXPÉRIENCE. »
John Locke, *Essai sur l'entendement humain*, 1690

Privation sensorielle et recouvrement de la vue

21. Que révèlent les recherches sur la privation sensorielle et le recouvrement de la vue sur les effets de l'expérience ?

En écrivant à John Locke, William Molyneux se demandait si « un homme adulte, *né* aveugle, ayant appris par le *toucher* à distinguer un cube d'une sphère », pourrait, si on lui rendait la vue, distinguer les deux formes visuellement. La réponse de Locke fut *non*, car l'homme n'aurait jamais *appris* à voir ces différences.

L'hypothèse de Molyneux a, depuis, été testée chez des douzaines d'adultes qui, bien qu'aveugles de naissance, ont recouvré la vue (Gregory, 1978 ; von Senden, 1932). La plupart étaient des patients nés avec une cataracte, c'est-à-dire un cristallin opaque leur permettant seulement de voir une lumière diffuse, un peu comme si vous et moi voyions un brouillard diffus à travers une balle de ping-pong coupée en deux. Après l'opération de leur cataracte, les patients pouvaient distinguer les figures du fond et pouvaient apprécier les couleurs, suggérant que ces aspects de la perception étaient innés. Mais, comme Locke le supposait, les patients autrefois aveugles ne pouvaient souvent pas reconnaître des objets qui leur étaient familiers au toucher.

L'expérience influence également notre perception des visages. Vous et moi percevons et reconnaissons chaque visage comme un tout. Si l'on vous montre la moitié supérieure d'un visage associée à deux moitiés inférieures différentes (comme dans la FIGURE 6.43), les deux moitiés supérieures identiques vous sembleront différentes. Les patients privés d'expériences visuelles pendant l'enfance sont bien meilleurs que nous pour reconnaître que les moitiés supérieures sont identiques parce qu'ils n'ont pas appris à traiter les visages comme un tout (Le Grand et coll., 2004). Citons comme exemple cet homme de 43 ans qui avait récemment recouvré la vue après 40 ans de cécité. Il pouvait associer les gens à certaines caractéristiques distinctives (« Mary est celle qui a des cheveux rouges »), mais ne pouvait pas instantanément reconnaître un visage. Il n'avait pas non plus de constance perceptive. Lorsque les gens s'éloignaient, il avait l'impression qu'ils devenaient plus petits (Bower, 2003). Comme ce cas l'indique clairement, la vue est en partie un sens acquis.

Cherchant à exercer un contrôle plus strict que celui permis par les cas cliniques, les chercheurs ont réalisé l'expérience imaginaire de Molyneux chez des chatons et des bébés singes. Lors d'une expérience, ils ont recouvert leurs paupières par des lunettes à travers lesquelles les animaux ne pouvaient voir qu'une lumière diffuse et imprécise (Wiesel, 1982). Après les

Mike May, Allison Aliano Photography

Apprendre à voir Mike May perdit la vue dans une explosion à l'âge de 3 ans. Le 7 mars 2000, après avoir subi une greffe de cornée à l'œil droit, il vit sa femme et ses enfants pour la première fois. Hélas, même si les signaux pouvaient atteindre son cortex visuel (qui était resté inactif depuis si longtemps), il lui manquait l'expérience pour les interpréter. Il lui était en effet impossible de reconnaître les visages, excepté quelques caractéristiques telles que les cheveux. Les expressions lui échappaient. Cependant, il peut voir un objet en mouvement, et apprend petit à petit à se déplacer dans ce monde nouveau pour lui et à s'émerveiller de certaines choses telles que la poussière en suspension dans la lumière du soleil (Abrams, 2002).

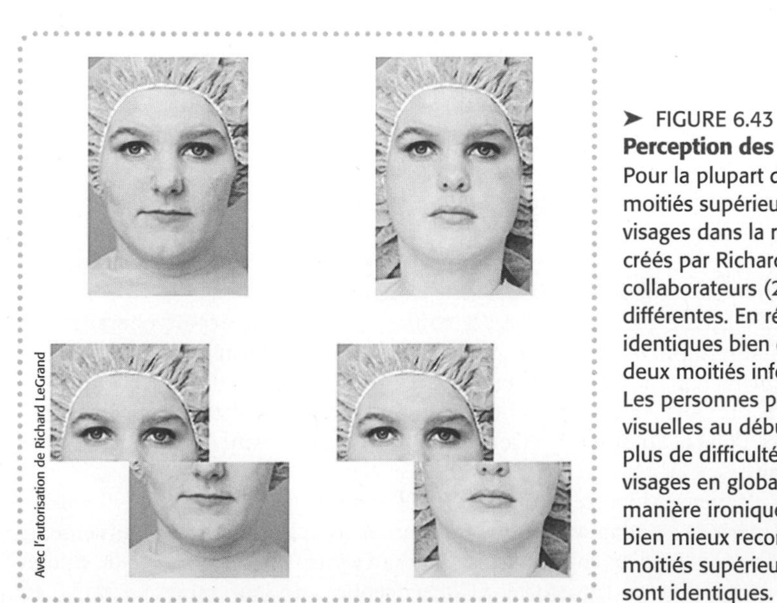

Avec l'autorisation de Richard LeGrand

➤ FIGURE 6.43
Perception des visages composites Pour la plupart des gens, les deux moitiés supérieures de ces deux visages dans la rangée du haut, créés par Richard Le Grand et ses collaborateurs (2004), semblent différentes. En réalité, elles sont identiques bien qu'appariées avec deux moitiés inférieures différentes. Les personnes privées d'expériences visuelles au début de leur vie ont plus de difficulté à percevoir des visages en globalité ce qui, de manière ironique, leur permet de bien mieux reconnaître que les moitiés supérieures de ces visages sont identiques.

:: **Adaptation perceptive** : dans le cas de la vision, capacité à s'adapter à un déplacement artificiel, voire à l'inversion du champ visuel.

:: **Cadre perceptif** : prédisposition mentale à percevoir une chose et non une autre.

premiers mois et une fois les lunettes retirées, ces animaux témoignèrent d'une limitation de perception très semblable à celle des hommes nés avec une cataracte. Ils pouvaient distinguer la couleur et la luminosité, mais ne pouvaient pas distinguer la forme d'un carré de celle d'un cercle. Leurs yeux n'avaient pas dégénéré ; leur rétine relayait toujours les signaux jusqu'au cortex visuel mais, manquant de stimulation, les cellules corticales n'avaient pas développé de connexions normales. Les animaux restaient donc fonctionnellement aveugles aux formes. L'expérience guide, soutient et maintient l'organisation des connexions neuronales du cerveau.

Chez les hommes comme chez les animaux, une période comparable de restriction sensorielle n'entraîne pas de lésion permanente, si elle a lieu à une période avancée de la vie. Couvrez les yeux d'un animal adulte pendant plusieurs mois et sa vision sera intacte après avoir enlevé le cache. Corrigez la cataracte qui s'est développée après la petite enfance et l'homme lui aussi jouira d'une vision normale.

Les effets de ces expériences visuelles durant la période de développement chez les chats, les singes et les hommes suggèrent qu'il existe une *période critique* (Chapitre 5) pour le développement normal des fonctions sensorielles et perceptives. De la même manière, les chatons et les enfants ayant une surdité congénitale qui portent des implants cochléaires montrent un « éveil » de la zone cérébrale correspondante (Klinke et coll., 1999 ; Sirenteanu, 1999). L'environnement sculpte ce que la nature nous a donné.

Les expériences de restrictions perceptives et d'avantages perceptifs, induites par des privations sensorielles précoces, fournissent une réponse partielle à la question qui revient toujours sur l'expérience : l'effet d'une expérience précoce dure-t-il toute la vie ? Pour certains aspects de la perception visuelle et auditive, la réponse est clairement oui : « Utilisez-la *vite* ou bien vous la perdrez ». Nous conservons l'empreinte des expériences visuelles précoces pendant très longtemps.

Adaptation perceptive

22. Jusqu'où notre capacité perceptive peut-elle s'adapter ?

Si nous mettons une nouvelle paire de lunettes, nous pouvons nous sentir légèrement désorientés et pris de vertige, mais nous nous adaptons en un jour ou deux. Notre **adaptation perceptive** au changement des informations visuelles rend au monde son aspect normal. Imaginez maintenant une nouvelle paire de lunettes, beaucoup plus dérangeante, qui déplace la position apparente des objets de 40 degrés vers la gauche. Lorsque vous les mettez pour la première fois et que vous jetez une balle à un ami, elle atterrit trop à gauche. Vous avançant, pour lui serrer la main, vous deviez sur la gauche.

Pourriez-vous vous adapter à ce monde déformé ? Des poulets ne le peuvent pas. Lorsqu'on leur met des lentilles de ce genre, ils continuent à picorer à l'endroit où les graines leur *semblent* être (Hess, 1956 ; Rossi, 1968). Mais les hommes s'adaptent rapidement à des lentilles déformantes. En quelques minutes, votre lancer de balle sera de nouveau précis et vous atteindrez votre cible. Enlevez les lunettes et vous allez ressentir un effet rémanent : au début, vos lancers vont se fourvoyer dans la direction *opposée*, arrivant trop à droite ; mais de nouveau, en quelques minutes, vous allez vous réadapter.

Avec l'autorisation d'Hubert Dolezal

Adaptation perceptive « Raté ! », pense le Dr Hubert Dolezal alors qu'il voit le monde à travers des lunettes qui inversent. Que vous le croyez ou non, les chatons, les singes et les hommes peuvent s'adapter à un monde inversé.

Avec un changement encore plus radical de lunettes qui met littéralement le monde à l'envers, vous pourriez encore vous adapter. Le psychologue George Stratton (1896) en fit l'expérience en inventant et portant pendant 8 jours un équipement optique plaçant la gauche à droite *et* le haut en bas, faisant de lui la première personne à expérimenter une image rétinienne dans le bon sens en étant debout. Le sol était en haut, le ciel en bas.

Au début, Stratton fut désorienté. Lorsqu'il voulait marcher, il devait chercher ses pieds qui étaient maintenant en « haut ». Manger était presque impossible. Il se sentit nauséeux et déprimé, mais Stratton persévéra et, vers le huitième jour, il lui fut possible d'atteindre sans effort quelque chose dans la bonne direction et de marcher sans se heurter aux objets. Lorsque Stratton enleva finalement son équipement, il se réadapta rapidement.

Des expériences ultérieures ont reproduit celle de Stratton (Dolezal, 1982 ; Kohler, 1962). Après une période d'adaptation, les personnes portant de tels équipements optiques furent même capables de conduire une moto, de faire du ski alpin et de piloter un avion. Se sont-ils adaptés en transformant la perception de leur monde étrange en une « vision » normale ? En fait, non. En réalité, le monde autour d'eux semblait encore au-dessus de leur tête ou du mauvais côté. Mais en se déplaçant activement dans ce monde sens dessus dessous, ils se sont adaptés au contexte et ont appris à coordonner leurs mouvements.

Cadre perceptif

23. De quelle manière nos attentes, le contexte et nos émotions influencent-ils nos perceptions ?

Comme chacun sait, voir c'est croire. Comme nous ne le réalisons pas complètement, croire c'est voir. Nos expériences passées, nos postulats et nos attentes peuvent nous fournir un **cadre perceptif**, ou prédisposition mentale, qui influence considérablement ce que nous percevons (traitement de haut en bas). Les personnes perçoivent mieux la ressemblance entre un adulte et un enfant si elles savent qu'il s'agit d'un parent et de son enfant (Bressan et Dal Martello, 2002). Considérons la FIGURE 6.44 : l'image centrale représente-t-elle un homme jouant du saxophone ou le visage d'une femme ? Ce que nous voyons dans un tel dessin peut être influencé par le premier regard posé sur l'une ou l'autre des images adjacentes non ambiguës (Boring, 1930).

➤ FIGURE 6.44
Cadre perceptif Montrez à un ami l'image de droite ou l'image de gauche. Puis montrez-lui l'image centrale et demandez-lui, « Que vois-tu ? » : la réponse de votre ami, un homme jouant du saxophone ou le visage d'une femme, dépendra certainement de l'image qu'il a vue en premier (celle de gauche ou celle de droite). Sur chacune de ces images, la signification est claire et elle établira ensuite ses attentes perceptuelles.

Une fois que nous nous sommes forgés une idée fausse de la réalité, nous avons plus de difficulté à voir la vérité. Les exemples quotidiens de cadre perceptif abondent. En 1972, un journal britannique publia une photographie authentique, non retouchée, du « monstre » du Loch Ness. « La photographie la plus stupéfiante que l'on n'ait jamais prise », précisait l'article. Si cette information crée en vous le même cadre perceptif que celui qu'elle a créé chez la majorité des lecteurs, vous aussi, vous verrez un monstre dans la photographie reproduite à la

« La tentation de former des théories prématurées à partir de données insuffisantes est le fléau de notre profession. »
Sherlock Holmes dans *La vallée de la peur*, Arthur Conan Doyle, 1914

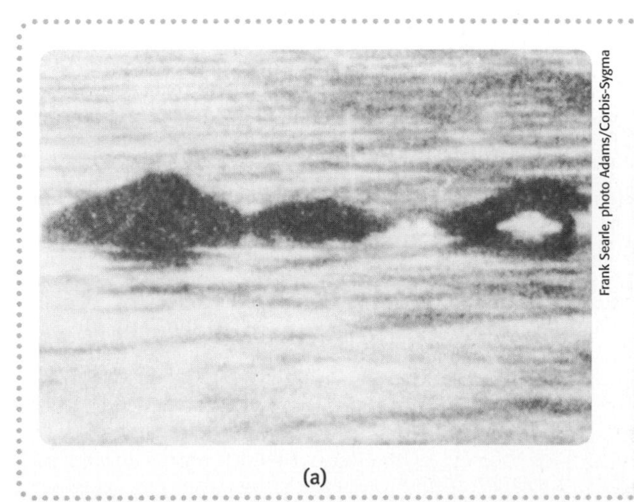

(a)

(b)

➤ FIGURE 6.45
Croire, c'est voir
Que voyez-vous sur ces photographies ? (a) Est-ce le monstre du Loch Ness ou un tronc d'arbre ? (b) S'agit-il de soucoupes volantes ou de nuages ? Nous voyons souvent ce que nous nous attendons à voir.

Quand on montre la phrase :
Marie avait un
un petit agneau
la plupart des gens perçoivent ce qu'ils s'attendent à voir et ne voient pas le mot répété. Le voyez-vous ?

FIGURE 6.45a. Mais lorsque Steuart Campbell (1986) regarda ces photographies avec un cadre perceptif différent, il vit un tronc d'arbre tordu, très vraisemblablement le même tronc d'arbre que d'autres avaient vu dans le lac le jour où la photographie fut prise. De plus, avec ce cadre perceptif différent, vous pouvez maintenant remarquer que cet objet flotte sans mouvement, sans aucune vague ou remous autour, c'est-à-dire tout sauf ce que l'on pourrait attendre d'un monstre vivant.

Notre cadre perceptuel peut également influencer ce que nous entendons. En est témoin ce sympathique pilote d'avion qui, au moment du décollage, se tourne vers son copilote un peu déprimé et lui dit « Cheer up » (allez courage). Le copilote entendit le commandement usuel « Gear up » (remonte) et rentra promptement le train d'atterrissage - avant que l'avion n'ait quitté le sol (Reason et Mycielska, 1982). Le cadre perceptif a également influencé certains patrons de bar invités à goûter de la bière (Lee et coll., 2006). Lorsque les chercheurs ajoutèrent quelques gouttes de vinaigre à une bière de marque, les goûteurs ont préféré cette bière jusqu'à ce qu'on leur avoue qu'ils buvaient une bière à laquelle du vinaigre avait été ajouté et qu'ils s'attendent de ce fait à un mauvais goût, ce qui était le cas. Le cadre perceptuel influence aussi les préférences gustatives des enfants en âge préscolaire. Avec, selon une expérience, une différence de 6 contre 1, les enfants ont jugé que les frites avaient meilleur goût lorsqu'elles étaient servies dans la coupelle en carton Mc Donald's® que dans une coupelle en carton blanc toute simple (Robinson et coll., 2007). Il est clair qu'une grande partie de ce que nous percevons ne vient pas simplement du monde extérieur, mais aussi de ce qu'il y a derrière nos yeux et entre nos oreilles.

Qu'est-ce qui détermine notre cadre perceptif ? Par l'expérience, nous formons des concepts, ou des *schèmes*, qui permettent d'organiser et d'interpréter des informations inhabituelles (*voir* Chapitre 5). Nos schèmes préexistants de saxophonistes masculins ou de visages féminins, de monstres ou de troncs d'arbres, de nuages ou d'ovnis nous aident tous à interpréter des sensations ambiguës grâce à un traitement allant de haut en bas.

Nos schèmes permettant l'identification des physionomies nous prédisposent à reconnaître des formes de visage même dans des configurations aléatoires, comme celle d'un paysage lunaire, de nuages, de rochers ou de pains à la cannelle. Kieran Lee, Graham Byatt et Gillian Rhodes (2000) montrèrent comment nous reconnaissons des personnes d'après les traits du visage, lesquels sont d'ailleurs utilisés par les caricaturistes. Pendant une fraction de seconde, ils ont montré à des étudiants de l'université d'Australie occidentale trois versions de visages familiers : le visage réel, une caricature faite par l'ordinateur accentuant les différences entre ce visage réel et le visage moyen ainsi qu'une « anti-caricature » atténuant les traits distinctifs. Comme le montre la FIGURE 6.46, les étudiants ont mieux reconnu l'image caricaturée que celle du vrai visage. Une caricature d'Arnold Schwarzenegger est plus facilement reconnaissable qu'Arnold Schwarzenegger lui-même !

➤ FIGURE 6.46
La reconnaissance des visages
Quand on leur montre très rapidement une caricature d'Arnold Schwarzenegger, les étudiants la reconnaissent mieux que son visage réel. Il en est de même pour d'autres visages masculins familiers.

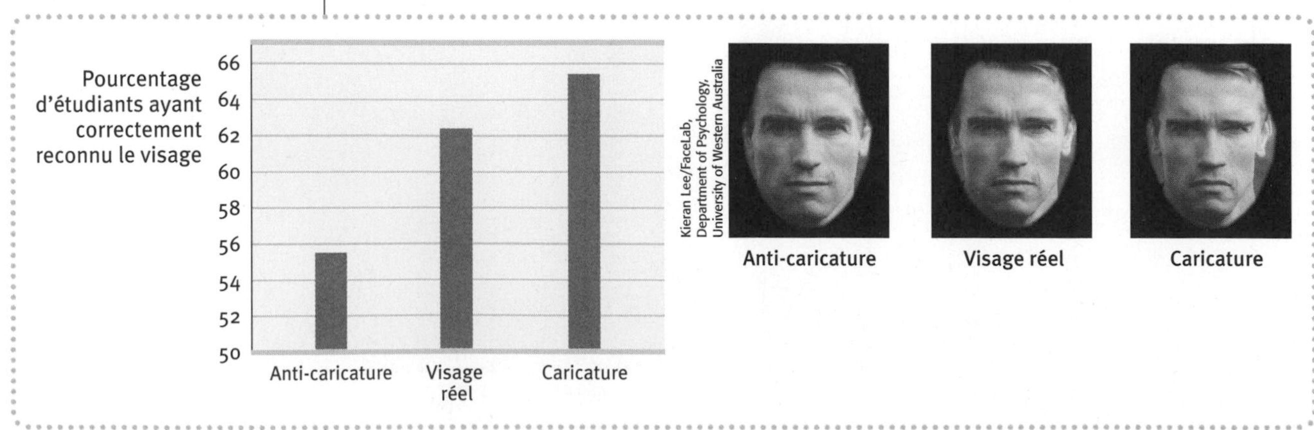

Effets de contexte

Un stimulus donné peut déclencher des perceptions radicalement différentes, en partie à cause de nos différents schèmes, mais aussi à cause du contexte immédiat. Voyons quelques exemples :

- Imaginez que vous entendiez un bruit interrompu par les mots « houe est sur la voiture ». Vous percevrez probablement le premier mot comme étant *roue*. Si l'on entend « eau est sur l'orange », nous percevrons le mot *peau*. Ce phénomène curieux, découvert par Richard Warren, montre que le cerveau peut remonter dans le temps et permettre à un nouveau stimulus d'être déterminé par rapport à un ancien stimulus. Le contexte crée une attente qui influence notre perception de haut en bas et, en même temps, nous le comparons à notre signal venant de bas en haut (Grossberg, 1995).
- Le monstre qui poursuit l'autre sur la figure 6.39a a-t-il l'air agressif ? Le même monstre poursuivi semble-t-il effrayé ? Si vous en avez l'impression, c'est que vous venez d'expérimenter un effet de contexte.
- La « boîte du magicien » sur la FIGURE 6.47 est-elle posée sur le plancher ou pendue au plafond ? La façon dont nous la percevons dépend du contexte défini par les lapins.
- Quelle est la taille du « petit » joueur de la FIGURE 6.48 ?

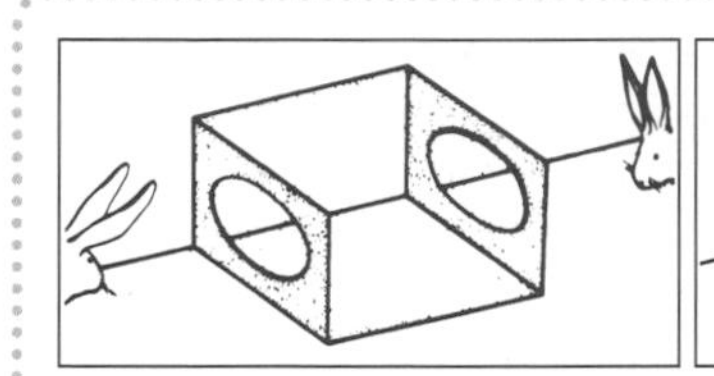

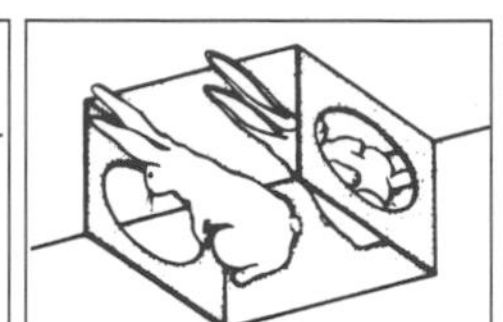

➤ FIGURE 6.47
Effets de contexte : la boîte du magicien La boîte placée dans le cadre à l'extrême gauche est-elle posée sur le sol ou pendue au plafond ? Qu'en est-il de celle qui se trouve à l'extrême droite ? Dans chacun des cas, le contexte défini par les lapins guide notre perception. (D'après Shepard, 1990.)

Même le fait d'écouter de la musique triste plutôt que de la musique gaie peut prédisposer les gens à percevoir des homophones ayant une connotation triste : *mort* au lieu de *mord*, *sang* au lieu de *sans*, ou encore *mal* au lieu de *mâle* (Halberstadt et coll., 1995).

Denis R. J. Geppert *Holland Sentinel*

➤ FIGURE 6.48
Le grand et le « petit » L'homme de « petite » taille montré sur cette photographie est en réalité un ancien joueur du centre de basket du Hope College qui me dépasse largement du haut de ses 2 m 10. Mais il semble tout petit, sur cette photographie prise lors d'un match semi-professionnel, comparé au joueur de basket le plus grand du monde, le Chinois Sun Ming Ming qui mesure 2 m 40.

Culture et effets de contexte Qu'y a-t-il au-dessus de la tête de la femme ? Dans cette étude, pratiquement tous les participants originaires d'Afrique de l'Est ont pensé qu'elle portait en équilibre un bidon ou une boîte métallique et que la famille était assise sous un arbre. Les Occidentaux, pour lesquels les coins et l'architecture en forme de boîte sont plus habituels, ont le plus souvent vu une famille à l'intérieur, avec la femme assise sous une fenêtre. (Adapté de Gregory et Gombrich, 1973.)

Les effets du cadre perceptif et du contexte nous montrent à quel point l'expérience nous aide à construire nos perceptions. Dans la vie de tous les jours, les stéréotypes sur le sexe (qui sont un autre exemple de cadre perceptif) peuvent colorer la perception. Sans les indices fournis par le bleu et le rose, on passerait son temps à essayer de savoir s'il faut désigner un bébé par le pronom « il » ou « elle ». Mais si un enfant s'appelle « David », les gens (surtout les enfants) le verront plus grand et plus fort que si son nom est « Diana » (Stern et Karraker, 1989). Il semblerait que certaines différences de sexe n'existent qu'aux yeux de ceux qui cherchent à les voir.

« Nous n'entendons et ne saisissons que ce que l'on connaît déjà à moitié. »
Henry David Thoreau, *Journal*, 1860

cathy® **par Cathy Guisewite**

Selon le cadre perceptif – « c'est une fille » – les gens trouvent des traits plus féminins au bébé.

Émotion et motivation

Les perceptions sont influencées de haut en bas non seulement par nos attentes et par le contexte mais aussi par nos émotions. Dennis Proffitt (2006a,b) ainsi que d'autres l'ont mis en évidence par des expériences intelligentes qui montrent que :

- les destinations que l'on doit atteindre à pied semblent plus lointaines pour ceux qui ont été fatigués auparavant par de l'exercice ;
- une colline semble plus raide à ceux qui portent un sac à dos lourd ou à ceux qui sont simplement exposés à une musique classique triste et grave (et non pas à une musique légère pleine d'entrain) ;
- une cible semble bien plus éloignée pour ceux qui envoient un objet lourd dans sa direction par opposition à ceux qui envoient un objet léger.

Même une balle de softball semble plus grosse lorsqu'on la frappe bien, observe Jessica Witt et Proffitt (2005) après avoir demandé aux joueurs de choisir un cercle de la taille de la balle qu'ils venaient juste de frapper bien ou mal.

« Lorsque vous frappez une balle, elle ressemble à un pamplemousse en arrivant sur vous. Quand ce n'est pas le cas, elle ressemble plutôt à un petit pois. »
Georges Scott, ancien joueur de la Major League de base-ball.

La motivation a également de l'importance. Au cours d'expériences menées à la Cornell University, des étudiants ont regardé des figures ambigües, comme le cheval/phoque de la FIGURE 6.49. Si on associait une récompense à la vision d'une certaine catégorie de stimulus (un animal de ferme plutôt qu'un animal marin), les participants exposés une deuxième fois au dessin avaient tendance instantanément à percevoir un exemple de la catégorie qu'ils espéraient (Balcetis et Dunning, 2006). (Pour confirmer l'honnêteté des participants à décrire ce qu'ils avaient perçu, les chercheurs d'une des expériences ont redéfini la perception devant être récompensée après avoir présenté les images. Là encore, les participants ont dit percevoir un stimulus de la catégorie originale qu'ils espéraient.)

Les émotions colorent aussi nos perceptions sociales. Les épouses qui se sentent aimées et appréciées perçoivent moins de menace lors de tensions dans le couple, « c'est juste un mauvais jour » (Murray et coll., 2003). Si on leur dit auparavant que cette équipe de football a régulièrement un comportement agressif, des arbitres professionnels assigneront plus de cartons de pénalités après avoir regardé des enregistrements vidéo de matchs déloyaux (Jones et coll., 2002). Lee Ross nous invite à nous souvenir de nos propres perceptions dans différents contextes : « Souvenez-vous toujours que lorsque vous conduisez vous haïssez les piétons, leur façon de traverser tranquillement, vous défiant presque de les renverser, mais lorsque vous marchez, haïssez-vous les conducteurs ? » (Jaffe, 2004).

➤ FIGURE 6.49
Figure ambiguë cheval/phoque S'ils sont motivés à percevoir un animal de ferme, 7 personnes sur 10 percevront immédiatement un cheval. S'ils sont motivés à percevoir un animal marin, 7 personnes sur 10 percevront un phoque.

Pour revenir à notre question « la perception est-elle innée ou apprise ? », nous pouvons répondre les deux. La rivière de nos perceptions est alimentée par nos sensations, notre cognition et nos émotions. C'est pourquoi nous avons besoin de plusieurs niveaux d'analyse (FIGURE 6.50). Les perceptions « simples » sont les produits de la créativité de notre cerveau.

« Avez-vous déjà remarqué que tous les automobilistes qui conduisent plus lentement que vous sont stupides et que tous ceux qui conduisent plus vite sont des fous du volant ? »
Georges Carlin, *Georges Carlin on Campus*, 1984

Influences biologiques :
- Analyse sensorielle
- Phénomènes visuels innés
- Période critique du développement sensoriel

Influences psychologiques :
- Attention sélective
- Schèmes appris
- Principes gestaltistes
- Effets du contexte
- Cadre perceptif

Perception : Notre version de la réalité

Influences socioculturelles :
- Hypothèses et attentes culturelles

➤ FIGURE 6.50
La perception : un phénomène biopsychosocial Les psychologues utilisent différents niveaux d'analyse, allant du niveau biologique au niveau socioculturel, pour étudier notre manière de percevoir.

La perception et le facteur humain

24. Comment travaillent les spécialistes en psychologie ergonomique pour créer des machines et des cadres de travail agréables à utiliser ?

Les concepteurs négligent parfois le facteur humain. Le psychologue Donald Norman, ancien élève du MIT (*Massachusetts Institute of Technology*) et titulaire d'un doctorat, déplore la complexité liée à l'assemblage de son nouvel équipement télévisuel de haute définition comportant le récepteur, les enceintes, le magnétoscope numérique, le lecteur de DVD, le magnétoscope digital et sept télécommandes ; comment faire de tout cela un ensemble home-cinéma simple à utiliser ? « J'ai été vice-président du département des technologies avancées chez Apple. Je peux programmer des dizaines d'ordinateurs dans des dizaines de langues et je n'ai vraiment aucun mal à comprendre le fonctionnement d'une télévision... C'est vrai... Mais peu importe, ça me dépasse. »

Si seulement les ingénieurs pouvaient travailler systématiquement en collaboration avec des **psychologues ergonomes** afin de tester leurs instructions et leurs appareils sur le public, la vie serait

:: **Psychologie ergonomique** : branche de la psychologie qui explore l'interaction entre les machines et les hommes et qui étudie comment les machines et l'environnement physique peuvent être conçus de manière à présenter une totale innocuité et à être faciles à utiliser.

Avec l'autorisation de www.rideoncarryon.com

La chaise de voyage pour enfant « *Ride On Carry On*® », conçue par une maman hôtesse de l'air, permet de transformer une petite valise en une poussette

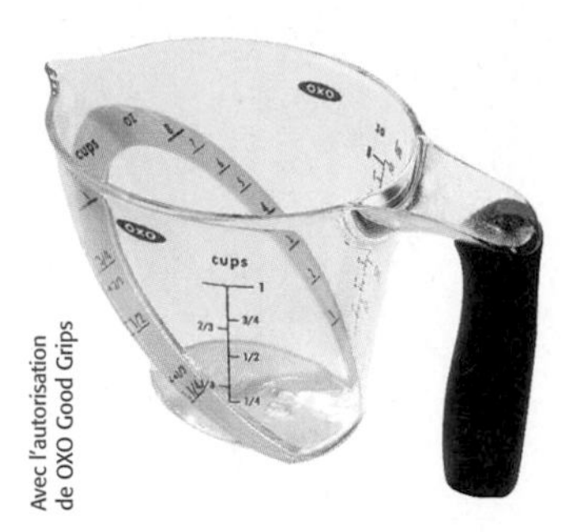

Avec l'autorisation de OXO Good Grips

Le verre mesureur Oxo® permet de lire les mesures à la verticale

Avec l'autorisation de The London Teapot Company Ltd.

La théière Chatsford® est livrée avec un filtre panier

➤ FIGURE 6.51
Concevoir des produits adaptés aux gens Donald Norman, psychologue spécialiste en ergonomie, nous propose ces exemples (parmi tant d'autres) de nouveaux produits dont la conception est très intéressante (*voir* www.jdn.org).

bien plus simple. Les spécialistes en psychologie ergonomique contribuent à mettre au point des instruments, des machines et des cadres de travail qui vont dans le sens de nos perceptions naturelles. Les magnétoscopes ATM sont d'un point de vue interne plus complexes que les magnétoscopes VCR, mais grâce aux psychologues ergonomes qui ont travaillé avec des ingénieurs, ces magnétoscopes ATM sont plus simples à utiliser. Les magnétoscopes numériques (la marque TiVo® par exemple) ont résolu les problèmes d'enregistrement des programmes télévisés en mettant au point un système d'enregistrement très simple (on sélectionne le programme dans le menu et on appuie sur la touche « enregistrer ce programme »). Apple a également fabriqué des appareils faciles à utiliser comme l'iPod® et l'iPhone®.

Donald Norman (2001) possède un site web (jdn.org) consacré aux produits dont la conception est bien adaptée aux besoins des gens (*voir* FIGURE 6.51). Les psychologues ergonomes travaillent aussi à la conception d'environnements sécurisés et efficaces. Les chercheurs ont trouvé que la disposition idéale d'une cuisine consistait à ranger les objets près de l'endroit où ils doivent être utilisés et au niveau des yeux. La cuisine doit comporter des zones de travail permettant d'effectuer les tâches dans l'ordre, par exemple en disposant dans un triangle le réfrigérateur, la cuisinière et l'évier. Ils ont créé des plans de travail de manière à ce que les mains soient à hauteur des coudes (ou légèrement en dessous) lorsqu'elles travaillent (Boehm-Davis, 2006).

La compréhension du facteur humain peut faire davantage qu'améliorer simplement la conception d'un instrument pour diminuer l'agacement de l'utilisateur ; elle peut éviter des accidents et empêcher des désastres (Boehm-Davis, 2005). Les deux tiers des accidents d'avion de ligne sont provoqués par des erreurs humaines (Nickerson, 1998). Après le début des vols commerciaux du Boeing 727, à la fin des années 1960, ces appareils furent impliqués dans plusieurs accidents d'atterrissage, dus à des erreurs de pilotage. Le psychologue Conrad Kraft (1978) remarqua des circonstances communes à ces accidents : tous avaient eu lieu de nuit et étaient dus à un atterrissage avant le début de la piste, après avoir traversé une zone d'eau sombre ou de terrain non éclairé. Kraft fit le raisonnement qu'au-delà de la piste, les lumières de la ville pouvaient projeter une image rétinienne plus grande, comme si la ville était sur une hauteur. Ce phénomène pouvait faire paraître le sol plus éloigné qu'il ne l'était en réalité. En recréant ces conditions dans un simulateur de vol, Kraft découvrit que les pilotes se trompaient, pensant qu'ils volaient plus haut qu'ils ne l'étaient en réalité (FIGURE 6.52). Aidées par les découvertes de Kraft, les compagnies aériennes prirent des mesures correctives (en demandant au copilote de surveiller l'altimètre et d'annoncer l'altitude durant la descente), faisant ainsi diminuer le nombre des accidents.

➤ FIGURE 6.52
Le facteur humain dans les accidents Manquant d'indices de distance lorsqu'ils s'approchaient de la piste d'atterrissage après avoir survolé une surface sombre, les pilotes avaient tendance à voler trop bas lors des simulations d'atterrissage de nuit. (D'après Kraft, 1978.)

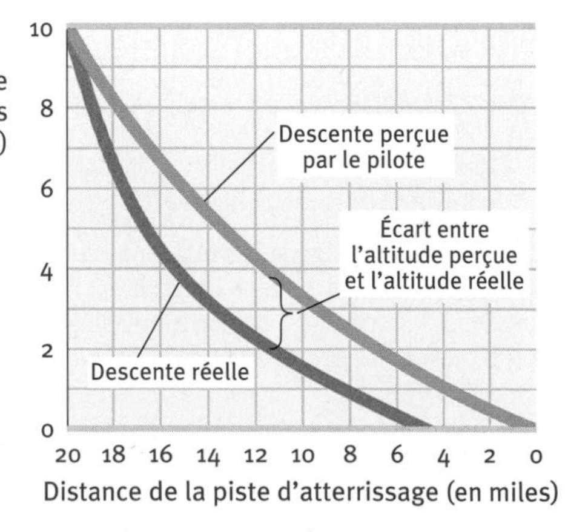

Par la suite, les psychologues de Boeing ont étudié d'autres facteurs humains (Murray, 1998) : comment les compagnies aériennes peuvent-elles offrir un meilleur entraînement au personnel et gérer les problèmes mécaniques pour réduire les incidents de maintenance responsables d'environ 50 p. 100 des retards de vol et de 15 p. 100 des accidents ? Quels sont les éclairages et les types de caractères qui rendraient les données plus faciles à lire sur l'écran du tableau de bord d'un avion ? Les messages d'alerte devraient-ils être formulés davantage comme des ordres (« Remontez ») plutôt que de signaler l'existence d'un problème (« Sol à proximité ») ?

Pour l'étude des facteurs humains, l'instrument le plus fiable utilisé par les psychologues est la recherche. Si un organisme s'interroge sur la meilleure présentation d'un site Web (plus d'accent sur le contenu ? sur la rapidité ? sur la visualisation graphique ?) permettant d'attirer des visiteurs et de les inciter à y revenir, un psychologue spécialiste de l'ergonomie cherchera à tester les réponses à certaines alternatives. Si la NASA (*National Aeronautics and Space Administration*) se demande quel vaisseau spatial est le mieux adapté au sommeil, au travail et au moral de l'équipage, les ergonomistes chercheront à tester plusieurs alternatives (FIGURE 6.53).

Pour finir, considérons les technologies de *sonorisation assistée* que l'on trouve dans un grand nombre d'auditoriums, de théâtres et des lieux de culte. L'une de ces technologies, très courante aux États-Unis, nécessite un casque relié à un récepteur pouvant être glissé dans une poche qui détecte les ondes infrarouges ou la modulation de fréquence émanant du système audio de la pièce. Les personnes bien pensantes qui ont conçu cet appareil, ainsi que celles qui l'ont acheté et installé, ont bien compris que cette technologie permet à l'utilisateur d'avoir directement le son dans ses oreilles. Mais, hélas, peu de personnes malentendantes veulent se donner la peine de demander où se trouve ce casque voyant, de l'emprunter, de le porter puis de le ramener. La plupart de ces appareils restent donc dans les placards. En revanche, en Grande-Bretagne, dans les pays scandinaves et en Australie, des *boucles de transmission* par induction magnétique (*voir* hearingloop.org) ont été installées dans les salles, permettant ainsi aux malentendants de capter les sons de façon personnalisée et directement via leurs propres prothèses auditives. À partir du moment où l'on est convenablement appareillé, il suffit d'actionner discrètement un interrupteur placé sur les prothèses auditives pour les transformer en un système d'enceintes à l'intérieur des oreilles. Quand on leur propose un système personnalisé, pratique et discret, beaucoup de gens choisissent le système de « sonorisation assistée ».

Les concepts qui permettent des interactions simples, sécurisées et efficaces entre les gens et la technologie semblent souvent évidents après coup. Pourquoi donc sont-ils si rares ? Ceux qui développent les nouvelles technologies, supposent parfois à tort que les autres partagent leur expérience, que ce qui est clair pour eux l'est aussi pour les autres (Camerer et coll., 1989 ; Nickerson, 1999). Lorsqu'une personne se sert de ses doigts pour marteler une chanson connue sur une table (essayez donc avec un ami), ils s'attendent souvent à ce que celui qui l'écoute la reconnaisse. Mais pour celui qui l'écoute, c'est une tâche quasi impossible (Newton, 1991). Lorsque vous savez quelque chose, il est difficile de se représenter mentalement ce que c'est de ne pas savoir, un processus qu'on appelle le *syndrome du savoir*.

Ce qu'il faut retenir : les concepteurs et les ingénieurs devraient prendre en compte les capacités et les comportements humains, en mettant au point des objets adaptés aux utilisateurs, en restant prudents vis-à-vis du « syndrome du savoir » et en testant leurs inventions auprès du public avant de les produire et de les distribuer.

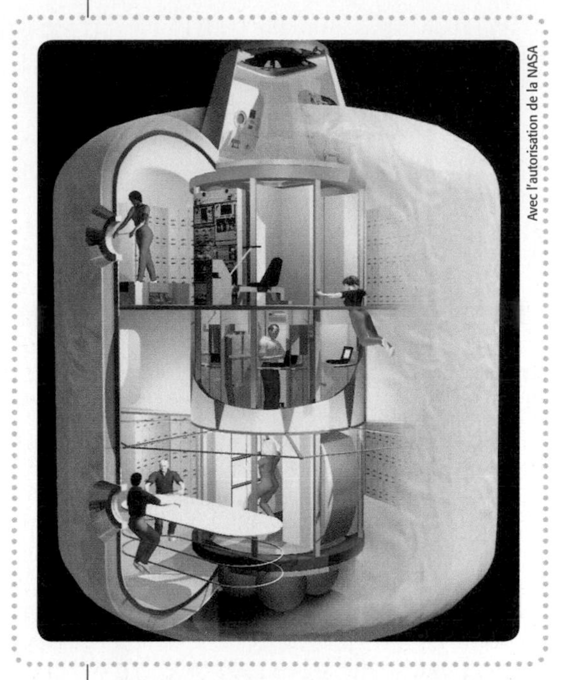

Avec l'autorisation de la NASA

➤ FIGURE 6.53
Comment ne pas devenir fou quand on ira sur Mars Les futurs astronautes qui se rendront sur Mars seront soumis à des conditions de monotonie, de stress et d'apesanteur pendant des mois. Afin de mettre au point un environnement de travail convenable pour l'homme, tel ce module de transit (Transhab), la NASA a engagé des psychologues spécialisés en ergonomie (Weed, 2001 ; Wichman, 1992).

AVANT D'ALLER PLUS LOIN...

➤ INTERROGEZ-VOUS

Vous souvenez-vous d'une occasion où vos attentes vous ont prédisposé à la façon dont vous avez perçu une personne (ou un groupe de personnes) ?

➤ TESTEZ-VOUS 6

Quel constat montre qu'en effet « la perception n'est pas le simple reflet de ce que nos sens ont capté » ?

Les réponses aux questions « Testez-vous » sont données dans l'annexe B à la fin de l'ouvrage.

:: Perception extrasensorielle (PES) : affirmation controversée selon laquelle la perception peut se produire sans qu'il y ait d'entrée sensorielle. Elle comprend la télépathie, la voyance et la prémonition (précognition).

:: Parapsychologie : étude des phénomènes paranormaux, comprenant la PES et la psychokinèse.

• Michael Shermer (1999) remarquait : « Il existe aussi des gens qui n'ont jamais besoin du service de présentation du numéro, qui ne perdent jamais au jeu du "pierre/papier/ciseaux" et qui ne vous inviteront jamais à une surprise-partie. » •

CLICHÉS INSTANTANÉS

© Jason Love

Existe-t-il une perception extrasensorielle ?

25. Quelles sont les affirmations de la PES ? Quelles sont les conclusions de la plupart des chercheurs en psychologie après avoir testé ces revendications ?

POUVONS-NOUS PERCEVOIR UNIQUEMENT CE QUE NOUS ressentons ? Ou, comme le pensent la moitié des Américains, en l'absence d'entrée sensorielle, sommes-nous capables de **perceptions extrasensorielles (PES)** (AP, 2007 ; Moore, 2005) ?

Existe-t-il vraiment des gens – ou même une personne – capables de lire dans les pensées, de voir au travers des murs ou de prédire l'avenir ? Cinq universités britanniques possèdent maintenant des départements de **parapsychologie** dirigés par des docteurs en parapsychologie formés à l'université d'Édimbourg (Turpin, 2005). L'université Lund en Suède, l'université d'Utrecht aux Pays-Bas et l'université d'Adelaïde en Australie ont également des départements ou des unités de recherche en parapsychologie. Les parapsychologues qui travaillent dans ces universités font des expériences pour rechercher les possibles PES et autres phénomènes paranormaux. Toutefois, d'autres chercheurs en psychologie ainsi que des scientifiques, dont 96 p. 100 des scientifiques de la *National Academy of Science* des États-Unis, restent sceptiques quant à l'existence de ce type de phénomènes (McConnell, 1991). Si les PES étaient réelles, nous aurions besoin de revoir notre raisonnement scientifique selon lequel nous sommes des créatures dont l'esprit est lié à notre cerveau et dont les expériences perceptuelles du monde sont uniquement faites de sensations. Parfois, de nouveaux éléments renversent nos conceptions scientifiques établies. La science, comme nous le verrons tout au long de cet ouvrage, nous offre diverses surprises, en particulier sur l'étendue de notre esprit inconscient, sur les effets de nos émotions sur la santé, sur ce qui guérit et ce qui ne guérit pas et sur bien d'autres choses encore. Examinons donc certaines affirmations en faveur des PES avant de les tester.

Affirmations sur l'existence d'une PES

Parmi les phénomènes paranormaux (« Psi ») dont l'existence est proclamée, se trouvent les prédictions astrologiques, la guérison psychique, la communication avec les morts et les séances d'expérience extracorporelle. Parmi ces revendications, les plus faciles à tester et (pour un chapitre sur la perception) les plus pertinentes sont de trois sortes :

- La *télépathie*, ou communication d'esprit à esprit, une personne envoyant des pensées à une autre ou lisant dans ses pensées.
- La *voyance*, ou fait de percevoir des événements à distance, par exemple sentir que la maison d'un ami est en feu.
- La *prémonition*, qui consiste à percevoir des événements futurs tels que la mort d'un leader politique ou le résultat d'un événement sportif.

Étroitement associées à ces phénomènes, on note des affirmations concernant la *psychokinèse* (PK) ou influence de l'« esprit sur la matière », par exemple la capacité de faire s'élever une table (lévitation) ou d'influencer un lancer de dés (Figure 6.54). (Cette affirmation est illustrée par la demande ironique : « Que tous ceux qui croient en la psychokinèse lèvent ma main ».)

➤ FIGURE 6.54
Concepts parapsychologiques

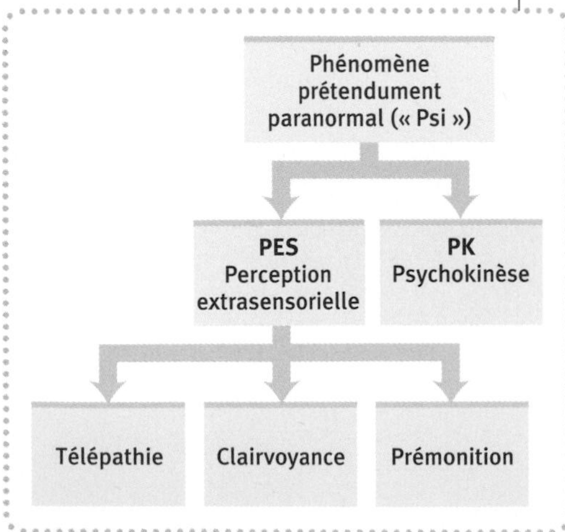

Prémonitions ou prétentions ?

Un médium peut-il voir dans le futur ? Bien que l'on puisse rêver des pouvoirs d'un médium pour gérer son portefeuille d'actions en bourse, les prétendues prévisions des « meilleurs médiums » se sont révélées très peu fiables. Aucun médium cupide (ou charitable) n'a été capable de prévoir la combinaison gagnante du gros lot de la loterie, ni de devenir milliardaire grâce à la bourse. Au début des années 1990, les médiums des journaux à sensation se sont tous trompés dans leurs prédictions d'événements surprenants. (Madonna n'est pas devenue une chanteuse de gospel, la Statue de la Liberté n'a pas perdu ses deux bras dans un attentat terroriste, la reine Elizabeth ne renonça pas au trône pour entrer au couvent.) Et les médiums de ce siècle nouveau manquèrent à nouveau tous les événements inattendus marquants, comme l'horreur du 11 septembre.

(Mais où étaient donc les médiums quand on en aurait eu besoin le 10 septembre ? Pourquoi, malgré les 50 millions de dollars offerts en récompense aucun d'entre eux n'a pu aider à localiser Oussama Ben Laden après le 11 septembre ?) Gene Emery (2004) qui a suivi pendant 26 ans toutes les prévisions annuelles des médiums déclare que presque aucune prédiction surprenante ne s'est réalisée et que virtuellement aucun médium n'a jamais anticipé les événements qui ont fait les gros titres de l'année.

Les analyses des visions extralucides proposées aux services de police montrent qu'elles aussi ne sont pas plus précises que les prédictions faites par d'autres (Reiser, 1982). Les médiums travaillant avec la police réalisent cependant des centaines de prédictions. Cela augmente la probabilité que l'une ou l'autre soit occasionnellement correcte et puisse alors être révélée à la presse par le médium. De plus, des prédictions vagues peuvent plus tard être interprétées (« actualisées ») pour coller aux événements, qui fournissent alors un cadre perceptif permettant l'interprétation. Nostradamus, le célèbre médium français du XVIe siècle, expliqua dans un moment d'égarement qu'il était « impossible de comprendre ses prophéties ambiguës jusqu'à ce qu'elles soient interprétées après l'événement et par l'événement lui-même ».

> « Une personne qui parle beaucoup a parfois raison. »
> Proverbe espagnol

Les services de police sont prudents sur ce sujet. Lorsque Jane Ayers Sweat et Mark Durm (1993) ont demandé aux services de police des 50 plus grandes villes des États-Unis s'ils utilisaient des médiums, 65 p. 100 ont répondu qu'ils ne l'avaient jamais fait. Et parmi ceux qui l'avaient fait, aucun n'y avait trouvé une quelconque utilité.

Les « visions » spontanées des gens ordinaires sont-elles plus précises ? Prenons nos rêves. Annoncent-ils le futur, comme les gens le croient souvent ? Ou bien semblent-ils le faire parce que nous avons tendance à nous rappeler et à reconstruire uniquement les rêves qui semblent être devenus vrais ? Deux psychologues de Harvard (Murray et Wheeler, 1937) testèrent le pouvoir prophétique des rêves après l'enlèvement et l'assassinat du bébé de l'aviateur Charles Lindbergh en 1932, mais avant la découverte du corps. Les chercheurs demandèrent au public de raconter leurs rêves à propos de l'enfant. Sur les 1300 récits de rêves envoyés, combien avaient vu l'enfant mort ? À peine 5 p. 100. Et dans combien de rêves l'emplacement du corps s'était-il révélé exact, enterré au milieu des arbres ? Seulement 4 sur les 1300. Bien que ce chiffre ne soit certainement pas supérieur au hasard, la précision de leur prémonition apparente a dû sembler mystérieuse à ces quatre rêveurs.

Tout au long de la journée, chacun d'entre nous imagine de nombreuses choses. Étant donné les milliards d'événements qui se produisent dans le monde chaque jour et si l'on considère un nombre suffisant de jours, de surprenantes coïncidences surviennent inévitablement. Selon une estimation minutieuse, le simple hasard permet de prédire que plus de 1000 fois par jour quelqu'un sur Terre pensant à une autre personne apprendra sa mort dans les cinq minutes suivantes (Charpak et Broch, 2004). Avec suffisamment de temps et de gens, l'improbable devient inévitable.

Telle fut l'expérience de John Byrne (2003), écrivain et dessinateur de bandes dessinées. Six mois après avoir écrit une histoire de Spiderman, où il se produisait une panne d'électricité à New York, cette ville connut une panne d'électricité massive. Dans une autre histoire de Spiderman, il décrivait un terrible tremblement de terre au Japon et « là encore, se souvient-il, un véritable tremblement de terre se produisit dans le mois qui suivit la parution de mon album ». Peu après, alors qu'il travaillait sur une bande dessinée de Superman, il fit voler « l'homme d'acier au secours de la navette spatiale de la NASA aux prises à des difficultés. La tragédie de *Challenger* se produisit presque instantanément après » (ce qui lui permit de redessiner l'album). « Plus récemment, ça me donne encore des frissons, j'étais en train d'écrire et de dessiner une BD sur Wonder Woman. Dans cette histoire, elle était tuée juste avant de devenir une déesse. » La page de couverture « était faite comme la première d'un journal, avec comme gros titre "La princesse Diana est morte." » (Diana est le vrai prénom de Wonder Woman.) Le livre a été mis en vente le jeudi. Le samedi suivant… vous imaginez le reste, n'est-ce pas ? »

Soumettre les PES à des tests expérimentaux

> « Au cœur de la science, il y a une tension essentielle entre deux attitudes apparemment contradictoires, une ouverture aux idées nouvelles, aussi bizarres ou illogiques soient-elles, et l'examen sceptique le plus impitoyable de toutes les idées, nouvelles ou anciennes. »
> Carl Sagan (1987)

Toutes sortes d'idées folles ont eu cours autrefois : les bosses du crâne révèlent les traits de caractère, la saignée guérit de tous les maux, chaque spermatozoïde renferme une personne en miniature. Confrontés à ces assertions ou à celles concernant la transmission de pensée, l'expérience extracorporelle ou la communication avec les morts, comment pouvons-nous

Une machine à tester la faculté prémonitoire de la population britannique Richard Wiseman, psychologue à l'université du Hertfordshire, a créé une « machine à penser » afin de découvrir si les gens pouvaient influencer ou prédire les résultats du lancement d'une pièce. En utilisant un écran tactile, les personnes, venant des festivals aux alentours de la ville, avaient la possibilité de faire quatre tentatives en choisissant pile ou face. Un ordinateur décidait ensuite du résultat en utilisant un générateur de nombres aléatoires. Quand l'expérience prit fin en janvier 2000, près de 28 000 personnes au total avaient prédit 110 972 résultats, avec 49,8 p. 100 de réponses correctes.

Avec l'autorisation de Claire Cole

séparer les idées folles de celles qui, tout en semblant farfelues, sont vraies ? Au cœur de la science, nous trouvons une réponse simple : *testez-les pour voir si elles marchent*. Si c'est le cas, tant pis pour notre scepticisme. Si ce n'est pas le cas, tant pis pour les idées.

Cette attitude scientifique est acceptée tant par les partisans que par les détracteurs de la parapsychologie, car pour prouver sa crédibilité, elle a besoin d'un phénomène reproductible et d'une théorie pour l'expliquer. Le parapsychologue Rhea White (1998) reconnaît que « l'image de la parapsychologie qui me vient à l'esprit, fondée sur près de 44 ans d'études sur ce sujet, est celle d'un petit avion [qui] roule perpétuellement depuis 1882 sur la piste de décollage de l'aéroport des sciences empiriques... sa course étant occasionnellement ponctuée d'un décollage de quelques mètres seulement pour retomber à nouveau sur le tarmac. Il n'a jamais pu décoller suffisamment pour prendre son envol ».

Comment peut-on tester l'existence d'une PES lors d'une expérience contrôlée destinée à découvrir si un phénomène est reproductible ou non ? Une expérience de laboratoire est totalement différente d'une démonstration sur une scène de spectacle. Dans un laboratoire, le scientifique contrôle ce que voit et entend le « médium ». Sur scène, le médium contrôle ce que voit et entend le public. Les sceptiques ne cessent de le répéter, les soi-disant médiums ont épaté un public aveugle avec des performances remarquables dans lesquelles ils *semblaient* communiquer avec l'esprit des morts, lire dans les pensées ou encore soulever des objets par lévitation ; tout cela pour qu'on nous révèle que leurs performances ne sont qu'un canular et n'ont pas plus de valeur qu'une performance de magicien sur scène.

« Un médium est un acteur jouant le rôle d'un médium. »
Le magicien et psychologue, Daryl Bem (1984)

La recherche d'un test valable et fiable de la PES a entraîné des milliers d'expériences. Environ 380 d'entre elles ont évalué les efforts des participants à influencer des séquences aléatoires de 1 et de 0 générées par ordinateur. Au cours de certaines petites expériences, la concordance avec le nombre désiré a dépassé le hasard de 1 à 2 p. 100, un effet qui disparaît lorsque les expériences de plus grande ampleur sont ajoutées au mélange (Bösch et coll., 2006a,b ; Radin et coll., 2006 ; Wilson et Shadish, 2006).

Un autre groupe d'expériences a invité des « émetteurs » à transmettre par télépathie à des « receveurs », privés de sensations et placés dans une chambre séparée, une image visuelle sur les quatre images qui leur étaient présentées (Bem et Honorton, 1994). Résultat ? Un taux de réponses correctes de 32 p. 100, dépassant le taux de réponses totalement liées au hasard de 25 p. 100. Cependant, selon l'expérimentateur qui résumait les résultats, les études de suivi ont donné des résultats mitigés ou n'ont pas permis de reproduire ce phénomène (Bem et coll., 2001 ; Milton et Wiseman, 2002 ; Storm, 2000, 2003).

Si la PES existe néanmoins, peut-elle être subtilement enregistrée dans le cerveau ? Pour le savoir, des chercheurs de Harvard, Samuel Moulton et Stephen Kosslyn (2008) ont demandé à un « émetteur » d'essayer d'envoyer une image sur les 2 dont il disposait, par télépathie, à un « receveur » allongé dans un scanner et subissant une IRMf. Dans ces groupes de deux personnes (la plupart des couples, des amis ou des jumeaux), le receveur devinait correctement l'image avec la même fréquence que le simple hasard (50 p. 100). De plus, leurs cerveaux ne répondaient pas différemment lorsqu'ils regardaient ensuite la vraie image « envoyée » par PES. Les chercheurs conclurent que « cette observation est la preuve la plus importante jamais encore obtenue contre l'existence de phénomènes mentaux paranormaux ».

De 1998 à 2010, James Randi, un magicien sceptique, a offert 1 million de dollars « à toute personne capable de démontrer de réels pouvoirs psychiques, dans des conditions d'observation contrôlées » (Randi, 1999, 2008). Des groupes français, australiens et indiens ont fait des offres semblables, atteignant jusqu'à 200 000 euros, à toute personne démontrant des capacités

Le « Bizarro » cartoon de Dan Piraro est reproduit avec l'autorisation de Chronicles Features.

Quel pouvoir psychique prétend avoir « Médium Pizza » ?

paranormales (CFI, 2003). L'approbation scientifique représenterait bien plus que cette somme aux yeux d'une personne si ses pouvoirs étaient authentifiés. Pour contredire ceux qui disent qu'il n'y a pas de PES, il suffit de trouver une personne qui soit capable de montrer un seul phénomène de PES reproductible. (Il suffirait à un seul cochon de parler pour contredire ceux qui disent que les cochons ne parlent pas.) Jusqu'à présent, personne n'a montré un tel pouvoir. L'offre de Randi a été faite il y a des années, et des dizaines de personnes ont été testées, parfois sous le regard attentif d'un groupe de juges indépendants. Mais, toujours rien.

The Quigmans par Buddy Hickerson ; © 1990, Los Angeles Times Syndicate. Reproduit avec autorisation.

***

Pour être admiratif et acquérir un profond respect pour l'existence, nous n'avons pas besoin de chercher plus loin que notre propre système de perception et sa capacité à organiser des influx nerveux informes en visions colorées, en sons éclatants et en odeurs évocatrices. Comme le reconnaît le personnage de Hamlet, « Il y a plus de choses dans le Ciel et sur la Terre, Horatio, que dans les rêves de votre philosophie ». C'est dans nos expériences de perceptions ordinaires que réside une grande part de ce qui est véritablement merveilleux, bien plus que dans tout ce qu'on a pu imaginer jusqu'ici dans notre psychologie.

> « Le désir des hommes à croire en l'existence du paranormal est plus fort que toutes les preuves qui démontrent son inexistence. »
> Susan Blackmore, « *Blackmore's first law* », 2004

> « Bien, comment l'esprit fonctionne-t-il alors ? Je ne sais pas. Vous ne savez pas. Pinker ne le sait pas. Et je pense plutôt, que là où nous en sommes de nos connaissances en sciences humaines, même si Dieu nous l'expliquait, nous ne le comprendrions pas. »
> Jerry Fodor, « *Reply to Steven Pinker* », 2005

AVANT D'ALLER PLUS LOIN...

➤ INTERROGEZ-VOUS

Avez-vous déjà vécu une expérience de PES ? Pouvez-vous envisager une autre explication à cette expérience ?

➤ TESTEZ-VOUS 7

Quels dons de voyance la chaîne sportive prétend-elle avoir dans la bande dessinée ci-contre ?

Les réponses aux questions « Testez-vous » sont données dans l'annexe B à la fin de l'ouvrage.

RÉVISION : La sensation et la perception

Sentir le monde : quelques principes de base

1. Qu'est-ce que la *sensation* et la *perception* ? Que signifient les termes de *traitement de bas en haut* et de *traitement de haut en bas* ?

La *sensation* est le processus par lequel nos récepteurs sensoriels et notre système nerveux reçoivent et représentent les énergies du stimulus provenant de notre environnement. La *perception* est le processus qui nous permet d'organiser et d'interpréter cette information. Même si, pour pouvoir les analyser et en discuter, nous abordons la sensation et la perception de manière séparée, il s'agit en réalité de parties d'un processus continu. Le *traitement de bas en haut* est l'analyse sensorielle qui commence lors de l'entrée du stimulus, au niveau des récepteurs sensoriels, et amène l'information jusqu'au cerveau. Le *traitement de haut en bas* est l'analyse qui commence au niveau du cerveau et descend pour produire nos perceptions, filtrant les informations au travers de nos expériences et de nos attentes.

2. Qu'est-ce que le seuil absolu et le seuil différentiel, et les stimuli en dessous du seuil absolu ont-ils une quelconque influence ?

Quel que soit le stimulus, le *seuil absolu* représente la stimulation minimale nécessaire à le détecter consciemment dans 50 p. 100 des cas. Selon la *théorie de détection du signal*, les seuils absolus varient selon les individus, en fonction de l'intensité du signal, de son expérience, de ses attentes, de sa motivation et de son état d'alerte. Le *seuil différentiel* (appelé aussi *différence tout juste détectable*) est la différence tout juste perceptible que nous discernons entre deux stimuli dans 50 p. 100 des cas. L'effet d'*amorçage* révèle que nous pouvons traiter certaines informations issues de stimuli situés au-dessous de notre seuil absolu de perception consciente. Mais l'effet est trop fugace pour permettre à certaines personnes de nous exploiter avec des messages *subliminaux*. Comme la *loi de Weber* l'établit, pour pouvoir percevoir une différence entre deux stimuli, il faut qu'ils diffèrent par une proportion constante.

3. Quelle est la fonction de l'adaptation sensorielle ?

L'*adaptation sensorielle* (diminution de notre sensibilité aux odeurs, aux sons et aux contacts qui restent constants ou auxquels nous sommes habitués) nous permet de concentrer notre attention sur les modifications instructives de notre environnement.

La vue

4. Quelle est l'énergie que nous voyons sous forme de lumière visible ?

Chaque sens reçoit une stimulation, la transforme (*transduction*) en un message nerveux et envoie ces messages nerveux au cerveau. En ce qui concerne la vision, le signal consiste en des particules d'énergie lumineuse représentant une fine partie du large spectre des radiations électromagnétiques. La *teinte* d'une lumière que nous percevons dépend de sa *longueur d'onde* et sa *brillance* dépend de son *intensité*.

5. Comment l'œil transforme-t-il l'énergie lumineuse en un message nerveux ?

Après être entrées dans l'œil et avoir été concentrées par une lentille (*cristallin*), les particules d'énergie lumineuse frappent la surface interne de l'œil, la *rétine*. Les cellules réceptrices de la rétine (*cônes* sensibles à la couleur et *bâtonnets* sensibles à la lumière) convertissent l'énergie lumineuse en des influx nerveux qui, après avoir été traités par des cellules bipolaires et ganglionnaires, voyagent par le *nerf optique* jusqu'au cerveau.

6. De quelle manière le cerveau traite-t-il les informations visuelles ?

Les influx voyagent le long du nerf optique jusqu'au thalamus et au cortex visuel. Au niveau du cortex visuel, des *détecteurs de caractéristiques* répondent aux caractéristiques spécifiques du stimulus visuel. Des supercellules de plus haut niveau intègrent cet ensemble de données pour les traiter dans d'autres aires corticales. Le *traitement parallèle* au niveau du cerveau gère de nombreux aspects du problème simultanément et des équipes de neurones séparées travaillent sur des sous-tâches visuelles (couleur, mouvement, profondeur et forme). D'autres équipes intègrent les résultats en les comparant avec les informations stockées et en permettant les perceptions.

7. Quelles théories nous permettent de comprendre la vision des couleurs ?

Selon la *théorie trichromatique (trois couleurs)* de *Young-Helmholtz*, la rétine contient trois types de récepteurs des couleurs. Des recherches récentes ont trouvé trois types de cônes, chacun plus sensible à la longueur d'onde d'une des trois couleurs primaires de la lumière (le rouge, le vert ou le bleu). Selon la *théorie des couleurs complémentaires* de Hering (*théorie du processus antagoniste*), il existe trois traitements complémentaires des couleurs (rouge versus vert, bleu versus jaune, et noir versus blanc). Les recherches récentes ont confirmé que, sur la route qui les mène au cerveau, les neurones de la rétine et du thalamus codent les informations liées à la couleur provenant des cônes par couples de couleurs opposées. Ces deux théories ainsi que les études qui les confirment montrent que le traitement de la couleur s'effectue en deux étapes.

L'ouïe

8. Quelles sont les caractéristiques des ondes de pression que nous percevons comme des sons ?

Les ondes sonores sont des bandes d'air comprimé et dilaté. Nos oreilles détectent ces changements de pression de l'air et les transforment en influx nerveux que le cerveau décode comme un son. Les ondes sonores varient en *fréquence* que nous percevons comme des différences de *hauteur* et en amplitude, que nous percevons en différences d'intensité.

9. De quelle manière l'oreille transforme-t-elle l'énergie sonore en un message nerveux ?

L'oreille externe est la portion visible de l'oreille. L'*oreille moyenne* est la chambre située entre le tympan et la *cochlée*. L'*oreille interne* est formée de la cochlée, des canaux semi-circulaires et des sacs vestibulaires. Grâce à une chaîne mécanique d'événements, les ondes sonores voyageant à travers le conduit auditif provoquent de minuscules vibrations du tympan. Les os situés dans l'oreille moyenne amplifient ces vibrations et les relaient jusqu'à la cochlée remplie de liquide. Le plissement de la membrane basilaire, lié aux changements de pression du liquide intracochléaire, provoque des mouvements des minuscules cellules ciliées, qui déclenchent l'envoi des messages nerveux (via le thalamus) vers le cortex auditif situé dans le cerveau.

10. Quelles sont les théories qui nous permettent de comprendre la perception de la hauteur tonale ?

Selon la *théorie de l'emplacement*, notre cerveau interprète une hauteur particulière en décodant l'endroit où l'onde sonore a stimulé la membrane basilaire de la cochlée. Selon *la théorie des fréquences*, le cerveau déchiffre la fréquence des pulsations qui voyagent jusqu'au cerveau. La théorie de l'emplacement ne peut expliquer comment nous entendons les sons très bas, mais peut expliquer nos sensations des bruits très aigus. La théorie de la fréquence ne permet pas d'expliquer comment nous entendons les sons très hauts, mais peut expliquer notre perception des basses sonorités. L'association des deux théories peut expliquer que nous entendions les sons intermédiaires.

11. Comment localisons-nous les sons ?

Les ondes sonores atteignent une oreille plus rapidement et plus intensément que l'autre. Le cerveau analyse les minuscules différences entre les sons reçus par les deux oreilles et calcule l'origine du son.

12. Quelles sont les principales causes de perte auditive ? Pourquoi existe-t-il des controverses autour des implants cochléaires ?

La *surdité de transmission* (ou de conduction) résulte de lésions des systèmes mécaniques qui transmettent les ondes sonores à la cochlée. La *surdité neurosensorielle* (ou de perception) résulte d'une lésion des cellules ciliées de la cochlée ou des nerfs qui y sont associés. Ces problèmes peuvent être provoqués par des maladies et des accidents. Toutefois, les troubles liés à l'âge ou à une exposition prolongée aux bruits intenses sont plus fréquemment en cause lors de perte d'audition. Les *implants cochléaires* artificiels peuvent restaurer l'audition chez certaines personnes mais les partisans de la culture des Sourds pensent que cette opération n'est pas nécessaire chez les personnes Sourdes depuis la naissance et qui peuvent parler leur propre langage, le langage des signes.

Les autres sens importants

13. Comment percevons-nous le toucher ainsi que la position de notre corps et son mouvement ? Comment ressentons-nous la douleur ?

Notre sens du toucher est en fait composé de quatre sens (la pression, la chaleur, le froid et la douleur) qui s'associent pour produire d'autres sensations comme celle de « brûlure ». Par la *kinesthésie* nous sentons la position et le mouvement des parties de notre corps. Nous surveillons la position de notre corps et maintenons notre équilibre par notre *sens vestibulaire* (ou de l'équilibre). La douleur est un système d'alarme qui attire notre attention sur certains problèmes physiques. L'une des théories de la douleur est qu'il existe un « *portillon* » dans la moelle épinière qui s'ouvre pour permettre aux signaux douloureux de voyager via les petites fibres nerveuses jusqu'au cerveau ou se ferme pour empêcher leur passage. La perspective biopsychosociale considère que l'expérience de la douleur d'un individu est la somme de trois ensembles de forces : les influences biologiques comme les fibres nerveuses qui envoient un message au cerveau ; les influences psychologiques comme nos attentes ; les influences socioculturelles comme la présence de témoins. Les traitements visant à contrôler la douleur associent souvent des éléments physiologiques et psychologiques.

14. Comment ressentons-nous le goût ?

Le goût est un sens chimique composé de cinq sensations basiques - sucré, acide, salé, amer et umami - et d'arômes, qui interagissent avec les informations issues des récepteurs du goût situés sur les papilles gustatives. L'influence de l'odorat sur notre sens du goût est un exemple de l'*interaction sensorielle*, la capacité d'un sens à en influencer un autre.

15. Comment ressentons-nous les odeurs ?

Il n'existe pas de sensation basique de l'odorat. L'odorat est un sens chimique. Les 5 millions de cellules réceptrices olfactives associées à leurs différentes protéines réceptrices, approximativement au nombre de 350, reconnaissent chaque molécule odorante individuellement. Les cellules réceptrices envoient des messages au bulbe olfactif situé dans le cerveau, puis au lobe temporal et à certaines parties du système limbique. Certaines odeurs déclenchent un souvenir spontané ou des sentiments, en partie à cause de la connexion étroite entre les zones cérébrales qui traitent les informations odorantes et celles qui sont impliquées dans le stockage mnésique.

Organisation de la perception

16. De quelle manière les psychologues gestaltistes comprennent-ils l'organisation de la perception ?

Les psychologues gestaltistes recherchent les règles qui permettent au cerveau d'organiser des fragments de données sensorielles en *Gestalt* (mot allemand voulant dire « tout ») ou en formes ayant une signification. En attirant l'attention sur le fait que le « tout » est bien plus que la somme de ses parties, ces chercheurs ont montré que nous filtrons constamment les informations sensorielles pour en tirer des perceptions qui ont un sens pour nous.

17. De quelle manière les principes de la relation figure/fond et du regroupement contribuent-ils à notre perception ?

Pour reconnaître un objet, nous devons d'abord le percevoir (ou le voir comme une *figure*) et le distinguer de ce qui l'entoure (le *fond*). Nous apportons de l'ordre et des formes aux stimuli en les organisant en *groupes* ayant une signification à l'aide des règles de proximité, de similitude, de continuité, de connexité et de fermeture.

18. Comment pouvons-nous voir le monde en trois dimensions ?

La *perception de la profondeur* est notre capacité à voir des objets en trois dimensions et d'estimer la distance. Les expériences, entre autres, de la *falaise visuelle* ont montré que beaucoup d'espèces perçoivent le monde en trois dimensions dès la naissance ou peu de temps après. Les *indices binoculaires*, comme la *disparité rétinienne*, sont des indices de profondeur que relaie l'information issue des deux yeux. Les *indices monoculaires* (comme la taille relative, l'interposition, la hauteur relative, les mouvements relatifs, la perspective linéaire et l'ombre et la lumière) nous permettent de juger de la profondeur en utilisant des informations transmises par un seul œil.

19. Comment percevons-nous le mouvement ?

À mesure que les objets se déplacent, nous postulons comme hypothèse de base que les objets qui rétrécissent s'éloignent et que ceux qui deviennent plus grands se rapprochent. Mais parfois nous faisons des erreurs de calcul. Une succession rapide d'images sur la rétine peut créer une illusion de mouvement, comme lors du mouvement stroboscopique, ou du *phénomène phi*.

20. De quelle manière la constance perceptive peut-elle nous aider à organiser nos sensations en des perceptions ayant une signification ?

La *constance perceptive* nous permet de reconnaître un objet de manière stable quels que soient les changements de l'image qu'il projette sur nos rétines. La constance de la forme est notre capacité à percevoir des objets familiers (une porte ouverte par exemple) comme ne changeant pas de forme. La constance de la taille est la perception que les objets ne changent pas de taille malgré le changement de leur image rétinienne. En sachant que la taille d'un objet nous donne des indices sur sa distance et en sachant que sa distance nous donne des indices sur sa taille, nous faisons parfois des erreurs d'interprétation des indices monoculaires et aboutissons à de mauvaises conclusions comme lors de l'illusion de la lune. La constance de luminosité (ou de brillance) est notre capacité à percevoir un objet avec une luminosité constante même lorsque son éclairage (c'est-à-dire la lumière qui arrive sur lui) change. Le cerveau perçoit la luminosité d'un objet relativement aux objets qui l'entoure. La *constance des couleurs* nous permet de percevoir la couleur d'un objet comme constante même lorsque son éclairage ou les longueurs d'ondes changent. Notre cerveau construit notre expérience de la couleur d'un objet en le comparant avec les autres objets qui l'entourent.

Interprétation perceptive

21. Que révèlent les recherches sur la privation sensorielle et le recouvrement de la vue sur les effets de l'expérience ?

Les adultes aveugles de naissance qui ont retrouvé la vision après une opération n'ont pas l'expérience leur permettant de reconnaître les formes, les contours et les visages complets. Des animaux élevés avec des restrictions importantes de stimuli visuels souffrent de handicaps visuels persistants lorsque leur exposition visuelle redevient normale. Il existe une période critique pour certains aspects du développement sensoriel et de la perception. Sans une stimulation précoce, l'organisation neuronale du cerveau ne se développe pas normalement.

22. Jusqu'où notre capacité perceptive peut-elle s'adapter ?

L'*adaptation perceptive* est évidente lorsque l'on donne à des individus des lunettes qui décalent légèrement le monde vers la droite ou vers la gauche ou même qui le renversent totalement. Les individus sont désorientés au départ mais ils arrivent à s'adapter à ce nouveau contexte.

23. De quelle manière nos attentes, le contexte et nos émotions influencent-ils nos perceptions ?

Le *cadre perceptif* est une prédisposition mentale qui fonctionne comme une lentille au travers de laquelle nous percevons le monde. Nos concepts appris (schèmes) laissent une empreinte qui permet d'organiser et d'interpréter des stimuli ambigus d'une certaine manière. Le contexte environnant nous aide à créer des attentes qui guident nos perceptions. Le contexte émotionnel peut colorer nos interprétations du comportement des autres ainsi que du nôtre.

24. Comment travaillent les spécialistes en psychologie ergonomique pour créer des machines et des cadres de travail agréables à utiliser ?

Les *spécialistes en psychologie ergonomique* ont contribué à augmenter la sécurité des hommes et à améliorer la conception des appareils en encourageant les développeurs et les concepteurs à considérer les capacités perceptives humaines pour éviter le syndrome du savoir. Ils les encouragent également à prévoir des tests sur les utilisateurs pour mettre en évidence les problèmes liés à la perception.

Existe-t-il une perception extrasensorielle ?

25. Quelles sont les affirmations de la PES ? Quelles sont les conclusions de la plupart des chercheurs en psychologie après avoir testé ces revendications ?

Les trois formes de *perception extrasensorielle* (*PES*) les plus faciles à tester sont la télépathie (communication d'esprit à esprit), la voyance (perception d'événements se produisant à distance) et la prémonition (perception des événements futurs). Le scepticisme lié aux recherches des psychologues s'appuie principalement sur deux points. Tout d'abord, pour croire à la PES, il faut croire que le cerveau soit capable de percevoir sans influx sensoriel. Deuxièmement (ce qui est encore plus important du point de vue de la recherche critique), les psychologues et les *parapsychologues* n'ont pas été capables de recréer (reproduire) les phénomènes de PES dans des conditions contrôlées.

Termes et concepts à retenir

Sensation, p. 230
Perception, p. 230
Traitement de bas en haut, p. 230
Traitement de haut en bas, p. 230
Psychophysique, p. 231
Seuil absolu, p. 231
Théorie de la détection du signal, p. 231
Subliminal, p. 232
Amorçage, p. 232
Seuil différentiel, p. 234
Loi de Weber, p. 234
Adaptation sensorielle, p. 234
Transduction, p. 236
Longueur d'onde, p. 237
Teinte, p. 237
Intensité, p. 237
Pupille, p. 237
Iris, p. 237
Cristallin, p. 237
Rétine, p. 237
Accommodation, p. 237
Bâtonnets, p. 238
Cônes, p. 238
Nerf optique, p. 238
Point aveugle, p. 238
Fovéa, p. 239
Détecteurs de caractéristiques, p. 241
Traitement parallèle, p. 242
Théorie trichromatique (trois couleurs) de Young-Helmholtz, p. 244
Théorie des couleurs complémentaires, p. 244
Audition, p. 245
Fréquence, p. 246
Hauteur tonale, p. 246
Oreille moyenne, p. 246
Cochlée, p. 246
Oreille interne, p. 246
Théorie de l'emplacement, p. 249
Théorie des fréquences, p. 249

Surdité de conduction (de transmission), p. 250
Surdité neurosensorielle (de perception), p. 250
Implant cochléaire, p. 250
Kinesthésie, p. 254
Sens vestibulaire (de l'équilibre), p. 254
Théorie du contrôle du « portillon » (*gate control*), p. 255
Interaction sensorielle, p. 259
Gestalt, p. 263
Figure/fond, p. 264
Regroupement, p. 265
Perception de la profondeur, p. 266
Falaise visuelle, p. 266
Indices binoculaires, p. 266
Disparité rétinienne, p. 267
Indices monoculaires, p. 267
Phénomène phi, p. 269
Constance perceptive, p. 269
Constance des couleurs, p. 271
Adaptation perceptive, p. 274
Cadre perceptif, p. 275
Psychologie ergonomique, p. 279
Perception extrasensorielle (PES), p. 282
Parapsychologie, p. 282

CHAPITRE 7

L'apprentissage

COMMENT APPRENONS-NOUS ?

CONDITIONNEMENT CLASSIQUE
- Les expériences de Pavlov
- Extension des conclusions de Pavlov
- L'héritage de Pavlov
- **Gros plan :** Les traumatismes en tant que conditionnement classique

CONDITIONNEMENT OPÉRANT
- Les expériences de Skinner
- Extension des conclusions de Skinner
- L'héritage de Skinner
- **Gros plan :** « Dresser son conjoint »
- Comparaisons entre le conditionnement opérant et le conditionnement classique

APPRENTISSAGE PAR OBSERVATION
- Des miroirs dans le cerveau
- Les expériences de Bandura
- Les applications de l'apprentissage par observation

Lorsqu'un saumon Chinook du Pacifique sort de son œuf dans le lit de graviers d'un torrent, ses gènes lui fournissent la majeure partie des instructions comportementales dont il a besoin pour vivre. Il sait instinctivement comment et où nager, ce qu'il doit manger et comment se protéger des prédateurs. Suivant un programme préétabli, le jeune saumon va bientôt commencer son long voyage vers la mer. Après 4 ans passés dans l'océan le saumon adulte revient à son lieu de naissance. Il nage des centaines de kilomètres jusqu'à l'embouchure de sa rivière natale puis, guidé par l'odeur de son torrent familier, il commence une odyssée en remontant le courant jusqu'à sa frayère ancestrale. Une fois arrivé, le saumon recherche les conditions exactes de température, de gravier et de vitesse du courant qui vont faciliter sa reproduction, puis il s'accouple. Une fois sa mission accomplie, il meurt.

À la différence du saumon, nous ne sommes pas nés avec un projet génétique pour la vie entière. La majeure partie de ce que nous faisons, nous devons l'apprendre par l'expérience. Bien que nous soyons obligés de lutter pour trouver la direction de la vie, contrairement au saumon qui est né avec, notre apprentissage nous donne beaucoup plus de flexibilité. Nous pouvons apprendre à construire des igloos, des huttes de feuillage, des sous-marins ou des stations spatiales, et donc nous adapter pratiquement à n'importe quel environnement. En effet, le plus important des cadeaux que nous a fait la nature est sans doute notre *capacité d'adaptation* – notre capacité à apprendre des comportements nouveaux qui nous permettent de faire face à des circonstances en perpétuel changement.

« En fait, le sexe n'a pas une si grande importance pour moi. »

L'apprentissage fait naître l'espoir. Ce qui peut être appris, nous pouvons potentiellement l'enseigner – c'est un fait qui encourage les parents, les éducateurs, les entraîneurs des athlètes et les dresseurs d'animaux. Ce qui a été appris peut être potentiellement modifié par un nouvel apprentissage – ce postulat est sous-jacent dans les programmes de soutien, de psychothérapie et de rééducation. Peu importe notre détresse, nos échecs, notre manque d'amour, ce n'est pas nécessairement la fin de notre histoire.

Il n'y a pas de sujet plus proche du cœur de la psychologie que l'**apprentissage**, qui est *un changement relativement permanent dans le comportement d'un organisme provoqué par l'expérience*. Dans les chapitres précédents, nous avons déjà vu l'apprentissage des perceptions visuelles, des effets prévisibles d'une substance psychoactive, du rôle sexué. Dans les chapitres à venir, nous verrons comment l'apprentissage modèle notre pensée et notre langage, nos motivations et nos émotions, notre personnalité et nos attitudes. Ce chapitre examine trois types d'apprentissage : le *conditionnement classique*, le *conditionnement opérant* et l'*apprentissage par l'observation*.

« L'apprentissage est l'œil de l'esprit. »
Thomas Drake, *Bibliotheca Scholastica Instructissima*, 1633

Comment apprenons-nous ?

1. Quelles sont les formes fondamentales d'apprentissage ?

IL Y A PLUS DE 200 ANS, des philosophes tels que John Locke et David Hume faisaient écho aux conclusions d'Aristote, 2000 ans plus tôt : nous apprenons par *association*. Nos esprits relient naturellement les événements qui se suivent. Si après avoir vu et senti du pain sortant du four, vous en mangez un morceau et le trouvez bon, la prochaine fois que vous verrez et sentirez du pain frais, votre expérience vous conduira à prévoir

:: **Apprentissage :** changement relativement permanent dans le comportement d'un organisme, provoqué par l'expérience.

::Apprentissage par association : apprendre que certains événements se produisent ensemble. Les événements peuvent être deux stimuli (comme dans le conditionnement classique), ou une réponse et ses conséquences (comme dans le conditionnement opérant).

qu'en manger un morceau sera de nouveau agréable. De même avec les sons. Si vous associez un son à une conséquence effrayante, votre peur pourra alors être déclenchée par le son lui-même. Comme s'exclamait un enfant de 4 ans après avoir vu un personnage de télévision se faire agresser, « si j'avais entendu cette musique, je n'aurais pas tourné au coin de la rue ! » (Wells, 1981).

L'apprentissage par association nourrit également nos comportements habituels (Wood et Neal, 2007). À mesure que nous répétons nos comportements dans un contexte donné, par exemple la position de sommeil que nous associons avec le lit, nos chemins pour arriver au campus, notre consommation de pop-corn au cinéma, ces comportements deviennent associés au contexte. Notre expérience suivante du contexte déclenche alors automatiquement la réponse habituelle. Ces associations expliquent pourquoi il peut être difficile de se défaire de l'habitude de fumer : lorsque l'on se retrouve dans le contexte où l'on fume, le besoin d'allumer une cigarette devient pressant (Siegel, 2005).

D'autres animaux apprennent également par association. Quand elle est dérangée par un jet d'eau, l'*aplysie*, qui est un gastéropode marin, va rétracter ses branchies pour se protéger. Si les jets continuent, comme c'est le cas dans une eau agitée, la réponse de rétraction va diminuer (l'aplysie *s'habitue*). Mais si cette aplysie de mer reçoit de façon répétée un choc électrique après avoir été arrosée, sa réponse de rétraction au jet d'eau devient plus forte. L'animal associe le jet d'eau au choc qui le suit. Des animaux plus complexes peuvent apprendre à relier leur propre comportement aux résultats qui en découlent. Des phoques dans un aquarium vont répéter des comportements, comme battre des nageoires ou aboyer, pour inciter les gens à leur jeter un hareng.

En reliant deux événements qui se produisent d'une manière rapprochée, l'aplysie comme le phoque font preuve d'un **apprentissage par association** ; l'aplysie associe le jet d'eau au choc qui le suit et le phoque associe le fait de claquer des nageoires ou d'aboyer à celui de recevoir un hareng. Dans les deux cas, les animaux ont appris quelque chose d'important pour leur survie : prédire leur futur immédiat.

Les problèmes auxquels sont confrontés les animaux élevés en captivité une fois relâchés dans la nature montrent à quel point l'apprentissage est important pour un animal. Onze loups gris du Mexique (race éteinte depuis 1977 aux États-Unis), nés et élevés en captivité, ont été remis en liberté dans la *Arizona's Apache National Forest* en 1998. Huit mois plus tard, le dernier survivant de cette expérience était à nouveau placé en captivité. Les loups, élevés dans un enclos, avaient appris à chasser et à se tenir éloignés de l'homme à une trentaine de mètres, mais ils n'avaient pas appris à fuir face à un être humain armé. L'expérience de ces loups gris est courante. Des 115 espèces réintroduites dans la nature, dans le cadre de 145 programmes officiels conduits au XXe siècle, 11 p. 100 seulement ont réussi à se perpétuer dans leur milieu naturel. Une adaptation qui se veut efficace résulte de l'interaction entre l'inné (les prédispositions génétiques nécessaires) et l'acquis (un parcours d'apprentissage adéquat).

• La plupart d'entre nous seraient incapables de donner l'ordre des chansons de son album ou de sa liste personnelle favoris. Cependant, entendre la fin d'un morceau de musique nous permet d'anticiper le morceau suivant (par association). De la même manière, en chantant votre hymne national, vous associez la fin de chaque ligne avec le début de la suivante. (Prenez une ligne en plein milieu et remarquez comme il est plus difficile de se rappeler la ligne *précédente*.) •

Le *conditionnement* est le processus consistant à apprendre des associations. Dans *le conditionnement classique*, nous apprenons à associer deux stimuli et à anticiper les événements. Nous apprenons que l'éclair signale un grondement de tonnerre imminent, par conséquent, lorsque nous voyons un éclair proche, nous commençons à nous préparer (FIGURE 7.1).

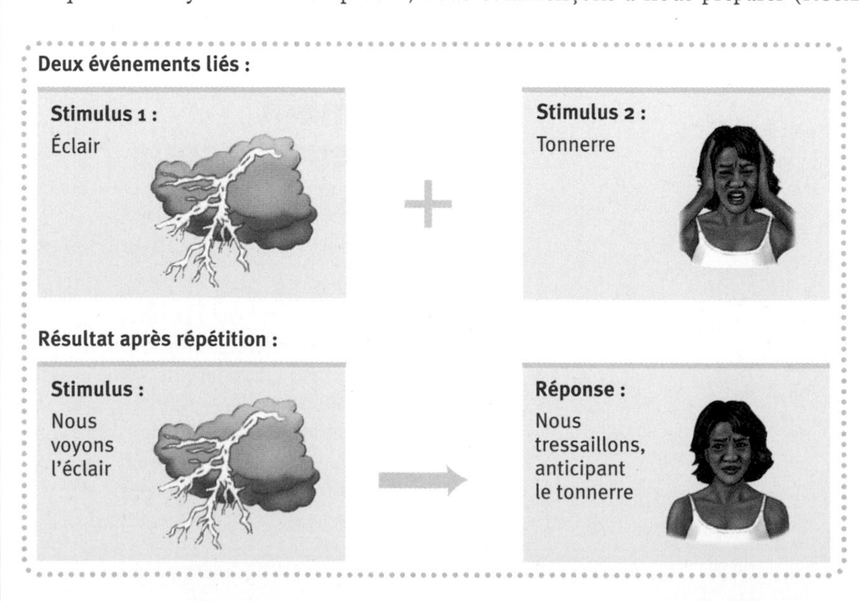

➤ FIGURE 7.1
Conditionnement classique

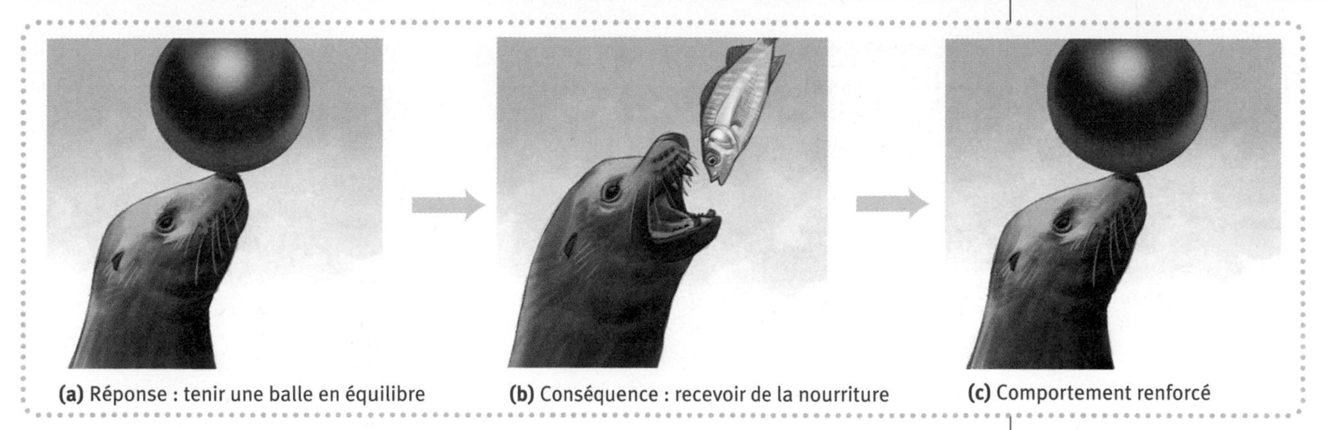

(a) Réponse : tenir une balle en équilibre (b) Conséquence : recevoir de la nourriture (c) Comportement renforcé

➤ FIGURE 7.2
Conditionnement opérant

Dans le *conditionnement opérant*, nous apprenons à associer une réponse (notre comportement) et ses conséquences, ce qui nous pousse à répéter les actes suivis d'une récompense (FIGURE 7.2) et à éviter les actes suivis d'une punition.

Pour simplifier, nous allons considérer séparément ces deux types d'apprentissage par association, bien qu'ils se produisent souvent ensemble dans la même situation. On raconte qu'un astucieux éleveur de bétail japonais équipa son troupeau de bippers électroniques, qu'il pouvait appeler depuis son téléphone portable. Après une semaine d'entraînement, les animaux avaient appris à associer deux stimuli : le bip sonore de leur appareil et l'arrivée de la nourriture (conditionnement classique). Mais ils avaient aussi appris à associer leur bousculade vers la mangeoire au plaisir de manger (conditionnement opérant).

Le concept du conditionnement par association pose cependant de nombreuses questions. Quels sont les principes qui gouvernent l'apprentissage et la perte des associations ? Comment pouvons-nous appliquer ces principes ? Et que sont réellement les associations : le signal sonore émis par le bipper placé sur le bœuf évoque-t-il une représentation mentale de la nourriture à laquelle le bœuf répond en se dirigeant vers la mangeoire ? Ou bien cela n'a-t-il aucun sens d'expliquer les associations conditionnées en termes de processus cognitifs ? (Dans le chapitre 8 sur la mémoire, nous verrons comment le cerveau garde en réserve et élimine ce qu'il a appris.)

Le conditionnement n'est pas la seule forme d'apprentissage. L'*apprentissage par observation* nous permet d'apprendre à partir des exemples et des expériences d'autrui. Les chimpanzés peuvent aussi apprendre des comportements essentiellement en observant d'autres individus les accomplir. Si un animal apprend à résoudre un puzzle pour obtenir de la nourriture en guise de récompense pendant qu'un autre le regarde, le second animal pourra exécuter le travail plus rapidement.

Nous, les hommes, utilisons le conditionnement et l'observation pour apprendre et nous adapter à notre environnement. Nous apprenons à prévoir et à anticiper des événements précis tels que l'alimentation ou la douleur (*conditionnement classique*). Nous apprenons également à répéter des actes qui apportent des résultats bénéfiques et à éviter ceux qui entraînent des désagréments (*conditionnement opérant*). En observant les autres, nous acquérons de nouveaux comportements (*apprentissage par observation*). Par l'intermédiaire du langage, nous apprenons aussi des choses que nous n'avons jamais vécues ni observées.

AVANT D'ALLER PLUS LOIN...

➤ INTERROGEZ-VOUS

Vous souvenez-vous d'exemples d'apprentissage par conditionnement classique au cours de votre jeunesse – par exemple d'avoir salivé lorsque vous entendiez un certain bruit ou sentiez un délicieux repas en train de cuire dans la cuisine familiale ? Vous souvenez-vous d'un exemple de conditionnement opérant, par exemple d'avoir décidé (ou non) de répéter un comportement parce que vous aimiez (ou haïssiez) ses conséquences ? Vous souvenez-vous d'avoir regardé quelqu'un effectuer quelque chose puis d'avoir répété (ou évité) cet acte ?

➤ TESTEZ-VOUS 1

À mesure que nous nous développons, nous apprenons des signaux qui nous conduisent à attendre et à nous préparer aux événements bons ou mauvais. Nous apprenons à répéter des comportements qui entraînent des récompenses. Et nous apprenons en regardant les autres. Comment les psychologues appellent-ils ces trois types d'apprentissage ?

Les réponses aux questions « Testez-vous » sont données dans l'annexe B à la fin de l'ouvrage.

:: **Conditionnement classique** : type d'apprentissage dans lequel un organisme en vient à associer deux ou plusieurs stimuli et à anticiper les événements.

:: **Behaviorisme (ou comportementalisme)** : courant selon lequel (1) la psychologie doit être une science objective qui (2) étudie le comportement sans référence aux processus mentaux. La plupart des chercheurs en psychologie sont aujourd'hui d'accord avec la première partie (1) de la définition, mais pas avec la seconde (2).

Conditionnement classique

2. Qu'est-ce que le conditionnement classique ? De quelle manière les travaux de Pavlov ont-ils influencé le behaviorisme ?

POUR BEAUCOUP DE GENS, LE NOM D'IVAN Pavlov (1849-1936) est évocateur. Ses expériences au début du xxe siècle, devenues les recherches les plus fameuses de la psychologie, sont classiques et le phénomène qu'il explora est celui que nous nommons à juste titre le **conditionnement classique**.

Les travaux de Pavlov ont également posé les fondements de nombreuses conceptions du psychologue John B. Watson. Dans ses travaux de recherche sur les principes sous-jacents de l'apprentissage, Watson (1913) conseilla vivement à ses collaborateurs d'écarter toute référence aux pensées, aux sentiments et aux motivations personnelles. La psychologie à visée scientifique se doit plutôt d'étudier comment les organismes répondent aux stimuli présents dans leur environnement, déclare Watson. « Le but théorique de la psychologie est de prévoir et de contrôler le comportement. L'introspection ne constitue pas une partie essentielle de ses méthodes. » Plus simplement, la psychologie devrait être une science objective qui se fonde sur un comportement observable. Ce courant que Watson a appelé **behaviorisme** (ou comportementalisme) a influencé les psychologues d'Amérique du Nord durant toute la première partie du xxe siècle. Watson et Pavlov partageaient le même sentiment de dédain à l'égard des concepts « mentalistes » tels que la conscience et la même conviction selon laquelle les principes de base de l'apprentissage étaient les mêmes chez tous les animaux, chez le chien aussi bien que chez l'homme. Peu de chercheurs aujourd'hui s'accordent à penser que la psychologie doit éviter d'étudier les processus mentaux, mais presque tous reconnaissent que le conditionnement classique est une forme fondamentale de l'apprentissage qui permet à tous les organismes de s'adapter à leur environnement.

Les expériences de Pavlov

3. Comment un stimulus neutre devient-il un stimulus conditionné ?

Pavlov a été guidé durant toute sa vie par sa passion pour la recherche. Après avoir renoncé à suivre la voie de son père dans la prêtrise orthodoxe russe, il obtint son diplôme de médecin à l'âge de 33 ans et passa les 20 années suivantes à étudier le système digestif, un travail qui lui valut le premier prix Nobel russe en 1904. Mais ce sont ses nouvelles expériences sur l'apprentissage, auxquelles il consacra les 30 dernières années de son existence, qui valurent à ce scientifique tenace sa place dans l'histoire.

Pavlov prit une nouvelle orientation lorsque son esprit créatif s'empara d'une découverte fortuite. Il remarqua que, lorsqu'il plaçait de la nourriture dans la gueule d'un chien, celui-ci salivait invariablement. De plus, non seulement le chien commençait à saliver lorsqu'il goûtait la nourriture mais aussi à la simple vue de la nourriture, de la gamelle, de la personne qui lui apportait régulièrement de la nourriture ou même au son du pas de cette personne. Au début, Pavlov considéra ces « sécrétions psychiques » comme une gêne jusqu'à ce qu'il réalise qu'elles correspondaient à une forme simple, mais importante, d'apprentissage.

Pavlov et ses assistants essayèrent d'imaginer ce que le chien pouvait penser ou ressentir lorsqu'il bavait en attendant sa nourriture. Cette approche n'aboutit qu'à des débats infructueux. Pour aborder le phénomène de façon plus objective, ils réalisèrent donc des expériences. Pour éliminer l'influence possible de stimuli extérieurs, ils isolèrent le chien dans une petite pièce, l'attachèrent et lui fixèrent un petit appareil qui conduisait sa salive vers un instrument de mesure. D'une pièce adjacente, ils pouvaient présenter la nourriture – au départ en glissant une gamelle de nourriture, plus tard en insufflant dans la gueule du chien de la poudre de viande à un moment précis. Ensuite, ils associèrent à la nourriture placée dans la gueule du chien divers *événements neutres*, des choses que le chien pouvait voir ou entendre mais ne pouvait associer à la nourriture. Si la vue ou le bruit signalait régulièrement l'arrivée de la nourriture, est-ce que le chien allait associer les deux stimuli ? Si c'était le cas, allait-il commencer à saliver en anticipant l'arrivée de nourriture ?

La réponse s'avéra positive pour les deux questions. Juste avant de placer la nourriture dans la gueule du chien pour provoquer la salivation, Pavlov faisait résonner un son. Après plusieurs associations entre le son et la nourriture, le chien se mit à saliver uniquement en entendant le son, par anticipation de la viande en poudre. Dans des expériences ultérieures, Pavlov conditionna des chiens à saliver en présence d'autres stimuli – une sonnerie, une lumière, une tape

Ivan Pavlov « La recherche expérimentale… doit fournir une base solide pour une science future et authentique de la psychologie. » (1927)

Sovfoto

sur la patte ou même la vision d'un cercle déclenchait la salivation[1]. (Cela marchait aussi chez l'homme. Lorsque des jeunes Londoniens affamés regardèrent des figures abstraites avant de sentir du beurre de cacahuète ou de la vanille, leurs cerveaux commencèrent rapidement à répondre par anticipation à la seule image abstraite [Gottfried et coll., 2003]).

Comme la salivation en réponse à la présence de nourriture dans la gueule n'était pas apprise, Pavlov l'appela **réponse inconditionnelle (RI)**. La présence de nourriture dans la gueule déclenche un réflexe de salivation automatique et *inconditionnel* chez le chien (Figure 7.3). Pavlov appela donc le stimulus nourriture **stimulus inconditionnel (SI)**.

➤ FIGURE 7.3
L'expérience classique de Pavlov
Pavlov présenta un stimulus neutre (un son) juste avant un stimulus inconditionnel (nourriture dans la gueule). Le stimulus neutre devint alors un stimulus conditionnel produisant une réponse conditionnée.

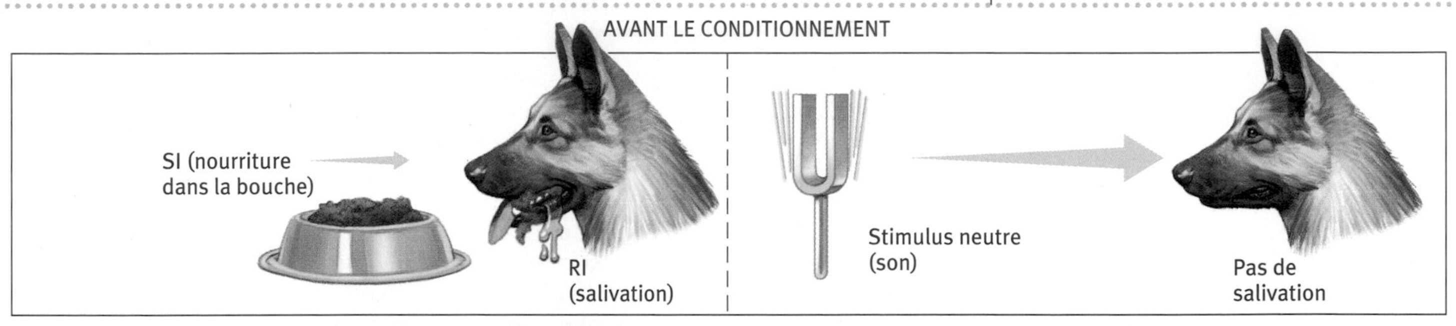

Un stimulus inconditionnel (SI) déclenche une réponse inconditionnelle (UR).

Un stimulus neutre ne provoque pas de réponse salivaire.

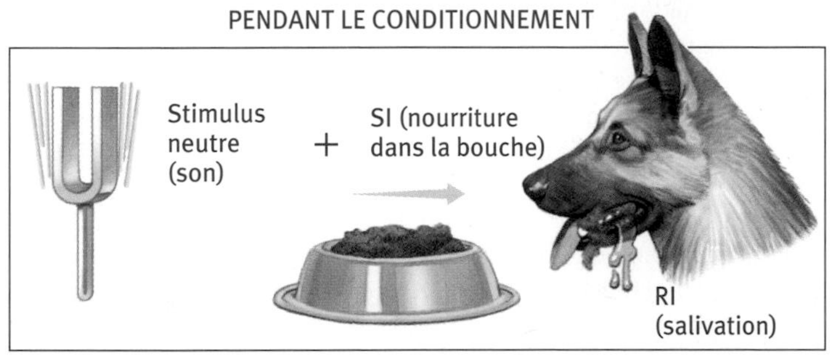

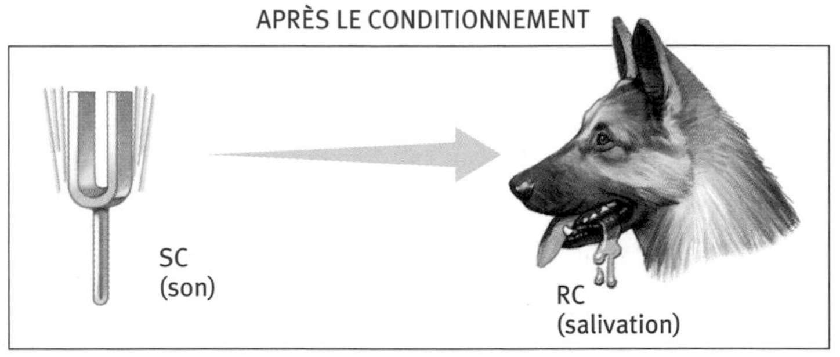

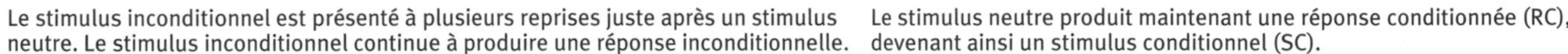
Le stimulus inconditionnel est présenté à plusieurs reprises juste après un stimulus neutre. Le stimulus inconditionnel continue à produire une réponse inconditionnelle.

Le stimulus neutre produit maintenant une réponse conditionnée (RC), devenant ainsi un stimulus conditionnel (SC).

La salivation en réponse au son a été *conditionnée* par l'apprentissage par le chien de l'association entre le son et la nourriture. De nos jours, nous appelons cette réponse apprise la **réponse conditionnée (RC)**. Le son, qui était auparavant un stimulus neutre et qui maintenant déclenche la salivation conditionnelle, est appelé **stimulus conditionnel (SC)**. Il est facile de distinguer ces deux types de stimuli. Souvenez-vous simplement : conditionné = appris ; *in*conditionnel = *non* appris.

Vérifions si vous avez compris avec un second exemple. Un expérimentateur fait retentir un son juste avant de vous envoyer une bouffée d'air dans l'œil. Après maintes répétitions, votre œil se ferme quand vous entendez le son seul. Quel est le SI ? La RI ? Le SC ? La RC ?[2]

PEANUTS

JE N'AI JAMAIS RÉUSSI À COMPRENDRE...

::**Réponse inconditionnelle (RI)** : dans le conditionnement classique, c'est la réponse non apprise, spontanée, au stimulus inconditionnel (SI), comme la salivation lorsque l'on place de la nourriture dans la bouche.

::**Stimulus inconditionnel (SI)** : dans le conditionnement classique, stimulus qui déclenche une réponse de façon non conditionnée – naturelle et automatique.

::**Réponse conditionnée (RC)** : dans le conditionnement classique, réponse apprise à un stimulus conditionnel (SC) auparavant neutre.

::**Stimulus conditionnel (SC)** : dans le conditionnement classique, un stimulus au départ neutre qui, après association avec un stimulus inconditionnel (SI), en vient à déclencher une réponse conditionnée.

1. La « sonnerie » (traduction française) devait être certainement la cloche de Pavlov, une petit cloche électrique (Tully, 2003).
2. SI : la bouffée d'air ; RI : l'œil se ferme quand il reçoit la bouffée d'air ; SC : le son ; RC : l'œil se ferme en réponse au son.

Si cette démonstration de l'apprentissage par association était si simple, qu'a donc fait Pavlov pendant les 30 années suivantes ? Comment son laboratoire de recherche a-t-il pu produire 532 documents sur le conditionnement salivaire (Windholz, 1997) ? Lui et ses associés ont exploré les cinq processus majeurs du conditionnement : l'*acquisition*, l'*extinction*, la *récupération spontanée*, la *généralisation* et la *discrimination*.

Acquisition

4. Lors du conditionnement classique, quels sont les processus d'acquisition, d'extinction, de récupération spontanée, de généralisation et de discrimination ?

Pour comprendre le processus d'**acquisition**, ou apprentissage initial, de la relation stimulus-réponse, Pavlov et ses collègues ont dû prendre en compte le facteur temps : combien de temps faut-il entre la présentation du stimulus neutre (le son, la lumière, le toucher) et le stimulus inconditionnel ? Ils découvrirent que, dans la plupart des cas, il fallait peu de temps, une demi-seconde suffit pour que cela marche bien.

Que se passerait-il, à votre avis, si la nourriture (SI) apparaissait avant le son (SC) plutôt qu'après ? Pensez-vous que le conditionnement pourrait avoir lieu ?

C'est peu vraisemblable. Bien qu'il y ait des exceptions, le conditionnement apparaît rarement lorsque le SC vient après le SI. Rappelez-vous, le conditionnement classique est biologiquement adaptatif car il aide les hommes et les animaux à *se préparer* à des événements bons ou mauvais. Pour les chiens de Pavlov, le son (SC) annonce un événement biologique important : l'arrivée de la nourriture (SI). Pour un daim dans la forêt, le craquement d'une brindille (SC) peut être, entre autres, annonciateur d'un prédateur (SI). Si l'événement bon ou mauvais est déjà arrivé, le SC ne va sans doute pas annoncer grand-chose d'important.

Michael Domjan (1992, 1994, 2005) a montré comment le SC pouvait signaler un autre événement biologique important en conditionnant l'excitation sexuelle d'une caille japonaise mâle. Le chercheur allumait une lampe rouge avant de présenter une femelle en chaleur. Avec le temps, lorsque la lumière rouge annonçait l'arrivée imminente d'une femelle, le mâle commençait à s'exciter. De plus, la caille mâle avait développé une préférence pour la zone de la cage avec la lumière rouge et, lorsque la femelle arrivait, il copulait avec elle plus rapidement et libérait plus de sperme et de liquide séminal (Matthew et coll., 2007). Dans l'ensemble, on peut dire que la réceptivité de la caille au conditionnement classique stimule ses fonctions reproductrices. Là encore on peut en tirer une leçon plus importante : *le conditionnement aide l'animal à survivre et à se reproduire lorsque celui-ci répond à des signaux qui lui permettent d'obtenir de la nourriture, d'éviter les dangers, de combattre ses rivaux, de localiser les partenaires et d'assurer sa descendance* (Hollis, 1997).

Chez les hommes également, les objets, les odeurs et les visions associés au plaisir sexuel – et même, au cours d'une expérience, une figure géométrique – deviennent des stimuli conditionnels de l'excitation sexuelle (Byrne, 1982). Le psychologue Michael Tirrell (1990) se souvient : « Ma première petite amie adorait les oignons – j'en vins ainsi à associer l'haleine sentant l'oignon avec les baisers. Pendant longtemps, l'haleine sentant l'oignon faisait fourmiller ma colonne vertébrale de haut en bas. Quelle sensation ! » (Figure 7.4).

Par le **conditionnement d'ordre supérieur**, un nouveau stimulus neutre peut devenir un nouveau stimulus conditionnel. Il suffit de l'associer au premier stimulus conditionnel. Si un son signale régulièrement de la nourriture et produit de la salivation, alors l'association d'une lumière à ce son peut aussi commencer à déclencher la salivation. Bien que ce conditionnement d'ordre supérieur (aussi appelé *conditionnement du second degré*) ait tendance à être plus faible que le conditionnement premier, il influence notre vie quotidienne. Imaginez quelque chose qui nous effraye beaucoup (par exemple un pitbull associé à une morsure préalable de chien). Si quelque chose d'autre, comme le son d'un chien qui aboie, amène à penser à ce pitbull, cet aboiement seul nous effrayera un peu.

Les associations peuvent influencer certaines attitudes (De Houwer et coll., 2001 ; Park et coll., 2007). Lorsqu'Andy Field (2006) a montré à des enfants anglais des personnages de dessin animé associés à une glace (*Hum* !) ou des choux de Bruxelles (*Berk* !), les enfants ont préféré les personnages associés à la glace. Michael Olson et Russell Fazio (2001) ont conditionné par conditionnement classique les attitudes des adultes, en utilisant les petits personnages des

• Vérifiez vous-même : si l'odeur des biscuits en train de cuire vous met l'eau à la bouche, quels sont le SI, le SC, la RC ? (Voir les réponses inversées ci-dessous.)

Retenez bien :
SI = **S**timulus **I**nconditionnel
RI = **R**éponse **I**nconditionnelle
SC = **S**timulus **C**onditionnel
RC = **R**éponse **C**onditionnée •

Les biscuits (et leur goût) sont le SI. L'arôme associé est le SC. La salivation qui suit la perception de l'arôme est la RC

:: Acquisition : stade initial du conditionnement classique ; c'est la phase pendant laquelle un stimulus neutre est associé à un stimulus inconditionnel jusqu'à ce que le stimulus neutre déclenche une réponse conditionnée. Dans le conditionnement opérant, c'est l'accroissement d'une réponse renforcée.

:: Conditionnement d'ordre supérieur : un processus au cours duquel le stimulus conditionné dans une expérience de conditionnement est associé à un nouveau stimulus neutre créant un deuxième stimulus conditionnel (souvent plus faible). Par exemple, un animal qui a appris qu'un certain son prédit de la nourriture peut apprendre qu'une lumière peut prédire ce son et commencer à répondre à la seule lumière (appelé aussi *conditionnement du second degré*).

:: Extinction : diminution d'une réponse conditionnée lorsque, dans le conditionnement classique, un stimulus inconditionnel (SI) ne suit pas un stimulus conditionnel (SC) ; ou lorsque, dans le conditionnement opérant, une réponse n'est plus renforcée.

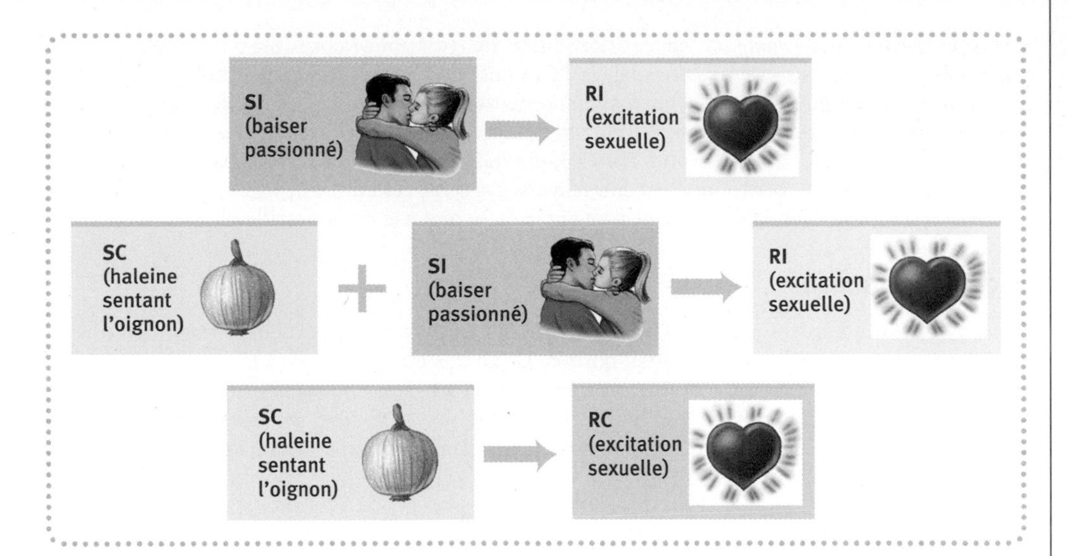

➤ FIGURE 7.4
Un SC inattendu Généralement, une haleine sentant l'oignon ne déclenche pas d'excitation sexuelle. Mais l'odeur de l'oignon, associée à plusieurs reprises à un baiser passionné, peut devenir un SC de l'excitation sexuelle.

Pokémon®. Les participants devaient jouer le rôle d'un vigile chargé de surveiller un écran vidéo où figuraient des séries de mots, des images et des personnages Pokémon®. Leur tâche, comme on leur a demandé, était de réagir à un Pokémon® cible en pressant sur un bouton. À l'insu des participants, lorsque deux autres Pokémon® apparaissaient sur l'écran, l'un d'eux était constamment associé à des mots et à des images positives (tels que le mot *impressionnant* ou l'image appétissante d'une coupe glacée nappée de caramel par exemple) ; l'autre était associé à des mots et à des images négatives (tels que le mot *horrible* ou l'image d'un cafard par exemple). Bien qu'ils n'aient eu aucune mémoire explicite de ces associations, les participants avaient développé des attitudes viscérales plus positives pour les personnages associés aux stimuli positifs.

Des études avec suivi ont indiqué que les plaisirs et les dégoûts conditionnés sont encore plus importants lorsque les personnes remarquent et sont conscients des associations qu'ils ont apprises (De Houwer et coll., 2005a,b ; Pleyers et coll., 2007). La cognition a de l'importance.

Extinction et récupération spontanée

Après un conditionnement, que se passe-t-il si le SC intervient régulièrement sans le SI ? Le SC va-t-il continuer à provoquer une RC ? Pavlov montra que lorsqu'il déclenchait le son de façon répétée sans donner de nourriture, les chiens salivaient de moins en moins. L'amenuisement de leur salivation illustre l'**extinction**, la diminution de la réponse qui a lieu lorsque le SC (son) ne signale plus un SI imminent (nourriture).

Cependant, Pavlov observa que s'il laissait s'écouler plusieurs heures avant de faire retentir de nouveau le son, la salivation réapparaissait spontanément (FIGURE 7.5). Suite à cette

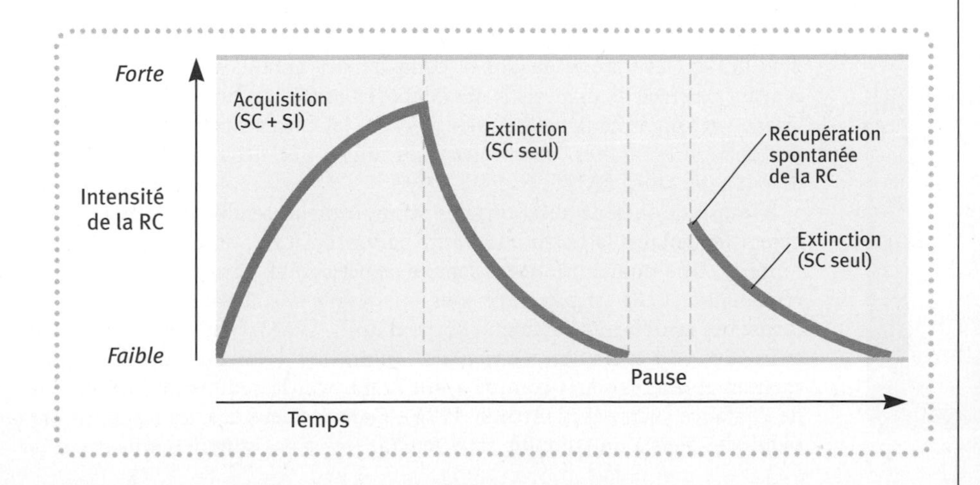

➤ FIGURE 7.5
Courbe idéale d'acquisition, d'extinction et de récupération spontanée
La courbe ascendante montre que la RC croît rapidement et se renforce de plus en plus lorsque le SC et le SI sont associés de façon répétée (*acquisition*), puis elle décroît lorsque le SC est présenté seul (*extinction*). Après un temps d'arrêt, la RC réapparaît (*récupération spontanée*).

récupération spontanée – la réapparition d'une RC (affaiblie) après un temps de repos –, Pavlov pensa que l'extinction dissimulait la RC, mais ne la faisait pas disparaître.

Après avoir rompu avec la fille aux baisers de feu qui faisait battre son cœur, Tirrell expérimenta aussi l'extinction et la récupération spontanée. Il se souvient : « L'odeur d'haleine d'oignon (SC), qui n'est désormais plus associée aux baisers (SI), a perdu sa capacité à me faire frissonner. Cependant, occasionnellement, n'ayant pas senti cet arôme depuis un certain temps, l'odeur de l'oignon réveille en moi une pâle copie de la réponse émotionnelle d'antan. »

Généralisation

Pavlov et ses étudiants notèrent qu'un chien conditionné à un son particulier répondait aussi légèrement à un son d'un ton différent qui n'avait jamais été apparié avec la nourriture auparavant. De la même manière, un chien conditionné à saliver lorsqu'on le brosse va également saliver un peu si on le gratte (Windholz, 1989) ou si on le touche sur une autre partie du corps (FIGURE 7.6). Cette tendance à répondre à des stimuli voisins du SC est appelée **généralisation**.

➤ FIGURE 7.6
Généralisation Pavlov démontra le phénomène de la généralisation après avoir attaché des vibrateurs miniatures à différentes parties du corps d'un chien. Après avoir conditionné la salivation à la stimulation de la cuisse, il stimula d'autres endroits. La réponse conditionnée était d'autant plus forte que l'endroit stimulé était proche de la cuisse. (D'après Pavlov, 1927.)

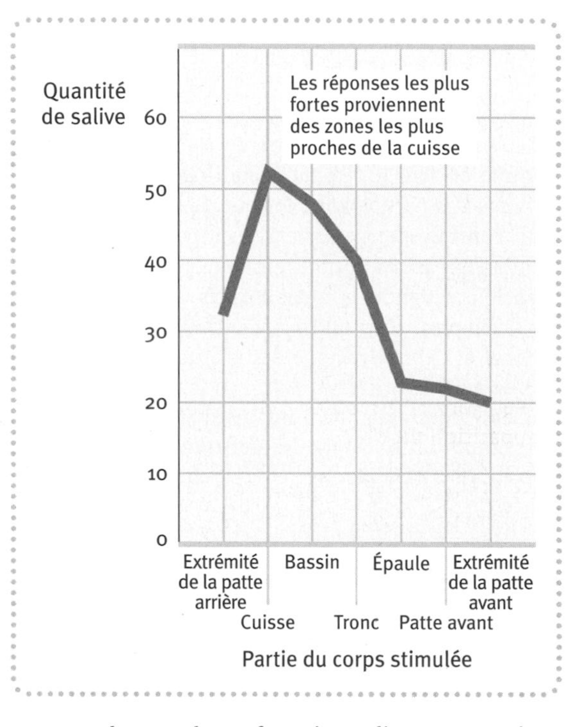

La généralisation peut être adaptative, comme lorsque les enfants à qui l'on a appris à se méfier des automobiles roulant dans la rue répondent de la même manière aux camions et aux motos. La généralisation est un processus si automatique, que cet écrivain argentin qui a subi des tortures, manifeste encore sa peur par un mouvement de recul en voyant des chaussures noires : c'était la première chose qu'il avait vue quand ses tortionnaires s'étaient approchés de sa cellule. Ce phénomène de généralisation de l'anxiété a été démontré au cours d'études en laboratoire où l'on a comparé des enfants maltraités à des enfants n'ayant pas reçu de mauvais traitements (FIGURE 7.7). Quand on leur montrait un visage exprimant de la colère sur un écran, les tracés électroencéphalographiques des enfants maltraités présentaient des ondes très nettement plus amples et de plus longue durée (Pollak et coll., 1998).

À cause de la généralisation, des stimuli qui ressemblent normalement à des objets répugnants ou attirants vont, par association, susciter du dégoût ou de l'intérêt. Une nourriture normalement appétissante, comme un caramel, semble répugnante si elle est présentée sous une forme dégoûtante, par exemple s'il a la forme des excréments de chien (Rozin et coll., 1986). Nous percevons les adultes ayant des visages aux caractéristiques enfantines (visage rond, front large, petit menton et grands yeux) comme ayant la naïveté, la soumission et la spontanéité de l'enfance (Berry et McArthur, 1986). Dans les deux cas, les réactions émotionnelles des gens à un stimulus sont généralisées à des stimuli similaires.

➤ FIGURE 7.7
Les maltraitances chez l'enfant laissent des traces dans le cerveau Seth Pollak (université du Wisconsin-Madison) a noté que le cerveau sensibilisé des enfants maltraités réagissait plus fortement à la présentation de visages en colère. Cette réponse d'anxiété généralisée peut aider à expliquer pourquoi les enfants maltraités risquent plus de souffrir de troubles psychologiques.

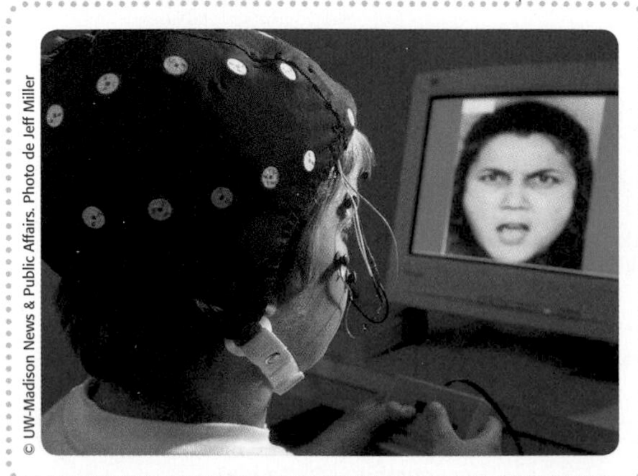

Discrimination

Les chiens de Pavlov apprirent aussi à répondre à un son d'une tonalité particulière et *non* à d'autres tonalités. Cette capacité apprise à *distinguer* un stimulus conditionnel (qu'annonce le SI) d'autres stimuli voisins, mais non pertinents, est la **discrimination**. Être capable de reconnaître ces différences est adaptatif. Des stimuli légèrement différents peuvent parfois avoir des conséquences très différentes. Confronté à un pitbull, il se peut que votre cœur s'emballe ; confronté à un golden retriever, il n'en sera pas de même.

::Récupération spontanée : réapparition, après une période de repos, d'une réponse conditionnée éteinte.

::Généralisation : une fois la réponse conditionnée, tendance des stimuli semblables au stimulus conditionnel à déclencher des réponses similaires.

::Discrimination : dans le conditionnement classique, capacité apprise à distinguer un stimulus conditionnel des stimuli voisins qui ne signalent pas un stimulus inconditionnel.

Extension des conclusions de Pavlov

5. Les processus cognitifs et les contraintes biologiques affectent-ils le conditionnement classique ?

Compte tenu de leur mépris pour les concepts « mentalistes » tels que la conscience, Pavlov et Watson avaient sous-estimé l'importance des *processus cognitifs* (pensées, perceptions, attentes) et des *contraintes biologiques* qui s'exercent sur la capacité d'apprentissage d'un organisme.

Processus cognitifs

Les premiers behavioristes croyaient que les comportements appris des rats et des chiens pouvaient se réduire à des mécanismes ne faisant pas intervenir la pensée. Il n'était donc pas nécessaire d'envisager une activité cognitive. Mais Robert Rescorla et Allan Wagner (1972) ont montré qu'un animal pouvait apprendre le *caractère prédictible* d'un événement. Si un choc électrique est toujours précédé d'un son, puis parfois d'une lumière accompagnant ce son, un rat présentera une réaction de crainte au son mais non à la lumière. Bien que la lumière soit toujours suivie d'un choc, elle n'apporte aucune information nouvelle ; le son est un meilleur annonciateur. Plus l'association est prévisible et plus la réponse conditionnée est forte. C'est comme si l'animal apprenait une *attente*, une conscience de la probabilité d'apparition du SI.

Ces expériences permettent d'expliquer pourquoi les traitements par le conditionnement classique qui ne prennent pas en compte le jugement cognitif ont souvent un succès limité. Par exemple, le traitement des alcooliques comprend souvent l'administration d'alcool mélangé à une substance provoquant des nausées. Vont-ils alors associer l'alcool aux troubles provoqués ? Si le conditionnement classique était simplement le fait « d'imprimer chez l'individu » les associations stimulus-réponse, on pourrait l'espérer, et – dans une certaine mesure – cela se produit effectivement (comme nous le verrons dans le chapitre 15). Cependant, les alcooliques savent que c'est la substance, et non l'alcool, qui est responsable de leur nausée. Cette conscience affaiblit souvent l'association entre l'alcool et l'état nauséeux. Ainsi donc, et en particulier chez l'homme, même dans un conditionnement classique, ce n'est pas la simple association SC-SI qui compte, mais aussi les pensées.

> « Tous les cerveaux sont par essence des machines à anticipation. »
> Daniel C. Dennett, *La conscience expliquée*, 1991

Prédispositions biologiques

Depuis Charles Darwin, les scientifiques ont toujours considéré que, dans leurs façons de se comporter et de fonctionner, les animaux ont en commun un même passé d'évolution et les caractéristiques générales qui en découlent. Pavlov et Watson pensaient, par exemple, que les lois de base de l'apprentissage étaient sensiblement les mêmes chez tous les animaux. Cela ne devrait donc pas faire de différence d'étudier un pigeon ou une personne. De plus, il semble que toute réponse naturelle puisse être conditionnée à un stimulus neutre quelconque. Comme le proclamait Gregory Kimble, chercheur dans le domaine de l'apprentissage, en 1956 : « À peu près toute activité dont l'organisme est capable peut être conditionnée et... ces réponses peuvent être conditionnées à tout stimulus que l'organisme peut percevoir » (p. 195).

Vingt-cinq ans plus tard, Kimble (1981) reconnut humblement que « plus de cinq cents » publications scientifiques avaient montré son erreur. La capacité de conditionnement d'un animal est imposée par sa biologie, bien plus que ne l'avaient imaginé les premiers behavioristes. Les prédispositions biologiques de chaque espèce la préparent à apprendre les associations particulières qui favorisent sa survie. L'environnement ne fait pas tout.

Avec l'aimable autorisation de John Garcia

John Garcia Fils d'ouvriers agricoles californiens et travaillant à la ferme, Garcia alla à l'école pendant son enfance seulement dans la saison morte. Après être entré à l'université peu avant 30 ans et avoir obtenu son doctorat la quarantaine passée, il reçut une importante récompense (*The American Psychological Association's Distinguished Scientific Contribution Award*) « pour ses recherches originales et pionnières sur le conditionnement et l'apprentissage ». Il fut également élu membre de la *National Academy of Sciences*.

John Garcia fit partie de ceux qui se sont opposés à cette idée dominante que les associations peuvent être apprises aussi bien les unes que les autres. Pendant qu'ils étudiaient les effets des radiations sur des animaux de laboratoire, Garcia et Robert Koelling (1966) remarquèrent que les rats commençaient à éviter de boire l'eau provenant des bouteilles en plastique dans la chambre d'irradiation. Ils se demandèrent si le coupable n'était pas le conditionnement classique. Se pouvait-il que les rats aient associé le goût de plastique de l'eau (un SC) aux malaises (RI) provoqués par les radiations (SI) ?

Pour tester leur soupçon, Garcia et Koelling présentèrent aux rats un goût, un son ou une vision particulière (SC), et leur donnèrent plus tard une substance ou leur firent subir une irradiation (SI) provoquant des nausées et des vomissements (RI). Deux découvertes furent saisissantes : d'abord, même s'ils étaient malades plusieurs heures après avoir testé un goût nouveau particulier, les rats évitaient ensuite cet arôme. Ce résultat semblait en contradiction avec la notion selon laquelle le SI doit suivre immédiatement le SC pour que le conditionnement s'effectue.

Ensuite, les rats rendus malades développaient une aversion pour les goûts, mais non pour les visions ou les sons. Cela contredisait l'idée des behavioristes selon laquelle n'importe quel stimulus susceptible d'être perçu peut servir de SC. Mais cela avait un sens adaptatif, parce que dans le cas des rats, la façon la plus facile d'identifier une nourriture nocive était de la goûter. (Si après avoir goûté de la nourriture, les rats sont malades, ils évitent ensuite cette nourriture ; il est donc d'autant plus difficile d'éradiquer des populations de rats en utilisant des substances raticides car ils se méfient des appâts.)

Les hommes aussi semblent préparés biologiquement à apprendre certaines choses plutôt que d'autres. Si vous passez des heures à vomir après avoir mangé des moules avariées, vous développerez probablement une aversion pour les moules, mais pas pour le restaurant où vous les avez mangées, ni pour les assiettes ou les gens avec qui vous étiez, ni pour la musique que vous avez entendue dans ce même restaurant. Par contre, les oiseaux, qui chassent à vue, semblent biologiquement prédisposés à développer une aversion à la *vue* d'une proie avariée (Nicolaus et coll., 1983). Les organismes sont prédisposés à apprendre les associations qui les aident à s'adapter.

Souvenez-vous de ces cailles japonaises qui étaient conditionnées à être sexuellement excitées à la vue d'une lumière rouge signalant l'arrivée d'une femelle réceptive. Michael Domjan et ses collaborateurs (2004) rapportent que ce conditionnement est encore plus rapide, plus intense et plus durable si le SC a une *signification écologique*, par exemple s'il a quelque chose de semblable aux stimuli associés à l'activité sexuelle dans l'environnement naturel, tels que, dans ce cas, la tête empaillée d'une caille femelle. Domjan (2005) observe que, dans la réalité, les stimuli conditionnels sont naturellement associés aux stimuli inconditionnels qu'ils prédisent.

Cela peut expliquer, remarquent Andrew Elliot et Daniela Niesta (2008), pourquoi les hommes semblent naturellement disposés à apprendre des associations entre la couleur rouge et la sexualité féminine. Les femelles primates exhibent du rouge lorsqu'elles sont proches de l'ovulation. Chez la femme, l'augmentation du flux sanguin produit le rougissement lorsqu'elles flirtent ou sont excitées sexuellement. L'appariement fréquent du rouge et du sexe (le cœur de la Saint Valentin, le rouge à lèvres rouge, le Quartier rouge d'Amsterdam) augmente-t-il naturellement l'attirance des hommes pour les femmes ? Les expériences d'Elliot et de Niesta suggèrent de manière constante que c'est le cas, sans que les hommes en aient conscience (FIGURE 7.8).

L'aversion du goût Si vous tombez très malade après avoir mangé des moules, vous aurez certainement du mal à en remanger. Leur goût et leur odeur sont donc devenus un SC de la nausée. Cet apprentissage se produit aisément car nous sommes biologiquement préparés à apprendre à avoir de l'aversion pour de la nourriture nocive.

Colin Young-Wolff/PhotoEdit Inc.

Les premières découvertes de Garcia sur l'aversion du goût furent la proie aux critiques. Comme le disait le philosophe allemand Arthur Schopenhauer (1788-1860) les grandes idées sont d'abord ridiculisées, puis attaquées, pour finalement être acquises. Dans le cas de Garcia, les grandes revues refusèrent d'abord de publier son travail. Ces découvertes sont impossibles, dirent certains critiques. Mais comme cela arrive souvent dans le domaine scientifique, les découvertes provocatrices de Garcia et Koelling sur l'aversion du goût font maintenant partie des bases des livres de référence. Ce sont également un bon exemple d'expériences qui commencèrent par le traitement désagréable de certains animaux de laboratoire, pour ensuite contribuer au bien-être de nombreux animaux. Dans une autre étude bien connue sur le conditionnement de l'aversion du goût, des coyotes ou des loups amenés à dévorer des carcasses de mouton contenant un poison les rendant malades, ont développé une aversion pour la viande de mouton (Gustavson et coll., 1974, 1976). Deux loups enfermés ensuite avec un mouton vivant semblaient, en fait, avoir peur de lui. Cette étude protégea non seulement les moutons de leurs prédateurs mais préserva à leur tour les coyotes et les loups effrayés par les moutons des éleveurs en colère qui voulaient les exterminer. Les applications ultérieures

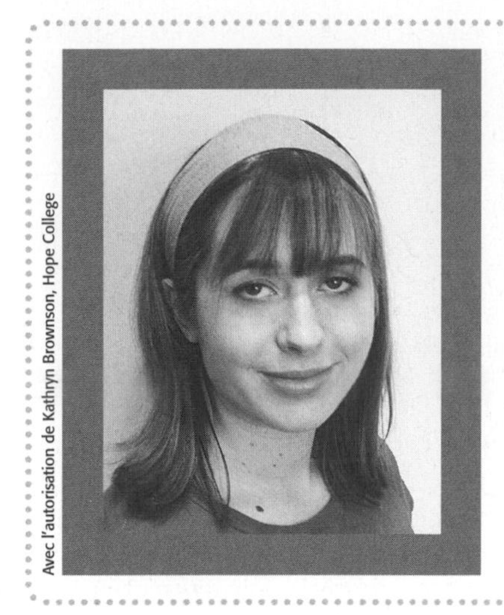

Avec l'autorisation de Kathryn Brownson, Hope College

➤ FIGURE 7.8
Rouge romantique Au cours d'une série d'expériences avec contrôle des autres facteurs (comme la luminosité de l'image), les hommes (mais pas les femmes) ont trouvé la femme sur la photographie plus attirante et sexuellement désirable lorsqu'elle était entourée d'un cadre rouge (Elliot et Niesta, 2008).

de Garcia et Koelling ont évité aux babouins de dévaliser les jardins africains, aux ratons laveurs d'attaquer les poulets, et aux corbeaux et aux rapaces de manger les œufs des grues, tout en préservant les prédateurs, qui occupent une niche écologique importante (Garcia et Gustavson, 1997).

Tous ces exemples sont en accord avec le principe de Darwin selon lequel la sélection naturelle favorise les caractéristiques utiles à la survie. Ceux de nos ancêtres qui apprenaient vite à avoir du dégoût pour un aliment toxique avaient peu de risque d'en manger une nouvelle fois et plus de chance de survivre et d'assurer leur descendance. En effet, diverses sensations pénibles, de la nausée à l'anxiété en passant par la douleur, ont un rôle utile. Comme le voyant du niveau d'huile sur un tableau de bord de voiture, chacune prévient le corps d'une menace (Neese, 1991).

La découverte des contraintes biologiques souligne la valeur des différents niveaux d'analyse (y compris biologique et cognitif) dans la compréhension de phénomènes comme l'apprentissage (FIGURE 7.9). Elle confirme également un principe fondamental : *l'apprentissage permet aux animaux de s'adapter à leur environnement*. Répondre à des stimuli qui annoncent un événement significatif comme la nourriture ou la douleur est un processus adaptatif. Tout comme la prédisposition génétique à associer un SC à un SI qui suit, de façon prévisible et immédiate, car la cause précède souvent l'effet de façon immédiate.

Souvent mais pas toujours, comme nous l'avons vu dans les expériences de dégoût. L'adaptation peut aussi apporter de la lumière sur cette exception. La capacité à discerner que les effets n'ont pas besoin de suivre la cause immédiatement – que les nourritures

« Tous les animaux effectuent un voyage dans le temps, navigant vers le futur qui favorise leur survie et s'éloignant du futur pouvant la menacer. Le plaisir et la douleur sont les étoiles qui les dirigent »
Daniel T. Gilbert et Timothy D. Wilson, psychologues, « *Prospection : Experiencing the Future* », 2007

« Une fois mordu, deux fois plus prudent. »
G. F. Northall, *Folk-Phrases*, 1894

Influences biologiques :
- Prédispositions génétiques
- Réponses inconditionnelles
- Réponses adaptatives

Influences psychologiques :
- Expériences antérieures
- Caractère prévisible des associations
- Généralisation
- Discrimination

Apprentissage

Influences socioculturelles :
- Préférences culturellement apprises
- Motivation, influencée par la présence des autres

➤ FIGURE 7.9
Influences biopsychosociales sur l'apprentissage Aujourd'hui, les théoriciens de l'apprentissage reconnaissent que notre apprentissage résulte non seulement d'expériences liées à l'environnement mais aussi d'influences cognitives et biologiques.

➤ FIGURE 7. 10
Conditionnement des nausées chez les patients cancéreux

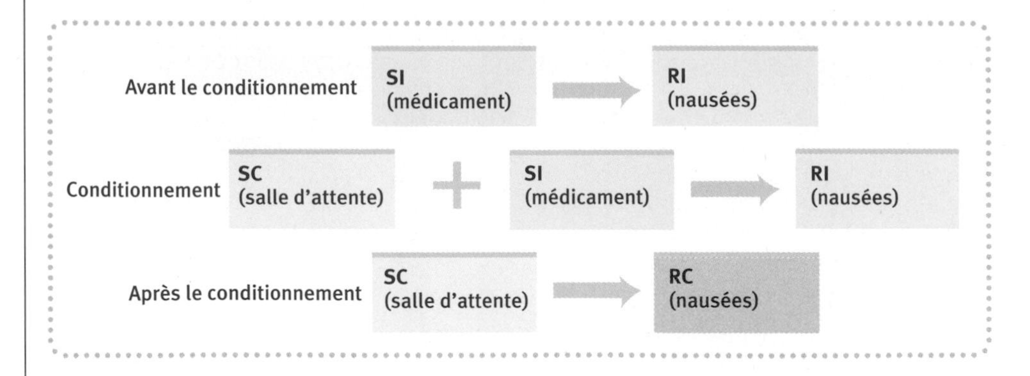

avariées provoquent en général des troubles un certain temps après leur ingestion – apporte un avantage adaptatif à l'animal. Cependant, parfois nos prédispositions nous jouent des tours. Lors que la chimiothérapie déclenche des nausées et des vomissements plus d'une heure après le traitement, les patients cancéreux peuvent avec le temps développer des nausées (et parfois de l'anxiété) conditionnées à la vue, aux bruits et aux odeurs associés à l'hôpital (FIGURE 7.10) (Hall, 1997). Le simple fait de retourner dans la salle d'attente de la clinique ou de voir les infirmières peut donc provoquer ces sensations de malaise conditionnées (Burish et Carey, 1986 ; Davey, 1992). Dans des conditions normales, cette sensation de dégoût face à des stimuli écœurants serait un phénomène adaptatif.

L'héritage de Pavlov

6. Pourquoi le travail de Pavlov est-il si important ?

Que reste-t-il maintenant des idées de Pavlov sur le conditionnement ? Beaucoup de choses. La plupart des psychologues sont d'accord pour dire que le conditionnement classique est une forme fondamentale d'apprentissage. Jugées en fonction de nos connaissances actuelles sur les processus cognitifs et les prédispositions biologiques, les idées de Pavlov étaient incomplètes. Mais si nous pouvons voir plus loin que ne le fit Pavlov, c'est parce que nous nous appuyons sur lui.

Pourquoi le travail de Pavlov est-il si important ? S'il nous avait simplement dit qu'un vieux chien peut apprendre de nouveaux tours, ses expériences seraient oubliées depuis longtemps. Pourquoi quelqu'un ferait-il attention au fait qu'un chien puisse être conditionné à baver en entendant une sonnerie ? L'important réside, en premier lieu, dans cette observation : *de nombreuses autres réponses à de nombreux autres stimuli peuvent être conditionnées de façon classique chez de nombreux autres organismes* – en fait chez chaque espèce testée depuis le ver de terre jusqu'au poisson, en passant par le chien, le singe et les hommes (Schwartz, 1984). Le conditionnement classique est donc une manière pour pratiquement tous les organismes d'apprendre à s'adapter à leur environnement.

En second lieu, *Pavlov nous a montré comment un processus comme l'apprentissage pouvait être étudié objectivement*. Il était fier du fait que sa méthode n'implique pratiquement aucun jugement ni hypothèse subjectifs sur ce qui pouvait se passer dans l'esprit du chien. La réponse salivaire est un comportement mesurable en termes de centimètres cubes de salive. Le succès de Pavlov suggéra donc un modèle scientifique dans la façon dont la jeune science psychologique devait procéder – en isolant les éléments constitutifs élémentaires des comportements complexes et en les étudiant avec des méthodes de laboratoire objectives.

« Les développements théoriques et factuels [de la psychologie] de ce siècle – qui ont changé la façon d'étudier l'esprit et le comportement aussi radicalement que la génétique a modifié l'étude de l'hérédité – résultent tous de l'analyse objective, c'est-à-dire de l'analyse behavioriste. »
Donald Hebb, psychologue (1980)

Les applications du conditionnement classique

7. Quelles ont été les applications du conditionnement classique ?

D'autres chapitres de cet ouvrage, consacrés à la conscience, la motivation, aux émotions, à la santé, aux troubles psychologiques, et à la thérapie, nous montrent comment les principes de Pavlov concernant le conditionnement classique s'appliquent à la santé de l'homme et à son bien-être. Deux exemples :

- Les anciens consommateurs de drogue ressentent une violente sensation de manque lorsqu'ils sont à nouveau confrontés à des éléments (lieux, personnes) associés à des périodes d'euphorie passée. Les spécialistes en toxicomanie suggèrent donc aux drogués de se tenir à l'écart des personnes et des éléments qui pourraient déclencher ces sensations de manque (Siegel, 2005).
- Le conditionnement classique agit même sur le système immunitaire qui défend l'organisme contre les maladies. Lorsque, par exemple, un médicament influençant les réponses immunitaires possède un goût particulier, ce goût peut par lui-même arriver à déclencher une réponse immunitaire (Ader et Cohen, 1985).

Le travail de Pavlov a fourni une base à l'idée de John Watson (1913) selon laquelle le comportement et les émotions de l'homme, bien qu'influencés biologiquement, étaient principalement un faisceau de réponses conditionnées. Travaillant avec un enfant de 11 mois prénommé Albert, Watson et Rosalie Rayner (1920 ; Harris, 1979) montrèrent comment des peurs spécifiques peuvent être conditionnées. Comme la plupart des enfants, le petit Albert craignait les bruits violents, mais pas les rats blancs. Watson et Rayner lui présentèrent un rat blanc et, au moment où il allait le toucher, donnèrent un coup de marteau sur une barre en acier située juste derrière sa tête. Après sept répétitions de la présentation du rat blanc suivie du bruit effrayant, Albert fondait en larmes à la simple vue du rat (une étude qui aujourd'hui poserait des problèmes d'éthique). Qui plus est, 5 jours plus tard, Albert montra une généralisation de sa réponse conditionnée en réagissant craintivement à la vue d'un lapin, d'un chien, d'un manteau en peau de phoque, mais non à la vue d'objets différents comme des jouets.

• Dans l'expérience de Watson et Rayner, quel est le SI ? La RI ? Le SC ? La RC ? (Voir les réponses inversées ci-dessous.) •

Le SI était le bruit violent ; la RI était la réponse de tressaillement de peur ; le SC était le rat ; et la RC était la peur.

Si le destin du petit Albert est inconnu, celui de Watson ne l'est pas. Après avoir perdu son poste de professeur à la John Hopkins University à la suite d'une liaison avec Rosalie Rayner (qu'il épousa par la suite), il devint le psychologue attitré de l'agence de publicité J. Walter Thompson. Il y utilisa ses connaissances de l'apprentissage par association pour concevoir de nombreuses campagnes à succès, dont une pour la société Maxwell qui contribua à faire de la « pause-café » une coutume américaine (Hunt, 1993).

Brown Brothers

John B. Watson En 1924, Watson reconnut que « ses paroles avaient dépassé sa pensée » lorsqu'il se vanta dans une phrase restée célèbre : « Donnez-moi une douzaine d'enfants en bonne santé et normaux, et l'environnement particulier que j'ai prévu pour les élever, et je garantis d'en prendre un au hasard et de l'entraîner à devenir n'importe quel type de spécialiste au choix – médecin, avocat, artiste, gros commerçant, et oui, même mendiant et voleur, quels que soient ses talents, ses penchants, ses tendances, ses capacités, ses vocations et l'origine de ses ancêtres. »

Certains psychologues ont eu des difficultés à reproduire avec d'autres enfants les résultats de Watson et Rayner, remarquant que la crainte du petit Albert n'était pas apprise rapidement. Néanmoins, le travail avec le petit Albert a pris une signification légendaire pour beaucoup de psychologues. Certains se sont même demandés si chacun d'entre nous n'était pas un dépôt ambulant d'émotions conditionnées (*voir* Gros plan : Les traumatismes en tant que conditionnement classique, page suivante). Nos réponses indésirées aux stimuli engendrant nos émotions pourraient-elles être modifiées par l'application de procédures d'extinction ou par le conditionnement de nouvelles réponses aux stimuli suscitant des émotions ? Un thérapeute a suggéré à un patient, qui craignait depuis 30 ans de se trouver seul dans un ascenseur, de se forcer à entrer seul dans 20 ascenseurs par jour. En 10 jours, sa crainte s'était presque évanouie (Ellis et Becker, 1982). Dans les chapitres 14 et 15, nous verrons d'autres exemples de la façon dont les psychologues utilisent les techniques comportementales pour traiter les troubles émotionnels et favoriser l'épanouissement personnel.

AVANT D'ALLER PLUS LOIN...

➤ INTERROGEZ-VOUS

De quelle manière vos émotions et votre comportement ont-ils subi un conditionnement classique ?

➤ TESTEZ-VOUS 2

Dans les films de violence, des images érotiques de femmes sont parfois associées à des actes violents envers les femmes. En vous fondant sur les principes du conditionnement, quel effet peut avoir cette association ?

Les réponses aux questions « Testez-vous » sont données dans l'annexe B à la fin de l'ouvrage.

GROS PLAN

Les traumatismes en tant que conditionnement classique

« Un enfant brûlé craint le feu », dit un proverbe médiéval. Des expériences réalisées avec des chiens montrent en effet que si un stimulus douloureux est suffisamment puissant, un seul événement est parfois suffisant pour traumatiser l'animal lorsqu'il est de nouveau dans la même situation. L'équivalent de ces expériences chez l'homme peut être tragique, comme l'illustre ce qu'éprouve une femme qui a été attaquée et violée et donc conditionnée à une longue période d'angoisse. Sa peur (RC) est particulièrement associée à certains endroits et à certaines personnes (SC), mais elle est généralisée à d'autres lieux et d'autres personnes. Notez également combien son expérience traumatisante l'a privée des associations normalement apaisantes avec des stimuli tels que la maison et le lit.

> Il y a 4 mois, j'ai été violée. Au milieu de la nuit, je me suis réveillée en entendant quelqu'un à côté de ma chambre à coucher. Pensant que ma colocataire rentrait à la maison, je l'ai appelée par son nom. Quelqu'un a commencé à marcher lentement vers moi et, tout d'un coup, j'ai compris. J'ai poussé un cri et je me suis débattue, mais ils étaient deux. L'un a tenu mes jambes tandis que l'autre a posé une main sur ma bouche et un couteau sur ma gorge en disant : « Tais-toi salope ou je te tue. » Je ne m'étais jamais sentie si terrifiée et sans défense. Ils m'ont violée tous les deux, l'un brutalement. Pendant qu'ils cherchaient de l'argent et des objets de valeur dans ma chambre, ma colocataire est rentrée à la maison. Ils l'ont amenée dans ma chambre, l'ont violée et nous ont ligotées toutes les deux sur mon lit.
>
> Nous n'avons jamais dormi une autre nuit dans l'appartement, nous étions trop effrayées. Encore maintenant, lorsque je vais me coucher le soir – toujours avec la lumière de la chambre à coucher allumée –, le souvenir de leur entrée dans ma chambre se répète sans fin. J'étais une personne indépendante, ayant vécu seule ou avec d'autres jeunes femmes pendant 4 ans ; aujourd'hui, je ne peux même pas envisager de passer une nuit seule. Lorsque je passe en voiture près de notre ancien appartement ou lorsque je dois aller dans une maison vide, mon cœur bat et je transpire. J'ai peur des étrangers, en particulier des hommes, et plus ils ressemblent à mes agresseurs, plus j'ai peur d'eux. Ma colocataire partage la plupart de mes craintes et elle est effrayée en entrant dans notre nouvel appartement. J'ai peur de rester dans la même ville, j'ai peur que cela arrive de nouveau, j'ai peur d'aller me coucher, j'ai peur de m'endormir.

Onze ans plus tard, cette femme raconte, comme le font beaucoup de victimes (Gluhoski et Wortman, 1996), que ses craintes conditionnées ont pratiquement disparu :

> La fréquence et l'intensité de mes craintes ont diminué. Je reste toujours prudente en ce qui concerne ma sécurité et j'ai encore de temps à autre des cauchemars à propos de ce que j'ai vécu. Mais ce qu'il y a de plus important, c'est ma capacité retrouvée de rire, d'aimer et d'avoir confiance en mes anciens et nouveaux amis. La vie est de nouveau pleine de joie. J'ai survécu.

(D'après une lettre personnelle, avec la permission de l'auteur.)

:: **Comportement de réponse (ou répondant)** : comportement qui se produit en réponse automatique à un stimulus.

:: **Conditionnement opérant** : type d'apprentissage dans lequel le comportement s'accroît s'il est suivi par un renforcement ou s'atténue s'il est suivi par une punition.

:: **Comportement opérant** : comportement qui agit sur l'environnement en induisant des conséquences.

:: **Loi de l'effet** : principe formulé par Thorndike selon lequel on a plutôt tendance à reproduire les comportements suivis de conséquences favorables que les comportements suivis de conséquences défavorables.

:: **Cage à conditionnement opérant** : utilisée pour la recherche sur le conditionnement opérant ; boîte (aussi connue sous le nom de *boîte de Skinner*) contenant un levier ou un bouton qu'un animal peut manipuler pour obtenir un renforcement – eau ou nourriture – et un appareil pour enregistrer le nombre de fois où l'animal appuie sur le levier ou picore le bouton.

:: **Modelage** : procédé du conditionnement opérant au cours duquel des renforcements guident le comportement vers une approximation de plus en plus proche du but désiré.

Conditionnement opérant

8. Qu'est-ce que le conditionnement opérant ? En quoi est-il différent du conditionnement classique ?

C'EST UNE CHOSE DE CONDITIONNER CLASSIQUEMENT un animal à saliver en entendant un son ou un enfant à craindre les voitures dans la rue. Pour apprendre à un éléphant à marcher sur ses pattes de derrière ou à un enfant à dire « *s'il vous plaît* », nous devons nous tourner vers un autre mode d'apprentissage – le *conditionnement opérant*.

Le conditionnement opérant et le *conditionnement classique* sont tous deux des formes d'apprentissage par association, cependant leur différence est très nette :

- Le *conditionnement classique* associe des stimuli (un SC et le SI qu'il signale). Il implique aussi un **comportement de réponse (ou répondant)**, c'est-à-dire un comportement qui se produit comme une réponse automatique à un stimulus (par exemple, une salivation en réponse à la poudre de viande et plus tard en réponse à un son).
- Dans le **conditionnement opérant**, les sujets associent leurs propres actions à leurs conséquences. Les comportements suivis d'un renforcement augmentent ; ceux suivis d'une punition diminuent. Le **comportement opérant** est un comportement qui *agit* sur l'environnement pour *produire* des stimuli, récompenses ou punitions.

On peut donc distinguer le conditionnement opérant du conditionnement classique en se posant la question : *l'organisme apprend-il une association entre des événements qu'il ne contrôle pas* (conditionnement classique) ? *Ou apprend-il des associations entre son comportement et les événements qui en résultent* (conditionnement opérant) ?

Les expériences de Skinner

B. F. Skinner (1904-1990) était major d'une université d'anglais et aspirait à devenir écrivain quand, cherchant une nouvelle orientation, il fit un troisième cycle à la faculté de psychologie. Il devint l'une des figures les plus influentes et les plus controversées du behaviorisme moderne. Le travail de Skinner développa ce que le psychologue Edward L. Thorndike (1874-1949) appelait la **loi de l'effet** : un comportement récompensé a tendance à se répéter (FIGURE 7.11). En prenant la loi de l'effet de Thorndike comme point de départ, Skinner développa une *technologie du comportement* qui révélait les principes du *contrôle comportemental*. Cela lui permit d'enseigner à des pigeons des comportements qui leur étaient tout à fait inhabituels comme de se promener le long d'une figure en 8, de jouer au ping-pong ou de guider un missile dans la bonne direction en picorant sur une cible mobile montrée sur un écran.

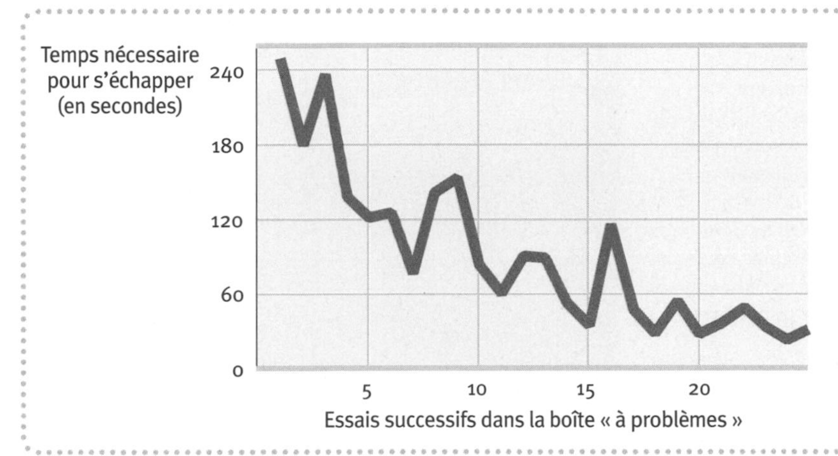

➤ FIGURE 7.11
Chat dans une boîte « à problèmes » (*puzzle box*) Thorndike (1898) utilisa un poisson comme récompense pour entraîner des chats à trouver leur chemin pour sortir de cette boîte à problèmes (à droite) par le biais d'une série de manœuvres. Les performances du chat ont tendance à s'améliorer après un certain nombre d'essais successifs (à gauche), ce qui illustre la *loi de l'effet* de Thorndike. (Adapté d'après Thorndike, 1898.)

Pour ses premières études, Skinner conçut une **cage à conditionnement opérant**, plus couramment connue sous le nom de *boîte de Skinner* (FIGURE 7.12). Cette boîte contient un levier ou un bouton qu'un animal presse ou picore pour libérer une récompense (nourriture ou eau), et un appareil qui enregistre ses réponses. Les expériences sur le conditionnement opérant ont fait bien plus que nous apprendre comment faire perdre ses habitudes à un rat. Elles ont étudié les conditions précises qui permettent un apprentissage efficace et durable.

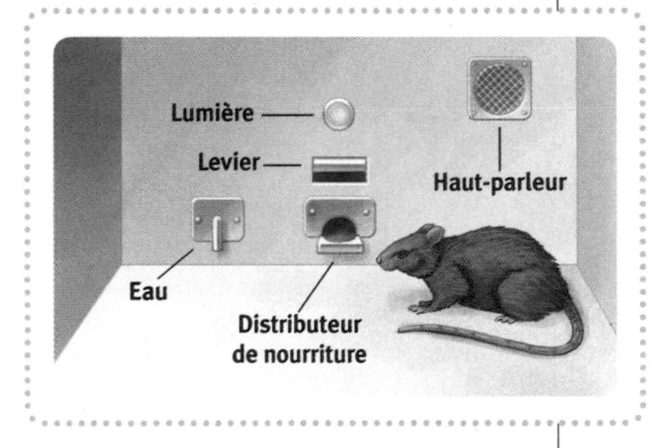

➤ FIGURE 7.12
Une boîte de Skinner À l'intérieur de cette boîte, le rat appuie sur un levier pour obtenir de la nourriture en récompense. À l'extérieur, un appareil de mesure (non représenté ici) enregistre les réponses cumulées de l'animal.

Modelage du comportement

Dans ses expériences, Skinner utilisa le **modelage**, une technique dans laquelle un *renforcement*, comme de la nourriture, conduit progressivement les actions de l'animal vers le comportement désiré. Imaginez que vous vouliez conditionner un rat affamé à appuyer sur un levier. Après avoir observé comment l'animal se comporte naturellement avant l'entraînement, vous allez partir de son comportement existant. Vous pourriez donner au rat une récompense chaque fois qu'il s'approche du levier. Une fois que le rat s'approche régulièrement, vous allez exiger qu'il s'en approche plus près encore avant de le récompenser, puis encore plus près ; finalement, il devra le toucher avant que vous lui donniez la nourriture. Avec cette méthode d'*approximations successives*, vous récompensez les réponses qui sont toujours plus proches du comportement désiré et ignorez toutes les autres. C'est en développant un lien de dépendance entre les récompenses et le comportement souhaité que les chercheurs et les dresseurs d'animaux parviennent à modeler des comportements complexes.

Le modelage peut aussi nous aider à comprendre ce que perçoivent les organismes non verbaux. Un chien peut-il distinguer le vert du rouge ? Un bébé peut-il entendre la différence entre des sons de tonalité élevée et basse ? Si nous pouvons les former à répondre à un stimulus et non à un autre, on peut alors affirmer qu'ils perçoivent la différence. Les expériences montrent que certains animaux peuvent former des concepts. Si un expérimentateur renforce chez un pigeon l'habitude de picorer après avoir vu un visage humain, mais non une autre image, le pigeon va apprendre à reconnaître les visages humains (Herrnstein et Loveland, 1964). Dans cette expérience, le visage est un *stimulus discriminatif* ; tout comme un feu rouge passant au vert, il signale que la réponse sera renforcée. Après avoir été entraînés à distinguer des fleurs, des voitures, des hommes et des chaises, les pigeons peuvent en général identifier la catégorie dans laquelle va se placer un nouvel objet (Bhatt et coll., 1988 ; Wasserman, 1993). Avec de l'entraînement, des pigeons ont même appris à distinguer la musique de Bach de celle de Stravinsky (Porter et Neuringer, 1984).

Fred Bavendam/Peter Arnold, Inc.

Une créature capable de discrimination Dale Woodyard, psychologue à l'université Windsor, utilise de la nourriture comme récompense pour entraîner ce lamantin à distinguer des objets de différentes formes, de différentes tailles et de différentes couleurs. Un lamantin peut se souvenir de ce type de réponse pendant au moins un an.

Dans la vie quotidienne également, dit Skinner, nous récompensons et modelons continuellement le comportement des autres, mais nous le faisons souvent de façon non intentionnelle. Par exemple, les caprices de Billy ennuient ses parents désorientés, mais voyez comment ils se comportent avec lui :

Billy : Peux-tu faire mes lacets ?
Le père : (Continue à lire son journal.)
Billy : Papa, j'ai besoin qu'on me fasse mes lacets.
Le père : Oui, attends une minute.
Billy : PAPA, FAIS-MOI MES LACETS !
Le père : Combien de fois t'ai-je dit de ne pas hurler ? Et maintenant, quelle chaussure faisons-nous en premier ?

Les pleurnicheries de Billy sont récompensées, car il obtient ce qu'il veut : l'attention de son père. La réponse de son père est récompensée, car il se débarrasse de quelque chose d'agaçant : les pleurnicheries de Billy.

Considérez un enseignant qui épingle une étoile dorée à côté du nom des enfants qui obtiennent 10/10 au test d'orthographe. Comme chacun peut alors le voir, certains enfants font toujours un travail parfait. Les autres, qui ont passé le même test et qui ont peut-être travaillé plus dur que les premiers de la classe n'obtiennent pas de récompense. L'enseignant

HI ET LOIS

Reproduit avec l'autorisation spéciale de King Features Syndicate.

:: Renforcement : dans le conditionnement opérant, tout événement qui *accroît* le comportement qu'il suit.

:: Renforcement positif : renforcement des comportements par la présentation de stimuli positifs comme de la nourriture. Tout stimulus qui, lorsqu'il est *présenté* après une réponse, renforce cette dernière est un renforçateur positif.

:: Renforcement négatif : renforcement d'un comportement par l'arrêt ou la diminution de stimuli négatifs, comme un choc électrique. Un renforçateur négatif est un stimulus qui, lorsqu'il est *éliminé* après la réponse, renforce cette dernière. (Remarque : le renforcement négatif n'est pas une punition.)

:: Renforcement primaire : stimulus de renforcement inné, satisfaisant par exemple un besoin biologique.

:: Renforcement conditionnel : stimulus qui acquiert son pouvoir de renforcement par association à un renforcement primaire. Également appelé *renforcement secondaire*.

ferait mieux d'appliquer les principes du conditionnement opérant - pour renforcer l'amélioration progressive des élèves en orthographe (des approximations successives vers une orthographe parfaite des mots qu'ils trouvent compliqués).

Types de renforcement

9. Quels sont les types fondamentaux de renforcements ?

Les gens font souvent référence de façon assez floue au pouvoir des « récompenses ». Cette notion a acquis une signification beaucoup plus précise dans le concept de **renforcement** de Skinner, qui qualifie ainsi tout événement qui renforce ou augmente la fréquence d'une réponse préexistante. Un renforçateur peut être une récompense tangible comme de la nourriture ou de l'argent. Ce peut être aussi un compliment, une attention - même celle de se faire crier dessus, pour un enfant avide d'attention. Ou encore une activité, comme la possibilité d'utiliser la voiture familiale après avoir fini la vaisselle ou de pouvoir prendre une pause après avoir étudié pendant une heure.

Bien que tout ce qui sert à augmenter le comportement soit un renforçateur, les renforçateurs varient selon les circonstances. Ce qui est renforçateur pour une personne (des tickets pour un concert de rock, par exemple) ne l'est pas forcément pour quelqu'un d'autre. Ce qui est renforçateur dans une situation (de la nourriture lorsque l'on a faim) ne l'est pas forcément dans une autre.

Jusqu'à maintenant nous avons en réalité discuté du **renforcement positif**, qui renforce une réponse en *présentant* un stimulus typiquement agréable après une réponse, mais il existe en fait *deux* types fondamentaux de renforcement (TABLEAU 7.1). Le **renforcement négatif** *renforce* une réponse en *éliminant* ou *réduisant* quelque chose d'indésirable ou de désagréable, comme lorsque l'organisme peut échapper à une situation aversive. Prendre de l'aspirine peut soulager un mal de tête, appuyer sur le bouton d'alarme d'un réveil permet de stopper le bruit strident de la sonnerie. Toutes ces conséquences bienvenues (fin de la douleur, fin de l'alarme) entraînent un renforcement négatif et augmentent la probabilité que ce comportement se répète. Pour les personnes dépendantes de drogues, le renforcement négatif leur permettant d'échapper à l'angoisse du manque peut devenir une raison irrésistible d'en reprendre (Baker et coll., 2004). Quand quelqu'un arrête de râler ou de se plaindre, c'est également un renforcement négatif. Notez que, contrairement à ce que l'on pense généralement, *un renforcement négatif n'est pas une punition.* (*Un conseil* : répétez cette dernière phrase dans votre tête car c'est un des concepts de la psychologie très souvent mal compris.) Un renforcement négatif représente plutôt l'*élimination* d'un événement punitif désagréable.

Rappelez-vous les caprices de Billy. Dans cet exemple, quel comportement était renforcé positivement et quel comportement était renforcé négativement ? (Voir les réponses inversées ci-dessous.)

Les caprices de Billy ont été renforcés *positivement* parce que Billy a obtenu quelque chose de désirable : l'attention de son père. La réponse du père au caprice de Billy (faire ce que voulait Billy) a été renforcée *négativement* parce qu'il a été débarrassé des pleurnicheries désagréables de Billy.

TABLEAU 7.1

COMMENT RENFORCER UN COMPORTEMENT

Terminologie du conditionnement opérant	Description	Exemples
Renforcement positif	Ajout d'un stimulus agréable	Être serré dans les bras de quelqu'un ; recevoir un chèque
Renforcement négatif	Suppression d'un stimulus désagréable	Attacher la ceinture de sécurité pour arrêter l'alarme sonore

Parfois le renforcement négatif coïncide avec le renforcement positif. Imaginez ainsi un étudiant anxieux qui, après avoir raté un examen et eu une mauvaise note, étudie encore plus pour l'examen suivant. L'étudiant peut être renforcé par une diminution de son anxiété (renforcement négatif) et une meilleure note (renforcement positif). Qu'il fonctionne en attribuant quelque chose de positif ou en réduisant quelque chose de négatif, *un renforcement désigne tout ce qui rend un comportement plus vigoureux.*

Renforcements primaires et conditionnés Les **renforcements primaires** - obtenir de la nourriture quand on a faim ou être soulagé d'un mal de tête - ne sont pas appris. Ils apportent une satisfaction qui est innée. Les **renforcements conditionnés**, également appelés *renforcements secondaires*, tirent leur pouvoir de l'association à des renforcements primaires. Si un rat dans une boîte de Skinner apprend qu'une lumière indique de façon fiable que la nourriture arrive, le rat va travailler pour allumer la lumière. La lumière est devenue un renforcement secondaire associé à la nourriture. Notre vie est pleine de renforcements secondaires - argent, bonnes notes, ton de voix agréable - chacun ayant été associé à une récompense plus générale. Si l'argent est un renforcement conditionné, c'est-à-dire si le désir d'argent des gens dérive de leur désir de nourriture, alors la faim rendra les gens plus avides d'argent, soutient une équipe de recherche européenne (Briers et coll., 2006). En effet, dans leurs expériences, les personnes étaient moins enclines à faire des donations aux œuvres de charité lorsqu'elles étaient privées de nourriture et avaient moins tendance à partager leur argent avec les autres participants lorsqu'elles se trouvaient dans une pièce ayant des arômes donnant faim.

« Oh, pas mal. La lumière s'allume, j'appuie sur la barre, ils me signent un chèque. Comment ça se passe pour vous ? »

Renforcements immédiats et différés Retournons à l'expérience imaginaire du modelage dans laquelle un rat était conditionné à appuyer sur un levier. Avant de réaliser ce comportement « requis », le rat affamé va effectuer une succession de comportements « non requis » - gratter, renifler, aller et venir. Lorsque le renforcement représenté par la nourriture suit immédiatement l'un de ces comportements, ce dernier a des chances de se reproduire. Mais que se passera-t-il si le rat appuie sur le levier, mais que vous êtes distrait à ce moment-là et vous retardez le renforcement ? Si le retard dépasse 30 secondes, le rat n'apprendra pas à appuyer sur le levier. Vous aurez renforcé d'autres comportements fortuits, davantage de reniflements ou de va-et-vient, qui se seront produits après l'appui sur le levier.

Contrairement aux rats, les hommes répondent à des renforcements retardés : le chèque de paie à la fin du mois, le diplôme à la fin du semestre, le trophée à la fin de la saison. En effet, pour fonctionner efficacement, nous devons apprendre à différer des récompenses. Au cours d'expériences de laboratoire, des enfants de 4 ans sont capables de différer une gratification : dans le choix de leur sucrerie, ils préfèrent avoir une grande récompense le lendemain plutôt qu'une petite le jour même. C'est un grand pas vers la maturité que d'apprendre à retarder les récompenses et à contrôler ses envies afin d'obtenir des récompenses plus importantes (Logue, 1998a,b). Pas étonnant que les enfants qui font ce choix aient tendance à mieux s'intégrer sur le plan social et à devenir des individus brillants (Mischel et coll., 1989).

Mais, à notre détriment, les petites conséquences immédiates (par exemple, le plaisir de regarder la télévision tard le soir) sont parfois plus attrayantes que les conséquences plus tardives, mais parfois plus importantes (comme la léthargie du lendemain). Pour beaucoup d'adolescents, le plaisir immédiat d'un acte sexuel non protégé et risqué dans un moment de passion l'emporte sur la gratification différée d'un acte sexuel plus sûr parce que protégé (Loewenstein et Furstenberg, 1991). De même, pour bien trop d'entre nous, les joies immédiates procurées par nos véhicules actuels, gros consommateurs d'essence, par les voyages en avion et par l'air conditionné dépassent les conséquences bien plus importantes du réchauffement global, de la montée des eaux et des températures extrêmes que nous connaîtrons demain sur notre planète.

Programmes de renforcement

10. De quelle manière les différents programmes de renforcement affectent-ils notre comportement ?

Jusqu'à présent, la plupart de nos exemples prennent pour hypothèse un **renforcement continu** : la réponse désirée est renforcée chaque fois qu'elle se produit. Dans ces conditions, l'apprentissage s'effectue rapidement et, de ce fait, le renforcement continu est préférable jusqu'à ce que le comportement soit maîtrisé. Mais l'extinction survient également rapidement. Lorsque le renforcement s'arrête - lorsque nous arrêtons l'apport de nourriture après l'appui sur le levier - le comportement s'arrête rapidement. Si un distributeur de friandises, normalement fiable, ne donne pas de barres chocolatées deux fois de suite, nous arrêtons d'y mettre des pièces (même si une semaine plus tard nous allons faire preuve d'une récupération spontanée en essayant de nouveau).

Dans la vie réelle, le renforcement continu est rare. Un vendeur ne conclut pas une vente à chaque essai, pas plus qu'un pêcheur à la ligne n'a une prise à chaque lancer. Mais ils persistent car leurs efforts ont été récompensés dans certains cas. Cette persistance est typique lors de programmes de **renforcement partiel (intermittent)** dans lesquels les réponses sont parfois renforcées et parfois pas. Bien que l'apprentissage initial soit plus lent, le renforcement intermittent produit une plus grande *résistance à l'extinction* que celle observée avec un renforcement continu. Imaginez un pigeon qui a appris à picorer un bouton pour obtenir de la nourriture. Lorsque l'expérimentateur diminue progressivement l'apport de nourriture jusqu'à ce qu'il ne se produise que rarement et de façon imprévisible, le pigeon peut picorer jusqu'à 150 000 fois sans récompense (Skinner, 1953). Les machines à sous récompensent les joueurs

:: **Renforcement continu** : renforcement de la réponse désirée chaque fois qu'elle a lieu.

:: **Renforcement partiel (intermittent)** : le renforcement de la réponse n'a lieu qu'à certains moments ; ce système produit une acquisition plus lente de la réponse, mais une résistance beaucoup plus grande à l'extinction que le renforcement continu.

:: **Programme à proportion fixe** : dans le conditionnement opérant, schéma de renforcement qui ne récompense une réponse qu'après un nombre fixé de réponses.

:: **Programme à proportion variable** : dans le conditionnement opérant, programme de renforcement où la récompense a lieu après une quantité imprévisible de réponses.

:: **Programme à intervalles fixes** : dans le conditionnement opérant, programme de renforcement où la réponse n'est récompensée qu'après un temps donné.

:: **Programme à intervalles variables** : dans le conditionnement opérant, programme de renforcement où la réponse est récompensée à des intervalles de temps imprévisibles.

de cette façon, occasionnelle et imprévisible. Comme les pigeons, les joueurs essayent encore et toujours. Avec un renforcement partiel, l'espoir jaillit éternellement. Il y a là encore une bonne leçon pour les parents : le renforcement partiel marche aussi chez les enfants. Céder *de temps à autre* aux caprices d'un enfant pour avoir la paix et le calme provoque un renforcement intermittent des caprices. C'est vraiment le meilleur moyen pour rendre un comportement persistant.

Skinner (1961) et ses collaborateurs ont comparé quatre programmes de renforcement intermittent. Certains sont fixes, d'autres varient de façon imprévisible.

Les programmes à proportion fixe renforcent le comportement après un nombre déterminé de réponses. Comme les cafés nous récompensent avec une boisson gratuite toutes les dix achetées, les animaux de laboratoire peuvent être renforcés selon une proportion fixe, comme par exemple un renforcement pour trente réponses. Une fois conditionné, l'animal va s'arrêter seulement brièvement après un renforcement, et va continuer ensuite à une cadence de réponses élevée (FIGURE 7.13).

Les programmes à proportion variable fournissent un renforcement après un nombre de réponses imprévisible. C'est ce qu'expérimentent les joueurs des machines à sous et les pêcheurs à la mouche - un renforcement imprévisible - et c'est ce qui fait du jeu ou de la pêche un comportement si difficile à éteindre même lorsqu'ils ne reçoivent rien après avoir donné. Comme dans le programme à proportion fixe, le programme à proportion variable produit un niveau élevé de réponses, car les renforcements augmentent en même temps que le nombre de réponses.

Les programmes à intervalles fixes renforcent la première réponse après un temps de pause fixe. Comme les gens qui ont tendance à aller regarder la boîte à lettres plus fréquemment lorsque l'heure de la distribution approche, ou à vérifier si la confiture est prête, les pigeons habitués à un programme à intervalles de durée fixe picorent le bouton plus fréquemment lorsque le moment prévu pour une récompense approche, produisant ainsi une courbe hachée d'arrêt et de départ plutôt qu'un taux constant de réponses (*voir* Figure 7.13).

Les programmes à intervalles variables renforcent la première réponse après des intervalles de temps *variables*. Comme la phrase « vous avez du courrier » qui récompense finalement la persévérance à vérifier la boîte de courrier électronique, les programmes à intervalles variables ont tendance à produire des réponses lentes, mais constantes. Cela est logique puisqu'il n'y a aucun moyen de savoir quand l'attente sera terminée (TABLEAU 7.2, page suivante).

Le comportement des animaux varie, bien que Skinner (1956) ait prétendu que ces principes de renforcement du conditionnement opérant étaient universels. Cela n'a pas beaucoup d'importance, disait-il, de savoir quelle réponse, quel renforcement ou quelle espèce vous utilisez. L'effet d'un programme de renforcement donné est pratiquement toujours le même : « Pigeon, rat, singe, qui est qui ? Cela n'a aucune importance... Le comportement présente des propriétés étonnamment semblables. »

« Le charme de la pêche réside en la poursuite d'un but qui se dérobe mais que l'on peut atteindre, une succession illimitée d'occasions d'espérer. »
John Buchan, auteur écossais (1875-1940)

Par quel programme les vendeurs à domicile sont-ils renforcés ? Quel est le programme de renforcement qui pousse les personnes à vérifier le four pour voir si les gâteaux sont cuits ? Enfin, quelle est la base de fonctionnement du programme de fidélisation des compagnies aériennes qui offrent un vol gratuit tous les 40 000 kilomètres à leurs clients réguliers ? (Voir les réponses inversées ci-dessous.)

Les vendeurs à domicile sont renforcés à partir d'un programme à proportion variable (suivant le nombre de coups de sonnette). Les personnes qui vérifient si les gâteaux sont prêts fonctionnent selon un programme à intervalles fixes. Les programmes de fidélisation mis en place par les compagnies aériennes en faveur des voyageurs réguliers se basent sur un programme à proportion fixe.

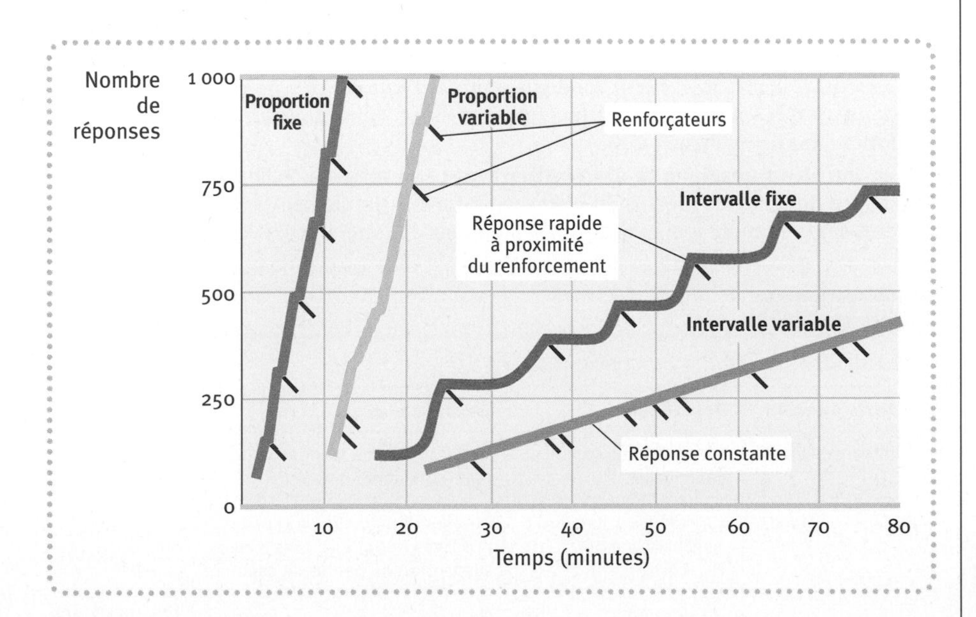

➤ FIGURE 7.13
Programmes de renforcement partiel
Les pigeons du laboratoire de Skinner ont produit ces types de réponses à chacun des quatre modes de programmes de renforcement. (Les renforçateurs sont indiqués par les marques diagonales sur le graphique.) Pour les hommes comme pour les pigeons, le renforcement lié au nombre de réponses (programme à proportion fixe ou variable) produit une réponse supérieure au renforcement lié à un laps de temps écoulé (programme à intervalle fixe ou variable). Mais la prévisibilité de la récompense a également une importance. Un programme (variable) non prévisible produit une réponse plus constante qu'un programme (fixe) à caractère prévisible.

TABLEAU 7.2

Programmes de renforcement

	Fixe	Variable
Proportion	*Après un nombre déterminé :* renforcement après chaque *énième* comportement, par exemple, acheter 10 cafés pour 1 gratuit ou être payé par unité produite	*Après un nombre imprévisible :* le renforcement après un nombre aléatoire de comportements, comme lorsqu'on joue aux machines à sous ou que l'on pêche à la mouche
Intervalle	*Après une durée déterminée :* renforcement d'un comportement après un temps fixé, par exemple les prix bas du mardi	*Après une durée imprévisible :* le renforcement du comportement se produit après un temps aléatoire, par exemple vérifier son courrier électronique

Punition

11. De quelle manière la punition affecte-t-elle le comportement ?

Le renforcement augmente un comportement ; la **punition** a l'effet inverse. Ainsi, une *punition* est une conséquence qui *diminue* la fréquence d'un comportement précédent (Tableau 7.3).

Les punitions rapides et sûres peuvent efficacement empêcher des comportements non désirés. Le rat qui reçoit un choc après avoir touché un objet défendu et l'enfant qui perd une friandise après avoir traversé la rue en courant vont apprendre à ne pas répéter ce comportement. Certaines punitions, quoique non intentionnelles, sont cependant assez efficaces : le chien qui apprend à arriver en courant au son de l'ouvre-boîte électrique cessera de venir si son maître commence à utiliser l'ouvre-boîte pour l'attirer et le mettre à la cave.

La sûreté et la rapidité sont également des marques de punition efficaces des criminels remarquent John Darley et Adam Alter (sous presse). Des études montrent que le comportement des criminels, dont la plupart sont impulsifs, n'est pas dissuadé par la menace de sentences sévères. Ainsi, lorsque l'Arizona a introduit une punition exceptionnellement dure pour la première conduite en état d'ivresse, cela n'a pas modifié le taux d'alcoolisme au volant. Mais lorsqu'à Kansas City la police a commencé à patrouiller sur une large zone de délit pour augmenter la sûreté et la rapidité de la punition, les délits ont alors chuté de manière spectaculaire.

Ainsi comment devrions-nous interpréter les études sur la punition du point de vue de l'éducation parentale ? Beaucoup de psychologues et de partisans de l'éducation parentale non violente considèrent qu'il y a quatre inconvénients à la punition physique des enfants (Gershoff, 2002 ; Marshall, 2002).

1. **Le comportement puni n'est pas oublié, il est inhibé.** Cette suppression temporaire peut (de manière négative) renforcer le comportement punitif des parents. Lorsque l'enfant dit des gros mots et que les parents lui donnent une fessée, l'enfant, par la suite, cesse de dire des gros mots. Les parents pensent que la punition a stoppé avec succès le comportement de l'enfant. Il n'est donc pas étonnant que de très nombreux parents américains donnent des fessées à leurs enfants de 3 et 4 ans (plus de 9 sur 10 reconnaissent qu'ils le font) (Kazdin et Benjet, 2003).
2. **La punition enseigne la discrimination.** La punition a-t-elle été vraiment efficace pour mettre fin aux gros mots ? Ou bien l'enfant a-t-il simplement appris qu'il n'est pas bien de dire des gros mots à la maison mais qu'il peut le faire ailleurs ?

TABLEAU 7.3

Modes de réduction d'un comportement

Type de punition	Description	Exemples
Punition positive	Administrer un stimulus désagréable	Une fessée ; une amende pour mauvais stationnement
Punition négative	Supprimer un stimulus agréable	Privation temporaire de certains privilèges tels que voir ses amis ; suspension du permis de conduire

:: **Punition** : événement qui *atténue* le comportement qu'il suit.

3. **La punition peut engendrer la peur.** L'enfant peut associer la crainte non seulement avec le comportement non désiré, mais aussi avec la personne qui l'administre ou avec l'endroit dans laquelle elle survient. Un enfant peut ainsi en venir à craindre le maître trop sévère et à souhaiter éviter l'école. C'est pourquoi la plupart des pays européens ont interdit les châtiments corporels à l'école et dans les orphelinats (Leach, 1993, 1994). Onze pays, dont les pays scandinaves, ont ensuite interdit les punitions physiques infligées par les parents, étendant ainsi aux enfants la protection légale apportée aux épouses (EPOCH, 2000).
4. **La punition physique peut augmenter l'agressivité en démontrant que l'agression est une façon de résoudre les problèmes.** On sait que beaucoup de délinquants agressifs et de parents maltraitants proviennent de familles où les enfants ont été maltraités (Straus et Gelles, 1980 ; Straus et coll., 1997). Mais certains chercheurs remarquent que les études sur la punition posent certains problèmes ; ces études observent que les enfants recevant des fessées présentent plus de risque d'agressivité (et de dépression et d'une faible estime de soi). Effectivement, disent ces chercheurs, de la même manière que les personnes qui suivent une psychothérapie ont plus de risque de souffrir de dépression, parce qu'ils avaient au préalable des problèmes qui les ont amenés à suivre le traitement (Larzelere, 2000, 2004). Qui est donc la poule et qui est l'œuf ? La corrélation ne nous livre aucune réponse.

Si l'on tient compte d'un comportement antisocial préexistant, une ou deux fessées administrées occasionnellement à un enfant âgé de 2 à 6 ans qui se comporte mal semblent plus efficaces (Baumrind et coll., 2002 ; Larzelere et Kuhn, 2005). Cela est particulièrement vrai si la fessée n'est utilisée qu'en renfort lorsque les tactiques disciplinaires plus modérées (par exemple une *pause* qui les éloigne de l'environnement renforçateur) ont échoué et lorsque la fessée est associée à une bonne dose de raisonnement et de renforcement. Souvenez-vous : *la punition vous indique ce qu'il ne faut pas faire ; le renforcement vous dit ce qu'il faut faire.* Cette double approche peut être efficace. Lorsque des enfants au comportement autodestructeur se mordent eux-mêmes ou se cognent la tête, ils peuvent être modérément punis (disons avec un jet d'eau sur la figure), mais ils peuvent aussi être récompensés par de la nourriture et une attention positive lorsqu'ils se comportent bien. En classe, le professeur peut mettre des appréciations sur le papier par exemple « non, mais essayez cela... » et « oui, c'est tout à fait cela ! ». Ces réponses réduisent les comportements non désirés en renforçant les comportements alternatifs plus souhaitables.

Les parents de jeunes difficiles ne savent souvent pas comment renforcer un comportement souhaité sans cris ou coups (Patterson et coll., 1982). Des programmes éducatifs pour de tels parents les aident à modifier leurs observations et à passer des terribles menaces à des incitations positives, à échanger par exemple le « tu ranges ta chambre immédiatement, sinon pas de dîner » par « tu seras bienvenu à table pour le dîner dès que tu auras nettoyé ta chambre ». Si vous y réfléchissez, de nombreuses menaces de punition sont tout aussi fortes et peut-être même plus efficaces si elles sont reformulées de façon positive. Ainsi, le « si tu ne fais pas tes devoirs, tu n'auras pas la voiture » serait mieux formulé de la façon suivante...

Ce qu'apprend souvent la punition, disait Skinner, c'est la manière de l'éviter. La plupart des psychologues préfèrent insister sur le renforcement. Regardez les personnes en train de faire quelque chose de bien et félicitez-les pour cela.

Extension des conclusions de Skinner

12. Les processus cognitifs et les contraintes biologiques affectent-ils le conditionnement opérant ?

Bien que Skinner ait reconnu à la fois l'existence des processus innés et des aspects biologiques sous-jacents du comportement, beaucoup de psychologues le critiquent pour avoir sous-estimé l'importance de ces influences.

Cognition et conditionnement opérant

Juste 8 jours avant de mourir de leucémie, Skinner (1990) prenait part à la réunion de l'*American Psychological Association* pour une dernière attaque contre la « science cognitive », qu'il voyait comme un retour à l'introspection du début du siècle. Skinner mourut en résistant à la croyance grandissante que les processus cognitifs - pensées, perceptions, attentes - ont

• Pour plus d'informations concernant le comportement animal (je ne le traiterai pas), reportez-vous aux livres de Robin Fox et de Lionel Tiger. •

une place nécessaire dans la science de la psychologie et même dans notre compréhension du conditionnement. (Il percevait les pensées et les émotions comme des comportements suivant les mêmes lois que les autres comportements.) Cependant, nous avons vu plusieurs indices suggérant que les processus cognitifs intervenaient dans l'apprentissage opérant. Par exemple, les animaux renforcés selon un programme à intervalles fixes répondent de plus en plus fréquemment lorsqu'approche le moment où une réponse va provoquer un renforcement. Bien qu'un behavioriste strict se refuserait à parler d'« attentes », les animaux se comportent comme s'ils s'attendaient à ce que la répétition de la réponse produise bientôt la récompense.

Will et Deni McIntyre/Photo Researchers

Apprentissage latent Comme les hommes, les animaux peuvent apprendre par l'expérience, avec ou sans renforcement. Après avoir exploré un labyrinthe pendant 10 jours, les rats reçoivent une récompense alimentaire à la fin du labyrinthe. Ils font rapidement preuve de leur précédent apprentissage du labyrinthe en ayant immédiatement d'aussi bons résultats (voire meilleurs) que les rats qui ont été renforcés pour explorer le labyrinthe. (D'après Tolman et Honzik, 1930.)

D'autres preuves de la mise en œuvre de processus cognitifs ont été fournies par les études des rats dans les labyrinthes. Les rats explorant un labyrinthe sans récompense évidente sont comme des personnes visitant une nouvelle ville. Ils semblent développer une **carte cognitive**, une représentation mentale du labyrinthe. Si l'expérimentateur place alors une récompense à la fin du labyrinthe, ces rats ont immédiatement d'aussi bons résultats que ceux qui ont été renforcés par de la nourriture pour explorer le labyrinthe en courant.

Au cours de leurs explorations, les rats semblent subir un **apprentissage latent** – un apprentissage qui ne se manifeste que lorsqu'il y a une incitation à le mettre en œuvre. Les enfants aussi peuvent apprendre en regardant leurs parents, mais ne montrer cet apprentissage que bien plus tard, lorsqu'ils en ont besoin. Ce qu'il faut retenir : *apprendre est bien plus que la simple association d'une réponse à une conséquence. Il y a aussi la cognition.* Dans le chapitre 9, nous rencontrerons des preuves manifestes des capacités cognitives de l'animal à utiliser des aspects du langage et à résoudre des problèmes.

« Les toilettes ? Oui bien sûr : c'est juste sur votre gauche au bout du couloir, puis légèrement à droite, à gauche, puis encore à gauche, puis tout droit et troisième à gauche et à droite ; puis c'est au fond du troisième couloir sur votre droite. »

Motivation intrinsèque La perspective cognitiviste a également conduit à une réserve importante à propos du pouvoir de la récompense. Promettre à une personne une récompense pour une tâche qu'il a plaisir à effectuer peut entraîner un retour de manivelle. La plupart des gens pensent que l'offre de récompenses tangibles va développer l'intérêt de n'importe qui pour une tâche. En réalité, au cours d'expériences où l'on avait promis une prime à des enfants pour jouer avec un puzzle ou un jouet intéressant, ces enfants jouèrent moins par la suite avec le jouet que des enfants qui n'avaient pas été « payés » pour le faire (Deci et coll., 1999 ; Tang et Hall, 1995). C'est comme si les enfants pensaient : « Si j'ai besoin d'être acheté pour faire quelque chose, cela ne doit pas valoir le coup de le faire pour son seul intérêt. »

Les récompenses excessives peuvent miner la **motivation intrinsèque** – le désir d'avoir un comportement productif pour son intérêt propre et pour être efficace. La **motivation extrinsèque** est le désir de se comporter d'une certaine façon afin de recevoir une récompense venant des autres et d'éviter une punition angoissante.

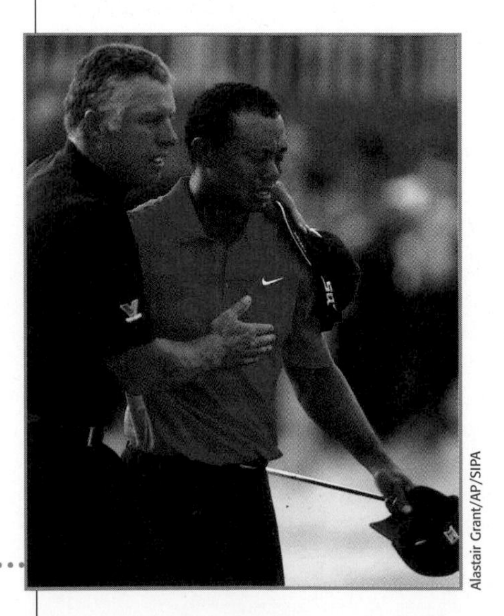
Alastair Grant/AP/SIPA

La motivation intrinsèque de Tiger Woods « Je me souviens d'un petit rituel quotidien que nous avions : j'appelais mon père au travail et je lui demandais si je pouvais m'entraîner avec lui. Il s'interrompait pendant une ou deux secondes afin de me mettre dans l'expectative, puis il finissait toujours par répondre oui... À sa manière, il m'apprenait à faire preuve d'initiative. Vous voyez, il ne m'a jamais poussé à jouer. » (Cité dans le magazine *USA Weekend*, 1997.) Woods (consolé par Steve Williams, son caddy) réagit avec beaucoup d'émotion à sa première victoire de tournoi après la mort de son père.

Pour bien comprendre la différence, pensez à ce que vous êtes en train de vivre. Ressentez-vous une pression à l'idée de devoir finir la lecture de ce livre à une date limite ? Êtes-vous inquiet de connaître la note de votre examen ? Attendez-vous une récompense pour la qualité de votre travail ? Si c'est le cas, vous subissez une motivation extrinsèque (c'est le cas chez la plupart des étudiants). Trouvez-vous que le contenu de ce cours est intéressant ? Avoir à apprendre ce cours vous donne-t-il la sensation d'améliorer vos compétences ? S'il n'y avait pas un examen à la clé, seriez-vous assez curieux pour l'apprendre dans votre propre intérêt ? Si oui, vous êtes également poussé par une motivation intrinsèque. Les personnes qui font preuve de motivation intrinsèque travaillent ou jouent en recherchant du plaisir, de l'intérêt, un moyen de s'exprimer, ou un défi.

Les entraîneurs des jeunes sportifs, qui ont comme objectif de promouvoir un intérêt durable dans cette activité, ne doivent pas uniquement exercer une pression pour les faire gagner, mais se concentrer aussi sur le plaisir intrinsèque du sport et l'atteinte du potentiel de chacun, comme le font remarquer les recherches sur la motivation d'Edward Deci et de Richard Ryan (1985, 1992, 2002). Donner des choix aux gens augmente aussi leur motivation intrinsèque (Patall et coll., 2008). Néanmoins une récompense peut être efficace si elle est utilisée non pas pour contrôler ou soudoyer, mais pour reconnaître un travail bien fait (Boggiano et coll., 1985). La plupart des récompenses pour les joueurs qui se sont le plus améliorés, par exemple, peuvent stimuler le sentiment de compétence et augmenter le plaisir dans le sport. Si les récompenses sont distribuées à juste titre, cela peut susciter la créativité et donner lieu à de meilleures performances (Eisenberger et Rhoades, 2001 ; Henderlong et Lepper, 2002). Et les récompenses extrinsèques (comme les bourses d'études et le travail qui suit souvent des diplômes universitaires) sont faites pour durer.

:: **Carte cognitive :** représentation mentale de la disposition de l'environnement de quelqu'un. Par exemple, après avoir exploré un labyrinthe, les rats se conduisent comme s'ils en avaient appris une carte cognitive.

:: **Apprentissage latent :** apprentissage qui ne devient apparent que lorsqu'une incitation permet de le mettre en évidence.

:: **Motivation intrinsèque :** désir de réaliser un comportement de façon efficace pour son propre compte.

:: **Motivation extrinsèque :** désir de réaliser un comportement pour obtenir une récompense promise ou par crainte d'une punition.

Prédispositions biologiques

Comme dans le cas du conditionnement classique, les prédispositions naturelles d'un animal restreignent sa capacité de conditionnement opérant. Lorsque vous renforcez son comportement avec de la nourriture, vous pouvez facilement conditionner un hamster à creuser ou à se dresser sur ses pattes, parce que ces actions font partie du comportement naturel de l'animal lorsqu'il cherche sa nourriture. Mais il est difficile d'utiliser des renforcements alimentaires pour modeler certains comportements du hamster qui ne sont normalement pas associés à la nourriture ou à la faim, comme par exemple se laver le museau (Shettleworth, 1973). De la même manière, les pigeons apprennent facilement à battre des ailes pour éviter un choc et à picorer pour obtenir de la nourriture, parce qu'ils ont naturellement tendance à fuir grâce à leurs ailes et à manger avec leur bec. Mais ils ont beaucoup de difficultés à apprendre à picorer pour éviter un choc et à battre des ailes pour obtenir de la nourriture (Foree et LoLordo, 1973). Le principe est le suivant : *les contraintes biologiques prédisposent les organismes à apprendre des associations qui sont naturellement adaptatives.*

Saota/Gamma Liaison/Getty Images

Un athlète naturel Les animaux peuvent apprendre et retenir des comportements avec une grande facilité quand ceux-ci s'appuient sur leurs prédispositions biologiques, comme la prédisposition innée du chat à sauter haut et à retomber sur ses pattes.

Après avoir été témoin du pouvoir de la technique du conditionnement opérant, des étudiants de Skinner, Keller Breland et Marian Breland (1961 ; Bailey et Gillaspy, 2005), commencèrent à dresser des chiens, des chats, des poulets, des perruches, des dindes, des cochons, des canards et des hamsters et finirent par arrêter leurs études supérieures pour monter une entreprise de dressage d'animaux. Pendant les 47 années suivantes, ils dressèrent plus de 15 000 animaux issus de 140 espèces pour des films, des cirques, des entreprises publiques, des parcs animaliers et le gouvernement. Ils ont également entraîné les dresseurs d'animaux y compris le metteur en scène des dresseurs du *Sea World*.

Au départ, le couple Breland pensait que les principes du conditionnement opérant pourraient fonctionner pour n'importe quelle réponse qu'un animal est capable d'avoir. Mais peu à peu, ils furent confrontés aux contraintes des prédispositions biologiques. Dans un cas, ils avaient entraîné des cochons à saisir des grands « dollars » en bois et à les déposer dans une banque pour cochon. Cependant, après avoir appris ce comportement, les animaux commencèrent à revenir à leurs habitudes naturelles. Ils lâchaient la pièce, la poussaient avec leur groin comme les cochons ont l'habitude de le faire, la récupéraient et recommençaient l'opération, retardant leur renforcement alimentaire. Ce glissement instinctif se produisait lorsque les animaux revenaient à leurs schémas biologiquement prédisposés.

« N'essayez jamais d'apprendre à chanter à un cochon. Vous perdriez votre temps et cela ennuierait le cochon. »
Mark Twain (1835-1910)

L'héritage de Skinner

B. F. Skinner fut l'une des figures intellectuelles les plus controversées de la fin du XXe siècle. Il suscita de vives réactions en affirmant franchement ses croyances. Il insistait de façon répétée sur le fait que c'étaient les influences externes, et non les pensées ou les sentiments internes, qui modelaient le comportement et qu'il était important d'utiliser les principes du conditionnement opérant pour influencer le comportement des individus à l'école, au travail et à la maison. Voyant que le comportement est modelé par ses conséquences, il disait que nous devrions administrer des récompenses de façon à favoriser des comportements plus souhaitables.

Falk/Photo Researchers, Inc.

B. F. Skinner « On m'a parfois demandé si je pensais fonctionner de la même manière que les organismes que j'étudie. La réponse est oui. Pour autant que je sache, à tout moment, mon comportement n'a été rien d'autre que le produit de mon patrimoine génétique, de mon histoire personnelle et de la situation actuelle. » (1983)

Les opposants de Skinner n'étaient pas d'accord : ils dirent qu'il déshumanisait les individus en négligeant leur liberté personnelle et en cherchant à contrôler leurs actions. La réponse de Skinner était la suivante : le comportement des gens est déjà contrôlé de façon hasardeuse par des conséquences externes, pourquoi donc ne pas administrer ces conséquences pour le bien de l'humanité ? À la place des punitions infligées à la maison, dans les écoles ou les prisons, des systèmes de renforcement ne seraient-ils pas plus humains ? Enfin, s'il est humiliant de penser que nous sommes modelés par notre histoire, cette notion véridique nous permet aussi d'espérer pouvoir gouverner notre futur.

Les applications du conditionnement opérant

13. Comment appliquer les principes du conditionnement opérant à l'école, pour le sport, au travail et à la maison ?

Dans les chapitres à venir nous verrons comment les psychologues appliquent les principes du conditionnement opérant pour aider les personnes à modérer leur hypertension artérielle ou à obtenir une reconnaissance sociale. Les technologies du renforcement sont également efficaces à l'école, dans le domaine du sport, au travail et à la maison (Flora, 2004).

À l'école Il y a 30 ans, Skinner et d'autres plaidaient en faveur de machines à enseigner et de manuels qui pourraient guider l'apprentissage par petites étapes et donner des renforcements immédiats pour des réponses correctes. Ces machines et ces textes, disaient-ils, allaient révolutionner l'éducation et libérer les professeurs en leur permettant de se concentrer sur les besoins particuliers des élèves.

Pour visualiser le rêve de Skinner, imaginez deux professeurs de mathématiques, chacun ayant une classe d'élèves allant des jeunes prodiges aux élèves les plus lents. L'enseignant A donne à toute la classe le même cours de mathématiques, en sachant que les élèves brillants comprennent déjà les concepts et que les élèves plus lents seront frustrés et incapables de les comprendre. Mais avec autant d'élèves différents, comment le professeur peut-il les guider individuellement ? Face à une classe similaire, le professeur B règle le matériel selon la vitesse d'apprentissage de chaque élève et donne une correction immédiate avec des renforcements positifs aux élèves rapides comme à ceux qui sont lents. En pensant comme Skinner, comment pourriez-vous atteindre cet enseignement individuel du professeur B ?

L'ordinateur était son ultime espoir. « Une bonne instruction réclame deux choses, disait-il. On doit dire immédiatement aux étudiants si ce qu'ils font est correct ou non, et lorsque c'est correct, on doit les diriger vers l'étape suivante. » Ainsi l'ordinateur pourrait jouer le rôle du professeur B, rendant l'élève actif, s'adaptant à sa vitesse d'apprentissage, lui faisant passer des contrôles pour repérer les lacunes dans sa compréhension, lui donnant une correction immédiate et gardant des traces précises. Skinner (1986, 1988, 1989), à la fin de sa vie, croyait que l'idéal pouvait être atteint. Bien que la révolution prédite de l'éducation n'ait pas eu lieu, les logiciels interactifs pour les étudiants, l'utilisation d'Internet pour l'apprentissage et les examens en ligne, nous rapprochent de plus en plus du rêve de Skinner.

Pour le sport Les principes de renforcement peuvent aussi augmenter les performances sportives. De nouveau, l'essentiel est de modeler le comportement, en commençant par renforcer de petits succès, puis en augmentant progressivement la difficulté. Thomas Simek et Richard O'Brien (1981, 1988) ont appliqué ces principes à l'apprentissage du golf et du base-ball en commençant par des réponses aisées à renforcer. Les débutants en golf commencent par des « coups roulés » très courts. Lorsqu'ils acquièrent une bonne maîtrise, ils peuvent finalement reculer de plus en plus loin. De la même manière, les joueurs de base-ball débutants commencent par des frappes modérées avec une balle surdimensionnée lancée de 3 ou 4 mètres, ce qui leur donne immédiatement le plaisir de frapper dans la balle. Au fur et à mesure que sa confiance grandit avec le succès et qu'il acquiert une bonne maîtrise à chaque niveau, le lanceur recule progressivement à 5 mètres, 7 mètres, 10 mètres puis 15 mètres, et finalement utilise une balle de taille normale. Comparés aux enfants ayant appris avec des méthodes conventionnelles, ceux qui ont commencé avec cette méthode comportementale montrent une amélioration plus rapide de leurs capacités à la fois au cours des tests et dans les situations de jeu.

Au travail Les idées de Skinner sont également ressorties au travail. Sachant que le renforcement influence la productivité, de nombreuses sociétés ont invité leurs employés à partager les risques et les récompenses de leur société. D'autres se sont concentrées sur le renforcement du travail bien fait. Les récompenses ont plus de chance d'améliorer la productivité lorsque le but envisagé est bien défini et accessible. Message aux dirigeants d'entreprise : *récompensez des comportements spécifiques et réalisables, et non un mérite vaguement défini*. Même la critique déclenche une augmentation plus importante de la productivité et des ressentiments moindres quand elle est justifiée et spécifique (Baron, 1988).

Le conditionnement opérant doit également nous rappeler que le renforcement doit être *immédiat*. Thomas Watson, qui fut l'une des légendes d'IBM, l'avait bien compris. Quand il considérait qu'un employé avait atteint son but, il lui signait un chèque sur le champ (Peters et Waterman, 1982). Mais il n'est pas nécessaire que les récompenses soient matérielles ni extravagantes. Un bon manager peut se contenter de déambuler dans les bureaux et de féliciter les gens pour un bon travail, ou écrire une note d'appréciation concernant un projet mené à bien. Comme le disait Skinner, « le monde serait tellement plus riche si, dans la vie quotidienne, les renforcements étaient reliés de façon plus directe au travail productif ».

À la maison Les parents peuvent eux aussi tirer un avantage du conditionnement opérant. Wierson et Forehand (1994), chercheurs spécialistes en éducation parentale, nous rappellent que si des parents demandent à leur enfant : « Prépare-toi à aller au lit » mais cèdent à ses protestations et à son refus, ils renforcent les disputes et les pleurnicheries. Finalement, les parents exaspérés peuvent crier ou encore faire des gestes menaçants. Lorsque l'enfant, maintenant effrayé obéit, cela renforce le comportement de colère des parents. Au fur et à mesure, une relation destructive peut se développer entre les parents et l'enfant.

Pour interrompre ce cycle, les parents doivent se souvenir des principes fondamentaux du modelage : *remarquez les personnes qui font les choses bien et soutenez-les pour cela*. Soyez attentionnés et accordez des récompenses aux enfants quand ils se comportent *bien* (Wierson et Forehand, 1994). Choisissez un comportement spécifique, récompensez-le et vous le verrez évoluer. Si vos enfants se comportent mal ou adoptent une attitude provocante à votre égard, il est inutile de crier et de les frapper. Expliquez-leur simplement ce qui ne convient pas dans leur comportement et privez-les de toute récompense pendant un certain temps.

Enfin, nous pouvons aussi utiliser le conditionnement opérant sur nous-mêmes (*voir* Gros plan : « Dresser son conjoint », page suivante). Pour renforcer les comportements que nous désirons le plus et supprimer ceux qui sont indésirables, les psychologues suggèrent cette approche étape par étape :

1. **Énoncez votre but** – cesser de fumer, manger moins, étudier ou faire plus d'exercice – en termes mesurables, et rendez-le public. Si vous voulez, par exemple, augmenter votre temps de travail d'une heure par jour, annoncez votre but à vos amis proches.
2. **Notez à quelle fréquence vous pratiquez le comportement que vous souhaitez promouvoir.** Vous pouvez noter votre temps de travail actuel en précisant dans quelles conditions vous travaillez ou ne travaillez pas. (Lorsque j'ai commencé à écrire des manuels, j'ai noté mon temps de travail et j'ai été étonné de voir la quantité de temps perdue.)
3. **Renforcez le comportement désiré.** Pour augmenter votre temps de travail, accordez-vous une récompense (un casse-croûte ou une autre activité qui vous plaît), mais seulement après les périodes d'étude prévues. Mettez-vous d'accord avec vos amis sur le fait que vous vous joindrez à eux pour leurs activités du week-end seulement si vous avez atteint votre quota d'étude de la semaine.
4. **Réduisez progressivement les encouragements.** Quand votre nouveau comportement deviendra plus habituel, donnez-vous mentalement une tape dans le dos au lieu de prendre un biscuit.

« Je viens d'écrire encore 500 mots. Je peux avoir un autre biscuit ? »

GROS PLAN

« Dresser son conjoint »

Par Amy Sutherland

Pour écrire un livre sur une école de dressage d'animaux exotiques, j'ai commencé à faire le trajet entre le Maine et la Californie où je passais mes journées à regarder des étudiants faire ce qui semblait impossible : apprendre à des hyènes à faire des pirouettes à la demande, à des couguars à donner leur patte pour qu'on leur coupe les ongles et des babouins à faire du skateboard.

J'écoutais, totalement absorbée, lorsque les dresseurs professionnels expliquaient comment ils avaient appris aux dauphins à sauter et aux éléphants à peindre. Et tout d'un coup, il m'est venu à l'esprit que ces mêmes techniques pouvaient marcher sur cette espèce obstinée que l'on aime tant, le mari américain.

La leçon phare que j'ai apprise avec les dresseurs d'animaux exotiques était que je devais récompenser les comportements que j'aimais et ignorer ceux que je n'aimais pas. Après tout on n'obtient pas qu'une otarie tienne un ballon en équilibre sur son nez en la harcelant. C'est la même chose avec les maris américains.

De retour dans le Maine, j'ai commencé à remercier Scott lorsqu'il mettait sa chemise sale dans le panier à linge. Et s'il en mettait deux, je l'embrassais. Pendant ce temps, je marchais sur les affaires sales qu'il laissait traîner par terre sans dire le moindre mot, même si des fois, je les envoyais d'un coup de pied sous le lit. Mais comme il appréciait mes récompenses, le tas devint plus petit.

J'utilisais ce que les dresseurs appellent « l'approximation », récompenser les petites étapes vers l'apprentissage d'un comportement totalement nouveau... Une fois que j'ai commencé à penser ainsi, je n'ai pu m'arrêter. À l'école en Californie, je griffonnais des notes sur la façon de faire marcher un émeu ou sur la manière de vous faire accepter par un loup dans sa communauté, mais je pensais, « je ne peux pas attendre avant d'essayer ça sur Scott... »

Après deux ans de dressage de cet animal exotique, mon mariage est bien plus calme et mon mari bien plus facile à aimer. J'avais l'habitude de considérer ses fautes d'un point de vue personnel : ses affaires sales sur le plancher étaient un affront, un symbole du fait qu'il ne faisait pas assez attention à moi. Mais le fait de penser à mon mari comme à une espèce exotique m'a donné le recul dont j'avais besoin pour considérer nos différences de façon plus objective.

Extrait de « What Shamu taught me about a happy marriage », *New York Times*, avec la permission de A. Sutherland (25 juin 2006).

« Oh ! Quelle chose étrange que l'apprentissage. »
William Shakespeare,
La Mégère apprivoisée, 1597

Comparaisons entre le conditionnement opérant et le conditionnement classique

Les conditionnements classique et opérant sont deux formes d'apprentissage associatif qui impliquent toutes deux une acquisition, une extinction, une récupération spontanée, une généralisation et une discrimination. Ces ressemblances sont suffisantes pour que certains chercheurs se demandent si, pour expliquer ces deux conditionnements, il ne suffit pas d'un seul processus d'apprentissage de réponse au stimulus (Donahoe et Vegas, 2004). Les différences entre ces procédures sont les suivantes : par le conditionnement classique (pavlovien), un organisme associe différents stimuli qu'il ne contrôle pas et y répond automatiquement (comportements de réponse) (Tableau 7.4). Lors du conditionnement opérant, l'organisme associe ses comportements opérants (ceux qui agissent sur son environnement

TABLEAU 7.4

COMPARAISONS ENTRE LE CONDITIONNEMENT CLASSIQUE ET LE CONDITIONNEMENT OPÉRANT

	Conditionnement classique	**Conditionnement opérant**
Idée fondamentale	L'organisme apprend des associations entre des événements qu'il ne peut pas contrôler	L'organisme apprend des associations entre son comportement et les événements qui en résultent
Réponse	Involontaire, automatique	Volontaire, agit sur l'environnement
Acquisition	Association d'événements ; le SC annonce le SI	Association d'une réponse à sa conséquence (renforcement ou punition)
Extinction	La RC décroît lorsque le SC est présenté seul de manière répétitive	La réponse décroît lorsque le renforcement s'arrête
Récupération spontanée	Réapparition après une période de repos de la RC qui s'était éteinte	Réapparition après une période de repos d'une réponse éteinte
Généralisation	La tendance à répondre à des stimuli similaires au SC	La réponse des organismes à des stimuli similaires est également renforcée
Discrimination	La capacité apprise à différencier un SC d'un autre stimulus qui ne signale pas de SI	Les organismes apprennent que certaines réponses, mais pas d'autres seront renforcées
Processus cognitif	Les sujets prévoient que le SC signale l'arrivée du SI	Les sujets prévoient que la réponse sera renforcée ou punie ; ils montrent également un apprentissage latent, sans renforcement
Prédispositions biologiques	Les prédispositions naturelles restreignent les stimuli et les réponses qui peuvent être facilement associées	Les organismes apprennent mieux des comportements semblables à leurs comportements naturels ; les comportements non naturels régressent instinctivement vers ceux qui sont naturels

pour produire un stimulus récompensé ou puni) à ses conséquences. Les processus cognitifs et les prédispositions biologiques influencent les deux formes, classique et opérante, de conditionnement.

::Apprentissage par observation : apprendre en observant le comportement des autres.

::Mimétisme (*modeling*) : processus par lequel un comportement particulier est observé et imité.

AVANT D'ALLER PLUS LOIN...

➤ INTERROGEZ-VOUS

Vous souvenez-vous d'un professeur, d'un entraîneur, d'un membre de votre famille ou d'un employeur qui vous a aidé à apprendre quelque chose en modelant votre comportement, étape par étape, jusqu'à ce que vous atteigniez votre objectif ?

➤ TESTEZ-VOUS 3

Le *renforcement positif*, le *renforcement négatif*, la *punition positive* et la *punition négative* sont des concepts délicats pour un grand nombre d'étudiants. Pouvez-vous placer les termes appropriés dans les quatre cases de ce tableau ? Je remplis la première case pour vous (renforcement positif).

Type de stimulus	Donner	Enlever
Désiré (par exemple, un compliment) :	*Renforcement positif*	
Non désiré/désagréable (par exemple une insulte) :		

Les réponses aux questions « Testez-vous » sont données dans l'annexe B à la fin de l'ouvrage.

Apprentissage par observation

14. Qu'est-ce que l'apprentissage par observation ? Comment est-il permis par les neurones miroirs ?

EN FAISANT BAVER DES CHIENS, COURIR DES RATS et picorer des pigeons, nous avons appris beaucoup de choses à propos des processus de base de l'apprentissage. Mais les seuls principes du conditionnement ne nous racontent pas toute l'histoire. Les animaux supérieurs, et l'homme en particulier, peuvent apprendre sans expérience directe, par l'**apprentissage par observation**, en observant et en imitant le comportement des autres. Un enfant qui a vu sa grande sœur se brûler les doigts sur la cuisinière a ainsi appris à ne pas y toucher. Et un singe qui regarde un autre singe choisir certaines images pour obtenir des friandises apprend à imiter ce comportement (FIGURE 7.14). En observant et en imitant des modèles, nous apprenons toutes sortes de comportements spécifiques, c'est ce qu'on appelle le **mimétisme**. Lord Chesterfield (1694-1773) en eut l'intuition : « Plus de la moitié de ce que nous sommes provient en vérité de l'imitation. »

➤ FIGURE 7.14
Imitation cognitive Lorsque le singe A, en bas à gauche, voit le singe B toucher quatre images sur un écran dans un certain ordre pour obtenir une banane, le singe A apprend à imiter cet ordre même lorsqu'on lui présente une configuration différente (Subiaul et coll., 2004).

David Strickler/The Image Works

Les enfants font-ils ce qu'ils voient ? Les enfants qui subissent souvent des punitions physiques ont tendance à être plus agressifs.

Nous pouvons avoir un aperçu des bases de l'apprentissage par observation dans d'autres espèces. Les rats, les pigeons, les corbeaux et les gorilles apprennent en observant leurs semblables (Byrne et Russon, 1998 ; Dugatkin, 2002). C'est aussi ce que font les singes. Les macaques Rhésus se réconcilient rarement vite après un combat, sauf s'ils sont élevés avec des macaques plus âgés qui pardonnent. Alors, le plus souvent, leur combat est aussi rapidement suivi d'une réconciliation (de Waal et Johanowicz, 1993). Un singe imite ce qu'il voit. Comme nous le verrons dans le chapitre 9, les chimpanzés apprennent toutes sortes de comportements de recherche de nourriture ou d'utilisation d'outils par l'observation puis les transmettent de génération en génération à l'intérieur de leur culture locale (Hopper et coll., 2008 ; Whiten et coll., 2007).

Ce phénomène d'imitation est encore plus frappant chez l'homme. Nos leitmotivs, la longueur de nos ourlets, nos cérémonies, notre alimentation, nos traditions, nos vices et nos lubies sont propagés par des individus qui copient d'autres individus. Même lorsque nous sommes âgés de 2 ans et demi, quand beaucoup de nos capacités mentales sont proches de celles d'un chimpanzé, nous surpassons considérablement les chimpanzés dans les tâches sociales comme l'imitation de la solution d'un autre en face d'un problème (Herrmann et coll., 2007).

Des miroirs dans le cerveau

Au cours d'un chaud jour d'été à Parme en Italie en 1991, un singe dans un laboratoire attendait que les chercheurs reviennent de leur déjeuner. Les chercheurs avaient implanté des électrodes près de son cortex moteur dans une région du lobe frontal qui permettait au singe de planifier et d'ordonner des mouvements. Lorsque le singe mettait une cacahuète dans sa bouche, par exemple, le moniteur émettait un son. Ce jour-là, lorsqu'un des chercheurs est rentré dans le laboratoire, un cornet de glace à la main, le singe le regarda. Lorsque l'étudiant mit son cornet à la bouche, le moniteur émit un son – comme si le singe immobile avait bougé lui-même (Blakeslee, 2006 ; Iacoboni, 2008).

Ayant déjà observé ce même résultat étonnant lorsque le singe regardait des hommes ou d'autres singes mettre des cacahuètes dans leur bouche, les chercheurs sidérés, menés par Giacomo Rizzolatti (2002, 2006) finirent par soupçonner qu'ils étaient tombés sur un type de neurone au préalable inconnu : les **neurones miroirs** dont l'activité fournit une base nerveuse à l'imitation et à l'apprentissage par observation. Quand un singe effectue une tâche telle que saisir, tenir ou encore déchirer, ces neurones sont activés. Mais ils sont également activés quand un singe en observe un autre effectuant la même tâche. Quand un singe observe, ces neurones miroirs reflètent ce qu'un autre singe est en train de faire.

Mais ce n'est pas juste une histoire de singes. L'imitation modèle même les comportements des très jeunes enfants. Peu de temps après la naissance, un bébé peut imiter un adulte qui sort sa langue. Vers l'âge de 8 à 16 mois, les enfants imitent divers nouveaux gestes (Jones, 2007). Vers l'âge de 12 mois, ils commencent à regarder là où l'adulte regarde (Brooks et Meltzoff, 2005). Et vers l'âge de 14 mois (FIGURE 7.15), les enfants imitent des actions vues à la télévision (Meltzoff, 1988 ; Meltzoff et Moore, 1989, 1997). Les enfants font ce qu'ils voient.

> « Les enfants ont besoin de modèles plus que de critiques. »
> Joseph Joubert, *Pensées*, 1842

Les images de TEP de différentes parties du cerveau révèlent que les hommes comme les singes ont un système nerveux miroir qui permet l'empathie et l'imitation (Iacoboni, 2008). Lorsque nous observons l'action d'un autre, notre cerveau engendre une simulation interne, qui nous permet de ressentir ce que ressent l'autre à l'intérieur de nous-mêmes. Les neurones miroirs peuvent aussi susciter de l'empathie chez les enfants et agir sur leur *théorie de l'esprit*, c'est-à-dire le fait qu'ils puissent déduire l'état mental d'autrui. Comme on l'a vu au chapitre 5, les autistes présentent beaucoup moins de bâillements d'imitation et d'activité des neurones miroirs. Ce sont « des miroirs cassés », ont dit certains (Ramachandran et Oberman, 2006 ; Senju et coll., 2007 ; Williams et coll., 2006).

::Neurones miroirs : neurones du lobe frontal qui sont activés quand on accomplit certaines actions ou lorsqu'on observe une autre personne les accomplir. Les actions d'une autre personne qui se reflètent dans notre cerveau permettent l'imitation et l'empathie.

Pour la plupart d'entre nous cependant, nos neurones miroirs rendent les émotions contagieuses. Nous attrapons l'état d'esprit des autres, ressentant souvent ce qu'ils ressentent, par simulation mentale. Il est plus difficile de froncer les sourcils en regardant une personne souriante qu'en regardant une personne renfrognée (Dimberg et coll., 2000, 2002). On se met à bâiller après avoir vu quelqu'un bâiller, rire lorsque les autres rient. Lorsqu'on regarde un film, un scorpion montant sur la jambe de quelqu'un nous fait nous raidir ; si on observe un baiser

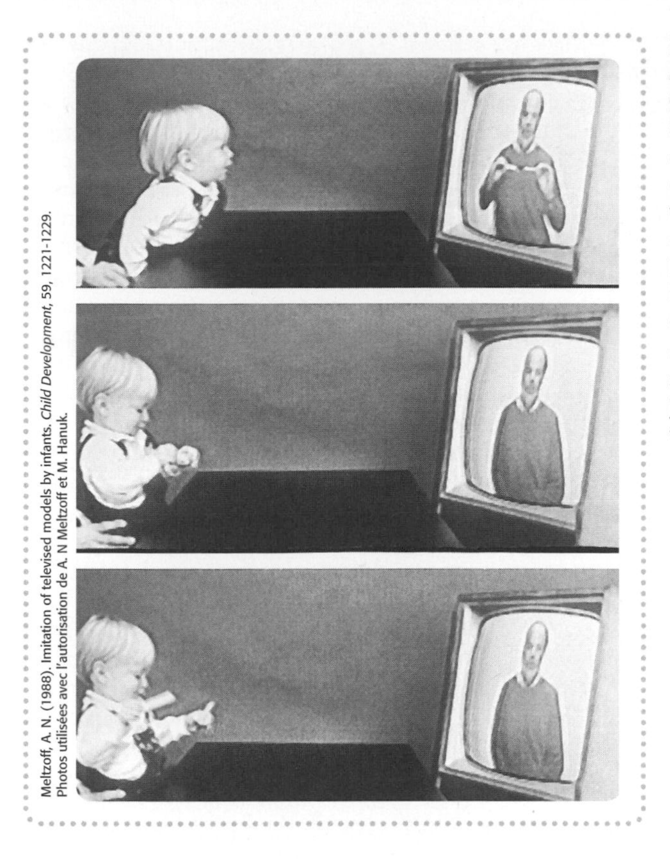

➤ FIGURE 7.15
Apprentissage par observation Ce garçon de 14 mois, dans le laboratoire d'Andrew Meltzoff, imite un comportement qu'il a vu à la télévision. Sur la photographie du haut l'enfant se penche vers l'avant et regarde attentivement l'adulte séparer les deux parties d'un jouet. Sur la photographie du milieu, il a reçu le jouet, et sur celle du bas, il sépare le jouet en deux, imitant ce qu'il a vu faire par l'adulte.

passionnel, on peut remarquer que nos propres lèvres se plissent. Lorsqu'on voit la douleur chez l'être aimé, notre visage reflète son émotion. Mais comme le montre la FIGURE 7.16, notre cerveau aussi. Sur les images d'IRMf, la douleur imaginée par un partenaire romantique et empathique déclenche un certain nombre d'activités cérébrales identiques à celles qui se produisent chez la personne qui souffre réellement (Singer et coll., 2004). Même la lecture d'une fiction peut déclencher cette activité si nous simulons mentalement l'expérience décrite (Mar et Oatley, 2008). Ce qu'il faut retenir : *les neurones miroirs de notre cerveau sous-tendent notre nature intensément sociale.*

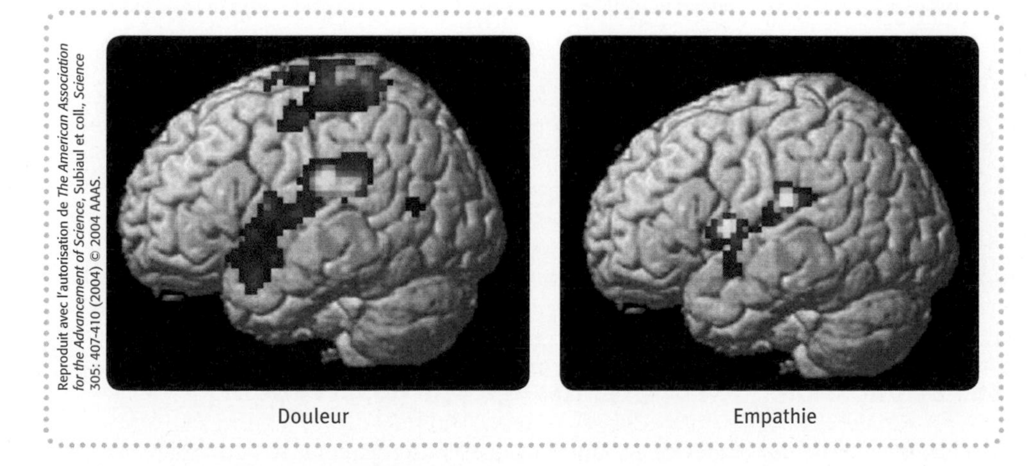

➤ FIGURE 7.16
Douleur ressentie et imaginée dans le cerveau L'activité cérébrale liée à une douleur réelle (à gauche) se reflète dans le cerveau d'un observateur amoureux. Dans le cerveau, l'empathie met en jeu les aires cérébrales émotionnelles, mais pas le cortex somato-sensoriel qui reçoit physiquement l'influx douloureux.

Les expériences de Bandura

Représentez-vous cette scène tirée d'une célèbre expérience réalisée par Albert Bandura, pionnier de la recherche sur l'apprentissage par observation (Bandura et coll., 1961). Un enfant de maternelle est en train de travailler sur un dessin. Dans une autre partie de la pièce, un adulte fait des jeux de construction. Pendant que l'enfant regarde, l'adulte se

Albert Bandura « La poupée Bobo gonflable me suit partout où je vais. Ses photographies sont publiées dans tous les ouvrages d'introduction à la psychologie et virtuellement tous les étudiants choisissent des cours d'introduction à la psychologie. Je me suis récemment présenté dans un hôtel de Washington. Le réceptionniste me demanda : "Êtes-vous le psychologue qui a effectué l'expérience avec la poupée Bobo ?". Je répondis : "J'ai bien peur que ce soit mon héritage". Il répliqua : "Cela mérite un traitement de faveur. Je vais vous placer dans une suite de la partie la plus calme de l'hôtel." » (2005)

Avec l'autorisation d'Albert Bandura, Stanford University

lève et, pendant à peu près 10 minutes, cogne sur une grosse poupée Bobo gonflable, lui donne des coups de pied et la jette tout autour de la pièce en hurlant : « Écrase-lui le nez... flanque-la par terre... mets-lui des coups de pieds. »

L'enfant est ensuite emmené dans une autre pièce où il y a de nombreux jouets fascinants. Peu de temps après, l'expérimentateur interrompt le jeu de l'enfant et lui explique qu'il a décidé de garder ces beaux jouets « pour les autres enfants ». Il emmène alors l'enfant frustré dans une pièce adjacente contenant quelques jouets et en particulier une grosse poupée Bobo. Laissé seul, que fait l'enfant ?

Comparés à des enfants qui n'ont pas été en contact avec le modèle adulte, les enfants qui ont observé l'explosion agressive ont plus de risque de se défouler sur la poupée. Apparemment, le fait d'observer cette explosion d'agressivité a réduit leurs inhibitions. Mais il y a quelque chose de plus qu'une simple levée d'inhibition, car les enfants imitent également précisément les actes et utilisent les mêmes mots que ceux qu'ils ont entendus (FIGURE 7.17).

Qu'est-ce qui détermine notre imitation d'un modèle ? Bandura pense qu'une partie de la réponse réside dans les renforcements et les punitions – ceux reçus par le modèle aussi bien que par l'imitateur. En regardant, nous apprenons à anticiper les conséquences d'un comportement dans des situations semblables à celles que nous sommes en train d'observer. Nous avons particulièrement tendance à imiter ceux que nous admirons, ceux que nous percevons comme semblables à nous-mêmes et ceux dont nous pensons qu'ils réussissent.

➤ FIGURE 7.17
La fameuse expérience de la poupée Bobo Remarquez comme les actions de l'enfant imitent directement celles de l'adulte.

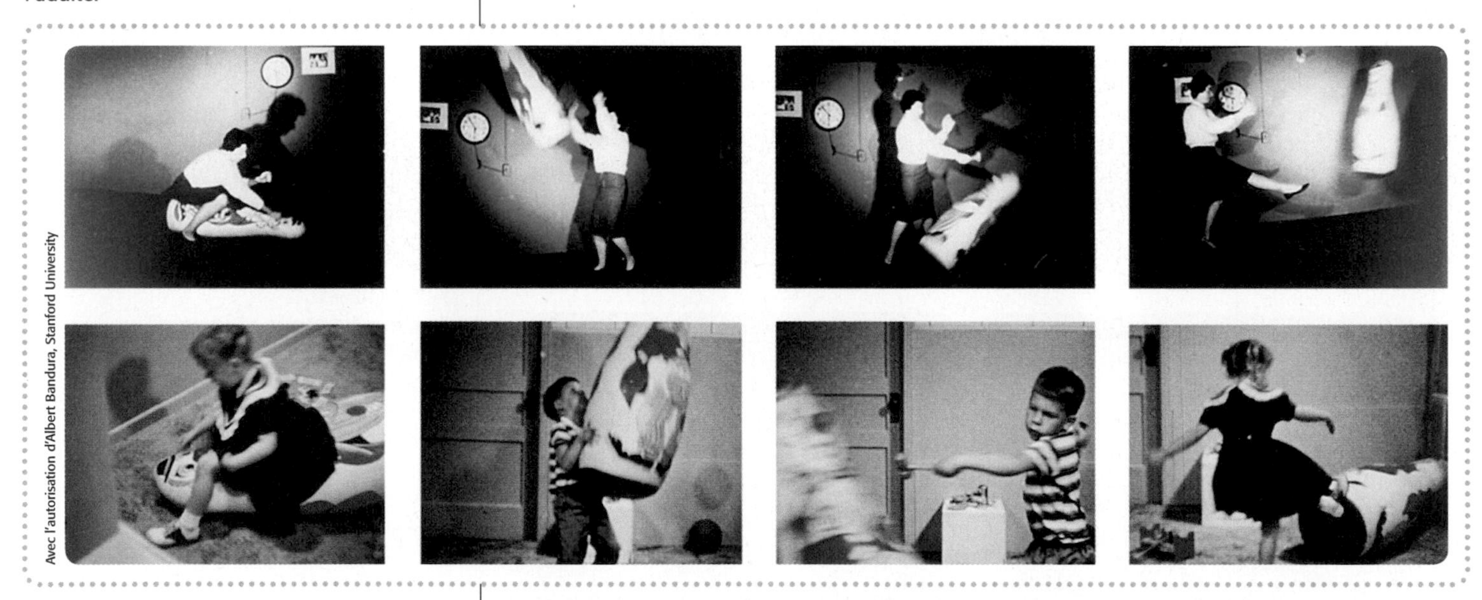

Avec l'autorisation d'Albert Bandura, Stanford University

Les applications de l'apprentissage par observation

La grande nouvelle des études de Bandura est que nous regardons et nous apprenons. Les modèles – dans la famille, dans le voisinage ou à la télévision – peuvent avoir des effets, bons ou mauvais. Beaucoup d'organisations managériales utilisent efficacement le *mimétisme comportemental* pour entraîner à la communication, la vente et le service à la clientèle (Taylor et coll., 2005). Ceux qui sont entraînés développent des aptitudes plus rapidement non seulement quand on leur explique les aptitudes nécessaires mais aussi lorsqu'ils peuvent observer des modèles de ces aptitudes montrés par des travailleurs expérimentés (ou des acteurs qui les simulent).

:: **Comportement prosocial** : comportement constructif utile et positif par opposition au comportement antisocial.

Effet prosocial

15. Quel est l'impact du mimétisme prosocial et du mimétisme antisocial ?

La bonne nouvelle est que les modèles **prosociaux** (positifs, utiles) peuvent avoir des effets prosociaux. Pour encourager les enfants à lire, lisez-leur des livres, et entourez-les de livres et de gens qui lisent. Pour augmenter les chances que votre enfant pratique votre religion, faites le culte et les activités religieuses avec eux. Les gens qui incarnent un comportement non violent et secourable peuvent susciter des comportements identiques chez les autres. L'Indien Mahatma Gandhi et l'Américain Martin Luther King Jr ont tous deux encouragé le pouvoir de l'imitation, faisant de l'action non violente une force puissante en faveur du changement social dans ces deux pays. Les parents sont des modèles puissants. Les Chrétiens européens qui ont risqué leur vie pour sauver les Juifs des Nazis avaient généralement une relation étroite avec au moins un parent ayant donné un modèle fort de morale et de préoccupations humanitaires ; c'est également le cas pour les activistes des droits civiques des années 1960 (London, 1970 ; Oliner et Oliner, 1988). L'apprentissage par observation de la moralité commence très tôt. Les enfants qui réagissent bien socialement et imitent facilement leurs parents ont tendance à devenir des enfants de maternelle ayant une forte conscience intérieure (Forman et coll., 2004).

Bob Daemmrich/The Image Works

Une grand-mère modèle Ce garçon est en train d'apprendre à cuisiner en observant sa grand-mère. Comme le disait un proverbe du XVIe siècle : « L'exemple est meilleur que le précepte. »

Les modèles sont surtout efficaces quand leurs actions et leurs paroles sont en cohérence. Parfois, cependant, les modèles disent une chose et en font une autre. Beaucoup de parents semblent pratiquer le principe : « Fais ce que je *dis*, mais pas ce que je fais. » Les expériences suggèrent que les enfants apprennent en fait à faire les deux (Rice et Grusec, 1975 ; Rushton, 1975). En présence d'un hypocrite, ils ont tendance à imiter l'hypocrisie en faisant ce que le modèle fait et en disant ce que le modèle dit.

Effet antisocial

La mauvaise nouvelle est que l'apprentissage par observation peut avoir des *effets antisociaux*. Cela nous aide à comprendre pourquoi des parents maltraitants peuvent avoir des enfants agressifs et pourquoi les hommes qui frappent leur épouse avaient souvent un père qui battait la leur (Stith et coll., 2000). Les détracteurs de cette théorie déclarent que les comportements agressifs pourraient avoir une origine génétique. Nous savons au moins qu'avec les singes, elle peut avoir une origine environnementale. De nombreuses études nous ont appris que les singes séparés de leur mère et élevés dans un climat d'agressivité deviennent eux-mêmes agressifs en grandissant (Chamove, 1980). Les leçons que nous apprenons dans l'enfance ne sont pas faciles à oublier à l'âge adulte, et elles sont parfois transmises aux générations futures.

> « Le problème avec la télévision, c'est que les gens doivent rester assis et garder les yeux rivés sur l'écran : la famille américaine moyenne n'a pas de temps pour ça. C'est pourquoi les animateurs de radio sont convaincus que… la télévision ne sera jamais un concurrent sérieux pour la radio. »
>
> *New York Times*, 1939

La télévision est une source puissante d'apprentissage par observation. Pendant qu'ils regardent la télévision, les enfants peuvent apprendre que la brutalité est une façon efficace de contrôler les autres, que les rapports sexuels libres et faciles apportent du plaisir sans entraîner ensuite de maladie ni de souffrance ou que les hommes doivent être durs et les femmes douces. Et ils ont amplement le temps d'apprendre ce type de leçon. Dans les pays développés, la plupart des enfants, au cours des 18 premières années de leur vie, passent plus de temps devant la télévision qu'à l'école. Aux États-Unis, où 9 enfants sur 10 regardent la télévision quotidiennement, une personne vivant jusqu'à 75 ans aura passé 9 ans de sa vie à fixer le petit écran (Gallup, 2002 ; Kubey et Csikszentmihalyi, 2002). Avec plus d'un milliard de téléviseurs dans le monde, CNN diffusant dans 150 pays et MTV ayant des programmes en 17 langues, la télévision a créé une culture populaire globalisée (Gundersen, 2001 ; Lippman, 1992).

Il est possible que l'effet le plus important de la télévision découle des activités qu'elle remplace. Les enfants et les adultes qui passent 4 heures par jour à regarder la télévision consacrent 4 heures de moins aux occupations actives : discuter, étudier, jouer, lire ou fréquenter des amis. Qu'auriez-vous fait de votre temps libre si vous n'aviez jamais regardé la télévision et en quoi seriez-vous différent maintenant ?

Les personnes qui regardent la télévision apprennent la vie écrite par un conteur bien particulier, qui reflète les mythes d'une culture, mais pas la réalité. À la fin du XXe siècle, l'enfant moyen avait déjà vu 8 000 meurtres et 100 000 autres actes de violence à la télévision avant d'avoir terminé l'école primaire (Huston et coll., 1992). Si l'on prend en compte les programmes du câble et la location de vidéos, le taux de violence est faramineux. Une analyse de plus de 3 000 programmes proposés par le réseau et le câble entre 1996 et 1997 a révélé que près de 6 sur 10 montraient des scènes de violence, que 74 p. 100 des actes de violence restaient impunis, que 58 p. 100 d'entre eux ne montraient pas la douleur de la victime, que près de la moitié des incidents impliquait une violence « justifiée » et que près de la moitié montrait le personnage responsable de ces actes sous une forme attirante. Ces conditions définissent la formule des effets liés à l'*observation de violence* que beaucoup d'études décrivent (Donnerstein, 1998).

Dans quelle mesure sommes-nous atteints par l'exposition répétée à des programmes violents ? Le magistrat qui, en 1993, prononça le jugement des deux enfants anglais de 10 ans accusés du meurtre d'un enfant de 2 ans avait-t-il raison de penser que la vision de « films violents » avait pu influencer les deux agresseurs ? Les médias américains avaient-ils raison de dire que les adolescents qui ont tué 13 de leurs camarades du lycée de Columbine avaient été influencés par le film *Natural Born Killers* (*Tueurs nés*) qu'ils avaient regardé à plusieurs reprises ou par des jeux de massacre comme *Doom* ? Pour tenter de comprendre si la vue de la violence conduisait à des comportements violents, les chercheurs ont mené 600 études corrélationnelles et expérimentales (Anderson et Gentile, 2008 ; Comstock, 2008 ; Murray, 2008).

Les études corrélationnelles soutiennent l'idée de ce lien :

- Aux États-Unis et au Canada, le taux d'homicides a doublé entre 1957 et 1974, coïncidant avec l'introduction et le développement de la télévision. De plus, des régions où l'apparition de la télévision a été plus tardive montrent une progression des homicides également plus tardive.
- En 1975, les Blancs d'Afrique du Sud découvrirent la télévision pour la première fois. De la même manière, le taux d'homicides commença à doubler par la suite (Centerwall, 1989).
- Plus les enfants scolarisés sont mis en présence de violence par les médias (via la télévision, les films et les jeux vidéo) plus ils prennent part à des bagarres (FIGURE 7.18).

Cependant, comme nous l'avons vu au chapitre 1, la corrélation n'implique pas la causalité. Ces études corrélationnelles ne prouvent donc pas que le fait de voir de la violence provoque des comportements agressifs (Freedman, 1988 ; McGuire, 1986). Il se peut que les enfants agressifs préfèrent les programmes violents. Les enfants de parents maltraitants ou négligents sont peut-être plus agressifs et plus souvent laissés devant la télévision. Il se peut aussi que la télévision, plutôt que d'influencer, ne fasse que refléter les tendances violentes des individus.

Pour déterminer la causalité, les psychologues utilisent des expériences. Dans ce cas, les expérimentateurs ont réparti au hasard certains téléspectateurs, les uns assistant à des émissions violentes, les autres à des émissions distrayantes et sans violence. Le fait de voir des actes cruels à la télévision incite-t-il les gens à réagir cruellement quand ils sont irrités ? Dans une certaine mesure oui. Le *National Institute of Mental Health* (1982) rapporte que « selon un consensus établi entre la plupart des chercheurs, la violence à la télévision entraîne des comportements agressifs chez les enfants et les adolescents qui regardent des programmes violents ». C'est particulièrement le cas lorsqu'une personne attirante commet un acte violent réaliste, apparemment justifié, qui reste impuni et qui n'entraîne visiblement pas de peine, ni de tort (Donnerstein, 1998).

« Trente secondes de promotion pour une savonnette permettent de vendre du savon. Vingt-cinq minutes de surenchère de violence vendent de la violence. »
Paul Simon, sénateur américain, remarques au *Communitarian Network*, 1993

Dans des enquêtes Gallup, on demanda à des adolescents américains (Mazzuca, 2002) : « Trouvez-vous qu'il y ait trop de violence dans les films ? »
1977 : 42 p. 100 répondirent oui.
1999 : 23 p. 100 répondirent oui.

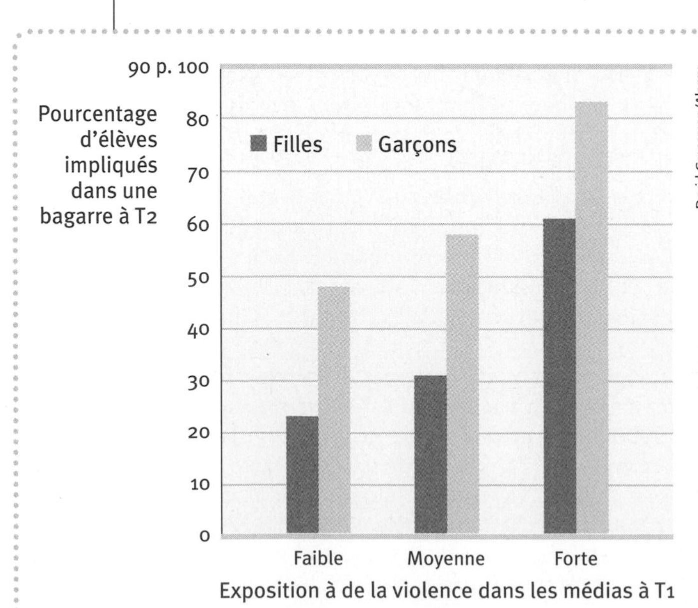

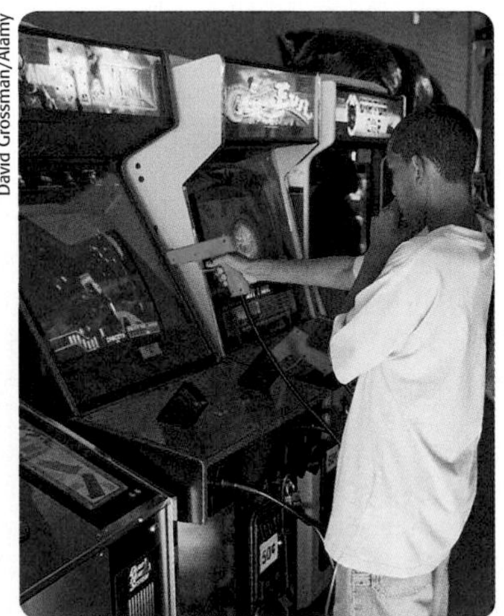

➤ FIGURE 7.18
L'observation de violence dans les médias prédit les comportements agressifs futurs Douglas Gentile et ses collaborateurs (2004) ont étudié plus de 400 élèves du primaire (CE2 à CM2). Après avoir déterminé l'existence de différences entre l'hostilité et l'agressivité, les chercheurs ont rapporté une augmentation de l'agressivité chez les enfants fortement exposés à de la violence à la télévision, dans des jeux ou des films vidéo.

Les conséquences de la violence observée semblent résulter d'au moins deux facteurs. Le premier est l'*imitation* (Geen et Thomas, 1986). Comme nous l'avons remarqué précédemment, des enfants très jeunes (dès 14 mois) imitent des actes qu'ils observent à la télévision. Lorsqu'ils regardent la télévision, leurs neurones miroirs simulent le comportement, puis après cette répétition interne, ils ont plus de chance de passer à l'acte. Une équipe de recherche observa que le taux de violence était multiplié par sept dans les jeux d'enfants lorsque ceux-ci venaient juste de regarder la série « Power Rangers » (Boyatzis et coll., 1995). Les enfants, comme ceux que nous avions vus plus tôt dans l'expérience avec la poupée Bobo, imitent précisément les actes violents perpétrés par les modèles, y compris les prises de karaté. L'imitation peut aussi avoir joué un rôle dans les huit premiers jours après le massacre du lycée de Columbine en 1999, où tous les États américains excepté le Vermont ont eu affaire avec des menaces ou des incidents inspirés par ce massacre. La Pennsylvanie à elle seule a connu 60 menaces de violence à l'école (Cooper, 1999).

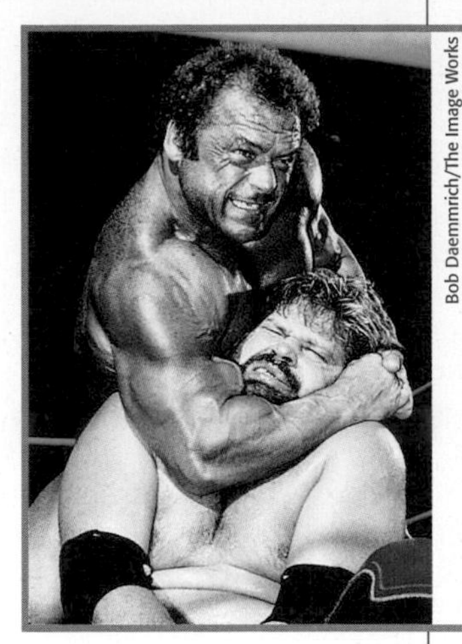

Bob Daemmrich/The Image Works

Glassman/The Image Works

La violence vue à la télévision entraîne des jeux violents Des recherches ont montré que le fait de voir de la violence dans les médias entraînait une augmentation d'agressivité chez les spectateurs, comme c'est le cas de ces enfants imitant des catcheurs professionnels.

De même, une exposition prolongée à la violence *désensibilise* les téléspectateurs qui deviennent indifférents en assistant à une bagarre, que ce soit à la télévision ou dans la vie réelle (Rule et Ferguson, 1986). Une expérience montra que des spectateurs masculins ayant regardé pendant trois soirs de suite des films où se mêlent violence et érotisme supportent de plus en plus facilement la vue de viols et de massacres. Comparés aux personnes du groupe contrôle, ceux qui ont regardé les films ont éprouvé moins de compassion pour les victimes de violences domestiques et ils ont eu tendance à minimiser la gravité des blessures de ces victimes (Mullin et Linz, 1995).

Comme l'ont suggéré Edward Donnerstein et ses collaborateurs (1987) : pour un psychologue diabolique, le meilleur moyen d'insensibiliser quelqu'un à la brutalité est de l'exposer à une série de scènes de plus en plus violentes : combats, meurtres, mutilations dans des films sanglants. Regarder des actes de cruauté entretient l'indifférence.

***

Bien que notre connaissance des principes de l'apprentissage émane du travail de milliers de chercheurs, ce chapitre s'est concentré sur les idées de quelques pionniers – Ivan Pavlov, John Watson, B. F. Skinner et Albert Bandura. Ils illustrent l'impact que peut produire la dévotion unique à quelques idées ou problèmes bien définis. Ces chercheurs ont défini les problèmes et nous ont démontré l'importance de l'apprentissage. Comme le montre leur héritage, l'histoire intellectuelle est souvent écrite par des gens qui, au risque d'exagérer, poussent des idées jusqu'à leurs limites (Simonton, 2000).

« Vous ne comprenez pas ? C'est ça la vie ; c'est ce qui arrive vraiment. Là, on ne peut pas changer de chaîne. »

AVANT D'ALLER PLUS LOIN...

➤ INTERROGEZ-VOUS

Quelle est la personne qui a été un modèle important pour vous ? Pour qui êtes-vous un modèle ?

➤ TESTEZ-VOUS 4

Les parents de Jason et ses amis plus âgés fument, mais lui déconseillent d'en faire autant. Les parents de Juan et ses amis ne fument pas, mais ils ne font rien pour l'en empêcher. Qui est le plus susceptible de commencer à fumer, Jason ou Juan ?

Les réponses aux questions « Testez-vous » sont données dans l'annexe B à la fin de l'ouvrage.

RÉVISION : L'apprentissage

Comment apprenons-nous ?

1. Quelles sont les formes fondamentales d'apprentissage ?

L'*apprentissage* est une modification relativement permanente du comportement d'un organisme liée à l'expérience. Par l'*apprentissage associatif*, nous apprenons à associer deux stimuli (lors du conditionnement classique) ou une réponse et ses conséquences (lors du conditionnement opérant). Avec l'apprentissage par observation, nous apprenons en regardant les expériences et les exemples des autres.

Conditionnement classique

2. Qu'est-ce que le conditionnement classique ? De quelle manière les travaux de Pavlov ont-ils influencé le behaviorisme ?

Le *conditionnement classique* est un type d'apprentissage au cours duquel un organisme en vient à associer des stimuli. Le travail de Pavlov sur le conditionnement classique a posé les fondements du *behaviorisme*, l'idée que la psychologie doit être une science objective qui étudie les comportements sans se référer aux processus mentaux.

3. Comment un stimulus neutre devient-il un stimulus conditionné ?

En cas de conditionnement classique, la *RI* représente un événement qui se produit naturellement (comme la salivation) en réponse à un certain stimulus. Le *SI* est quelque chose qui déclenche naturellement et automatiquement (sans aucun apprentissage) une réponse non apprise, tout comme la nourriture placée dans la bouche déclenche la salivation. Le *SC* est un stimulus, au départ neutre (comme un son), qui par l'apprentissage devient associé à certaines réponses non apprises (comme la salivation). La *RC* est la réponse apprise (comme la salivation) vis-à-vis d'un stimulus conditionnel qui était auparavant neutre.

4. Lors du conditionnement classique, quels sont les processus d'acquisition, d'extinction, de récupération spontanée, de généralisation et de discrimination ?

Lors du conditionnement classique, l'*acquisition* consiste à associer un SC avec un SI. L'acquisition se produit plus rapidement lorsque le SC est présenté juste avant (dans l'idéal environ une demi-seconde avant) le SI, préparant l'organisme à l'événement futur. Ce résultat conforte l'idée que le conditionnement classique présente une adaptation biologique. L'*extinction* représente une réponse qui diminue lorsque le SC ne signale plus un SI imminent. La *récupération spontanée* est l'apparition d'une réponse préalablement disparue, après une période de repos. La *généralisation* est la tendance à répondre à des stimuli similaires au SC. La *discrimination* est la capacité apprise à distinguer un SC d'autres stimuli insignifiants.

5. Les processus cognitifs et les contraintes biologiques affectent-ils le conditionnement classique ?

L'optimisme des premiers behavioristes qui pensaient que toute réponse pouvait être conditionnée à n'importe quel stimulus dans n'importe quelle espèce a été tempéré. Les principes du conditionnement, nous le savons maintenant, sont restreints par les processus cognitifs et biologiques. Lors du conditionnement classique, les animaux apprennent à s'attendre au SI et ils peuvent être conscients du lien entre le stimulus et sa réponse. De plus, du fait des prédispositions biologiques, l'apprentissage de certaines associations est plus facile que d'autres. L'apprentissage est adaptatif : chaque espèce apprend les comportements qui favorisent sa survie.

6. Pourquoi le travail de Pavlov est-il si important ?

Nous avons appris grâce à Pavlov qu'il est possible d'étudier objectivement les phénomènes physiologiques significatifs et que le conditionnement classique est une des formes fondamentales d'apprentissage qui s'applique chez toutes les espèces. Les recherches ultérieures ont quelque peu modifié cette observation en montrant que, pour beaucoup d'espèces, la cognition et les prédispositions biologiques mettent certaines limites au conditionnement.

7. Quelles ont été les applications du conditionnement classique ?

Les techniques du conditionnement classique sont utilisées dans les programmes thérapeutiques des personnes dépendantes de la cocaïne et d'autres drogues, et pour conditionner des réponses plus appropriées au cours des traitements des troubles émotionnels. Le système immunitaire de l'organisme semble également répondre au conditionnement classique.

Conditionnement opérant

8. Qu'est-ce que le conditionnement opérant ? En quoi est-il différent du conditionnement classique ?

Lors du *conditionnement opérant*, l'organisme apprend à associer son propre comportement aux événements qui en résultent ; cette forme de conditionnement implique un *comportement opérant* (comportement qui agit sur l'environnement et engendre des conséquences). Lors du conditionnement classique, l'organisme établit des associations entre des stimuli ou des comportements qu'il ne contrôle pas : cette forme de conditionnement implique un *comportement de réponse* (réponses automatiques à certains stimuli).

Utilisant la *loi de l'effet* d'Edward Thorndike, B. F. Skinner et d'autres chercheurs ont trouvé que le comportement de rats et de pigeons placés dans une *boîte de Skinner* (ou *cage à conditionnement opérant*) pouvait être *modelé* par le *renforcement* des approximations successives qui les rapprochent du comportement désiré.

9. Quels sont les types fondamentaux de renforcements ?

Le *renforcement positif* ajoute quelque chose de souhaitable pour augmenter la fréquence d'un comportement. Le *renforcement négatif* élimine quelque chose d'indésirable pour augmenter la fréquence d'un comportement. Le *renforcement primaire* (comme recevoir de la nourriture lorsque l'on a faim ou ne plus avoir de nausées à la fin d'une maladie) entraîne une satisfaction innée, aucun apprentissage n'est nécessaire. Le *renforcement conditionnel* (ou secondaire) (comme de l'argent) entraîne une satisfaction parce qu'on a appris à l'associer à une récompense plus basique (comme la nourriture ou les médicaments que nous pouvons acheter grâce à lui). Le renforcement immédiat (comme les relations sexuelles non protégées) offre une récompense immédiate ; le renforcement différé (comme le salaire à la fin du mois) nécessite qu'on ait la capacité à retarder la récompense.

10. De quelle manière les différents programmes de renforcement affectent-ils notre comportement ?

Au cours des programmes de *renforcement continu* (renforcement de la réponse désirée à chaque fois qu'elle se produit), l'apprentissage est rapide tout comme l'extinction dès que la récompense cesse. Lors de *renforcement partiel (intermittent)*, l'apprentissage initial est plus lent, mais le comportement est bien plus résistant à l'extinction. Dans les *programmes à proportion fixe*, la récompense est présentée après un certain nombre de réponses ; les *programmes à proportion variable* offrent la récompense après un nombre de réponses imprévisible. Les *programmes à intervalles fixes* offrent la récompense après une période de temps établie alors que les *programmes à intervalles variables* l'offrent après une période imprévisible.

11. De quelle manière la punition affecte-t-elle le comportement ?

La *punition* cherche à diminuer la fréquence d'un comportement (la désobéissance d'un enfant) par l'administration d'une conséquence indésirable (une fessée) ou le retrait de quelque chose de désirable (comme le jouet favori). Les effets indésirables de la punition peuvent être la suppression du comportement non souhaité et non pas sa modification, l'enseignement de l'agressivité, l'apparition d'un sentiment de crainte et l'encouragement de la discrimination (de telle sorte que le comportement non souhaité n'apparaît qu'en l'absence de la personne qui punit). Ils peuvent aussi entraîner une dépression et un sentiment d'impuissance.

12. Les processus cognitifs et les contraintes biologiques affectent-ils le conditionnement opérant ?

Skinner sous-estimait les limites que les contraintes cognitives et biologiques pouvaient représenter pour le conditionnement. Les recherches sur la *carte cognitive* et l'*apprentissage latent* ont mis en évidence l'importance des processus cognitifs dans l'apprentissage. Des récompenses excessives peuvent ébranler la *motivation intrinsèque*. Les entraînements qui essayent de dépasser les contraintes biologiques ont de grandes chances de ne pas perdurer parce que l'animal revient aux comportements auxquels il est prédisposé.

13. Comment appliquer les principes du conditionnement opérant à l'école, pour le sport, au travail et à la maison ?

À l'école, les professeurs peuvent utiliser les techniques du modelage pour guider le comportement des étudiants. Les programmes informatiques interactifs ainsi que les sites Internet peuvent fournir des corrections immédiates aux étudiants. En ce qui concerne le sport, les entraîneurs peuvent augmenter les aptitudes et la confiance en eux des joueurs en récompensant les petites améliorations. Au travail, les dirigeants peuvent améliorer la productivité et le moral en récompensant des comportements bien définis pouvant être atteints. À la maison, les parents peuvent récompenser les comportements qu'ils considèrent souhaitables, mais pas ceux qui ne le sont pas. Individuellement, nous pouvons modeler nos propres comportements en établissant des objectifs, en surveillant la fréquence du comportement désiré, en renforçant les comportements désirés et en réduisant les stimulations à mesure que ce comportement devient une habitude.

Apprentissage par observation

14. Qu'est-ce que l'apprentissage par observation ? Comment est-il permis par les neurones miroirs ?

Lors de l'*apprentissage par observation*, nous observons et nous imitons les autres. Des *neurones miroirs*, localisés dans les lobes frontaux, mettent en évidence une base nerveuse pour l'apprentissage par observation. Ils s'activent lorsque nous effectuons certaines actions (comme répondre à la douleur ou bouger notre bouche pour former des mots) ou lorsque nous observons quelqu'un d'autre effectuer ces actions.

15. Quel est l'impact du mimétisme prosocial et du mimétisme antisocial ?

Les enfants ont tendance à imiter ce que fait et ce que dit un modèle, que le comportement *imité* soit *prosocial* (positif, constructif et aidant) ou antisocial. Si les actions du modèle et ses mots ne sont pas en corrélation, les enfants peuvent imiter l'hypocrisie qu'ils observent.

Termes et concepts à retenir

Apprentissage, p. 291
Apprentissage par association, p. 292
Conditionnement classique, p. 294
Behaviorisme (comportementalisme), p. 294
Réponse inconditionnelle (RI), p. 295
Stimulus inconditionnel (SI), p. 295
Réponse conditionnée (RC), p. 295
Stimulus conditionnel (SC), p. 295
Acquisition, p. 296
Conditionnement d'ordre supérieur, p. 296
Extinction, p. 297
Récupération spontanée, p. 298
Généralisation, p. 298
Discrimination, p. 299
Comportement de réponse (répondant), p. 304
Conditionnement opérant, p. 304
Comportement opérant, p. 304
Loi de l'effet, p. 305
Cage à conditionnement opérant (boîte de Skinner), p. 305
Modelage, p. 305
Renforcement, p. 307
Renforcement positif, p. 307
Renforcement négatif, p. 307
Renforcement primaire, p. 307
Renforcement conditionnel (renforcement secondaire), p. 307
Renforcement continu, p. 308
Renforcement partiel (intermittent), p. 308
Programme à proportion fixe, p. 309
Programme à proportion variable, p. 309
Programme à intervalles fixes, p. 309
Programme à intervalles variables, p. 309
Punition, p. 310
Carte cognitive, p. 312
Apprentissage latent, p. 312
Motivation intrinsèque, p. 312
Motivation extrinsèque, p. 312
Apprentissage par observation, p. 317
Mimétisme (*modeling*), p. 317
Neurones miroirs, p. 318
Comportement prosocial, p. 321

CHAPITRE 8

La mémoire

LE PHÉNOMÈNE DE LA MÉMOIRE

ÉTUDE DE LA MÉMOIRE : LES MODÈLES DE TRAITEMENT DE L'INFORMATION

L'ENCODAGE : L'ENTRÉE DE L'INFORMATION

Comment nous encodons

Ce que nous encodons

LE STOCKAGE : LA CONSERVATION DE L'INFORMATION

Mémoire sensorielle

Mémoire de travail/à court terme

Mémoire à long terme

Stockage des souvenirs dans le cerveau

LE RAPPEL : LA SORTIE DE L'INFORMATION

Indices de rappel

L'OUBLI

Échec de l'encodage

Le déclin du stockage

Échec du rappel

Gros plan : Se rappeler des mots de passe

LA CONSTRUCTION MNÉSIQUE

Effets de la désinformation et de l'imagination

Amnésie de la source

Discerner les vrais souvenirs des faux

Les témoignages oculaires d'enfants

Les maltraitances : souvenirs fabriqués ou refoulés ?

AMÉLIORER LA MÉMOIRE

Vous pouvez être reconnaissant envers votre mémoire. Nous la considérons comme étant acquise, excepté quand elle fonctionne mal. Mais c'est notre mémoire qui nous permet de tenir compte du temps et de définir notre vie. C'est notre mémoire qui nous permet de reconnaître notre famille, de parler notre langue, de retrouver le chemin de notre maison et de trouver de la nourriture et de l'eau. C'est notre mémoire qui nous permet d'apprécier une expérience et de la revoir mentalement pour l'apprécier de nouveau. Nos souvenirs partagés nous rassemblent en tant qu'Irlandais ou Australiens, Serbes ou Albanais. Et nos souvenirs nous poussent parfois à affronter ceux dont nous n'avons pu oublier les offenses.

En grande partie, vous êtes ce dont vous vous souvenez. Sans la mémoire, où nous entreposons l'apprentissage que nous avons accumulé, nous ne pourrions savourer les moments heureux du passé, ni éprouver un sentiment de culpabilité ou de colère associé à des événements douloureux. Nous vivrions sans cesse dans le présent, chaque instant serait nouveau. Mais chaque individu serait un inconnu, chaque langue serait étrangère et chaque activité – s'habiller, cuisiner, faire du vélo – représenterait constamment un nouveau défi. Vous pourriez être un étranger pour vous-mêmes, privé du sens continu de soi qui s'étend depuis votre passé lointain jusqu'au moment présent. Selon James McGaugh, spécialiste de la mémoire (2003), « si vous perdez votre capacité à rappeler vos vieux souvenirs, vous n'avez alors pas de vie. Vous pourriez tout aussi bien être un rutabaga ou un chou ».

« Serveur, je souhaiterais commander ! À moins que j'aie déjà mangé ; si c'est le cas, apportez-moi l'addition. »

Le phénomène de la mémoire

POUR UN PSYCHOLOGUE, la **mémoire** c'est l'apprentissage qui a perduré, les informations que nous avons stockées et que nous pouvons retrouver.

Les recherches sur les cas mnésiques extrêmes nous ont permis de comprendre comment fonctionne la mémoire. Mon père, âgé de 92 ans, fut victime d'une légère attaque cérébrale ayant une répercussion assez étrange. Sa personnalité géniale était restée intacte, et il était toujours aussi mobile. Il nous reconnaissait et, lorsqu'il était absorbé dans les albums de photos de famille, il pouvait évoquer son passé sans problème. Néanmoins, il avait perdu sa capacité à se souvenir de conversations récentes ou encore d'événements quotidiens. Il était incapable de me dire quel jour nous étions. Bien qu'on lui rappelait sans cesse la mort de son beau-frère, il continuait à accueillir la nouvelle avec étonnement.

À l'opposé, nous trouvons des individus qui pourraient remporter des médailles aux Jeux Olympiques de la mémoire, comme c'est le cas du journaliste russe Shereshevskii, surnommé S, qui avait seulement besoin d'écouter au lieu de prendre des notes comme les autres journalistes (Luria, 1968). Alors que nous pouvons réciter une série d'environ 7 chiffres – peut-être même 9 – S pouvait réciter jusqu'à 70 chiffres, à condition qu'il les lise à 3 secondes d'intervalle et qu'il se trouve dans une salle silencieuse. De plus, il pouvait se rappeler des chiffres ou des mots aussi bien à l'endroit qu'à l'envers. Sa précision était infaillible, même quand il se souvenait d'une liste apprise 15 ans plus tôt, alors qu'il en avait mémorisé des centaines d'autres. « Oui, oui », se souvenait-il, « c'est une série que vous m'avez donnée alors que nous étions dans votre appartement... vous étiez assis à table tandis que j'étais dans un rocking-chair... vous portiez un costume gris et me regardiez de cette façon... »

:: Mémoire : persistance de l'apprentissage au cours du temps par le biais du stockage et du rappel de l'information.

AH, BON SANG ! AL TOWBRIDGE ! AH, SI JE NE ME TROMPE PAS, CELA FAIT 9 ANS, 7 MOIS ET 12 JOURS QUE JE VOUS AI RENCONTRÉ POUR LA DERNIÈRE FOIS. À 10 H 32, UN SAMEDI À LA QUINCAILLERIE FELCHER. VOUS ÉTIEZ EN TRAIN D'ACHETER UN JOINT D'ÉTANCHÉITÉ POUR LE TOIT DE VOTRE GARAGE. DITES-MOI AL, COMMENT ÇA A MARCHÉ CE JOINT ? A-T-IL BIEN TENU ?

M. MÉMOIRE PARFAITE

Étonnant ? Oui, mais considérez votre propre capacité incroyable à vous souvenir d'un nombre incalculable de voix, de sons et de chansons ; de goûts, d'odeurs et de textures ; de visages, d'endroits et d'événements. Imaginez-vous en train de visionner plus de 2 500 diapositives de visages ou d'endroits pendant dix secondes chacune. Un peu plus tard vous voyez 280 de ces diapositives appariées à d'autres encore jamais vues. Si vous êtes comme les sujets qui ont participé à l'expérience de Ralph Haber (1970), vous reconnaîtrez 90 p. 100 des diapositives que vous avez vues précédemment.

Ou imaginez-vous en train de regarder des fragments d'image comme ceux de la FIGURE 8.1. Imaginez également que vous ayez vu l'image complète pendant deux secondes 17 ans auparavant. Lorsque David Mitchell (2006) fit cette expérience, les participants avaient plus de chances d'identifier les objets qu'ils avaient vus précédemment que les membres du groupe contrôle qui n'avaient jamais vu les dessins complets. De plus, comme certaines cigales dont les larves ressurgissent de terre tous les 17 ans, la mémoire de l'image réapparaissait même chez ceux qui n'avaient pas de souvenir conscient d'avoir participé à cette expérience longtemps auparavant.

➤ FIGURE 8.1
Qu'est-ce que c'est ? Les participants qui avaient vu l'image complète 17 ans auparavant (celle de la FIGURE 8.3 quand vous tournerez la page) avaient plus de chance de reconnaître ce fragment, même s'ils avaient oublié qu'ils avaient participé à l'expérience précédente (Mitchell, 2006).

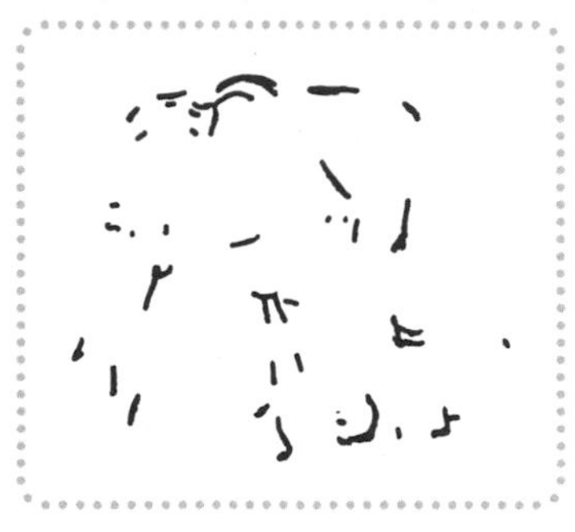

Comment accomplissons-nous ces exploits de mémoire ? Comment pouvons-nous nous rappeler de choses auxquelles nous n'avons pas pensé depuis des années, et pourtant oublier le nom d'une personne rencontrée une minute auparavant ? Comment les souvenirs sont-ils stockés dans notre cerveau ? Pourquoi les souvenirs douloureux persistent comme des invités indésirables alors que d'autres partent si vite ? Comment deux personnes peuvent-elles se souvenir de manière si différente du même événement ? Pourquoi vous rappellerez-vous vraisemblablement mal de la phrase : « le manifestant furieux jeta une pierre vers la fenêtre » quand vous aurez avancé dans ce chapitre ? Comment pouvons-nous améliorer notre mémoire ? Telles seront certaines de nos questions à mesure que nous retracerons plus d'un siècle de recherche sur la mémoire.

Étude de la mémoire : les modèles de traitement de l'information

1. Comment les psychologues décrivent-ils le système mnésique humain ?

UN MODÈLE SUR LA MANIÈRE DONT LA MÉMOIRE FONCTIONNE peut nous aider à réfléchir sur la façon dont nous formons nos souvenirs et nous nous en souvenons. Un des modèles qui a souvent été utilisé est le système de traitement de l'information d'un ordinateur qui est assez similaire à la mémoire humaine. Pour se souvenir d'un événement, nous devons *intégrer l'information dans notre cerveau* (**encodage**), *retenir* cette information (**stockage**), puis la *retrouver* (**rappel**). Un ordinateur aussi *encode*, *stocke*, puis *rappelle* l'information. Tout d'abord, il traduit des signaux d'entrée (lorsque l'on frappe les touches) en un langage électronique, tout comme le cerveau encode les informations sensorielles en un langage nerveux. L'ordinateur stocke en permanence d'importantes quantités d'informations sur un disque dur, pour les retrouver ensuite.

Comme toutes les analogies, le modèle de l'ordinateur a toutefois ses limites. Nos souvenirs sont moins exacts et plus fragiles que ceux d'un ordinateur. De plus, la plupart des ordinateurs traitent l'information rapidement et de manière séquentielle même lorsqu'ils passent d'une tâche à une autre. Le cerveau est plus lent, mais effectue plusieurs tâches à la fois.

Les psychologues ont proposé plusieurs modèles de traitement de l'information de la mémoire. Un modèle moderne, le *connexionnisme*, considère la mémoire comme sortant de réseaux nerveux interconnectés. Des souvenirs spécifiques proviennent de schémas d'activation particuliers à l'intérieur de ces réseaux. Dans un modèle plus ancien mais plus facile à s'imaginer, Richard Atkinson et Richard Shiffrin (1968) suggèrent que nous formons nos souvenirs en trois étapes :

:: **Encodage** : traitement de l'information permettant de l'introduire dans le système mnésique, par exemple en extrayant sa signification.

:: **Stockage** : maintien de l'information encodée au fil du temps.

:: **Rappel** : processus permettant de récupérer une information dans le système de stockage mnésique.

1. Nous enregistrons d'abord l'information à retenir de manière fugace dans la **mémoire sensorielle**.
2. De là, nous traitons l'information dans une sorte de bac de **mémoire à court terme**, où nous l'encodons par le biais de la *répétition*.
3. Enfin l'information passe dans la **mémoire à long terme** d'où elle est rappelée ultérieurement.

Ce traitement en trois étapes, bien qu'important du point de vue historique et particulièrement simple, est limité et faillible. Dans ce chapitre, nous utilisons une *version modifiée du modèle de traitement en trois étapes de la mémoire* (Figure 8.2). Ce modèle mis à jour prend en compte deux nouveaux concepts importants :

- Certaines informations, comme nous le verrons ultérieurement dans ce chapitre, sautent les deux premiers stades d'Atkinson et de Schiffrin et sont traitées directement et automatiquement dans la mémoire à long terme sans que nous en soyons conscients.
- La **mémoire de travail**, une nouvelle conception du second stade d'Atkinson et de Schiffrin, se concentre sur le traitement actif de l'information dans ce stade intermédiaire. Comme nous ne pouvons pas nous focaliser sur toutes les informations qui bombardent nos sens en même temps, nous dirigeons le petit faisceau lumineux de notre attention sur certains stimuli entrants, qui sont souvent des stimuli nouveaux ou importants. Nous traitons ces stimuli entrants ainsi que les informations que nous rappelons de notre mémoire à long terme dans notre mémoire de travail temporaire. La mémoire de travail associe les informations anciennes aux nouvelles informations et résout les problèmes (Baddeley, 2001, 2002 ; Engle, 2002).

La capacité de la mémoire de travail des individus diffère. Imaginez que l'on vous montre une lettre de l'alphabet puis qu'on vous pose une question simple, puis qu'on vous montre une autre lettre et qu'on vous pose une autre question et ainsi de suite. Ceux qui peuvent jongler avec le plus de balles mentales, c'est-à-dire qui peuvent se souvenir du maximum de lettres malgré les interruptions, ont tendance à montrer dans la vie de tous les jours la plus forte intelligence et à mieux maintenir leur concentration sur une tâche (Kane et coll., 2007 ; Unsworth et Engle, 2007). Lorsqu'ils sont appelés pour rendre compte de ce qu'ils font à divers moments, ils ont moins tendance que les autres à déclarer que leur esprit était parti vagabonder loin de leur activité actuelle.

Utilisons notre nouveau modèle maintenant pour regarder de plus près notre façon d'encoder, de stocker et de retirer l'information.

::Mémoire sensorielle : enregistrement initial, très bref, des informations sensorielles dans le système mnésique.

::Mémoire à court terme : mémoire activée qui retient brièvement quelques éléments, par exemple les 10 chiffres d'un numéro de téléphone pendant qu'on le compose, avant que l'information ne soit stockée ou perdue.

::Mémoire à long terme : capacité relativement permanente et illimitée de stockage dans le système mnésique. Comprend les connaissances, les aptitudes et les expériences.

::Mémoire de travail : nouvelle conception de la mémoire à court terme qui se focalise sur le traitement actif et conscient des informations entrantes, auditives et visuelles/spatiales, ainsi que sur les informations rappelées au niveau de la mémoire à long terme.

➤ FIGURE 8.2

Modèle modifié du traitement de la mémoire en trois stades Le modèle classique d'Atkinson et de Shiffrin en trois étapes nous aide à penser sur la manière dont nos souvenirs sont traités, mais les chercheurs actuels reconnaissent d'autres modes de formation de la mémoire à long terme. Par exemple, certaines informations se glissent dans la mémoire à long terme par la « porte de derrière », sans que nous nous en chargions consciemment. Et il y a tant de traitements actifs au cours du stade de la mémoire à court terme que beaucoup de chercheurs préfèrent maintenant le terme de *mémoire de travail*.

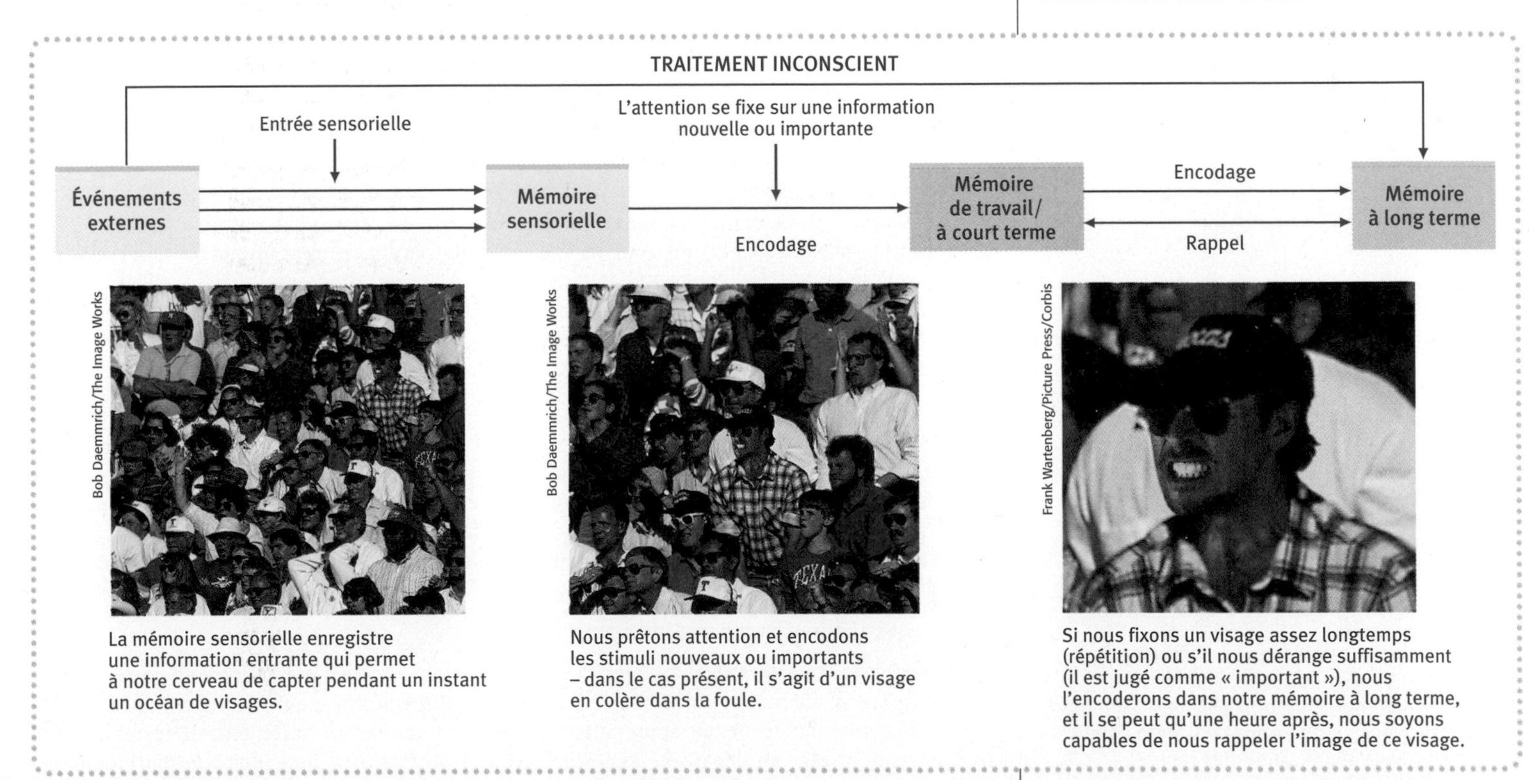

La mémoire sensorielle enregistre une information entrante qui permet à notre cerveau de capter pendant un instant un océan de visages.

Nous prêtons attention et encodons les stimuli nouveaux ou importants – dans le cas présent, il s'agit d'un visage en colère dans la foule.

Si nous fixons un visage assez longtemps (répétition) ou s'il nous dérange suffisamment (il est jugé comme « important »), nous l'encoderons dans notre mémoire à long terme, et il se peut qu'une heure après, nous soyons capables de nous rappeler l'image de ce visage.

➤ FIGURE 8.3
Maintenant vous savez Les sujets qui avaient vu cette image complète, 17 ans auparavant, avaient plus de chance de reconnaître les fragments de la figure 8.1

AVANT D'ALLER PLUS LOIN...

➤ **INTERROGEZ-VOUS**

Comment avez-vous utilisé les trois parties de votre système mnésique (encodage, stockage et rappel) pour apprendre quelque chose de nouveau aujourd'hui ?

➤ **TESTEZ-VOUS 1**

La mémoire comprend (par ordre alphabétique) : la mémoire à court terme/de travail, la mémoire à long terme et la mémoire sensorielle. Quel est l'ordre chronologique correct de ces trois types de mémoire ?

Les réponses aux questions « Testez-vous » sont données dans l'annexe B à la fin de l'ouvrage.

L'encodage : l'entrée de l'information

2. Quelle information encodons-nous automatiquement ? Quelle information encodons-nous de manière contrôlée ? Comment le fractionnement de l'apprentissage influence-t-il la rétention ?

Comment nous encodons

Certaines informations, comme le chemin que vous avez pris pour aller dans votre salle de classe, sont traitées avec une grande facilité, libérant ainsi notre système mnésique pour qu'il se concentre sur des événements moins familiers. Mais pour retenir une nouvelle information, comme le nouveau numéro de portable d'un ami, vous devez prêter attention et faire des efforts.

Traitement automatique

Grâce à la capacité de votre cerveau à effectuer des activités simultanées (traitement parallèle), une somme énorme de tâches multiples s'effectue sans que vous y prêtiez consciemment attention. Par exemple, sans effort conscient, vous **traitez automatiquement** des informations concernant :

- l'*espace*. Pendant que vous étudiez, vous encodez souvent l'endroit où apparaissent certaines choses sur la page ; plus tard, lorsque vous vous démenez pour vous souvenir de ces informations, vous pouvez parfois visualiser leur localisation ;
- le *temps*. Tandis que se déroule votre journée, vous notez, sans y prêter attention, la séquence des événements quotidiens. Ensuite, lorsque vous réalisez que vous avez oublié votre manteau quelque part, vous pouvez recréer cette séquence et retracer vos pas ;
- la *fréquence*. Vous conservez sans le moindre effort des traces du nombre de fois où les choses se produisent, ce qui vous permet de vous rendre compte que « c'est la troisième fois que je la rencontre cet après-midi » ;
- les *informations bien apprises*. Par exemple, lorsque vous voyez des mots dans votre langue maternelle, peut-être sur le côté d'un camion de livraison, vous ne pouvez pas vous empêcher d'enregistrer leur signification. À ce moment, le traitement automatique s'effectue tellement sans effort qu'il est difficile de l'interrompre.

Déchiffrer les mots n'a pas toujours été aussi simple. Lorsque vous avez appris à lire, vous épeliez au départ les lettres une par une pour composer le mot qu'elles formaient. En faisant des efforts, vous lisiez péniblement une page simple composée de 20 à 50 mots. Lire, comme certaines autres formes de traitement, nécessite au départ de l'attention et des efforts, mais avec l'expérience et la pratique cela devient automatique. Imaginez maintenant d'apprendre à lire à l'envers des phrases comme celle-ci :

.euqitamotua rineved tuep élôrtnoc tnemetiart nU

Au départ, cela vous demande des efforts. Mais après assez d'entraînement, vous pouvez effectuer ce genre de tâche bien plus automatiquement. Bon nombre de nos talents se sont développés de cette manière. Nous apprenons à conduire, à utiliser un traitement de texte, à parler un nouveau langage au départ en déployant d'importants efforts, puis plus automatiquement.

:: **Traitement automatique** : encodage inconscient d'informations incidentes, concernant par exemple l'espace, le temps et la fréquence, et d'informations bien connues telles que la signification des mots.

Traitement contrôlé

Nous encodons et retenons automatiquement une grande quantité d'informations. Mais nous nous souvenons d'autres types d'informations, par exemple les concepts présentés dans ce chapitre, qu'avec des efforts et de l'attention (FIGURE 8.4). Le **traitement contrôlé** engendre souvent des souvenirs durables et accessibles.

Quand nous apprenons des informations nouvelles, telles que les noms, nous pouvons stimuler notre mémoire par la **répétition**, encore appelée répétition consciente. L'un des pionniers de la recherche sur la mémoire verbale, le philosophe allemand Hermann Ebbinghaus (1850-1909) l'a montré. Supportant mal les spéculations philosophiques concernant la mémoire, Ebbinghaus décida d'étudier scientifiquement son propre apprentissage et oubli des nouveaux matériels verbaux.

Pour créer un nouveau matériel verbal pour son expérience d'apprentissage, Ebbinghaus forma une liste de toutes les syllabes possibles n'ayant pas de signification, créées par l'insertion d'une voyelle entre deux consonnes. Ensuite, il sélectionna au hasard un échantillon de syllabes, les travailla et se testa. Pour avoir une idée de cette expérience, lisez rapidement à haute voix, huit fois ou plus, la liste suivante (d'après Baddeley, 1982). Puis essayez de vous rappeler ses éléments :

JIH, BAZ, FUB, YOX, SUJ, XIR, DAX, LEQ, VUM, PID, KEL, WAV, TUV, ZOF, GEK, HIW

Le lendemain de l'apprentissage d'une telle liste, Ebbinghaus ne pouvait se rappeler que de quelques syllabes. Mais étaient-elles complètement oubliées ? Comme le montre la FIGURE 8.5, plus il avait répété la liste à haute voix le premier jour, moins le nombre de répétitions nécessaires pour l'apprendre de nouveau le deuxième jour était important. Il y avait là un principe initial simple : *la quantité d'informations retenues dépend du temps passé à leur apprentissage.* Même lorsque nous avons appris quelque chose, une répétition supplémentaire (*rabâchage*) augmente la rétention. *Ce qu'il faut retenir* : pour une information verbale nouvelle, la pratique (c'est-à-dire un traitement contrôlé) permet vraiment de perfectionner l'apprentissage.

Encodage

Automatique

Contrôlé (avec efforts)

(L'endroit où vous avez dîné hier)

(Les concepts de ce chapitre)

© Bananastock/Alamy

Spencer Grant/PhotoEdit

➤ FIGURE 8.4
Traitement contrôlé versus traitement automatique Certaines informations, par exemple l'endroit où vous avez dîné hier, sont traitées automatiquement. D'autres informations, telles que les concepts de ce chapitre, demandent des efforts pour être encodées et mémorisées.

« Il devrait tester sa mémoire en récitant les versets. »
Abdur-Rahman Abdul Khaliq, « *Memorizing the Quran* »

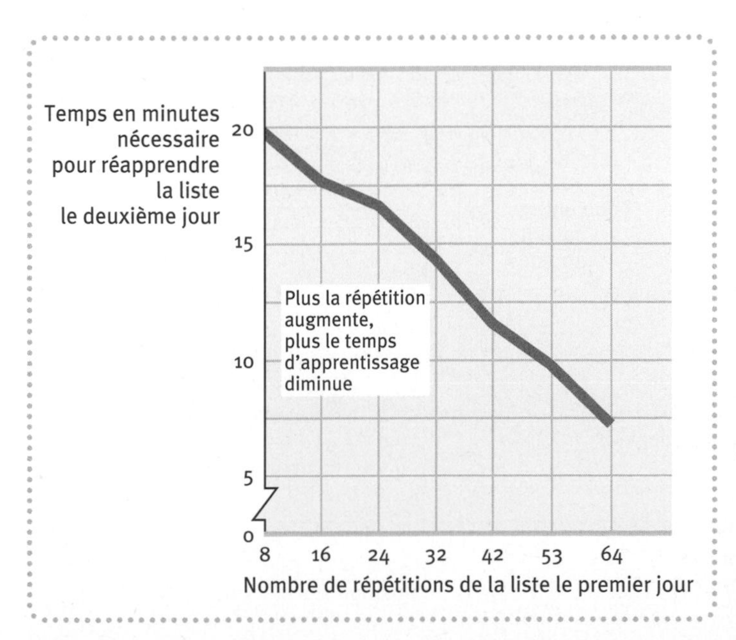

➤ FIGURE 8.5
Courbe de rétention d'Ebbinghaus Ebbinghaus découvrit que plus il passait de temps le premier jour à répéter une liste de syllabes sans signification, moins il avait besoin de répétitions pour la réapprendre le jour suivant. Exprimé plus simplement, plus nous passons de temps à apprendre une information nouvelle, mieux nous la retenons. (D'après Baddeley, 1982.)

::Traitement contrôlé (avec efforts) : encodage qui nécessite notre attention et un effort conscient.

::Répétition : répétition consciente d'une information, soit pour la conserver à l'esprit, soit pour l'encoder et la stocker.

:: Effet d'espacement : tendance selon laquelle un apprentissage ou des exercices fractionnés aboutissent à une meilleure rétention à long terme qu'une étude ou des exercices concentrés en une seule fois.

:: Effet de position sériel : notre tendance à nous souvenir surtout des derniers et des premiers éléments d'une liste.

« L'esprit met du temps à oublier ce qu'il a mis du temps à apprendre. »
Sénèque, philosophe romain (4 av. J.-C.-65 ap. J.-C.)

Des recherches ultérieures nous ont révélé plus de choses sur la manière de nous forger des souvenirs durables. Pour paraphraser Ebbinghaus (1885), ceux qui apprennent vite oublient aussi vite. Nous retenons mieux l'information lorsque la répétition est répartie dans le temps (comme pour apprendre le nom de ses camarades de classe). Ce phénomène est appelé **effet d'espacement**. Plus de 300 expériences menées ce siècle dernier ont mis en évidence systématiquement les avantages de l'espacement des temps d'apprentissage (Cepeda et coll., 2006). L'*apprentissage en masse* (bachotage) peut permettre un apprentissage rapide à court terme et un sentiment de confiance. Mais la *fragmentation du temps d'étude* produit de meilleurs souvenirs à long terme. Doug Rohrer et Harold Pashler (2007) remarquent qu'une fois que l'apprentissage a duré suffisamment longtemps pour permettre la maîtrise du sujet, poursuivre l'étude devient inefficace. Il vaut mieux dépenser plus tard ce temps de répétition supplémentaire, un jour après si vous avez besoin de vous souvenir de quelque chose pendant 10 jours, ou un mois plus tard si vous avez besoin de vous en souvenir pendant 6 mois.

Au cours d'une expérience ayant duré 9 ans, Harry Bahrick et trois membres de sa famille (1993) ont réalisé des traductions de mots étrangers, un nombre de fois donné, à des intervalles allant de 14 à 56 jours. Ils ont observé de façon systématique que plus l'intervalle entre les séances de travail était long, meilleure était la rétention d'informations jusqu'à 5 ans plus tard. L'application pratique ? L'espacement de l'apprentissage, sur un semestre ou une année, plutôt que sur de courtes périodes, devrait vous aider non seulement à passer vos examens généraux de fin d'étude mais aussi à retenir l'information tout au long de votre vie. S'interroger de manière répétée sur les sujets déjà étudiés peut aussi aider, un phénomène que Henry Roediger et Jeffrey Karpicke (2006) appellent l'*effet du test*, ajoutant : « Se tester est un moyen puissant d'améliorer l'apprentissage et non pas simplement de le vérifier ». Au cours d'une de leurs études, des étudiants se sont bien mieux souvenus de 40 mots Swahili qu'ils avaient appris au préalable lorsqu'ils se testaient plusieurs fois plutôt que lorsqu'ils passaient le même temps à réapprendre ces mots (Karpicke et Roediger, 2008). *Voici un autre point dont il faut se souvenir* : l'espacement de l'apprentissage et l'auto-évaluation valent mieux que le bachotage.

Un autre phénomène, l'**effet de position sériel**, illustre encore le bénéfice de la répétition. Si vous voulez faire un parallèle avec la vie de tous les jours, imaginez que c'est votre premier jour de travail et que votre chef vous présente vos collègues. Au fur et à mesure qu'on vous les présente, vous répétez tous les noms depuis le début. Quand vous aurez rencontré les dernières personnes, vous aurez passé plus de temps à répéter les premiers noms que les derniers ; ainsi, le lendemain, vous vous souviendrez probablement mieux des premiers noms. Le fait d'apprendre les premiers noms peut ainsi interférer avec l'apprentissage des autres.

Des expérimentateurs ont démontré l'effet de position sériel en montrant à des sujets une liste d'éléments (mots, noms, dates et même des odeurs) et leur ont ensuite demandé immédiatement de se rappeler les éléments dans n'importe quel ordre (Reed, 2000). Lorsqu'ils essayaient de se souvenir de la liste, ils se souvenaient souvent mieux des premiers et des derniers éléments de la liste que de ceux qui étaient au milieu (FIGURE 8.6). Peut-être parce que

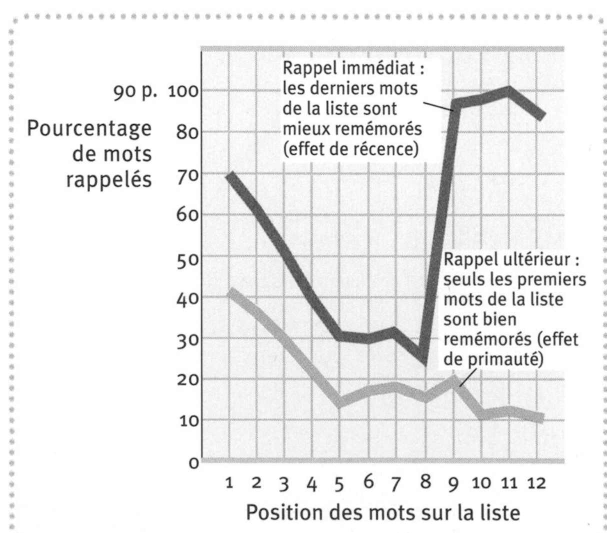

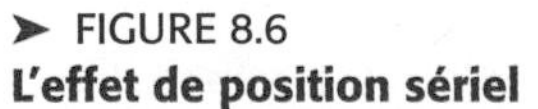

➤ FIGURE 8.6
L'effet de position sériel
Les gens à qui l'ont vient de montrer une liste de mots ou de noms se souviennent immédiatement des derniers de la liste. Mais plus tard, ce sont les premiers mots dont ils se souviennent le mieux. (D'après Craik et Watkins, 1973.)

les derniers éléments sont encore dans la mémoire de travail, les personnes s'en souviennent particulièrement bien et rapidement pendant un bref instant (*effet de récence*). Mais, après un certain temps, lorsque leur attention s'en est détournée, ils se souviennent mieux des premiers éléments (*effet de primauté*).

Parfois, cependant, la répétition ne suffit pas pour garder en mémoire une nouvelle information pour un rappel ultérieur (Craik et Watkins, 1973 ; Greene, 1987). Pour comprendre pourquoi cela se produit, nous devons en savoir plus sur la manière dont nous codons l'information pour la traiter et la faire passer dans la mémoire à long terme.

Ce que nous encodons

3. Quelles méthodes de traitement contrôlé nous aident pour former nos souvenirs ?

Le traitement de nos données sensorielles entrantes ressemble au tri de nos e-mails. Certains éléments sont instantanément mis à la poubelle. D'autres sont ouverts, lus et retenus. Nous traitons l'information en encodant sa signification, en encodant son image ou en l'organisant mentalement.

Les niveaux de traitement

Lorsque nous traitons les informations verbales pour les stocker, nous encodons généralement leur signification en l'associant à ce que nous connaissons déjà ou imaginons. La façon dont nous entendrons les sons « *scie tronc vert* » soit comme « six troncs verts » ou « citrons verts » dépendra de la manière dont le contexte et notre expérience nous guideront pour interpréter et coder ces sons. (Souvenez-vous que votre mémoire de travail interagit avec votre mémoire à long terme.)

Pouvez-vous répéter la phrase à propos du manifestant que je vous ai donnée au début de ce chapitre ? (« Le manifestant furieux jeta... ») Peut-être, comme les sujets d'une expérience menée par William Brewer (1977), vous souvenez-vous de la phrase sur le manifestant selon la signification que vous avez encodée en la lisant (« le manifestant furieux jeta une pierre *à travers* la fenêtre », par exemple) et non comme elle est écrite (« le manifestant furieux jeta une pierre *vers* la fenêtre »). En se référant à ce genre de souvenir, Gordon Bower et Daniel Morrow (1990) comparent notre esprit à un metteur en scène qui, lorsqu'on lui transmet un script brut, imagine la mise en scène terminée. Si l'on nous demande plus tard ce que nous avons entendu ou lu, nous ne nous souvenons pas du sens littéral du texte, mais de *ce que nous avons encodé*. Ainsi, lorsque vous révisez un examen, vous allez vous souvenir des notes que vous avez prises lors du cours plutôt que du cours lui-même.

• Voici une autre phrase dont je vous demanderai de vous souvenir plus tard : le poisson a attaqué le nageur. •

Quel est selon vous le type d'encodage qui permet une meilleure mémorisation de l'information verbale ? L'**encodage visuel** des images ? L'**encodage acoustique** des sons ? Ou l'**encodage sémantique** du sens ? Chacun de ces niveaux de traitement a son propre système cérébral (Poldrack et Wagner, 2004) et chacun peut nous aider. Par exemple, l'encodage acoustique améliore la mémorisation et l'apparente vérité des aphorismes qui contiennent des rimes. La phrase « ce que la sobriété va cacher, l'alcool va le révéler » semble plus judicieuse que « ce que la sobriété cache, l'alcool le révèle » (McGlone et Tofighbakhsh, 2000). Concernant l'affaire O. J. Simpson, le célèbre argument de la défense prononcé devant la Cour par le procureur Johnnie Cochran fut : « Si la main ne rentre pas dans le gant, vous devez l'acquitter » (*If the glove doesn't fit, you must acquit*). Cette phrase a été plus facilement mémorisée que si Cochran avait dit : « Si la main ne rentre pas dans le gant, vous devez le déclarer non coupable ! »

Afin de comparer l'encodage visuel, acoustique et sémantique, Fergus Craik et Endel Tulving (1975) présentèrent brièvement un mot à des sujets. Ils posèrent ensuite une question qui engageait le sujet à traiter les mots selon l'un des trois niveaux (1) visuellement (apparence des lettres), (2) acoustiquement (le son des mots) et (3) sémantiquement (la signification des mots). Vous pouvez vous faire une idée de l'expérience en répondant rapidement aux questions suivantes :

Exemple de questions montrant la forme de traitement	Mot présenté brièvement	Oui	Non
1. Le mot est-il en majuscule ?	CHAISE	–	–
2. Le mot rime-t-il avec train ?	puritain	–	–
3. Le mot peut-il être introduit dans cette phrase ? La fille posa le _________ sur la table.	revolver	–	–

:: **Encodage visuel** : encodage d'images visuelles.

:: **Encodage acoustique** : encodage des sons, en particulier du son des mots.

:: **Encodage sémantique** : encodage de la signification, y compris de la signification des mots.

• Combien de « S » y a-t-il dans la phrase suivante ?
CES DOSSIERS CLASSÉS SONT LE RÉSULTAT D'ANNÉES D'ÉTUDES SCIENTIFIQUES AUXQUELLES S'AJOUTE LE POIDS DE L'EXPÉRIENCE.
Tournez le livre pour voir la réponse. •

En partie parce que le traitement initial des lettres était principalement acoustique plutôt que visuel, vous avez probablement raté quelques-uns des seize S de cette phrase, en particulier ceux dont le son est plus proche d'un Z que d'un S ou qui ne se prononcent pas.

Quel type de traitement vous préparera le mieux à reconnaître les mots ultérieurement ? Dans l'expérience de Craik et Tulving, le traitement sémantique plus profond (la question 3) entraîne une bien meilleure mémorisation que le « traitement superficiel » suscité par la question 2 et surtout par la question 1 (FIGURE 8.7).

Mais devant un texte brut, nous avons des difficultés à construire un modèle mental. Mettez-vous à la place des étudiants de John Bransford et de Marcia Johnson (1972), à qui l'on demanda de se souvenir du passage enregistré suivant :

> La procédure est relativement simple. Tout d'abord, vous classerez les objets en différentes catégories. Bien entendu un seul tas peut suffire, cela dépend de la quantité que vous avez à traiter… Une fois l'opération terminée, vous répartirez à nouveau les objets en différentes catégories. Ensuite, vous pourrez les ranger à leur place. Ils pourront être utilisés encore une fois et le cycle entier devra alors être répété. De toute façon, cela fait partie de la vie.

Après avoir entendu le paragraphe que vous venez de lire, en l'absence de contexte lui donnant un sens, les étudiants s'en souvinrent très peu. Quand on leur dit que le paragraphe concernait le lavage des vêtements (ce qui avait une signification pour eux), ils se rappelèrent bien mieux du passage ; ce sera probablement votre cas aussi si vous le relisez. Traiter un mot en profondeur, par sa signification (*encodage sémantique*), entraîne une meilleure reconnaissance ultérieure que le traitement superficiel qui s'attarde sur son aspect (*encodage visuel*) ou sur sa sonorité (*encodage acoustique*) (Craik et Tulving, 1975).

Ces recherches suggèrent l'avantage de reformuler ce que nous lisons et écoutons en termes plus significatifs. Les gens demandent souvent aux acteurs comment ils font pour apprendre « tous ces textes ». L'équipe de psychologues-acteurs Helga Noice et Tony Noice (2006) nous explique qu'ils commencent par comprendre le flot de signification. « Un acteur divisait une demi-page de dialogue en trois [intentions] : flatter, faire sortir de sa réserve et apaiser ses craintes ». Ayant ces trois séquences significatives en tête, l'acteur pouvait plus facilement se souvenir du dialogue.

En se fondant sur l'expérience qu'il avait menée sur lui-même, Ebbinghaus estima que l'apprentissage des termes ayant une signification représentait 1/10e de l'effort fourni pour apprendre des termes n'ayant aucun sens. Comme le fit remarquer Wayne Wickelgren (1977, p. 346), chercheur spécialisé dans la mémoire : « Le temps que vous passez à réfléchir à ce que vous êtes en train de lire et à le relier à des informations déjà stockées est ce que vous pouvez faire de plus efficace pour apprendre quelque chose de nouveau. » *Ce qu'il faut retenir* : la quantité de ce que vous retenez dépend à la fois du temps que vous passez à l'apprendre et de ce que vous faites pour lui donner une signification.

Nous nous rappelons très bien des informations que l'on peut significativement relier à nous-mêmes. Si l'on vous demande si certains adjectifs décrivent bien une autre personne, vous les avez oubliés le plus souvent ; en revanche, si on vous pose la même question à votre sujet, en particulier si vous faites partie d'une culture occidentale individualiste, vous vous souvenez très bien des mots. Ce phénomène est appelé l'*effet d'autoréférence* (Symons et

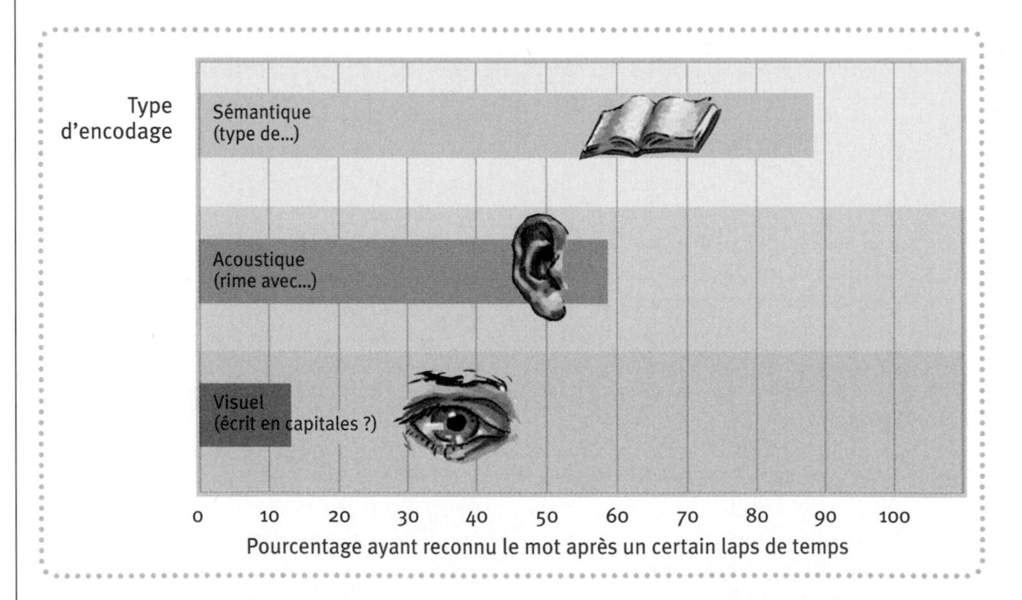

➤ FIGURE 8.7
Les niveaux de traitement Le fait de traiter un mot en profondeur – par son sens (encodage sémantique) – entraîne une meilleure reconnaissance du mot par la suite que s'il est traité superficiellement par l'attention portée à son aspect ou à sa sonorité. (D'après Craik et Tulving, 1975.)

Johnson, 1997 ; Wagar et Cohen, 2003). Il est donc bénéfique d'utiliser une partie de votre temps à trouver une signification personnelle à ce que vous étudiez. Une information considérée comme « pertinente à vos yeux » est traitée plus en profondeur et reste plus accessible.

Encodage visuel

Pourquoi avons-nous tant de mal à mémoriser des formules, des définitions, des dates, alors que nous nous rappelons très bien de l'endroit où nous étions la veille, de la personne qui était avec nous, de l'endroit où nous étions assis et des vêtements que nous portions ? L'une des différences est liée à notre plus grande facilité à nous souvenir d'images mentales. Vos premiers souvenirs – probablement d'un événement survenu vers l'âge de 3 ou 4 ans – impliquent un processus d'**imagerie** visuelle. Nous retenons plus facilement des mots concrets qui se prêtent à la formation d'images mentales visuelles que des mots abstraits et peu imagés. (Lorsque je vous interrogerai plus tard, quels seront à votre avis les trois mots de cette liste dont vous aurez le plus de chance de vous souvenir : *machine à écrire, vide, cigarette, inhérent, feu, procédé* ?) Si vous vous rappelez encore de la phrase concernant le manifestant jeteur de pierre, c'est non seulement à cause de la signification que vous avez encodée, mais aussi parce que la phrase elle-même a permis la formation d'une image visuelle. La mémoire d'un nom concret, par exemple cigarette, est facilitée par son *double* encodage, sémantique et visuel (Marschark et coll., 1987 ; Paivio, 1986). Deux codes valent mieux qu'un.

Grâce à la durabilité de nos images les plus frappantes, le souvenir de nos expériences est souvent coloré de ses meilleurs ou de ses pires moments – le meilleur moment d'un plaisir ou d'une joie, et le pire moment d'une douleur ou d'une frustration (Fredrickson et Kahneman, 1993). Le fait de se souvenir des points forts alors que l'on oublie les moments insignifiants peut expliquer le phénomène de *souvenir idyllique* (Mitchell et coll., 1997) : les gens ont tendance à se souvenir des événements comme des vacances en camping d'une manière plus positive qu'à l'époque où ils se sont produits. Ils se rappellent plus de leur excursion à Disneyland pour le décor, la nourriture et les promenades que pour la chaleur lourde et les longues files d'attente.

L'image est au cœur de nombreux systèmes **mnémotechniques** (ainsi nommés à partir du mot grec signifiant mémoire, *mnêsis*). Les orateurs et les maîtres de la Grèce antique ont développé les moyens mnémotechniques pour les aider à retenir de longues tirades ou de longs discours. Certains moyens mnémotechniques modernes reposent sur des codes acoustiques et visuels. Par exemple, le *système des mots repères* nécessite d'abord l'apprentissage d'une comptine : *« Un est un nain ; deux est un dieu ; trois est une croix ; quatre est une carte ; cinq est un sain ; six est une saucisse ; sept est une chaussette ; huit est une huître ; neuf est un œuf ; dix est un disque. »* Sans beaucoup d'efforts, vous allez bientôt être capable de compter par mots repères au lieu des nombres : *nain, dieu, croix*... et ensuite d'associer visuellement ces mots repères avec les éléments à retenir. Vous êtes maintenant prêt à défier tout individu qui voudra vous donner une liste de courses à ne pas oublier. Des carottes ? Imaginez-les dans la main d'un nain. Du lait ? Faites-en boire à un dieu. Des serviettes en papier ? Drapez-les en croix. Pensez *nain, dieu, croix* et vous allez voir les images associées : carottes, lait, serviettes en papier. Avec peu d'erreurs, vous serez capables de vous souvenir des éléments de la liste dans n'importe quel ordre et de nommer n'importe lequel d'entre eux (Bugelski et coll., 1968). Les champions de la mémoire ont compris les pouvoirs de ces moyens. Une étude, menée sur les participants du championnat mondial de mémoire, a montré qu'ils n'étaient pas dotés d'une intelligence exceptionnelle, mais qu'ils utilisaient bien mieux les moyens mnémotechniques spatiaux (Maguire et coll., 2003).

Organiser l'information pour l'encodage

Les moyens mnémotechniques peuvent également nous aider à organiser les éléments pour leur rappel ultérieur. Lorsque le paragraphe de Bransford et Johnson concernant la lessive acquiert un sens, nous pouvons mentalement organiser les phrases en une suite. Nous traitons l'information plus facilement lorsque nous pouvons l'organiser en unités ou en structures ayant un sens.

Le groupement Regardez quelques secondes la première ligne de la FIGURE 8.8 sur la page suivante, puis regardez ailleurs et essayez de reproduire ce que vous avez vu. Impossible, non ? Mais vous pouvez facilement reproduire la deuxième ligne qui n'est pas moins complexe. De même, il vous est plus facile de vous souvenir de la ligne 4 que de la ligne 3, bien que toutes deux contiennent les mêmes lettres. Et le paragraphe 6 est plus facile à retenir que le 5, bien qu'ils contiennent les mêmes mots.

::Imagerie (images mentales) : une aide puissante pour le traitement contrôlé, en particulier lorsqu'elles sont associées à l'encodage sémantique.

::Mnémotechnique : aide-mémoire ; se dit en particulier des techniques qui utilisent des images mentales fortes et des stratégies d'organisation.

➤ FIGURE 8.8
Effet du groupement sur la mémoire Quand nous organisons l'information en unités signifiantes, comme des lettres, des mots ou des phrases, nous la gardons en mémoire plus aisément. (D'après Hintzman, 1978.)

1.

2. E C P E S I

3. ECPESI TEPS EANUUC A RPIUQE EN

4. PIECES SEPT AUCUNE A PIQURE NE

5. PIECES SEPT AUCUNE A PIQURE NE EPARGNE AVANT UNE SCORE TEMPS ET NEUF BOISEE QUATRE ANNEES PRENEZ

6. NE PRENEZ AUCUNE PIECE BOISEE QUATRE SCORES ET SEPT ANNEES AVANT UNE PIQURE À TEMPS ÉPARGNE NEUF

➤ FIGURE 8.9
Exemple de groupement – pour ceux qui lisent le chinois Après avoir regardé ces idéogrammes, pouvez-vous les reproduire exactement ? Si oui, vous êtes certainement capable de lire le chinois.

Comme ces unités le démontrent, nous pouvons aisément nous rappeler des informations si nous les organisons en groupes familiers que nous pouvons traiter. Le **groupement** se produit si naturellement que nous le considérons comme évident. Si votre langue maternelle est le français, vous pourrez reproduire parfaitement les quelque 150 segments qui constituent les mots dans les trois phrases du sixième paragraphe de la figure 8.8. Cela pourrait étonner quelqu'un n'étant pas familiarisé avec votre langue.

De même, j'admire un lettré chinois capable de jeter un coup d'œil à la FIGURE 8.9 et de reproduire les idéogrammes d'un seul trait ; ou un maître d'échecs qui, après avoir regardé l'échiquier durant 5 secondes au cours d'une partie, peut se souvenir de la position exacte de la plupart des pièces (Chase et Simon, 1973) ; ou encore un joueur de basketball qui, en regardant une partie pendant 4 secondes, peut se rappeler de la position des joueurs (Allard et Burnett, 1985). Nous nous souvenons mieux des informations que nous pouvons organiser en un arrangement ayant un sens pour nous.

Le groupement peut également être utilisé comme moyen mnémotechnique pour nous souvenir d'éléments peu familiers. Si vous voulez vous souvenir des couleurs de l'arc-en-ciel dans l'ordre des longueurs d'ondes (en anglais), pensez à quelqu'un qui s'appellerait Roy G. Biv (*Red, Orange, Yellow, Green, Blue, Indigo, Violet*). Si vous avez besoin de vous rappeler des noms des cinq grands lacs d'Amérique du Nord, rappelez-vous simplement de HOMES (Huron, Ontario, Michigan, Érié, Supérieur). Dans chaque cas, nous groupons l'information en une forme plus familière en créant un mot (appelé un *acronyme*) avec les initiales des éléments à garder en mémoire.

• Dans la partie sur l'encodage visuel, je vous ai donné six mots en vous prévenant que je vous réinterrogerai dessus. De combien de ces mots pouvez-vous maintenant vous souvenir ? Combien de ceux-ci sont des mots très imagés ? Combien sont des mots peu imagés ? (Vous pouvez comparer votre liste à celle écrite à l'envers ci-dessous.) •

Machine à écrire, vide, cigarette, inhérent, feu, procédé

Hiérarchies Lorsque des gens deviennent experts dans un domaine précis, ils traitent l'information non seulement par groupements, mais également par *hiérarchies*, constituées de quelques concepts généraux divisés et subdivisés en concepts ou en faits de plus en plus spécifiques. Le but de ce chapitre, par exemple, est non seulement de vous enseigner les éléments de base de la mémoire, mais encore de vous aider à organiser ces faits autour de principes généraux, comme *l'encodage*, de sous-principes, comme le *traitement automatique* ou *contrôlé*, et de concepts encore plus spécifiques comme le *sens*, les *images* et l'*organisation* (FIGURE 8.10).

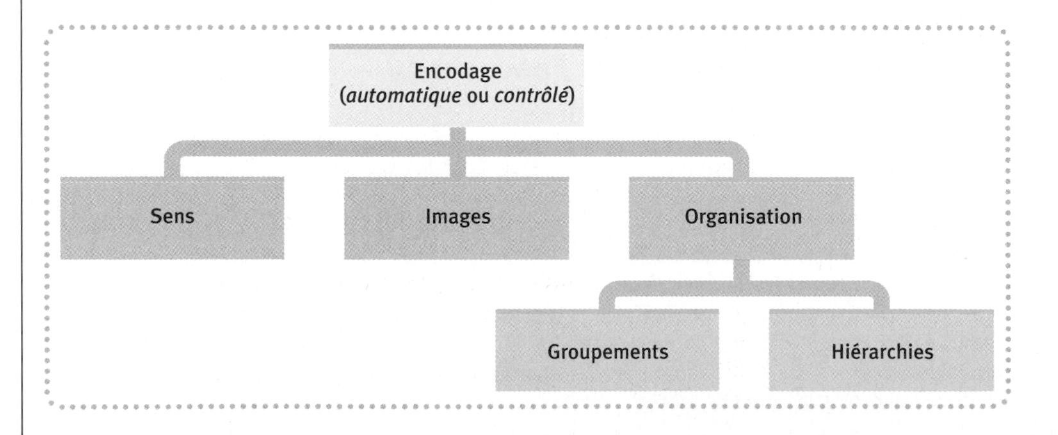

➤ FIGURE 8.10
L'organisation aide la mémoire Lorsque nous organisons des mots ou des concepts en groupes hiérarchisés, comme nous le voyons ici avec les concepts de ce chapitre, nous nous en souvenons mieux que lorsque nous les voyons présentés au hasard.

L'organisation de la connaissance en hiérarchies nous aide à rappeler efficacement l'information. Gordon Bower et son équipe (1969) l'ont démontré en présentant des mots soit répartis au hasard, soit groupés en catégories. Lorsque ces mots étaient organisés par groupes, le rappel était deux ou trois fois meilleur. Ces résultats montrent l'intérêt de hiérarchiser ce que vous étudiez et de faire particulièrement attention au plan d'un chapitre, aux titres, aux questions en début de paragraphe, aux résumés et aux questions testez-vous. Si vous pouvez maîtriser les concepts d'un chapitre avec leur organisation générale, le rappel de l'information devrait être efficace au moment de l'examen. Prendre en notes un cours ou faire une fiche de lecture sous forme d'un plan, qui est un mode d'organisation hiérarchique, peut également s'avérer utile.

::**Groupement** : organisation des éléments en unités familières et faciles à manipuler, effectuée souvent de façon automatique.

::**Mémoire iconographique** : mémoire sensorielle momentanée des stimuli visuels, image photographique ou picturale qui ne dure pas plus que quelques dixièmes de seconde.

AVANT D'ALLER PLUS LOIN...

➤ **INTERROGEZ-VOUS**

Pouvez-vous envisager trois façons d'employer les principes étudiés dans ce chapitre pour améliorer votre capacité à apprendre et à retenir des choses importantes ?

➤ **TESTEZ-VOUS 2**

Quelle serait la stratégie la plus efficace pour apprendre une liste de noms de personnages historiques importants et la retenir pendant une semaine ? Et pendant un an ?

Les réponses aux questions « Testez-vous » sont données dans l'annexe B à la fin de l'ouvrage.

Le stockage : la conservation de l'information

AU CŒUR DE LA MÉMOIRE, IL Y A LE STOCKAGE. Si vous vous rappelez ultérieurement quelque chose que vous avez vécu, vous devez d'une manière ou d'une autre l'avoir stockée et retrouvée. Ce qui est stocké dans la mémoire à long terme reste en sommeil, attendant d'être réactivé par un événement. Quelles sont les capacités de stockage de notre mémoire ? Commençons par la première pièce de stockage de notre mémoire présentée dans le modèle du traitement en trois stades (*voir* Figure 8.2), notre fugace mémoire sensorielle.

Mémoire sensorielle

4. Qu'est-ce que la mémoire sensorielle ?

Quelle part de cette page pourriez-vous percevoir et vous souvenir si elle vous était exposée pendant moins de temps qu'un flash de lumière ? Le chercheur George Sperling (1960) demanda à des participants de faire quelque chose de semblable lorsqu'il leur montra trois rangées de trois lettres pendant seulement 1/20e de seconde (FIGURE 8.11). Une fois que les neuf lettres avaient disparu, les observateurs ne pouvaient se rappeler qu'environ la moitié de celles-ci.

N'avaient-ils pas eu assez de temps pour les observer ? Non, Sperling démontra de façon très astucieuse que les gens *pouvaient* réellement voir et se rappeler toutes les lettres, mais seulement pendant un court instant. Plutôt que de leur demander de se rappeler les neuf lettres à la fois, Sperling faisait retentir un son aigu, médium ou grave, immédiatement *après* la projection rapide des neuf lettres. Cette indication amenait les sujets à ne noter respectivement que les lettres de la rangée du haut, du milieu ou du bas. Dans ces conditions, les observateurs manquaient rarement une lettre, montrant que les neuf lettres étaient toutes momentanément accessibles au souvenir.

L'expérience de Sperling a montré que nous avons une mémoire photographique fugace appelée **mémoire iconographique**. Pendant quelques dixièmes de seconde, les yeux enregistrent une représentation exacte de la scène et nous pouvons nous en rappeler chaque partie avec une précision surprenante. Mais si Sperling retardait le signal sonore de plus d'une demi-seconde, l'image s'évanouissait et, une fois encore, les sujets ne se rappelaient plus que de la moitié des lettres environ. L'écran visuel s'efface rapidement afin que de nouvelles images se superposent aux anciennes.

➤ FIGURE 8.11

Mémoire photographique instantanée Lorsque George Sperling a projeté un groupe de lettres semblable à celui-ci pendant 1/20e de seconde, les gens n'ont pu se rappeler que d'environ la moitié des lettres. Mais si on leur demandait de se souvenir d'une rangée particulière immédiatement après la disparition des lettres, ils pouvaient le faire avec une précision presque parfaite.

K	Z	R
Q	B	T
S	G	N

:: Mémoire échoïque : mémoire sensorielle momentanée des stimuli auditifs ; si l'attention est ailleurs, les sons et les mots peuvent être encore retenus pendant 3 à 4 secondes.

Nous possédons également une très bonne mémoire, bien que fugace, pour les stimuli auditifs, appelée **mémoire échoïque** (Cowan, 1988 ; Lu et coll., 1992). Imaginez qu'en pleine conversation, votre attention se détourne vers la télévision. Si votre partenaire un peu agacé teste votre attention en vous demandant : « Qu'est-ce que je viens de dire ? », vous pouvez retrouver dans votre esprit l'écho des derniers mots. Un écho auditif a tendance à persister pendant 3 à 4 secondes. Les expériences sur la mémoire échoïque et iconographique nous ont permis de comprendre l'enregistrement initial des informations sensorielles dans le système mnésique.

Mémoire de travail/à court terme

5. Quelle est la durée de la mémoire à court terme ? Et de la mémoire à long terme ? Quelles sont leurs capacités respectives ?

Seule une partie de l'énorme quantité d'informations enregistrées par notre mémoire sensorielle est mise en évidence grâce à notre système attentionnel. Nous récupérons également sur notre « écran mental » de l'information en provenance de notre mémoire à long terme. Mais cette information disparaît rapidement de notre stock à court terme sauf si notre mémoire de travail l'encode en lui donnant une signification ou la répète. Durant le trajet de votre doigt de l'annuaire au cadran du téléphone, votre souvenir d'un numéro de téléphone peut disparaître.

Pour déterminer à quelle vitesse un élément de notre mémoire à court terme va disparaître, Lloyd et Margaret Peterson (1959) ont demandé à des sujets de se souvenir de trois groupes de consonnes, par exemple *CHJ*. Pour éviter que les sujets ne répètent les lettres, les chercheurs leur demandèrent de compter à haute voix à l'envers, de trois en trois, en partant de 100. Après 3 secondes, les gens ne se souvenaient des lettres qu'une fois sur deux. Après 12 secondes, le plus souvent, ils ne s'en souvenaient plus du tout (Figure 8.12). Sans un traitement actif, les souvenirs à court terme ont une durée de vie limitée.

La mémoire à court terme est non seulement limitée par sa durée, mais également par sa capacité, pouvant typiquement conserver en moyenne sept groupes d'informations (à un ou deux près). George Miller (1956) a entériné cette capacité de mémoire par le *nombre magique sept, plus ou moins deux*. Il n'est pas surprenant, lorsque certaines compagnies téléphoniques commencèrent à demander aux utilisateurs de composer un indicatif régional à trois chiffres devant un numéro à 7 chiffres, que beaucoup de personnes se plaignirent du mal qu'ils avaient à retenir le nombre supplémentaire.

Notre mémoire à court terme est légèrement meilleure pour des chiffres pris au hasard (comme ceux d'un numéro de téléphone) que pour des lettres prises au hasard, qui ont parfois des sons très voisins. Elle est un peu meilleure pour les informations que nous entendons que pour celles que nous voyons. Les enfants et les adultes ont une mémoire à court terme à peu près identique au nombre de mots qu'ils peuvent prononcer en deux secondes (Cowan, 1994 ; Hulme

• Le nombre magique sept est la contribution de la psychologie à cette liste étonnante de sept magiques : les sept merveilles du monde, les sept mers, les sept péchés capitaux, les sept couleurs fondamentales, les sept notes d'une octave, les sept jours de la semaine – les sept sept magiques. •

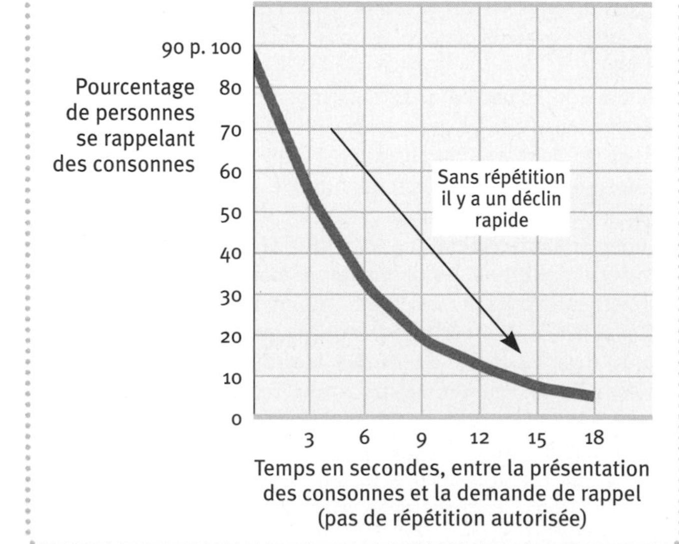

➤ FIGURE 8.12
Extinction de la mémoire à court terme Si elle n'est pas répétée, l'information verbale peut être rapidement oubliée. (D'après Peterson et Peterson, 1959 ; *voir aussi* Brown, 1958.)

et Tordoff, 1989). Comparés aux mots anglais du langage parlé, les signes du langage des signes américain prennent plus de temps à articuler. Et il est évident que la mémoire à court terme peut se souvenir de moins de signes que de mots parlés (Wilson et Emmorey, 2006).

Sans répétition, la plupart d'entre nous peuvent en réalité retenir seulement quatre groupes d'information dans la mémoire à court terme (par exemple, les lettres regroupées de manière à avoir un sens comme BBC, FBI, KGB, CIA) (Cowan, 2001 ; Jonides et coll., 2008). Le fait de supprimer la répétition des articles définis « le, la, les » en écoutant des chiffres proposés au hasard est un facteur qui réduit également la mémorisation à quatre éléments. Mais les principes de base restent valables : *à un instant donné, nous ne pouvons traiter consciemment qu'une quantité d'informations très limitée.*

R.J. Erwin/Photo Researchers

Le casse-noix de Clark Parmi les animaux, un prétendant au titre de roi de la mémoire serait un simple cerveau d'oiseau : le *Nucifraga columbiana* (ou casse-noix de Clark) qui, au cours de l'hiver et au début du printemps, peut localiser jusqu'à 6000 caches où il a enterré des graines de pin (Shettleworth, 1993).

Mémoire à long terme

Dans l'ouvrage d'Arthur Conan Doyle *Une étude en rouge*, Sherlock Holmes donne une théorie très populaire de la capacité de la mémoire :

> Je pense qu'au départ le cerveau d'un homme ressemble à un petit grenier vide et vous y entassez autant de meubles que vous le voulez... C'est une erreur de penser que cette petite pièce a des murs élastiques et peut se distendre à l'infini. Selon sa capacité, il arrive un moment où, pour chaque addition d'une connaissance, vous oubliez quelque chose que vous saviez auparavant.

Contrairement à ce que pensait Sherlock Holmes, notre capacité de stockage des souvenirs à long terme est quasiment illimitée. Notre cerveau *n'est pas* comme un grenier qui, une fois plein, ne peut stocker plus d'éléments que si on jette les plus anciens.

Ce point est illustré avec vigueur par ceux qui ont accompli des exploits de mémoire phénoménaux (TABLEAU 8.1). Considérons les tests de mémoire effectués en 1990 par un psychologue, Rajan Mahadevan. Donnez-lui n'importe quelle série de 10 chiffres issue des 30000 premiers chiffres du nombre Pi ; après un court moment de recherche mentale de la chaîne, il va compléter la série à partir de là, crachant les chiffres comme une mitrailleuse (Delaney et coll., 1999 ; Thompson et coll., 1993). Il peut aussi répéter à l'envers une série de 50 chiffres pris au hasard. Ce n'est pas un don génétique, dit-il, n'importe qui peut apprendre à faire la même chose. Mais, étant donné l'importance de la génétique sur tant de caractéristiques humaines et sachant que le père de Rajan a mémorisé la totalité de l'œuvre de Shakespeare, on peut se poser la question. Nous devons nous souvenir que beaucoup de phénomènes psychologiques, y compris la capacité mnésique, peuvent être étudiés selon différents niveaux d'analyse, y compris le niveau biologique.

Le dieu du nombre Pi : au moment où ce livre a été mis sous presse, le record du monde de mémorisation du nombre Pi était toujours tenu par le japonais, Akira Haraguchi qui, en 2006, a récité correctement les 100 000 premiers chiffres (*Associated Press*, 2006).

TABLEAU 8.1

RECORD MONDIAL DE LA MÉMOIRE

Voici certains records actuels, issus de la compétition mondiale de mémoire, qui a eu lieu en 2008 :

Test/Description	Record
Vitesse de mémorisation de cartes à jouer Record de vitesse de mémorisation d'un seul paquet de 52 cartes mélangées	26 secondes
Nombre de cartes en une heure Mémorisation du plus grand nombre de cartes en une heure (52 points pour chaque paquet correct ; 26 points pour 1 erreur)	1 404 points
Vitesse de mémorisation de nombres Mémorisation du plus grand nombre de chiffres aléatoires en 5 minutes	396 chiffres
Mémorisation de noms et de visages Plus grand nombre de noms et prénoms mémorisés en 15 minutes après qu'ils ont été présentés associés aux visages correspondants (1 point pour chaque nom et prénom correctement orthographié ; 1/2 point pour chaque nom et prénom phonétiquement correct, mais mal orthographié)	181 points
Nombres binaires Plus grand nombre de chiffres binaires (101101, etc.), présentés en lignes de 30 chiffres, mémorisé en 30 minutes	4 140 chiffres

Source : usamemoriad.com et worldmemorychampionship.com

::Potentialisation à long terme (LTP) : augmentation de l'activité électrique de base d'une synapse après une stimulation rapide et brève. Il s'agirait d'une base neuronale de l'apprentissage et de la mémoire.

« Nos souvenirs sont flexibles et superposables ; ils constituent un tableau panoramique avec une quantité inépuisable de craies et de gommes. »
Elizabeth Loftus et Katherine Ketcham, *The Myth of Repressed Memory*, 1994

« Sur le plan scientifique, la biologie de l'esprit sera aussi importante pour ce [nouveau] siècle que la biologie des gènes [l'a été] pour le xxe siècle. »
Remarque d'Eric Kandel quand il reçut le prix Nobel en 2000

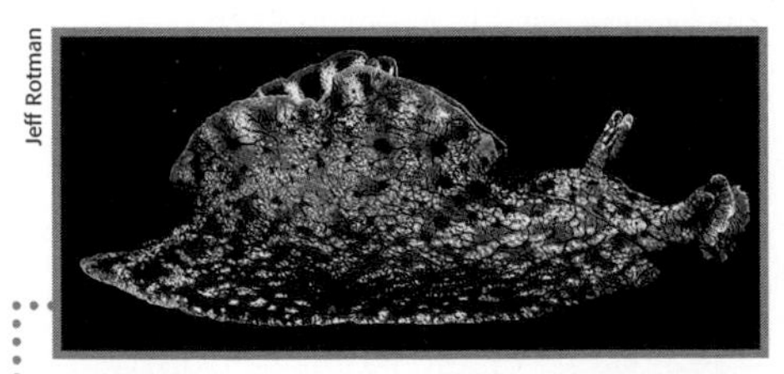

Jeff Rotman

L'aplysie Cet escargot de mer californien, que le neuroscientifique Eric Kandel a étudié pendant 45 ans, nous a permis de mieux comprendre le système nerveux de base impliqué dans l'apprentissage.

Stockage des souvenirs dans le cerveau

6. Comment le cerveau stocke-t-il nos souvenirs ?

J'étais émerveillé par ma belle-mère, pianiste et organiste à la retraite. À l'âge de 88 ans, sa cécité l'empêchait de lire ses partitions de musique. Mais si vous la laissiez s'asseoir devant un clavier, elle se mettait à jouer parfaitement des centaines d'hymnes, y compris ceux auxquels elle n'avait pas pensé depuis 20 ans. À quel endroit son cerveau stockait-il ces milliers de séquences de notes ?

À une époque, certains chirurgiens et chercheurs sur la mémoire pensaient que les flashs de mémoire déclenchés par la stimulation cérébrale au cours d'une intervention chirurgicale montraient que tout notre passé, et pas seulement des notes de musique bien apprises, se trouvait « là », dans ses moindres détails, attendant juste d'être revécu. Mais lorsqu'Elizabeth et Geoffrey Loftus (1980) analysèrent ces « souvenirs » vivants déclenchés par la stimulation cérébrale, ils trouvèrent que ces apparents retours en arrière n'étaient pas revécus, mais simplement inventés. Un psychologue, Karl Lashley (1950), a fourni d'autres preuves du fait que la mémoire n'est pas localisée dans un seul lieu spécifique. Il a entraîné des rats à se retrouver dans un labyrinthe ; il a ensuite excisé certaines parties de leur cortex et retesté leur mémoire du labyrinthe. De façon surprenante, quelle que soit la partie du cortex qu'il retirait, les rats conservaient au moins une partie des souvenirs de la solution du labyrinthe. Ainsi, malgré la grande capacité de stockage du cerveau, nous ne stockons pas les informations comme une bibliothèque stocke ses livres, dans des endroits précis et discrets.

Modifications synaptiques

Recherchant les clés du système de stockage cérébral, les spécialistes de la mémoire contemporains ont recherché une *trace mnésique*. Même si le cerveau représente une mémoire dans des groupes de neurones répartis, ces cellules nerveuses doivent communiquer par leurs synapses (Tsien, 2007). De ce fait, la quête pour comprendre les bases physiques de la mémoire, sur la manière dont l'information est incarnée dans la matière, a fait jaillir les études sur les lieux de rencontre synaptiques où les neurones communiquent les uns avec les autres par le biais de leurs neuromédiateurs.

Nous savons que les expériences modifient les réseaux neuronaux cérébraux ; si on augmente l'activité dans une voie particulière, des interconnexions nerveuses se forment ou se renforcent (*voir* Chapitre 4). Eric Kandel et James Schwartz (1982) ont observé ces modifications dans les neurones émetteurs d'un animal simple, l'*aplysie*, un escargot de mer californien. Ses quelque 20000 cellules nerveuses sont particulièrement grandes et accessibles, permettant aux chercheurs d'observer les changements synaptiques durant l'apprentissage. Le chapitre 7 a montré qu'il était possible de conditionner ces escargots marins (conditionnement classique avec un choc électrique) pour qu'ils rentrent leurs branchies de façon réflexe sous l'effet d'un jet d'eau, un peu comme un soldat commotionné par l'explosion d'un obus saute en l'air en entendant une brindille craquer. En observant les connexions nerveuses de cet escargot marin avant et après le conditionnement, Kandel et Schwartz ont détecté des modifications. Lorsque l'apprentissage a lieu, l'escargot libère des quantités plus importantes de *sérotonine*, un neuromédiateur, au niveau de certaines synapses, et ces synapses transmettent alors les signaux de façon plus efficace.

L'efficacité synaptique accrue contribue à un fonctionnement plus efficace des circuits neuronaux. Dans des expériences, la stimulation rapide de certaines connexions de circuits mnésiques augmente leur sensibilité pour des heures, voire des semaines. Le neurone émetteur a alors besoin d'une moindre stimulation pour libérer le neuromédiateur, et le nombre de sites récepteurs peut augmenter (FIGURE 8.13). Ce renforcement prolongé des décharges des potentiels nerveux appelé **potentialisation à long terme** (**LTP** pour *long-term potentiation*), fournit la base nerveuse de l'apprentissage et de la mémorisation d'associations (Lynch, 2002 ; Whitlock et coll., 2006). Plusieurs preuves confirment que la LTP est un des fondements physiques de la mémoire :

- Les substances qui bloquent la LTP interfèrent avec l'apprentissage (Lynch et Staubli, 1991).
- Des souris mutantes auxquelles il manque une enzyme nécessaire à la LTP ne peuvent apprendre comment sortir d'un labyrinthe (Silva et coll., 1992).
- Des rats à qui l'on donne une substance augmentant la LTP apprendront à se diriger dans un labyrinthe avec 50 p. 100 d'erreurs en moins (Service, 1994).
- L'injection à des rats d'une substance chimique qui bloque la conservation de la LTP efface l'apprentissage récent (Pastalkova et coll., 2006).

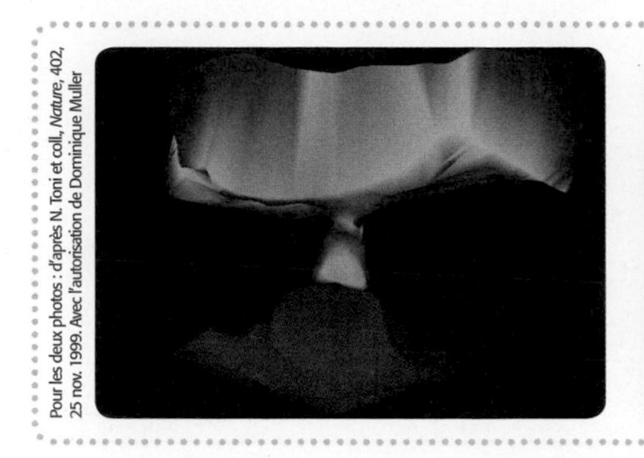
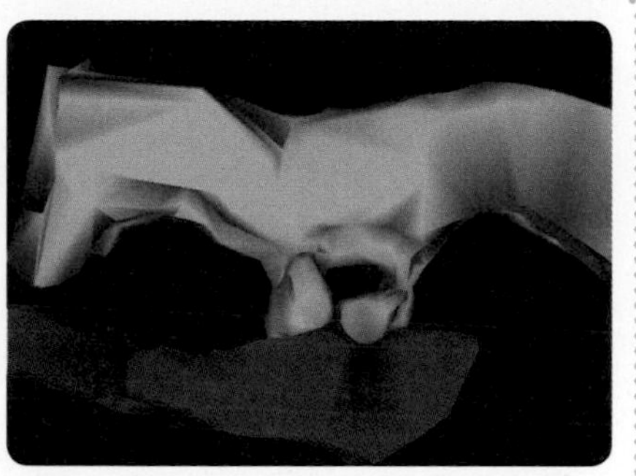

Pour les deux photos : d'après N. Toni et coll, *Nature*, 402, 25 nov. 1999. Avec l'autorisation de Dominique Muller

➤ FIGURE 8.13
Des sites dotés de récepteurs doubles Les images prises au microscope électronique montrent un seul site récepteur (gris) qui tend vers un neurone émetteur avant la potentialisation à long terme (à gauche) et deux sites récepteurs après la potentialisation (à droite). Le doublement de ces sites récepteurs signifie que le neurone récepteur a augmenté sa sensibilité à détecter la présence de molécules de neuromédiateurs éventuellement libérées par le neurone émetteur. (D'après Toni et coll., 1999.)

Certains explorateurs de la biologie de la mémoire ont facilité la création d'industries pharmaceutiques qui rivalisent entre elles pour développer et tester des médicaments augmentant la mémoire. Ils ciblent un marché comprenant des millions de personnes atteintes de la maladie d'Alzheimer, des millions d'autres atteintes de *légers déficits cognitifs* qui se transforment souvent en maladie d'Alzheimer et un nombre incalculable de millions de personnes qui aimeraient inverser le déclin de la mémoire lié au temps. Nos souvenirs évanouis occasionneront peut-être d'énormes profits.

L'une des approches est le développement de médicaments qui stimulent la production de la protéine CREB qui peut activer ou inhiber des gènes. Souvenez-vous que les gènes codent la production de protéines. Lors d'une activation neuronale répétée, les gènes d'un neurone produisent des protéines qui renforcent les synapses, permettant la LTP (Fields, 2005). Stimuler la production de CREB pourrait conduire à une production accrue de protéines qui aident à remodeler les synapses et consolider un souvenir à court terme en le transformant en souvenir à long terme. Après augmentation de leur production de CREB, l'escargot de mer, la souris et la drosophile présentent une amélioration de la mémoire.

Une autre approche consiste à développer des médicaments qui augmentent la formation de *glutamate*, un neuromédiateur qui accroît la communication synaptique (LTP). Reste à savoir si ces médicaments peuvent améliorer la mémoire sans entraîner d'effets indésirables ni encombrer notre esprit avec des futilités que l'on ferait mieux d'oublier. En attendant, un stimulant mnésique gratuit, efficace et sans risque, est déjà disponible sur les campus universitaires : dormir suffisamment après l'apprentissage des cours ! (*Voir* Chapitre 3.)

Le passage d'un courant électrique à travers le cerveau ne fait pas disparaître les souvenirs anciens une fois que la potentialisation à long terme a eu lieu. Mais le courant va faire disparaître les souvenirs très récents. C'est ce que l'on observe à la fois chez les animaux de laboratoire et chez les personnes déprimées qui ont subi une électroconvulsivothérapie (ECT). Un coup sur la tête peut aboutir au même résultat. Les joueurs de football ou les boxeurs qui ont été momentanément assommés n'ont en général pas de souvenir des événements précédant l'incident (Yarnell et Lynch, 1970). Leur mémoire de travail n'a pas eu le temps de consolider l'information et de la faire passer dans la mémoire à long terme avant que la lumière s'éteigne.

• **Bien que l'électroconvulsivothérapie (ECT) utilisée contre la dépression perturbe les souvenirs d'expériences récentes, elle laisse intacte la plus grande partie de la mémoire (*voir* Chapitre 15).** •

Les hormones du stress et la mémoire

Les chercheurs qui s'intéressent à la biologie de l'esprit ont également regardé de près les influences des émotions et des hormones de stress sur la mémoire. Lorsque nous sommes excités ou stressés, les hormones de stress déclenchées par les émotions augmentent la production d'énergie sous forme de glucose disponible pour alimenter l'activité cérébrale, et signalent au cerveau que quelque chose d'important s'est produit. De plus, l'amygdale, deux groupes de cellules traitant l'émotion situés dans le système limbique, stimule l'activité et les protéines disponibles dans les zones cérébrales où se forme la mémoire (Buchanan, 2007 ; Kensinger, 2007). Il en résulte que l'excitation peut graver certains événements dans le cerveau tout en supprimant les souvenirs des événements neutres se produisant au même moment (Birnbaum et coll., 2004 ; Brewin et coll., 2007).

D'après James McGaugh (1994, 2003), « les expériences qui ont une forte valeur émotionnelle entraîneront des souvenirs plus intenses et plus fiables ». Suite à des expériences traumatisantes – un guet-apens en temps de guerre, une maison en feu, un viol – le souvenir précis de l'événement terrifiant peut revenir encore et encore, comme s'il était marqué au fer rouge. Cela a un sens adaptatif. La mémoire sert à prédire le futur et à nous prévenir des dangers potentiels.

Un stress important reste gravé dans la mémoire
Des événements particulièrement stressants, comme les feux de forêts désastreux qui ont touché la Californie en 2007, peuvent laisser des traces indélébiles dans la mémoire de ceux qui les ont vécus.

Spencer Platt/AFP/Getty Images

• Si vous subissiez une expérience traumatisante, voudriez-vous prendre un médicament pour estomper ce souvenir ? •

• Qu'est ce qui est le plus important pour vous, votre expérience ou le souvenir que vous en avez ? •

Inversement, des émotions moins intenses entraînent des souvenirs plus faibles. Les gens auxquels on administre une substance inhibant les effets des hormones du stress auront par la suite plus de difficultés à se souvenir des détails d'une histoire bouleversante (Cahill, 1994). Cette relation est comprise par ceux qui travaillent au développement des médicaments qui, s'ils sont pris après une expérience traumatisante, pourraient émousser les souvenirs gênants. Au cours d'une expérience, des victimes d'accidents de voiture, de viols ou d'autres traumatismes ont reçu soit l'un de ces médicaments, le propranolol, soit un placebo pendant les 10 jours qui ont suivi l'événement horrifiant. Lorsqu'ils furent testés trois mois plus tard, la moitié du groupe recevant le placebo présentait des signes de troubles liés au stress contrairement aux participants du groupe traité (Pitman et coll., 2002, 2005).

Les modifications hormonales déclenchées par les émotions permettent d'expliquer pourquoi nous nous souvenons très longtemps d'événements excitants ou perturbants, comme notre premier baiser, ou l'endroit où nous étions lorsque nous avons appris la mort d'un ami. Au cours de l'enquête de Pew en 2006, 95 p. 100 des adultes américains remarquaient qu'ils pouvaient se souvenir exactement d'où ils étaient au moment où ils ont entendu la nouvelle des attentats du 11 septembre et de ce qu'ils y faisaient. Cette clarté perçue des souvenirs d'événements surprenants et significatifs a conduit certains psychologues à parler de **souvenirs flash**. C'est comme si le cerveau ordonnait « garde cela ! ». Les personnes qui ont vécu le tremblement de terre de San Francisco en 1989 ont fait exactement cela. Un an et demi plus tard, ils avaient des souvenirs précis de l'endroit où ils étaient et de ce qu'ils y faisaient (ce fut attesté par ce qu'ils avaient décrit un ou deux jours après le tremblement de terre). Les souvenirs d'autres personnes concernant les circonstances dans lesquelles elles avaient simplement *entendu parler* du tremblement de terre étaient plus sujets à erreur (Neisser et coll., 1991 ; Palmer et coll., 1991). Les souvenirs flash que les personnes revivent, répètent ou dont ils reparlent peuvent aussi être sources d'erreurs (Talarico et coll., 2003). Bien que nos souvenirs flash soient remarquables par leur précision et la confiance avec laquelle nous nous en souvenons, des informations erronées peuvent s'y glisser (Talarico et Rubin, 2007).

Il existe d'autres limites aux souvenirs intensifiés par le stress. Un stress *prolongé* – comme lors de maltraitances ou de combats prolongés – agit comme un acide qui ronge les connexions neuronales et rétrécit une zone du cerveau (l'hippocampe) indispensable pour fixer des souvenirs (*voir* Chapitre 12 pour plus d'informations). De plus, quand les hormones du stress sont sécrétées subitement, elles peuvent inhiber les souvenirs plus anciens. C'est le cas des rats stressés qui essaient de retrouver leur chemin vers une cible cachée (de Quervain et coll., 1998). C'est également vrai pour ceux d'entre nous qui, lors d'un discours en public, ont un trou de mémoire.

Stockage de la mémoire implicite et explicite

Un « futur » souvenir entre dans le cortex par les organes sensoriels, puis il suit son chemin dans les profondeurs du cerveau. L'endroit où il va aboutir précisément dépend du type d'information, comme le montre de façon frappante le cas de patients, comme mon père dont j'ai précédemment parlé, atteints d'un type d'**amnésie**, qui sont incapables de former de nouveaux souvenirs.

Le cas le plus fameux, un patient connu de tous les neuroscientifiques sous le nom de H. M. a subi en 1953 l'ablation chirurgicale nécessaire d'une zone du cerveau impliquée dans l'enregistrement des nouveaux souvenirs conscients des faits et des expériences. La perte tissulaire cérébrale laissa ses anciens souvenirs intacts ; lors du dernier rapport, il faisait encore quotidiennement des mots croisés. Mais transformer les nouvelles expériences en des souvenirs à long terme était une autre histoire. Suzanne Corkin (Adelson, 2005), qui a effectué de longues recherches sur lui, remarque : « Je connais H. M. depuis 1962 et il ne sait toujours pas qui je suis ».

Le neurologue Oliver Sacks (1985, pp. 26-27) a décrit un autre de ces patients amnésiques, Jimmie, qui a subi une lésion cérébrale. Jimmy n'a aucun souvenir et donc aucune conscience du temps écoulé depuis 1945 (date de sa blessure). Quand on lui demanda en 1975 de donner le nom du président des États-Unis, il dit : « F. D. Roosevelt est mort, Truman est aux commandes. »

Lorsque Jimmie donne son âge, 19 ans, Sacks lui présente un miroir : « Regarde dans le miroir et dis-moi ce que tu vois. Est-ce là le visage d'un homme de 19 ans qui te regarde dans le miroir ? »

Jimmie devient livide, agrippe la chaise, jure, puis dit frénétiquement : « Qu'est-ce qui se passe ? Qu'est-ce qui m'arrive ? Est-ce un cauchemar ? Suis-je fou ? Est-ce une plaisanterie ? » Lorsque son attention se détourne vers quelques enfants jouant au base-ball, sa panique prend fin, le miroir effrayant est rapidement oublié.

Sacks montra une photographie du *National Geographic*, à Jimmie. « Qu'est-ce que c'est ? », demanda-t-il.

« C'est la lune », répondit Jimmie.

« Non, ce n'est pas cela », répondit Sacks, « c'est une photographie de la Terre prise de la lune. »

« Doc, vous plaisantez ? Il aurait fallu que quelqu'un puisse apporter un appareil photo là-haut ! »

« Naturellement. »

« Là, vous plaisantez, comment diable auriez-vous pu le faire ? » L'étonnement de Jimmie était celui d'un brillant jeune homme d'il y a 60 ans, réagissant avec émerveillement à son voyage de retour vers le futur.

Une étude soigneuse de ces personnes très particulières a montré quelque chose d'encore plus étrange : bien qu'ils soient incapables de se souvenir de faits nouveaux ou de n'importe quelle action récente, Jimmie et d'autres personnes amnésiques du même type peuvent apprendre. Si on leur montre des formes difficiles à voir dans des dessins (comme ceux de la série *Où est Charlie ?*), ils peuvent les repérer très vite par la suite. Ils peuvent trouver leur chemin vers la salle de bain, bien qu'incapables de vous dire où elle se trouve. Ils peuvent apprendre à lire une écriture dans un miroir ou à résoudre des casse-tête et parviennent même à acquérir des compétences professionnelles ardues (Schacter, 1992, 1996 ; Xu et Corkin, 2001). Ils peuvent subir un conditionnement classique. Toutefois, *ils font toutes ces choses sans avoir la moindre conscience de les avoir apprises*.

D'une certaine façon, ces victimes d'amnésie ressemblent aux personnes atteintes d'une lésion cérébrale qui ne peuvent pas reconnaître consciemment des visages, mais dont les réponses physiologiques à des visages familiers révèlent une reconnaissance implicite (inconsciente). Les comportements de ces personnes remettent en cause la théorie selon laquelle la mémoire est un système conscient, isolé et unique. Il semblerait que nous ayons deux systèmes de mémoire fonctionnant en tandem (FIGURE 8.14). Ce qui a détruit, chez ces amnésiques, le souvenir *conscient* n'a pas détruit leur capacité *inconsciente* à apprendre. Ils peuvent apprendre *comment* faire quelque chose (**mémoire implicite** ou *mémoire non déclarative*) sans le savoir et sans dire qu'ils le savent (**mémoire explicite** ou *mémoire déclarative*).

::**Mémoire (souvenir) flash** : souvenir précis d'un moment ou d'un événement ayant une signification émotionnelle profonde.

::**Amnésie** : perte de la mémoire.

::**Mémoire implicite** : rétention sans souvenir conscient. (Encore appelée *mémoire non déclarative*.)

::**Mémoire explicite** : mémoire de faits et d'expériences que l'on peut connaître et « déclarer » consciemment. (Encore appelée *mémoire déclarative*.)

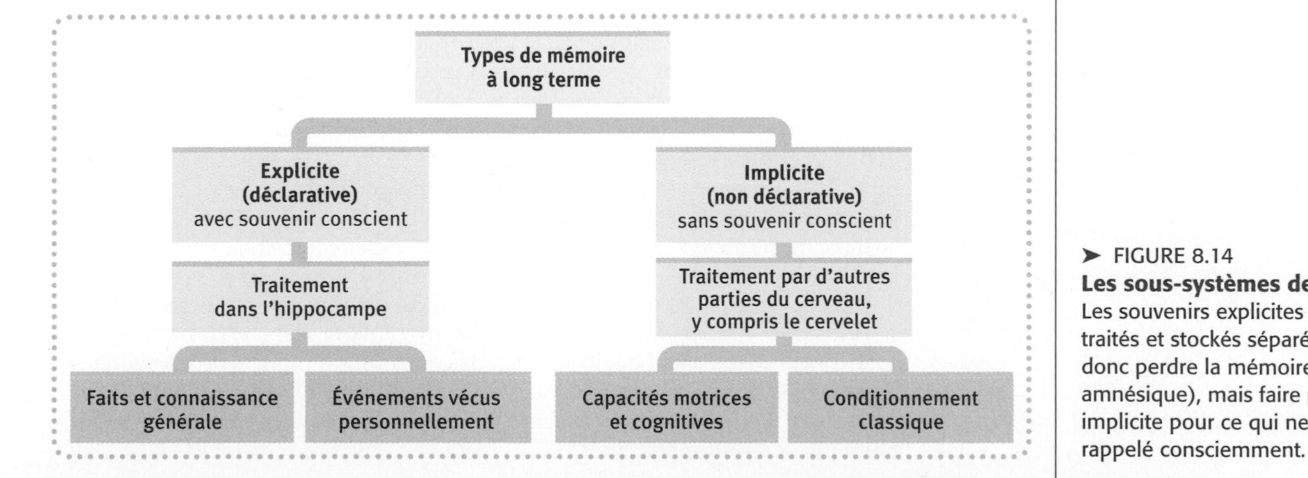

➤ FIGURE 8.14
Les sous-systèmes de la mémoire
Les souvenirs explicites et implicites sont traités et stockés séparément. On peut donc perdre la mémoire explicite (devenir amnésique), mais faire preuve de mémoire implicite pour ce qui ne peut pas être rappelé consciemment.

off the mark.com
par Mark Parisi
LA MAUVAISE NOUVELLE C'EST QUE NOUS AVONS OUBLIÉ UN CLAMP DANS VOTRE LOBE TEMPORAL... LA BONNE NOUVELLE C'EST QUE VOUS NE VOUS SOUVIENDREZ PLUS DE CE QUE JE VIENS DE VOUS DIRE...
offthemark.com
Mark Parisi/offthemark.com

Ayant lu une fois une histoire, ils vont la lire plus vite la seconde fois et faire ainsi preuve de mémoire implicite. Mais ils n'auront pas de mémoire explicite, car ils ne se souviennent pas avoir déjà lu l'histoire. Si on leur montre de façon répétée le mot *parfum*, ils ne vont pas se souvenir de l'avoir vu. Mais si on leur demande quel est le premier mot qui leur vient à l'esprit en réponse aux lettres *par*, ils répondent *parfum*, faisant ainsi preuve de leur apprentissage. En effectuant ces tâches, même des patients atteints de la maladie d'Alzheimer qui ont perdu leur mémoire explicite des personnes et des événements sont capables de former de nouveaux souvenirs implicites (Lustig et Buckner, 2004).

L'hippocampe Ces histoires remarquables nous conduisent à nous poser la question : nos systèmes mnésiques explicite et implicite mettent-ils en jeu des régions cérébrales séparées ? L'imagerie cérébrale comme les TEP des personnes se souvenant de mots (Squire, 1992) ou les autopsies des sujets amnésiques montrent que les nouveaux souvenirs explicites de noms, d'images et d'événements se déposent par l'intermédiaire de l'**hippocampe**, un centre nerveux du lobe temporal qui fait également partie du système limbique cérébral (FIGURE 8.15 ; Anderson et coll., 2007).

• Le système de mémoire à deux voies étaye un principe important introduit au chapitre 6 avec la description du traitement parallèle : les activités mentales comme la vision, la pensée et la mémoire peuvent sembler être des aptitudes isolées, mais elles ne le sont pas. En fait, nous divisons l'information en différentes composantes pour des traitements séparés et simultanés. •

« Les technologies [de l'imagerie cérébrale] révolutionnent l'étude du cerveau et de l'esprit de la même manière que le télescope a révolutionné l'étude du ciel. »
Endel Tulving (1996)

Des lésions au niveau de l'hippocampe perturbent certains types de mémoire. Les mésanges ainsi que d'autres oiseaux stockent leur nourriture dans des centaines d'endroits différents et retournent à ces caches non marquées des mois plus tard, sauf s'ils ont subi une ablation de l'hippocampe (Kamil et Cheng, 2001 ; Sherry et Vaccarino, 1989). Comme le cortex, l'hippocampe est latéralisé. (Vous possédez une partie de chaque côté, chacune se trouvant juste au-dessus des oreilles et à environ 4 cm de la paroi du crâne). Des lésions dans la partie droite ou gauche de l'hippocampe semblent produire des résultats différents. Les patients qui présentent des lésions de la partie gauche ont des difficultés à se remémorer les informations verbales, mais ils se souviennent sans problème des détails visuels et des endroits. Pour les personnes dont la partie droite est lésée, le phénomène est inversé (Schacter, 1996).

Les nouvelles recherches ont également permis de localiser les fonctions de différentes sous-régions de l'hippocampe. Une partie est activée lorsque les personnes apprennent à associer des noms à des visages (Zeineh et coll., 2003). Une autre l'est lorsque les champions de la mémorisation utilisent des moyens mnémotechniques spatiaux (Maguire et coll., 2003b). La région située à l'arrière de l'hippocampe, qui traite des souvenirs spatiaux, se développe au fur et à mesure qu'un chauffeur de taxi londonien circule depuis longtemps dans le labyrinthe formé par les rues de cette ville (Maguire et coll., 2003a).

L'hippocampe est actif pendant le sommeil à ondes lentes, au moment où les souvenirs sont traités puis classés pour leur rappel ultérieur. Après un entraînement, plus l'hippocampe est actif pendant le sommeil, plus les souvenirs seront importants le lendemain (Peigneux et coll., 2004). Mais ces souvenirs ne sont pas stockés de manière permanente dans l'hippocampe. En fait, l'hippocampe semble plutôt être une « zone de chargement » où le cerveau enregistre et stocke temporairement les éléments d'un souvenir : les odeurs, les sentiments, les sons et les lieux. Puis, de même que les vieux dossiers sont rangés dans une pièce de la cave, les souvenirs migrent pour être stockés ailleurs. L'ablation de l'hippocampe 3 heures après que des rats aient appris la localisation de nouveaux aliments appétissants interrompt ce processus et empêche la formation de la mémoire à long terme ; son ablation 48 heures après ne l'interrompt plus (Tse et coll., 2007). Le sommeil soutient la consolidation de la mémoire. Pendant le sommeil, notre hippocampe et notre cortex cérébral présentent des activités rythmiques simultanées, comme s'ils dialoguaient (Euston et coll., 2007 ; Mehta, 2007). Les chercheurs suspectent que le cerveau rejoue les expériences de la journée tandis qu'il les transfère dans le cortex pour leur stockage à long terme.

Une fois stockée, la répétition mentale de nos expériences passées active différentes parties des lobes frontaux et temporaux (Fink et coll., 1996 ; Gabrieli et coll., 1996 ; Markowitsch, 1995). Le fait de composer un numéro de téléphone et de le retenir dans la mémoire de travail entraîne l'activité d'une zone du cortex frontal gauche, le fait de se souvenir d'un moment précis lors d'une soirée active une zone de l'hémisphère droit.

➤ FIGURE 8.15
L'hippocampe Les souvenirs explicites des faits et des épisodes sont traités dans l'hippocampe et transmis à d'autres zones du cerveau où ils seront stockés.

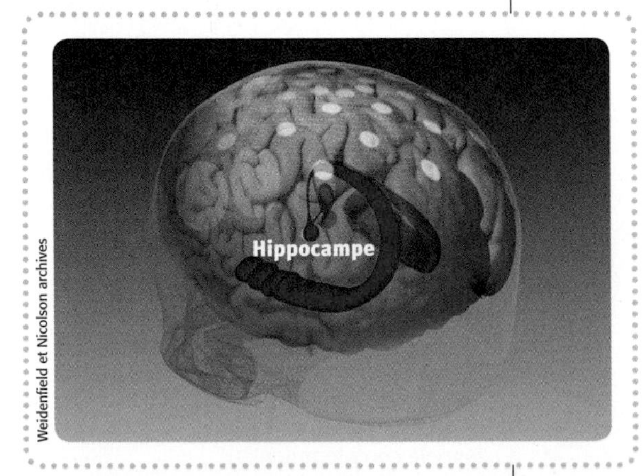

Le cervelet Bien que votre hippocampe soit un site de traitement temporaire pour vos souvenirs *explicites*, vous pouvez le perdre et continuer malgré tout à emmagasiner des souvenirs de vos compétences et de vos associations conditionnées. Joseph LeDoux (1996) se souvient d'une patiente atteinte d'une lésion cérébrale dont l'amnésie l'empêchait de reconnaître son médecin lorsque, chaque jour, il lui serrait la main en se présentant. Un jour, après lui avoir tendu la main, elle la retira brusquement, car son médecin l'avait piquée avec une punaise placée dans la paume de sa main. La fois suivante où il revint se présenter, elle refusa de lui serrer la main, sans être capable d'expliquer pourquoi. Ayant subi un conditionnement classique, elle ne pouvait simplement pas le faire.

Le *cervelet*, région du cerveau qui s'étend à l'arrière du tronc cérébral, joue un rôle capital dans la formation et le stockage des souvenirs implicites créés par le conditionnement classique. Les hommes atteints d'une lésion du cervelet sont incapables de développer certains réflexes conditionnés, par exemple associer un son à l'imminence d'une bouffée d'air et cligner des yeux par anticipation de l'arrivée de l'air (Daum et Schugens, 1996 ; Green et Woodruff-Pak, 2000). En interrompant méthodiquement la fonction de différentes voies du cortex et du cervelet de lapins, des chercheurs ont montré que les lapins ne pouvaient également pas apprendre la réponse conditionnée de clignement de l'œil lorsque leur cervelet était temporairement désactivé (Krupa et coll., 1993 ; Steinmetz, 1999). La formation de la mémoire implicite a besoin du cervelet.

Cette dualité des systèmes de mémoire implicite/explicite permet d'expliquer l'*amnésie infantile* : les réactions implicites et les capacités apprises durant l'enfance se prolongent très loin dans notre futur ; cependant, en tant qu'adultes, nous ne nous souvenons (explicitement) de rien de ce qui s'est produit pendant nos trois premières années. La mémoire explicite des enfants a une demi-vie apparente. Selon une étude, nous nous souvenons à l'âge de 7 ans de 60 p. 100 des événements vécus et dont nous avons parlé avec notre mère à l'âge de 3 ans. Mais à l'âge de 9 ans il ne nous reste que 34 p. 100 de ces souvenirs (Bauer et coll., 2007). En tant qu'adultes, notre mémoire consciente de nos trois premières années est vierge car nous exprimons une grande partie de nos souvenirs explicites à l'aide de mots que les enfants qui ne parlent pas n'ont pas encore appris et parce que l'hippocampe est l'une des dernières structures cérébrales à parvenir à maturité.

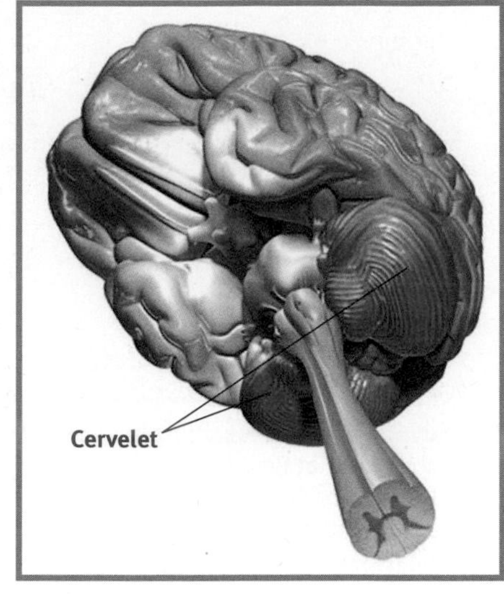

Cervelet Le cervelet joue un rôle important dans la formation et le stockage des souvenirs implicites.

AVANT D'ALLER PLUS LOIN...

➤ **INTERROGEZ-VOUS**

Pouvez-vous citer un exemple où le stress vous a aidé à vous souvenir de quelque chose, et un autre exemple où le stress vous en a empêché ?

➤ **TESTEZ-VOUS 3**

Votre amie vous dit que son père a eu des lésions cérébrales au cours d'un accident. Elle se demande si la psychologie peut expliquer pourquoi il peut encore très bien jouer aux échecs alors qu'il n'est plus capable d'avoir une conversation sensée. Que pouvez-vous dire à cette personne ?

Les réponses aux questions « Testez-vous » sont données dans l'annexe B à la fin de l'ouvrage.

Le rappel : la sortie de l'information

7. Comment l'information peut-elle ressortir de notre mémoire ?

SE RAPPELER D'UN ÉVÉNEMENT NÉCESSITE plus que de l'introduire (encodage) et de le conserver en mémoire (stockage). Pour la plupart des gens, la mémoire c'est le **rappel**, à savoir la capacité à récupérer une information qui n'est pas présente à la conscience. Pour un psychologue, la mémoire est un signe que quelque chose d'appris a été retenu. Ainsi, **reconnaître** une information ou la **réapprendre** plus rapidement est aussi un indice de mémoire.

Bien après que vous ne puissiez plus vous rappeler de la plupart des élèves de votre classe de terminale, vous pouvez toujours les reconnaître sur une série de photographies de classe et repérer leurs noms sur une liste. Harry Bahrick et ses collaborateurs (1975) ont montré

:: Hippocampe : centre nerveux, localisé dans le système limbique, qui participe au traitement des souvenirs explicites en vue du stockage.

:: Rappel : évaluation de la mémoire dans laquelle la personne doit retrouver une information apprise auparavant, comme dans le cas des questions à trous.

:: Reconnaissance : évaluation de la mémoire dans laquelle la personne a seulement besoin d'identifier des éléments déjà appris, comme dans un questionnaire à choix multiples.

:: Réapprentissage : mesure de la mémoire qui détermine le temps épargné lorsqu'on apprend une information pour la seconde fois.

Les deux photographies : Spanky's Yearbook Archive

Se souvenir des choses du passé Même si Oprah Winfrey et Brad Pitt n'étaient pas devenus célèbres, leurs camarades de lycée pourraient encore très probablement reconnaître leurs visages sur la photographie de classe.

que des gens ayant eu leur baccalauréat 25 ans plus tôt ne *se souviennent* plus de beaucoup de leurs anciens camarades de classe, mais qu'ils peuvent encore *reconnaître* 90 p. 100 de leurs photographies et de leurs noms. Si vous êtes comme la plupart des étudiants, vous aussi pouvez reconnaître certainement plus de noms des sept nains que vous vous en rappelez (Miserandino, 1991).

Notre mémoire de reconnaissance est particulièrement vaste et rapide. « Votre ami porte-t-il un vêtement neuf ou vieux ? » « Un vieux. » « Cette séquence d'à peine quelques secondes appartient-elle à un film que vous avez déjà vu ? » « Oui. » « Avez-vous déjà vu cette personne (cette variation infime des mêmes caractéristiques de l'homme : deux yeux, un nez, etc.) ? » « Non. » Avant que votre bouche puisse émettre la réponse à n'importe laquelle des millions de questions de ce genre, l'esprit sait et sait qu'il sait.

La vitesse de réapprentissage peut être un indicateur de la mémoire. Si vous avez appris une fois quelque chose que vous avez ensuite oublié, vous le réapprendrez probablement plus rapidement la seconde fois. Lorsque vous révisez dans le cadre d'un examen ou que vous ressuscitez un langage utilisé durant la petite enfance, le réapprentissage est plus facile. Les tests de reconnaissance et de temps passé à réapprendre montrent que nous avons en mémoire plus de choses que nous ne pouvons nous en rappeler.

- Les questions à choix multiples évaluent notre :
a. rappel
b. reconnaissance
c. réapprentissage

Les questions à trous évaluent notre __________.

(*Voir* les réponses inversées ci-dessous.)

Les questions à choix multiples évaluent la reconnaissance. Les questions à trous évaluent le rappel.

« La mémoire n'est pas comme un récipient que l'on remplit graduellement ; elle ressemble davantage à un arbre développant des branches sur lesquelles on suspend les souvenirs. »
Peter Russell, *The Brain Book*, 1979

Indices de rappel

Imaginez une araignée suspendue au milieu de sa toile, maintenue par les nombreux fils qui partent dans toutes les directions vers différents points (peut-être le rebord d'une fenêtre, la branche d'un arbre, la feuille d'un arbuste). Si vous voulez tracer un chemin vers l'araignée, vous devez d'abord créer un chemin partant de l'un de ces points d'ancrage puis suivre le fil fixé sur ce point le long de la toile.

Le processus de rappel d'un souvenir suit le même principe parce que les souvenirs sont maintenus en réserve par un réseau d'associations, chaque morceau d'information étant interconnecté aux autres. Lorsque vous encodez dans votre mémoire une partie essentielle d'information, comme le nom de la personne assise à côté de vous en classe, vous l'associez à d'autres morceaux d'information sur votre entourage, votre humeur, votre position assise, etc. Ces bribes d'information peuvent servir d'*indices de rappel*, des points d'ancrage que vous pouvez utiliser pour accéder à l'information cible lorsque vous voulez la retrouver ultérieurement. Plus vous avez d'indices de rappel, plus vous avez de chances de trouver un chemin vers votre mémoire en suspens.

Vous rappelez-vous du point principal de la deuxième phrase que je vous avais demandé de retenir dans le paragraphe « ce que nous encodons » ? Si ce n'est pas le cas, le mot *requin* vous sert-il d'indice de rappel ? Les expériences montrent qu'il est plus facile de retrouver l'image que vous avez stockée avec le mot *requin* (certainement celle que vous aviez visualisée) qu'avec le mot exact de la phrase, *poisson* (Anderson et coll., 1976). (La phrase était « le poisson a attaqué le nageur. »)

Les moyens mnémotechniques fournissent des indices de rappel très pratiques : Roy G. Biv ; HOMES ; nain, dieu, croix. Mais les meilleurs indices de rappel proviennent des associations formées au moment où nous encodons un souvenir. Le goût, l'odorat et la vue nous évoquent souvent des souvenirs qui y sont associés. Pour se souvenir des indices visuels lorsque l'on essaie de se rappeler quelque chose, il se peut que nous nous placions mentalement dans le contexte d'origine. Après avoir perdu la vue, John Hull (1990, p. 174), décrivit sa difficulté à se souvenir de ces détails : « Je savais que j'étais allé dans un endroit et que j'avais fait des choses particulières avec certaines personnes, mais où ? J'étais incapable de replacer les conversations... dans un contexte. Il n'y avait pas d'arrière-plan, aucune caractéristique me permettant d'identifier l'endroit. Généralement, les souvenirs des gens auxquels vous avez parlé durant la journée sont stockés dans des cadres qui incluent un arrière-plan. »

Les caractéristiques que Hull regrettaient sont les brins que nous activons pour retirer un souvenir spécifique de son réseau d'associations. Le psychologue-philosophe William James parle de ce processus que nous appelons **amorçage** comme d'un « éveil des associations ». Souvent, nos associations sont activées, ou amorcées, sans que nous en soyons

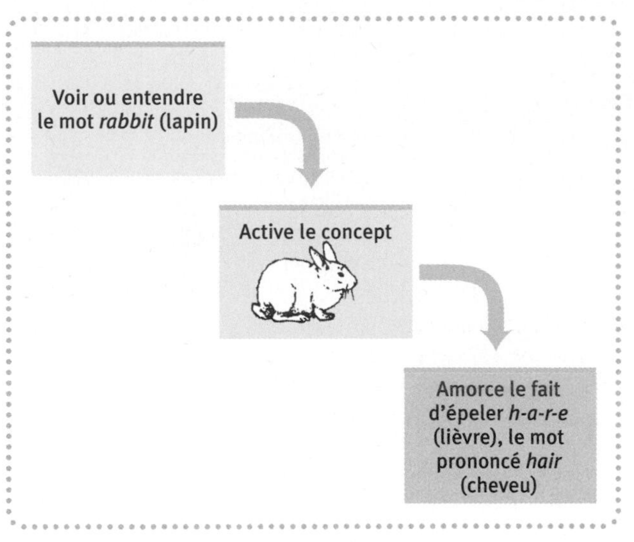

➤ FIGURE 8.16
L'amorçage – réveiller les associations Après avoir vu ou entendu le mot *rabbit* (lapin), nous sommes ensuite plus enclins à épeler le mot *hair* (cheveu), comme *hare* (lièvre), lorsque nous l'entendons prononcer. La diffusion des associations peut inconsciemment activer des associations proches. Ce phénomène est appelé amorçage. (Adapté de Bower, 1986.)

conscients. Comme l'indique la FIGURE 8.16, voir ou entendre le mot *rabbit* (lapin) amorce l'association avec *hare* (lièvre), même si nous ne nous souvenons pas d'avoir entendu ni vu le mot *rabbit*.

L'amorçage est souvent une « mémoire sans mémoire », une mémoire invisible sans souvenir explicite. Quand vous traversez un couloir, si vous voyez une affiche signalant la disparition d'un enfant, vous serez inconsciemment « amorcés » et interpréterez une relation ambiguë entre un enfant et un adulte comme un enlèvement éventuel (James, 1986). Bien que vous n'ayez pas un souvenir conscient de cette affiche, elle prédispose votre interprétation. Rencontrer quelqu'un qui nous rappelle une autre personne que nous avons rencontrée préalablement peut réveiller nos sentiments associés avec cette première personne, et nous pouvons ensuite les transférer dans le nouveau contexte (Andersen et Saribay, 2005 ; Lewicki, 1985). (Comme nous l'avons vu au chapitre 6, même les stimuli subliminaux peuvent brièvement amorcer nos réponses aux stimuli ultérieurs.)

• Posez deux questions très rapides à un ami : (a) Comment prononces-tu le mot épelé par les lettres *s-h-o-p* ? (b) Que fais-tu quand tu arrives à un feu vert ? Si votre ami répond « stop » à la seconde question, vous avez démontré l'amorçage. •

Effets de contexte

8. Comment les contextes extérieurs et les émotions internes peuvent-ils influencer le rappel de nos souvenirs ?

Vous replacer vous-même dans le contexte où vous avez vécu quelque chose peut amorcer le rappel de vos souvenirs. Duncan Godden et Alan Baddeley (1975) le découvrirent en faisant écouter à des plongeurs une liste de mots dans deux situations différentes, soit 3 mètres sous l'eau, soit assis sur la plage. Comme le montre la FIGURE 8.17 page suivante, les plongeurs se souvenaient de plus de mots lorsqu'ils étaient testés à la même place que lors de l'apprentissage.

Vous pouvez avoir vécu des effets de contexte semblables. Envisagez cette scène : vous êtes en train de prendre des notes sur ce chapitre et vous réalisez que vous avez besoin de tailler votre crayon. Vous vous levez et descendez. Cependant, une fois en bas, vous ne vous souvenez plus pourquoi vous êtes là. Après être retourné à votre bureau, vos souvenirs vous reviennent : « Je voulais tailler ce crayon ! » Que s'est-il donc passé pour que cette expérience frustrante se produise ? Dans un contexte (le bureau, lisant ce livre de psychologie), vous réalisez que votre crayon doit être taillé. Lorsque vous descendez, vous vous déplacez dans un autre contexte où peu d'indices vous conduisent à la pensée qui vous a mené ici. Lorsque vous retournez à votre bureau, vous revenez dans le contexte où vous avez encodé cette pensée (« mon crayon n'a plus de mine »).

Au cours de plusieurs expériences, Carolyn Rovee-Collier (1993) observa qu'un contexte familier active les souvenirs même chez un nourrisson de 3 mois. Après avoir appris qu'un coup de pied peut faire bouger un mobile dans un berceau (par l'intermédiaire d'un ruban relié à la cheville), l'enfant utilise cet apprentissage en donnant davantage de coups de pied lorsqu'on le replace dans le même berceau avec le même tour de berceau plutôt que dans un contexte différent.

:: Amorçage : activation souvent inconsciente d'associations particulières dans la mémoire.

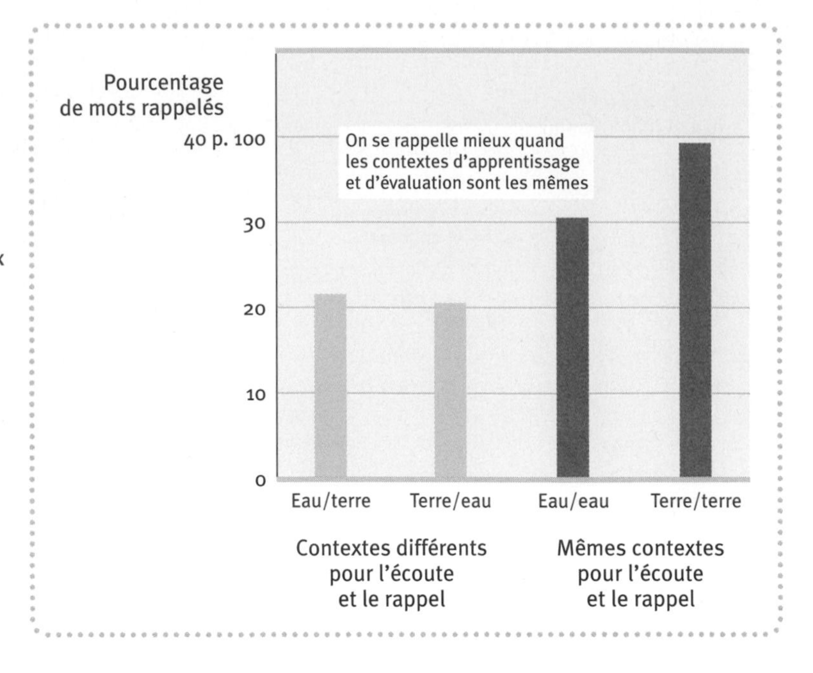

➤ FIGURE 8.17
Les effets de contexte sur la mémoire
Des mots entendus sous l'eau sont mieux rappelés sous l'eau ; des mots entendus sur la terre sont mieux rappelés sur la terre. (Adapté de Godden et Baddeley, 1975.)

Dans certains cas, se trouver dans un contexte semblable à une situation précédente peut déclencher une impression de **déjà-vu**. Les deux tiers d'entre nous ont déjà vécu cette sensation fugace et étrange d'avoir « déjà vécu exactement la même situation », mais elle se produit le plus souvent chez de jeunes adultes ayant une bonne éducation et beaucoup d'imagination, en particulier lorsqu'ils sont fatigués ou stressés (Brown, 2003, 2004 ; McAneny, 1996). Certains se demandent : « Comment puis-je reconnaître une situation que je vis pour la première fois ? » D'autres peuvent penser à un phénomène de réincarnation (« j'ai dû vivre la même chose dans une vie antérieure ») ou à une prémonition (« j'ai vu cette scène en esprit avant de la vivre »).

Si nous posons la question différemment (« pourquoi ai-je l'impression de reconnaître cette situation ? »), nous pouvons voir comment notre système mnésique peut produire la sensation de déjà-vu (Alcock, 1981). La situation actuelle peut être chargée d'indices qui, inconsciemment, retrouvent une expérience similaire ancienne. (Nous prenons et conservons de grandes quantités d'informations alors que nous remarquons à peine et oublions souvent d'où elles proviennent.) Ainsi, si dans un contexte de ce genre, vous voyez un étranger dont l'allure et la démarche ressemblent à celles de l'un de vos amis, la ressemblance peut donner naissance à une sensation étrange de reconnaissance. Ayant réveillé l'ombre de cette expérience antérieure, vous pouvez penser « j'ai déjà vu cette personne dans cette situation auparavant ».

« Avez-vous déjà ressenti cette étrange sensation de vujà dé. Pas déjà-vu ; vujà dé. C'est le sentiment bien particulier que, pour une raison quelconque, quelque chose qui n'est jamais arrivé avant vient juste d'arriver. Rien ne semble familier. Puis subitement, le sentiment s'en va. Vujà dé. »
George Carlin (1937-2008), *Funny Times*, décembre 2001

Peut-être, suggère James Lampinen (2002), une situation semble familière lorsqu'elle ressemble plus ou moins à plusieurs autres. Imaginez par exemple que vous rencontriez rapidement mon père, mes frères, ma sœur et mes enfants ; puis, quelques semaines plus tard, vous faites ma connaissance. Vous penserez peut-être : « J'ai déjà rencontré cette personne auparavant. » Bien qu'aucun des membres de ma famille ne me ressemble ou agisse comme moi (tant mieux pour eux), ils ont des traits et des gestes semblables aux miens et je peux représenter un « lien global » avec ce que vous avez déjà vécu.

Une autre théorie encore, parmi plus de 50 proposées, attribue le phénomène du déjà-vu à notre double traitement. Souvenez-vous que nous assemblons nos perceptions à partir de traitements d'informations qui se produisent simultanément sur plusieurs pistes. S'il existe un léger « hic » neural et qu'une piste du signal est retardée, cela peut peut-être ressembler à une répétition d'une piste plus ancienne, créant l'illusion que nous sommes en train de revivre quelque chose (Brown, 2004b).

Humeur et souvenirs

:: Déjà-vu : impression curieuse « d'avoir déjà vécu cela auparavant ». Les indices présents dans la situation actuelle peuvent susciter d'une manière subconsciente la récupération d'une expérience antérieure.

Les mots, les événements et les contextes associés ne sont pas les seuls indices de rappel. Les événements du passé ont pu susciter une *émotion* particulière, qui plus tard peut amorcer en nous le rappel des événements associés. Le psychologue cognitiviste Gordon Bower (1983) explique ainsi : « Une émotion est comme une pièce de bibliothèque dans laquelle on entrepose des souvenirs. On retrouve mieux ces souvenirs si l'on retourne dans cette pièce émotionnelle. » Les choses que nous apprenons dans un état particulier, que nous soyons sobres ou que nous ayons bu, sont parfois plus facilement rappelées lorsque nous sommes de nouveau dans le même état. On appelle ce phénomène subtil *souvenir dépendant de l'état.* Ce que nous apprenons lorsque nous sommes ivres, nous nous en rappelons mal dans *n'importe quel* état (l'alcool interfère avec le stockage). Mais nous pouvons un peu mieux nous en rappeler lorsque nous sommes de nouveau ivres. Une personne qui cache de l'argent lorsqu'elle est ivre peut en oublier l'endroit jusqu'à ce qu'elle soit de nouveau ivre.

Nos humeurs fournissent un exemple d'état de dépendance mnésique. Les émotions qui accompagnent les bons et les mauvais événements deviennent des indices de rappel (Fiedler et coll., 2001). Nos souvenirs sont en quelque sorte **congruents à l'humeur**. Si vous avez passé une mauvaise soirée (votre rendez-vous n'est pas venu, votre casquette de la Toledo Mud Hens a disparu, votre télé s'est éteinte 10 minutes avant la fin de l'énigme), votre mauvaise humeur peut faciliter le rappel d'autres mauvais moments. Le fait d'être déprimé aigrit nos souvenirs en amorçant des associations négatives que nous utilisons ensuite pour expliquer notre humeur actuelle. Si les gens sont d'une humeur euphorique, que cela soit sous hypnose ou à cause des événements du jour (la victoire à la Coupe du monde de football pour un sujet allemand dans une étude), ils se remémorent le monde au travers de lunettes teintées en rose (DeSteno et coll., 2000 ; Forgas et coll., 1984 ; Schwarz et coll., 1987). Ils se jugent compétents et efficaces, considèrent les autres comme bienveillants et ont plus de chances de voir les événements agréables.

Connaissant cette relation humeur-mémoire, cela ne devrait donc pas nous surprendre que dans certaines études, des sujets *actuellement* déprimés se souviennent de leurs parents comme les ayant rejetés, punis et culpabilisés, alors que des gens *précédemment* déprimés, mais qui ne le sont plus, décrivent leurs parents de la même façon que ceux qui n'ont jamais connu la dépression (Lewinsohn et Rosenbaum, 1987 ; Lewis, 1992). De même, l'appréciation que donnent les adolescents sur la chaleur affective de leurs parents au cours d'une semaine donne peu d'indices sur la manière dont ils la décriront six semaines plus tard (Bornstein et coll., 1991). Lorsque les adolescents sont « abattus », leurs parents leur semblent inhumains. Lorsque leur humeur s'éclaircit, leurs parents se métamorphosent de démons en anges. Vous et moi pouvons hocher la tête d'un air entendu. Malgré tout, de bonne ou de mauvaise humeur, nous persistons à attribuer nos variations de jugement et de souvenirs à la réalité.

L'effet de votre humeur sur le rappel permet d'expliquer pourquoi l'humeur persiste. Lorsque vous êtes heureux, vous vous souvenez de moments heureux et vous voyez le monde comme un endroit où règne le bonheur, ce qui permet de prolonger la bonne humeur. Déprimé, vous vous souvenez d'événements tristes, ce qui assombrit votre interprétation des événements présents. Pour ceux qui sont sujets à la dépression, ce processus peut aider à entretenir un cercle vicieux et leur faire broyer du noir.

« Je n'arrive pas à me rappeler de quoi nous discutions. Continue de hurler, peut-être cela va nous revenir. »

« Lorsqu'un sentiment était présent, ils pensaient qu'il ne s'en irait jamais ; lorsqu'il était passé, ils se sentaient comme s'il n'avait jamais été là ; lorsqu'il revenait, ils se sentaient comme s'il n'était jamais parti. »
George MacDonald, *What's Mine's Mine*, 1886

L'humeur influence non seulement nos souvenirs, mais aussi la façon dont nous *interprétons* le comportement des autres. De mauvaise humeur, nous percevons le regard de quelqu'un comme furieux et nous nous sentons encore pire ; si nous sommes de bonne humeur, nous encodons le même regard comme bienveillant et nous nous sentons encore mieux. Les passions exagèrent tout.

AVANT D'ALLER PLUS LOIN...

➤ **INTERROGEZ-VOUS**

Quelle a été votre humeur dernièrement ? De quelle manière a-t-elle coloré vos souvenirs, votre perception et vos attentes ?

➤ **TESTEZ-VOUS 4**

Qu'est-ce que l'amorçage ?

Les réponses aux questions « Testez-vous » sont données dans l'annexe B à la fin de l'ouvrage.

L'oubli

9. Pourquoi oublions-nous ?

PARMI TOUTES LES LOUANGES ADRESSÉES À LA MÉMOIRE, tous les efforts pour la comprendre et tous les livres destinés à l'améliorer, a-t-on jamais entendu une voix s'élever et plaider en faveur de l'oubli ? William James (1890, p. 680) s'en fit pourtant le défenseur : « Si nous nous souvenions de tout, nous serions la plupart du temps en aussi mauvaise posture que si nous ne nous souvenions de rien. » Éliminer la masse d'informations inutiles ou périmées, comme l'endroit où nous avions garé la voiture hier, l'ancien numéro de

« L'amnésie s'immisce dans les fissures de notre cerveau et l'amnésie guérit. »
Joyce Carol Oates, « *Words Fail, Memory Blurs, Life Wins* », 2001

:: Mémoire congruente à l'humeur : tendance à se rappeler d'expériences congruentes à sa bonne ou sa mauvaise humeur actuelle.

téléphone d'un ami, les plats au restaurant déjà préparés et servis, constitue certainement une bénédiction. Le Russe « S », à la mémoire prodigieuse, que nous avons rencontré au début de ce chapitre, était obsédé par cet amoncellement de vieux souvenirs qui revenaient continuellement à sa conscience. Il avait des difficultés à penser de façon abstraite, à généraliser, à organiser et à évaluer. Après avoir lu une histoire, il pouvait la réciter mais avait du mal à résumer l'essentiel.

Un cas plus récent d'une vie dépassée par la mémoire est celui de « A. J. », dont l'expérience a été étudiée et vérifiée par une équipe de recherche de l'université de Californie à Irvine (Parker et coll., 2006). A. J., qui s'appelle en réalité Jill Price, parle de sa mémoire « comme d'un film qui ne s'arrête jamais. C'est comme un écran divisé. Je parle à quelqu'un et je vois quelque chose d'autre... À chaque fois que je vois une date à la télévision (ou n'importe où d'ailleurs), je retourne automatiquement à ce jour et je me souviens de l'endroit où j'étais, de ce que je faisais, de quel jour c'était, et encore et toujours, et encore et toujours. Cela ne s'arrête jamais, c'est incontrôlable et totalement épuisant ». Il est utile d'avoir une bonne mémoire mais tout autant d'avoir la capacité d'oublier. Si l'on vient à disposer d'un médicament augmentant la mémoire, il vaut mieux qu'il ne soit pas *trop* efficace.

Le plus souvent, cependant, nous sommes consternés et frustrés par notre mémoire. Nos souvenirs sont capricieux. Ma propre mémoire peut facilement retrouver certains épisodes tels que ce premier baiser merveilleux que j'ai échangé avec la femme que j'aime ou encore des faits peu importants comme le nombre total de kilomètres à vol d'oiseau entre Londres et Détroit. En revanche, ma mémoire m'abandonne quand je découvre que je n'arrive pas à encoder, stocker ou rappeler le nom d'un nouveau collègue ou l'endroit où j'ai posé mes lunettes de soleil. Daniel Schacter (1999), spécialiste de la mémoire, énumère les sept raisons qui font que notre mémoire nous fait défaut – les sept péchés de la mémoire, comme il les appelle :

• Le violoncelliste Yo-Yo Ma oublia son violoncelle d'une valeur de 2,5 millions de dollars dans un taxi new-yorkais. Ce violoncelle avait 266 ans. (Il le retrouva par la suite.) •

Les trois péchés d'oubli :

- La *distraction* : le manque d'attention aux détails entraîne un échec de l'encodage (notre esprit est ailleurs quand nous posons nos clés de voiture à un endroit).
- Le *caractère transitoire de la mémoire* : le stockage s'affaiblit avec le temps (une fois que nous avons interrompu les relations avec nos anciens camarades de classe, les informations non utilisées s'effacent peu à peu).
- Le *blocage* : inaccessibilité de l'information stockée (en voyant un acteur dans un vieux film, son nom peut se trouver sur le bout de la langue, mais le rappel échoue, on ne parvient pas à ressortir l'information).

Les trois péchés de déformation :

- Une *mauvaise attribution* : confusion de la source d'information (on attribue des mots à une autre personne ou on se souvient d'un rêve comme d'un événement qui s'est réellement passé).
- La *suggestibilité* : effet de rémanence d'une information erronée (une question orientée – « Est-ce que M. Jones a touché tes parties intimes ? » – peut se transformer en faux souvenir chez le jeune enfant).
- Le *biais* : les souvenirs sont influencés par les croyances (les sentiments actuels éprouvés par une personne envers un ami peuvent colorer le souvenir des sentiments initiaux).

« Oh, c'est aujourd'hui ? »

Le péché d'intrusion :

- La *persistance* : souvenirs non désirés (le fait d'être hanté par les images d'une agression sexuelle).

Considérons tout d'abord les péchés d'oubli, puis nous verrons ceux de déformation et d'intrusion.

Échec de l'encodage

Nous ne nous apercevons pas d'une grande partie de ce que nous sentons, et ce que nous n'arrivons pas à encoder, nous ne nous en souviendrons jamais (FIGURE 8.18). L'âge peut influer sur l'efficacité de l'encodage. Les zones du cerveau qui sont très actives quand les jeunes adultes encodent de nouvelles informations le sont moins chez les adultes plus âgés. Cet encodage plus lent explique le déclin de la mémoire avec l'âge (Grady et coll., 1995).

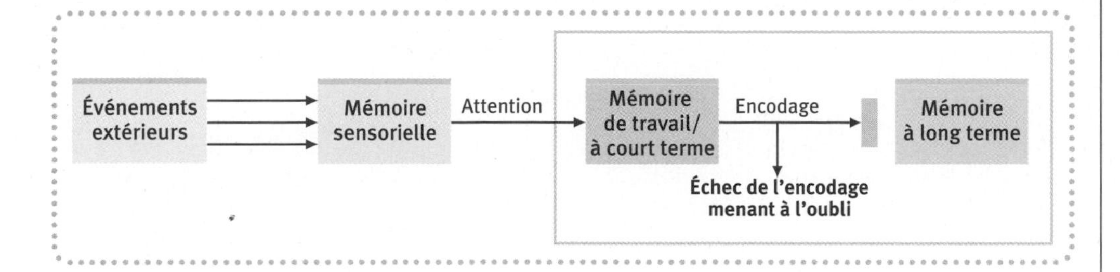

➤ FIGURE 8.18
L'oubli en tant qu'échec de l'encodage Nous ne pouvons pas nous souvenir de ce que nous n'avons pas encodé.

Peu importe notre âge, nous ne sélectionnons et ne remarquons que quelques éléments de la myriade d'images et de sons qui nous bombardent constamment. Prenez cet exemple : si vous vivez en Amérique du Nord, en Grande-Bretagne ou en Australie, vous avez vu des milliers de pennies au cours de votre vie. Vous pouvez certainement vous rappeler leur couleur et leur taille, mais vous rappelez-vous à quoi ressemble le côté face ? Si ce n'est pas le cas, rendons le test de mémoire plus facile : si les pièces en usage aux États-Unis vous sont familières, pouvez-vous reconnaître le vrai penny sur la FIGURE 8.19 ? La plupart des gens en sont incapables (Nickerson et Adams, 1979). Parmi les huit traits distinctifs majeurs présents sur cette pièce (le profil de Lincoln, la date, « *In God we trust* », etc.), la moyenne des individus se souvient spontanément que de trois éléments.

« Nous pensons que chaque instant de notre vie est rempli. À chaque seconde, nous sommes bombardés de sensations, d'émotions et de pensées... dont nous ignorons les neuf dixièmes. Le passé est une cataracte vrombissante constituée de milliards et de milliards de manifestations de ce genre, chacune bien trop complexe pour être saisie dans son intégralité ; la somme de ces manifestations dépasse l'imagination... À chaque mouvement d'aiguilles de l'horloge, dans chaque partie du monde, l'inimaginable richesse et la variété de l'histoire nous plongent dans un oubli total. »

C. S. Lewis, critique et romancier anglais (1967)

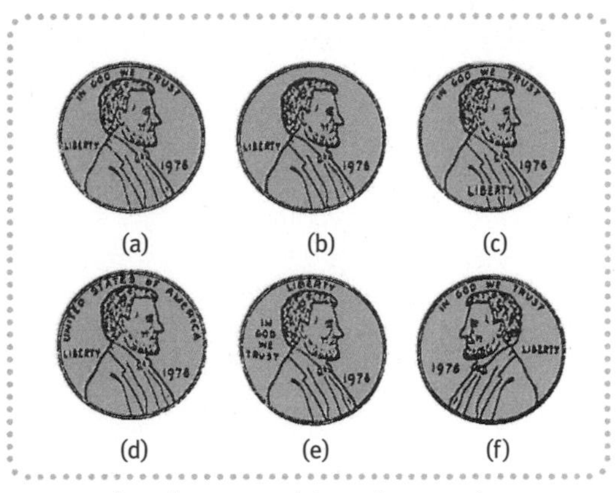

La première pièce (a) est le vrai penny.

➤ FIGURE 8.19
Testez votre mémoire Lequel de ces pennies est le vrai ? (Si vous ne vivez pas aux États-Unis, essayez de dessiner de mémoire l'une des pièces de votre pays.) (D'après Nickerson et Adams, 1979.) *Voir* la réponse inversée ci-dessous.

De la même manière, peu de Britanniques peuvent dessiner de mémoire la pièce de *one-pence* (Richardson, 1993). Les détails de cette pièce d'un penny n'ont pas grande signification – ils ne sont pas essentiels pour la distinguer des autres pièces – et peu d'entre nous font l'effort de les encoder. Comme nous l'avons vu plus tôt, nous encodons certaines informations de façon automatique, comme l'endroit où nous avons dîné hier ; d'autres types d'informations, comme les concepts de ce chapitre, nécessitent un traitement contrôlé. Sans effort, de nombreux souvenirs ne se forment jamais.

Le déclin du stockage

Même si nous avons encodé quelque chose correctement, nous pouvons parfois l'oublier avec le temps. Afin de tester la durabilité des souvenirs stockés, Ebbinghaus (1885) apprit davantage de listes de syllabes sans signification et mesura combien il en avait retenu en réapprenant chaque liste, de 20 minutes à 30 jours plus tard. Ses résultats, confirmés par des expériences ultérieures, ont donné sa fameuse courbe de l'oubli : l'oubli est initialement rapide, puis s'atténue avec le temps (FIGURE 8.20, page suivante ; Wixted et Ebbesen, 1991). Une de ces expériences fut l'étude d'Harry Bahrick (1984) de la courbe de l'oubli pour le vocabulaire espagnol appris à l'école. Comparés à ceux qui viennent juste de terminer un cursus d'espagnol au collège ou au lycée, ceux qui sont sortis de l'école depuis 3 ans ont oublié une grande partie de ce

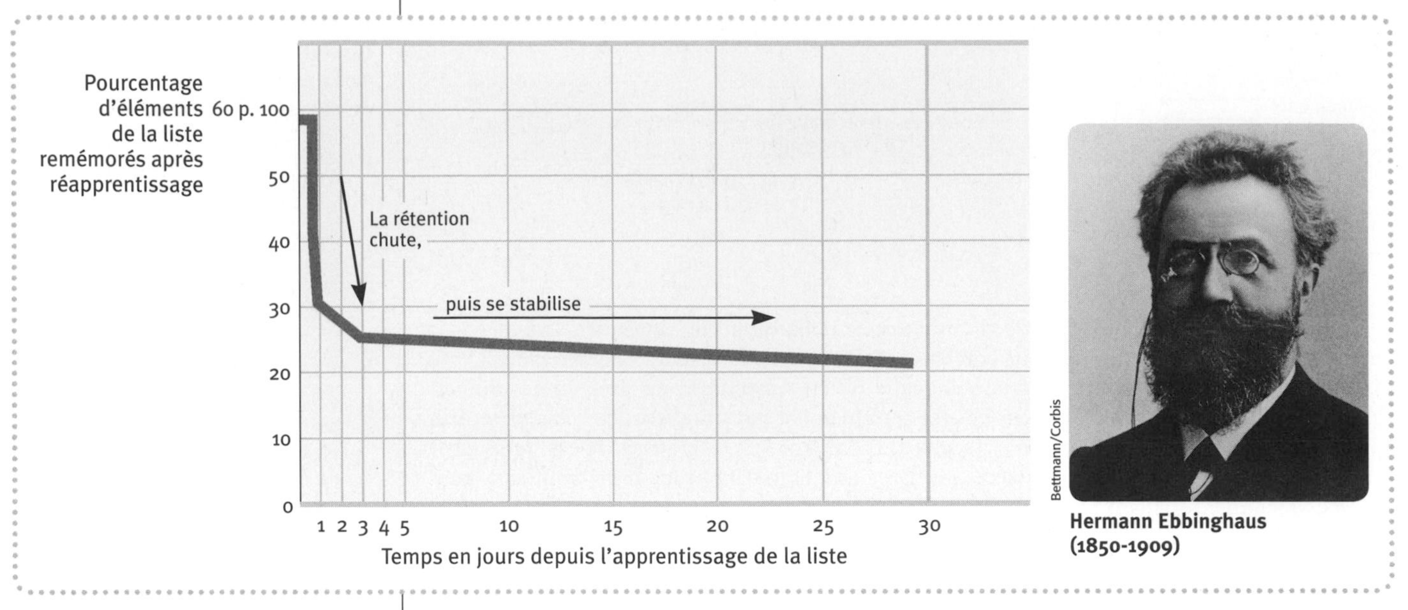

Hermann Ebbinghaus (1850-1909)

➤ FIGURE 8.20
Courbe de l'oubli d'Ebbinghaus
Après avoir appris des listes de syllabes sans signification, Ebbinghaus étudia combien il en avait retenu jusqu'à 30 jours plus tard. Il remarqua que la mémoire des informations nouvelles s'évanouit rapidement, puis se stabilise. (Adapté d'Ebbinghaus, 1885.)

qu'ils avaient appris (FIGURE 8.21). Cependant ce dont les gens se souviennent à ce moment-là, ils s'en souviendront encore 25 ans plus tard. Leur oubli s'est stabilisé.

L'une des explications de ces courbes de l'oubli est une diminution progressive de la trace mnésique physique. Les neuroscientifiques cognitivistes se rapprochent de plus en plus de la solution du mystère du stockage physique de la mémoire et améliorent notre compréhension de la manière dont le stockage de la mémoire décline. Mais les souvenirs s'effacent également pour d'autres raisons, dont l'accumulation d'apprentissages qui perturbent le rappel.

➤ FIGURE 8.21
La courbe de l'oubli du vocabulaire d'espagnol appris à l'école Comparées aux personnes qui viennent juste d'arrêter les cours d'espagnol, celles qui les ont terminés 3 ans plus tôt ont des souvenirs beaucoup plus faibles. En revanche, ceux qui ont étudié l'espagnol il y a plus longtemps encore s'en souviennent presque aussi bien que ces derniers. (Adapté de Bahrick, 1984.)

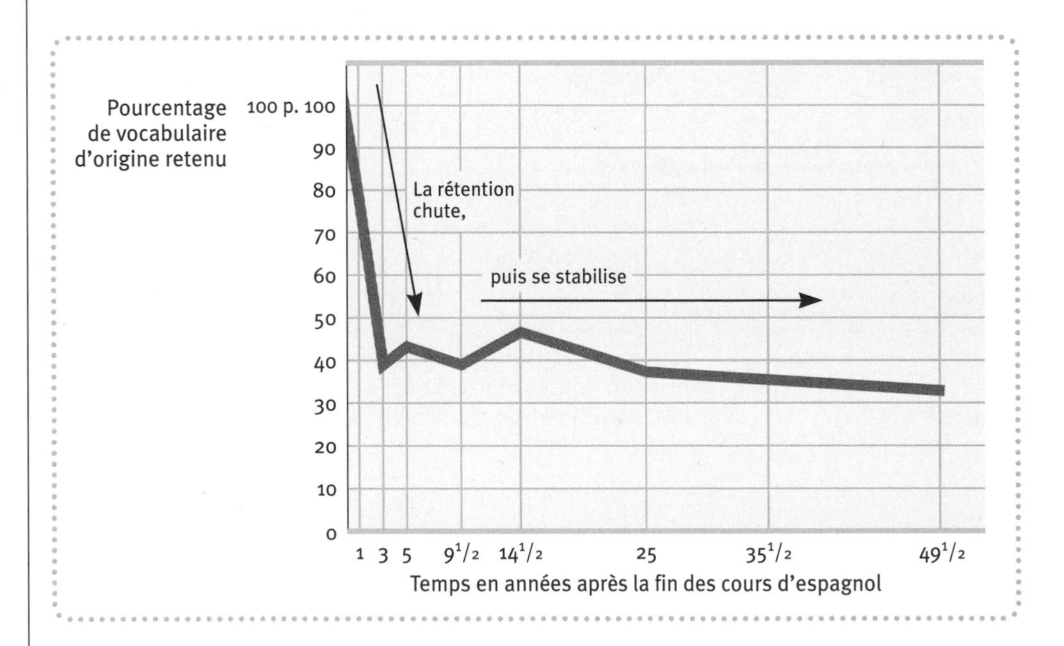

Échec du rappel

Nous avons vu que les événements oubliés sont comme des livres que vous ne pouvez pas trouver dans la bibliothèque de votre université, certains parce qu'ils n'ont jamais été achetés (non encodés), d'autres parce qu'ils n'ont pas été conservés (déclin de la mémoire stockée).

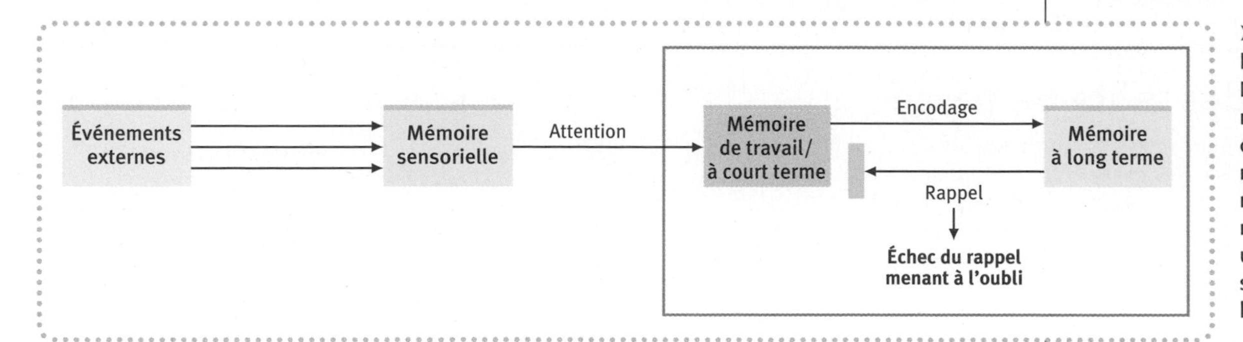

➤ FIGURE 8.22
Échec du rappel
Nous stockons dans notre mémoire à long terme ce qui est important pour nous ou ce que nous avons répété. Mais parfois, nous ne pouvons pas accéder à une information qui a été stockée, ce qui conduit à l'oubli.

Cependant, il existe une troisième possibilité : le livre est là mais il est inaccessible parce que vous n'avez pas l'information requise pour le rechercher et le récupérer. Comme c'est frustrant lorsque nous savons que l'information « est là » mais nous ne pouvons pas la faire sortir (FIGURE 8.22), comme lorsque le nom d'une personne reste bloqué sur le bout de la langue attendant d'être récupéré. Si on nous donne un indice de rappel (« ça commence par un *M* »), nous pouvons facilement nous rappeler ces souvenirs fugitifs. On trouve souvent des problèmes de rappel derrière les trous de mémoire occasionnels des adultes plus âgés, qui sont bien plus fréquemment frustrés par ces oublis sur le bout de la langue (Abrams, 2008). Bien souvent, l'oubli ne provient pas d'un souvenir qui n'a pas été conservé, mais d'un souvenir qui n'est pas retrouvé.

::**Interférence proactive** : effet perturbateur d'un apprentissage antérieur sur le rappel d'informations nouvelles.

::**Interférence rétroactive** : effet perturbateur d'un apprentissage nouveau sur le rappel d'informations anciennes.

• Les sourds qui parlent couramment le langage des signes connaissent un phénomène comparable, « sur le bout des doigts » (Thompson et coll., 2005). •

Interférence

L'apprentissage de certains éléments peut interférer avec le rappel d'autres, particulièrement si ces éléments sont similaires. Si quelqu'un vous donne un numéro de téléphone, vous allez être capable de vous en souvenir plus tard. Mais si deux autres personnes vous donnent leur numéro de téléphone, chaque numéro successif sera plus difficile à retenir. De même, si vous achetez un nouveau cadenas à code, le souvenir de votre ancien code peut interférer avec le nouveau. Une telle **interférence proactive** (*agissant vers l'avant*) se produit lorsque quelque chose que vous avez appris précédemment perturbe le rappel de quelque chose que vous mémorisez plus tard. À mesure que vous rassemblez de plus en plus d'informations, votre « grenier » mental ne se remplit jamais, mais il s'encombre certainement. La capacité à régler cet encombrement nous aide à nous concentrer, comme l'a montré une expérience. Lorsqu'on leur demandait de se souvenir de certains couples de nouveaux mots parmi une liste (« GRENIER-poussière », « GRENIER-bazar », etc.), certains participants arrivaient mieux à oublier les couples de mots non pertinents (ce qui était vérifié par la baisse d'activité de la zone cérébrale impliquée). Et c'était ces mêmes personnes qui étaient les plus concentrées et se souvenaient le mieux des couples de mots à mémoriser (Kuhl et coll., 2007). Parfois l'oubli est adaptatif.

L'**interférence rétroactive** (*agissant vers l'arrière*) se produit lorsqu'une information nouvelle rend plus difficile le rappel de quelque chose que vous avez appris auparavant. C'est un peu comme le lancement d'une deuxième pierre dans un étang qui perturbe les remous provoqués par la première. (*Voir* Gros Plan : Se rappeler les mots de passe, page suivante.)

Les informations présentées dans l'heure qui précède le coucher sont protégées de l'interférence rétroactive parce que les risques qu'il se produise des événements interférents sont réduits. Les chercheurs John Jenkins et Karl Dallenbach (1924) découvrirent cela au cours d'une expérience désormais classique (FIGURE 8.23). Jour

➤ FIGURE 8.23
Interférence rétroactive L'oubli est encore plus important lorsqu'une personne reste éveillée et vit des événements nouveaux. (D'après Jenkins et Dallenbach, 1924.)

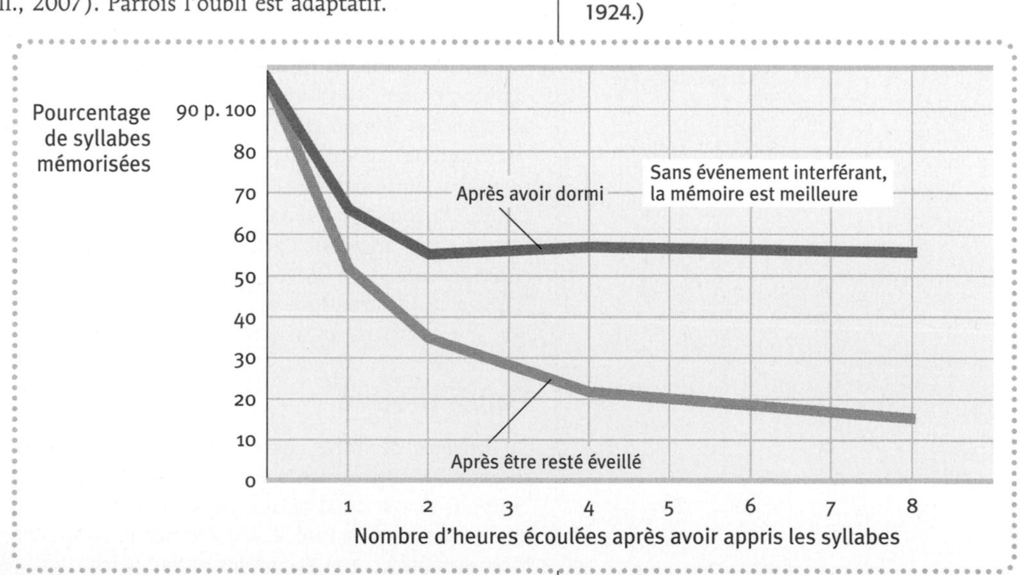

GROS PLAN

Se rappeler des mots de passe

Il y a une chose que vous utilisez très souvent contrairement à vos grands-parents au même âge : des mots de passe. Pour ouvrir votre courriel, appeler votre messagerie vocale, retirer de l'argent au distributeur, accéder à votre carte téléphonique, utiliser la photocopieuse ou persuader le digicode d'ouvrir la porte de votre immeuble, vous devez vous souvenir du mot de passe. Selon Alan Brown et ses collaborateurs (2004), un étudiant typique a besoin de huit mots de passe.

Avec tant de mots de passe, comment faire ? Comme le montre la FIGURE 8.24, nous sommes submergés d'interférences proactives provenant des anciennes informations inutiles et d'interférences rétroactives provenant des nouvelles informations apprises.

Henry Roediger, spécialiste de la mémoire, utilise une approche simple pour conserver tous les codes importants (téléphone, code PIN et numéros de code) qu'il utilise quotidiennement : « J'ai une feuille dans la poche de ma chemise avec tous les numéros dont j'ai besoin », dit-il (2001), ajoutant qu'il n'arrive pas à se les rappeler tous mentalement, alors pourquoi s'embêter ? Il y a d'autres stratégies pour aider ceux qui ne veulent pas perdre leurs codes au lavage. Tout d'abord, les *dupliquer*. L'étudiant moyen utilise quatre mots de passe différents pour composer les huit dont il a besoin. Deuxièmement, *choisir des indices de rappel*. Des études menées au Royaume-Uni et aux États-Unis révèlent qu'environ la moitié de nos mots de passe sont liés à un nom ou une date qui nous sont familiers. D'autres impliquent souvent un numéro de téléphone familier ou notre numéro de sécurité sociale.

Troisièmement, conseillent Brown et ses collaborateurs, pour les paiements en ligne et d'autres situations où la sécurité est essentielle, *utilisez un mélange de lettres et de chiffres*. Après avoir composé ce type de mot de passe, répétez-le, puis répétez-le le jour suivant, et continuez à le répéter en augmentant l'intervalle de temps. De cette façon, il se formera un souvenir à long terme que vous pourrez rappeler quand vous serez devant le distributeur ou la photocopieuse.

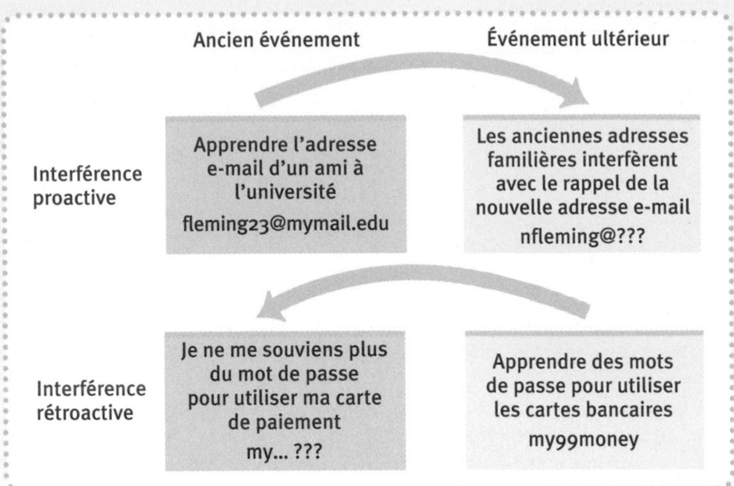

➤ FIGURE 8.24
Interférence proactive et rétroactive

après jour, deux personnes apprirent chacune des syllabes sans signification et essayèrent de s'en rappeler jusqu'à 8 heures après, soit en étant restées éveillées, soit après avoir dormi. Comme le montre la figure 8.23, l'oubli survient plus rapidement lorsque le sujet est resté éveillé et s'est adonné à d'autres activités. Les expérimentateurs supposèrent que « l'oubli n'est pas tellement un problème de déclin des impressions et associations anciennes, mais plutôt un problème d'interférence, d'inhibition ou d'oblitération des anciennes par les nouvelles » (1924, p. 612). Des expériences ultérieures ont confirmé les bénéfices du sommeil et que l'heure qui précédait le coucher constituait un bon moment pour transmettre des informations à la mémoire (Benson et Feinberg, 1977 ; Fowler et coll., 1973 ; Nesca et Koulack, 1994). Mais pas les secondes juste avant de dormir ; les informations présentées alors sont rarement mises en mémoire (Wyatt et Bootzin, 1994). Les informations que l'on écoute pendant le sommeil ne sont pas davantage mémorisées, bien que les oreilles les aient enregistrées (Wood et coll., 1992).

L'interférence est une cause importante d'oubli, ce qui peut expliquer pourquoi nous oublions vite les publicités que l'on voit pendant des programmes télévisés violents ou érotiques (Bushman et Bonacci, 2002). Mais nous ne devons pas exagérer ce point. Parfois, une information ancienne facilite notre apprentissage d'une nouvelle information. La connaissance du latin peut aider l'apprentissage du français, phénomène appelé *transfert positif*. C'est lorsque les informations anciennes et nouvelles entrent en compétition les unes avec les autres que se produisent les interférences.

Oubli motivé

Se souvenir de notre passé c'est souvent le revoir. Il y a quelques années, la grande boîte à gâteaux de notre cuisine était remplie de cookies aux pépites de chocolat qui venaient d'être cuits ; il y en avait d'autres qui refroidissaient, étalés sur des claies posées sur la table. Vingt-quatre heures plus tard, il n'en restait plus une miette. Qui les avaient pris ? Ma femme, mes trois enfants et moi étions les seules personnes présentes dans la maison pendant ce temps.

Ainsi, pendant que les souvenirs étaient encore frais, j'ai immédiatement entrepris un petit test de mémoire. Andy reconnut en avoir engouffré une vingtaine ; Peter admit en avoir mangé 15 ; Laura, âgée alors de 6 ans, en avait englouti 15 ; et ma femme Carole s'est souvenue en avoir mangé 6. Je me suis rappelé en avoir mangé 15 et en avoir emmené 18 de plus au bureau. Nous avons accepté un peu honteusement la responsabilité pour 89 gâteaux. Nous étions encore loin du compte, il y en avait 160.

Cela n'aurait pas surpris Michael Ross et ses collaborateurs (1981) qui, encore et toujours, ont montré que les gens modifiaient leur propre histoire sans s'en rendre compte. Un groupe de personnes à qui on a parlé de l'importance d'un brossage régulier des dents, s'est alors souvenu (plus que d'autres personnes) de s'être régulièrement brossé les dents durant les deux semaines qui avaient précédé.

Même Ralph Haber, un chercheur spécialiste de la mémoire qui, nous l'avons vu précédemment, avait mis en évidence la capacité remarquable des gens à se souvenir de plus de 2 500 visages et endroits, a découvert que sa propre mémoire n'était pas toujours fiable. Dans un exemple, ses souvenirs étaient déformés par sa motivation à se considérer comme quelqu'un d'audacieux, ayant quitté la maison malgré le fait qu'il était choyé par sa mère qui voulait le garder auprès d'elle. Ainsi, il se souvenait d'avoir choisi de quitter l'université du Michigan pour aller à l'école supérieure de Stanford. Dans ses souvenirs, il « sauta de joie » lorsque la lettre d'admission à Stanford arriva et il se prépara avec enthousiasme à partir pour l'ouest. Vingt-cinq ans plus tard, il revint dans le Michigan pour fêter les 80 ans de sa mère. Lisant les lettres qu'il lui avait envoyées pendant ces années, il fut étonné de découvrir qu'il y expliquait sa décision de rester dans le Michigan, jusqu'à ce qu'il cède aux prières passionnées de sa mère lui demandant d'accepter l'offre de Stanford. Parfois, remarquent Carol Tavris et Elliot Aronson (2007) alors qu'ils enregistraient cette histoire, la mémoire est un « historien non fiable à notre service » (pp. 6, 79).

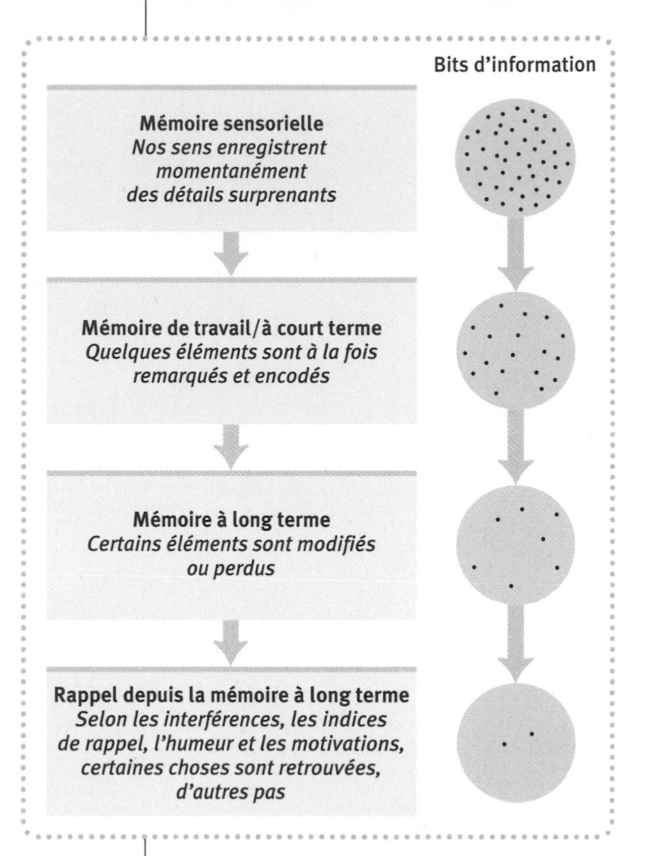

➤ FIGURE 8.25
Quand oublions-nous ? L'oubli peut survenir à toutes les étapes de la mémoire. Lorsque nous traitons l'information, nous en filtrons, modifions ou perdons une grande partie.

Pourquoi nos souvenirs nous font-ils défaut ? Pourquoi ma famille et moi-même ne nous sommes pas rappelés du nombre de gâteaux que chacun d'entre nous avait mangé ? Comme nous le rappelle la FIGURE 8.25, nous encodons automatiquement et de manière très détaillée les informations sensorielles. Alors, était-ce un problème d'encodage ? Ou un problème de stockage – nos souvenirs des gâteaux, comme ceux d'Ebbinghaus concernant les syllabes sans signification, peuvent-ils s'être évanouis aussi vite que les gâteaux eux-mêmes ? Ou alors, se peut-il que l'information soit encore intacte, mais introuvable car il serait gênant de s'en souvenir ?[1]

Sigmund Freud aurait suggéré que nos systèmes de mémoire avaient censuré eux-mêmes cette information. Il proposait que nous **refoulions** les souvenirs douloureux pour protéger l'idée que nous nous faisons de nous-mêmes et diminuer l'anxiété. Mais la mémoire enfouie subsiste toujours, pensait Freud, pour être récupérée par certains indices ultérieurs ou par une analyse. Voici un cas simple. Une femme avait une peur intense et inexpliquée de l'eau courante. Un jour, sa tante chuchota : « Je ne l'ai jamais dit. » Comme si elle avait rallumé une bougie, ces mots orientèrent la mémoire de la femme vers un incident survenu durant son enfance. Petite fille désobéissante, elle s'était éloignée d'un pique-nique familial et avait été emprisonnée derrière une chute d'eau jusqu'à son sauvetage par sa tante, qui lui avait promis de ne rien dire à ses parents (Kihlstrom, 1990).

Le refoulement était l'élément central de la psychologie freudienne (*voir* Chapitre 13) et devint une partie des connaissances de la psychologie. Presque tout le monde, y compris 9 étudiants sur 10, croit que « les souvenirs d'expériences douloureuses sont parfois relégués dans l'inconscient » (Brown et coll., 1996). Les thérapeutes utilisent souvent ce concept. Cependant, de plus en plus d'experts en mémoire pensent que le refoulement (s'il a lieu) est peu fréquent. Les efforts des gens à oublier intentionnellement des éléments neutres réussissent souvent mais échouent lorsque les éléments à oublier sont de type émotionnel (Payne et Corrigan, 2007). Ainsi, nous pouvons avoir des remontées de souvenirs d'expériences très traumatisantes que nous préférerions oublier.

:: Refoulement : dans la théorie psychanalytique, mécanisme de défense de base qui bannit de la conscience les souvenirs, les impressions et les pensées suscitant l'anxiété.

1. L'un de mes gloutons de fils, après avoir lu ceci dans le cahier de notes de son père, avoua avoir « légèrement » menti à l'époque.

AVANT D'ALLER PLUS LOIN...

➤ **INTERROGEZ-VOUS**

La plupart des gens, surtout quand ils vieillissent, souhaiteraient avoir une meilleure mémoire. Est-ce le cas pour vous ? Ou alors souhaitez-vous le plus souvent vous débarrasser de vos anciens souvenirs ?

➤ **TESTEZ-VOUS 5**

Pouvez-vous citer un exemple d'interférence proactive ?

Les réponses aux questions « Testez-vous » sont données dans l'annexe B à la fin de l'ouvrage.

La construction mnésique

10. Comment la désinformation, l'imagination et l'amnésie de la source peuvent-elles influencer notre construction mnésique ? Comment ce qui paraît vrai peut-il être un faux souvenir ?

IMAGINEZ-VOUS en train de vivre l'expérience suivante :

> Vous allez dans un restaurant chic pour le dîner. Vous êtes assis à une table avec une nappe blanche. Vous consultez le menu. Vous dites au garçon que vous désirez une côte de bœuf saignante, une pomme de terre au four avec de la crème et une salade sauce roquefort. Vous commandez également du vin rouge sur la carte des vins. Quelques minutes plus tard, le serveur revient avec votre salade. Ensuite, il apporte le reste des plats. Vous appréciez tout sauf le bœuf qui est un peu trop cuit.

Si je vous questionnais tout de suite sur ce paragraphe (tiré de Hyde, 1983), vous pourriez sûrement retrouver une foule de détails. Par exemple, et sans regarder plus haut, répondez aux questions suivantes :

1. Quelle sauce de salade avez-vous commandé ?
2. La nappe était-elle à carreaux rouges ?
3. Qu'avez-vous commandé à boire ?
4. Le garçon vous a-t-il donné le menu ?

Vous êtes probablement capable de vous rappeler exactement ce que vous avez commandé et peut-être la couleur de la nappe. Mais le garçon vous a-t-il donné un menu ? Non, pas dans le paragraphe considéré. Néanmoins, beaucoup de gens répondent *oui*. Nous construisons souvent nos souvenirs au moment de les encoder, et nous pouvons également les modifier lorsque nous les extrayons de notre banque de données. Comme un scientifique qui déduit l'apparence d'un dinosaure à partir de ses vestiges, nous déduisons notre passé à partir des informations stockées en y ajoutant ce que nous avons ensuite imaginé, attendu, vu ou entendu. Comme le remarque Daniel Gilbert (2006, p. 79), nous ne rappelons pas simplement nos souvenirs, nous les retissons, « les informations acquises après un événement altèrent le souvenir de cet événement. »

> « La mémoire ne ressemble pas à la lecture d'un livre, mais plutôt à l'écriture d'un livre à partir de notes fragmentaires. »
> John F. Kihlstrom, psychologue, 1994

Effets de la désinformation et de l'imagination

Dans plus de 200 expériences, impliquant plus de 20000 personnes, Elizabeth Loftus a montré comment des témoins oculaires reconstruisent de la même manière leurs souvenirs lorsqu'on les interroge. Au cours d'une expérience classique, Loftus et John Palmer ont montré un film d'accident de la route à des spectateurs et leur ont ensuite demandé ce qu'ils avaient vu (Loftus et Palmer, 1974). Ceux auxquels on demandait : « à quelle vitesse allaient les véhicules lorsqu'ils se sont *écrasés* l'un contre l'autre ? » ont donné une estimation plus élevée de la vitesse que ceux auxquels on a demandé « à quelle vitesse allaient les véhicules lorsqu'ils se sont *heurtés* ? ». Une semaine plus tard, les chercheurs demandèrent aux spectateurs s'ils se souvenaient d'avoir vu du verre brisé. Ceux à qui on avait posé la question avec « écrasés » étaient deux fois plus nombreux à se souvenir de morceaux de verre (FIGURE 8.26). En fait, le film ne montrait pas de verre brisé.

C'est une de ces merveilleuses journées d'été où je suis submergé de souvenirs de choses qui ne me sont jamais arrivées.
SIPRESS

Dans de nombreuses expériences de suivi effectuées dans le monde entier, des gens ont observé un événement et reçu, ou non, des informations trompeuses à son sujet. Ils ont ensuite effectué un test de mémoire. Le résultat récurrent a mis en évidence un **effet de désinformation** : après avoir subi une désinformation subtile, de nombreuses personnes ont

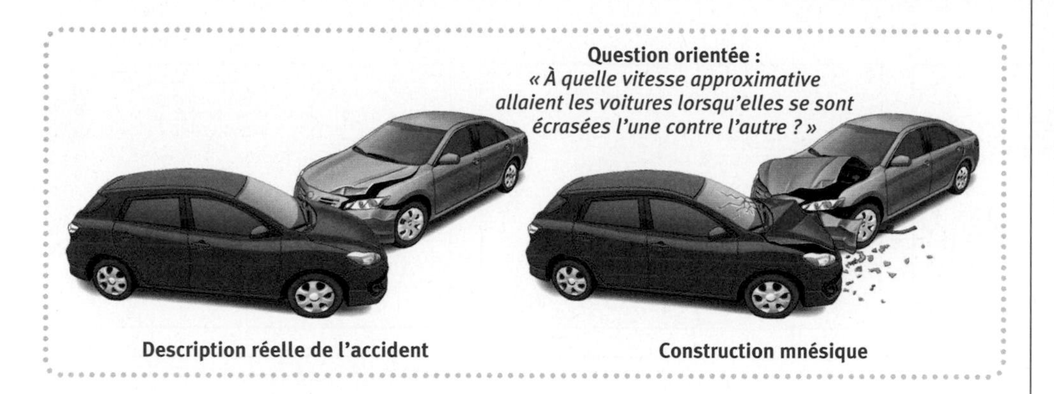
Question orientée :
« À quelle vitesse approximative allaient les voitures lorsqu'elles se sont écrasées l'une contre l'autre ? »
Description réelle de l'accident
Construction mnésique

➤ FIGURE 8.26
Construction mnésique Lorsque l'on pose une question orientée à des gens qui ont vu un film d'accident de la route, ils se souviennent d'un accident plus sérieux que celui dont ils ont été les témoins. (D'après Loftus, 1979.)

un souvenir inexact. Ils se souviennent d'un « céder le passage » au lieu d'un stop, d'un tournevis au lieu d'un marteau, d'un bocal de cacahuètes au lieu d'une canette de soda, du magazine *Mademoiselle* au lieu de *Vogue*, du « Dr Davidson » au lieu du « Dr Henderson », d'un œuf au petit-déjeuner au lieu de céréales, d'un homme à moustaches au lieu d'un homme rasé de près (Loftus et coll., 1992). Une expérience a montré à des participants une photo d'eux-mêmes, modifiée par informatique (une ancienne photographie issue de leur album photo familial), les montrant dans une montgolfière. Après avoir vu cette photographie trois fois sur une période de quinze jours, la moitié des participants se sont « souvenus » de cette expérience qui n'a jamais existé, souvent de manière très détaillée (Wade et coll., 2002). L'esprit humain est livré avec un logiciel de traitement photographique incorporé.

Cet effet de désinformation est tellement inconscient que plus tard nous sommes pratiquement incapables de distinguer parmi nos souvenirs les événements réels ou suggérés (Schooler et coll., 1986). Peut-être vous souvenez-vous d'avoir raconté une expérience et d'avoir rempli les trous de mémoire avec des suppositions et des estimations plausibles. Nous faisons tous cela et après l'avoir raconté plusieurs fois, nous nous souvenons des détails supposés, désormais intégrés à nos souvenirs, comme si nous les avions effectivement observés (Roediger et coll., 1993). Les récits précis d'autres personnes peuvent aussi insinuer de faux souvenirs.

Même le fait d'*imaginer* à plusieurs reprises des actes et des événements qui n'existent pas peut créer de faux souvenirs. Des étudiants qui imaginèrent à maintes reprises des événements simples (casser un cure-dent ou ramasser une agrafeuse par exemple) subirent par la suite une *inflation de l'imagination* ; ils étaient plus enclins à penser qu'ils avaient réellement fait de telles choses pendant la première phase de l'expérience (Goff et Roediger, 1998 ; Seamon et coll., 2006). De même, un quart des étudiants d'universités anglaises et américaines invités à imaginer certains événements survenus dans leur enfance, par exemple qu'ils cassaient une vitre avec leur main ou qu'on leur avait prélevé un échantillon de peau d'un de leurs doigts, se sont ensuite souvenus de cet événement imaginé comme de quelque chose leur étant réellement arrivé (Garry et coll., 1996 ; Mazzoni et Memon, 2003). L'inflation de l'imagination se produit en partie parce que les mêmes aires cérébrales sont activées lorsqu'on visualise quelque chose ou qu'on le perçoit réellement (Gonsalves et coll., 2004).

Des événements imaginés semblent plus familiers par la suite, et les choses familières semblent plus réelles. Ainsi, plus les gens sont capables d'imaginer de choses, plus ils sont aptes à amplifier leur imagination sous forme de souvenir (Loftus, 2001 ; Porter et coll., 2000). Les personnes persuadées que des extraterrestres les ont amenés à bord de leur vaisseau spatial pour subir des examens médicaux ont un fort pouvoir d'imagination et, lors des tests de mémoire, sont plus sujettes aux faux souvenirs (Clancy, 2005). De la même manière, les personnes qui pensent avoir retrouvé des souvenirs refoulés d'abus sexuels durant l'enfance ont tendance à avoir une forte imagination et présentent des résultats élevés aux tests de mémoire sur les faux souvenirs (Clancy et coll., 2000 ; McNally, 2003).

Pour voir jusqu'à quel point l'esprit, en quête de faits, peut créer des événements fictifs, Richard Wiseman et ses collègues de l'université de Hertfordshire (1999) ont organisé un stage de huit séances auquel ont assisté 25 personnes curieuses. Au cours de chaque séance, le medium – qui était en fait un acteur et un magicien professionnel – demanda aux participants de se concentrer sur la table mouvante. Bien qu'elle n'ait jamais bougé, il affirmait le contraire : « C'est bien. Faites lever la table. Oui, c'est bien. Restez concentrés. Gardez la table suspendue dans les airs. » Quand on questionna les participants deux semaines plus tard, 1 participant sur 3 s'est souvenu avoir réellement vu la table en lévitation.

« La mémoire est immatérielle. Les choses la remplacent toujours. Votre lot de photographies va à la fois fixer et détruire le souvenir... Vous ne vous souvenez plus d'aucun détail de votre voyage... à l'exception d'une collection de misérables photographies. »
Annie Dillard, « *To Fashion a Text* », 1988

:: Effet de désinformation : incorporer des informations erronées dans son souvenir d'un événement.

DOONESBURY

> « Le nombre de choses dont je peux me rappeler n'est pas aussi étonnant que le nombre de choses dont je me rappelle qui ne sont pas étonnantes. »
> Mark Twain (1835-1910)

Les psychologues ne sont pas immunisés contre la construction mnésique. Le fameux psychologue Jean Piaget, spécialiste des enfants, fut surpris d'apprendre à l'âge adulte que les souvenirs vifs et riches en détails de son enfance - sa nourrice déjouant son kidnapping - étaient totalement faux. Piaget avait apparemment construit ses souvenirs à partir des histoires maintes fois racontées (sa nourrice, après sa conversion religieuse, a ensuite confessé que cela n'était jamais arrivé).

Amnésie de la source

Piaget se souvenait, mais attribuait ses souvenirs à de mauvaises sources (à sa propre expérience plutôt qu'à l'histoire de sa nourrice). Une des parties les plus fragiles d'un souvenir est sa source. Ainsi, nous pouvons reconnaître une personne sans avoir la moindre idée de l'endroit où nous l'avons vue. Nous pouvons rêver d'un événement et ensuite ne pas être sûr qu'il ait réellement eu lieu. Nous pouvons aussi entendre quelque chose et avoir le souvenir d'avoir vu cette chose (Henkel et coll., 2000). Dans tous ces cas d'**amnésie de la source** (également appelée *source d'attribution erronée*), nous retenons le souvenir de l'événement, mais pas le contexte dans lequel nous l'avons acquis.

Les écrivains et les compositeurs de chansons souffrent parfois d'amnésie de la source. Ils pensent qu'une idée est issue de leur imagination créative, alors qu'en fait, ils plagient (non intentionnellement) quelque chose qu'ils ont lu ou entendu.

Debra Poole et Stephen Lindsay (1995, 2001, 2002) ont mis en évidence l'amnésie de la source chez des enfants encore non scolarisés. Ils mirent en relation les enfants avec « M. Science » qui leur proposa des activités comme gonfler un ballon avec du bicarbonate de soude et du vinaigre. Trois mois plus tard, pendant trois jours consécutifs, les parents leur lurent une histoire décrivant des choses que les enfants avaient vécues avec M. Science et d'autres qu'ils n'avaient pas vécues. Par la suite, une autre personne leur demanda ce qu'ils avaient fait avec M. Science (« Est-ce que M. Science avait une machine où l'on pouvait tirer des cordes ? »), 4 enfants sur 10 se rappelaient spontanément de choses qui n'existaient que dans l'histoire.

Discerner les vrais souvenirs des faux

:: Amnésie de la source : attribution d'un événement que nous avons vécu, lu, imaginé ou entendu à une mauvaise source. (Également appelée *source d'attribution erronée*.) L'amnésie de la source, associée à l'effet de désinformation, est au cœur de nombreux faux souvenirs.

Comme la mémoire est une reconstruction aussi bien qu'une reproduction, on ne peut pas affirmer qu'un souvenir est réel seulement parce qu'on le ressent comme tel. De la même manière que les illusions perceptuelles peuvent sembler réelles, un souvenir fictif peut nous *sembler* réel.

Les chercheurs contemporains notent effectivement que les souvenirs sont liés aux perceptions du passé (Koriat et coll., 2000). Comme Jamin Halberstadt et Paul Niedenthal (2001)

(a)

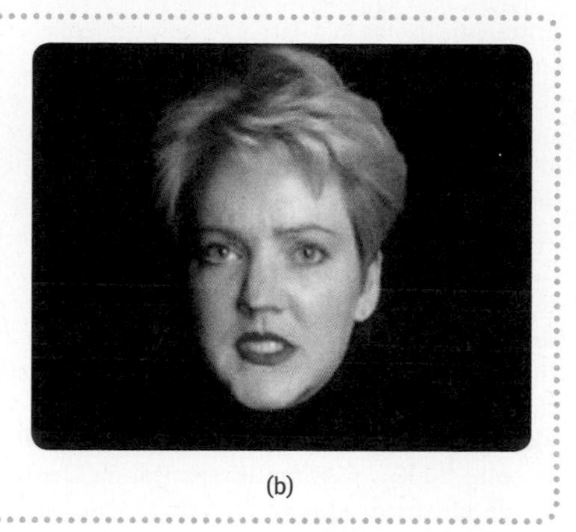

(b)

© Simon Niedenthal

➤ FIGURE 8.27
Nos suppositions altèrent notre mémoire perceptuelle Des chercheurs ont montré à des personnes des visages ayant des expressions mitigées (traitées par ordinateur), comme le visage colérique/joyeux montré en (a) : ils demandèrent ensuite aux participants d'expliquer pourquoi la personne était joyeuse ou en colère. Ceux à qui l'on demanda d'expliquer l'expression de la « colère » et de retrouver l'expression qu'ils avaient vue initialement (à l'aide d'une commande permettant de modifier le visage sur ordinateur) se souvenaient d'un visage plus « coléreux », comme celui montré en (b).

l'ont montré, les interprétations initiales influencent la mémoire perceptuelle. Ils invitèrent des étudiants de l'université de Nouvelle-Zélande à regarder des visages traités à l'aide de la méthode du *morphing* ; ces visages exprimaient un mélange d'émotions telles que la joie et la colère (FIGURE 8.27a). Puis ils leur demandèrent d'imaginer et d'expliquer « pourquoi cette personne ressentait de la colère (ou de la joie). » Une demi-heure plus tard, les chercheurs demandèrent aux étudiants de visionner sur un ordinateur un film montrant une transformation morphique d'un visage exprimant la joie, puis la colère ; on leur demanda alors d'actionner une commande pour modifier l'expression du visage jusqu'à ce qu'elle redevienne comme elle était initialement. Les participants qui avaient expliqué la colère (« cette femme est en colère car sa meilleure amie l'a trompée avec son petit copain ») se souvenaient d'un visage plus coléreux (FIGURE 8.27b) que ceux qui avaient expliqué la joie (« cette femme est très heureuse, car tout le monde s'est souvenu de son anniversaire »).

Pouvons-nous juger de la réalité d'un souvenir par sa persistance ? Là encore la réponse est *non*. Charles Brainerd et Valerie Reyna (Brainerd et coll., 1995, 1998, 2002), spécialistes de la mémoire, soulignent que les souvenirs issus de notre expérience sont plus détaillés que ceux provenant de notre imagination. Les souvenirs d'expériences imaginaires se réduisent à l'*élément principal* de l'événement supposé et aussi à la signification et aux sentiments qui lui sont associés. Étant donné que la partie essentielle des souvenirs perdure, les faux souvenirs qu'ont les enfants peuvent parfois empiéter sur leurs souvenirs réels, en particulier lorsque l'enfant grandit et devient plus apte à traiter l'élément essentiel (Brainerd et Poole, 1997). Ainsi, lorsque les thérapeutes et les enquêteurs s'intéressent à la partie essentielle plutôt qu'aux détails, ils courent un risque plus important de faire ressortir de faux souvenirs.

Les faux souvenirs, engendrés par la suggestion de fausses informations et de sources d'attribution erronées, peuvent *sembler* aussi réels et persistants que de vrais souvenirs. Imaginez que je lise à voix haute des mots tels que *sucrerie, sucre, miel* et *goût*, et que je vous demande ensuite de les reconnaître dans une liste plus longue. Si vous êtes comme toutes les personnes testées par Henry Roediger et Kathleen McDermott (1995), vous vous tromperez trois fois sur quatre et reconnaîtrez un mot similaire, mais n'ayant pas été présenté (comme *sucré*). Nous nous souvenons plus facilement de la partie essentielle que des mots eux-mêmes.

Au cours de leurs expériences sur les témoins oculaires, les chercheurs ont découvert à plusieurs reprises que ceux qui sont les plus confiants et les plus cohérents sont les plus persuasifs ; toutefois, leurs témoignages ne sont pas toujours les plus justes. Les témoins oculaires témoignent d'une confiance en soi quasi similaire, qu'ils aient raison ou non (Bothwell et coll., 1987 ; Cutler et Penrod, 1989 ; Wells et Murray, 1984).

La construction mnésique nous aide à comprendre pourquoi 79 p. 100 des 200 coupables innocentés ensuite par des tests ADN avaient été mal jugés à la suite d'une identification erronée par des témoins oculaires (Garrett, 2008). Cela explique pourquoi les souvenirs de crimes « retrouvés sous hypnose » contiennent si facilement des erreurs, dont certaines sont suggérées par les questions orientées du praticien (« avez-vous entendu un grand bruit ? »). Cela explique pourquoi deux personnes qui sortent ensemble et qui tombent amoureuses par la suite *sur*estiment la première impression que chacun a eue de l'autre (« ce fut le coup de foudre »), alors que ceux qui rompent une relation *sous*-estiment la force de leurs liens

Le sénateur américain John McCain interrogé sur la guerre en Irak :

2007 (sur MSNBC) : « Lorsque j'ai voté le soutien de cette guerre, je savais qu'elle serait probablement longue, difficile et pénible ».

2002 (avec Larry King) : « Je pense que les opérations seront relativement rapides et que nous la gagnerons assez facilement ».

antérieurs (« ça n'a jamais vraiment collé entre nous ») (McFarland et Ross, 1987). Cela montre aussi pourquoi les gens à qui l'on demande ce qu'ils pensaient il y a 10 ans de la marijuana et de la différence entre les sexes évoquent des attitudes plus proches de leur opinion actuelle que de celle qu'ils avaient à cette époque-là (Markus, 1986). Comment les gens se sentent le jour même semble être ce qu'ils ont toujours ressenti. Ce que les gens savent aujourd'hui semble être ce qu'ils ont toujours su (Mazzoni et Vannucci, 2007 ; et souvenez-vous du chapitre 1, notre tendance au *biais de l'après-coup*).

Une équipe de recherche a interrogé 73 élèves masculins de troisième puis les a réinterrogés 35 ans plus tard. Lorsqu'on leur a demandé de se souvenir de la manière dont ils ont rapporté leurs attitudes, leurs activités et leurs expériences, la plupart des personnes interrogées firent des déclarations qui correspondaient très aléatoirement à leurs déclarations antérieures. Seulement une personne sur trois se souvenait avoir reçu des punitions physiques, alors qu'ils étaient 82 p. 100 à l'affirmer lors du premier interrogatoire (Offer et coll., 2000). Comme le mentionne George Vaillant (1977, p. 197) après avoir étudié la vie de plusieurs adultes sur une longue période : « Il est courant qu'une chenille, devenue papillon, affirme que durant sa jeunesse elle était un petit papillon. La maturation fait de nous des menteurs. »

Le psychologue australien Donald Thompson fut ironiquement hanté par ses propres recherches sur la déformation de la mémoire quand il fut convoqué par les autorités pour être interrogé à propos d'un viol. Même si, dans la mémoire de la victime, Thompson correspondait presque parfaitement au violeur, il avait un alibi très solide. Peu avant le viol, le psychologue était interviewé en direct dans une émission télévisée. Il lui était donc impossible d'être sur les lieux du délit. On découvrit que la victime avait regardé l'interview (qui, ironiquement, portait sur la reconnaissance des visages) et avait subi une amnésie de la source, confondant son souvenir de Thompson avec celui du violeur (Schacter, 1996).

Conscients que l'effet de désinformation peut survenir lorsque la police et les procureurs posent des questions formulées selon leur propre compréhension des événements, Ronald Fisher, Edward Geiselman et leurs collaborateurs (1987, 1992) ont entraîné les policiers à pratiquer des interrogatoires moins suggestifs et plus efficaces. Pour déclencher les indices de rappel, l'enquêteur commence par demander aux témoins de visualiser la scène – les conditions météorologiques, l'heure, la luminosité, les sons, les odeurs, la position des objets et leurs humeurs. Puis le témoin raconte en détail, et sans interruption, tous les éléments dont il se souvient, même s'ils semblent peu importants. À partir de ce moment-là seulement, l'enquêteur pose des questions évocatrices : « Y avait-il quelque chose d'inhabituel dans l'apparence ou la tenue vestimentaire de cette personne ? » Quand cette *technique d'interrogatoire cognitif* est utilisée, la précision de la mémoire augmente (Wells et coll., 2006).

Les témoignages oculaires d'enfants

Si les souvenirs peuvent être sincères, et pourtant sincèrement faux, les souvenirs des enfants à propos d'abus sexuels peuvent-ils être erronés ? Stephen Ceci (1993) pense que « ce serait véritablement horrible de perdre de vue la gravité des abus sexuels d'enfants. » Cependant, comme nous l'avons vu, en posant des questions orientées, les personnes qui interrogent peuvent suggérer de faux souvenirs. Les études de Ceci et Maggie Bruck (1993, 1995) sur les souvenirs des enfants les ont sensibilisés à la suggestibilité des enfants. Par exemple, ils ont demandé à des enfants de 3 ans de montrer sur des poupées anatomiquement correctes où le pédiatre les avait touchés. Cinquante-cinq pour cent des enfants qui n'avaient pas subi d'examens génitaux ont montré les parties génitales ou anales. Quand les chercheurs ont utilisé des techniques suggestives dans les interrogatoires, la plupart des enfants de moins de 6 ans et beaucoup d'autres enfants plus âgés pouvaient être amenés à relater des événements faux, comme le fait d'avoir vu un voleur dérober de la nourriture dans leur garderie (Bruck et Ceci, 1999, 2004). Au cours d'une autre expérience, des enfants de maternelle ont simplement *entendu par hasard* une remarque erronée à propos du lapin qu'un magicien avait perdu et qui se trouvait en liberté dans leur classe. Ensuite, lorsque les enfants ont été questionnés de manière suggestive, 78 p. 100 d'entre eux se sont souvenus d'avoir véritablement vu le lapin (Principe et coll., 2006).

Au cours d'une autre étude, Ceci et Bruck ont fait choisir à un enfant une carte tirée d'un ensemble d'événements possibles ; un adulte lisait alors ce qu'il y avait sur la carte.

Par exemple : « Pense très fort et dis-moi si cela t'est déjà arrivé. Peux-tu te rappeler avoir été à l'hôpital avec un piège à souris au doigt ? » Après 10 entretiens hebdomadaires, au cours desquels la même personne a régulièrement demandé aux enfants de penser à des événements réels ou fictifs, un autre adulte posait la même question. Le résultat fut étonnant : 58 p. 100 des enfants de moins de 6 ans racontaient des histoires fausses (souvent très vivantes) concernant un ou plusieurs des événements qu'ils n'avaient jamais vécus, comme ce petit garçon (Ceci et coll. 1994) :

> Mon frère Colin était en train d'essayer de me prendre mon capitaine Torch (une figurine) et je ne voulais pas le lui laisser, alors il m'a poussé dans le tas de bois où était le piège à souris. Et alors mon doigt s'est trouvé coincé dedans. Ensuite, nous sommes allés à l'hôpital, et ma maman, mon papa et mon frère Colin m'ont emmené à l'hôpital dans notre camionnette car c'était très loin. Et le docteur a mis un bandage sur mon doigt.

En entendant des histoires aussi détaillées, les psychologues professionnels spécialisés dans les interrogatoires d'enfants sont souvent mystifiés. Ils ne peuvent pas séparer de façon précise les vrais souvenirs des faux. Pas plus que les enfants eux-mêmes. L'enfant précédent, à qui on a rappelé que ses parents avaient plusieurs fois dit que l'incident du piège à souris n'était jamais arrivé et qu'il l'avait simplement imaginé, protesta : « Mais cela est réellement arrivé, je m'en souviens. »

Cela signifie-t-il que les enfants ne peuvent jamais être des témoins oculaires fiables ? Non. Si on les interroge sur ce qu'ils ont vécu en employant des mots neutres qu'ils comprennent bien, les enfants se souviennent souvent avec exactitude de ce qui s'est passé et de la personne responsable (Goodman, 2006 ; Howe, 1997 ; Pipe, 1996). Lorsque les personnes qui interrogent utilisent des techniques moins suggestives et plus efficaces, les enfants (même âgés de 4 ou 5 ans) fournissent des souvenirs plus précis (Holliday et Albon, 2004 ; Pipe et coll., 2004). Les enfants sont surtout précis s'ils n'ont pas parlé avec les adultes impliqués dans l'affaire avant d'être interrogés et si leurs révélations sont faites dans un premier interrogatoire mené par une personne neutre posant des questions non orientées.

Les maltraitances : souvenirs fabriqués ou refoulés ?

11. Quelle est la controverse sur les affirmations des souvenirs refoulés puis retrouvés ?

Il y a deux tragédies liées au souvenir, en tant qu'adultes, d'abus sexuels subis pendant l'enfance. L'un concerne le traumatisme des survivants qui ne sont pas crus lorsqu'ils racontent leur secret. L'autre est celui des innocents faussement accusés. Que doit-on donc dire sur ces cliniciens qui ont mené les gens à « retrouver » les souvenirs des abus sexuels subis pendant l'enfance ? Ont-ils déclenché de faux souvenirs susceptibles d'anéantir la vie d'adultes innocents, ou aident-ils à découvrir la vérité ?

Au cours d'une enquête américaine, le thérapeute moyen a estimé que 11 p. 100 de la population, environ 34 millions de personnes, refoulaient des souvenirs d'abus sexuels subis dans l'enfance (Kamena, 1998). Au cours d'une autre enquête parmi les thérapeutes anglais et américains de niveau doctoral, 7 sur 10 ont avoué avoir utilisé des techniques telles que l'hypnose ou des psychotropes pour aider certains patients à retrouver des souvenirs d'abus sexuels dans l'enfance, qu'ils suspectaient être refoulés (Poole et coll., 1995).

Certains thérapeutes ont raisonné ainsi avec leurs patients : « Les gens qui ont été abusés présentent souvent les mêmes symptômes que les vôtres ; vous avez donc probablement été victime d'abus. Voyons si, aidé(e) par l'hypnose ou les psychotropes, ou guidé(e) pour fouiller le passé et visualiser votre traumatisme, vous pouvez le retrouver. » Comme nous pouvions nous y attendre avec la recherche sur l'amnésie de la source et l'effet de désinformation, certains patients exposés à de telles thérapies forment l'image d'une personne menaçante. En allant plus loin, l'image devient plus précise laissant le patient en colère, stupéfait, prêt à confondre et à poursuivre en justice le parent, le membre de la famille ou l'ecclésiastique, également stupéfait qui nie alors vigoureusement l'accusation. Lors de sa 32e séance de thérapie, une femme se rappela que son père avait abusé d'elle à l'âge de 15 mois.

Sans mettre en doute le professionnalisme de la plupart des thérapeutes, les sceptiques disent que les cliniciens qui utilisent des techniques de « travail sur la mémoire » telles que « l'imagerie guidée », l'hypnose et l'analyse des rêves pour recouvrer certains souvenirs « ne sont rien d'autre que des marchands de chaos mental et, en réalité, représentent un fléau dans

Au cours d'expériences avec des adultes, des questions suggestives (« en eau douce, les serpents nagent-ils la tête en bas la moitié du temps ? ») sont souvent retenues de façon erronée comme des affirmations (Pandelaere et Dewitte, 2006).

> « [La] recherche m'a conduit à m'inquiéter de la possibilité de fausses allégations. Ce n'est pas rendre hommage à l'intégrité scientifique que de marcher au milieu de la route si les données sont toutes du même côté. »
> Stephen Ceci (1993)

Comme les enfants (dont les lobes frontaux ne sont pas totalement matures), les personnes âgées, en particulier celles dont les fonctions du lobe frontal ont commencé à décliner, sont plus sensibles aux faux souvenirs que les jeunes adultes. Cela les rend plus vulnérables aux escroqueries, comme les réparateurs qui présentent une facture plus élevée en déclarant faussement « je vous avais dit que cela vous coûterait tant et vous étiez d'accord pour payer » (Jacoby et coll., 2005 ; Jacoby et Rhodes, 2006 ; Roediger et Geraci, 2007 ; Roediger et McDaniel, 2007).

le domaine de la psychothérapie » (Loftus et coll. 1995). Martin Gardner (2006) raconte dans son commentaire sur le « plus grand scandale de la santé mentale » d'Amérique du Nord : « Des milliers de familles ont été cruellement mises en pièce » avec des « filles adultes aimantes » accusant brutalement leur père. Furieux, les cliniciens rétorquent que ceux qui contestent les souvenirs de mauvais traitements retrouvés à l'aide de thérapies ajoutent un traumatisme supplémentaire aux personnes victimes d'abus sexuels et se placent dans le camp des personnes qui maltraitent les enfants.

Pour tenter de trouver un terrain d'entente sensé pour résoudre cette guerre idéologique – la « guerre de la mémoire » de la psychologie – des groupes d'étude ont été convoqués et des déclarations publiques ont été faites par l'*American Medical*, l'*American Psychological* et l'*American Psychiatric Associations*, l'*Australian Psychological Society*, la *British Psychological Society* et la *Canadian Psychiatric Association*. Les psychologues impliqués dans la protection des enfants victimes d'abus et ceux qui protègent les adultes accusés à tort s'accordent sur les points suivants :

- ***Les sévices sexuels existent.*** Et surviennent plus souvent qu'on ne le pensait autrefois. Il n'y a pas de « syndrome du survivant » caractéristique (Kendall-Tackett et coll., 1993). Cependant les sévices sexuels représentent une trahison traumatisante qui peut prédisposer les victimes à des problèmes allant des troubles sexuels à la dépression (Freyd et coll., 2007).
- ***L'injustice existe.*** Certaines personnes innocentes ont été accusées à tort. En revanche, certaines personnes coupables ont échappé à leur responsabilité en mettant en doute les dires des victimes.
- ***L'oubli advient.*** Beaucoup de personnes ayant subi des abus étaient très jeunes lorsque l'on a abusé d'elles ou peuvent n'avoir pas compris la signification de ce qui leur arrivait – des circonstances dans lesquelles l'oubli est commun. L'oubli d'événements passés isolés, à la fois négatifs et positifs, est une part ordinaire de la vie quotidienne.
- ***La récupération de souvenirs est également un lieu commun.*** Guidés par une remarque ou un événement, nous retrouvons des souvenirs d'événements oubliés depuis longtemps, heureux ou malheureux. Le problème est en fait de savoir si l'inconscient peut parfois *refouler vigoureusement* les expériences douloureuses et, dans ce cas, si celles-ci peuvent être exhumées grâce à certaines techniques et à l'aide d'un thérapeute. (Les souvenirs qui font surface naturellement ont plus de chance d'être corroborés que les souvenirs assistés par un thérapeute [Geraerts et coll., 2007].)
- ***Les souvenirs d'événements survenus avant l'âge de 3 ans sont également peu fiables.*** Comme notre discussion sur l'amnésie infantile l'a montré, les gens ne se souviennent pas avec précision des événements survenus durant leurs trois premières années. La plupart des psychologues, y compris les cliniciens et les psychologues conseils, restent donc sceptiques en ce qui concerne les souvenirs « retrouvés » d'abus sexuels subis pendant la petite enfance (Gore-Felton et coll., 2000 ; Knapp et VandeCreek, 2000). Plus l'enfant est âgé au moment où il subit l'abus, et plus celui-ci est grave, plus il y a de chances que l'enfant s'en rappelle (Goodman et coll., 2003).
- ***Les souvenirs « récupérés » sous hypnose ou sous psychotropes ne sont pas fiables.*** Les sujets hypnotisés en « régression » incorporent des suggestions dans leurs souvenirs, y compris des souvenirs de « vies antérieures ».
- ***Les souvenirs, qu'ils soient réels ou faux, peuvent être émotionnellement perturbants.*** L'accusateur aussi bien que l'accusé peuvent souffrir lorsque ce qui est né d'une simple suggestion devient, comme un traumatisme réel, un souvenir brûlant provoquant des angoisses physiques (McNally, 2003, 2007). Les personnes qui ont perdu conscience au cours d'un accident dont elles ne se souviennent pas peuvent développer par la suite des troubles d'angoisse lorsqu'elles sont hantées par les souvenirs construits à partir de photographies, de récits journalistiques ou de comptes rendus de leurs amis (Bryant, 2001).

« Quand des souvenirs sont « retrouvés » après une longue période d'amnésie, surtout quand des moyens extraordinaires sont utilisés pour assurer le recouvrement de la mémoire, il y a une forte probabilité pour que ces souvenirs soient faux. »

Groupe de travail du *Royal College of Psychiatrists* sur les souvenirs retrouvés d'abus sexuels survenus durant l'enfance (Brandon et coll., 1998)

Afin de mieux se rapprocher des techniques thérapeutiques de remémoration, Elizabeth Loftus et ses collègues (1996) ont implanté expérimentalement de faux souvenirs de traumatismes liés à l'enfance. Dans une étude, elle a demandé à un membre de confiance de la famille de rappeler à un adolescent trois faits réels de son enfance et un faux, un récit vivant rapportant que l'enfant, âgé de 5 ans, avait été perdu pendant un long moment dans une galerie commerciale jusqu'à ce qu'il soit retrouvé par une personne âgée. Deux jours plus tard, un sujet, Chris, dit : « Ce jour-là, j'étais tellement affolé à la pensée de ne plus jamais revoir ma famille. » Deux jours après

NOTRE INVITÉ DU JOUR

BRUNDAGE MORNALD, DE BATTLE CREEK DANS LE MONTANA

SOUS HYPNOSE, M. MORNALD A RETROUVÉ LES SOUVENIRS LONGTEMPS ENFOUIS D'UNE ENFANCE HEUREUSE ET PARFAITEMENT NORMALE.

Don Shrubshell

Elizabeth Loftus « Les résultats des recherches pour lesquels je reçois les honneurs maintenant ont entraîné un niveau d'hostilité et d'opposition que je n'aurais jamais imaginé. J'ai reçu des lettres de menaces stipulant que ma réputation et ma sécurité étaient en danger si je continuais mes recherches. Dans certaines universités, on me fournissait des gardes armés pour m'accompagner lors de mes conférences. » Elizabeth Loftus lorsqu'elle reçut l'*Association for Psychological Science's William James Fellow Award*, 2001

encore, il commença à revoir la chemise de flanelle, le crâne chauve et les lunettes du vieil homme censé l'avoir retrouvé. Lorsqu'on lui dit que l'histoire était inventée, Chris fut incrédule : « Je pensais que je me souvenais avoir été perdu... et que je cherchais ma famille tout autour. Je me souviens vraiment de cela, puis je me suis mis à crier, et ma mère est arrivée et m'a dit "Où étais-tu ? Ne refais jamais cela." » Au cours d'une autre étude, un tiers des participants a été convaincu à tort qu'ils avaient failli se noyer étant enfant, et près de la moitié a été conduit à se souvenir faussement d'une expérience horrible, comme avoir été attaqué par un animal agressif (Heaps et Nash, 2001 ; Porter et coll., 1999).

Tel est le processus de construction de la mémoire par lequel des personnes peuvent se souvenir d'avoir été enlevées par des extraterrestres, avoir été victimes d'un culte satanique ou brutalisés dans leur berceau, ou encore avoir vécu une vie antérieure. Des milliers de personnes apparemment saines d'esprit « relatent d'une voix terrorisée leur expérience à bord d'une soucoupe volante », déclare Loftus. « Ces personnes *se souviennent* clairement et précisément d'avoir été enlevées par des extraterrestres » (Loftus et Ketcham, 1994, p. 66).

Loftus connaît parfaitement le phénomène qu'elle étudie. Lors d'une réunion de famille, un oncle lui a dit qu'à l'âge de 14 ans, elle avait trouvé le corps de sa mère noyée. Choquée, elle le nia. Mais l'oncle fut inflexible et, pendant les trois jours suivants, elle commença à se demander si *elle* avait des souvenirs refoulés. « C'est peut-être pour cela que je suis obsédée par ce sujet. » Bouleversée et ruminant la suggestion de son oncle, elle « retrouva » une image de sa mère flottant dans la piscine, le visage vers le bas, et une image d'elle-même trouvant le corps. « Je commençais à remettre toutes les choses en place. Peut-être est-ce pour cela que je suis une obsédée du travail. Peut-être est-ce pour cela que je suis si émue chaque fois que je pense à elle, même si elle est morte en 1959. »

Puis son frère l'appela. L'oncle se rappelait maintenant ce que les autres membres de la famille confirmaient également : c'est tante Pearl qui avait retrouvé le corps, pas Loftus (Loftus et Ketcham, 1994 ; Monaghan, 1992).

Mais Elizabeth Loftus connaît également bien la réalité de l'abus sexuel, car elle a été agressée par un baby-sitter masculin à l'âge de 6 ans. Et ça, elle ne l'a pas oublié. Cela la rend méfiante vis-à-vis de ceux qui, selon elle, banalisent les abus réels en suggérant des expériences traumatiques non corroborées, puis en les acceptant sans critique, comme des faits. Les ennemis de la véritable victime ne sont pas seulement ceux qui dénient et ceux qui abusent, dit-elle, mais aussi ceux dont les écrits ou les allégations « ont tendance à augmenter la probabilité avec laquelle la société en général ne croie pas à l'existence des véritables abus sexuels sur l'enfant, qui pourtant méritent véritablement une attention soutenue » (Loftus, 1993).

Le refoulement se produit-il donc réellement ? Ou ce concept, qui a été la première pierre de la théorie de Freud et de beaucoup d'autres courants de psychologie populaire, est-il trompeur ? Nous reviendrons sur ce débat houleux au chapitre 13. Comme nous le verrons, cela semble désormais être une certitude : la réaction la plus courante à une expérience traumatisante (être témoin du meurtre de l'un de ses parents, avoir vécu l'horreur des camps de la

Bien que méprisée par certains thérapeutes spécialistes des traumatismes, Elizabeth Loftus a été élue présidente de la *Science-oriented Association for Psychological Science*, récompensée par le plus grand prix de psychologie (200 000 dollars) et élue à la *National Academy of Sciences* américaine et à la *Royal Society* d'Édimbourg.

« L'horreur marque la mémoire au fer rouge... laissant des souvenirs brûlants d'atrocité. »
Robert Kraft, *Memory Perceived : Recalling the Holocaust*, 2002

mort nazis, avoir été terrorisé par des violeurs ou des pirates de l'air, s'être échappé du World Trade Center quand les tours se sont écroulées, avoir survécu au tsunami d'Asie) n'est pas le refoulement de l'expérience dans l'inconscient. Au contraire, de telles expériences sont gravées dans l'esprit sous forme de souvenirs précis qui persistent et nous hantent (Porter et Peace, 2007). Le dramaturge Eugene O'Neill l'a compris. L'un des personnages de son *Étrange intermède* (1928) s'exclamait : « Diable !... De quels incidents horribles notre mémoire s'oblige à se nourrir ! »

AVANT D'ALLER PLUS LOIN...

➤ **INTERROGEZ-VOUS**

Pourriez-vous jouer le rôle d'un juge impartial dans le procès d'un parent accusé d'abus sexuel, accusation reposant sur un souvenir retrouvé, ou encore d'un thérapeute accusé d'avoir créé de faux souvenirs d'abus ?

➤ **TESTEZ-VOUS 6**

Compte tenu du fait que l'amnésie de la source est très fréquente, à quoi ressemblerait la vie, selon vous, si nous pouvions nous souvenir de toutes nos expériences éveillées et de nos rêves ?

Les réponses aux questions « Testez-vous » sont données dans l'annexe B à la fin de l'ouvrage.

Améliorer la mémoire

12. De quelle manière la compréhension de la mémoire peut-elle contribuer à l'utilisation de techniques d'étude efficaces ?

À TOUT MOMENT, NOUS SOMMES CONSTERNÉS PAR notre manque de mémoire, par notre incapacité embarrassante à nous rappeler du nom de quelqu'un, par l'oubli de l'ajout d'un argument à une conversation, par l'oubli de quelque chose d'important, par le fait de nous trouver, debout, au milieu d'une pièce sans être capables de nous rappeler pourquoi nous y sommes (Herrmann, 1982). Que pouvons-nous faire pour réduire ces défaillances de notre mémoire ? De même que la biologie est bénéfique à la médecine et que la botanique est utile à l'agriculture, la psychologie de la mémoire peut être utile à l'éducation. Des suggestions concrètes pour améliorer la mémoire sont réparties tout au long de ce chapitre et résumées ici pour plus de facilité. La méthode d'étude PIL2R (SQ3R en anglais) décrite dans l'introduction - faire le Plan, s'Interroger, Lire, Répéter et Revoir - intègre plusieurs de ces stratégies.

Étudier plusieurs fois. Pour maîtriser les connaissances, répartissez (fractionnez) l'apprentissage dans le temps. Pour apprendre un concept, donnez-vous plusieurs sessions d'études séparées : profitez des petits intervalles de l'existence - un trajet en bus, une marche à travers le campus, l'attente du début du cours. Thomas Landauer (2001) suggère pour mémoriser des faits ou des chiffres spécifiques : « Répétez le nom ou le nombre que vous essayez de mémoriser, attendez quelques secondes et répétez-le à nouveau ; attendez plus longtemps et répétez-le à nouveau. Attendez encore plus longtemps et répétez-le encore. Les attentes doivent durer aussi longtemps que possible sans perdre l'information ». Les nouveaux souvenirs sont faibles ; exercez-les et vous les renforcerez. La lecture rapide d'une matière complexe (survol) suivie d'une répétition minimale permet peu de retenir. La répétition et la réflexion critique sont plus intéressantes. Étudier de façon active est payant !

Faire en sorte que le sujet étudié ait une signification. Pour construire un réseau d'indices de rappel, prenez en notes les cours en utilisant vos propres mots. (Se répéter machinalement les mots de quelqu'un d'autre est assez inefficace.) Pour appliquer les concepts à votre propre vie, formez des images, comprenez et organisez les informations, reliez le sujet à quelque chose que vous connaissez déjà ou que vous avez déjà vécu et dites-le avec vos propres mots. Augmentez les indices de rappel en formant des associations. Sans ces indices, vous pourrez vous retrouver « collés » lorsque la question utilise un phrasé différent de celui que vous avez appris par cœur et mémorisé.

« Lorsqu'on se trouve dans son lit en pleine nuit, j'ai découvert qu'il était utile de fixer l'obscurité et de répéter dans son esprit les choses que l'on a étudiées. C'est à la fois bénéfique pour l'apprentissage et pour la mémoire. »
Léonard de Vinci (1452-1519)

« Rattachez chaque nouveauté à une acquisition déjà présente. »
William James, *Principles of Psychology*, 1890

Activer des indices de rappel. Recréez mentalement la situation et l'humeur dans laquelle a eu lieu l'apprentissage initial. Retournez au même endroit. Entraînez votre mémoire en laissant une pensée indexer la suivante.

Utiliser des moyens mnémotechniques. Associez les termes avec des mots repères. Inventez une histoire qui contient une image vivante de ces termes. Condensez l'information en acronymes. Créer des rimes rythmiques (« i avant e, excepté après c[1] »)

Minimiser les interférences. Étudiez juste avant de dormir. N'étudiez pas, l'un après l'autre, deux sujets qui ont une forte chance d'interférer, comme le français et l'espagnol.

Dormir plus. Pendant le sommeil, le cerveau organise et consolide l'information dans la mémoire à long terme. Le manque de sommeil interrompt ce processus.

Tester vos connaissances pour les réviser et pour déterminer ce qu'il reste à apprendre. Ne soyez pas enclin à trop de confiance en votre capacité à reconnaître l'information. Testez votre rappel en utilisant les questions en tête de paragraphe. Tracez le plan des paragraphes sur une page blanche. Définissez les termes et les concepts dont la liste se trouve à la fin du chapitre avant de retourner en arrière pour lire leurs définitions. Faites des tests pour vous exercer. Les guides d'étude qui accompagnent de nombreux ouvrages représentent une bonne source de ce type de tests.

AVANT D'ALLER PLUS LOIN...

➤ INTERROGEZ-VOUS

Quelle stratégie d'étude et de mémorisation suggérée dans ce paragraphe vous semble-t-elle la plus adaptée pour vous ?

➤ TESTEZ-VOUS 7

Quelles sont les stratégies conseillées pour accroître la mémoire que vous venez de lire ? (L'une d'elles préconise de répéter les éléments qui doivent être mémorisés. Que préconisent les autres ?)

Les réponses aux questions « Testez-vous » sont données dans l'annexe B à la fin de l'ouvrage.

1. N.d.T. : moyen mnémotechnique pour écrire les mots en anglais, on écrit toujours « ie » (*FRIEND*) sauf après un « c » et dans ce cas c'est « ei » (*RECEIVE*), on pourrait utiliser pour le français : « Avec *ÊTRE* le sujet est le maître, avec *AVOIR*, le sujet n'a rien à voir ».

RÉVISION : La mémoire

Étude de la mémoire : les modèles de traitement de l'information

1. Comment les psychologues décrivent-ils le système mnésique humain ?

La *mémoire* est la persistance de l'apprentissage au cours du temps. Le modèle classique de la mémoire en trois stades d'Atkinson-Shiffrin (*encodage, stockage,* et *rappel*) suggère que (1) nous enregistrons des *souvenirs sensoriels* fugaces dont certains sont (2) traités sur l'écran de la *mémoire à court terme* et dont une fraction minuscule est (3) codée dans la *mémoire à long terme*, puis éventuellement rappelée ultérieurement. Les chercheurs actuels spécialisés dans la mémoire ont remarqué que nous enregistrons également automatiquement certaines informations, en court-circuitant les deux premiers stades. De ce fait, ils préfèrent le terme de *mémoire de travail* (plutôt que *mémoire à court terme*), car il met l'accent sur le rôle plus actif du deuxième stade du traitement.

L'encodage : l'entrée de l'information

2. Quelle information encodons-nous automatiquement ? Quelle information encodons-nous de manière contrôlée ? Comment le fractionnement de l'apprentissage influence-t-il la rétention ?

Le *traitement automatique* s'effectue inconsciemment, à mesure que nous absorbons les informations issues de notre environnement (espace, temps, fréquence, matériel bien appris). Le *traitement contrôlé* (de la signification, des *images*, de l'organisation) nécessite une attention consciente et un effort délibéré. L'*effet d'espacement* est notre tendance à retenir plus facilement les informations si nous les révisons de manière répétée dans le temps (étude espacée) que si nous les étudions au cours d'une seule longue session (apprentissage en masse ou bachotage). L'*effet de position sériel* est notre tendance à nous remémorer plus facilement les premiers éléments (effet de primauté) et les derniers éléments (effet de récence) d'une longue liste que ceux qui se trouvent au milieu.

3. Quelles méthodes de traitement contrôlé nous aident pour former nos souvenirs ?

L'*encodage visuel* (des images) et l'*encodage acoustique* (des sons) sont des formes plus superficielles de traitement que l'*encodage sémantique* (de la signification). Nous traitons mieux les informations verbales lorsque nous les rendons significatives pour nous-mêmes (effet d'autoréférence). L'encodage d'images, comme lorsque nous utilisons des moyens *mnémotechniques*, facilite la mémoire parce que les images vivantes sont mémorisables. Le *groupement* et les hiérarchies aident à organiser les informations pour faciliter leur rappel.

Le stockage : la conservation de l'information

4. Qu'est-ce que la mémoire sensorielle ?

À mesure que les informations entrent dans le système mnésique par nos sens, nous enregistrons et stockons brièvement des images visuelles grâce à la *mémoire iconographique*, dans laquelle les images ne durent pas plus que quelques dixièmes de seconde. Nous enregistrons et stockons les sons grâce à notre *mémoire échoïque* dans laquelle les échos des stimuli auditifs peuvent subsister 3 à 4 secondes.

5. Quelle est la durée de la mémoire à court terme ? Et de la mémoire à long terme ? Quelles sont leurs capacités respectives ?

À n'importe quel moment donné, nous pouvons nous focaliser et traiter sept éléments d'information environ (qu'ils soient nouveaux ou rappelés de notre stock de souvenirs). Sans *répétition*, les informations disparaissent en quelques secondes de la mémoire à court terme. Notre capacité de stockage permanent de l'information dans la mémoire à long terme est, par essence, illimitée.

6. Comment le cerveau stocke-t-il nos souvenirs ?

Les chercheurs explorent les modifications liées à la mémoire qui se produisent à l'intérieur des neurones isolés et entre ceux-ci. La *potentialisation à long terme* (*LTP*) semble être la base neuronale de l'apprentissage et de la mémoire. Le stress déclenche des modifications hormonales qui activent des aires du cerveau et peuvent produire des souvenirs indélébiles. Nous sommes particulièrement sujets à nous souvenir d'événements vivants qui forment nos *souvenirs flash*. Nous avons deux systèmes mnésiques. Les *souvenirs explicites* (*déclaratifs*) de nos connaissances générales, des faits et de nos expériences sont traités dans l'*hippocampe*. Les *souvenirs implicites* (*non déclaratifs*) de nos propres capacités et de nos réponses conditionnées sont traités dans d'autres parties du cerveau, y compris le cervelet.

Le rappel : la sortie de l'information

7. Comment l'information peut-elle ressortir de notre mémoire ?

Le *rappel* est la capacité à retrouver l'information ne se trouvant pas dans notre conscience ; un questionnaire à trous évalue le rappel. La *reconnaissance* est la capacité à identifier des éléments déjà appris ; un questionnaire à choix multiples évalue la reconnaissance. Le *réapprentissage* est la capacité à maîtriser plus rapidement les informations déjà stockées que lorsque vous les avez apprises la première fois. Les *indices de rappel* attirent notre attention, et tirent sur un fil de notre réseau d'associations, pour ramener l'information cible dans notre conscience. Ce processus d'activation des associations (souvent inconscient) est l'*amorçage*.

8. Comment les contextes extérieurs et les émotions internes peuvent-ils influencer le rappel de nos souvenirs ?

Le contexte dans lequel nous vivons pour la première fois un événement ou nous encodons une pensée peut inonder nos souvenirs d'indices de rappel, nous conduisant au souvenir cible. Lorsque nous nous trouvons dans un contexte différent, mais très semblable à celui d'origine, ces indices peuvent nous tromper en rappelant un souvenir, nous donnant un sentiment de *déjà-vu*. Des émotions spécifiques peuvent entraîner un amorçage, et nous nous rappelons de souvenirs en rapport avec cet état. Les *souvenirs congruents à l'humeur*, par exemple, amorcent l'interprétation du comportement des autres en rapport avec nos émotions actuelles.

L'oubli

9. Pourquoi oublions-nous ?

Nous pouvons ne pas réussir à encoder l'information pour la faire entrer dans notre système mnésique. Les souvenirs peuvent s'effacer après leur stockage, rapidement au début puis l'oubli se stabilise avec le temps ; ce principe est connu sous le nom de courbe de l'oubli. Nous pouvons connaître un échec du rappel lorsque le rappel d'informations anciennes entre en compétition avec celui de nouvelles, lorsque nous n'avons pas d'indices de rappel adaptés ou, dans de rares cas, parce que nous sommes motivés à oublier (*refoulement*). Lors d'*interférence proactive*, ce que nous avons appris par le passé interfère avec notre capacité à nous souvenir de quelque chose que nous avons appris récemment. Lors d'*interférence rétroactive*, quelque chose que nous avons appris récemment interfère avec ce que nous avons appris dans le passé.

La construction mnésique

10. Comment la désinformation, l'imagination et l'amnésie de la source peuvent-elles influencer notre construction mnésique ? Comment ce qui paraît vrai peut-il être un faux souvenir ?

Si des enfants ou des adultes sont exposés à une *désinformation* subtile après un événement, ou s'ils imaginent régulièrement puis répètent un événement qui ne s'est jamais produit, ils peuvent incorporer des détails trompeurs dans leur souvenir de ce qui s'est réellement passé. Lorsque nous assemblons à nouveau nos souvenirs pendant leur rappel, nous pouvons réussir à rappeler des choses que nous avons entendues, lues ou imaginées, mais les attribuer à une mauvaise source (*amnésie de la source*). Les faux souvenirs ressemblent aux vrais et durent autant. Les souvenirs construits ont tendance à se concentrer sur l'élément principal de l'événement.

11. Quelle est la controverse sur les affirmations des souvenirs refoulés puis retrouvés ?

La controverse entre les chercheurs spécialistes de la mémoire et certains thérapeutes bien pensants est liée au fait de savoir si la plupart des souvenirs des abus sexuels sur les jeunes enfants sont refoulés et peuvent être rappelés au moyen de questions orientées et/ou d'hypnose au cours d'une thérapie. Les psychologues ont tendance à s'accorder sur le fait que : (1) Les abus sexuels existent et peuvent laisser des cicatrices indélébiles. (2) Des personnes innocentes ont été faussement convaincues d'abus qu'elles n'ont jamais commis et de vrais coupables d'abus sexuels ont utilisé la controverse sur les souvenirs retrouvés pour éviter d'être punis. (3) L'oubli d'événements isolés passés, qu'ils soient bons ou mauvais, se produit tous les jours chez chacun d'entre nous. (4) La récupération de souvenirs bons ou mauvais, déclenchée par certains indices de mémoire, est fréquente. (5) Du fait de l'amnésie infantile, ou incapacité de se souvenir de nos trois premières années de vie, il est peu vraisemblable que nous nous rappelions de souvenirs s'étant produits dans la très petite enfance. (6) Les souvenirs obtenus sous l'influence de l'hypnose ou de médicaments ou d'une thérapie ne sont pas fiables. (7) Les vrais et les faux souvenirs provoquent de la souffrance et du stress.

Améliorer la mémoire

12. De quelle manière la compréhension de la mémoire peut-elle contribuer à l'utilisation de techniques d'étude efficaces ?

Les recherches sur la mémoire suggèrent des stratégies concrètes pour améliorer la mémoire. Cela comprend la répétition des apprentissages ; donner une signification personnelle aux éléments à apprendre ; activer les indices de rappel ; utiliser des moyens mnémotechniques ; réduire au minimum les interférences ; dormir suffisamment ; faire des auto-évaluations.

Termes et concepts à retenir

Mémoire, p. 327
Encodage, p. 328
Stockage, p. 328
Rappel, p. 328
Mémoire sensorielle, p. 329
Mémoire à court terme, p. 329
Mémoire à long terme, p. 329
Mémoire de travail, p. 329
Traitement automatique, p. 330
Traitement contrôlé (avec efforts), p. 331
Répétition, p. 331
Effet d'espacement, p. 332
Effet de position sériel, p. 332
Encodage visuel, p. 333
Encodage acoustique, p. 333
Encodage sémantique, p. 333
Imagerie (images mentales), p. 335
Mnémotechnique, p. 335
Groupement, p. 336
Mémoire iconographique, p. 337
Mémoire échoïque, p. 338
Potentialisation à long terme (LTP), p. 340
Mémoire (souvenir) flash, p. 342
Amnésie, p. 342
Mémoire implicite, p. 343
Mémoire explicite, p. 343
Hippocampe, p. 344
Rappel, p. 344
Reconnaissance, p. 345
Réapprentissage, p. 345
Amorçage, p. 346
Déjà-vu, p. 348
Mémoire congruente à l'humeur, p. 349
Interférence proactive, p. 353
Interférence rétroactive, p. 353
Refoulement, p. 355
Effet de désinformation, p. 357
Amnésie de la source, p. 358

CHAPITRE 9

Pensée et langage

LA PENSÉE
- Concepts
- Résoudre des problèmes
- Prendre des décisions et élaborer des jugements
- **Regard critique sur :** Le facteur « peur » – Avons-nous peur des bonnes choses ?

LE LANGAGE
- Structure du langage
- Développement du langage
- Cerveau et langage

PENSÉE ET LANGAGE
- Le langage influence la pensée
- Penser en images

LE LANGAGE ET LA PENSÉE CHEZ LES ANIMAUX
- À quoi pensent les animaux ?
- Les animaux font-ils preuve d'une capacité de langage ?
- Le cas des singes anthropoïdes (grands singes)
- **Gros plan :** Parler avec les mains

Tout au long de l'histoire nous avons, nous les hommes, déploré notre folie et célébré notre sagesse. Le poète T. S. Eliot était frappé par « ces hommes creux... à la tête remplie de paille ». Mais l'Hamlet de Shakespeare portait aux nues l'espèce humaine « noble dans sa raison !... aux facultés infinies !... semblable à un dieu dans sa perception ! » Dans les chapitres précédents, nous aussi avons parfois été émerveillés par nos capacités et nos erreurs.

Nous avons étudié le cerveau humain, qui représente à peine 1,5 kg de tissus humides, de la taille d'un petit chou, mais qui contient des circuits plus complexes que le réseau téléphonique mondial. Nous avons été émerveillés par les compétences des nouveau-nés. Nous avons apprécié notre système sensoriel qui décompose des stimuli visuels en millions d'impulsions nerveuses, les distribue pour un traitement parallèle et les réassemble ensuite en perceptions colorées. Nous avons noté la capacité apparemment sans limites de notre mémoire, et la facilité avec laquelle notre esprit à deux voies traite l'information, consciemment et inconsciemment. Il n'est donc pas étonnant que notre espèce ait eu le génie collectif d'inventer la caméra, la voiture et l'ordinateur, de découvrir l'atome et de décrypter le code génétique, de voyager dans l'espace ou dans les profondeurs des océans.

En même temps, nous avons vu que notre espèce était apparentée aux autres animaux, influencée par les mêmes principes qui gouvernent l'apprentissage chez les rats et les pigeons. Comme le disait un expert, reprenant Pavlov, « très semblable au chien ! ». Nous avons noté que nous assimilions la réalité dans nos idées préconçues et que nous succombions aux illusions de la perception. Nous avons vu à quel point nous pouvions nous tromper nous-mêmes à propos des prouesses de l'hypnose, des pouvoirs pseudo-psychiques et des faux souvenirs.

Dans ce chapitre, nous rencontrerons d'autres exemples où se manifestent ces deux images de la condition humaine – rationnelle et irrationnelle. Nous verrons comment notre système cognitif utilise toutes les informations qu'il reçoit, perçoit, stocke et récupère. Nous examinerons notre aptitude au langage et envisagerons comment et pourquoi il se développe. Enfin, nous réfléchirons pour savoir dans quelle mesure nous méritons notre nom, *Homo sapiens* – homme sage.

La pensée

LA PENSÉE, ou **cognition**, est l'ensemble des activités mentales associées à la pensée, à la connaissance, aux souvenirs et à la communication. Les *psychologues cognitivistes* étudient ces activités mentales, y compris les façons logiques et parfois illogiques dont nous créons les concepts, résolvons les problèmes, prenons des décisions et établissons des jugements.

> « Le livreur de journaux moyen de Pittsburg en sait plus sur l'univers que Galilée, Aristote ou Léonard de Vinci, ou que tous ces autres hommes qui étaient si intelligents qu'ils avaient simplement besoin d'un nom. »
> Daniel Gilbert, *Stumbling on Happiness*, 2006

Concepts

1. À quoi servent les concepts ?

Pour penser aux innombrables événements, objets, personnes que compte notre monde, nous simplifions les choses. Nous formons des **concepts**, c'est-à-dire des associations mentales d'objets, d'événements ou de gens similaires. Le concept de *chaise* comprend de nombreux éléments – une chaise haute de bébé, une chaise longue, la chaise du dentiste – qui servent tous

:: Cognition : activités mentales associées à la pensée, au savoir, au souvenir et à la communication.

:: Concept : regroupement mental d'objets, d'événements, d'idées et d'individus semblables.

« Attention tout le monde ! Je voudrais vous présenter le nouveau membre de notre famille. »

à nous asseoir. Les chaises varient, mais ce sont leurs caractéristiques communes qui définissent le concept de *chaise*.

Imaginez la vie sans concept. Nous aurions besoin d'un nom différent pour chaque objet et chaque idée. Nous ne pourrions pas demander à un enfant de « jeter la balle », car il n'y aurait pas de concept de *balle* (ou de *jeter*). Au lieu de dire « ils étaient en colère », nous devrions décrire les expressions faciales, les intensités de la voix, et les mots. Les concepts tels que la *balle* ou la *colère* procurent un maximum d'informations avec un minimum d'effort cognitif.

Pour simplifier encore les choses, nous organisons les concepts en *hiérarchies* de catégories. Les chauffeurs de taxi organisent les villes en secteurs géographiques, subdivisés en quartiers et en pâtés de maisons. Une fois que nous avons formé nos catégories, nous pouvons les utiliser efficacement. Une personne à qui l'on montre un oiseau, une voiture ou de la nourriture ne mettra pas plus de temps à identifier la catégorie de cet élément qu'à percevoir qu'on lui montre quelque chose. Selon Kalanit Grill-Spector et Nancy Kanwisher (2005), « dès que vous vous rendez compte que c'est là, vous savez ce que c'est ».

Nous formons certains concepts par *définition*. Si l'on nous dit qu'un triangle a trois côtés, nous classons ensuite toutes les formes géométriques à trois côtés comme triangles. Cependant, le plus souvent, nous formons nos concepts en développant des **prototypes** – une image mentale ou le meilleur exemple contenant toutes les caractéristiques que nous associons à une catégorie (Rosch, 1978). Plus les objets correspondent à notre prototype d'un concept, plus nous les reconnaissons facilement comme des exemples du concept. Un pingouin et un rouge-gorge correspondent à notre définition d'un *oiseau* : un animal à deux pattes possédant des ailes et des plumes et qui sort d'un œuf. Cependant, les gens acceptent plus rapidement l'affirmation « un rouge-gorge est un oiseau » que l'affirmation « un pingouin est un oiseau ». Pour la plupart d'entre nous, le rouge-gorge est l'oiseau le « plus oiseau » : il ressemble plus à notre prototype d'oiseau.

Un oiseau et un… ? Cela met un peu plus de temps pour conceptualiser un pingouin en tant qu'oiseau car il ne correspond pas à notre prototype d'une petite créature volante avec des plumes.

Une fois que nous avons placé un élément dans une catégorie, le souvenir ultérieur que nous en avons se rapproche plus du prototype de cette catégorie. Olivier Corneille et ses collaborateurs (2004) ont noté ces décalages mnésiques en montrant à des étudiants belges des visages composés d'un mélange de diverses ethnies. Par exemple, lorsqu'on leur montrait un visage mixte, composé de 70 p. 100 des caractéristiques d'une personne caucasienne (d'origine blanche) et de 30 p. 100 d'une personne asiatique, les étudiants classaient le visage dans la catégorie caucasienne et se souvenaient par la suite avoir vu une personne ayant plus le prototype d'une personne d'origine caucasienne (Corneille et coll., 2004). (Ils avaient plus de chances de se souvenir d'un visage à 80 p. 100 d'origine caucasienne que du visage à 70 p. 100 d'origine caucasienne qu'ils avaient réellement vu.) Si on leur montrait un visage à 70 p. 100 asiatique, ils se souvenaient par la suite d'un visage plus typiquement asiatique (Figure 9.1). Une étude de suivi a également mis en évidence ce phénomène pour le genre (masculin ou féminin). Par exemple, les étudiants à qui l'on montrait un visage à 70 p. 100 masculin le plaçaient dans la catégorie « masculin » (rien de surprenant), mais leur souvenir ultérieur était faussé, plus typiquement masculin (Huart et coll., 2005).

Si l'on s'éloigne du prototype, les limites des catégories peuvent être assez floues. La tomate est-elle un fruit ? Une fille de 17 ans est-elle une jeune fille ou une femme ? La baleine est-elle un mammifère ou un poisson ? Comme cet animal marin ne correspond pas à notre prototype, nous mettons plus de temps à le reconnaître comme

➤ FIGURE 9.1
Le classement des visages en catégories influence le souvenir que nous en avons
Par exemple, si on leur montre un visage à 70 p. 100 caucasien, les gens ont tendance à classer cette personne comme d'origine blanche et à se souvenir du visage comme étant plus caucasien qu'il ne l'est vraiment. (D'après Corneille et coll., 2004.)

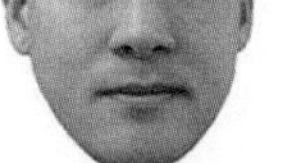

90 p. 100 CA | 80 p. 100 CA | 70 p. 100 CA | 60 p. 100 CA | 50 p. 100/50 p. 100 | 60 p. 100 AS | 70 p. 100 AS | 80 p. 100 AS | 90 p. 100 AS

un mammifère. De même, nous sommes plus lents à percevoir une maladie quand nos symptômes ne correspondent pas à l'un de nos prototypes de maladies (Bishop, 1991). Les gens dont les symptômes de l'attaque cardiaque (essoufflement, grande fatigue, poids dans la poitrine) ne correspondent pas à leur prototype d'une attaque cardiaque (une douleur aiguë dans la poitrine) ne pensent pas à chercher de l'aide. Aussi, quand la discrimination ne correspond pas à nos prototypes de préjugés (Blancs contre Noirs, hommes contre femmes ou encore jeunes contre vieux), nous ne la remarquons souvent pas. Les gens remarquent plus souvent les préjugés qu'ont les hommes à l'égard des femmes que les préjugés qu'ont les femmes envers les hommes ou envers d'autres femmes (Inman et Baron, 1996 ; Marti et coll., 2000). Ainsi les concepts, comme les autres raccourcis mentaux que nous rencontrerons, accélèrent et guident notre pensée. Mais ils ne nous rendent pas toujours sages.

Résoudre des problèmes

2. Quelles stratégies nous aident à résoudre les problèmes et quels obstacles nous en empêchent ?

Nous devons à notre rationalité notre capacité à résoudre des problèmes quand nous devons affronter des situations nouvelles. Quelle route doit-on prendre pour éviter cet embouteillage ? Comment devons-nous réagir aux critiques d'un ami ? Comment rentrer à la maison alors qu'on a perdu ses clés ?

Certains problèmes sont résolus par *essais et erreurs*. Thomas Edison a essayé des milliers de filaments pour son ampoule avant d'en trouver un qui fonctionnait. Pour d'autres problèmes, nous utilisons un **algorithme**, une démarche pas à pas qui garantit une solution. Mais les algorithmes pas à pas peuvent être fastidieux et exaspérants. Par exemple pour trouver un autre mot utilisant toutes les lettres du mot *SPLOYOCHYG*, nous pourrions essayer chaque lettre dans chaque position, mais nous devrions produire et examiner les 907 200 combinaisons possibles. Dans ce cas, nous avons souvent recours à des stratégies plus simples, appelées **heuristiques**. C'est ainsi que nous pourrions réduire le nombre d'options de notre mot *SPLOYOCHYG*, en excluant les combinaisons rares de lettres, par exemple deux Y successifs. En utilisant les heuristiques puis en appliquant la démarche par essais et erreurs, vous pouvez tomber sur la réponse (que vous pouvez voir en tournant la page).

Parfois, la stratégie de résolution du problème semble ne pas être une stratégie du tout. Nous tournons autour d'un problème pendant un moment puis, tout à coup, les morceaux s'assemblent et nous percevons la solution dans un flash soudain d'inspiration appelé **intuition** (*insight*). Le petit Johnny Appleton, âgé de 10 ans, a fait preuve d'intuition en résolvant un problème qui avait bloqué des ouvriers du bâtiment : comment sauver un jeune rouge-gorge tombé dans un trou étroit profond de 0,7 m dans un bloc de béton. La solution de Johnny fut de verser doucement du sable en donnant à l'oiseau le temps de rester au sommet du tas de sable qui montait en permanence (Ruchlis, 1990).

Une équipe de chercheurs a identifié l'activité cérébrale associée aux flashs d'inspiration subite (Jung-Beeman et coll., 2004 ; Sandkühler et Bhattacharya, 2008). Ils ont donné un problème à des sujets : penser à un mot qui formerait un mot composé ou une phrase avec chacun des trois mots d'un groupe (comme *pin, jus, amour*) et appuyer sur un bouton pour activer une sonnerie lorsqu'ils avaient la solution. (Si vous avez besoin d'un indice, le mot est un fruit[1]). Pendant ce temps, les chercheurs cartographiaient l'activité cérébrale de la personne résolvant le problème par IRM fonctionnelle ou EEG. Dans la première expérience, environ la moitié des solutions étaient obtenues après un « eurêka ! » typiquement précédé par une activité du lobe frontal impliquée dans la concentration de l'attention. Elle était accompagnée d'une poussée d'activité dans le lobe temporal droit, juste au-dessus de l'oreille (Figure 9.2, page suivante).

Comme vous l'avez peut-être ressenti en résolvant le problème « pin, jus, amour », ce flash d'inspiration surgit souvent de l'esprit avec une soudaineté étonnante, sans sentiment préalable que l'on « chauffe » ou que l'on est proche de la solution (Knoblich et Oellinger, 2006 ; Metcalfe, 1986). Lorsque le « moment de l'eurêka » nous atteint, cela nous procure

1. Le mot est *POMME* : pomme de pin, jus de pomme, pomme d'amour.

::Prototype : image mentale ou meilleur exemple d'une catégorie ; faire correspondre des éléments nouveaux à un prototype constitue une méthode rapide et simple pour classer ces éléments dans une catégorie (comme en comparant des créatures à plumes à un prototype d'oiseau tel que le rouge-gorge).

::Algorithme : procédé ou règle méthodique et logique qui garantit la résolution d'un problème particulier. Peut être opposé à l'utilisation de l'*heuristique*, en général plus rapide, mais plus propice à l'erreur.

::Heuristique : stratégie mentale simple qui nous permet souvent de porter un jugement et de résoudre efficacement un problème ; en général plus rapide, mais aussi plus sujette à l'erreur que les *algorithmes*.

::Intuition (*insight*) : flash d'inspiration ; compréhension soudaine et souvent nouvelle de la solution d'un problème ; elle s'oppose à une solution fondée sur une stratégie.

:: **Biais de confirmation** : tendance à rechercher les informations qui confirment les idées préconçues et d'ignorer ou de fausser les preuves contradictoires.

:: **Fixation** : incapacité à voir un problème sous une perspective nouvelle en employant un cadre mental différent.

:: **Cadre mental** : tendance à envisager un problème d'une façon particulière, souvent d'une manière couronnée de succès antérieurement.

:: **Rigidité fonctionnelle** : tendance à voir les choses uniquement sous l'angle de leurs fonctions usuelles ; une gêne pour la résolution de problèmes.

➤ FIGURE 9.2
Le moment de l'eurêka ! Une poussée d'activité au niveau du lobe temporal droit accompagne la résolution par *intuition* des problèmes liés aux mots (Jung-Beeman et coll., 2004).

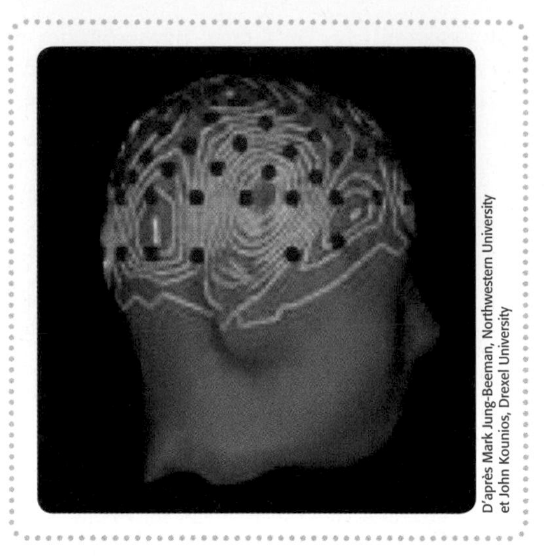

D'après Mark Jung-Beeman, Northwestern University et John Kounios, Drexel University

un sentiment de satisfaction, un sentiment de joie. Le plaisir d'une plaisanterie réside de la même façon dans notre compréhension soudaine d'une chute inattendue ou d'un double sens. Voyez vous-même avec ces deux blagues jugées les plus drôles (parmi les 40 000 blagues cotées par 2 millions de personnes) dans une enquête concernant l'humour sur Internet, menée par Richard Wiseman (2002) et la *British Association for the Advancement of Science.* Voici tout d'abord, celle qui arrive en deuxième place :

Sherlock Holmes et le docteur Watson vont camper. Ils plantent leur tente sous les étoiles et vont se coucher. Soudain, au milieu de la nuit, Holmes réveille Watson.

Holmes : « Watson, regardez les étoiles et dites-moi ce que vous en déduisez. »
Watson : « Je vois des millions d'étoiles, et même si très peu d'entre elles possèdent des planètes, il est possible que certaines ressemblent à la Terre, et s'il y a des planètes qui ressemblent à la Terre, il est également possible qu'il y ait de la vie sur ces planètes. Qu'en pensez-vous Holmes ? »
Holmes : « Watson, vous êtes un idiot ! Quelqu'un a volé notre tente ! »

Et enfin, un roulement de tambour pour le gagnant :

Deux chasseurs du New Jersey se trouvent dans la forêt quand subitement l'un d'eux s'écroule par terre. Il semble ne plus respirer et ses yeux sont révulsés. L'autre type se jette sur son portable et appelle le service des urgences. « Mon ami est mort ! Que puis-je faire ? », dit-il haletant. L'opérateur, d'une voix calme et apaisante, lui dit : « Calmez-vous, je vais vous aider. Tout d'abord assurez-vous qu'il est bien mort. » Il s'ensuit un silence, puis un coup de fusil. Le type reprend le téléphone et dit : « Bon, et je fais quoi maintenant ? »

• Réponse à l'anagramme de SPLOYOCHYG : PSYCHOLOGY. •

Obstacles à la résolution d'un problème

Aussi inventifs que nous soyons dans la résolution des problèmes, la solution exacte peut nous échapper. Deux tendances cognitives – le *biais de confirmation* et la *fixation* – peuvent nous mener sur la mauvaise voie.

Biais de confirmation Nous recherchons les preuves qui confirment nos idées avec plus d'empressement que les preuves qui peuvent les réfuter (Klayman et Ha, 1987 ; Skov et Sherman, 1986). Ce phénomène, connu sous le nom de **biais de confirmation**, est un obstacle majeur à la résolution des problèmes. Peter Wason (1960) démontra cette tendance en donnant à des étudiants britanniques la séquence de trois chiffres 2-4-6. Il leur demanda de définir la règle qu'il avait utilisée pour construire cette série. (La règle était simple : trois nombres quelconques en ordre croissant.) Avant de donner leur réponse, les étudiants ont proposé leurs propres séries de trois nombres et, à chaque fois, Wason leur disait si leurs séries se conformaient ou non à sa règle. C'est seulement lorsqu'ils étaient *certains* de connaître la règle, qu'ils pouvaient l'énoncer. Le résultat ? Rarement juste, mais jamais mis en doute : la plupart des étudiants de Wason formaient une idée fausse (« peut-être est-ce compter de deux en deux »), puis cherchaient seulement à confirmer la fausse règle par des preuves (en testant 6-8-10, 100-102-104, et ainsi de suite).

Selon Wason (1981), « les gens ordinaires fuient les faits, deviennent indécis et se défendent systématiquement contre la menace de nouvelles informations relatives à la solution du problème ». Les conséquences sont parfois capitales. Les États-Unis lancèrent la guerre contre l'Irak sur la supposition que Saddam Hussein était en possession d'armes de destruction massive (ADM) constituant une menace immédiate. Lorsque cette hypothèse s'est avérée erronée, le SSCI (*Senate Select Committee on Intelligence*) bipartite a identifié des failles dans les processus de jugement comportant des biais de confirmation (2004). Les analystes du gouvernement « avaient tendance à accepter les informations qui confortaient [leurs suppositions]... plus facilement que celles qui les contredisaient ». Ils considéraient que les sources qui démentaient l'existence de telles armes « mentaient ou n'étaient pas informées sur les problèmes irakiens, alors que les sources qui rapportaient la poursuite de la production d'ADM étaient jugées comme fournissant des informations valables ».

« Lorsqu'une proposition quelconque a été évoquée une fois, la compréhension humaine... force tout le reste à y apporter une confirmation et un support nouveau. »
Francis Bacon, *Novum Organum*, 1620

Fixation Une fois que nous nous sommes posé le problème de façon incorrecte, il est difficile de redéfinir la façon de l'aborder. Si la solution au problème des allumettes de la FIGURE 9.3 vous échappe, vous pourrez peut-être subir une **fixation**, l'incapacité à voir un problème sous un angle nouveau (*voir* la solution du problème à la FIGURE 9.5, page suivante).

Le *cadre mental* et la *rigidité fonctionnelle* constituent deux exemples de fixation. Tout comme le cadre perceptuel prédispose notre perception, le **cadre mental** prédispose notre manière de réfléchir. Le cadre mental se réfère à notre tendance à aborder un problème en ayant déjà à l'esprit ce qui a marché précédemment. En effet, les solutions qui ont été efficaces dans le passé marchent souvent pour de nouveaux problèmes. Considérez ceci :

Si l'on vous donne la séquence U-D-T-Q-?-?-?, quelles seront les trois dernières lettres ?

La plupart des gens ont des difficultés à voir que les trois dernières lettres seront C(inq), S(ix) et S(ept). Mais la résolution de ce problème va rendre le prochain plus facile :

Si l'on vous donne la séquence J-F-M-A-?-?-?, quelles seront les trois dernières lettres ? (Si cela s'avère aussi difficile, demandez-vous quel mois nous sommes.)

Parfois, cependant, notre cadre mental fondé sur ce qui a déjà marché nous empêche de trouver une solution nouvelle face à un nouveau problème. Notre cadre mental de nos expériences passées avec les allumettes nous prédispose à les placer en deux dimensions.

Un autre type de fixation est associé à la dénomination lourde, mais appropriée, de **rigidité fonctionnelle.** C'est-à-dire notre tendance à ne percevoir que les fonctions familières des objets, sans imaginer d'autres usages. Une personne peut mettre sa maison sens dessus dessous pour trouver un tournevis alors qu'une pièce de monnaie aurait fait l'affaire. Comme exemple, essayez le problème de la bougie dans la FIGURE 9.4. Avez-vous ressenti cette rigidité fonctionnelle ? Si oui, regardez la FIGURE 9.6, page suivante. Percevoir et associer des choses familières d'une nouvelle façon fait partie de la créativité.

➤ FIGURE 9.3
Le problème des allumettes Comment pouvez-vous disposer six allumettes pour former quatre triangles équilatéraux ?

➤ FIGURE 9.4
Le problème du montage de la bougie En utilisant ces éléments, comment pourriez-vous installer la bougie sur un tableau d'affichage ? (D'après Duncker, 1945.)

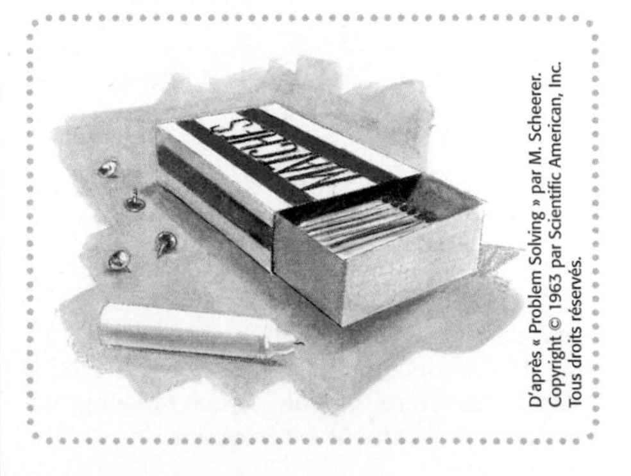

Prendre des décisions et élaborer des jugements

3. Comment les heuristiques, l'excès de confiance et la persévération des préjugés influencent-ils nos décisions et notre jugement ?

Lorsque, chaque jour, nous prenons ou émettons des centaines de décisions et jugements (*cela vaut-il la peine de prendre un parapluie ? Puis-je faire confiance à cette personne ? Dois-je tenter le panier ou faire la passe au joueur qui est en veine ?*), nous prenons rarement la peine et le temps de raisonner de façon systématique. En général, nous suivons notre intuition. Après avoir interrogé les responsables du gouvernement, des affaires et de l'éducation, le psychosociologue Irving Janis (1986) conclut que « souvent ils n'utilisent pas une approche réfléchie pour résoudre un problème. Comment arrivent-ils de manière générale à une décision ? Si

➤ FIGURE 9.5
Solution du problème des allumettes
Pour résoudre ce problème, vous devez le voir avec une autre perspective et briser la fixation qui limite vos recherches aux solutions en deux dimensions.

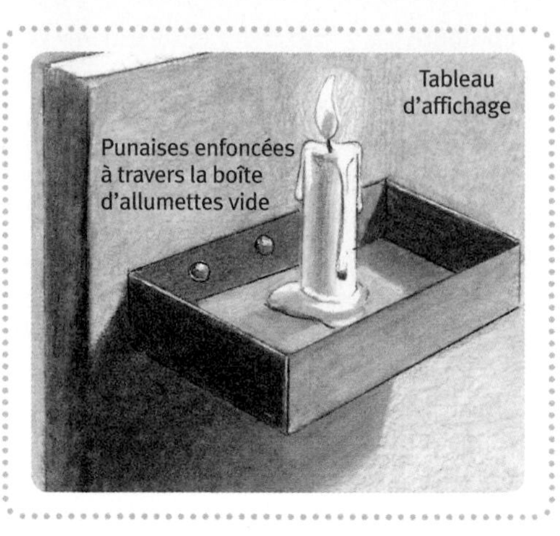

➤ FIGURE 9.6
Solution du problème du montage de la bougie La solution de ce problème nécessite de reconnaître qu'une boîte d'allumettes peut avoir d'autres fonctions que de contenir des allumettes. (D'après Duncker, 1945.)

vous le leur demandez, ils vont probablement vous dire... qu'ils le font essentiellement *comme ils le sentent* ».

Bonne et mauvaise utilisation des heuristiques

Lorsque nous avons besoin d'agir vite, les raccourcis mentaux que nous appelons heuristiques, nous aident souvent à dépasser la paralysie de l'analyse. Grâce au traitement automatique de l'information de notre esprit, les jugements intuitifs sont instantanés. Mais le prix que nous payons pour leur efficacité peut être coûteux, ces jugements pouvant être rapides mais mauvais. Des recherches menées par les psychologues cognitivistes Amos Tversky et Daniel Kahneman (1974) sur les *heuristiques de la représentativité* et *de la disponibilité* ont montré comment ces deux raccourcis généralement utiles ont pu parfois conduire des personnes intelligentes à prendre des décisions stupides. (Leur travail conjoint sur la prise de décision a reçu le prix Nobel 2002, bien que malheureusement seul Kahneman fût encore vivant pour recevoir cet honneur.)

Heuristique de la représentativité Juger de la probabilité des choses en fonction de leur ressemblance avec des prototypes particuliers, c'est utiliser l'**heuristique de la représentativité**. Pour l'illustrer, prenons l'exemple suivant :

> Un étranger vous parle d'une personne petite, maigre et qui aime lire des poèmes, puis vous demande de dire si cette personne a plus de chances d'être professeur de lettres dans une grande université du nord-est des États-Unis (*Ivy League University*) ou conducteur de camion (adapté d'après Nisbett et Ross, 1980). Quelle serait la meilleure réponse ?

Avez-vous répondu « professeur » ? La plupart des gens ont répondu cela, car la description semble plus *représentative* d'un enseignant de l'*Ivy League University* que d'un conducteur de camion. L'heuristique de la représentativité vous permet de faire un jugement abrupt. Mais elle vous pousse également à ignorer d'autres informations pertinentes. Quand j'aide des gens à réfléchir sur cette question, la conversation se déroule à peu près ainsi :

Question : D'abord, essayons d'imaginer combien de professeurs correspondent à la description. Combien supposez-vous qu'il y ait d'*Ivy League Universities ?*
Réponse : Oh, environ dix, je suppose.
Question : Combien de professeurs de lettres pensez-vous que compte chacune d'elle ?
Réponse : Peut-être quatre.

:: Heuristique de la représentativité : juger de la probabilité des choses en termes de ressemblance ou de la conformité avec un prototype particulier ; peut conduire quelqu'un à ignorer d'autres informations pertinentes.

:: Heuristique de la disponibilité : estimer la probabilité d'événements en fonction de leur disponibilité en mémoire ; si l'exemple vient facilement à l'esprit (peut-être à cause de son caractère frappant), nous présumons qu'un tel événement est fréquent.

Avec l'aimable autorisation de Greymayer Award, Université de Louisville et de la famille Tversky

« En créant ces problèmes, nous n'avions pas prévu de duper les gens. Tous nos problèmes nous ont dupés, nous aussi. »
Amos Tversky (1985)

Avec l'aimable autorisation de Greymayer Award, Université de Louisville et de Daniel Kahneman

« La plupart du temps la pensée intuitive [est] très fine... mais parfois cette habitude de l'esprit nous crée aussi des ennuis. »
Daniel Kahneman (2005)

Question : D'accord, cela fait 40 professeurs enseignant les lettres dans les *Ivy League Universities*. Combien d'entre eux sont petits et maigres ?
Réponse : Disons la moitié.
Question : Et de ces 20 personnes, combien aiment lire des poèmes ?
Réponse : Je dirais la moitié – 10 professeurs.
Question : Examinons maintenant combien de conducteurs de camion correspondent à la description. Combien pensez-vous qu'il y ait de conducteurs de camion ?
Réponse : Peut-être 400 000.
Question : Quelle est la proportion de gens petits et maigres ?
Réponse : Pas tellement, peut-être 1 sur 8.
Question : De ces 50 000 personnes, quel pourcentage aime lire des poèmes ?
Réponse : Des conducteurs de camion qui aiment la poésie ? Je dirais 1 sur 100. Oh, je vois où vous voulez en venir, cela me donne 500 conducteurs de camion petits et maigres et qui lisent de la poésie.
Commentaire : Eh oui, même en acceptant vos stéréotypes que cette description soit plus représentative d'un professeur de lettres que d'un conducteur de camion, cette personne a malgré tout 50 fois plus de chances d'être un conducteur de camion.

L'heuristique de la représentativité influence beaucoup nos décisions quotidiennes. Pour juger de la probabilité de quelque chose, nous la comparons intuitivement à notre représentation mentale de la catégorie en question qui dit, par exemple, à quoi ressemblent les conducteurs de camion. Si les deux correspondent, les faits passent outre les autres considérations d'ordre statistique ou logique.

Heuristique de la disponibilité L'**heuristique de la disponibilité** se manifeste lorsque nous fondons notre jugement sur la disponibilité mentale de l'information. Tout ce qui permet à l'information de « jaillir dans notre esprit », rapidement et facilement – le fait qu'elle soit récente, vivante ou distincte – peut augmenter la disponibilité perçue, la rendant fréquente. Les casinos nous persuadent de jouer en signalant même les petits gains par une sonnerie et une lumière, les rendant vivants dans notre souvenir, tout en gardant sous silence et invisibles les fortes pertes. Et si quelqu'un d'une ethnie particulière commet un acte terroriste, notre mémoire facilement accessible de l'événement dramatique peut façonner notre impression du groupe dans son ensemble. Lorsque la réalité statistique est opposée à un seul cas frappant, celui-ci gagne souvent. Les massacres de civils semblent en augmentation ces derniers temps du fait des attaques terroristes et des génocides dont nous nous souvenons. En vérité, ces horreurs ont décliné fortement depuis la fin des années 1980 (Pinker, 2007 ; Département d'État américain, 2004).

« Mon problème, c'est que je n'arrive pas à faire la différence entre une super intuition pleine de sagesse provenant de l'Univers et l'une de mes propres idées débiles ! »

:: Excès de confiance : tendance à être plus confiant qu'exact et à surestimer l'exactitude de son opinion ou de son jugement.

:: Persévération des préjugés : se raccrocher à sa conception initiale après que les bases sur lesquelles elle a été formée ont été invalidées.

➤ FIGURE 9.7
Risques de décès ayant diverses causes aux États-Unis en 2001 (Données réunies de diverses sources gouvernementales par Randall Marshall et coll., 2007).

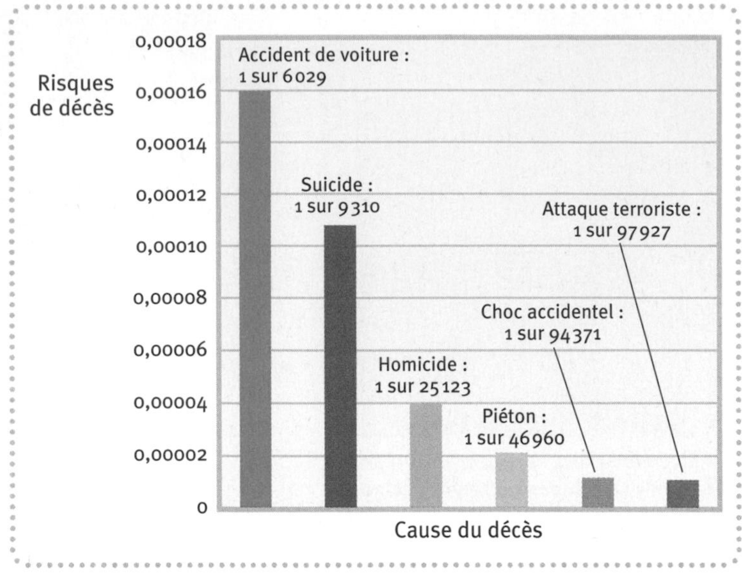

Même pendant cette horrible année du 11 septembre, les actes terroristes ont comparativement coûté la vie à peu de personnes, remarquent les chercheurs spécialistes du risque (*voir* FIGURE 9.7). Cependant en 2007, un sondage a montré que pour le Congrès et le Président, le « terrorisme » était la priorité des Américains. Par contre, trouver une solution au changement climatique global, que certains scientifiques considèrent comme « un futur Armageddon avançant lentement » se trouvait au bas de l'échelle des priorités (Pew, 2007). Cass Sunstein, un scientifique spécialisé en politique (2007), remarque que les images chargées d'émotion de la terreur exacerbent nos craintes du terrorisme en exploitant les heuristiques de disponibilité. Nous avons peur de prendre l'avion parce que nous repassons dans notre tête les images du 11 septembre ou d'une autre catastrophe aérienne. Nous avons peur de laisser nos enfants aller à pied à l'école parce que nous revoyons dans notre tête des films d'enfants kidnappés et brutalisés. Nous avons peur de nager dans l'océan parce que nous rejouons *Les dents de la mer* dans notre tête. Et ainsi, grâce à la disponibilité de ces images, nous en venons à craindre des événements extrêmement rares. Pendant ce temps, du fait de l'absence d'images disponibles des conséquences du changement climatique global, la plupart des gens se sentent peu concernés. (Pour en savoir plus sur le pouvoir des cas saisissants, tournez la page pour voir Regard critique sur : Le facteur « peur ».)

« Ne croyez pas à tout ce que vous pensez. »
Phrase relevée sur un autocollant de voiture

Nous raisonnons émotionnellement et négligeons les probabilités, remarque le psychologue Paul Slovic (2007). Nous ressentons de trop et ne réfléchissons pas assez. Au cours d'une expérience, Deborah Small, George Lowenstein et Slovic (2007) ont remarqué que les donations à une petite fille de 7 ans souffrant de famine étaient plus importantes lorsque sa photographie *n'était pas* accompagnée d'informations statistiques sur les millions d'enfants africains dans le besoin comme elle. Mère Térésa disait : « Si je regarde la masse, je n'agis jamais ; si je regarde une personne en particulier, j'agis. »

« L'entendement humain est surtout excité par ce qui frappe et pénètre l'esprit de façon soudaine et ce par quoi l'imagination est immédiatement emplie et dilatée. Il commence alors imperceptiblement à envisager et supposer que tout est semblable aux quelques objets qui ont pris possession de l'esprit. »
Francis Bacon, *Novum Organum*, 1620

Excès de confiance

Notre utilisation des heuristiques intuitives pour former des jugements, notre ardeur à confirmer les croyances déjà acquises et notre facilité à expliquer les échecs se combinent pour créer un **excès de confiance**, c'est-à-dire une tendance à surestimer la précision de nos connaissances et de notre jugement. Au travers de tâches diverses, les gens surestiment ce qu'était, est ou sera leur performance (Metcalfe, 1998).

De même, les gens sont plus confiants qu'exacts en répondant à des questions telles que : « L'absinthe est-elle une liqueur ou une pierre précieuse ? » (C'est une liqueur au goût de réglisse.) Sur des questions où seulement 60 p. 100 de personnes répondaient correctement, ceux qui répondaient avaient en général 75 p. 100 de certitude. Même quand ils se sentent certains à 100 p. 100 de leur réponse, ils se trompent dans environ 15 p. 100 des cas (Fischhoff et coll., 1977).

L'excès de confiance affecte également les décisions en dehors des laboratoires. Lyndon Johnson était trop confiant lorsqu'il soutint la guerre contre le Vietnam du Nord, mais aussi

Georges W. Bush quand il marcha sur l'Irak pour éliminer les soi-disant armes de destruction massive. À plus petite échelle, l'excès de confiance entraîne les agents de change ou les responsables d'investissement à vendre leur capacité à obtenir des performances supérieures à la moyenne en bourse, bien qu'il y ait des preuves accablantes du contraire (Malkiel, 2004). L'achat d'une action X, recommandé par un agent de change qui juge que c'est le meilleur moment pour acheter, est généralement contrebalancé par une vente faite par quelqu'un qui pense que c'est le meilleur moment pour vendre. Malgré leur confiance en eux, l'acheteur et le vendeur ne peuvent pas avoir tous les deux raison.

Bianca Moscatelli/Worth Publishers

Prévoyez votre propre comportement Quand aurez-vous terminé de lire ce chapitre ?

Les étudiants sont eux aussi, en général, trop sûrs d'eux, même à propos de la rapidité avec laquelle ils vont tenir leurs engagements ou écrire leurs rapports, espérant terminer avant les délais impartis (Buehler et coll., 1994). En fait, les projets sont le plus souvent terminés en deux fois plus de temps qu'il n'était prévu. Malgré ces douloureuses sous-estimations, nous restons tout à fait confiants pour la prédiction suivante. De plus, de même que nous présumons de la quantité de ce que nous allons faire, nous surestimons aussi le temps libre qu'il va nous rester (Zauberman et Lynch, 2005). Pensant que nous aurions plus de temps libre le mois prochain qu'aujourd'hui nous acceptons les invitations futures avec plaisir avant de nous rendre compte que nous sommes tout aussi occupés.

Ne pas évaluer sa possibilité d'erreur peut avoir des conséquences désastreuses, mais l'excès de confiance a une valeur adaptative. Les gens qui se laissent aller à une confiance excessive vivent plus heureux, trouvent plus facile de prendre des décisions brutales et paraissent plus crédibles que ceux qui manquent de confiance en eux (Baumeister, 1989 ; Taylor, 1989). De plus, quand on nous fournit un retour rapide et précis sur l'exactitude de nos jugements - un peu comme les météorologistes contrôlent leurs prévisions le lendemain -, nous pouvons apprendre à être plus réaliste sur la précision de nos jugements (Fischhoff, 1982). La sagesse qui consiste à savoir si nous savons une chose ou si nous l'ignorons naît de l'expérience.

« Lorsque vous savez une chose, maintenir que vous la savez ; et lorsque vous ne savez pas une chose, admettre que vous ne la savez pas ; c'est cela la connaissance. »
Confucius (551-479 av. J.-C.), *Analectes*

« Comme nous le savons,
Il existe des faits notoires connus.
Ces faits, nous savons que nous les connaissons.
Nous savons aussi,
Qu'il existe des faits notoires inconnus.
C'est-à-dire
Nous savons qu'il existe certaines choses que nous ne connaissons pas.
Mais il existe aussi des faits inconnus qui ne sont pas notoires,
Ces faits, nous ne savons pas que nous ne les connaissons pas. »
Donald Rumsfeld,
Département américain de la Défense,
news briefing, 2002

Le phénomène de persévération des préjugés

Notre tendance à craindre les mauvaises choses et à être trop confiant dans nos jugements est impressionnante. Tout aussi étonnante est notre tendance à nous cramponner à nos convictions en face de preuves du contraire. La **persévération des préjugés** nourrit souvent les conflits sociaux, comme cela a été montré lors d'une étude menée sur des personnes ayant des idées opposées sur la peine de mort (Lord et coll., 1979). Les participants, qu'ils soient pour ou contre, ont étudié deux séries de recherches, supposées nouvelles, l'une en faveur de l'idée selon laquelle la peine capitale décourage le crime et l'autre la réfutant. Chacune des deux parties a surtout été impressionnée par l'étude conforme à sa conviction et a critiqué l'autre étude. Ainsi, le fait de montrer à des groupes pour ou contre la peine de mort les *mêmes* arguments mélangés a en fait *augmenté* leur désaccord.

Pour ceux qui souhaitent maîtriser le phénomène de persévération des préjugés, un remède simple existe : *considérer l'opinion opposée*. Lorsque Charles Lord et ses collaborateurs (1984) ont reproduit cette étude sur la peine de mort, ils ont demandé à certains de leurs sujets d'être « aussi *objectifs* et *impartiaux* que possible ». Cette demande n'a en rien diminué l'évaluation biaisée des preuves. Cependant, ils demandèrent à un autre groupe : « Auriez-vous fait une même évaluation, bonne ou mauvaise, si la même étude avait donné des résultats en faveur de l'*autre* approche du problème ? » Ayant imaginé et pensé les résultats *opposés*, ces personnes furent moins partiales dans leur évaluation des preuves.

Plus nous arrivons à comprendre pourquoi nos croyances pourraient être vraies, et plus nous nous y accrochons. Une fois que les gens se sont expliqués à eux-mêmes pourquoi ils pensaient qu'un enfant était « doué » ou « en difficulté », pourquoi ce candidat X ou Y serait un meilleur commandant en chef ou pourquoi une compagnie Z était un bon investissement en bourse, ils ont tendance à ignorer les éléments qui infirment cette opinion. Les préjugés persistent. Une fois que les croyances se sont formées et ont été justifiées, il faut plus de preuves irréfutables pour les modifier qu'il n'en a fallu pour les établir.

« Je suis heureux de dire que mon jugement final sur un cas correspond presque toujours à l'opinion préalable que j'en avais. »

REGARD CRITIQUE SUR

Le facteur « peur » – Avons-nous peur des bonnes choses ?

« La plupart des gens raisonnent de façon dramatique et non quantitative », déclare Oliver Wendell Holmes. Depuis le 11 septembre, de nombreuses personnes craignent plus de prendre l'avion que de conduire. (Au cours d'une enquête Gallup faite en 2006, seulement 40 p. 100 déclarent « ne pas du tout avoir peur » de l'avion.) Seulement, au kilomètre près, les Américains avaient 230 fois plus de chances de mourir d'un accident de voiture que lors d'un vol commercial entre 2003 et 2005 (*National Safety Council*, 2008). J'ai écrit un essai à la fin 2001, dans lequel j'ai calculé que si – du fait du 11 septembre – les gens effectuaient 20 p. 100 de vols aériens en moins et prenaient à la place la route pour effectuer la moitié des kilomètres non parcourus en avion, environ 800 personnes de plus mourraient dans un accident de la route dans l'année suivant le 11 septembre (Myers, 2001). Lorsque, par la suite, le psychologue allemand Gerd Gigerenzer (2004) a comparé cette estimation avec les données sur les accidents de la route (pourquoi n'y ai-je pas pensé ?), il a trouvé qu'au cours du dernier trimestre 2001, la mortalité par accident de la route aux États-Unis avait véritablement augmenté significativement par rapport à la moyenne de ce trimestre calculée pour les cinq années précédentes (FIGURE 9.8). Bien longtemps après l'attentat du 11 septembre, les terroristes continuaient encore à tuer des Américains. À mesure que le trafic aérien a repris entre 2002 et 2005, les vols commerciaux américains ont transporté près de 2,5 milliards de passagers sans aucun décès pendant un vol majeur à bord d'un gros avion de ligne (McMurray, 2006 ; Miller, 2005). Pendant ce temps, 172 000 Américains sont morts dans un accident de la route. Pour la plupart

➤ FIGURE 9.8
L'attentat du 11 septembre continue à tuer des Américains Les images du 11 septembre restent gravées plus nettement dans nos esprits que les millions de vols aériens sans accident qui se sont produits sur les lignes américaines au cours de 2002 et par la suite. Ces événements dramatiques, rapidement disponibles dans notre mémoire, ont façonné notre perception du risque. Au cours des trois mois qui suivirent l'attentat de 2001, cette perception erronée a poussé plus de gens à prendre leur voiture pour voyager et, pour certains, à mourir. (Adapté de Gigerenzer, 2004.)

AP/Wide World Photos

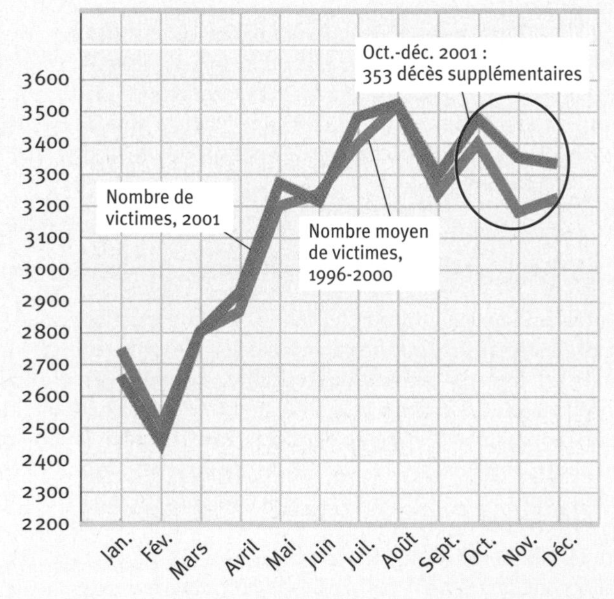

Les dangers et les pouvoirs de l'intuition

4. Comment les penseurs intelligents utilisent-ils l'intuition ?

Nous avons vu comment notre façon irrationnelle de penser peut gêner nos efforts pour résoudre des problèmes, prendre des décisions judicieuses, former des jugements valides et raisonner logiquement. L'intuition nourrit également nos peurs viscérales et nos préjugés. En outre, les dangers de l'**intuition** s'observent même chez des gens auxquels on offre une rémunération élevée pour leur intelligence, auxquels on demande de justifier leurs réponses et qui

:: **Intuition** : un sentiment ou une pensée immédiate, automatique et facile, s'opposant au raisonnement explicite et conscient.

d'entre nous, la partie la plus dangereuse d'un vol de ligne est de conduire jusqu'à l'aéroport.

Pourquoi a-t-on peur des mauvaises choses ? Pourquoi redoute-t-on plus le terrorisme que les accidents, qui tuent presque autant de personnes par *semaine* aux États-Unis que ne l'a fait le terrorisme avec ses 2527 morts dans le monde entier dans les années 1990 (Johnson, 2001) ? Même en tenant compte de l'horreur du 11 septembre, les intoxications alimentaires (qui effraient peu de gens) ont fait plus de victimes chez les Américains en 2001 que le terrorisme (qui effraie beaucoup plus de monde). La psychologie à visée scientifique a identifié quatre influences ayant un rôle sur nos intuitions concernant les risques. Prises ensemble, elles expliquent pourquoi nous nous inquiétons parfois de possibilités peu probables tout en ignorant les probabilités bien plus importantes.

Tout d'abord, *nous redoutons ce que notre histoire ancestrale nous a préparé à redouter*. Les émotions humaines ont été soumises à rude épreuve pendant l'âge de la pierre. Notre vieux cerveau nous a préparés à craindre les risques d'aujourd'hui : les serpents, les lézards et les araignées (ces trois créatures réunies ne tuent pratiquement personne de nos jours dans les pays développés). Et il nous a préparés à craindre le confinement et la hauteur, donc, par conséquent, à avoir peur de prendre l'avion.

Deuxièmement, *nous redoutons ce que nous ne pouvons contrôler*. On peut contrôler une voiture, mais pas un avion.

Troisièmement, *nous craignons ce qui est immédiat*. En avion, les craintes sont surtout condensées au décollage et à l'atterrissage, alors qu'en voiture le danger, banalisé, est réparti sur de nombreux moments. De même, beaucoup de fumeurs (dont les habitudes raccourcissent leur durée de vie en moyenne de cinq ans) s'inquiètent ouvertement avant de prendre l'avion (ce qui si on fait la moyenne sur les gens, raccourcit la vie d'une journée). La toxicité de la cigarette tue dans un futur lointain.

Quatrièmement, *nous redoutons ce qui est le plus présent dans notre mémoire*. Les souvenirs puissants disponibles, comme les images de l'avion de l'United Flight 175 pénétrant dans la tour du World Trade Center, servent de mesure pour évaluer les risques de manière intuitive. Des milliers de trajets effectués en voiture sans problème ont mis fin à nos craintes concernant la conduite.

Les événements marquants déforment notre jugement du risque et des conséquences probables. Nous craignons trop les dangers qui ont tué des gens de façon spectaculaire, en masse. Mais nous craignons bien peu les dangers qui surviendront dans le futur et feront des victimes de manière non spectaculaire, tuant les gens un par un. Comme le remarque Bill Gates, chaque année un demi-million d'enfants de par le monde – l'équivalent de quatre 747 remplis d'enfants par jour – meurent discrètement, l'un après l'autre, d'une infection par des rotavirus, et personne n'en entend jamais parler (Glass, 2004). Les résultats dramatiques nous coupent le souffle ; nous saisissons mal les probabilités.

Néanmoins nous devons « apprendre à protéger notre famille et nous-mêmes des futures attaques terroristes » prévient périodiquement un encart du département américain de la sécurité intérieure (*Homeland Security*) dans mon journal local. Nous devons acheter et stocker des réserves alimentaires, du ruban adhésif large et des radios à piles en cas d'« attaque terroriste dans notre ville ». Avec 4 Américains sur 10 qui sont au moins un peu inquiets que « lui ou quelqu'un de sa famille soit victime du terrorisme », ce message « ayez peur ! » (ayez peur non seulement d'une attaque terroriste sur quelqu'un quelque part, mais aussi d'une attaque sur vous dans votre ville) a été bien entendu (Carroll, 2005).

Ce qu'il faut retenir : il est parfaitement normal de craindre la violence intentionnelle perpétrée par ceux qui nous haïssent. Si les terroristes frappent une nouvelle fois, nous reculerons tous de terreur. Mais les gens rationnels se souviendront de ceci : *confrontez vos peurs aux faits réels et résistez à ceux qui s'en servent dans leur propre dessein en cultivant la culture de la peur*. Ainsi, nous pourrons éliminer l'arme omniprésente du terrorisme : la peur exagérée.

« Les personnes qui ont peur sont plus dépendantes, plus facilement manipulées et contrôlées, plus sensibles à des mesures trompeuses simples, fortes et dures et à des postures intransigeantes. »

George Gerbner, chercheur spécialisé dans les médias lors du *US Congressional Subcommittee on Communications*, 1981

sont médecins experts ou cliniciens (Shafir et LeBoeuf, 2002). Sur cette base, nous pourrions conclure que notre tête est remplie de paille.

Mais nous devons abandonner l'espoir de la rationalité humaine. Les scientifiques cognitivistes d'aujourd'hui nous révèlent également le pouvoir de l'intuition, comme vous pourrez le voir dans cet ouvrage (TABLEAU 9.1). Pour la majeure partie, les réactions intuitives et instantanées de notre cognition nous permettent de réagir rapidement et, *en général*, de façon adaptée. Elles font cela premièrement grâce à nos heuristiques rapides et simples qui nous permettent, par exemple, de supposer intuitivement que les objets qui apparaissent flous sont éloignés,

TABLEAU 9.1

LES DANGERS ET LES POUVOIRS DE L'INTUITION (SUIVI DU NUMÉRO DU CHAPITRE D'OÙ PROVIENT LE TEXTE)

Les douze péchés capitaux de l'intuition	Les preuves du pouvoir de l'intuition
• Le *biais de l'après-coup* – en regardant les événements une fois qu'ils sont passés, nous considérons de manière erronée que nous le savions déjà depuis longtemps. (1)	• La *vision aveugle* – les personnes dont le cerveau est lésé « voient sans voir » car leur corps réagit aux choses et aux visages qui ne sont pas reconnus consciemment. (2)
• La *corrélation illusoire* – percevoir intuitivement une relation là où il n'y en a pas. (1)	• La *pensée par le cerveau droit* – les personnes dont le cerveau ne communique plus présentent des connaissances qu'ils ne peuvent exprimer par des mots. (2)
• La *construction mnésique* – influencés par notre humeur du moment et par la désinformation, nous pouvons former de faux souvenirs. (8)	• *L'apprentissage intuitif des enfants* – du langage et de la physique. (5)
• Les *heuristiques de la représentativité et de la disponibilité* – les heuristiques simples et rapides deviennent rapides et embrouillées lorsqu'elles nous conduisent à des raisonnements illogiques et incorrects. (9)	• *L'intuition morale* – sensations viscérales rapides qui précèdent le raisonnement moral. (5)
• *L'excès de confiance* – la supposition intuitive de nos propres connaissances est souvent plus empreinte de confiance que correcte. (1, 9).	• *L'attention divisée et l'amorçage* – informations non intentionnelles traitées par les écrans radars des centres inférieurs de l'esprit. (3, 8)
• Les *biais de persévération des préjugés et de confirmation* – en grande partie du fait que nous préférons confirmer les informations, nos croyances sont souvent résistantes, même après avoir discrédité leur bien-fondé. (1, 9).	• Les *perceptions quotidiennes* – traitement et intégration instantanés et en parallèle de flux d'informations complexes. (6)
• La *présentation* – fluctuation des jugements, en fonction de la manière dont est présenté le même résultat ou la même information. (9)	• Le *traitement automatique* – autopilote cognitif qui nous guide dans la plupart des événements de la vie. (divers)
• *L'illusion de l'intervieweur* – augmentation de la confiance dans le discernement de quelqu'un fondée uniquement sur un entretien. (11)	• La *mémoire implicite* – se souvenir de la *manière* de faire quelque chose sans le savoir. (8)
• *Mauvaise interprétation de nos propres sentiments* – nous interprétons souvent mal l'intensité et la durée de nos émotions. (12)	• Les *heuristiques* – raccourcis mentaux simples et rapides qui nous servent normalement assez bien. (9)
• Le *biais de l'autosatisfaction* – de diverses manières, nous montrons une augmentation de notre estime de soi. (13)	• *L'expertise intuitive* – phénomène d'apprentissage inconscient, d'apprentissage par l'expérience et d'intelligence physique. (9, 10, 13)
• *Erreur fondamentale d'attribution* – attribuer le comportement des autres à leurs dispositions en ne prenant pas en compte les forces non perçues de la situation. (16)	• La *créativité* – apparition parfois spontanée d'une idée nouvelle et valable. (10)
• *Erreur de prédiction de notre propre comportement* – nos prédictions personnelles intuitives sont souvent erronées. (16)	• *L'intelligence sociale et émotionnelle* – le savoir-faire intuitif permettant de nous autocomprendre et autogérer dans les situations sociales ainsi que de percevoir et d'exprimer nos émotions. (10)
	• La *sagesse du corps* – lorsqu'il faut des réponses immédiates, les voies émotionnelles cérébrales court-circuitent le cortex ; les pressentiments précèdent parfois la compréhension rationnelle. (12)
	• La *projection fine* – détection de traits de caractère au bout de quelques secondes de comportement. (13)
	• Le *système de la double attitude* – De même que nous avons deux façons d'atteindre la connaissance (consciente et inconsciente) et deux façons de nous en souvenir (implicite et explicite), nous avons aussi des réponses viscérales et d'autres liées à une attitude rationnelle. (16)

ce qui est généralement vrai (excepté lors de matins brumeux). Nos associations apprises engendrent également les intuitions de notre esprit à deux voies. Si un étranger ressemble à quelqu'un qui nous a fait du mal auparavant ou qui nous a effrayés, nous pouvons, sans nous souvenir consciemment de l'expérience précédente, réagir avec prudence. (Les associations apprises font surface sous la forme de sentiments viscéraux.)

Pour montrer comment nos heuristiques quotidiennes nous rendent en général intelligents (et parfois seulement stupides), Gerd Gigerenzer (2004, 2007) a demandé à des étudiants d'universités américaines et allemandes : « Quelle est la ville la plus peuplée : San Diego ou San Antonio ? » Soixante-deux pour cent des Américains ont vu juste après avoir réfléchi un moment : San Diego. En Allemagne, où personne n'a jamais entendu parler de San Antonio (excusez-moi, chers amis texans), les étudiants ont utilisé une heuristique rapide et simple : choisir ce qu'on connaît. En ayant moins de connaissances, mais une méthode heuristique adaptative, 100 p. 100 des étudiants allemands interrogés ont répondu correctement.

Le psychologue de l'université d'Amsterdam Ap Dijksterhuis a découvert, avec ses collaborateurs (2006a,b), le pouvoir surprenant de l'intuition inconsciente dans des expériences qui ont montré des informations complexes à des personnes sur des appartements potentiels (ou des colocataires ou des affiches d'art). Ils ont invité certains participants à donner leur préférence immédiatement après avoir lu une douzaine d'informations sur chacun des quatre appartements. Un second groupe, ayant eu quelques minutes pour analyser l'information, avait tendance à prendre des décisions légèrement plus intelligentes. Mais les plus sages de tous les participants, étude après étude, étaient ceux du troisième groupe dont l'attention était distraite pendant un moment. Cela avait permis à leur esprit de traiter inconsciemment les informations complexes et d'arriver à des résultats plus satisfaisants. Faisant face à des décisions complexes impliquant plusieurs facteurs, le meilleur conseil peut être en fait de prendre son temps - de se donner une nuit pour réfléchir - et d'attendre le résultat intuitif de notre traitement inconscient.

L'intuition est formidable. Plus souvent que nous le croyons, nous pensons alors que notre écran est éteint et les résultats apparaissent parfois sur l'écran allumé. L'intuition permet de nous adapter. Elle nourrit nos expériences, notre créativité, notre amour et notre spiritualité. Et l'intuition, l'intuition intelligente, naît de nos expériences. Les maîtres des échecs peuvent, en regardant l'échiquier, savoir intuitivement quelle pièce bouger. S'ils jouent au « blitz chess » (jeu d'échec contre la montre) au cours duquel chaque déplacement s'effectue juste après un simple coup d'œil, leurs capacités sont à peine moindres (Burns, 2004). Les personnes qui ont l'expérience de l'élevage des poulets peuvent vous donner le sexe d'un poulet au premier regard, sans pour autant pouvoir vous expliquer comment ils font. Dans chaque cas, cette perspicacité immédiate décrit une capacité acquise, rapide, qui ressemble à une intuition instantanée. Les infirmières expérimentées, les pompiers, les critiques d'art, les mécaniciens, les joueurs de hockey et vous, dans n'importe quel domaine où vous avez développé une connaissance profonde et particulière, apprenez à appréhender de nombreuses situations d'un regard. Selon le psycho-économiste et prix Nobel Herbert Simon (2001), l'intuition est une reconnaissance. C'est une analyse « gelée en habitude ».

Ainsi l'intuition, sentiment et pensée rapides, automatiques, irraisonnés, nourrit notre expérience et guide notre vie. L'intuition est puissante, souvent sage, mais parfois dangereuse et en particulier lorsque nous sentons de trop et ne réfléchissons pas assez, comme c'est le cas lorsque nous jugeons des risques. La science psychologique actuelle augmente notre appréciation de l'intuition. Mais elle nous rappelle de comparer nos intuitions à la réalité. Notre esprit à deux voies fabrique une douce harmonie, à mesure que la pensée critique et intelligente écoute les murmures créatifs de notre vaste esprit invisible et s'édifie en évaluant les preuves, testant les conclusions et planifiant le futur.

Les effets de présentation

5. Qu'est-ce que la présentation ?

Un test complémentaire de rationalité est de savoir si le même problème, présenté de deux façons différentes, mais également logiques, suscitera la même réponse. Par exemple, un chirurgien dit à quelqu'un que 10 p. 100 des patients meurent pendant une opération donnée. Un autre dit que 90 p. 100 survivent. L'information est la même. Mais l'effet ne l'est pas. Autant pour les patients que pour les médecins, le risque semble plus important pour les gens qui entendent que 10 p. 100 vont *mourir* (Marteau, 1989 ; McNeil et coll., 1988 ; Rothman et Salovey, 1997).

La manière dont nous présentons un problème, ou l'**effet de présentation**, est parfois frappante. Neuf lycéens sur 10 évaluent qu'un préservatif est efficace s'il a un « taux de succès de 95 p. 100 » pour arrêter le virus du sida ; seulement 4 sur 10 le trouvent efficace si l'on donne un « taux d'échec de 5 p. 100 » (Linville et coll., 1992). Les gens sont plus surpris quand un événement survient 1 fois sur 20 que s'il arrive 10 fois sur 200 (Denes-Raj et coll., 1995). Pour effrayer les gens sur les risques, il faut parler en nombres et non en pourcentages. Si on leur dit qu'une exposition à des produits chimiques est susceptible de tuer 10 personnes sur 10 millions (imaginez, 10 personnes mortes !), ils sont plus effrayés que si on leur annonce le taux infinitésimal de 0,000001 (Kraus et coll., 1992).

Considérez aussi comment l'effet de présentation influence les décisions économiques et commerciales. Les politiciens savent comment présenter leur position sur l'aide publique sous forme « d'aide aux défavorisés » s'ils sont pour, et « d'allocations » s'ils sont contre. Les magasins augmentent leurs « prix habituels » pour donner l'impression d'offrir des rabais importants au moment des « soldes ». Un manteau à 150 euros soldé à 100 euros par le magasin X pourra sembler plus intéressant que le même manteau vendu à un prix normal de 100 euros par le magasin Y (Urbany et coll., 1988). Et la viande hachée contenant

:: **Présentation :** façon dont un problème est posé ; la présentation du problème peut affecter significativement les décisions et les jugements.

« 75 p. 100 de viande maigre » semble plus appétissante que du bœuf contenant « 25 p. 100 de gras » (Levin et Gaeth, 1988 ; Sanford et coll., 2002). De même, une différence de prix entre du gaz acheté par carte de crédit ou payé comptant semble plus intéressante si elle est présentée sous la forme d'une « ristourne si paiement liquide » que d'une « taxe sur le paiement par carte ».

La recherche sur la présentation a également trouvé une application puissante dans la définition des différentes options de manière à pousser les gens vers la meilleure décision (Thaler et Sunstein, 2008).

- *La taille de la portion préférée dépend de la présentation.* Si le menu d'un restaurant propose comme option : portion normale et « portion réduite », la plupart des gens choisiront la portion la plus importante. Si le restaurant présente la portion réduite comme l'option par défaut et renomme la portion plus importante comme « super portion », la plupart des gens choisiront la plus petite portion (Schwartz, 2007).
- *Pourquoi le fait de choisir d'être un donneur d'organes dépend de l'endroit où vous vivez.* Dans beaucoup de pays européens ainsi qu'aux États-Unis, les gens peuvent décider s'ils veulent donner leurs organes lorsqu'ils renouvellent leur permis de conduire. Dans les pays où l'option par défaut est *oui*, et que les gens peuvent choisir de ne pas être donneur, près de 100 p. 100 des gens acceptent d'être des donneurs. Aux États-Unis, au Royaume-Uni et en Allemagne, où l'option par défaut est *non*, et les gens peuvent choisir d'être donneur, seule une personne sur 4 accepte (Johnson et Goldstein, 2003).
- *Comment aider les employés à épargner pour leur retraite.* Une loi sur la retraite américaine de 2006 a reconnu l'immense effet de la présentation des options. Auparavant, les employés qui voulaient transférer une partie de leurs indemnités sur un plan d'épargne retraite devaient typiquement choisir de réduire leur salaire, ce que la plupart des gens font à contrecœur. Maintenant, on encourage les sociétés à inscrire automatiquement leurs employés, tout en leur laissant le choix de refuser (augmentant ainsi leur salaire). Dans les deux plans, l'employé choisit. Mais lorsqu'on leur a présenté l'option « choisir de refuser » plutôt que « choisir d'accepter », les inscriptions sont passées de 49 à 86 p. 100 (Madrian et Shea, 2001).

Ce qu'il faut retenir : ceux qui comprennent le pouvoir de la présentation peuvent l'utiliser pour influencer nos décisions.

AVANT D'ALLER PLUS LOIN...

➤ INTERROGEZ-VOUS

Les gens ont une perception du risque souvent biaisée par les images frappantes dispensées par les médias ou les films et qui, étonnamment, ne reflètent pas les risques réels. (On peut très bien se cacher dans la cave pendant un orage et oublier de mettre sa ceinture de sécurité en voiture.) Quelles sont les choses qui vous effraient ? Certaines de ces peurs sont-elles disproportionnées par rapport aux risques statistiques ? Dans d'autres domaines de votre vie, avez-vous des difficultés à prendre des précautions raisonnables ?

➤ TESTEZ-VOUS 1

L'heuristique de la disponibilité nous permet d'effectuer des jugements rapides et aisés de la réalité, mais qui peuvent parfois être trompeurs. Qu'est-ce que l'heuristique de la disponibilité ?

Les réponses aux questions « Testez-vous » sont données dans l'annexe B à la fin de l'ouvrage.

Le langage

LES EFFETS FRAPPANTS DE LA QUESTION de la présentation illustrent le pouvoir du **langage** – les mots parlés, écrits ou exprimés par gestes et la façon dont nous les associons lorsque nous pensons et communiquons. Les hommes ont depuis toujours fièrement proclamé que le langage est ce qui nous place au-dessus des autres animaux. « Lorsque nous étudions le langage humain », affirme le linguiste Noam Chomsky (1972), « nous approchons de ce que l'on pourrait appeler l'« essence de l'homme », les qualités de l'esprit qui sont, pour autant que nous le sachions, uniques [à l'homme]. » Pour le chercheur cognitiviste Steven Pinker (1990), le langage est le « joyau sur la couronne de la pensée ».

:: **Langage** : mots parlés, écrits ou gestuels et façon dont nous les combinons pour transmettre une signification.

Imaginez une espèce extraterrestre qui pourrait transmettre les pensées d'une tête à l'autre simplement en faisant vibrer les molécules d'air situées entre elles. Peut-être ces créatures étranges pourraient-elles habiter l'un des prochains films de Spielberg ? En vérité, nous sommes ces créatures ! Lorsque nous parlons, notre cerveau et nos cordes vocales produisent des ondes de pression d'air que nous envoyons taper contre le tambour de l'oreille d'une autre personne, ce qui nous permet de transférer les pensées de notre cerveau au sien. Comme le remarque Pinker (1998), nous nous asseyons parfois pendant des heures pour « écouter d'autres personnes faire des sons à chaque fois qu'elles exhalent, parce que ces sifflements et ces couinements contiennent des *informations* ». Et, ajoute Bernard Guérin (2003), grâce à tous ces drôles de sons créés dans notre tête à partir d'ondes de pression d'air que nous envoyons, nous attirons l'attention des autres, nous obtenons qu'ils fassent des choses et nous maintenons des relations. Selon la façon dont vibre l'air lorsque nous ouvrons notre bouche nous pouvons être giflés ou embrassés.

Le langage transmet la culture Les mots et la grammaire peuvent varier d'une culture à l'autre. Mais dans chaque société le langage permet aux personnes de transmettre les connaissances qu'ils ont accumulées d'une génération à l'autre. Ici, un groupe d'enfants de Côte d'Ivoire écoute un ancien raconter une légende tribale.

Mais le langage est bien plus que de l'air qui vibre. Lorsque je créais ce paragraphe, mes doigts sur le clavier généraient des nombres binaires électroniques qui étaient traduits en lignes de carbone sec imprimés sur la pulpe de bois étirée formant la page en face de vous. Lorsqu'ils sont transmis par les rayons de la lumière qui se réfléchissent sur votre rétine, ces gribouillis imprimés activent des influx nerveux informes qui se projettent sur plusieurs aires de votre cerveau qui intègrent l'information, la comparent aux informations stockées et décodent la signification. Grâce au langage, nous avons transféré la signification d'un esprit à un autre. Qu'il soit parlé, écrit ou gestuel, le langage nous permet non seulement de communiquer mais aussi de transmettre de génération en génération la connaissance accumulée par les civilisations. Les singes connaissent surtout ce qu'ils voient. Grâce au langage, nous savons beaucoup plus de choses que nous n'en avons vues.

Structure du langage

6. Quelles sont les unités structurelles de base d'un langage ?

Pensez à la façon dont nous pourrions inventer un langage. Pour un langage parlé, nous aurions besoin de trois éléments constitutifs.

Phonèmes

D'abord, nous aurions besoin d'un ensemble de sons de base que les linguistes appellent des **phonèmes**. Pour dire *but* nous prononçons le son des phonèmes *b*, *u* et *t*. *Chut* possède aussi trois phonèmes – *ch*, *u*, *t*. Les linguistes, qui ont étudié près de 500 langages, ont identifié 869 phonèmes différents dans le langage humain (Holt, 2002 ; Maddieson, 1984). Aucun langage ne les utilise tous. L'anglais en utilise environ 40 ; d'autres langues peuvent en avoir entre la moitié et le double.

À l'intérieur d'un langage, un changement de phonème entraîne un changement de signification. Des variations dans le son des voyelles situées entre *b* et *t* peuvent créer 12 significations différentes en anglais par exemple (Fromkin et Rodman, 1983) : *bait* (appât), *bat* (chauve-souris), *beat/beet* (battement/betterave), *bet* (pari), *bit* (morceau), *bite* (morsure), *boat* (navire), *boot* (chaussure), *bought* (acheté), *bout* (un accès de fièvre par exemple) et *but* (mais). Généralement, cependant, les phonèmes consonantiques sont porteurs de plus d'informations que les voyelles. Le verete de cette effermetion eppereit evedente dens cette breve demenstretien.

Les gens qui grandissent en apprenant un ensemble de phonèmes ont généralement des difficultés à prononcer les phonèmes d'une autre langue. Les gens dont la langue maternelle est l'anglais vont sourire en entendant un Allemand essayer de prononcer le son *th*, qui de *this* va devenir quelque chose comme *dis*. Mais une personne de langue maternelle allemande va à son tour sourire en entendant un Anglais essayer de rouler les *r* allemands ou de prononcer le son sifflant *ch* dans *ich* (« je » en allemand).

La langue des signes est également décomposée en phonèmes gestuels définis par la forme et les mouvements de la main. Comme pour les locuteurs, les personnes dont la langue maternelle est l'une des deux cents langues des signes (et plus) disponibles peuvent avoir des difficultés à comprendre les phonèmes gestuels d'une autre langue des signes. Le chercheur Ursula Bellugi (1994) remarque qu'un individu dont la langue maternelle est la langue des signes chinoise venant aux États-Unis et apprenant la langue des signes américaine, signera généralement avec un accent.

:: Phonème : dans un langage, la plus petite unité de son distincte.

• Combien y a-t-il de morphèmes dans le mot chats ? Et combien de phonèmes ? Voir la réponse inversée ci-dessous. •

Deux morphèmes (*chat* et -s) et deux phonèmes (*ch*, *a*).

Morphèmes

Mais ce ne sont pas uniquement les sons qui constituent un langage. Le deuxième élément est le **morphème**, la plus petite unité de langue porteuse d'une signification. En anglais, quelques morphèmes sont aussi des phonèmes – le pronom personnel *I* et l'article *a* par exemple (comme en français *à* et *y* par exemple). Mais la plupart sont formés par la combinaison de deux ou plusieurs phonèmes. Certains morphèmes, comme *batte* par exemple, sont des mots, mais d'autres constituent seulement une partie d'un mot. Les morphèmes comprennent aussi les préfixes et les suffixes, comme *pré-* dans *prédire* ou *-ait* qui indique l'imparfait (mange, mangeait).

« Laissez-moi mettre les choses au clair. Est-ce une fabrique de jean ou de gène que vous voulez construire ? »

Grammaire

Finalement, notre nouveau langage doit posséder une **grammaire**, un système de règles (appelées *sémantique* et *syntaxe*) dans un langage donné, qui nous permet de communiquer avec les autres et de les comprendre. La **sémantique** correspond aux règles que nous utilisons pour déduire une signification des morphèmes, des mots et même des phrases. En français, par exemple, une règle sémantique nous dit qu'ajouter le suffixe *-ait* à *change* signifie que cela se passait dans le passé. La **syntaxe** se réfère aux règles que nous utilisons pour ordonner les mots dans la phrase. Une règle de la syntaxe anglaise dit que les adjectifs viennent en général avant les noms, on dira donc *white house* (maison blanche). En espagnol, les adjectifs viennent le plus souvent après les noms et l'on dira *casa blanca* (maison blanche). Les règles de syntaxe anglaise acceptent une phrase comme *they are hunting dogs* que l'on peut traduire, selon le contexte, par « ce sont des chiens de chasse » ou par « ils sont en train de chasser des chiens ».

Dans les 6000 langues humaines, la grammaire est extrêmement complexe. « Il existe des sociétés “primitives”, mais elles n'ont pas un langage “primitif” », (Pinker, 1995). Contrairement à l'illusion que les gens moins instruits parlent un langage agrammatical, ils parlent simplement un dialecte différent. Pour un linguiste, « j'en ai pas » est aussi grammatical que « je n'en ai pas ». (C'est la même syntaxe.)

• Un peu plus de la moitié des 6000 langues existant dans le monde est pratiquée par moins de 10000 personnes. Un peu plus de la moitié de la population mondiale parle l'une des 20 langues les plus courantes (Gibbs, 2002). •

Notez cependant que le langage devient plus compliqué à chaque niveau successif. En anglais, par exemple, les phonèmes qui sont en nombre relativement petit, environ 40, peuvent être combinés pour former plus de 100000 morphèmes, qui seuls ou en combinaison aboutissent aux 616500 mots contenus dans l'*Oxford English Dictionary* (avec 290500 entrées principales, comme *végétal*, et 326000 sous-entrées, comme *végétarien*). Nous pouvons ensuite utiliser ces mots pour créer un nombre pratiquement infini de phrases, dont la plupart (comme celle-ci) sont originales. Comme la vie, qui est construite à partir du code génétique simple formé d'un alphabet de quatre lettres, la complexité du langage repose sur quelque chose de simple. Je sais que vous savez pourquoi je m'inquiète du fait que vous pensez que cette phrase commence à devenir trop compliquée, mais cette complexité – notre capacité à la communiquer et à la comprendre – nous permet de mettre l'accent sur les capacités du langage humain (Hauser et coll., 2002).

Développement du langage

Faites une évaluation rapide : combien de mots avez-vous appris en moyenne chaque jour au cours des années allant de votre premier anniversaire jusqu'à votre diplôme universitaire ? La réponse est environ 60000 mots (Bloom, 2000 ; McMurray, 2007). Cela fait en moyenne (à partir de 1 an) environ 3500 mots appris par an ou 10 par jour ! Comment avez-vous réussi cela ? Comment les 3500 mots que vous avez appris par an peuvent-ils dépasser à ce point les 200 mots (environ) par an que vos professeurs vous ont appris sciemment ? Cela reste l'un des grands mystères de l'humanité.

• Bien que vous connaissiez probablement entre 60000 et 80000 mots, vous n'utilisez que 150 mots pour dire environ la moitié de ce que vous dites. •

Avant de savoir additionner 2 + 2, les enfants peuvent créer leurs propres phrases originales et grammaticalement correctes. La plupart d'entre nous auraient des difficultés à énoncer les règles de notre langage pour ordonner les mots de manière à former des phrases. Pourtant, les enfants d'âge préscolaire comprennent et parlent avec une facilité qui fait honte à un étudiant de collège peinant pour apprendre une langue étrangère.

En tant qu'humain nous avons une facilité étonnante pour le langage. Avec une aisance remarquable, nous pouvons rechercher des dizaines de milliers de mots dans notre mémoire et les combiner sans le moindre effort, selon une syntaxe quasi parfaite, puis prononcer trois mots (avec une dizaine de phonèmes environ) par seconde (Vigliocco et Hartsuiker, 2002). Il est rare que vous formiez les phrases dans votre esprit avant de les dire. Plutôt elles s'organisent elles-mêmes à mesure que nous parlons. Et pendant que nous faisons cela, nous adaptons également notre langage à notre contexte social et culturel, suivant des règles pour parler (*à quelle distance nous devons nous tenir*) et pour écouter (*est-ce OK si j'interromps maintenant ?*). Étant donné le nombre de façons qu'il y a de tout mélanger, c'est extraordinaire que nous maîtrisions cette danse sociale. Ainsi, quand et comment cela se produit-il ?

Quand apprenons-nous le langage ?

7. Quels sont les événements importants du développement du langage ?

Langage réceptif Le développement du langage des enfants va de la simplicité vers la complexité. Les enfants débutent leur vie sans le langage (*in fantis* signifie « qui ne parle pas »). Cependant, à 4 mois, les bébés peuvent différencier les sons du langage (Stager et Werker, 1997). Ils peuvent aussi lire sur les lèvres. Ils préfèrent regarder un visage qui correspond à un son particulier, et nous savons qu'ils peuvent reconnaître que *ah* est formé par des lèvres largement ouvertes et que *i* est formé par une bouche dont les coins sont tirés vers l'arrière (Kuhl et Meltzoff, 1982). Cela marque le commencement du développement du *langage réceptif* du bébé, sa capacité à comprendre la langue. À sept mois et au-delà, les bébés développent la faculté de faire ce que vous et moi trouvons difficile lorsque nous écoutons un langage non familier : segmenter les sons parlés en mots individuels. De plus, leur adaptation à cette tâche, à en juger par leur façon d'écouter, prédit leur capacité de langage vers l'âge de 2 et 5 ans (Newman et coll., 2006).

Langage productif Le *langage productif* du bébé, c'est-à-dire sa capacité à produire des mots, se développe après le langage réceptif. Aux alentours de 4 mois, les bébés entrent dans le **stade du babillage** et commencent à émettre spontanément une gamme de sons comme *ah-rheu*. Ce babillage n'est pas une imitation de la langue employée par les adultes, car il comprend des sons que l'on retrouve dans diverses langues, même dans celles qui ne sont pas parlées à la maison. Il n'est pas possible pour un auditeur de déterminer à partir de ce babillage si l'enfant est français, coréen ou éthiopien. Les enfants sourds qui observent leurs parents sourds parler avec les mains commencent plus souvent à babiller avec les leurs (Petitto et Marentette, 1991). Avant même que l'environnement ne modèle notre langage, la nature nous offre une vaste gamme de sons possibles. Une grande partie des phonèmes babillés naturellement par l'enfant est constituée de paires de consonnes et de voyelles, produites par la simple projection de la langue vers l'avant de la bouche (*da-da, na-na, ta-ta*) ou par le mouvement des lèvres (*ma-ma*), des gestes naturels que font les bébés pour se nourrir (MacNeilage et Davis, 2000).

À l'âge de 10 mois environ, le babillage de l'enfant a évolué et une oreille entraînée peut identifier sa langue maternelle (de Boysson-Bardies et coll., 1989). Les sons et les intonations étrangers à la langue maternelle de l'enfant commencent à disparaître. S'ils ne sont pas exposés à d'autres langues, les bébés deviennent fonctionnellement sourds aux sons qui n'appartiennent pas à leur langue maternelle (Pallier et coll., 2001). Cela explique pourquoi les adultes qui ne parlent qu'anglais ne peuvent distinguer certains phonèmes japonais et pourquoi un Japonais adulte, sans connaissance de l'anglais, ne pourra pas distinguer le *l* du *r* en anglais. Ainsi, un adulte japonais qui entend les syllabes *la-la-ra-ra* pense que ce sont les mêmes syllabes répétées. Un touriste japonais à qui l'on indique que la gare est : « *just after the next light* » (« juste après le prochain lampadaire »), pourra se demander : « *The next what ? After the street veering right, or farther down, after the traffic light ?* » (« Le prochain quoi ? Je tourne à droite après la rue, ou alors un peu plus bas après le feu rouge ? »)

Aux environs du premier anniversaire (l'âge exact varie selon les enfants), la plupart des enfants passent au **stade du mot-phrase**. Ayant déjà appris que les sons véhiculaient une signification, et s'il est entraîné de façon répétée à associer, par exemple, *poisson* avec l'image d'un poisson, un enfant d'un an regardera vers un poisson lorsqu'un chercheur dira « poisson, poisson ! Regarde le poisson ! » (Schafer 2005). Il n'est donc pas surprenant qu'il commence aussi à utiliser les sons – en général une seule syllabe difficilement reconnaissable – *pa* ou *ma* pour communiquer quelque chose. Mais les membres de la famille apprennent rapidement à comprendre le langage de l'enfant qui, progressivement, se conforme de plus en plus au langage de la famille. À ce stade du mot-phrase, l'inflexion d'un mot peut équivaloir à une phrase. « Chien ! » peut signifier « regarde le chien dehors ! »

:: Morphème : dans un langage, la plus petite unité qui véhicule une information ; ce peut être un mot ou un fragment de mot (comme un préfixe).

:: Grammaire : dans un langage, système de règles qui nous permet de communiquer avec les autres et de les comprendre.

:: Sémantique : ensemble de règles à partir desquelles on tire une signification des morphèmes, des mots et des phrases dans une langue donnée ; c'est également l'étude du sens.

:: Syntaxe : règles pour combiner les mots en phrases ayant un sens grammatical dans une langue donnée.

:: Stade du babillage : commençant vers 4 mois, stade du développement de la parole au cours duquel un enfant prononce spontanément des sons variés, au départ non liés à la langue maternelle.

:: Stade du mot-phrase : stade du développement de la parole, entre 1 et 2 ans, durant lequel un enfant parle essentiellement par des mots uniques.

« A idée. Parler mieux. Combiner mots. Faire phrases. »

TABLEAU 9.2

RÉSUMÉ DU DÉVELOPPEMENT DU LANGAGE

Mois (approximation)	Stade
4	Babillage avec de nombreux sons
10	Le babillage révèle la langue maternelle
12	Stade du mot-phrase
24	Stade à deux mots, langage télégraphique
24+	Le langage se développe rapidement en phrases complètes

Vers 18 mois, leur apprentissage des mots explose, il passe d'un mot par semaine à un mot par jour. Vers leur deuxième anniversaire, la plupart accèdent au **stade à deux mots**. Ils commencent à prononcer des phrases de deux mots (TABLEAU 9.2) en **langage télégraphique**. Comme les anciens télégrammes (TRANSACTION ACCEPTÉE. ENVOYEZ ARGENT), cette forme précoce de langage contient surtout des noms et des verbes (*veux jus*). Comme les télégrammes, il suit des règles de syntaxe ; les mots sont dans un ordre sensé. L'enfant parlant anglais prononce la plupart du temps les adjectifs avant les noms : « grand chien » plutôt que « chien grand ».

Une fois que les enfants sont sortis du stade des phrases de deux mots, ils commencent rapidement à prononcer des phrases plus longues (Fromkin et Rodman, 1983). S'ils ont pris du retard dans l'apprentissage d'un langage particulier, par exemple après avoir reçu un implant cochléaire ou avoir été adopté à l'extérieur de son pays, leur langage se développe également selon la même séquence, bien qu'elle soit généralement plus rapide (Ertmer et coll., 2007 ; Snedeker et coll., 2007). Au début de l'école primaire, l'enfant comprend des phrases complexes et commence à apprécier l'humour véhiculé par les doubles sens : « Regarde sur ton berceau comme c'est beau, une mère-veille. »

Explication du développement du langage

8. Comment apprenons-nous le langage ?

Les tentatives pour expliquer comment s'effectue l'acquisition du langage ont fait éclater une vive controverse intellectuelle. Le débat inné/acquis refait surface et là, comme ailleurs, l'idée d'une prédisposition innée et de l'interaction inné/acquis se développe.

Skinner : l'apprentissage opérant Le comportementaliste B. F. Skinner (1957) pensait que nous pouvions expliquer le développement du langage grâce à des principes familiers d'apprentissage, tels l'*association* (de la vue des choses avec le son des mots), l'*imitation* (des mots et de la syntaxe utilisés par d'autres) et le *renforcement* (avec les sourires et les bravos lorsque l'enfant dit quelque chose de juste). Ainsi, Skinner (1985) prétendait que les bébés apprennent à parler un peu comme les animaux apprennent à picorer un bouton et à presser un levier. Il affirmait : « Le comportement verbal est évidemment apparu lorsque, grâce à une étape critique dans le développement de l'espèce humaine, les muscles vocaux sont devenus sensibles à un conditionnement opérant. » Et ce n'est pas juste une histoire d'homme. Les oiseaux qui apprennent à chanter acquièrent également « leur langage » aidés par l'imitation (Haesler, 2007).

Chomsky : une grammaire universelle innée Le linguiste Noam Chomsky (1959, 1987) a comparé les idées de Skinner au remplissage d'une bouteille avec de l'eau. Mais Chomski insiste sur le fait que le langage qui se développe n'est pas simplement « rempli » des bonnes expériences. Les enfants acquièrent les mots et la grammaire, sans qu'on les leur enseigne, à une vitesse bien trop extraordinaire pour être expliquée seulement par des principes pédagogiques. Les enfants créent toutes sortes de phrases qu'ils n'ont jamais entendues, parfois avec de nouvelles fautes. (Aucun parent n'enseigne la phrase « papa, je te déteste » à son enfant.) De plus, beaucoup de leurs erreurs viennent d'une généralisation abusive des règles de grammaire logiques, comme par exemple en ajoutant *-ait* pour indiquer l'imparfait (de Cuevas, 1990) :

L'enfant : Ma maîtresse tiendait les bébés lapins et nous les avons caressés.
La mère : Tu veux dire que la maîtresse tenait les bébés lapins ?
L'enfant : Oui.
La mère : As-tu dit qu'elle les tenait très serré ?
L'enfant : Non, elle les tiendait doucement.

Chomsky voyait plutôt le développement du langage comme le fait d'« aider une fleur à croître de sa propre façon ». Le langage se produit naturellement, si l'on donne l'éducation appropriée : cela « arrive aux enfants » tout simplement. Et la raison qui explique que cela se produit c'est que nous naissons équipés d'une sorte de commutateur, un *appareil d'acquisition du langage*. C'est comme si ce commutateur avait besoin d'être allumé ou éteint (boutons « on » ou « off ») pour que nous comprenions et produisions un langage. Dès que nous entendons une langue, le commutateur est initialisé pour cette langue que nous devons apprendre.

:: Stade à deux mots : commençant à l'âge de 2 ans environ, stade du développement du langage au cours duquel un enfant parle surtout avec des énoncés de deux mots.

:: Langage télégraphique : stade précoce du langage durant lequel l'enfant parle comme un télégramme – « aller voiture » – en utilisant surtout les noms et les verbes.

Chomsky prétend qu'une *grammaire universelle* est sous-jacente au langage : toutes les langues humaines ont donc les mêmes unités grammaticales : nom et verbe, sujet et complément, négation et question. Ainsi, nous apprenons aisément la grammaire spécifique de la langue que nous entendons, qu'elle soit parlée ou par signes (Bavelier et coll., 2003). Et peu importe la langue, nous commençons surtout à parler à l'aide de noms (*kitty, pa-pa*) plutôt qu'avec des verbes ou des adjectifs (Bornstein et coll., 2004). Cela se produit si naturellement – aussi naturellement que les oiseaux apprennent à voler – que l'entraînement n'est pas d'une grande aide.

Beaucoup de psychologues pensent que nous bénéficions à la fois des idées de Skinner et de Chomsky. Les gènes des enfants conçoivent des connexions nerveuses complexes qui les préparent à apprendre le langage à mesure qu'ils interagissent avec la personne qui s'occupe d'eux. Skinner insiste sur le fait que l'apprentissage aide à expliquer comment les enfants acquièrent leur langage lorsqu'ils interagissent avec les autres. Chomsky insiste sur notre facilité innée à apprendre les règles de grammaire et qui explique pourquoi les enfants de moins de 6 ans acquièrent le langage si facilement et utilisent la grammaire aussi bien. Là encore la biologie et l'expérience travaillent de concert.

• Sous l'influence de Chomsky, certains chercheurs infèrent également qu'une « grammaire morale universelle », un sens inné du vrai et du faux, est livrée préinstallée par l'évolution et est réglée par la culture (Hauser, 2006 ; Mikhail, 2007). •

Susan Meiselas/Magnum Photos

Création d'une langue Élevés ensemble comme s'ils étaient sur une île déserte (il s'agit en fait d'une école), ces jeunes enfants sourds du Nicaragua ont, au fil du temps, créé leur propre langue des signes nicaraguayenne en se fondant sur la gestuelle qu'ils utilisaient chez eux, et ils l'ont complétée par des mots et une grammaire compliquée. Notre prédisposition biologique pour le langage n'engendre pas une langue à partir du néant. Mais, activés par un contexte social, l'inné et l'acquis œuvrent ensemble de manière créative (Osborne, 1999 ; Sandler et coll., 2005 ; Senghas et Coppola, 2001).

Aspect statistique de l'apprentissage et période critique Les enfants en bas âge font preuve d'une grande capacité à comprendre l'aspect statistique du langage humain. Quand nous entendons une langue qui ne nous est pas familière, les syllabes ne semblent pas se dissocier les unes des autres. Des personnes qui ne connaissent pas la langue anglaise peuvent, par exemple, mal entendre *United Nations* (Nations unies) et le comprendre comme « Uneye Tednay Shuns ». Bien avant notre premier anniversaire, notre cerveau pouvait non seulement discerner les coupures de mots mais aussi analyser statistiquement les syllabes qui sont le plus souvent associées comme pour « hap-py-ba-by ». Jenny Saffran et ses collaborateurs (1996 ; sous presse) l'ont bien montré en faisant écouter à des enfants de 8 mois une voix produite par ordinateur qui récitait sur un ton monotone et sans interruption une liste de syllabes n'ayant aucun sens (*bidakupadotigolabubidaku*...). Après avoir entendu cette voix juste pendant deux minutes, les enfants étaient capables de reconnaître (comme le montrait leur attention) les séquences de trois syllabes qui revenaient le plus souvent.

Stock Connection Distribution/Alamy

Un talent naturel Les enfants naissent avec une remarquable capacité à absorber le langage, mais le langage particulier qu'ils apprennent reflète leurs interactions uniques avec les autres.

Des recherches ultérieures ont apporté la preuve de la surprenante capacité des enfants à emmagasiner le langage. Les enfants de 7 mois, par exemple, peuvent apprendre des structures de phrases simples. Après avoir entendu à maintes reprises des séquences de syllabes suivant la même règle, telle que *ga-ti-ga* et *li-na-li* (structure ABA), ils écoutent plus longtemps les syllabes ayant une séquence différente, telle que *wo-fe-fe* (une structure ABB) plutôt que la séquence *wo-fe-wo*. Le fait qu'ils puissent détecter la différence entre les deux structures montre que les bébés naissent avec une aptitude innée à l'apprentissage des règles de grammaire (Marcus et coll., 1999).

Mais sommes-nous capables d'effectuer ce même exploit d'analyse statistique tout au long de notre vie ? Beaucoup de chercheurs pensent que non. L'enfance semble représenter une *période critique* (ou « sensible ») pour la maîtrise de certains aspects du langage (Hernandez et Li, 2007). Les enfants sourds qui peuvent entendre après avoir reçu un implant cochléaire vers l'âge de 2 ans développent un meilleur langage oral que ceux qui ont reçu l'implant après l'âge de 4 ans (Greers, 2004). Et que l'enfant soit sourd ou entendant, une exposition au langage plus tardive que la normale (vers l'âge de 2 ou 3 ans) déchaîne la capacité de langage de leur cerveau fainéant, produisant une ruée de langage. Mais les enfants qui n'ont pas

« Il n'y a aucun doute, l'enfance est le moment le plus propice pour apprendre une langue. Les jeunes enfants (plus ils sont jeunes, mieux c'est) excellent dans ce domaine ; c'est un jeu d'enfant. Un don éphémère dont est pourvue notre espèce. »
Lewis Thomas, *The Fragile Species*, 1992

Non c'est non – quelle que soit la manière dont vous le dites ! L'enfant sourd de parents sourds parlant par signes et l'enfant entendant de parents entendants ont beaucoup de points communs. Ils développent leurs capacités de langage à peu près à la même vitesse et peuvent aussi bien s'opposer aux souhaits de leurs parents et choisir leur propre chemin.

George Ancona

été exposés à une langue, qu'elle soit parlée ou gestuelle, au cours de leur enfance (vers 7 ans environ) perdent petit à petit leur capacité à maîtriser *n'importe quel* langage. Un enfant né sourd qui apprend la langue des signes après l'âge de 9 ans ne le fait jamais aussi bien que celui qui devient sourd à l'âge de 9 ans après avoir appris l'anglais. Il n'apprendra pas l'anglais aussi bien que les enfants nés sourds qui ont appris la langue des signes dans l'enfance (Mayberry et coll., 2002). La conclusion est frappante : si un jeune cerveau n'apprend *aucune* langue, ses capacités ne se développent jamais pleinement.

Une fois que la fenêtre de l'apprentissage du langage se ferme, même l'apprentissage d'une seconde langue semble plus difficile. Les personnes qui apprennent une seconde langue en tant qu'adultes parlent en général avec l'accent de leur langue maternelle. L'apprentissage de la grammaire est encore plus difficile. Jacqueline Johnson et Elissa Newport (1991) ont demandé à des immigrés chinois et coréens de déterminer pour 276 phrases (« *Hier le chasseur tue un cerf* ») si elles étaient grammaticalement correctes ou non. Certains des sujets avaient immigré dans leur enfance, d'autres à l'âge adulte mais tous les participants avaient passé approximativement 10 ans aux États-Unis. Cependant, comme le montre la FIGURE 9.9, ceux qui avaient appris leur deuxième langue précocement l'avaient mieux apprise. Plus la personne est âgée au moment où elle émigre dans un nouveau pays, plus il lui est difficile d'apprendre la nouvelle langue (Hakuta et coll., 2003).

L'impact des expériences précoces est également évident pour l'apprentissage du langage chez les 90 p. 100 d'enfants sourds nés de parents entendants et ne parlant pas par signes. En général, ces enfants n'auront pas d'expérience du langage pendant leurs premières années. Comparés à des enfants sourds exposés au langage des signes dès la naissance, ceux qui ont appris le langage des signes durant leur adolescence ou à l'âge adulte sont comme des immigrants qui ont appris l'anglais après l'enfance. Ils peuvent maîtriser les mots de base et leur agencement, mais ils ne deviennent jamais aussi habiles, pour comprendre et faire passer des différences grammaticales subtiles, que ceux qui ont parlé par signes dès la naissance (Newport, 1990). De plus, les individus ayant eu un apprentissage tardif présentent une activité cérébrale moindre dans les zones de leur hémisphère droit qui sont actives quand les personnes ayant appris le langage des signes dès la naissance lisent ce langage (Newman et coll., 2002). Comme la croissance d'une fleur est stoppée par l'absence d'éléments nutritifs, les enfants sont également bloqués sur le plan linguistique s'ils sont isolés du langage pendant la période critique nécessaire à son acquisition. L'altération de l'activité cérébrale chez les personnes privées d'un langage précoce suscite cette question : de quelle manière le cerveau en maturation traite-t-il le langage ?

« Les enfants peuvent apprendre de nombreuses langues sans accent et avec une bonne grammaire s'ils sont exposés au langage avant la puberté. Mais après la puberté, il est très difficile d'apprendre une seconde langue aussi bien. De même, la première fois que je suis allé au Japon, on m'a dit qu'il ne fallait pas que je me préoccupe d'essayer de m'incliner, qu'il y avait environ une dizaine de manières de s'incliner et que je m'inclinerai toujours avec un accent. »
Stephen M. Kosslyn, psychologue, « *The World in the brain* », 2008

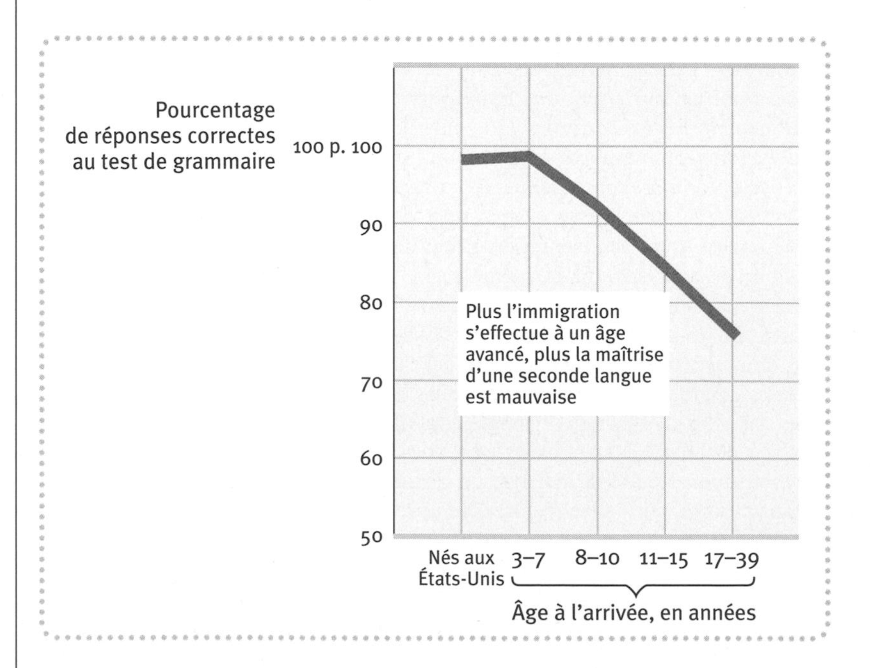

➤ FIGURE 9.9
L'apprentissage d'une nouvelle langue s'avère plus difficile avec l'âge
Les jeunes enfants ont des facilités pour apprendre les langues. Dix ans après leur arrivée aux États-Unis, des immigrés d'origine asiatique ont passé un test de grammaire. Bien qu'il n'y ait pas de période critique bien définie pour l'apprentissage d'une seconde langue, ceux qui étaient arrivés avant l'âge de 8 ans connaissaient aussi bien la grammaire que ceux qui étaient nés aux États-Unis. Ce n'était pas le cas de ceux qui étaient arrivés plus tard. (D'après Johnson et Newport, 1991.)

Cerveau et langage

9. Quelles sont les zones cérébrales impliquées dans le traitement du langage ?

Nous pensons que parler et lire, écrire et lire, ou chanter et parler sont essentiellement des exemples différents d'une même capacité globale, le langage. Mais considérez cette curieuse découverte : l'**aphasie**, une altération de l'usage du langage, peut être provoquée par une lésion de diverses aires corticales. Cela est d'autant plus curieux que certaines personnes aphasiques peuvent parler aisément, mais sont incapables de lire (en dépit d'une bonne vision), alors que d'autres peuvent comprendre ce qu'elles lisent, mais sont incapables de parler. D'autres peuvent écrire, mais ne peuvent pas lire, lire mais pas écrire, lire les chiffres, mais pas les lettres ou encore chanter, mais pas parler. Que cela peut-il nous dire sur les mystères de notre façon d'utiliser le langage, et comment les chercheurs peuvent-ils résoudre ce mystère ?

Élément 1 En 1865, le médecin français Paul Broca montra qu'après la lésion d'une aire particulière du lobe frontal gauche (qui fut ensuite appelée **aire de Broca**), une personne avait de grandes difficultés à former des mots, alors qu'elle était capable de chanter des chansons familières et de comprendre ce qu'on lui disait. Les lésions sur l'aire de Broca empêchent de parler.

Élément 2 En 1874, le chercheur allemand Carl Wernicke découvrit qu'après la lésion d'une zone particulière du lobe temporal gauche (**aire de Wernicke**), une personne pouvait encore parler, mais prononçait des mots sans signification. Un patient, à qui l'on demandait de décrire une image montrant deux enfants en train de voler des gâteaux dans le dos d'une femme, répondit : « La mère est partie travailler son travail pour être mieux, mais quand elle regarde les deux garçons, elle regarde de l'autre côté. Elle travaille de nouveau. » (Geschwind, 1979). Les lésions sur l'aire de Wernicke empêchent également la compréhension.

Élément 3 Une troisième zone du cerveau, le *gyrus angulaire*, est impliquée dans la lecture à voix haute. Elle reçoit les informations visuelles provenant de l'aire visuelle et les transcrit sous une forme auditive que l'aire de Wernicke utilise pour déduire la signification. Des lésions sur le gyrus angulaire laissent une personne capable de parler et de comprendre, mais incapable de lire.

Élément 4 Des fibres nerveuses relient ces différentes zones du cerveau.

Un siècle après les découvertes de Broca et de Wernicke, Norman Geschwind rassembla ces éléments ainsi que d'autres pour interpréter la manière dont nous utilisons le langage (FIGURES 9.10 et 9.11). Lorsque vous lisez à haute voix, les mots (1) sont enregistrés dans l'aire

::**Aphasie** : troubles du langage, provoqués en général par une lésion de l'hémisphère gauche au niveau de l'aire de Broca (perturbant le langage) ou de l'aire de Wernicke (altérant la compréhension).

::**Aire de Broca** : zone de contrôle de l'expression du langage, située habituellement dans le lobe frontal de l'hémisphère gauche, responsable des mouvements musculaires impliqués dans la parole.

::**Aire de Wernicke** : zone de contrôle de la réception du langage, située habituellement dans le lobe temporal gauche, impliquée dans l'expression et la compréhension du langage.

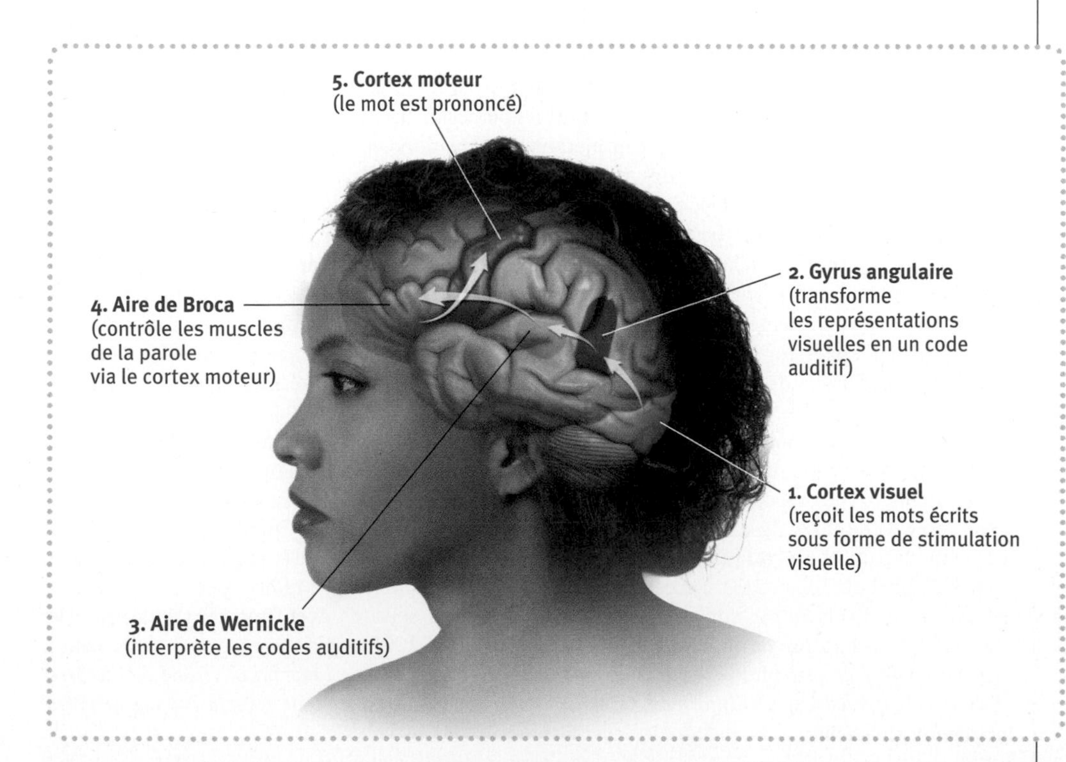

➤ FIGURE 9.10
Modèle simplifié des zones cérébrales impliquées dans le traitement du langage

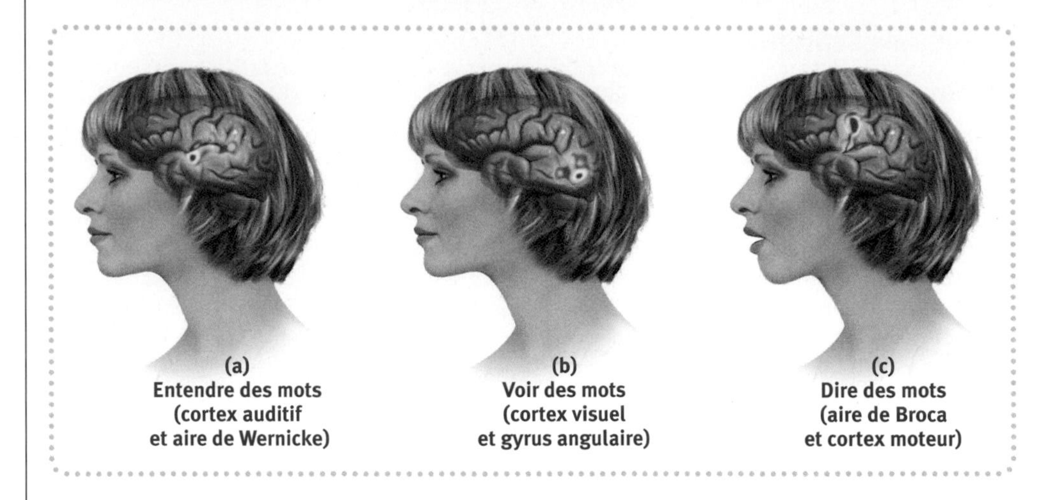

➤ FIGURE 9.11
Activité cérébrale lorsque nous entendons, nous voyons ou nous parlons Les TEP comme celles montrées ici permettent de détecter l'activité de différentes zones du cerveau.

visuelle, (2) transmis à une deuxième zone cérébrale, le *gyrus angulaire*, qui les transforme alors en un code auditif qui est (3) reçu et compris dans l'aire de Wernicke toute proche, puis (4) envoyé à l'aire de Broca, qui (5) contrôle le cortex moteur, créant le mot prononcé. Selon le maillon de la chaîne qui est endommagé, on observe une forme différente d'aphasie.

La neuroscience actuelle continue à enrichir notre connaissance du traitement du langage. Nous savons maintenant que d'autres sites encore sont impliqués par rapport à ceux mentionnés dans la figure 9.11 et que la « cartographie » peut varier d'une personne à l'autre. De plus, les IRMf révèlent que différents réseaux de neurones sont activés par les noms et les verbes ou par la langue maternelle et une seconde langue apprise plus tardivement (Perani et Abutalebi, 2005 ; Shapiro et coll., 2006). Par exemple, les adultes ayant appris une seconde langue très tôt utilisent la *même* zone du lobe frontal quand ils racontent un événement dans leur langue maternelle ou dans leur deuxième langue. Mais ceux qui ont appris leur deuxième langue après l'enfance montrent une activité dans une zone cérébrale adjacente quand ils l'utilisent (Kim et coll., 1997).

Ainsi, le point important à retenir est celui-ci : *dans le traitement du langage, comme dans les autres formes de traitement de l'information, le cerveau opère en divisant ses fonctions mentales (parler, percevoir, penser, se souvenir) en sous-fonctions.* Notre expérience consciente de la lecture de cette page *paraît* indivisible mais votre cerveau intègre la forme, le son et la signification de chaque mot en utilisant des réseaux différents de neurones (Posner et Carr, 1992). Nous avons vu cela aussi dans le chapitre 6, dans le paragraphe sur la vision. En ce moment, si on suppose que vous voyez, vous êtes en train de percevoir une scène visuelle complète comme si vos yeux étaient des caméras vidéo projetant la scène dans votre cerveau. En fait, le cerveau décompose la vision en sous-tâches spécialisées, comme discerner la couleur, la profondeur, le mouvement et la forme. Et pour la vision comme pour le langage, un traumatisme localisé qui détruit l'une de ces équipes de neurones peut entraîner chez les gens la perte de juste l'un des aspects du traitement, comme lorsqu'un accident vasculaire cérébral détruit la capacité de percevoir le mouvement. Dans ces deux systèmes, ces réseaux neuronaux spécialisés, après avoir rempli simultanément chacun leur rôle, vont ensuite fournir l'information à des réseaux d'un « niveau supérieur » qui vont combiner ces fragments d'expérience et les relayer jusqu'à des aires associatives de haut niveau, nous permettant de reconnaître un visage comme étant celui de « grand-mère ».

Cela nous aide à expliquer une autre découverte amusante. Les images d'IRM fonctionnelle démontrent que les blagues qui jouent sur le sens des mots (« Pourquoi les requins ne mordent-ils pas les avocats ?... Par courtoisie professionnelle ») sont traitées dans des régions cérébrales différentes de celles qui jouent sur les sons d'un mot (« Quelle est la différence entre un requin et un rouquin ?... Le rouquin a les cheveux du père et le requin les dents de la mer ») (Goel et Dolan, 2001). Les scientifiques ont été capables de prédire, selon les réponses cérébrales à divers noms concrets (de choses que nous sentons avec nos sens), la réponse du cerveau à d'autres noms concrets (Mitchell et coll., 2008). Pensez-y : *ce que vous sentez comme un flux de perception constant et indivisible n'est en fait que l'extrémité visible de l'iceberg du traitement subdivisé de l'information, dont la majeure partie est enfouie sous la surface de votre perception consciente.*

En résumé, les sous-systèmes de la pensée sont localisés dans les régions particulières du cerveau qui, cependant, agit comme un ensemble unifié. Bouger la main, reconnaître des visages, percevoir des scènes, comprendre le langage, tout ceci dépend de réseaux neuronaux particuliers. Cependant, les fonctions complexes comme écouter, apprendre et aimer, mettent en jeu la coordination de nombreuses aires cérébrales. La spécialisation et l'intégration sont les deux principes qui permettent de décrire le fonctionnement du cerveau.

***

Si nous revenons à notre débat concernant notre mérite de porter le nom d'*Homo sapiens*, arrêtons-nous pour rédiger un bulletin de notes. Pour la prise de décision et le jugement, notre espèce, sujette à l'erreur, obtiendrait 12/20. Pour la résolution des problèmes, où les hommes sont inventifs quoique sujets aux fixations, nous recevrions sans doute une meilleure note, peut-être 16 ou 17/20. Pour l'efficacité cognitive, notre méthode heuristique rapide, mais faillible, nous permettrait d'obtenir un 18/20, mais pour ce qui concerne l'apprentissage du langage et son utilisation, les experts impressionnés nous donneraient certainement 20/20.

« C'est la façon dont les systèmes interagissent et présentent une interdépendance dynamique qui inspire du respect, tant que nous n'avons pas perdu tout sens du merveilleux. »
Simon Conway Morris
« *The Boyle Lecture* », 2005

AVANT D'ALLER PLUS LOIN...

➤ **INTERROGEZ-VOUS**

Une polémique existe dans certaines universités au sujet de l'acceptation de la langue des signes, lorsque l'étude d'une deuxième langue est obligatoire pour accéder au diplôme de licence. Quel est votre avis ?

➤ **TESTEZ-VOUS 2**

Si un enfant n'a pas encore acquis la parole, a-t-on raison de penser que des lectures dispensées par ses parents ou les personnes qui prennent soin de lui seront bénéfiques ?

Les réponses aux questions « Testez-vous » sont données dans l'annexe B à la fin de l'ouvrage.

Pensée et langage

10. Quelle est la relation entre le langage et la pensée ?

LA PENSÉE ET LE LANGAGE SONT ÉTROITEMENT imbriqués. Se demander ce qui vient en premier lieu est l'une des énigmes de la psychologie, comparable au classique problème de l'œuf et de la poule. Nos idées apparaissent-elles d'abord et attendent-elles que des mots puissent les exprimer ? Nos pensées sont-elles conçues en mots et sont-elles inexprimables, voire impensables, sans eux ?

Le langage influence la pensée

Le linguiste Benjamin Lee Whorf affirmait que le langage déterminait notre façon de penser. Selon l'hypothèse de la **relativité linguistique** de Whorf (1956), des langues différentes imposent des conceptions différentes de la réalité : « C'est la langue elle-même qui modèle les idées de base de l'homme. » Whorf remarque que les Indiens Hopi ne possèdent pas de temps du passé dans la conjugaison de leurs verbes : ils sont donc d'après lui moins aptes à *penser* aux événements antérieurs.

Dire que le langage *détermine* la façon dont nous pensons est bien trop fort. Mais pour ceux qui parlent deux langues différentes comme l'anglais et le japonais, il semble clair que l'on puisse penser différemment selon la langue (Brown, 1986). À la différence de l'anglais qui possède un vocabulaire riche pour les émotions focalisées sur le « soi » comme la colère, le japonais comporte de nombreux termes pour des émotions interpersonnelles comme la sympathie (Markus et Kitayama, 1991). De nombreuses personnes bilingues disent même qu'elles ont un sens du soi différent selon la langue qu'elles utilisent (Matsumoto, 1994).

« Le langage n'est pas une camisole de force. »
Lila Gleitman, psychologue, *American Association for the Advancement of Science Convention*, 2002

:: Relativité linguistique : hypothèse de Whorf selon laquelle le langage détermine la façon dont nous pensons.

Elles peuvent même révéler des personnalités différentes lorsqu'elles passent le même test de personnalité dans les deux langues (Dinges et Hull, 1992). « Si vous apprenez un nouveau langage, vous aurez une nouvelle âme », disait un proverbe tchèque.

Michael Ross, Elaine Xun et Anne Wilson (2002) l'ont démontré en invitant des étudiants bilingues de l'université de Waterloo, nés en Chine, à se décrire en anglais puis en chinois. En anglais, leur autodescription était typiquement canadienne : ils exprimaient principalement des choses positives les concernant ainsi que leurs humeurs. En chinois, leur description était typiquement chinoise. Ils étaient davantage en harmonie avec les valeurs chinoises et exprimaient autant les aspects positifs que négatifs de leur personnalité et de leurs humeurs. Leur utilisation du langage semblait façonner leur manière de penser à eux-mêmes.

• Avant de poursuivre votre lecture, utilisez un stylo ou un crayon pour dessiner cette idée : « la fille pousse le garçon ». Retournez ensuite le livre pour voir la remarque. •

Comment avez-vous illustré « la fille pousse le garçon » ? Anne Maass et Aurore Russo (2003) ont décrit que les personnes dont la langue se lit de gauche à droite plaçaient le plus souvent la fille qui pousse du côté gauche. Ceux qui parlent l'arabe, une langue se lisant de droite à gauche, la plaçaient le plus souvent à droite. Ce biais spatial n'apparaît que chez ceux qui sont suffisamment âgés pour avoir appris le système d'écriture de leur culture (Dobel et coll., 2007).

Un changement de personnalité similaire se produit lorsque les personnes passent de leur cadre culturel associé à l'anglais à celui associé à l'espagnol. Ceux qui parlent anglais ont des meilleurs scores que ceux qui parlent espagnol sur la mesure de l'extraversion, de l'amabilité et du travail consciencieux. Mais est-ce un effet de langage ? Nairán Ramírez-Esparza et ses collaborateurs (2006) se le sont demandé. C'est pourquoi ils ont pris un échantillon d'Américains et de Mexicains, bilingues et biculturels, pour faire les tests dans les deux langues. Lorsqu'ils ont utilisé l'anglais, ils ont exprimé qu'ils étaient un peu plus extravertis, agréables et consciencieux (et la différence n'était pas due à la manière dont les questionnaires étaient traduits).

Ainsi, nos mots peuvent ne pas *déterminer* ce que nous pensons mais *influencer* notre façon de penser (Hardin et Banaji, 1993 ; Özgen, 2004). Nous utilisons notre langage pour former des catégories. Au Brésil, la tribu isolée des Pirahã a des mots pour représenter les chiffres *1* et *2*, mais les chiffres supérieurs sont simplement dénommés « beaucoup ». Par conséquent, si on leur montre une rangée de sept noisettes, il leur sera très difficile de disposer autant de noisettes sur une ligne à partir du tas qu'ils possèdent (Gordon, 2004).

Les mots influencent également notre pensée des couleurs. Que nous vivions au Nouveau-Mexique, en Nouvelle-Galle du Sud ou en Nouvelle-Guinée, nous *voyons* les couleurs de la même façon mais nous utilisons notre langue maternelle pour *classer* les couleurs et *s'en souvenir* (Davidoff, 2004 ; Roberson et coll., 2004, 2005). Si l'anglais est votre langue maternelle, imaginez-vous regarder trois couleurs en considérant que deux d'entre elles sont « jaunes » et la troisième « bleue ». Par la suite, vous verrez et vous vous souviendrez des deux nuances de jaune comme étant identiques. Mais si vous étiez un habitant de la tribu Berinmo de Papouasie-Nouvelle-Guinée, qui possède deux mots différents pour ces deux nuances de jaune, vous vous souviendriez mieux de la différence entre ces deux jaunes.

• Les distances perçues entre les villes sont encore plus importantes lorsque deux villes se trouvent dans deux pays différents que dans le même pays (Burris et Branscombe, 2005). •

La différence est mieux perçue si nous attribuons un nom différent aux couleurs. Sur le spectre des couleurs, le bleu cède la place au vert jusqu'à ce que nous tracions une ligne de partage entre la partie que nous appelons le « bleu » et celle que nous appelons le « vert ». Bien que l'on maintienne le même degré de différence entre les couleurs (Figure 9.12), deux « bleus » différents (ou deux « verts » différents) sont, parce qu'on leur donne le même nom, plus difficiles à différencier que deux éléments ayant un nom différent « bleu » et « vert » (Özgen, 2004).

Étant donné l'influence subtile des mots sur la pensée, nous avons intérêt à bien choisir notre vocabulaire. Y a-t-il une différence si j'écris « a child learns language as *he* interacts with *his* caregivers » ou « children learn language as *they* interact with *their* caregivers » ? Beaucoup d'études ont montré que oui. Lorsqu'on entend un nom masculin (comme dans « l'artiste et son travail »), les gens ont plus tendance à dépeindre un homme (Henley, 1989 ; Ng, 1990).

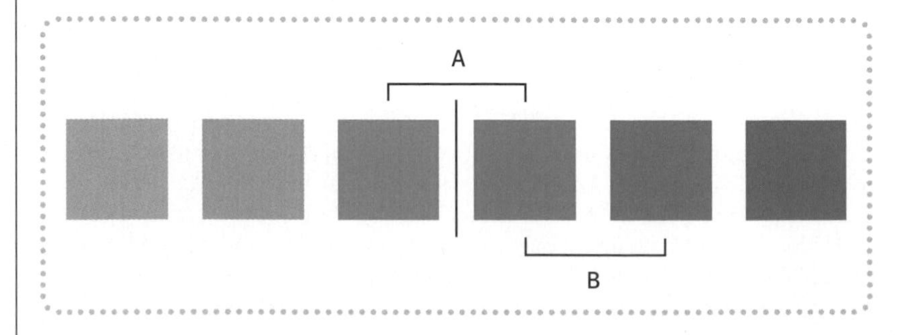

➤ FIGURE 9.12
Langage et perception Emre Özgen (2004) rapporte que lorsque les gens voient des carrés présentant la même différence de couleur, ils perçoivent ceux dont les noms sont différents comme plus différents. De ce fait, le vert et le bleu au niveau du contraste A semblent être plus différents que les bleus, tout aussi différents, présentés dans le contraste B.

Si *le* et *son* étaient véritablement sans relation avec le genre, nous ne devrions pas être surpris d'entendre que « l'homme, comme les autres mammifères, nourrit ses petits ».

Étendre le langage, c'est aussi étendre la faculté de penser. Comme l'a montré le chapitre 5, chez les jeunes enfants, la pensée se développe main dans la main avec le langage (Gopnik et Meltzoff, 1986). En fait, il est très difficile de penser à certaines idées abstraites ou de les conceptualiser (engagement, liberté ou faire des rimes) sans langage ! Et ce qui est vrai pour les enfants préscolaires l'est pour n'importe qui : *il est toujours profitable d'accroître notre vocabulaire*. C'est pourquoi la plupart des manuels, y compris celui-ci, introduisent des mots nouveaux pour enseigner de nouvelles idées et de nouvelles façons de penser. Et c'est pourquoi le psychologue Steven Pinker (2007) a appelé son livre sur le langage, *La matière de la pensée*.

L'accroissement du stock lexical contribue à expliquer ce que Wallace Lambert, chercheur à l'université McGill (1992 ; Lambert et coll., 1993), appelle l'*avantage bilingue*. Les enfants bilingues, qui apprennent à inhiber une langue non parlée pendant qu'ils utilisent l'autre langue parlée, parviennent mieux à ne pas focaliser leur attention sur des informations sans importance. Si on leur demande si une phrase est grammaticalement correcte (« *Pourquoi le chat aboie-t-il si fort ?* »), ils peuvent davantage se concentrer seulement sur la grammaire (Bialystok, 2001 ; Carlson et Meltzoff, 2008).

Lambert aida à développer un programme canadien permettant aux jeunes enfants de langue anglaise d'être immergés dans la langue française. (De 1981 à 2001, le nombre d'enfants canadiens, hors Québec, immergés dans la langue française est passé de 65 000 à 297 000 [Statistics Canada, 2007].) Pendant la plus grande partie de leurs trois premières années d'école, les enfants anglophones reçoivent un enseignement entièrement en français, puis peu à peu leur enseignement s'oriente vers l'anglais pour devenir principalement en anglais à la fin de leur scolarité. De façon non surprenante, les enfants obtiennent une fluidité naturelle en français impossible à atteindre avec n'importe quelle autre méthode d'enseignement des langues. De plus, comparés à des enfants de même niveau du groupe contrôle, cela se fait sans nuire à leur maîtrise de l'anglais, et avec de meilleurs résultats aux tests d'aptitude, une meilleure créativité et une meilleure appréciation de la culture franco-canadienne (Genesee et Gándara, 1999 ; Lazaruk, 2007).

Que nous soyons sourds ou entendants, minoritaires ou majoritaires, le langage nous lie les uns aux autres. Le langage nous relie à notre passé et à notre futur. « Pour détruire un peuple, détruisez sa langue », remarquait le poète Joy Harjo.

« Tous les mots sont des clous pour y accrocher des idées. »
Henry Ward Beecher, *Proverbs from Plymouth Pulpit*, 1887

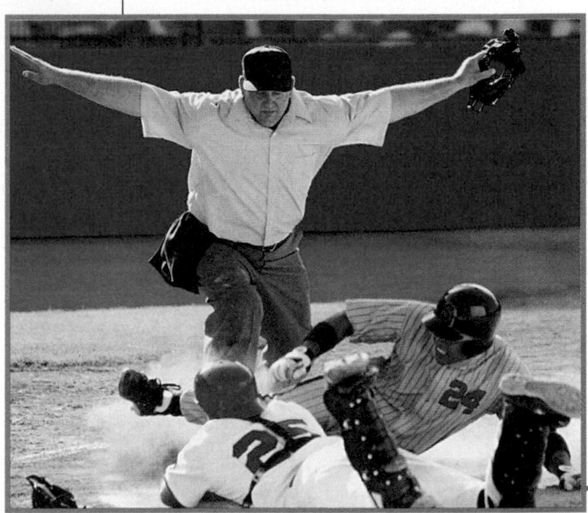

Jim Cummins/Getty Images

Un signe sans ambiguïté Nous devons remercier le coureur de champ William Hoy pour le langage des signes au base-ball. Premier joueur sourd à rejoindre la première division en 1892, il inventa des signaux de main pour signifier « Frappe ! », « Sauf ! » (montré ici) et « Hors jeu ! » (Pollard, 1992). Ces gestes fonctionnaient si bien que maintenant, dans tous les sports, les arbitres utilisent des gestes inventés, et les supporters connaissent très bien ces gestes.

Un grand nombre d'anglophones, y compris la plupart des Américains, sont unilingues. Une grande partie des hommes sont bilingues et même plurilingues. L'unilinguisme limite-t-il notre capacité à comprendre la pensée des autres cultures ?

Penser en images

Lorsque vous êtes seul, vous parlez-vous à vous-même ? « Penser », est-ce simplement converser avec vous-même ? Sans aucun doute, les mots véhiculent les idées. Mais n'y a-t-il aucun moment où les idées précèdent les mots ? Pour ouvrir l'eau froide dans votre salle de bain, dans quelle direction tournez-vous le robinet ? Pour répondre à cette question, vous avez probablement utilisé votre mémoire *non déclarative* (procédurale) et non des mots, une image mentale de la manière d'effectuer cette action (*voir* Chapitre 8).

En effet, nous pensons souvent en images. Les artistes pensent par images. C'est également ainsi que font les compositeurs, les poètes, les mathématiciens, les athlètes et les scientifiques. Albert Einstein a raconté qu'il avait eu certains de ses flashs d'inspiration les plus profonds par l'intermédiaire d'images visuelles, et que ce n'est que plus tard qu'il les traduisit en mots. Le pianiste Liu Chi Kung montra la valeur de la pensée en images. Un an après avoir obtenu la deuxième place au concours Tchaïkovski de 1958, il fut emprisonné pendant la révolution culturelle en Chine. Peu après sa libération, et après avoir passé sept années sans toucher un piano, il fit son retour dans les concerts et les critiques jugèrent son interprétation meilleure que jamais. Comment avait-il pu faire sans pratique ? « J'ai pratiqué, dit Liu, chaque jour. J'ai répété chacun des morceaux que je jouais avant, note après note, dans mon esprit. » (Garfield, 1986).

Pour quelqu'un qui a appris une discipline comme la danse classique, le simple fait de *regarder* cette activité active sa simulation interne dans le cerveau déclare une équipe de chercheurs anglais après avoir recueilli des images d'IRM fonctionnelle pendant que ces personnes regardaient des vidéos (Calvo-Merino et coll., 2004). Il en est de même pour l'imagination

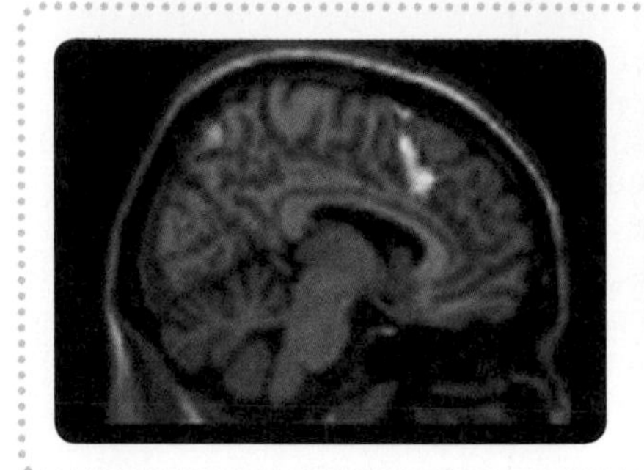
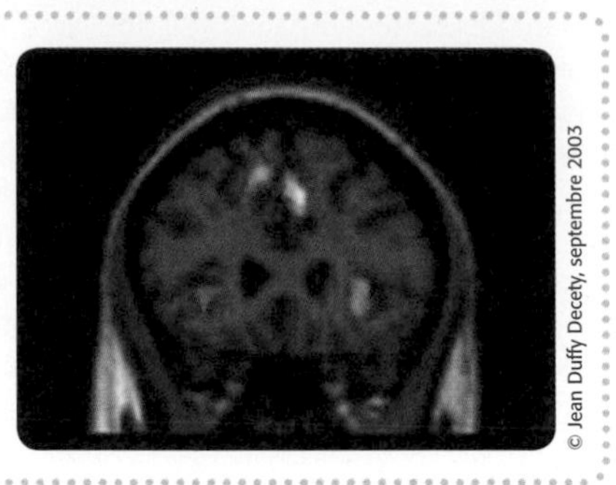

© Jean Duffy Decety, septembre 2003

➤ FIGURE 9.13
Le pouvoir de l'imagination Le fait d'imaginer une activité physique déclenche une activité dans les mêmes zones cérébrales qui sont stimulées lorsqu'on effectue réellement cette activité. Ces IRMf montrent une personne imaginant avoir mal, ce qui active certaines zones du cerveau identiques à celles activées lorsque l'on ressent réellement la douleur.

d'une activité. La FIGURE 9.13 montre une image d'IRM fonctionnelle d'une personne imaginant l'expérience de la douleur et activant les réseaux neuronaux qui sont actifs durant une douleur réelle (Grèzes et Decety, 2001).

Il n'est donc pas surprenant que pour les athlètes olympiques, « la pratique mentale soit devenue une partie standard de l'entraînement » (Suinn, 1997). Une expérience portant sur la pratique mentale et les lancers francs au basketball a été menée sur une équipe féminine de l'université du Tennessee sur 35 matchs (Savoy et Beitel, 1996). Au cours de cette période, le nombre de lancers francs de l'équipe passa de 52 p. 100 après un entraînement physique standard à 65 p. 100 après un entraînement mental. Pendant l'entraînement mental, les joueuses s'imaginèrent à plusieurs reprises faire des lancers francs dans diverses conditions et se faire « insulter » par l'équipe adverse. Le résultat spectaculaire de cette expérience fut que, lors d'une prolongation de match, l'équipe du Tennessee remporta le championnat national, grâce en partie à ses lancers francs.

La répétition mentale peut également vous aider à atteindre vos buts dans le domaine scolaire comme l'ont démontré Shelley Taylor et ses collègues de l'UCLA (1998) avec deux groupes d'étudiants de première année de psychologie, une semaine avant un examen mitrimestriel. (Les résultats des autres étudiants non engagés dans aucune simulation mentale formaient le groupe contrôle.) Le premier groupe fut invité à passer cinq minutes par jour à visualiser la liste de notes sur le tableau de résultats et à imaginer obtenir 16/20, ce qui les rendrait joyeux et fiers. Cette *simulation de résultats* quotidienne n'eut pas beaucoup d'effet : les étudiants ne gagnèrent que deux points par rapport à leur moyenne de résultats aux examens. Le deuxième groupe devait passer cinq minutes par jour à se visualiser en train d'étudier de manière efficace : lire les chapitres, relire les notes, faire fi de toute distraction et refuser les sollicitations de sorties. Cette *simulation méthodique* quotidienne fut payante. Ce second groupe commença à réviser plus tôt, et consacra plus de temps à cette activité, ce qui lui permit de battre le groupe contrôle de 8 points. *Ce qu'il faut retenir* : il est plus bénéfique de passer du temps à s'imaginer comment arriver quelque part plutôt que de rêver à la destination souhaitée.

Les expériences sur la pensée sans langage nous ramènent à un principe que nous avons vu dans les chapitres précédents : une grande partie du traitement de l'information se fait inconsciemment et au-delà du langage. À l'intérieur de notre cerveau toujours actif, plusieurs courants d'activités s'écoulent en parallèle, fonctionnent automatiquement, sont rappelés implicitement et ne se manifestent qu'occasionnellement de manière consciente sous forme de mots.

Avec l'autorisation de Christine Brune

Un art très mental Jouer du piano implique la pensée sans le langage. En l'absence de piano, la pratique mentale permet d'entretenir nos aptitudes.

***

Que peut-on dire alors à propos de la relation entre la pensée et le langage ? Comme nous l'avons vu, le langage influence la pensée. Mais si la pensée n'affectait pas également le langage, il n'y aurait jamais aucun mot nouveau. Les mots nouveaux ainsi que de nouvelles associations d'anciens mots expriment

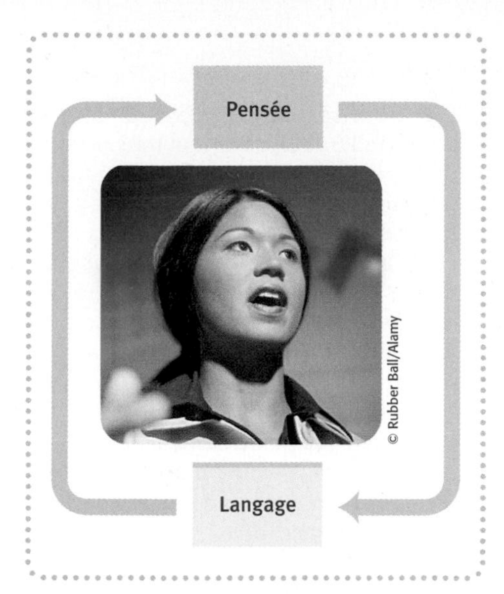

➤ FIGURE 9.14
L'interaction de la pensée et du langage
La relation entre la pensée et le langage est réciproque. La pensée affecte le langage qui, en retour, agit sur la pensée.

de nouvelles idées. Le terme de basketball *slam dunk*, qui désigne un panier frappé en suspension, fut inventé après que l'action elle-même soit devenue assez fréquente. Nous pouvons donc simplement dire que *la pensée affecte le langage, qui ensuite affecte notre pensée* (FIGURE 9.14).

Les recherches de la psychologie sur la pensée et le langage reflètent les différents points de vue concernant notre espèce issus de recherches effectuées dans des domaines comme la littérature ou la religion. L'esprit humain est simultanément capable d'erreurs intellectuelles grossières et d'une puissance intellectuelle frappante. Les erreurs de jugement sont fréquentes et peuvent avoir des conséquences désastreuses. Il est donc important que nous prenions conscience de nos capacités à nous tromper. Nos heuristiques efficaces nous sont cependant souvent très utiles. De plus, notre ingéniosité pour résoudre des problèmes et notre extraordinaire capacité de langage placent certainement l'espèce humaine comme une espèce ayant des « facultés pratiquement infinies ».

AVANT D'ALLER PLUS LOIN...

➤ INTERROGEZ-VOUS

Utilisez-vous des mots et des gestes que votre famille et vos amis proches sont seuls à comprendre ? Pouvez-vous imaginer d'utiliser ces mots et ces gestes pour construire un langage, comme ces enfants sourds du Nicaragua l'ont fait en élaborant leur version du langage des signes ?

➤ TESTEZ-VOUS 3

Quel concept illustre la phrase : « les mots sont à l'origine des idées » ?

Les réponses aux questions « Testez-vous » sont données dans l'annexe B à la fin de l'ouvrage.

Le langage et la pensée chez les animaux

11. Que savons-nous de la pensée des animaux ? D'autres animaux partagent-ils notre capacité pour le langage ?

SI DANS NOTRE UTILISATION DU LANGAGE, NOUS autres hommes sommes, comme le proclame le psaume, « un tout petit peu moins que Dieu », où les autres animaux s'insèrent-ils dans l'ordre des choses ? Sont-ils « un petit peu moins qu'humains » ? Voyons ce que la recherche sur la pensée et le langage chez les animaux peut nous apprendre.

À quoi pensent les animaux ?

Les animaux sont bien plus intelligents que nous le pensons souvent. Un babouin connaît les voix de tous les membres de sa troupe de 80 animaux (Jolly, 2007). Les moutons peuvent reconnaître et mémoriser des visages (Morell, 2008). Un ouistiti peut apprendre et imiter les autres. Les grands singes et même les autres singes peuvent *former des concepts*. Une fois que les singes ont appris à classer les chats et les chiens, certains neurones situés dans les lobes frontaux cérébraux s'activent en réponse à une nouvelle image de type « chat », d'autres à de nouvelles images de type « chien » (Freedman et coll., 2001). Même les pigeons – ayant simplement un cerveau d'oiseau – peuvent classer des objets (images de voitures, de chats, de chaises et de fleurs). Si on lui montre la photographie d'une chaise qu'il n'a jamais vue, le pigeon donnera systématiquement un coup de bec sur la touche qui représente la catégorie « chaises » (Wasserman, 1995).

Nous ne sommes pas les seules créatures capables de *faire preuve de flashs d'inspiration*. Le psychologue allemand Wolfgang Köhler (1925) l'a démontré au cours d'une expérience avec un chimpanzé nommé Sultan. Köhler mit un fruit et un long bâton à l'extérieur de la cage, hors de portée de l'animal, et un bâton plus petit à l'intérieur de la cage. Après avoir observé le petit bâton, le chimpanzé le saisit et essaya d'attraper le fruit. Après plusieurs essais infructueux, Sultan posa le bâton et sembla étudier la situation. Puis subitement, comme s'il avait pensé « eurêka », il fit un bond, saisit à nouveau le petit bâton et l'utilisa pour attraper le bâton plus long qu'il utilisa pour prendre le fruit. Cette preuve de la cognition animale démontre qu'il y a plus que du conditionnement lors de l'apprentissage déclara Köhler. De plus, les grands singes font même preuve de prévoyance en stockant des outils qu'ils pourront utiliser pour récupérer de la nourriture le jour suivant (Mulcahy et Call, 2006).

Les chimpanzés comme les hommes sont façonnés par le renforcement lorsqu'ils résolvent des problèmes. Les chimpanzés qui construisent des habitats dans la forêt se sont habitués à *utiliser des outils naturels* (Boesch-Achermann et Boesch, 1993). Ils cassent un roseau ou une branche de bois, les débarrassent de leurs feuilles et de leurs brindilles, les amènent dans les termitières et attrapent les termites en faisant tourner le bâton et en le sortant soigneusement pour ne pas faire tomber les insectes. Ils choisissent même différents objets selon leurs besoins, y compris des branches de bois rigides pour faire des trous et des branches flexibles pour pêcher (Sanz et coll., 2004). Un anthropologue, qui tenta d'utiliser la tactique habile du chimpanzé pour attraper les termites, échoua lamentablement.

Certains animaux présentent également une *capacité numérique* surprenante. Pendant vingt ans, Tetsuro Matsuzawa (2007), chercheur de l'université de Kyoto, a étudié la capacité des chimpanzés à se souvenir des nombres et à les redonner. Au cours d'une expérience, Ai, un chimpanzé, tapait dans l'ordre ascendant des nombres disposés au hasard sur un écran d'ordinateur (FIGURE 9.15). Si quatre ou cinq de ces nombres entre 1 et 9 sont présentés pas plus

➤ FIGURE 9.15
Les chimpanzés l'emportent sur les hommes Il est adaptatif pour les chimpanzés d'être capables de surveiller beaucoup d'informations dans leur environnement naturel. Cela peut expliquer comment Ai, un chimpanzé, peut se souvenir et taper sur les nombres dans l'ordre croissant, même s'ils sont recouverts d'un cache blanc.

d'une seconde sous forme de flash puis remplacés par des carrés blancs, ce singe fait ce qui est impossible pour l'homme. Se souvenant des nombres présentés sous forme d'un flash, il tapait à nouveau sur les carrés blancs dans l'ordre numérique.

Jusqu'à sa mort en 2007, Alex, un perroquet gris du Gabon présentait une capacité numérique nous laissant bouche bée (Pepperberg, 2006). Non seulement il pouvait nommer et classer des objets, mais il faisait preuve d'une compréhension des nombres jusqu'à six. Ainsi, il pouvait dire le nombre d'objets, ajouter deux petits groupes d'objets et annoncer la somme, et indiquer lequel des deux nombres était le plus grand. Et il pouvait répondre lorsqu'on lui montrait divers groupes d'objets et qu'on lui demandait, par exemple « quelle couleur quatre ? » (ce qui signifie : « quelle est la couleur des objets qui sont au nombre de quatre ? »).

Les chercheurs ont découvert au moins 39 pratiques locales concernant l'utilisation d'outils par les chimpanzés, les techniques pour faire leur toilette et faire la cour (Whiten et Boesch, 2001). Un groupe de chimpanzés peut très bien lécher les fourmis directement sur le bâton, alors qu'un autre groupe les détachera individuellement. Alors qu'un groupe utilise une pierre comme marteau pour briser les noix, un autre utilise un morceau de bois. Ou imaginez-vous cette expérience de laboratoire réelle : le chimpanzé B observe le chimpanzé A en train d'obtenir de la nourriture, soit en faisant glisser soit en soulevant une porte. Alors B suivra la même technique de glissage ou de soulèvement de la porte. Ce que fera également le chimpanzé C après avoir observé B et ainsi de suite. Le chimpanzé voit, le chimpanzé fait, jusqu'à la sixième génération (Bonnie et coll., 2007 ; Horner et coll., 2006).

Être un primate doté d'un cortex relativement gros facilite l'apprentissage de ce type d'habitudes (Whiten et van Schaik, 2007). Mais les différences entre groupes de chimpanzés, ainsi que les différents dialectes et modes de chasse ne semblent pas être génétiques. Elles semblent être l'équivalent pour le chimpanzé de la diversité culturelle. Comme les hommes, les chimpanzés inventent des comportements et *transmettent des modèles culturels* à leurs pairs et à leur descendance (Figure 9.16a). Il en est de même pour les orangs-outans et les singes capucins (Dindo et coll., 2008 ; van Schaik et coll., 2003). Et également pour un groupe de dauphins australiens (Figure 9.16b), qui a appris à détacher les éponges et à les porter en protection sur son museau pendant qu'il explore les fonds marins à la recherche de poissons (Krützen et coll., 2005).

➤ FIGURE 9.16
Transmission culturelle (a) Sur la rive ouest d'une rivière de Côte d'Ivoire, un petit regarde sa mère utiliser une pierre comme marteau pour casser une noix. Sur l'autre rive, à quelques kilomètres de là, les chimpanzés n'ont pas cette habitude.
(b) Ce grand dauphin (*Tursiop truncatus*) de Shark Bay, dans la partie ouest de l'Australie, fait partie d'un petit groupe de dauphins utilisant des éponges marines pour se protéger le museau lorsqu'il explore le fond de l'océan à la recherche de poissons.

Ainsi, les animaux, et les chimpanzés en particulier, ont des talents remarquables. Ils forment des concepts, font preuve d'intuition, fabriquent des outils, présentent des capacités numériques et transmettent leurs comportements culturels locaux. Les chimpanzés et deux espèces de singes peuvent également lire vos intentions. Ils montreront plus d'intérêt pour une boîte contenant des aliments que vous aurez intentionnellement saisie que pour une boîte que vous aurez laissée tomber de vos mains, comme par accident (Wood et coll., 2007). Les grands singes, les dauphins et les éléphants ont également démontré qu'ils avaient une conscience de soi (en se reconnaissant dans un miroir). Et en tant que créature sociale, les chimpanzés ont montré de l'altruisme, de la coopération et de l'agressivité de groupe. Mais peuvent-ils, comme l'homme, avoir un langage ?

La compréhension du chien Rico, un border collie, possédant 200 mots de vocabulaire, peut déduire qu'un son qui ne lui est pas familier se réfère à un nouvel objet.

Les animaux font-ils preuve d'une capacité de langage ?

Sans aucun doute, les animaux communiquent. Les singes vervet ont différents cris d'alarme selon les prédateurs : un aboiement pour un léopard, une toux pour un aigle et un chuintement pour un serpent. En entendant l'alarme pour le léopard, ils grimpent dans l'arbre le plus proche. Dans le cas de l'appel pour l'aigle, ils se réfugient dans les buissons. En entendant le chuintement pour le serpent, ils se lèvent et examinent le sol (Byrne, 1991). Les baleines communiquent aussi en utilisant des petits bruits et des gémissements. Les abeilles effectuent une danse qui informe les autres abeilles de la direction de la source de nourriture et de la distance qui les en sépare.

Et que dire de la capacité des chiens à nous comprendre ? Rico, un border collie, connaît le nom de 200 éléments et peut aller chercher chacun d'eux. De plus, signale l'équipe de psychologues de l'institut Max Planck de Leipzig, si on lui demande de rapporter un nouvel objet ayant un nom qu'il n'a jamais entendu, Rico le ramènera s'il est placé au milieu d'éléments familiers (Kaminski et coll., 2004). Entendant ce nouveau mot pour la seconde fois quatre semaines plus tard, il a ramené une fois sur deux l'objet. Ces exploits montrent que les animaux comprennent et communiquent. Mais est-ce vraiment un langage ?

« Il dit qu'il veut un avocat. »

Le cas des singes anthropoïdes (grands singes)

Le plus grand défi à la prétention de l'homme à être la seule espèce utilisant un langage est venu de nos plus proches parents d'un point de vue génétique, les chimpanzés. Allen et Beatrix Gardner (1969) ont suscité un énorme intérêt scientifique et public lorsqu'ils ont appris le langage des signes à Washoe, un chimpanzé (c. 1965-2007). Après quatre ans, Washoe pouvait utiliser un vocabulaire de 132 signes. À 32 ans, elle possédait un vocabulaire de 181 signes (Sanz et coll., 1998). Un journaliste du *New York Times*, ayant appris le langage des signes de ses parents sourds, rendit visite à Washoe et s'exclama : « Tout d'un coup, j'ai réalisé que j'étais en train de discuter dans ma langue maternelle avec un représentant d'une autre espèce ».

D'autres faits confirmant le « langage gestuel des singes anthropoïdes » apparurent dans les années 1970 (*voir* Gros plan : Parler avec les mains). En règle générale, les singes anthropoïdes signent des mots uniques, comme « ça » ou « donne » (Bowman, 2003), mais ils peuvent parfois associer des signes et former des phrases intelligibles. Un jour, Washoe fit les signes : « Toi moi sortir, s'il te plaît. » Il semble même que les singes anthropoïdes associent des mots de manière créative. Washoe désigna un cygne comme étant un « oiseau d'eau ». Koko, un gorille entraîné par Francine Patterson (1978), aurait décrit une poupée Pinocchio au long nez comme un « bébé éléphant ». Lana, un chimpanzé qui « parle » en appuyant sur des touches reliées à un ordinateur qui traduit les impulsions en anglais, voulait l'orange de celui qui s'occupait d'elle. Elle ne connaissait pas le mot désignant une *orange*, mais connaissait la couleur et aussi le mot *pomme*, alors elle improvisa : « ? Tim donne pomme qui est orange » (Rumbaugh, 1977).

• Voyant une poupée flotter dans son eau, Washoe fit les signes « bébé dans ma boisson ». •

Certes, leur vocabulaire et leurs phrases sont simples, un peu comme ceux d'un enfant de deux ans (ce qui n'a rien à voir avec les quelque 60 000 mots que vous associez de manière fluide pour obtenir une variété illimitée de phrases). Cependant, à mesure que les comptes rendus sur le langage des singes anthropoïdes s'accumulent, il semble qu'ils peuvent être en effet « un peu inférieurs à l'homme ». Puis, à la fin des années 1970, la fascination concernant des « singes parlants » s'est changée en cynisme : les chimpanzés étaient-ils des champions du langage ou les chercheurs étaient-ils des nigauds ? Les chercheurs travaillant sur le langage des singes se transformaient eux-mêmes en singes, disaient les sceptiques. Considérez ceci :

- Contrairement aux enfants qui parlent ou s'expriment par signes, et qui absorbent sans peine des douzaines de nouveaux mots par semaine, les grands singes n'acquièrent leur

GROS PLAN

Parler avec les mains

Les chimpanzés utilisent le langage des signes construit d'après les gestes naturels qu'ils utilisent pour les mots (comme l'extension de la main pour « j'en veux »). Le langage humain semble avoir évolué à partir de cette communication gestuelle (Corballis, 2002, 2003 ; Pollick et de Waal, 2007). Ainsi, il n'est pas étonnant que nous parlions et pensions avec nos mains :

- La gestuelle (pointer son doigt vers une tasse) prépare le terrain du langage de nos enfants (dire *tasse* tout en montrant simultanément du doigt celle-ci) (Iverson et Goldin-Meadow, 2005).
- Le langage des signes se développe facilement chez les personnes Sourdes.
- Les gens parlent avec des gestes même au téléphone.
- Les personnes ayant une cécité congénitale, comme les personnes qui voient, font des gestes (Iverson et Goldin-Meadow, 1998) (et ils le font même lorsqu'ils pensent que leur interlocuteur est également aveugle).
- Empêcher la gestuelle interrompt la parole ayant un contenu spatial, par exemple lorsque des gens essayent de décrire l'agencement d'un appartement.
- La gestuelle allège la « charge cognitive » de celui qui parle (Goldin-Meadow, 2006). Les personnes à qui on demande de ne pas faire de gestes, font plus d'effort pour communiquer avec les seuls mots et sont moins capables de se souvenir des mots ou des nombres récemment appris.

Une communication gestuelle De nos jours, pour les entendants, les gestes sont moins importants pour communiquer qu'ils ne l'étaient pour ceux qui les utilisèrent pour la première fois. Cependant, ils restent naturellement associés à notre discours spontané, surtout si celui-ci contient des éléments spatiaux.

Robert Krauss (1998), chercheur spécialiste des gestes, se souvient d'une histoire que lui racontait son grand-père : deux hommes marchaient par un jour d'hiver très froid, l'un bavardait alors que l'autre ne disait rien et se contentait de hocher la tête. « Schmuel, pourquoi ne dis-tu rien ? », finit par demander le premier. « Parce que j'ai oublié mes gants », répondit Schmuel.

vocabulaire limité qu'avec beaucoup de difficultés (Wynne, 2004, 2008). Dire que les singes peuvent apprendre le langage parce qu'ils peuvent indiquer des mots par signes équivaut à dire que les hommes peuvent voler car ils peuvent sauter.

- Les chimpanzés peuvent faire des signes ou presser des boutons en séquence pour obtenir une récompense, tout comme les pigeons picorant une suite de boutons pour obtenir des graines (Straub et coll., 1979). Après avoir entraîné un chimpanzé du nom de Nim Chimsky, Herbert Terrace (1979) conclut que la majeure partie des signes du chimpanzé n'était rien d'autre qu'une imitation des signes de l'éducateur et un apprentissage que certains gestes du bras permettaient de recevoir une récompense.
- Si on leur présente des informations ambiguës, les gens, grâce à leur *cadre perceptuel*, ont tendance à voir ce qu'ils souhaitent voir ou ce qu'ils s'attendent à voir. Interpréter les signes des chimpanzés comme un langage n'est peut-être que l'expression d'un souhait optimiste de la part de leurs éducateurs, prétend Terrace. (Lorsque Washoe a fait les signes *oiseau d'eau*, elle a peut-être nommé séparément *eau* et *oiseau*.)

Paul Fusco/Magnum Photos

Mais est-ce du langage ? La capacité du chimpanzé à s'exprimer dans le langage des signes américain (LSA) pose la question de la véritable nature du langage. Ici, l'expérimentateur demande : « Qu'est-ce que c'est ? » Le signe en réponse est « bébé ». Cette réponse constitue-t-elle un langage ?

- « Donner orange moi donner manger orange moi manger orange... » n'est pas loin de l'exquise syntaxe d'un enfant de 3 ans (Anderson, 2004 ; Pinker, 1995). Pour l'enfant, « toi chatouilles » et « moi chatouille » transmettent deux idées différentes. Un chimpanzé, n'ayant pas la connaissance de la syntaxe humaine, peut faire les mêmes gestes pour exprimer ces deux phrases.

En science comme en politique, la controverse peut stimuler le progrès. D'autres preuves ont confirmé la capacité des chimpanzés à penser et à communiquer. Un résultat surprenant était celle de Washoe entraînant son bébé adopté à utiliser les signes qu'elle avait appris. Après la mort de son deuxième petit, Washoe se replia sur elle-même lorsqu'on lui dit « bébé mort, bébé parti, bébé fini ». Deux semaines plus tard, Roger Fouts (1992, 1997), l'un de ses chercheurs soigneurs, transmis par signes une meilleure nouvelle : « J'ai un bébé pour toi. » Washoe réagit à la nouvelle avec une excitation intense, les poils dressés sur la tête, allant de long en large, toute essoufflée, en répétant encore et encore les signes « bébé, mon bébé ». Il fallut plusieurs heures à Washoe et à Loulis, le bébé adoptif, pour s'habituer l'un à l'autre après quoi Washoe brisa la glace en faisant le signe « viens bébé » et en serrant Loulis dans ses bras.

Dans les mois qui suivirent, Loulis apprit jusqu'à 68 signes simplement en observant Washoe et trois autres chimpanzés entraînés au langage. Ils s'expriment maintenant spontanément par signes, ils demandent aux autres de se *poursuivre*, de se *chatouiller*, de *s'embrasser*, de *venir* ou de *faire sa toilette*. Les gens connaissant le langage par signes peuvent suivre ces conversations de chimpanzé à chimpanzé en étant pratiquement d'accord sur tout ce que disent les chimpanzés, et dont 90 p. 100 ont trait à l'interaction sociale, au jeu ou à l'apaisement (Fouts et Bodamer, 1987). De plus, les chimpanzés sont un peu bilingues et peuvent traduire en signes quelques mots anglais parlés (Shaw, 1989-1990).

> « [Notre] vision égocentrique selon laquelle [nous sommes] uniques parmi toutes les autres formes de vie animale a été touchée au cœur. »
>
> Duane Rumbaugh et Sue Savage-Rumbaugh (1978)

Une autre découverte impressionnante est la démonstration suivante, faite par Sue Savage-Rumbaugh et son équipe (1993) : les chimpanzés pygmées (Bonobos) peuvent apprendre à *comprendre la syntaxe* de l'anglais parlé. Kanzi, l'un de ces chimpanzés, qui présente les capacités grammaticales d'un enfant de 2 ans, les a acquises en observant sa mère adoptive durant l'entraînement au langage des signes. Il se comporte intelligemment lorsqu'on lui demande « peux-tu me montrer la lumière ? », « peux-tu m'apporter la lampe-torche ? » ou « peux-tu allumer la lumière ? » Kanzi connaît également de nombreux mots parlés comme *serpent*, *mordre* et *chien*. Lorsqu'on lui donna des animaux en peluche et qu'on lui demanda, pour la première fois, de « faire le chien qui mord le serpent », il porta le serpent à la gueule du chien. Pour les chimpanzés comme pour les hommes, le début de la vie est une période importante pour l'apprentissage du langage. Élevés sans exposition précoce à la parole ou aux symboles des mots, les adultes sont incapables d'acquérir des compétences linguistiques (Rumbaugh et Savage-Rumbaugh, 1994).

Quelle heure est-il maintenant ? Avez-vous sous-estimé ou surestimé le temps nécessaire pour finir de lire ce chapitre (voir la section sur l'excès de confiance) ?

L'annonce provocatrice selon laquelle « les grands singes partagent notre capacité pour le langage » et la réplique sceptique « singes pas utiliser langage » (comme Washoe aurait pu la faire) ont entraîné les psychologues vers une plus grande reconnaissance des capacités remarquables des grands singes et de nos propres capacités (Friend, 2004 ; Rumbaugh et Washburn, 2003). La plupart sont maintenant d'accord sur le fait que seuls les hommes possèdent le langage si, par ce terme, nous voulons dire : expression verbale ou gestuelle d'une grammaire complexe. Si nous voulons dire, plus simplement, capacité à communiquer par l'intermédiaire d'une suite de symboles significatifs, les grands singes sont en effet capables de langage.

« Bien que les hommes fassent des sons avec leur bouche et se regardent occasionnellement, il n'y a aucune preuve solide qu'ils communiquent réellement entre eux. »

Croyant que les animaux ne pouvaient pas penser, Descartes et d'autres philosophes prétendaient qu'ils n'étaient que des robots vivants sans droits moraux. À d'autres périodes, on a dit que les animaux ne pouvaient pas planifier, conceptualiser, compter, utiliser des outils, faire preuve de compassion ou encore utiliser un langage (Thorpe, 1974). Mais aujourd'hui, nous en savons plus. Les recherches sur les animaux nous ont montré que les primates ont de l'intuition, peuvent faire preuve de loyauté familiale et d'altruisme, communiquer les uns avec les autres, transmettre des schémas culturels d'une génération à l'autre, mais aussi comprendre la syntaxe du langage humain. Accepter et prendre en compte les implications morales de tout cela constitue une tâche inachevée pour notre propre espèce pensante.

« Les chimpanzés ne développent pas de langage. Mais il n'y a pas de honte à cela ; les hommes ne feraient certainement pas mieux s'ils étaient dressés pour ricaner et hurler comme des chimpanzés, pour effectuer la danse de l'abeille ou encore d'autres merveilleux exploits dans le spectacle des talents de la nature. »

Steven Pinker (1995)

AVANT D'ALLER PLUS LOIN...

➤ Interrogez-vous

Vous souvenez-vous d'un moment où vous avez ressenti qu'un animal essayait de communiquer avec vous ? Essayez d'imaginer un moyen de soumettre votre intuition à des tests ?

➤ Testez-vous 4

Votre chien aboie quand un étranger se présente à votre porte. Peut-on considérer ces aboiements comme un langage ? Qu'en est-il si votre chien jappe de manière à vous faire comprendre qu'il a besoin de sortir ?

Les réponses aux questions « Testez-vous » sont données dans l'annexe B à la fin de l'ouvrage.

RÉVISION : Pensée et langage

La pensée

1. À quoi servent les concepts ?

La *cognition* est un terme qui recouvre toutes les activités mentales associées à la pensée, à la connaissance, au souvenir et à la communication. Nous utilisons des *concepts*, groupement mental d'objets, d'événements, d'idées ou de personnes similaires, pour simplifier et ordonner le monde qui nous entoure. En créant des hiérarchies, nous subdivisons ces catégories en unités plus petites et plus détaillées. Nous formons certains concepts comme celui du triangle, par définition (objet à trois faces) mais nous en formons la majorité autour de *prototypes* ou meilleurs exemples d'une catégorie.

2. Quelles stratégies nous aident à résoudre les problèmes et quels obstacles nous en empêchent ?

Un *algorithme* est un ensemble assez long, mais complet, de règles ou de procédures (par exemple, la description étape par étape de l'évacuation d'un immeuble en cas d'incendie) qui garantit la solution à un problème. Une *heuristique* est une stratégie de pensée plus simple (par exemple courir vers la sortie si vous sentez une forte odeur de fumée) qui peut nous permettre de résoudre plus rapidement les problèmes, mais qui conduit parfois à des solutions erronées. L'*intuition* n'est pas une solution fondée sur une stratégie mais plutôt un flash soudain d'inspiration qui permet de résoudre le problème.

Les obstacles à la réussite sont le *biais de confirmation* qui nous prédispose à vérifier nos hypothèses plutôt qu'à les mettre au défi, et la *fixation*, par exemple le *cadre mental* et la *rigidité fonctionnelle*, qui peuvent nous empêcher d'envisager une autre perspective qui pourrait nous permettre de résoudre le problème.

3. Comment les heuristiques, l'excès de confiance et la persévération des préjugés influencent-ils nos décisions et notre jugement ?

L'*heuristique de la représentativité* nous conduit à juger de la probabilité des choses en s'appuyant sur leur ressemblance avec notre prototype d'un groupe d'éléments. L'*heuristique de la disponibilité* nous conduit à juger de la probabilité des choses en se fondant sur leur facilité à nous revenir à l'esprit, ce qui nous conduit souvent à craindre les mauvaises choses. Nous avons plus souvent un excès de confiance qu'un jugement correct. Une fois que nous avons forgé une croyance et l'avons expliquée, l'explication peut rester dans notre esprit même si la croyance est discréditée. Il en résulte une *persévération des préjugés*. Le meilleur remède à cette forme de biais est de faire l'effort de considérer comment nous pourrions expliquer la position opposée.

4. Comment les penseurs intelligents utilisent-ils l'intuition ?

Bien qu'elle nous induise parfois en erreur, l'*intuition* humaine, sentiment ou pensée automatique, immédiat et sans effort, peut nous apporter une aide immédiate lorsque nous en avons besoin. Les experts dans un domaine sont de plus en plus aptes à juger plus rapidement et astucieusement. Les penseurs intelligents accueillent favorablement leurs intuitions, mais les vérifient en se servant des preuves disponibles.

5. Qu'est-ce que la présentation ?

La *présentation* est la manière de mettre en mots une question ou une affirmation. De subtiles différences dans le choix des mots peuvent modifier de manière spectaculaire nos réponses.

Le langage

6. Quelles sont les unités structurelles de base d'un langage ?

Les *phonèmes* sont les unités de base des sons dans un langage. Les *morphèmes* sont les unités élémentaires ayant une signification. La grammaire est le système de règles qui nous permet de communiquer avec les autres. Elle comprend la *sémantique* (règles qui permettent de trouver une signification) et la *syntaxe* (règles qui permettent d'ordonner les mots en phrases).

7. Quels sont les événements importants du développement du langage ?

La chronologie varie d'un enfant à l'autre mais tous les enfants suivent la même séquence. Vers 4 mois, les enfants *babillent*, émettant des sons retrouvés dans toutes les langues du monde. Vers 10 mois, leur babillage contient seulement les sons retrouvés dans la langue qui leur est familière. Vers 1 an, les bébés commencent à parler à l'aide d'un mot. Ce *stade du mot-phrase* évolue en *stade à deux mots* (*télégraphique*) juste avant leur deuxième anniversaire. Peu après, les enfants commencent à parler à l'aide de phrases complètes.

8. Comment apprenons-nous le langage ?

Le comportementaliste B. F. Skinner a suggéré que nous apprenons le langage grâce aux principes familiers de l'association (de la vision d'une chose au son du mot qui lui correspond), de l'imitation (du modèle de mots et de syntaxe présenté par les autres) et du renforcement (par des sourires et des câlins quand l'enfant dit quelque chose correctement). Le linguiste Noam Chomsky affirme que nous sommes nés avec un appareil d'acquisition du langage qui nous prépare biologiquement à apprendre une langue et qui nous équipe d'une grammaire universelle que nous utilisons pour apprendre un langage spécifique. Les chercheurs cognitivistes pensent que l'enfance est une période critique pour l'apprentissage de la langue parlée et du langage des signes.

9. Quelles sont les zones cérébrales impliquées dans le traitement du langage ?

Lorsque vous lisez à haute voix, votre cortex visuel enregistre les mots en tant que stimuli visuels, le gyrus angulaire transforme ces représentations visuelles en codes auditifs, l'aire de Wernicke interprète ces codes et envoie le message à l'aire de Broca qui contrôle le cortex moteur afin qu'il prononce les mots. Mais nous savons maintenant que le langage résulte de l'intégration de nombreux réseaux neuronaux spécifiques effectuant des sous-tâches spécialisées dans de nombreuses parties du cerveau.

Pensée et langage

10. Quelle est la relation entre le langage et la pensée ?

Bien que l'hypothèse du *déterminisme linguistique* de Whorf suggère que le langage détermine la pensée, il est plus juste de dire que le langage influence la pensée. Des langues différentes incarnent différentes façons de penser et l'immersion dans une éducation bilingue peut améliorer notre pensée. Nous pensons souvent en images lorsque nous utilisons notre mémoire procédurale, notre système mnésique inconscient, pour effectuer des tâches motrices ou cognitives et des associations conditionnées de manière classique et opérante. La pensée en images peut réellement augmenter nos capacités lorsque nous pratiquons mentalement les événements à venir.

Le langage et la pensée chez les animaux

11. Que savons-nous de la pensée des animaux ? D'autres animaux partagent-ils notre capacité pour le langage ?

Les hommes comme les grands singes forment des concepts, font preuve de flashs d'inspiration, utilisent et créent des objets, présentent des capacités numériques et transmettent des innovations culturelles. Plusieurs espèces de chimpanzés ont appris à communiquer avec les hommes par des signes ou en poussant des boutons reliés à un ordinateur, ont développé un lexique contenant presque 200 mots, ont communiqué en plaçant ces mots ensemble et ont appris leurs compétences aux plus jeunes. Seuls les hommes peuvent maîtriser les expressions verbales ou gestuelles suivant des règles de syntaxe complexes. Néanmoins, les primates et d'autres animaux présentent des capacités impressionnantes à penser et à communiquer.

Termes et concepts à retenir

Cognition, p. 369
Concept, p. 369
Prototype, p. 370
Algorithme, p. 371
Heuristique, p. 371
Intuition (*insight*), p. 371
Biais de confirmation, p. 372
Fixation, p. 373
Cadre mental, p. 373
Rigidité fonctionnelle, p. 373
Heuristique de la représentativité, p. 374
Heuristique de la disponibilité, p. 375
Excès de confiance, p. 376
Persévération des préjugés, p. 377
Intuition, p. 378
Présentation, p. 381
Langage, p. 382
Phonème, p. 383
Morphème, p. 384
Grammaire, p. 384
Sémantique, p. 384
Syntaxe, p. 384
Stade du babillage, p. 385
Stade du mot-phrase, p. 385
Stade à deux mots, p. 386
Langage télégraphique, p. 386
Aphasie, p. 389
Aire de Broca, p. 389
Aire de Wernicke, p. 389
Relativité linguistique, p. 391

L'intelligence

QU'EST-CE QUE L'INTELLIGENCE ?
L'intelligence est-elle une capacité unique et générale ou plusieurs capacités spécifiques ?
Intelligence et créativité
L'intelligence émotionnelle
L'intelligence est-elle mesurable neurologiquement ?

ÉVALUER L'INTELLIGENCE
Les origines des tests d'intelligence
Tests modernes des capacités mentales
Principes de construction des tests

LA DYNAMIQUE DE L'INTELLIGENCE
Stabilité ou changement ?
Les deux extrêmes de l'intelligence

LES INFLUENCES DE LA GÉNÉTIQUE ET DE L'ENVIRONNEMENT SUR L'INTELLIGENCE
Les études de jumeaux et d'adoption
Héritabilité
Influences de l'environnement
Différences entre groupes dans les résultats aux tests d'intelligence
La question des biais

Trois sujets ont récemment soulevé d'énormes controverses, suscitant un débat dans le domaine de la psychologie et même au-delà. Le premier concerne la « guerre de la mémoire » et pose la question de savoir si les expériences traumatisantes sont refoulées, et peuvent être récupérées plus tard avec un effet thérapeutique. La deuxième grande controverse concerne la « guerre des genres », où l'on se demande dans quelle mesure l'inné et l'acquis (la nature et la culture) façonnent nos comportements en tant qu'homme et femme. Dans ce chapitre, nous allons rencontrer la « guerre de l'intelligence » : chacun d'entre nous possède-t-il une capacité mentale générale innée (intelligence) et pouvons-nous quantifier cette capacité sous forme d'un chiffre significatif ?

Les responsables scolaires, les juges et les scientifiques discutent de l'utilité et de l'équité des tests visant à évaluer les capacités mentales d'un individu et à leur assigner un score. Les tests d'intelligence représentent-ils une manière constructive de guider les personnes vers des opportunités adaptées ? Ou bien s'agit-il, sous couvert de science, d'une arme discriminatoire puissante ? Posons-nous d'abord certaines questions fondamentales :

- Qu'est-ce que l'intelligence ?
- Quelle est la meilleure façon de l'évaluer ?
- Dans quelle mesure vient-elle de l'hérédité plutôt que de l'environnement ?
- Que signifient réellement les différences de résultats aux tests entre groupes et individus ? Devons-nous utiliser ces différences pour classer les gens et les admettre dans des écoles ou des universités particulières ? Pour les embaucher ?

Ce chapitre a pour but d'offrir quelques réponses. Il vous rappelle aussi qu'il existe diverses capacités mentales et que, quel que soit le domaine, la recette de la réussite allie le talent au courage.

Qu'est-ce que l'intelligence ?

LES PSYCHOLOGUES DÉBATTENT sur ce sujet : devons-nous considérer l'intelligence comme une seule aptitude ou comme plusieurs ? Est-elle liée à la rapidité cognitive ? Est-elle mesurable sur le plan neurologique ? Les experts en intelligence sont d'accord sur une chose : bien que les personnes aient des capacités différentes, l'intelligence n'est pas un « objet », mais un concept. Lorsque nous parlons du « QI » (*quotient intellectuel*) de quelqu'un comme s'il était une donnée objective fixe et réelle comme la taille, nous commettons une erreur de raisonnement appelée *réification*, considérant un concept immatériel, abstrait, comme s'il était une chose concrète et réelle. Réifier, c'est inventer un concept, lui donner un nom et ensuite se convaincre qu'une telle chose existe objectivement dans la nature. Lorsqu'une personne dit : « Elle a un QI de 120 », elle réifie le QI ; c'est-à-dire qu'elle imagine que le QI est une chose que cette personne *possède* plutôt qu'un score obtenu une fois à un **test d'intelligence** particulier. On devrait plutôt dire : « Son résultat au test d'intelligence était de 120 ».

L'intelligence est un concept construit selon un point de vue social. Une culture juge « intelligent » tout ce qui contribue au succès dans

• Interview de Deborah Solomon du *New York Times*, 2004 : « Quel est votre QI ? » Stephen Hawking, physicien : « Je n'en ai pas la moindre idée. Ce sont les perdants qui se vantent de leur QI. »

cette culture (Sternberg et Kaufman, 1998). Dans la forêt amazonienne, l'intelligence peut être la connaissance des qualités médicinales des plantes locales. À l'université d'Ontario, ce peut être d'avoir de meilleures performances sur le plan cognitif. Dans chaque contexte, l'**intelligence** est la capacité à apprendre à partir de l'expérience, à résoudre des problèmes et à utiliser son savoir pour s'adapter à de nouvelles situations. Dans les études effectuées, l'*intelligence* représente tout ce que les tests d'intelligence peuvent mesurer. Au cours de l'histoire, comme nous le verrons, cela correspondait au type de résolution de problèmes présenté sous le nom « d'aptitudes scolaires ».

L'intelligence est-elle une capacité unique et générale ou plusieurs capacités spécifiques ?

1. Quels sont les arguments pour ou contre le fait de considérer l'intelligence comme une capacité mentale générale ?

Vous connaissez probablement des personnes douées en sciences, d'autres qui excellent en sciences humaines, d'autres encore en gymnastique, en art, en musique ou en danse. Peut-être connaissez-vous un artiste talentueux qui est désarçonné par le plus simple des problèmes mathématiques, ou encore un étudiant brillant en mathématiques ayant peu d'aptitudes dans le domaine littéraire. Toutes ces personnes sont-elles intelligentes ? Pouvez-vous mesurer leur intelligence sur une seule échelle ? Ou auriez-vous besoin de plusieurs échelles ?

Charles Spearman (1863-1945) croyait que nous avions un facteur d'**intelligence générale** ou **facteur g**. Les gens, reconnaissait-il, ont souvent des aptitudes particulières qui émergent. Spearman contribua au développement de l'**analyse factorielle**, une méthode statistique qui permet d'identifier des groupes d'éléments apparentés. Il remarqua que les gens qui ont de bons résultats dans un domaine, comme l'intelligence verbale, ont en général un résultat supérieur à la moyenne pour d'autres facteurs tels que l'aptitude spatiale ou l'aptitude à raisonner. Spearman pensait que ce caractère commun, le facteur g, était à la base de tout comportement intelligent, depuis l'excellence scolaire jusqu'à la navigation maritime.

L'idée d'une aptitude mentale globale exprimée par un unique score d'intelligence était controversée à l'époque de Spearman, et le reste encore aujourd'hui. L. L. Thurstone (1887-1955) fut l'un des premiers opposants de Spearman. Il fit passer à ses sujets 56 tests distincts et identifia mathématiquement sept groupes d'aptitudes mentales de base (fluidité verbale, compréhension verbale, capacité spatiale, vitesse perceptuelle, capacité numérique, raisonnement inductif et mémoire). Thurstone ne classait pas ses sujets sur une unique échelle d'aptitude générale. Mais lorsque d'autres chercheurs étudièrent les profils des sujets testés par Thurstone, ils décelèrent une tendance persistante : ceux qui avaient des résultats excellents dans l'un des sept groupes, avaient aussi de bons résultats aux autres. Ainsi conclurent-ils qu'il y avait toujours quelques éléments en faveur de l'existence d'un facteur g.

Nous pourrions donc comparer les capacités mentales aux capacités physiques. Les capacités athlétiques ne se composent pas d'un, mais de nombreux éléments. La capacité de courir vite est différente de la force dont on a besoin lorsque l'on soulève des poids, qui elle-même est distincte de la coordination entre l'œil et la main nécessaire pour lancer une balle vers une cible. Un champion d'haltérophilie a rarement le potentiel nécessaire pour devenir un patineur adroit. Malgré tout, il reste une certaine tendance à ce que les bonnes choses surviennent en même temps – que les capacités à courir vite et à lancer avec précision soient corrélées grâce à la capacité athlétique générale. Il en est de même pour l'intelligence. Différentes aptitudes distinctes ont tendance à s'assembler et sont suffisamment corrélées pour que l'on puisse définir un petit facteur d'intelligence générale.

Selon Satoshi Kanazawa (2004), l'intelligence générale s'est développée sous une forme d'intelligence qui aide les personnes à résoudre de *nouveaux* problèmes – comment arrêter la propagation d'un feu, comment trouver de la nourriture en cas de sécheresse, comment retrouver son groupe situé de l'autre côté d'une rivière qui a débordé. Les problèmes plus fréquents, par exemple trouver un compagnon, lire sur les visages étrangers ou retrouver son chemin vers le campement, nécessitent un autre type d'intelligence. Kanazawa affirme que le score d'intelligence générale *est* bien corrélé à notre capacité à résoudre divers problèmes nouveaux (comme ceux qui se posent dans des situations scolaires ou professionnelles), mais

« Le *facteur g* est l'un des éléments de mesure les plus valables et les plus fiables dans le domaine behavioriste... Il permet de prédire bien mieux que tout autre indice des résultats importants sur le plan social, tels que les niveaux d'études et professionnels. »
Robert Plomin, généticien du comportement (1999)

:: Test d'intelligence : méthode pour évaluer les aptitudes mentales d'un individu et les comparer à celles d'autres personnes, en utilisant des résultats chiffrés.

:: Intelligence : qualité mentale qui implique l'aptitude à apprendre de l'expérience, à résoudre des problèmes et à utiliser son savoir pour s'adapter à de nouvelles situations.

:: Intelligence générale (*facteur g*) : facteur général d'intelligence qui, selon Spearman et d'autres, sous-tend des aptitudes mentales spécifiques et peut donc être mesuré par chaque question d'un test d'intelligence.

:: Analyse factorielle : méthode statistique qui permet d'identifier des groupes d'éléments comparables (appelés *facteurs*) dans un test ; elle est utilisée pour identifier les différents aspects de la performance inclus dans le résultat global d'une personne.

semble très peu lié aux capacités individuelles de chacun à faire face aux situations *familières dues à notre évolution* comme se marier, devenir parent, tisser des liens d'amitié étroits, manifester des compétences sociales et se déplacer sans carte.

Théories des intelligences multiples

2. En quoi les théories de Gardner et de Sternberg sur les intelligences multiples diffèrent-elles ?

Depuis le milieu des années 1980, certains psychologues ont cherché à étendre la définition de l'*intelligence* au-delà de l'intelligence scolaire de Spearman et de Thurstone. Ils reconnaissent que les personnes qui réalisent un bon score lors d'un test sur une sorte de capacité cognitive ont une certaine tendance à avoir de bons résultats à d'autres. Mais peut-être cela se produit-il pas parce qu'ils expriment une intelligence générale sous-jacente, mais plutôt parce qu'avec le temps, différentes capacités interagissent et s'alimentent l'une avec l'autre, un peu comme la capacité à lancer d'un coureur rapide s'améliore après qu'il se soit engagé dans un sport développant à la fois les capacités de course et de lancer (van der Maas et coll., 2006).

Les huit intelligences de Gardner Howard Gardner (1983, 2006) voit l'intelligence comme de multiples aptitudes groupées. Gardner a trouvé des preuves de sa conception dans les études sur les personnes présentant des aptitudes exceptionnelles ou diminuées. Une lésion cérébrale, par exemple, peut détruire un type d'aptitude, mais laisser les autres intactes. Et considérez les gens atteints par le **syndrome du savant** qui ont souvent des résultats très faibles aux tests d'intelligence, mais possèdent un « îlot de lumière » (Treffert et Wallace, 2002). Certains peuvent n'avoir pratiquement aucune aptitude au langage, mais être cependant capables de calculer des nombres aussi rapidement et précisément qu'une calculatrice ou d'identifier presque instantanément le jour de la semaine correspondant à n'importe quelle date historique donnée ou peuvent rendre des travaux artistiques incroyables ou exécuter des performances musicales extraordinaires (Miller, 1999). Quatre personnes sur cinq atteintes de ce syndrome sont des hommes, et la plupart sont atteints d'autisme, un trouble du développement (*voir* Chapitre 5).

Le champion de mémoire, Kim Peek, qui présente le syndrome du savant mais n'est pas autiste, a inspiré le film *Rain Man*. En 8 à 10 secondes, il peut lire et se souvenir d'une page et il a appris par cœur 9 000 livres, y compris Shakespeare et la Bible. Il apprend les cartes qui se trouvent sur les annuaires téléphoniques et il peut donner des itinéraires de type Mapquest® dans n'importe quelle ville importante des États-Unis. Mais il n'arrive pas à boutonner ses vêtements. Et il présente très peu d'aptitudes pour les concepts abstraits. Un jour que son père lui demanda au restaurant de « baisser la voix », il glissa sur sa chaise de manière à abaisser son larynx. Si on lui demande de parler de l'*Adresse de Gettysburg* de Lincoln (N.d.T. : il s'agit du discours de Lincoln prononcé le 19 novembre 1863), il répond « 227, North West Front Street. Mais il n'y resta qu'une nuit, il fit son discours le jour suivant » (Treffert et Christensen, 2005).

:: Syndrome du savant : pathologie dans laquelle une personne de capacité mentale limitée possède, par ailleurs, une aptitude spécifique étonnante – par exemple dans le domaine du calcul ou du dessin.

Des îlots de génie : le syndrome du savant Après un survol de 30 minutes en hélicoptère et une visite au sommet d'un gratte-ciel, l'artiste anglais Stephen Wiltshire, atteint du syndrome du savant, a dessiné pendant une semaine la vue d'ensemble de Tokyo (panorama urbain).

TABLEAU 10.1

LES HUIT FORMES D'INTELLIGENCE DE GARDNER

Aptitude	Exemple
1. Verbale	T. S. Eliot (poète)
2. Mathématique, logique	Albert Einstein (scientifique)
3. Musicale	Igor Stravinsky (compositeur)
4. Spatiale	Pablo Picasso (peintre)
5. Corporelle, kinesthésique	Martha Graham (danseuse)
6. Intrapersonnelle (soi)	Sigmund Freud (psychiatre)
7. Interpersonnelle (autres personnes)	Mahatma Gandhi (leader)
8. Naturaliste	Charles Darwin (naturaliste)

Avec de telles preuves, Gardner prétend que nous n'avons pas *une* intelligence, mais des *intelligences multiples*. Il en a identifié huit au total (TABLEAU 10.1) dont les aptitudes verbales et mathématiques évaluées par les tests classiques. Ainsi, l'informaticien-programmeur, le poète, l'adolescent des rues débrouillard qui devient un administrateur habile et le défenseur arrière d'une équipe de basketball font preuve de formes d'intelligence différentes (Gardner 1998). Il affirme que :

> Lorsqu'une personne est douée (ou peu douée) pour raconter des histoires, pour résoudre des problèmes mathématiques, pour retrouver son chemin dans des lieux inconnus, pour apprendre une nouvelle chanson, pour maîtriser un nouveau jeu nécessitant beaucoup de dextérité, pour comprendre les autres ou pour se comprendre soi-même, nul ne sait si des qualités comparables (ou des faiblesses) seront découvertes dans d'autres domaines.

Un résultat à un test d'intelligence général équivaut au classement général d'une ville, ce qui vous donne quelques notions mais ne vous permet guère d'avoir des informations spécifiques concernant ses écoles, ses rues ou sa vie nocturne.

• Gardner (1998) s'interroge également sur l'existence d'une neuvième intelligence – l'*intelligence existentielle* –, la capacité à « réfléchir sur de grandes questions telles que la vie, la mort et l'existence ». •

Ne serait-ce pas merveilleux, répond Sandra Scarr (1989), une spécialiste de l'intelligence, si le monde était suffisamment juste ? Ne serait-ce pas magnifique qu'une faiblesse dans un domaine quelconque soit compensée par du génie dans un autre ? Hélas ! Le monde n'est pas juste. Les résultats aux tests d'intelligence générale prédisent nos performances sur diverses tâches complexes, dans diverses professions et dans divers pays. Le facteur g est important (Bertua et coll. 2005 ; Gottfredson, 2002a,b ; 2003a,b ; Rindermann, 2007). Au cours de deux synthèses de plus de 100 groupes de données, les résultats aux tests d'intelligence scolaire qui prédisaient la réussite aux examens universitaires prédisaient également la réussite professionnelle ultérieure (Kuncel et coll., 2004 ; Strenze, 2007 ; *voir aussi* FIGURE 10.1).

Même ainsi, la « réussite » n'est pas une recette à un seul ingrédient. Être très intelligent peut vous aider à entrer dans une profession (par l'école et les programmes d'éducation que vous y trouvez) mais cela ne vous fera pas réussir une fois entré. La recette de la réussite associe le talent au *courage* : ceux qui réussissent brillamment sont aussi consciencieux, ont beaucoup de relations et ont une énergie tenace.

Avec l'autorisation de Cameras on Wheels

Un génie de l'intelligence spatiale En 1998, le champion du monde du jeu de dames, Ron « Suki » King of Barbados, réalisa un nouveau record en jouant simultanément avec 385 joueurs pendant 3 heures et 44 minutes. Alors que ses adversaires disposaient de plusieurs heures pour réfléchir à leur jeu. King, lui, n'avait que 35 secondes à accorder à chaque jeu. Il remporta les 385 parties !

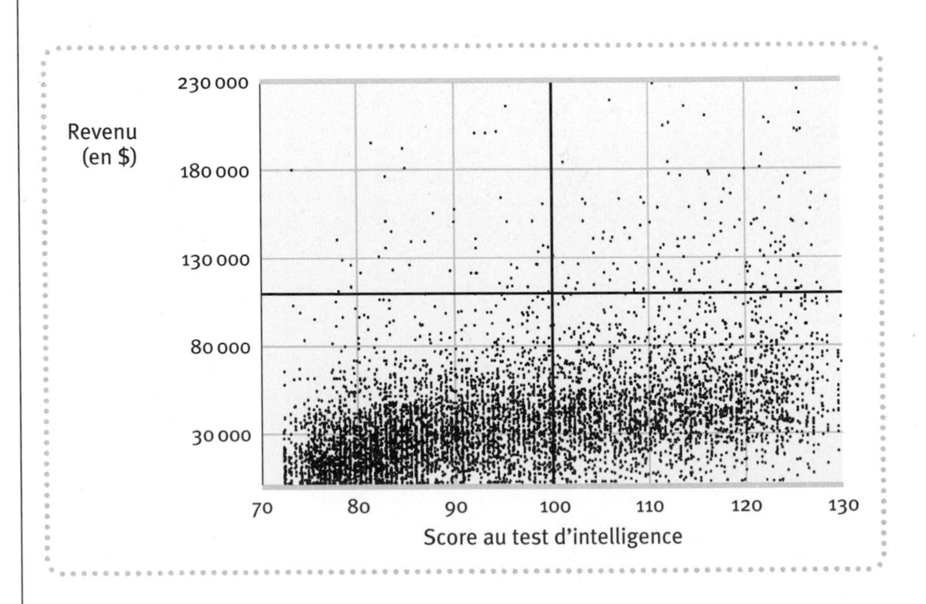

➤ FIGURE 10.1
Riche et intelligent ? Jay Zagorsky (2007) a placé sur ce graphique les 7 403 participants de l'enquête nationale longitudinale américaine auprès des jeunes menée sur 25 ans. Comme on peut le voir sur ce nuage de points, leur score d'intelligence présente une corrélation de +0,30 avec leur dernier revenu.

Anders Ericsson (2002, 2007 ; Ericsson et coll., 2007) parle d'une *règle des 10 ans* : un des ingrédients fréquent des performances des experts aux échecs, en danse, en sport, en programmation informatique, en musique et en médecine est « environ 10 ans de pratique quotidienne intense ».

Les trois intelligences de Sternberg Robert Sternberg (1985, 1999, 2003) s'accorde avec l'idée qu'il y a plus pour atteindre la réussite que l'intelligence traditionnelle. Et il s'accorde avec l'idée de Gardner à propos des intelligences multiples. Mais il propose une *théorie triarchique* (de triarchie, un pays dirigé par trois souverains) composée de trois types d'intelligence au lieu de huit :

- L'***intelligence analytique (les capacités scolaires à résoudre un problème)***, évaluée par les tests d'intelligence présentant des problèmes précis avec une seule réponse exacte. Ces tests prédisent assez bien la réussite scolaire et plus modestement la réussite professionnelle.
- L'***intelligence créative***, montrée par les réactions adaptatives à des situations nouvelles et la capacité à produire de nouvelles idées.
- L'***intelligence pratique***, nécessaire pour les tâches de la vie quotidienne, qui sont souvent des problèmes mal définis avec des solutions multiples. Le succès d'un manager, par exemple, dépend moins de ses capacités scolaires à résoudre les problèmes que d'une capacité effective à se diriger soi-même et à organiser son propre travail et celui des autres. Le test d'intelligence pratique de direction de Sternberg et Richard Wagner (1993, 1995) évalue la capacité à rédiger des notes utiles, à motiver son équipe, à déléguer des tâches et des responsabilités, à comprendre les gens et à promouvoir sa propre carrière. Les cadres d'entreprise ayant d'excellents résultats à ce test perçoivent des salaires plus élevés et obtiennent de meilleures appréciations de leurs résultats.

Avec le soutien de l'*US College Board* (qui administre le test de raisonnement SAT largement utilisé dans les lycées et les universités américaines), Sternberg (2006, 2007) et une équipe de collaborateurs ont développé de nouvelles mesures de la créativité (imaginer, par exemple, une légende pour un dessin animé sans titre) et de la pensée pratique (s'imaginer, par exemple, comment monter un lit double dans un escalier en colimaçon). Les premières données indiquent que ces évaluations plus générales amélioraient la prédiction des premières années d'université des étudiants américains et ce avec une diminution des différences selon les ethnies.

Bien que Sternberg et Gardner ne s'accordent pas sur certains points, ils pensent que plusieurs capacités peuvent contribuer à la réussite de l'existence. (Aucun des candidats à la présidence américaine en 2000 n'a obtenu d'excellents résultats aux tests d'entrée à l'université, remarque Sternberg [2000], et pourtant ils sont tous les deux devenus des personnages

David R. Frazier Photolibrary, Inc./Alamy

Les génies des rues Cet enfant qui vend des bonbons dans les rues de Manaus au Brésil est en train de développer très tôt une intelligence pratique.

Pour en savoir plus sur la manière dont le courage et l'autodiscipline nourrissent la réussite, *voir* Chapitre 11.

« Si vous êtes fort dans un domaine, méfiez-vous de vous croire aussi fort dans un domaine voisin, alors que vous ne l'êtes pas nécessairement… Sous prétexte que je réalisais avec succès des logiciels informatiques, les gens venaient me voir considérant que j'étais expert dans des domaines où je ne l'étais pas. »

Bill Gates (1998)

TABLEAU 10.2

COMPARAISON DES THÉORIES DE L'INTELLIGENCE

Théorie	Résumé	Points forts	Autres considérations
Intelligence générale (*facteur g*) de Spearman	Une intelligence fondamentale prédit nos capacités dans divers domaines scolaires	Différentes capacités, comme les capacités verbales et spatiales, ont une certaine tendance à être corrélées	Les capacités humaines sont trop diverses pour être enfermées dans un seul facteur d'intelligence général
Capacités mentales primaires de Thurstone	Notre intelligence peut être décomposée en sept facteurs : la fluidité verbale, la compréhension verbale, la capacité spatiale, la vitesse perceptuelle, la capacité numérique, le raisonnement inductif et la mémoire	Un seul résultat *g* ne donne pas autant d'informations que des résultats dans les sept capacités primaires mentales	Même les sept capacités mentales de Thurstone montrent une tendance à se regrouper, ce qui suggère un facteur g sous-jacent
Intelligences multiples de Gardner	Il vaut mieux classer nos capacités en huit intelligences indépendantes, qui incluent une large gamme de compétences au-delà de l'intelligence scolaire traditionnelle	L'intelligence est bien plus qu'une compétence verbale ou mathématique. D'autres capacités sont tout aussi importantes pour nous permettre de nous adapter en tant qu'humain	Faut-il considérer toutes nos capacités comme une *intelligence* ? Ne devrions-nous pas plutôt appeler certaines d'entre elles, moins vitales, des *talents* ?
Théorie triarchique de Sternberg	Il est préférable de diviser notre intelligence en trois domaines qui prédisent notre réussite dans le monde réel : analytique, créatif et pratique	Ces trois facettes peuvent être mesurées de manière fiable	1. Ces trois facettes sont peut-être moins indépendantes que ne le pense Sternberg et peuvent réellement avoir en commun un facteur g sous-jacent 2. Des tests supplémentaires sont nécessaires pour déterminer si ces facettes peuvent prédire la réussite de manière fiable

influents.) Les deux théoriciens s'accordent aussi sur le fait que les différentes variétés de dons apportent du piment à l'existence et permettent de lancer des défis à l'éducation. Sous leur influence, de nombreux enseignants ont reçu des formations pour évaluer les variétés d'aptitudes et appliquer la théorie des intelligences multiples dans leur classe. Quelle que soit notre définition de l'intelligence (TABLEAU 10.2), la créativité est bien plus qu'un résultat à un test d'intelligence.

Intelligence et créativité

3. Qu'est-ce que la créativité et qu'est-ce qui l'encourage ?

Pierre de Fermat, un génie malicieux du XVIIe siècle, mit au défi les mathématiciens de son époque de trouver des solutions à la hauteur des siennes à plusieurs problèmes numériques d'ordre théorique. Son fameux défi, *le dernier théorème de Fermat*, plongea l'esprit des plus grands mathématiciens dans la plus profonde perplexité, même après qu'un prix de 2 millions de dollars a été proposé en 1908 à la première personne capable de fournir une preuve.

Andrew Wiles, un mathématicien de l'université de Princeton, réfléchissait à ce problème depuis plus de 30 ans et frôlait la solution. Puis, un matin, par hasard, il fut frappé d'une « incroyable révélation ». « C'était d'une beauté inexprimable, si simple, si élégant. Je n'arrivais pas à comprendre comment j'avais pu passer à côté et j'ai donc fixé mon travail d'un air incrédule pendant 20 minutes. J'ai passé la journée à marcher dans notre département et je revenais souvent à mon bureau pour m'assurer que tout y était encore. En effet, tout était là. Je n'arrivais pas à me contenir : j'étais si excité. Ce fut le moment le plus important de toute ma vie professionnelle. » (Singh, 1997, p. 25)

Cet incroyable moment vécu par Wiles illustre la **créativité** – la capacité à créer des idées à la fois nouvelles et intéressantes. Les études suggèrent qu'un certain niveau d'aptitude – un score d'environ 120 au test d'intelligence standard – est nécessaire, mais non suffisant, pour la créativité. Des architectes, des mathématiciens, des scientifiques et des ingénieurs exceptionnellement créatifs n'ont en général pas de meilleurs scores aux tests d'intelligence que leurs pairs moins créatifs (MacKinnon et Hall, 1972 ; Simonton, 2000). Il y a donc clairement dans la créativité d'autres éléments que ceux révélés par les scores d'intelligence. En effet, ces deux types de pensée mettent en œuvre des aires cérébrales différentes. Les tests d'intelligence qui

• En revenant chez lui après avoir reçu son prix Nobel à Stockholm, le physicien Richard Feynman s'arrêta dans le Queens, à New York, pour regarder ses notes obtenues à l'université. « Mes résultats n'étaient pas aussi bons que dans mon souvenir, raconta-t-il, et mon QI était de 124 (bon, mais pas exceptionnel) » (Faber, 1987). •

:: **Créativité** : capacité à créer des idées nouvelles et intéressantes.

demandent une seule réponse correcte nécessitent une *pensée convergente*. Les tests de créativité (*Combien d'utilisations pouvez-vous trouver à une brique ?*) nécessitent une *pensée divergente*. Des lésions du lobe pariétal gauche lèsent la pensée convergente nécessaire pour répondre aux tests d'intelligence et à la réussite scolaire. Des lésions sur certaines régions des lobes frontaux peuvent laisser intactes les capacités de lecture, d'écriture et d'arithmétique, mais détruire l'imagination (Kolb et Whishaw, 2006).

Sternberg et ses collaborateurs ont identifié cinq composantes de la créativité (Sternberg, 1988, 2003 ; Sternberg et Lubart, 1991, 1992) :

1. La ***compétence*** ou base de connaissances bien développée, fournit les idées, les images et les expressions que nous utilisons comme unité de construction mentale. « La chance favorise seulement les esprits préparés », fit remarquer Louis Pasteur. Plus nous possédons d'unités de construction mentale, plus nous avons de chances de les combiner de façon nouvelle. Grâce à sa base de connaissances bien développée, Wiles a pu mettre les théorèmes et les méthodes nécessaires à sa disposition.
2. La ***capacité d'imagination*** est une aptitude à voir les choses de façon nouvelle, à reconnaître les schémas sous-jacents, à établir des connexions. Lorsque vous maîtrisez les éléments de base d'un problème, vous pouvez ensuite le redéfinir et explorer le problème d'une façon nouvelle. Copernic acquit d'abord une bonne connaissance du système solaire et des planètes, puis définit de manière créative le système comme tournant autour du soleil et non autour de la Terre. La solution pleine d'imagination, proposée par Wiles, associait deux solutions incomplètes.
3. Une ***personnalité aventureuse*** accepte le risque et l'ambiguïté, persévère pour vaincre les obstacles et recherche des expériences nouvelles. Thomas Edison, inventeur, essaya d'innombrables substances pour le filament de ses ampoules avant de trouver la bonne. Andrew Wiles explique qu'il travaillait à l'écart de la communauté des mathématiciens en grande partie pour pouvoir se concentrer sur son travail et éviter d'être distrait. S'aventurer à entrer en contact avec différentes cultures encourage également la créativité (Leung et coll. 2008).
4. La ***motivation intrinsèque*** est motivée principalement par l'intérêt, la satisfaction et le défi du travail en lui-même plutôt que par des pressions extérieures (Amabile et Hennessey, 1992). Les créatifs s'attachent moins à des motivations extrinsèques - dates limites de congrès, désir d'impressionner les gens ou de gagner de l'argent - qu'au plaisir intrinsèque et à la stimulation que représente leur travail. Quand on demanda à Isaac Newton comment il avait résolu des problèmes scientifiques si difficiles, il répondit : « J'y pensais constamment ». De la même manière, Wiles déclarait : « J'étais tellement obsédé par ce problème que j'y ai pensé du matin au soir pendant 8 ans - depuis le matin quand je me levais jusqu'au soir quand je me couchais. » (Singh et Riber, 1997).
5. Un ***environnement créatif*** suscite, soutient et affine les idées créatives. Après avoir étudié la carrière de 2026 éminents scientifiques et inventeurs, Dean Keith Simonton (1992) remarqua que les plus grands d'entre eux étaient guidés, poussés, et aidés par leurs relations

« Si vous deviez me prêter un talent, il s'agit simplement de celui-ci : je peux, pour n'importe quelle raison, descendre à l'intérieur de mon cerveau, chercher à tâtons dans toute cette bouillie, y trouver puis en extraire quelque chose de ma personne et enfin la greffer sur une idée. »
Gary Larson, dessinateur humoristique, *The Complete Far Side*, 2003

Un esprit imaginatif Les caricaturistes font souvent preuve de créativité en envisageant les choses sous un nouvel angle et en procédant à des connexions peu courantes.

« Pour l'amour de Dieu, y a-t-il un docteur dans la salle ? »

« Tout le monde leva sa tranche de pain lorsque David lança le morceau de fromage dans le ventilateur. »

avec leurs collègues. Beaucoup avaient l'*intelligence émotionnelle* nécessaire pour entretenir un réseau de relations efficace avec leurs pairs. Même Wiles se faisait aider par les autres et étudiait ses problèmes avec la collaboration d'un ancien élève. Les environnements qui encouragent la créativité soutiennent souvent la contemplation. Après que Jonas Salk eut résolu un problème ayant conduit au vaccin de la polio tandis qu'il était dans un monastère, il conçut l'Institut Salk pour fournir des espaces contemplatifs où les scientifiques pouvaient travailler sans être interrompus (Sternberg, 2006).

L'intelligence émotionnelle

4. De quoi se compose l'intelligence émotionnelle ?

L'*intelligence sociale*, c'est-à-dire le savoir-faire nécessaire pour comprendre les situations sociales et gérer sa vie avec succès est également distincte de l'intelligence scolaire (ou universitaire). Le concept fut proposé en premier en 1920 par le psychologue Edward Thorndike qui remarqua : « Le meilleur mécanicien dans une usine peut échouer comme contremaître à cause d'un manque d'intelligence sociale » (Goleman, 2006, p. 83). Comme Thorndike, d'autres psychologues se sont ultérieurement étonnés que les personnes ayant des aptitudes élevées ne soient « pas, dans une forte proportion, plus efficaces... pour contracter de meilleurs mariages, mieux élever leurs enfants et parvenir à un bien-être physique et mental optimal » (Epstein et Meier, 1989). D'autres ont exploré les difficultés de certaines personnes ayant une intelligence rationnelle à traiter et gérer les informations sociales (Cantor et Kihlstrom, 1987 ; Weis et Süß, 2007). Cette idée est particulièrement significative pour un aspect de l'intelligence sociale que John Mayer, Peter Salovey et David Caruso (2002, 2008) ont appelé l'**intelligence émotionnelle**. Ils ont développé un test qui mesure quatre composants de l'intelligence émotionnelle qui sont les capacités à :

- *percevoir* les émotions (les reconnaître sur les visages, dans la musique et dans les histoires) ;
- *comprendre* les émotions (les prévoir et comment elles peuvent changer et se mélanger) ;
- *gérer* les émotions (savoir comment les exprimer dans diverses situations) ;
- *utiliser* les émotions pour permettre une réflexion adaptative ou créative.

« Vous êtes un sage, mais vous n'avez aucune connaissance des arbres. »

Conscients des mauvaises utilisations populaires de leur concept, Mayer, Salovey et Caruso ont prévenu contre l'étirement du concept de l'intelligence émotionnelle pour y englober diverses caractéristiques comme l'estime de soi et l'optimisme, même si les personnes dotées d'une intelligence émotionnelle ont une forte conscience de soi. Que ce soit aux États-Unis ou en Allemagne, ceux qui ont obtenu un résultat élevé dans la gestion des émotions ont de bien meilleures relations avec leurs amis (Lopes et coll., 2004). Ils arrivent à ne pas être submergés par la dépression, l'anxiété ou la colère. Ils peuvent lire les émotions des autres, sachant quoi dire à un ami qui a de la peine, comment encourager leurs collègues et faire face à des conflits. Ces résultats peuvent expliquer pourquoi, sur les 69 études effectuées dans de nombreux pays, les personnes qui ont obtenu des résultats élevés aux tests d'intelligence émotionnelle ont également montré des performances professionnelles légèrement meilleures (Van Rooy et Viswesvaran, 2004 ; Zeidner et coll., 2008). Ils peuvent préférer des récompenses à long terme plutôt que de céder aux pulsions d'accepter les récompenses immédiates. Pour le dire plus simplement, ils sont émotionnellement en phase avec les autres, et ils réussissent souvent leur carrière, leur mariage et l'éducation de leurs enfants, alors que d'autres personnes dont les aptitudes scolaires sont plus élevées (mais qui ont moins d'intelligence émotionnelle) échouent dans ces domaines (Ciarrochi et coll., 2006).

Les rapports de lésions cérébrales ont fourni des exemples extrêmes des résultats de la baisse de l'intelligence émotionnelle chez des personnes ayant une intelligence générale élevée. Antonio Damasio (1994), un neuroscientifique, expose le cas d'Elliot qui a subi l'ablation d'une tumeur au cerveau : « Durant toutes les heures que j'ai passées à discuter avec lui, je n'ai pas vu l'ombre d'une émotion ; ni tristesse, ni impatience, ni frustration. » Lorsqu'on lui montrait des images perturbantes de personnes blessées, de communautés ravagées ou de catastrophes naturelles, Elliot ne montrait aucune émotion et il en était conscient. Il savait mais ne pouvait rien ressentir. Incapable d'adapter intuitivement son comportement aux sentiments d'autrui, il a perdu son travail, fait faillite, et son mariage s'est rompu. Remarié, il a divorcé à nouveau. Aux dernières nouvelles, il avait été placé sous tutelle d'un de ses frères et déclaré invalide.

:: **Intelligence émotionnelle** : aptitude à percevoir, comprendre, gérer et utiliser les émotions.

Certains savants, cependant, ont peur que l'intelligence émotionnelle étire le concept de l'intelligence trop loin. Howard Gardner (1999), l'homme des intelligences multiples, veut bien inclure dans ce concept les domaines tels que l'espace, la musique, la connaissance de nous-mêmes et des autres. Mais, dit-il, nous devons également respecter la sensibilité émotionnelle, la créativité, la motivation de chacun d'entre nous et les considérer comme des caractères importants mais différents. Étirer « l'intelligence » pour y inclure tout ce qui a de l'importance pour nous lui fera perdre de sa signification.

« Je me méfie des définitions [de l'intelligence] qui font l'amalgame entre l'évaluation de nos capacités cognitives et nos préjugés concernant le type de personnes que nous préférons. »
Howard Gardner, « *Rethinking the Concept of Intelligence* », 2000

L'intelligence est-elle mesurable neurologiquement ?

5. Dans quelle mesure l'intelligence est-elle liée à l'anatomie cérébrale et à la vitesse de traitement neuronal ?

Grâce aux outils des neurosciences d'aujourd'hui, serait-il possible de relier les différences de résultats des gens aux tests d'intelligence à des disparités dans le cœur de l'intelligence : le cerveau ? Pouvons-nous anticiper la mise en place d'un futur test d'intelligence cérébrale ?

Taille et complexité du cerveau

Après la mort, en 1824, de Lord Byron, brillant poète anglais, les docteurs découvrirent que son cerveau, très lourd, pesait aux environs de 2,5 kg (et non pas le poids normal d'environ 1,3 kg). Trois ans plus tard, Beethoven mourut et on découvrit que son cerveau présentait un nombre exceptionnel de circonvolutions profondes. Suite à ces observations, les scientifiques spécialisés dans le cerveau se mirent à étudier le cerveau d'autres génies aux confins de leurs esprits (Burrell, 2005). Les personnes dotées d'un gros cerveau sont-elles les plus intelligentes ?

• Le cerveau d'un cachalot est environ 6 fois plus lourd que le vôtre. •

Hélas ! Certains génies avaient un petit cerveau et certains criminels à l'intelligence douteuse avaient des cerveaux semblables à celui de Byron. Des études plus récentes mesurant directement le volume du cerveau par IRM ont montré une corrélation de +0,33 entre la taille du cerveau (corrigée en fonction de la taille du corps) et les résultats aux tests d'intelligence (Carey, 2007 ; McDaniel, 2005). De plus, à mesure que les adultes vieillissent, la taille du cerveau et les scores d'intelligence non verbale diminuent de concert (Bigler et coll., 1995).

• Souvenez-vous du chapitre 1 : la corrélation la plus faible, -1,0, représente deux séries de résultats totalement opposées – tandis qu'une série de résultats augmente, l'autre diminue. Une corrélation nulle indique un manque de cohérence. La corrélation la plus élevée, +1,0, représente une relation parfaite – le premier et le deuxième ensemble de résultats augmentent exactement de la même manière. •

Une enquête sur 37 études d'imagerie cérébrale a révélé des associations entre d'une part l'intelligence et d'autre part la taille et l'activité du cerveau dans des régions spécifiques, en particulier dans les lobes frontaux et pariétaux (Jung et Haier, 2007). Sandra Witelson ne serait pas surprise. Ayant comme base de comparaison les cerveaux de 91 Canadiens, Witelson et ses collaborateurs (1999) ont saisi l'opportunité d'étudier le cerveau d'Einstein. Bien qu'il ne diffère pas notablement sur le plan de la grosseur ou du poids d'un cerveau canadien moyen, le cerveau d'Einstein était, toutefois, 15 p. 100 plus gros dans les régions inférieures du lobe pariétal – centre du traitement des mathématiques et des informations spatiales. Certaines autres régions de son cerveau étaient un peu plus petites que la moyenne. Comme les différentes fonctions mentales rivalisent pour avoir de la place dans le cerveau, ces observations permettent peut-être d'expliquer pourquoi Einstein, comme d'autres physiciens tels Richard Feynman et Edward Teller, ont appris à parler plus tardivement (Pinker, 1999).

« Je suis, d'une certaine façon, moins intéressé par le poids et les circonvolutions du cerveau d'Einstein que par la certitude quasi absolue que des gens d'un talent égal ont vécu et sont morts dans des champs de coton et dans des magasins de vêtement. »
Stephen Jay Gould, *Le Pouce du panda : les grandes énigmes de l'évolution*, 1980

Si l'intelligence et la taille du cerveau sont légèrement corrélées, la cause pourrait être la différence de gènes, l'alimentation, la stimulation de l'environnement, la combinaison de tous ces facteurs, ou peut-être autre chose. Rappelez-vous de ce que nous avons vu dans les chapitres précédents : l'expérience modifie le cerveau. Des rats élevés dans un environnement enrichi plutôt qu'appauvri développent un cortex plus épais et plus lourd. L'apprentissage laisse des traces décelables dans les connexions neuronales. Le psychologue Dennis Garlick (2003) de l'université de Sydney remarque que « l'intelligence est due au développement de connexions neurales en réponse à l'environnement ».

Les autopsies de cerveau montrent que les individus très cultivés meurent avec un plus grand nombre de synapses – 17 p. 100 en plus selon une étude – que les gens moins cultivés (Orlovskaya et coll., 1999). Cela ne nous dit pas si les gens développent des synapses en fonction de leur niveau d'éducation ou si les gens qui possèdent plus de synapses cherchent davantage à s'instruire (ou bien les deux). Mais d'autres éléments suggèrent que les gens très intelligents diffèrent au niveau de la *neuroplasticité* : leur capacité durant l'enfance et l'adolescence à s'adapter et à développer des connexions neuronales en réponse à l'environnement (Garlick, 2002, 2003).

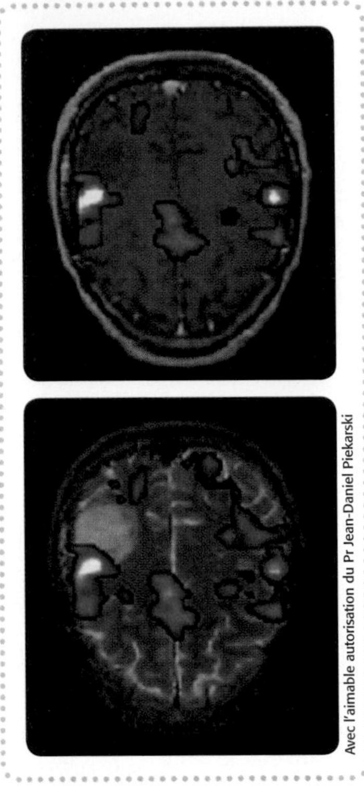

Avec l'aimable autorisation du Pr Jean-Daniel Piekarski

➤ FIGURE 10.2
La substance grise a de l'importance
Une vue frontale du cerveau montre certaines zones où la substance grise est concentrée chez les gens ayant un résultat élevé aux tests d'intelligence et où, de ce fait, le facteur g pourrait être concentré.

Une étude a scanné plusieurs fois les cerveaux de 307 enfants et adolescents âgés de 5 à 19 ans. Les résultats surprenants étaient que les enfants ayant un résultat moyen aux tests d'intelligence présentaient un léger épaississement suivi d'un léger amincissement de leur cortex avec un pic d'épaisseur vers l'âge de 8 ans, suggérant une courte fenêtre développementale (Shaw et coll., 2006). Les enfants de 7 ans les plus intelligents avaient un cortex cérébral *plus fin*, qui s'épaississait progressivement entre l'âge de 11 et 13 ans, avant de s'amincir avec la diminution (*pruning*) naturelle des connexions non utilisées. Les esprits agiles naissent avec des cerveaux agiles.

Les efforts pour relier les structures cérébrales aux processus cognitifs continuent. Une équipe de chercheurs, menée par le psychologue Richard Haier (2004 ; Colom et coll., 2006), a établi une corrélation entre les résultats aux tests d'intelligence de 47 volontaires adultes et les scanners mesurant leur volume de *substance grise* (corps neuronaux) et de *substance blanche* (axones et dendrites) dans diverses régions cérébrales. Les résultats les plus élevés aux tests d'intelligence étaient liés à une plus grande quantité de substance grise dans certaines zones spécifiques, connues pour être impliquées dans la mémoire, l'attention et le langage (FIGURE 10.2).

Fonctionnement du cerveau

Même si les modestes corrélations entre l'anatomie cérébrale et l'intelligence s'avèrent fiables, elles ne sont qu'un début à l'explication des différences d'intelligence. À la recherche d'autres explications, les neuroscientifiques étudient le fonctionnement du cerveau.

Quand les gens réfléchissent à diverses questions comme celles que l'on trouve dans les tests d'intelligence, une zone du lobe frontal située juste au-dessus de la partie externe des sourcils devient très active – du côté gauche pour les questions verbales, et des deux côtés pour les questions spatiales (Duncan et coll., 2000). Les informations provenant des différentes zones cérébrales semblent converger à cet endroit, ce qui laisse penser au chercheur John Duncan (2000) que ce pourrait être « un espace de travail global pour organiser et coordonner l'information » et que certaines personnes peuvent être « dotées d'un espace de travail qui fonctionne très, très bien ».

Les gens plus intelligents ont-ils littéralement l'esprit plus vif, un peu comme les microprocesseurs actuels qui permettent un calcul plus puissant que leurs prédécesseurs ? Il semble que cela soit vrai pour certaines tâches. Earl Hunt (1983) a observé que les scores d'intelligence verbale étaient prévisibles en fonction de la rapidité avec laquelle les gens retrouvaient l'information dans leur mémoire. Ceux qui reconnaissaient rapidement que *main* et *nain* sont des mots différents ou que *A* et *a* portent le même nom ont en général de bons résultats en capacité verbale. Les lycéens de 12 à 14 ans très précoces sont particulièrement rapides pour répondre à des problèmes de ce genre (Jensen, 1989). Pour essayer de définir la *vivacité d'esprit*, les chercheurs analysent de plus près la vitesse de perception ainsi que la vitesse du traitement neuronal de l'information.

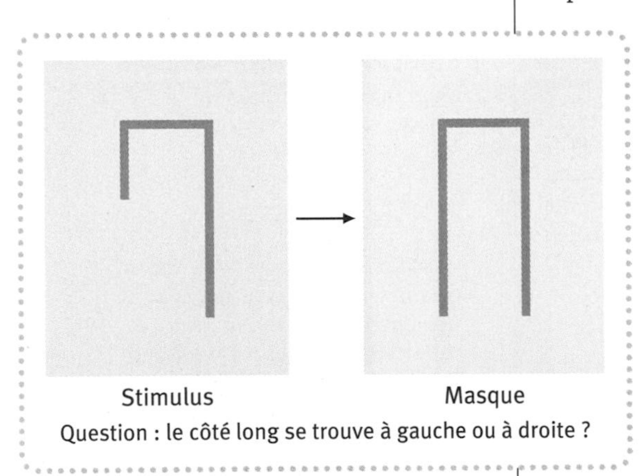

Question : le côté long se trouve à gauche ou à droite ?

➤ FIGURE 10.3
Une inspection en temps limité
Un stimulus est montré très rapidement avant d'être masqué par une image qui empiète dessus. Pendant combien de temps devriez-vous regarder le stimulus se trouvant à gauche pour répondre à la question ? Les personnes qui perçoivent le stimulus très rapidement ont tendance à avoir de meilleurs scores aux tests d'intelligence. (Adapté de Deary et Stough, 1996.)

Vitesse perceptuelle D'après plusieurs études, la corrélation entre les résultats aux tests d'intelligence et la vitesse d'assimilation de l'information perceptive se situe normalement entre +0,3 et +0,5 (Deary et Der, 2005 ; Sheppard et Vernon, 2008). Une expérience courante consiste à présenter très rapidement un stimulus incomplet, comme sur la FIGURE 10.3, suivi d'une *image servant de cache*, une image qui empiète sur l'image rémanente du stimulus incomplet. Ensuite, le chercheur demande aux participants si le côté le plus long de l'image se trouvait à droite ou à gauche. Combien de temps d'exposition au stimulus faut-il pour obtenir 80 p. 100 de réponses correctes dans la plupart des cas ? Peut-être 0,01 seconde ? Ou bien 0,02 seconde ? Les personnes capables de le percevoir très rapidement obtiennent généralement des résultats légèrement plus élevés aux tests d'intelligence, en particulier lors des tests fondés sur la résolution de problèmes perceptifs plutôt que verbaux.

Vitesse neurologique Est-ce que la plus grande vitesse de traitement et de perception des gens très intelligents reflète une vitesse de traitement neurologique plus rapide ? Plusieurs études ont montré que les ondes cérébrales des gens très intelligents enregistrent un simple stimulus (tel qu'un éclair de lumière ou un son) plus rapidement et de façon plus complexe (Caryl, 1994 ; Deary et Caryl, 1993 ; Reed et Jensen, 1992). La réponse cérébrale évoquée tend également à être légèrement plus rapide quand les personnes ayant des scores d'intelligence élevés réalisent une tâche simple, telle qu'appuyer sur un bouton lorsqu'un X apparaît sur l'écran, en comparaison avec les personnes ayant des scores plus faibles (McGarry-Roberts et coll., 1992).

La vitesse de traitement neuronal lors d'une tâche simple semble bien éloignée des réponses non chronométrées à des éléments de tests d'intelligence complexes, comme par exemple : « En quoi le *coton* et la *laine* se ressemblent-ils ? » Jusqu'ici, remarque Nathan Brody (1992, 2001), spécialiste de l'intelligence, nous n'avons pas d'indication précise nous permettant de comprendre *pourquoi* des réactions rapides à des tâches simples devraient permettre de prévoir les résultats à des tests d'intelligence, bien qu'il suppose qu'elles reflètent notre propre « capacité à traiter l'information essentielle ». Philip Vernon (1983) pense cependant qu'« un traitement cognitif plus rapide peut permettre l'acquisition de davantage d'informations ». Peut-être que les gens qui traitent l'information plus rapidement accumulent davantage d'informations concernant la laine, le coton et des millions d'autres choses. Ou peut-être, comme l'a découvert une équipe de recherche australo-hollandaise, la vitesse de traitement et l'intelligence sont corrélées non pas parce que l'une provoque l'autre mais parce qu'elles partagent une influence génétique sous-jacente (Luciano et coll., 2005).

L'approche neurologique pour comprendre l'intelligence (comme tant d'autres sujets en psychologie) connaît actuellement son heure de gloire. Cette nouvelle recherche va-t-elle permettre de réduire ce que nous appelons aujourd'hui le facteur g à une simple mesure de l'activité cérébrale sous-jacente ? Ou ces efforts sont-ils totalement erronés, car ce que nous appelons intelligence n'est pas constitué d'un caractère général unique, mais de plusieurs capacités susceptibles de s'adapter au contexte culturel ? Les controverses qui entourent la nature de l'intelligence sont bien loin d'être résolues.

AVANT D'ALLER PLUS LOIN...

➤ **INTERROGEZ-VOUS**

Selon le concept moderne des intelligences multiples (proposé par Gardner et Sternberg), les aptitudes scolaires analytiques mesurées par les tests d'intelligence traditionnels sont des aptitudes importantes mais d'autres aptitudes sont aussi importantes. Nous n'avons pas tous les mêmes dons. Quels sont les vôtres ?

➤ **TESTEZ-VOUS 1**

Joseph est étudiant à la Harvard Law School. Ses notes se situent en général autour de 16/20, il écrit des articles dans la *Harvard Law Review* et devra prendre ses fonctions à la Cour suprême des États-Unis l'année prochaine. Judith, sa grand-mère, est très fière de lui et pense qu'il est bien plus intelligent qu'elle ne l'a jamais été. Mais Joseph est aussi très fier de Judith qui a été emprisonnée par les Nazis quand elle était jeune. À la fin de la guerre, elle s'enfuit d'Allemagne à pied et prit contact avec une agence d'aide aux réfugiés pour rejoindre les États-Unis, où elle commença une nouvelle vie en travaillant comme assistante-cuisinière dans le restaurant de son cousin. En vous fondant sur la définition de *l'intelligence* dans ce chapitre, peut-on dire que Joseph est la seule personne intelligente dans cette histoire ? Justifiez votre réponse.

Les réponses aux questions « Testez-vous » sont données dans l'annexe B à la fin de l'ouvrage.

Évaluer l'intelligence

COMMENT PEUT-ON ÉVALUER L'INTELLIGENCE ? Qu'est-ce qui rend un test crédible ? Pour répondre à ces questions, commençons par examiner les raisons qui ont amené les psychologues à créer des tests de capacités mentales et comment ils les ont utilisés.

Les origines des tests d'intelligence

6. Quand et pourquoi les tests d'intelligence ont-ils été créés ?

Certaines sociétés s'intéressent à promouvoir le bien-être collectif de la famille, de la communauté ou de la société. D'autres sociétés mettent l'accent sur les chances de chaque individu. Un pionnier de cette tradition individualiste, Platon, écrivit il y a plus de 2000 ans dans *La République* : « Il n'y a pas deux personnes qui soient nées tout à fait semblables ;

National Library of Medicine

Alfred Binet « Certains philosophes actuels ont donné leur approbation morale au déplorable verdict que l'intelligence de chaque individu est une quantité fixe qui ne peut être augmentée. Nous devons protester et agir contre ce pessimisme brutal » (Binet, 1909, p. 141).

chacun diffère de l'autre par ses dons naturels, l'un est plus qualifié pour une tâche et l'autre pour une autre. » Héritiers de l'individualisme de Platon, les sociétés occidentales réfléchissent sur le comment et le pourquoi des différences entre individus sur le plan des aptitudes mentales.

Les tentatives occidentales pour évaluer de telles différences ont véritablement commencé il y a plus d'un siècle. Le scientifique anglais Francis Galton (1822-1911) était fasciné par la mesure des caractères humains. Lorsque son cousin, Charles Darwin, proposa que la nature sélectionne les caractères permettant aux individus en meilleure santé de survivre, Galton se demanda s'il serait possible de mesurer la « capacité naturelle » et d'encourager les individus ayant de fortes capacités à s'accoupler les uns avec les autres. Lors de l'exposition de Londres en 1884, plus de 10 000 visiteurs reçurent une estimation de leur « force intellectuelle » basée sur des éléments comme leur temps de réaction, leur acuité sensorielle, leur puissance musculaire et leurs proportions corporelles. Mais hélas, sur ces mesures, des adultes éminents et des étudiants terminant des études supérieures ne se sont pas démarqués des individus supposés être moins brillants. Et les mesures ne furent pas corrélées les unes avec les autres.

Bien que la quête de Galton sur la mesure d'une intelligence simple échouât, il nous apporta quelques techniques statistiques que nous utilisons encore (ainsi que la phrase « l'inné et l'acquis », ou « la nature et la culture »). Et sa croyance persistante de la transmission héréditaire du génie et de la grandeur, reflétée par le titre de son livre, *Le Génie héréditaire,* illustre une leçon importante issue de l'histoire de la recherche sur l'intelligence et de l'histoire de la science : bien que la science prétende à l'objectivité, les scientifiques sont influencés par leurs propres suppositions et attitudes.

Alfred Binet : prédire la réussite scolaire

Le mouvement moderne d'évaluation de l'intelligence débuta lorsque le gouvernement français vota, au début du XXe siècle, la loi imposant à tous les enfants d'aller à l'école. Certains enfants, dont beaucoup venaient d'arriver à Paris, semblaient incapables de tirer bénéfice du cursus éducatif normal et avaient besoin d'un enseignement spécial. Mais comment les écoles pouvaient-elles identifier de façon objective les élèves ayant des besoins particuliers ?

Le gouvernement français était réticent à faire confiance aux jugements subjectifs des professeurs à propos des capacités d'apprentissage des enfants. Une lenteur scolaire pouvait simplement refléter une éducation antérieure inappropriée. Les enseignants pouvaient aussi préjuger des capacités des enfants en fonction de leur classe sociale. En 1904, pour minimiser ces biais, le ministre français de l'Éducation confia à Alfred Binet (1857-1911) et à d'autres le soin d'étudier le problème.

Binet et son collaborateur, Théodore Simon, commencèrent par proposer l'hypothèse selon laquelle tous les enfants suivent le même développement intellectuel, mais que certains se développent plus rapidement. De ce fait, au cours de tests, un enfant « retardé » aura donc des résultats correspondant aux résultats habituels d'un enfant plus jeune, et un enfant « brillant » aura des résultats comparables à ceux d'un enfant plus âgé. Leur objectif consista donc à mesurer l'**âge mental** de chaque enfant, c'est-à-dire l'âge chronologique correspondant à un certain niveau de performance. L'enfant moyen de 9 ans, par exemple, a donc un âge mental de 9 ans. Les enfants au-dessous de la moyenne, comme les enfants de 9 ans ayant des résultats comparables à ceux d'enfants de 7 ans, auront des difficultés face à un travail scolaire normal pour leur âge.

Pour mesurer l'âge mental, Binet et Simon postulèrent que l'aptitude mentale, comme l'aptitude athlétique, est une capacité générale qui se manifeste de plusieurs façons. Après avoir testé diverses questions de raisonnement et de résolution de problèmes sur les deux filles de Binet puis sur des écoliers parisiens « brillants » ou « en retard », Binet et Simon trouvèrent des éléments permettant de prédire de quelle façon les enfants français assumeraient leur travail scolaire.

Notez que Binet et Simon n'avaient fait aucune hypothèse concernant *la raison* pour laquelle un enfant était lent, normal ou précoce. Binet inclinait personnellement vers une explication environnementale. Pour augmenter les capacités des enfants ayant de mauvais résultats, il suggérait une « gymnastique mentale » pouvant les entraîner à développer la

:: Âge mental : mesure du résultat au test d'intelligence inventé par Binet ; l'âge chronologique qui correspond le plus exactement à un certain niveau de performance. Ainsi, un enfant qui a d'aussi bons résultats que la moyenne des enfants de 8 ans se verra attribuer un âge mental de 8 ans.

:: Stanford-Binet : révision américaine largement utilisée (adaptée par Terman, professeur à l'université de Stanford) du test d'intelligence original de Binet.

:: Quotient intellectuel (QI) : défini initialement comme le rapport entre l'âge mental (*am*) et l'âge réel (*ar*) multiplié par 100 (QI = *am*/*ar* × 100). Dans les tests d'intelligence actuels, la performance moyenne pour un âge donné prend la valeur 100.

durée de leur attention et leur autodiscipline. Il pensait que son test d'intelligence ne mesurait pas l'intelligence innée comme on mesure la hauteur avec un mètre. Ce test n'avait plutôt qu'un but pratique : identifier les écoliers français ayant besoin d'une attention particulière. Binet espérait que son test pourrait être utilisé pour améliorer l'éducation des enfants, mais craignait également qu'il soit utilisé pour les cataloguer et limiter leurs possibilités (Gould, 1981).

« Le test de QI a été inventé pour prévoir les résultats scolaires et rien d'autre. Si nous avions souhaité quelque chose qui fût capable de prédire le succès dans l'existence, nous aurions dû inventer un test complètement différent. »
Robert Zajonc, socio-psychologue (1984b)

Lewis Terman : le QI inné

Les craintes de Binet devinrent réalité peu après sa mort en 1911, lorsque d'autres adaptèrent ses tests pour les utiliser comme mesure numérique de l'intelligence héréditaire. Cela commença lorsque Lewis Terman (1877-1956), professeur à l'université de Stanford, s'aperçut que les questions et les normes d'âge développées à Paris ne s'appliquaient pas bien aux écoliers californiens. Adaptant certains des éléments initiaux de Binet, en ajoutant d'autres et établissant de nouvelles normes d'âge, Terman étendit l'échelle de test des adolescents aux « adultes supérieurs ». Il donna à sa révision le nom qu'elle porte encore aujourd'hui : le **Stanford-Binet**.

À partir de ces tests, le psychologue allemand William Stern établit le fameux **quotient intellectuel** ou **QI**. Le QI était simplement l'âge mental d'une personne divisé par son âge réel et multiplié par 100 pour éliminer les chiffres décimaux :

$$QI = \frac{\text{âge mental}}{\text{âge réel}} \times 100$$

Ainsi, un enfant moyen dont l'âge mental et l'âge réel sont les mêmes présente un QI de 100. Mais un enfant de 8 ans qui répond aux questions comme le ferait normalement un enfant de 10 ans a un QI de 125.

La formule originale du QI marchait assez bien pour les enfants, mais pas pour les adultes. (Une personne de 40 ans qui obtient aux tests des résultats équivalents à ceux d'un individu moyen de 20 ans devra-t-elle se voir assigner un QI de seulement 50 ?) La plupart des tests d'intelligence actuels, y compris le Stanford-Binet, ne calculent plus de QI (bien que le terme « QI » persiste dans le vocabulaire quotidien comme un raccourci pour « résultat au test d'intelligence »). Au lieu de cela, ils représentent les performances de la personne testée *relativement* aux *résultats moyens des personnes du même âge*. Cette performance moyenne reçoit arbitrairement un résultat de 100 avec environ deux tiers des sujets obtenant entre 85 et 115.

Terman développa l'usage systématique des tests d'intelligence. Son but était de « prendre en compte les inégalités des dons naturels chez les enfants » en évaluant leurs « aptitudes professionnelles ». Sympathisant du mouvement *eugénique* – largement critiqué, qui, au XIXe siècle, proposait d'évaluer les caractéristiques humaines et d'utiliser les résultats pour encourager uniquement les personnes intelligentes et en bonne santé à se reproduire – Terman (1916, pp. 91-92) prévoyait que l'utilisation des tests d'intelligence aboutirait « finalement à restreindre la reproduction de la pauvreté d'esprit et à l'élimination d'une quantité énorme de crimes, de pauvreté et d'inefficacité industrielle » (p. 7).

Avec l'aide de Terman, le gouvernement américain développa de nouveaux tests pour évaluer les recrues de l'armée durant la Première Guerre mondiale, ainsi que les nouveaux immigrants – c'était la première fois au monde qu'un test d'intelligence était utilisé de manière massive. Pour certains psychologues, les résultats indiquaient l'« infériorité » des peuples ne partageant pas leur héritage anglo-saxon. Ces découvertes furent un des éléments du climat culturel qui aboutit, en 1924, à la loi sur l'immigration qui réduisit les quotas d'immigration pour l'Europe de l'Est et du Sud à moins d'un cinquième de ceux pour les pays du Nord et de l'Ouest de l'Europe.

Binet aurait certainement été horrifié que ses tests soient adaptés et utilisés pour tirer des conclusions de ce genre. De tels jugements à l'emporte-pièce devinrent en effet gênants pour la plupart de ceux qui étaient favorables aux tests. Même Terman en vint à se rendre compte que les résultats des tests reflétaient non seulement les capacités mentales innées des gens, mais aussi leur éducation et leur familiarité avec la culture contenue dans le test. Quoi qu'il en soit, les abus des premiers tests d'intelligence nous permettent de nous rappeler que la science peut être chargée de valeurs. Derrière l'écran de l'objectivité scientifique se cache parfois l'idéologie.

Madame Randolph pousse sa fierté de mère un peu loin.

::Test de connaissance : test destiné à évaluer ce qu'une personne a appris.

::Test d'aptitude : test développé pour prédire les résultats futurs d'une personne. L'*aptitude* est la capacité à apprendre.

::Échelle d'intelligence de Wechsler pour adultes (WAIS, *Wechsler Adult Intelligence Scale*) : le WAIS est le test d'intelligence le plus utilisé ; il contient des sous-tests verbaux et des sous-tests de performance (non verbaux).

Lew Merrim/Photo Researchers, Inc.

Comparaison de formes La résolution de puzzles sous forme de cubes teste la capacité à analyser des formes. Les tests d'intelligence de Wechsler, que l'on fait passer individuellement, existent sous des formes adaptées aux adultes (WAIS) et aux enfants (WISC).

Tests modernes des capacités mentales

7. Quelles sont les différences entre les tests d'aptitude et les tests de connaissance ? Comment peut-on les développer et les évaluer ?

À ce jour, vous avez déjà été confronté à des douzaines de tests différents concernant vos capacités : tests de l'école primaire pour évaluer vos capacités à lire et à compter, examens, tests d'intelligence, examen du permis de conduire pour n'en citer que quelques-uns. Les psychologues classent ces tests en **tests de connaissance**, censés *refléter* ce que vous avez appris ou en **tests d'aptitude**, destinés à *prévoir* votre capacité à acquérir une compétence nouvelle. Les examens couvrant ce que vous avez appris durant la lecture de ce livre sont des tests de connaissance. Un examen d'entrée à l'université, qui cherche à prévoir votre capacité à effectuer le travail universitaire, est un test d'aptitude - un « test d'aptitude légèrement déguisé » déclare Howard Gardner (1999). En effet, disent Meredith Frey et Douglas Detterman (2004), les résultats totaux au *Scholastic Assessment Test* américain (anciennement *Scholastic Aptitude Test* ou SAT, test d'aptitude aux études) présentent une corrélation de +0,82 avec les résultats aux tests d'intelligence générale effectués sur un échantillon national d'élèves et étudiants âgés de 14 à 21 ans (FIGURE 10.4).

En fait, les différences entre les tests d'aptitude et les tests de connaissance ne sont pas aussi clairement établies. Le vocabulaire que vous avez *acquis* influence vos résultats à la plupart des tests d'aptitude. De la même manière, votre *aptitude* à apprendre et à passer des tests influence le résultat aux tests de connaissance. La plupart des tests, qu'ils soient étiquetés d'aptitude ou de connaissance, évaluent à la fois une capacité et son développement. Pour parler de manière pratique, nous utilisons les tests de connaissance pour évaluer un résultat actuel et les tests d'aptitude pour prévoir les résultats futurs.

Le psychologue David Wechsler créa le test d'intelligence le plus utilisé actuellement, le ***Wechsler Adult Intelligence Scale* (WAIS)** ou échelle d'intelligence de Wechsler pour adultes, avec une version pour les enfants d'âge scolaire appelé *Wechsler Intelligence Scale for Children* (WISC) ou échelle d'intelligence de Wechsler pour enfants, et un autre test pour les enfants âgés de moins de 6 ans. Comme l'illustre la FIGURE 10.5, le test de Wechsler pour adultes est constitué de 11 sous-tests, répartis en domaines verbal et de performances. Il fournit non seulement un niveau d'intelligence global, comme le fait le test de Stanford-Binet, mais sépare également les résultats en un score de compréhension verbale, un score d'organisation perceptuelle, un score de mémoire de travail et un score de vitesse de traitement. Des différences importantes entre ces résultats peuvent fournir des indices sur les forces et les faiblesses de la cognition sur lesquels peuvent s'appuyer les professeurs et les thérapeutes. Par exemple, un faible score de compréhension verbale combiné à des scores élevés sur d'autres sous-tests pourrait indiquer un problème de lecture ou de langage. D'autres comparaisons peuvent également aider un psychologue ou un psychiatre à établir un plan de rééducation chez les patients qui ont souffert d'une attaque cérébrale. Ces utilisations ne sont possibles, bien sûr, que lorsque nous pouvons nous fier aux résultats des tests.

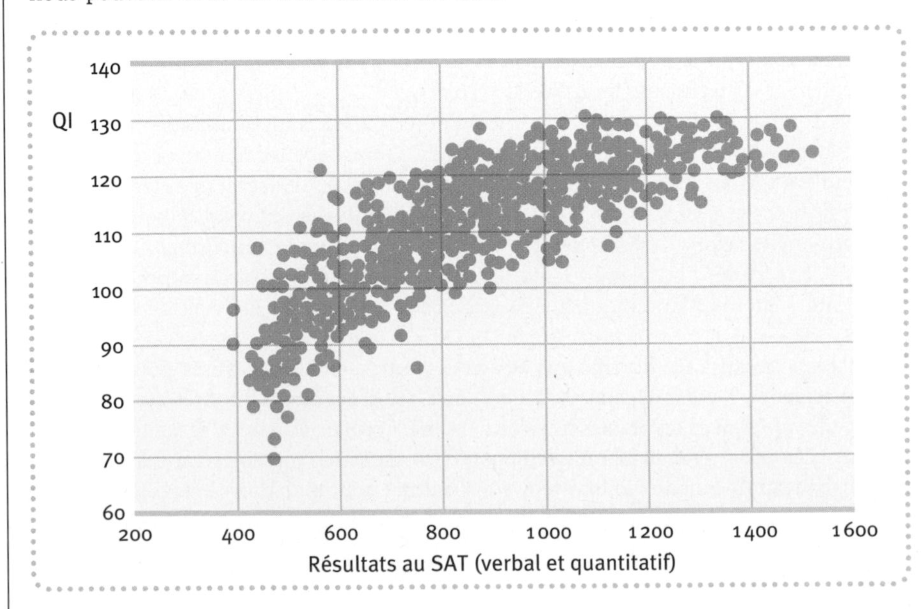

➤ FIGURE 10.4
De proches cousins : les résultats aux tests d'aptitude et aux tests d'intelligence Ce nuage de points montre la corrélation très forte entre les résultats aux tests d'intelligence et ceux obtenus au SAT verbal et quantitatif. (D'après Frey et Detterman, 2004.)

VERBAL

Information générale
Quel est le jour de la fête Nationale ?

Similitudes
De quelle manière le *coton* et la *laine* se ressemblent-ils ?

Raisonnement arithmétique
Si une douzaine d'œufs coûte 60 cents, quel sera le prix d'un œuf ?

Vocabulaire
Donnez-moi la signification de corrompre.

Compréhension
Pourquoi les gens souscrivent-ils à une assurance contre le feu ?

Mémoire des chiffres
Écoutez attentivement et, lorsque j'aurai fini, répétez les chiffres après moi

7 3 4 1 8 6

Maintenant, je vais donner encore d'autres chiffres, mais je voudrais que vous les répétiez en commençant par le dernier.

3 8 4 1 6

PERFORMANCE

Compléter les images
Je vais vous montrer une image à laquelle il manque un élément important. Dites-moi lequel.

1985

Dim	Lun	Mar	Mer	Jeu	Ven	Sam
1	[2]	3	4	5	6	7
8	9	10	11	12	13	14
15	16	17	18	19	20	21
22	23	24	25	26	27	28
29	30					

Mise en ordre d'images
Les dessins ci-dessous racontent une histoire. Remettez-les dans le bon ordre.

Cubes
En utilisant les 4 cubes, reproduisez le dessin ci-contre.

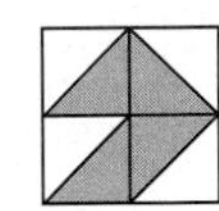

Assemblage d'objets
Si ces morceaux sont assemblés correctement, ils vont représenter quelque chose. Allez-y et assemblez-les aussi rapidement que possible.

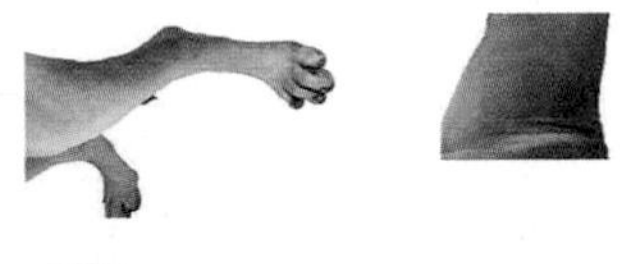

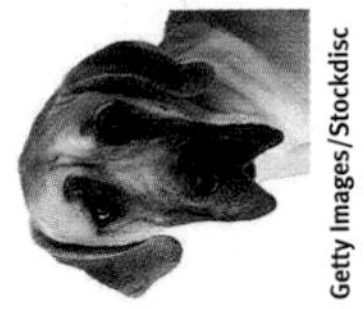

Test de codage de chiffres

Code	△	○	▱	✕	◇
	1	2	3	4	5

Test

1	5	4	2	1	3	5	4	1	5

➤ FIGURE 10.5
Quelques-uns des éléments des sous-tests tirés de l'échelle d'intelligence pour adultes de Wechsler (WAIS)
(D'après Thorndike et Hagen, 1997.)

Principes de construction des tests

Pour être largement acceptés, les tests psychologiques doivent satisfaire trois critères : ils doivent être *standardisés*, *fiables* et *valides*. Les tests de Stanford-Binet et de Wechsler satisfont à ces exigences.

Standardisation

Le nombre de questions d'un test d'intelligence auxquelles vous avez répondu correctement ne nous apprend pas grand-chose. Pour évaluer votre performance, nous avons besoin d'une base pour la comparer à celle des autres. Pour permettre des comparaisons valables, les concepteurs d'un test le font d'abord passer à un échantillon représentatif d'individus. Lorsque vous passez le test suivant les mêmes procédures, vos résultats peuvent être alors comparés à ceux de l'échantillon pour déterminer votre position relativement aux autres. Ce processus, consistant à définir la signification des résultats par rapport à un groupe déjà testé, s'appelle la **standardisation**.

Les résultats des membres du groupe se répartissent classiquement selon une courbe en forme de cloche qui constitue la **courbe normale** montrée sur la FIGURE 10.6, page suivante. Que nous mesurions la taille, le poids ou les capacités intellectuelles, les résultats des personnes testées ont tendance à former cette courbe grossièrement symétrique. Dans un test d'intelligence, on fixe le point central, la valeur moyenne à 100. Lorsque nous nous éloignons de la moyenne (vers l'un ou l'autre des extrêmes), nous trouvons de moins en moins de personnes. Pour les tests de Stanford-Binet et de Wechsler, le score d'une personne indique si la performance de cet individu se trouve au-dessus ou en dessous de la moyenne. Comme la figure 10.6 le montre, une performance qui est supérieure de 2 p. 100 aux autres résultats

::Standardisation : définir les scores significatifs en comparaison avec les performances d'un groupe testé préalablement.

::Courbe normale : courbe symétrique en cloche, qui décrit la distribution de nombreux caractères physiques ou psychologiques. La plupart des résultats sont situés près de la moyenne et de moins en moins de valeurs sont situées près des extrêmes.

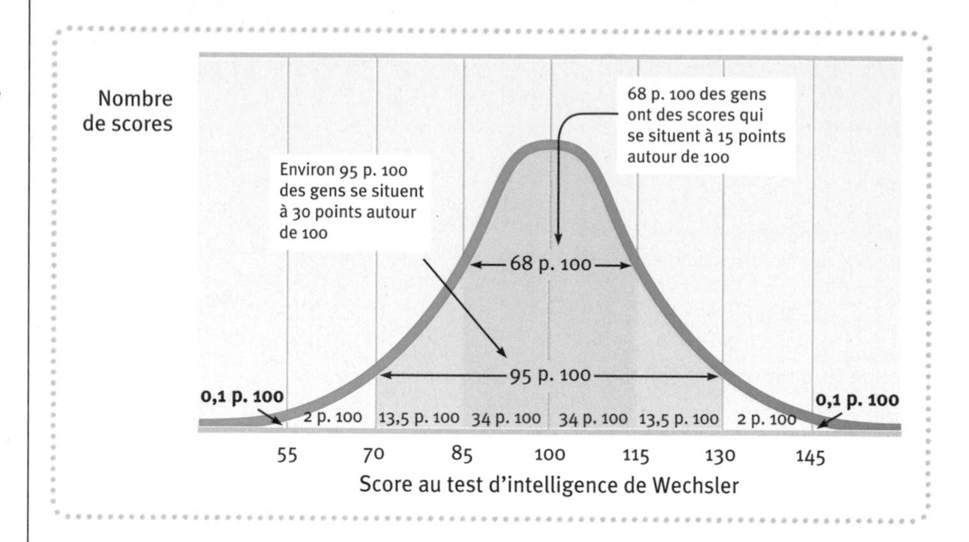

➤ FIGURE 10.6
La courbe normale Les résultats aux tests d'aptitude ont tendance à former une courbe en cloche, dite normale, autour d'un résultat moyen. L'échelle de Wechsler, par exemple, désigne le score moyen par le chiffre 100.

présente un score d'intelligence de 130. De la même manière, un score brut inférieur à 98 p. 100 de tous les scores aura une valeur de 70.

Les échelles de Stanford-Binet et de Wechsler sont standardisées périodiquement pour garder les résultats moyens proches de 100. Si vous avez passé récemment la troisième édition du WAIS, votre performance a été comparée à celle d'un échantillon de standardisation ayant passé le test en 1996, et non à l'échantillon initial de David Wechsler de 1930. Si vous comparez les résultats de l'échantillon de standardisation le plus récent avec ceux de l'échantillon de 1930, pensez-vous que nous obtenons une augmentation ou une diminution des performances ? Curieusement – étant donné que les scores des tests d'entrée à l'université ont baissé dans les années 1960 et 1970 – les scores aux tests d'intelligence ont augmenté. Ce phénomène mondial est appelé l'*effet de Flynn* en hommage au chercheur néo-zélandais James Flynn (1987, 2007), qui fut le premier à mesurer l'ampleur de ce phénomène. Comme le montre la FIGURE 10.7, le score d'intelligence d'une personne moyenne il y a 80 ans – selon les normes actuelles – n'était que de 76 ! Une telle augmentation des performances a été observée dans 20 pays, du Canada aux zones rurales de l'Australie (Daley et coll., 2003). Bien que récemment on ait noté une inversion en Scandinavie, cette augmentation historique est maintenant largement considérée comme un phénomène important (Sundet et coll., 2004 ; Teasdale et Owen, 2005, 2008).

Les causes de l'effet de Flynn restent un mystère (Neisser, 1997a, 1998). Cela vient-il d'une plus grande complexité des tests ? (Mais l'augmentation a commencé avant que la pratique des tests ne soit largement répandue.) D'une meilleure alimentation ? Comme l'explication nutritionniste le laissait prévoir, les gens sont devenus plus intelligents mais aussi plus grands.

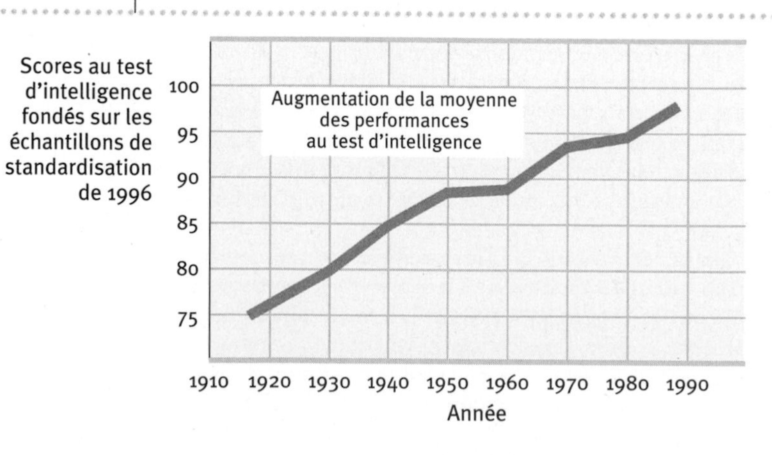

➤ FIGURE 10.7
Devient-on plus intelligent ? Dans chaque pays étudié, les performances aux tests d'intelligence ont augmenté au cours du XXe siècle, comme le montrent ici les performances aux tests américains de Wechsler et de Stanford-Binet, entre 1918 et 1989. En Grande-Bretagne, les scores ont augmenté de 27 points depuis 1942. (D'après Hogan, 1995.) Des données très récentes indiquent que cette tendance semble se ralentir ou commence même à s'inverser.

De plus, l'augmentation a été la plus importante là où le niveau économique était le plus bas, chez les gens qui ont le plus tiré bénéfice d'une meilleure alimentation (Colom et coll., 2005). Ou enfin l'effet de Flynn tire-t-il son origine d'une meilleure éducation ? D'un environnement plus stimulant ? D'un taux de maladies infantiles plus faible ? Des familles plus petites et d'un investissement parental plus important ?

Quelle que soit la combinaison des facteurs justifiant le progrès des performances dans les tests d'intelligence, le phénomène contredit un point précis, partagé par certains théoriciens de l'hérédité, selon lequel le taux de natalité élevé au cours du XXe siècle dans les couches de la population présentant les résultats les plus bas aurait fait chuter les scores de l'intelligence humaine (Lynn et Harvey, 2008). Cherchant à expliquer l'augmentation des résultats et la signification du brassage global, un savant a même émis l'hypothèse de l'influence d'un phénomène génétique comparable à la « vigueur hybride » qui se produit en agriculture lorsque les croisements produisent des céréales supérieures à la plante mère ou des animaux de rente supérieurs à leurs parents (Mingroni, 2004, 2007).

Fiabilité

Savoir où vous vous situez par rapport à un groupe standardisé ne nous renseignera pas beaucoup sur votre intelligence si le test n'a pas une certaine **fiabilité**, c'est-à-dire qu'il fournit des scores cohérents sur lesquels on peut compter. Pour évaluer la fiabilité d'un test, les chercheurs retestent le même groupe de personnes. Ils peuvent utiliser le même test ou couper le test en deux moitiés et voir si les résultats aux questions paires et impaires sont en accord. Si les deux résultats coïncident, ou sont *corrélés*, le test est fiable. Plus la corrélation entre le *test-retest* ou entre les deux moitiés (méthode *split-half*) du test est élevée, plus le test est fiable. Les tests que nous avons considérés jusqu'à présent - Stanford-Binet, WAIS et WISC - ont tous une fiabilité d'environ +0,9, ce qui est très élevé. Lors d'un second test, les résultats des sujets ont tendance à être très proches de ceux du premier.

Validité

Une fiabilité importante ne permet pas d'assurer la **validité** d'un test - à savoir dans quelle mesure le test apprécie effectivement ce qu'il est censé mesurer ou prédit ce qu'il est censé prédire. Si vous utilisez un mètre ruban qui n'est pas précis pour mesurer la taille des gens, vos mesures auront une bonne fiabilité (constance), mais une faible validité. Pour certains tests, il suffit qu'ils aient une **validité de contenu**, ce qui signifie que le test cible le comportement (ou *critère*) pertinent. Le test routier pour un permis de conduire a une validité de contenu, car il présente un échantillon des tâches auxquelles un conducteur doit habituellement faire face. Votre examen de fin d'année a une validité de contenu s'il évalue votre maîtrise d'un échantillon représentatif du cours. Mais nous attendons des tests d'intelligence qu'ils aient une **validité prédictive** : ils doivent prédire le critère des résultats futurs et d'une certaine manière c'est ce qu'ils font.

Les tests d'aptitude générale sont-ils aussi prédictifs que fiables ? Comme les critiques se plaisent à le faire remarquer, la réponse est assurément *non*. Le pouvoir prédictif des tests d'aptitude est assez fort pour les petites classes, mais s'affaiblit par la suite. Les scores aux tests d'aptitude scolaire prédisent de façon assez satisfaisante les résultats à l'école des enfants ayant entre 6 et 12 ans, où la corrélation entre le score d'intelligence et les résultats scolaires est d'environ +0,6 (Jensen, 1980). Les résultats aux tests d'intelligence sont encore plus corrélés aux résultats des *tests de connaissance*, avec une corrélation de +0,81, lors d'une comparaison entre les résultats aux tests d'intelligence de 70 000 enfants anglais effectués à l'âge de 11 ans et leur résultat scolaire au cours de l'examen national passé à l'âge de 16 ans (Deary et coll. 2007). Le *Scholastic Assessment Test* (SAT), utilisé aux États-Unis comme test d'entrée à l'université, a moins de succès pour prédire la réussite lors de la première année d'université ; dans ce cas, la corrélation est inférieure à +0,5 (Willingham et coll., 1990). Lorsque les Américains passent le GRE (*Graduate Record Examination*, un test d'aptitude équivalent au SAT, mais qui s'applique au 3e cycle), la corrélation avec le cursus du 3e cycle est encore plus faible : +0,4 quoiqu'encore significative (Kuncel et Hezlett, 2007).

Pourquoi le pouvoir prédictif des tests d'aptitude diminue-t-il au fur et à mesure que les étudiants s'élèvent dans l'échelle éducative ? Considérons une situation comparable : pour tous les joueurs de ligne au football américain (qu'ils soient canadiens ou américains), le poids du corps est corrélé au succès. Un joueur de 135 kg aura tendance à surpasser un opposant de 90 kg. Mais dans un intervalle étroit allant de 130 à 145 kg, qui est classiquement celui des

:: **Fiabilité** : mesure de la probabilité qu'un test donne des résultats constants, comme cela peut être évalué par l'homogénéité des résultats aux deux moitiés du test, ou lors d'un deuxième passage du test.

:: **Validité** : probabilité avec laquelle un test évalue ou prédit ce qu'il est supposé évaluer ou prédire (voir aussi *validité de contenu* et *validité prédictive*).

:: **Validité de contenu** : capacité d'un test à recenser les comportements pertinents pour le test.

:: **Validité prédictive** : succès avec lequel un test prédit le comportement qu'il est censé prédire ; il est évalué en calculant la corrélation entre les résultats au test et le comportement utilisé comme critère (également appelé *validité de critère*).

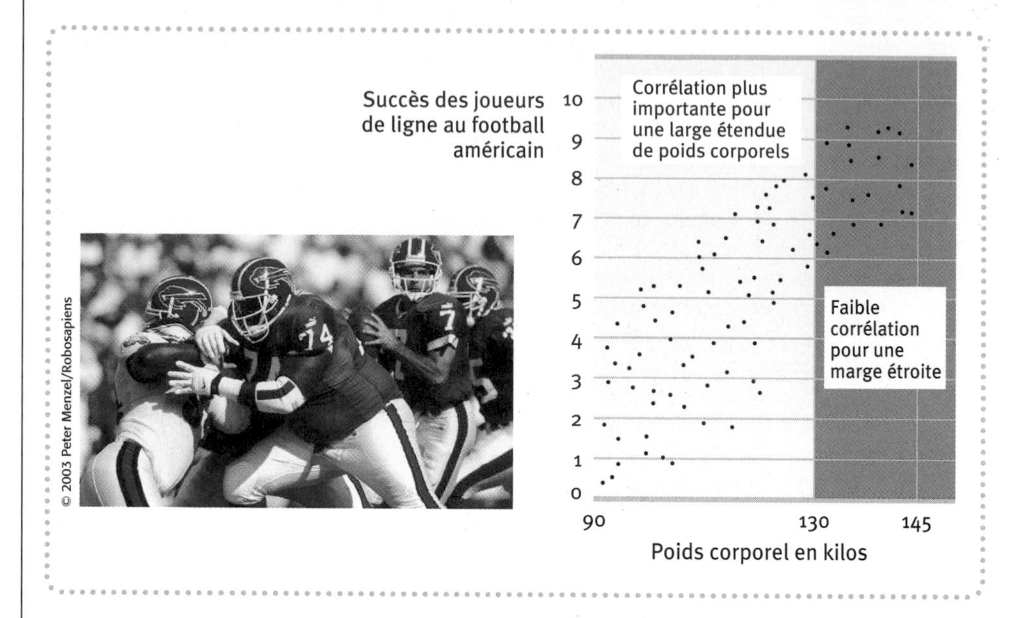

➤ FIGURE 10.8
Diminution du pouvoir prédictif
Imaginons une corrélation entre le poids du corps des joueurs de ligne de football américain et leurs résultats sur le terrain. Notez à quel point cette relation devient insignifiante lorsque la gamme des poids corporels se rétrécit à l'intervalle entre 130 et 145 kg. Au fur et à mesure que l'intervalle des données prises en compte diminue, le pouvoir prédictif s'affaiblit.

joueurs professionnels, la corrélation entre le poids et les performances devient négligeable (FIGURE 10.8). Plus la *gamme* des poids est étroite, moins le poids corporel a de pouvoir prédictif. De la même manière, si une université réservée à l'élite n'accepte que des étudiants ayant des scores d'aptitude élevés, leurs scores ne pourront pas prédire pas grand-chose. Cela sera vrai même si le test a une valeur prédictive excellente avec un échantillon d'étudiants plus diversifié. Ainsi, quand nous validons un test en l'utilisant sur un grand échantillonnage de la population, mais que nous l'utilisons ensuite sur un groupe plus restreint, il perd une grande partie de sa valeur prédictive.

AVANT D'ALLER PLUS LOIN...

➤ INTERROGEZ-VOUS

Travaillez-vous à la hauteur du potentiel démontré par vos résultats aux examens d'entrée à l'université ? Indépendamment de votre aptitude, quel autre facteur peut affecter votre performance ?

➤ TESTEZ-VOUS 2

Quel était le but initial de Binet lorsqu'il mit au point les tests d'intelligence ?

Les réponses aux questions « Testez-vous » sont données dans l'annexe B à la fin de l'ouvrage.

La dynamique de l'intelligence

NOUS POUVONS MAINTENANT RÉPONDRE à certaines questions ancestrales concernant la dynamique de l'intelligence humaine, comme sa stabilité tout au long de la vie et les extrêmes de l'intelligence.

Stabilité ou changement ?

8. Quelle est la stabilité des résultats des tests d'intelligence tout au long de la vie ?

Si des sujets sont testés régulièrement tout au long de leur vie, leurs scores d'intelligence vont-ils rester stables ? Le chapitre 5 a exploré la stabilité des capacités mentales vers la fin de la vie. Qu'en est-il de la stabilité des scores d'intelligence au début de la vie ?

Les spécialistes du développement ont laissé peu de pistes inexplorées dans leur quête d'indicateurs de l'intelligence ultérieure des enfants. Incapables de parler avec les petits enfants, ils ont évalué ce qu'ils pouvaient observer - c'est-à-dire tout, depuis le poids à la naissance jusqu'aux longueurs relatives des différents orteils en passant par l'âge auquel l'enfant s'assied seul. Aucune de ces mesures ne donne une prévision utile des résultats aux tests d'intelligence passés à des âges plus avancés (Bell et Waldrop, 1989 ; Broman, 1989). Peut-être, comme l'a remarqué en 1949 Nancy Bayley, une psychologue spécialiste du développement, « n'avons-nous pas encore trouvé les bons tests ». Elle pensait que nous finirions un jour par trouver « des comportements des très jeunes enfants qui soient caractéristiques des fonctions intellectuelles sous-jacentes » et qui puissent prédire l'intelligence future. Certaines études ont montré que les bébés qui sont rapidement ennuyés par une image - et qui, si on leur donne le choix, préfèrent regarder une image nouvelle - ont des résultats plus élevés aux tests d'intelligence et aux tests de rapidité cérébrale jusqu'à 21 ans après, mais cette prédiction est assez grossière (Fagan et coll., 2007 ; Kavsek, 2004 ; Tasbihsazan et coll., 2003).

C'est pourquoi les jeunes parents, qui s'interrogent sur l'intelligence de leur enfant, et comparent anxieusement leur bébé aux autres peuvent se détendre. Sauf dans le cas d'enfants très attardés ou très précoces, des observations fortuites et des tests d'intelligence avant l'âge de 3 ans ne prédisent que très faiblement les aptitudes futures de l'enfant (Humphreys et Davey, 1988 ; Tasbihsazan et coll., 2003). Par exemple, les enfants qui parlent très tôt - qui forment des phrases caractéristiques d'un enfant de 3 ans dès l'âge de 20 mois - ne présentent pas une probabilité particulière de lire à l'âge de 4 ans et demi (Crain-Thoreson et Dale, 1992). (Le fait d'avoir eu des parents vous racontant beaucoup d'histoires est un meilleur indicateur de lecture précoce.) Souvenez-vous que même Albert Einstein a appris très lentement à parler (Quasha, 1980).

Toutefois, à l'âge de 4 ans, les performances des enfants aux tests d'intelligence commencent à prédire leurs futurs scores à l'adolescence et à l'âge adulte. De plus, les adolescents ayant les meilleurs résultats ont tendance à avoir commencé à lire très tôt. Une enquête a été réalisée auprès des parents de 187 élèves américains de cinquième et de quatrième ayant passé un test d'aptitude universitaire dans le cadre d'une recherche d'enfants surdoués effectuée dans sept États américains, et ayant obtenu des résultats bien plus élevés que la plupart des élèves de terminale. Si les souvenirs de leurs parents sont dignes de foi, plus de la moitié de ce groupe d'adolescents précoces a commencé à lire à l'âge de 4 ans et plus de 80 p. 100 lisaient à l'âge de 5 ans (Van Tassel-Baska, 1983). Comme on peut donc s'y attendre, les tests d'intelligence passés à l'âge de 5 ans peuvent prédire les succès scolaires (Tramontana et coll., 1988).

> « Ma chère Adèle, j'ai 4 ans et je peux lire n'importe quel livre anglais. Je peux donner tous les substantifs, les adjectifs et les verbes actifs latins dans une poésie latine de plus de 52 vers. »
>
> Francis Galton, lettre à sa sœur, 1827

Après l'âge de 7 ans environ, les performances aux tests d'intelligence, quoique certainement non fixées, se stabilisent (Bloom, 1964). Ainsi, la constance des résultats dans le temps augmente avec l'âge de l'enfant. La stabilité remarquable des scores d'aptitude à la fin de l'adolescence est visible dans une étude de l'*Educational Testing Service* américain portant sur 23 000 étudiants ayant passé le *Scholastic Assessment Test* (SAT), puis plus tard, le *Graduate Record Examination* (GRE) (Angoff, 1988). Dans les deux tests, les scores mathématiques et les scores verbaux ne sont que faiblement corrélés - montrant que ces aptitudes sont distinctes. Cependant, les scores verbaux du SAT présentent une corrélation de +0,86 avec les scores verbaux du GRE passés 4 à 5 ans plus tard. Il existe également une corrélation étonnante de +0,86 entre les deux tests mathématiques. Compte tenu du temps écoulé et des expériences éducatives différentes de ces 23 000 étudiants, la stabilité de leurs scores d'aptitude est remarquable.

• Paradoxalement, les scores au SAT et au GRE ont une meilleure corrélation entre eux que chacun d'eux avec le critère qu'ils sont censés prédire, c'est-à-dire la réussite scolaire. Leur fiabilité est donc bien supérieure à leur validité prédictive. Si l'un ou l'autre test était plus sensible à l'entraînement, à la chance ou à la façon dont on se sent le jour du test (comme tant de personnes le croient), une telle fiabilité serait impossible. •

Ian Deary et ses collaborateurs (2004) ont récemment rassemblé des résultats fondés sur des études à long terme. Leur étude surprenante fut permise par leur pays, l'Écosse, qui a fait quelque chose qu'aucune autre nation n'avait fait auparavant ni n'a fait depuis. Un lundi matin, le 1er juin 1932, pratiquement tous les enfants du pays nés en 1921, soit 87 498 enfants âgés de 10 ans et demi à 11 ans et demi ont passé un test d'intelligence. Le but était d'identifier les enfants de la classe ouvrière qui pourraient bénéficier de la poursuite des études. Soixante-cinq ans plus tard, Patricia Whalley, la femme du collègue de Deary, Lawrence Whalley, découvrit les résultats de ces tests sur une étagère poussiéreuse d'une salle d'archive du *Scottish Council for Research in Education* (Conseil écossais pour la recherche et l'éducation) située près du bureau qu'occupait Deary à l'université d'Édimbourg. Lorsque Whalley lui apprit la nouvelle, Deary répondit : « Cela va changer notre vie ».

Et ce fut le cas, avec des douzaines d'études sur la stabilité et la capacité prédictive des résultats de ces premiers tests. Par exemple, lorsque le test d'intelligence administré à ces enfants écossais âgés de 11 ans en 1932 fut redonné aux 542 survivants lors du changement de millénaire, alors âgés de 80 ans, la corrélation entre les deux groupes de résultats, obtenus

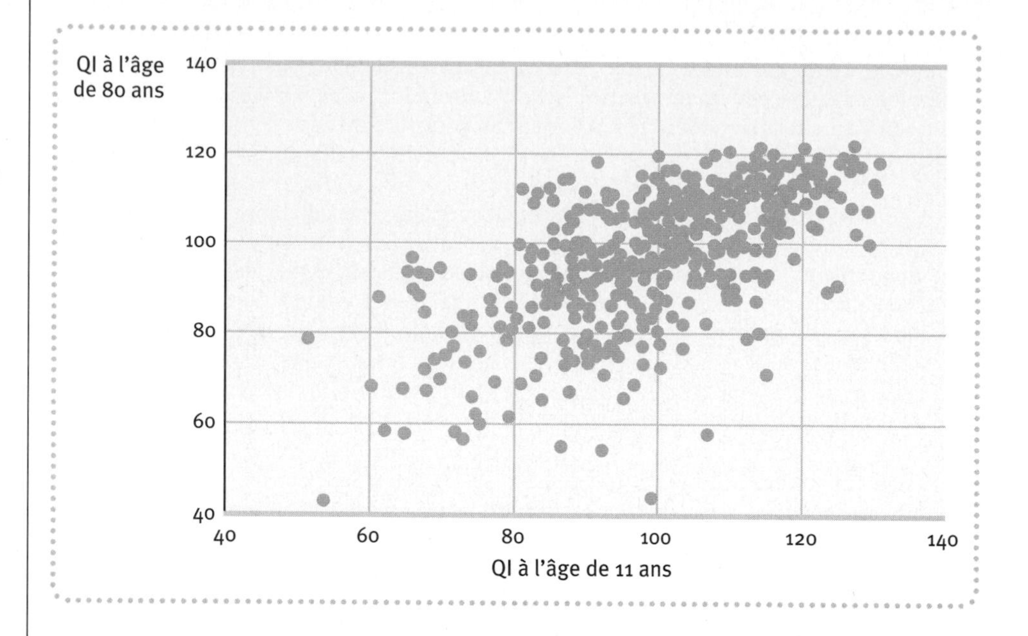

➤ FIGURE 10.9
L'intelligence perdure Lorsque Ian Deary et ses collègues (2004) ont fait passer à des Écossais âgés de 80 ans le test d'intelligence qu'ils avaient déjà passé lorsqu'ils avaient 11 ans, la corrélation des résultats mesurés à 70 ans d'intervalle était de +0,66.

« Savoir si vous vivrez assez vieux pour profiter de votre retraite dépend en partie de votre QI à l'âge de 11 ans »

Ian Deary, « *Intelligence, Health, and Death* », 2005

après 70 ans d'une vie riche d'expériences diverses, fut étonnante (FIGURE 10.9). Les enfants de 11 ans qui à l'époque avaient obtenu de bons résultats avaient plus de chances de vivre encore de manière indépendante à l'âge de 77 ans et étaient moins sujets au développement tardif de la maladie d'Alzheimer (Starr et coll., 2000 ; Whalley et coll., 2000). Soixante-dix pour cent des filles dont les résultats étaient situés dans le quart supérieur étaient encore vivantes à l'âge de 76 ans, contre seulement 45 p. 100 des filles ayant eu des résultats dans le quart inférieur (FIGURE 10.10). (La Seconde Guerre mondiale a tué prématurément de nombreux hommes ayant passé ce test.) Une autre étude conduite sur 93 religieuses montra que celles dont l'aptitude verbale était plus faible lors de l'examen écrit à l'entrée du couvent passé pendant leur adolescence avaient plus de risque de souffrir de la maladie d'Alzheimer après l'âge de 75 ans (Snowdon et coll., 1996).

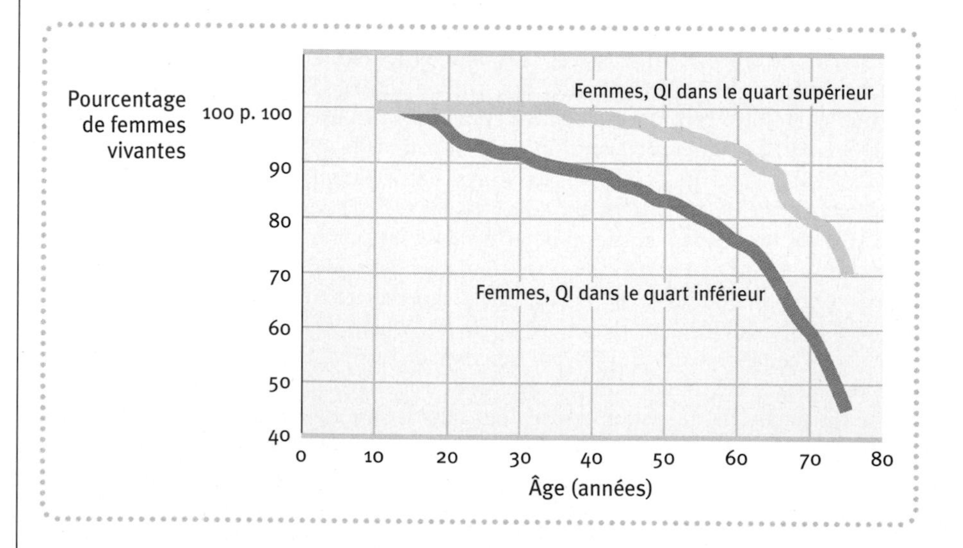

➤ FIGURE 10.10
Vivre intelligent Les femmes qui ont passé le test d'intelligence national écossais à l'âge de 11 ans et qui avaient des résultats situés dans le quart supérieur, ont eu tendance à vivre plus longtemps que celles dont les résultats se trouvaient dans le quart inférieur (D'après Whalley et Deary, 2001.)

Les deux extrêmes de l'intelligence

9. Quelles sont les caractéristiques des personnes se trouvant aux deux extrêmes de l'intelligence (élevée et faible) ?

Une façon de juger de la validité et de la signification d'un test quel qu'il soit consiste à comparer les gens dont les résultats sont situés aux deux extrêmes de la courbe normale. Ces deux groupes doivent différer de façon notable, et c'est le cas.

Le retard mental

À l'un des extrêmes de la courbe normale, on trouve les gens dont les scores aux tests d'intelligence tombent au-dessous de 70. Pour être considéré comme ayant un **retard mental** (souvent appelé *handicap intellectuel*), un enfant doit avoir à la fois un score très bas et des difficultés à s'adapter aux exigences normales d'une vie autonome. Seulement 1 p. 100 de la population répond à ces deux critères, avec un nombre de garçons dépassant celui des filles d'environ 50 p. 100 (*American Psychiatric Association*, 1994). Comme l'indique le TABLEAU 10.3, la plupart des individus atteints de retard mental peuvent, avec de l'aide, vivre normalement en société.

Le retard mental résulte parfois de causes physiques connues. Le **syndrome de Down**, par exemple, est une maladie dont la gravité est variable et qui est attribuée à la présence d'un chromosome 21 surnuméraire dans le patrimoine génétique de l'individu.

Durant les deux derniers siècles, l'opinion sur la meilleure façon de prendre soin des gens atteints de retard mental a effectué un revirement complet. Jusqu'au milieu du XIXe siècle, ils étaient gardés à la maison. La plupart des individus lourdement handicapés mourraient, mais ceux qui présentaient une forme modérée de retard mental trouvaient leur place dans une société majoritairement agricole. Par la suite, on construisit des internats pour les enfants apprenant lentement. Au début du XXe siècle, beaucoup de ces institutions étaient devenues des garderies qui n'offraient à leurs pensionnaires aucune vie privée, peu d'attention et encore moins d'espoir. On disait souvent aux parents de se séparer définitivement d'un enfant déficient avant de s'y attacher.

Dans la seconde moitié du XXe siècle, l'opinion penche de nouveau du côté de la normalisation, qui encourage les gens mentalement déficients à vivre dans leur propre communauté aussi normalement que leur handicap le leur permet. Les enfants modérément déficitaires sont éduqués dans un environnement moins fermé, et beaucoup sont intégrés ou *immergés* dans des classes normales. La plupart grandissent dans leur famille jusqu'à ce qu'ils emménagent dans un habitat protégé, comme un foyer-résidence. L'espoir, et souvent la réalité, est d'avoir une vie plus heureuse et plus digne.

Mais pensez à une autre raison pouvant expliquer pourquoi les personnes chez qui on diagnostique un léger retard mental (ceux dont le score au test d'intelligence se situe juste en dessous du score de 70 qui définit un retard mental) sont peut-être plus en mesure de vivre en toute indépendance de nos jours qu'il y a plusieurs décennies. Rappelez-vous que, grâce à l'effet de Flynn, les tests ont été périodiquement restandardisés. Lorsque cela s'est produit, les individus qui avaient des résultats proches de 70 ont perdu brutalement environ 6 points de QI et deux personnes ayant le même niveau de capacités pourraient maintenant être classées

TABLEAU 10.3

DEGRÉS DE RETARD MENTAL

Niveau	Score approximatif aux tests d'intelligence	Adaptation aux exigences de la vie
Léger	50-70	Peuvent atteindre le niveau scolaire de la sixième. Avec de l'aide, les adultes peuvent avoir des aptitudes professionnelles et vivre normalement en société
Moyen	35-50	Peuvent progresser jusqu'au niveau scolaire du cours élémentaire. Les adultes peuvent contribuer à subvenir à leurs propres besoins en travaillant dans des ateliers protégés
Sévère	20-35	Peuvent apprendre à parler et à réaliser des tâches simples sous étroite surveillance, mais ne peuvent en général pas bénéficier d'une formation professionnelle
Profond	Inférieur à 20	Requièrent une surveillance et une aide constantes

Source : reproduit avec autorisation d'après le *Diagnostic and Statistical Manual of Mental Disorders*, 4e édition révisée. Copyright 2000 *American Psychiatric Association*.

::Retard mental : appelé aussi *handicap intellectuel*, capacité mentale limitée indiquée par un score d'intelligence inférieur à 70, qui entraîne des difficultés d'adaptation aux exigences de la vie ; varie de « léger » à « profond ».

::Syndrome de Down (trisomie 21) : état de retard mental associé à des altérations physiques provoquées par l'existence d'une copie supplémentaire du chromosome 21.

différemment, selon le moment où elles ont passé leur test (Kanaya et coll., 2003). Comme le nombre de personnes ayant un diagnostic de retard mental a brusquement augmenté, davantage de personnes ont eu le droit de recevoir une éducation spécialisée et de percevoir des allocations de la Sécurité sociale pour ceux ayant un handicap mental. De plus, aux États-Unis (un des rares pays ayant encore la peine de mort), moins de personnes risquent la peine capitale. La Cour suprême des États-Unis a statué en 2002 que l'exécution des personnes atteintes de retard mental est « une punition cruelle et anormale. » Pour les personnes proches du score de 70, les tests d'intelligence peuvent avoir de gros enjeux.

Les surdoués

Dans un célèbre projet commencé en 1921, Lewis Terman a étudié plus de 1 500 écoliers californiens ayant un QI supérieur à 135. Contrairement au mythe populaire selon lequel les enfants intellectuellement surdoués sont fréquemment mal dans leur peau, car ils sont « dans un monde différent » de celui de leurs homologues « normaux », les enfants brillants aux tests de Terman, ainsi que d'autres enfants testés ultérieurement, étaient tout à fait adaptés, en excellente santé et avaient de bons résultats scolaires (Lubinski et Benbow, 2006 ; Stanley, 1997). Étudiés de nouveau au cours des 70 années suivantes, la plupart des participants du groupe de Terman avaient atteint un niveau d'éducation élevé (Austin et coll., 2002 ; Holahan et Sears, 1995). Leur groupe comprenait de nombreux médecins, avocats, scientifiques, professeurs et écrivains, mais aucun prix Nobel.

• Terman testa deux futurs prix Nobel de physique mais ils ne réussirent pas à obtenir un résultat au-dessus du minimum requis pour faire partie de son échantillon de personnes surdouées (Hulbert, 2005). •

Une étude plus récente de jeunes enfants précoces ayant passé le SAT de mathématiques à l'âge de 13 ans en ayant des résultats dans le quart supérieur des 1 p. 100 d'enfants du même groupe d'âge, avaient deux fois plus de chances à l'âge de 33 ans d'être des spécialistes que ceux qui étaient dans le quart inférieur des meilleurs 1 p. 100 (Wai et coll., 2005). Et ils avaient plus de chances d'avoir obtenu un doctorat – 1 participant sur 3 contre 1 participant sur 5 ayant eu des résultats se trouvant dans la partie inférieure des meilleurs 1 p. 100. Comparés avec ceux qui ont passé le SAT de mathématiques, les enfants de 13 ans ayant eu de très bons résultats aux aptitudes verbales avaient plus de chances d'être devenus des professeurs de lettres ou d'avoir écrit un roman (Park et coll., 2007).

> « Rejoindre Mensa signifie que vous êtes un génie... Je m'inquiétais de la valeur arbitraire de 132, jusqu'à ce que je rencontre quelqu'un avec un QI de 131 et, honnêtement, il était un peu long à la détente. »
>
> Steve Martin, 1997

Ces petits champions me font penser à Jean Piaget qui, à l'âge de 7 ans, passait son temps libre à étudier les oiseaux, les fossiles et les machines, qui commença à l'âge de 15 ans à publier des articles scientifiques sur les mollusques, et qui devint par la suite l'un des psychologues du développement les plus célèbres du XXe siècle (Hunt, 1993). Les enfants qui ont des aptitudes scolaires exceptionnelles sont parfois plus isolés, introvertis et enfermés dans leur propre monde (Winner, 2000). Cependant, la plupart se développent sans problème.

Certains critiques remettent en question plusieurs des hypothèses des programmes, actuellement en vogue, consacrés aux « enfants surdoués », comme par exemple l'idée que 3 à 5 p. 100 seulement des enfants sont surdoués et qu'il est rentable d'identifier et de « dépister » ces quelques sujets particuliers, de les séparer des autres en les mettant dans des classes spécifiques et de leur donner un enrichissement scolaire non accessible aux 95 p. 100 des enfants « non surdoués » restants. Les critiques remarquent que ce dépistage des aptitudes engendre parfois des prophéties qui s'accomplissent d'elles-mêmes : ceux qui sont désignés implicitement comme étant non doués peuvent être incités à le devenir (Lipsey et Wilson, 1993 ; Slavin et Braddock, 1993). En refusant aux enfants dont « les aptitudes sont plus faibles » l'opportunité d'une éducation renforcée, on peut élargir le fossé des résultats existant entre les aptitudes des deux groupes et accroître l'isolement social des uns par rapport aux autres (Carnegie, 1989 ; Stevenson et Lee, 1990). Comme les enfants des minorités ethniques ou ceux de milieux défavorisés sont souvent placés dans des groupes scolaires moins bons, le dépistage peut également favoriser la ségrégation et les préjugés, ce qui, remarquent les critiques, n'est sûrement pas une saine préparation au travail et à la vie dans une société multiculturelle.

Les opposants ou les partisans d'une éducation particulière pour les enfants surdoués sont cependant d'accord sur une chose : les enfants ont des dons différents. Certains sont particulièrement bons en mathématiques, d'autres pour le raisonnement verbal, d'autres pour les arts et d'autres encore pour diriger des groupes. Éduquer les enfants comme s'ils étaient tous semblables est aussi naïf que de penser qu'un don est quelque chose que l'on a ou pas, comme les yeux bleus. Il n'est pas nécessaire de coller des étiquettes aux enfants pour promouvoir leurs talents particuliers et pour tous les pousser aux frontières de leurs propres capacités et de leur compréhension. En mettant à leur disposition des *structures appropriées sur le plan du développement* et adaptées aux dons de chaque enfant, nous pourrons promouvoir un système à la fois équitable et donnant droit à l'excellence pour tous (Colangelo et coll., 2004 ; Lubinski et Benbow, 2000 ; Sternberg et Grigorenko, 2000).

AVANT D'ALLER PLUS LOIN...

➤ **INTERROGEZ-VOUS**

Pensez-vous qu'il soit bon de regrouper des enfants ayant des aptitudes différentes dans la même classe ? Quels faits probants utilisez-vous pour soutenir votre point de vue ?

➤ **TESTEZ-VOUS 3**

Les Smith ont inscrit leur fils de 2 ans dans un programme spécialisé qui est censé estimer son QI puis, s'il est dans les cinq premiers du test, créer un plan d'étude adapté, lui garantissant son admission dans une des meilleures universités à l'âge de 18 ans. Pourquoi cette décision est-elle discutable ?

Les réponses aux questions « Testez-vous » sont données dans l'annexe B à la fin de l'ouvrage.

Les influences de la génétique et de l'environnement sur l'intelligence

10. Que révèle la preuve de l'influence de l'hérédité et de l'environnement sur l'intelligence ?

L'INTELLIGENCE TIENT DE LA FAMILLE. Mais pourquoi ? Les aptitudes intellectuelles sont-elles principalement héréditaires ? Ou sont-elles modelées par l'environnement ?

Il y a peu de débats qui déchaînent autant les passions et qui aient de telles implications politiques. Considérez ceci : si nous héritions en grande partie de nos différentes aptitudes mentales et si le succès reflétait ces capacités, le statut socio-économique des individus correspondrait à leurs différences innées. Ainsi, ceux qui sont au sommet pourraient croire que leur supériorité mentale innée justifie leur position sociale.

Mais si les aptitudes mentales étaient essentiellement nourries par l'environnement dans lequel nous sommes éduqués et élevés, les enfants issus de milieux défavorisés auraient souvent des vies désavantagées. Dans ce cas, le statut socio-économique des gens serait dû à des chances inégales.

Mettons de côté, autant que possible, ces implications politiques, et examinons à présent les preuves.

« J'ai dit à mes parents que si, pour eux, les notes étaient si importantes, ils auraient dû se payer une donneuse d'ovules plus intelligente. »

Les études de jumeaux et d'adoption

Les gens qui partagent les mêmes gènes ont-ils aussi en commun des capacités intellectuelles comparables ? Comme vous pouvez le voir sur la FIGURE 10.11, page suivante, qui résume de nombreuses études, la réponse est clairement *oui*. Afin d'appuyer leur point de vue concernant la contribution génétique dans le domaine de l'intelligence, les chercheurs citent trois groupes de résultats :

- Les scores d'intelligence de vrais jumeaux élevés ensemble sont presque aussi semblables que ceux d'une personne qui passe le même test à deux reprises (Lykken, 1999 ; Plomin, 2001). (Les faux jumeaux, qui n'ont en commun que la moitié de leurs gènes, présentent des résultats beaucoup moins similaires.) De la même manière, les vrais jumeaux qui ont été élevés séparément ont des scores suffisamment similaires pour que Thomas Bouchard (1996a), chercheur spécialiste des jumeaux, estime « qu'environ 70 p. 100 » des différences de scores d'intelligence « peuvent être attribuées à des variations génétiques ». D'autres chercheurs ont rapporté des estimations allant de 50 à 75 p. 100 (Devlin et coll., 1997 ; Neisser et coll., 1996 ; Plomin, 2003). Pour les tâches de temps de réaction simple

> « Il y a plus d'études génétiques concernant le *facteur g* que pour aucune autre caractéristique humaine. »
>
> Robert Plomin (1999)

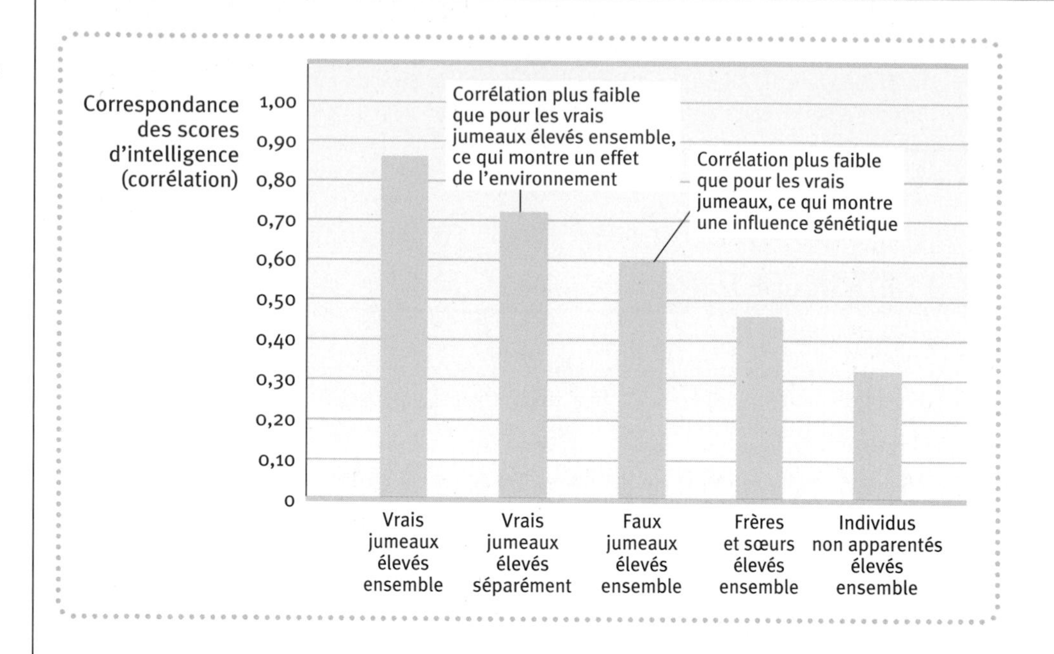

➤ FIGURE 10.11
Intelligence : l'inné et l'acquis Les gens les plus proches sur le plan génétique ont les résultats les plus proches aux tests d'intelligence. Rappelez-vous que 1,0 correspond à une corrélation parfaite et 0 à une absence de corrélation. (D'après McGue et coll., 1993.)

qui mesurent la vitesse de traitement, l'intervalle s'étend de 30 à 50 p. 100 (Beaujean, 2005).

- L'imagerie cérébrale révèle que les vrais jumeaux ont un volume de substance grise très similaire et que leurs cerveaux, contrairement aux faux jumeaux, sont quasiment les mêmes dans les zones cérébrales dévolues à l'intelligence verbale et spatiale (Thompson et coll., 2001).
- Existe-t-il des gènes particuliers pour les génies ? Les chercheurs actuels ont identifié des régions chromosomiques importantes pour l'intelligence et ils ont identifié des gènes spécifiques qui, semble-t-il, influencent les variations de l'intelligence et les handicaps d'apprentissage (Dick et coll., 2007 ; Plomin et Kovas, 2005 ; Posthuma et deGeus, 2006). L'intelligence semble être due à plusieurs gènes (*polygène*), chacun d'entre eux étant responsable de bien moins que 1 p. 100 des variations de l'intelligence (Butcher et coll. 2008).

Mais d'autres preuves mettent en avant les effets de l'environnement. Des études montrent que l'adoption augmente les résultats aux tests d'intelligence des enfants maltraités ou négligés (Van Ijzendoorn et Juffer, 2005, 2006). Et les faux jumeaux, qui ne sont génétiquement pas plus semblables que des frères et sœurs normaux, mais qui sont traités de la même façon en raison de leur âge identique, ont tendance à avoir des scores plus semblables que des frères et sœurs normaux. De ce fait, si l'environnement partagé a de l'importance, les enfants vivant dans des familles adoptives ont-ils des aptitudes similaires ?

Cherchant à démêler les effets des gènes et de l'environnement, les chercheurs ont comparé les résultats aux tests d'intelligence des enfants adoptés avec ceux de leurs frères et sœurs adoptifs et avec ceux (a) de leurs parents biologiques, dont ils ont reçu les gènes, et ceux (b) de leurs parents adoptifs, qui ont procuré l'environnement familial. Pendant l'enfance, les résultats aux tests d'intelligence des fratries comportant des enfants adoptés présentaient une faible corrélation. Mais au fil du temps, les enfants adoptés accumulent des expériences au sein de leurs différentes familles adoptives. Vous attendez-vous, donc, à ce que l'influence de l'environnement familial se développe avec l'âge et à ce que le legs génétique s'amenuise ?

Si c'est le cas, les généticiens du comportement ont une surprise pour vous. Avec l'âge, les similitudes sur le plan mental entre les enfants adoptés et leur famille adoptive déclinent jusqu'à ce que la corrélation devienne pratiquement nulle à l'âge adulte (McGue et coll., 1993). Cela est également vrai chez les jumeaux « virtuels », enfants du même âge mais non apparentés biologiquement et élevés ensemble depuis la petite enfance (Segal et coll., 2007). À mesure que nous accumulons des expériences de la vie, les influences génétiques – et non pas les influences environnementales – deviennent plus apparentes (Bouchard, 1995, 1996b). Les similitudes entre les vrais jumeaux, par exemple, sont conservées et peuvent même s'accroître jusqu'à 80 ans (McClearn et coll., 1997 ; Plomin et coll., 1997). De même, les scores d'intelligence des enfants adoptés ressemblent au fil du temps de plus en plus à ceux de leurs parents biologiques (FIGURE 10.12).

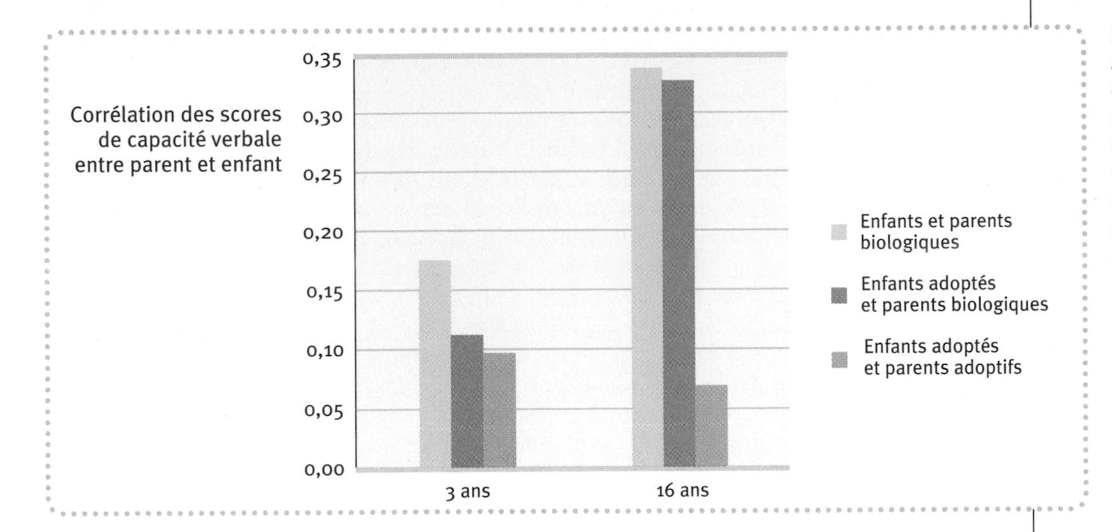

➤ FIGURE 10.12
À qui ressemblent les enfants adoptés ? À mesure que les années passaient au sein de leur famille adoptive, les scores de capacité verbale des enfants se rapprochaient légèrement de ceux de leurs parents *biologiques*. (Adapté de Plomin et DeFries, 1998.)

Héritabilité

Rappelez-vous de la définition de l'*héritabilité* au chapitre 4. Comme nous l'avons dit précédemment, on estime que l'héritabilité de l'intelligence - qui est la variation des résultats aux tests d'intelligence que l'on peut attribuer à des facteurs génétiques - est en gros de 50 p. 100. Cela signifie-t-il que vos gènes sont responsables de 50 p. 100 de votre intelligence et que l'environnement fait le reste ? Non. Cela veut dire que nous pouvons attribuer à l'hérédité 50 p. 100 des variations de l'intelligence au sein du groupe de personnes étudiées. Ce point est si souvent mal compris que je le répète : l'héritabilité ne se rapporte jamais à un individu, mais aux raisons pour lesquelles les gens diffèrent les uns des autres.

Les différences de l'héritabilité entre les individus liées aux gènes peuvent varier d'une étude à l'autre. Quand l'environnement varie largement, comme chez les enfants issus de parents moins instruits, les différences environnementales prédisent davantage les scores d'intelligence (Rowe et coll., 1999 ; Turkheimer et coll., 2003). Rappelez-vous la proposition de Mark Twain au chapitre 4, qui consistait à élever des garçons dans des tonneaux jusqu'à l'âge de 12 ans en les nourrissant par une ouverture. Étant donné le même environnement partagé par les garçons, les différences au niveau de leurs scores d'intelligence individuels à l'âge de 12 ans ne pourraient s'expliquer que par l'hérédité. Donc, l'héritabilité de leurs différences serait presque de 100 p. 100. Mais si l'on élève des sujets ayant la même hérédité dans des environnements totalement différents (un tonneau comparé à une maison), l'effet de l'environnement sera plus important et l'héritabilité sera, de ce fait, plus faible. Dans un monde peuplé de clones, l'héritabilité serait de zéro.

Souvenez-vous également que les gènes et l'environnement agissent ensemble. Si vous êtes mis à l'essai pour intégrer une équipe de basketball et que vous êtes juste un peu plus grand et un peu plus rapide que les autres, remarque James Flynn (2003, 2007), vous aurez plus de chances d'être sélectionné, de jouer plus souvent et d'avoir plus d'entraînement. Il en serait de même pour votre vrai jumeau élevé séparément - qui pourrait également exceller au basketball, et ce *pas uniquement pour des raisons génétiques*. De même, si vous avez une aptitude naturelle pour les études, vous aurez plus de chances de rester à l'école, de lire des livres et de poser des questions, tout ce qui viendra augmenter le pouvoir cognitif de votre cerveau. Grâce à une telle interaction entre les gènes et l'environnement, de légers avantages génétiques peuvent être socialement multipliés et devenir de gros avantages pour la réussite sociale. Nos gènes façonnent l'expérience qui nous façonne à son tour.

• Un test pour savoir si vous avez bien assimilé la notion d'héritabilité : si l'environnement devient plus similaire, l'héritabilité de l'intelligence va :
a. augmenter ;
b. diminuer ;
c. rester au même point.
Voir la réponse inversée ci-dessous •

L'héritabilité – variation qui s'explique par les influences génétiques – *augmente* quand les variations environnementales diminuent.

Influences de l'environnement

Nos gènes induisent une différence. Même si nous étions tous élevés dans le même environnement intellectuellement stimulant, nous aurions des aptitudes différentes. Mais les expériences de la vie sont également importantes. Les environnements humains sont rarement aussi pauvres que les cages sombres et ingrates habitées par les rats souffrant de privations qui vont développer des cortex cérébraux plus minces que la normale (*voir* Chapitre 4). Cependant, de sévères conditions de vie laissent aussi des marques sur notre cerveau.

« L'élevage sélectif m'a donné une aptitude pour le droit, mais j'aime encore aller chercher un canard mort dans l'eau glacée. »

Influences précoces de l'environnement

Nous avons vu que la biologie et l'expérience sont entrelacées. Jamais cela n'a été aussi visible que dans les environnements humains très pauvres comme celui observé par J. McVicker Hunt (1982) dans un orphelinat iranien défavorisé. L'enfant typique observé par Hunt dans cet orphelinat ne pouvait pas s'asseoir seul à l'âge de 2 ans ni marcher à l'âge de 4 ans. Le peu de soins que recevaient ces jeunes enfants ne constituait pas une réponse à leurs cris, leurs gazouillements ou tout autre comportement. Les enfants ne développaient alors aucun sens d'un contrôle personnel sur leur environnement et devenaient des sortes de « masses passives et maussades ». Une extrême privation était en train de tuer leur intelligence naturelle.

Conscient des effets spectaculaires des expériences précoces et de l'impact d'une intervention précoce, Hunt commença un programme d'*enrichissement humain assisté*. Il enseigna aux puéricultrices à animer des jeux de stimulation du langage avec 11 enfants. Elles imitaient le babillage d'un bébé, puis les incitaient à imiter des sons en passant d'un son familier à un autre. Ensuite, elles commencèrent à leur apprendre les sons de la langue perse. Les résultats furent impressionnants. Vers 22 mois, les enfants étaient capables de nommer plus de 50 objets ou parties de leur corps. Ils étaient devenus tellement charmants que la plupart furent adoptés : un succès sans précédent pour l'orphelinat. (Les orphelins roumains se trouvant dans les institutions ont également présenté un développement cognitif s'ils étaient transférés rapidement dans des maisons de soin plus enrichies [Nelson et coll. 2007].)

Les découvertes de Hunt sont un cas extrême d'une constatation plus générale. Parmi les personnes pauvres, les conditions environnementales peuvent avoir plus d'importance que les différences génétiques, ralentissant le développement cognitif. Contrairement aux fratries vivant dans l'abondance, celles qui sont élevées dans des familles pauvres présentent des résultats plus similaires aux tests d'intelligence (Turkheimer et coll., 2003). Une étude, menée dans 1450 écoles de Virginie, a trouvé que les écoles qui regroupent un grand nombre d'enfants pauvres avaient souvent des professeurs moins qualifiés. Et même après avoir contrôlé le facteur pauvreté, le fait que les professeurs soient moins qualifiés prédisait des résultats inférieurs aux tests de connaissance (Tuerk, 2005). La malnutrition peut également jouer un rôle. En palliant la malnutrition infantile par des compléments alimentaires, les effets de la pauvreté sur le développement physique et cognitif s'amoindrissent (Brown et Pollitt, 1996).

Les études sur les interventions précoces indiquent-elles que le fait de fournir un environnement enrichi peut « donner à votre enfant une intelligence supérieure » comme le proclament certains livres populaires ? De nombreux experts restent dubitatifs (Bruer, 1999). Bien que la malnutrition, la privation sensorielle et l'isolement social puissent retarder le développement normal du cerveau, il n'existe pas de recette environnementale particulière pour transformer un bébé normal en un génie. Tous les bébés devraient jouir d'une exposition normale aux images, aux sons et au langage. Le verdict de Sandra Scarr (1984), qui est largement partagé, est le suivant : « Les parents qui cherchent à donner à leur bébé des cours d'éducation spéciale perdent leur temps. »

« Il existe un grand nombre de preuves indiquant qu'il y a peu, voire même rien à gagner à donner une éducation précoce à des enfants de la classe moyenne. »
Edward F. Zigler, psychologue spécialiste du développement (1987)

Néanmoins, les explorations pour la promotion de l'intelligence continuent. L'effet Mozart, largement plébiscité mais maintenant négligé, suggérait que d'écouter de la musique classique activait les capacités cognitives. D'autres recherches ont cependant révélé un léger avantage cognitif persistant à l'entraînement à la musique (par la chanson ou sur des claviers numériques) (Schellenbert, 2005, 2006). Les effets de la pratique de la musique ne semblent pas s'expliquer par le revenu plus élevé des parents et l'éducation des enfants pratiquant la musique ; il pourrait résulter d'une augmentation de la concentration de l'attention ou d'une aptitude de pensée abstraite. D'autres chercheurs espèrent que l'*apprentissage ciblé* sur des aptitudes spécifiques (un peu comme un culturiste soulève de la fonte pour renforcer ses biceps et fait des abdominaux pour renforcer ses muscles) pourrait façonner les muscles mentaux (Kosslyn, 2007).

Éducation scolaire et intelligence

Plus tard au cours de l'enfance, l'éducation scolaire porte ses fruits, ce qui se reflète dans les scores d'intelligence. L'éducation scolaire et l'intelligence interagissent et favoriseront tous deux les revenus ultérieurs (Ceci et Williams, 1997). Hunt croyait fortement dans la capacité de l'éducation à augmenter les chances de réussite des enfants en développant leurs aptitudes sociales et cognitives. Dans son livre de 1961, *Intelligence and Experience*, il aida en effet à lancer en 1965 le projet « *Head Start* ». « *Head Start* » est un programme financé par le gouvernement fédéral des États-Unis et destiné à plus de 900000 enfants âgés de moins de 6 ans, dont la plupart proviennent de familles vivant en dessous du seuil de pauvreté (Head Start, 2005).

Jacques Chenet/Woodfin Camp & Associates

Avoir une longueur d'avance
Pour favoriser le goût du travail scolaire et développer la notion qu'ont les enfants de ce à quoi l'école peut les mener, le programme « *Head Start* » offre des activités éducatives. Ici, dans une salle de classe, les enfants apprennent les différentes couleurs.

Est-ce le cas ? Des chercheurs ont étudié « *Head Start* » et d'autres programmes préscolaires de ce type comme « *Sure Start* » au Royaume-Uni en comparant des enfants ayant et n'ayant pas participé au programme. Les programmes de bonne qualité, qui s'intéressent à chaque enfant individuellement, favorisent la vivacité d'esprit des enfants à l'école et diminuent la probabilité d'un redoublement ou l'orientation vers une classe d'éducation spécialisée. Généralement, les bénéfices du programme s'estompent avec le temps (rappelant que l'expérience vécue *après* « *Head Start* » a aussi de l'importance). Néanmoins, le psychologue Edward Zigler, premier directeur du programme, pense qu'il produit des résultats à long terme (Ripple et Zigler, 2003 ; Zigler et Styfco, 2001). Les programmes préscolaires de bonne qualité peuvent au moins améliorer légèrement l'intelligence émotionnelle engendrant une meilleure attitude vis-à-vis de l'apprentissage et réduisant les abandons de l'école ainsi que la criminalité (Reynolds et coll., 2001).

Les gènes et l'expérience tissent ensemble le tissu de l'intelligence. Mais, remarque Carol Dweck (2006, 2007), ce que nous accomplissons avec notre intelligence dépend également de nos propres croyances et de nos motivations. Ceux qui pensent que l'intelligence est biologiquement établie et ne peut être changée auront tendance à se concentrer sur les moyens de prouver et de défendre leur identité. Ceux qui pensent par contre que l'intelligence peut se modifier se concentreront plus sur l'apprentissage et le développement. Voyant qu'il est payant d'avoir un « état d'esprit orienté croissance » plutôt qu'un « état d'esprit figé », Dweck a développé des modes d'intervention pour apprendre de manière efficace aux jeunes adolescents que le cerveau est comme un muscle qui se développe de plus en plus à mesure que nous l'utilisons du fait du développement des connexions neuronales. En effet, comme nous l'avons déjà dit, on obtient les meilleurs résultats dans des domaines allant du sport à la science en passant par la musique en étant disciplinés, en faisant des efforts et en s'exerçant de manière soutenue (Ericsson et coll., 2007).

« Ce sont nos choix... bien plus que nos aptitudes, qui montrent ce que nous sommes vraiment. »
Professeur Dumbledore à Harry Potter dans *Harry Potter et la chambre des secrets* de J. K. Rowling, 1999

Différences entre groupes dans les résultats aux tests d'intelligence

11. Quelles sont les différences de résultats aux tests d'aptitudes mentales entre les hommes et les femmes, et entre les divers groupes ethniques ? Pourquoi existent-elles ?

S'il n'existait pas de différences entre les divers groupes aux tests d'aptitude, les psychologues pourraient débattre courtoisement des rôles respectifs de l'environnement et de l'hérédité dans leur tour d'ivoire. Mais il en existe. Quelles sont-elles ? Et que devons-nous faire de ces différences ?

Ressemblances et différences entre les sexes

En sciences, comme dans la vie de tous les jours, ce sont les différences et non les ressemblances qui suscitent l'intérêt. Comparées aux ressemblances anatomiques et physiologiques entre les hommes et les femmes, les différences entre les sexes sont relativement mineures. Cependant, nous trouvons ces différences intéressantes. De même, dans le domaine psychologique, les similitudes entre les sexes l'emportent de beaucoup sur les différences. Nous nous ressemblons beaucoup. Dans le test passé en 1932 sur tous les enfants écossais âgés de 11 ans, par exemple, le score d'intelligence moyenne des filles était de 100,6 et celui des garçons était de 100,5 (Deary et coll., 2003). Au cours d'un test sur les aptitudes cognitives passé entre

• Bien qu'il n'y ait pas de différence entre les sexes au niveau des scores d'intelligence, les hommes ont plus tendance que les femmes à surestimer leurs propres scores. Les hommes et les femmes pensent que le score de leur père est supérieur à celui de leur mère, celui de leur frère plus élevé que celui de leur sœur, et celui de leur fils plus élevé que celui de leur fille (Furnham, 2001 ; Furnham et coll., 2002a,b, 2004a,b,c). •

2001 et 2003 par 324 000 Anglais âgés de 11 et 12 ans, les garçons avaient en moyenne 99,1 et les filles un score très semblable de 99,9 (Strand et coll., 2006). Tant que le facteur g est concerné, les garçons et les filles, les hommes et les femmes font partie de la même espèce. Cependant, la plupart des gens trouvent les différences plus intéressantes. Les voici :

Orthographe Les filles ont une meilleure orthographe que les garçons : à la fin du lycée, aux États-Unis, 30 p. 100 seulement des garçons orthographient mieux que la moyenne des filles (Lubinski et Benbow, 1992).

Aptitudes verbales Les filles excellent dans le domaine de la fluidité verbale et de la mémorisation des mots (Halpern et coll., 2007). Et, chaque année, parmi les 200 000 étudiants environ qui passent le *Germany's Test for Medical Studies* (un examen d'entrée en médecine), les jeunes femmes surpassent les hommes lorsqu'il s'agit de se souvenir de faits concernant de courts cas médicaux (Stumpf et Jackson, 1994). (Ma femme, qui se rappelle pour moi de la plupart de mes expériences, me dit que si elle mourait, je serais un homme sans passé.)

Mémoire non verbale Les filles sont plus aptes à se souvenir d'objets et à les localiser (Voyer et coll., 2007). Dans des études effectuées sur plus de 100 000 adolescents américains, les filles ont modestement battu les garçons en ce qui concerne la mémoire d'association d'images (Hedges et Nowell, 1995).

Sensations Les filles sont plus sensibles au toucher, au goût et aux odeurs.

Aptitude à détecter les émotions Les femmes détectent mieux les émotions. Robert Rosenthal, Judith Hall et leurs collègues (1979 ; McClure, 2000) l'ont découvert alors qu'ils étudiaient la sensibilité aux indices émotionnels (un des aspects de l'intelligence émotionnelle). Ils ont montré à des centaines de personnes des films très courts où l'on pouvait voir les parties d'un visage ou d'un corps dégageant une grande émotion, en ajoutant parfois une voix incompréhensible. Par exemple, après une scène de deux secondes montrant seulement le visage d'une femme en colère, les chercheurs demandaient si cette femme critiquait une personne qui était en retard ou parlait de son divorce. Rosenthal et Hall découvrirent que certaines personnes, en grande majorité des femmes, détectaient beaucoup mieux les émotions que d'autres. De telles aptitudes pourraient expliquer que les femmes ont davantage tendance à réagir dans des situations émotionnelles positives ou négatives (*voir* Chapitre 12).

Cette aptitude a-t-elle aidé nos aïeules à lire les émotions chez leurs enfants et leur futur conjoint, lesquels ont peut-être, en retour, entretenu une tendance culturelle à encourager les aptitudes empathiques des femmes ? Certains psychologues spécialistes de l'évolution sont enclins à le penser.

Aptitudes mathématiques et spatiales Dans les tests de mathématiques passés par plus de 3 millions de personnes appartenant à un échantillon représentatif issu de 100 études indépendantes, garçons et filles ont obtenu pratiquement la même moyenne (Hyde et coll., 1990, 2008). Mais une fois encore, bien qu'il y ait chez un même sexe une diversité plus grande qu'entre les deux sexes, ce sont les différences entre groupes que l'on remarque. Dans 20 pays sur 21, les femmes étaient assez fortes en calcul mais les hommes avaient de meilleurs résultats en ce qui concerne la résolution de problèmes de mathématiques (Bronner, 1998 ; Hedges et Nowell, 1995). Dans les pays occidentaux, pratiquement tous les prodiges en mathématiques qui ont participé aux Jeux olympiques de mathématiques sont des garçons. (Des filles prodiges

• Durant les 56 premières années de la *Putnam Mathematical Competition* – compétition internationale de mathématiques pour les étudiants – près de 300 candidats ayant reçu un prix étaient des hommes (Arenson, 1997). En 1997, une femme mit fin à la domination masculine en rejoignant 5 hommes dans le cercle des gagnants. En 1998, Melanie Wood devint le premier membre féminin d'une équipe olympique américaine de mathématiques (Shulman, 2000). Son entraînement avait commencé très tôt : quand sa mère l'emmenait dans un centre commercial, alors qu'elle avait 4 ans, elle lui donnait à résoudre des équations linéaires pour éviter qu'elle ne s'ennuie. •

Jeux olympiques mondiaux de mathématiques Après avoir battu des milliers de leurs camarades américains, ces jeunes participants formèrent l'équipe de mathématiques américaine en 2002 et se classèrent troisième lors de la compétition mondiale.

en mathématiques ont cependant atteint le plus haut niveau dans des pays non occidentaux comme la Chine [Halpern, 1991]).

Les différences de résultats sont encore plus nettes aux extrêmes. Parmi les enfants âgés de 12 à 14 ans ayant un résultat excellent au test de mathématiques du SAT, on compte 13 garçons pour 1 fille ; et dans ce groupe d'enfants précoces, les garçons ont plus souvent continué leurs études pour obtenir un diplôme de sciences inorganiques et d'ingénierie (Benbow et coll., 2000). Aux États-Unis, les garçons ont également de meilleurs résultats au concours annuel *Advanced Placement* dans les domaines de l'informatique et de la physique (Stumpf et Stanley, 1998).

Quatre-vingt-dix-neuf pour cent des grands maîtres d'échecs internationaux sont des hommes, une différence attribuable au plus grand nombre de garçons commençant à jouer aux échecs en compétition. Un des défis pour la recherche future est d'arriver à comprendre *pourquoi* plus de garçons que de filles jouent aux échecs en compétition (Chabris et Glickman, 2006).

La moyenne des garçons semble être plus facilement capable de réaliser des tests d'aptitude spatiale comme celui de la FIGURE 10.13, qui implique de rapides rotations mentales d'objets en trois dimensions (Collins et Kimura, 1997 ; Halpern, 2000). L'exposition à des niveaux élevés d'hormones sexuelles mâles durant la période prénatale développe les aptitudes spatiales (Berenbaum et coll., 1995). Tout comme jouer aux jeux vidéo d'action, comme l'indique une expérience récente (Feng et coll., 2007). Une telle capacité spatiale peut être utile pour caser des bagages dans un coffre d'automobile, jouer aux échecs ou résoudre certains problèmes de géométrie.

Quels sont les deux cercles qui contiennent un assemblage de blocs identique à celui dans le cercle de gauche ?

Modèle **Réponses**

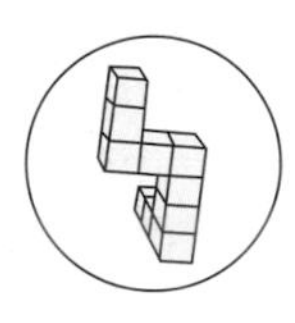

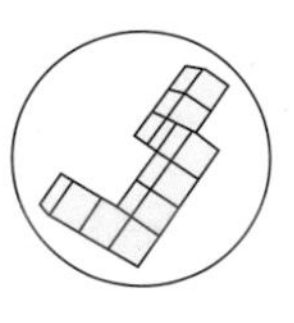

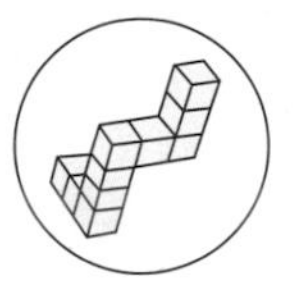

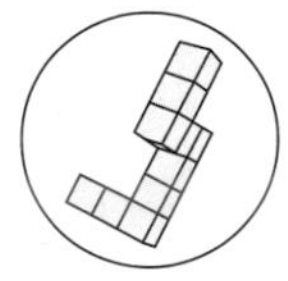

➤ FIGURE 10.13
Le test de rotation mentale Cette figure illustre un test d'aptitude spatiale. (D'après Vandenberg et Kuse, 1978.) Voir la réponse inversée ci-dessous.

Les première et quatrième possibilités.

Selon une perspective évolutionniste (Geary, 1995, 1996 ; Halpern et coll., 2007), ces mêmes aptitudes ont aidé nos ancêtres masculins à chasser des proies et à retrouver le chemin de leur habitat. La survie de nos ancêtres féminins était améliorée par leur mémoire accrue de l'emplacement des plantes comestibles - un héritage que les femmes, qui ont une meilleure mémoire de l'emplacement des objets, ont conservé.

Selon Steven Pinker (2005), psychologue spécialiste de l'évolution, il semble que les influences biologiques et sociales affectent les différences sexuelles concernant les priorités de la vie (les femmes portent plus d'intérêt aux autres alors que les hommes s'intéressent plus à l'argent et aux choses), la prise de risque (les hommes sont plus téméraires) ainsi que le raisonnement mathématique et les aptitudes spatiales. Il remarque que ces différences s'observent dans toutes les cultures, restent stables au fil du temps, existent chez les enfants génétiquement nés garçons mais élevés comme des filles et sont influencées par les hormones prénatales. D'autres chercheurs recherchent une base cérébrale aux différences cognitives entre les hommes et les femmes (Halpern et coll., 2007).

Elizabeth Spelke (2005) conseille cependant de rester prudent avant de délimiter les mondes intellectuels des hommes et des femmes. Il est simpliste de dire que les femmes présentent plus d'aptitudes verbales et les hommes plus d'aptitudes mathématiques. Les femmes excellent dans la fluidité verbale et les hommes dans les analogies verbales. Les femmes excellent dans les calculs mathématiques rapides, les hommes dans les raisonnements mathématiques rapides. Les femmes excellent dans la mémorisation de la position spatiale des objets, les hommes dans la mémorisation des agencements géométriques.

D'autres critiques nous demandent de nous souvenir que les attentes sociales et les occasions divergentes modèlent les intérêts et les capacités des garçons et des filles (Crawford et coll., 1995 ; Eccles et coll., 1990). Dans les cultures égalitaires entre les sexes, comme en Suède et en Islande, le fossé entre les sexes sur le plan des mathématiques est très peu marqué contrairement à celui observé dans les cultures non égalitaires comme en Turquie ou en Corée (Guiso et coll., 2008). Aux États-Unis, l'avance des garçons sur le plan de la résolution des problèmes mathématiques n'est détectable qu'après l'école primaire. Traditionnellement, les mathématiques et les sciences ont été considérées comme des domaines masculins. Mais comme de plus en plus de parents encouragent leurs filles à développer leurs capacités en mathématiques et en sciences, le fossé entre les sexes se rétrécit (Nowell et Hedges, 1998). Dans certains domaines, y compris la psychologie, les femmes se voient attribuer la plupart des doctorats. Cependant, remarque Diane Halpern (2005) avec malice, « personne ne s'est demandé si les hommes avaient la capacité innée de réussir dans les disciplines scolaires où *ils* sont peu représentés ».

• Parmi les Américains entrant à l'université, 22 p. 100 des garçons et 4 p. 100 des filles disent avoir joué à des jeux vidéo ou sur l'ordinateur pendant au moins 6 heures par semaine (Pryor et coll., 2006). •

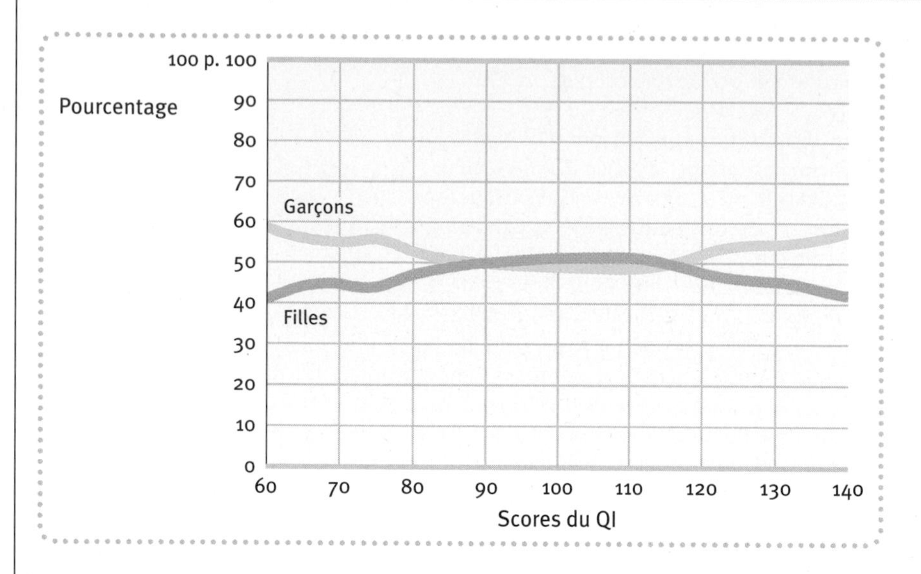

➤ FIGURE 10.14
Sexe et variabilité Lorsque près de 90 000 enfants écossais âgés de 11 ans passèrent un test d'intelligence en 1932, les résultats moyens de QI pour les filles et les garçons étaient quasiment identiques. Mais, comme d'autres études l'ont également observé, les garçons étaient plus nombreux aux extrêmes, bas ou hauts. (Adapté d'après Deary et coll., 2003.)

Plus grande variabilité masculine Enfin, les recherches sur l'intelligence ont constamment montré une tendance particulière des résultats des aptitudes mentales masculines à varier bien plus que ceux des femmes (Halpern et coll., 2007). Ainsi, les garçons sont bien plus nombreux que les filles aux extrêmes, bas ou hauts (Kleinfeld, 1998 ; Strand et coll., 2006 ; *voir aussi* FIGURE 10.14). Les garçons sont, de ce fait, plus représentés dans les classes recevant une éducation spécialisée. Ils parlent plus tard, ils bégayent plus.

Ressemblances et différences ethniques

Deux autres faits dérangeants mais admis par tous alimentent ce débat sur les différences de groupe :

- Les scores moyens aux tests d'intelligence ne sont pas les mêmes pour tous les groupes ethniques.
- Les personnes (et les groupes) ayant de très bons résultats aux tests sont plus susceptibles d'avoir un niveau d'éducation plus élevé ainsi qu'un salaire plus important.

Un compte rendu effectué par 52 chercheurs spécialisés dans l'intelligence explique : « chez les Blancs, la courbe en cloche est centrée autour d'un QI de 100 ; chez les Noirs américains, cette valeur est centrée autour de 85 ; pour les sous-groupes hispaniques, cette valeur se situe entre celle des Blancs et des Noirs » (Avery et coll., 1994). On observe des résultats comparables avec d'autres tests d'aptitude scolaire. Durant ces dernières années, la différence entre les Blancs et les Noirs a légèrement diminué et, dans certaines études, on a remarqué que, chez les enfants, l'écart n'était plus que de 10 points (Dickens et Flynn, 2006). Cependant, au niveau des résultats au test, l'écart persiste lourdement et d'autres études suggèrent que ce fossé a arrêté de s'amoindrir pour les jeunes nés après 1970 (Murray, 2006, 2007).

Il existe des différences de résultats similaires dans d'autres groupes : les résultats des Néo-Zélandais originaires d'Europe sont plus élevés que ceux des Maoris natifs de la Nouvelle-Zélande ; ceux des Juifs d'Israël sont plus élevés que ceux des Arabes nés en Israël ; la plupart des Japonais ont des résultats meilleurs qu'une minorité japonaise méprisée, les Burakumin. Les entendants ont de meilleurs scores que les personnes qui sont nées sourdes (Braden, 1994 ; Steele, 1990 ; Zeidner, 1990).

Tout le monde s'accorde pour dire que de telles différences entre *groupes* ne nous donnent aucune indication pour juger les individus. Les femmes vivent en moyenne 6 ans de plus que les hommes, mais le fait de connaître le sexe de quelqu'un ne nous dit pas avec précision combien de temps cette personne va vivre. Même Charles Murray et Richard Herrnstein (1994), dont les écrits sur les différences entre Blancs et Noirs ont attiré l'attention, nous rappellent que « des millions de Noirs ont un QI plus élevé que l'individu blanc moyen ».

Les Suédois et les Bantous africains diffèrent par leur teint et leur langage. La première différence est génétique et la seconde est environnementale. Qu'en est-il donc des scores d'intelligence ?

Comme nous l'avons vu, l'hérédité contribue aux différences individuelles d'intelligence. Cela signifie-t-il qu'elle contribue aussi aux différences entre groupes ? Certains psychologues pensent que c'est le cas, peut-être à cause des différences de climat et de conditions de survie qui existent de par le monde (Herrnstein et Murray, 1994 ; Lynn, 1991, 2001 ; Rushton et Jensen, 2005, 2006).

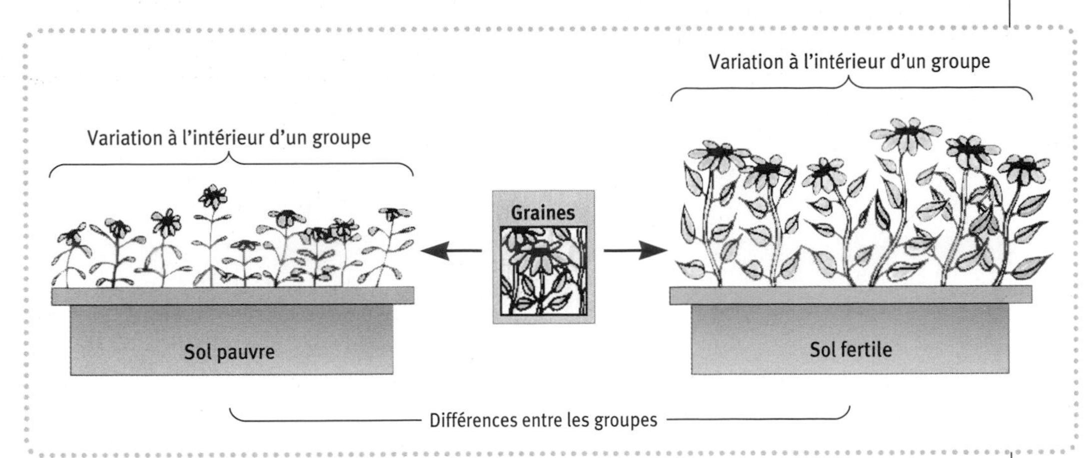

➤ FIGURE 10.15
Différences entre groupes et impact de l'environnement Même si la variation entre les membres d'un groupe reflète des différences génétiques, la différence moyenne entre les groupes peut être entièrement due à l'environnement. Imaginez que des graines provenant d'un même mélange soient plantées dans des sols différents. Même si la différence de taille *à l'intérieur* de chaque pot sera génétique, la différence de taille *entre* les deux groupes sera environnementale. (D'après Lewontin, 1976.)

Mais nous avons aussi vu que les différences de certains caractères héréditaires entre divers groupes pouvaient être entièrement liées à l'environnement, comme dans l'exemple des garçons élevés dans un tonneau comparés à ceux élevés dans une maison. Considérons une expérience naturelle : laissez des enfants grandir au contact de la langue dominante de leur culture, alors que d'autres enfants, nés sourds, n'y sont pas exposés. Si on les soumet ensuite à un test d'intelligence dans cette langue dominante, il n'est pas surprenant que les enfants ayant la maîtrise de la langue aient de meilleurs scores. Bien que les performances individuelles puissent être en grande partie d'ordre génétique, les différences entre groupes ne le sont pas (FIGURE 10.15).

Considérez ceci : si deux vrais jumeaux étaient exactement de la même taille, l'héritabilité serait de 100 p. 100. Imaginez à présent que nous séparions certains jeunes jumeaux et que nous donnions seulement à la moitié d'entre eux une alimentation nourrissante et que les jumeaux bien nourris grandissent jusqu'à avoir une taille supérieure de 10 cm à celle de leur alter ego. Il s'agit d'un effet environnemental comparable à celui que l'on observe en Grande-Bretagne et en Amérique, où les adolescents ont plusieurs centimètres de plus que ceux d'il y a un demi-siècle. Quelle serait l'héritabilité de la taille pour nos jumeaux bien nourris ? Toujours de 100 p. 100, car la variation de taille à l'intérieur du groupe demeure entièrement prédictible à partir de la taille des jumeaux mal nourris. Ainsi, même une héritabilité parfaite à l'intérieur des groupes n'élimine pas la possibilité d'un impact environnemental fort sur les différences entre groupes.

De la même manière, l'écart entre les ethnies est-il environnemental ? Considérons ces découvertes :

Les recherches génétiques révèlent que sous la peau, les ethnies se ressemblent étrangement (Cavalli-Sforza et coll., 1994 ; Lewontin, 1982). Les différences individuelles à l'intérieur d'une même ethnie sont bien plus importantes que les différences entre les ethnies. La différence génétique moyenne entre deux villageois islandais ou entre deux Kényans surpasse de loin la différence entre ces deux ethnies. De plus, les apparences peuvent être trompeuses. Les Européens (blancs de peau) et les Africains (noirs de peau) sont génétiquement plus proches que ne le sont les Africains et les Aborigènes d'Australie (tous deux noirs de peau).

Le concept d'ethnie ne correspond pas à une catégorie biologique bien définie. Pour certains savants, les ethnies sont une réalité, car ils remarquent qu'il existe des marqueurs génétiques d'ethnies (le continent de notre ancêtre) et que les risques médicaux (comme les cancers de la peau ou l'hypertension) diffèrent selon les ethnies. Les caractéristiques comportementales peuvent aussi varier selon les ethnies. « Aucun

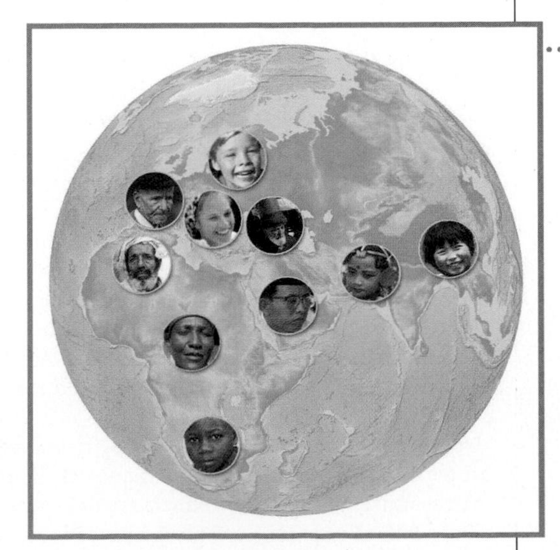

La nature effectue son propre morphing La nature n'établit pas de frontières nettes entre les ethnies qui se fondent progressivement les unes aux autres tout autour de la Terre. Cependant, du fait de cette pulsion humaine à tout classer, les gens se définissent eux-mêmes socialement en catégories ethniques qui deviennent des étiquettes fourre-tout dans lesquelles on trouve les caractéristiques physiques, l'identité sociale et la nationalité.

• Dans un pays prospère X, tout le monde mange à sa faim. Dans un pays Y, les riches sont bien nourris, mais les pauvres, mal nourris, sont souvent maigres. Dans quel pays l'héritabilité du poids corporel sera-t-elle la plus élevée ? Voir la réponse inversée ci-dessous. •

L'héritabilité – les différences imputables aux gènes – sera plus élevée dans le pays X où les différences environnementales au niveau de la nutrition sont minimales.

• Depuis 1830, la taille d'un Hollandais moyen est passée de 167 cm à 183 cm. •

La culture de la scolarité Les enfants issus de familles de réfugiés indochinois étudiés par Nathan Caplan, Marcella Choy et James Whitmore (1992) ont en général d'excellents résultats à l'école. Chaque jour de la semaine, après le dîner, la famille dégage la table et commence les devoirs. La coopération au sein de la famille est précieuse et les aînés aident les plus jeunes.

coureur de descendance asiatique ou européenne - ce qui correspond à la majorité de la population - n'a pu courir le 100 mètres en moins de 10 secondes, mais des dizaines de coureurs de descendance africaine occidentale en sont capables » observe le psychologue David Rowe (2005). Beaucoup d'autres scientifiques sociologues, de ce fait, voient les ethnies principalement comme des édifices sociaux dont les frontières physiques sont mal définies (Helms et coll., 2005 ; Smedley et Smedley, 2005 ; Sternberg et coll., 2005). Des personnes ayant des ancêtres d'origines diverses peuvent se considérer d'elles-mêmes de la même ethnie. De plus, compte tenu du nombre croissant de gens ayant des ancêtres d'origines diverses, de plus en plus de personnes résistent à toute catégorisation ethnique. (À quelle ethnie appartient Tiger Woods ?)

Les étudiants asiatiques ont de meilleurs résultats aux tests de mathématiques et d'aptitude que les étudiants d'Amérique du Nord. Mais cette différence semble être un phénomène récent qui reflète peut-être un esprit consciencieux plutôt que de meilleures compétences. Les étudiants asiatiques passent 30 p. 100 de jours en plus par an à l'école et bien plus de temps à étudier les mathématiques, soit à l'école, soit à l'extérieur (Geary et coll., 1996 ; Larson et Verma, 1999 ; Stevenson, 1992).

Les performances aux tests d'intelligence de la population actuelle, qui est mieux nourrie, bénéficie d'une meilleure éducation et est davantage préparée aux tests, dépassent celles de la population de 1930 - dans les mêmes proportions que les résultats aux tests d'intelligence d'un individu blanc moyen d'aujourd'hui dépassent ceux d'un individu noir moyen. Personne n'attribue à la génétique la différence existant entre les générations.

Les nourrissons blancs et noirs ont eu les mêmes résultats à une mesure de l'intelligence enfantine (la préférence des enfants pour des stimuli nouveaux, un indicateur brut des scores futurs aux tests d'intelligence [Fagan, 1992]).

Lorsque les Blancs et les Noirs possèdent ou ont reçu la même connaissance pertinente, ils présentent les mêmes aptitudes au traitement de l'information. Les chercheurs Joseph Fagan et Cynthia Holland (2007) remarquent que « les données supportent l'idée que les différences culturelles dans l'apport de l'information peuvent rendre compte des différences ethniques de QI ».

> « Ne faites pas venir vos esclaves d'Angleterre ; ils sont vraiment stupides et totalement incapables d'être éduqués. »
> Cicéron, 106-43 av. J.-C.

À différents moments de l'histoire, certains groupes ethniques ont vécu un âge d'or, une période exceptionnelle de réussite. Il y a 2 500 ans ce furent les Égyptiens et les Grecs, puis les Romains. Aux VIIIe et IXe siècles, le génie semblait résider chez les Arabes ; il y a 500 ans, c'étaient les Aztèques et les peuples du nord de l'Europe. De nos jours, les gens s'émerveillent face au génie technologique des Asiatiques. La culture s'épanouit et décline au fil des siècles ; pas les gènes. Ce fait rend difficile l'attribution d'une quelconque supériorité naturelle à une ethnie.

De plus, considérons les résultats frappants d'une étude nationale sur les différences de scores aux tests mentaux entre Blancs et Noirs après obtention du diplôme de fin d'études universitaires. De la quatrième jusqu'au début du lycée, les scores d'aptitude moyens des élèves blancs augmentent, alors que ceux des élèves noirs baissent - créant ainsi un écart entre Blancs et Noirs qui atteint son maximum lors des tests passés par les lycéens pour l'admission à l'université. Mais à l'université, les scores des étudiants noirs augmentent « quatre fois plus » que ceux des étudiants blancs, ce qui réduit considérablement l'écart des aptitudes. Le chercheur Joel Myerson et ses collègues (1998) concluent : « il n'est pas surprenant que l'écart des scores aux tests cognitifs s'élargisse car les Blancs et les Noirs étudient dans des lycées n'ayant pas la même qualité. Toutefois, à l'université, où les Blancs et les Noirs sont soumis à un environnement éducatif de qualité comparable... un grand nombre d'étudiants noirs obtiennent d'excellents résultats, ce qui permet de réduire l'écart entre les résultats aux tests. »

La question des biais

12. Les tests d'intelligence sont-ils inappropriés et biaisés ?

Si l'on considère que l'ethnie est un concept significatif, le débat sur les différences d'intelligence entre les ethnies fait apparaître trois conceptions, remarquent Earl Hunt et Jerry Carlson (2007) :

- Il existe des différences ethniques génétiquement prédisposées concernant l'intelligence.
- Il existe des différences ethniques socialement influencées concernant l'intelligence.
- Il existe des différences ethniques concernant les résultats aux tests d'intelligence parce que ceux-ci sont inadaptés ou biaisés.

Les tests d'intelligence sont-ils biaisés ? La réponse dépend de la définition du terme *biais* que l'on choisit parmi les deux qui existent, et de notre compréhension des stéréotypes.

Les deux significations du terme biais

Un test peut être considéré comme biaisé s'il détecte non seulement les différences innées d'intelligence, mais également les différences de performances dues aux expériences culturelles. C'est ce qui s'est en fait produit pour les immigrants venus d'Europe de l'Est au début des années 1900. Manquant d'expérience pour répondre aux questions sur leur nouvelle culture, beaucoup furent classés comme faibles d'esprit. David Wechsler, qui entra aux États-Unis à l'âge de 6 ans en provenance de Roumanie juste avant ce groupe d'immigrants conçu le WAIS.

En ce sens, les tests d'intelligence sont biaisés. Ils mesurent les capacités développées d'un individu, qui reflètent en partie son éducation et ses expériences. Vous avez pu lire des exemples d'éléments de tests qui mettent en jeu des suppositions de la classe moyenne (par exemple qu'une soucoupe va avec une tasse, ou comme dans un des exemples tirés du WAIS [Figure 10.5], que les gens achètent des assurances pour protéger la valeur de leur maison et de leurs biens). Ces éléments vont-ils introduire un biais dans le test en défaveur de ceux qui n'utilisent pas de soucoupes ou dont les maigres biens ne méritent pas le coût d'une assurance ? De telles questions peuvent-elles expliquer les différences ethniques dans les résultats des tests ? Si c'est le cas, les tests constituent-ils un véhicule discriminatoire, reléguant des enfants potentiellement capables dans des classes et des situations sans débouchés ?

Les défenseurs des tests d'aptitude remarquent qu'il existe tout autant de différences entre groupes ethniques dans les éléments non verbaux, comme compter à rebours (Jensen, 1983, 1998). De plus, ajoutent-ils, accuser le test parce qu'un groupe a un résultat moins bon revient à blâmer le messager qui porte une mauvaise nouvelle. Pourquoi accuser le test de montrer des expériences et des chances inégales ? Si, à cause d'une malnutrition, les gens souffrent d'un retard de croissance, va-t-on accuser la toise qui révèle cette situation ? Si des expériences passées inégales prédisent des réussites futures inégales, un test d'aptitude valide détectera de telles inégalités.

La deuxième signification du mot *biais*, sa signification *scientifique*, est différente. Elle repose sur la validité d'un test, savoir s'il prédit un comportement futur uniquement pour certains groupes testés. Si le SAT, par exemple, prédit avec exactitude la réussite au lycée des femmes, mais pas des hommes, le test sera alors biaisé. Dans le sens statistique du terme, il existe un consensus presque unanime chez les psychologues (résumé par le *National Research Council's Committee on Ability Testing* et l'*American Psychological Association's Task Force on Intelligence*) pour dire que les principaux tests d'aptitude américains *ne* sont *pas* biaisés (Hunt et Carlson, 2007 ; Neisser et coll., 1996 ; Wigdor et Garner, 1982). La validité prédictive des tests est

« L'égalité politique doit être un engagement pour les droits universels des hommes et pour les gouvernements qui traitent les hommes comme des individus plutôt que comme des représentants d'un groupe ; ce n'est pas une affirmation empirique que de dire qu'aucun groupe ne peut être différencié d'un autre ».
Steven Pinker (2006)

:: **Menace du stéréotype** : préoccupation fondée sur l'autosuggestion selon laquelle on est jugé d'après un stéréotype négatif.

« Le cours de maths est difficile ! »
Poupée Barbie parlante « Tenn talk » (introduite en février 1992, rebaptisée en octobre 1992)

« Presque toutes les choses joyeuses de la vie ne sont pas mesurables par les tests de QI. »
Madeleine L'Engle, *A Circle of Quiet*, 1972

approximativement la même pour les femmes et les hommes, les Noirs et les Blancs, pour les riches et les pauvres. Si un résultat au test d'intelligence de 95 prédit une mention passable, la prévision approximative est valable pour les deux sexes, de tous les groupes ethniques et socio-économiques.

Attentes de la personne passant le test

Tout au long de ce livre, nous avons vu que nos attentes et nos attitudes pouvaient influencer nos perceptions et nos comportements. Nous retrouvons une fois de plus cet effet lorsque l'on teste l'intelligence. Lorsque Steven Spencer et ses collègues (1997) donnèrent un test de mathématiques complexe à des hommes et des femmes ayant les mêmes capacités, les femmes eurent de moins bon résultats que les hommes, excepté quand on avait persuadé les femmes qu'en général elles réussissaient ce test aussi bien que les hommes. Dans le cas contraire, les femmes semblaient appréhender ces tests, ce qui affectait leurs performances. Avec Claude Steele et Joshua Aronson, Spencer (2002) observa cette **menace du stéréotype** qui se réalise chez les étudiants noirs, lorsqu'ils passèrent des tests d'aptitude verbale dans des conditions conçues pour qu'ils se sentent menacés. Leurs résultats étaient alors moins bons. Les critiques remarquent que la menace du stéréotype n'explique pas totalement les différences de résultats d'aptitudes entre les Blancs et les Noirs (Sackett et coll., 2004, 2008). Mais cela explique pourquoi les Noirs ont de meilleurs résultats lorsque les examinateurs sont noirs que lorsque les examinateurs sont blancs (Danso et Esses, 2001 ; Inzlicht et Ben-Zeev, 2000). Et cela peut expliquer également pourquoi les femmes ont eu de meilleurs résultats au test de mathématiques lorsqu'elles l'ont passé dans un groupe ne comprenant pas d'homme et pourquoi les femmes ont plus de difficulté à gagner aux échecs lorsqu'elles *croient* que leur opposant est un homme que lorsqu'elles pensent jouer contre une femme (Maass et coll., 2008).

Steele (1995, 1997) conclut que le fait d'annoncer aux étudiants qu'ils ne réussiront certainement pas (comme les programmes de soutien de type « *minority support* » l'impliquent parfois), cela agira comme un stéréotype qui pourra éroder leurs scores aux tests et leur scolarité. Avec le temps, de tels étudiants peuvent ne plus associer leur estime de soi à la réussite scolaire et rechercher à être reconnus par ailleurs. Ainsi, entre la classe de quatrième et la terminale, les garçons d'origine afro-américaine ont tendance à réussir en dessous de leur potentiel à mesure que s'accentue l'écart entre leur estime de soi et leurs résultats (Osborne, 1997). Une expérience à demandé au hasard à certains enfants afro-américains de cinquième d'écrire un texte pendant 15 minutes sur les valeurs qu'ils jugeaient les plus importantes (Cohen et coll., 2006). Cet exercice simple d'auto-affirmation eut l'effet visible d'augmenter leur résultat semestriel d'en moyenne 0,26 lors de la première expérience et de 0,34 lors de la répétition. Les étudiants faisant partie de minorités et suivant des programmes universitaires qui les poussent à croire en leur potentiel ou à se concentrer sur l'idée que l'intelligence est modelable et non pas fixe ont, de même, obtenu de bien meilleurs résultats scolaires et abandonnent moins leurs études (Wilson, 2006).

Que pouvons-nous concrètement conclure des tests d'aptitude et de la question des biais ? D'une part, les tests semblent en effet biaisés (et de manière appropriée du point de vue de certains) à cause de leur sensibilité aux différences de performance qui relèvent de l'expérience culturelle. Mais, d'autre part, ils ne sont pas biaisés d'un point de vue scientifique, car ils permettent de faire des prédictions statistiques valides pour des groupes différents.

En conclusion, les tests sont-ils discriminatoires ? De nouveau, la réponse pourra être *oui* ou *non*. Dans un sens, *oui*, leur but étant de choisir, de distinguer des individus. Dans un autre sens, *non*, leur but est de réduire la discrimination en évitant de se fier à des critères subjectifs pour avoir accès à une école ou un emploi – par exemple vos relations, votre manière de vous habiller ou si vous correspondez à la « bonne personne ». Les tests d'embauche des fonctionnaires, par exemple, ont été conçus pour établir une discrimination plus objective et plus correcte entre individus en réduisant les discriminations politiques et ethniques qui existaient auparavant. La suppression des tests d'aptitude forcerait les gens qui décident des admissions ou de l'attribution des postes à se fier à d'autres considérations, comme par exemple leur opinion personnelle.

Peut-être devrions-nous donc concentrer nos objectifs concernant les tests d'aptitudes mentales sur trois fronts. Tout d'abord, nous devrions prendre conscience des avantages qu'Alfred Binet prédisait : permettre aux écoles de repérer qui bénéficierait au mieux d'un soutien précoce. Deuxièmement, nous devons rester vigilants quant à la crainte émise par Binet, à savoir que les résultats aux tests d'intelligence soient interprétés à tort comme des mesures littérales de la valeur d'une personne et de son potentiel. Finalement, nous devons nous souvenir que les compétences mesurées par les tests d'intelligence généraux sont importantes car elles permettent la réussite dans certains domaines de la vie. Mais elles ne reflètent qu'une partie de la compétence personnelle. Notre intelligence pratique et notre intelligence émotionnelle sont également importantes tout comme les autres formes de créativité, de talent et de caractère. La capacité du charpentier à raisonner dans l'espace diffère de l'aptitude logique d'un programmeur en informatique, qui diffère à son tour de la maîtrise verbale du poète. Puisqu'il existe plusieurs façons de réussir, nos différences ne sont que des variations de la faculté d'adaptation humaine.

BananaStock/Jupiter images

On ne peut pas tester la compassion Les scores aux tests d'intelligence ne montrent qu'un aspect de la personne. Par exemple, ces tests ne mesurent pas les aptitudes, le talent et l'engagement des gens qui consacrent leur vie à aider les autres.

AVANT D'ALLER PLUS LOIN...

➤ INTERROGEZ-VOUS

De quelle manière les influences génétiques et celles liées à l'environnement ont-elles modelé votre intelligence ?

➤ TESTEZ-VOUS 4

Plus la société parviendra à créer une égalité des chances de réussite pour tous, plus elle fera augmenter l'héritabilité des aptitudes. L'héritabilité des scores d'intelligence sera plus importante dans une société où tout le monde a les mêmes opportunités plutôt que dans une société de paysans et d'aristocrates. Pourquoi ?

Les réponses aux questions « Testez-vous » sont données dans l'annexe B à la fin de l'ouvrage.

RÉVISION : L'intelligence

Qu'est-ce que l'intelligence ?

1. Quels sont les arguments pour ou contre le fait de considérer l'intelligence comme une capacité mentale générale ?

L'*analyse factorielle* est une procédure statistique qui révèle certains points communs sous-jacents dans les différentes aptitudes mentales. Spearman a appelé ce facteur commun le *facteur g*. Thurstone s'oppose à définir l'intelligence avec un seul résultat de manière aussi étroite. Il identifia sept groupes différents d'aptitudes mentales. Cependant, il persiste une tendance que des scores élevés dans un de ces groupes prédisent également des scores élevés dans d'autres groupes. Notre score *g* semble prédire assez bien notre intelligence dans une situation nouvelle et n'est pas fortement corrélé aux aptitudes dans les situations familières dues à notre évolution.

2. En quoi les théories de Gardner et de Sternberg sur les intelligences multiples diffèrent-elles ?

Gardner propose huit intelligences indépendantes : linguistique, logique et mathématique, musicale, spatiale, corporelle-kinesthésique, intrapersonnelle, interpersonnelle et naturaliste. La théorie de Sternberg propose trois domaines d'intelligence : analytique (résolution scolaire de problèmes), créative et pratique. (Pour en savoir plus sur le débat une seule intelligence/intelligences multiples, *voir* Tableau 10.2)

3. Qu'est-ce que la créativité et qu'est-ce qui l'encourage ?

La *créativité* est la capacité à produire de nouvelles idées valables. Elle est quelque peu corrélée avec l'intelligence. Toutefois, au-delà d'un résultat de 120 aux tests d'intelligence, cette corrélation diminue. Elle est également corrélée avec la compétence, la capacité d'imagination, une personnalité aventureuse, une motivation intrinsèque et le soutien offert par un environnement créatif.

4. De quoi se compose l'intelligence émotionnelle ?

L'*intelligence émotionnelle* est la capacité de percevoir les émotions, de les comprendre, de les gérer et de les utiliser. Ceux qui possèdent la plus grande intelligence émotionnelle atteignent une réussite personnelle et professionnelle plus grande. Cependant, les opposants posent la question de savoir si nous ne poussons pas trop loin le concept d'intelligence lorsque nous l'appliquons aux émotions.

5. Dans quelle mesure l'intelligence est-elle liée à l'anatomie cérébrale et à la vitesse de traitement neuronal ?

Des études récentes indiquent une certaine corrélation (environ +0,33) entre la taille du cerveau (ajustée à la taille du corps) et le résultat aux tests d'intelligence. Les personnes qui ont reçu une éducation élevée ou qui sont très intelligentes présentent un nombre de synapses et un volume de matière grise supérieurs à la moyenne. Les personnes qui ont un résultat élevé aux *tests d'intelligence* ont également tendance à avoir un cerveau plus rapide qui retrouve rapidement les informations et perçoit rapidement les stimuli.

Évaluer l'intelligence

6. Quand et pourquoi les tests d'intelligence ont-ils été créés ?

En 1904, en France, Alfred Binet a amorcé le mouvement moderne du test de l'intelligence en développant des questions qui aidaient à prévoir les progrès futurs des enfants dans le système scolaire parisien. Lewis Terman de l'université de Stanford a revu le travail de Binet de manière à l'utiliser aux États-Unis. Terman croyait que son test de Stanford-Binet pourrait aider les gens à se guider vers les opportunités adaptées, mais bien plus que Binet, il pensait que l'intelligence était héréditaire. Au début du xxe siècle, les tests d'intelligence furent, malheureusement, parfois utilisés pour « établir » l'hypothèse de scientifiques concernant l'infériorité innée de certains groupes ethniques et des populations d'immigrants.

7. Quelles sont les différences entre les tests d'aptitude et les tests de connaissance ? Comment peut-on les développer et les évaluer ?

Les *tests d'aptitude* sont conçus pour prédire ce que vous *pouvez apprendre*. Les *tests de connaissance* sont conçus pour évaluer ce que vous *avez appris*. Le *WAIS* (*échelle d'intelligence de Weschler pour adulte*), un test d'aptitude, est le test d'intelligence le plus largement utilisé chez l'adulte. Ces tests doivent être *standardisés* en faisant passer ce test à un échantillon représentatif des personnes qui seront ultérieurement testées afin d'établir une base permettant une comparaison sensée des résultats. La distribution des résultats de ces tests suit souvent une *courbe* dite *normale* (appelée également courbe en cloche). Les tests doivent aussi être *fiables* et fournir des résultats cohérents (lors d'un test sur deux moitiés du même test ou d'une répétition du même test). Un test doit aussi être *valide*. Un test valide mesure ou prédit ce qu'il est supposé mesurer ou prédire. La *validité de contenu* est la capacité du test à cibler le comportement pertinent (comme le test du permis de conduire mesure la capacité de conduite). La *validité prédictive* est la capacité d'un test à prédire le comportement qu'il est destiné à prédire (les tests d'aptitude ont une capacité prédictive s'ils peuvent prédire les résultats futurs).

La dynamique de l'intelligence

8. Quelle est la stabilité des résultats des tests d'intelligence tout au long de la vie ?

La stabilité des tests d'intelligence augmente avec l'âge. Vers l'âge de 4 ans, les résultats fluctuent quelque peu, mais commencent à prédire les résultats obtenus à l'adolescence et à l'âge adulte. Vers 7 ans, les résultats deviennent assez stables et cohérents.

9. Quelles sont les caractéristiques des personnes se trouvant aux deux extrêmes de l'intelligence (élevée et faible) ?

Ceux dont le score aux tests d'intelligence se trouve en dessous de 70, score qui marque le début du diagnostic de *retard mental* (maintenant souvent appelé handicap intellectuel), ont des capacités qui varient de proche de la normale à un besoin constant d'être surveillé et aidé. Le *syndrome de Down* est une forme de retard mental ayant une cause physique, l'existence d'un chromosome 21 surnuméraire. Les personnes qui obtiennent des scores très élevés, contrairement au mythe populaire, ont tendance à être en bonne santé, bien adaptés et en général brillants dans leurs études. Les écoles dépistent parfois ces enfants pour les séparer des autres ayant un résultat plus faible. Ces programmes peuvent devenir des prophéties qui s'accomplissent d'elles-mêmes, les enfants étant incités à devenir ce que les autres attendent d'eux (en étant tirés vers le haut ou vers le bas).

Les influences de la génétique et de l'environnement sur l'intelligence

10. Que révèle la preuve de l'influence de l'hérédité et de l'environnement sur l'intelligence ?

Les études de jumeaux, de membres de la famille et d'enfants adoptés confortent l'idée qu'il existe une contribution génétique significative aux résultats des tests d'intelligence. Des recherches sont en cours pour trouver tous les gènes qui contribuent à l'intelligence. Mais des recherches ont également fourni des preuves de l'influence de l'environnement sur l'intelligence. Les résultats aux tests d'intelligence obtenus par de faux jumeaux élevés ensemble sont plus semblables que ceux d'autres enfants d'une même fratrie et les résultats aux tests obtenus par des vrais jumeaux élevés séparément sont légèrement moins semblables (mais toutefois encore très corrélés) que ceux des vrais jumeaux élevés ensemble. D'autres études d'enfants élevés dans des environnements extrêmement pauvres, extrêmement riches ou culturellement différents indiquent que les expériences de la vie influencent significativement les performances aux tests d'intelligence.

11. Quelles sont les différences de résultats aux tests d'aptitudes mentales entre les hommes et les femmes, et entre les divers groupes ethniques ? Pourquoi existent-elles ?

Les hommes et les femmes ont en moyenne une intelligence générale identique. Il existe cependant quelques légères différences entre les sexes qui nous intriguent concernant certaines aptitudes spécifiques. Les filles sont meilleures en orthographe, ont une meilleure élocution, réussissent mieux à localiser les objets, décèlent plus facilement les émotions et sont plus sensibles au toucher, au goût et aux odeurs. Les garçons ont une meilleure aptitude spatiale que les filles et sont meilleurs dans la résolution des problèmes mathématiques qui y sont liés, bien que les filles soient meilleures que les garçons en calcul mathématique. Il y a également plus de garçons que de filles aux deux extrémités (élevée et faible) de la courbe des aptitudes mentales. Les psychologues débattent sur les explications de ces différences entre les sexes, qu'elles soient d'origine évolutive, liée au cerveau ou d'origine culturelle. En tant que groupe, les Blancs ont tendance à avoir des résultats supérieurs à ceux de leurs homologues hispaniques ou noirs, bien que ce fossé soit moins important qu'il y a un siècle. Cette preuve suggère que les différences environnementales sont fortement (ou peut-être même totalement) responsables de ces différences de groupes.

12. Les tests d'intelligence sont-ils inappropriés et biaisés ?

Les tests d'aptitude ont pour objectif de prédire les performances de la personne testée dans une situation donnée. De ce fait, ils sont nécessairement « biaisés » dans le sens où ils sont sensibles aux différences de performances liées à l'expérience culturelle. Mais un biais peut aussi signifier ce que les psychologues entendent souvent par ce terme, c'est-à-dire que les prédictions d'un test biaisé sont moins précises pour un groupe que pour un autre. En ce sens, la plupart des spécialistes ne considèrent pas que les principaux tests d'aptitude soient biaisés. La *menace du stéréotype*, une préoccupation fondée sur l'autosuggestion selon laquelle on est jugé d'après un stéréotype négatif, affecte les performances à tous les types de tests.

Termes et concepts à retenir

Test d'intelligence, p. 406
Intelligence, p. 406
Intelligence générale (*facteur g*), p. 406
Analyse factorielle, p. 406
Syndrome du savant, p. 407
Créativité, p. 410
Intelligence émotionnelle, p. 412
Âge mental, p. 416
Stanford-Binet, p. 417
Quotient intellectuel (QI), p. 417
Test de connaissance, p. 418
Test d'aptitude, p. 418
Échelle d'intelligence de Wechsler pour adultes (WAIS), p. 418
Standardisation, p. 419
Courbe normale, p. 419
Fiabilité, p. 421
Validité, p. 421
Validité de contenu, p. 421
Validité prédictive, p. 421
Retard mental, p. 425
Syndrome de Down (trisomie 21), p. 425
Menace du stéréotype, p. 438

CHAPITRE 11

La motivation et le travail

LES CONCEPTS DE LA MOTIVATION

L'instinct et la psychologie évolutionniste

Les pulsions et les incitations

L'activation optimale

Une hiérarchie des motivations

LA FAIM

La physiologie de la faim

La psychologie de la faim

Obésité et contrôle du poids

Gros plan : Gérer son tour de taille

LES MOTIVATIONS SEXUELLES

La physiologie sexuelle

La psychologie de l'acte sexuel

La sexualité chez l'adolescent

L'orientation sexuelle

Sexe et valeurs humaines

LE BESOIN D'APPARTENANCE

LA MOTIVATION AU TRAVAIL

Gros plan : La psychologie I/O au travail

La psychologie du personnel

Gros plan : Découvrir vos atouts

Psychologie organisationnelle : motiver l'accomplissement

Gros plan : Bien faire tout en faisant du bien : « La grande expérience »

« Quelle est ma motivation ? », demande l'acteur au metteur en scène. Dans nos conversations de tous les jours, la question : « Qu'est-ce qui vous a motivé à faire *cela* ? » est une façon de demander : « Quelle est la *cause* de votre comportement ? » Pour un psychologue, une **motivation** est un besoin ou un désir qui *dynamise* le comportement et l'*oriente* vers un but.

Après un samedi matin fatidique du printemps 2003, Aron Ralston, un alpiniste expérimenté, a compris jusqu'à quel point la motivation pouvait dynamiser les comportements et les diriger. Ayant conquis souvent seul, et en plein hiver, presque tous les sommets les plus hauts du Colorado, Ralston décida d'effectuer une randonnée solitaire dans un canyon qui lui semblait si dépourvu de risque qu'il ne se donna pas la peine de dire à quelqu'un où il allait. Dans l'étroit Bluejohn Canyon de l'Utah, juste 140 m au-dessus de son dernier rappel, il s'apprêtait à grimper sur un rocher pesant près d'une demi-tonne lorsque le désastre se produisit : ce dernier bascula et coinça son poignet et son bras droit. Il était, comme le dit le titre de son livre, *Between a Rock and a Hard Place*, coincé entre un roc et une paroi (N.d.T. : en anglais cela signifie aussi « être dans de beaux draps » et, en France, son livre s'intitule *Plus fort qu'un roc*).

Réalisant que personne ne viendrait le secourir, Ralston utilisa tout ce qu'il put pour déloger le rocher. Puis, à l'aide de son couteau de poche émoussé, il essaya de casser petit à petit le rocher. Là encore il échoua ; il tenta alors de soulever le rocher avec sa corde de rappel. Hélas ! Rien n'y faisait. Heure après heure, puis nuit froide après nuit froide, il restait coincé.

Le mardi, il avait épuisé ses réserves de nourriture et d'eau. Le mercredi, dévoré par la soif et la faim, il commença à garder sa propre urine et à la boire par petites gorgées. Utilisant sa caméra vidéo, il fit ses adieux à sa famille et à ses amis, pour lesquels il ressentait un amour intense : « Encore tout mon amour pour chacun d'entre vous. Donnez, en mon honneur, de l'amour, de la paix, de la joie et des vies merveilleuses dans le monde. Merci. Je vous aime. »

Le jeudi, surpris d'être encore en vie, Ralston eut, semble-t-il, une vision divine de sa vie de futur père, la vision d'un jeune enfant porté par un homme n'ayant qu'un bras. Inspiré, il rassembla toutes les forces qui lui restaient et son énorme volonté de vivre et, pendant l'heure suivante, se brisa volontairement les os, puis utilisa son canif émoussé pour se couper le bras.

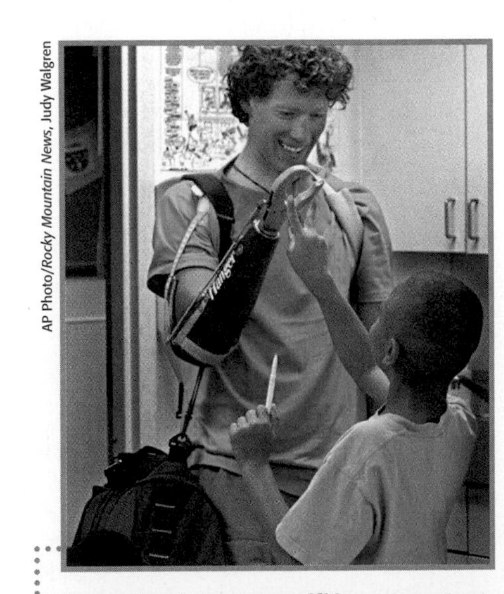

AP Photo/Rocky Mountain News, Judy Walgren

La motivation personnifiée La motivation d'Aron Ralston pour survivre et son sentiment d'appartenance l'ont conduit à sacrifier la moitié de son bras et lui ont donné l'énergie pour le faire.

:: **Motivation :** besoin ou désir qui anime et dirige un comportement.

Lorsqu'il eut fini de mettre le garrot, de se trancher le dernier lambeau de chair et qu'il se libéra – et avant de descendre en rappel une paroi de 20 mètres avec sa moitié de bras sanguinolente puis parcourir 8 kilomètres à pied avant de trouver de l'aide – il était selon ses propres mots « simplement comme saoulé par cette euphorie... je venais de mourir, je me tenais dans ma tombe, j'avais laissé mes dernières volontés et mon testament, gravé "Repose en paix" sur la paroi, et tout le reste, j'étais parti et puis je suis revenu, vivant, et j'ai repris ma vie. C'était indubitablement le plus doux moment de mon existence » (Ralston, 2004).

La soif et la faim d'Aron Ralston, son sentiment d'appartenance aux autres et sa volonté brutale de vivre et de devenir père soulignent le dynamisme et le pouvoir de décision donnés par la motivation. Dans ce chapitre, nous explorerons comment de telles motivations surgissent de l'interaction entre l'inné (les « pulsions » physiologiques) et l'acquis (les « attractions » cognitives et culturelles).

« Qu'est-ce tu en penses... On commence notre étude sur la motivation ou pas ? »

Les concepts de la motivation

1. Selon quelles perspectives les psychologues considèrent-ils les comportements motivés ?

REVENONS EN ARRIÈRE ET CONSIDÉRONS les quatre points de vue utilisés par les psychologues pour essayer de comprendre les comportements motivés. La *théorie de l'instinct* (remplacée aujourd'hui par une *perspective évolutionniste*) se concentre sur les comportements génétiquement prédisposés. La *théorie du contrôle des pulsions* insiste sur l'interaction entre les pulsions internes et les pulsions externes. La *théorie de l'activation* se concentre sur l'obtention d'un niveau optimal de stimulation. Et la *hiérarchie des besoins* d'Abraham Maslow décrit de quelle façon certains de nos besoins sont davantage prioritaires que d'autres.

L'instinct et la psychologie évolutionniste

Au début du xxe siècle, avec l'essor de la théorie de l'évolution de Charles Darwin, il était à la mode de classer toutes sortes de comportements sous le vocable d'« instincts ». Si quelqu'un faisait son autocritique, cela était dû à son « instinct d'autodépréciation ». S'il se vantait, cela reflétait son « instinct d'auto-affirmation ». Après avoir passé en revue 500 livres, un sociologue établit une liste de 5 759 instincts humains supposés ! En peu de temps, cette « manie » de baptiser les instincts s'écroula sous son propre poids. Plutôt que d'*expliquer* les comportements humains, les premiers théoriciens de l'instinct se contentaient de les *nommer*. Cela revenait à « expliquer » les mauvais résultats d'un enfant brillant en lui collant l'étiquette d'« élève très médiocre ». Nommer un comportement, ce *n*'est *pas* l'expliquer.

Pour être qualifié d'**instinct**, un comportement complexe doit avoir une structure fixe commune à toute une espèce et ne pas être appris (Tinbergen, 1951). De tels comportements sont courants dans d'autres espèces (rappelez-vous de l'empreinte chez les oiseaux présentée

Mêmes motivations, câblages différents Plus le système nerveux est complexe, plus l'organisme est capable d'adaptation. Le tisserin et les êtres humains satisfont leur besoin d'un abri, mais d'une façon qui reflète leurs capacités innées. Le comportement de l'être humain est flexible ; il peut apprendre toutes les techniques nécessaires pour construire une maison. Le schéma de comportement de l'oiseau est fixe ; il ne peut construire que ce type de nid.

au chapitre 5 ou du retour des saumons vers leur frayère natale présenté au chapitre 7). Les comportements humains présentent également certains caractères fixes et non appris comme les réflexes innés de succion et de « recherche » des nouveau-nés. Cependant, la plupart des psychologues considèrent que le comportement humain est gouverné par des besoins physiologiques et par des désirs psychologiques.

Bien que la théorie de l'instinct n'ait pas permis d'expliquer les motivations humaines, l'idée sous-jacente que les gènes prédisposent à des comportements caractéristiques d'une espèce est plus forte que jamais. Nous l'avons vu au chapitre 4 dans l'explication de nos similarités en tant qu'être humain ainsi qu'au chapitre 7 dans le commentaire sur les prédispositions biologiques des animaux à apprendre certains comportements. Et nous verrons plus loin comment l'évolution peut influencer nos phobies, nos comportements de coopération et notre attirance pour d'autres personnes.

:: **Instinct** : comportement complexe, ayant une structure rigide commune à toute une espèce et qui n'est pas appris.

:: **Théorie du contrôle des pulsions** : théorie selon laquelle un besoin physiologique crée un état de tension et d'excitation (une pulsion) qui motive un organisme à satisfaire ce besoin.

:: **Homéostasie** : tendance à maintenir un état intérieur constant ou équilibré ; régulation de tous les aspects de la chimie de l'organisme, comme le taux de glucose sanguin, autour d'une valeur donnée.

:: **Incitation** : stimulus environnemental, positif ou négatif, qui motive le comportement.

Les pulsions et les incitations

Lorsque la théorie originelle de la motivation par l'instinct s'écroula, elle fut remplacée par la **théorie du contrôle des pulsions**, idée selon laquelle un besoin physiologique suscite un état d'activation qui conduit l'organisme à réduire le besoin, par exemple en mangeant ou en buvant. À de rares exceptions près, lorsqu'un besoin physiologique croît, une *pulsion* psychologique - un état d'activation, de motivation - se développe aussi.

Le but physiologique de ce contrôle des pulsions est l'**homéostasie**, c'est-à-dire le maintien d'un état d'équilibre interne. Un exemple d'homéostasie (littéralement « rester le même ») est le système de régulation de la température corporelle, qui fonctionne comme un thermostat. Ces deux systèmes fonctionnent grâce à des boucles de rétrocontrôle : des capteurs indiquent la température de la pièce à un appareil de contrôle. Si la température de la pièce diminue, le système de contrôle allume la chaudière. De la même manière, si la température du corps diminue, les vaisseaux sanguins se contractent pour conserver la chaleur et nous nous sentons poussés à enfiler des vêtements supplémentaires ou à chercher un endroit plus chaud (FIGURE 11.1).

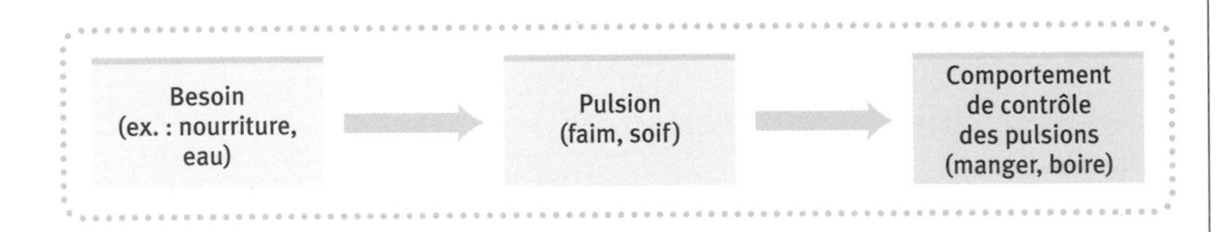

➤ FIGURE 11.1
Théorie du contrôle des pulsions
La motivation à contrôler les pulsions provient de l'*homéostasie*, la tendance naturelle d'un organisme à maintenir un état intérieur stable. Ainsi, si nous sommes privés d'eau, notre soif nous amène à boire et à restaurer notre état corporel normal.

Nous sommes non seulement *poussés* par notre « besoin » de réduire nos pulsions, mais nous sommes aussi *attirés* par des **incitations**, qui sont des stimuli positifs ou négatifs, qui nous séduisent ou nous répugnent. C'est une des façons dont notre propre apprentissage influence nos motivations. Selon ce que nous avons appris, l'arôme d'une bonne nourriture, que ce soient des cacahuètes fraîchement grillées ou des fourmis grillées, peut motiver notre comportement. Tout comme le peut la vue des personnes que nous trouvons attirantes ou effrayantes.

Lorsqu'il y a à la fois une incitation et un besoin, nous nous sentons fortement poussés. La personne affamée qui sent le pain en train de cuire ressent une forte sensation de faim. Lorsque ce besoin se fait sentir, le pain qui cuit devient une incitation irrésistible. Pour chaque motivation, nous pouvons donc nous demander : « Comment est-elle poussée par nos besoins physiologiques innés et tirée par les incitations de l'environnement ? »

L'activation optimale

Cependant, nous sommes bien plus que des systèmes homéostatiques. Certains comportements motivés *augmentent* véritablement l'activation. Des animaux bien nourris vont quitter leur abri pour explorer les alentours et obtenir des informations, et ce apparemment en l'absence de pulsions fondées sur des besoins. La curiosité pousse des singes à grimper partout pour essayer de déterminer comment ouvrir un loquet qui ne sert à rien ou comment ouvrir une fenêtre qui leur permet de voir à l'extérieur de leur enclos (Butler, 1954). Elle pousse un

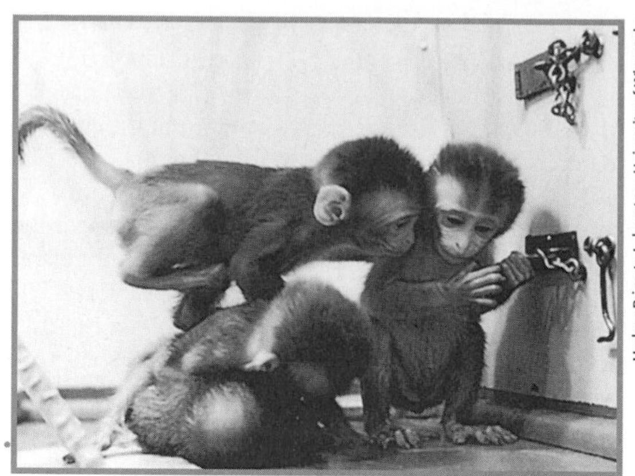
Harlow Primate Laboratory, University of Wisconsin

Poussés par la curiosité Les bébés singes et les jeunes enfants sont fascinés par les choses qu'ils n'ont jamais manipulées auparavant. Leur besoin d'explorer ce qui est relativement non familier est l'une des nombreuses motivations qui ne remplissent aucun besoin physiologique immédiat.

enfant de 9 mois à fouiner dans tous les coins accessibles de la maison. Elle pousse également les scientifiques dont le présent texte discute les travaux. Elle motive les aventuriers et les explorateurs comme Aron Ralston et Georges Mallory. Lorsqu'on lui demanda pourquoi il avait voulu escalader l'Everest, Mallory répondit : « Parce qu'il est là ». Ceux qui, comme Mallory et Ralston, aiment les états d'excitation intense, apprécient probablement aussi la musique rythmée, les aliments nouveaux et les comportements à risque (Zuckerman, 1979).

Ainsi, l'objectif de la motivation humaine n'est pas d'éliminer l'activation, mais de rechercher un niveau optimal d'activation. Une fois que tous nos besoins biologiques sont satisfaits, nous nous sentons poussés à éprouver des stimulations et nous avons soif d'informations. Comme l'ont dit les neuroscientifiques Irving Biederman et Edward Vessel (2006), après avoir identifié les mécanismes cérébraux qui nous récompensent lorsque nous obtenons une information, nous sommes « infovores ». En l'absence de stimulation, nous nous ennuyons et cherchons un moyen d'augmenter l'activation jusqu'à un niveau optimal. Cependant, confrontés à trop de stimulations, nous nous sentons tendus et nous cherchons un moyen de diminuer l'activation.

Une hiérarchie des motivations

Certains besoins l'emportent sur d'autres. Présentement, vos besoins en air et en eau étant (je l'espère) satisfaits, d'autres motivations – comme votre désir de réussite (que nous verrons ultérieurement dans ce chapitre) – vont animer et diriger votre comportement. Si votre besoin en eau n'est plus satisfait, c'est votre soif qui va vous préoccuper. Demandez donc à Aron Ralston. Mais si vous étiez privé d'air, votre soif disparaîtrait.

« La faim est la manifestation la plus cruciale de la pauvreté. »
Alliance to End Hunger, 2002

Abraham Maslow (1970) décrivit ces priorités sous la forme d'une **hiérarchie des besoins** (Figure 11.2). À la base de la pyramide sont situés nos besoins physiologiques, comme la nourriture et l'eau. Ce n'est que lorsque ces besoins sont satisfaits que nous sommes amenés à nous préoccuper de notre besoin de sécurité, puis à répondre aux besoins propres à l'homme de donner et de recevoir de l'amour et de jouir de sa propre estime. Après cela, dit Maslow (1971), on trouve le besoin de se réaliser pleinement selon son potentiel. (On trouvera plus d'informations concernant l'estime de soi et l'accomplissement de soi au chapitre 13.)

Vers la fin de sa vie, Maslow émit l'hypothèse que certaines personnes atteignaient également un niveau de transcendance de soi. Arrivées au niveau de l'accomplissement de soi, les personnes cherchent à donner toute leur mesure. Au niveau de la transcendance de soi, les personnes recherchent des significations, des objectifs et une communion dépassant le soi, c'est-à-dire *transpersonnelle* (Koltko-Rivera, 2006).

La hiérarchie de Maslow est quelque peu arbitraire. De plus, l'ordre des besoins n'est pas fixé de façon universelle. Certaines personnes font la grève de la faim pour exprimer une opinion politique. Cependant, la simple idée que certains mobiles soient plus convaincants que d'autres fournit un cadre pour réfléchir sur la motivation. Les enquêtes sur la satisfaction de la vie menées dans 39 pays soutiennent cette idée de base (Oishi et coll., 1999). Dans les pays les plus pauvres, où l'argent fait défaut ainsi que la nourriture et le logement qui vont avec, la satisfaction financière prédit plus fortement un sentiment de bien-être. Dans les pays riches, où la plupart des individus sont en mesure de subvenir à leurs besoins fondamentaux,

:: **Hiérarchie des besoins** : pyramide des besoins humains de Maslow, commençant, à la base, par les besoins physiologiques qui doivent être satisfaits en premier avant que les besoins de niveau supérieur, comme la sécurité, puis les besoins psychologiques, ne se manifestent.

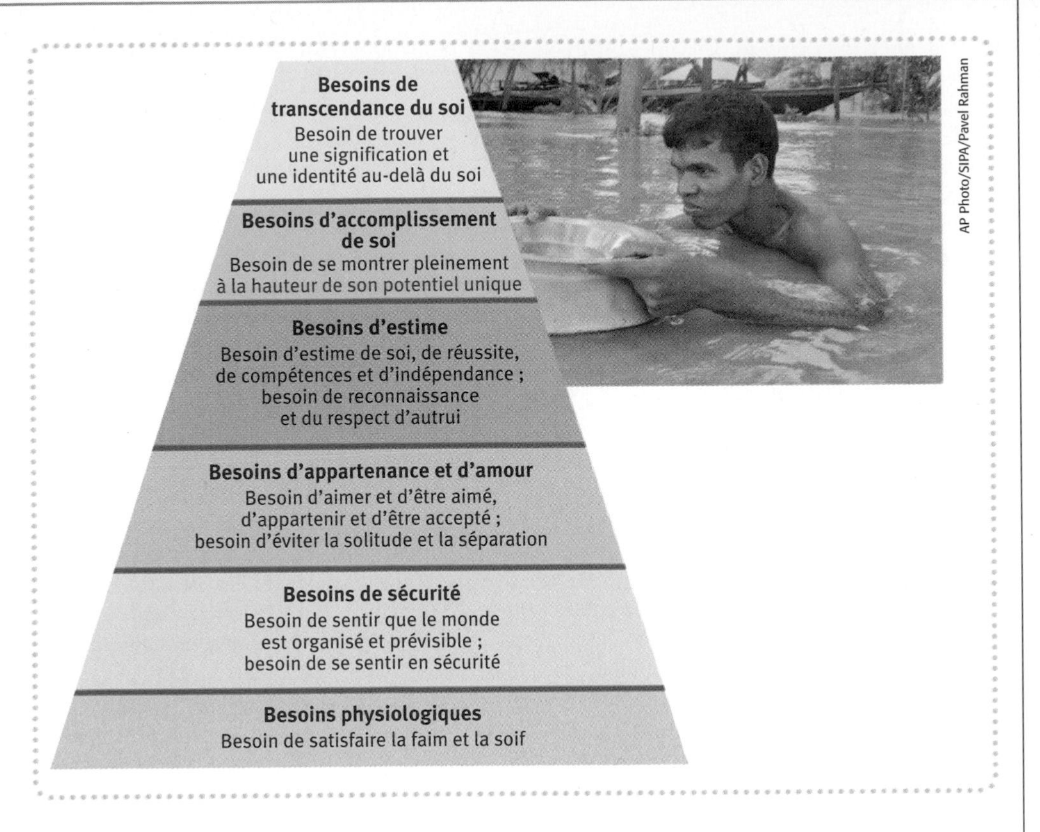
Besoins de transcendance du soi
Besoin de trouver une signification et une identité au-delà du soi
Besoins d'accomplissement de soi
Besoin de se montrer pleinement à la hauteur de son potentiel unique
Besoins d'estime
Besoin d'estime de soi, de réussite, de compétences et d'indépendance ; besoin de reconnaissance et du respect d'autrui
Besoins d'appartenance et d'amour
Besoin d'aimer et d'être aimé, d'appartenir et d'être accepté ; besoin d'éviter la solitude et la séparation
Besoins de sécurité
Besoin de sentir que le monde est organisé et prévisible ; besoin de se sentir en sécurité
Besoins physiologiques
Besoin de satisfaire la faim et la soif
AP Photo/SIPA/Pavel Rahman

➤ FIGURE 11.2
Hiérarchie des besoins de Maslow
Lorsque nos besoins de niveau inférieur sont satisfaits, nous sommes poussés à assouvir nos besoins de niveau plus élevé (d'après Maslow, 1970). Pour les survivants des inondations catastrophiques du Bangladesh en 2007, comme cet homme transportant avec soin son chargement précieux d'eau potable, satisfaire ses besoins très basiques en eau, en nourriture et en sécurité est devenu la première des priorités. Les besoins de plus haut niveau de la hiérarchie de Maslow comme le respect, l'accomplissement de soi et le sens de la vie ont tendance à devenir moins importants pendant ces temps difficiles.

la satisfaction axée sur le bien-être au sein du foyer est un meilleur indicateur. L'estime de soi importe plus dans les pays individualistes où les citoyens ont tendance à se focaliser sur la réussite personnelle plutôt que sur l'identité communautaire et sur la famille.

Examinons à présent quatre motivations représentatives, en commençant par le niveau physiologique avec la faim, et en remontant, via les motivations sexuelles, jusqu'à des besoins de niveaux supérieurs, comme l'appartenance et la réussite. À chaque niveau, nous verrons comment l'expérience interagit avec la biologie.

AVANT D'ALLER PLUS LOIN...

➤ **INTERROGEZ-VOUS**

Considérez votre expérience personnelle avec la hiérarchie des besoins de Maslow. Avez-vous déjà ressenti une véritable sensation de faim ou de soif au point d'en oublier vos besoins d'un niveau plus élevé ? Vous sentez-vous souvent en sécurité ? Aimé ? Confiant ? Vous arrive-t-il fréquemment de sentir que vous pouvez satisfaire ce que Maslow appelle votre besoin d'« accomplissement de soi » ?

➤ **TESTEZ-VOUS 1**

Alors que vous faites un long voyage en voiture, vous vous sentez soudainement très affamé. Vous voyez un restaurant qui semble désertique et sinistre, mais vous êtes *réellement* affamé et vous vous arrêtez quand même. Quel aspect de la motivation explique le plus certainement ce comportement et pourquoi ?

Les réponses aux questions « Testez-vous » sont données dans l'annexe B à la fin de l'ouvrage.

La faim

UNE DÉMONSTRATION ÉCLATANTE DE LA suprématie des besoins physiologiques provient des récits des prisonniers des camps soumis aux restrictions alimentaires au cours de la Seconde Guerre mondiale. David Mandel (1983), un survivant des camps de concentration nazis, se souvient comment « un père et son fils, affamés, pouvaient se battre comme des chiens pour un morceau de pain ». Un père, dont le fils de 20 ans avait dérobé le morceau de pain caché sous son oreiller pendant son sommeil, tomba dans une dépression profonde, demandant inlassablement comment son fils avait pu faire une telle chose. Le jour suivant, le père mourut. « La faim vous met dans un état qu'il est difficile de décrire », expliqua Mandel.

Pour en savoir plus sur les effets de l'inanition, une équipe de recherche menée par Ancel Keys, physiologue (1950), qui créa les rations K de l'armée de la Seconde Guerre mondiale, donna à 36 hommes volontaires, tous objecteurs de conscience de la guerre, juste suffisamment de nourriture pour maintenir leur poids initial. Puis, pendant 6 mois, ils divisèrent cette ration alimentaire par deux. Les effets devinrent bientôt visibles. Sans même y penser, les hommes commencèrent à économiser leur énergie ; ils devinrent nonchalants et apathiques. Leur poids corporel chuta rapidement, se stabilisant à environ 25 p. 100 au-dessous de leur poids initial. Mais les effets psychologiques étaient particulièrement frappants. Conformément à la théorie de Maslow sur la hiérarchie des besoins, ces hommes devinrent obsédés par la nourriture. Ils parlaient de nourriture, en rêvaient toute la journée, collectaient des recettes, lisaient des livres de cuisine et se délectaient à la vue de délicieux aliments interdits. Préoccupés par leurs besoins élémentaires insatisfaits, ils perdirent tout intérêt pour les activités sociales et sexuelles. Comme le décrivit l'un des sujets, « si nous regardons un spectacle, la partie la plus intéressante est contenue dans les scènes dans lesquelles les gens sont en train de manger. Je suis incapable de rire devant la scène la plus drôle du monde et les scènes d'amour sont totalement sans intérêt ».

« Personne n'a envie d'embrasser quand il a faim. »
Dorothea Dix, 1801-1887

Les préoccupations de ces hommes affamés illustrent le pouvoir des motivations activées pour détourner notre conscience. Lorsque nous avons faim ou soif, que nous sommes fatigués ou sexuellement excités, il semble que bien peu d'autre chose importe. Lorsque ce n'est pas le cas, la nourriture, l'eau, le sommeil ou le sexe ne semblent pas avoir autant d'importance dans votre vie, ni maintenant ni jamais. (Peut-être vous souvenez-vous au chapitre 8 d'un effet comparable de notre actuelle bonne ou mauvaise humeur sur nos souvenirs ?) Au cours d'études menées à l'université d'Amsterdam, Loran Nordgren et ses collaborateurs (2006, 2007) trouvèrent que les personnes se trouvant dans un état de motivation « intense » (que ce soit par la fatigue, la faim ou l'excitation sexuelle) deviennent davantage conscientes d'avoir ressenti de tels sentiments par le passé et d'être plus compréhensifs sur la manière dont la fatigue, la faim ou l'excitation sexuelle peuvent entraîner les comportements des autres. De même, si on laisse des enfants de moins de 6 ans ressentir la soif (en leur faisant manger des bretzels salés), ils veulent de l'eau, ce qui est compréhensible ; mais contrairement aux enfants qui n'ont pas soif, ils choisissent aussi l'eau au lieu des bretzels pour « demain » (Atance et Meltzoff, 2006). La motivation a énormément d'importance. Faites vos courses dans une épicerie avec un estomac vide et vous aurez certainement plus tendance à penser que ces beignets remplis de confiture représentent ce que vous avez toujours aimé et ce que vous voudrez demain.

La physiologie de la faim

2. Quels sont les facteurs physiologiques qui produisent la faim ?

« Celui qui est rassasié ne comprend pas les besoins de celui qui a faim. »
Proverbe irlandais

La faim ressentie par les volontaires affamés de Keys était la réponse d'un système homéostatique destiné à maintenir un poids corporel normal et un apport suffisant en éléments nutritifs. Mais qu'est-ce qui, précisément, déclenche la faim ? Est-ce les tiraillements d'un estomac vide ? C'est du moins ce que l'on ressent. Et ce qui apparut après que A. L. Washburn, travaillant avec Walter Cannon (Cannon et Washburn, 1912), eut avalé intentionnellement

GARFIELD

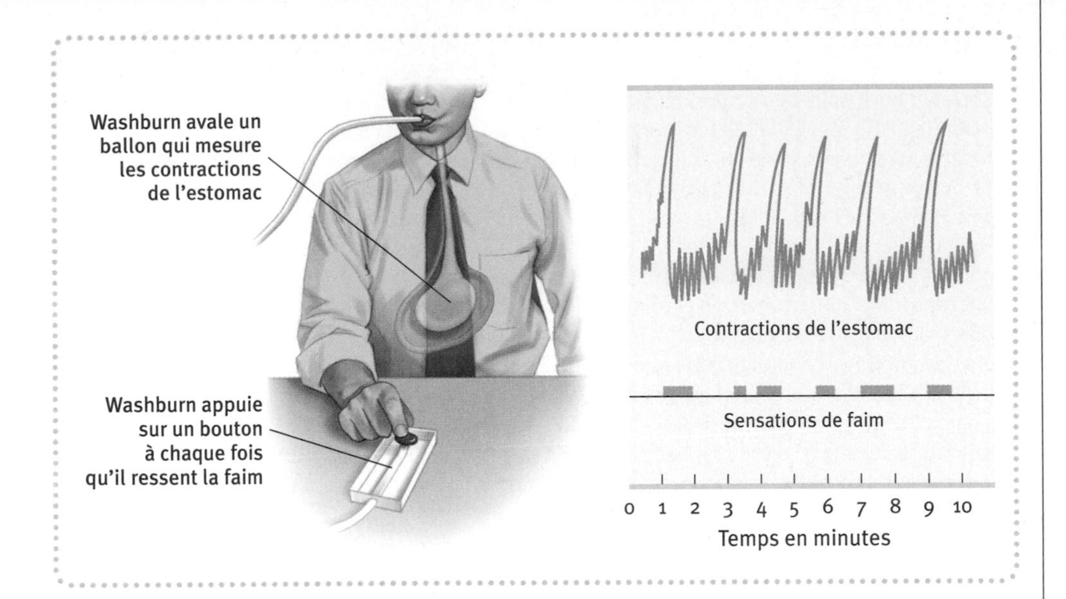

➤ FIGURE 11.3
Contrôle des contractions de l'estomac À l'aide de ce procédé, Washburn démontra que les contractions de l'estomac (transmises par le ballon contenu dans l'estomac) accompagnent nos sensations de faim (indiquées quand le sujet appuie sur un bouton). (D'après Cannon, 1929.)

un ballon. Une fois gonflé dans son estomac, le ballon en transmettait les contractions à un appareil d'enregistrement (FIGURE 11.3). Pendant que son estomac était sous surveillance, Washburn appuyait sur un bouton chaque fois qu'il ressentait la faim. Ils découvrirent que chaque fois que Washburn ressentait la faim, il avait des contractions d'estomac.

Sans les tiraillements de l'estomac, la faim persiste-t-elle ? Pour répondre à cette question, les chercheurs retirèrent l'estomac de quelques rats et relièrent directement l'œsophage à l'intestin grêle (Tsang, 1938). Les rats continuèrent-ils à manger ? Oui en effet. La faim persiste également chez les personnes auxquelles on a enlevé un estomac cancéreux ou ulcéré.

Si les tiraillements d'un estomac vide ne sont pas l'unique origine de la faim, quels sont les autres phénomènes impliqués ?

:: **Glucose** : forme de sucre qui circule dans le sang et qui fournit la source majeure d'énergie pour les tissus de l'organisme. Quand son niveau est bas, nous ressentons la faim.

La chimie de l'organisme et le cerveau

Les hommes et les animaux régulent automatiquement leur apport calorique pour éviter les déficits énergétiques et maintenir un poids corporel constant. Cela suggère que quelque part et d'une manière quelconque, l'organisme est informé des ressources dont il dispose. L'une de ces ressources est le **glucose**, le sucre contenu dans le sang. L'augmentation du taux d'*insuline* (une hormone sécrétée par le pancréas) diminue le taux de glucose sanguin (glycémie), en partie en le convertissant en graisse mise en réserve. Si la glycémie vient à chuter, vous ne serez pas conscient du changement. Mais votre cerveau, qui surveille automatiquement votre biochimie sanguine et l'état interne de votre organisme, déclenchera la faim. Les signaux provenant de l'estomac, des intestins et du foie (indiquant si le glucose s'accumule ou est utilisé) informent le cerveau sur la nécessité de manger ou non.

Mais comment le cerveau intègre-t-il et répond-il à ces messages ? Il y a plus de 50 ans, les chercheurs commencèrent à démêler ce mystère quand ils localisèrent le centre de contrôle de la faim dans l'*hypothalamus*, une petite structure complexe, profondément enfouie dans le cerveau où s'entrecroisent de nombreux neurones (FIGURE 11.4).

Il existe deux centres hypothalamiques distincts qui influencent la faim. L'activité des bords de l'hypothalamus (l'*hypothalamus latéral*) déclenche la faim. Lorsque cette zone est stimulée électriquement, un animal bien nourri commence à manger. (Lorsque cette zone est détruite, même un animal affamé ne montre aucun intérêt pour la nourriture). Des recherches récentes permettent d'expliquer ce comportement. Lorsqu'un rat est privé de nourriture, sa glycémie chute et l'hypothalamus latéral sécrète une hormone stimulatrice de la faim, l'*orexine*. Lorsqu'on leur administre de l'orexine, les rats deviennent affamés (Sakurai et coll., 1998).

L'activité du second centre hypothalamique, la partie inférieure médiane de l'hypothalamus (l'*hypothalamus ventro-médian*) diminue la faim. Stimulez cette zone et l'animal s'arrêtera de manger ; détruisez-la et l'estomac et les intestins de l'animal vont digérer la nourriture plus rapidement, le conduisant à devenir extrêmement gros

➤ FIGURE 11.4
L'hypothalamus Comme nous l'avons vu au chapitre 2, l'hypothalamus (en rouge) remplit diverses fonctions de maintien de l'organisme, dont le contrôle de la faim. Les vaisseaux sanguins qui irriguent l'hypothalamus lui permettent de répondre aux variations de notre chimie sanguine ainsi qu'aux informations neuronales entrantes qui le renseignent sur l'état de l'organisme.

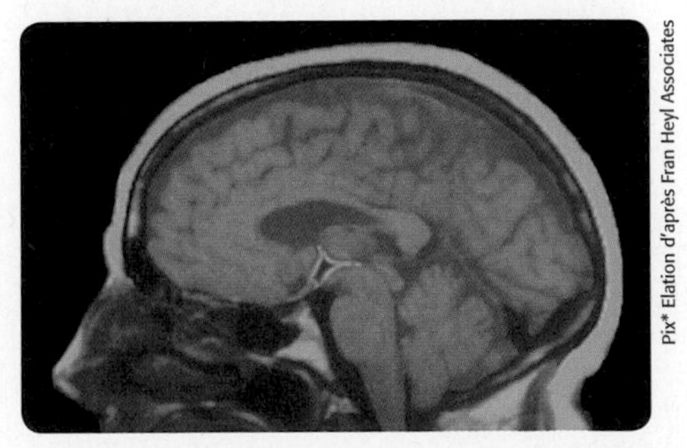

Richard Howard

Preuve du contrôle par le cerveau de la prise de nourriture Une lésion à proximité de l'aire ventro-médiane de l'hypothalamus a entraîné un triplement du poids de ce rat.

(Duggan et Booth, 1986 ; Hoebel et Teitelbaum, 1966). Cette découverte explique pourquoi certains patients qui présentent des tumeurs à proximité de la base du cerveau (nous savons désormais qu'il s'agit de l'hypothalamus) mangent excessivement et ont une forte surcharge pondérale (Miller, 1995). Des rats ayant des lésions de l'hypothalamus médian mangent plus souvent, produisent plus de graisse et en utilisent moins comme source d'énergie, un peu comme un avare qui mettrait le moindre sou de côté à la banque et résisterait à la tentation d'en sortir un (Pinel, 1993).

En plus de produire de l'orexine, l'hypothalamus surveille les concentrations des autres hormones de l'appétit de l'organisme (FIGURE 11.5). L'une d'elles, la *ghréline*, est une hormone qui stimule l'appétit et qui est sécrétée par l'estomac vide. Quand les personnes atteintes d'obésité sévère subissent une gastroplastie qui condamne une partie de l'estomac, la partie restante sécrète bien moins de ghréline, ce qui entraîne une réduction de l'appétit (Lemonick, 2002). L'*obestatine*, une hormone sœur de la ghréline, est produite par le même gène mais envoie un message de satiété qui supprime la faim (Zhang et coll., 2005). D'autres suppresseurs de l'appétit sont la *PYY*, une hormone sécrétée par le tube digestif, et la *leptine*, une protéine sécrétée par les cellules adipeuses et qui agit en diminuant le plaisir apporté par la nourriture (Farooqi et coll., 2007).

Des manipulations expérimentales des hormones de l'appétit nous donnent l'espoir de découvrir des médicaments visant à réduire l'appétit. Ces médicaments agissant par spray nasal ou patch cutané pourraient contrebalancer les effets des substances chimiques sécrétées par l'organisme et induisant la faim, ou mimer ou augmenter le taux des substances chimiques refrénant la faim. Les récents hauts et bas de l'excitation provoquée par la PYY illustrent bien l'intensité des recherches axées sur la découverte d'une substance pouvant un jour devenir un traitement, si ce n'est pas la « pilule magique » pour l'obésité. Les premiers rapports sur le fait que la PYY supprime l'appétit chez les souris ont été suivis d'une déclaration sceptique de la part de douze laboratoires faisant part d'une déception de taille : les résultats de la PYY ne pouvaient pas être répliqués. Mais quelques mois plus tard, ces rapports furent suivis de nouvelles études, utilisant d'autres méthodes, dont les résultats *mirent en évidence* au moins un effet temporaire de suppression de l'appétit (Gura, 2004).

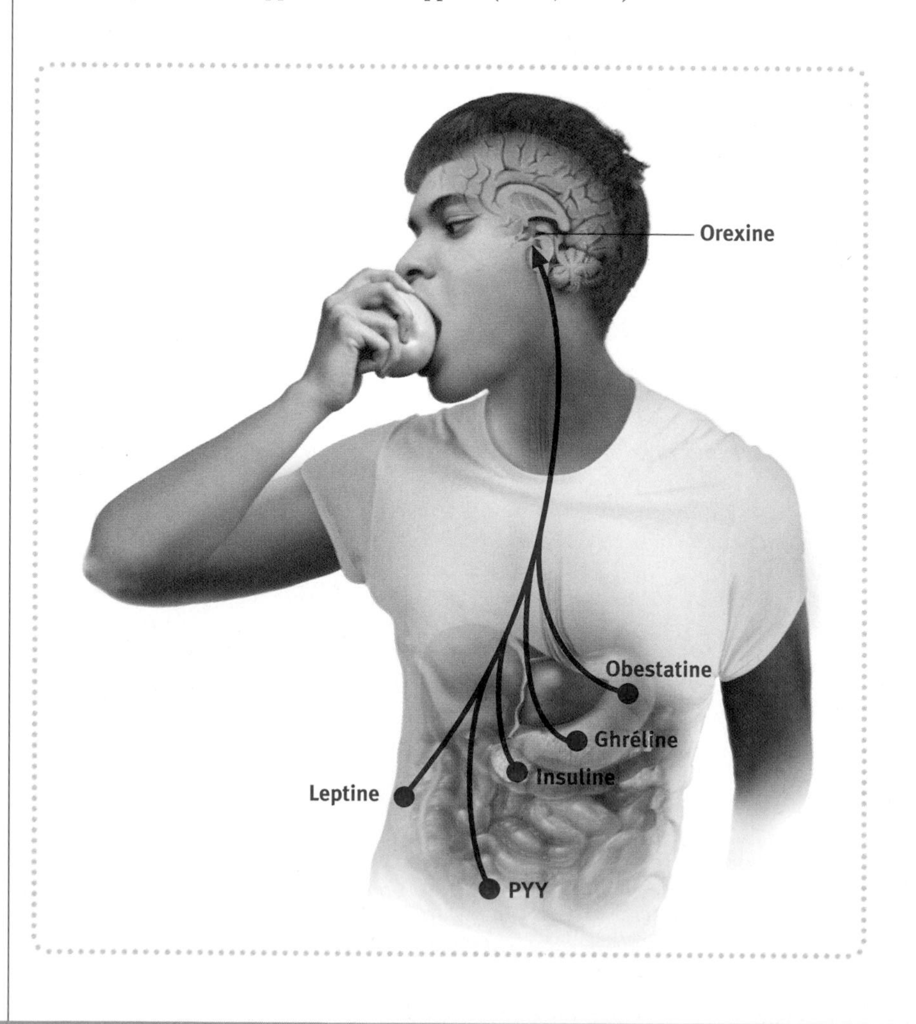

➤ FIGURE 11.5
Les hormones de l'appétit
Insuline : hormone sécrétée par le pancréas ; contrôle le glucose sanguin.
Leptine : protéine sécrétée par des cellules adipeuses ; lorsqu'elle est abondante, elle entraîne le cerveau à accroître son métabolisme et à diminuer la sensation de faim.
Orexine : hormone sécrétée par l'hypothalamus et qui déclenche la faim.
Ghréline : sécrétée par l'estomac vide ; elle envoie le signal « j'ai faim » au cerveau.
Obestatine : sécrétée par l'estomac ; envoie le signal « je suis rassasié » au cerveau.
PYY : hormone sécrétée par le tube digestif ; envoie le signal « je *n*'ai *pas* faim » au cerveau.

L'interaction complexe des hormones de l'appétit et de l'activité cérébrale peut aider à expliquer la prédisposition apparente du corps à se maintenir de lui-même à un poids particulier. Lorsque des rats soumis à des restrictions alimentaires descendent au-dessous de leur poids normal, le « thermostat pondéral » signale à l'organisme de restaurer la perte de poids : la faim s'accroît et la dépense d'énergie diminue. Si le poids corporel augmente, comme cela arrive lorsque des rats sont alimentés de force, la faim diminue et la dépense énergétique augmente. Ce poids stable auquel reviennent des rats sous- ou suralimentés est leur **point de référence** (Keesey et Corbett, 1983). Chez le rat comme chez l'homme, l'hérédité influence notre morphologie et notre point de référence.

Le corps humain régule son poids par le contrôle de la prise de nourriture, la dépense énergétique et son **métabolisme basal** - le niveau de dépense énergétique permettant de maintenir les fonctions essentielles de l'organisme quand celui-ci est au repos. À la fin de leurs 24 semaines de sous-alimentation, les hommes ayant participé à l'expérience de Key s'étaient stabilisés à environ trois quarts de leur poids normal, alors qu'ils ne mangeaient que la moitié de ce qu'ils ingéraient auparavant. Comment faisaient-ils ? En réduisant leur dépense énergétique, en partie grâce à une inactivité mais aussi grâce à une diminution de 29 p. 100 de leur métabolisme basal.

Cependant, certains chercheurs doutent que l'organisme ait une tendance programmée à maintenir un poids optimum (Assanand et coll., 1998). Ils remarquent qu'un changement lent mais continu du poids corporel peut modifier le point de référence de quelqu'un et que des facteurs psychologiques dirigent aussi parfois notre sensation de faim. En ayant un accès illimité à une large gamme d'aliments savoureux, les hommes et les animaux ont tendance à se suralimenter et à prendre du poids (Raynor et Epstein, 2001). Pour toutes ces raisons, certains chercheurs ont abandonné l'idée d'un *point de référence* biologiquement fixé. Ils préfèrent utiliser le terme de *point de réglage* pour indiquer le niveau auquel le poids d'une personne se règle en réponse à un apport et à une dépense caloriques (qui sont influencés par l'environnement et la biologie).

:: **Point de référence** : point auquel le « thermostat pondéral » d'un individu est supposé être réglé. Lorsque le corps tombe au-dessous de ce poids, une augmentation de la faim et une diminution de l'activité métabolique peuvent se déclencher pour récupérer le poids perdu.

:: **Métabolisme basal** : niveau de dépense énergétique du corps quand celui-ci est au repos.

• Dans les 40 prochaines années, vous allez manger à peu près 20 tonnes de nourriture. Si, durant ces années, vous ingérez quotidiennement seulement 3 grammes de plus que cela est nécessaire pour vos besoins énergétiques, vous prendrez 10 à 12 kg (Martin et coll., 1991). •

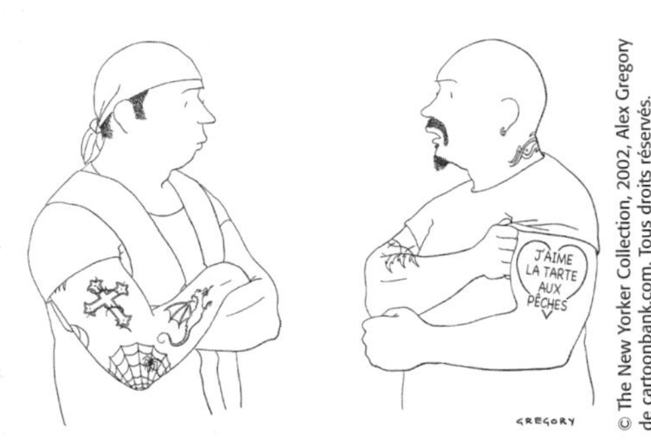

« Ne jamais se faire tatouer lorsqu'on est saoul ou lorsqu'on a faim. »

La psychologie de la faim

3. Quels facteurs psychologiques et culturels influencent la faim ?

Notre envie de manger est en effet poussée par notre état physiologique - notre chimie corporelle et notre activité hypothalamique. Cependant, la faim ne se limite pas à l'estomac. Ce fut particulièrement frappant quand Paul Rozin et ses collègues peu scrupuleux (1998) testèrent deux patients souffrant d'amnésie qui étaient incapables de se souvenir d'un événement survenu une minute auparavant. Si 20 minutes après avoir ingéré un repas convenable, on leur offrait un autre repas, les deux patients le mangeaient facilement... tout comme un troisième, 20 minutes après avoir terminé le second. Cela prouve que nous savons quand nous devons manger en partie parce que nous nous souvenons de notre dernier repas. À mesure que le temps passe après notre dernier repas, nous anticipons le suivant et commençons à ressentir la sensation de faim.

Les influences psychologiques sur le comportement alimentaire sont plus frappantes lorsque le désir d'être mince est plus fort que la pression homéostatique normale.

Les préférences de goût : biologie et culture

La chimie corporelle et les facteurs environnementaux influencent tous les deux non seulement le moment où l'on ressent la faim, mais aussi le type d'aliment dont nous avons envie - notre préférence gustative. Quand vous êtes tendus ou déprimés, avez-vous envie d'aliments sucrés ou de féculents contenant beaucoup de glucides ? Les glucides aident à faire remonter le taux de sérotonine, un neurotransmetteur qui a des effets apaisants. Lorsqu'ils sont stressés, même les rats trouvent que de s'empiffrer de biscuits Oreo® est une récompense extraordinaire (Artiga et coll., 2007 ; Boggiano et coll., 2005).

Nos préférences pour les goûts sucrés et salés sont génétiques et universelles. D'autres préférences gustatives sont conditionnées, comme pour les gens à qui l'on donne des nourritures très salées et qui développent une préférence pour un excès de sel (Beauchamp, 1987), ou pour ceux qui développent une aversion pour une nourriture qui les a rendus malades. (La fréquence des maladies infantiles augmente fortement les chances de développer des aversions alimentaires.)

Un goût acquis Pour les Esquimaux d'Alaska, mais pas pour la plupart des autres populations d'Amérique du Nord, la graisse de baleine est un mets apprécié. Partout, les peuples apprennent à aimer les nourritures en usage dans leur culture.

Richard Olsenius/Black Star

La culture affecte également le goût. Les Bédouins aiment manger les yeux des chameaux, ce que la plupart des Nord-Américains trouveront répugnant. De la même manière, la plupart des habitants d'Amérique du Nord et d'Europe évitent les viandes de chien, de rat et de cheval, qui sont toutes appréciées ailleurs.

Les rats ont tendance à éviter les aliments non familiers (Sclafani, 1995). Tout comme nous, en particulier s'il s'agit d'aliments d'origine animale. Au cours d'expériences, des sujets ont goûté de nouvelles boissons à base de fruits ou des plats « exotiques ». Après plusieurs expositions à ces plats, leur attirance pour le goût nouveau augmentait en général ; de plus, le contact avec un nouveau type de nourriture favorise l'envie d'en essayer d'autres (Pliner, 1982 ; Pliner et coll., 1993). La *néophobie* (dégoût des choses non familières) avait certainement pour nos ancêtres une valeur adaptative, servant à les protéger vis-à-vis de substances potentiellement toxiques.

Les autres préférences gustatives sont également adaptatives. Par exemple, les épices les plus couramment utilisées dans la cuisine des pays à climats chauds (où la nourriture, et en particulier la viande, se périme plus rapidement) permettent d'inhiber le développement des bactéries (FIGURE 11.6). Les nausées dues à la grossesse sont un autre exemple de la valeur adaptative du goût. Cette aversion alimentaire provoquée par les nausées atteint son paroxysme vers la dixième semaine de grossesse, lorsque l'embryon qui se développe est le plus vulnérable aux toxines.

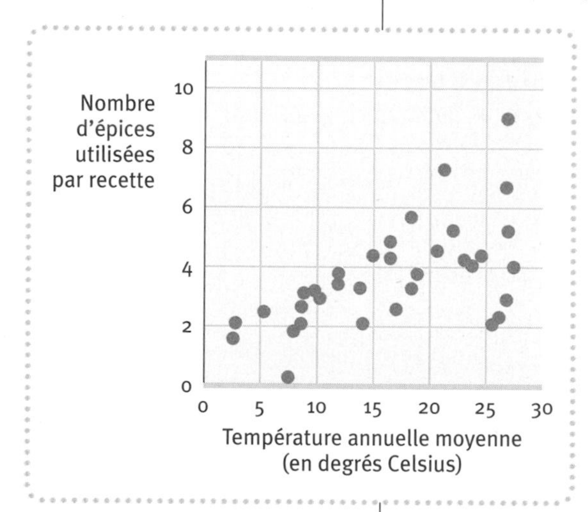

➤ FIGURE 11.6
Les cultures des pays chauds apprécient les épices fortes Dans les pays ayant des climats chauds, où autrefois la nourriture se périmait plus vite, on utilise des recettes avec beaucoup d'épices capables d'inhiber les bactéries (Sherman et Flaxman, 2001). En Inde, on utilise en moyenne 10 épices par plat contre 2 en Finlande.

L'écologie de l'alimentation

De manière assez surprenante, les situations contrôlent également ce que nous mangeons. Vous avez peut-être remarqué un phénomène lié à la situation, bien que vous ayez certainement sous-estimé son pouvoir : nous mangeons plus lorsque nous mangeons avec d'autres personnes (Herman et coll., 2003 ; Hetherington et coll., 2006). Comme nous le verrons au chapitre 16, la présence des autres a tendance à amplifier nos tendances comportementales naturelles (un phénomène appelé *facilitation sociale*, qui aide à expliquer pourquoi après une réception ou une fête, nous réalisons que nous avons trop mangé).

Andrew Geier et ses collaborateurs (2006) ont découvert un autre aspect de l'écologie de l'alimentation qu'ils ont nommé le *biais de l'unité* et qui se produit également sans que nous en ayons conscience. Collaborant avec les chercheurs français du CNRS (Centre national de recherches scientifiques), ils ont exploré une des explications possibles du fait que les Français ont un tour de taille inférieur à celui des Américains. Les Français proposent des portions de nourriture plus petites, tant pour la taille des sodas que pour celle des yaourts. Cela a-t-il de l'importance ? (On peut tout aussi bien commander deux petits sandwichs au lieu d'un gros.)

Pour le savoir, les chercheurs ont offert aux participants divers aliments en libre-service. Par exemple, dans le hall d'un immeuble résidentiel, ils ont disposé des bretzels entiers ou des demi-bretzels, des bonbons Tootsie Rolls® en grand ou en petit format, un gros bol rempli de M&M's® avec une petite ou une grosse cuillère pour se servir. Ils constatèrent systématiquement que si on leur offre une portion standard plus grosse, les participants consomment plus de calories. Une autre équipe de recherche menée par Brian Wansink (2006) a invité des

Américains à faire eux-mêmes des glaces. Là encore, ils ont trouvé un biais de l'unité : même les spécialistes en nutrition mettaient 31 p. 100 de glace en plus lorsqu'on leur donnait un gros bol au lieu d'un petit et 15 p. 100 en plus lorsqu'on leur donnait une grosse cuillère au lieu d'une petite. Pour les cultures qui se battent avec des taux d'obésité croissants, il y a un message à mettre en pratique dans ce principe de l'influence de l'écologie sur la consommation alimentaire : réduisez les portions standard, servez les aliments dans des bols ou des plats plus petits et utilisez des couverts plus petits.

Les troubles des conduites alimentaires

4. De quelle manière l'anorexie mentale, la boulimie et l'hyperphagie boulimique mettent en évidence l'influence des forces psychologiques sur les comportements physiologiquement motivés ?

Notre corps est naturellement disposé à maintenir un poids normal, tout en stockant des réserves pour les périodes où la nourriture sera indisponible. Cependant, parfois, les influences psychologiques sont plus fortes que la sagesse biologique. Cela devient douloureusement évident dans trois troubles des conduites alimentaires.

- L'**anorexie mentale** commence classiquement par un régime pour perdre du poids. Les personnes atteintes de ce trouble, en général des adolescents et 3 fois sur 4 des jeunes filles, ont un poids corporel qui chute significativement au-dessous du poids normal (typiquement de 15 p. 100, voire plus). Cependant, elles se sentent toujours grosses, craignent de reprendre du poids et restent obsédées par leur régime. Près de la moitié des personnes atteintes d'anorexie présentent un cycle de boulimie-purge-dépression.
- La **boulimie** peut aussi être déclenchée par un régime, interrompu en se gavant de nourriture interdite. La plupart des boulimiques qui se font vomir sont des jeunes femmes au sortir de l'adolescence ou au début de la vingtaine. Elles mangent comme certains alcooliques boivent, par à-coups, parfois sous l'influence d'amis qui se gavent eux aussi (Crandall, 1988). Au cours de cycles d'épisodes répétés, la boulimie est suivie d'une purge compensatrice (par vomissements ou usage de laxatifs), de périodes de jeûne ou d'exercice physique intensif (Wonderlich et coll., 2007). Préoccupées par la nourriture (avec un besoin maladif d'aliments sucrés et très gras) et craignant de devenir trop grosses, elles passent par des accès de dépression et d'anxiété, plus graves pendant et après les épisodes de boulimie (Hinz et Williamson, 1987 ; Johnson et coll., 2002). À la différence de l'anorexie, la boulimie est marquée par des fluctuations de poids autour ou au-dessus du poids normal, ce qui la rend plus facile à cacher.
- Ceux qui présentent un comportement significatif de boulimie suivi de remords mais qui ne se purgent pas, ne jeûnent pas et ne font pas d'exercice intensif présentent une **hyperphagie boulimique**.

Une étude nationale financée par le *National Institute of Mental Heath* américain montre qu'à un certain moment de leur vie, 0,6 p. 100 des personnes remplissent les critères de l'anorexie, 1 p. 100 ceux de la boulimie et 2,8 p. 100 ceux de l'hyperphagie boulimique (Hudson et coll., 2007). Comment peut-on expliquer ces troubles ?

Les troubles des conduites alimentaires *ne* sont *pas* (comme certains ont pu le supposer) révélateurs d'abus sexuels subis pendant l'enfance (Smolak et Murnen, 2002 ; Stice, 2002). Cependant, l'environnement familial peut être, d'une autre façon, un terrain propice au développement des troubles alimentaires.

- Les mères qui ont une fille présentant des troubles de l'alimentation se focalisent souvent sur leur propre poids et sur l'apparence et le poids de leur fille (Pike et Rodin, 1991).
- Les familles de patients boulimiques présentent une incidence supérieure à la normale d'obésité pendant l'enfance et d'autoconsidération négative (Jacobi et coll., 2004).
- Les familles des patients anorexiques ont tendance à être protectrices et sensibles à la compétition et à la réussite (Pate et coll., 1992 ; Yates, 1989, 1990).

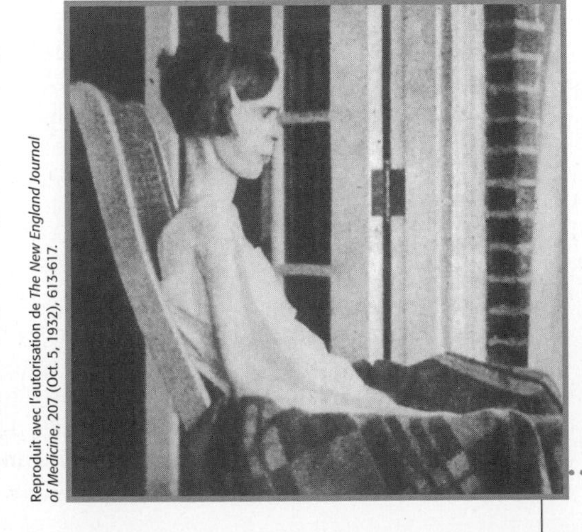

Mourir pour être mince L'anorexie fut identifiée et nommée dans les années 1870, quand elle apparut chez des adolescentes issues de familles aisées (Brumberg, 2000). Cette photographie datant de 1930 illustre l'atteinte physique causée par cette affection. Beaucoup de célébrités actuelles luttent publiquement pour sortir de leurs troubles alimentaires, comme lorsque l'actrice Mary-Kate Olsen est rentrée dans une clinique dans l'Utah pendant 6 semaines en 2004 pour traiter son anorexie.

:: **Anorexie mentale :** trouble des conduites alimentaires au cours duquel une personne (en général une adolescente) jeûne et atteint un poids significativement inférieur à la normale (de 15 p. 100 ou plus) et pourtant, se sentant encore grosse, continue à se priver.

:: **Boulimie :** trouble des conduites alimentaires caractérisé par des épisodes de suralimentation (en général d'aliments riches en calories), suivis de vomissements, d'utilisation de laxatifs, de périodes de jeûne et d'exercice physique intensif.

:: **Hyperphagie boulimique :** épisodes significatifs d'hyperphagie boulimique suivie d'un état de détresse, de dégoût ou d'un sentiment de culpabilité mais ne s'accompagnant cependant pas de purge, de période de jeûne ou d'un exercice intensif pour compenser comme lors de boulimie.

« Diana est restée toute sa vie une personne intérieurement anxieuse, son désir d'aider les autres avait presque quelque chose d'enfantin et lui permettait d'évacuer ce sentiment profond d'être inutile ; ses troubles de l'alimentation n'étaient en fait qu'un simple symptôme de celui-ci. »

Charles, neuvième Comte de Spencer, faisant l'éloge de sa sœur, la princesse Diana, 1997

« Merci, mais on ne mange pas. »

« Pourquoi les femmes ont-elles une si faible estime d'elles-mêmes ? Il existe de nombreuses raisons psychologiques et sociétales complexes, je veux dire par là, la poupée Barbie. »

Dave Barry, 1999

Les personnes souffrant d'anorexie ont souvent aussi une faible autoconsidération, sont sujettes à être perfectionnistes, s'inquiètent de ne pas répondre aux attentes des autres et sont très attentives à la façon dont les gens les perçoivent (Pieters et coll., 2007 ; Polivy et Herman, 2002 ; Striegel-Moore et coll., 1993, 2007). Certains de ces facteurs prédisent également la recherche, par certains adolescents, d'une musculature irréaliste (Ricciardelli et McCabe, 2004).

La génétique peut influencer la prédisposition aux troubles des conduites alimentaires. Les vrais jumeaux ont plus de risques de présenter le même trouble que les faux jumeaux (Fairburn et coll., 1999 ; Kaplan, 2004). Dans des études moléculaires avec suivi, les scientifiques recherchent les gènes responsables, qui pourraient influencer le taux de sérotonine et d'œstrogène disponible dans l'organisme (Klump et Culbert, 2007).

Mais ces troubles ont également une composante culturelle et sexuelle. L'image idéale du corps varie en fonction de l'époque et des cultures. En Inde, les étudiantes estiment que leur corps est très proche de leur image idéale. Dans pratiquement toute l'Afrique, où la pauvreté, le sida et la famine sont synonymes de maigreur et où la prospérité est associée aux rondeurs, on préfère être plus gros (Knickmeyer, 2001).

En revanche, dans les cultures occidentales, on ne préfère pas être plus gros et selon une analyse récente de 222 études réalisées sur 141 000 personnes, l'augmentation des troubles de l'alimentation durant ces 50 dernières années a coïncidé avec une augmentation spectaculaire du nombre de femmes ayant une mauvaise image de leur corps (Feingold et Mazzella, 1998). Dans une étude nationale, presque la moitié des femmes américaines déclarait avoir un sentiment négatif quant à leur apparence et qu'elles étaient préoccupées par le fait d'être en surpoids ou de le devenir (Cash et Henry, 1995).

Les différences entre les femmes et les hommes concernant l'image du corps ont fait surface lors de différentes études. Selon l'une d'entre elles menée en Nouvelle-Zélande sur des étudiants et au Royaume-Uni sur 3 500 employés travaillant dans des banques ou des universités, les hommes étaient plus enclins à *être* en surpoids alors que les femmes avaient plutôt tendance à *se considérer* comme étant en surpoids (Emslie et coll., 2001 ; Miller et Halberstadt, 2005). Lors d'une autre étude menée à l'université du Michigan, on demanda à des hommes et des femmes de mettre soit un pull-over soit un maillot de bain et d'effectuer un test de mathématiques seul(e) dans un vestiaire (Fredrickson et coll., 1998). Chez les femmes, mais pas chez les hommes, la préoccupation et la honte ressentie par le fait de porter un maillot de bain perturbèrent leur performance au test de mathématiques. Cela explique certainement pourquoi une enquête menée sur 52 677 adultes a trouvé que 16 p. 100 des hommes et 31 p. 100 des femmes évitent de porter un maillot en public (Frederick et coll., 2006). Au cours d'une enquête informelle auprès de 60 000 personnes, 9 femmes sur 10 disaient qu'elles préféreraient avoir un corps parfait plutôt qu'un partenaire ayant un corps parfait ; 6 hommes sur 10 préféraient l'inverse (Lever, 2003).

Ceux qui sont les plus vulnérables aux troubles alimentaires sont également ceux (en général des femmes) qui idéalisent le plus la minceur et ont la plus grande insatisfaction de leur corps (Striegel-Moore et Bulik, 2007). Cela doit-il nous surprendre, par conséquent, que lorsque les femmes voient des images réelles et falsifiées de top-modèles et de célébrités ayant une maigreur non naturelle, elles se sentent souvent honteuses, déprimées et insatisfaites de leur propre corps – l'attitude même qui prédispose aux troubles alimentaires (Grabe et coll., 2008) ? Eric Stice et ses collaborateurs (2001) testèrent cette idée en offrant à certaines adolescentes (mais non aux autres) un abonnement de 15 mois à un magazine de mode destiné aux adolescents. Contrairement à leurs homologues qui n'avaient par reçu le magazine, les jeunes filles vulnérables (qui étaient déjà insatisfaites de leur corps, idéalisaient la minceur et manquaient de soutien social) montraient encore plus d'insatisfaction et étaient davantage sujettes à des troubles de l'alimentation. Mais même les mannequins ultra-minces ne reflètent pas les mensurations impossibles de la poupée Barbie qui, ajustées à une taille de 1,70 m, sont de 82 cm de tour de poitrine, 41 cm de tour de taille et 73 cm de tour de hanche (Norton et coll., 1996).

Il semble clair que la maladie des troubles des conduites alimentaires d'aujourd'hui réside en partie dans notre culture obsédée par le poids, une culture qui dit de mille et une façons « c'est mauvais d'être gros », qui motive des millions de femmes à être « toujours au régime » et qui encourage les épisodes de boulimie en poussant les femmes à vivre dans un état constant de sous-alimentation. Si l'apprentissage culturel contribue au comportement alimentaire (FIGURE 11.7), alors est-ce que les programmes de prévention pourraient augmenter

« Eh bien ! Je ne savais pas que tu étais marié avec un top-modèle. »

l'acceptation du corps de chacun ? Après leur analyse de 66 études de prévention, Stice et ses collaborateurs (2007) ont répondu *oui*, et en particulier si les programmes sont interactifs et focalisés sur les filles ayant plus de 15 ans.

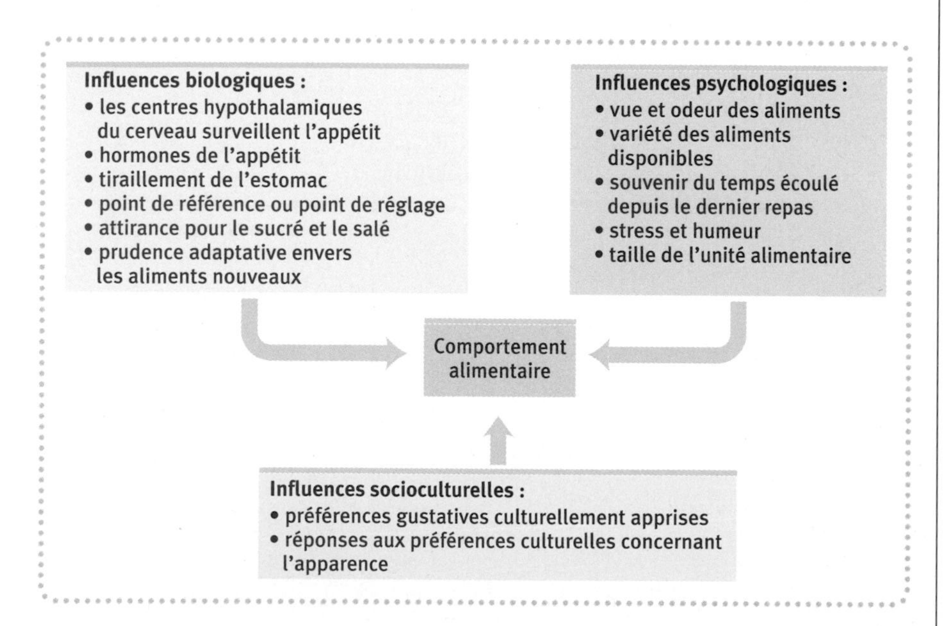

Influences biologiques :
• les centres hypothalamiques du cerveau surveillent l'appétit
• hormones de l'appétit
• tiraillement de l'estomac
• point de référence ou point de réglage
• attirance pour le sucré et le salé
• prudence adaptative envers les aliments nouveaux
Influences psychologiques :
• vue et odeur des aliments
• variété des aliments disponibles
• souvenir du temps écoulé depuis le dernier repas
• stress et humeur
• taille de l'unité alimentaire
Comportement alimentaire
Influences socioculturelles :
• préférences gustatives culturellement apprises
• réponses aux préférences culturelles concernant l'apparence

➤ FIGURE 11.7
Niveaux d'analyse de notre motivation de l'appétit En clair, nous sommes biologiquement amenés à manger. Toutefois, des facteurs psychologiques et socioculturels influencent fortement ce que nous mangeons, en quelle quantité et à quel moment.

Obésité et contrôle du poids

5. Quels facteurs prédisposent certaines personnes à devenir obèse et à le rester ?

Pourquoi certaines personnes prennent-elles du poids alors que d'autres qui mangent en même quantité prennent rarement un gramme ? Pourquoi si peu de gens trop gros gagnent-ils la bataille contre leurs rondeurs ? Y a-t-il un espoir de perdre du poids pour les 66 p. 100 d'Américains qui, selon les *Centers for Disease Control* (centres de contrôle des maladies), sont obèses ?

Les cultures où l'idéal de minceur n'existe pas pour les femmes ne connaissent pas les troubles alimentaires. C'est le cas des Ghanéens qui idéalisent une corpulence plus forte que celle des Américains et qui ont aussi moins de problèmes d'ordre alimentaire (Cogan et coll., 1996). Il en est de même pour les femmes afro-américaines comparées aux Américaines d'origine européenne (Parker et coll., 1995).

« Si nous ne faisons rien, dans quelques années les Français seront aussi gros que les Américains »

Olivier Andrault, spécialiste de l'alimentation de l'Union française des consommateurs, 2007

Notre organisme stocke la graisse pour de bonnes raisons. La graisse est une forme idéale d'énergie stockée, qui fournit au corps une réserve de carburant riche en calories pour subsister durant les périodes où la nourriture est rare – circonstance fréquente dans la vie de nos ancêtres préhistoriques faite de bombances et de famines. (Imaginez que la bouée qui vous entoure est une réserve d'énergie, l'équivalent biologique du sac à dos plein de vivres d'un randonneur.) Il n'est pas étonnant qu'aujourd'hui dans la plupart des pays en voie de développement, comme en Europe dans les siècles précédents – en fait partout où les gens rencontrent la famine –, l'obésité soit un signe de richesse et de statut social (Furnham et Baguma, 1994).

Dans les parties du monde où la nourriture et les sucreries sont maintenant disponibles en abondance, la règle qui a jadis servi nos ancêtres affamés (*si tu trouves de la graisse ou du sucre riche en énergie, mange-le !*) est désormais devenue inadaptée.

Pratiquement partout où ce livre est lu, les individus présentent un problème de plus en plus important. Dans le monde entier, estime l'OMS (Organisation mondiale de la santé, 2007), plus d'1 milliard de personnes sont en surpoids et 300 millions d'entre eux sont cliniquement *obèses* (l'OMS définit l'obésité par un indice de masse corporel supérieur ou égal à 30, *voir* FIGURE 11.8). Aux États-Unis, le taux d'obésité de l'adulte a plus que doublé ces quarante dernières années, atteignant 34 p. 100, et l'obésité des enfants et des adolescents a quadruplé (CDC, 2007 ; NCHS, 2007). L'Australie classe 54 p. 100 de sa population dans les personnes en surpoids ou obèses, le Canada arrive juste derrière avec 49 p. 100 et la France avec 42 p. 100 (*Australian Bureau of Statistics*, 2007 ; *Statistics Canada*, 2007). Dans tous ces pays et dans beaucoup d'autres, l'augmentation du taux d'obésité suit la trace du taux américain de quelques années et devrait encore s'accroître, entraînant une « épidémie globale » de diabète (Yach et coll., 2006).

Être légèrement en surpoids ne pose que des problèmes de santé mineurs (Dolan et coll., 2007 ; Gibbs, 2005). La forme physique a plus d'importance qu'un léger embonpoint. Mais la véritable obésité augmente le risque de diabète, d'hypertension, de maladies cardiaques, de calculs, d'arthrite et de certains types de cancer, diminuant ainsi l'espérance de vie (Olshansky et coll., 2005). Les risques sont plus importants chez les gens « en forme de pomme », qui portent leur poids dans leur ventre, que chez les personnes « en forme de poire », aux hanches et aux cuisses larges (Greenwood, 1989 ; Price et coll, 2006). De nouvelles recherches ont également lié l'obésité de la femme au risque de développement ultérieur d'une maladie d'Alzheimer et de perte de tissu cérébral (Gustafson et coll., 2003, 2004).

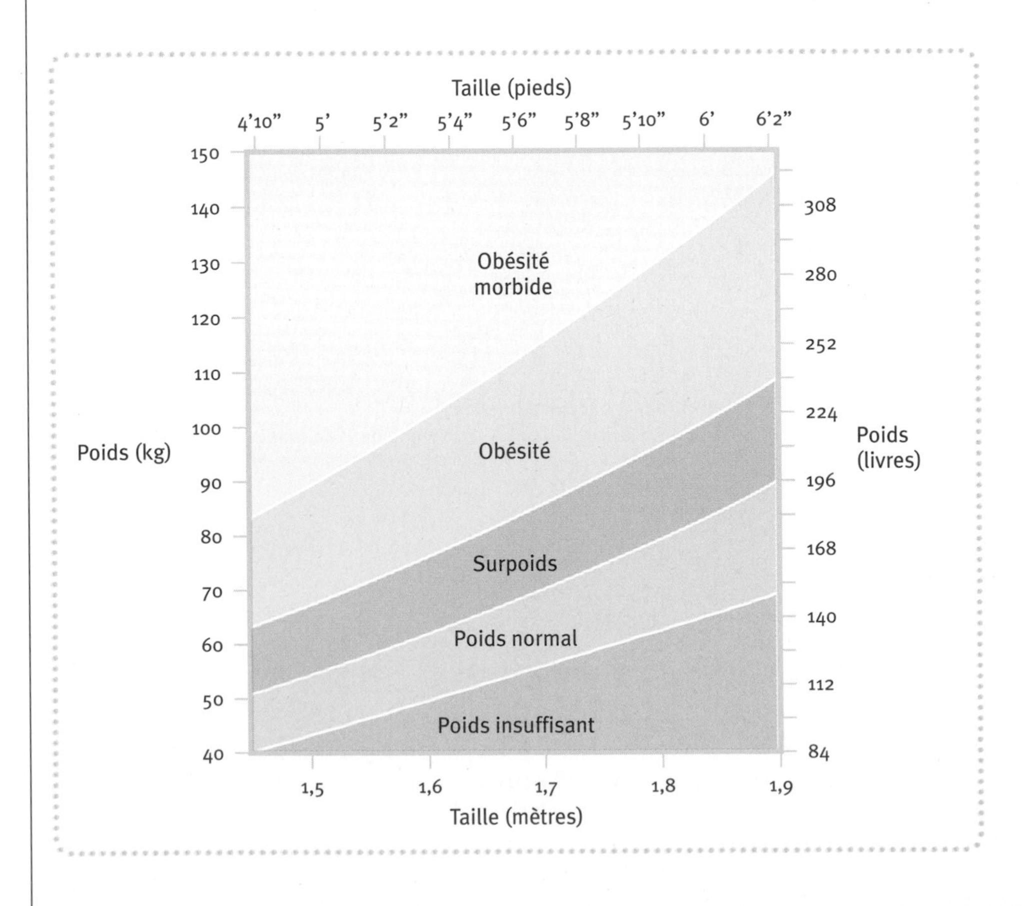

➤ FIGURE 11.8
L'obésité mesurée en indice de masse corporelle (IMC) Les consignes du gouvernement américain préconisent un indice de masse corporelle inférieur à 25. L'Organisation mondiale de la santé et d'autres pays définissent l'obésité par un IMC supérieur ou égal à 30. Sur la figure, les couleurs se basent sur les mesures de l'IMC pour une taille et un poids donnés. L'IMC peut être calculé avec la formule suivante :

$$\frac{\text{Poids en kg (livres} \times 0{,}45)}{\text{Taille en m}^2 \text{ (pieds} \div 39{,}4)^2} = \text{IMC}$$

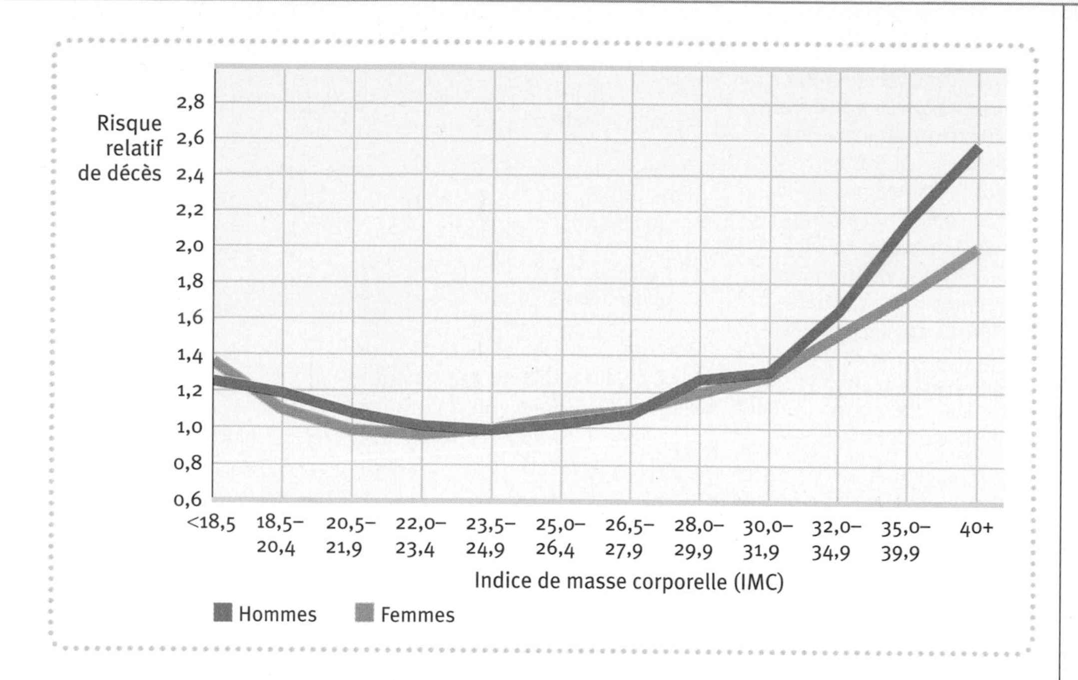

➤ FIGURE 11.9

Obésité et mortalité Le risque relatif de décès chez les personnes en bonne santé et qui ne fument pas augmente si l'IMC est trop élevé ou trop faible. (Données provenant d'une étude effectuée sur 1,05 million d'Américains sur une période de 14 ans, Calle et coll., 1999.)

Il n'est donc pas surprenant qu'une étude (Calle et coll., 1999) ayant suivi plus d'un million d'Américains sur une période de 14 ans, ait révélé qu'une surcharge pondérale importante peut raccourcir la vie (FIGURE 11.9). Une autre étude à long terme a montré que, les gens qui étaient trop gros à 40 ans, mouraient trois ans plus tôt que ceux qui étaient minces (Peeters et coll., 2003). Le taux de mortalité est particulièrement élevé chez les hommes ayant une très forte surcharge pondérale. Il est donc compréhensible qu'en 2004, le système de santé américain ait commencé à considérer l'obésité comme une maladie. Et en 2008, au Japon, une nouvelle loi nationale a ordonné de mesurer le tour de taille lors de l'examen de santé annuel s'effectuant chez les personnes âgées de 40 à 74 ans, et de donner des directives de régime et de rééducation pour ceux qui avaient de manière persistante un tour de taille supérieur à 85 cm pour les hommes et 90 cm pour les femmes (Onishi, 2008).

Les effets sociaux de l'obésité

L'obésité peut être socialement toxique en affectant la façon dont on vous traite et dont vous vous sentez. Les personnes obèses connaissent bien ce stéréotype : lents, paresseux et mous (Crandall, 1994, 1995 ; Ryckman et coll., 1989). Élargissez l'image d'une personne sur un écran de télévision (pour la rendre plus grosse) et vous la jugerez aussitôt comme étant moins sincère, moins amicale, plus mesquine et détestable (Gardner et Tockerman, 1994). Une étude, effectuée sur 370 femmes obèses de 16 à 24 ans, a montré clairement les effets sociaux de l'obésité (Gortmaker et coll., 1993). Étudiées à nouveau 7 ans plus tard, deux tiers de ces femmes étaient encore obèses. Elles gagnaient moins d'argent - 7000 dollars par an en moins - qu'un groupe témoin de 5000 autres femmes non obèses ayant une intelligence équivalente. Et elles avaient moins de chances d'être mariées. Dans les annonces matrimoniales, les hommes font souvent part de leur préférence pour la minceur et les femmes la mettent souvent en valeur (Miller et coll., 2000 ; Smith et coll., 1990).

Lors d'une expérience astucieuse, Regina Pingitore et ses collègues (1994) ont mis en évidence la discrimination pondérale. Elles ont filmé de faux entretiens d'embauche où des acteurs professionnels apparaissaient avec un poids normal puis une surcharge pondérale, en étant déguisés et portant des prothèses qui les montraient avec 11 kg de plus. Quand la même personne apparaissait avec un surpoids, en utilisant les mêmes répliques, les mêmes intonations et les mêmes gestes, elle avait moins de chances d'être engagée (FIGURE 11.10, page suivante). Ce biais du poids était particulièrement important contre les femmes. D'autres études révèlent que la discrimination contre les personnes corpulentes, bien qu'on en parle peu, est plus importante que la discrimination ethnique ou sexuelle. Elle est présente à chaque étape du parcours professionnel : l'embauche, le placement, la promotion, la rémunération, la discipline et le licenciement et a, en effet, plus de chances de s'appliquer aux femmes (Roehling et coll., 1999, 2007). Ce préjudice anti-obèse s'étend même aux postulants qui sont *vus* en

« Le projet de loi (procès contre l'obésité) dit : "ne fuyez pas ni ne faites un procès si vous êtes gros". Autrement dit : "regardez dans le miroir car il faut vous en prendre à vous-même." »
F. James Sensenbrenner, sénateur américain, 2004

« Pour les étudiants obèses, l'expérience scolaire se résume à un harcèlement constant. »
Rapport sur la discrimination par rapport à l'obésité, *National Education Association*, 1994

➤ FIGURE 11.10
Discrimination vis-à-vis de la surcharge pondérale en fonction du sexe des individus Quand on déguisait les femmes afin de les faire paraître plus grosses, des étudiants déclaraient qu'ils seraient moins tentés de les embaucher. Chez les hommes, le poids importait moins. (Données de Pingitore et coll., 1994.)

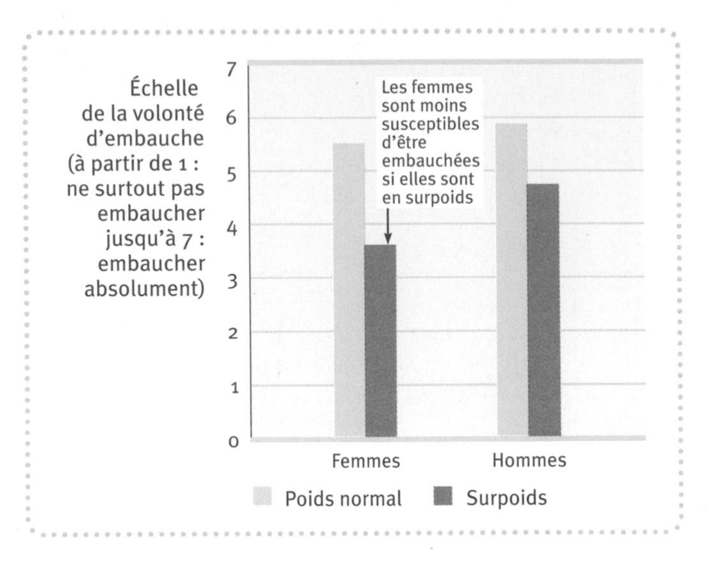

compagnie d'une personne obèse (Hebl et Mannix, 2003) ! Ce préjudice apparaît très tôt. Les enfants sont dédaigneux envers les enfants obèses et eux aussi peuvent moins apprécier un enfant de poids normal s'il est vu avec un enfant obèse (Penny et Haddock, 2007 ; Puhl et Latner, 2007).

Lors d'études nationales portant sur des Américains adultes, l'obésité a été associée à un bien-être psychologique inférieur, en particulier parmi les femmes et à une augmentation de 25 p. 100 de la dépression et de l'anxiété (Bookwala et Boyar, 2008 ; Petry et coll., 2008 ; Simon et coll., 2006). De même, les Anglais et les Allemands qui se sentent en surcharge pondérale disent ressentir un bien-être psychologique inférieur à la moyenne (Oswald et Powdthavee, 2007). Dans des études de patients particulièrement insatisfaits de leur poids – et qui avaient perdu en moyenne 44 kg après une dérivation chirurgicale de l'intestin – 4 sur 5 disaient que leurs enfants leur avaient demandé de ne pas participer aux associations de parents d'élèves. Et 9 sur 10 disaient qu'ils préféreraient être amputés d'une jambe plutôt que de redevenir obèses (Rand et Macgregor, 1990, 1991).

Pourquoi donc les personnes obèses ne se débarrassent-elles pas de ce surpoids encombrant et ne se libèrent-elles pas de toute cette douleur ? La réponse réside dans la physiologie de la graisse.

La physiologie de l'obésité

La recherche sur la physiologie de l'obésité remet en cause le stéréotype selon lequel les gens qui sont fortement en surpoids ne sont que des gloutons sans volonté. Considérez l'arithmétique de la prise de poids : les gens grossissent en consommant plus de calories qu'ils n'en dépensent. L'énergie équivalant à une livre de graisse représente 3 500 calories. On a donc dit aux personnes suivant un régime qu'elles perdraient une livre pour chaque réduction de 3 500 calories dans leur régime. Surprise : cette conclusion est fausse. (Poursuivez votre lecture.)

Cellules adipeuses Les déterminants immédiats de la graisse corporelle sont la taille et le nombre de cellules adipeuses. Un adulte moyen a près de 30 à 40 milliards de ces mini-réservoirs de carburant, dont la moitié est située près de la surface de la peau. Une cellule adipeuse peut être presque vide, comme un ballon dégonflé, ou complètement pleine. Chez les obèses, les cellules adipeuses peuvent augmenter de deux à trois fois leur taille normale, puis se divisent ou entraînent la division des cellules adipeuses immatures qui les entourent, entraînant jusqu'à 75 milliards de cellules adipeuses (Hirsch, 2003). Lorsque le nombre de cellules adipeuses augmente – à cause d'une prédisposition génétique, d'un type de nutrition dans la petite enfance ou d'une suralimentation à l'âge adulte – il ne diminue jamais (FIGURE 11.11). Durant un régime, les cellules adipeuses peuvent rétrécir, mais il en reste toujours autant (Sjöstrum, 1980 ; Spalding et coll., 2008).

➤ FIGURE 11.11
Les cellules adipeuses Nous mettons en réserve notre énergie dans les cellules adipeuses qui deviennent de plus en plus grosses et de plus en plus nombreuses si nous sommes obèses, puis rétrécissent (mais restent toujours plus nombreuses) si nous perdons ensuite du poids. (Adapté d'après Jules Hirsch, 2003.)

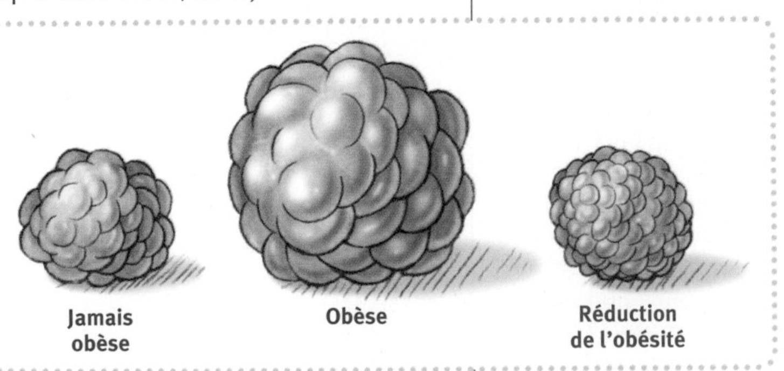

Point de référence et métabolisme Une fois devenus gros, nous avons besoin de moins de nourriture pour maintenir notre poids que nous n'en avons eu besoin pour l'atteindre. Pourquoi ? Parce que, comparés à d'autres tissus, le tissu adipeux a un rendement métabolique plus faible, il consomme moins d'énergie nutritionnelle pour se maintenir. Lorsque le poids d'une personne obèse descend au-dessous de son point de référence (ou point de réglage), l'appétit de la personne augmente et le métabolisme diminue. De ce fait, l'organisme s'adapte à la privation en brûlant moins de calories.

Au cours d'une expérience classique d'un mois (Bray, 1969), des patients obèses dont la ration quotidienne fut réduite de 3 500 à 450 calories perdirent seulement 6 p. 100 de leur poids – en partie parce que leur corps réagissait comme s'il était privé de nourriture et leur métabolisme basal chutait d'environ 15 p. 100 (FIGURE 11.12). C'est pourquoi la réduction de votre alimentation de 3 500 calories ne peut pas diminuer votre poids d'une livre. Et c'est aussi pourquoi après la perte rapide de poids qui se produit dans les trois premières semaines d'un régime rigoureux, les pertes supplémentaires ne se produisent que très lentement. Et c'est pour cela que les quantités de nourriture qui entraînaient le maintien du poids avant le régime peuvent engendrer une prise de poids à la fin d'un régime – l'organisme conserve encore son énergie. Étant donné deux personnes de même poids et qui se ressemblent ; celui qui était auparavant en surpoids aura certainement besoin de manger moins de calories pour maintenir son poids que celui qui n'a jamais été en surpoids. (Qui a dit que la vie était juste ?)

Trente ans après l'étude de Bray, les chercheurs ont effectué l'expérience inverse (Levine et coll. 1999). Ils ont suralimenté des volontaires avec 1 000 calories supplémentaires par jour pendant huit semaines. Ceux qui ont pris le moins de poids avaient tendance à dépenser l'énergie calorique supplémentaire en étant plus agités. Pour James Levine et

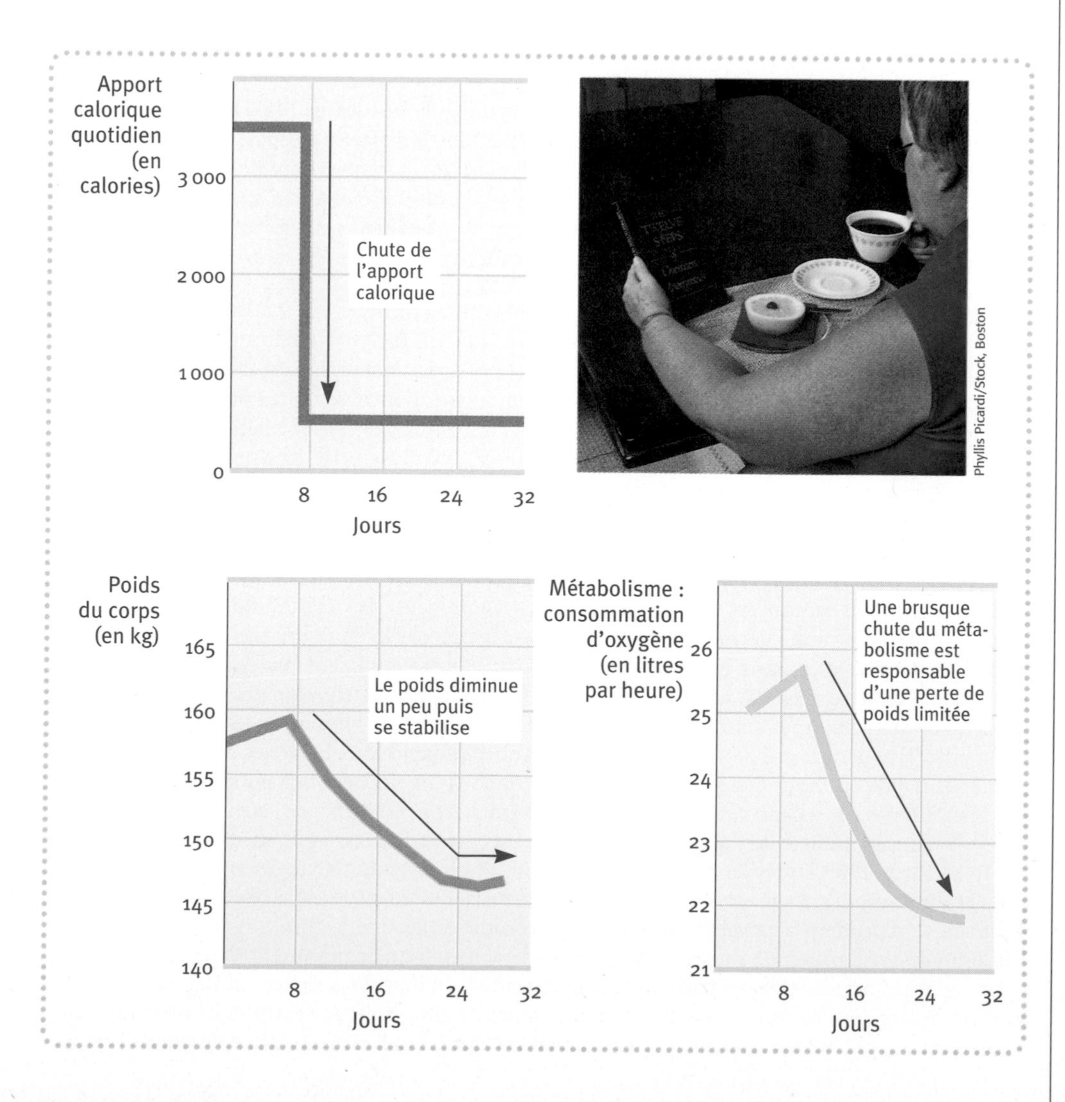

➤ FIGURE 11.12
Effets d'un régime draconien sur le poids et le métabolisme de patients obèses Après 7 jours avec une ration de 3 500 calories, six patients obèses reçurent, pendant les 24 jours suivants, une ration de seulement 450 calories par jour. Le poids ne diminua que de 6 p. 100 et resta ensuite stationnaire parce que le métabolisme chuta d'environ 15 p. 100. (D'après Bray, 1969.)

ses collaborateurs (2005), les personnes maigres sont naturellement disposées à être plus agitées, à bouger davantage (et à brûler plus de calories) que les personnes en surpoids qui conservent leur énergie et ont tendance à rester assises plus longtemps. (Comment les chercheurs le savent-ils ? Ils ont équipé les personnes de sous-vêtements qui enregistraient leurs mouvements toutes les demi-secondes pendant 10 jours). Ces différences individuelles du métabolisme au repos permettent d'expliquer pourquoi deux personnes de la même taille, du même âge et du même niveau d'activité peuvent maintenir le même poids, même si l'un des deux mange bien moins que l'autre.

Le facteur génétique Nos gènes nous prédisposent-ils à être agités ou à rester assis sans bouger ? C'est possible. Des études montrent une influence de la génétique sur le poids corporel. Considérons ceci :

- Bien qu'ils partagent les mêmes repas, le poids de frères et sœurs adoptés n'est corrélé ni à celui des parents adoptifs ni à celui des autres enfants de la famille. Le poids des gens ressemble plutôt à celui de leurs parents biologiques (Grilo et Pogue-Geile, 1991).
- De vrais jumeaux ont des poids très proches, même lorsqu'ils ont été élevés séparément (Plomin et coll., 1997 ; Stunkard et coll., 1990). Plusieurs études ont montré que la corrélation de leurs poids était de 0,74. La corrélation plus faible de 0,32 chez les faux jumeaux suggère que les gènes sont responsables des deux tiers de la différence de l'IMC (Maes et coll., 1997).
- Si l'un de ses parents est obèse, un garçon a trois fois plus de risques, et une fille six fois plus de risques, d'être obèse que ses camarades ayant des parents de poids normaux (Carrière, 2003).
- Les scientifiques ont découvert de nombreux gènes différents qui influencent le poids du corps. Un dépistage génétique de 40000 personnes dans le monde entier a identifié une variante d'un gène appelée *FTO* qui double presque le risque de devenir obèse (Flier et Maratos-Flier, 2007 ; Frayling et coll., 2007). Les chercheurs espèrent que l'identification de ces gènes coupables les conduira à suivre la piste des signaux de faim des protéines codées par ces gènes.

Donc, les spécificités de nos gènes prédisposent la taille de nos jeans. Mais l'influence génétique est indubitablement d'une grande complexité et liée à différents gènes, tout comme les différents membres d'un orchestre font de la musique en jouant ensemble. Certains gènes peuvent influencer le moment où notre intestin signale qu'il est plein, d'autres déterminent la quantité de calories que nous devons brûler ou que nous devons transformer sous forme de graisse, et oui, certains gènes nous incitent à nous mouvoir ou à ne pas bouger.

Le facteur alimentaire et l'activité Les gènes nous racontent une partie importante de l'histoire de l'obésité. Mais les recherches révèlent que les facteurs environnementaux sont tout aussi importants. Le *manque de sommeil* est un de ces facteurs. Des études menées en France, au Japon, en Espagne, aux États-Unis et en Suisse montrent toutes que les enfants et les adultes qui sont en manque de sommeil sont plus vulnérables à l'obésité (Keith et coll., 2006 ; Taheri, 2004a,b). Avec la privation de sommeil, les niveaux de leptine (qui informe le cerveau sur la quantité de graisse corporelle) chutent et la ghréline (hormone gastrique qui stimule l'appétit) augmente.

L'*influence sociale* représente un autre facteur. Une équipe de chercheurs a suivi le réseau social de 12067 personnes qu'ils ont étudiées de près pendant 32 ans (Christakis et Fowler, 2007). Qu'ont-ils découvert ? Ces personnes avaient plus de risques de devenir obèses lorsqu'un de leurs amis devenait obèse. Si l'ami devenu obèse était un ami proche de plusieurs personnes, les risques qu'un des amis devienne obèse triplaient presque. (Leur analyse a montré que la corrélation entre les poids des amis n'était pas simplement une histoire de rechercher des personnes similaires comme amis.) L'amitié a de l'importance.

La plus forte preuve que l'environnement a autant d'influence que les gènes sur le poids vient de notre monde qui nous fait grossir. Même si les nations développées ont initié cette tendance, les gens *à travers le monde* deviennent de plus en plus gros. Au Mexique, signale le chercheur Barry Popkin, spécialiste de l'obésité (2007), le pourcentage de personnes en surpoids est passé de 1 sur 10 en 1989 à près de 7 sur 10 aujourd'hui. Le changement de *la consommation alimentaire* et du *niveau d'activité* est à l'œuvre. Les boissons riches en sucre et la télévision qui inhibe l'activité se répandent à travers le monde. Tout comme la cuisine à l'huile riche en énergie et l'utilisation d'ustensiles, de modes de relation et de voitures qui économisent l'énergie.

Les cultures occidentales en particulier sont devenues semblables à des parcs d'engraissement pour animaux (où les fermiers engraissent des animaux inactifs). Au cours d'une importante étude portant sur 50000 infirmières, les chercheurs ont trouvé qu'à chaque fois que le temps

© Constantine Manos/Magnum Photos

Schwarzbach/Peter Arnold

Trop de nourriture et pas assez Il est ironique de voir que dans un monde où 800 millions de personnes vivent encore en ayant faim, le taux d'obésité continue d'augmenter dans les pays occidentaux, mettant en danger les vies des personnes sévèrement obèses (Pinstrup-Andersen et Cheng, 2007 ; Popkin, 2007).

quotidien passé devant la télévision augmentait de deux heures, on pouvait prédire une augmentation de 23 p. 100 de l'obésité et de 7 p. 100 du diabète, après avoir contrôlé l'exercice, le tabagisme, l'âge et l'alimentation (Hu et coll., 2003). D'autres études ont montré que les personnes qui habitent dans des villes où il faut marcher, comme Manhattan, ont tendance à peser moins que ceux qui sont plus sédentaires et vivent dans les banlieues dépendantes de la voiture (Ewing et coll., 2003). Parmi les Amish du Vieil Ordre de l'Ontario, qui travaillent de manière intensive à la ferme et dans les jardins potagers et qui marchent environ 11 kilomètres par jour pour les hommes et 9 kilomètres par jour pour les femmes (calculés par un podomètre), le taux d'obésité est sept fois moins important que celui de la population des États-Unis (Bassett et coll., 2004).

Le manque d'exercice est aggravé par des portions alimentaires toujours plus importantes d'une nourriture riche en calories. Comparés à nos homologues vivant au début du xxe siècle, nous consommons de la nourriture plus grasse et plus sucrée, dépensons moins de calories et souffrons de plus en plus de diabète de plus en plus tôt (Popkin, 2007). Seulement depuis 1971, les femmes mangent 300 calories de plus par jour et les hommes près de 200 calories de plus (O'Connor, 2004). Et ils mangent trois fois plus de repas dans les fast-foods (Farley et Cohen, 2001). Les adolescents d'aujourd'hui consomment deux fois plus de sodas que de lait, l'inverse de ce qu'ils faisaient il y a un quart de siècle (Brownell et Nestle, 2004).

Dans la majorité des campus d'Amérique du Nord, la cafétéria d'hier, où l'on passait en file et où le choix était limité, a été remplacée par des buffets, avec de multiples points de service offrant des entrées et des petits-déjeuners à volonté, accompagnés, pour les faire passer, de sodas à volonté (Brody, 2003). Pour beaucoup, le résultat compréhensible est le *freshman 15* ou plus classiquement le *freshman 5*[1] (Holm-Denoma et coll., 2008). Pas étonnant qu'à trente ans, vos parents et vos grands-parents pesaient moins que vous. Depuis 1960, la taille de l'Américain moyen a augmenté de 2,5 cm et son poids de 10,5 kg (Ogden et coll., 2004). L'association des Big Macs®, des Double Whopper®, des sodas très sucrés et de l'inactivité constitue une arme de destruction massive.

Résultat : les nouveaux stades, les théâtres, les strapontins dans le métro offrent des sièges plus larges pour répondre à cette croissance de la population (Hampson, 2000). Les *Washington State Ferries* ont abandonné les sièges standard datant d'une cinquantaine d'années et dont la surface était de 45 centimètres : « Les fesses d'une surface de 45 cm appartiennent au passé », explique un porte-parole (Shepherd, 1999). La ville de New York, faisant face à ce problème des grosses fesses en forme de pomme, a remplacé la plupart de ses sièges de métro de 44 cm de large ayant des rebords par des sièges plats (Hampson, 2000). En fin de compte, la population d'aujourd'hui a besoin de plus d'espace.

Si le changement d'environnement explique l'extension du problème de l'obésité, alors la réforme de l'environnement représente une partie du remède ont raisonné 53 ministres de la Santé européens qui ont signé une nouvelle charte anti-obésité avec l'ONU (Cheng, 2006). Cette charte demande au secteur privé de « réduire substantiellement » ses campagnes publicitaires sur les aliments gras et sucrés vis-à-vis des enfants et engage les gouvernements à augmenter la disponibilité des aliments sains ainsi que des voies publiques permettant de rouler à vélo ou de marcher. Aux États-Unis, plusieurs États, dont l'Arizona, la Californie et le Kentucky ont maintenant établi des standards nutritionnels pour les aliments et les boissons des cantines des écoles (Tumulty, 2006).

1. N.d.T : il s'agit de la tendance pour un étudiant américain entrant à l'université de prendre en 1 an 15 livres (6,8 kg) ou 5 livres (2,3 kg)

La psychologue Kelly Brownell (2002) a fait campagne pour ces réformes de l'environnement et bien d'autres :

- Établir une zone sans fast-food autour des écoles.
- Surtaxer les aliments et les boissons riches en calories. Nous réduisons la consommation de cigarettes en augmentant les taxes sur le tabac. Pourquoi n'instituons-nous pas pour la même raison une taxe sur les « Twinkies® » (N.d.T : petits gâteaux très caloriques considérés aux États-Unis comme le « summum de la malbouffe »).
- Utiliser les revenus pour subventionner les aliments sains et financer les publicités soutenant les aliments bons pour la santé.

Remarquez comment ces découvertes renforcent une leçon familière que nous avons vue au chapitre 10 au cours de notre étude sur l'intelligence : il peut y avoir un taux d'héritabilité élevé (influence génétique sur les différences individuelles) sans pour autant que l'hérédité explique les différences entre groupes. Les gènes déterminent en grande partie pourquoi aujourd'hui une personne est plus forte qu'une autre. L'environnement détermine pourquoi les gens sont plus forts aujourd'hui qu'il y a 50 ans. Notre comportement alimentaire met aussi en évidence l'interaction maintenant familière entre les facteurs biologiques, psychologiques et socioculturels.

Perdre du poids

Peut-être hochez-vous la tête : « J'ai une chance bien maigre de devenir et de rester mince. Si je perds du poids durant un régime, mon métabolisme diminue et mes cellules adipeuses affamées crient "nourrissez-nous !", "c'est notre destin d'être grosses" ! ». En effet, la situation de l'organisme d'une personne obèse réduite à un poids moyen est proche de celui d'un organisme en semi-privation. Maintenu au-dessous de son point de référence, l'organisme « pense » qu'il est privé. Ayant perdu du poids, les individus autrefois obèses semblent normaux, mais leurs cellules adipeuses peuvent être anormalement petites, leur métabolisme ralentit et leur esprit est obsédé par la nourriture.

« Certains rêvent d'actes héroïques, de scènes de sexe ou de vacances tropicales. Moi je rêve de pattes de crabe trempées dans du beurre chaud. »
Judith Moore, *Fat Girl*, 2005

Cependant, la bataille contre les rondeurs est plus que jamais d'actualité et est particulièrement intense chez les personnes dotées de deux chromosomes X. Près des deux tiers des femmes et la moitié des hommes disent vouloir perdre du poids et environ la moitié de ces hommes et ces femmes disent qu'ils « essayent sérieusement de maigrir » (Moore, 2006). Quand on leur demande s'ils préféreraient « rajeunir de 5 ans ou perdre 7 kg », 29 p. 100 des hommes et 48 p. 100 des femmes déclarent préférer perdre du poids (*Responsive Community*, 1996).

Les cellules adipeuses, le point de réglage, le métabolisme et les facteurs génétiques et environnementaux s'opposent sans relâche contre la perte des kilos supplémentaires ; quels conseils les psychologues peuvent-ils donner à ces personnes ? Peut-être le point le plus important est

Une bataille perdue d'avance Ryan Benson perdit 55 kg pour gagner la première saison d'une émission de téléréalité « *The Biggest Loser* ». Mais ensuite, comme tant d'autres, il trouva que de maintenir cette perte était un défi encore bien plus grand.

Gauche et milieu : photo NBC Universal/Trae Patton

© Stephanie Diani

que la perte de poids permanente n'est pas chose facile. Des millions de personnes peuvent témoigner qu'il est possible de perdre du poids, ils l'ont fait plusieurs fois. Mais mis à part la chirurgie drastique de rétrécissement de l'estomac et de l'intestin grêle, la plupart de ceux qui ont réussi à perdre du poids en suivant un régime ont regagné le poids perdu ou même plus (Mann et coll., 2007).

Ceux qui arrivent à maintenir leur perte de poids ont souvent établi des objectifs modérés et réalistes, suivant des programmes qui modifient leur style de vie et leur comportement alimentaire actuel. Ils réalisent qu'être modérément lourd est moins risqué que d'être extrêmement mince (Ernsberger et Koletsky, 1999). Ils perdent du poids petit à petit : « une durée raisonnable pour une réduction de 10 p. 100 du poids du corps est de 6 mois » conseille les *National Institutes of Health* (1998). Et ils font régulièrement de l'exercice. Pour d'autres conseils utiles, reportez-vous au Gros plan : Gérer son tour de taille.

GROS PLAN

Gérer son tour de taille

Il est conseillé que les gens qui luttent contre l'obésité subissent un examen médical et soient suivis par un médecin. Pour les autres, qui souhaitent juste perdre quelques kilogrammes, les chercheurs donnent ces conseils.

Ne commencez un régime que si vous êtes motivé et assez discipliné. Pour la plupart des individus, une perte de poids définitive constitue une véritable entreprise pour rester mince : un changement à vie des habitudes alimentaires et un entraînement physique croissant.

Réduisez votre exposition à des aliments tentants. Gardez les aliments tentants hors de vue ou hors de la maison. N'allez au supermarché que l'estomac plein et évitez les rayonnages de sucreries et de chips. Mangez des repas simples composés de quelques aliments différents ; s'il y a trop de variétés, on consomme plus de nourriture.

Prenez des mesures pour stimuler votre métabolisme. Les gens inactifs sont en surpoids (FIGURE 11.13). Dans une étude menée dans les années 1980, portant sur 6671 jeunes gens âgés de 12 à 17 ans, et dans une étude complémentaire menée dans les années 1990 sur 4063 jeunes âgés de 8 à 16 ans, l'obésité était plus fréquente chez ceux qui regardaient le plus la télévision (Andersen et coll., 1998 ; Dietz et Gortmaker, 1985). Évidemment, il est possible que les gens trop gros évitent l'exercice physique, préférant s'asseoir et regarder la télévision. Mais l'association entre l'obésité et le fait de regarder la télévision persiste quand les autres facteurs sont contrôlés, suggérant que l'inactivité et le grignotage devant la télévision contribuent à l'obésité. La bonne nouvelle est qu'un des quelques indicateurs de la réussite à long terme de la perte de poids est l'exercice ; à la fois pendant et après avoir modifié nos habitudes alimentaires (Jeffery et coll., 2000 ; McGuire et coll., 1999 ; Wadden et coll., 1998). L'exercice associé à 7 ou 8 heures de sommeil, vide les cellules adipeuses, façonne les muscles, accélère le métabolisme et aide à diminuer le point de réglage (Bennett, 1995 ; Kolata, 1987 ; Thompson et coll., 1982).

Mangez des aliments sains. Des céréales complètes, des fruits, des légumes, de bonnes graisses comme celles trouvées dans l'huile d'olive ou le poisson aident à réguler l'appétit et le cholestérol responsable de l'obstruction des artères (Taubes, 2001, 2002). Mieux vaut des légumes longs que des beignets ronds.

Ne jeûnez pas toute la journée pour ne faire qu'un gros repas le soir. Ce comportement alimentaire, classique chez les personnes fortes, ralentit le métabolisme. De plus, ceux qui prennent un petit-déjeuner équilibré sont plus alertes et moins fatigués en fin de matinée (Spring et coll., 1992).

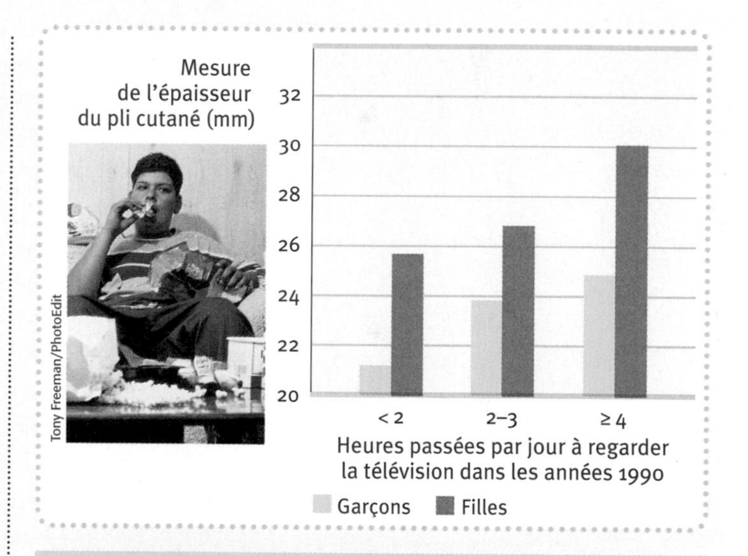

➤ FIGURE 11.13
L'oisif américain : prenez garde à ne pas végéter dans le canapé – regarder la télévision est corrélé à l'obésité
Comme le style de vie est devenu plus sédentaire et que la télévision s'est répandue, le pourcentage de personnes ayant une surcharge pondérale a augmenté en Grande-Bretagne, en Amérique du Nord, et ailleurs. Quand les enfants californiens suivaient un stage éducatif au cours duquel ils regardaient moins la télévision, ils perdaient du poids (Robinson, 1999).

Attention aux excès. En particulier pour les hommes, le fait de manger plus lentement réduit la quantité ingérée (Martin et coll., 2007). Chez les gens qui restreignent volontairement leur alimentation, le fait de boire de l'alcool ou de se sentir anxieux ou déprimé peut susciter un besoin impérieux de manger (Herman et Polivy, 1980). Il en est de même si vous ne faites pas attention à votre consommation de nourriture (Ward et Mann, 2000). (Avez-vous remarqué que vous mangez plus quand vous êtes avec des amis ?) Une fois que le régime est rompu, la personne se met souvent à penser « tant pis » et commence alors à se gaver (Polivy et Herman, 1985, 1987). Un faux pas ne doit pas devenir une dégringolade complète. Rappelez-vous que la plupart des gens font parfois des faux pas.

Bien que conscient que stabiliser la perte de poids soit un défi constant, Stanley Schachter (1982) n'est pas aussi pessimiste que la plupart des chercheurs sur l'obésité en ce qui concerne la probabilité de réussir un régime. Il admet le taux considérable d'échec chez les personnes suivant des cures d'amaigrissement organisées. Mais il remarque également que ces personnes constituent une population particulière, probablement incapable de se débrouiller toute seule. De plus, le taux d'échec enregistré avec ces programmes est fondé sur une tentative unique de perte de poids. Peut-être que lorsque les gens tentent à plusieurs reprises de perdre du poids, une plus grande partie d'entre eux peut y arriver. Lorsque Schachter interrogea certaines personnes, il s'aperçut qu'un quart d'entre elles avait été, à un moment quelconque, significativement trop forte et avait essayé de maigrir. Parmi celles-ci, 6 sur 10 avaient *réussi* : elles pesaient au moins 10 p. 100 de moins que leur poids maximal avant le régime (une perte de poids moyenne de 15 kg) et n'étaient plus obèses. Une étude menée en 1993 sur 90000 lecteurs de *Consumer Reports* a montré que 25 p. 100 des personnes au régime déclaraient avoir perdu du poids de manière durable. Aidé par la publicité diffusée par les médias, le *National Weight Control Registry* a identifié plus de 4000 personnes ayant maintenu une perte de poids importante pendant au moins un an et qui sont encore suivies. En moyenne, ces personnes ont perdu 27 kg et ont réussi à ne pas les récupérer pendant 5 ans en respectant leur régime et en faisant de l'exercice.

Ces résultats suggèrent que les perspectives de perte de poids sont un peu meilleures que les conclusions sombres tirées du sort des patients ayant suivi une seule cure d'amaigrissement. Ce résultat est similaire à celui observé lors des programmes destinés à cesser de fumer, qui ont tendance à être (1) efficaces à court terme et (2) inefficaces à long terme, même si (3) de nombreuses personnes sont d'anciens fumeurs.

Il existe cependant une autre option pour les personnes en surpoids, choisie par 13 p. 100 de celles que Schachter avait interrogées : accepter son poids. Tous autant que nous sommes, nous ferions bien de noter ce que les chercheurs *n'ont pas* identifié comme cause d'obésité : la culpabilité, l'hostilité, une fixation orale ou toute anomalie similaire de la personnalité. L'obésité n'est pas simplement un problème de manque de volonté. Si les gens au régime ont plus de risque d'avoir des crises de boulimie après un stress ou lorsqu'ils ont arrêté leur régime, c'est sans doute en grande partie à cause de leur restriction permanente. En effet, la poursuite insensée de la minceur expose les gens non seulement à une obsession de la nourriture et à des accès de boulimie, mais également à des fluctuations de poids, à la malnutrition, au tabagisme, à la dépression et aux effets secondaires néfastes des médicaments coupe-faim (Cogan et Ernsberger, 1999).

« Gros ! Et alors ? »
T-shirt populaire porté en 1999 lors de la convention de la *National Association to Advance Fat Acceptance*

« Le mot graisse n'est pas un mot ordurier » et « le tour de taille est une chose terrible à surveiller », proclame la *National Association to Advance Fat Acceptance*. Bien que ces slogans ne prennent pas en compte les risques pour la santé liés à une obésité majeure, ils véhiculent un point important : il est certainement préférable de s'accepter un peu grassouillet que de jeûner, puis d'être boulimique et de se sentir en permanence coupable et en perte de contrôle. Oprah Winfrey était très aimée avant de perdre 25 kg, elle l'était également après en avoir repris la quasi-totalité. Ces fans l'aimaient encore lorsqu'elle les perdit à nouveau et ils l'aimeront toujours, dodue ou non.

AVANT D'ALLER PLUS LOIN...

➤ Interrogez-vous

Pensez-vous être en adéquation avec votre corps quand il vous indique qu'il a faim ? Mangez-vous quand votre corps a besoin de nourriture ? Ou avez-vous tendance, même rassasié, à être attiré par de la nourriture appétissante ?

➤ Testez-vous 2

Vous avez voyagé et vous n'avez rien mangé depuis 8 heures. Lorsqu'on vous présente votre plat favori, vous avez l'eau à la bouche. Le simple fait d'imaginer ce plat vous met aussi l'eau à la bouche. Qu'est-ce qui déclenche cette salivation anticipée ?

Les réponses aux questions « Testez-vous » sont données dans l'annexe B à la fin de l'ouvrage.

Les motivations sexuelles

LE SEXE FAIT PARTIE DE LA VIE. SI CE N'AVAIT PAS été le cas pour tous vos ancêtres, vous ne seriez pas en train de lire ce livre. La motivation sexuelle est le moyen ingénieux grâce auquel la nature pousse les gens à procréer, permettant ainsi la survie de l'espèce. Lorsque deux personnes se sentent attirées l'une vers l'autre, il leur est difficile de ne pas penser qu'elles sont guidées par leurs gènes. De même que le plaisir que nous prenons à manger est une invention de la nature permettant à notre corps d'obtenir la nourriture qui lui est nécessaire, ainsi, le désir et le plaisir sexuel sont pour nos gènes une façon de se conserver et de se disséminer. La vie se transmet sexuellement.

« C'est une expérience quasi universelle que la clause invisible sur le certificat de naissance stipulant que chacun ressentira, lorsqu'il atteindra sa maturité, la nécessité de s'engager dans des activités souvent associées à l'émission d'autres certificats de naissance. »

Natalie Angier,
écrivain scientifique, 2007

La physiologie sexuelle

Comme la faim, l'excitation sexuelle dépend de l'interaction de stimuli internes et externes. Pour comprendre la motivation sexuelle, nous devons étudier les deux.

« J'aime bien l'idée qu'il y ait deux sexes, pas vous ? »

Le cycle de la réponse sexuelle

6. Quelles étapes marquent le cycle de la réponse sexuelle chez l'homme ?

Dans les années 1960, William Masters, un gynécologue-obstétricien, et sa collaboratrice, Virginia Johnson (1966), firent les gros titres en enregistrant les réponses physiologiques de volontaires qui se masturbaient ou avaient des rapports sexuels. Avec l'aide de 382 femmes et de 312 hommes volontaires, un échantillon quelque peu atypique formé seulement de gens capables et désireux de manifester de l'excitation ou d'avoir des orgasmes tout en étant observés dans un laboratoire, Masters et Johnson enregistrèrent et filmèrent plus de 10000 « cycles » sexuels. Leur description du **cycle de réponse sexuelle** identifia quatre étapes, identiques chez l'homme et la femme. Durant la *phase d'excitation* initiale, les zones génitales commencent à se gorger de sang, le vagin se détend et produit des sécrétions lubrifiantes ; les seins et les mamelons peuvent gonfler.

Dans la *phase de plateau*, l'excitation culmine tandis que la respiration, le pouls et la pression artérielle continuent d'augmenter. Le pénis se gonfle complètement et un peu de liquide (contenant souvent suffisamment de spermatozoïdes vivants pour permettre la conception) peut apparaître à son extrémité. Les sécrétions vaginales continuent d'augmenter, le clitoris se rétracte et l'orgasme paraît imminent.

Masters et Johnson ont observé des contractions musculaires sur tout le corps au cours de l'*orgasme* ; elles sont accompagnées par une nouvelle augmentation du rythme respiratoire, du pouls et de la pression artérielle. L'excitation et l'orgasme d'une femme favorisent la conception en aidant à propulser la semence issue du pénis, en positionnant l'utérus pour recevoir les spermatozoïdes et en accompagnant le sperme plus loin vers l'intérieur. Ainsi, non seulement l'orgasme féminin renforce le rapport sexuel (indispensable à la reproduction naturelle), mais il accroît également la rétention du sperme qui est émis (Furlow et Thornhill, 1996). Dans l'excitation du moment, les hommes et les femmes ne se rendent pas vraiment compte de tous ces phénomènes, car leurs contractions génitales rythmiques leur procurent un sentiment agréable de libération sexuelle.

La sensation est apparemment identique pour les deux sexes. Au cours d'une étude, un groupe d'experts n'a pu distinguer de façon fiable les descriptions de l'orgasme écrites par des hommes de celles écrites par des femmes (Vance et Wagner, 1976). Gerg Holstege, un neuroscientifique de l'université de Groningen, et ses collaborateurs (2003a,b) ont compris pourquoi. Ils ont découvert que lorsque les hommes et les femmes subissent un examen de TEP pendant qu'ils ont un orgasme, c'est la même région sous-corticale qui s'illumine. Et lorsque des personnes qui sont passionnément amoureuses passent une IRM fonctionnelle pendant qu'elles regardent des photos de l'être aimé ou d'un étranger, les réponses cérébrales des hommes comme des femmes à la vue de leur partenaire sont très proches (Fisher et coll., 2002).

Après l'orgasme, le corps retourne progressivement vers un état de non-excitation tandis que les vaisseaux génitaux gonflés de sang vont libérer le sang accumulé, relativement vite si l'orgasme a eu lieu et plus lentement dans le cas contraire. (C'est comme un picotement

• **Un homme de 50 ans qui ne fume pas a un risque sur un million de succomber à une crise cardiaque à tout moment. Ce risque augmente (2 sur 1 million) pendant l'heure qui suit un acte sexuel, excepté chez les personnes ayant une activité sexuelle régulière. Par rapport aux risques encourus lors d'un exercice physique intense ou d'une forte colère (*voir* Chapitre 12), nous pouvons dormir sur nos deux oreilles et continuer à avoir une activité sexuelle (Muller et coll., 1996).** •

:: Cycle de la réponse sexuelle : les quatre étapes de la réponse sexuelle décrites par Masters et Johnson : excitation, plateau, orgasme et résolution.

:: **Période réfractaire** : période de repos qui suit l'orgasme, pendant laquelle un homme ne peut parvenir à un nouvel orgasme.

:: **Troubles sexuels** : problèmes qui perturbent de façon systématique l'excitation ou le fonctionnement sexuel.

:: **Œstrogènes** : hormones sexuelles, telles que l'œstradiol, sécrétées en quantités plus grandes par les femmes que par les hommes et qui contribuent aux caractères sexuels féminins. Chez les femelles de mammifères autres que l'homme, le taux d'œstrogènes atteint un sommet au moment de l'ovulation, favorisant ainsi la réceptivité sexuelle.

:: **Testostérone** : la plus importante des hormones sexuelles masculines. Elle est présente à la fois chez les hommes et les femmes, mais la testostérone, plus abondante chez les hommes, stimule le développement des organes sexuels masculins chez le fœtus et le développement des caractères sexuels secondaires masculins lors de la puberté.

nasal qui s'en va rapidement si vous éternuez et lentement autrement.) Durant cette *phase de résolution*, l'homme entre dans une **période réfractaire** pouvant durer de quelques minutes à un jour ou plus, pendant laquelle il est incapable d'éprouver un autre orgasme. La période réfractaire, bien plus courte chez la femme, lui permet d'éprouver un autre orgasme si elle est de nouveau stimulée pendant ou juste après cette phase de résolution.

Masters et Johnson cherchaient non seulement à décrire le cycle de la réponse sexuelle humaine, mais également à comprendre et à traiter les incapacités à l'accomplir. Les **troubles sexuels** sont des problèmes qui gênent de façon régulière les fonctions sexuelles. Certains concernent la motivation sexuelle (libido), et en particulier un manque d'énergie ou d'excitabilité sexuelle. D'autres impliquent, pour les hommes, l'*éjaculation précoce* ou les *dysfonctionnements érectiles* (incapacité à obtenir ou à maintenir une érection) et, pour les femmes, un *trouble orgasmique* (le fait de ne pas atteindre – ou rarement – l'orgasme). La plupart des femmes qui souffrent de problèmes sexuels les relient plutôt à la relation émotionnelle avec leur partenaire pendant le rapport sexuel qu'à l'aspect physique de cette activité (Bancroft et coll., 2003). Une étude de plusieurs centaines de vrai et faux jumeaux australiens a révélé que la fréquence des orgasmes chez la femme est également sous influence génétique (Dawood et coll., 2005). Mais le facteur génétique qui intervient pour 51 p. 100 des variations de la fréquence de l'orgasme par la masturbation n'intervenait que pour 31 p. 100 des variations de la fréquence de l'orgasme pendant un rapport sexuel. En présence d'un partenaire, la proximité émotionnelle, la sécurité et l'intimité ont également de l'importance.

Les hommes et les femmes qui présentent des troubles sexuels peuvent être aidés par une thérapie. Par exemple, lors de thérapie comportementale orientée, les hommes apprennent à contrôler leur éjaculation et les femmes s'entraînent à atteindre d'elles-mêmes l'orgasme. L'introduction du Viagra® en 1998 a ouvert la voie au traitement médicamenteux des troubles érectiles.

Hormones et comportement sexuel

7. Les hormones influencent-elles notre motivation sexuelle ?

Les hormones sexuelles ont deux effets : elles gouvernent le développement physique des caractères sexuels masculins ou féminins, et (en particulier chez les animaux) elles activent le comportement sexuel. Chez la plupart des mammifères, la nature synchronise nettement l'activité sexuelle avec la fertilité. La femelle devient sexuellement réceptive (« en chaleur ») lorsque la production d'**œstrogènes** (comme l'œstradiol), les hormones sexuelles femelles, atteint un pic au moment de l'ovulation. Au cours d'expériences, les chercheurs peuvent stimuler la réceptivité en injectant des œstrogènes aux animaux femelles. Le taux des hormones mâles est plus constant et les chercheurs ne peuvent pas manipuler aussi facilement le comportement sexuel d'animaux mâles par des traitements hormonaux (Feder, 1984). Cependant, des rats mâles castrés – ayant perdu leurs testicules qui synthétisent la **testostérone**, l'hormone sexuelle mâle – perdent progressivement la majeure partie de leur intérêt pour des femelles réceptives et récupèrent lentement cet intérêt si on leur injecte de la testostérone.

• Le *National Center of Health* a effectué une enquête sur des Américains adultes en se basant sur des entretiens assistés par ordinateur afin de garantir la vie privée ; près de 98 p. 100 des personnes de 30 à 59 ans rapportent avoir eu des relations sexuelles (Fryar et coll., 2007). •

Chez l'être humain, les hormones ont une influence moins importante sur le comportement sexuel bien que, pendant la période d'ovulation, le désir sexuel chez la femme ayant un partenaire augmente légèrement (Pillsworth et coll., 2004). Une étude a invité des femmes vivant en couple et ne présentant pas de risque de tomber enceinte de tenir un journal intime de leur activité sexuelle. (Ces femmes portaient un stérilet ou avaient subi une intervention chirurgicale pour ne plus avoir d'enfants.) Les jours qui entouraient le moment de l'ovulation, la fréquence des rapports sexuels augmentait de 24 p. 100 (Wilcox et coll., 2004). D'autres études ont trouvé que les femmes fantasmaient plus sur des partenaires désirables et portaient plus de vêtements sexuellement attirants au cours de la période entourant l'ovulation (Haselton et coll., 2006 ; Pillsworth et Haselton, 2006 ; Sheldon et coll., 2006). Une étude menée auprès de 5 300 lap-danseuses dans les boîtes de nuit, a montré que leurs pourboires doublaient presque au cours des jours proches de l'ovulation, comparés aux jours de leur menstruation (Miller et coll., 2007).

Cependant, chez la femme, la sexualité est différente de celle des femelles mammifères, car elle est plus sensible au taux de testostérone qu'au taux d'œstrogènes (Meston et Frohlich, 2000 ; Reichman, 1998). Si le taux de testostérone naturelle d'une femme diminue, comme c'est le cas après une ovariectomie ou une ablation des glandes surrénales, le désir sexuel peut s'estomper. Mais un traitement substitutif de testostérone restaure parfois l'appétit sexuel diminué. C'est ce qui s'est produit au cours d'une expérience menée sur des centaines de femmes chirurgicalement ou naturellement ménopausées qui ont trouvé que le traitement substitutif par un patch de testostérone avait restauré leur activité sexuelle, leur excitation et leur plaisir plus qu'un placebo (Braunstein et coll., 2005 ; Buster et coll., 2005 ; Davis et coll., 2003 ; Kroll et coll., 2004).

Chez l'homme, des fluctuations normales du taux de testostérone, d'un sujet à l'autre et d'une heure à l'autre, ont peu d'influence sur les pulsions sexuelles (Byrne, 1982). En effet, les fluctuations hormonales chez l'homme constituent en partie une *réponse* à une stimulation sexuelle. Lorsque James Dabbs et ses collaborateurs (1987, 2000) suivirent des étudiants de sexe masculin hétérosexuels discutant alternativement avec un autre garçon ou avec une fille, le taux de testostérone des garçons s'élevait avec la stimulation sociale, mais surtout après une discussion avec une fille. La stimulation sexuelle peut être la cause, aussi bien que la conséquence, d'une élévation du taux de testostérone. À l'autre extrémité de la vie en couple, des études menées en Amérique du Nord et en Chine ont trouvé que les pères mariés avaient tendance à avoir des concentrations en testostérone moins importantes que celles des célibataires et des hommes mariés sans enfants (Gray et coll., 2006).

« Faites le plein de testostérone. »

Bien que les variations normales à court terme du taux hormonal aient peu d'effet sur le désir des hommes et des femmes, des variations plus importantes ont des effets plus grands au cours de la vie. L'intérêt d'une personne pour les sorties et les stimulations sexuelles augmente en général avec la poussée d'hormones sexuelles à la puberté, comme l'élévation du taux de testostérone chez l'homme pendant la puberté. Si l'on empêche cette élévation hormonale, comme cela se produisait aux XVIIe et XVIIIe siècles chez des garçons prépubères que l'on castrait afin de préserver leur voix de soprano pour l'opéra italien, le développement normal des caractères sexuels et du désir sexuel ne se produit pas (Peschel et Peschel, 1987). Chez les adultes mâles qui ont subi une castration, les pulsions sexuelles décroissent en général en même temps que leur taux de testostérone (Hucker et Bain, 1990). De la même manière, les violeurs masculins perdent la majeure partie de leurs pulsions sexuelles s'ils prennent un médicament (Depo-Provera®) qui réduit leur taux de testostérone au niveau de celui d'un garçon prépubère (Money et coll., 1983).

Plus tard dans la vie, la fréquence des rapports sexuels et les fantasmes diminuent en même temps que le taux d'hormones sexuelles (Leitenberg et Henning, 1995). Chez les hommes qui ont un taux de testostérone anormalement bas, les traitements substitutifs de testostérone permettent souvent d'augmenter le désir sexuel, l'énergie et la vitalité (Yates, 2000).

Pour résumer, nous pouvons comparer les hormones sexuelles humaines et, en particulier la testostérone, à l'essence d'une voiture. S'il n'y a pas d'essence, la voiture ne va pas rouler. Mais si le niveau d'essence est juste suffisant, le fait d'en ajouter dans le réservoir ne va pas changer la façon dont roule la voiture. L'analogie est imparfaite, car les hormones interagissent avec la motivation sexuelle. Cependant, cette image montre bien que la biologie est une explication nécessaire, mais pas suffisante, du comportement sexuel humain. Le carburant hormonal est essentiel, les stimuli psychologiques qui démarrent le moteur, lui permettent de rester en marche et d'enclencher la vitesse supérieure.

La psychologie de l'acte sexuel

8. De quelle manière les stimuli internes et externes influencent-ils la motivation sexuelle ?

La faim et le désir sexuel sont des motivations différentes. La faim répond à un *besoin*. Si nous ne mangeons pas, nous mourons. En ce sens, l'acte sexuel n'est pas un besoin. Si nous n'avons pas de relations sexuelles, nous pouvons nous sentir à l'agonie, mais nous ne mourons pas. Il existe malgré tout des similitudes entre la faim et la motivation sexuelle. Toutes les deux dépendent de facteurs physiologiques internes et sont influencées par des stimuli externes et imaginaires, ainsi que par les attentes culturelles (FIGURE 11.14, page suivante). Ainsi, malgré la biologie commune qui sous-tend la motivation sexuelle, les 281 raisons invoquées (au dernier décompte) pour avoir des rapports sexuels vont du « rapprochement avec Dieu » à « faire taire mon petit ami » (Buss, 2008 ; Meston et Buss, 2007).

« Notre société stimule notre intérêt pour le sexe par une incitation constante… Le cinéma, la télévision et les formidables techniques du marketing projettent dans tous les recoins de la planète nos très efficaces formes d'incitation et nos préjugés présentant l'homme comme un animal sensuel. »

Germaine Greer, 1984

➤ FIGURE 11.14
Les niveaux d'analyse de la motivation sexuelle
Comparée à notre motivation pour manger, notre motivation sexuelle est moins influencée par les facteurs biologiques. Les facteurs psychologiques et socioculturels jouent un rôle plus important.

Sotographs/The Gamma-Liaison Network/Getty Images

Influences biologiques :
- maturité sexuelle
- hormones sexuelles, en particulier la testostérone
- orientation sexuelle

Influences psychologiques :
- exposition à des conditions stimulantes
- fantasmes sexuels

Motivation sexuelle

Influences socioculturelles :
- valeurs familiales et sociales
- valeurs personnelles et religieuses
- attentes culturelles
- médias

© Anthony Singer

Stimuli externes

De nombreuses études confirment que les hommes sont excités quand ils voient, entendent ou lisent des choses érotiques. De façon plus surprenante (car les objets explicitement érotiques sont surtout vendus aux hommes), la plupart des femmes - notamment les moins inhibées qui se sont portées volontaires pour ce type d'études - décrivent presque autant d'excitation devant ces stimuli (Heiman, 1975 ; Stockton et Murnen, 1992). (Toutefois, leur cerveau répond différemment, et les images d'IRM fonctionnelles révèlent une plus forte activité de l'amygdale lorsque les hommes voient des supports érotiques [Hamann et coll., 2004].)

Les gens peuvent penser que ce type d'excitation est agréable ou dérangeant. (Ceux qui la trouvent dérangeante limitent souvent leurs contacts avec des éléments de ce genre, comme ceux qui veulent contrôler leur faim et qui réduisent leur exposition à des tentations.) L'exposition répétée peut souvent entraîner une diminution de la réponse émotionnelle aux stimuli érotiques (*habituation*). Dans les années 1920, quand les robes des femmes occidentales raccourcirent à la hauteur du genou, une jambe visible représentait un stimulus érotique modéré (par comparaison aux critères actuels), tout comme un maillot de bain deux pièces ou une simple scène de baiser dans un film.

Des éléments sexuellement explicites peuvent-ils avoir des effets négatifs ? Des recherches indiquent que c'est effectivement le cas. La description de femmes sexuellement contraintes et qui apprécient cette violence a tendance à augmenter l'acceptation, par le spectateur, de l'idée fausse selon laquelle les femmes apprécient le viol, et à accroître les désirs de violence envers les femmes chez les spectateurs de sexe masculin (Malamuth et Check, 1981 ; Zillmann, 1989). Les images de femmes ou d'hommes sexuellement attirants peuvent entraîner les gens à dévaloriser leur partenaire ou leur relation. Après que des étudiants ont vu, à la télévision ou dans des magazines, la description de femmes très attirantes, ils trouvent souvent une femme quelconque ou leur propre petite amie ou leur femme moins attirante (Kenrick et Gutierres, 1980 ; Kenrick et coll., 1989 ; Weaver et coll., 1984). Regarder des films X a tendance, de la même manière, à diminuer la satisfaction des gens vis-à-vis de leur partenaire sexuel (Zillmann, 1989). Certains chercheurs travaillant sur les motivations sexuelles suspectent que la lecture ou la vision de matériel érotique contribue à susciter une attente que peu d'hommes et de femmes peuvent voir se réaliser.

• **Les programmes télévisés à caractère sexuel détournent aussi l'attention des publicités présentées à la télévision, ce qui les rend moins marquantes. On se souvient souvent mieux des produits lorsque les publicités passent pendant des programmes non violents n'ayant pas de connotations sexuelles (Bushman et Bonacci, 2002).** •

Stimuli imaginaires

On dit que le cerveau est l'organe sexuel le plus important. Les stimuli présents à l'intérieur de notre cerveau, de notre imagination, influencent également l'excitation sexuelle et le désir. Les gens qui n'ont plus de sensations génitales à la suite d'une lésion de la moelle épinière peuvent encore éprouver des désirs sexuels (Willmuth, 1987). Considérez également le pouvoir érotique des rêves. Des spécialistes du sommeil ont découvert que l'excitation de l'appareil génital accompagne tous les types de rêves, même si la plupart n'ont pas de contenu sexuel. Cependant, chez pratiquement tous les hommes et chez environ 40 p. 100 des femmes, les rêves contiennent parfois des images sexuelles qui entraînent un orgasme (Wells, 1986). Chez les hommes, ces émissions nocturnes (« rêves humides ») et les orgasmes nocturnes sont plus probables si aucun orgasme n'a été éprouvé récemment.

Les gens éveillés peuvent non seulement être excités sexuellement par le souvenir d'une activité sexuelle antérieure, mais aussi par leurs fantasmes. Au cours d'une étude sur les fantasmes associés à la masturbation (Hunt, 1974), 19 p. 100 des femmes et 10 p. 100 des hommes ont raconté avoir imaginé être « pris » sexuellement par une personne les désirant énormément. Le fantasme n'est cependant pas la réalité. Pour paraphraser Susan Brownmiller (1975) : pour les femmes, il y a une différence énorme entre le fait de fantasmer que Christian Bale ne va pas considérer que « non » est une réponse recevable, et le fait qu'un inconnu hostile vous oblige à lui céder.

Environ 95 p. 100 des hommes et des femmes déclarent avoir eu des fantasmes sexuels. Mais les hommes (qu'ils soient homosexuels ou hétérosexuels) fantasment plus souvent sur le sexe, d'une manière plus physique et moins romantique. Ils préfèrent aussi regarder des livres ou des vidéos dans lesquels le sexe est pratiqué de façon plus impersonnelle et rapide (Leitenberg et Henning, 1995). Les fantasmes sexuels *n'*indiquent *pas* un problème ou une insatisfaction sexuels. Au contraire, les personnes ayant une vie sexuelle très active ont davantage de fantasmes.

« Il n'y a pas de différence entre être violée et être écrasée par un camion, sauf que les hommes vous demandent après si cela vous a plu. »
Marge Piercy, « *Rape poem* », 1976

La sexualité chez l'adolescent

9. Quels sont les facteurs qui influencent la grossesse chez les adolescentes et le risque d'infections sexuellement transmissibles ?

Le développement physique des adolescents introduit une dimension sexuelle dans leur identité naissante. Mais l'expression sexuelle varie grandement en fonction de l'époque et de la culture. Parmi les femmes américaines nées avant 1900, seules 3 p. 100 avaient eu des rapports sexuels avant le mariage à l'âge de 18 ans (Smith, 1998). En 2005, 47 p. 100 des lycéens déclarent avoir déjà eu des relations sexuelles (CDC, 2006). La pratique sexuelle chez les adolescents est à peu près similaire dans les pays d'Europe de l'Ouest et d'Amérique latine, mais bien moindre dans les pays arabes, les pays d'Asie et chez les personnes d'origine asiatique vivant en Amérique du Nord (McLaughlin et coll., 1997 ; Wellings et coll., 2006). Étant donné la forte variation d'une époque à l'autre et d'un endroit à l'autre, il n'est pas surprenant qu'une étude récente sur les jumeaux ait montré que les facteurs environnementaux comptaient pour près des trois quarts des variations individuelles concernant l'âge du premier rapport (Bricker et coll., 2006). La famille et les valeurs culturelles ont de l'importance.

Les relations sexuelles chez les adolescents ne sont souvent pas protégées et entraînent des risques de grossesse et d'*infections sexuellement transmissibles* (*IST*, ou *MST* pour *maladies sexuellement transmissibles*).

La grossesse chez l'adolescente

Comparés aux adolescents européens, les adolescents américains ont un taux plus faible d'utilisation de contraceptifs et donc un taux plus élevé de grossesse et d'avortement (Call et coll., 2002). Pourquoi ?

L'ignorance Une enquête menée sur les adolescentes canadiennes révèle un véritable fossé entre la connaissance sur les relations sexuelles et la santé sexuelle (Ipsos, 2006). Bien que 9 adolescents sur 10 considèrent qu'ils ont des connaissances, beaucoup ne savent pas que les IST peuvent être transmises par des rapports sexuels oraux (qui ont été pratiqués par les deux tiers) ; seuls 19 p. 100 ont entendu parler du PVH (papillomavirus humain, une des premières causes de papillomes génitaux et de cancer du col de l'utérus) ; et seuls 37 p. 100 ont mentionné l'infécondité comme conséquence éventuelle d'une chlamydiose. La plupart des adolescents surestiment l'activité sexuelle de leurs pairs, une mauvaise perception qui peut influencer leur propre comportement (*Child Trends*, 2001). Contrer leur ignorance par une éducation sexuelle sur la contraception « n'augmente pas l'activité sexuelle des adolescents » (*Surgeon General*, 2001) mais un rapport de l'OMS a mis en évidence que cela augmentait « l'intention d'avoir des relations sexuelles plus sécurisées » et peut même *retarder* « plutôt que de hâter l'apparition des premiers rapports » (Wellings et coll., 2006).

Une communication minimale à propos du contrôle des naissances Beaucoup d'adolescents se sentent mal à l'aise pour discuter de contraception avec leurs parents, leurs partenaires ou

« Vos enfants vont-ils apprendre à se multiplier avant d'apprendre les soustractions ? »
Affiche contre la grossesse chez les adolescentes, *Children's Defense Fund*

« Le préservatif devrait être utilisé à chaque occasion. »
Anonyme

« Tous ceux parmi nous qui font des films sont des enseignants, des enseignants à la voix forte. »
George Lucas, producteur, cérémonie de remise des Oscars, 1992

leurs pairs. Les adolescents qui parlent librement avec leurs parents et qui ont une relation exclusive avec un partenaire avec lequel ils peuvent parler ouvertement, ont plus de chances d'utiliser un moyen de contraception (Aspy et coll., 2007 ; Milan et Kilmann, 1987).

La culpabilité vis-à-vis du sexe Selon une enquête, 72 p. 100 des filles américaines de 12 à 17 ans ayant eu des relations sexuelles disent qu'elles le regrettent (Reuters, 2000). L'inhibition ou l'ambivalence sexuelle peut réduire l'activité sexuelle, mais lorsque la passion balaie les intentions, elles peuvent également réduire l'utilisation de moyens de contraception (Gerrard et Luus, 1995 ; MacDonald et Hynie, 2008).

La consommation d'alcool Les adolescents qui ont des rapports sexuels sont aussi ceux qui boivent de l'alcool (Albert et coll., 2003 ; ASA, 2004). De plus, ceux qui consomment de l'alcool avant un rapport sexuel ont moins tendance à utiliser un préservatif (Kotchik et coll., 2001). En déprimant les centres cérébraux qui contrôlent le jugement, l'inhibition et la conscience de soi, l'alcool tend à annuler les retenues habituelles. C'est un phénomène bien connu des hommes qui ont tendance à imposer des relations sexuelles par la force.

Les normes véhiculées par les médias concernant les rapports sexuels non protégés Les médias aident à écrire les scénarios sociaux qui affectent nos perceptions et nos actions. Ainsi, quels sont les scenarii sexuels que les médias gravent de nos jours dans nos esprits ? Une heure moyenne de télévision sur les trois principaux réseaux américains, aux heures de grande écoute, contient à peu près quinze actes, mots ou allusions sexuels. Les partenaires ne sont en général pas mariés, ils n'ont pas eu de relations sentimentales antérieures, et très peu expriment la moindre préoccupation concernant la contraception ou les infections sexuellement transmissibles (Brown et coll., 2002 ; Kunkel, 2001 ; Sapolsky et Tabarlet, 1991). Plus les adolescents voient des émissions ayant un contenu sexuel (même en ayant contrôlé les autres facteurs pouvant prédire une activité sexuelle précoce), plus ils risquent de percevoir leurs pairs comme sexuellement actifs, de développer des attitudes sexuellement permissives et d'avoir des relations sexuelles précoces (Escobar-Chaves et coll., 2005 ; Martino et coll., 2005 ; Ward et Friedman, 2006).

Infections sexuellement transmissibles

Les rapports sexuels non protégés ont conduit à une augmentation des infections sexuellement transmissibles (IST). Les deux tiers des nouvelles infections se développent chez des personnes de moins de 25 ans (CASA, 2004). Les adolescentes, qui n'ont pas encore achevé leur maturation biologique et dont le taux d'anticorps protecteurs est encore faible, semblent particulièrement vulnérables (Dehne et Riedner, 2005 ; Guttmacher, 1994). Une étude récente du *Centers for Desease Control* menée chez des adolescentes américaines de 14 à 19 ans ayant eu des relations sexuelles a trouvé des IST chez 39,5 p. 100 d'entre elles (Forhan et coll., 2008).

Pour comprendre la transmission de ces infections d'un point de vue mathématique, imaginons ce scénario. Au cours d'une année, Pat a des relations avec 9 personnes et chacune d'elle, à la même période, a des relations avec 9 autres personnes, qui à leur tour ont des relations avec 9 autres. Combien de partenaires « fantômes » (les ex-partenaires des partenaires) aura Pat ? Laura Brannon et Timothy Brock (1993) rapportent que le nombre exact, 511, est cinq fois plus important que les estimations données par un étudiant moyen. Ou considérez ceci : si quelqu'un utilise une méthode qui est efficace à 98 p. 100 en tant que méthode contraceptive ou de prévention contre les infections, il existe 2 p. 100 de risques d'échec lors de la première utilisation. Ce qui surprend de nombreuses personnes, si elles utilisent cette méthode 30 fois, c'est que le risque va s'accumuler pour atteindre presque 50 p. 100 de chances d'échec à un certain moment. De plus, lorsque les personnes se sentent attirées par un partenaire, elles deviennent motivées à sous-estimer les risques (Knäuper et coll., 2005).

Étant donné ces résultats, la propagation rapide des IST n'est pas surprenante. Le préservatif ne protège pas contre les IST à transmission cutanée (*Medical Institute*, 1994 ; NIH, 2001). Cependant, au regard des diverses études disponibles, le préservatif est efficace à 80 p. 100 pour réduire le risque de transmission du VIH (virus de l'immunodéficience humaine, responsable du sida) d'un partenaire infecté (Weller et Davis-Beaty, 2002 ; OMS, 2003). Les effets furent nets lorsque la Thaïlande a favorisé l'utilisation à 100 p. 100 des préservatifs par ceux qui travaillent dans le commerce sexuel. Sur une période de quatre ans, l'utilisation des préservatifs est passée de 14 à 94 p. 100 et le nombre annuel d'IST bactériennes s'est effondré passant de 410406 à 27362 (OMS, 2000).

Aux États-Unis, les conséquences des IST sur la vie ont conduit à une autre réponse : une insistance plus grande sur l'abstinence des adolescents préconisée par certains programmes d'éducation sexuelle. Une étude nationale longitudinale sur la santé des adolescents, effectuée sur 12 000 adolescents, a trouvé plusieurs facteurs prédictifs de contrôle de la sexualité :

Une grande intelligence Les adolescents qui ont les scores d'intelligence les plus élevés retardent plus souvent leur première expérience sexuelle, car ils évaluent les éventuelles conséquences négatives et se concentrent plutôt sur la réussite future que sur le plaisir de l'instant (Halpern et coll., 2000).

L'engagement religieux Les adolescents et les adultes pratiquants réservent plus souvent les rapports sexuels pour le mariage (Rostosky et coll., 2004 ; Smith, 1998).

La présence du père Dans des études ayant suivi des centaines de jeunes filles néo-zélandaises et américaines âgées de 5 à 18 ans, l'absence du père était liée à des rapports sexuels avant l'âge de 16 ans et à la grossesse chez les adolescentes (Ellis et coll., 2003). Ces associations étaient encore présentes après l'ajustement d'autres influences négatives comme la pauvreté.

La participation à des activités communautaires Dans plusieurs expériences, les adolescentes qui font du bénévolat en tant que professeur, assistante ou qui s'impliquent dans un projet communautaire ont un taux de grossesse plus faible que d'autres adolescentes choisies au hasard et qui représentent le groupe contrôle (Kirby, 2002 ; O'Donnell et coll., 2002). Les chercheurs ne sont pas certains d'en connaître la raison. Est-ce le travail au bénéfice de la société qui favorise les sentiments de compétence personnelle, de contrôle de soi et de responsabilité ? Cela encourage-t-il une ligne de conduite plus orientée vers l'avenir ? Ou alors cela ne fait-il que réduire le nombre de possibilités d'avoir des relations sexuelles non protégées ?

***

Dans l'histoire récente, la balance des valeurs sexuelles est passée de l'érotisme européen du début des années 1800 au conservatisme de l'ère victorienne de la fin des années 1800, et de l'ère des jeunes filles délurées et libertines des années 1920 à la période des années 1950 empreintes de valeurs familiales. Le mouvement a peut-être commencé à se diriger vers l'engagement au XXIe siècle, avec le déclin du taux de naissance chez les adolescentes depuis 1991. Ce déclin reflète à la fois l'augmentation de l'utilisation des préservatifs parmi les étudiants ayant des rapports sexuels (de 46 à 63 p. 100 entre 1991 et 2005) et la diminution des rapports sexuels (de 54 à 47 p. 100) (CDC, 2006).

L'orientation sexuelle

10. Que nous a appris la recherche sur l'orientation sexuelle ?

Motiver, c'est dynamiser et diriger un comportement. Jusqu'à présent, nous avons examiné la mise en œuvre de la motivation sexuelle, mais non sa direction. Nous exprimons la direction de notre intérêt sexuel par notre **orientation sexuelle**, c'est-à-dire notre attirance sexuelle persistante envers les membres de notre propre sexe (*orientation homosexuelle*) ou les membres de l'autre sexe (*orientation hétérosexuelle*). L'attitude vis-à-vis de l'homosexualité varie selon les cultures. Au Chili, 32 p. 100 des personnes disent qu'ils pensent que l'homosexualité « ne se justifie jamais » tout comme 50 p. 100 des personnes vivant aux États-Unis et 98 p. 100 de ceux vivant au Kenya et au Nigeria (Pew, 2006). Pour autant que nous le sachions, toutes les cultures, de tout temps, ont été principalement hétérosexuelles (Bullough, 1990). Qu'une culture condamne ou accepte l'homosexualité, l'hétérosexualité domine et l'homosexualité survit.

La plupart des gays et des lesbiennes se souviennent souvent avoir eu une préférence pour les jeux pratiqués par l'autre sexe durant l'enfance (Bailey et Zucker, 1995). Mais la plupart des homosexuels racontent qu'ils se sont rendu compte pour la première fois de leur attirance sexuelle envers les personnes du même sexe pendant ou peu après la puberté, mais qu'ils ne se sont considérés comme gay ou lesbienne (leur identité socialement influencée) qu'à la fin de leur adolescence ou au début de la vingtaine (Garnets et Kimmel, 1990 ; Hammack, 2005). En tant qu'adolescents, la qualité de leurs amitiés est similaire aux adolescents hétérosexuels et en tant qu'adultes, leur relation avec leur partenaire est « remarquablement similaire » à celle des couples hétérosexuels sur le plan de l'amour et de la satisfaction (Busseri et coll., 2006 ; Peplau et Fingerhut, 2007).

:: **Orientation sexuelle :** attraction sexuelle permanente envers les membres du même sexe (orientation homosexuelle) ou du sexe opposé (orientation hétérosexuelle).

Statistiques sur l'orientation sexuelle

Combien de personnes sont exclusivement homosexuelles ? Environ 10 p. 100 comme le présume souvent la presse populaire ? Un peu plus de 20 p. 100 comme l'a estimé la moyenne des Américains au cours d'une enquête Gallup menée en 2002 (Robinson, 2002) ? Ces chiffres ne sont pas en accord avec plus d'une douzaine d'enquêtes nationales réalisées au début des années 1990 qui ont étudié l'orientation sexuelle en Europe et aux États-Unis en utilisant des méthodes protégeant l'anonymat des personnes interrogées. Les taux les plus précis semblent être d'environ 3 à 4 p. 100 chez les hommes et de 1 à 2 p. 100 chez les femmes (Laumann et coll., 1994 ; Mosher et coll., 2005 ; Smith, 1998). Des estimations, fondées sur les pratiques sexuelles des individus non mariés signalés lors du recensement américain de 2000, suggèrent que 2,5 p. 100 de la population sont gays ou lesbiennes (Tarmann, 2002). Moins de 1 p. 100 des personnes ayant répondu aux enquêtes – 12 adultes hollandais sur 7 076 dans une étude récente (Sandfort et coll., 2001), par exemple – disent être activement bisexuels. Selon l'étude hollandaise, un plus grand nombre d'adultes disent avoir eu une expérience homosexuelle isolée, et la plupart des gens ont occasionnellement des fantasmes homosexuels. Bien que les experts en santé publique trouvent utile d'avoir des statistiques concernant la sexualité, ce ne sont pas les chiffres qui décident de la question des droits de l'homme.

• Une enquête britannique portant sur 18 876 individus a rapporté que 1 p. 100 des personnes étaient apparemment asexuelles, ne s'étant « jamais senti sexuellement attirée par quelqu'un ». (Bogaert, 2004, 2006). •

• Au cours d'une étude portant sur des hommes se décrivant comme hétérosexuels, bisexuels ou homosexuels, ceux qui se décrivaient comme bisexuels répondaient comme les hommes homosexuels avec une excitation génitale principalement déclenchée par des stimuli érotiques du même sexe (Rieger et coll., 2005). Ils présentent également de l'intérêt et des caractères plus semblables à ceux des homosexuels que les hommes hétérosexuels (Lippa, 2005). •

Comment se sent-on lorsque l'on est homosexuel dans une culture hétérosexuelle ? Une façon de le comprendre pour des hétérosexuels serait d'imaginer comment ils se sentiraient s'ils étaient mis à l'écart ou renvoyés pour avoir admis ouvertement ou manifesté leurs sentiments envers quelqu'un du sexe opposé ; s'ils passaient leur temps à entendre les gens faire des plaisanteries salaces à propos des hétérosexuels ; si la plupart des films, des émissions de télévision ou des publicités décrivaient (ou impliquaient) l'homosexualité ; et si les membres de leur famille les suppliaient de changer leur mode de vie hétérosexuel pour un mariage homosexuel.

L'orientation sexuelle n'est pas un indicateur de la santé mentale. L'*American Psychological Association* déclare que « l'homosexualité en elle-même n'est pas associée à un trouble mental ou émotionnel ni à un quelconque problème social » (2007). De plus, les mariages civils entre personnes du même sexe fournissent des avantages émotionnels, sociaux et sur la santé similaires à ceux des mariages hétérosexuels (Herek, 2006 ; King et Bartlett, 2006 ; Kurdek, 2005). Mais certaines personnes homosexuelles, en particulier pendant l'adolescence, luttent souvent contre leur attirance sexuelle et présentent plus de risques de penser au suicide et d'essayer de se suicider (Balsam et coll., 2005 ; Kitts, 2005 ; Plöderl et Fartacek, 2005). Au départ, ils tentent d'ignorer ou de nier leurs désirs, espérant ainsi les chasser ; mais ils ne s'en vont pas. Ensuite, ils peuvent essayer de changer par la psychothérapie, la volonté ou la prière. Mais, en général, l'orientation persiste, comme dans le cas des hétérosexuels qui sont également incapables de devenir homosexuels (Haldeman, 1994, 2002 ; Myers et Scanzoni, 2005). Aujourd'hui, la plupart des psychologues considèrent de ce fait que l'orientation sexuelle n'est pas choisie volontairement et qu'elle ne peut être changée de son propre gré. D'une certaine façon, c'est comme de savoir si l'on est droitier ou gaucher : beaucoup de gens sont droitiers, quelques-uns sont gauchers, seules quelques personnes sont réellement ambidextres. Quelle qu'elle soit, la façon d'être de chacun est durable.

• Les valeurs personnelles affectent moins l'orientation sexuelle que les autres formes de comportement sexuel. Comparées aux personnes qui vont rarement à l'église, par exemple, celles qui y vont régulièrement ont trois fois moins de chance d'avoir vécu en concubinage avant le mariage et reconnaissent avoir eu beaucoup moins de partenaires sexuels. Mais (si ce sont des hommes), ils ont les mêmes chances d'être homosexuels (Smith, 1998). •

Cette conclusion se rapporte plus fortement aux hommes. Comparée à celle des hommes, l'orientation sexuelle des femmes a tendance à être plus faiblement ressentie et potentiellement plus fluide et variable (Chivers, 2005 ; Diamond, 2007 ; Peplau et Garnets, 2000). La plus faible variabilité des hommes sur le plan sexuel se manifeste de plusieurs façons, note Roy Baumeister (2000). En tenant compte de facteurs tels que l'époque, la culture, la situation, le niveau d'éducation, la religiosité et l'influence des pairs, les besoins et les intérêts sexuels des femmes adultes sont plus flexibles et variables que ceux des hommes adultes. Par exemple, les femmes, bien plus que les hommes, préfèrent alterner des périodes d'activité sexuelle intense avec des périodes d'abstinence presque totale et ont plus tendance à ressentir des attractions bisexuelles et à agir en conséquence (Mosher et coll., 2005).

Chez l'homme, une forte libido est associée à une augmentation de l'attraction envers les femmes (s'il est hétérosexuel) ou envers les hommes (s'il est homosexuel). Chez la femme, une forte libido est associée à une augmentation de l'attirance envers les hommes et les femmes (Lippa, 2006, 2007). Lorsqu'on leur montre des photographies de couples hétérosexuels dans un contexte érotique ou non érotique, les hommes hétérosexuels regardent surtout la femme alors que la femme hétérosexuelle regarde pareillement l'homme et la femme (Lykins et coll., 2008). Et lorsqu'on leur montre un film sexuellement explicite, l'excitation génitale et sexuelle subjective de l'homme préfère le plus souvent les stimuli sexuels (pour les hétérosexuels, les représentations de femmes). Les femmes répondent plus de manière non spécifique aux représentations de l'activité sexuelle impliquant des hommes ou des femmes (Chivers et coll., 2007). Baumeister décrit ce phénomène comme une différence entre les sexes dans la *plasticité érotique*.

Les origines de l'orientation sexuelle

Si notre orientation sexuelle est vraiment une chose que nous ne choisissons pas et que nous ne pouvons apparemment pas changer (ce qui apparaît plus clairement chez les individus de sexe masculin), d'où vient donc cette préférence pour l'homosexualité ou l'hétérosexualité ? Voyons si vous pouvez prévoir le consensus issu de centaines d'études en répondant par *oui* ou par *non* aux questions suivantes :

1. L'homosexualité est-elle liée à des problèmes concernant la relation de l'enfant avec ses parents, par exemple à une mère dominante et un père effacé, ou à une mère possessive et un père hostile ?
2. L'homosexualité implique-t-elle une crainte ou une haine des personnes de l'autre sexe conduisant les individus à diriger leurs désirs sexuels vers des membres de leur propre sexe ?
3. L'orientation sexuelle est-elle liée aux taux d'hormones sexuelles dans le sang ?
4. De nombreux homosexuels ont-ils été victimes de sévices sexuels, lorsqu'ils étaient enfants, maltraités ou séduits par un homosexuel adulte ?

• **Notez que la question scientifique n'est pas « Quelles sont les causes de l'homosexualité ? » (ou « Quelles sont les causes de l'hétérosexualité ? »), mais « Quelle est l'origine d'une orientation sexuelle différente ? » À la recherche d'une réponse, la science psychologique compare l'histoire et la physiologie de ceux dont l'orientation sexuelle *diffère*.** •

La réponse à toutes ces questions est *non* (Storms, 1983). Lors d'entretiens avec près de 1 000 homosexuels et 500 hétérosexuels, les enquêteurs du *Kinsey Institute* ont vérifié pratiquement chaque cause psychologique imaginable de l'homosexualité : relations parentales, expériences sexuelles enfantines, relations avec l'entourage, rendez-vous amoureux (Bell et coll., 1981 ; Hammersmith, 1982). Ils ont découvert que les homosexuels n'ont pas été plus que les hétérosexuels étouffés par l'amour maternel, négligés par leur père ou victimes d'abus sexuels. Considérons ceci : si les « pères distants » ont plus de chances d'avoir des fils homosexuels, peut-on en conclure que les garçons élevés dans un foyer dont le père est absent seront gays à l'âge adulte ? (La réponse est non.) Peut-on dire que le nombre croissant de foyers dont le père est absent a renforcé la population gay ? (La réponse est également non.)

Cependant, les homosexuels sont plus nombreux dans certaines populations. Une étude (Ludwig, 1995) effectuée sur la biographie de 1004 personnages éminents a montré que les bisexuels et les homosexuels étaient largement représentés, surtout chez les poètes (24 p. 100), les romanciers (21 p. 100), les artistes et les musiciens (15 p. 100). Les gays plus que les hétérosexuels expriment également plus d'intérêt pour les professions qui attirent beaucoup de femmes comme décorateur, fleuriste et steward (Lippa, 2002). (Étant donné que 96 p. 100 des hommes ne sont pas homosexuels, la plupart des hommes faisant ces métiers peuvent néanmoins être hétérosexuels.)

Selon Ray Blanchard (1997, 2008) et Anthony Bogaert (2003), les hommes qui ont des frères plus âgés ont plus de chances d'être homosexuels, environ 1/3 de chances en plus par frère aîné. En considérant que les chances d'avoir un premier fils homosexuel sont de 2 p. 100, elles s'élèvent à 3 p. 100 pour le second fils, à 4 p. 100 pour le troisième, et ainsi de suite à chaque nouveau garçon (*voir* FIGURE 11.15). La raison de ce phénomène curieux - *l'effet de l'ordre de naissance au sein d'une fratrie* - n'est pas très claire. Blanchard suspecte une réaction immunitaire défensive chez la mère provoquée par des substances étrangères produites par les fœtus masculins. Les anticorps maternels pourraient se renforcer après chaque nouvelle grossesse portant un fœtus masculin et empêcher le cerveau du fœtus d'un futur garçon de se développer selon un schéma typiquement masculin. L'effet de l'ordre de naissance au sein d'une fratrie ne se produit que chez les garçons ayant des frères aînés issus de la même mère (qu'ils soient ou non élevés ensembles), ce qui concorde avec cette explication biologique. L'orientation sexuelle n'est pas affectée par les frères adoptifs (Bogaert, 2006). Cet effet de l'ordre de naissance sur l'orientation sexuelle ne se retrouve pas chez les femmes qui ont des sœurs plus âgées ou qui ont partagé la poche utérine avec un frère jumeau ni chez les hommes qui ne sont pas droitiers (Rose et coll., 2002).

➤ FIGURE 11.15
Effet de l'ordre de naissance au sein d'une fratrie Le chercheur Ray Blanchard (2008) présente ces courbes approximatives de la probabilité pour un homme d'être homosexuel en fonction du nombre de ses frères aînés. Cette corrélation a été trouvée dans de nombreuses études mais uniquement chez les droitiers.

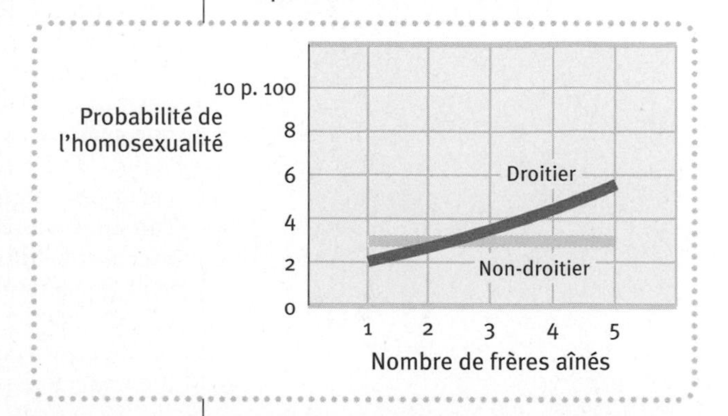

Alors, qu'est-ce qui détermine l'orientation sexuelle ? Une théorie a proposé que les gens développent une attirance érotique pour ceux du même sexe que le leur s'ils sont séparés par sexe au moment où leurs pulsions sexuelles se développent (Storms, 1981). En effet, les hommes homosexuels ayant grandi dans un entourage majoritairement masculin ont tendance à dire que leur puberté s'est manifestée plus précocement (Bogaert et coll., 2002). Mais même dans une culture tribale où un comportement homosexuel est attendu de tout garçon avant le mariage, l'hétérosexualité l'emporte (Hammack, 2005 ; Money, 1987). (Comme l'illustre cette pratique, un *comportement* homosexuel n'implique pas obligatoirement une *orientation* homosexuelle.)

Il résulte de 50 ans de recherches et de théories que, s'il existe des facteurs environnementaux influençant l'orientation sexuelle, nous ne les connaissons pas encore. Cette réalité a motivé les chercheurs à considérer plus attentivement l'influence possible de la biologie sur l'orientation sexuelle, y compris des preuves de l'existence d'homosexualité dans le monde animal, ainsi que l'influence de centres cérébraux et de facteurs génétiques différents et de différences d'exposition aux hormones prénatales.

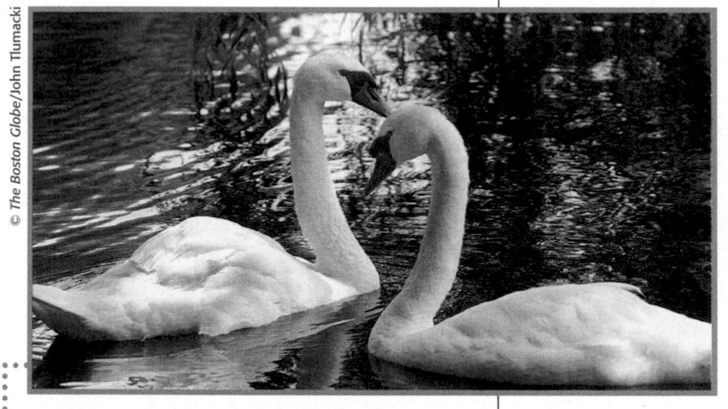
© The Boston Globe/John Tlumacki

Juliette et Juliette Le couple de cygne amoureux de Boston « Roméo et Juliette » s'est avéré être, en fait, comme beaucoup de couples animaux, un couple du même sexe.

Attirance homosexuelle chez les animaux À l'aquarium de Coney Island (New York), les pingouins Wendell et Cass sont restés plusieurs années des partenaires homosexuels dévoués. Il en est de même de Silo et Roy, des pingouins du zoo de Central Park. Bruce Bagemihl (1999), un biologiste, a identifié plusieurs centaines d'espèces chez lesquelles on observe des relations homosexuelles, au moins occasionnelles. Les grizzlis, les gorilles, les singes, les flamants roses et les chouettes font partie de cette longue liste. Par exemple, 6 à 10 p. 100 des béliers environ – que les bergers appellent les « incapables » – présentent une attirance homosexuelle : ils évitent les brebis et cherchent à monter d'autres mâles (Perkins et Fitzgerald, 1997). Il semble donc qu'un certain degré d'homosexualité fasse naturellement partie du monde animal.

Le cerveau et l'orientation sexuelle Le chercheur Simon LeVay (1991) a étudié des coupes d'hypothalamus prélevées chez des homosexuels ou des hétérosexuels décédés. Scientifique homosexuel, LeVay voulait faire quelque chose « en rapport avec [son] identité homosexuelle ». Pour éviter de biaiser les résultats, il fit une *étude en aveugle*, sans savoir quels donneurs étaient homosexuels. Pendant 9 mois, il scruta à travers son microscope un amas de cellules qu'il pensait être important. Puis, un matin, il découvrit la clé de l'énigme : un amas cellulaire était systématiquement plus grand chez les hommes hétérosexuels que chez les femmes et les hommes homosexuels. LeVay dit (1994) : « J'étais pratiquement en état de choc... Je partis seul faire une promenade sur les falaises dominant la mer. Je m'assis pendant une demi-heure juste pour penser à ce que cela pouvait vouloir dire ».

« Les hommes homosexuels n'ont tout simplement pas les cellules cérébrales leur permettant d'être attirés par les femmes. »
Simon LeVay, *The Sexual Brain*, 1993

Le fait que le cerveau puisse différer avec l'orientation sexuelle ne devrait pas nous surprendre. Cette observation a été confirmée par une récente découverte que les hommes homosexuels et les femmes hétérosexuelles ont des hémisphères cérébraux de même taille alors que les femmes lesbiennes et les hommes hétérosexuels ont un hémisphère droit plus grand (Savic et Lindström, 2008). Rappelez-vous de notre maxime : *toute chose psychologique est en même temps biologique*. Mais à quel moment cette différence cérébrale commence-t-elle ? À la conception ? Dans l'utérus ? Au cours de l'enfance ou de l'adolescence ? Est-ce l'expérience qui provoque ces différences ? Ou bien est-elle due aux gènes ou aux hormones prénatales (ou aux gènes par le biais des hormones prénatales) ?

LeVay ne considère pas le centre hypothalamique comme le centre de l'orientation sexuelle ; il le voit plutôt comme une partie importante de la voie neuronale impliquée dans le comportement sexuel. Il reconnaît que le type de comportement sexuel peut influencer l'anatomie cérébrale. Chez les poissons, les oiseaux, les rats et les hommes, les structures cérébrales varient avec l'expérience – y compris l'expérience sexuelle – déclare Marc Breedlove, un chercheur spécialiste de la sexualité (1997). Mais LeVay croit qu'il est plus vraisemblable que l'anatomie cérébrale influence l'orientation sexuelle. Son intuition semble confirmée par la découverte d'une différence hypothalamique similaire entre les 7 à 10 p. 100 de béliers éprouvant une attirance pour le même sexe et les 90 p. 100 restants attirés par les femelles (Larkin et coll., 2002 ; Roselli et coll., 2002, 2004). De plus, selon Qazi Rahman et Glenn Wilson, psychologues de l'université de Londres (2003), « la neuro-anatomie corrélée à l'homosexualité masculine se différencie très tôt après la naissance, si ce n'est même avant la naissance ».

Les réponses vis-à-vis d'odeurs dérivées des hormones sexuelles ont mis également en évidence une différence cérébrale (Savic et coll., 2005). L'hypothalamus des femmes hétérosexuelles à qui on fait sentir l'odeur d'un parfum dérivé de la sueur de l'homme, s'active au niveau d'une zone gouvernant l'activité sexuelle. Les cerveaux des hommes homosexuels répondent pareillement au parfum d'un homme, mais le cerveau des hommes hétérosexuels ne s'active qu'en réponse à l'odeur d'un dérivé hormonal féminin. De même, lors d'autres études sur les réponses cérébrales aux odeurs dérivées de la sueur et aux images de visages masculins ou féminins, les gays et les lesbiennes diffèrent de leurs homologues hétérosexuels (Kranz et Ishai, 2006 ; Martins et coll., 2005).

Les gènes et l'orientation sexuelle Ces différences cérébrales liées à la sexualité sont-elles influencées génétiquement ? Des résultats indiquent qu'il existe une influence génétique sur l'orientation sexuelle. « Premièrement, il semble qu'il existe une homosexualité familiale », comme le notent Brian Mustanski et Michael Bailey (2003). « Deuxièmement, les études de jumeaux ont établi que les gènes jouaient un rôle substantiel dans l'explication des différences individuelles de l'orientation sexuelle. » Les vrais jumeaux ont relativement plus de chances que les faux jumeaux d'être tous deux homosexuels (Lángström et coll., 2008). (Comme l'orientation sexuelle diffère chez beaucoup de vrais jumeaux, en particulier chez les vraies jumelles, nous savons que d'autres facteurs sont à l'œuvre en plus des gènes.)

Les chercheurs sont aussi parvenus, par des manipulations génétiques, à créer des drosophiles femelles qui agissent comme des mâles pendant la parade nuptiale (et poursuivent d'autres femelles) et des mâles qui agissent comme des femelles (Demir et Dickson, 2005). Barry Dickson (2005) explique qu'ils ont « pu démontrer que, chez la drosophile, un seul gène suffit à déterminer tous les aspects de l'orientation et du comportement sexuel de cette mouche ». Chez l'homme, il existe certainement de multiples gènes, qui interagissent probablement avec d'autres influences pour modeler l'orientation sexuelle. Une étude financée par les *National Institutes of Health* américains analyse actuellement les gènes de plus de 1 000 frères homosexuels pour rechercher de tels marqueurs génétiques.

Les chercheurs ont émis des hypothèses sur les raisons possibles de l'existence de gènes « gay ». Étant donné que les couples homosexuels ne peuvent pas se reproduire naturellement, comment cela se fait-il que ces types de gènes aient survécu dans le pool génétique humain ? Une des réponses possibles est la sélection parentale. Souvenez-vous de la psychologie évolutionniste, au chapitre 4, nous rappelant que beaucoup de nos gènes se retrouvent également chez les membres de notre famille biologique. Peut-être alors que les gènes des homosexuels survivent pour soutenir la survie et la réussite reproductrice de leurs nièces, neveux ou autres parents (qui portent également un grand nombre de ces gènes). Ou peut-être, ce qui actuellement semble plus probable, s'agit-il d'une transmission génétique d'origine maternelle (Bocklandt et coll., 2006). Des études italiennes récentes (Camperio-Ciani et coll., 2004, 2008) confirment ce que d'autres ont trouvé, à savoir qu'il y a plus de membres de la famille homosexuels du côté de la mère d'un homme homosexuel que du côté de son père. Et, comparés aux membres de la famille du côté maternel des hommes hétérosexuels, les membres de la famille du côté maternel des hommes homosexuels ont plus d'enfants. Peut-être, supposent les chercheurs, que les gènes qui confèrent un avantage reproducteur chez les femmes (en faisant qu'elles sont fortement attirées par les hommes) produisent également des fils et des neveux qui sont attirés par les hommes.

« Les études montrent qu'il est plus probable que l'homosexualité masculine soit transmise par la famille de la mère. »
Robert Plomin, John DeFries, Gerald McClearn et Michael Rutter, *Behavioral Genetics*, 1997

Les hormones prénatales et l'orientation sexuelle Il existe un niveau élevé d'orientation homosexuelle, chez les vrais *comme* chez les faux jumeaux, ce qui suggère que le facteur en cause pourrait ne pas être seulement une influence génétique commune mais également un environnement prénatal commun. Chez les animaux, et dans quelques cas exceptionnels chez l'homme, l'orientation sexuelle du fœtus a été altérée par des conditions hormonales anormales durant la période prénatale. Gunter Dorner (1976, 1988), un chercheur allemand, pionnier de la recherche sur l'influence des hormones prénatales, a manipulé un fœtus de rat en l'exposant à des hormones mâles, « inversant » ainsi son orientation sexuelle. Dans d'autres études, les brebis issues de mères ayant reçu une injection de testostérone au cours d'une période critique du développement du fœtus montrent un comportement homosexuel (Money, 1987).

Chez l'homme, une période critique pour le système de contrôle neuro-endocrinien du cerveau pourrait exister entre le milieu du deuxième mois et le cinquième mois après la conception (Ellis et Ames, 1987 ; Gladue, 1990 ; Meyer-Bahlburg, 1995). Il semble que l'exposition à des taux hormonaux généralement éprouvée par des fœtus féminins durant cette période pourrait prédisposer la personne (quel que soit son sexe) à être attirée par les hommes dans sa vie ultérieure.

« Les recherches scientifiques modernes indiquent que l'orientation sexuelle est… en partie déterminée par la génétique mais plus spécifiquement par l'activité hormonale intra-utérine. »
Glenn Wilson et Qazi Rahman, *Born Gay : The Psychobiology of Sex Orientation*, 2005

TABLEAU 11.1

CORRÉLATIONS BIOLOGIQUES DE L'ORIENTATION SEXUELLE

En moyenne (c'est plus évident pour les hommes), les caractéristiques biologiques et comportementales variées des gays et des lesbiennes se situent entre celles des hommes et des femmes hétérosexuels. Voici quelques résultats expérimentaux dont certains nécessitent d'être reproduits :

Différences cérébrales

- L'asymétrie du cerveau est plus grande chez les hommes homosexuels et chez les lesbiennes
- Une masse de cellules de l'hypothalamus est plus importante chez les hommes hétérosexuels que chez les femmes et chez les hommes homosexuels ; on observe la même différence entre les béliers attirés par le sexe opposé et ceux attirés par le même sexe
- L'hypothalamus d'un homme homosexuel réagit comme celui d'une femme hétérosexuelle à l'odeur d'hormones liées au sexe

Influences génétiques

- L'orientation sexuelle partagée est plus élevée chez les vrais jumeaux que chez les faux jumeaux
- L'attirance sexuelle des drosophiles peut être génétiquement manipulée

Influences des hormones prénatales

- L'exposition anormale à des hormones prénatales peut conduire à l'homosexualité chez les hommes et chez d'autres animaux
- Les hommes qui sont droitiers et ont plusieurs frères aînés ont plus de chances d'être homosexuels

Ces différences cérébrales, génétiques et prénatales peuvent contribuer à l'observation de différences entre les hétérosexuels et les homosexuels en ce qui concerne

- les aptitudes spatiales
- le nombre de stries de l'empreinte digitale
- le développement du système auditif
- la latéralité
- les préférences professionnelles
- la longueur relative des doigts
- la direction de la spirale d'implantation des cheveux
- la non-conformité sexuelle
- l'âge de la puberté chez le garçon
- la taille du corps de l'homme
- la durée du sommeil
- l'agressivité physique
- les troubles alimentaires masculins

Les individus homosexuels, quel que soit leur sexe, ont de nombreux traits se trouvant entre ceux des femmes hétérosexuelles et des hommes hétérosexuels (TABLEAU 11.1). Par exemple, la cochlée et le système auditif des lesbiennes se développent d'une manière intermédiaire entre celle des femmes hétérosexuelles et celle des hommes hétérosexuels, ce qui semble imputable à l'influence des hormones prénatales (McFadden, 2002). Le nombre de stries digitales peut également être différent. Bien que la plupart des gens aient plus de stries digitales sur la main droite que sur la main gauche, certaines études ont trouvé une plus grande différence gauche-droite chez les hommes hétérosexuels que chez les femmes et chez les hommes homosexuels (Hall et Kimura, 1994 ; Mustanski et coll., 2002 ; Sanders et coll., 2002). Étant donné que les stries digitales finissent de se développer avant la seizième semaine chez le fœtus, cette différence doit être due aux hormones prénatales. Les hormones prénatales sont une explication possible aux résultats de 20 études montrant que « les participants homosexuels avaient 39 p. 100 de chances en plus de ne pas être droitiers » (Lalumière et coll., 2000). Les hommes homosexuels ont également plus de chances que les hommes hétérosexuels d'avoir une spirale d'implantation des cheveux, génétiquement influencée et dirigée dans le sens antihoraire (FIGURE 11.16), une caractéristique partagée par près de la moitié des individus non droitiers (Beaton et Mellor, 2007 ; Klar, 2003, 2004, 2005 ; Lippa et coll., 2008).

Une autre différence que vous n'auriez jamais imaginée entre les homosexuels et les hétérosexuels est apparue dans des études montrant que les capacités spatiales des hommes homosexuels sont similaires à celles

➤ FIGURE 11.16
Spirale d'implantation des cheveux et orientation sexuelle Environ un homme homosexuel sur 4 et la moitié des individus qui ne sont pas droitiers ont une spirale d'implantation des cheveux orientée dans le sens antihoraire.

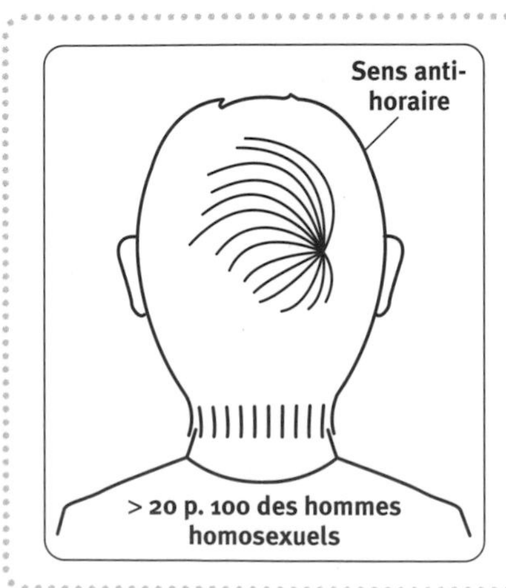

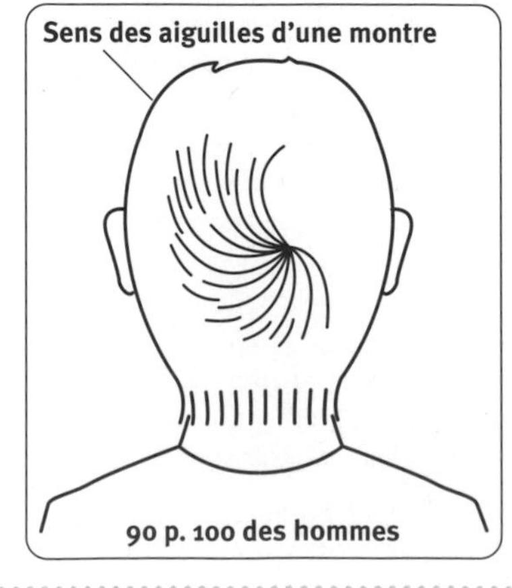

des femmes hétérosexuelles (Cohen, 2002 ; Gladue, 1994 ; McCormick et Witelson, 1991 ; Sanders et Wright, 1997). Lors des épreuves de rotation mentale, comme celle illustrée par la FIGURE 11.17, les hommes hétérosexuels ont tendance à être meilleurs que les femmes. Des études menées par Qazi Rahman et ses collaborateurs (2003, 2008) ont montré que, concernant un certain nombre d'autres mesures, les résultats obtenus par les gays et les lesbiennes se trouvaient entre les résultats des hommes hétérosexuels et ceux des femmes hétérosexuelles. Mais les femmes hétérosexuelles et les hommes homosexuels ont tous deux de meilleurs résultats que les hommes hétérosexuels pour la mémorisation des localisations spatiales des objets au cours de tâches semblables à celles demandées dans les jeux de mémoire (Hassan et Rahman, 2007).

Comme les preuves physiologiques sont préliminaires et controversées, certains scientifiques restent sceptiques. Plutôt que d'indiquer une orientation sexuelle, ils suggèrent que les facteurs biologiques pourraient prédisposer un *tempérament* qui, à son tour, influence la sexualité « dans le contexte de l'apprentissage et de l'expérience individuels » (Byne et Parsons, 1993). Daryl Bem (1996, 1998, 2000) émet l'hypothèse que les gènes codent les hormones prénatales et l'anatomie cérébrale, ce qui prédispose le tempérament et conduit l'enfant à préférer des activités liées à son sexe ou, au contraire, au sexe opposé et à choisir ses amis en fonction de ces facteurs. Ces préférences peuvent amener un enfant à ressentir plus tard de l'attraction envers le sexe qui lui semble différent du sien. Le sexe différent, en apparence (qu'il soit ou non conforme à notre propre anatomie), est associé à de l'anxiété ainsi qu'à d'autres formes d'excitation qui se transforment finalement en excitation sentimentale. L'exotique devient érotique.

Sans se soucier du processus, la cohérence des découvertes génétiques, prénatales et cérébrales a fait pencher la balance vers l'explication biologique de l'orientation sexuelle (Rahman et Wilson, 2003). Cela expliquerait pourquoi l'orientation sexuelle est si difficile à changer et pourquoi une étude de la BBC faite sur Internet et menée sur plus de 200 000 individus a trouvé les mêmes différences de personnalité et d'intérêt entre les homosexuels et les hétérosexuels à travers le monde (Lippa, 2007a,b, 2008).

Certaines personnes se demandent pourtant si la cause de l'orientation sexuelle a une importance ? Peut-être que non, mais les suppositions des gens comptent. Ceux qui croient, comme 41 p. 100 des Américains (13 p. 100 en 1977, selon Gallup) et la plupart des gays et des lesbiennes, que l'orientation sexuelle est biologiquement déterminée, ont une attitude plus tolérante envers les personnes homosexuelles (Allen et coll., 1996 ; Haslam et Levy, 2006 ; Kaiser, 2001 ; Whitley, 1990).

Pour les activistes gays ou lesbiennes, la nouvelle recherche biologique est à double tranchant (Diamond, 1993). Si l'orientation sexuelle, comme la couleur de la peau ou le sexe, est influencée génétiquement, cela offre une justification supplémentaire pour la défense des droits civiques. De plus, cela peut atténuer les inquiétudes des parents dont les enfants sont trop influencés par des enseignants ou des modèles homosexuels. En même temps, cette recherche peut aussi accroître la possibilité troublante que les marqueurs génétiques de l'orientation sexuelle puissent un jour être identifiés lors de tests fœtaux et utilisés pour avorter d'un enfant prédisposé à une orientation sexuelle non souhaitée.

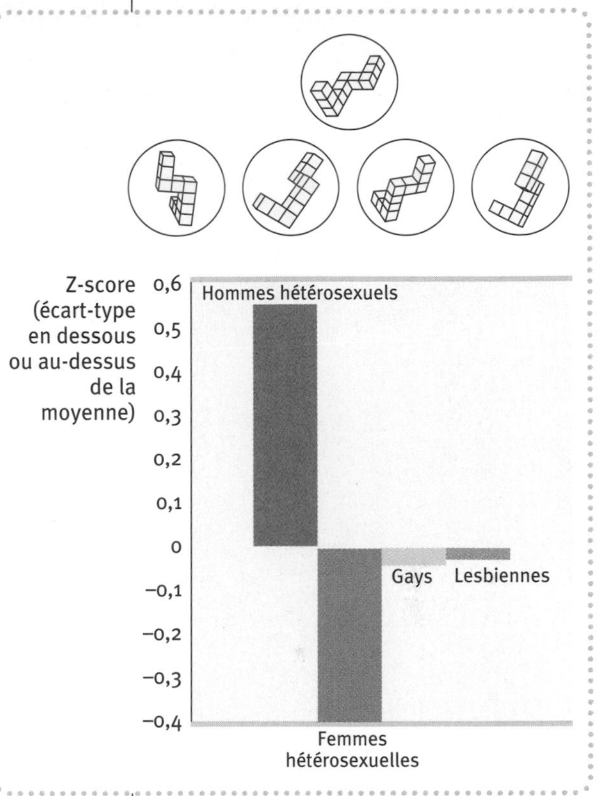

➤ FIGURE 11.17
Capacités spatiales et orientation sexuelle Laquelle de ces quatre figures, une fois tournée, correspond à la figure cible présentée en haut ? Les hommes hétérosexuels ont tendance à trouver cette tâche plus facile que les femmes hétérosexuelles, et les homosexuels des deux sexes se situent au milieu. (D'après Rahman et coll., 2003, avec 60 personnes testées dans chaque groupe.)

Sexe et valeurs humaines

11. La recherche scientifique sur la motivation sexuelle est-elle dépourvue de tout jugement de valeur ?

Conscients que les valeurs sont à la fois personnelles et culturelles, la plupart des sexologues et des éducateurs s'emploient à garder leurs écrits sur le comportement sexuel et ses motivations exempts de tout jugement de valeur. Mais les mots que nous utilisons pour décrire les comportements peuvent refléter nos valeurs personnelles. Le fait de cataloguer certains comportements sexuels comme des « perversions », ou faisant partie d'un « autre type de sexualité » dépendra de notre attitude envers ces comportements. Les étiquettes décrivent, mais elles jugent également.

Lorsque l'éducation sexuelle est séparée du contexte des valeurs humaines, certains étudiants peuvent concevoir l'idée que les relations sexuelles constituent simplement une activité récréative. Diana Baumrind (1982), spécialiste de l'éducation de l'université de Californie, a observé qu'il n'est pas adapté que les adultes soient neutres à propos de l'activité sexuelle des adolescents, car « l'activité sexuelle récréative pose certains problèmes psychologiques, sociaux, moraux et de santé publique auxquels on doit faire face de façon réaliste ».

Peut-être pouvons-nous être d'accord avec le fait que la connaissance fournie par la recherche sur la sexualité est préférable à l'ignorance, et être pourtant également d'accord avec le fait que les opinions des chercheurs devraient être affirmées ouvertement, afin que nous puissions les discuter et réfléchir aux nôtres. Nous pourrions aussi nous rappeler que la recherche scientifique concernant la motivation sexuelle n'a pas pour but de définir la signification personnelle du sexe dans nos propres vies. On peut tout connaître sur le sexe - que les spasmes initiaux de l'orgasme de l'homme et de la femme surviennent à intervalles de 0,8 seconde, que les mamelons de la femme se dressent d'environ 10 mm au sommet de l'excitation sexuelle, que la pression artérielle systolique augmente d'environ 60 mm de mercure et que le nombre de respirations par minute peut aller jusqu'à 40 - mais ne pas comprendre la signification humaine de l'intimité sexuelle.

Une des significations de l'intimité sexuelle se trouve certainement dans la façon dont elle exprime notre nature sociale profonde. L'activité sexuelle est un acte social significatif. L'homme et la femme peuvent parvenir seuls à l'orgasme et, pourtant, la plupart trouvent plus de satisfaction après avoir eu des relations sexuelles et un orgasme avec la personne qu'ils aiment (ils présentent aussi une plus grande augmentation de la concentration en prolactine associée à la satisfaction sexuelle et à la satiété) (Brody et Tillmann, 2005). La satisfaction de l'intimité et des relations dépassant grandement la satisfaction de l'autostimulation, il y a un désir ardent de proximité dans la motivation sexuelle. L'activité sexuelle la plus humaine permet l'union et le renouvellement amoureux.

AVANT D'ALLER PLUS LOIN...

➤ **INTERROGEZ-VOUS**

Selon vous, quelle stratégie serait efficace pour réduire le nombre de grossesses chez les adolescentes ?

➤ **TESTEZ-VOUS 3**

Comment la théorie du contrôle des pulsions, la théorie de l'excitation et la perspective évolutionniste expliquent-elles notre motivation sexuelle ?

Les réponses aux questions « Testez-vous » sont données dans l'annexe B à la fin de l'ouvrage.

Le besoin d'appartenance

12. Quelle est la preuve de notre besoin humain d'appartenance ?

SÉPARÉS DE NOS AMIS OU DE NOTRE FAMILLE - isolés en prison, seuls dans une nouvelle école, ou expatriés - nous ressentons profondément la perte de connexion avec les personnes qui nous sont chères. Nous sommes ce qu'Aristote appelait un *animal social*. Aristote écrivait dans son *Éthique à Nicomaque* : « Sans amis, personne ne choisirait de vivre, même s'il possédait tous les autres biens. » Nous avons besoin d'être affiliés à d'autres personnes et même d'être fortement attachés à certaines d'entre elles en entretenant des relations durables et étroites. Comme le prétend le théoricien de la personnalité Alfred Adler, l'homme a « un besoin pressant d'appartenir à une communauté » (Ferguson, 1989, 2001). Roy Baumeister et Mark Leary (1995) ont rassemblé des exemples de ce profond *besoin d'appartenance*.

Aider à la survie

Les liens sociaux ont favorisé le taux de survie chez nos ancêtres. En gardant les enfants proches de ceux qui s'en occupaient, l'attachement a puissamment contribué à la survie. Adultes, ceux qui avaient formé des liens étaient plus enclins à se reproduire et à élever leur progéniture jusqu'à la maturité. En anglais, le terme *wretched* (malheureux) a pour origine un mot d'anglais médiéval (*wrecche*) qui signifie « ne plus avoir de parents à ses côtés ».

La coopération a également favorisé la survie. En combattant seuls, nos ancêtres ne faisaient pas partie des prédateurs les plus redoutables. Mais en tant que chasseurs, ils ont appris que six mains valent mieux que deux. Ceux qui cherchaient de la nourriture en groupe ont également acquis une meilleure protection contre les prédateurs et leurs ennemis. Ceux qui ressentaient un besoin d'appartenance ont survécu et se sont reproduits plus efficacement, et ce sont leurs gènes qui prédominent actuellement. Nous sommes des créatures sociales innées. Dans toutes les sociétés du monde, les gens appartiennent à des groupes (et, comme l'explique le chapitre 16, ils préfèrent et favorisent le « nous » par rapport au « eux »).

Avez-vous des amis proches, des personnes avec qui vous révélez vos hauts et vos bas ? Comme nous le verrons dans le chapitre 12, les personnes qui se sentent soutenues par des relations étroites ne sont pas seulement plus heureuses, elles vivent également en meilleure santé et présentent moins de risques de troubles psychologiques et de mort prématurée que celles qui manquent de soutien social. Les personnes mariées, par exemple, ont moins de risque de dépression, de suicide et de mort prématurée que les personnes vivant sans attaches.

« Nous devons nous aimer les uns les autres ou mourir. »
W. H. Auden « *September 1, 1939* »

Vouloir appartenir

Le besoin d'appartenance se reflète dans nos pensées et nos émotions. Nous passons beaucoup de temps à penser à nos relations actuelles et à celles que nous espérons. Lorsque des relations s'établissent, nous nous sentons souvent joyeux. On a vu des gens qui tombaient amoureux avoir les joues douloureuses à cause de sourires irrépressibles. Si on leur demande « qu'est-ce qui est nécessaire à votre bonheur ? » ou « qu'est-ce qui donne un sens à votre vie ? », la plupart des gens citent, avant tout, le fait de pouvoir vivre une relation satisfaisante avec leur famille, leurs amis ou un partenaire amoureux (Berscheid, 1985). Le bonheur se trouve au foyer.

Arrêtons-nous un moment pour réfléchir : quel a été le moment qui vous a apporté le plus de satisfaction cette semaine ? Kennon Sheldon et ses collaborateurs (2001) ont posé cette question à des étudiants américains et sud-coréens, puis ils leur ont demandé de quantifier les divers besoins que cette expérience avait comblés. Dans les deux pays, la satisfaction de l'estime de soi et du besoin d'appartenance arrivait en première place en tant qu'instigateurs de ces meilleurs moments. Une autre étude a trouvé que, à l'université, les étudiants *les plus* heureux ne se distinguaient pas par leur argent, mais par « les relations étroites et intenses qu'ils nouaient avec les autres » (Diener et Seligman, 2002). Le besoin d'appartenance est plus profond, semble-t-il, que le besoin d'être riche. Lorsque notre besoin de relation est satisfait en équilibre avec deux autres besoins psychologiques de base (l'*autonomie* et la *compétence*), il en résulte un sentiment profond de bien-être (Deci et Ryan, 2002 ; Patrick et coll., 2007 ; Sheldon et Niemiec, 2006). Se sentir connecté, libre et capable c'est avoir une bonne vie.

Les Sud-Africains ont un mot pour imager ces liens humains qui nous définissent tous. Desmond Tutu (1999) explique que le mot *Ubuntu* exprime le fait que « mon humanité est absorbée par la vôtre, est inextricablement liée à elle ». Un adage Zulu reprend cette idée : *Umuntu ngumuntu ngabantu* – « une personne n'est une personne qu'à travers les autres ».

Quand nous nous sentons inclus, acceptés et aimés par les personnes qui sont importantes pour nous, notre estime de soi est élevée. En effet, déclarent Mark Leary et ses collaborateurs (1998), l'estime de soi est une jauge qui mesure la valeur et l'acceptation que nous ressentons de la part d'autrui. Une grande partie de notre comportement social cherche à accroître notre appartenance, notre acceptation et notre insertion sociales. Pour éviter le rejet, nous nous conformons généralement aux règles du groupe et cherchons à faire une impression favorable (*voir* Chapitre 16 pour en savoir plus). Pour gagner l'amitié et l'estime, nous surveillons notre comportement en essayant de faire bonne impression. À la recherche de l'amour et de l'appartenance, nous dépensons des milliards en vêtements, en produits de beauté, en régimes amincissants ou en appareils de remise en forme – tous motivés par notre recherche d'acceptation. Les deux tiers des étudiants américains entrant à l'université disent passer entre une à cinq heures (voire plus) par semaine sur des sites de réseaux sociaux sur Internet comme Facebook® et MySpace® (Pryor et coll., 2007).

Comme la motivation sexuelle, qui nourrit à la fois l'amour et l'exploitation de l'autre, le besoin d'appartenance nourrit à la fois de profonds attachements et de dangereuses menaces. De ce besoin de définir un « nous » naissent les familles aimantes, les amitiés fidèles et l'esprit d'équipe, mais aussi les gangs d'adolescents, les conflits ethniques et le nationalisme fanatique.

AP/Wide World Photos

Le besoin de connexion Six jours par semaine, ces femmes originaires des Philippines travaillent comme aide-ménagères dans 154 000 foyers de Hong Kong. Le dimanche, elles se précipitent dans le quartier des affaires du centre de la ville pour pique-niquer, danser, chanter, discuter et rire. « L'humanité ne pouvait pas faire preuve d'un meilleur exemple de bonheur », déclara un spectateur (*Economist*, 2001).

Maintenir les relations

Pour la plupart d'entre nous, la familiarité favorise l'appréciation et non le mépris. Réunis à l'école, dans un camp d'été ou dans une croisière organisée, nous rechignons à la dissolution de ces liens sociaux, nous promettons de nous appeler, de nous écrire, de revenir à des réunions. Au moment du départ, nous nous sentons malheureux. Vous n'avez pas besoin de regarder très loin pour voir des gens passer des heures sur des smartphones (mobile + PDA) et des ordinateurs, maintenant leurs relations avec les personnes absentes en leur parlant, en envoyant des sms ou des e-mails.

L'attachement peut même entraîner quelqu'un à subir de mauvais traitements si la crainte d'être seul lui semble pire que la douleur des persécutions physiques ou émotionnelles. Même lorsque les mauvaises relations cessent, les gens souffrent. Après des séparations, les sentiments de solitude et de colère – et même parfois le désir étrange de se rapprocher de l'ancien partenaire – sont monnaie courante. Au cours d'une étude effectuée par 16 pays, et d'enquêtes répétées menées aux États-Unis, les gens séparés ou divorcés avaient deux fois moins de chances de se déclarer « très heureuses » que les gens mariés (Inglehart, 1990 ; NORC, 2007).

Cette crainte d'être seul s'appuie sur des faits réels. Un enfant qui change sans cesse de famille d'accueil et dont l'attachement est à chaque fois rompu, peut par la suite avoir des difficultés à s'attacher profondément à quelqu'un. De même, les enfants élevés dans des orphelinats sans aucun sentiment d'appartenir à quelqu'un, ou enfermés à la maison dans un état d'extrême négligence, deviennent des êtres dans un état pitoyable – repliés sur eux-mêmes, angoissés, incapables de parler.

Lorsque quelque chose menace ou rompt nos liens sociaux, des émotions négatives, comme l'anxiété, la solitude, la jalousie ou le sentiment de culpabilité, nous submergent. Les gens en deuil considèrent souvent que leur vie est vide et sans intérêt. Même les premières semaines passées sur un campus universitaire, loin de la maison, peuvent être angoissantes. Quand les immigrants et les réfugiés s'installent seuls dans de nouveaux endroits, le stress et la solitude peuvent être déprimants. Mais si un sentiment d'acceptation et des connexions se forment, l'estime de soi se renforce, tout comme les sentiments positifs et le désir d'aider les autres plutôt que de leur nuire (Buckley et Leary, 2001). Après avoir placé individuellement ces familles d'immigrants et de réfugiés pendant des années dans des communautés isolées, la politique américaine actuelle encourage la *migration en chaîne* (Pipher, 2002). En général, la deuxième famille soudanaise s'installant dans une ville s'adapte généralement mieux que la première.

Une réponse violente à l'exclusion sociale La plupart des adolescents qui font l'objet d'une exclusion sociale ne commettent pas des actes de violence. Cependant, Charles « Andy » Williams qui, selon un camarade de classe, se faisait traiter de « monstre, de pauvre mec et autres insultes », fut pris d'une folie meurtrière dans son lycée d'une banlieue californienne ; il tua 2 personnes et en blessa 13 autres (Bowles et Kasindorf, 2001).

AP/Wide World Photos

La douleur de l'ostracisme

Parfois, cependant, ce besoin d'appartenir vous est refusé. Peut-être vous souvenez-vous d'un moment où vous vous êtes senti exclu, ignoré ou évité ? Peut-être avez-vous subi le mutisme de l'autre ? Peut-être que les autres vous ont évité, ont détourné les yeux en votre présence ou même se sont moqués de vous dans votre dos ?

Kipling Williams (2007), spécialiste en sociopsychologie, et ses collaborateurs ont étudié ces expériences d'*ostracisme* – ou d'exclusion sociale – dans des conditions de laboratoire, mais aussi dans les conditions naturelles. Partout dans le monde, les hommes contrôlent le comportement social par les effets punitifs extrêmes de l'ostracisme : l'exil, l'emprisonnement et le confinement solitaire. Pour les enfants, même un isolement très bref peut constituer une punition. Lorsqu'on leur demande de décrire des épisodes qui font qu'ils se sentent bien, les individus pensent souvent à des moments de réussite. Mais si on leur demande ce qui les a fait se sentir particulièrement *mal*, ils décriront près de quatre fois sur cinq des difficultés relationnelles (Pillemer et coll., 2007).

Être évité – qu'on nous tourne le dos, qu'on refuse de nous adresser la parole ou qu'on évite notre regard – c'est avoir notre besoin d'appartenance menacé (Williams et Zadro, 2001). « C'est la chose la plus méprisable que vous puissiez faire à une personne, surtout si vous la savez sans défense. Je n'aurai jamais dû naître », dit Lea qui a, toute sa vie, été victime du mutisme de sa mère et de sa grand-mère. Comme Lea, les personnes répondent souvent à l'ostracisme social par une humeur dépressive, faisant des efforts au début pour restaurer l'acceptation puis baissant les bras et se retirant. Après de 2 ans de silence infligé par son employeur, Richard déclara : « Je rentrais tous les soirs à la maison et je pleurais. J'ai perdu 12 kg, je n'avais plus la moindre estime de moi et je me sentais inutile. »

Subir l'ostracisme c'est ressentir une véritable douleur, comme Kipling Williams et ses collaborateurs ont pu le constater avec surprise au cours de leur étude sur le *cyberostracisme* (Gonsalkorale et Williams, 2006). (Peut-être vous souvenez-vous du sentiment d'être ignoré alors que vous « chattiez sur Internet » ou que vous ne receviez pas de réponse à un e-mail ?) Ils ont découvert que ce type d'ostracisme, même provoqué par des étrangers ou un exogroupe méprisant comme la branche australienne du KKK, laissait des traces : il engendrait une augmentation d'activité dans une zone cérébrale, le *cortex cingulaire antérieur*, qui est également activé en réponse à une douleur physique (Eisenberger et coll., 2003). D'un point de vue psychologique, nous ressentons une douleur sociale, avec cette même sensation émotionnelle désagréable qui marque la douleur physique (MacDonald et Leary, 2005). Et la douleur, quelle que soit sa source, centralise notre attention et motive une action pour la corriger.

S'ils se sentent rejetés et incapables de remédier à la situation, les gens peuvent rechercher de nouveaux amis ou devenir désagréables. Dans une série d'études, Jean Twenge et ses collaborateurs (2001, 2002, 2007 ; Baumeister et coll., 2002 ; Maner et coll., 2007) dirent à des sujets (qui venaient de passer un test de personnalité) qu'ils « étaient du genre à finir leur vie seul » ou que les gens qu'ils avaient rencontrés ne les désiraient pas dans leur groupe. Les chercheurs dirent aux autres participants qu'ils « auraient des relations gratifiantes tout au long de leur vie » ou que « tout le monde aimerait bien travailler avec eux ». Ceux qui étaient exclus avaient plus tendance à avoir un comportement d'échec et à avoir de mauvais résultats aux tests d'aptitude. Ce rejet interférait aussi avec leur empathie pour les autres et les rendait plus susceptibles d'adopter un comportement de dénigrement ou d'agressivité envers ceux qui les avaient exclus (en hurlant par exemple). « Des étudiants intelligents, bien intégrés et qui réussissent leurs études peuvent devenir agressifs quand ils sont soumis à une petite expérience de laboratoire sur l'exclusion sociale », déclare l'équipe de recherche, « il est effrayant d'imaginer les tendances agressives que peut occasionner une série de rejets ou une exclusion systématique de la part d'un groupe auquel on veut appartenir, dans la vie sociale actuelle. » En effet, déclare Williams (2007), l'ostracisme « se faufile entre chaque cas de violence à l'école ».

• Remarque : les chercheurs ont ensuite parlé aux participants pour leur expliquer l'expérience et les rassurer. •

AVANT D'ALLER PLUS LOIN...

➤ **INTERROGEZ-VOUS**

Y a-t-il eu des moments où vous vous êtes senti « hors » du cadre de votre famille et de votre cercle d'amis, ou même rejeté par eux ? Comment avez-vous réagi ?

➤ **TESTEZ-VOUS 4**

De quelle manière la théorie du contrôle des pulsions, la théorie de l'excitation et la perspective évolutionniste peuvent-elles expliquer notre besoin d'affiliation ?

Les réponses aux questions « Testez-vous » sont données dans l'annexe B à la fin de l'ouvrage.

La motivation au travail

SELON SIGMUND FREUD, UNE VIE SAINE est remplie de travail et d'amour. Pour la plupart d'entre nous, le travail constitue l'activité journalière la plus importante de notre vie. Vivre, c'est travailler et le travail aide à satisfaire plusieurs niveaux de besoins identifiés dans la hiérarchie des besoins de Maslow. Le travail nous soutient, nous connecte avec les autres et nous définit. Quand on rencontre quelqu'un pour la première fois et que l'on veut savoir « qui il est », on lui demande souvent : « Que faites-vous dans la vie ? »

Si nous ne sommes pas satisfaits de notre salaire, de nos relations ou de notre identité au travail, nous pouvons essayer d'en changer, comme l'ont fait 16 p. 100 des Australiens en 2000 (Trewin, 2001). La plupart des gens n'ont donc pas une vocation unique ni un chemin professionnel déjà tracé. Dans 20 ans, la plupart des lecteurs de ce livre occuperont des

• Gene Weingarten (2002) remarque que parfois un humoriste sait lorsqu'il « faut sortir des sentiers battus ».
Voici un échantillon de certains titres professionnels tirés du dictionnaire des métiers : échassier, coffreur de béton, crieur, boutefeu, débardeur, exterminateur, hôte de restaurant, lapidaire, mesureur de billes, opérateur de débardeur, ouvrier au broyeur, pulvérisateur, rectifieur en série, tireur de joints. •

• Avez-vous remarqué que, lorsque vous êtes totalement immergé dans une activité, le temps passe très vite ? Et que lorsque vous regardez sans cesse votre montre, il semble s'écouler bien plus lentement ? Des chercheurs français ont confirmé que plus vous faites attention à la durée d'un événement, plus il semble durer longtemps (Couli et coll., 2004). •

emplois qu'ils ne peuvent imaginer maintenant. Pour vous préparer à ce futur inconnu, de nombreux lycées et universités se concentrent moins sur la formation des aptitudes professionnelles et tendent à élargir votre capacité à comprendre, à penser et à communiquer dans n'importe quel environnement de travail.

Amy Wrzesniewski et ses collaborateurs (1997, 2001) ont identifié des différences individuelles dans les attitudes des gens envers leur travail. Parmi différentes professions, certaines personnes considèrent leur travail comme un *boulot*, une obligation pour gagner de l'argent, n'apportant aucune satisfaction. D'autres considèrent leur travail en termes de *carrière*, une opportunité de passer à une position supérieure. Les autres, ceux qui le voient en termes de *vocation*, une activité à la fois socialement utile et intéressante, éprouvent une plus grande satisfaction dans leur travail et dans leur vie.

Cette découverte ne surprendrait pas Mihaly Csikszentmihalyi (1990, 1999), qui a observé que la qualité de vie des gens augmente quand ils sont impliqués dans une activité qui leur donne un but. Entre l'angoisse d'être surmené et stressé, l'apathie due à une inactivité et l'ennui, se situe une zone intermédiaire dans laquelle les gens sont dans un état de **flux**. Csikszentmihalyi formula le concept de flux après avoir étudié des artistes qui passaient des heures à peindre ou à sculpter avec une concentration intense. Immergés dans un projet, ils travaillaient comme si rien d'autre ne comptait et oubliaient leur travail dès qu'ils l'avaient terminé. Les artistes semblaient plus guidés par la valeur intrinsèque de la récompense obtenue en créant une œuvre que par une récompense extérieure leur procurant argent, gloire, promotion. Les distractions liées à Internet peuvent interrompre ce flux. Il faut un certain temps pour concentrer à nouveau son attention après avoir été distrait par un e-mail ou un message instantané. C'est pourquoi, Microsoft est en train de développer une *interface d'attention de l'utilisateur* qui a pour but de « détecter si l'utilisateur est disponible pour la communication ou s'il est en état de flux » (Ullman, 2005).

Les observations ultérieures de Csikszentmihalyi effectuées sur des danseurs, des joueurs d'échecs, des chirurgiens, des écrivains, des parents, des alpinistes, des navigateurs, des fermiers, des Australiens, des Nord-Américains, des Coréens, des Japonais, des Italiens, des personnes de l'adolescence à l'âge d'or ont confirmé un principe primordial : il est très stimulant d'être dans un état de flux en exerçant une activité impliquant pleinement nos aptitudes. L'expérience du flux améliore grandement l'estime de soi, nos compétences et notre bien-être. Lorsque les chercheurs demandaient aux gens (à l'aide d'un biper) de dire à des intervalles irréguliers ce qu'ils faisaient et comment ils se sentaient, ceux qui ne faisaient rien rapportaient très souvent ne pas ressentir cet état de flux et avoir peu de satisfaction. Les gens faisaient part de sentiments plus positifs si on les interrompait quand ils étaient actifs, c'est-à-dire s'ils faisaient quelque chose nécessitant l'utilisation de leurs aptitudes, que ce soit un jeu ou un travail. Une autre recherche indique que, dans presque tous les pays industrialisés, les personnes décrivent un mal-être nettement supérieur lorsqu'ils sont sans emploi (FIGURE 11.18). Ne rien faire peut paraître un grand bonheur, mais un travail motivant enrichit la vie.

Dans les pays industrialisés, le travail a changé : de la ferme à l'usine au *travail intellectuel*. De plus en plus de travaux sont *sous-traités* à des employés temporaires et à des conseillers qui communiquent par courrier électronique dans des lieux virtuels éloignés les uns des autres. (Ce livre est produit par une équipe de personnes vivant dans une douzaine de villes, allant de l'Alaska à la Floride.) À mesure que le travail change, nos attitudes envers notre travail vont-elles également changer ? Notre satisfaction au travail va-t-elle augmenter ou diminuer ? Le *contrat psychologique* – le sens subjectif des obligations mutuelles entre employé et employeur – deviendra-t-il plus digne de confiance et plus sûr ou le deviendra-t-il moins ? Ces questions comptent parmi celles qui fascinent les psychologues qui étudient les comportements liés au travail.

➤ FIGURE 11.18
Le fléau du chômage Vouloir travailler et ne pas trouver d'emploi entraîne une baisse de satisfaction de la vie. Données issues de 169 776 adultes dans 16 pays (Inglehart, 1990).

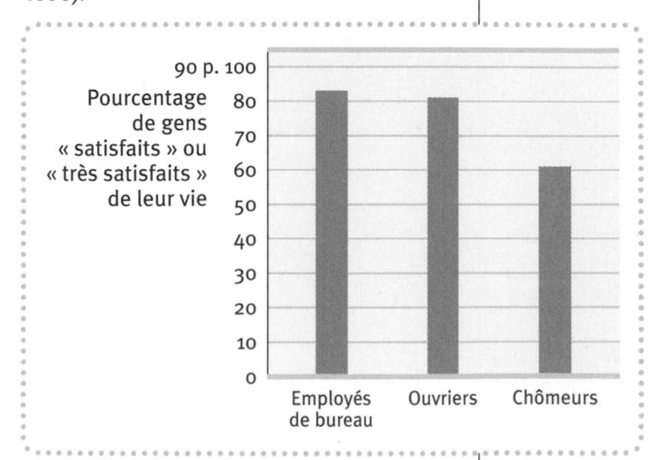

La **psychologie industrielle et organisationnelle (I/O)** est une profession en pleine expansion qui applique les principes de la psychologie sur les lieux du travail (*voir* Gros plan : La psychologie I/O au travail). Dans le chapitre 6, nous avons parlé d'une de ses branches, la *psychologie des facteurs humains*, ou ergonomie, qui explore comment les machines et l'environnement peuvent être conçus de manière optimale pour s'adapter aux capacités humaines. Nous allons considérer ici deux autres branches de la psychologie du travail : la **psychologie du personnel**, qui applique les méthodes et les principes de la psychologie pour sélectionner et évaluer des

GROS PLAN

La psychologie I/O au travail

Dans les milieux scientifiques, chez les consultants ou chez les professionnels du management, on trouve des psychologues spécialistes de la psychologie industrielle et organisationnelle dans des domaines variés :

La psychologie du personnel

Sélectionner et placer les employés

- Développer et valider des outils d'évaluation pour sélectionner, placer et promouvoir les employés
- Analyser le contenu d'un emploi
- Optimiser le placement des employés

Entraîner et contribuer au développement des employés

- Identifier les besoins
- Mettre au point des programmes de formation
- Évaluer les programmes de formation

Évaluer les performances

- Développer des critères
- Mesurer les performances individuelles
- Mesurer les performances organisationnelles

La psychologie organisationnelle

Développer les organisations

- Analyser les structures organisationnelles
- Optimiser la satisfaction et la productivité des employés
- Faciliter les changements organisationnels

Améliorer la qualité de vie sur les lieux de travail

- Augmenter la productivité individuelle
- Identifier les éléments apportant une satisfaction
- Réorganiser certains emplois

La psychologie des facteurs humains (ergonomie)

- Concevoir des environnements qui soient le mieux adaptés au travail
- Optimiser l'interaction entre l'homme et la machine
- Développer des technologies

Source : adapté de la *Society of Industrial and Organizational Psychology* (siop.org)

employés, et la **psychologie organisationnelle**, qui s'intéresse à la manière dont l'environnement au travail et le mode de gestion de l'entreprise influencent la motivation, la satisfaction et la productivité des employés. Les spécialistes de la psychologie du personnel associent les gens à certains types de travail en identifiant et en plaçant les candidats qui sont les mieux adaptés. Les spécialistes de la psychologie organisationnelle modifient les postes et le mode de gestion de l'entreprise pour améliorer le moral et la productivité des employés.

La psychologie du personnel

13. Comment les psychologues du personnel aident-ils les entreprises à sélectionner les employés, les placer et évaluer leurs performances ?

Des psychologues peuvent aider les entreprises aux diverses étapes de la sélection et l'évaluation des employés. Ils peuvent aider à identifier les aptitudes requises pour un emploi donné, à mettre au point des méthodes de sélection, à recruter et à évaluer les postulants, à intégrer et à entraîner de nouveaux employés et à juger leurs performances.

Exploiter les dons

Quand la psychologue Mary Tenopyr (1997) devint directrice des ressources humaines d'AT&T, elle dut résoudre un problème : le taux d'échecs des représentants du service clientèle était assez élevé. Après avoir conclu que beaucoup de personnes ne répondaient pas aux exigences de leur nouveau travail, Tenopyr mit au point un nouvel instrument de sélection :

1. Elle demanda aux nouveaux postulants de répondre à diverses questions (mais n'utilisa pas les réponses immédiatement).
2. Puis, elle suivit de près ces personnes pour évaluer celles qui réussissaient le mieux dans cet emploi.
3. Enfin, elle identifia individuellement les éléments du test permettant de prédire quelles personnes étaient susceptibles de réussir.

:: **Flux** : état de la conscience où l'on se sent complètement impliqué et concentré sur quelque chose à tel point que l'on a moins conscience de soi-même et du temps qui passe ; cet état est dû à un engagement optimal de nos aptitudes.

:: **Psychologie industrielle et organisationnelle (I/O)** : application des concepts et des méthodes utilisés en psychologie pour optimiser le comportement humain sur le lieu de travail.

:: **Psychologie du personnel** : branche de la psychologie I/O consacrée au recrutement de l'employé, visant à la sélection, l'orientation, la formation, l'évaluation et l'évolution.

:: **Psychologie organisationnelle** : branche de la psychologie I/O qui examine l'influence de l'organisation sur la satisfaction et la productivité des travailleurs et qui facilite le changement de l'organisation.

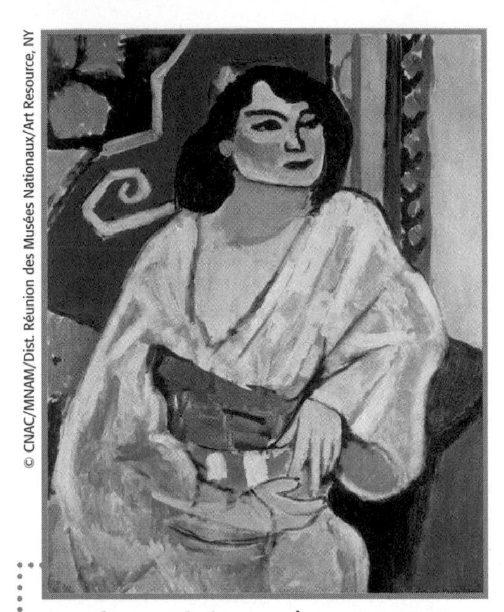

Des dons artistiques À 21 ans, Henri Matisse, alors employé comme clerc de notaire, était maladif et souvent déprimé. Quand, un jour, sa mère lui donna une boîte de peinture pour lui remonter le moral, il fut envahi par une énergie qui chassa sa morosité. Il consacra ses journées à peindre et à dessiner puis suivit l'école des Beaux-Arts et devint l'un des plus grands peintres au monde. Pour Matisse, être artiste était comme « s'asseoir dans un fauteuil confortable ». C'est souvent ce que l'on ressent quand on a la possibilité d'exercer ses dons.

Les résultats concluants de son travail donnèrent lieu à un nouveau test utilisé par AT&T pour identifier les postulants susceptibles de réussir en tant que représentants du service clientèle. Les techniques de sélection du personnel de ce type permettent d'associer les qualités d'une personne avec un emploi qui leur permet, ainsi qu'à l'entreprise, de s'épanouir. Si l'on associe les atouts des employés aux tâches des entreprises, il en résulte souvent prospérité et profit.

On appelle atout toute qualité durable pouvant être utilisée dans un but productif. Êtes-vous curieux de nature, persuasif, charmeur, obstiné, compétitif, analytique, empathique, organisé, bon orateur, précis, doué en mécanique ? Toutes ces caractéristiques, à condition qu'elles soient associées à un travail adéquat, peuvent devenir des atouts (Buckingham, 2007). (*Voir* Gros plan : Découvrir vos atouts).

Marcus Buckingham et Donald Clifton (2001), des chercheurs de chez Gallup, déclarent que la première étape pour qu'une entreprise devienne plus forte c'est d'instituer un système de sélection fondé sur les atouts des employés. Ainsi, si vous étiez dirigeant d'entreprise, vous identifieriez tout d'abord un groupe d'employés qui sont efficaces dans chaque domaine - ceux que vous souhaitez le plus engager - et vous compareriez leurs talents à ceux des personnes du groupe les moins efficaces dans les mêmes domaines. En identifiant ces groupes, vous pourriez essayer de mesurer leurs performances aussi objectivement que possible. Dans une étude Gallup effectuée sur plus de 5 000 représentants du service clientèle de diverses sociétés de télécommunication, les personnes ayant été jugées le plus favorablement par leur patron avaient le sens de l'« harmonie » et des « responsabilités », alors que celles ayant été jugées les plus efficaces par les clients avaient plus d'énergie, une grande assurance et une grande envie d'apprendre.

Un exemple : si vous devez recruter de nouveaux employés pour développer vos logiciels et que vous découvrez que vos employés qui développent le mieux vos produits ont l'esprit analytique, sont disciplinés et ont une grande soif d'apprendre, vous focaliserez vos offres d'emploi sur ces talents que vous avez identifiés bien plus que sur l'expérience : « Envisagez-vous la résolution de problèmes de façon logique et systématique [*analytique*] ? Êtes-vous perfectionniste et faites-vous votre possible pour achever vos projets à temps [*discipliné*] ? Souhaitez-vous apprendre à utiliser C++, Java et PHP [*soif d'apprendre*] ? Si vous pensez pouvoir répondre *oui* à ces questions, alors appelez... »

Réussir à identifier les atouts de chacun et à les associer à des emplois adéquats constitue un premier pas vers l'efficacité dans le travail. Les dirigeants utilisent divers outils pour estimer les talents d'une personne postulant pour un emploi et décider de celles qui sont les mieux adaptées pour ce type de travail (Sackett et Lievens, 2008). Dans le chapitre 10, nous avons vu comment les psychologues utilisent les tests d'aptitude pour évaluer des candidats. Et dans le chapitre 13, nous explorerons les tests de personnalité et les « centres d'évaluation » qui

GROS PLAN

Découvrir vos atouts

Vous pouvez utiliser certaines des techniques que les spécialistes de la psychologie du personnel ont développées pour identifier vos atouts et trouver le type de travail susceptible de vous satisfaire et dans lequel vous pouvez réussir. Marcus Buckingham et Donald Clifton (2001) vous proposent quelques questions :

- Quelles activités me donnent du plaisir ? (Remettre de l'ordre dans une situation chaotique ? Jouer l'hôte ? Aider les autres ? Combattre un mode de pensée qui manque de rigueur ?)
- Quelles sont les activités pour lesquelles je me demande : « Quand pourrai-je faire cela à nouveau ? » (plutôt que « Quand aurai-je fini ? ») ?
- Quels sont les défis qui m'émerveillent (et quels sont ceux que je déteste) ?
- Quelles sont les tâches que j'apprends facilement (et celles que j'ai du mal à apprendre) ?

Certains individus ressentent le flux – ils utilisent leurs aptitudes et ne voient pas le temps passer – quand ils enseignent, font du commerce, écrivent, ou encore quand ils nettoient, consolent, créent ou réparent quelque chose. Si vous prenez plaisir à faire une activité, si vous la faites aisément, si vous êtes impatient à l'idée de la pratiquer, il faut approfondir un peu et essayer de voir si elle peut constituer un atout pour votre travail.

Les gens satisfaits et qui réussissent consacrent beaucoup plus de temps à améliorer leurs atouts qu'à corriger leurs imperfections. Selon Buckingham et Clifton (p. 26), ceux dont la performance est qualifiée d'optimale sont « rarement bien formés ». Au contraire, ils ont aiguisé leurs aptitudes préexistantes. Étant donné la persistance de nos traits de caractères et de nos tempéraments, nous devrions nous concentrer non pas sur nos faiblesses mais plutôt sur l'identification de nos talents et la façon de les utiliser. Il peut exister certaines limites à l'intérêt des stages de mise en confiance si on est timide, aux cours d'expression orale en public si on est anxieux ou si on a une voix qui ne porte pas, ou aux cours de dessin si nos talents artistiques se résument à dessiner des « bonshommes en bâtons ».

Mais identifier nos talents peut nous aider à reconnaître les activités que l'on apprend rapidement et que l'on trouve intéressantes. Le fait de connaître nos atouts permet de les développer encore plus.

Comme le dit Robert Louis Stevenson dans *Familiar Studies of Men and Books* (1882) : « Être ce que nous sommes et devenir ce que nous sommes capables de devenir est le seul but de la vie. »

permettent l'observation des comportements au cours de simulations de tâches de travail. Pour l'instant, nous allons nous concentrer sur l'entretien professionnel.

Les entretiens peuvent-ils prédire les performances ? Les intervieweurs ont tendance à être confiants en leur aptitude à prédire des performances professionnelles à long terme à partir d'un premier entretien non structuré. Il est choquant de constater à quel point ces prédictions peuvent être sujettes à l'erreur. Que ce soit dans le domaine de la prédiction du travail ou des résultats scolaires, le jugement des personnes qui font passer des entretiens a une faible valeur prédictive. Selon un rapport portant sur 85 ans de travail de recherche sur la sélection du personnel, les spécialistes en psychologie industrielle et organisationnelle Frank Schmidt et John Hunter (1998 ; Schmidt, 2002) ont établi qu'à l'exception des postes exigeant peu de qualification, les aptitudes mentales prédisent le mieux la performance au travail. Les évaluations subjectives globales issues d'entretiens informels sont meilleures que des analyses graphologiques (qui sont inutiles). Mais un entretien informel apporte moins d'informations qu'un test d'aptitude, un échantillon de travail, un test sur la connaissance de l'emploi et que les performances fondées sur les emplois antérieurs. S'il y a un conflit entre l'impression que l'on a d'une personne et ses résultats aux tests, ses attestations de travail et ses performances passées, il faut se méfier de nos impressions.

« Les entretiens sont un indicateur épouvantable des performances »
Laszlo Bock, vice-président de Google, *People Operations*, 2007

L'illusion de l'intervieweur Les intervieweurs surestiment souvent leur jugement, un phénomène que le psychologue Richard Nisbett (1987) a appelé l'*illusion de l'intervieweur*. Voici un commentaire que l'on entend parfois dans la bouche des consultants utilisant la psychologie du travail : « J'ai une excellente capacité à faire passer les entretiens et je n'ai pas besoin de toutes les références exigées par quelqu'un n'ayant pas mes aptitudes. » Quatre effets intéressants peuvent contribuer à l'écart existant entre l'intuition de l'intervieweur et la réalité :

- *Les entretiens dévoilent les bonnes intentions de la personne interviewée, qui sont moins révélatrices que les comportements quotidiens* (Ouellette et Wood, 1998). Les intentions ont leur importance. Les personnes peuvent changer. Mais ce qui définit le mieux ce que sera une personne c'est ce qu'elle a été. Où que l'on aille, on emporte sa personnalité avec soi.
- *Les intervieweurs suivent plus souvent les personnes qui ont réussi leur carrière et qu'ils ont engagées plutôt que celles qui ont réussi et qu'ils ont rejetées et dont ils ont perdu la trace.* Ce manque de suivi empêche les intervieweurs d'avoir un contrôle réaliste de leur aptitude à engager le personnel.
- *Les intervieweurs présument que les gens sont ce qu'ils semblent être dans les conditions de l'entretien.* Comme le montrera le chapitre 16, lorsque nous rencontrons quelqu'un, nous ne tenons pas compte de l'énorme influence des circonstances variées et présupposons à tort que ce que nous voyons est ce que nous aurons. Cependant, la quantité de travaux de recherche couvrant de nombreux domaines depuis la tendance au bavardage jusqu'au degré d'application et de soin révèle en effet que la façon dont on se comporte ne reflète pas seulement nos traits de caractère constants, mais aussi des détails liés à une situation particulière (par exemple, l'envie d'impressionner lors de l'entretien).
- *Les idées préconçues de l'intervieweur et son humeur peuvent modifier la manière dont il perçoit les réponses de la personne qui passe l'entretien* (Cable et Gilovich, 1998 ; Macan et Dipboye, 1994). Si nous apprécions instantanément une personne qui nous ressemble peut-être, nous pouvons interpréter son assurance comme de la « confiance » plutôt que de l'« arrogance ». Quand on leur dit que certains postulants ont déjà été filtrés, les intervieweurs ont plus tendance à les juger favorablement.

« Entre l'idée et la réalité... tombe l'obscurité. »
T. S. Eliot, *Les hommes creux*, 1925

Ainsi, un *entretien non structuré* traditionnel dévoile un aspect de la personnalité de quelqu'un : l'expressivité, la chaleur et l'aptitude verbale par exemple. Mais ces informations révèlent moins de choses sur le comportement de cette personne envers les autres et dans différentes situations que ce que nous croyons. Dans l'espoir d'améliorer le pouvoir prédictif des entretiens ainsi que la sélection, les spécialistes de la psychologie du personnel ont demandé à des gens de participer à des simulations de situations de travail, ont cherché des informations sur les performances passées, ont rassemblé des évaluations provenant de multiples entretiens, ont fait passer des tests et ont développé des entretiens spécifiques à certains emplois.

Entretien structuré Contrairement à une simple conversation destinée à se faire une opinion sur une personne, l'**entretien structuré** apporte une méthode disciplinée pour obtenir des informations. Un spécialiste en psychologie du personnel peut analyser un emploi, préparer des questions types et entraîner les intervieweurs. Ils poseront les mêmes questions dans le même ordre à tous les postulants pour ensuite les évaluer à l'aide d'une échelle préétablie.

:: Entretien structuré : entretien où l'on pose les mêmes questions relatives au travail à tous les postulants, qui sont ensuite évalués selon une échelle préétablie.

Dans un entretien non structuré, quelqu'un peut vous demander : « Êtes-vous organisé ? », « Vous entendez-vous bien avec les autres ? », « Comment gérez-vous votre stress ? » Un postulant adroit sait comment obtenir de bons résultats : « Bien que parfois je ne me ménage pas, je gère mon stress en établissant des priorités et en déléguant, de même qu'en m'assurant de toujours avoir du temps pour faire de l'exercice et pour bien dormir. »

Au contraire, l'entretien structuré met le doigt sur les atouts (l'attitude, le comportement, le savoir et les aptitudes) permettant de distinguer les personnes ayant de grandes capacités dans un type de travail particulier. Le procédé consiste ensuite à tracer les grandes lignes des situations spécifiques du travail et à demander aux candidats d'expliquer sa manière d'appréhender ces situations, puis également comment il a géré des situations similaires dans son ancien travail. « Parlez-moi d'une situation où vous avez dû faire face à deux demandes conflictuelles, sans avoir le temps de résoudre les deux. Comment avez-vous géré la situation ? »

Pour réduire le phénomène de déformation de la mémoire et les biais, les intervieweurs prennent des notes et font des évaluations à mesure que se déroule l'entretien et évitent de poser des questions inutiles. L'entretien structuré peut donc paraître plus froid, mais on peut très bien l'expliquer au postulant : « Cette conversation ne reflète pas les rapports que l'on peut avoir avec les autres dans cette société. »

La revue de 150 autres résultats a révélé que les entretiens structurés avaient une fiabilité de prédiction deux fois plus importante que les entretiens non structurés réalisés sur le vif (Schmidt et Hunter, 1998 ; Wiesner et Cronshaw, 1988). Les entretiens structurés réduisent également les biais, par exemple vis-à-vis des postulants obèses (Kutcher et Bragger, 2004). Grâce en partie à sa plus grande fiabilité et en partie au fait qu'il est centré sur l'analyse du travail, le pouvoir prédictif d'un entretien structuré est à peu près identique à celui du jugement moyen reposant sur trois ou quatre entretiens non structurés (Huffcutt et coll., 2001 ; Schmidt et Zimmerman, 2004).

Malcolm Gladwell (2000) remarque que si nous laissons nos intuitions biaiser le processus de recrutement, alors « tout ce que nous aurons réussi à faire c'est remplacer l'ancien système, où l'on employait son neveu, avec le nouveau système, où l'on emploie la personne qui nous fait la meilleure impression après une poignée de main. Le progrès social, si nous n'y prenons garde, peut tout simplement être le moyen par lequel nous remplaçons ce qui est manifestement arbitraire par ce qui l'est moins ouvertement ».

En résumé, les spécialistes en psychologie du personnel s'occupent des organisations en analysant les emplois, en recrutant des postulants adéquats, en sélectionnant et en plaçant les employés, et en évaluant leurs performances (FIGURE 11.19) – c'est le sujet que nous allons voir maintenant.

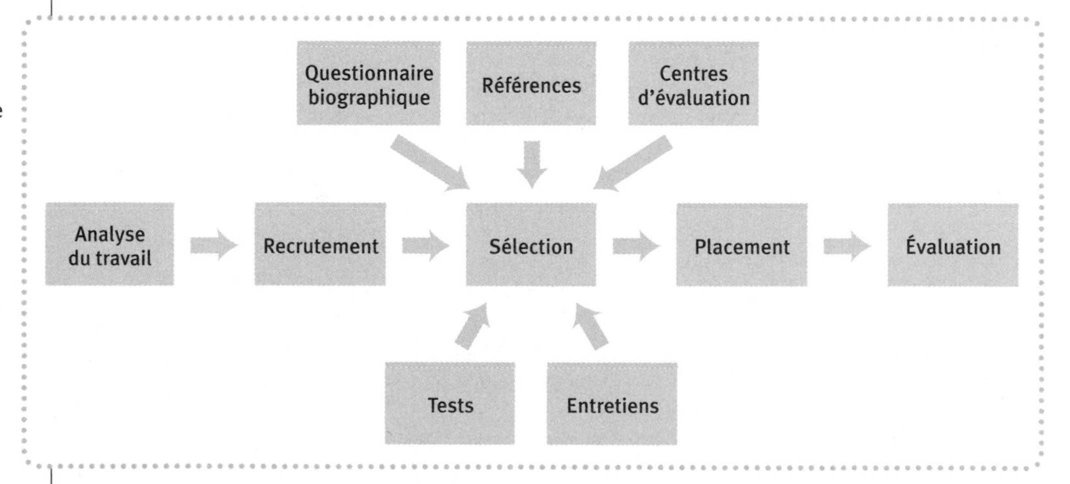

➤ FIGURE 11.19
Les tâches des spécialistes en psychologie du personnel
Ces spécialistes consultent dans le domaine des ressources humaines, en allant de la définition du travail jusqu'à l'évaluation de l'employé.

Évaluer les performances

L'évaluation des performances est très utile à la psychologie organisationnelle : elle permet de savoir qui retenir, comment récompenser et rémunérer justement les employés, et comment renforcer leurs talents, parfois par des promotions et parfois par des changements de poste. L'évaluation des performances est également utile sur le plan individuel : elle permet au travailleur d'affirmer ses points forts et de le motiver à entreprendre des projets de perfectionnement nécessaires.

Les méthodes d'évaluation des performances incluent :

- des *listes de contrôle* sur lesquelles les superviseurs vérifient simplement les comportements décrivant l'employé (« répond toujours aux besoins du client », « prend des pauses longues ») ;
- des *échelles d'évaluation graphiques* sur lesquelles le superviseur vérifie, par exemple sur une échelle de 1 à 5, le nombre de fois où il a pu compter sur l'employé, où il est productif et ainsi de suite ;
- des *échelles d'évaluation comportementales* sur lesquelles le superviseur vérifie les comportements qui décrivent le mieux la performance d'un employé. S'il juge la capacité d'un employé à « suivre des procédures », le superviseur peut le placer quelque part entre « prend souvent des raccourcis » et « suit toujours des procédures établies » (Levy, 2003).

Dans certaines sociétés, les évaluations des performances n'émanent pas seulement des superviseurs, mais aussi de tous les niveaux organisationnels. Si vous rejoignez une société qui pratique le *rétrocontrôle omnidirectionnel* (Figure 11.20), vous devrez vous auto-évaluer, évaluer vos collègues et votre directeur, et vous serez évalué par votre directeur, vos collègues et vos clients (Green, 2002). Il en résulte une communication plus ouverte et des évaluations plus complètes.

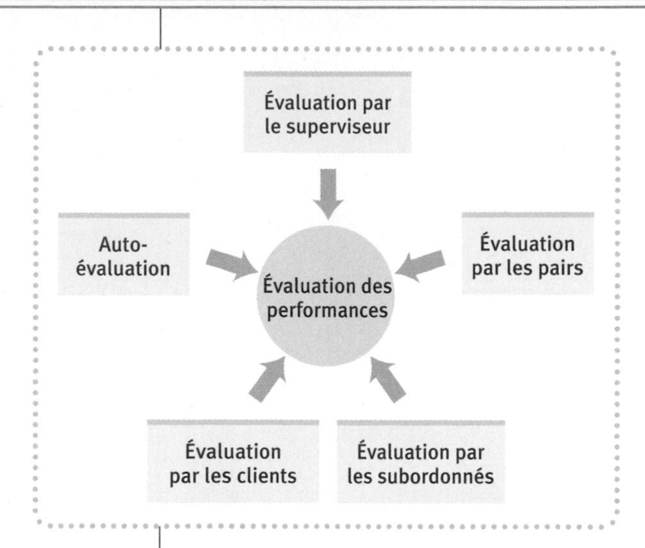

➤ FIGURE 11.20
Le rétrocontrôle omnidirectionnel
Avec le rétrocontrôle omnidirectionnel, nos connaissances, nos aptitudes et nos comportements sont évalués par nous-mêmes ainsi que par notre entourage. Par exemple, les professeurs peuvent être évalués par le directeur de leur département, par leurs étudiants et par leurs collègues. Après avoir subi toutes ces évaluations, le professeur en discute avec son directeur.

L'évaluation des performances, comme tous les autres jugements d'ordre social, n'échappe pas aux biais (Murphy et Cleveland, 1995). L'*effet de halo* peut survenir quand l'évaluation générale d'un employé, ou d'un trait de sa personnalité tel que son attitude amicale, biaise l'évaluation de son comportement spécifique lié à son travail, comme sa fiabilité par exemple. Les *erreurs* dues à une trop grande *indulgence* ou, au contraire, à une trop grande *sévérité* reflètent les tendances des personnes qui évaluent à être trop gentilles ou trop dures par rapport à quelqu'un. Des erreurs dues à l'*effet de récence* se produisent lorsque les évaluateurs mettent exclusivement l'accent sur des comportements récents dont on se rappelle facilement. En encourageant l'utilisation de plusieurs évaluateurs et en développant des mesures de performance objectives et pertinentes pour le travail, les spécialistes en psychologie du personnel s'efforcent de soutenir les entreprises tout en essayant de faire comprendre aux employés que l'évaluation des performances est un processus juste.

Psychologie organisationnelle : motiver l'accomplissement

14. Quel est le rôle des spécialistes en psychologie organisationnelle ?

L'appariement des talents et du travail et l'évaluation du travail sont très importants, mais il en est de même de la motivation générale. Avant de considérer comment les spécialistes en psychologie organisationnelle engagent leurs efforts pour motiver les employés et maintenir leur engagement, nous allons voir pourquoi tous les employés pourraient souhaiter atteindre un niveau élevé ou des objectifs difficiles.

Pensez à quelqu'un de votre entourage qui fait son possible pour réussir et tente d'exceller dans les tâches où il risque d'être évalué. Puis pensez à une autre personne moins motivée. Le psychologue Henry Murray (1938) définit la **motivation d'accomplissement** de la première personne comme un désir de réaliser des projets importants, de maîtriser des aptitudes et des idées, de contrôler et d'atteindre assez rapidement un niveau élevé.

Étant donné leur ténacité et leur soif de réussir des défis réalistes, les gens qui ont une grande motivation d'accomplissement réussissent mieux. Dans une étude, 1 528 enfants californiens, dont les scores aux tests d'intelligence se situaient dans le 1 p. 100 des meilleurs scores, ont été suivis au cours de leur vie. Quarante années plus tard, quand les chercheurs comparèrent ceux qui avaient le mieux réussi professionnellement avec ceux qui avaient le moins réussi, ils découvrirent une différence de motivation. Ceux qui avaient le mieux réussi étaient plus ambitieux, plus énergiques et plus persévérants. Enfants, ils avaient des hobbies plus actifs. Adultes, ils s'impliquaient dans plusieurs groupes et préféraient pratiquer un sport plutôt que d'y assister en tant que spectateur (Goleman, 1980). Les enfants doués sont des apprentis capables. Les adultes accomplis sont des acteurs persévérants.

D'autres études menées chez des lycéens et des étudiants ont montré que l'autodiscipline avait plus de valeur prédictive sur la réussite scolaire, l'assiduité et les récompenses universitaires que les résultats aux tests d'intelligence. « La discipline l'emporte sur le talent » concluent les chercheurs Angela Duckworth et Martin Seligman (2005, 2006) et cela explique pourquoi les filles obtiennent de meilleurs résultats scolaires que les garçons ayant les mêmes capacités.

:: Motivation d'accomplissement : désir important d'accomplissement ; avoir la maîtrise des choses, des personnes ou des idées. Désir d'atteindre rapidement un niveau élevé.

Ken Heyman/Woodfin Camp & Associates

Une motivation disciplinée mène à la réussite Conscient d'être moins bon que les autres étudiants lorsqu'il commença ses études universitaires de deuxième et troisième cycles en psychologie, B. F. Skinner mit au point une discipline quotidienne : se lever à 6 h 00 du matin, étudier jusqu'au petit-déjeuner, aller en cours, au laboratoire, puis à la bibliothèque. Après le dîner, il continuait à étudier et ne s'accordait pas plus de 15 minutes de répit par jour. Il continua à s'imposer une discipline quotidienne quand il devint l'un des psychologues les plus influents du XXe siècle.

« Le seul endroit où la réussite arrive avant le travail, c'est dans le dictionnaire. »

Vince Lombardi, ancien entraîneur de l'équipe de football des Green Bay Packers

Mais la discipline perfectionne aussi le talent. Au début de la vingtaine, les meilleurs violonistes ont déjà accumulé plus de 10000 heures de pratique, soit deux fois plus d'heures de travail que les violonistes qui se destinent à enseigner cette discipline (Ericsson et coll., 2001, 2006, 2007). À partir de ses études, Herbert Simon (1998), un psychologue qui a obtenu le prix Nobel d'économie, énonça ce que nous avons appelé au chapitre 10 la *règle des 10 ans* : en général, les experts de niveau mondial dans un domaine ont investi « au moins 10 ans de travail sérieux, soit 40 heures par semaine pendant 50 semaines par an ». Une autre étude effectuée chez des érudits, des athlètes et des artistes remarquables a montré que tous avaient une grande motivation, une autodiscipline et étaient prêts à consacrer des heures chaque jour à l'accomplissement de leurs buts (Bloom, 1985). Ces superstars de la réussite se distinguaient moins par leurs talents naturels extraordinaires que par leur discipline quotidienne remarquable. Il semblerait que les grandes réussites demandent un soupçon d'inspiration et une bonne dose de transpiration.

Duckworth et Seligman remarquent que ce qui distingue les individus qui ont particulièrement réussi de leurs pairs dotés du même talent, c'est le *courage* – la consécration passionnée à un objectif ambitieux à long terme. Bien que l'intelligence soit distribuée selon une courbe en cloche, la réussite ne l'est pas. Ce qui nous indique que la réussite implique bien plus que des aptitudes à l'état brut. C'est pourquoi les spécialistes en psychologie organisationnelle tentent de trouver des moyens d'impliquer et de motiver des gens ordinaires pour des emplois ordinaires.

Satisfaction et engagement

Comme le travail représente une partie importante de la vie, la satisfaction des employés est une priorité pour les spécialistes en psychologie du travail. La satisfaction au travail va de pair avec la satisfaction dans la vie (*voir* Gros plan : Bien faire tout en faisant du bien). De plus, comme nous le verrons au chapitre 12, une diminution du stress au travail améliore la santé.

La satisfaction des employés contribue-t-elle au succès d'une entreprise ? Les humeurs positives dans le cadre du travail contribuent à la créativité, à la persévérance et à la solidarité (Brief et Weiss, 2002). Mais les employés heureux et impliqués sont-ils moins souvent absents ? Sont-ils moins enclins à démissionner ? Ont-ils moins tendance à voler ? Sont-ils plus ponctuels ? Sont-ils plus productifs ? Constater de façon évidente les bienfaits de la satisfaction constitue, selon certains, le Graal de la psychologie industrielle et organisationnelle. La synthèse statistique des recherches antérieures a trouvé une corrélation positive modérée entre la satisfaction professionnelle de l'individu et sa performance (Judge et coll., 2001 ; Parker et coll., 2003). Au cours d'une analyse récente portant sur 4500 employés travaillant dans 42 entreprises de confection britanniques, les travailleurs les plus productifs avaient tendance à être ceux ayant un environnement de travail satisfaisant (Patterson et coll., 2004). Mais la satisfaction *produit*-elle de meilleures performances professionnelles ? Le débat se poursuit avec une analyse des anciennes recherches indiquant que la satisfaction et la performance

L'implication des employés facilite le succès d'une entreprise Les magasins de matériel électronique Best Buy ont pratiquement le même agencement au niveau des produits et le même manuel d'exploitation. Cependant, dans certains magasins, les employés sont plus impliqués et les performances sont meilleures. Le magasin dont les employés sont les plus impliqués se situe dans les dix premiers magasins qui atteignent un profit dépassant les objectifs. Le magasin dont les employés sont les moins impliqués se trouve dans les dix derniers magasins (Buckingham, 2001).

Capital-Journal/David Eulitt/AP/Wide World Photos

GROS PLAN

Bien faire tout en faisant du bien : « La grande expérience »

À la fin des années 1700, les quelque 1 000 travailleurs des filatures de coton de New Lanark en Écosse – dont beaucoup étaient des enfants issus des orphelinats de Glasgow – travaillaient 13 heures par jour et vivaient dans des conditions misérables. L'éducation et l'hygiène étaient négligées, le vol et l'alcoolisme étaient courants et la plupart des familles vivaient dans une seule pièce.

Au cours d'une visite à Glasgow, Robert Owen, jeune gérant idéaliste de filatures de coton issu du Pays-de-Galles, rencontra par hasard la fille du propriétaire de cette filature de coton et en tomba amoureux. Après leur mariage, Owen acheta la filature avec plusieurs associés et, le 1er janvier 1800, en devint le directeur. Sans attendre, il commença ce qu'il dit être « la plus importante expérience pour le bonheur de la race humaine n'ayant jamais été mise en place avant ce jour sur Terre » (Owen, 1814). Il observa que l'exploitation des enfants et des adultes produisait des travailleurs malheureux et inefficaces. Pensant que de meilleures conditions de travail et de vie pouvaient être économiquement rentables, il mit en place (avec certaines réticences de ses associés à qui il finit par racheter les parts) de nombreuses innovations : une garderie pour les enfants de moins de 6 ans, un programme d'éducation (par l'encouragement plutôt que la punition corporelle), le dimanche de congé, des soins, le paiement des congés maladie, le paiement des jours chômés lorsque la filature ne pouvait pas fonctionner et un magasin d'entreprise vendant les marchandises à prix réduit.

Owen innova également avec la mise en place d'un programme d'objectifs et d'évaluation des travailleurs incluant le rapport détaillé de la productivité journalière et des coûts. À chaque poste de travail d'un employé, une carte colorée (sur quatre) indiquait la performance de cette personne obtenue la veille. Owen pouvait se promener dans la filature et voir d'un coup d'œil les performances de chacun. « Il n'y avait, disait-il, pas de coups, pas d'injures… je regardais simplement la personne puis la couleur… je pouvais savoir tout de suite par leur expression [quelle couleur] était représentée ».

La réussite commerciale qui suivit fut essentielle pour le soutien de ce qui devint le mouvement vers les réformes humanitaires. Vers 1816, ayant encore des dizaines d'années de rentabilité à venir, Owen crut qu'il avait démontré « qu'il était possible de former des sociétés de manière à ce qu'il n'y ait pas de criminalité, pas de pauvreté, que les conditions de santé y soient nettement meilleures, qu'il n'y ait peu ou pas de misère et cent fois plus de bonheur et d'intelligence ». Bien que sa vision utopique ne se soit pas accomplie, la grande expérience d'Owen mit en place les fondements des pratiques de l'emploi acceptées de nos jours dans beaucoup de pays du monde.

Avec l'aimable autorisation de New Lanark World Heritage Site

La grande expérience New Lanark Mills, site préservé classé aujourd'hui au patrimoine mondial (www.newlanark.org), a démontré de manière très influente que les industries pouvaient bien faire tout en faisant du bien. À l'heure de son apogée, New Lanark fut visité par de nombreux monarques et réformateurs européens qui venaient pour observer le dynamisme de sa force de travail et la prospérité de l'entreprise.

sont corrélées parce qu'elles reflètent toutes deux l'estime de soi au travail (« je suis important ici ») et un sentiment que leurs efforts contrôlent leurs récompenses (Bowling, 2007).

Néanmoins, certaines entreprises ont le chic pour cultiver des employés plus engagés et plus productifs. Aux États-Unis, les « 100 meilleures entreprises où il fait bon travailler » présentées par le magazine *Fortune* ont également réalisé un retour sur investissement nettement plus élevé que la moyenne (Fulmer et coll., 2003). D'autres résultats positifs proviennent de la plus grosse étude effectuée jusqu'ici : une analyse des données Gallup issues de plus de 198 000 employés (Tableau 11.2, page suivante) dans presque 8 000 domaines d'activités différents de 36 grandes compagnies (incluant 1 100 banques, 1 200 magasins, et 4 200 équipes ou départements). James Harter, Frank Schmidt, et Theodore Hayes (2002) ont étudié les corrélations entre plusieurs critères de succès sur le plan organisationnel et l'*engagement des employés* : le degré d'implication, d'enthousiasme et d'identification des travailleurs avec leur entreprise. Ils ont montré que, comparés aux employés non engagés qui font juste leurs heures de travail, les employés impliqués savent ce que l'on attend d'eux, ont ce dont ils ont besoin pour faire leur travail, se sentent comblés dans leur travail, ont souvent l'opportunité de faire ce qu'ils font le mieux, ont le sentiment de faire partie de quelque chose d'important et ont l'occasion d'apprendre et d'évoluer. Ils ont également

TABLEAU 11.2

Enquête Gallup sur le lieu de travail

Satisfaction générale – en utilisant une échelle de 5 points, où 5 signifie très satisfaisant et 1 très décevant, indiquez à quel point vous êtes satisfait de travailler chez (*nom de votre entreprise*) ________. Sur une échelle allant de 1 à 5, où 1 représente un profond désaccord et 5 signifie que vous approuvez fortement, donnez votre avis sur les propositions suivantes
1. Je sais ce que l'on attend de moi dans mon travail
2. Je dispose du matériel et de l'équipement dont j'ai besoin pour bien faire mon travail
3. Au travail, j'ai l'opportunité de faire ce que je fais le mieux au quotidien
4. Durant les 7 derniers jours, j'ai eu des marques de reconnaissance pour mon travail et j'ai été félicité
5. Mon directeur, ou alors une autre personne, semble s'intéresser à moi en tant qu'individu
6. Il y a quelqu'un sur mon lieu de travail qui encourage mon ascension
7. Au travail, mon opinion semble avoir de l'importance
8. La mission/les buts de mon entreprise me donnent l'impression que mon travail est important
9. Mes associés (mes collègues) s'engagent à faire un travail de qualité
10. J'ai un de mes meilleurs amis au travail
11. Durant ces six derniers mois, une personne à mon travail m'a parlé de mes progrès
12. Durant l'année qui vient de s'écouler, j'ai eu l'opportunité dans mon travail d'apprendre et d'évoluer

Note : les droits exclusifs de cette enquête reviennent à la *Gallup Organization*. Elle ne doit en aucun cas être reproduite sans l'accord écrit de la *Gallup Organization*. Reproduit avec autorisation

Les trois types d'employés (Crabtree, 2005) :
Ceux qui sont impliqués : travaillent avec passion et un sentiment profond d'attachement à leur compagnie ou leur entreprise.
Ceux qui ne sont pas impliqués : passent leur temps au travail, mais y investissent peu de passion ou d'énergie.
Ceux qui sont activement désengagés : travailleurs mécontents dénigrant tout ce que leurs collègues accomplissent.

trouvé que les secteurs d'activité où les employés s'investissent ont davantage de clients fidèles, moins de renouvellement de personnel, une productivité plus importante, et font plus de profits. Une analyse avec suivi a comparé des entreprises dont le niveau moyen d'engagement de leurs employés était situé dans le quart supérieur avec d'autres entreprises dont l'engagement moyen se situait en dessous de la moyenne. Sur une période de trois ans, les gains des entreprises ayant les travailleurs les plus engagés ont augmenté 2,6 fois plus vite (Ott, 2007).

Bien diriger

Le rêve de tous les patrons est de diriger d'une manière qui augmente à la fois la satisfaction, l'implication et la productivité des employés et le succès de leur entreprise. Les dirigeants efficaces exploitent les talents des employés, fixent des buts et choisissent un style de leadership approprié.

Exploiter les talents en rapport avec le travail Marcus Buckingham (2001) observe que « le plus grand défi des directeurs d'entreprises au cours des 20 prochaines années sera de développer efficacement les atouts humains ». Ce défi a une « portée psychologique. Il s'agit d'essayer de rendre les individus plus productifs, plus concentrés et plus épanouis qu'ils ne l'étaient auparavant ». Comme d'autres, Marcus Buckingham maintient que les dirigeants efficaces doivent à la base sélectionner les bons sujets. Il leur appartient ensuite de discerner les talents naturels de leurs employés, d'ajuster leur poste en fonction de leurs talents et de transformer ces talents en énormes atouts (Figure 11.21). Par exemple, les professeurs d'université doivent-ils tous dispenser un enseignement de même densité, avoir le même nombre d'étudiants, être membres du même nombre de commissions et avoir la même quantité de travaux de recherche ? Ou le travail de chaque individu devrait-il être taillé pour exploiter son talent unique ?

➤ FIGURE 11.21
Sur le bon chemin Le chemin du succès d'une entreprise d'après la *Gallup Organization* (adapté de Fleming, 2001).

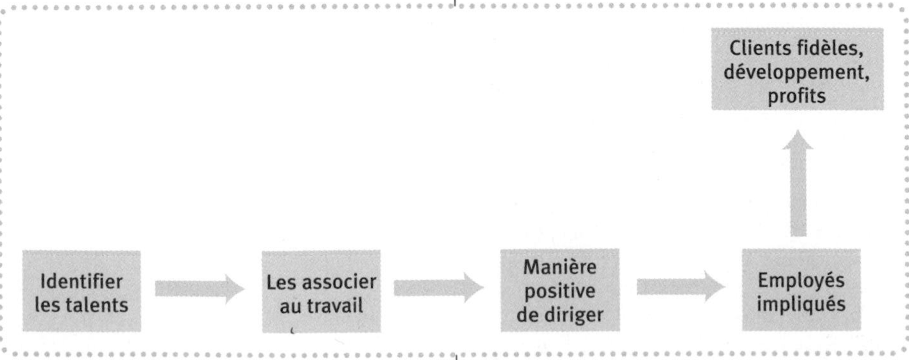

Comme nous l'avons vu précédemment lorsque nous avons parlé des spécialistes en psychologie du personnel, notre tempérament et nos traits de caractère ont tendance à nous suivre tout au long de notre vie. Les dirigeants qui parviennent à leurs fins passent moins de temps à essayer d'induire des talents inexistants chez leurs employés et passent plus de temps à développer ceux qu'ils possèdent déjà. Kenneth Tucker (2002) conclut que les bons managers :

- commencent en aidant les gens à identifier et à évaluer leurs talents ;
- associent les tâches à effectuer aux talents de chacun et donnent aux gens la liberté de faire ce qu'ils connaissent le mieux ;
- veulent savoir ce que les gens ressentent au sujet de leur travail ;
- renforcent les comportements positifs par le biais de la reconnaissance et de la récompense.

Plutôt que de se focaliser sur les faiblesses des employés et de les faire participer à des séminaires d'entraînement pour y remédier, les bons directeurs concentrent le temps de la formation à éduquer leurs employés au repérage de leurs points forts et à leur utilisation pour évoluer (cela signifie éviter de promouvoir des gens à des postes inadaptés à leurs compétences). Dans des enquêtes Gallup, 77 p. 100 des travailleurs engagés et seulement 23 p. 100 des travailleurs non engagés reconnaissent fortement que « [leur] superviseur se concentre sur [leurs] atouts ou [leurs] caractéristiques positives » (Krueger et Killham, 2005).

Le fait de récompenser les employés impliqués et productifs dans chaque rôle organisationnel s'appuie sur un principe de base du conditionnement opérant (Chapitre 7) : pour enseigner un comportement, repérer une personne qui fait bien quelque chose et renforcer ce comportement. Cela peut paraître simpliste, mais de nombreux patrons se comportent comme des parents qui, quand leur enfant rentre à la maison avec d'excellentes notes et une moins bonne note en biologie, se focalisent sur la mauvaise note et oublient les bonnes. La *Gallup Organization* (2004) rapporte que « l'année dernière, 65 p. 100 des Américains n'ont reçu AUCUN compliment ni aucune reconnaissance sur leur lieu de travail ».

Définir des objectifs précis et ambitieux Dans la vie de tous les jours, nos objectifs de réussite impliquent parfois d'atteindre un haut niveau de maîtrise ou de performance (par exemple maîtriser les connaissances de ce cours et obtenir une bonne note) et impliquent parfois d'éviter l'échec (Elliot et McGregor, 2001). Dans beaucoup de situations, les objectifs spécifiques et ambitieux motivent la réussite, en particulier lorsqu'ils sont associés à des comptes rendus (Johnson et coll., 2006 ; Latham et Locke, 2007). Des objectifs spécifiques et mesurables comme « finissez de rassembler des informations pour l'examen d'histoire de vendredi » servent à diriger l'attention, à promouvoir l'effort, motiver la ténacité et à stimuler des stratégies créatives.

Lorsque les gens établissent ensemble des objectifs avec des *sous-objectifs* et un *objectif de réalisation* - des plans d'action spécifiques pour définir quand, où et comment ils s'y prendront pour atteindre leurs buts - ils se concentrent davantage sur leur travail, et les objectifs sont souvent réalisés à temps (Burgess et coll., 2004 ; Fishbach et coll., 2006 ; Koestner et coll., 2002). (Avant chaque nouvelle édition de ce livre, mon éditeur, mes collaborateurs et moi-même *établissons des objectifs* : nous fixons des dates pour achever et mettre au point le premier jet de chaque chapitre.) Ainsi, pour susciter une productivité élevée, les dirigeants efficaces travaillent avec les gens concernés pour définir des buts explicites, des sous-objectifs et des objectifs de réalisation puis donnent des informations sur la progression du projet.

Choisir un style de leadership approprié Le type de leadership varie d'un style directif centré sur le patron à un style plus démocratique où les employés sont invités à se fixer des buts et à établir des stratégies. Le style qui fonctionne le mieux dépend de la situation et du dirigeant. Le meilleur style de leadership pour mener un débat n'est peut-être pas le meilleur pour mener des troupes au combat (Fiedler, 1981). De plus, chaque dirigeant a son propre style. Certains excellent dans le **leadership fonctionnel**, définissant les règles, organisant le travail et focalisant l'attention sur les buts à atteindre. Étant orientés vers un objectif, les leaders fonctionnels ont des qualités pour maintenir une équipe centrée sur sa mission. Ils ont généralement un style directif qui peut parfaitement fonctionner s'ils sont suffisamment brillants pour donner des ordres intelligents (Fiedler, 1987).

::Leadership fonctionnel : leadership orienté vers un but qui définit des règles, organise le travail et focalise l'attention sur le but.

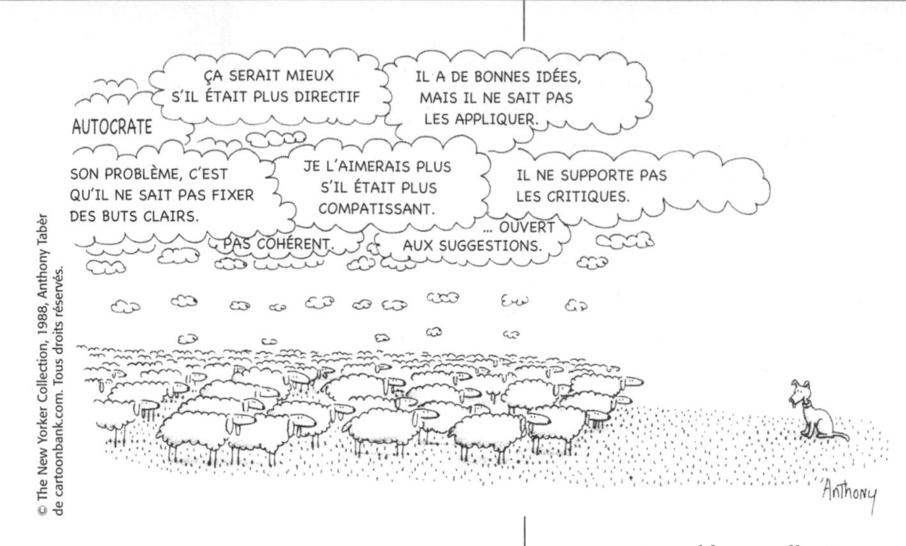

D'autres responsables excellent dans le **leadership social**, expliquant les décisions, apaisant les conflits et constituant des équipes très performantes (Evans et Dion, 1991). Les leaders sociaux ont souvent un comportement démocratique : ils délèguent leur autorité et acceptent volontiers la participation des membres de l'équipe. De nombreuses expériences montrent que ce style de direction est bon pour le moral de l'équipe. Les subordonnés se sentent en général plus heureux et plus motivés et ont de meilleures performances lorsqu'ils peuvent participer à la prise de décision (Cawley et coll., 1998 ; Pereira et Osburn, 2007).

Comme le type de leadership efficace varie avec la situation et la personne, la *théorie du « grand homme »* autrefois populaire – selon laquelle les grands dirigeants ont tous des traits communs – est passée de mode (Vroom et Jago, 2007 ; Wielkiewicz et Stelzner, 2005). Le même entraîneur peut sembler excellent ou mauvais selon les points forts de l'équipe et les compétitions. Mais la personnalité d'un dirigeant a de l'importance (Zaccaro, 2007). Les leaders efficaces ont tendance à être ni trop autoritaires (empêchant toute relation sociale) ni pas assez (limitant le leadership fonctionnel) (Ames et Flynn, 2007). Les responsables efficaces d'équipes de laboratoire, d'équipes de travail ou de grandes sociétés ont tendance à dégager un *charisme* (House et Singh, 1987 ; Shamir et coll., 1993). Leur charisme implique la *vision* d'un but, une capacité à le *communiquer* clairement, et suffisamment d'optimisme pour *inspirer* les autres à le suivre. Selon une étude menée sur 50 compagnies hollandaises, les entreprises ayant le meilleur moral étaient celles menées par des dirigeants qui inspiraient le plus leurs collègues à « transcender leur intérêt personnel au profit de celui du groupe » (de Hoogh et coll., 2004). Ce type de leadership – le *leadership transformationnel* – encourage d'autres personnes à s'identifier au groupe et à s'engager dans la mission de celui-ci. Les leaders transformationnels, dont beaucoup sont naturellement extravertis, expriment clairement des exigences élevées, inspirent les autres à partager leur vision et prêtent attention aux autres (Bono et Judge, 2004). Il en résulte fréquemment des travailleurs plus engagés, plus confiants et plus efficaces (Turner et coll., 2002). Les femmes ont tendance à présenter plus que les hommes des qualités de leadership transformationnel. Alice Eagly (2007) pense que cela permet d'expliquer pourquoi les entreprises ayant des femmes au niveau de la direction ont récemment eu tendance à avoir de meilleurs résultats financiers, même après avoir contrôlé les variables comme la taille de l'entreprise.

> « Les bons dirigeants ne demandent pas à leurs subordonnés plus qu'ils ne peuvent donner, mais souvent ils demandent et obtiennent davantage que ce que ceux-ci avaient l'intention de fournir ou qu'ils pensaient pouvoir donner. »
> John W. Gardner, *Excellence*, 1984

Peter Smith et Monir Tayeb (1989), qui ont rassemblé les résultats d'études effectuées en Inde, à Taïwan et en Iran, décrivent que les responsables efficaces dans les mines de charbon, au gouvernement et dans les banques exercent souvent *à la fois* un leadership social et un leadership fonctionnel. Ayant la réussite présente à l'esprit, ils surveillent la façon dont le travail est effectué et sont néanmoins attentifs aux besoins de leurs subordonnés. Selon une enquête nationale réalisée sur des employés américains, ceux qui se trouvent dans des sociétés où règne un esprit convivial et où les horaires sont flexibles déclarent être plus dévoués envers leurs employeurs (Roehling et coll., 2001).

Beaucoup d'entreprises ayant réussi ont également augmenté la participation du personnel à la prise de décision ; c'est un style de leadership fréquent en Suède et au Japon, et qui commence aussi à se développer ailleurs (Naylor, 1990 ; Sundstrom et coll., 1990). Bien que les managers aient une tendance à accorder plus de mérite au travail qu'ils ont directement supervisé, les études révèlent un *effet de voix* : si on permet aux personnes d'exprimer leur avis lors d'une réunion de prise de décision, celles-ci réagiront de façon plus positive à la décision (van den Bos et Spruijt, 2002). Comme nous l'avons déjà noté, les employés très positivement impliqués sont à la base des organisations prospères.

L'exemple de réussite spectaculaire de Harley-Davidson illustre bien le potentiel qui réside dans le fait d'inviter les travailleurs à participer au processus décisionnel (Teerlink et Ozley, 2000). En 1987, l'entreprise qui avait des difficultés a procédé à une transformation de son appareil de gestion très *centralisé et dirigiste* vers un système de *vision commune*. Le but était « d'encourager la prise de décision, la planification et la mise en œuvre des stratégies à partir d'une poignée de personnes placées en haut de l'échelle tout en les transmettant aux échelons plus bas afin d'atteindre l'ensemble de l'entreprise. Nous voulions que, tous les jours, nos employés pensent à une manière d'améliorer l'entreprise », déclare le directeur général Jeffrey

:: Leadership social : leadership tourné vers le groupe, formant des équipes, apaisant les conflits et offrant un soutien.

Bleustein (2002). Au milieu des années 1990, la société Harley signe un accord commun avec ses syndicats stipulant que ceux-ci devaient participer « à la prise de décision dans pratiquement tous les domaines de la société ». La prise de décisions consensuelles peut prendre plus de temps, mais « quand la décision est prise, elle est vite mise en pratique et tout le groupe est impliqué dans le projet », déclare Bleustein. Il en résulte une meilleure implication du personnel et une plus grande satisfaction des actionnaires. Chaque action Harley-Davidson achetée valait 1 $ au début de 1988 et 125 $ à la mi-2005.

***

Dans ce chapitre, nous avons vu que des mécanismes physiologiques identifiables dirigent certaines motivations, telles que la faim par exemple (bien que l'apprentissage du goût et les attentes culturelles soient aussi importants). D'autres motivations, comme la réussite au travail, sont davantage dirigées par des facteurs psychologiques, tels que la recherche intrinsèque d'une maîtrise et la récompense extérieure que nous apporte la reconnaissance. Ce qui unifie toutes les motivations est leur effet collectif : celui de diriger et de stimuler le comportement.

Partager la vision de l'entreprise et les décisions En tant que directeur général, Jeffrey Bleustein participa au développement de la société Harley-Davidson en partie en remplaçant son style de management, de type « ordonner et contrôler » par un style basé sur la planification et la prise de décision par consensus impliquant largement la société.

AVANT D'ALLER PLUS LOIN...

➤ Interrogez-vous

Êtes-vous peu ou très motivé pour réussir à l'école ? De quelle manière cela a-t-il affecté votre réussite scolaire ? Comment pouvez-vous améliorer votre propre niveau de réussite ?

➤ Testez-vous 5

Un directeur des ressources humaines vous dit : « Je n'ai pas besoin de tests et de références. Je choisis mes employés au feeling. » En vous fondant sur les recherches effectuées en psychologie industrielle et organisationnelle, quels problèmes cela peut-il entraîner ?

Les réponses aux questions « Testez-vous » sont données dans l'annexe B à la fin de l'ouvrage.

RÉVISION : La motivation et le travail

Les concepts de la motivation

1. Selon quelles perspectives les psychologues considèrent-ils les comportements motivés ?

Les *instincts* ou la perspective évolutionniste explorent les influences génétiques sur les comportements complexes. La *théorie du contrôle des pulsions* explore comment les besoins physiologiques suscitent des états de tension (pulsions) qui nous entraînent à satisfaire ces besoins. La théorie de l'activation propose une motivation pour les comportements, comme ceux suscités par la curiosité, qui ne se réduisent pas aux besoins physiologiques. La *hiérarchie des besoins* de Maslow propose une pyramide des besoins de l'homme partant des besoins fondamentaux, comme la faim et la soif, jusqu'à ceux situés aux niveaux supérieurs comme la réalisation et la transcendance.

La faim

2. Quels sont les facteurs physiologiques qui produisent la faim ?

Les tiraillements internes de la faim correspondent à des contractions de l'estomac, mais la faim a aussi d'autres causes. Les hormones de l'appétit comprennent l'insuline (qui contrôle la *glycémie*), la leptine (sécrétée par les cellules adipeuses), l'orexine (sécrétée par l'hypothalamus), la ghréline (sécrétée par l'estomac vide), l'obestatine (sécrétée par l'estomac) et la PYY (sécrétée par le tube digestif). Deux zones hypothalamiques régulent le poids du corps en modifiant nos sensations de faim et de satiété. Le corps pourrait avoir un *point de référence* (une tendance biologiquement fixée à maintenir un poids optimal) ou un point de réglage moins rigide (influencé aussi par l'environnement).

3. Quels facteurs psychologiques et culturels influencent la faim ?

Notre faim reflète aussi notre apprentissage, notre mémoire du dernier repas et nos attentes sur le moment du prochain. Les hommes en tant qu'espèce préfèrent certains goûts (comme le sucré et le salé), nous satisfaisons ces préférences en utilisant les aliments spécifiquement prescrits par notre situation et notre culture. Certaines de nos préférences gustatives, par exemple éviter des aliments nouveaux ou ceux qui nous ont rendus malades, ont une valeur de survie.

4. De quelle manière l'anorexie mentale, la boulimie et l'hyperphagie boulimique mettent en évidence l'influence des forces psychologiques sur les comportements physiologiquement motivés ?

Au cours de ces troubles de l'alimentation, les facteurs psychologiques peuvent être plus forts que la poussée homéostatique visant à maintenir un état d'équilibre interne. Les personnes atteintes d'*anorexie mentale* (en général des adolescentes) se privent elles-mêmes de nourriture, mais poursuivent leur régime parce qu'elles se considèrent toujours trop grosses. Celles atteintes de *boulimie* (en général des adolescentes ou des femmes d'une vingtaine d'années) se gavent puis se purgent en cachette. Celles atteintes d'*hyperphagie boulimique* se gavent mais ne se purgent pas. La pression culturelle, une mauvaise estime de soi et des émotions négatives semblent interagir avec les expériences stressantes de la vie pour produire ces troubles de l'alimentation. Des recherches menées chez des jumeaux indiquent également, cependant, que ces troubles alimentaires pourraient avoir une composante génétique.

5. Quels facteurs prédisposent certaines personnes à devenir obèse et à le rester ?

L'absence d'exercice associée à l'abondance d'aliments très caloriques a conduit à une augmentation du taux d'obésité montrant l'influence de l'environnement. Les études de jumeaux et d'adoption indiquent que le poids du corps est également génétiquement influencé (du point de vue du nombre de cellules adipeuses et du *taux du métabolisme basal*). Ainsi les gènes et l'environnement interagissent pour entraîner l'obésité. Il est conseillé à ceux qui souhaitent perdre du poids de modifier à long terme leurs habitudes, de réduire l'exposition aux aliments tentateurs, d'augmenter leur dépense énergétique par l'exercice, de manger des aliments sains, d'espacer les repas tout au long de la journée, de se méfier des épisodes de boulimie et de se pardonner les faux pas occasionnels.

Les motivations sexuelles

6. Quelles étapes marquent le cycle de la réponse sexuelle chez l'homme ?

Masters et Johnson ont décrit quatre stades dans le *cycle de la réponse sexuelle* chez l'homme : la phase d'excitation, la phase de plateau, l'orgasme (qui semble impliquer des sensations et une activité cérébrale semblables chez l'homme et la femme) et la phase de résolution. Au cours de la phase de résolution, les hommes connaissent une *période réfractaire* durant laquelle une nouvelle excitation et un nouvel orgasme sont impossibles. Les *troubles sexuels* (problèmes qui bloquent de manière constante l'excitation ou le fonctionnement sexuels) peuvent être efficacement traités par une psychothérapie comportementale orientée ou par la prise de médicaments.

7. Les hormones influencent-elles notre motivation sexuelle ?

Les *œstrogènes* (hormone féminine) et la *testostérone* (hormone masculine) influencent le comportement sexuel humain moins directement qu'elles influencent les autres animaux. Contrairement aux autres mammifères femelles, la sexualité de la femme répond plus à la concentration en testostérone qu'au taux d'œstrogènes. Des fluctuations rapides du taux de testostérone sont normales chez l'homme, en partie en réponse à la stimulation.

8. De quelle manière les stimuli internes et externes influencent-ils la motivation sexuelle ?

Le matériel érotique et d'autres stimuli externes peuvent déclencher l'excitation sexuelle chez l'homme comme chez la femme, bien que les aires cérébrales activées diffèrent quelque peu. Les hommes répondent plus spécifiquement aux images sexuelles impliquant le sexe qu'ils préfèrent. Les éléments sexuellement explicites peuvent inciter certaines personnes à percevoir, par comparaison, leur partenaire comme moins attirant et à dévaloriser leur relation. Les supports montrant une sexualité forcée ont tendance à augmenter, chez le spectateur, l'acceptation du viol et de la violence envers les femmes. Les fantasmes (stimuli imaginaires) influencent aussi l'excitation sexuelle.

9. Quels sont les facteurs qui influencent la grossesse chez les adolescentes et le risque d'infections sexuellement transmissibles ?

L'activité sexuelle des adolescents varie d'une culture à l'autre et d'une époque à l'autre. Les facteurs contribuant à la grossesse des adolescentes englobent : l'ignorance, une communication minimale à propos de la contraception avec les parents, les partenaires ou les pairs, la culpabilité vis-à-vis du sexe, la consommation d'alcool et les normes véhiculées par les médias concernant les rapports sexuels non protégés et la sexualité impulsive. Les IST – infections sexuellement transmissibles – se sont rapidement propagées. Les tentatives pour protéger les adolescents via de vastes programmes d'éducation sexuelle comprennent l'insistance sur l'abstinence des adolescents et la contraception. Les facteurs prédictifs de l'abstinence sexuelle chez les adolescents englobent une forte intelligence, les croyances religieuses, la présence du père et la participation à des activités communautaires.

10. Que nous a appris la recherche sur l'orientation sexuelle ?

Des études nous indiquent qu'environ 3 p. 100 des individus sont attirés par d'autres individus du même sexe mais les statistiques ne peuvent décider des questions des droits de l'homme. Il n'existe pas de preuves que des influences environnementales déterminent l'*orientation sexuelle*. Les influences biologiques peuvent inclure la présence de ces mêmes comportements homosexuels chez de nombreuses espèces animales, des différences entre homosexuels et hétérosexuels du point de vue des caractéristiques du cerveau et du corps, un plus grand taux d'homosexuels dans certaines familles et chez des jumeaux identiques, et l'exposition à certaines hormones pendant des périodes critiques du développement prénatal.

11. La recherche scientifique sur la motivation sexuelle est-elle dépourvue de tout jugement de valeur ?

Les recherches scientifiques sur la motivation sexuelle ne cherchent pas à définir notre signification personnelle du sexe dans notre vie, mais les recherches sur la sexualité et l'éducation sexuelle ne sont pas dénuées de jugements de valeur.

Le besoin d'appartenance

12. Quelle est la preuve de notre besoin humain d'appartenance ?

Notre besoin d'être affilié ou d'appartenir, de nous sentir relié et identifié aux autres, a favorisé les chances de survie de nos ancêtres, ce qui peut expliquer pourquoi les hommes vivent en groupe quelle que soit la société. Les sociétés partout dans le monde contrôlent les comportements par la menace de l'ostracisme – l'exclusion ou l'indifférence des autres. Lorsque les gens se sentent socialement exclus, ils peuvent s'engager dans des comportements d'échec (avec des performances en dessous de leurs capacités) ou un comportement antisocial.

La motivation au travail

13. Comment les psychologues du personnel aident-ils les entreprises à sélectionner les employés, les placer et évaluer leurs performances ?

Les *psychologues du personnel* travaillent avec les entreprises pour mettre au point des méthodes de sélection des nouveaux employés, de recrutement et d'évaluation des postulants, de conception et d'évaluation de programmes de formation, d'identification des atouts des employés, d'analyse de la teneur d'un travail, et d'évaluation des performances individuelles et de l'entreprise. Les entretiens subjectifs ont tendance à encourager l'illusion de l'intervieweur. Les *entretiens structurés* identifient les atouts importants pour le travail et sont plus prédictifs des performances. Les listes de contrôle, les échelles graphiques et les échelles comportementales représentent des méthodes intéressantes d'évaluation des performances.

14. Quel est le rôle des spécialistes en psychologie organisationnelle ?

Les *spécialistes en psychologie organisationnelle* examinent les influences sur la satisfaction de l'employé et sa productivité et facilitent les modifications d'ordre organisationnel. L'engagement des employés a tendance à être corrélé avec la réussite de l'entreprise. Le style de leadership peut être orienté sur l'objectif (*leadership fonctionnel*) ou orienté sur le groupe (*leadership social*) ou représenter une association des deux.

Termes et concepts à retenir

Motivation, p. 443
Instinct, p. 444
Théorie du contrôle des pulsions, p. 445
Homéostasie, p. 445
Incitation, p. 445
Hiérarchie des besoins, p. 446
Glucose, p. 449
Point de référence, p. 451
Métabolisme basal, p. 451
Anorexie mentale, p. 453
Boulimie, p. 453
Hyperphagie boulimique, p. 453
Cycle de la réponse sexuelle, p. 465
Période réfractaire, p. 466
Troubles sexuels, p. 466
Œstrogènes, p. 466
Testostérone, p. 466
Orientation sexuelle, p. 471
Flux, p. 482
Psychologie industrielle et organisationnelle (I/O), p. 482
Psychologie du personnel, p. 482
Psychologie organisationnelle, p. 482
Entretien structuré, p. 485
Motivation d'accomplissement, p. 487
Leadership fonctionnel, p. 491
Leadership social, p. 492

CHAPITRE 12

Émotions, stress et santé

THÉORIES DE L'ÉMOTION

L'ÉMOTION EXPRIMÉE PAR LE CORPS

Les émotions et le système nerveux autonome

Les similitudes physiologiques existant entre les émotions spécifiques

Les différences physiologiques existant entre les émotions spécifiques

Cognition et émotion

Regard critique sur : La détection du mensonge

EXPRIMER L'ÉMOTION

Détecter les émotions

Genre, émotion et comportement non verbal

Culture et expression émotionnelle

Les effets des expressions faciales

RESSENTIR L'ÉMOTION

La peur

La colère

Le bonheur

Gros plan : Comment être plus heureux

STRESS ET SANTÉ

Stress et maladie

Le stress et le cœur

Stress et vulnérabilité aux maladies

PROMOUVOIR LA SANTÉ

Faire face au stress

Gros plan : Les animaux sont aussi nos amis

Gérer le stress

Regard critique sur : Les médecines douces et parallèles

Gros plan : La réponse de relaxation

Nul besoin de vous dire que les sentiments colorent votre vie et qu'en période de stress, ils peuvent la perturber ou la sauver. De toutes les espèces, il semble que nous soyons la plus émotionnelle (Hebb, 1980). Nous exprimons de la peur, de la colère, de la tristesse, de la joie et de l'amour plus souvent que toute autre créature et ces états physiologiques entraînent souvent des réactions physiques. Nerveux du fait d'une rencontre importante, nous sentons un nœud dans notre estomac. Anxieux de parler en public, nous nous dirigeons aux toilettes. Prévoyant une dispute avec un membre de la famille, nous avons un mal de tête atroce.

Nous avons tous le souvenir d'un moment où nous avons été submergés par nos émotions. Je me souviens très bien de ce jour où je suis allé dans une grande surface avec Peter, mon premier enfant qui commençait à marcher, pour y déposer une pellicule. Alors que je posais Peter au sol et que je m'apprêtais à remplir le formulaire, un passant me dit : « Vous devriez faire plus attention à votre enfant si vous ne voulez pas le perdre ! » Je n'eus que le temps de glisser la pellicule dans la fente de la machine et, avant même d'avoir repris ma respiration, Peter n'était plus derrière moi.

J'éprouvai une légère angoisse en le cherchant d'un côté du comptoir. Pas de Peter en vue. Mon angoisse commença à s'amplifier légèrement. Je regardai de l'autre côté du comptoir, il n'y était pas non plus. Mon cœur commença à s'accélérer et je fis le tour des autres comptoirs. Toujours pas de trace de Peter. Mon angoisse tourna à la panique et je commençai à parcourir les rayons du magasin en courant. Je ne le trouvai nulle part. Le gérant du magasin, informé de mon inquiétude, fit une annonce publique et demanda aux clients d'essayer de retrouver un enfant perdu. Peu de temps après, je croisai le client qui m'avait mis en garde et qui me dit d'un air méprisant : « Je vous avais prévenu que vous alliez le perdre. » Je pensai à un enlèvement (les étrangers adoraient ce beau petit garçon) et à ma négligence qui risquait de me faire perdre ce que j'aimais plus que tout, et que j'allais devoir rentrer chez moi face à ma femme sans notre enfant unique.

En passant près du comptoir du service clientèle, je le trouvai là ; il avait été retrouvé et ramené par un client obligeant. En un instant, la panique se transforma en une sorte de joie extatique. Quand j'attrapai mon fils, mes larmes se mirent à couler, je fus incapable d'exprimer mes remerciements et je sortis du magasin en titubant et plein d'allégresse.

D'où viennent ces émotions ? Pourquoi les ressentons-nous ? De quoi sont-elles faites ? Les émotions sont les réponses adaptatives de notre corps. Elles ne sont pas là pour nous fournir des expériences intéressantes, mais pour augmenter nos chances de survie. Quand nous devons faire face à des défis, les émotions canalisent notre attention et apportent de l'énergie à nos actes. Notre cœur bat plus vite. Notre démarche est plus rapide. Tous nos sens sont en alerte. L'annonce d'une bonne nouvelle inattendue peut nous faire venir les larmes aux yeux. Nous levons nos mains triomphalement. Nous ressentons une sorte d'exubérance et une confiance nouvelle. Cependant, si les émotions sont prolongées et ressenties comme un stress, elles peuvent également avoir des effets néfastes sur notre santé, comme nous le verrons.

• Les émotions ainsi que la plupart des phénomènes psychologiques (la vision, le sommeil, la mémoire, la sexualité et ainsi de suite) peuvent être abordés selon trois perspectives différentes : physiologique, comportementale et cognitive. •

Théories de l'émotion

1. Quelles sont les composantes d'une émotion ?

COMME MA RECHERCHE ANGOISSÉE DE PETER l'illustre, les **émotions** sont un mélange (1) d'activation physiologique (battements du cœur), (2) de comportement expressif (accélération du pas) et (3) de pensées (est-ce un enlèvement ?) et de sensations (un sentiment de peur, suivi d'un sentiment de joie) ressenties consciemment. Le problème pour les psychologues était de savoir comment ces trois éléments s'assemblaient.

Il existe deux controverses à propos des interactions entre notre physiologie, nos expressions et les expériences de nos émotions. La première est un vieux débat du type « qui de la poule ou de l'œuf... ? » : l'activation physiologique précède-t-elle notre expérience émotionnelle ou lui succède-t-elle ? (Ai-je d'abord remarqué que mon cœur se mettait à battre précipitamment et que je pressais le pas, et seulement ensuite mon appréhension inquiète d'avoir perdu Peter ? Ou bien, mon sentiment de peur a-t-il surgi en premier, incitant énergiquement mon cœur et mes jambes à réagir ?) La deuxième controverse concerne l'interaction entre la pensée et le sentiment : la cognition précède-t-elle toujours l'émotion ? (Ai-je *pensé* à la menace de l'enlèvement avant de réagir émotionnellement ?)

Le sens commun enseigne à la plupart d'entre nous que nous pleurons parce que nous sommes tristes, que nous invectivons quelqu'un parce que nous sommes en colère et que nous tremblons parce que nous sommes effrayés. Il y a tout d'abord une prise de conscience et ensuite des enchaînements physiologiques. Cependant, pour le psychologue William James, l'un des pionniers en ce domaine, cette vision des émotions issue du sens commun va dans le mauvais sens. Selon James, « nous nous sentons tristes parce que nous pleurons, en colère parce que nous frappons quelqu'un et effrayés parce que nous tremblons » (1890, p. 1066). Vous avez peut-être le souvenir d'un moment où votre voiture a dérapé sur une route glissante. Au moment où la voiture penchait sur le côté, vous avez actionné les freins afin de reprendre le contrôle du véhicule. Après ce tête-à-queue, vous avez remarqué que votre cœur s'était mis à battre précipitamment et, ensuite, tout en tremblant de peur, vous avez ressenti le souffle de l'émotion. Votre sentiment de peur *suit* les réponses de votre corps. L'idée de James, qui fut aussi proposée par le physiologiste danois Carl Lange, fut baptisée **théorie de James-Lange**. D'abord vient une réponse physiologique distincte suivie (au moment où nous observons la réponse) de l'émotion que nous ressentons.

La théorie de James-Lange interpella le physiologiste américain Walter Cannon qui la trouvait peu vraisemblable. Cannon pensait que les réponses de l'organisme n'étaient pas assez différentes pour provoquer les diverses émotions. Les battements du cœur signalent-ils la peur, la colère ou l'amour ? Les modifications du rythme cardiaque, de la transpiration et de la température corporelle semblent se produire trop lentement pour déclencher des émotions soudaines. Cannon, et plus tard un autre physiologiste, Philip Bard, conclurent que l'excitation physiologique et l'expérience émotionnelle avaient lieu *simultanément* : le stimulus qui déclenche l'émotion atteint simultanément le cortex, suscitant la conscience subjective de l'émotion, et le système nerveux sympathique, provoquant l'excitation de l'organisme. Cette **théorie de Cannon-Bard** implique donc que votre cœur commence à battre *au moment même* où vous ressentez la peur, mais que l'un n'est pas la cause de l'autre. Notre réponse physiologique et les émotions que nous ressentons sont deux parties séparées.

Vérifions votre compréhension des théories de James-Lange et de Cannon-Bard. Imaginez que votre cerveau ne puisse pas sentir votre cœur battre ou votre estomac se nouer. Selon chacune des théories, comment cela va-t-il affecter les émotions que vous ressentez ?

Cannon et Bard se seraient attendus à ce que vous ressentiez normalement les émotions, parce qu'ils croyaient que les émotions se produisaient indépendamment de la stimulation de l'organisme (quoiqu'en même temps). James et Lange se seraient attendus à des émotions fortement diminuées, car ils pensaient que, pour ressentir une émotion, vous deviez d'abord percevoir les réponses de votre corps.

Stanley Schachter et Jerome Singer (1962) proposèrent une troisième théorie, à savoir que notre physiologie et nos cognitions, c'est-à-dire nos perceptions, nos souvenirs et nos interprétations, s'associent pour créer l'émotion. Cette **théorie bifactorielle** suggère que les émotions sont formées de deux éléments : une excitation physique et une étiquette cognitive (FIGURE 12.1). Comme James et Lange, Schachter et Singer sont partis de l'hypothèse que notre expérience émotionnelle se développe à partir de la prise de conscience de notre excitation physique. Mais, comme Cannon et Bard, Schachter et Singer croyaient aussi que les émotions

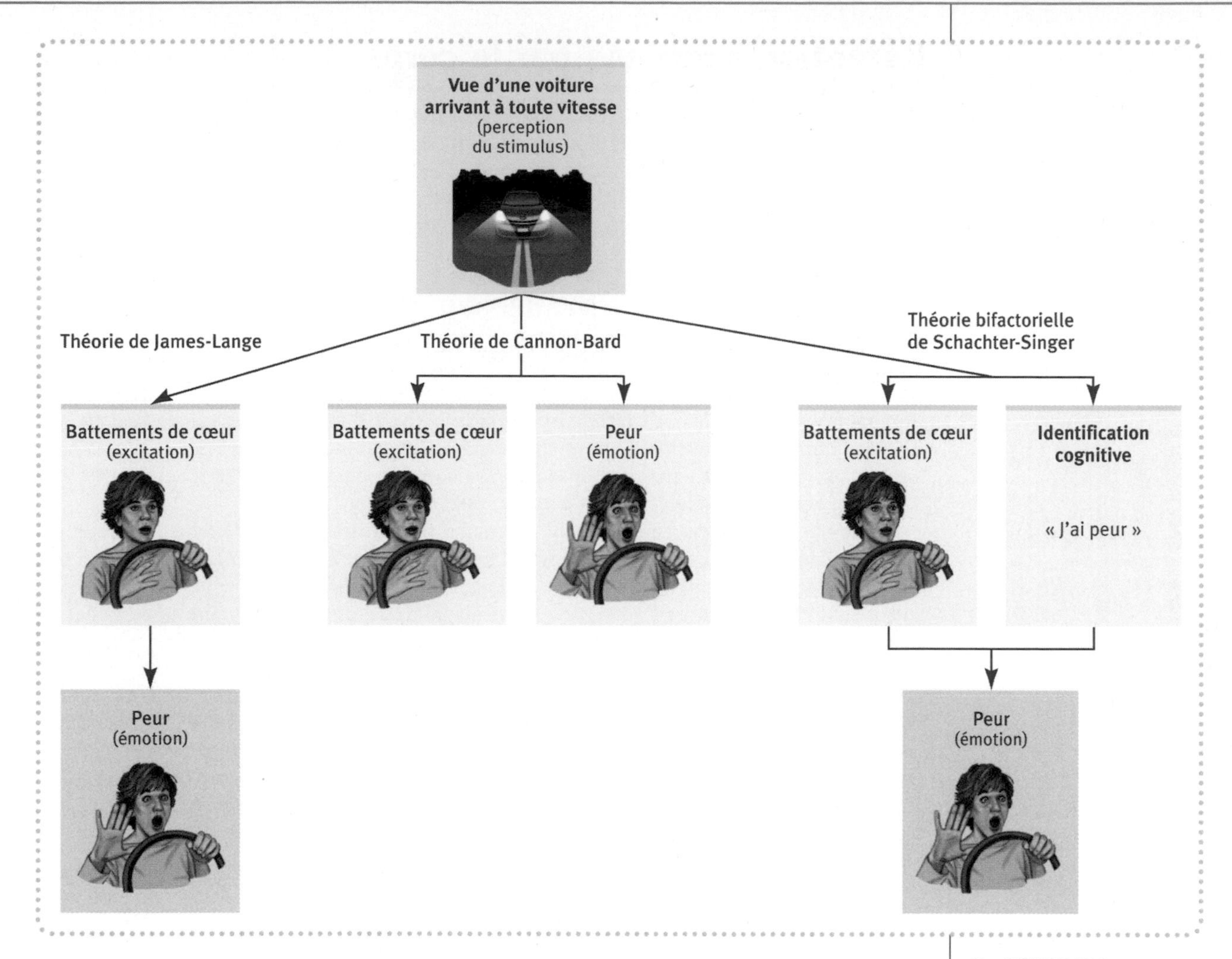

➤ FIGURE 12.1
Théories de l'émotion

sont physiologiquement semblables. Ainsi, selon eux, une expérience émotionnelle nécessite une interprétation consciente de l'activation.

Pour estimer les théories de James-Lange et Cannon-Bard ainsi que la théorie bifactorielle, nous envisagerons, dans la partie suivante, les réponses que les chercheurs ont recueillies à ces trois questions :

- L'excitation physiologique précède-t-elle toujours l'expérience émotionnelle ?
- Les différentes émotions sont-elles marquées par des réponses physiologiques distinctes ?
- Quelle est la relation entre ce que nous *pensons* et comment nous nous *sentons* ?

::Émotion : réponse de l'ensemble de l'organisme qui met en jeu (1) une activation physiologique, (2) des comportements expressifs et (3) des expériences conscientes.

::Théorie de James-Lange : théorie selon laquelle notre expérience des émotions correspond à la conscience que nous avons de nos réponses physiologiques à des stimuli suscitant l'émotion.

::Théorie de Cannon-Bard : théorie selon laquelle un stimulus produisant une émotion déclenche simultanément (1) des réponses physiologiques et (2) l'expérience subjective de l'émotion.

::Théorie bifactorielle : théorie de Schachter-Singer qui dit que pour ressentir une émotion on doit (1) être physiquement activé et (2) identifier de façon cognitive la stimulation.

AVANT D'ALLER PLUS LOIN...

➤ Interrogez-vous

Vous souvenez-vous d'un moment où vous avez commencé par vous sentir bouleversé ou mal à l'aise sans avoir pu avant un certain temps mettre une étiquette sur ce sentiment ?

➤ Testez-vous 1

Christine tient son bébé de 8 mois quand un chien agressif surgit de nulle part en montrant les dents et saute en direction du visage de l'enfant. Christine essaie immédiatement de couvrir son bébé pour le protéger, invective le chien, puis remarque que son cœur bat très fort et qu'elle a des sueurs froides. Comment les théories de James-Lange, de Cannon-Bard et la théorie bifactorielle expliquent-elles les réactions émotionnelles de Christine ?

Les réponses aux questions « Testez-vous » sont données dans l'annexe B à la fin de l'ouvrage.

L'émotion exprimée par le corps

QUE VOUS ATTENDIEZ IMPATIEMMENT des vacances bien méritées, que vous tombiez amoureux ou que vous pleuriez la mort d'un être cher, il est inutile de vous convaincre que les émotions impliquent le corps. Sentir sans notre corps serait comme respirer sans nos poumons. Certaines réponses physiques sont faciles à remarquer. D'autres – dont beaucoup s'effectuent au niveau de vos neurones cérébraux – se produisent sans que vous en ayez conscience.

Les émotions et le système nerveux autonome

2. Quel est le lien entre l'activation émotionnelle et le système nerveux autonome ?

« La peur donna des ailes à ses pieds. »
Virgile, *L'Énéide*, 19 av. J.-C.

Comme nous l'avons vu au chapitre 2, en cas de crise, c'est notre *système nerveux autonome* qui mobilise notre corps pour qu'il agisse puis le calme lorsque la crise est passée (FIGURE 12.2). Sans aucun effort conscient, la réponse de votre corps au danger est merveilleusement coordonnée et adaptative, vous préparant à *fuir ou combattre*.

Le *système sympathique*, une branche de notre système nerveux autonome, agit sur les glandes surrénales pour qu'elles sécrètent les hormones du stress : l'adrénaline et la noradrénaline. Influencé par cette poussée hormonale pour fournir de l'énergie, votre foie déverse du glucose supplémentaire dans votre sang. Afin d'apporter l'oxygène nécessaire pour brûler ce sucre, votre respiration s'accélère. Votre rythme cardiaque et votre tension artérielle augmentent. Votre digestion se ralentit, détournant le sang des organes internes vers vos muscles. Le glucose sanguin étant amené dans les muscles volumineux, il vous est plus facile de courir. Vos pupilles se dilatent, laissant passer plus de lumière. Et pour refroidir votre corps ainsi mis en mouvement, vous transpirez. Si vous étiez blessé, votre sang coagulerait plus vite.

Lorsque la crise passe, le *système parasympathique*, l'autre branche de notre système nerveux autonome, prend la suite et calme notre corps. Ses centres nerveux inhibent la poursuite de la libération des hormones du stress mais celles qui restent dans votre sang persistent un moment de telle sorte que l'activation diminue petit à petit.

Dans beaucoup de situations, cette activation est adaptative. Lorsque vous passez un examen par exemple, il est bon d'être modérément éveillé, être alerte mais sans trembler de nervosité (FIGURE 12.3). Mais trop peu d'excitation (penser à la somnolence) peut être perturbant et une excitation importante prolongée peut mettre à l'épreuve l'organisme (voir ultérieurement dans ce chapitre).

➤ FIGURE 12.2
Éveil émotionnel Comme un centre de gestion de crise, le système nerveux autonome éveille le corps en cas de crise et le calme lorsque le danger est passé.

L'activation physiologique est contrôlée par notre système nerveux autonome

Système sympathique (activation)		Système parasympathique (apaisement)
Les pupilles se dilatent	YEUX	Les pupilles se contractent
Diminue	SALIVATION	Augmente
Transpire	PEAU	Sèche
Augmente	RESPIRATION	Diminue
Accélère	CŒUR	Ralentit
S'inhibe	DIGESTION	S'active
Sécrètent les hormones du stress	GLANDES SURRÉNALES	Diminution de la sécrétion des hormones du stress

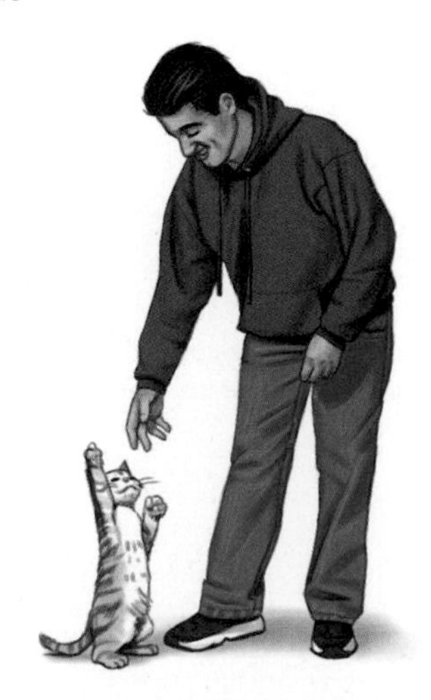

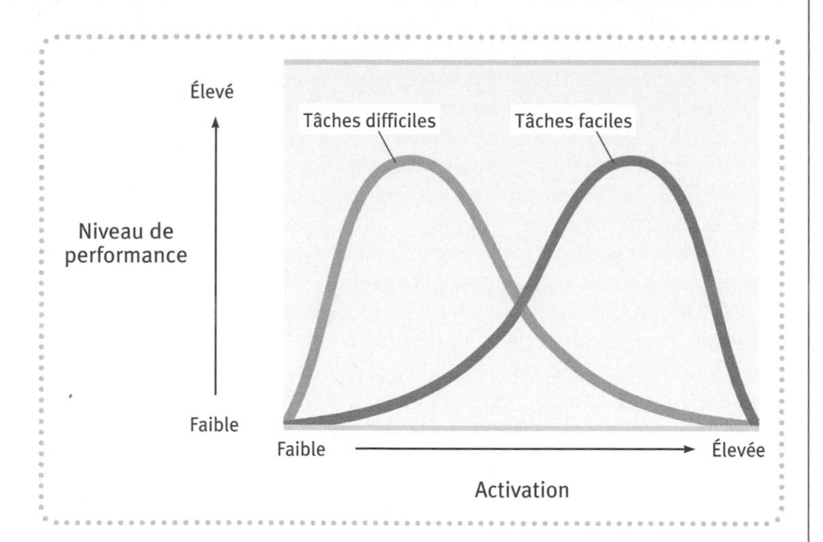

➤ FIGURE 12.3
Activation et performance
La performance optimale est atteinte avec un faible niveau d'activation pour les tâches difficiles et avec un niveau élevé d'activation lorsque les tâches sont faciles ou bien connues. Ainsi, les coureurs excellent lorsqu'ils sont activés pour les compétitions. Mais faisant face à un examen difficile, une anxiété importante peut perturber les performances. Enseigner aux étudiants anxieux comment se détendre avant un examen peut de ce fait leur permettre d'avoir de meilleures performances (Hembree, 1988).

Les similitudes physiologiques existant entre les émotions spécifiques

3. Les différentes émotions activent-elles différentes réponses physiologiques et voies cérébrales ?

Imaginez-vous menant une expérience destinée à mesurer les réponses physiologiques des émotions. Dans quatre pièces différentes, vous avez une personne qui regarde un film : dans la première, un film d'horreur ; dans la deuxième, un film provoquant la colère ; dans la troisième, un film érotique ; et dans la quatrième, un film parfaitement ennuyeux. À partir du poste de contrôle, vous surveillez les réponses physiologiques de chaque personne, en examinant la transpiration, le rythme respiratoire et le rythme cardiaque. Pensez-vous pouvoir dire lequel était effrayé, lequel était en colère, lequel était sexuellement excité et lequel s'ennuyait ?

Avec de l'entraînement, vous pourriez probablement identifier le spectateur qui s'ennuyait. Mais discerner des différences physiologiques entre l'activation provoquée par la peur, la colère ou le désir sexuel serait beaucoup plus difficile (Barrett, 2006). Les différentes émotions n'ont pas de signature biologique nettement distincte.

Pour vous et moi, la peur, la colère, l'excitation sexuelle sont néanmoins *ressenties* différemment. Et, bien que l'activation soit similaire, les émotions ont souvent une *apparence* différente. Les gens peuvent paraître « paralysés par la peur » ou « prêts à exploser ». Sachant cela, la recherche peut-elle mettre le doigt sur des indicateurs physiologiques ou des voies cérébrales différentes pour chaque émotion ? Parfois. Poursuivons.

HO/AP/SIPA

L'activation émotionnelle L'allégresse et la peur panique impliquent des activations physiologiques similaires. Cela nous permet de passer rapidement d'une émotion à l'autre.

> « Personne ne m'a jamais dit que le chagrin ressemblait tant à la peur. Je ne suis pas effrayé, mais la sensation ressemble à celle de la peur. La même agitation dans l'estomac, les mêmes bâillements et la même absence de repos. Je n'arrête pas de déglutir. »
> C. S. Lewis, *A Grief Observed*, 1961

Les différences physiologiques existant entre les émotions spécifiques

Les chercheurs ont trouvé de réelles distinctions physiologiques, bien que subtiles, entre les émotions. Les températures digitales et les sécrétions hormonales qui sont associées à la peur et la rage sont parfois différentes (Ax, 1953 ; Levenson, 1992). Et, bien que la peur et la joie puissent entraîner une augmentation de la fréquence cardiaque similaire, elles stimulent différents muscles faciaux. Quand on a peur, les muscles du front se contractent. Quand on est joyeux, les muscles des joues et ceux se trouvant sous les yeux se contractent, ce qui entraîne un sourire (Witvliet et Vrana, 1995).

Les émotions diffèrent bien plus par les circuits cérébraux qu'elles empruntent (Panksepp, 2007). Comparés avec les observateurs d'un visage en colère, ceux qui observent (et miment très légèrement) un visage effrayé présentent une activité plus importante de l'amygdale, leur centre de contrôle des émotions situé dans le système limbique cérébral (Whalen et coll., 2001). (L'amygdale représente également un court-circuit à certaines de nos réponses émotionnelles comme nous le verrons ultérieurement dans ce chapitre). Les scanner cérébraux et

• En 1966, un jeune homme nommé Charles Whitman tua sa femme et sa mère puis grimpa au sommet d'une tour de l'université du Texas et tua 38 personnes. Une autopsie révéla une tumeur comprimant l'amygdale qui pourrait avoir contribué à cet accès de violence. •

les tracés d'EEG montrent que les émotions activent également différentes zones du cortex cérébral, avec une certaine tendance, pour les émotions négatives à être liées à l'hémisphère droit et pour les émotions positives à être liées au gauche. Le dégoût, par exemple, déclenche une activité cérébrale plus importante dans le cortex préfrontal droit que dans le gauche. De la même manière, les personnes plus enclines à la dépression, ainsi que celles qui ont des personnalités négatives, ont une activité plus importante dans le lobe frontal droit (Harmon-Jones et coll., 2002).

Les humeurs positives ont tendance à déclencher plus d'activité dans le lobe frontal gauche. Les personnes ayant une personnalité positive - les nourrissons alertes et débordant de vie ou les adultes enthousiastes, énergiques et toujours orientés vers un objectif - montrent également une plus grande activité au niveau du lobe frontal gauche que du droit (Davidson, 2000, 2003 ; Urry et coll., 2004). En fait, plus l'activité basale du lobe frontal d'une personne se décale vers la gauche, ou est décalée vers la gauche par une activité perceptuelle, plus cette personne est d'un naturel optimiste (Drake et Myers, 2006). Les lésions cérébrales peuvent également décaler l'activité vers la gauche. Un homme ayant perdu une partie du lobe frontal droit lors d'une chirurgie cérébrale devint (selon les dires de sa femme plutôt ravie) moins irritable et plus affectueux (Goleman, 1995). Après un accident vasculaire cérébral au niveau de l'hémisphère droit à l'âge de 92 ans, mon père vécut les deux dernières années de sa vie reconnaissant et heureux, sans jamais se plaindre ni montrer d'émotions négatives.

La grande quantité de récepteurs à la dopamine dans le lobe frontal gauche permet peut-être d'expliquer pourquoi un hémisphère gauche activé prédit une personnalité positive. Une voie nerveuse qui augmente la concentration en dopamine part des lobes frontaux et arrive à un amas de neurones voisin, le *noyau accumbens*. Cette petite région s'allume lorsque les personnes ressentent des plaisirs naturels ou induits par des drogues. (Lorsque vous êtes heureux et que vous le savez, votre cerveau le montrera sûrement.) Au cours d'études de cas, la stimulation électrique du noyau accumbens de patients déprimés a déclenché des sourires, des rires et une euphorie étourdissante (Okun et coll., 2004).

***

Nous avons vu que des émotions aussi différentes que la peur, la joie et la colère mettent en jeu une même stimulation globale du système nerveux autonome (par exemple un rythme cardiaque similaire). Mais nous avons vu aussi qu'il existe des différences physiologiques et cérébrales réelles, même si elles sont ténues, entre les émotions. Comment ces nouvelles preuves peuvent-elles modifier les estimations de James-Lange, de Cannon-Bard et de la théorie bifactorielle des émotions ? Les preuves de ces réelles distinctions entre les émotions rendent la théorie de James-Lange plausible. Un autre soutien provient d'observations de sujets ayant des lésions de la moelle épinière. Le psychologue George Hohmann (1966) a interrogé 25 soldats ayant subi ce type de blessures au cours de la Seconde Guerre mondiale. Il leur a demandé de se rappeler des incidents générateurs d'émotions survenus avant ou après leur lésion de la moelle épinière. Ceux qui avaient une lésion de la partie inférieure de la moelle, avec une perte de sensation affectant seulement les jambes, ne décrirent que peu de changements dans leurs émotions. Mais, comme James et Lange auraient pu s'y attendre, ceux qui ne pouvaient rien sentir au-dessous du cou rapportèrent une diminution considérable de l'intensité émotionnelle. L'un deux confessait à propos de sa colère : « Je n'ai pas le même coup de sang que celui que j'avais l'habitude d'avoir. C'est une sorte de colère mentale ». Ceux qui ont des lésions de la partie supérieure de la moelle épinière ressentent leurs émotions plus au-dessus du cou. Ils décrivent une augmentation des pleurs, des serrements de gorge et des pincements de cœur en disant au revoir, en s'adonnant à leur culte ou en regardant un film émouvant. Les chercheurs pensent que ces preuves confirment le point de vue que nos sentiments sont « en grande partie comme des ombres » de nos réponses corporelles et de nos comportements (Damasio, 2003).

Cela signifie-t-il que Cannon et Bard avaient tort ? Non. La plupart des chercheurs sont d'accord pour dire que les émotions que nous ressentons impliquent aussi la cognition, le sujet que nous allons aborder maintenant (Averill, 1993 ; Barrett, 2006). Que nous craignons ou pas l'homme derrière nous dans une rue sombre dépend entièrement de la manière dont nous interprétons ses actions comme hostiles ou amicales. Ainsi, avec James et Lange, nous pouvons dire que nos réactions physiques sont des éléments importants de notre émotion. Et avec Cannon et Bard, nous pouvons dire qu'il y a quelque chose en plus dans l'expérience des émotions que le simple fait de lire notre physiologie. Si cela n'était pas le cas, les détecteurs de mensonge seraient infaillibles, or, ils ne le sont pas (tournez la page pour lire le Regard critique sur : La détection du mensonge).

Cognition et émotion

4. Pour ressentir une émotion, devons-nous l'interpréter et l'identifier consciemment ?

Quel est le lien entre ce que nous *pensons* et ce que nous *ressentons* ? De la poule ou de l'œuf, lequel est à l'origine de l'autre ? Pouvons-nous vivre des émotions indépendamment de la pensée ? Ou devenons-nous ce que nous pensons ?

La cognition peut définir l'émotion

Parfois, notre réponse d'activation à un événement déborde sur notre réponse à un événement ultérieur. Imaginez qu'après une course tonifiante vous arriviez à la maison pour trouver un message vous informant que vous avez le travail que vous attendiez depuis longtemps. Avec l'activation causée par la course, allez-vous vous sentir plus exalté que si vous receviez la nouvelle après une sieste ?

Pour découvrir si cet *effet de débordement* existe vraiment, Stanley Schachter et Jerome Singer (1962) stimulèrent des étudiants avec une injection d'adrénaline. Imaginez que vous soyez l'un de leurs sujets : après avoir reçu l'injection, vous allez dans une salle d'attente où vous vous trouvez avec une autre personne (en fait un complice de l'expérimentateur) qui se comporte de façon euphorique ou irritée. Pendant que vous observez cette personne, vous commencez à sentir votre rythme cardiaque s'accélérer, le sang monter au visage et votre respiration devenir plus rapide. Si l'on vous a prévenu que ces réactions provenaient de l'injection, qu'allez-vous ressentir ? Les sujets de Schachter et Singer éprouvèrent peu d'émotion car ils attribuèrent cette excitation à l'injection. Mais si l'on vous a dit que l'injection ne provoque aucun effet, qu'allez-vous ressentir ? Il est possible que vous réagissiez, comme l'a fait un autre groupe de sujets, en « captant » l'émotion apparente de la personne avec laquelle vous êtes, devenant heureux si le complice se conduit de façon euphorique, et irascible si le complice agit de façon irritée.

Reuters/Corbis

L'effet de débordement L'excitation qui émane d'un match de football peut susciter la colère, qui se transforme en émeute ou en de violentes confrontations.

Cette découverte – le fait qu'un état d'activation puisse être vécu sous forme d'une émotion ou d'une autre très différente, selon la façon dont on l'interprète et dont on l'identifie – a été reproduite dans des dizaines d'expériences. Insultez des individus qui ont été activés peu avant en pédalant sur une bicyclette ou en regardant un film consacré à un concert de musique rock et il leur sera facile d'attribuer faussement leur activation à la provocation. Leur colère sera plus importante que celle de personnes provoquées de la même façon, mais qui n'auront pas été préalablement activées. De même, dans des situations provoquant la colère, les personnes sexuellement excitées réagissent avec plus d'hostilité. Et inversement, l'activation provenant d'une discussion animée ou d'une expérience effrayante peut intensifier le désir sexuel (Palace, 1995). Tout comme le prédisait la théorie bifactorielle de Schachter-Singer, activation + identification = émotion. L'activation émotionnelle peut ne pas être aussi indifférenciée que Schachter et Singer le croyaient, mais l'activation née d'émotions aussi diverses que la colère, la peur ou l'excitation sexuelle peut se répandre d'une émotion à l'autre (Reisenzein, 1983 ; Sinclair et coll., 1994 ; Zillmann, 1986). *Ce qu'il faut retenir* : l'activation alimente l'émotion ; la cognition la canalise.

« Les sentiments que l'on ressent comme de la peur lorsque l'on tombe véritablement peuvent être interprétés comme un désir charnel lorsque l'on déboutonne un corsage »

Daniel Gilbert, *Stumbling on Happiness*, 2006

La cognition ne précède pas toujours l'émotion

Le cœur est-il toujours soumis à l'esprit ? Robert Zajonc (1980, 1984a) a prétendu que nous avons véritablement de nombreuses réactions émotionnelles qui ne sont pas liées à notre interprétation d'une situation ou qui se produisent même avant cette dernière. Imaginez que vous appreniez certaines nouvelles troublantes. Vous avez oublié une date limite, ou vous avez découvert que vous avez heurté les sentiments de quelqu'un. À mesure que la conversation se poursuit et détourne votre attention, vous perdez conscience de cette mauvaise nouvelle. Cependant, le sentiment continue à faire des remous. Vous vous sentez un peu mal à l'aise. Vous savez qu'il y a une raison, mais, pour l'instant, vous ne pouvez pas mettre le doigt dessus. L'activation persiste, mais n'est pas identifiée.

REGARD CRITIQUE SUR

La détection du mensonge

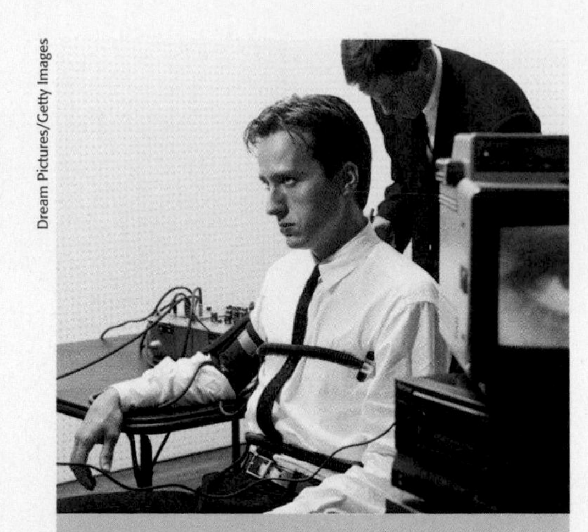

Dream Pictures/Getty Images

Les polygraphes comme celui-ci peuvent-ils identifier les menteurs ? Pour en savoir plus, lisez la suite.

Les créateurs et les utilisateurs du *détecteur de mensonge* ou **polygraphe** ont cru que les indicateurs physiques de l'émotion pouvaient représenter l'équivalent du nez révélateur de Pinocchio. En réalité, le polygraphe ne détecte pas littéralement le mensonge et sa précision a été de plus en plus remise en question à mesure que notre compréhension des mesures physiologiques de l'émotion s'est développée.

Le polygraphe mesure les variations du rythme respiratoire, de l'activité cardiovasculaire et de la transpiration qui accompagnent l'émotion. L'examinateur surveille ces réponses physiologiques au moment où vous répondez à des questions. Certaines d'entre elles, appelées *questions contrôles*, sont prévues pour rendre n'importe qui un peu nerveux. Si l'on vous demande : « Dans les 20 dernières années, vous est-il arrivé de prendre quelque chose qui ne vous appartenait pas ? », de nombreuses personnes vont faire un pieux mensonge et dire *non*, provoquant une stimulation que le polygraphe va détecter. Si vos réactions physiologiques à des *questions critiques* (« Avez-vous déjà dérobé quelque chose à votre employeur précédent ? ») sont plus faibles que celles observées lors des questions contrôles, l'investigateur en déduit que vous dites la vérité.

Mais il y a deux problèmes : tout d'abord, comme nous l'avons vu, notre activité physiologique est très semblable d'une émotion à l'autre et l'anxiété, l'irritation et la culpabilité engendrent toutes une réactivité physiologique similaire. Deuxièmement, ces tests peuvent se tromper dans un tiers des cas, en particulier lorsqu'une personne innocente répond par une tension accrue à l'accusation implicite contenue dans les questions posées (FIGURE 12.4). De nombreuses victimes de viol « ratent » les tests de détection de mensonge en réagissant fortement émotionnellement tout en disant la vérité à propos de leur assaillant (Lykken, 1991).

En 2002, la *National Academy of Sciences* américaine nota dans un rapport : « Aucun espion n'a pu être découvert par le polygraphe ». Ce n'est pas faute d'avoir essayé. Le FBI, la CIA et le *Department of Defense and Energy* aux États-Unis ont dépensé des millions de dollars pour tester des dizaines de milliers d'employés. Durant cette période, Aldrich Ames, un espion russe agissant au sein de la CIA qui avait de manière inexpliquée un style de vie luxueux, ne fut pas découvert. « On fit passer Ames au détecteur de mensonge et il réussit tous les tests », déclara Robert Park (1999). « Personne ne pensa à enquêter sur la source de sa richesse si soudaine car, après tout, il avait passé les tests avec succès. » La vérité est que les détecteurs de mensonge peuvent mentir.

Une approche plus efficace pour la détection des mensonges utilise le *test de connaissance du coupable*, qui évalue les réponses physiologiques d'un suspect aux détails d'un crime connus seulement de la police et du coupable (Ben-Shakhar et Elaad, 2003). Si une caméra et un ordinateur ont été volés, par exemple, seule la personne coupable devrait réagir violemment à des détails tels que la marque de la caméra ou de l'ordinateur. Si l'on accumule suffisamment de preuves spécifiques de ce genre, une personne innocente sera rarement accusée à tort.

Plusieurs équipes de recherche actuelles sont en train d'explorer de nouvelles manières de coincer les menteurs. Certaines développent des logiciels informatiques qui comparent le langage de ceux qui disent la vérité avec celui des menteurs (qui utilisent moins le pronom personnel « je » et plus

---

• **Pouvez-vous vous rappeler avoir apprécié quelque chose ou quelqu'un immédiatement, sans même savoir pourquoi ?** •

Dans les premiers chapitres, nous avons vu que des sujets qui voient de façon répétée des stimuli projetés trop brièvement pour qu'ils puissent les interpréter, et encore moins les identifier, vont cependant en venir à préférer ces stimuli. Sans être conscients d'avoir vu ces stimuli, ils vont, malgré tout, les apprécier. Comme une étude menée à l'université d'Amsterdam le confirme, il semble que nous ayons un radar automatique particulièrement sensible aux informations ayant un contenu émotionnel significatif (Zeelenberg et coll., 2006). Lorsque les chercheurs ont envoyé brièvement des mots de quatre lettres ayant une connotation positive ou négative (comme *joie* ou *mort*), les participants ont identifié plus rapidement ces mots qu'un autre mot similaire ayant une connotation neutre (*fait*).

Lorsqu'on vous présente rapidement un stimulus, de façon subliminale, comme l'image d'un visage souriant ou en colère ou une scène suscitant le dégoût, cela peut marquer votre humeur ou une émotion spécifique et vous amener à vous sentir bien ou mal, devant le stimulus suivant (Murphy et coll., 1995 ; Ruys et Stapel, 2008). Au cours d'un ensemble d'expériences, des boissons fruitées ont été présentées à des gens assoiffés après qu'ils aient vu la projection subliminale (qu'ils n'ont donc pas perçue) d'un visage. Ceux qui ont été exposés à un visage plutôt heureux se sont mis à boire près de 50 p. 100 en plus que ceux qui ont été exposés à un visage neutre (Berridge et Winkielman, 2003). Si on leur projetait un visage en colère, ils buvaient nettement moins.

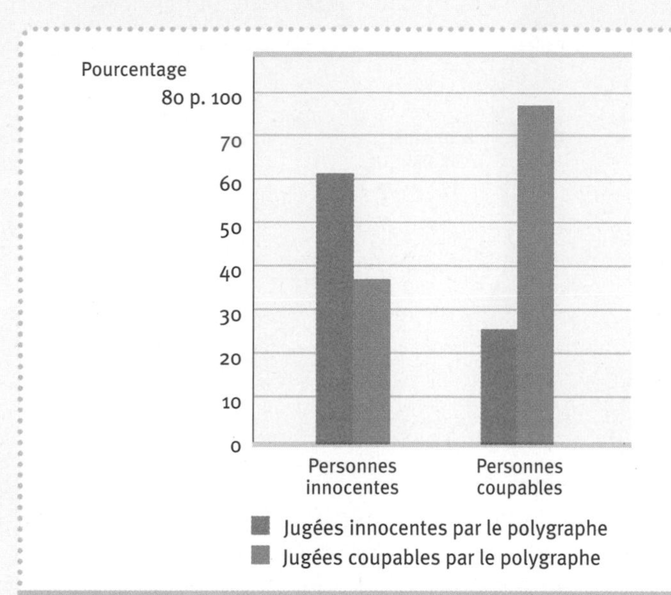

➤ FIGURE 12.4
À quelle fréquence le détecteur de mensonge ment-il ? Benjamin Kleinmuntz et Julian Szucko (1984) ont demandé à des experts du polygraphe d'examiner les tracés de 50 personnes suspectées de vols, ayant avoué plus tard être coupables, et de 50 autres personnes dont l'innocence a ensuite été établie grâce à la confession du voleur. Si les experts du polygraphe avaient été juges, plus d'un tiers des innocents auraient été déclarés coupables et près d'un quart des coupables auraient été déclarés innocents.

James Salzano/Salzano Photo

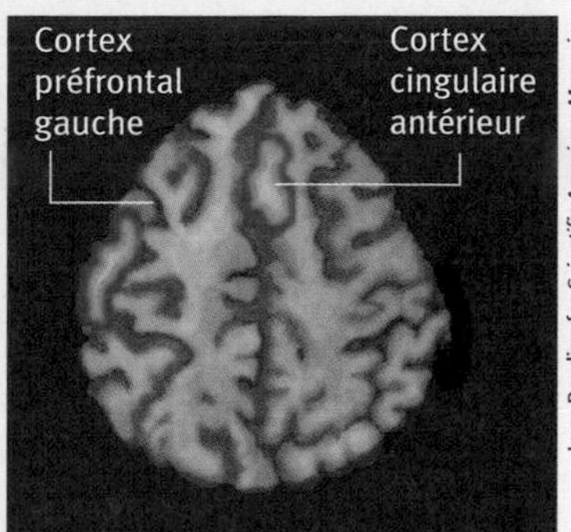

Lucy Reading for *Scientific American Magazine*

➤ FIGURE 12.5
Menteur mentez, et votre cerveau s'activera L'IRM fonctionnelle a identifié deux régions cérébrales qui deviennent particulièrement actives lorsqu'un participant ment en disant ne pas posséder le cinq de trèfle.

de mots traduisant une émotion négative). D'autres logiciels analysent les expressions faciales presque imperceptibles liées au mensonge (Adelson, 2004 ; Newman et coll., 2003). Paul Ekman (2003), psychologue, organise des séminaires d'entraînement pour apprendre aux fonctionnaires chargés de l'application de la loi à détecter des signaux fugaces présumés de fraude dans les expressions faciales.

D'autres recherches sont dirigées directement sur le siège du mensonge : le cerveau. Les enregistrements d'EEG ont révélé une onde cérébrale indiquant la connaissance d'une scène de crime et des images d'IRM fonctionnelle ont montré que des cerveaux de menteurs « s'allumaient » là où le cerveau des honnêtes gens ne s'allume pas (Langleben et coll., 2002, 2005, 2006). Le signal qui vendra la mèche du mensonge de Pinocchio ne sera peut-être plus la longueur de son nez, mais plutôt l'activité révélatrice de certains endroits comme son lobe frontal gauche ou son cortex cingulaire antérieur qui sont activés lorsque le cerveau inhibe la révélation de la vérité (FIGURE 12.5). Un nouveau projet de 10 millions de dollars « *Law and Neuroscience* » (loi et neuroscience), mené par le psychologue Michael Gazzaniga, a pour but d'évaluer la bonne utilisation des nouvelles technologies par ceux qui recherchent à identifier les terroristes, à condamner les criminels et à protéger les innocents (Dingfelder, 2007).

Les recherches de la neuroscience nous aident à comprendre ces découvertes surprenantes. Comme les réflexes rapides qui se produisent en dehors du cortex cérébral participant à la pensée, certaines émotions empruntent ce que Joseph LeDoux (2002) appelle la « voie basse » et suivent des trajets neuronaux court-circuitant le cortex (qui offre l'autre voie, ou « voie haute »). Un de ces trajets par voie basse va de l'œil ou de l'oreille à l'amygdale, en passant par le thalamus et en court-circuitant le cortex (FIGURE 12.6, page suivante). Ce raccourci permet la réaction émotionnelle qui a lieu en un éclair avant que notre intellect n'intervienne. La vitesse de la réaction de l'amygdale est telle que l'on peut ne pas se rendre compte de ce qui s'est vraiment passé (Dimberg et coll., 2000). Au cours d'une expérience fascinante, Paul Whalen et ses collaborateurs (2004) ont utilisé des images d'IRM fonctionnelle pour observer la réponse de l'amygdale à la présentation subliminale de deux yeux emplis de crainte (FIGURE 12.7, page suivante). Comparés aux conditions de contrôle qui projetaient des yeux joyeux, les yeux emplis de crainte ont déclenché une plus forte activité de l'amygdale (bien que personne n'ait été conscient de les voir).

L'amygdale envoie plus de projections neuronales vers le cortex qu'elle n'en reçoit. Il est plus facile pour nos sentiments de détourner notre pensée qu'il ne l'est pour notre pensée de commander nos sentiments, remarquèrent Joseph LeDoux et Jorge Armony (1999). Dans une forêt, nous sursautons au bruissement proche d'une feuille, laissant le cortex décider plus

« Oh, vous prendrez la voie haute et je prendrai la voie basse, et je serai en Écosse avant vous. »
Bonnie Banks o'Loch Lomond

:: Polygraphe : machine couramment utilisée dans le but de détecter les mensonges et qui mesure plusieurs réponses physiologiques accompagnant l'émotion (comme la transpiration et les changements cardiovasculaires et respiratoires).

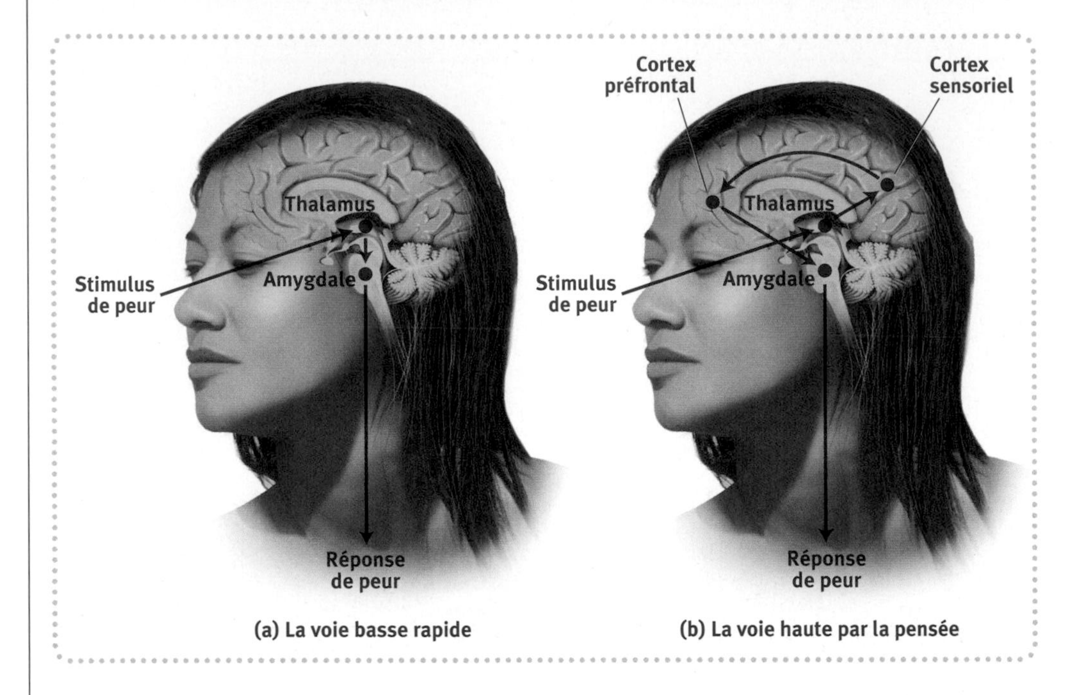

➤ FIGURE 12.6
Le raccourci cérébral emprunté par les émotions Dans le cerveau à deux voies, l'influx sensoriel peut être envoyé (a) directement vers l'amygdale (via le thalamus) pour une réaction émotionnelle immédiate ou (b) vers le cortex pour son analyse.

tard s'il a été émis par un prédateur ou simplement par le vent. Des preuves de ce genre ont convaincu Zajonc que *certaines* de nos réactions émotionnelles n'impliquaient pas de pensée délibérée.

Richard Lazarus (1991, 1998), un spécialiste de l'émotion, admet que notre cerveau traite une énorme quantité d'informations et y réagit sans que nous en soyons conscients ; il reconnaît volontiers que certaines réponses émotionnelles ne requièrent pas une pensée *consciente*. Une grande partie de notre vie émotionnelle passe par la voie basse automatique et rapide sans que nous fassions le moindre effort. Mais, dit-il, même des émotions ressenties instantanément nécessitent une sorte d'évaluation cognitive de la situation. Autrement, comment *saurions*-nous à quoi nous sommes en train de réagir ? Cette appréciation peut s'effectuer sans effort et nous pouvons ne pas en être conscients, mais c'est tout de même une fonction mentale. Pour savoir si quelque chose est bien ou mal, le cerveau doit avoir une idée de ce dont il s'agit (Storbeck et coll., 2006). Ainsi, les émotions surviennent lorsque nous *évaluons* un événement comme bénéfique ou menaçant pour notre bien-être, même si nous ne connaissons pas exactement la nature de cet événement. Nous associons le son d'un bruissement de feuilles à la présence d'une menace. Après analyse, nous réalisons que ce n'est « que le vent ».

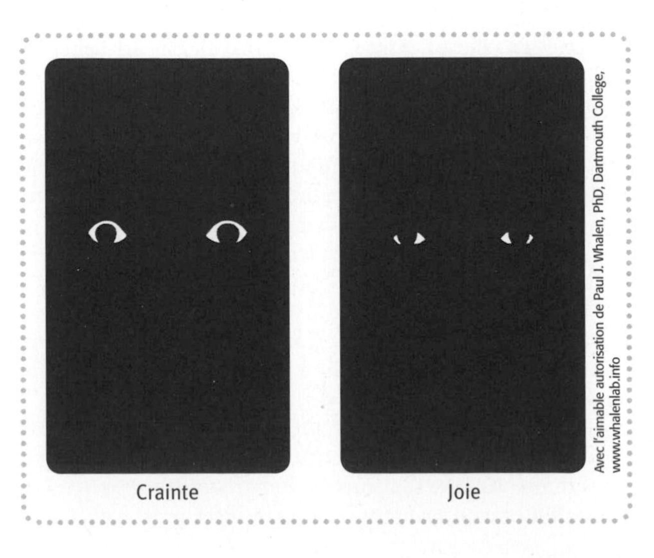

➤ FIGURE 12.7
La sensibilité du cerveau à la menace Même lorsque des yeux empreints de crainte (à gauche) sont projetés trop rapidement pour être consciemment perçus, les images d'IRM fonctionnelle révèlent que l'amygdale, excessivement vigilante, est en alerte (Whalen et coll., 2004). Les yeux représentant la joie à droite n'ont pas cet effet.

En résumé, comme Zajonc et LeDoux l'ont démontré, certaines réponses émotionnelles - en particulier les simples attirances, dégoûts et peurs - n'impliquent pas de pensée consciente (FIGURE 12.8). Nous pouvons craindre une araignée, même si nous « savons » qu'elle est inoffensive. De telles réponses sont difficiles à modifier en changeant notre pensée.

Le cerveau émotionnel peut même influencer les décisions politiques des gens, les conduisant à voter pour un candidat qu'ils *aiment* de manière automatique au lieu de voter pour l'autre candidat qui exprime des positions ressemblant plus aux leurs. Lorsque l'on effectue une imagerie cérébrale sur les votants qui regardent ces candidats, leurs circuits émotionnels sont plus engagés que leurs lobes frontaux rationnels (Westen, 2007).

Mais comme d'autres émotions - y compris les humeurs telles que la dépression et les sentiments complexes comme l'amour et la haine, la joie et la culpabilité - nos sentiments politiques sont, comme l'avaient prédit Lazarus, Schachter et Singer, grandement influencés par nos interprétations, nos souvenirs et nos attentes. Les individus très émotifs éprouvent des émotions intenses en partie à cause de leurs interprétations. Ils peuvent *personnaliser* les événements comme s'ils étaient d'une certaine façon dirigés contre eux et *généraliser* leurs expériences en grossissant des incidents isolés de façon disproportionnée (Larsen et coll., 1987). Pour ces émotions complexes, comme nous le verrons au chapitre 14, apprendre à *penser* de façon plus positive peut aider les gens à *se sentir* mieux. Même si la voie basse émotionnelle fonctionne de manière automatique, la voie haute de la pensée nous permet de reprendre un peu de contrôle sur notre vie émotionnelle.

Un témoignage spectaculaire de l'interrelation entre les émotions et la cognition provient des patients étudiés par Antonio Damasio (1994, 2003) ayant une lésion cérébrale et semblant dépourvus d'émotion. Il a conçu un jeu de cartes simple grâce auquel, par tâtonnements, les personnes pouvaient gagner ou perdre de l'argent. La plupart des personnes n'ayant pas de lésion cérébrale gagnaient de l'argent à mesure que les émotions engendrées par leur cerveau inconscient calculaient les choses avant leur raisonnement conscient. Dépourvus de ces sentiments pour informer leur pensée, les patients ne ressentant aucune émotion *perdaient* typiquement de l'argent. Cela démontre là encore que notre esprit à deux voies comprend une inconscience intelligente. Les émotions automatiques et la pensée consciente tissent ensemble le tissu de notre esprit (Forgas, 2008).

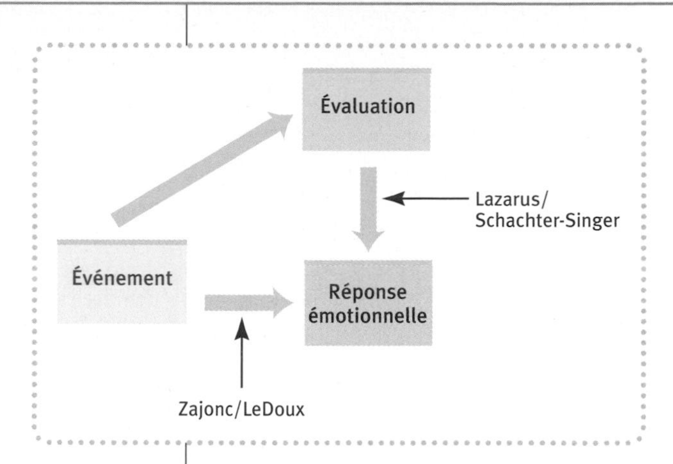

➤ FIGURE 12.8
Un autre exemple du double traitement : les deux voies de l'émotion
Comme le soulignent Zajonc et LeDoux, certaines réponses émotionnelles sont immédiates, avant même une évaluation consciente. Lazarus, Schachter et Singer soulignent que notre évaluation et notre identification des événements déterminent aussi nos réponses émotionnelles.

AVANT D'ALLER PLUS LOIN...

➤ INTERROGEZ-VOUS

Avez-vous un souvenir récent d'un moment particulier où vous avez remarqué les réactions de votre corps face à une situation riche en émotions, telle qu'un cadre social difficile, un examen ou bien un match à propos duquel vous vous tracassiez à l'avance ? Avez-vous perçu la situation comme un défi ou comme une menace ? Vous en êtes-vous bien sorti ?

➤ TESTEZ-VOUS 2

De quelle manière les deux branches du système nerveux autonome nous permettent de répondre à une crise, puis de récupérer après celle-ci. Pourquoi est-ce important pour l'étude des émotions ?

Les réponses aux questions « Testez-vous » sont données dans l'annexe B à la fin de l'ouvrage.

Exprimer l'émotion

5. Comment pouvons-nous communiquer non verbalement ?

IL EXISTE UNE MÉTHODE PLUS SIMPLE POUR déchiffrer les émotions des gens : nous « lisons » leur corps, écoutons les intonations de leur voix et étudions leur visage. Le comportement expressif des gens révèle leurs émotions. Ce langage non verbal varie-t-il avec la culture ou bien est-il universel ? Nos expressions influencent-elles les émotions que nous ressentons ?

« Votre visage, monsieur, est un livre où les hommes peuvent lire d'étranges choses. »
Lady Macbeth s'adressant à son époux, dans *Macbeth* de William Shakespeare

Détecter les émotions

Nous communiquons tous de façon non verbale aussi bien que verbale. Pour les occidentaux, une poignée de main ferme dévoile immédiatement une personnalité extravertie et expressive (Chaplin et coll., 2000). Avec un regard passionné, un regard dur ou en détournant les yeux, nous pouvons communiquer l'intimité, la domination ou la soumission (Kleinke, 1986). Chez les personnes passionnément amoureuses, les échanges de regard sont classiquement prolongés et mutuels (Rubin, 1970). Joan Kellerman, James Lewis et James Laird (1989) se demandèrent si de tels regards intimes pouvaient déclencher les mêmes sentiments chez des personnes étrangères ? Pour le définir, ils demandèrent à des « couples » homme-femme qui ne se connaissaient pas de fixer intensément pendant deux minutes les mains ou les yeux de l'autre. Après s'être séparés, les couples qui s'étaient regardés dans les yeux déclarèrent avoir éprouvé une sensation d'attirance et d'affection.

En général, nous sommes assez performants dans la lecture des indications non verbales pour déchiffrer les émotions dans un vieux film muet. Nous sommes spécialement aptes à détecter les menaces. Si l'on entend s'exprimer des émotions dans une autre langue, la plus facile à reconnaître est la colère (Scherer et coll., 2001). Si l'on nous projette des mots de manière subliminale, nous ressentons le plus souvent la présence des mots négatifs comme *serpent* ou *bombe* (Dijksterhuis et Aarts, 2003). Dans une foule de visages, un seul visage en colère va « ressortir » plus rapidement qu'un seul visage heureux (Fox et coll., 2000 ; Hansen et Hansen, 1988 ; Öhman et coll., 2001).

L'expérience peut nous sensibiliser à des émotions particulières, comme l'a montré une expérience utilisant une série de visages (comme ceux de la FIGURE 12.9) transformés (morphing), passant de la peur (ou de la tristesse) à la colère. En regardant ces visages, les enfants qui ont été physiquement maltraités décèlent la colère plus vite que les autres. Montrez-leur un visage où l'expression de la peur est présente à 60 p. 100 et celle de la colère à 40 p. 100 : ils ont tendance à percevoir la colère comme de la peur. Leur perception devient plus sensible au moindre signe de danger, ce qui n'est pas le cas chez les enfants ne subissant pas de mauvais traitements.

Les muscles faciaux sont difficilement contrôlables et peuvent révéler des émotions que l'on veut cacher. Le fait de hausser simplement la partie interne du sourcil, ce que peu de gens font consciemment, traduit une inquiétude ou du chagrin. Des sourcils haussés et rapprochés dévoilent la peur. L'activation des muscles situés sous l'œil et des pommettes hautes suggèrent un sourire naturel. Un sourire simulé, tel que celui qu'on accorde à un photographe, peut souvent être maintenu pendant plus de 4 ou 5 secondes. Les expressions plus authentiques disparaissent avant ce laps de temps. Les faux sourires se font et se défont aussi plus rapidement qu'un sourire naturel (Bugental, 1986).

Nos cerveaux sont d'étonnants détecteurs d'expressions subtiles. Elisha Babad, Frank Bernieri et Robert Rosenthal (1991) découvrirent *à quel point* nos cerveaux étaient étonnants après avoir filmé avec une caméra vidéo des professeurs parlant à des écoliers qu'on ne voyait pas. Un extrait de 10 secondes à peine avec soit la voix, soit le visage du professeur comportait pour les spectateurs, adultes ou enfants, assez d'informations pour déterminer si le professeur appréciait et admirait l'enfant auquel il s'adressait. Au cours d'une autre expérience, un coup d'œil sur un visage pendant simplement un dixième de seconde suffisait pour que les participants puissent juger de l'honnêteté d'une personne (Willis et Todorov, 2006). Lorsque les chercheurs brouillaient les visages ou les cachaient par des informations visant à distraire, les participants montraient encore de remarquables capacités à reconnaître les émotions distinctes (Smith et coll., 2005). L'exposition de différentes parties du visage a montré que les yeux et la bouche sont les parties les plus révélatrices, la crainte et la colère étaient particulièrement lisibles au niveau des yeux et la joie au niveau de la bouche (Adolphs, 2006).

➤ FIGURE 12.9
L'expérience agit sur notre façon de percevoir les émotions Quand on leur montre l'image de ce visage située au centre de la bande (transformée par morphing) dont l'expression présente un mélange équitable de peur et de colère, les enfants victimes de sévices corporels sont plus enclins que les autres à percevoir ce visage comme étant en colère (Pollak et Kistler, 2002 ; Pollak et Tolley-Schell, 2003).

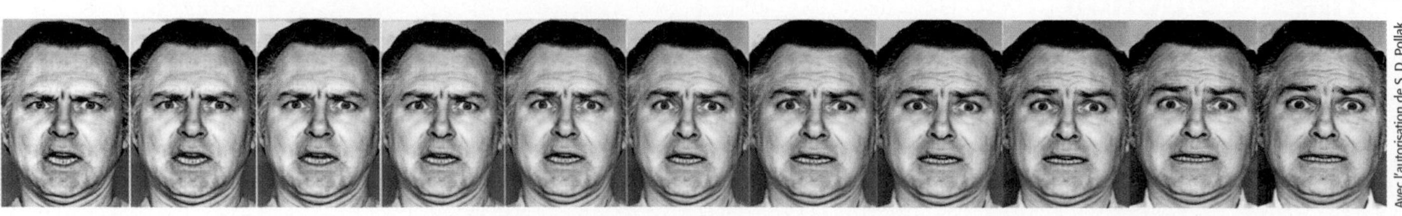

Dr Paul Ekman, université de Californie à San Francisco

Lequel des sourires de Paul Ekman est feint, lequel est naturel ? Le sourire de droite met en jeu les muscles du visage dans un sourire naturel.

Malgré l'aptitude de notre cerveau à détecter les émotions, il nous est difficile de détecter les expressions trompeuses (Porter et ten Brinke, 2008). Partout dans le monde, les gens pensent qu'un des signes révélateurs du mensonge c'est de détourner le regard (Bond et coll., 2006). C'était peut-être ce que l'ancien président Georges W. Bush avait à l'esprit lorsqu'il dit aux troupes américaines postées à Bagdad qu'il était venu « voir le Premier ministre Maliki dans les yeux pour déterminer s'il était ou non aussi engagé que vous à libérer l'Irak » (Burns et Filkins, 2006). Cependant, selon une synthèse de 206 études sur le discernement de la vérité et du mensonge, les gens avaient raison dans 54 p. 100 des cas, à peine mieux qu'un résultat lié au hasard (Bond et DePaulo, 2006). De plus, contrairement aux affirmations que certains spécialistes peuvent déterminer les mensonges, les recherches dont nous disposons indiquent que pratiquement personne ne bat de beaucoup le simple hasard (Bond et DePaulo, 2008).

Certains d'entre nous, cependant, sont plus sensibles que d'autres aux indices physiques. Robert Rosenthal, Judith Hall et leurs collaborateurs (1979) l'ont découvert en montrant à des centaines de sujets de brefs passages de films d'une partie du visage ou du corps d'une personne révélant une émotion, parfois en y ajoutant une voix modifiée. Par exemple, après une scène de deux secondes montrant uniquement le visage d'une femme bouleversée, les chercheurs demandaient si la femme était en train de critiquer quelqu'un qui arrivait en retard ou bien de parler de son divorce. Rosenthal et Hall notèrent que, étant donné ces minces indices, certaines personnes étaient de bien meilleurs détecteurs d'émotions que d'autres. Les gens introvertis ont tendance à mieux lire les émotions des autres et il est plus facile de lire les émotions chez une personne extravertie (Ambady et coll., 1995).

Injecté pour combattre les rides, le Botox® paralyse les muscles faciaux responsables de ces dernières, ce qui permet à la peau de se relâcher et de devenir plus lisse. En effaçant les expressions subtiles du front et du contour des yeux, ce procédé de chirurgie esthétique peut-il cacher certaines émotions subtiles ?

Ces gestes, ces expressions faciales et ces intonations sont tous absents dans la communication par ordinateur. Le courrier électronique insère parfois des *émoticônes* surajoutées telles que ;-) pour un clin d'œil et :-(pour un froncement de sourcil. Mais les lettres par courrier électronique ou les discussions sur Internet manquent par ailleurs d'éléments non verbaux pour indiquer l'état, la personnalité et l'âge. Personne ne connaît votre apparence ni votre voix, et personne ne sait rien de votre histoire ; vous êtes jugé uniquement sur ce que vous écrivez. Ainsi, en rencontrant un correspondant électronique pour la première fois en face à face, les personnes sont souvent surprises par la personnalité qu'elles rencontrent.

La communication par courrier électronique se prête plus facilement à des interprétations erronées. L'absence « d'e-motion » expressive dans un e-mail peut prêter à l'ambiguïté émotionnelle. Il en est de même du fait de l'absence de nuances vocales par lesquelles on signale que l'on est sérieux, que l'on plaisante ou que l'on est sarcastique. Les recherches effectuées par Justin Kruger et ses collaborateurs (2005) montrent que souvent le correspondant pense que son attitude moqueuse va être aussi clairement perçue dans un e-mail que dans une conversation. Ces personnes font preuve d'égocentrisme car elles ne pensent pas qu'on puisse mal les comprendre en l'absence d'indices non verbaux.

Genre, émotion et comportement non verbal

L'intuition féminine est-elle, comme beaucoup le pensent, supérieure à l'intuition masculine ? Considérez cette histoire : quand Jackie Larsen quitta son groupe de prière de Grand Marais (Minnesota) un matin d'avril 2001, elle rencontra Christopher Bono, un jeune homme aux cheveux bien coupés et aux bonnes manières. La voiture de Bono était en panne et il cherchait quelqu'un pour aller voir des amis à Thunder Bay. Plus tard, quand Bono arriva dans le magasin de Larsen, où Jackie avait promis de l'aider à téléphoner à ses amis, elle ressentit une douleur à l'estomac. Soupçonnant intuitivement quelque chose de louche chez ce jeune homme, elle insista pour lui parler dehors sur le trottoir. « Je lui ai dit : "Je suis une mère et je dois vous parler comme une mère... En voyant vos manières, je suis sûre que votre mère est une femme bien." » Quand il fut question de sa mère, les yeux de Bono se fixèrent sur Jackie. « Je ne sais pas où est ma mère », dit-il.

Quand la conversation fut finie, Larsen envoya Bono à l'église voir le pasteur, puis elle appela la police pour contrôler la plaque d'immatriculation de la voiture ; celle-ci était enregistrée chez sa mère dans le sud de l'Illinois. Quand les policiers se rendirent à son appartement, ils trouvèrent du sang partout et Lucia Bono morte dans la baignoire. Christopher Bono, âgé de 16 ans, fut inculpé de meurtre au premier degré (Biggs, 2001).

Est-ce une coïncidence que Larsen, qui a réussi à voir à travers Bono malgré son calme apparent, soit une femme ? Pour certains psychologues, la réponse est *non*. Dans son analyse composée de 125 études sur la sensibilité aux indices non verbaux, Judith Hall (1984, 1987) a découvert qu'en règle générale, les femmes surpassent les hommes pour lire les indices émotionnels chez les autres quand on leur fait voir de minces indices. Cette sensibilité aux indices non verbaux est également à l'avantage des femmes lorsqu'il s'agit de repérer les mensonges (DePaulo, 1994). Dans la perception d'une relation de couple homme-femme, elles sont plus douées que les hommes pour dire si la relation est sincèrement romantique ou fausse ; sur une photographie où il y a deux personnes, les femmes arrivent aussi à mieux discerner qui est le patron et qui est l'employé (Barnes et Sternberg, 1989).

La sensibilité des femmes aux indices non verbaux permet d'expliquer leur sensibilité accrue dans le domaine de la littérature. Invités par Lisa Feldman Barrett et ses collaborateurs (2000) à décrire comment ils se sentaient dans certaines situations, des hommes ont rapporté des réactions émotionnelles plus simples. Vous pouvez faire le test vous-même : demandez à des gens de vous dire ce qu'ils pourraient ressentir en disant au revoir à leurs camarades lors d'une cérémonie de remise de diplômes. Le travail de Barrett suggère que vous aurez plus de chances d'entendre les hommes dire simplement : « Je ne me sentirais pas bien », alors que les femmes exprimeraient des sentiments plus complexes tels que : « Un sentiment plutôt ambivalent... Je me sentirais à la fois heureuse et triste ».

L'aptitude des femmes à déceler les émotions des autres peut également expliquer qu'elles réagissent émotionnellement mieux dans des situations positives et négatives (Grossman et Wood, 1993 ; Sprecher et Sedikides, 1993 ; Stoppard et Gruchy, 1993). Dans des études portant sur 23 000 personnes issues de 26 cultures différentes à travers le monde, les femmes se décrivaient comme étant plus ouvertes aux sentiments que les hommes (Costa et coll., 2001). Cela permet d'expliquer la perception extrêmement forte que l'expression émotionnelle est « plus vraie pour les femmes », un point de vue exprimé par presque 100 p. 100 des Américains âgés de 18 à 29 ans (Newport, 2001).

Une exception : la colère est ressentie par la plupart des gens comme une émotion plus masculine. Demandez à quelqu'un d'imaginer un visage en colère, puis demandez-lui si c'est un homme : c'était le cas pour trois étudiants sur quatre de l'université d'État de l'Arizona (Becker et coll., 2007). Les chercheurs ont également trouvé que les personnes voient plus rapidement la colère sur les visages masculins. Et si un visage sexuellement neutre est transformé pour apparaître en colère, la plupart des personnes le perçoivent comme celui d'un homme. S'il sourit, il a plus de chances d'être perçu comme celui d'une femme (FIGURE 12.10).

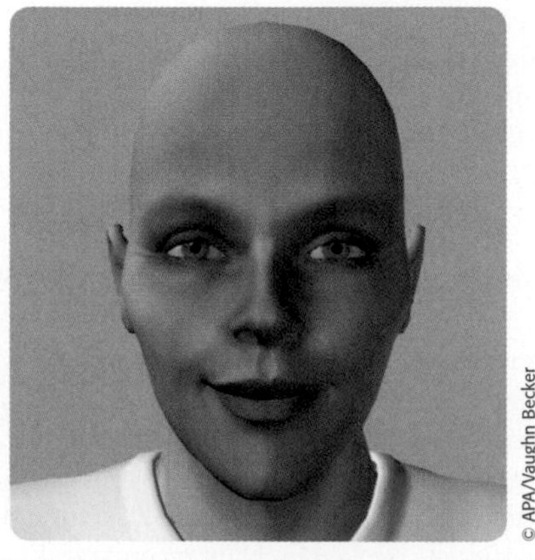

© APA/Vaughn Becker

➤ FIGURE 12.10
Colère = Masculin Lorsque Vaughn Becker et ses collaborateurs (2007) manipulèrent un visage sexuellement neutre, les participants avaient plutôt tendance à le considérer masculin lorsqu'on lui donnait une expression de colère.

Lors des enquêtes, les femmes (plus que les hommes) se décrivent comme empathiques. Si vous avez de l'*empathie*, vous vous identifiez aux autres et vous imaginez ce que c'est que de vivre à leur place. Vous vous réjouissez avec ceux qui se réjouissent et pleurez avec ceux qui pleurent. Les mesures physiologiques de l'empathie, telles que le changement du rythme cardiaque face au chagrin d'autrui, montrent que la différence entre les hommes et les femmes est plus faible que ne le rapportent les enquêtes (Eisenberg et Lennon, 1983). Néanmoins, les femmes *expriment* plus d'empathie, pleurent et éprouvent plus souvent du chagrin en voyant la détresse de quelqu'un. Ann Kring et Albert Gordon (1998) ont observé cette différence entre les genres en visionnant des enregistrements effectués sur des étudiants et étudiantes en train de regarder des films courts soit tristes (un enfant dont l'un des parents est mourant), soit joyeux (une comédie bouffonne), soit d'épouvante (un homme sur le point de tomber d'un immeuble très haut). Comme le montre la FIGURE 12.11, les femmes réagissaient de manière plus visible à chacun des films. Les femmes ont aussi tendance à ressentir plus profondément les événements émotionnels (lorsqu'elles regardent les images de mutilation par exemple) - avec une activation cérébrale plus importante dans les zones sensibles à l'émotion - et à bien mieux se souvenir des scènes trois semaines plus tard (Canli et coll., 2002).

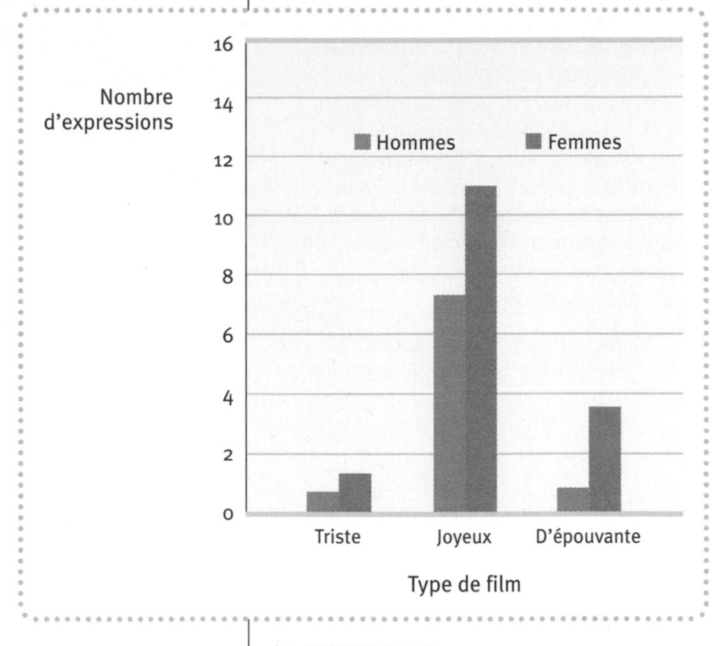

➤ FIGURE 12.11
Le genre et l'expressivité Bien que les étudiants et les étudiantes ne diffèrent pas de manière radicale quand ils expliquent leurs émotions et leurs réponses physiologiques en regardant des films à caractère émotionnel, le visage des femmes *montre* davantage d'émotions. (D'après Kring et Gordon, 1998.)

Dans une autre étude portant sur les différences d'expressions faciales selon le sexe des individus, Harold Hill et Alan Johnston (2001) ont animé un visage neutre avec des expressions (un sourire narquois, un hochement de tête, un froncement de sourcil) captées et photographiées à l'aide d'un appareil numérique sur des étudiant(e)s de l'université de Londres alors qu'ils (elles) lisaient une blague. Sans avoir aucun indice anatomique concernant le sexe, les personnes qui observaient le visage arrivaient souvent à déceler le sexe de celui-ci d'après les expressions.

Culture et expression émotionnelle

6. Les expressions non verbales des émotions sont-elles comprises universellement ?

La signification des gestes varie avec la culture. Il y a quelques années, le psychologue Otto Klineberg (1938) observa que, dans la littérature chinoise, les individus tapaient dans leurs mains pour exprimer leur inquiétude ou leur déception, riaient d'un grand « ho, ho » pour exprimer leur colère et sortaient leur langue pour indiquer la surprise. De même, le signe utilisé par les Nord-Américains, le pouce en l'air, pour dire « OK » est interprété comme une insulte dans d'autres cultures. (Lorsque l'ancien président des États-Unis, Richard Nixon, effectua ce signe au Brésil, il ne savait pas qu'il était en train de faire une grossièreté.) C'est en 1968 que l'on mit en évidence à quel point la définition culturelle des gestes était importante quand les Nord-Coréens publièrent les photographies des officiers d'un navire espion américain (ayant été capturé) qui étaient censés être heureux. Or, sur la photographie, trois des hommes faisaient un geste obscène avec le majeur : ils avaient expliqué à leurs ravisseurs que c'était un « signe hawaïen portant bonheur » (Fleming et Scott, 1991).

Les expressions faciales ont-elles des significations différentes selon les cultures ? Pour le savoir, deux équipes de recherche, l'une dirigée par Paul Ekman, Wallace Friesen et leurs collaborateurs (1975, 1987, 1994), l'autre par Carroll Izard (1977, 1994), ont montré des photographies de diverses expressions faciales à des personnes de différentes parties du monde et leur ont demandé d'identifier les émotions. Vous pouvez essayer vous-même en appariant les six émotions avec les six visages de la FIGURE 12.12 de la page suivante.

Vous avez probablement bien réussi, quelle que soit votre origine culturelle. Un sourire est un sourire dans le monde entier. C'est pareil pour la colère et, dans une moindre mesure, pour les autres expressions faciales de base (Elfenbein et Ambady, 1999). (Il n'y a aucune culture où l'on fronce les sourcils quand on est joyeux.) Ainsi, un simple coup d'œil à l'expression spontanée d'un judoka après une compétition olympique de judo donne un très bon indice sur celui qui a gagné, quel que soit le pays d'où il vient (Matsumoto et Willingham, 2006).

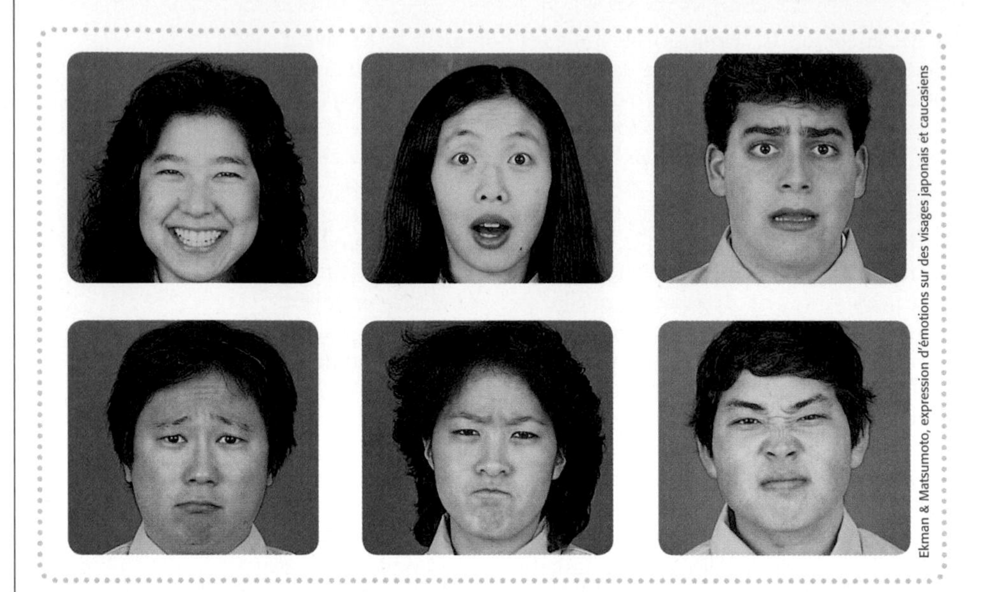

Ekman & Matsumoto, expression d'émotions sur des visages japonais et caucasiens

➤ FIGURE 12.12
Expressions spécifiques d'une culture ou expressions universelles ? Nos visages parlent-ils des langages différents si nous appartenons à des cultures ou à des ethnies différentes ? Quel visage exprime le dégoût ? La colère ? La peur ? Le bonheur ? La tristesse ? La surprise ? (D'après Matsumoto et Ekman, 1989.) Voir les réponses inversées ci-dessous.

De gauche à droite et de haut en bas : bonheur, surprise, peur, tristesse, colère, dégoût

Les personnes appartenant à différentes cultures partagent-elles ces similitudes parce qu'elles sont soumises aux mêmes expériences, comme des films américains ou les programmes de CNN et de la BBC ? Apparemment non. Ekman et son équipe ont demandé à des sujets isolés de Nouvelle-Guinée d'exprimer diverses émotions en réponse à des affirmations telles que : « Pensez que votre enfant est mort ». Lorsque les chercheurs montrèrent les bandes vidéo des émotions faciales des habitants de Nouvelle-Guinée à des étudiants nord-américains, ceux-ci purent aisément les lire.

Les expressions faciales contiennent certains accents non verbaux qui fournissent des indices particuliers à chaque culture (Marsh et coll., 2003). C'est pourquoi il n'est pas surprenant que des données issues de 182 études montrent une précision légèrement supérieure lorsqu'il s'agit de juger une émotion au sein de sa propre culture (Elfenbein et Ambady, 2002, 2003a,b). Cependant, on retrouve généralement les mêmes signes révélateurs de l'émotion dans toutes les cultures. Même les *règles* que nous suivons pour *afficher* nos émotions (exprimer plus d'émotions aux membres de notre entourage qu'à des étrangers) traversent toutes les cultures (Matsumoto et coll., 2008).

Les expressions faciales des enfants, même celles des enfants aveugles qui n'ont jamais vu un visage, sont également universelles (Eibl-Eibesfeldt, 1971). Les gens aveugles de naissance ont spontanément les mêmes expressions du visage pour exprimer des émotions telles que la joie, la tristesse, la peur et la colère (Galati et coll., 1997). Partout dans le monde, les enfants pleurent lorsqu'ils sont malheureux, secouent la tête lorsqu'ils se méfient et sourient quand ils sont heureux.

« Pour avoir des nouvelles du cœur, interrogez le visage. »
Proverbe guinéen

Découvrir que les muscles du visage parlent un langage universel n'aurait pas surpris Charles Darwin (1809-1882), chercheur pionnier dans le domaine des émotions. Il avait émis l'hypothèse que, dans les temps préhistoriques, avant que nos ancêtres ne communiquent par des mots, leur capacité à transmettre des menaces, des remerciements ou la soumission par l'expression faciale les a aidés à survivre. Cet héritage commun, pensait-il, explique pourquoi tous les êtres humains expriment les émotions de base par les mêmes expressions faciales. Un ricanement, par exemple, conserve certaines caractéristiques de la façon dont un animal gronde en montrant les dents. Les expressions émotionnelles contribuent à d'autres égards aussi à notre survie. La surprise nous oblige à hausser les sourcils et à écarquiller les yeux afin de nous permettre d'obtenir plus d'informations. Le dégoût nous fait froncer le nez, le fermant pour le protéger des odeurs fétides.

En apesanteur, les fluides des astronautes ont tendance à migrer vers la partie supérieure du corps et leur visage devient plus bouffi. Cela rend la communication non verbale plus difficile, augmentant le risque de malentendus, en particulier au sein d'équipages multinationaux (Gelman, 1989).

Les sourires aussi sont des phénomènes sociaux ainsi que des réflexes émotionnels. Les joueurs de bowling sourient rarement lorsqu'ils marquent un « strike », ils sourient lorsqu'ils se tournent vers leurs compagnons (Jones et coll., 1991 ; Kraut et Johnston, 1979). Même les champions euphoriques qui gagnent des médailles d'or olympiques ne sourient pas lorsqu'ils attendent la cérémonie, mais le font lorsqu'ils communiquent avec les officiels ou devant le public et les caméras (Fernández-Dols et Ruiz-Belda, 1995).

L'interprétation des visages dans un contexte particulier a été adaptative pour nous. (Rappelez-vous du monstre agressif ou apeuré du chapitre 6.) Les personnes jugent un visage en colère comme étant apeuré lorsque le contexte dans lequel il se trouve est effrayant et jugent un visage apeuré comme étant en souffrance lorsqu'il est inséré dans un cadre douloureux (Carroll et Russell, 1996). Les réalisateurs de cinéma exploitent ce phénomène en créant des contextes et des bandes sonores qui amplifient notre perception de certaines émotions.

Bien que les cultures partagent un langage facial universel pour les émotions de base, elles diffèrent dans l'intensité avec laquelle elles expriment l'émotion. Les cultures qui encouragent l'individualisme, comme en Europe de l'Ouest, en Australie, en Nouvelle-Zélande et en Amérique du Nord, présentent des émotions particulièrement visibles (van Hemert et coll., 2007). Dans la culture chinoise, qui encourage les individus à s'adapter aux autres, les émotions personnelles sont moins visibles (Tsai et coll., 2007). Il en est de même au Japon où les personnes tirent leurs émotions plus du contexte environnant, et où les yeux, difficilement contrôlables, transmettent plus d'émotions que la bouche qui est si expressive en Amérique du Nord (Masuda et coll., 2008 ; Yuki et coll., 2007). Les yeux transmettent les émotions de nombreuses façons. Lorsque quelqu'un vous pose une question qui requiert un peu de réflexion, avez-vous plus de chances de regarder en haut ou en bas ? Au Japon, les individus regardent typiquement en bas ce qui est une marque de respect pour les autres. Les Canadiens regardent typiquement vers le haut (McCarthy et coll., 2006).

Il existe des différences culturelles aussi au sein d'un même pays. Les Irlandais et leurs descendants américains ont tendance à être plus expressifs que les Scandinaves et leurs descendants américains (Tsai et Chentsova-Dutton, 2003). Et cela nous rappelle une leçon familière : comme la plupart des événements psychologiques, on comprend mieux les émotions si l'on considère qu'il ne s'agit pas seulement d'un phénomène biologique et cognitif, mais aussi d'un phénomène socioculturel (FIGURE 12.13).

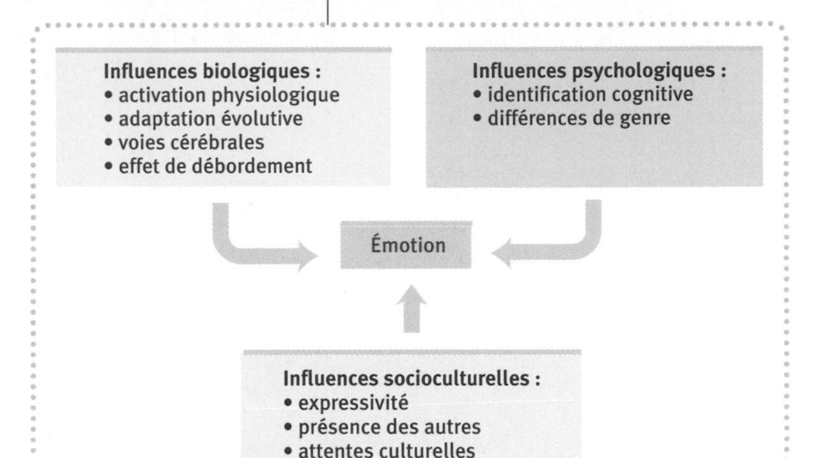

➤ FIGURE 12.13
Niveaux d'analyse pour l'étude des émotions Comme pour tout autre phénomène psychologique, les chercheurs explorent les émotions selon les points de vue biologique, psychologique et socioculturel.

Les effets des expressions faciales

7. Nos expressions faciales influencent-elles ce que nous ressentons ?

Alors que Williams James se démenait avec les sentiments de la dépression et du chagrin, il en vint à croire que nous pouvions contrôler les émotions en exécutant « les mouvements extérieurs » de chaque émotion que nous voulions ressentir. « Pour vous sentir de bonne humeur, conseillait-il, redressez-vous gaiement, regardez gaiement autour de vous et agissez comme si la gaieté était déjà là. »

> « Chaque fois que je suis effrayé
> Je tiens ma tête droite
> Et je siffle un air guilleret. »
> Richard Rodgers et Oscar Hammerstein, *Le Roi et moi*, 1958

Les études sur les effets émotionnels des expressions faciales ont révélé précisément ce que James aurait pu prédire. Les expressions peuvent non seulement communiquer une émotion, mais aussi l'amplifier et la réguler. Dans son livre datant de 1872, *L'expression des émotions chez l'homme et les animaux*, Darwin affirmait : « L'expression libre d'une émotion par des signes extérieurs l'intensifie... Celui qui laisse libre cours à des gestes violents va accroître sa rage. »

Darwin avait-il raison ? Testons l'hypothèse de Darwin : faites un large sourire. Maintenant, prenez un air renfrogné. Sentez-vous la différence de la « thérapie du sourire » ? Au cours de douzaines d'expériences, les sujets ont ressenti une différence. Par exemple, James Laird et ses collaborateurs (1974, 1984, 1989) induisirent subtilement des étudiants à afficher une expression renfrognée en leur demandant de « contracter leurs muscles » et de « froncer les sourcils » (théoriquement pour permettre aux chercheurs d'attacher des électrodes sur leur visage). Le résultat ? Les étudiants décrivirent s'être sentis un peu énervés. Les sujets à qui l'on demanda de modeler leur visage de manière à exprimer d'autres émotions de base les ressentirent également (FIGURE 12.14). Ils décrivirent, par exemple, avoir ressenti plus de peur que de colère, de dégoût ou de tristesse lorsqu'ils avaient été incités à constituer une expression de peur : « Haussez les sourcils et ouvrez grand vos yeux. Reculez légèrement votre tête de manière à plisser légèrement votre menton et laissez votre bouche se détendre et pendre un peu ouverte » (Duclos et coll., 1989). Le visage est bien plus qu'un simple panneau d'affichage de vos sentiments ; *il nourrit aussi vos sentiments.*

Cet *effet facial* est subtil mais malgré tout détectable en l'absence d'autres émotions parasites. Les étudiants amenés à sourire se sont sentis plus heureux et se sont rappelés de souvenirs plus heureux que ceux qui étaient

➤ FIGURE 12.14
Comment faire en sorte que les sujets prennent l'air renfrogné sans leur dire de le faire La solution de Randy Larsen, Margaret Kasimatis et Kurt Frey (1992) : attachez deux tees de golf au-dessus des sourcils et demandez aux gens de faire en sorte que leurs pointes se touchent. En activant les muscles du « visage triste », les participants à cette expérience se sont sentis plus tristes en regardant des scènes de guerre, de maladie ou de famine.

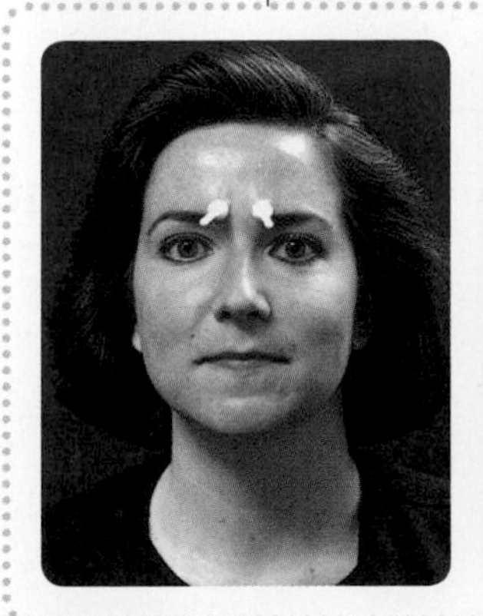
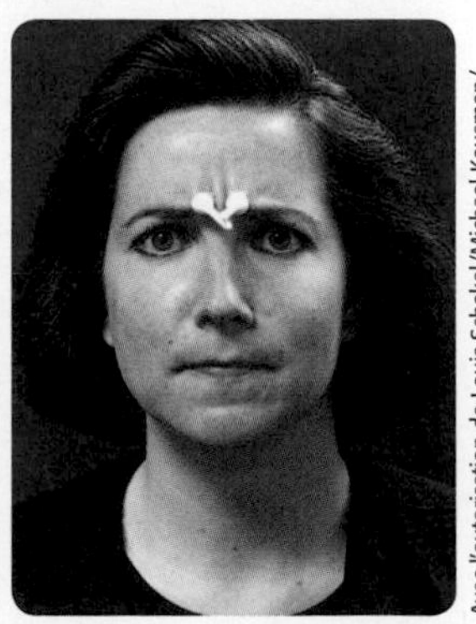

Avec l'autorisation de Louis Schakel/Michael Kausman/The New York Times Pictures

• Une petite requête de l'auteur : souriez souvent en lisant ce livre. •

« Refusez d'exprimer une passion et elle mourra... Si nous voulons vaincre les tendances émotionnelles indésirables qui sont en nous, nous devons... afficher l'expression qui a notre préférence et qui est contraire à nos dispositions. »

William James, *Principles of Psychology*, 1890

renfrognés. L'activation d'un seul des muscles du sourire en tenant un crayon entre ses dents (plutôt qu'avec ses lèvres, ce qui provoque un froncement) suffit à rendre plus amusant un dessin animé (Strack et coll., 1988). Un sourire plus chaleureux, exécuté non seulement avec la bouche, mais en relevant aussi les joues et en plissant les yeux, marche encore mieux et déclenche des sensations positives lorsque l'on réagit à quelque chose d'agréable ou d'amusant (Soussignan, 2001). Souriez chaleureusement à l'extérieur et vous vous sentirez mieux à l'intérieur. Lorsque vous souriez, vous comprenez même encore plus vite les phrases qui décrivent des événements agréables (Havas et coll., 2007). Renfrognez-vous et le monde entier vous semblera se renfrogner en retour.

Deux nouvelles études mettent en évidence le pouvoir de l'image renvoyée par le visage. Dans la première, Tiffany Ito et ses collaborateurs (2006) ont utilisé la technique du stylo tenu entre les dents pour induire la joie tandis que les personnes regardaient des images de visages. S'ils avaient vu des visages de personnes noires plutôt que blanches, ils ont par la suite, au cours d'un test d'attitude implicite, montré moins de biais ethnique envers les Noirs. Ce bon sentiment s'est étendu par association. Une autre étude a utilisé des injections de Botox® pour paralyser les muscles des sourcils de 10 patients en dépression (Finzi et Wasserman, 2006). Deux mois après le traitement, 9 patients sur les 10 ne pouvant pas froncer les sourcils n'étaient plus déprimés. (Cette étude très intrigante attend d'être répliquée en présence d'un groupe contrôle non traité.)

Sara Snodgrass et ses associés (1986) observèrent le phénomène de *rétroaction du comportement* avec la marche. Vous pouvez reproduire son expérience : marchez pendant quelques minutes en faisant des pas courts et traînants et en gardant vos yeux baissés. Maintenant, marchez de long en large en faisant de grands pas, en balançant vos bras et en gardant les yeux fixés droit devant vous. Pouvez-vous sentir le changement d'humeur ? Réaliser les mouvements éveille nos émotions.

Une façon de devenir plus empathique est de laisser notre visage mimer l'expression d'une autre personne (Vaughn et Lanzetta, 1981). Agir comme agit un autre nous aide à ressentir ce qu'il ressent. En fait, l'imitation naturelle des émotions des autres permet d'expliquer pourquoi les émotions sont contagieuses (Dimberg et coll., 2000 ; Neumann et Strack, 2000). Le fait de bloquer les mimiques naturelles des gens, par exemple en leur demandant de mordre un crayon avec leurs dents, empêche leur capacité à reconnaître les émotions des autres (Oberman et coll., 2007).

AVANT D'ALLER PLUS LOIN...

➤ INTERROGEZ-VOUS

Pensez à une situation dans laquelle vous voudriez changer la manière dont vous vous sentez et établissez un programme d'action simple à cet effet. Par exemple, si vous voulez ressentir plus de joie en vous rendant à votre cours demain matin au lieu de traîner les pieds pour y aller, vous pourriez peut-être essayer de marcher d'un pas plus vif, la tête haute, en affichant une expression de plaisir sur votre visage.

➤ TESTEZ-VOUS 3

Qui a tendance à exprimer le plus ses émotions : l'homme ou la femme ? Comment pouvons-nous connaître la réponse à cette question ?

Les réponses aux questions « Testez-vous » sont données dans l'annexe B à la fin de l'ouvrage.

Ressentir l'émotion

COMBIEN Y A-T-IL D'ÉMOTIONS DISTINCTES ? Carroll Izard (1977) a isolé 10 émotions de base (joie, intérêt-excitation, surprise, tristesse, colère, dégoût, dédain, peur, honte et culpabilité), dont la plupart sont déjà présentes dans l'enfance (FIGURE 12.15). Jessica Tracey et Richard Robins (2004) pensent que la fierté est également une émotion distincte, signalée par un petit sourire, une tête légèrement penchée vers l'arrière et une posture ouverte. Phillip Shaver et ses collaborateurs (1996) pensent que l'amour est aussi une émotion de base. Toutefois, Izard considère que les autres émotions sont des combinaisons de ces dix autres. Il dit que l'amour, par exemple, est un mélange de joie et d'intérêt-excitation.

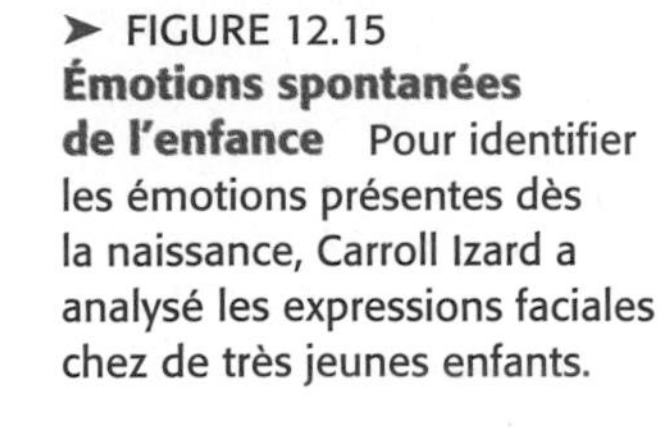

➤ FIGURE 12.15
Émotions spontanées de l'enfance Pour identifier les émotions présentes dès la naissance, Carroll Izard a analysé les expressions faciales chez de très jeunes enfants.

Tom McCarthy/Rainbow

(a) La joie (la bouche forme un sourire, les joues sont tirées vers le haut, il y a une étincelle dans l'œil)

Patrick Donehue/Photo Researchers, Inc.

(b) La colère (les sourcils sont rapprochés et dirigés vers le bas, les yeux sont fixes, la bouche « carrée »)

Bob Daemmrich/The Image Works

(c) L'intérêt (les sourcils sont levés ou froncés, la bouche doucement arrondie, les lèvres peuvent être pincées)

Lew Merrim/Photo Researchers, Inc.

(d) Le dégoût (le nez froncé, la lèvre supérieure relevée et la langue sortie)

Nancy Brown/The Image Bank

(e) La surprise (les sourcils levés, les yeux élargis et la bouche ovale)

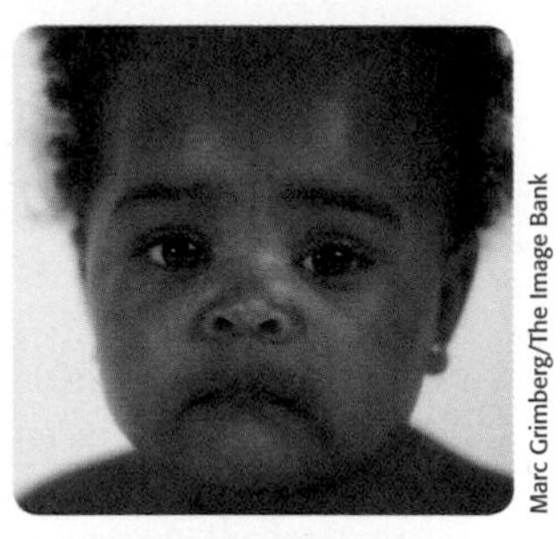

Marc Grimberg/The Image Bank

(f) La tristesse (les coins intérieurs des sourcils levés, les coins de la bouche tournés vers le bas)

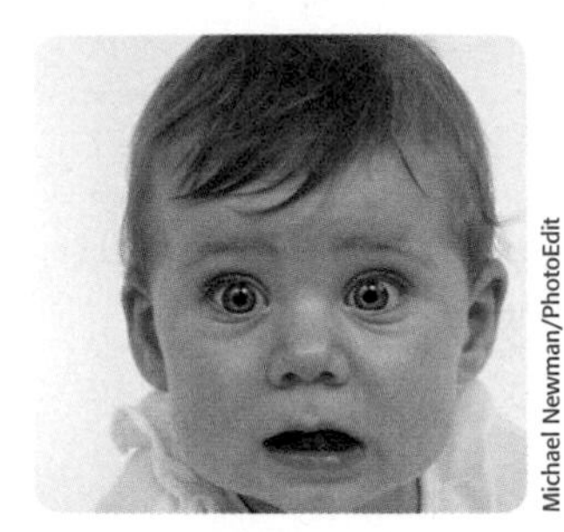

Michael Newman/PhotoEdit

(g) La peur (les sourcils rapprochés et haussés, les paupières relevées, les coins de la bouche rétractés)

Les ingrédients de l'émotion comprennent non seulement l'activation physiologique et le comportement expressif, mais aussi notre expérience consciente. Différentes personnes comme les Estoniens, les Polonais, les Grecs, les Chinois et les Canadiens placent les émotions ressenties selon les deux dimensions illustrées à la FIGURE 12.16 – les *valences* agréables (ou positives) contre les valences désagréables (ou négatives), ou encore une *activation* faible contre une activation élevée (Russell et coll., 1989, 1999a,b ; Watson et coll., 1999). Sur les

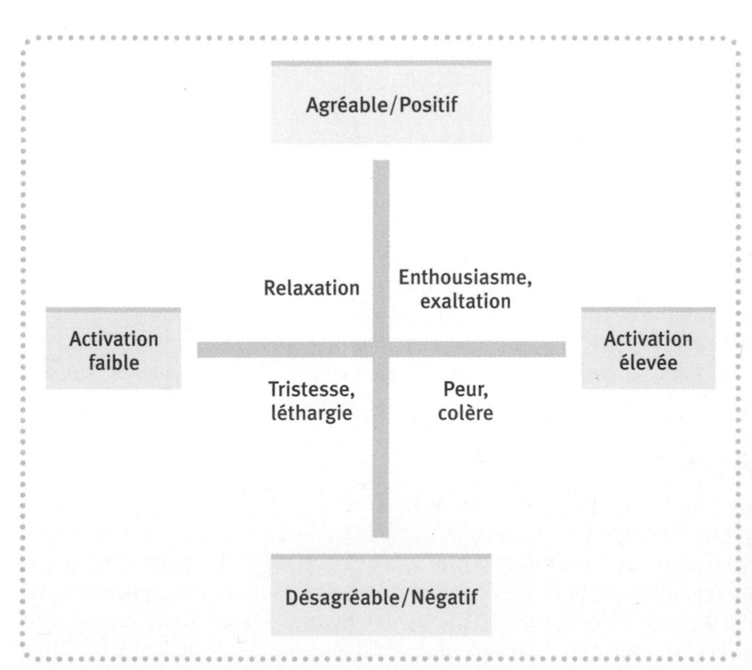

➤ FIGURE 12.16
Les deux dimensions de l'émotion James Russell, David Watson, Auke Tellegen et d'autres décrivent les émotions comme la variation de deux dimensions – une activation (faible opposée à élevée) et la valence (sentiments agréables opposés à des sentiments désagréables).

dimensions de la valence et de l'activation, *terrifié* est plus fort qu'*apeuré* (plus désagréable et plus activé) ; *enragé* est plus fort qu'*irrité* ; *ravi* est plus fort qu'*heureux*.

Examinons maintenant trois émotions importantes : la peur, la colère et la joie. Quelles sont les fonctions qu'assurent ces émotions ? Et qu'est-ce qui influence la façon dont nous les éprouvons ?

La peur

8. À quoi sert la peur et comment apprenons-nous à acquérir nos peurs ?

La peur peut être une émotion toxique. Elle peut nous ronger, nous priver de sommeil et occuper toutes nos pensées. Certains peuvent littéralement mourir de peur. La peur peut aussi être contagieuse. En 1903, quelqu'un cria « au feu » au moment où éclata un incendie au théâtre Iroquois de Chicago. Eddie Foy, le comédien en scène à ce moment-là, essaya de rassurer la foule en criant : « Ne vous affolez pas. Il n'y a pas de danger. Restez calmes ! » Hélas, la foule paniqua. Durant les 10 minutes nécessaires aux pompiers pour arriver et éteindre rapidement les flammes, plus de 500 personnes périrent, la plupart piétinées ou étouffées au cours de la bousculade. Les corps étaient empilés dans les escaliers sur une hauteur d'environ 2 mètres et de nombreux visages portaient des marques de talon (Brown, 1965).

• Une explication des morts subites causées par les « malédictions » vaudou est que le système nerveux parasympathique (habituellement calmant pour le corps) d'une personne terrifiée réagit excessivement face à l'activation extrême, ralentissant le cœur jusqu'à ce qu'il s'arrête (Seligman, 1974). •

Le plus souvent, la peur est une réponse adaptative. C'est un système d'alarme qui prépare notre organisme à fuir le danger. La peur d'ennemis réels ou imaginaires lie les individus en familles, tribus ou nations. La peur des blessures nous empêche de nous faire du mal. La peur de la punition ou des représailles nous empêche de nous agresser les uns les autres. La peur nous permet de nous concentrer sur un problème et d'essayer de trouver diverses stratégies. Les expressions de peur augmentent la vision périphérique et accélèrent les mouvements oculaires ce qui relance les entrées sensorielles (Susskind et coll., 2008).

L'apprentissage de la peur

Les individus peuvent avoir peur de pratiquement n'importe quoi – « peur de la vérité, peur de la richesse, peur de la mort et peur des uns des autres », observe Ralph Waldo Emerson. La « politique de la peur » s'édifie sur les craintes des individus, la crainte des terroristes, la crainte des immigrants, la crainte des criminels. Pourquoi tant de peurs ? Souvenez-vous du chapitre 7, les enfants en viennent à craindre des objets en fourrure associés à des bruits effrayants. Lorsque les enfants commencent à ramper, ils apprennent de leurs chutes, et des occasions où ils manquent de tomber, et deviennent de plus en plus effrayés par les hauteurs (Campos et coll., 1992). Par l'intermédiaire d'un conditionnement de ce genre, la courte liste des événements naturels douloureux et effrayants peut s'allonger en une longue liste de peurs humaines – peur de conduire ou de prendre l'avion, peur des souris ou des cafards, peur des espaces clos ou ouverts, peur de l'échec ou de la réussite, peur des personnes d'une autre ethnie ou d'un autre pays.

L'apprentissage par observation augmente la liste. Susan Mineka (1985, 2002) se demandait pourquoi presque tous les singes élevés dans la nature craignaient les serpents, alors que ceux qui sont élevés en laboratoire n'en avaient pas peur. La plupart des singes sauvages n'ont pas réellement à souffrir des morsures de serpent. Peuvent-ils apprendre cette crainte par l'observation ? Pour le mettre en évidence, Mineka fit une expérience avec six singes élevés dans la nature (tous ayant très peur des serpents) et leurs descendants élevés en laboratoire (dont aucun n'avait peur des serpents). Après avoir observé leurs parents ou leurs pairs refuser obstinément d'aller chercher de la nourriture en présence d'un serpent, les singes les plus jeunes développèrent de la même manière une peur intense des serpents. Testés à nouveau 3 mois plus tard, leur peur apprise persistait. Comme eux, les hommes apprennent leurs peurs de l'observation des autres (Olsson et coll., 2007). Cela suggère que nos peurs comprennent les peurs apprises de nos parents ou de nos amis.

La biologie de la peur

Nous pouvons être biologiquement préparés à apprendre certaines peurs plus rapidement que d'autres. Les singes apprennent à craindre les serpents, même en regardant des bandes vidéo montrant des singes réagissant avec peur face à un serpent ; mais ils *n'*apprennent *pas* à craindre les fleurs lorsqu'un montage de la bande vidéo transforme le stimulus apparemment inquiétant en une fleur (Cook et Mineka, 1991). Nous, les hommes, apprenons rapidement à craindre les serpents, les araignées, les falaises – des peurs qui ont probablement aidé nos ancêtres à survivre (Öhman et Mineka, 2003). Mais l'âge de la pierre nous a mal préparés pour les dangers de la haute technologie comme les voitures, l'électricité, les bombes et le réchauffement climatique global, qui sont beaucoup plus dangereux de nos jours.

Une des clés de l'apprentissage de la peur réside dans l'amygdale, un centre nerveux du système limbique profondément enfoui dans le cerveau (FIGURE 12.17). L'amygdale joue un rôle important dans l'association de diverses émotions, dont la peur, à certaines situations (Barinaga, 1992b ; Reijmers et coll., 2007). Des lapins apprennent à réagir avec peur à un son annonçant un petit choc imminent, sauf si leur amygdale est détruite. Si des rats ont reçu une substance qui bloque le renforcement des connexions nerveuses et désactive l'amygdale, eux non plus ne montrent plus d'apprentissage de la peur.

De la même manière, chez l'homme, l'amygdale est impliquée dans la peur. Si un expérimentateur fait retentir un klaxon à plusieurs reprises après avoir montré l'image d'un toboggan bleu, les sujets commenceront à réagir émotionnellement au toboggan (mesures prises selon la transpiration de la peau conductrice d'électricité). Les personnes souffrant de lésions situées dans une structure voisine, l'hippocampe, conservent la réaction émotionnelle, un souvenir implicite, mais sont incapables de se souvenir pourquoi. Si la lésion affecte l'amygdale, les personnes peuvent se souvenir de manière consciente du conditionnement, mais ce dernier n'aura aucun effet émotionnel sur eux (Schacter, 1996). Les patients qui ont perdu l'usage de leur amygdale font anormalement confiance à des gens à l'allure inquiétante (Adolphs et coll., 1998).

Bien évidemment, il existe des personnes qui ont des peurs semblant sortir de la gamme habituelle. Certaines, qui ont des *phobies*, ont des peurs intenses de certaines choses spécifiques (comme les insectes) ou de certaines situations (comme parler en public) qui les empêchent de faire face à ces situations. D'autres - héros courageux ou criminels dépourvus de remords - sont moins peureux que la plupart d'entre nous. Les astronautes et les aventuriers qui ont l'« étoffe des héros » - qui conservent leur sang-froid et leur esprit clair et agissent de façon calme et efficace dans des moments de stress intense - semblent s'épanouir en présence de risque. C'est aussi ce que font certains arnaqueurs ou certains assassins qui charment calmement leurs victimes présumées. Lors de tests de laboratoire, ils ne montrent aucune peur face à un son qui annonce un choc électrique douloureux.

L'expérience contribue à façonner ces comportements craintifs ou exempts de peur, mais ils sont également conditionnés par nos gènes. (Rappelez-vous que nous avons vu, au chapitre 4, que les gènes influençaient notre tempérament et notre réactivité émotionnelle.) Chez de vrais jumeaux, le niveau de peur est identique chez l'un et l'autre, même s'ils ont été élevés séparément (Lykken, 1982). Les scientifiques ont récemment isolé un gène qui influence la réponse de l'amygdale lors d'une situation angoissante (Hariri et coll., 2002). Chez les personnes possédant une variante plus courte de ce gène, il y a un déficit d'une protéine qui accélère la recapture d'un neurotransmetteur, la sérotonine. Ce surplus de sérotonine stimule les neurones de l'amygdale et les personnes qui possèdent ce gène plus court développent une suractivité de l'amygdale en réponse à des images effrayantes.

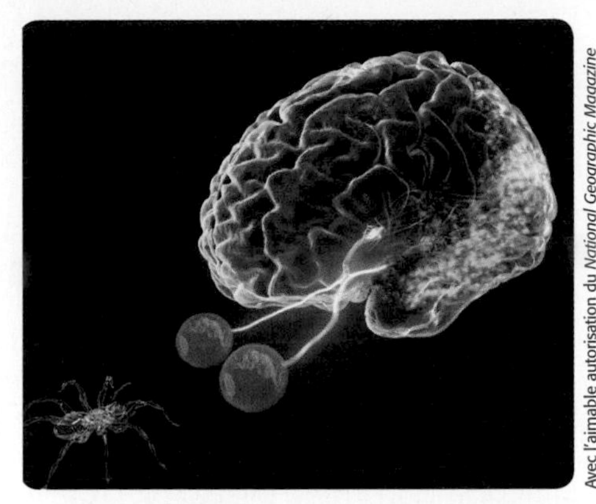

Avec l'aimable autorisation du *National Geographic Magazine* et du Laboratory of Neuro Imaging (LONI) de UCLA. Dessin et modélisation du cerveau par Amanda Hammond, Jacopo Annese et Arthur Toga, LONI ; Dessin de l'araignée par Joon-Hyuck Kim.

➤ FIGURE 12.17
L'amygdale : un centre nerveux fondamental pour l'apprentissage de la peur Les nerfs issus de ce nœud de tissu nerveux situé de chaque côté du centre du cerveau transportent des messages qui contrôlent le rythme cardiaque, la transpiration, les hormones du stress, l'attention et d'autres moteurs qui démarrent lors de situations menaçantes.

• Les chapitres 14 et 15 étudieront comment de telles phobies se développent et peuvent être traitées. •

oote boe/Alamy

Des peurs profondément ancrées Le marché des parcs d'attractions exploite nos systèmes de survie. Même si nous savons qu'il y a très peu d'accidents mortels dans ces parcs, notre système d'alarme de la peur provoque néanmoins des montées d'adrénaline et nous donne les mains moites quand on se retrouve dans le vide. ▲

La colère

9. Quelles sont les causes et les conséquences de la colère ?

La colère, disent les sages, est une « courte folie » (Horace, 65-8 av. J.-C.) qui « emporte l'esprit ailleurs » (Virgile, 70-19 av. J.-C.) et peut être « beaucoup plus nuisible que la blessure qui l'a déclenchée » (Thomas Fuller, 1654-1734). Mais ils parlent aussi de « nobles colères » (William Shakespeare, 1564-1616) « qui rendent brave n'importe quel poltron » (Caton, 234-149 av. J.-C.) et « ramènent... la force » (Virgile).

Qu'est-ce qui nous met en colère ? La colère est parfois une réponse à quelque chose qui est perçu comme une mauvaise action de la part d'un ami ou d'un être aimé en particulier lorsque l'action de l'autre semblait volontaire, injustifiée et évitable (Averill, 1983). Mais les petits tracas et les ennuis anodins – les odeurs infectes, les températures élevées, les embouteillages, les maux et les douleurs – ont aussi le pouvoir de nous mettre en colère (Berkowitz, 1990).

Wolfgang Kaehler

Une culture paisible La maltraitance familiale est rare en Micronésie. Cette photographie de la vie communautaire sur l'île de Pulap en donne peut-être une explication : la vie familiale se déroule sur la place publique ; ainsi, les parents et les voisins peuvent être témoins des éclats de colère et intervenir avant que l'émotion ne déborde et n'aboutisse à de mauvais traitements de l'enfant, de l'épouse ou des anciens.

Et la colère peut nous être nocive : l'hostilité chronique est liée aux maladies cardiaques comme nous le verrons plus loin dans ce chapitre. Comment, dans ce cas, pouvons-nous nous débarrasser de notre colère ? Selon une enquête Gallup menée chez des adolescents, les garçons disent qu'ils se sortent de cette situation ou passent leur colère en faisant de l'exercice physique ; les filles décrivent plus souvent qu'elles en parlent avec un ami, qu'elles écoutent de la musique ou qu'elles écrivent (Ray, 2005). Les livres et les articles de vulgarisation traitant de l'agressivité nous indiquent que libérer notre colère même par l'expression de bouffées hostiles peut être meilleur que l'intériorisation de sa colère. Lorsque nous sommes irrités, devons-nous nous en prendre violemment à celui qui nous a offensés ? Les chroniqueurs qui donnent des conseils ont-ils raison de dire que l'on doit apprendre aux plus jeunes à exprimer leur colère ? Les thérapeutes du « *recovery movement* » (mouvement thérapeutique) ont-ils raison d'encourager notre colère contre nos parents décédés, de nous faire maudire nos patrons de façon imaginaire ou de nous confronter à ceux qui nous ont maltraités pendant l'enfance ?

Un tel encouragement à exprimer notre rage est typique des cultures individualistes, mais ne sera que rarement entendu dans des cultures où l'identité est plus centrée sur le groupe. Les individus qui ressentent fortement leur *inter*dépendance voient la colère comme une menace pour l'harmonie du groupe (Markus et Kitayama, 1991). À Tahiti, par exemple, les gens apprennent à considérer les autres et à être courtois. Au Japon, dès l'enfance, l'expression de la colère est beaucoup moins fréquente que dans les pays de culture occidentale.

Dans les cultures occidentales, le conseil : « laissez votre colère s'exprimer » part de l'hypothèse que nous libérons notre colère en l'apaisant par des actions violentes ou des fantasmes (**catharsis**). Les expérimentateurs ont noté que *parfois,* lorsque quelqu'un se venge d'une personne qui l'a provoqué, cela peut en effet le calmer. Mais cela a tendance à être vrai que *si* cette contre-attaque est dirigée contre le provocateur, *si* la vengeance apparaît justifiable et *si* sa cible n'est pas intimidante (Geen et Quanty, 1977 ; Hokanson et Edelman, 1966). En bref, l'expression de la colère peut *temporairement* être apaisante *si* elle ne nous laisse pas avec un sentiment de culpabilité ou d'anxiété.

SIX CHIX

FAIRE ÇA ME PROCURE VRAIMENT PLUS DE PAIX INTÉRIEURE QUE LE YOGA.
HA!
YA!

© Isabella Bannerman. Distribué par King Features Syndicate.

Le mythe de la catharsis : est-il vrai ?

Mais, en dépit du sentiment de triomphe temporaire, la catharsis permet rarement de se débarrasser de sa colère. Le plus souvent, l'expression de la colère peut nourrir une colère plus forte. D'un côté, elle peut entraîner des représailles et envenimer un conflit mineur pour aboutir à une confrontation majeure. D'un autre côté, l'expression de la colère peut augmenter la colère. (Rappelez-vous les recherches sur l'*effet rétroactif du comportement* : le fait d'agir en étant en colère peut nous rendre encore plus en colère.) Ebbe Ebbesen et ses collaborateurs (1975) ont observé ce phénomène en interrogeant 100 ingénieurs et techniciens frustrés qui venaient juste d'être licenciés par une compagnie aérospatiale. À certains, on a posé des questions libérant l'hostilité, telles que : « Pouvez-vous citer des circonstances au cours desquelles la société n'a pas été correcte avec vous ? » Lorsque plus tard ces sujets ont rempli un questionnaire évaluant leur état d'esprit vis-à-vis de la compagnie, cette occasion d'« évacuer » leur hostilité avait-elle permis de la réduire ? Pas du tout, au contraire. Comparés à ceux qui n'avaient pas exprimé leur colère, ceux qui l'avaient extériorisée montrèrent *plus* d'hostilité. Même quand des gens énervés frappent dans un punching-ball en *pensant* que cela aura un effet cathartique, il n'en est rien et ils font preuve d'encore *plus* de cruauté (Bushman et coll., 1999). Quand ils frappent dans un punching-ball en pensant à la personne qui les a mis en colère, ils deviennent encore plus agressifs lorsqu'ils ont l'occasion de se venger. « Le fait de décharger son agressivité pour réduire sa colère revient à utiliser de l'essence pour éteindre un feu », conclut le chercheur Brad Bushman (2002).

Lorsque la colère nourrit des actes ou des paroles agressives que nous regrettons plus tard, c'est une mauvaise adaptation. La colère peut porter préjudice. Après les attentats du 11 septembre, les Américains qui ont répondu plus par de la colère que par de la peur ont également fait preuve d'intolérance envers les immigrés et les musulmans (DeSteno et coll., 2004 ; Skitka et coll., 2004). Les éclats de colère qui nous calment temporairement sont d'une autre manière dangereux : ils peuvent se renforcer et constituer une habitude. Si les directeurs stressés peuvent éliminer une partie de leur tension en réprimandant un employé, la prochaine fois qu'ils se sentiront irrités et tendus, ils auront davantage tendance à exploser de nouveau. Réfléchissez : la prochaine fois que vous serez en colère, vous serez enclin à refaire ce qui a apaisé votre colère dans le passé.

Quelle est donc la meilleure façon de maîtriser sa colère ? Les experts font deux suggestions. La première est d'attendre. Vous pouvez diminuer l'activation physiologique de la colère en attendant. « L'organisme est comme une flèche », note Carol Tavris (1982), « ce qui monte doit redescendre. Toute excitation émotionnelle va retomber si vous attendez suffisamment longtemps. » La seconde est de traiter la colère d'une façon qui n'implique ni d'être toujours en train de râler contre toutes les petites anicroches, ni de ressasser et de renforcer les raisons d'être en colère. En ruminant intérieurement sur les causes de votre colère, vous ne réussirez qu'à la faire augmenter (Rusting et Nolen-Hoeksema, 1998). Calmez-vous par l'exercice physique, la musique ou en confiant vos sentiments à un ami.

La colère communique une certaine force ainsi qu'une certaine compétence (Tiedens, 2001). La colère peut être bénéfique à une relation si elle exprime des griefs d'une manière qui favorise la réconciliation plutôt que la vengeance. L'expression contrôlée de la colère est plus adaptative que les poussées hostiles ou les sentiments de colère contenus. Lorsque James Averill (1983) demanda à des participants de se souvenir ou de noter consciencieusement leurs expériences de colère, ils se sont souvent souvenus qu'ils réagissaient de façon autoritaire et non de façon blessante. Leur colère les entraînait souvent à discuter des problèmes avec la personne insultante, diminuant ainsi l'agacement. La civilité signifie non seulement de garder le silence à propos des irritations triviales, mais aussi de communiquer sur celles qui sont importantes de façon claire et autoritaire. La constatation non accusatrice d'un sentiment, comme le fait de faire savoir à un partenaire : « Je me sens irrité quand tu me laisses tes assiettes sales à laver », peut aider à résoudre le conflit qui provoque la colère.

Qu'en est-il si le comportement de quelqu'un vous fait vraiment mal ? La recherche recommande l'une des réponses les plus anciennes : le pardon. Sans laisser la personne qui vous a fait du mal s'en tirer à bon compte ni l'inviter à vous faire plus de mal encore, lui pardonner soulage la colère et calme le corps. Pour étudier les effets physiques du pardon, Charlotte Witvliet et ses assistants de recherche (2001) ont demandé à des lycéens de se souvenir d'un incident où ils avaient été blessés par quelqu'un. À mesure que les sujets se visionnaient mentalement en train de pardonner cet acte, leurs sentiments négatifs, leur transpiration, leur pression artérielle, leur rythme cardiaque, ainsi que la tension de leurs muscles faciaux étaient moins élevés que quand ils pensaient à leurs griefs.

:: Catharsis : libération émotionnelle. En psychologie, l'hypothèse de la catharsis affirme que « libérer » l'énergie agressive (sous forme de fantasmes ou d'actions) apaise les pulsions agressives.

« La colère ne disparaîtra jamais tant que le ressentiment sera cultivé dans la pensée. »
Bouddha, 500 av. J.-C.

Le bonheur

10. Quelles sont les causes et les conséquences du bonheur ?

« Comment atteindre, garder ou retrouver le bonheur est en fait, pour la plupart des hommes et à toutes les époques, la motivation secrète de tout ce qu'ils font », observait William James (1902, p. 76). De façon compréhensible, l'état de bonheur ou de malheur de quelqu'un colore tout le reste. Les personnes qui sont heureuses perçoivent le monde comme plus sûr, prennent des décisions plus facilement, se sentent plus confiantes, accueillent plus favorablement des postulants à l'embauche, sont plus coopératives et tolérantes et vivent de manière plus saine, plus satisfaisante et plus énergique (Briñol et coll., 2007 ; Lyubomirsky et coll., 2005 ; Pressman et Cohen, 2005). Lorsque votre humeur est sombre et que vous êtes préoccupé, c'est la vie dans son ensemble qui semble déprimante et insignifiante. Laissez votre humeur

:: Phénomène du « qui se sent bien, agit bien » : tendance des individus à être serviables lorsqu'ils sont déjà de bonne humeur.

:: Bien-être subjectif : perception qu'a une personne du bonheur et de la satisfaction de la vie. Il est utilisé avec les mesures du bien-être objectif (par exemple, des indicateurs physiques et économiques) pour évaluer la qualité de vie d'un individu.

s'améliorer, votre esprit s'ouvrir et devenez plus enjoué et créatif (Amabile et coll., 2005 ; Fredrickson, 2006 ; King et coll., 2006). Vos relations, votre propre image et vos espoirs pour le futur sembleront tous plus prometteurs. Les émotions positives nous aident à « remonter le courant ».

Cela permet d'expliquer pourquoi le bonheur des étudiants peut prédire leur vie future. Au cours d'une étude, les femmes qui souriaient de bonheur (plutôt que de sourire artificiellement ou pas du tout) sur la photographie de classe d'université en 1950 avaient plus de chances d'être mariées et heureuses ainsi arrivées à la quarantaine (Harker et Keltner, 2001). Au cours d'une autre étude, qui a enquêté sur des milliers d'étudiants américains en 1976 et que les a réétudiés à l'âge de 37 ans, les étudiants heureux avaient continué en gagnant significativement plus d'argent que leurs camarades moins heureux que la moyenne (Diener et coll., 2002). Néanmoins, il est également vrai que les réformes sociales sont souvent lancées (tout comme les grands livres de littérature sont écrits) par ceux qui ne sont pas extrêmement heureux de la manière dont vont les choses (Oishi et coll., 2007).

De plus, et c'est l'une des découvertes les plus fiables de la psychologie, lorsque nous nous sentons heureux, nous sommes plus enclins à aider les autres. Études après études, une expérience qui active la bonne humeur (comme trouver de l'argent, réussir une tâche difficile ou se rappeler un événement heureux) rend les individus plus enclins à donner de l'argent, à ramasser le papier qu'autrui vient de laisser tomber, à donner son temps et faire d'autres bonnes actions. C'est ce que les psychologues appellent le **phénomène du « qui se sent bien, agit bien »** (Salovey, 1990). Non seulement le bonheur nous permet de nous sentir bien, mais il fait aussi du bien. (Faire du bien favorise également les bons sentiments, un phénomène exploité par certains entraîneurs et enseignants du « bonheur » qui demandent aux gens d'effectuer un « acte quotidien de gentillesse au hasard » et d'en noter les résultats.)

En dépit de la signification du bonheur, la psychologie, tout au long de son histoire, s'est plus souvent intéressée à des émotions négatives. Depuis 1887 jusqu'à l'écriture de ce chapitre, les *Psychological Abstracts* (une revue des résumés de la littérature psychologique) ont enregistré 14 889 articles traitant de la colère, 93 371 de l'anxiété et 120 897 de la dépression. Mais pour 17 articles portant sur ces sujets, un seul s'intéresse aux émotions positives - joie (1 789), satisfaction dans l'existence (6 255) ou bonheur (5 764). Il existe bien évidemment de bonnes raisons pour s'intéresser aux émotions négatives qui peuvent rendre nos vies tristes et nous conduire à chercher de l'aide. Mais les chercheurs s'intéressent de plus en plus au **bien-être subjectif**, perçu soit comme un sentiment de bonheur (parfois défini comme une proportion élevée de sentiments positifs par rapport aux sentiments négatifs) ou bien comme un sentiment de satisfaction de la vie. Une nouvelle *psychologie positive* est en plein essor (*voir* Chapitre 13).

La courte vie des hauts et des bas émotionnels

Au cours de leurs recherches à propos du bonheur, les psychologues ont étudié à la fois ce qui influence nos humeurs temporaires et notre satisfaction à long terme de l'existence. En étudiant l'humeur de sujets heure par heure, David Watson (2000) ainsi que Daniel Kahneman et ses collaborateurs (2004) ont découvert que les émotions positives augmentent au cours de la première moitié de la journée (FIGURE 12.18). Les événements stressants - comme une dispute, un enfant malade, un problème de voiture - déclenchent une humeur sombre. Il n'y a là rien de surprenant. Mais le lendemain, la mauvaise humeur a presque toujours disparu (Affleck et coll., 1994 ; Bolger et coll., 1989 ; Stone et Neale, 1984). S'il s'est produit quelque chose, la plupart des individus ont tendance à passer d'un jour sombre à une humeur *meilleure* que d'habitude le lendemain. Lorsque vous êtes de mauvaise humeur, pouvez-vous en général vous attendre à récupérer en un jour ou deux ? Vos périodes de joie sont-elles aussi difficiles à maintenir ? À long terme, les hauts et les bas finissent par s'équilibrer.

➤ FIGURE 12.18
Humeur au cours de la journée
Quand le psychologue David Watson (2000) a recueilli 4 500 descriptions de l'humeur de 150 personnes, cela lui a permis de trouver ce modèle de variation des émotions positives et négatives.

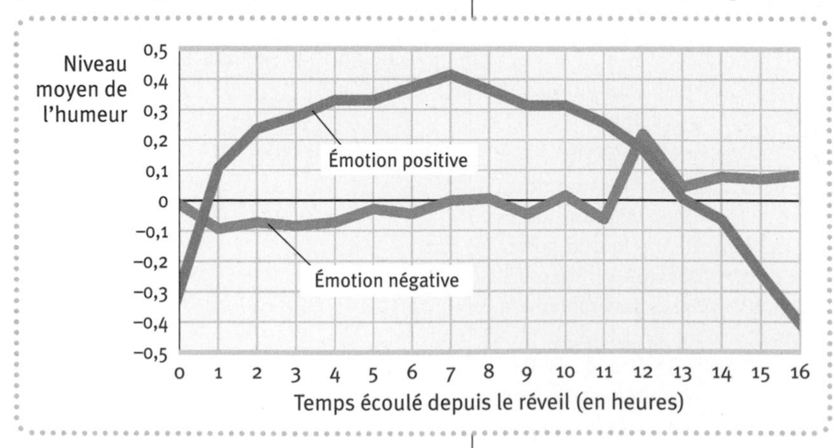

Mis à part une douleur prolongée suscitée par la perte d'un être cher ou l'anxiété durable liée à un traumatisme personnel (comme des mauvais traitements pendant l'enfance, un viol ou les horreurs de la guerre), même une tragédie n'entraîne pas un état dépressif permanent :

- Le fait d'apprendre que l'on est séropositif est dévastateur. Mais, après 5 semaines d'adaptation à la terrible nouvelle, les personnes séropositives se sentent moins affectées émotionnellement qu'elles ne l'avaient imaginé (Sieff et coll., 1999).
- Les patients subissant une dialyse rénale reconnaissent qu'ils sont en mauvaise santé ; cependant, au jour le jour, ils déclarent être aussi heureux que les personnes en bonne santé (Riis et coll., 2005).
- Les enfants européens âgés de 8 à 12 ans ayant une paralysie cérébrale connaissent un bien-être psychologique normal (Dickinson et coll., 2007).

Daniel Kahneman (2005) explique que « si vous êtes paraplégique, vous commencerez petit à petit à penser à d'autres choses, et plus vous penserez à autre chose, moins vous vous sentirez malheureux ». Un handicap majeur laisse souvent les gens moins heureux que la moyenne, mais cependant bien plus heureux que les gens dépressifs n'ayant pas le moindre handicap (Kübler et coll., 2005 ; Lucas, 2007a,b ; Oswald et Powdthavee, 2006 ; Schwartz et Estrin, 2004). Comme le disent Mark Delargy et Eimar Smith (2005), même les patients « enfermés » dans leur corps immobile « souhaitent rarement mourir », ce qui est « en opposition avec l'idée fausse très répandue qu'ils auraient été mieux morts ».

Lorsque le contexte n'est plus une menace aussi vitale, on retrouve ce même schéma. Les professeurs d'université en attente d'une titularisation pensent que leur vie sera anéantie si la décision est négative. Mais, selon Daniel Gilbert et ses collègues (1998), 5 à 10 ans plus tard, ceux n'ayant pas été titularisés ne sont pas particulièrement moins heureux que ceux qui l'ont été. C'est également vrai dans le cas des ruptures sentimentales, au moment où elles se produisent, il semble que la vie est détruite. La réalité est surprenante. *Nous surestimons la durée de nos émotions et nous sous-estimons notre capacité d'adaptation.*

Les émotions positives sont de la même façon difficiles à maintenir. Dans son livre *Rethinking Happiness : The Science of Psychological Wealth*, Ed Diener et Robert Biswas-Diener (2008) ont mis en évidence la courte durée de vie de la plupart des émotions en demandant à un étudiant âgé de 21 ans sous traitement pour une maladie de Hodgkin, un cancer du système immunitaire, de décrire quotidiennement ses moments de bonheur. Au milieu de l'étude (soit après 40 jours de rapports), le jeune homme apprit que son traitement avait été efficace et avait éliminé son cancer. Comme le montre la FIGURE 12.19, le jour où il apprit cette merveilleuse nouvelle, il était exalté. Mais bien que les mois suivants aient été relativement dépourvus de « mauvais » jours, ses émotions retournèrent rapidement à un niveau proche de celui qu'elles avaient auparavant, avec des fluctuations des réponses aux événements quotidiens.

Avec l'aimable autorisation d'Anna Putt

La résistance humaine En 1994, 7 semaines après son mariage, Anna Putt, une anglaise du South Midland que l'on voit ici avec Des, son mari, fut terrassée par une attaque vasculaire au niveau du tronc cérébral qui la laissa totalement dépendante. « Pendant les mois qui suivirent, se rappelle-t-elle, j'étais paralysée des pieds jusqu'au cou et incapable de communiquer. Ce furent des moments vraiment TRÈS angoissants. Mais grâce à ma foi et aux encouragements de ma famille, de mes amis et de l'équipe médicale, j'ai essayé de rester positive. » Au cours des 3 ans qui suivirent, elle redevint capable de « parler » (en faisant un signe de tête devant des lettres), de diriger un fauteuil roulant électrique avec sa tête et d'utiliser un ordinateur (l'inclinaison de la tête lui permet de guider un curseur relié à des lunettes). Malgré sa paralysie, elle dit « apprécier sortir dehors à l'air frais ». Sa devise est « ne regarde pas en arrière, va de l'avant. Dieu ne voudrait pas que j'arrête d'essayer et je n'en ai pas l'intention. La vie est ce que vous en faites ! »

« Les pleurs peuvent se tarir avec la nuit, mais la joie vient avec le matin. »

Psaume 30:5

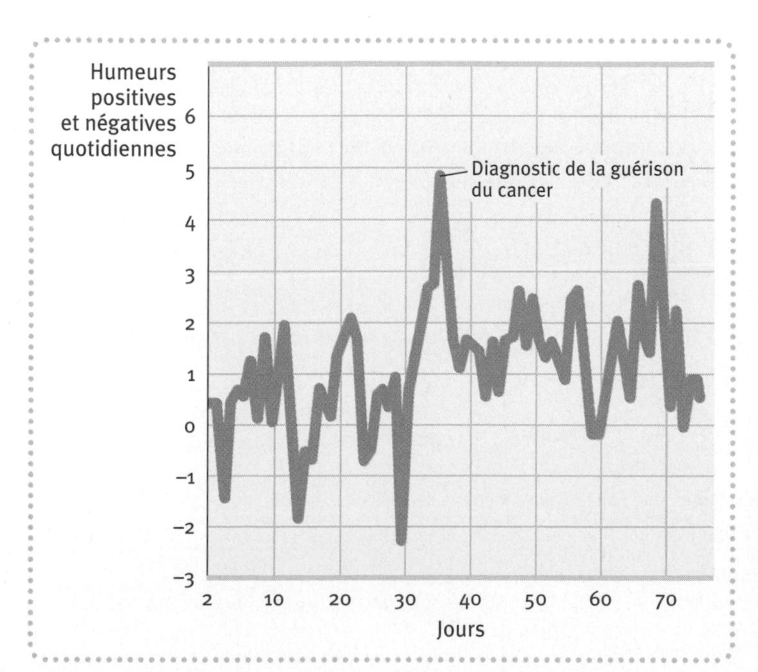

➤ FIGURE 12.19
Les émotions fortes ont une courte durée de vie Le rapport quotidien d'un étudiant sur ses humeurs négatives et positives a mis en évidence des fluctuations d'un jour sur l'autre, ponctuées d'une exaltation temporaire le jour où il a appris qu'il était maintenant guéri de son cancer. (D'après Diener et Biswas-Diener, 2009.)

Richesse et bien-être

« Pensez-vous que vous seriez plus heureux si vous gagniez plus d'argent ? » *Oui* répondirent 73 p. 100 des Américains interrogés lors d'un sondage Gallup en 2006. Quelle est l'importance de se « sentir très à l'aise financièrement » ? Depuis quelques années, pour les étudiants entrant dans les universités américaines, cela arrive en première ou en deuxième place parmi 21 objectifs possibles. Environ 3 étudiants sur 4 rapportent que leurs deux premiers objectifs – « être très riche » et « fonder une famille » – sont « extrêmement importants » ou « essentiels » (FIGURE 12.20).

Il est prouvé, dans une certaine mesure, que la richesse est corrélée au bien-être. Considérez ceci :

- Dans la plupart des pays, et en particulier les pays pauvres, ceux qui ont beaucoup d'argent sont typiquement plus heureux que ceux qui en ont juste assez pour subvenir à leurs besoins vitaux (Diener et Biswas-Diener, 2008 ; Howell et Howell, 2008). Comme nous le verrons plus loin dans ce chapitre, ils sont également en meilleure santé que ceux qui sont stressés par la pauvreté et le manque de contrôle de leur vie.
- Dans les pays riches, les gens sont également un peu plus heureux que dans les pays pauvres (Inglehart, 2009).
- Ceux qui ont récemment gagné à la loterie, bénéficié d'un héritage ou réalisé une économie importante ressentent souvent une sorte d'exaltation (Diener et Oishi, 2000 ; Gardner et Oswald, 2007).

Au cours de deux enquêtes, la *World Values Survey* menée dans 97 pays (Inglehart, 2008) et une enquête Gallup (2008) menée dans 130 pays, le bonheur personnel le plus intense a été décrit au Danemark.

Ainsi, il semble que d'avoir assez d'argent pour acheter de quoi vous nourrir et de vous faire sortir du désespoir vous permet d'acheter aussi un peu de bonheur. La richesse est comme la santé : son absence engendre la misère. Mais une fois que l'on a assez d'argent pour être à l'aise et se sentir en sécurité, en amonceler de plus en plus a de moins en moins d'importance. Ce phénomène de *rendement décroissant*, les économistes le connaissent sous le terme d'*utilité marginale décroissante* et vous comme le deuxième morceau du gâteau qui vous apporte moins de satisfaction que le premier. Comme le confirme Robert Cummins (2006) avec des données australiennes, le pouvoir de l'argent supplémentaire à accroître le bonheur est significatif pour les bas revenus et diminue à mesure que les revenus augmentent. Une augmentation des salaires de 1 000 dollars annuels est bien plus importante pour les salariés moyens à Malawi que pour les salariés moyens vivant en Suisse. Cela implique, ajoute-t-il, que l'augmentation des bas salaires fera bien plus pour améliorer le bien-être des hommes que d'augmenter les hauts salaires.

Cette corrélation revenu-bonheur semble se produire parce qu'un plus gros salaire engendre un plus grand bonheur. Mais peut-être que, comme le remarquent John Cacioppo et ses collaborateurs (2008), un plus grand bonheur engendre de plus gros revenus. C'était le cas chez les adultes âgés d'une quarantaine d'années qu'ils avaient étudiés pendant une longue période : le bonheur présent prédit les salaires de demain bien mieux que le salaire d'aujourd'hui ne peut prédire le bonheur de demain. (Souvenez-vous qu'après avoir terminé leurs études, les étudiants heureux gagnaient aussi plus que leurs camarades moins heureux.)

Considérez ceci : pendant les 40 dernières années, le pouvoir d'achat moyen du citoyen américain a presque triplé. Cette richesse qui a permis l'achat de deux fois plus de voitures par individu, sans mentionner les ordinateurs portables, les iPods® et les téléphones portables – a-t-elle également permis d'acheter plus de bonheur ? Comme le montre la FIGURE 12.21,

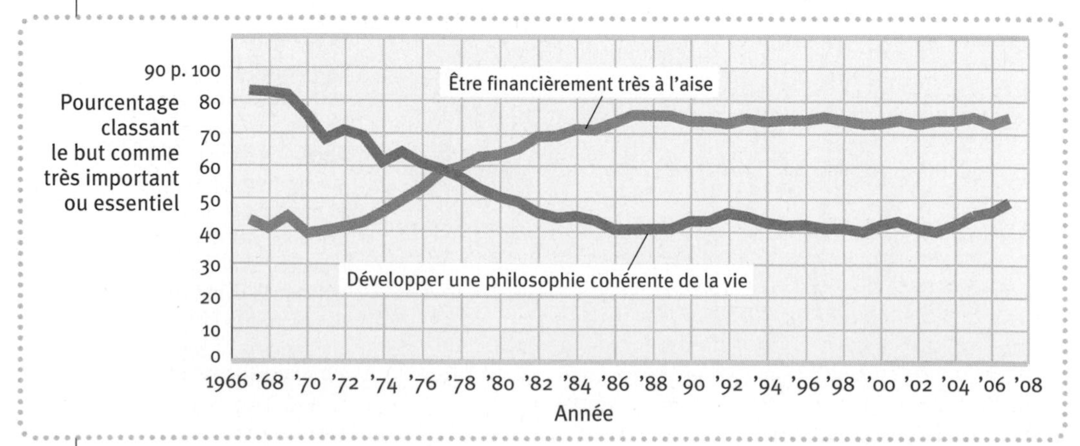

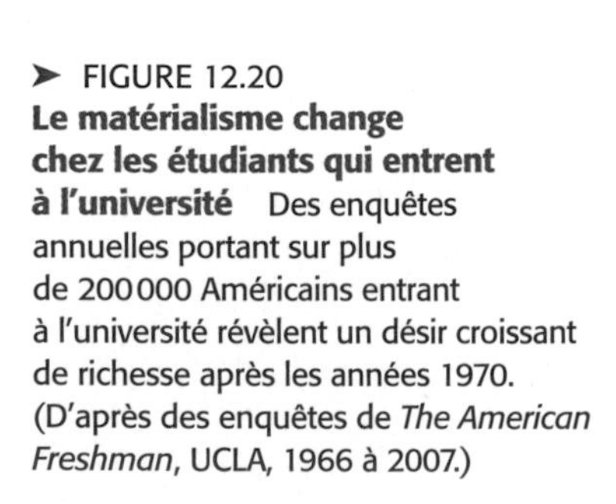

➤ FIGURE 12.20
Le matérialisme change chez les étudiants qui entrent à l'université Des enquêtes annuelles portant sur plus de 200 000 Américains entrant à l'université révèlent un désir croissant de richesse après les années 1970. (D'après des enquêtes de *The American Freshman*, UCLA, 1966 à 2007.)

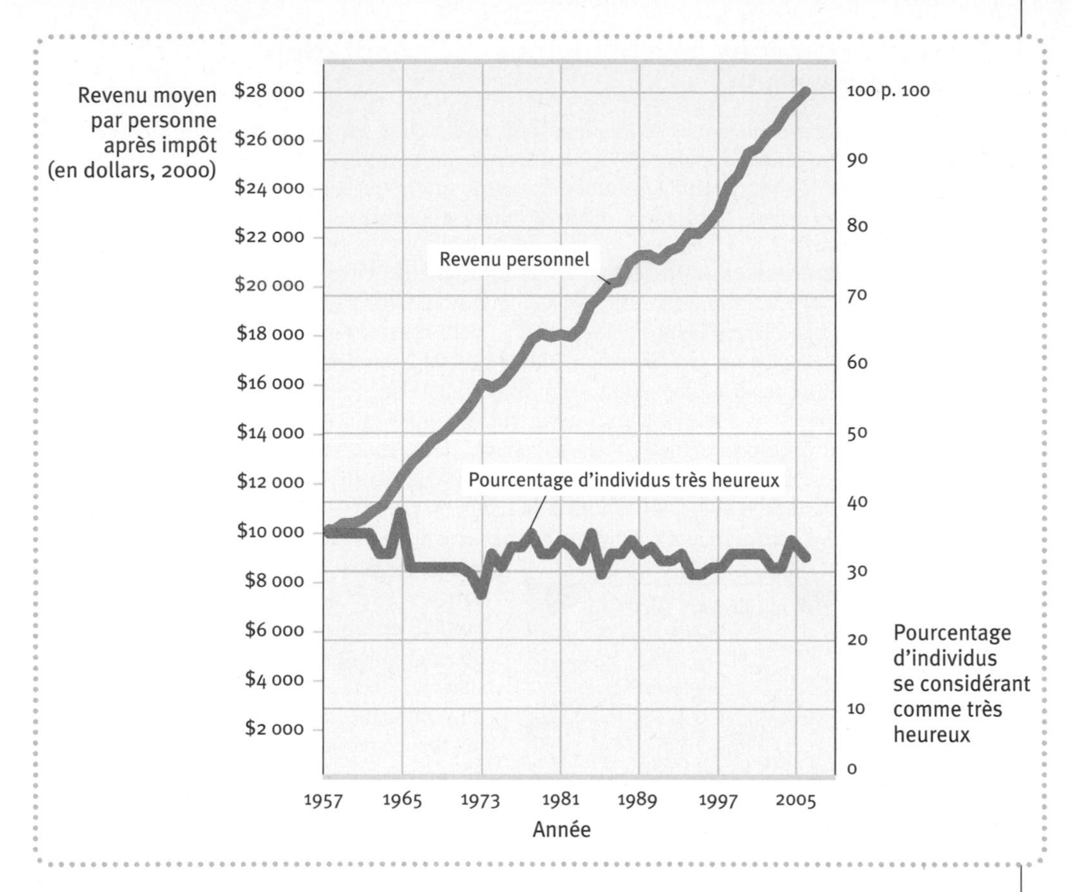

➤ FIGURE 12.21
L'argent achète-t-il le bonheur ?
Il nous aide sûrement à éviter certains types de douleurs. Cependant, bien que le pouvoir d'achat ait presque triplé depuis les années 1950, l'Américain moyen admet que le bonheur est resté pratiquement inchangé. (Données concernant le bonheur, provenant d'enquêtes réalisées par le *National Opinion Research Center* ; les données concernant les salaires proviennent de *Historical Statistics of the United States* et *Economic Indicators*.)

l'Américain moyen est certainement plus riche, mais pas plus heureux. En 1957, 35 p. 100 des individus se disaient « très heureux », comme le prétendaient un peu moins (32 p. 100) d'individus en 2006. Il en est de même en Europe, en Australie et au Japon : dans ces pays, les gens profitent d'une meilleure alimentation, d'un meilleur système de santé, d'une meilleure éducation et du progrès dans le domaine scientifique et ils sont un peu plus heureux que les gens vivant dans les pays très pauvres (Diener et Biswas-Diener, 2002, 2008 ; Speth, 2008). Cependant, la hausse des revenus réels *n'a pas* entraîné l'augmentation du bonheur. De telles découvertes font l'effet d'une bombe pour le matérialisme moderne : *la croissance économique d'une société d'abondance n'améliore donc pas de manière apparente son bien-être social ou moral.*

Ironiquement les personnes qui se battent le plus pour devenir riches ont tendance à avoir un bien-être plus faible, une découverte qui se « vérifie dans toutes les cultures que j'ai étudiées », déclare Richard Ryan (1999). C'est particulièrement le cas de ceux qui veulent gagner davantage d'argent pour se prouver quelque chose, avoir du pouvoir ou se faire valoir plutôt que d'assurer le bien-être de leur famille (Srivastava et coll., 2001). À partir de leurs études, Tim Kasser (2000, 2002), le collaborateur de Ryan, conclut que ceux qui se battaient pour obtenir « une certaine intimité, un développement personnel et qui contribuaient au bien-être d'une communauté » avaient une meilleure qualité de vie.

Si nous sommes à la fois plus riches et en meilleure santé que ne l'étaient nos grands-parents à notre âge, mais pas plus heureux qu'eux, nos priorités nationales ne devraient-elles pas se focaliser davantage sur l'amélioration du bien-être psychologique ? Le roi du Bhoutan, Jigme Singye Wangchuk dit que dans son pays « le bonheur national brut est plus important que le produit national brut ». Le Premier ministre du Bhoutan formule son rapport annuel en s'appuyant sur les quatre piliers du progrès vers le bonheur national : « La promotion d'un développement socio-économique équitable et soutenu, la préservation et la promotion des valeurs culturelles, la préservation de l'environnement naturel et l'établissement d'un bon gouvernement » (Esty, 2004). Diener (2006), soutenu par 52 collaborateurs, a proposé des moyens permettant aux nations de mesurer le bien-être national. « Ceux qui font de la politique devraient s'intéresser au bien-être subjectif non seulement à cause de sa valeur inhérente pour les citoyens, mais aussi parce que le bien-être subjectif des individus peut avoir des impacts positifs pour la société en tant que tout ».

« Les Américains disent que l'argent ne fait pas le bonheur. Mais il vous aide à vivre aisément vos souffrances. »
Farah Pahlavi, veuve en exil du richissime Shah d'Iran, 2004

« Les Australiens sont trois fois plus riches que leurs parents et leurs grands-parents ne l'étaient dans les années 1950, mais ils ne sont pas plus heureux. »
Un manifeste pour le bien-être, 2005

« Le côté positif, c'est que l'argent ne fait pas le bonheur — alors quelle importance ? »

« Aucun bonheur ne dure longtemps. »
Sénèque, *Agamemnon*, 60 ap. J.-C.

« Le plaisir continu s'évanouit… le plaisir dépend toujours d'un changement et disparaît avec une satisfaction permanente. »
Nico Frijda (1988), psychologue hollandais

Deux phénomènes psychologiques : l'adaptation et la comparaison

Deux principes psychologiques expliquent pourquoi, chez les personnes qui ne sont pas pauvres, plus d'argent n'apporte qu'un sentiment temporaire de bonheur et pourquoi nos émotions semblent comme attachées à des élastiques qui nous tirent vers le haut et vers le bas. Chaque principe suggère, à sa façon, que le bonheur est relatif.

Bonheur et expériences antérieures Le **phénomène du niveau d'adaptation** décrit notre tendance à juger divers stimuli par rapport à ce que nous avons vécu auparavant. Comme l'explique le psychologue Harry Helson (1898-1977), nous ajustons nos points de *neutralité* - par exemple le niveau auquel un son ne semble ni fort ni faible, une température ni chaude ni froide, un événement ni agréable ni déplaisant - en nous fondant sur notre expérience. Ensuite, nous enregistrons et réagissons à des variations au-dessus ou au-dessous de ces niveaux.

Ainsi, si notre condition actuelle - notre revenu, notre moyenne scolaire ou notre prestige social - augmente, nous ressentons au départ un accès de plaisir. Nous nous adaptons ensuite à ce nouveau niveau de réussite, en venons à le considérer comme normal et avons alors besoin de quelque chose d'encore mieux pour nous donner une autre vague de plaisir. De mon enfance, je me rappelle le frisson éprouvé en regardant la télévision sur notre premier poste familial en noir et blanc doté d'un écran de 36 cm. Aujourd'hui, ayant regardé la télévision sur l'écran haute définition de 150 cm d'un membre de la famille, je ne suis plus impressionné par mon poste de 68 cm que je trouvais si merveilleux. M'étant adapté à une norme plus élevée, je perçois de manière neutre ce qu'autrefois j'ai perçu positivement.

HI & LOIS

Pourrions-nous créer un paradis social permanent ? Selon Donald Campbell, spécialiste en socio-psychologie (1975), la réponse est *négative* : si vous vous éveillez demain dans votre utopie - peut-être un monde sans factures, sans maladies, avec des résultats parfaits, avec quelqu'un qui vous aime sans réserve - vous vous sentirez euphorique pendant un certain temps. Mais très vite, vous allez peu à peu réajuster votre niveau d'adaptation. Rapidement, vous serez de nouveau parfois content (lorsque les résultats dépassent vos prévisions), parfois déprimé (lorsqu'ils sont au-dessous de vos prévisions) et parfois neutre. *Ce qu'il faut retenir* : la satisfaction ou le déplaisir, le succès ou l'échec dépendent tous de notre expérience récente. Comme l'a remarqué Richard Ryan (1999), la satisfaction « a une demi-vie très courte ».

Cela ne veut pas dire que tant que le bonheur dure longtemps, rien n'a vraiment d'importance. Malgré notre remarquable capacité d'adaptation et notre résistance, après avoir été touché par un handicap grave, il est possible que nous ne puissions pas retourner en arrière jusqu'à ressentir nos anciennes émotions (Diener et coll., 2006). De plus, il y a certaines choses que nous pouvons faire pour augmenter notre bonheur (*voir* Gros plan : Comment être plus heureux).

« J'ai une maxime tirée d'un « Fortune Cookie » dont je suis très fier : rien dans la vie n'est aussi important que ce que vous pouvez croire au moment où vous y pensez. Par conséquent, rien ne vous rendra jamais aussi heureux que vous vous l'imaginez. »
Daniel Kahneman, psychologue ayant reçu le prix Nobel, au cours d'une interview Gallup, « *What were they thinking ?* », 2005

Bonheur et niveau de réussite des autres Le bonheur est fonction non seulement de notre expérience passée, mais aussi de notre comparaison avec autrui (Lyubomirsky, 2001). Nous sommes toujours en train de nous comparer à d'autres. Et le fait que nous nous sentions bien ou mal dépend de qui sont ces autres. Notre esprit n'est lent ou maladroit que lorsque les autres sont astucieux et agiles.

Deux exemples : pour expliquer la frustration exprimée par les soldats de l'armée de l'air américaine au cours de la Seconde Guerre mondiale, les chercheurs formulèrent le concept de **privation relative**, le sentiment d'être plus mal traité que ceux auxquels nous nous comparons. Malgré un taux de promotion relativement rapide pour l'ensemble du groupe, de nombreux soldats étaient frustrés de leur propre rythme de promotion (Merton et Kitt, 1950). Apparemment, le fait de voir tant d'autres hommes promus augmentait l'attente des soldats. Et lorsque les résultats ne dépassent pas les attentes, on aboutit à la frustration. Le nouveau contrat attribué à Alex Rodriguez, star du base-ball, d'un montant de 275 millions de dollars pour une durée de 10 ans, l'a certainement rendu temporairement heureux, mais cela a certainement fait chuter la satisfaction des autres joueurs célèbres, dont les contrats de plusieurs millions sont néanmoins inférieurs à celui de Rodriguez. De même, la poussée économique

« Peu après avoir réalisé que j'avais beaucoup de choses, je réalisai qu'on pouvait avoir encore beaucoup plus. »

GROS PLAN

Comment être plus heureux

Le bonheur, comme le taux de cholestérol, est une prédisposition génétique. Cependant, de la même manière que le taux de cholestérol dépend de l'alimentation et de l'exercice physique, notre bonheur est dans une certaine mesure sous notre contrôle. Voici quelques suggestions fondées sur des recherches pour améliorer votre humeur et augmenter votre satisfaction de la vie.

1. ***Prenez conscience que le bonheur durable n'est pas obligatoirement dû à la réussite financière.*** Les gens s'adaptent aux changements de circonstances. Ainsi, la richesse est comme la santé : son absence totale engendre de la misère, mais le fait d'avoir de l'argent (ou toute autre situation à laquelle nous aspirons) ne garantit pas le bonheur.
2. ***Maîtrisez votre temps.*** Les gens heureux ont le sentiment de contrôler leur vie. Pour maîtriser votre temps, établissez des objectifs et répartissez-les en objectifs quotidiens. Même si nous surestimons souvent la quantité de choses que nous pouvons accomplir en un temps donné (ce qui peut être frustrant), nous avons aussi tendance à sous-estimer ce que nous pouvons faire en une année en y travaillant un peu tous les jours.
3. ***Agissez comme si vous étiez heureux.*** Nous pouvons parfois nous comporter avec un état d'esprit plus heureux. Manipulés pour obtenir une expression souriante, les gens se sentent mieux ; quand ils sont renfrognés, le monde entier semble l'être aussi. Affichez donc un visage joyeux. Parlez *comme si* vous aviez une estime de vous positive, comme si vous étiez optimiste et ouvert. Le comportement peut parfois déclencher les émotions.
4. ***Cherchez un travail et des loisirs qui mettent vos aptitudes en jeu.*** Très souvent, les gens heureux se trouvent souvent dans un état de *flux* – plongés dans une tâche qui leur impose un défi sans pour autant la trouver accablante. Le plus cher des loisirs (rester assis sur un yacht) ne permet pas de ressentir le flux procuré par le jardinage, les échanges avec les autres ou le travail artisanal. Prenez du temps pour savourer ces expériences si plaisantes.
5. ***Rejoignez le mouvement de « ceux qui bougent ».*** Les exercices d'aérobic peuvent soulager la dépression et l'anxiété légères et promouvoir la santé et l'énergie. Les esprits sains habitent des corps sains. Remuez votre popotin au lieu de rester assis sur le canapé.
6. ***Donnez à votre corps le sommeil dont il a besoin.*** Les gens heureux mènent une vie active et énergique, mais réservent du temps au sommeil réparateur et à la solitude. Beaucoup de gens souffrent d'un retard de sommeil, ce qui se traduit par une fatigue constante, une diminution de la vigilance et une humeur sombre.
7. ***Privilégiez les relations proches.*** Une amitié sincère avec les gens qui tiennent profondément à vous peut vous aider dans les moments difficiles. Se confier à quelqu'un est bon pour le corps et l'esprit. Ne donnez pas à ceux que vous aimez le sentiment qu'ils *ne* comptent *pas* en prenant la résolution d'être attentifs à ceux qui vous sont proches, en étant bienveillant avec eux comme vous pouvez l'être avec d'autres, en les soutenant, en jouant avec eux et en partageant des choses avec eux.
8. ***Ne vous focalisez pas sur vous-même.*** Ouvrez-vous à ceux qui en ont besoin. Les gens heureux sont plus serviables (ceux qui se sentent bien font du bien). Mais faire le bien autour de soi procure aussi du bien-être.
9. ***Comptez vos bienfaits et notez vos gratitudes.*** Tenir un journal de gratitude augmente le bien-être (Emmons, 2007 ; Seligman et coll., 2005). Essayez de prendre chaque jour le temps de noter les événements positifs et pourquoi ils sont survenus. Exprimez votre reconnaissance aux autres.
10. ***Soyez attentif à votre « moi spirituel ».*** Pour beaucoup de personnes, la foi est un moyen de faire partie d'une communauté de soutien, une raison de se focaliser au-delà de soi-même, et un sentiment de but et d'espoir. Cela permet d'expliquer pourquoi on constate que les personnes qui partagent la même foi au sein d'une communauté font preuve de plus de bonheur et s'en sortent souvent bien lors des moments difficiles.

Résumé de David G. Myers, *The Pursuit of Happiness* (Harper)

qui a augmenté la richesse de certains Chinois habitant en ville peut avoir alimenté chez d'autres un sentiment de privation relative (Burkholder, 2005a,b).

De telles comparaisons nous aident à comprendre pourquoi les individus qui perçoivent un salaire moyen ou élevé dans un pays donné et qui se comparent aux individus relativement pauvres, ont tendance à être légèrement plus satisfaits de leur vie que leurs compatriotes moins riches. Malgré tout, lorsqu'une personne a atteint un revenu moyen, une augmentation ultérieure influence peu son bonheur. Pourquoi ? Parce que lorsque les gens gravissent l'échelle du succès, ils se comparent essentiellement à ceux qui sont à leur niveau actuel ou au-dessus (Gruder, 1977 ; Suls et Tesch, 1978). « Un mendiant n'envie pas un millionnaire, bien que bien sûr il va envier un autre mendiant qui vit mieux que lui », note Bertrand Russell (1930, p. 90). Ainsi, « Napoléon enviait César, César enviait Alexandre qui, je le parie, enviait Hercule qui n'a jamais existé. Vous ne pouvez donc pas vous débarrasser de l'envie au moyen du seul succès, car il y aura toujours dans l'histoire ou dans la légende certaines personnes qui ont encore mieux réussi que vous » (pp. 68-69).

De la même manière que le fait de se comparer avec ceux qui ont une meilleure situation que la nôtre peut engendrer de la jalousie, on peut s'estimer heureux lorsque nous nous comparons avec ceux qui sont plus malheureux. Marshall Dermer et ses collaborateurs (1979) le démontrèrent en demandant à des femmes de l'université du Wisconsin-Milwaukee

Les effets de comparaison avec les autres nous aident à comprendre pourquoi les étudiants d'un niveau scolaire donné ont tendance à avoir une plus grande estime scolaire d'eux-mêmes s'ils entrent dans une école où la majorité des autres élèves ne sont pas très brillants (Marsh et Parker, 1984). Si vous étiez parmi les premiers de la classe au lycée, vous vous sentiriez peut-être inférieur en entrant dans une université où tout le monde est parmi les premiers de la classe.

:: **Phénomène du niveau d'adaptation :** notre tendance à former un jugement (à propos de sons, de lumières, de salaires) par rapport à un niveau « neutre » défini à partir de notre expérience antérieure.

:: **Privation relative :** l'estimation que l'on est plus mal loti que les autres dépend de ceux avec lesquels on se compare.

« Les chercheurs disent que je ne suis pas plus heureux parce que je suis riche, mais sais-tu combien gagne un chercheur ? »

d'étudier les privations et les souffrances des autres. Après avoir lu des descriptions très réalistes de la difficulté de la vie dans le Milwaukee en 1900 ou après avoir imaginé et écrit à propos de différentes tragédies personnelles, comme par exemple d'être brûlées et défigurées, les jeunes femmes exprimèrent une satisfaction plus grande quant à leur propre vie. De la même manière, lorsque des individus légèrement déprimés lisent quelque chose à propos de quelqu'un de plus déprimé, ils se sentent un peu mieux (Gibbons, 1986). « Je pleurais car je n'avais pas de chaussures, jusqu'à ce que je rencontre un homme qui n'avait pas de pieds », dit un dicton persan.

Les facteurs prédictifs du bonheur

Si, comme l'implique le phénomène du niveau d'adaptation, nos émotions ont tendance à osciller autour de la normale, pourquoi alors certaines personnes semblent-elles d'ordinaire si joyeuses et d'autres si sombres ? Les réponses varient quelque peu selon la culture. L'estime de soi a plus d'importance pour les Occidentaux individualistes, l'acceptation sociale est plus importante au sein des cultures communautaires (Diener et coll., 2003). Mais, les recherches effectuées dans plusieurs pays indiquent qu'il existe plusieurs facteurs prédictifs du bonheur (Tableau 12.1).

TABLEAU 12.1

Le bonheur c'est…

Les chercheurs ont observé que les gens heureux avaient tendance à	Cependant, le bonheur ne semble quasiment pas relié à d'autres facteurs tels que
Avoir une bonne estime d'eux-mêmes (dans les pays qui prônent l'individualisme)	L'âge
Être optimistes, ouverts et agréables	Le sexe (les femmes sont plus souvent déprimées, mais aussi plus souvent joyeuses)
Avoir des amis proches ou un mariage heureux	La parentalité (avoir ou non des enfants)
Avoir un travail et des loisirs qui utilisent leurs aptitudes	La beauté physique
Avoir une foi religieuse authentique	
Bien dormir et faire de l'exercice	

Sources : résumé d'après DeNeve et Cooper (1998), Diener et coll. (2003), Lucas et coll. (2004), Myers (1993, 2000) et Myers et Diener (1995, 1996) et Steel et coll. (2008)

• Des études effectuées dans des zoos par 200 employés ont montré que chez les chimpanzés, le bonheur est également une prédisposition génétique (Weiss et coll., 2000, 2002). •

« Ca me donne envie de pleurer de penser à toutes ces années que j'ai passées à accumuler de l'argent, tout ça pour me rendre compte que j'étais génétiquement prédisposé au bonheur. »

Bien que le travail et les relations affectent notre bonheur, les gènes ont également de l'importance. D'après leurs études effectuées sur 254 vrais et faux jumeaux, David Lykken et Auke Tellegen (1996) ont estimé que 50 p. 100 des différences du niveau de bonheur chez les personnes sont dues à des facteurs héréditaires. D'autres études de jumeaux révèlent une héritabilité similaire ou légèrement inférieure (Lucas, 2008). Les gènes influencent les traits de la personnalité qui marquent les vies heureuses (Weiss et coll., 2008). Même les vrais jumeaux qui ont été élevés séparément sont souvent heureux de façon similaire.

Mais lorsque les chercheurs ont suivi des milliers de vies pendant une vingtaine d'années, ils observèrent que le « point de référence » du bonheur n'est pas fixe (Lucas et Donnellan, 2007). La satisfaction peut augmenter ou diminuer et le bonheur peut aussi être influencé par des facteurs que nous pouvons contrôler. Un exemple frappant : au cours d'une étude à long terme de personnes vivant en Allemagne, les couples mariés étaient aussi satisfaits de leur vie que le sont des vrais jumeaux (Schimmack et Lucas, 2007). Les gènes ont de l'importance. Mais comme le montre cette étude, la qualité des relations aussi.

Notre étude sur le bonheur nous rappelle que les émotions associent une activation physique (en particulier de l'hémisphère gauche), un comportement expressif (un sourire), ainsi que des pensées (« Je me sentais tellement prêt pour cet examen ! ») et des sentiments (fierté, satisfaction) conscients. La peur, la colère, le bonheur et bien d'autres choses ont en commun qu'il s'agit de phénomènes biopsychosociaux. Nos prédispositions génétiques, notre activité cérébrale, notre façon de voir les choses, nos expériences, nos relations et notre culture nous façonnent conjointement.

AVANT D'ALLER PLUS LOIN...

➤ **INTERROGEZ-VOUS**

Si nous pouvons apprendre nos réponses émotionnelles, nous pouvons être capables d'apprendre de nouvelles réponses pour remplacer les anciennes. Aimeriez-vous changer certaines de vos réponses émotionnelles ? Avez-vous le sentiment, par exemple, d'avoir trop facilement des accès de colère ou de peur ? Comment pourriez-vous changer votre comportement ou votre état d'esprit afin de modifier vos réactions émotionnelles ?

➤ **TESTEZ-VOUS 4**

Qu'est-ce qui permet (ou pas) de prédire le bonheur personnel ?

Les réponses aux questions « Testez-vous » sont données dans l'annexe B à la fin de l'ouvrage.

Stress et santé

ÉPROUVEZ-VOUS SOUVENT DU STRESS dans votre vie quotidienne ? Jamais ? Rarement ? Parfois ? Ou très souvent ? Lorsque Gallup posa cette question à un échantillon national à la fin de 2007, 3 personnes sur 4 répondirent « parfois » ou « souvent ». Un peu plus de la moitié des personnes de moins de 55 ans ont dit qu'ils n'avaient généralement pas assez de temps pour faire ce qu'ils voulaient (Carroll, 2008). Et vous ?

Pour beaucoup d'étudiants et peut-être pour vous, l'entrée dans une grande école ou une université avec de nouvelles relations et des défis plus difficiles est stressante. Les dépenses s'amoncellent, les dates butoirs menacent. Votre association favorite du campus a besoin de volontaires mais vous êtes déjà surchargé de travail. Ressentant un conflit naissant avec votre colocataire ou votre famille vous vous sentez tendu. Anxieux avant un examen important ou une présentation devant votre classe, vous éprouvez le besoin de courir aux toilettes. Puis, bloqué dans les embouteillages et en retard pour votre cours ou votre travail, votre humeur tourne au vinaigre. Cela suffit à vous donner un mal de tête ou à vous empêcher de dormir.

Si ce stress se prolonge, il peut également entraîner (chez ceux qui sont physiologiquement prédisposés) des éruptions cutanées, des crises d'asthme ou de l'*hypertension*. Il peut également augmenter les risques que nous développions des maladies graves et que nous mourrions. Pour étudier comment le stress et les comportements sains et nocifs pouvaient influencer la santé et les maladies, les psychologues et les médecins ont créé un domaine interdisciplinaire, celui de la médecine comportementale, qui intègre les connaissances de la médecine et celles du comportement. La psychologie de la santé fournit la contribution de la psychologie à la **médecine comportementale**. Pour les psychologues, la santé représente bien plus que la « simple vitesse la plus lente possible à laquelle on peut mourir » (*Prairie Home Companion*, 1999). Un **psychologue de la santé** se pose la question suivante : comment nos émotions et notre personnalité influencent-elles notre risque de tomber malade ? Quelles attitudes et quels comportements aident à prévenir les maladies et favorisent la santé et le bien-être ? Comment notre perception d'une situation va-t-elle déterminer le stress que nous ressentons ? Comment pouvons-nous réduire ou contrôler le stress ?

::Médecine comportementale : domaine interdisciplinaire qui intègre et applique les connaissances médicales et comportementales à la santé et à la maladie.

::Psychologie de la santé : champ de la psychologie qui apporte la contribution de la psychologie à la médecine comportementale.

Stress et maladie

11. Qu'est-ce que le stress ?

Vous trouvez que les montagnes russes sont effrayantes ? Imaginez le stress de Ben Carpenter, un homme de 21 ans qui a vécu le voyage le plus violent et le plus rapide du monde en chaise roulante. Alors qu'il traversait à une intersection un bel après-midi d'été ensoleillé de 2007, le feu passa au vert. Le conducteur d'un énorme camion, qui ne l'avait pas vu, s'engagea dans l'intersection. Au moment où ils entrèrent en collision, la chaise roulante se tourna pour faire face à la route et ses poignées se coincèrent dans la calandre du camion. Et ils partirent ainsi, le camionneur incapable d'entendre les appels à l'aide de Ben. Alors qu'ils roulaient assez vite sur la route nationale située à environ 1 heure de ma maison, les automobilistes qui passaient eurent cette vision étrange d'un camion poussant une chaise roulante à 80 km/h et commencèrent à appeler le 911. (Le premier qui appela dit : « Vous n'allez pas me croire. Il y a un semi-remorque qui pousse un type dans une chaise roulante sur la nationale Red Arrow ! ») Une des voitures en sens inverse était celle d'un policier en voiture banalisée qui fit un rapide demi-tour, suivi le camion jusqu'à sa destination, à 4 km du lieu de l'incident et informa le camionneur incrédule qu'il avait un passager accroché à sa calandre. « C'était très effrayant », dit Ben qui souffrait de dystrophie musculaire.

Le *stress* est un concept difficile à appréhender. Nous utilisons parfois le terme de stress de façon informelle pour désigner des menaces ou des défis (« Ben a subi beaucoup de stress »), d'autres fois pour décrire nos réponses (« Ben a ressenti un stress violent »). Pour un psychologue, le voyage dangereux en camion était un *facteur de stress*, les réactions physiques et émotionnelles de Ben étaient une *réaction au stress* et le processus par lequel il était lié à la menace était le *stress*.

Le **stress** n'est donc pas juste un stimulus ou une réponse. C'est le processus au cours duquel nous évaluons et prenons en compte les menaces et les défis de notre environnement (FIGURE 12.22). Le stress provient moins des événements eux-mêmes que de la manière dont nous les évaluons (Lazarus, 1998). En entendant des bruits grinçants, une personne seule dans sa maison peut les ignorer et ainsi ne pas éprouver de stress, tandis qu'une autre soupçonnant la présence d'un intrus s'inquiète. Une personne peut juger une nouvelle activité professionnelle comme un défi bienvenu, tandis qu'une autre peut la percevoir comme un risque d'échec.

S'ils sont éphémères ou perçus comme un défi, les facteurs de stress peuvent avoir des effets positifs. Un stress momentané peut mobiliser le système immunitaire pour lutter contre les infections et guérir les blessures (Segerstrom, 2007). Le stress peut également nous stimuler et nous motiver pour vaincre les problèmes. Les athlètes victorieux, les artistes à succès, les grands professeurs et les grands leaders brillent et se surpassent lorsqu'ils sont stimulés par un défi (Blascovich et coll., 2004). Après s'être remises de la perte d'un emploi ou avoir surmonté un cancer, certaines personnes reviennent avec une meilleure estime d'elles-mêmes, une spiritualité accrue et le sentiment d'avoir un but dans la vie. Aussi, le fait d'avoir été confronté à un certain stress tôt dans la vie favorise plus tard les mécanismes de résilience sur le plan émotionnel (Landauer et Whiting, 1979). Parfois, l'adversité engendre la croissance.

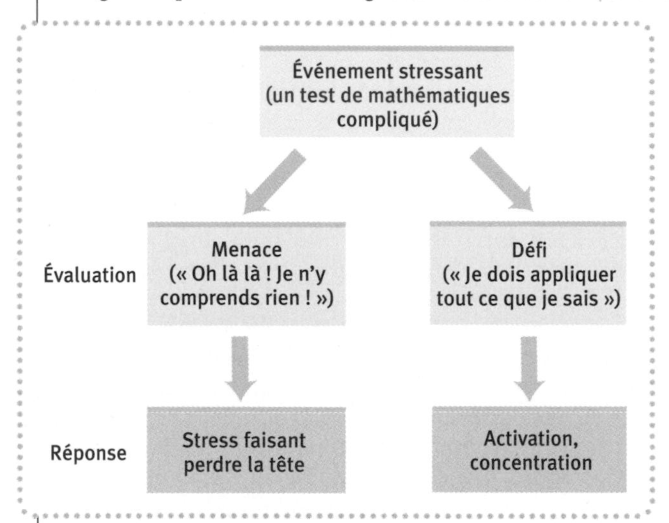

➤ FIGURE 12.22
Évaluation du stress Au cours de notre vie, les événements passent à travers un filtre psychologique. La manière dont nous appréhendons un événement influence le taux de stress que nous ressentons et la manière d'y répondre.

Mais les facteurs de stress peuvent aussi nous menacer. Subir un stress intense ou prolongé peut être nocif. Les réactions physiologiques éprouvées par les enfants victimes de mauvais traitements les exposent plus tard aux risques de maladies chroniques (Repetti et coll., 2002). Les personnes souffrant du syndrome de stress post-traumatique suite aux combats de la guerre du Vietnam ont présenté des taux élevés de maladies circulatoires, digestives, respiratoires et infectieuses (Boscarino, 1997).

Le système de réponse au stress

L'intérêt médical pour le stress remonte à Hippocrate (460-377 av. J.-C.). Mais ce n'est que dans les années 1920 que Walter Cannon (1929) confirma que la réponse au stress faisait partie d'un système unifié corps-esprit. Il observa que le froid extrême, le manque d'oxygène et les incidents stimulant l'émotivité suscitaient une libération par la partie centrale des glandes surrénales des hormones du stress, l'adrénaline et la noradrénaline. Cela n'est qu'une partie de la réponse du système nerveux sympathique. Lorsqu'il est alerté par l'un des nombreux circuits cérébraux, le système nerveux sympathique, comme nous l'avons vu, augmente le rythme cardiaque et la respiration, détourne le sang destiné à la digestion vers les muscles squelettiques, atténue la douleur et libère les sucres et les graisses des réserves corporelles - tout cela pour préparer l'organisme à cette réponse adaptative merveilleuse que Cannon appelait *combattre ou fuir* (*voir* Figure 12.2).

Depuis Cannon, les physiologistes ont identifié un deuxième système de réponse au stress. Sur des instructions provenant du cortex cérébral (via l'hypothalamus et l'hypophyse), la partie externe des glandes surrénales sécrète des hormones de stress de type *glucocorticoïde*, comme le *cortisol*. Le biologiste Robert Sapolsky nous explique (2003) que ces deux systèmes liés aux hormones de stress œuvrent à des vitesses différentes : « Dans le scénario combattre ou fuir, l'adrénaline est l'hormone qui distribue les armes ; les glucocorticoïdes nous permettent d'établir les plans pour les nouveaux porte-avions nécessaires à l'effort de guerre ». Les armes liées à l'adrénaline ont tiré très rapidement lors d'une expérience involontaire sur un vol de la compagnie British Airways, le 23 avril 1999, entre San Francisco et Londres. Trois heures après le décollage, un message erroné informait les passagers que leur avion était sur le point de s'écraser dans l'océan. Bien que les membres de l'équipage se soient immédiatement rendu compte de l'erreur et aient tenté de calmer les passagers terrifiés, beaucoup d'entre eux ont nécessité une aide médicale (*Associated Press*, 1999). Ces passagers peuvent ressentir de l'empathie pour ceux du vol JetBlue qui en 2005 a tourné en rond pendant des heures au sud de la Californie à cause d'une défaillance du train d'atterrissage. Beaucoup de passagers de l'avion sont devenus particulièrement stressés, certains pleurant du fait de l'expérience surréaliste qu'ils ont subi en regardant les nouvelles du journal télévisé retransmises par satellite sur la télévision de l'avion et spéculant sur leur devenir (Nguyen, 2005).

Cependant, il y a d'autres alternatives à « combattre ou fuir ». Une réaction courante chez quelqu'un qui vient de perdre un être cher est caractérisée par le retrait, le recul et la conservation d'énergie. En face d'une catastrophe extrême, par exemple le naufrage d'un bateau, certaines personnes deviennent paralysées par la peur. Une autre réaction, plus fréquente chez les femmes, d'après Shelley Taylor et ses collègues (2000), consiste à rechercher et à apporter du soutien : *Tendez la main et liez-vous d'amitié.*

Face au stress, les hommes plus que les femmes ont tendance à se retirer socialement, à se tourner vers l'alcool ou à devenir agressifs. Les femmes répondent plus souvent au stress en étant attentionnées et en se réunissant avec d'autres, ce que Taylor (2006) attribue en partie à l'*ocytocine*, une hormone modératrice du stress associée à la formation de couples chez les animaux et libérée chez l'homme lorsque les gens se serrent dans les bras, se font des massages ou lors de l'allaitement.

Les quarante années de recherche sur le stress du scientifique canadien Hans Selye (1936, 1976) ont permis de développer les découvertes de Cannon et ont contribué à faire du stress un concept majeur à la fois en psychologie et en médecine. Selye étudia les réactions des animaux à différents facteurs de stress, comme des chocs électriques, des traumatismes chirurgicaux, et une immobilisation forcée. Il découvrit que la réponse adaptative du corps au stress était si générale, comme une simple alarme antivol qui hurle quel que soit l'intrus - qu'il l'appela **syndrome général d'adaptation (SGA)**.

Selye considérait que le SGA présentait trois phases (FIGURE 12.23). Supposons que vous souffriez d'un choc physique ou émotionnel. Pendant la première phase, vous éprouvez une

::Stress : processus au travers duquel nous percevons et répondons à certains événements, appelés *facteurs de stress*, que nous appréhendons comme une menace ou un défi.

::Syndrome général d'adaptation (SGA) : concept de Selye selon lequel la réponse adaptative de l'organisme au stress est composée de trois phases : alarme, résistance et épuisement.

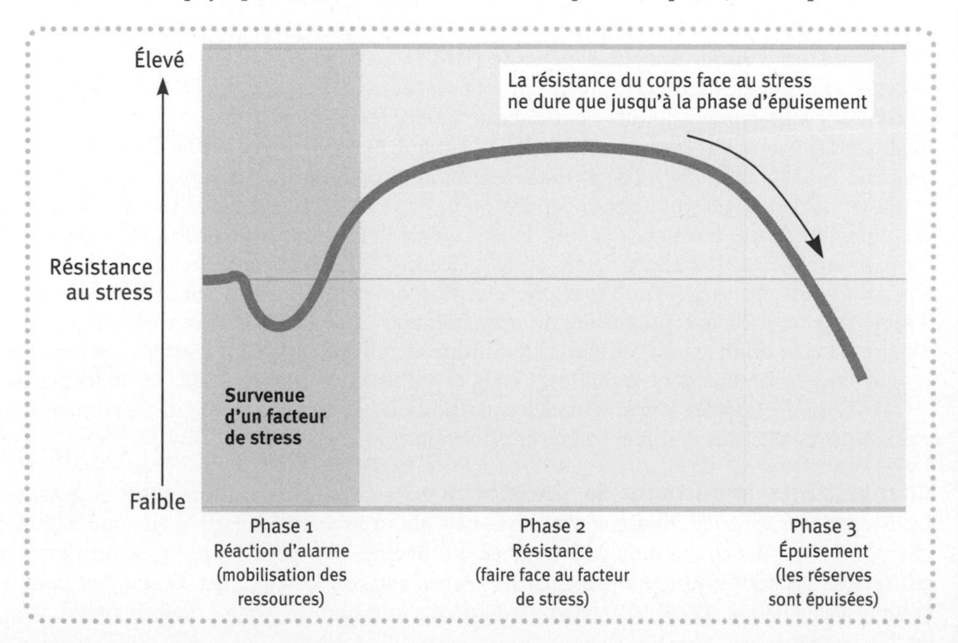

➤ FIGURE 12.23
Le syndrome général d'adaptation de Selye Après un grave traumatisme, le corps passe par une phase d'alarme de choc temporaire. Puis il rebondit à mesure que la résistance au stress augmente. Si le stress se prolonge, comme ce fut le cas pour les 400 otages de l'école d'Ossétie du Nord attaquée par des terroristes en 2004 et pour leurs proches qui ont attendu leur délivrance pendant trois jours, l'usure et les tensions peuvent conduire à l'épuisement.

« Peut-être souffrez-vous de ce qu'on appelle le syndrome du nid plein. »

réaction d'alarme due à l'activation soudaine de votre système nerveux sympathique. Votre rythme cardiaque s'emballe, votre sang est détourné vers les muscles squelettiques et vous ressentez la défaillance due au choc. Grâce à la mobilisation de vos ressources, vous êtes maintenant prêt à affronter le problème au cours de la deuxième phase, celle de *résistance*. Votre température, votre pression sanguine et votre rythme respiratoire demeurent élevés et il se produit une brusque libération d'hormones. S'il persiste, le stress peut, le cas échéant, épuiser les réserves de votre organisme pendant la troisième phase, dite d'*épuisement*. Durant cette phase, vous êtes plus vulnérable à la maladie ou même, dans des cas extrêmes, à l'effondrement et à la mort.

Peu d'experts médicaux contestent aujourd'hui le principe fondamental de Selye : bien que le corps humain soit conçu pour supporter un stress temporaire, un stress prolongé peut entraîner une détérioration physique. La production par le cerveau de nouveaux neurones ralentit (Mirescu et Gould, 2006). Une étude récente a montré que des femmes qui s'occupaient d'enfants atteints de maladies graves subissaient un stress prolongé et présentaient un syndrome faisant normalement partie du processus de vieillissement – un raccourcissement de parties d'ADN situées à l'extrémité des chromosomes (Epel et coll., 2004). Lorsque ces morceaux d'ADN, appelés *télomères*, deviennent trop courts, la cellule ne peut plus se diviser et finit par mourir. Les cellules des femmes les plus stressées paraissaient dix ans plus vieilles que leur âge chronologique. Cela peut aider à comprendre pourquoi les gens soumis à d'importants stress semblent vieillir plus vite. Même les rats craintifs, facilement stressés, meurent plus vite (au bout de 600 jours environ) que leurs congénères plus confiants, dont l'espérance de vie est d'en moyenne 700 jours (Cavigelli et McClintock, 2003). Ces découvertes ont stimulé encore plus les psychologues de la santé d'aujourd'hui qui se demandent : qu'est-ce qui cause le stress ? Comment le stress nous affecte-t-il ?

Événements stressants de la vie

12. Quels événements peuvent provoquer des réactions de stress ?

La recherche s'est concentrée sur nos réactions face à trois types de facteurs de stress : les catastrophes, les changements importants de l'existence et les soucis quotidiens.

Les catastrophes Ce sont des événements imprévisibles à grande échelle, tels qu'une guerre ou une catastrophe naturelle, que pratiquement tout le monde considère comme menaçants. Bien que les gens s'apportent souvent une aide et un réconfort mutuels après de tels événements, les conséquences sur la santé peuvent être considérables. Selon une étude effectuée par l'université du Michigan, au cours des trois semaines qui ont suivi les attentats du 11 septembre 2001, deux tiers des Américains interrogés ont déclaré avoir eu des insomnies ou des troubles de la concentration (Wahlberg, 2001). Une autre enquête nationale a révélé que les New-Yorkais étaient particulièrement susceptibles de présenter de tels symptômes (NSF, 2001). On a signalé une augmentation de 28 p. 100 du nombre d'ordonnances prescrivant des somnifères dans la région new-yorkaise (HMHL, 2002).

Les catastrophes naturelles produisent-elles généralement des effets aussi importants ? Après avoir épluché des données portant sur 52 études d'inondations catastrophiques, d'ouragans ou d'incendies, Anthony Rubonis et Leonard Bickman (1991) ont découvert que l'effet était, en général, plus modéré, mais néanmoins réel. À la suite d'un sinistre, les taux de troubles psychologiques tels que la dépression et l'anxiété s'élèvent de 17 p. 100 en moyenne. Au cours des quatre mois qui ont suivi le passage de l'ouragan Katrina, le taux de suicide chez les habitants de la Nouvelle-Orléans a triplé (Saulny, 2006). Les réfugiés qui fuient leur pays d'origine souffrent également d'une augmentation des troubles psychologiques. Leur stress est double : d'une part, le traumatisme du déracinement et de la séparation d'avec la famille et, d'autre part, la difficulté à s'adapter à une culture étrangère qui a son langage, ses particularités ethniques, son climat et ses normes sociales spécifiques (Pipher, 2002 ; Williams et Berry, 1991). Dans les années à venir, les délocalisations rendues nécessaires par le réchauffement climatique produiront éventuellement de tels effets.

Changements importants de l'existence Le second type d'événements stressants de l'existence concerne les changements personnels qui interviennent dans la vie : mort d'un être cher, chômage, départ du domicile, mariage ou divorce. Des périodes de transition et d'insécurité sont vécues plus intensément par les jeunes adultes. Cela permet d'expliquer pourquoi, lorsque l'on posa à 15 000 Canadiens adultes la question suivante : « Faites-vous trop de choses en même temps ? », les réponses indiquant les plus hauts niveaux de stress concernaient les plus jeunes adultes. C'est également vrai pour les Américains : la moitié des adultes âgés de moins de 50 ans se plaignent de stress « fréquent » contre moins de 30 p. 100 des adultes de plus de 50 ans (Saad, 2001).

Certains psychologues étudient les effets sur la santé de ces changements dans la vie en suivant des sujets au cours du temps pour voir si ces événements précèdent des maladies. D'autres comparent les changements d'existence évoqués par ceux qui ont eu ou n'ont pas eu de problèmes de santé spécifiques comme, par exemple, une crise cardiaque. Une revue de ces études, demandée par la *National Academy of Sciences* américaine, a montré que les personnes veuves, divorcées ou licenciées depuis peu étaient plus vulnérables aux maladies (Dohrenwend et coll., 1982). Une étude finlandaise portant sur 96000 personnes veuves a confirmé ce phénomène : leur risque de décès doublait dans la semaine suivant la mort de leur partenaire (Kaprio et coll., 1987). Les personnes qui vivent un ensemble de crises encourent encore plus de risques.

Soucis quotidiens Comme nous l'avons noté précédemment, notre bonheur naît moins d'une chance persistante que de notre réponse aux événements de tous les jours - le résultat d'un examen médical attendu, une bonne note à un examen, un courriel gratifiant, la victoire de votre équipe au championnat.

Le principe fonctionne également pour les événements négatifs. Les ennuis de tous les jours (un embouteillage aux heures de pointe, un colocataire exaspérant, des files d'attente dans les magasins, trop de choses à faire, la réception de messages publicitaires indésirables par courriel, des personnes désagréables au téléphone) peuvent être la source la plus importante du stress (Kohn et Macdonald, 1992 ; Lazarus, 1990 ; Ruffin, 1993). Bien que certaines personnes puissent, dans ce cas, simplement hausser les épaules, d'autres vont être terrassées par de tels ennuis. Les difficultés des gens à laisser tomber des objectifs impossibles à atteindre correspondent à un autre facteur de stress quotidien ayant des conséquences sur la santé (Miller et Wrosch, 2007).

Avec le temps, ces petits facteurs de stress peuvent s'additionner et porter un coup à la santé et au bien-être. L'hypertension (pression sanguine élevée) est fréquente chez les habitants des ghettos urbains qui supportent les stress quotidiens accompagnant la pauvreté, le chômage, la monoparentalité et le surpeuplement. En Europe, le taux d'hypertension est de même plus important dans les pays où les gens expriment le moins de satisfaction de leur vie (FIGURE 12.24).

Pour les minorités, les pressions quotidiennes peuvent être combinées au racisme qui, comme les autres facteurs de stress, peut avoir des conséquences psychologiques et physiques. Penser que les personnes que vous rencontrez tous les jours se méfient de vous, ne vous aiment pas ou mettent en doute vos compétences rend votre vie quotidienne particulièrement stressante. Ce stress a des conséquences sur la santé de nombreux Noirs-Américains, en augmentant leur tension artérielle (Clark et coll., 1999 ; Mays et coll., 2007).

« Tu dois savoir quand les tenir ; savoir quand il faut les replier, savoir quand partir et savoir quand courir. »
Kenny Rogers, « *The Gambler* », 1978

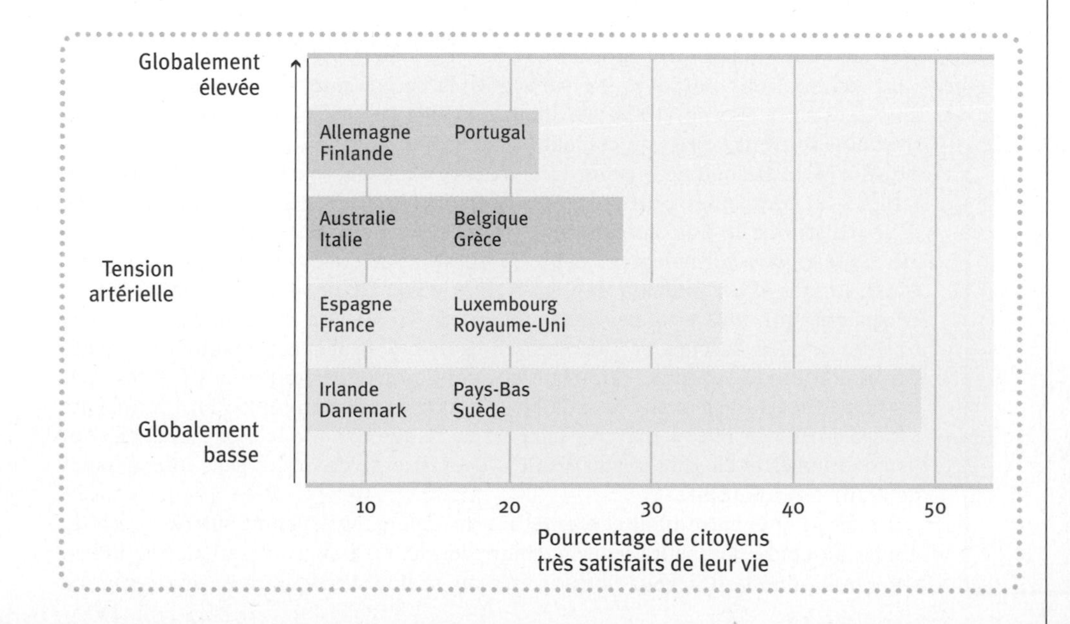

➤ FIGURE 12.24
Lorsque la vie apporte beaucoup de satisfaction, le taux d'hypertension est faible (D'après les données recueillies dans certains pays européens par David Blanchflower et Andrew Oswald, 2008.)

::Maladie coronarienne : obstruction des vaisseaux qui alimentent le muscle cardiaque ; c'est la principale cause de décès dans la plupart des pays développés.

::Type A : terme utilisé par Friedman et Rosenman pour désigner les gens compétitifs et verbalement agressifs, impatients, conduisant brutalement et coléreux.

::Type B : terme utilisé par Friedman et Rosenman pour désigner les sujets paisibles et détendus.

Le stress et le cœur

13. Pourquoi certains d'entre nous sont-ils plus sujets que d'autres aux maladies coronariennes ?

Une tension artérielle élevée n'est que l'un des facteurs qui augmente les risques de **maladie coronarienne**, le rétrécissement des vaisseaux sanguins qui alimentent le muscle cardiaque. Bien que peu fréquente avant 1900, cette pathologie est devenue la première cause de décès en Amérique du Nord dans les années 1950 et l'est encore aujourd'hui. En plus des antécédents familiaux et de l'hypertension, de nombreux facteurs physiologiques et comportementaux augmentent le risque de maladie cardiaque : le tabac, l'obésité, une alimentation riche en graisses, la sédentarité et un taux élevé de cholestérol. Les facteurs psychologiques du stress et la personnalité ont également un rôle important.

Lors d'une étude devenue classique, Meyer Friedman, Ray Rosenman et leurs collaborateurs testèrent l'hypothèse que le stress pouvait accroître la vulnérabilité aux maladies cardiaques (Friedman et Ulmer, 1984). Ils mesurèrent le taux de cholestérol et la vitesse de coagulation sanguine chez 40 conseillers fiscaux américains. De janvier à mars, ces deux indicateurs de l'état coronarien étaient tout à fait normaux. Puis, au moment où les conseillers commencèrent à s'agiter pour finir les déclarations de leurs clients avant la date limite du 15 avril, leur cholestérol et leur vitesse de coagulation sanguine grimpèrent jusqu'à des valeurs dangereuses. En mai et juin, une fois la date limite passée, ces valeurs revinrent à la normale. Le flair des chercheurs avait été payant : le stress peut prédire les risques de crise cardiaque.

Cette découverte fut le point de départ de l'étude classique de Friedman et Rosenman, qui dura 9 ans et fut menée sur plus de 3000 hommes en bonne santé âgés de 35 à 59 ans. Au début de l'étude, ils interrogèrent chaque homme pendant 15 minutes à propos de son travail et de ses habitudes alimentaires. Au cours de l'entretien, ils notèrent la manière de s'exprimer et le comportement de chacun. Ils baptisèrent **type A** ceux qui semblaient les plus réactifs, les plus acharnés à la compétition, ceux qui conduisaient brutalement, les impatients, les surmotivés, les obsédés par le temps, ceux qui avaient tendance à se mettre en colère ou à être verbalement agressifs. Ils appelèrent **type B** un nombre à peu près équivalent de personnes qui étaient plus accommodantes. Quel groupe, d'après vous, s'est révélé le plus prédisposé aux crises cardiaques ?

Au moment de la fin de l'étude, 257 de ces hommes, dont 69 p. 100 de type A, avaient eu une crise cardiaque. De plus, aucun des types B « purs » – les plus doux et les mieux organisés de leur groupe – n'eut de crise cardiaque.

Comme cela arrive souvent dans le domaine scientifique, cette excitante découverte a provoqué un intérêt énorme du public. Mais après la période d'euphorie au cours de laquelle la découverte semblait définitive et révolutionnaire, d'autres chercheurs ont commencé à se demander : les résultats étaient-ils fiables ? Et si oui, quelle était la composante toxique dans le profil de type A : la conscience du temps ? La compétitivité ? La colère ?

Des recherches plus récentes ont montré que le centre du problème, pour les individus de type A, est les émotions négatives, en particulier la colère associée à un tempérament aux réactions agressives (Smith, 2006 ; Williams, 1993). Les individus réactifs de type A sont plus souvent « prêts au combat ». Vous vous souvenez peut-être de la discussion sur la colère que nous avons faite dans ce chapitre, que lorsque nous sommes fatigués ou confrontés à un problème, notre système nerveux sympathique hyperactif redistribue le flux sanguin vers les muscles, loin des organes internes tels que le foie, qui normalement épure le cholestérol et les triglycérides du sang. Ainsi, le sang d'un individu de type A peut contenir un excès de graisses et de cholestérol qui, plus tard, se dépose autour du cœur. Des stress ultérieurs – parfois des conflits suscités par leur propre causticité – peuvent ensuite déclencher des altérations du rythme cardiaque qui vont provoquer des morts subites chez les personnes dont le cœur est affaibli (Kamarck et Jennings, 1991). L'animosité est également corrélée à d'autres facteurs de risque comme le tabagisme, l'alcoolisme et l'obésité (Bunde et Suls, 2006). L'esprit et le cœur des gens interagissent de manière importante.

L'effet d'une personnalité prompte à la colère est surtout visible dans les études au cours desquelles les enquêteurs vérifient l'assurance verbale et l'intensité émotionnelle. (Si vous vous arrêtez au milieu d'une phrase, une personne

• Aussi bien en Inde qu'en Amérique, les conducteurs de bus de type A conduisent brutalement : ils freinent, s'octroient la priorité et font retentir leur klaxon plus souvent que leurs collègues de type B, plus paisibles (Evans et coll., 1987). •

« Le feu que tu allumes pour ton ennemi te brûle souvent plus que lui. »
Proverbe chinois

prompte à la colère et passionnée peut se précipiter et la finir à votre place.) Une étude sur les adultes jeunes ou d'âge moyen a montré que ceux qui réagissent avec rage à de petites choses sont ceux qui ont le plus de risques d'avoir des problèmes coronariens ; le refoulement des sentiments négatifs ne fait qu'accroître les risques (Kupper et Denollet, 2007). Une autre étude a suivi 13 000 personnes d'âge moyen pendant 5 ans (Williams et coll., 2000). Parmi les individus dont la tension artérielle était normale, ceux qui étaient très coléreux étaient trois fois plus sujets à la crise cardiaque, même après que les chercheurs aient contrôlé l'influence de la nicotine et du poids. Le lien entre la colère et la crise cardiaque est également apparu lors d'une étude qui a suivi 1055 étudiants en médecine de sexe masculin pendant 36 ans. Ceux qui avaient déclaré être colériques avaient cinq fois plus de risques d'avoir eu une crise cardiaque à l'âge de 55 ans (Chang et coll., 2002). Comme Charles Spielberger et Perry London (1982) l'ont signalé, la colère « semble fouetter en retour et nous toucher au niveau des muscles cardiaques ».

Le pessimisme semble être également toxique. Laura Kubzansky et ses collègues (2001) ont étudié 1306 hommes en bonne santé qui avaient été considérés, une dizaine d'années auparavant, comme étant optimistes, pessimistes ou neutres. Au bout des dix ans, les pessimistes étaient deux fois plus sujets aux maladies cardiaques que les optimistes, même après avoir écarté d'autres facteurs de risque tels que le tabagisme (FIGURE 12.25).

La dépression peut également être fatale. Les preuves accumulées au cours de 57 études suggèrent que « la dépression augmente considérablement le risque de mortalité, imputable à des causes non naturelles et à des maladies cardiovasculaires » (Wulsin et coll., 1999). Une étude portant sur 7406 femmes, âgées de 67 ans ou plus, a montré que, chez celles qui ne manifestaient aucun symptôme dépressif, le taux de décès au cours des 6 années suivantes était de 7 p. 100 et qu'il atteignait 24 p. 100 chez celles présentant six symptômes dépressifs ou plus (Whooley et Browner, 1998). Au cours des années qui suivent une crise cardiaque, les personnes dépressives ont quatre fois plus de risques que celles non dépressives de développer d'autres problèmes cardiaques (Frasure-Smith et Lesperance, 2005). La dépression « décourage » le cœur.

De récentes recherches suggèrent que les maladies cardiaques et la dépression peuvent toutes deux se produire lorsqu'un stress chronique déclenche une inflammation persistante (Matthews, 2005 ; Miller et Blackwell, 2006). Le stress, comme nous le verrons, perturbe le système immunitaire qui combat les maladies, permettant au corps de focaliser son énergie sur la réponse de fuite ou de combat face à la menace. Cependant, les hormones de stress augmentent une des réponses immunitaires, la production de protéines, qui contribue à l'inflammation. Bien que l'inflammation aide à combattre les infections, une inflammation persistante peut entraîner des problèmes comme de l'asthme ou une obstruction artérielle et même, semble-t-il maintenant, une dépression (*voir* FIGURE 12.26).

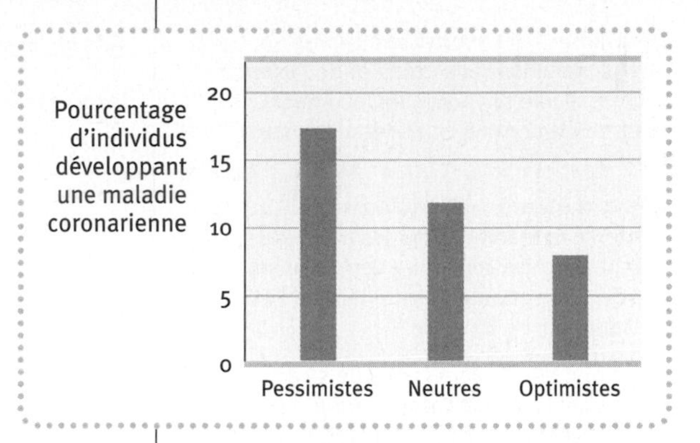

➤ FIGURE 12.25
Le pessimisme et les maladies cardiaques
Une équipe de la Harvard School of Public Health a découvert qu'après une période de 10 ans, les hommes adultes et pessimistes sont deux fois plus sujets aux maladies cardiaques. (D'après Kubzansky et coll., 2001.)

« Un cœur joyeux est un bon remède, mais un esprit abattu dessèche les os. »
Livre des Proverbes 17:22

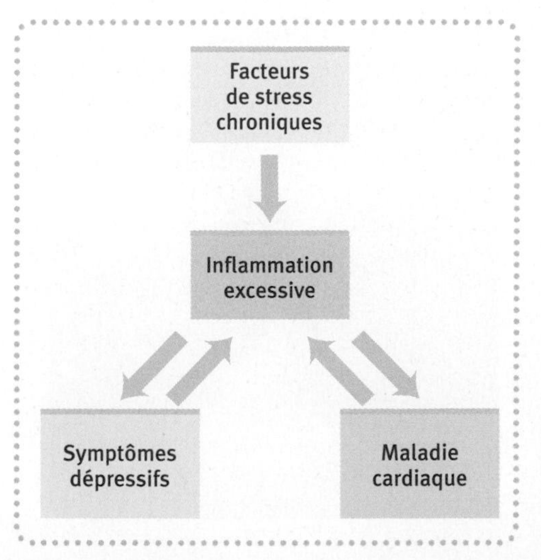

➤ FIGURE 12.26
Stress → inflammation → maladie cardiaque et dépression Selon Gregory Miller et Ekin Blackwell (2006), le stress chronique conduit à une inflammation persistante qui augmente les risques de dépression et d'obstruction artérielle.

:: Maladies psychophysiologiques : au sens littéral, maladies « du corps et de l'esprit » ; toute maladie physique liée au stress, comme l'hypertension et certains maux de tête.

:: Psycho-neuro-immunologie (PNI) : étude de la manière dont les processus psychologiques, nerveux et endocriniens affectent le système immunitaire et l'état de santé qui en découle.

:: Lymphocytes : deux types de globules blancs qui font partie du système immunitaire de l'organisme : les *lymphocytes B* se forment dans la moelle osseuse (*b*one *marrow*) et libèrent des anticorps qui luttent contre les infections bactériennes ; les *lymphocytes T* se forment dans le *t*hymus et les autres tissus lymphatiques, et attaquent les cellules cancéreuses, les virus et les substances étrangères.

« Aux yeux de Dieu, de la biologie ou de quoi que ce soit, l'important est d'avoir des femmes. »
Normal Talal, immunologiste (1995)

Stress et vulnérabilité aux maladies

14. De quelle manière le stress nous rend-il plus vulnérable aux maladies ?

Il n'y a pas si longtemps, le terme *psychosomatique* désignait des symptômes physiques provoqués par une cause psychologique. Pour le grand public, ce terme signifiait que les symptômes n'étaient pas réels, « simplement » psychosomatiques. Pour éviter ce genre de connotations et mieux décrire les véritables effets physiologiques des états psychologiques, la plupart des experts font aujourd'hui plutôt mention de **maladies psychophysiologiques**, comme l'hypertension et certains maux de tête. Le stress peut également affecter notre résistance aux maladies et cette connaissance a conduit aux premiers pas du développement du domaine de la **psycho-neuro-immunologie (PNI)**. La PNI étudie comment les processus *psychologiques*, *nerveux* et endocriniens peuvent affecter notre système *immunitaire* (psycho-neuro-immunologie) ainsi que la manière dont tous ces facteurs influencent notre santé et notre bien-être.

Psycho-neuro-immunologie

Des centaines d'expériences récentes ont révélé l'influence des systèmes nerveux et endocrinien sur le système immunitaire (Sternberg, 2001). Votre système immunitaire est un système de surveillance complexe qui défend l'organisme en repérant et détruisant les bactéries, les virus et autres substances étrangères. Il comprend deux types de globules blancs, appelés **lymphocytes**. Les *lymphocytes B* sont formés dans la moelle osseuse (*bone marrow*) et libèrent des anticorps qui luttent contre les infections bactériennes. Les *lymphocytes T*, formés dans le thymus et dans les tissus lymphatiques, attaquent les cellules cancéreuses, les virus et les substances étrangères - même celles qui sont « bénéfiques », comme un organe greffé. Deux autres agents importants du système immunitaire sont le *macrophage* (« gros mangeur ») qui identifie, poursuit et ingère les envahisseurs dangereux et les cellules épuisées (FIGURE 12.27) et les *lymphocytes NK* (pour *natural killer*) qui poursuivent les cellules malades (comme celles infectées par les virus ou le cancer). L'âge, l'alimentation, l'hérédité, la température du corps et le stress influencent l'activité du système immunitaire.

Votre système immunitaire peut s'égarer dans deux directions. S'il répond trop fortement, il peut attaquer les propres tissus de l'organisme, provoquant ainsi de l'arthrite ou une réaction allergique. Il peut, inversement, réagir de façon insuffisante et permettre, par exemple, à un virus herpétique dormant de se manifester ou à des cellules cancéreuses de se multiplier. Les femmes ont un système immunitaire plus fort que celui des hommes et sont donc moins sujettes aux infections (Morell, 1995). Mais cette force peut se retourner contre elles et les rendre plus sensibles aux maladies auto-immunes, comme le lupus et la sclérose en plaques.

Votre système immunitaire n'est pas un cavalier sans tête. Le cerveau régule la sécrétion des hormones du stress qui, à leur tour, inhibent les lymphocytes combattant les maladies. Ainsi,

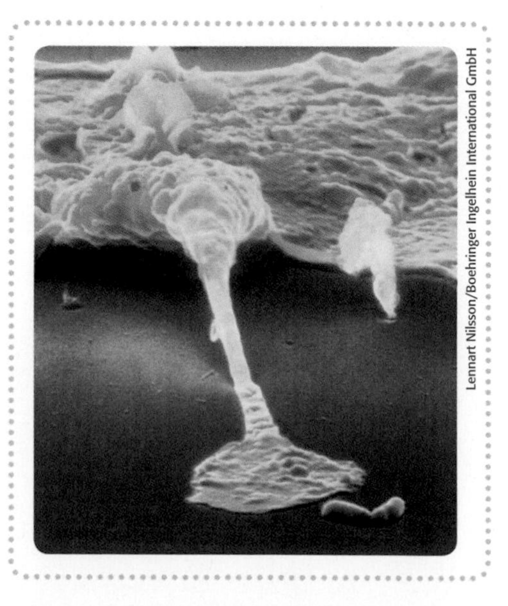

Lennart Nilsson/Boehringer Ingelheim International GmbH

➤ FIGURE 12.27
Le système immunitaire en action
Un gros macrophage (en haut) est sur le point de prendre au piège et d'ingérer une bactérie minuscule (en bas à droite). Les macrophages patrouillent constamment dans l'organisme à la recherche d'envahisseurs, comme cette bactérie *Escherichia coli*, et de débris, comme des globules rouges hors d'usage.

lorsque les animaux sont physiquement contraints, reçoivent des chocs électriques inévitables ou sont soumis à une surpopulation, à des bruits, à une eau froide, à un échec dans un groupe ou à une séparation d'avec la mère, leur système immunitaire devient moins actif (Maier et coll., 1994). Une étude a surveillé la réponse immunitaire chez 43 singes pendant six mois (Cohen et coll., 1992). Vingt-et-un furent stressés en étant enfermés chaque mois avec de nouveaux compagnons (3 ou 4 nouveaux singes). (Pour compatir au sort de ces singes, rappelez-vous le stress que constitue le départ de la maison pour poursuivre ses études ou aller en colonie de vacances et imaginez que vous ayez à refaire cette expérience chaque mois.) Comparés aux singes maintenus dans des groupes stables, les singes aux relations sociales perturbées ont montré une diminution de leurs défenses immunitaires. Le stress inhibe de la même manière le système immunitaire chez l'homme. Considérez ces exemples frappants et constants :

- Les plaies post-chirurgicales cicatrisent moins rapidement chez les animaux et les hommes stressés. Lors d'une expérience, on a pratiqué des petites incisions sur des étudiants en dentisterie (des petits trous précis dans la peau). Comparées aux lésions pratiquées pendant les vacances, celles qui avaient été faites 3 jours avant un examen important cicatrisaient 40 p. 100 plus lentement. En fait, affirment Janice Kiecolt-Glaser et ses collaborateurs (1998), « tous les étudiants ont cicatrisé plus lentement pendant la période stressante que pendant la période de vacances ».
- Comparées avec la cicatrisation de petites incisions faites chez des couples mariés non stressés, ces plaies ont mis un à deux jours de plus à cicatriser lorsqu'elles étaient faites avant le stress d'une querelle de trente minutes ou d'un conflit marital permanent (Kiecolt-Glaser et coll., 2005).
- Dans une autre expérience, 47 p. 100 des sujets ayant une vie trépidante ont développé un rhume après l'instillation d'un virus dans leur nez, contre 27 p. 100 seulement des sujets traités de la même façon, mais ayant une vie relativement préservée du stress (Figure 12.28). Les expériences qui ont suivi ont confirmé que les personnes les moins stressées et les plus heureuses étaient également les moins vulnérables au virus du rhume instillé expérimentalement (Cohen et coll., 2003, 2006).
- La gestion du stress peut nous aider à prolonger notre vie. Une grande capacité à gérer le stress était en effet le trait de personnalité commun à 169 personnes centenaires (Perls et coll., 1999).

« Quand le cœur est au repos,
le corps est en pleine forme. »
Proverbe chinois

L'effet du stress sur le système immunitaire a une raison physiologique (Maier et coll., 1994). Le système immunitaire a besoin d'énergie pour combattre les infections et maintenir la fièvre. De ce fait, lorsque notre corps est malade, il réduit sa production d'énergie musculaire par le biais de l'inactivité et d'un sommeil accru. Mais le stress induit un besoin énergétique qui entre en compétition. Le stress déclenche une réponse d'activation du type combattre ou fuir, qui détourne l'énergie destinée au système immunitaire combattant l'infection vers les muscles et le cerveau, nous rendant ainsi plus vulnérable à la maladie (*voir* Figure 12.2). *En résumé*, le stress ne nous rend pas malade, mais il modifie le fonctionnement de notre système immunitaire, nous rendant moins capables de résister aux infections et plus sujets aux maladies cardiaques.

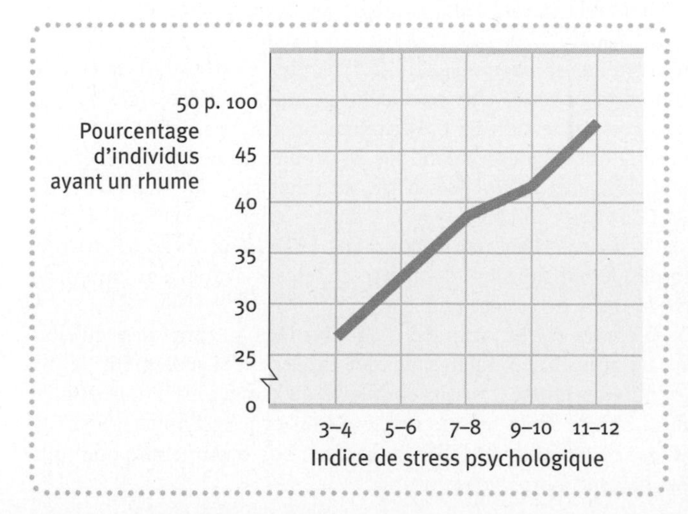

➤ FIGURE 12.28
Le stress et le rhume
Au cours d'une expérience effectuée par Sheldon Cohen et ses collaborateurs (1991), les personnes qui avaient la vie la plus stressée étaient également les plus vulnérables lorsqu'elles étaient exposées au virus du rhume instillé expérimentalement.

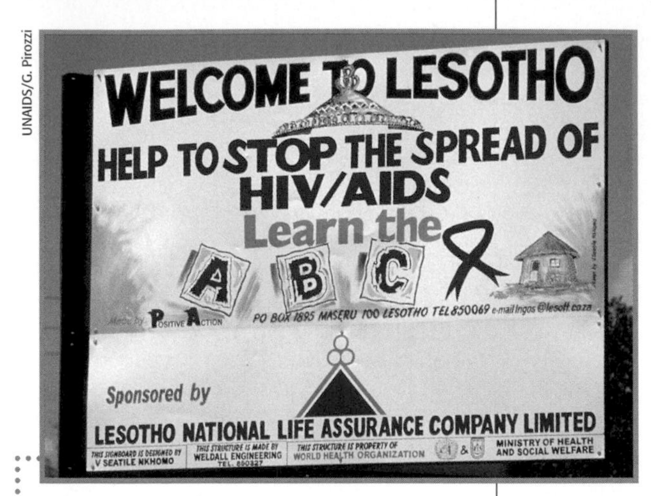

UNAIDS/G. Pirozzi

L'Afrique est le berceau du sida
Au Lesotho et ailleurs, la campagne « ABC » pour *Abstinence, Be faithful, use Condoms* (abstinence, fidélité, préservatifs) représente un élément-clé des efforts de prévention.

Stress et sida

Le sida est devenu la quatrième cause de décès dans le monde et la première en Afrique. Comme son nom l'indique, le sida est un trouble d'ordre immunitaire – un *syndrome d'immunodéficience acquise* induit par le *VIH (virus de l'immunodéficience humaine)*, qui se transmet par les échanges de liquides corporels, principalement le sperme et le sang. Si une maladie transmise par contact humain tue lentement, comme c'est le cas pour le sida, elle peut faire ironiquement beaucoup plus de victimes. Ceux qui sont porteurs du virus ont le temps de le transmettre, souvent sans avoir réalisé qu'ils sont infectés. Quand l'infection par le VIH se manifeste sous la forme du sida, quelques années après l'infection initiale, la personne a du mal à combattre d'autres maladies, comme la pneumonie. Selon les Nations unies, partout dans le monde, le sida a fait plus de 20 millions de morts (UNAIDS, 2008). (Aux États-Unis, où l'on décompte « seulement » un demi-million de morts, le sida a tué plus de personnes que les combats de toutes les guerres du XXe siècle réunies.) En 2007, dans le monde entier, près de 2,7 millions de personnes (dont la moitié de femmes) ont été infectées par le VIH, souvent sans le savoir (UNAIDS, 2008).

Ainsi, si le stress affaiblit la réponse du système immunitaire aux infections, peut-il aussi exacerber l'*évolution* du sida ? Les chercheurs ont découvert que le stress et les émotions négatives contribuaient (a) à l'évolution de l'infection par le VIH en sida, et (b) accéléraient le déclin des personnes infectées (Bower et coll., 1998 ; Kiecolt-Glaser et Glaser, 1995 ; Leserman et coll., 1999). Les hommes infectés par le VIH qui vivent des événements stressants, tels que la perte d'un partenaire, présentent une immunodépression plus importante et développent plus rapidement la maladie.

• En Amérique du Nord et en Europe de l'Ouest, 75 p. 100 des personnes atteintes du sida sont des hommes. En Afrique subsaharienne, 60 p. 100 des personnes atteintes du sida sont des femmes (et, chez les 15-24 ans, 75 p. 100 sont des femmes). Chez les jeunes filles, la couche de cellules cervicales utérines, plus fine, les rend particulièrement vulnérables (Altman, 2004 ; UNAIDS, 2005). •

Des efforts pour réduire le stress permettraient-ils de mieux contrôler cette maladie ? Bien que les effets soient faibles face aux traitements médicamenteux dont on dispose, il semble là encore que la réponse soit positive. Des initiatives visant à l'éducation, au soutien des groupes endeuillés, à une thérapie cognitive, à des cours de relaxation et à l'établissement de programmes d'exercice physique pour réduire la détresse ont toutes eu des conséquences individuelles positives sur les personnes atteintes par le VIH (Baum et Posluszny, 1999 ; McCain et coll., 2008 ; Schneiderman, 1999). Cependant, il vaut mieux prévenir l'infection par le VIH, ce qui est au cœur de nombreux programmes éducatifs comme le programme ABC (*abstinence, be faithful, use condoms* ou abstinence, fidélité, préservatifs) utilisé dans beaucoup de pays, avec un succès notable en Ouganda (Altman, 2004 ; USAID, 2004).

Stress et cancer

Le stress et les émotions négatives ont également été associés à la progression du cancer. Pour explorer une connexion possible entre le stress et le cancer, les chercheurs ont administré des cellules tumorales ou des substances *cancérigènes* (produisant des cancers) à des rongeurs. Ceux qui avaient également été exposés à des stress incontrôlables, tels que des chocs inévitables, étaient davantage sujets au développement de cancers (Sklar et Anisman, 1981). Avec leur système immunitaire affaibli par le stress, leurs tumeurs se développèrent plus tôt et devinrent plus grosses.

Certains chercheurs ont démontré que le risque de cancer était plus élevé un an après une dépression, un profond désespoir ou un deuil. Une importante étude suédoise a révélé que les personnes ayant un passé de stress professionnel présentaient un risque 5,5 fois supérieur d'avoir un cancer du côlon que ceux qui ne présentaient pas de problèmes de ce genre, et que cette différence n'était pas attribuable à des différences d'âge, au tabagisme, à l'alcoolisme ou à des caractéristiques physiques (Courtney et coll., 1993). D'autres chercheurs n'ont découvert aucun lien entre le stress et le cancer (Edelman et Kidman, 1997 ; Fox, 1998 ; Petticrew et coll., 1999, 2002). Par exemple, les prisonniers de guerre et les survivants des camps de concentration n'ont pas montré un taux de cancer plus élevé.

Un danger lié à la publication d'études sur les attitudes à adopter face au cancer est qu'elles peuvent inciter certains patients à s'accuser eux-mêmes de leur cancer : « Si seulement j'avais été plus ouvert, plus détendu et plus optimiste... ». Un corollaire du danger est l'« arrogance du bien-portant », qui attribue sa bonne santé à son caractère sain et jette l'opprobre sur la maladie : « Elle a un cancer ? C'est ce que vous attrapez en gardant vos sentiments pour vous et en étant si gentille. » La mort devient alors l'échec ultime.

> « Ce n'est pas moi qui me suis donné un cancer. »
> Barbara Boggs Sigmund, 1939-1990, maire de Princeton, New Jersey

L'idée émergente semble être que le stress *ne* crée *pas* les cellules cancéreuses. Au pire, il pourrait affecter leur croissance en diminuant les défenses naturelles de l'organisme contre les cellules malignes qui prolifèrent (Antoni et Lutgendorf, 2007). Bien qu'une attitude détendue et pleine d'espoir puisse accroître ces défenses, nous devons être conscients de la frontière étroite qui sépare la science de nos désirs. Les processus biologiques puissants à l'œuvre dans les cancers évolués ou le sida ne sont vraisemblablement pas susceptibles d'être détournés en évitant le stress ou grâce à un esprit déterminé mais détendu (Anderson, 2002 ; Kessler et coll., 1991).

***

Nous pouvons considérer les effets du stress sur notre résistance aux maladies comme un prix à payer pour les bénéfices du stress (Figure 12.29). Le stress dynamise notre existence en nous stimulant et en nous motivant. Une vie sans stress aurait du mal à être compétitive et productive. De plus, il est payant de consacrer nos ressources au combat ou à la fuite en face d'un danger extérieur. Mais cela s'effectue au prix d'une diminution de nos ressources pour combattre les périls internes qui menacent la santé de notre corps. Lorsque le stress est momentané, le coût est négligeable. Cependant, lorsqu'une circonstance aggravante incontrôlable persiste, le coût peut devenir considérable.

• Lorsque les causes physiologiques d'une maladie sont inconnues, il est tentant d'inventer des explications psychologiques. Avant que le germe responsable de la tuberculose soit connu, il existait des explications populaires de la tuberculose, assez répandues, liées à la personnalité (Sontag, 1978). •

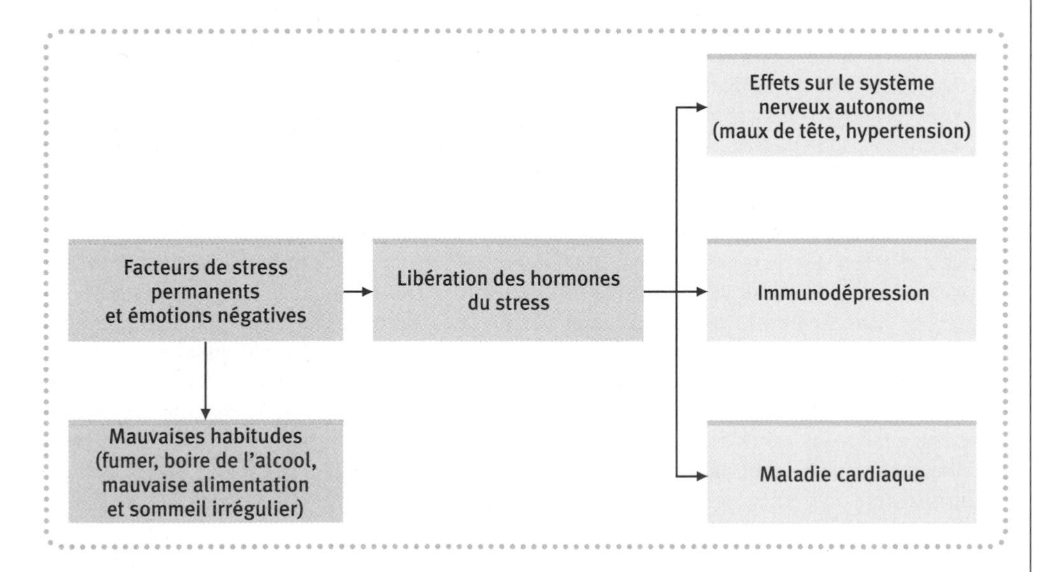

➤ FIGURE 12.29
Le stress peut avoir diverses conséquences sur la santé
C'est particulièrement le cas lorsqu'il est éprouvé par des gens irritables, déprimés ou anxieux, « sujets à la maladie ».

Les recherches de cette médecine comportementale apportent cependant un nouveau rappel de l'un des thèmes majeurs de la psychologie contemporaine : *le corps et l'esprit interagissent. Tout ce qui est psychologique est en même temps physiologique.* Les états psychologiques sont des événements physiologiques qui influencent d'autres aspects de notre système physiologique. Faire juste une pause pour *penser* que vous mangez un quartier d'orange – penser au jus sucré et un peu acide de ce fruit pulpeux qui coule sur votre langue – peut déclencher la salivation. Comme le disait le sage indien Santi Parva, il y a plus de 4000 ans : « Les troubles mentaux proviennent de causes physiques et, de la même manière, les troubles physiques proviennent de causes mentales ». Il existe une interrelation entre notre tête et notre santé. Nous sommes des systèmes biopsychologiques.

AVANT D'ALLER PLUS LOIN...

➤ **Interrogez-vous**

Quels sont les stress de votre vie ? Avec quelle intensité y répondez-vous ? Existe-t-il des modifications qui vous permettraient d'éliminer ces facteurs de stress permanents ?

➤ **Testez-vous 5**

Quels sont les liens basiques de notre système de réponse au stress ?

Les réponses aux questions « Testez-vous » sont données dans l'annexe B à la fin de l'ouvrage.

Promouvoir la santé

LA PROMOTION DE LA SANTÉ COMMENCE PAR la mise en place de stratégies visant à prévenir les maladies ou à améliorer le bien-être. Traditionnellement, les gens pensent à leur santé uniquement lorsque cela ne va pas et consultent un médecin pour un diagnostic et un traitement. Cela revient, disent les psychologues de la santé, à ignorer l'entretien de votre voiture et à n'aller au garage que lorsqu'elle tombe en panne. L'entretien de notre santé inclut le soulagement du stress, la prévention des maladies et la promotion du bien-être.

Faire face au stress

15. Quels sont les facteurs qui affectent notre capacité à faire face au stress ?

Les facteurs de stress sont inévitables. Cette constatation, associée au fait que le stress chronique est corrélé aux maladies cardiaques, à la dépression et à une diminution des défenses immunitaires, nous adresse un message clair. Nous devons apprendre à **faire face (*coping*)** aux stress de notre vie. Nous faisons directement face à certains facteurs de stress par le ***coping* centré sur le problème**. Par exemple, si notre impatience conduit à un conflit familial, nous pouvons aller directement voir ce membre de la famille pour résoudre le problème. Si, malgré tous nos efforts, nous ne pouvons tomber d'accord avec lui, nous pouvons mettre en œuvre un ***coping* centré sur l'émotion** et faire, par exemple, appel à des amis pour nous aider à aborder nos propres besoins émotionnels.

Lorsqu'elles sont confrontées à un problème, certaines personnes ont tendance à répondre calmement par un *coping* centré sur le problème, d'autres par un *coping* centré sur les émotions (Connor-Smith et Flachsbart, 2007). Nous avons tendance à utiliser la stratégie centrée sur le problème lorsque nous avons le sentiment de contrôler la situation et que nous pensons pouvoir changer les circonstances ou, du moins, pouvoir nous changer nous-mêmes. Nous nous tournons vers la stratégie centrée sur les émotions lorsque nous ne pouvons pas (ou *croyons* que nous ne pouvons pas) changer la situation. Nous pouvons, par exemple, prendre une distance émotionnelle par rapport à une relation préjudiciable, ou nous plonger activement dans nos passe-temps pour éviter de penser à nos anciennes dépendances. Les stratégies centrées sur les émotions peuvent cependant ne pas être adaptées, par exemple lorsqu'un étudiant, préoccupé parce qu'il n'arrive pas à suivre le rythme d'étude de sa classe, sort pour se changer les idées. Parfois, une stratégie centrée sur le problème (rattraper son retard de lecture) réduit plus efficacement le stress et, à long terme, favorise une meilleure santé et une meilleure satisfaction.

Plusieurs facteurs affectent notre capacité à faire face efficacement, comme notre sentiment de contrôle personnel, notre style explicatif et les soutiens sociaux.

Le sentiment de contrôle

Si deux rats reçoivent en même temps le même choc, mais que l'un peut faire tourner une roue pour arrêter le choc (comme cela est illustré dans la FIGURE 12.30), le rat qui n'a aucun espoir devient plus sensible aux ulcères et aux maladies à la suite d'une baisse de ses défenses immunitaires, contrairement au rat qui peut faire tourner la roue (Laudenslager et Reite, 1984). Chez l'homme aussi, les menaces incontrôlables entraînent les réponses au stress les plus importantes (Dickerson et Kemeny, 2004). Par exemple, ce sont souvent les infections bactériennes associées à un stress incontrôlable qui entraînent les ulcères les plus graves (Overmier et Murison, 1997). Afin de guérir l'ulcère, il est nécessaire d'éliminer la bactérie avec un antibiotique et de contrôler les sécrétions acides de l'estomac par la réduction du stress.

Le sentiment de perte de contrôle nous rend plus vulnérable aux maladies. Les personnes âgées vivant en maison de retraite, qui ont peu de contrôle effectif de leurs activités, ont tendance à décliner plus vite et à mourir plus tôt que celles à qui l'on accorde plus de contrôle sur leurs activités (Rodin, 1986). De la même façon, les employés ayant la maîtrise de leur environnement professionnel, par exemple agencer les meubles de leur bureau ou contrôler les moments de pause ou de distraction, éprouvent moins de stress (O'Neill, 1993). Cela peut expliquer pourquoi les hauts fonctionnaires britanniques ayant un poste de cadre vivent plus longtemps que ceux qui ont un poste d'employé de bureau ou d'ouvrier, et pourquoi les travailleurs finlandais soumis à peu de stress au travail ont deux fois moins de risques de mourir de maladies cardiovasculaires (infarctus et autres maladies cardiaques) que ceux qui exercent une activité professionnelle pénible et sur laquelle ils ont peu de contrôle. Plus les

:: ***Coping* (« faire face à »)** : soulager un stress à l'aide d'une méthode émotionnelle, cognitive ou comportementale.

:: ***Coping* centré sur le problème** : tentative de soulagement direct d'un stress en modifiant le facteur de stress ou notre manière de réagir à ce facteur de stress.

:: ***Coping* centré sur les émotions** : tentative de soulagement d'un stress en évitant ou en ignorant le facteur de stress et en gérant les besoins émotionnels liés à notre réaction au stress.

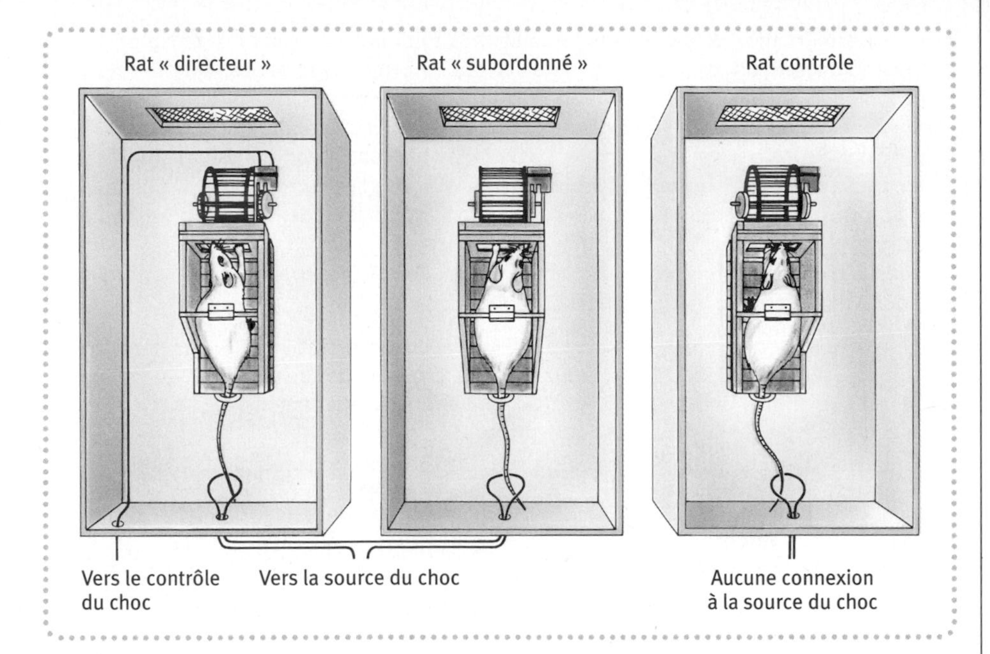

➤ FIGURE 12.30
Conséquences d'une perte de contrôle sur la santé Le rat « directeur », à gauche, peut couper le choc électrique envoyé à sa queue en faisant tourner la roue. Parce qu'il exerce un contrôle sur le choc électrique, il n'a pas plus de risques de développer un ulcère que le rat contrôle, à droite, qui ne reçoit aucun choc électrique. Le rat « subordonné », au centre, reçoit les mêmes chocs que le rat « directeur ». Mais comme il n'a aucun contrôle sur les chocs, il a plus de risques de développer un ulcère. (Adapté de Weiss, 1977.)

travailleurs ont le contrôle de leurs activités, plus ils vivent longtemps (Bosma et coll., 1997, 1998 ; Kivimaki et coll., 2002 ; Marmot et coll., 1997).

Le sentiment de contrôle permet aussi d'expliquer le lien étroit existant entre le statut économique et la longévité. Une étude des épitaphes gravées sur 843 stèles d'un vieux cimetière de Glasgow, en Écosse, a permis de constater que les individus ayant vécu le plus longtemps reposaient dans les tombes ornées des piliers les plus hauts et les plus onéreux (signe d'aisance financière) (Carroll et coll., 1994). De même, les régions d'Écosse les moins peuplées, avec les taux de chômage les plus bas, présentent également une longévité accrue. Ici comme ailleurs, le statut économique élevé prédit un moindre risque de maladies cardiaques et respiratoires (Sapolsky, 2005). La richesse est également un facteur prédictif de santé chez l'enfant (Chen, 2004). Avec l'élévation du statut économique, le risque de mortalité infantile diminue tout comme le faible poids à la naissance, le tabagisme et la violence. Même parmi les primates, ceux qui se trouvent au plus bas de l'échelle sociale développent plus facilement des maladies que leurs compagnons au statut plus élevé, lorsqu'ils sont exposés au virus de type influenza (Cohen et coll., 1997). Mais pour les babouins et les singes situés en haut de l'échelle sociale, qui doivent fréquemment défendre physiquement leur position dominante, ce statut social élevé impose aussi du stress (Sapolsky, 2005).

Les chercheurs débattent de l'explication de cette corrélation revenu/santé, car une mauvaise santé peut abaisser les revenus et par ailleurs, les résultats aux tests d'intelligence sont également corrélés aux revenus et à la santé (Kanazawa, 2006 ; Whalley et Deary, 2001). Mais il semble clair que la pauvreté et la diminution du contrôle entraînent un stress physiologiquement mesurable, même parmi les enfants (Evans et Kim, 2007).

Pour quelles raisons le sentiment de perte de contrôle prédit-il des problèmes de santé ? Les études effectuées sur les animaux et sur les hommes confirment qu'une perte de contrôle provoque un excès d'hormones du stress. Quand des rats ne peuvent contrôler un choc ou quand des primates ou des hommes se sentent incapables de contrôler leur environnement, le taux des hormones du stress augmente, la tension artérielle s'élève et la réponse immunitaire diminue (Rodin, 1986 ; Sapolsky, 2005). Ainsi, les animaux élevés en captivité sont plus sujets au stress et plus vulnérables aux maladies que les animaux sauvages (Roberts, 1988). La surpopulation dans les banlieues, les prisons et les dortoirs de pensionnat représente une autre source de la diminution du sentiment de contrôle et de l'augmentation du taux d'hormones de stress et de la tension artérielle (Fleming et coll., 1987 ; Ostfeld et coll., 1987).

Optimisme et santé

Une autre influence sur notre capacité à faire face au stress est liée à notre façon basique de voir les choses de manière optimiste ou pessimiste. Selon les psychologues Michael Scheier et Charles Carver (1992), les *optimistes* – des gens qui sont en accord avec des phrases telles que : « Dans les moments de doute, je m'attends toujours au mieux » - ont plus de contrôle sur eux-mêmes, résistent mieux au stress et ont une meilleure santé. Lors du dernier mois d'un semestre, les élèves les plus optimistes déclaraient être moins fatigués, moins tousser et avoir moins de maux ou de douleurs. Pendant les premières semaines stressantes de l'entrée à l'université de droit, les plus optimistes (« il est peu probable que j'échoue ») sont de meilleure humeur et sont mieux immunisés contre les infections (Segerstrom et coll., 1998). Les optimistes confrontés au stress n'ont pas de variation importante de la tension artérielle et ils se remettent plus rapidement d'un pontage coronarien.

Considérez l'importance constante et étonnante de ces facteurs que sont l'optimisme et les émotions positives d'après ces différentes autres études :

- Une équipe de chercheurs a suivi 941 Hollandais âgés de 65 à 85 ans pendant près de dix ans (Giltay et coll., 2004, 2007). Parmi ceux qui faisaient partie du quart des personnes les moins optimistes, 57 p. 100 sont morts. Dans le quart de ceux qui étaient les plus optimistes, seuls 30 p. 100 sont morts.
- Une équipe de chercheurs finlandais a suivi 2428 hommes pendant 10 ans. Elle a constaté deux fois plus de décès chez les individus ayant un état d'esprit sombre et désespéré par rapport à ceux qui étaient optimistes (Everson et coll., 1996).
- Lors d'une autre étude, on demanda à 795 Américains âgés de 64 à 79 ans s'ils étaient « optimistes quant à l'avenir ». Cinq années plus tard, les chercheurs reprirent contact avec ces personnes : 29 p. 100 de celles qui avaient répondu *non* étaient mortes contre 11 p. 100 (soit plus du double) de celles qui avaient répondu *oui* (Stern et coll., 2001).
- Une étude devenue fameuse a suivi 180 religieuses catholiques ayant écrit de courtes autobiographies vers l'âge de 22 ans. Bien qu'elles aient mené, par la suite, des styles de vie similaires avec un statut semblable, celles qui avaient pu exprimer du bonheur, de l'amour ainsi que d'autres sentiments positifs, ont vécu en moyenne sept ans de plus que leurs homologues plus austères (Danner et coll., 2001). Vers l'âge de 80 ans, environ 54 p. 100 de celles qui avaient exprimé peu d'émotions positives étaient décédées, contre seulement 24 p. 100 de celles qui avaient un esprit positif.

Bob Daemmrich/Stock, Boston

Rire avec ses amis est un bon remède Lorsque nous rions, nous nous sentons stimulés, nos muscles sont massés et nous nous sentons ensuite plus détendus (Robinson, 1983).

Ceux qui parviennent à trouver de l'humour dans les événements quotidiens de la vie semblent également en tirer profit. Parmi 54000 Norvégiens adultes, ceux qui faisaient partie du quart supérieur des personnes ayant le plus d'humour avaient 35 p. 100 de chances en plus d'être vivants 7 ans plus tard et cette différence était encore plus grande au sein d'un sous-groupe de personnes atteintes d'un cancer (Svebak et coll., 2007). Nous n'avons pas encore la preuve que « le rire est la meilleure médecine » (Martin, 2001, 2002), mais certaines études suggèrent qu'une humeur joyeuse (sans sarcasme hostile) peut diminuer le stress et renforcer l'activité immunitaire (Berk et coll., 2001 ; Kimata, 2001). Chez les personnes qui rient beaucoup (ce qui met en éveil, masse les muscles et détend le corps [Robinson, 1983]), l'incidence des maladies cardiaques est également plus faible (Clark et coll., 2001). Une expérience a montré que lorsque la projection d'un film hilarant entraînait le rire, les vaisseaux sanguins répondaient par l'augmentation du tonus de leur couche cellulaire interne et par l'augmentation du flux sanguin, soit exactement le contraire de ce qui se produisait lorsque ces personnes regardaient un film angoissant (Miller, 2005). D'autres expériences confirmeront peut-être que les personnes qui rient le plus vivent plus longtemps.

Soutien social

Le soutien social a aussi de l'importance. C'est ce que James Coan et ses collaborateurs (2006) ont découvert lorsqu'ils soumirent des femmes mariées et heureuses à la menace d'un choc électrique à la cheville alors qu'elles étaient allongées sur la table pour passer un IRM fonctionnel. Pendant cette expérience, certaines femmes tenaient la main de leur mari. D'autres tenaient la main d'une personne anonyme et d'autres enfin ne tenaient personne. Pendant l'attente de ces chocs occasionnels, les cerveaux de ces femmes étaient moins actifs dans les régions de réponse à la menace lorsqu'elles tenaient la main de leur mari. Cet apaisement était le plus important chez les femmes dont le mariage était le plus heureux.

Pour la plupart d'entre nous, les relations familiales procurent nos peines de cœur les plus grandes (même bien intentionnées, les intrusions familiales peuvent être stressantes), mais également nos plus grandes joies et notre plus grand réconfort. Peter Warr et Roy Payne (1982) demandèrent à un échantillon représentatif d'adultes britanniques ce qui les avait tendus émotionnellement la veille. La réponse la plus fréquente fut « la famille ». Mais lorsqu'on leur demanda ce qui, la veille, avait suscité chez eux un moment de plaisir, le même échantillon de Britanniques répondit dans une proportion encore plus importante : « la famille ».

Sept études importantes, chacune ayant suivi des milliers de personnes durant plusieurs années, ont montré que les relations étroites influaient sur la santé. Comparés à ceux qui n'ont que peu de liens sociaux, les gens ont moins de chances de mourir prématurément s'ils sont soutenus par des liens étroits avec des amis, leur famille, leurs collègues de travail, les membres de leur communauté religieuse ou d'autres groupes de soutien (Cohen, 1988 ; House et coll., 1988 ; Nelson, 1988).

Des études sous contrôle attentif indiquent que les gens mariés vivent plus longtemps et ont une vie plus saine que les gens non mariés (Kaplan et Kronick, 2006 ; Wilson et Oswald, 2002). Selon le *National Center of Health Statistics* (2004), quels que soient l'âge, le sexe, l'origine ethnique et le revenu des gens, ils ont tendance à être en meilleure santé s'ils sont mariés. Une étude effectuée sur une période de 70 ans par l'université de Harvard a montré qu'un bon mariage à 50 ans entraînait une meilleure santé en vieillissant que ne le ferait un faible taux de cholestérol au même âge (Vaillant, 2002). Mais, comme l'indique l'étude de Coan, le *fonctionnement* du mariage a aussi son importance. Un mariage chargé de conflits ne conduit pas à une bonne santé contrairement à un mariage heureux et positif qui apporte un soutien (De Vogli et coll., 2007 ; Kiecolt-Glaser et Newton, 2001). De plus, les adultes d'âge moyen ou âgés qui vivent seuls ont plus de risques de fumer, d'être obèses, d'avoir un taux de cholestérol élevé et risquent deux fois plus d'avoir des crises cardiaques (Nielsen et coll., 2006).

Comment pouvons-nous expliquer ce lien entre le soutien social et la santé ? Est-ce uniquement parce que les gens en bonne santé ont davantage tendance à soutenir les autres et à se marier ? C'est possible. Mais les personnes qui ont des amis qui les soutiennent et un partenaire avec lequel ils sont mariés mangent mieux, font plus d'exercice, dorment mieux, fument moins et font ainsi face au stress plus efficacement (Helgeson et coll., 1998). Les amis qui nous soutiennent ont également un effet tampon sur les menaces immédiates. Les hommes ne sont pas uniquement des sources de réconfort faisant tampon contre le stress. Après un événement stressant, ceux qui sont pris en charge par l'aide médicale (*Medicare* aux États-Unis) et qui possèdent un chien ou tout autre animal de compagnie ont moins de risque de faire appel à leur médecin (Siegel, 1990) (*voir* Gros plan : Les animaux sont aussi nos amis).

GROS PLAN

Les animaux sont aussi nos amis

N'avez-vous jamais souhaité avoir un ami qui vous aime comme vous êtes, ne vous juge pas et soit toujours là pour vous, quelle que soit votre humeur ? Pour des dizaines de millions de personnes cet ami existe, c'est un chien fidèle ou un chat affectueux.

Beaucoup de personnes décrivent leur animal familier comme un membre de la famille qu'elles chérissent et qui les aide à se sentir calmes, heureux et les valorise. Les animaux de compagnie peuvent-ils aider les gens à gérer leur stress ? Si oui, ces animaux ont-ils un pouvoir de guérison ? Selon Karen Allen (2003), la réponse est *oui*, les animaux de compagnie augmentent la durée de survie après une crise cardiaque, soulagent la dépression chez les patients atteints du sida et réduisent le taux de lipides sanguins qui contribuent au risque cardiovasculaire. Comme Florence Nightingale (1860), pionnière dans les soins infirmiers, le prévoyait, « un petit animal de compagnie est souvent un excellent compagnon pour le malade ». Se fondant sur ses propres recherches, Allen déclare que la tension artérielle des femmes augmente lorsqu'elles ont à faire face à un problème de mathématiques difficile en présence de leur époux ou de leur meilleur ami, mais l'augmentation est moindre si elles sont accompagnées de leur chien.

Ainsi, les animaux de compagnie seraient-ils une bonne médecine pour les gens qui n'en ont pas encore ? Pour trouver la réponse, Allen a étudié un groupe d'agents de change vivant seuls, considérant leur travail comme stressant et ayant une tension artérielle élevée. Après avoir choisi au hasard la moitié d'entre eux, elle leur a proposé d'adopter un chien ou un chat dans un refuge pour animaux. Confrontés ensuite à un stress, la tension artérielle des nouveaux propriétaires d'animaux augmentait deux fois moins que celle de leurs collègues qui n'avaient pas adopté d'animal. Ces effets étaient plus marqués chez ceux qui avaient moins d'amis ou de contacts sociaux. Elle en conclut donc que les animaux de compagnie ne peuvent pas se substituer aux médicaments efficaces et à l'exercice pour abaisser la tension artérielle, mais qu'ils représentent, pour ceux qui vivent seuls et aiment les animaux, une source saine de plaisir.

Un environnement qui soutient notre besoin d'appartenance renforce également le fonctionnement du système immunitaire. Les liens sociaux et une sociabilité positive engendrent même une résistance au virus du rhume. Sheldon Cohen et ses collègues (1997, 2004) l'ont démontré après avoir mis en quarantaine 276 personnes volontaires en bonne santé pendant 5 jours après leur avoir administré des gouttes nasales infectées par le virus du rhume, puis ont répété cette expérience sur 334 autres volontaires (les sujets étaient payés 800 dollars pour endurer ces deux expériences). Dit froidement, il ne faut pas « cracher » sur les effets des liens sociaux. En tenant compte de l'égalité de certains facteurs (l'âge, l'origine ethnique, le sexe, le tabagisme et autres habitudes de vie), les personnes ayant le plus de liens sociaux avaient moins de risques d'attraper le rhume et, s'ils l'attrapaient, elles produisaient moins de mucosités. Plus de sociabilité signifie moins de sensibilité. Plus de 50 études ultérieures ont montré que le soutien social apaise le système cardiovasculaire en abaissant la tension artérielle et la sécrétion des hormones du stress (Graham et coll., 2006 ; Uchino et coll., 1996, 1999).

« Malheur à celui qui est seul et qui tombe sans avoir quelqu'un pour l'aider. »
Ecclésiaste, 4:10

Des relations étroites permettent également de *confier* ses sentiments douloureux, une composante du soutien social qui a largement été étudié (Frattaroli, 2006). Au cours d'une étude, les psychologues de la santé James Pennebaker et Robin O'Heeron (1984) ont contacté les conjoints survivants de personnes s'étant suicidées ou ayant péri dans un accident de voiture. Celles qui ruminaient leur chagrin, seules, présentaient plus de problèmes de santé que celles qui les exprimaient ouvertement. Parler de nos problèmes peut constituer un « traitement à cœur ouvert ».

Refouler les émotions peut se faire au détriment de la santé physique. Quand Pennebaker étudia plus de 700 étudiantes, il observa qu'environ une sur 12 décrivait une expérience sexuelle traumatisante dans son enfance. Comparées aux femmes qui avaient éprouvé des traumatismes non sexuels, comme le décès d'un parent ou un divorce, celles qui avaient subi des sévices sexuels, en particulier celles qui avaient gardé leur secret, souffraient plus de maux de tête et de douleurs d'estomac. Une autre étude effectuée chez 437 ambulanciers australiens a confirmé les effets nocifs sur la santé de refouler ses émotions après avoir été témoin de traumatismes (Wastell, 2002).

Le fait d'écrire ses problèmes personnels dans un journal intime peut être utile (Burton et King, 2008 ; Hemenover, 2003 ; Lyubomirsky et coll., 2006). Dans une expérience, des volontaires l'ont fait, et ont présenté moins de problèmes de santé pendant les 4 à 6 mois qui suivirent (Pennebaker, 1990). Un volontaire l'expliquait ainsi : « Bien que je n'aie parlé à personne de ce que j'avais écrit, j'étais finalement capable de le prendre en compte, d'affronter la douleur plutôt que d'essayer de la bloquer. Maintenant, cela ne me perturbe pas d'y penser. »

Bien que le fait de parler d'un événement stressant puisse exciter temporairement les gens, à long terme, cela les apaise en réduisant l'activité du système limbique (Lieberman et coll., 2007 ; Mendolia et Kleck, 1993). Lorsque Pennebaker et ses collaborateurs (1989) invitèrent 33 survivants de l'Holocauste à passer deux heures à se souvenir de leurs expériences, beaucoup le firent avec des détails intimes jamais révélés jusqu'alors. Dans les semaines suivantes, beaucoup regardèrent et montrèrent à leur famille et à leurs amis une vidéo de leurs souvenirs. À nouveau, ceux qui se confièrent le plus ouvertement eurent une amélioration plus importante de leur santé 14 mois plus tard. La confidence est bénéfique pour le corps et l'âme.

« Y a-t-il ici quelqu'un spécialisé dans la gestion du stress ? »

Gérer le stress

16. Quelles tactiques pouvons-nous utiliser pour gérer notre stress et réduire les effets nocifs qu'il engendre ?

Avoir un sentiment de contrôle, développer des pensées plus optimistes et construire un soutien social peut nous aider à *éprouver* moins de stress et à améliorer ainsi notre santé. De plus, ces facteurs sont reliés les uns aux autres : les personnes qui pensent à eux et voient leur futur de manière optimiste ont également tendance à avoir des liens sociaux qui favorisent une bonne santé (Stinson et coll., 2008). Mais parfois, nous ne pouvons pas soulager le stress et nous avons simplement besoin de le *gérer*. L'aérobic, le biofeedback, la relaxation, la méditation et la spiritualité peuvent nous aider à rassembler notre force intérieure et à réduire les effets du stress.

L'aérobic

L'**aérobic** est un exercice soutenu qui améliore l'état du cœur et des poumons. Le jogging, la natation ou le vélo en sont des exemples courants. Ce type d'exercice renforce le corps. Peut-il aussi renforcer l'esprit ?

:: **Aérobic** : exercice soutenu qui améliore la forme physique du cœur et des poumons ; il peut aussi apaiser l'anxiété et la dépression.

Exercice physique et humeur De nombreuses études suggèrent que l'aérobic peut réduire le stress, la dépression et l'anxiété. Par exemple, 3 Américains et Canadiens sur 10 et 2 Britanniques sur 10 qui font régulièrement de l'aérobic trois fois par semaine se débrouillent mieux face aux événements stressants, ont davantage confiance en eux, ont plus de vigueur et sont moins souvent déprimés et fatigués que ceux qui en font moins (McMurray, 2004). Dans une enquête Gallup, les personnes ne faisant pas d'exercice physique avaient deux fois plus de chances que celles qui faisaient de l'exercice de déclarer qu'elles n'étaient « pas très heureuses » (Brooks, 2002). Mais en le formulant autrement - les gens stressés et déprimés font moins d'exercice - la cause et l'effet deviennent incertains.

Les expériences ont résolu cette ambiguïté en répartissant au hasard les gens stressés, déprimés ou anxieux soit vers un traitement par aérobic, soit vers un autre traitement. Dans l'une de ces expériences, Lisa McCann et David Holmes (1984) ont assigné un tiers d'un groupe d'étudiantes moyennement déprimées à un programme d'aérobic et un autre tiers à un traitement par relaxation ; le tiers restant, un groupe contrôle, ne recevait aucun traitement. Comme le montre la FIGURE 12.31, 10 semaines plus tard, les jeunes femmes appartenant au programme d'aérobic décrivaient une diminution plus importante de leur dépression. Beaucoup d'entre elles s'étaient presque littéralement libérées de leurs troubles. D'après ses études effectuées sur des étudiants, David Watson (2000) déclare que la pratique vigoureuse d'une activité physique améliore « substantiellement » et immédiatement l'humeur. Même une marche de 10 minutes suscite 2 heures de bien-être accru en augmentant le niveau d'énergie et en abaissant la tension (Thayer, 1987, 1993).

D'autres études ont confirmé le fait que l'exercice réduisait la dépression et l'anxiété, et constituait un complément utile aux antidépresseurs et à la psychothérapie (Dunn et coll., 2005, Stathopoulou et coll., 2006). Certaines recherches suggèrent que l'exercice est non seulement aussi efficace que les médicaments, mais qu'il permet une meilleure prévention contre les rechutes (Babyak et coll., 2000 ; Salmon, 2001).

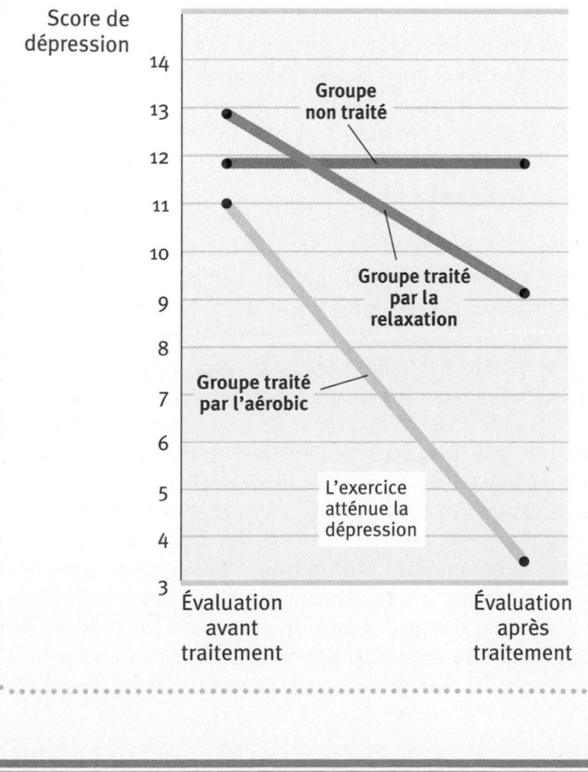

Score de dépression
14
13
12
11
10
9
8
7
6
5
4
3
Groupe non traité
Groupe traité par la relaxation
Groupe traité par l'aérobic
L'exercice atténue la dépression
Évaluation avant traitement
Évaluation après traitement

➤ FIGURE 12.31
Aérobic et dépression
Les étudiantes présentant une dépression modérée et ayant participé à un programme d'aérobic ont montré une diminution marquée de leur dépression par comparaison avec celles qui effectuèrent des exercices de relaxation ou qui ne reçurent aucun traitement. (D'après McCann et Holmes, 1984.)

Kathryn Brownson

Améliorer son humeur Lorsque notre énergie ou notre esprit s'affaiblissent, peu de choses réamorcent mieux la journée que l'exercice (je peux en témoigner du fait de mon entraînement quotidien de basket à midi). Il semble que les exercices d'aérobic neutralisent la dépression, en partie par l'augmentation de l'éveil (remplaçant ainsi l'état léthargique de la dépression) et en provoquant naturellement ce que fait le Prozac® : augmenter la production de sérotonine par le cerveau.

Les chercheurs se demandent à présent *pourquoi* l'aérobic apaise les émotions négatives. L'exercice met en ordre les molécules chimiques de la pharmacie interne de notre organisme qui améliorent l'humeur - les neuromédiateurs, comme la noradrénaline, la sérotonine et les endorphines (Jacobs, 1994 ; Salmon, 2001). Il est possible que les bénéfices émotionnels de l'exercice soient des effets secondaires de l'accroissement de la chaleur et de l'activation du corps (neutralisant l'état léthargique de la dépression) ou de la relaxation musculaire et du meilleur sommeil qui suit l'exercice. Ou, peut-être, une impression d'accomplissement et une meilleure condition physique peuvent améliorer l'état émotionnel.

Exercice et santé D'autres recherches montrent que l'exercice non seulement améliore notre humeur, mais aussi renforce le cœur, augmente le flux sanguin, maintient les vaisseaux sanguins dilatés et diminue à la fois la tension artérielle et la réponse de la tension artérielle au stress (Ford, 2002 ; Manson, 2002). Comparativement aux adultes inactifs, les gens qui font de l'exercice ont deux fois moins de crises cardiaques (Powell et coll., 1987). Grâce à l'exercice, le muscle brûle les mauvaises graisses qui, lorsqu'elles ne sont pas utilisées par lui, sont responsables de l'obstruction des artères (Barinaga, 1997). Une étude menée pendant 20 ans sur des jumeaux finlandais a montré que, les autres facteurs étant identiques, la pratique occasionnelle d'un sport réduisait le risque de décès de 29 p. 100 par comparaison avec ceux qui ne pratiquaient aucun sport. Une pratique quotidienne réduit ce risque de 43 p. 100 (Kujala et coll., 1998). Chez les personnes plus âgées, l'exercice régulier prédit de meilleures fonctions cognitives et une diminution du risque de démence sénile et de maladie d'Alzheimer (Kramer et Erickson, 2007).

Les gènes transmis par nos lointains ancêtres étaient ceux qui nous permettaient d'avoir l'activité physique essentielle nécessaire à la chasse, la recherche de nourriture et la pratique de l'élevage. Lorsque l'exercice active ces gènes dans les cellules musculaires, ils répondent par la production de protéines. Chez la personne moderne inactive, ces gènes produisent moins de protéines, ce qui augmente notre sensibilité vis-à-vis de plus de vingt maladies chroniques, comme le diabète de type 2, les maladies cardiovasculaires et le cancer (Booth et Neufer, 2005). L'inactivité est donc potentiellement toxique.

Avec moins d'activité physique nécessaire pour nous fournir de la nourriture ou un abri et pour nous déplacer (les machines font la majorité du travail pour nous), notre style de vie plus sédentaire contribue au taux élevé de dépression que nous connaissons aujourd'hui. Moins d'exercice signifie moins d'activité cérébrale dans les régions essentielles à la récompense, la motivation et la gestion efficace du stress (Ilardi et coll., 2007 ; Lambert, 2005, 2008). L'augmentation de l'exercice a des conséquences bénéfiques similaires à celles des antidépresseurs ; chez la souris, l'exercice provoque la production dans le cerveau d'une molécule qui agit comme un antidépresseur naturel en stimulant la production de nouveaux neurones (Hunsberger et coll., 2007).

Selon une estimation, la pratique modérée de l'exercice augmente non seulement la qualité de la vie (plus d'énergie et une meilleure humeur) mais aussi l'espérance de vie de deux ans en moyenne. « Dieu ne soustrait peut-être pas le temps que nous passons à faire de l'exercice au temps qui nous est imparti sur Terre », plaisante Martin Seligman (1994, p. 193).

Biofeedback, relaxation et méditation

Connaissant les effets néfastes du stress, pourrions-nous entraîner les gens à contrecarrer ce stress en contrôlant consciemment leur rythme cardiaque et leur tension artérielle ? Lorsque quelques psychologues commencèrent à explorer cette idée, beaucoup de leurs collègues pensèrent qu'ils étaient farfelus. Ces fonctions, après tout, sont contrôlées par le système nerveux autonome (« involontaire »). Puis, vers la fin des années 1960, des expériences mises en œuvre par des psychologues reconnus commencèrent à faire douter les sceptiques. Neal Miller, par exemple, montra que des rats pouvaient modifier leur rythme cardiaque si on leur administrait une stimulation cérébrale agréable lorsque leurs battements cardiaques augmentaient ou diminuaient. Plus tard, des recherches révélèrent que certains sujets paralysés pouvaient aussi apprendre à contrôler leur tension artérielle (Miller et Brucker, 1979).

Miller expérimentait le **biofeedback (rétroaction biologique)**, un système d'enregistrement amplifiant et donnant des informations en retour sur des changements physiologiques minimes. Les instruments de biofeedback sont des miroirs qui réfléchissent le résultat des efforts du sujet, lui permettant d'apprendre les techniques pour contrôler une réponse physiologique donnée (FIGURE 12.32). Après dix ans de recherche, cependant, les chercheurs

::Biofeedback (rétroaction biologique) : système permettant d'enregistrer électroniquement, d'amplifier et de renvoyer l'information concernant un état physiologique ténu, comme la tension artérielle ou la tension musculaire.

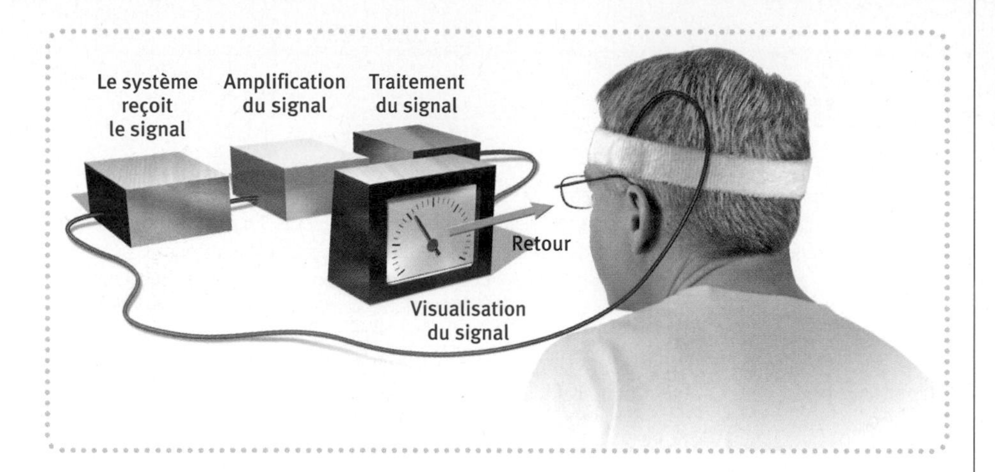

➤ FIGURE 12.32
Systèmes de biofeedback (rétroaction biologique) Les systèmes de biofeedback, comme celui présenté ici qui enregistre la tension des muscles du front chez une personne souffrant de céphalées, permettent aux gens de suivre des réponses physiologiques ténues. À mesure que cet homme détend les muscles de son front, le curseur sur l'écran descend (ou le son s'atténue).

décidèrent que les premières affirmations sur le biofeedback avaient été surévaluées et exagérées (Miller, 1985). Selon un groupe d'experts des *National Institutes of Health* en 1995, c'est sur les céphalées de tension que le biofeedback fonctionne le mieux.

Les années de tests et de recherches rigoureux sur le biofeedback ont été un exemple de l'attitude scientifique vis-à-vis des nouveaux traitements de santé dont l'efficacité n'était pas prouvée (pour plus d'informations sur ce sujet, *voir* Regard critique sur : Les médecines douces et parallèles, page suivante).

Les méthodes simples de relaxation, qui ne demandent pas d'équipement coûteux, apportent en grande partie les mêmes bénéfices que ceux promis par le biofeedback. Des douzaines d'études, par exemple, ont montré que la relaxation pouvait aider à soulager les céphalées, l'hypertension, l'anxiété et l'insomnie (Nestoriuc et coll., 2008 ; Stetter et Kupper, 2002). Ces résultats ne surprendraient pas Meyer Friedman et ses collaborateurs. Pour savoir si le fait d'apprendre à se relaxer aux victimes d'une crise cardiaque ayant une personnalité de type A pouvait réduire les risques de récidive, les chercheurs ont réparti au hasard des centaines d'hommes rescapés d'une première crise cardiaque d'âge moyen en deux groupes. Le premier groupe a reçu les conseils habituels des cardiologues concernant les médicaments, l'alimentation et la nécessité de faire de l'exercice. Le second groupe a reçu les mêmes conseils plus des conseils réguliers sur la façon de modifier leur style de vie : ralentir son mode de vie et se détendre en marchant, en parlant et en mangeant plus doucement, en souriant aux autres et en riant de soi-même, en admettant ses erreurs, en prenant le temps d'apprécier la vie, en renouvelant sa foi religieuse. Comme l'indique la FIGURE 12.33, au cours des trois années suivantes, les personnes du second groupe eurent deux fois moins de crises cardiaques que celles du premier groupe. Cela, écrivit l'exubérant Friedman, est une réduction spectaculaire et encore

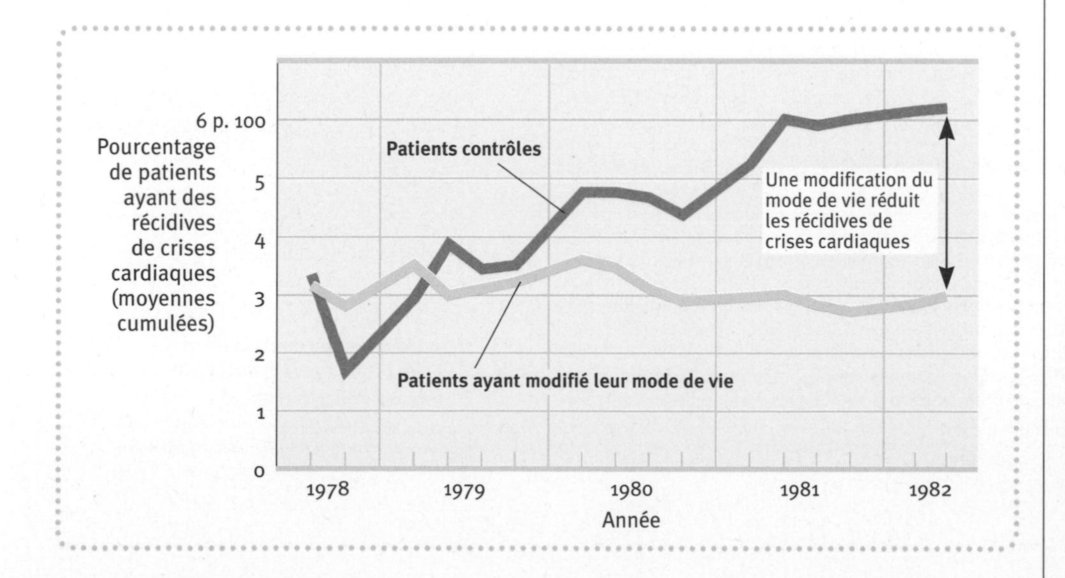

➤ FIGURE 12.33
Récidives de crise cardiaque et modification du mode de vie Le *San Francisco Recurrent Coronary Prevention Project* offre aux survivants d'une crise cardiaque des conseils dispensés par des cardiologues. Ceux qui ont également suivi les conseils pour modifier leur style de vie de type A ont présenté moins de récidives de crises cardiaques. (D'après Friedman et Ulmer, 1984.)

REGARD CRITIQUE SUR

Les médecines douces et parallèles

Le marché de la santé en pleine expansion est celui des **médecines douces** et des **médecines parallèles** qui incluent la relaxation, l'acupuncture, la massothérapie, l'homéopathie, la guérison spirituelle, la phytothérapie, la chiropraxie et l'aromathérapie. En Allemagne, la phytothérapie et l'homéopathie sont très populaires. En Chine, la phytothérapie s'est développée depuis longtemps, de même que l'acupuncture et la digitopuncture, qui rectifieraient le « déséquilibre du flux d'énergie » (appelé *Qi* ou *Chi*) en des points précis juste sous la peau. Les nombreux livres d'Andrew Weil sur les médecines douces se sont vendus à des millions d'exemplaires, ce qui lui a valu la couverture du magazine *Time*.

Face aux pressions politiques pour que ces techniques soient explorées, les *National Institutes of Health* (NIH) américains ont fondé le *National Center for Complementary and Alternative Medicine*, qui définit ces techniques comme des traitements concernant la santé qui sont peu enseignés dans les écoles de médecine, rarement remboursés par la Sécurité sociale et pas utilisés dans les hôpitaux (TABLEAU 12.2).

Que devons-nous donc penser des médecines parallèles ? Certains aspects, tels que la modification du style de vie et la gestion du stress, ont fait preuve d'une certaine validité. Et il a été reconnu que certaines techniques étaient efficaces vis-à-vis de douleurs spécifiques comme l'acupuncture, la massothérapie et l'aromathérapie pour soulager la douleur chez les patients atteints d'un cancer (Fellowes et coll., 2004). Les autres aspects constituent-ils, comme certains le pensent, un nouveau modèle médical ?

Les détracteurs font remarquer que les personnes consultent les médecins généralistes pour des maladies que l'on peut diagnostiquer et guérir, mais font appel aux médecines douces lorsqu'ils sont atteints d'une maladie incurable ou bien quand ils ne se sentent pas au mieux de leur forme. Par exemple, une personne dont l'état général est satisfaisant et qui attrape un rhume peut décider de se soigner par la phytothérapie et attribuer sa guérison à l'utilisation des médecines douces, plutôt qu'au rétablissement naturel de l'organisme. Les médecines parallèles semblent particulièrement efficaces dans le cas des maladies cycliques telles que l'arthrite et les allergies car les personnes y ont recours lors des crises et attribuent l'efficacité au traitement lorsque les crises cessent. Ajoutées au pouvoir de guérison de la croyance – l'*effet placebo* – et à la disparition naturelle de nombreuses maladies (*rémission spontanée*), les médecines douces semblent efficaces qu'elles le soient ou non. Une étude menée en Allemagne sur 302 patients atteints de migraine a montré que 51 p. 100 des patients traités par acupuncture se sentaient soulagés contre seulement 15 p. 100 des sujets contrôles sur la liste d'attente. Toutefois, parmi ceux du troisième groupe qui recevaient un traitement d'acupuncture « simulé » (mise en place d'aiguilles sur d'autres points que ceux d'acupuncture), 53 p. 100 se sentaient soulagés. Devant ces résultats, les expérimentateurs ont suspecté un « puissant effet placebo » (Linde et coll., 2005).

Comme toujours, le moyen de discerner ce qui marche de ce qui ne marche pas est de l'expérimenter : assigner au hasard des patients pour qu'ils reçoivent le traitement ou un placebo pour le contrôle. Ensuite poser la question critique : lorsque ni celui qui traite ni le patient ne sait qui a reçu le véritable traitement, ce traitement est-il efficace ?

Une grande partie de la médecine actuelle est issue des médecines parallèles d'hier. La botanique nous a offert la digitaline (extraite de la digitale pourpre), la morphine (alcaloïde de l'opium extrait du pavot) et la pénicilline (à partir d'une moisissure du genre *Penicillium*). Dans chaque cas, le principe actif a été vérifié dans des essais contrôlés. Nous devons à la science médicale et de la santé publique, les antibiotiques, les vaccins, les interventions chirurgicales, le système sanitaire et la médecine d'urgence qui ont permis de prolonger l'espérance de vie de trente ans depuis le siècle dernier.

« Les médecines parallèles et les médecines douces changent continuellement », remarque le *National Center for Complementary and Alternative Medicine* (2006), « comme ces traitements qui se sont avérés sans danger et efficaces et ont été adoptés par la médecine conventionnelle ». En effet, comme le déclarent Marcia Angell et Jerome Kassirer (1998), éditeurs du *New England Journal of Medicine* : « Il ne peut pas y avoir deux types de médecine : une médecine conventionnelle et une médecine parallèle. Il existe une seule médecine testée de manière adéquate et une autre qui ne l'a pas été ; une médecine qui marche et une médecine qui peut marcher ou non. Lorsqu'un traitement a été rigoureusement testé, il importe peu de savoir s'il était considéré comme faisant partie de la médecine parallèle lors de sa découverte. »

TABLEAU 12.2

LES CINQ DOMAINES DE LA MÉDECINE PARALLÈLE ET DE LA MÉDECINE DOUCE	
Systèmes médicaux parallèles	Traitements utilisés à la place de la médecine conventionnelle, comprenant l'homéopathie dans les cultures occidentales ainsi que la médecine traditionnelle chinoise et l'Ayurveda dans les cultures non occidentales
Intervention corps-esprit	Techniques conçues pour augmenter la capacité de l'esprit à agir sur les fonctions de l'organisme et les symptômes, comprenant la méditation, la prière, la guérison mentale et les traitements qui utilisent les exutoires créatifs comme l'art, la musique ou la danse
Traitements basés sur la biologie	Traitements utilisant des substances naturelles comme les herbes, les aliments et les vitamines
Méthodes de manipulation et basées sur le corps	Fondées sur les manipulations et/ou les mouvements d'une ou de plusieurs parties du corps ; comprennent la chiropraxie, l'ostéopathie et les massages
Thérapies énergétiques	Utilisation de champs d'énergie présumés. Les thérapies biochamps comme le qi gong, le Reiki, et le toucher thérapeutique ont pour but de modifier les champs énergétiques qui entourent prétendument le corps humain et pénètrent à l'intérieur. Les thérapies bioélectromagnétiques impliquent l'utilisation non conventionnelle de champs électromagnétiques comme des champs magnétiques ou pulsés

Source : Adapté du *National Center for Complementary and Alternative Medicine*, NIH (http://nccam.nih.gov/health/whatiscam.)

« Nous avons confiance en Dieu. Tous les autres devront fournir des preuves. »
George Lundberg, éditeur du *Journal of the American Medical Association*, 1998

GROS PLAN

La réponse de relaxation

La réponse de relaxation est un état de calme marqué par le relâchement des muscles, un ralentissement de la respiration et du rythme cardiaque et une diminution de la tension artérielle. Ses défenseurs, comme le cardiologue Herbert Benson, affirment que l'on obtient une réduction durable du stress lorsque la relaxation est pratiquée une à deux fois par jour.

Pour expérimenter cette réponse de relaxation, le *Benson-Henry Institute for Mind-Body Medicine* recommande de suivre ces étapes : asseyez-vous calmement dans une position confortable. Fermez vos yeux. Détendez vos muscles en commençant par vos pieds, puis en remontant vers vos mollets, vos cuisses, vos épaules, votre cou pour terminer par la tête. Respirez lentement. À chaque expiration, répétez un mot, une phrase ou une prière sur laquelle vous vous êtes concentré – quelque chose tiré de vos propres croyances. Lorsque d'autres pensées font irruption, ne vous inquiétez pas. Recommencez à répéter ces phrases continuellement, durant 10 ou 20 minutes. Lorsque vous avez fini, restez tranquille encore une à deux minutes puis ouvrez vos yeux et restez assis encore quelques instants.

jamais vue dans la récidive de crises cardiaques. Une étude britannique effectuée à plus petite échelle a réparti des sujets à risque de crise cardiaque en deux groupes, un groupe contrôle et un groupe qui suivait un programme pour modifier son mode de vie (Eysenck et Grossarth-Maticek, 1991). Au cours des 13 années qui suivirent, cette étude montra également une réduction de 50 p. 100 du taux de mortalité chez ceux qui avaient modifié leurs modes de penser et de vie. Après avoir souffert d'une crise cardiaque à l'âge de 55 ans, Friedman commença à suivre sa propre technique comportementale et vécut jusqu'à 90 ans (Wargo, 2007).

Le cardiologue Herbert Benson (1996) fut intrigué par la relaxation méditative lorsqu'il découvrit que des personnes pratiquant régulièrement la méditation pouvaient diminuer leur pression sanguine, leur rythme cardiaque et leur consommation d'oxygène, et augmenter la température de leurs doigts. Son étude le mena à ce qu'il appela la *réponse de relaxation* décrite dans le Gros plan ci-dessus.

Les bouddhistes tibétains, qui se consacrent à la méditation profonde, et les religieuses franciscaines, qui pratiquent la prière, déclarent avoir un sens de soi, de l'espace et du temps diminué. Des images de leur cerveau prises pendant ces expériences mystiques montrent les empreintes neuronales laissées par de tels sentiments spirituels. Une partie du lobe pariétal en charge de notre position dans l'espace est moins active qu'ordinairement. Une zone du lobe frontal impliquée dans l'attention focalisée est plus active (Cahn et Polich, 2006 ; Newberg et D'Aquili, 2001).

Selon le psychologue Richard Davidson, on observe chez les moines bouddhistes qui s'adonnent régulièrement à la méditation une activité importante du lobe frontal gauche associée aux émotions positives. Pour examiner si cette activité est le *résultat* de la méditation, Davidson et ses collaborateurs (2003) ont effectué des scanners cérébraux au repos chez des volontaires qui *n'*avaient *pas* d'expérience de la méditation puis ils les ont répartis aléatoirement dans un groupe contrôle ou dans un groupe devant suivre huit semaines de « méditation spirituelle ». Par comparaison avec les résultats de l'imagerie cérébrale du groupe contrôle et de leur propre imagerie cérébrale de repos, il a observé, chez les participants à la méditation, une activité significativement supérieure de l'hémisphère gauche ainsi qu'une meilleure fonction immunitaire après leur entraînement à la méditation. Ces effets pourraient expliquer les résultats étonnants d'une étude qui a réparti au hasard 73 résidents d'une maison de retraite en deux groupes, l'un pratiquant une méditation quotidienne et l'autre n'en pratiquant pas. Trois ans plus tard, un quart de ceux qui n'avaient pas médité étaient morts ; tous ceux qui faisaient partie du groupe de méditation étaient encore en vie (Alexander et coll., 1989). Une étude plus récente qui a suivi pendant 19 ans des patients atteints d'hypertension suivant un entraînement à la méditation, a montré que, dans ce groupe (comparé à un autre groupe de traitement), le taux de décès d'origine cardiovasculaire pendant la période de l'étude était 30 p. 100 inférieur (Schneider et coll., 2005).

• La méditation est un phénomène moderne avec une longue histoire : « Asseyez-vous seul et dans le silence. Baissez la tête, fermez les yeux, expirez doucement et imaginez-vous en train de regarder dans votre propre cœur... Lorsque vous expirez, dites "Seigneur Jésus-Christ, ayez pitié de moi"... Essayez d'écarter toutes les autres pensées. Soyez calme et patient, et répétez très souvent ce processus. » (Grégoire du Sinaï, mort en 1346). •

• Et puis il y a les mystiques qui cherchent à utiliser le pouvoir de leur esprit pour permettre le traitement des caries dentaires sans Novocaïne®. Leur objectif : transcender les traitements dentaires. •

Spiritualité et communautés religieuses

Tout au long de l'histoire, les hommes ont eu des maladies qu'ils ont cherché à guérir. Pour répondre à cette attente, les deux traditions de la guérison - la religion et la médecine - ont joint leurs efforts pour apporter de l'aide aux malades. Ces efforts venaient souvent de la même personne ; le chef spirituel était aussi le guérisseur. Maimonide était un rabin du XIIe siècle et un médecin renommé. Les hôpitaux, qui étaient autrefois installés dans les monastères et développés par les missionnaires, portent souvent le nom de saints ou de communautés religieuses.

:: Médecines douces et médecines parallèles : traitements n'ayant pas encore de preuves scientifiques, ayant pour but d'être un complément ou une alternative à la médecine conventionnelle et qui typiquement sont très peu enseignés dans les écoles de médecine, peu utilisés dans les hôpitaux et généralement non remboursés par la Sécurité sociale. Lorsque les études montrent qu'un de ces traitements est efficace et sans danger, il devient généralement une partie de la médecine acceptée.

À mesure que la science a évolué, la guérison et la religion se sont séparées. Plutôt que d'implorer Dieu d'épargner leurs enfants de la variole, les gens les ont fait vacciner. Plutôt que d'avoir recours à un guérisseur spirituel lorsqu'ils brûlaient d'une fièvre d'origine bactérienne, ils ont pu utiliser des antibiotiques. Depuis peu, cependant, la religion et la médecine convergent à nouveau. En 1992, 4 p. 100 des écoles de médecine américaines proposaient des cours de spiritualité et de santé ; en 2005, 75 p. 100 le faisaient (Koenig, 2002 ; Puchalski, 2005). Une recherche sur la *religion* ou la *spiritualité*, menée par MEDLINE, une base de données bibliographique nationale de médecine, a mis en évidence 8 294 articles entre 2000 et 2007, plus de trois fois plus d'articles que dans leurs bases de données des 35 années précédentes.

Plus d'un millier d'études ont cherché une corrélation entre, d'une part, le *facteur religieux* et, d'autre part, la santé et la guérison. Par exemple, Jeremy Kark et ses collègues (1996) ont comparé les taux de mortalité de 3 900 Israéliens dans 11 communautés religieuses orthodoxes et dans 11 communautés non religieuses (kibboutz). Après 16 ans d'études, les chercheurs ont déclaré que « l'appartenance à une communauté religieuse était associée à un sentiment de protection intense », qu'on ne pouvait expliquer par l'âge ou les différences économiques. Dans chaque groupe d'âge, le taux de mortalité de ceux qui appartenaient à des communautés religieuses était deux fois moins élevé que celui des gens n'en faisant pas partie. C'est à peu près comparable à la différence de mortalité entre les sexes.

Face à de tels résultats, Richard Sloan et ses collègues sceptiques (1999, 2000, 2002, 2005) nous rappellent que les simples corrélations peuvent laisser de nombreux facteurs incontrôlés. Considérons une possibilité évidente : les femmes sont plus pratiquantes que les hommes et vivent plus longtemps qu'eux. Le lien religieux exprime peut-être simplement la différence de longévité entre les hommes et les femmes.

Toutefois, plusieurs nouvelles études ont trouvé une corrélation entre la religiosité et la longévité chez les hommes seuls et encore plus chez les femmes (McCullough et coll., 2000, 2005). Une étude ayant suivi 5 286 Californiens sur une période de 28 ans a montré, après ajustements pour l'âge, le sexe, l'origine ethnique et l'éducation, que les personnes qui avaient une pratique religieuse fréquente avaient eu 36 p. 100 moins de risques de décéder, quelle que soit l'année (FIGURE 12.34).

Une enquête nationale américaine sur la santé (*National Health Interview Survey*, Hummer et coll., 1999) a suivi 21 204 personnes sur une période de 8 ans. Après avoir contrôlé des facteurs tels que l'âge, le sexe, l'origine ethnique et la région, les chercheurs ont découvert que les personnes non pratiquantes avaient eu 1,87 fois plus de risques de décéder durant cette période que celles qui pratiquaient leur religion plus d'une fois par semaine. L'espérance de vie pour une personne de 20 ans est donc de 83 ans si elle pratique régulièrement et de 75 ans si elle ne pratique pas régulièrement (FIGURE 12.35).

Ces corrélations ne signifient pas que les non-pratiquants qui débutent une activité religieuse et ne changent rien d'autre vivront 8 années de plus. Mais elles indiquent qu'en tant que *variable prédictive* de la santé et de la longévité, l'implication religieuse rivalise avec les effets de l'exercice et le fait de ne pas fumer. De telles découvertes nécessitent quelques explications. Pouvez-vous imaginer quelles variables pourraient intervenir dans ces corrélations ?

Tout d'abord, les gens qui ont une activité religieuse ont un mode de vie plus sain ; ils boivent et fument moins par exemple (Lyons, 2002 ; Park, 2007 ; Strawbridge et coll., 2001). Les Adventistes du Septième Jour, très soucieux de leur santé et végétariens, ont une espérance de vie plus longue que la moyenne (Berkel et de Waard, 1983). Les Israéliens orthodoxes mangent moins de graisse que leurs compatriotes non religieux. Mais, selon les chercheurs israéliens, de telles différences ne sont pas suffisamment importantes pour expliquer la baisse de mortalité importante dans les kibboutz religieux. Dans des études américaines récentes, il restait une différence de 75 p. 100 concernant la longévité après avoir écarté les mauvaises habitudes telles que l'inactivité et le tabagisme (Musick et coll., 1999).

Le soutien social est une autre variable qui permet d'expliquer le facteur religieux (Ai et coll., 2007 ;

➤ FIGURE 12.34
Des facteurs influant sur la mortalité : ne pas fumer, faire de l'exercice et avoir une pratique religieuse régulière
L'épidémiologiste William Strawbridge et ses collaborateurs (1997, 1999 ; Oman et coll., 2002) ont suivi 5 286 adultes d'Alameda (Californie) sur une période de 28 ans. Après avoir pris en compte l'âge et l'éducation, les chercheurs ont découvert que le fait de ne pas fumer, de faire régulièrement de l'exercice et d'avoir une pratique religieuse régulière prédit un risque moins important de décès dans n'importe quelle année. Les femmes qui assistent aux services religieux chaque semaine ont 54 p. 100 moins de risques de mourir dans l'année étudiée que les personnes non pratiquantes.

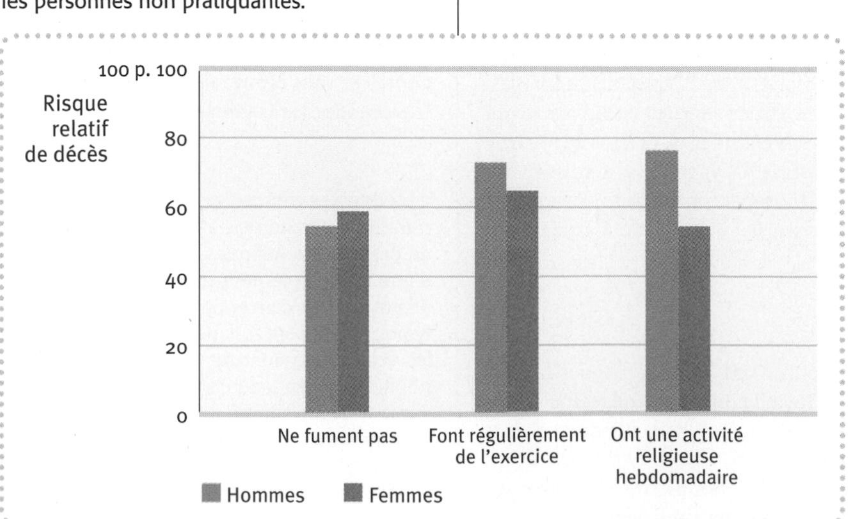

George et coll., 2002). Que ce soit dans le judaïsme, le christianisme ou l'islam, la foi n'est pas une spiritualité solitaire, mais une expérience communautaire qui permet de satisfaire notre besoin d'appartenance. Il y a plus de 350 000 communautés religieuses en Amérique du Nord et des millions d'autres réparties dans le monde ; cela constitue un réseau de soutien pour les participants actifs, ceux qui sont là pour les autres en cas de malheur. De plus, la religion encourage un autre facteur prédictif de santé et de longévité : le mariage. Dans les kibboutz religieux, par exemple, le divorce est presque inexistant.

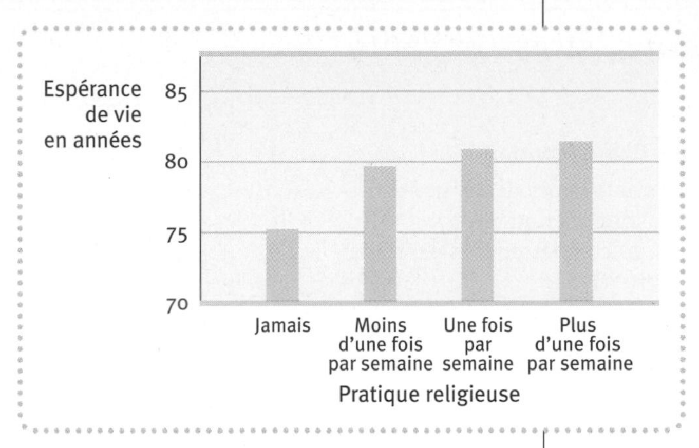

➤ FIGURE 12.35 **Pratique religieuse et espérance de vie** Dans une enquête nationale sur la santé financée par les *Centers for Disease Control and Prevention* américains, les gens ayant une activité religieuse avaient une espérance de vie plus longue. (Données de Hummer et coll., 1999.)

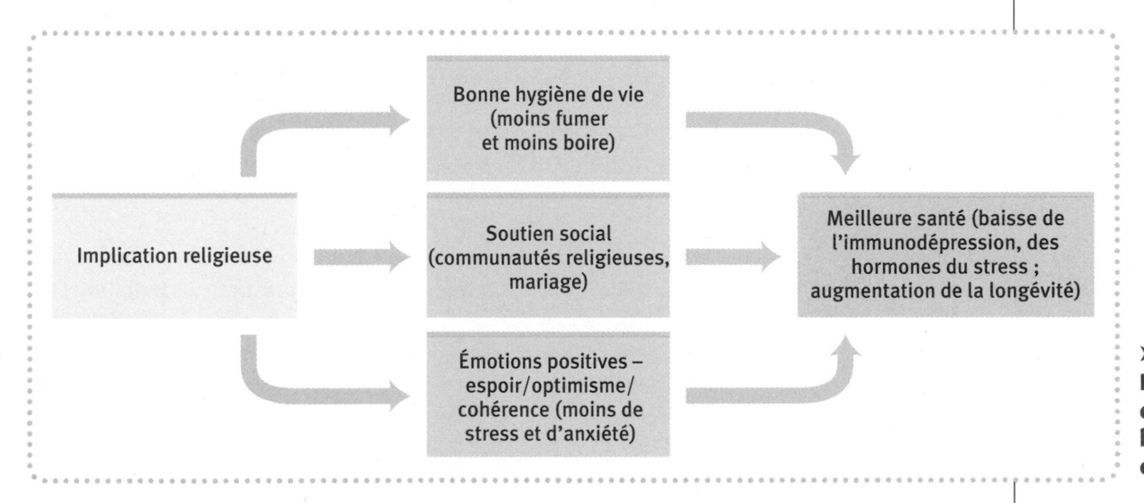

➤ FIGURE 12.36 **Explications possibles de la corrélation entre l'implication religieuse et la santé/longévité**

Cependant, même après avoir fait l'ajustement statistique pour le genre, la mauvaise hygiène de vie, les liens sociaux et les troubles de santé préexistants, les études signalent globalement l'existence d'une réduction de la mortalité (George et coll., 2000 ; Powell et coll., 2003). Les chercheurs supposent donc qu'un troisième ensemble de variables intervient comme protection contre le stress, entraînant un bien-être accru, associé à une vision cohérente du monde, à un sentiment d'espoir dans l'avenir à long terme, à des sentiments d'acceptation absolue ainsi qu'à des moments de détente dans la méditation pour ceux qui prient ou observent le Shabbat (FIGURE 12.36). Ces variables permettent également d'expliquer des constats récents parmi les personnes actives sur le plan religieux concernant un meilleur fonctionnement du système immunitaire ainsi qu'un nombre d'hospitalisations plus faible et, chez les patients atteints du sida, une quantité moindre d'hormones du stress et une augmentation de la longévité (Ironson et coll., 2002 ; Koenig et Larson, 1998 ; Lutgendorf et coll., 2004).

AVANT D'ALLER PLUS LOIN...

➤ INTERROGEZ-VOUS

Pouvez-vous vous souvenir d'un jour où vous vous êtes senti mieux concernant un problème qui vous tracassait après avoir en avoir parlé avec un ami ou un membre de votre famille ? Ou même simplement après avoir joué avec votre animal de compagnie ? De quelle manière cette interaction vous a-t-elle aidé à faire face à ce problème ?

➤ TESTEZ-VOUS 6

En quoi le *coping* centré sur le problème est-il différent du *coping* centré sur l'émotion ?

Les réponses aux questions « Testez-vous » sont données dans l'annexe B à la fin de l'ouvrage.

RÉVISION : Émotions, stress et santé

Théories de l'émotion

1. Quelles sont les composantes d'une émotion ?

Les *émotions* sont des réponses psychologiques de l'ensemble de l'organisme qui impliquent une interrelation entre (1) l'activation physiologique, (2) les comportements expressifs et (3) l'expérience consciente (FIGURE 12.37).

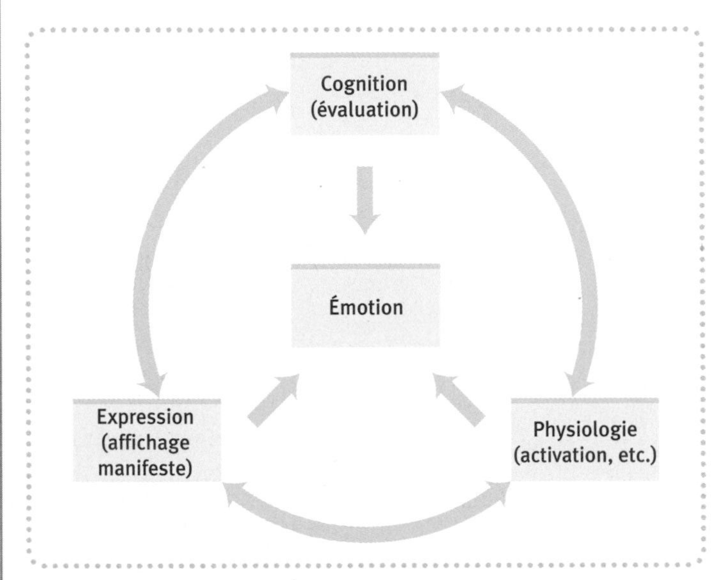

➤ FIGURE 12.37
Les ingrédients de l'émotion Les émotions surgissent de l'interrelation entre la physiologie, l'expression et la cognition.

Trois théories soutiennent différentes associations de ces réponses. La *théorie de James-Lange* maintient que nos sentiments émotionnels suivent la réponse de notre organisme aux stimuli induisant les émotions. La *théorie de Cannon-Bard* propose que notre corps répond aux émotions au moment où nous éprouvons ces émotions (l'un n'est pas la cause de l'autre). La *théorie bifactorielle* considère que les émotions sont formées de deux éléments : une activation physique et une identification cognitive.

L'émotion exprimée par le corps

2. Quel est le lien entre l'activation émotionnelle et le système nerveux autonome ?

Les émotions sont à la fois psychologiques et physiologiques. La majeure partie de l'activité physiologique est contrôlée par les branches sympathique (activation) et parasympathique (apaisement) du système nerveux autonome. Nos performances à une tâche sont généralement meilleures lorsque nous sommes modérément activés mais cela varie en fonction de la difficulté de la tâche.

3. Les différentes émotions activent-elles différentes réponses physiologiques et voies cérébrales ?

Les émotions peuvent entraîner une même activation, mais il existe certaines réponses physiologiques subtiles qui les distinguent. Des différences plus significatives ont été trouvées concernant l'activité des zones du cortex cérébral, les voies cérébrales utilisées et la sécrétion des hormones associées aux différentes émotions. Les *détecteurs de mensonge (polygraphes)* mesurent divers indicateurs physiologiques des émotions mais ne sont pas suffisamment précis pour justifier leur utilisation généralisée au travail et par les fonctionnaires chargés de l'application des lois. L'utilisation des tests de connaissance du coupable et de nouvelles formes de technologie pourraient bien mieux indiquer l'existence de mensonge.

4. Pour ressentir une émotion, devons-nous l'interpréter et l'identifier consciemment ?

La théorie bifactorielle des émotions de Schachter et Singer prétend que les étiquettes cognitives que nous mettons sur nos états d'activation sont un élément essentiel de l'émotion. Lazarus reconnaît que la cognition est essentielle : beaucoup d'émotions importantes se développent à partir de nos interprétations ou de nos inférences. Cependant, Zajonc et LeDoux pensent que certaines réponses émotionnelles simples se produisent instantanément, non seulement en dehors de notre conscience mais avant même que se produise le moindre traitement cognitif. L'interrelation entre les émotions et la cognition illustre là encore les deux voies de notre esprit.

Exprimer l'émotion

5. Comment pouvons-nous communiquer non verbalement ?

La majeure partie de notre communication s'effectue par le langage silencieux de notre corps. Même des films très courts (de quelques secondes) montrant un comportement peuvent révéler les sentiments. Les femmes ont tendance à être plus performantes pour lire les indices émotionnels des gens.

6. Les expressions non verbales des émotions sont-elles comprises universellement ?

Certains gestes sont déterminés culturellement. Les expressions faciales comme le bonheur ou la peur sont communes partout dans le monde. Les cultures diffèrent par l'importance des émotions qu'elles expriment.

7. Nos expressions faciales influencent-elles ce que nous ressentons ?

Les expressions font bien plus que de communiquer les émotions aux autres. Elles amplifient également les émotions ressenties et signalent au corps comment répondre de façon adaptée.

Ressentir l'émotion

8. À quoi sert la peur et comment apprenons-nous à acquérir nos peurs ?

La peur a une valeur adaptative parce qu'elle nous apprend à éviter les menaces et, lorsque c'est nécessaire, à leur faire face. Nous sommes prédisposés à certaines peurs et nous en apprenons d'autres par le conditionnement et l'observation.

9. Quelles sont les causes et les conséquences de la colère ?

La colère est le plus souvent évoquée par des événements frustrants ou insultants mais qui sont également interprétés comme volontaires, injustifiés et évitables. Évacuer notre rage (*catharsis*) peut nous calmer temporairement, mais ne diminue pas notre colère sur le long terme. En réalité, le fait d'exprimer sa colère peut nous rendre encore plus en colère.

10. Quelles sont les causes et les conséquences du bonheur ?

La bonne humeur améliore les perceptions qu'ont les gens du monde ainsi que leur volonté d'aider les autres (le *phénomène du qui se sent bien agit bien*). Les humeurs déclenchées par les mauvais ou les bons événements de la vie persistent rarement plus d'une journée. Même les événements significativement positifs comme l'augmentation substantielle des revenus, entraînent rarement une augmentation durable du bonheur. Nous pouvons expliquer cette relativité du bonheur par le *phénomène du niveau d'adaptation* et le principe de la *privation relative*. Néanmoins, certains individus sont généralement plus heureux que d'autres et les chercheurs ont identifié des facteurs qui prédisent ce bonheur.

Stress et santé

11. Qu'est-ce que le stress ?

Walter Cannon considère le *stress*, ce processus par lequel nous évaluons et répondons aux événements qui nous mettent au défi ou nous angoissent, comme un système de « combat ou de fuite ». Hans Selye le voit comme un *syndrome d'adaptation général (SAG)* composé de trois stades (alarme-résistance-épuisement).

12. Quels événements peuvent provoquer des réactions de stress ?

Les recherches modernes sur le stress évaluent les conséquences sur la santé des catastrophes naturelles, des changements importants de l'existence et les soucis quotidiens. Les événements qui ont tendance à provoquer une réponse de stress sont ceux que nous percevons comme étant à la fois négatifs et incontrôlables.

13. Pourquoi certains d'entre nous sont-ils plus sujets que d'autres aux maladies coronariennes ?

Les *maladies coronariennes*, la première cause de mortalité en Amérique du Nord, ont été liées à une personnalité de *type A* prônant la compétition, conduisant brutalement, impatients et (particulièrement) sujets à la colère. Sous l'influence du stress, le corps d'une personne réactive et hostile sécrète plus d'hormones qui accélèrent la formation d'une plaque d'athérome dans la paroi des artères cardiaques. Les personnalités de *type B* sont plus détendues et faciles à vivre. Un stress chronique contribue également à une inflammation persistante qui augmente les risques d'obstruction artérielle et de dépression.

14. De quelle manière le stress nous rend-il plus vulnérable aux maladies ?

Le stress dévie l'énergie du système immunitaire en inhibant les activités de ses *lymphocytes* B et T, des macrophages et des cellules NK. Bien que le stress ne provoque pas de maladies comme le sida et le cancer, il peut influencer leur évolution.

Promouvoir la santé

15. Quels sont les facteurs qui affectent notre capacité à faire face au stress ?

Avoir un sentiment de contrôle, développer un style de vie plus optimiste et édifier notre base de soutien social peuvent nous aider à *faire face* au stress de manière émotionnelle, cognitive ou comportementale. Les stratégies directes de *coping centré sur le problème*, soulagent le stress directement. Le *coping centré sur les émotions* essaye de soulager le stress en veillant aux besoins émotionnels. Les personnes optimistes semblent mieux réussir à faire face au stress et sont en meilleure santé.

16. Quelles tactiques pouvons-nous utiliser pour gérer notre stress et réduire les effets nocifs qu'il engendre ?

Les programmes de gestion du stress peuvent inclure l'*aérobic*, la relaxation et la méditation. Apprendre à aller moins vite et à se détendre peut aider à réduire le taux de récidive des crises cardiaques. Les chercheurs travaillent pour comprendre les composants actifs de la corrélation religion/santé.

Termes et concepts à retenir

Émotion, p. 498
Théorie de James-Lange, p. 498
Théorie de Cannon-Bard, p. 498
Théorie bifactorielle, p. 498
Polygraphe, p. 504
Catharsis, p. 518
Phénomène du « qui se sent bien, agit bien », p. 520
Bien-être subjectif, p. 520
Phénomène du niveau d'adaptation, p. 524
Privation relative, p. 524
Médecine comportementale, p. 527
Psychologie de la santé, p. 527
Stress, p. 528
Syndrome général d'adaptation (SGA), p. 529
Maladie coronarienne, p. 532
Type A, p. 532
Type B, p. 532
Maladies psychophysiologiques, p. 534
Psycho-neuro-immunologie (PNI), p. 534
Lymphocytes, p. 534
Coping, p. 538
Coping centré sur le problème, p. 538
Coping centré sur les émotions, p. 538
Aérobic, p. 543
Biofeedback (rétroaction biologique), p. 544
Médecines douces et médecines parallèles, p. 546

CHAPITRE 13

La personnalité

LA PERSPECTIVE PSYCHANALYTIQUE

Explorer l'inconscient

Les théories néo-freudiennes et psychodynamiques

Évaluer les processus inconscients

Évaluer la perspective psychanalytique

LA PERSPECTIVE HUMANISTE

Abraham Maslow : le développement personnel

Carl Rogers : une perspective centrée sur la personne

Évaluer le soi

Évaluer la perspective humaniste

LA PERSPECTIVE DIMENSIONNELLE (LES TRAITS DE PERSONNALITÉ)

Explorer les traits de personnalité

Évaluer les traits de personnalité

Les cinq facteurs de la personnalité : le « *Big Five* »

Regard critique sur : Comment être un astrologue ou un chiromancien « à la mode »

Évaluer la perspective dimensionnelle

LA PERSPECTIVE SOCIOCOGNITIVISTE

Influences réciproques

Contrôle personnel

Gros plan : Vers une psychologie plus positive

Évaluer le comportement en situation

Évaluer la perspective sociocognitiviste

EXPLORER LE SOI

Les bienfaits de l'estime de soi

Biais d'autosatisfaction

Frodon Sacquet, le hobbit héros du *Seigneur des anneaux*, savait que tout au long de son parcours périlleux, une personne au moins lui resterait fidèle : son loyal compagnon toujours joyeux, Sam Gamegie. Avant même qu'ils ne quittent leur ville natale bien-aimée, Frodon avertit Sam que le voyage ne serait pas facile :

> « Ce sera très dangereux, Sam. C'est déjà dangereux. Il est même probable qu'aucun de nous deux n'en revienne. »
>
> « Si vous ne revenez pas, Monsieur, il est certain que je ne reviendrai pas non plus, dit Sam. [Les elfes m'ont dit] « Surtout ne le laisse pas seul ! » Le laisser ! Ai-je dit. Je n'en ai jamais eu l'intention. Je pars avec lui, jusque sur la lune s'il le faut ; et si l'un de ces Cavaliers Noirs tente de l'arrêter, il aura affaire à Sam Gamegie. » (Tolkien, *La communauté de l'Anneau*, p. 96)

Et ainsi fût fait. Plus tard, lorsqu'il devint évident que Frodon devait absolument s'aventurer dans les terres tant redoutées du Mordor, Sam insista pour être à ses côtés, quoiqu'il puisse advenir. C'est encore Sam qui remonta le moral de Frodon avec des chansons et des histoires de leur enfance, et sur qui Frodon s'appuya quand il ne pouvait plus faire un pas. Lorsque Frodon faillit être victime du mal de l'anneau qu'il portait, Sam le sauva. Vers la fin de l'histoire, Sam donna à Frodon les moyens d'achever sa quête avec succès. Sam Gamegie – l'optimiste, le joyeux, et l'émotionnellement stable – maintint constante sa fidélité et sa conviction qu'ils parviendraient à vaincre les puissances des ténèbres.

Le personnage de Sam Gamegie, créé par J. R. R. Tolkien, tel qu'il apparaît tout au long de la trilogie, fait ressortir les traits de caractère distinctifs et constants qui définissent la **personnalité**, le mode caractéristique de penser, de ressentir et d'agir de chaque individu. C'est, comme le suggèrent Dan McAdams et Jennifer Pals (2006), « la seule variation individuelle de la conception générale évolutionniste de la nature humaine » qui s'exprime dans les traits de caractères de chacun et dans une situation culturelle. Les chapitres précédents ont mis l'accent sur les voies que nous partageons : notre façon similaire de nous développer, de percevoir, d'apprendre, de se souvenir, de penser et de ressentir. Ce chapitre met l'accent sur ce qui nous rend unique.

Une grande partie de cet ouvrage est consacrée à la personnalité. Dans les premiers chapitres, nous avons traité les influences biologiques sur la personnalité, le développement de la personnalité au cours de la vie, ainsi que certains aspects relatifs à la personnalité de l'apprentissage, de la motivation, de l'émotion et de la santé. Dans les derniers chapitres nous allons étudier les troubles de la personnalité ainsi que les influences sociales sur la personnalité.

Dans ce chapitre, nous commencerons par deux grandes théories qui font maintenant partie de notre héritage culturel. Ces perspectives importantes du point de vue historique nous ont aidés à édifier le domaine de la psychologie de la personnalité et ont soulevé des problèmes-clés encore étudiés actuellement par les chercheurs et les cliniciens.

- La théorie *psychanalytique* de Sigmund Freud qui fait l'hypothèse que la sexualité infantile et les motivations inconscientes influencent la personnalité.
- L'approche *humaniste* qui se focalise sur nos capacités internes à nous développer et à nous accomplir.

Ces théories classiques qui offrent de larges perspectives sur la nature humaine seront complétées ensuite dans ce chapitre par l'exploration des recherches scientifiques actuelles, plus réalistes et plus focalisées sur les aspects spécifiques de la personnalité.

Les chercheurs actuels spécialistes de la personnalité étudient les dimensions à la base de la personnalité, les origines biologiques de ces dimensions basiques, et les interactions entre les individus et leur environnement. Ils étudient également l'estime de soi, le biais de l'autosatisfaction et les influences culturelles sur le sens du soi des individus. Enfin, ils étudient l'esprit inconscient – avec des résultats qui auraient probablement surpris Freud lui-même.

:: Personnalité : modèle intégrant la manière caractéristique de raisonner, de ressentir et d'agir d'un individu.

Sigmund Freud, 1856-1939 « J'étais le seul à travailler dans un domaine nouveau. »

:: **Association libre** : en psychanalyse, méthode d'exploration de l'inconscient au cours de laquelle le patient se détend et dit tout ce qui lui vient à l'esprit sans se soucier du caractère insignifiant ou embarrassant de ses pensées.

:: **Psychanalyse** : la théorie psychanalytique de Freud à propos de la personnalité qui attribue nos pensées et nos actes à des motivations et des conflits inconscients. Technique consistant à traiter les troubles psychologiques en cherchant à révéler et interpréter les tensions inconscientes.

:: **Inconscient** : selon Freud, c'est un réservoir de pensées, de souhaits, de sentiments et de souvenirs, pour la plupart inacceptables. Selon les psychologues contemporains, il s'agit d'un traitement d'informations dont nous ne sommes pas conscients.

La perspective psychanalytique

1. Comment Freud concevait-il la personnalité et son développement ?

QU'ON L'AIME OU QU'ON LE DÉTESTE, SIGMUND Freud a profondément influencé la culture occidentale. Demandez à une centaine de personnes dans la rue de vous citer un psychologue décédé important, suggère Keith Stanovich (1996, p. 1), et vous verrez que « Sigmund Freud l'emportera haut la main ». Dans l'esprit des gens, Freud est à l'histoire de la psychologie ce qu'Elvis Presley est à l'histoire du rock. L'influence de Freud persiste en psychiatrie, en psychologie clinique et dans l'interprétation littéraire et cinématographique. Qui donc était Freud ? Qu'a-t-il enseigné ?

Bien avant d'entrer à l'université de Vienne en 1873, le jeune Sigmund Freud montra des signes d'indépendance et ceux d'une intelligence remarquable. Il avait une mémoire prodigieuse et aimait tellement lire la poésie, la philosophie et du théâtre qu'il laissa une fois s'accumuler sa dette chez le libraire au-delà de ses moyens. Adolescent, il prenait souvent son dîner dans sa minuscule chambre à coucher afin de ne pas perdre de temps pour ses études. À la sortie de l'école de médecine, Freud commença à exercer comme médecin libéral, se spécialisant dans les troubles nerveux. Rapidement, cependant, il fut confronté à des patients dont les troubles n'avaient aucune signification neurologique. Par exemple, un patient pouvait avoir perdu toute sensation dans la main, alors qu'il n'existe aucun nerf sensoriel dont la lésion pourrait engourdir seulement la main et rien d'autre. Les recherches de Freud pour trouver l'origine de tels troubles engagèrent son esprit dans une direction destinée à changer la compréhension humaine du moi.

Explorer l'inconscient

Les troubles neurologiques peuvent-ils avoir une origine psychologique ? L'observation de ses patients a conduit Freud à sa « découverte » de l'inconscient. Il émit l'hypothèse que la perte de sensation dans la main de quelqu'un pouvait être due à la peur qu'éprouvait cette personne de toucher ses organes génitaux ; que la cécité ou la surdité inexpliquées pouvaient être causées par le désir de ne pas voir ou de ne pas entendre quelque chose qui suscitait une anxiété intense. Initialement, Freud pensait que l'hypnose pouvait ouvrir les portes de l'inconscient, mais ses patients présentaient des dispositions inégales vis-à-vis de l'hypnose. Il s'orienta alors vers l'**association libre**, qui consistait à demander simplement au patient de se détendre et de dire tout ce qui lui venait à l'esprit, même si c'était embarrassant ou insignifiant. Freud partait du principe qu'une série de « dominos mentaux » s'effondrait, partant du lointain passé de ses patients pour rejoindre le présent perturbé. Il pensait que les associations libres permettaient de remonter la série en produisant un enchaînement de pensées conduisant à l'inconscient du patient, retrouvant et libérant ainsi des souvenirs douloureux inconscients, datant souvent de l'enfance. Freud appela cette théorie de la personnalité, et les techniques thérapeutiques qui y sont associées, la **psychanalyse**.

L'idée selon laquelle l'esprit est en grande partie caché (FIGURE 13.1) est à la base de la théorie de Freud. La partie consciente de la perception est comme la partie de l'iceberg qui flotte au-dessus de la surface. Au-dessous de notre conscience, se trouve l'esprit **inconscient**, beaucoup plus grand, contenant des pensées, des souhaits, des sentiments et des souvenirs. Certaines de ces pensées sont gardées temporairement dans une aire *préconsciente*, d'où nous pouvons les faire passer dans la perception consciente. Ce que Freud considérait comme plus intéressant encore, c'était la masse des passions et des pensées inacceptables que, pensait-il, nous *refoulons* ou empêchons avec force d'accéder à notre conscience, car elles seraient trop douloureuses à admettre. Freud croyait que, bien que nous n'en soyons pas conscients, ces idées et ces sentiments embarrassants nous influencent fortement, s'exprimant parfois sous une forme déguisée, à travers le travail que nous choisissons, nos croyances, nos habitudes quotidiennes, nos symptômes troublants.

« Bonjour mon abhorrée, euh... je veux dire mon adorée. »

Pour Freud le déterministe, rien n'arrivait jamais au hasard. Il pensait qu'il pouvait entrevoir l'infiltration de l'inconscient non seulement dans les associations libres des gens, leurs croyances, leurs habitudes et leurs symptômes, mais également dans leurs lapsus du langage parlé ou écrit. Prenez par exemple le cas d'un patient ayant des problèmes financiers qui, ne voulant pas de grosses pilules (*pills* en anglais), dit : « S'il vous plaît ne me donnez

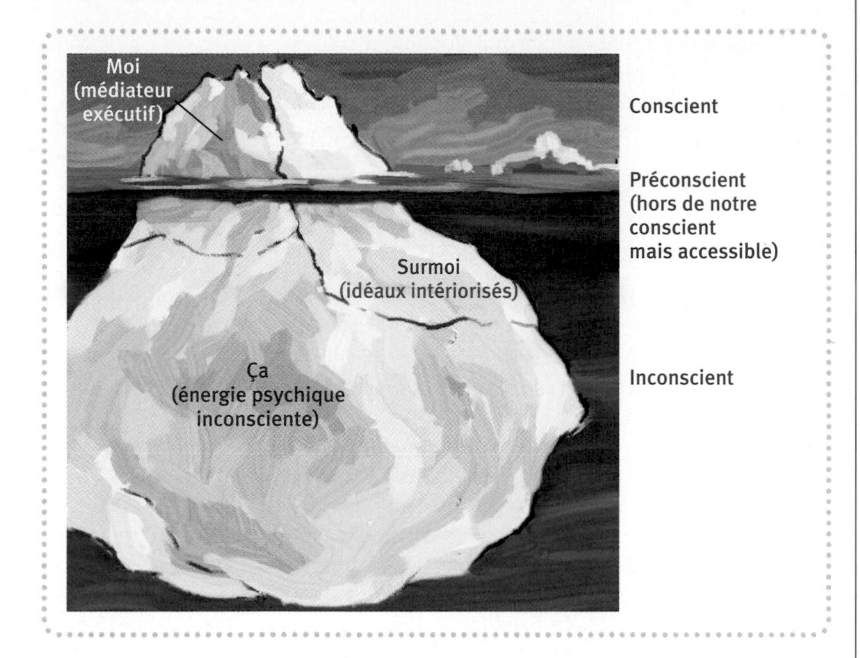

➤ FIGURE 13.1
Les idées de Freud concernant la structure de l'esprit Les psychologues ont utilisé l'image d'un iceberg pour illustrer l'idée de Freud que l'esprit est en grande partie cachée sous la surface consciente. Remarquez que le Ça est complètement inconscient alors que le Moi et le Surmoi interviennent à la fois de façon consciente et inconsciente. Cependant, contrairement aux parties gelées d'un iceberg, le Ça, le Moi et le Surmoi interagissent.

« Je sais combien il est difficile pour vous de mettre de la nourriture sur votre famille. »
Georges W. Bush, 2000

pas de factures (*bills* en anglais), car je ne peux pas les avaler ». Il considérait également que les plaisanteries étaient une façon d'exprimer des tendances sexuelles ou agressives refoulées, et que les rêves étaient « la voie royale vers l'inconscient ». Le contenu des rêves gardé en mémoire (leur *contenu manifeste*) était, croyait-il, une expression censurée des désirs inconscients de la personne qui rêve (le *contenu latent* des rêves). En analysant les rêves des gens, Freud recherchait la nature de leurs conflits intérieurs.

::Ça : réservoir d'énergie psychique inconsciente, qui, selon Freud, lutte pour satisfaire les pulsions sexuelles et agressives fondamentales. Le Ça opère selon le *principe de plaisir*, en demandant une gratification immédiate.

::Moi : partie de la personnalité, largement consciente, assumant la position de « directeur » et qui, selon Freud, est l'intermédiaire entre les demandes du Ça, du Surmoi et de la réalité. Le Moi opère sur le *principe de réalité*, en satisfaisant les désirs du Ça d'une façon réaliste, apportant du plaisir plutôt que de la douleur.

::Surmoi : part de la personnalité qui représente selon Freud les idéaux intériorisés et qui fournit les références pour le jugement (la conscience) et les aspirations futures.

Structure de la personnalité

Pour Freud, la personnalité humaine, y compris ses luttes et ses émotions, provient d'un conflit entre nos pulsions et des contraintes, entre nos pulsions biologiques agressives teintées de recherche de plaisir et les contrôles sociaux internalisés qui s'y opposent. Selon lui, la personnalité résulte de nos efforts pour résoudre ce conflit de base et pour exprimer ces pulsions selon des modalités qui donnent satisfaction sans susciter en même temps une culpabilité ou une punition. Pour comprendre la dynamique de l'esprit au cours de ce conflit, Freud proposa trois systèmes interactifs, le *Ça*, le *Moi* et le *Surmoi* (Figure 13.1).

L'énergie psychique inconsciente du **Ça** nous pousse constamment à satisfaire les pulsions de base pour survivre, se reproduire et agresser. Le Ça opère selon le *principe de plaisir* qui cherche une gratification immédiate. Pour imaginer une personne dominée par le Ça, pensez à un nouveau-né qui pleure pour réclamer la satisfaction d'un besoin sans se soucier de l'état ou des exigences du monde extérieur. Pensez aussi aux personnes qui choisissent de privilégier les perspectives présentes plutôt que de se soucier de l'avenir : ceux qui consomment souvent du tabac, de l'alcool ainsi que d'autres drogues et préfèrent faire la fête maintenant plutôt que de sacrifier le plaisir du moment présent au bénéfice du bonheur ou des réussites futures (Keough et coll., 1999).

Au fur et à mesure que le **Moi** se développe, le jeune enfant réagit au monde réel. Le Moi, qui opère selon le *principe de réalité,* cherche à assouvir les pulsions du Ça de façon réaliste, afin de procurer un plaisir de longue durée. (Imaginez ce qui arriverait si, dépourvus d'un Moi, nous exprimions sans retenue nos pulsions sexuelles et agressives chaque fois que nous les ressentons.) Le Moi renferme nos perceptions, nos pensées, nos jugements et nos souvenirs en partie conscients.

Débutant vers l'âge de 4 ou 5 ans, selon Freud, le Moi d'un enfant reconnaît les demandes du **Surmoi**, qui vient d'apparaître. Le Surmoi est une voix de la conscience morale qui force le Moi à envisager non seulement le réel, mais également l'*idéal.* Le Surmoi se concentre sur la façon dont on *doit* se comporter. Il nous pousse à la perfection, jugeant nos actions et suscitant des sensations positives de fierté, ou négatives de culpabilité. Quelqu'un dont le Surmoi est particulièrement développé peut être vertueux, et en même temps tenaillé par la culpabilité ; un autre, dont le Surmoi est faible, peut être d'une indulgence gratuite pour lui-même et impitoyable.

« Cinquante, c'est beaucoup. » *« Prends cent cinquante. »*

Le Moi se démène pour réconcilier les demandes du Surmoi et du Ça.

Identification Selon Freud, l'enfant fait face aux sentiments menaçants de compétition avec son parent de même sexe en s'identifiant à lui.

Comme les exigences du Surmoi s'opposent souvent à celles du Ça, le Moi lutte pour réconcilier les deux. Le Moi est le « directeur » de la personnalité, il joue le rôle de médiateur entre les demandes impulsives du Ça, les demandes contraignantes du Surmoi et les demandes réelles du monde extérieur. Si la chaste Jane est sexuellement attirée par John, elle peut satisfaire à la fois le Ça et le Surmoi en rejoignant, par exemple, une organisation de volontaires où John travaille régulièrement.

Développement de la personnalité

L'analyse de l'histoire de ses patients persuada Freud que la personnalité se formait durant les premières années de l'existence. Il en conclut que les enfants passaient par une série de **stades psychosexuels**, au cours desquels les énergies liées à la recherche du plaisir provenant du Ça se concentraient sur différentes zones corporelles sensibles au plaisir, appelées *zones érogènes* (TABLEAU 13.1).

Freud pensait qu'au cours du *stade phallique*, le jeune garçon cherchait des stimulations génitales et développait à la fois des désirs sexuels inconscients pour sa mère et de la jalousie et de la haine pour son père qu'il considérait comme un rival. Devant ces sentiments, les garçons, selon lui, se sentaient coupables et avaient une peur secrète que leur père ne les punisse, par exemple en les castrant. Freud appelait cet ensemble de sentiments le **complexe d'Œdipe**, d'après la légende grecque d'Œdipe qui sans le savoir tua son père et se maria avec sa mère. Certains psychanalystes de l'époque de Freud pensaient que les filles éprouvaient, parallèlement, un *complexe d'Électre*.

Freud disait que les enfants s'accommodaient, finalement, de ces impressions menaçantes, en les refoulant et en s'identifiant au parent rival (essayant de devenir comme lui). C'est comme si quelque chose à l'intérieur de l'enfant décidait « si tu ne peux pas le battre [le parent du même sexe], sois de son côté ». Grâce à ce processus d'**identification**, le Surmoi de l'enfant acquiert de la force en intégrant beaucoup des valeurs de ses parents. Freud croyait que l'identification avec le parent du même sexe fournissait ce que les psychologues contemporains appellent notre *identité sexuelle*, notre sentiment d'être un homme ou une femme. Freud supposait que les relations que nous avons, au cours de la petite enfance, en particulier avec nos parents et les personnes qui s'occupent de nous, influencent le développement de notre identité, de notre personnalité et de nos faiblesses.

Selon la conception de Freud, un comportement inadapté chez l'adulte peut résulter de conflits non résolus durant les stades psychosexuels antérieurs. À n'importe quel point des stades oral, anal ou phallique, des conflits aigus peuvent bloquer ou **fixer** les énergies de recherche de plaisir à ce stade. Les personnes présentant des tendances soit à la privation (peut-être en raison d'un sevrage brutal et précoce du bébé), soit à l'excès sur le plan oral pouvaient être fixées au stade oral. Ces adultes fixés au stade oral pourraient montrer soit une dépendance passive (comme celle d'un enfant en nourrice), soit un refus exagéré de cette dépendance, par exemple en se comportant durement ou en exprimant des sarcasmes très mordants. Ils pourraient aussi continuer à chercher des gratifications orales en mangeant ou fumant de façon excessive. De cette manière, Freud suggérait que les tendances de la personnalité sont orientées à un âge précoce.

:: **Stades psychosexuels** : stades du développement enfantin (oral, anal, phallique, latent ou génital) au cours desquels, selon Freud, l'énergie de recherche du plaisir du Ça se concentre sur des zones érogènes distinctes.

:: **Complexe d'Œdipe** : selon Freud, désir sexuel d'un garçon envers sa mère et sentiment de jalousie et de haine envers le père qui devient un rival.

:: **Identification** : processus par lequel les enfants, selon Freud, incorporent les valeurs de leurs parents dans leur Surmoi qui est en cours de développement.

:: **Fixation** : selon Freud, attachement persistant des énergies cherchant le plaisir à un stade psychosexuel antérieur, où les conflits n'ont pas été résolus.

TABLEAU 13.1

LES STADES PSYCHOSEXUELS DE FREUD

Stade	Points essentiels
Oral (0-18 mois)	Le plaisir est centré sur la bouche : sucer, mordre, mâcher
Anal (18-36 mois)	Le plaisir se focalise sur l'élimination par la vessie et l'intestin ; maîtrise des demandes de contrôle
Phallique (3-6 ans)	La zone de plaisir est centrée sur les organes génitaux ; maîtrise des sentiments sexuels incestueux
Période de latence (6 ans-puberté)	Sentiments sexuels quiescents
Génital (à partir de la puberté)	Maturation des intérêts sexuels

« Oh ! Par pitié, fume ! »

Mécanismes de défense

2. De quelle manière, selon Freud, les gens se défendent-ils contre l'anxiété ?

L'anxiété, disait Freud, est le prix que nous payons à la civilisation. En tant que membres de groupes sociaux, nous devons contrôler nos pulsions sexuelles et agressives, ne pas les exprimer. Mais parfois, le Moi a peur de perdre le contrôle dans cette guerre interne entre le Ça et le Surmoi. Le résultat présumé est un nuage noir d'anxiété floue, qui nous donne un sentiment d'instabilité sans en connaître vraiment la raison.

Selon Freud, à de tels moments, le Moi se protège par des **mécanismes de défense**, tactiques qui atténuent ou réorientent l'anxiété en déformant la réalité. Voici sept exemples.

- Le **refoulement** bannit de la conscience les souhaits générateurs d'anxiété. Selon Freud, *le refoulement est sous-jacent à tous les autres mécanismes de défense*, chacun travestissant les pulsions menaçantes et les empêchant d'accéder à la conscience. Freud pensait que le refoulement expliquait pourquoi nous ne nous rappelons pas des désirs que nous pouvions avoir pour le parent de l'autre sexe quand nous étions enfant. Cependant, il pensait également que le refoulement était souvent incomplet, les besoins réprimés filtrant à travers les symboles des rêves et les lapsus.
- La **régression** nous permet de retourner à un stade antérieur de développement, plus infantile. Ainsi, confronté aux premiers jours d'école, générateurs d'anxiété, un enfant peut régresser jusqu'au confort oral et recommencer à sucer son pouce. Les jeunes singes, lorsqu'ils sont anxieux, reviennent à leur habitude infantile de se cramponner à leur mère ou de se cramponner l'un à l'autre (Suomi, 1987). Même les nouveaux internes des cités universitaires peuvent regretter la sécurité et le confort du foyer.
- Lors de la **formation réactionnelle**, le Moi transforme inconsciemment les pulsions inacceptables en leurs contraires. En route vers la conscience, la proposition inacceptable « je le hais » devient « je l'aime ». La timidité se transforme en défi. Un sentiment d'insuffisance devient de la bravade.
- La **projection** déguise les pulsions menaçantes en les attribuant aux autres. Ainsi, « il ne me fait pas confiance » peut être une projection du sentiment réel « je ne lui fais pas confiance » ou « je ne me fais pas confiance ». Un proverbe du Salvador a bien saisi l'idée : « Le voleur pense que tout le monde est un voleur ».
- La **rationalisation** nous fait inconsciemment trouver des autojustifications, de sorte que nous puissions nous cacher à nous-mêmes les raisons réelles de nos actions. Ainsi, les buveurs réguliers peuvent dire qu'ils boivent avec leurs amis « juste pour être sociables ». Les étudiants qui ne travaillent pas peuvent rationaliser de la sorte : « Toujours du travail et jamais de loisirs, cela fait de Pierre (ou de Paul) une personne ennuyeuse ».

::Mécanismes de défense : dans la théorie psychanalytique, méthodes de protection du Moi pour réduire l'anxiété, en déformant inconsciemment la réalité.

::Refoulement : dans la théorie psychanalytique, mécanisme de défense de base qui bannit de la conscience les souvenirs, les sentiments et les pensées suscitant l'anxiété.

::Régression : dans la théorie psychanalytique, mécanisme de défense dans lequel un individu confronté à l'anxiété retourne à un stade psychosexuel plus infantile, où une partie de l'énergie psychique reste fixée.

::Formation réactionnelle : dans la théorie psychanalytique, mécanisme de défense par lequel le Moi transforme inconsciemment les pulsions inacceptables en leur contraire. Les personnes peuvent ainsi exprimer des sentiments qui sont à l'opposé de leurs sentiments inconscients, générateurs d'anxiété.

::Projection : dans la théorie psychanalytique, mécanisme de défense par lequel les gens masquent leurs propres pulsions menaçantes en les attribuant à d'autres.

::Rationalisation : mécanisme de défense qui propose des explications autojustificatrices à une action à la place d'une cause réelle, inconsciente mais plus menaçante.

« La jeune femme proteste beaucoup trop, me semble-t-il. »
William Shakespeare, *Hamlet*, 1600

Vstock/Alamy

Barbara Von Hoffmann/Animals Animals

La régression Confrontés à un stress modéré, les enfants et les jeunes orangs-outans régressent, en retournant au confort des comportements précédents.

:: **Déplacement** : dans la théorie psychanalytique, mécanisme de défense qui déplace des pulsions sexuelles ou agressives vers des objets ou des personnes plus acceptables et moins menaçants, comme par exemple en réorientant la colère dans une direction moins dangereuse.

:: **Déni de la réalité** : mécanisme de défense au cours duquel les personnes refusent de croire ou même de percevoir la réalité douloureuse.

:: **Inconscient collectif** : concept d'ensemble de souvenirs partagés, hérités de l'histoire de notre espèce, introduit par Carl Jung.

:: **Tests projectifs** : tests de personnalité, tels que le Rorschach ou le TAT, qui proposent des stimuli ambigus destinés à déclencher la projection de la dynamique interne de quelqu'un.

:: ***Thematic Apperception Test* (TAT)** : test projectif dans lequel les gens expriment leurs sentiments et leurs intérêts internes à travers les histoires qu'ils inventent à partir de scènes ambiguës.

« La femme... reconnaît la réalité de sa castration et par-là même, également, la supériorité de l'homme et sa propre infériorité, mais elle se rebelle cependant contre cet état de fait qu'elle ne désire pas. »
Sigmund Freud, *Female Sexuality*, 1931

- Le **déplacement** détourne les pulsions sexuelles ou agressives vers un objet ou une personne plus acceptable psychologiquement que celui qui les a suscitées. Les enfants qui ne peuvent exprimer de colère contre leurs parents peuvent la déplacer en donnant un coup de pied à leur animal familier. Les étudiants énervés par un examen peuvent s'en prendre à leur colocataire.
- Le **déni de la réalité** protège les personnes des événements réels qui sont douloureux à accepter, en rejetant le fait ou sa gravité. Les patients mourant peuvent refuser d'admettre la gravité de leur maladie. Les parents peuvent refuser de voir le mauvais comportement de leur enfant. Les conjoints peuvent refuser les preuves de l'infidélité de leur partenaire.

Il faut noter que tous ces mécanismes de défense fonctionnent indirectement et inconsciemment, et réduisent l'anxiété en travestissant certaines pulsions menaçantes. Comme l'organisme se défend inconsciemment contre la maladie, il en est de même, pensait Freud, pour le Moi, qui se défend inconsciemment contre l'anxiété.

AVANT D'ALLER PLUS LOIN...

➤ **INTERROGEZ-VOUS**

Comment décririez-vous *votre* personnalité ? Quelles caractéristiques établissent vos modes de pensée, vos sentiments, vos actions ?

➤ **TESTEZ-VOUS 1**

Quels sont, selon Freud, les principaux mécanismes de défense ? Contre quoi nous défendent-ils ?

Les réponses aux questions « Testez-vous » sont données dans l'annexe B à la fin de l'ouvrage.

Les théories néo-freudiennes et psychodynamiques

3. Quelles sont les idées de Freud que ses disciples ont acceptées ou ont rejetées ?

Bien que les écrits de Freud aient été controversés, ils ont très vite attiré des disciples, en général des médecins jeunes et ambitieux qui formaient un cercle d'initiés autour de leur chef aux idées arrêtées. Ces pionniers de la psychanalyse, et d'autres que nous appelons maintenant *néo-freudiens*, acceptaient les idées fondamentales de Freud : les structures de personnalité du Ça, du Moi et du Surmoi, l'importance de l'inconscient, la formation de la personnalité dans l'enfance, la dynamique de l'anxiété et les mécanismes de défense. Mais ces derniers se détournèrent de Freud sur deux points importants. En premier lieu, ils insistèrent beaucoup plus sur le rôle du conscient dans l'interprétation des expériences et la manière de faire face à l'environnement. Deuxièmement, ils doutaient que le sexe ou l'agressivité fussent des motivations éclipsant toutes les autres. Au contraire, ils insistèrent davantage sur des motivations plus élevées et sur les interactions sociales, comme l'illustrent les exemples suivants.

Alfred Adler et Karen Horney pensaient, comme Freud, que l'enfance était importante. Mais ils pensaient que les tensions *sociales* de l'enfance, et non les tensions sexuelles, étaient déterminantes pour la formation de la personnalité (Ferguson, 2003). Adler (qui proposa l'idée, toujours populaire, du *complexe d'infériorité*) lutta lui-même pour surmonter des maladies et des accidents survenus dans l'enfance, et pensait que la majeure partie de notre comportement était mue par une volonté de vaincre les sentiments d'infériorité de l'enfance, des sentiments qui déclenchaient notre lutte pour atteindre la supériorité et le pouvoir. Horney disait que l'anxiété enfantine, due au sentiment de dépendance et d'impuissance de l'enfant, suscitait le désir d'amour et de sécurité. En s'opposant à l'hypothèse de Freud, selon laquelle les femmes ont un Surmoi faible et souffrent d'un « désir de pénis », Horney cherchait à contrebalancer le biais qu'elle entrevoyait dans cette vision masculine de la psychologie.

À la différence d'autres néo-freudiens, Carl Jung, un disciple de Freud devenu dissident, accordait moins d'importance aux facteurs sociaux et pensait, comme Freud, que l'inconscient exerçait une influence primordiale. Mais pour Jung, l'inconscient contenait autre chose que

National Library of Medicine

Alfred Adler « L'individu se sent chez lui dans la vie et trouve que son existence vaut la peine tant qu'il est utile aux autres et qu'il surmonte son sentiment d'infériorité. » (*Problems of Neurosis*, 1964)

The Bettmann Archive/Corbis

Karen Horney « L'opinion selon laquelle les femmes sont des créatures émotives et infantiles et, en tant que telles, incapables de responsabilité et d'indépendance est l'œuvre de la tendance masculine à diminuer le respect des femmes pour elles-mêmes. » (*Feminine Psychology*, 1932)

Archive of the History of American Psychology/ University of Akron

Carl Jung « Tout ce qui est créatif s'écoule de la fontaine vivante de l'instinct ; cependant, l'inconscient est la source de ces pulsions créatives. » (*The Structure and Dynamics of the Psyche*, 1960)

les pensées et les sentiments refoulés d'une personne. Il croyait à l'existence d'un **inconscient collectif**, un réservoir commun d'images provenant des expériences universelles de notre espèce. Jung disait que l'inconscient collectif expliquait pourquoi les préoccupations spirituelles étaient profondément enracinées chez de nombreuses personnes et pourquoi les gens de différentes cultures partageaient certains mythes et images, tels que celui de la mère comme symbole nourricier. (Les psychologues contemporains écartent le concept d'expérience héritée. Cependant, beaucoup pensent que l'histoire de notre évolution commune a façonné certaines dispositions universelles.)

Freud est mort en 1939. Depuis, certaines de ses idées ont été introduites dans la *théorie psychodynamique*. « La plupart des théoriciens et des thérapeutes contemporains de la théorie dynamique ne soutiennent pas l'idée selon laquelle le sexe constitue la base de la personnalité », déclare Drew Westen (1996). « Ils ne parlent pas du Ça et du Moi et ne classent pas leurs patients sous les appellations : oral, anal, phallique. » Mais, comme Freud, ils pensent qu'une grande partie de notre vie mentale est inconsciente, que nous sommes souvent confrontés à des conflits intérieurs engendrés par nos souhaits, nos peurs et nos valeurs et que notre enfance façonne notre personnalité et la façon dont nous nous attachons aux autres.

Évaluer les processus inconscients

4. Que représentent les tests projectifs ? Comment sont-ils utilisés ?

Les outils pour évaluer la personnalité sont très utiles pour ceux qui l'étudient ou dispensent un traitement. Ces méthodes d'évaluation diffèrent, car elles sont adaptées à différentes théories. Comment un clinicien travaillant selon la théorie freudienne pourrait-il évaluer les caractéristiques de la personnalité ?

Le premier besoin serait une sorte de route permettant d'entrer dans l'inconscient pour suivre les reliquats des premières expériences de l'enfance. Un système pour se déplacer en dessous de ce qui est exprimé en surface et révéler nos conflits et nos pulsions cachés. (Souvenez-vous que Freud pensait que les associations libres et l'interprétation des rêves pouvaient révéler l'inconscient.) Les instruments objectifs d'évaluation tels que les questionnaires dichotomiques en vrai/faux ou d'accord/pas d'accord seraient donc inadaptés, car ils n'atteindraient essentiellement que la surface consciente.

Les **tests projectifs** ambitionnent de fournir ce type de « radiographie psychologique » en demandant au sujet de décrire un stimulus à caractère ambigu ou de construire une histoire à partir de celui-ci. Henry Murray introduisit un de ces types de test, le **TAT (*Thematic Apperception Test*)**, au cours duquel des gens regardaient des images ambiguës et ensuite

« L'orientation des bois vers l'avant montre une personnalité déterminée, pourtant, le petit soleil indique un manque de confiance en soi... »

::Test de Rorschach : test projectif le plus largement utilisé, qui est formé d'un ensemble de dix taches d'encre, conçu par Hermann Rorschach ; il est destiné à identifier les sentiments internes des sujets en analysant l'interprétation qu'ils font de ces taches.

➤ FIGURE 13.2
Le TAT Ce psychologue suppose que les espoirs, les craintes et les intérêts exprimés par ce jeune homme lors de la description d'une série d'images ambiguës au cours du *Thematic Apperception Test* (TAT) sont des projections de ses sentiments internes.

Lew Merrim/Photo Researchers, Inc.

devaient inventer des histoires à partir de celles-ci (FIGURE 13.2). Une des utilisations de ces histoires narratives était d'évaluer la motivation d'accomplissement. Ceux à qui l'on montre un garçon rêvant éveillé et qui l'imaginent rêvant à une réussite future sont supposés projeter leurs propres préoccupations.

L'un des tests projectifs les plus utilisés est le fameux **test des taches d'encre de Rorschach**, au cours duquel les sujets décrivent ce qu'ils voient dans une série de taches d'encre (FIGURE 13.3). Le psychiatre suisse Hermann Rorschach l'a basé sur un jeu d'enfance au cours duquel lui et ses amis faisaient couler de l'encre sur un papier, le repliaient puis disaient ce qu'ils voyaient dans la tache d'encre obtenue (Sdorow, 2005). Voyez-vous des animaux féroces ou des armes ? Peut-être avez-vous des tendances agressives. Mais ces hypothèses sont-elles bien raisonnables ?

« Nous ne voyons pas les choses comme elles sont, nous les voyons comme nous sommes. »
Le Talmud

Les réponses des cliniciens et des critiques diffèrent. Certains cliniciens apprécient le test de Rorschach offrant même aux juges des évaluations basées sur le test de Rorschach quant au potentiel de violence des criminels. D'autres le considèrent comme un outil diagnostique intéressant, une source de pistes suggestives, ou une sorte de technique « brise-glace » pouvant apporter des signes révélateurs lors d'un entretien. La *Society for Personality Assessment* (2005) demande « une utilisation responsable » (qui *ne* devrait *pas* inclure de décision sur l'existence d'abus sexuel au cours de l'enfance). Et en réponse aux critiques passées concernant la cotation du test et son interprétation (Sechrest et coll., 1998), il existe maintenant un outil informatique qui se fonde sur de nombreuses recherches et qui permet d'harmoniser les résultats proposés par les examinateurs, renforçant ainsi la validité du test (Erdberg, 1990 ; Exner, 2003).

« Le test des taches d'encre de Rorschach a largement été discrédité... Je l'appelle le Dracula des tests psychologiques, car personne n'a encore été capable de planter un pieu au cœur de ce satané test. »
Carol Tavris, « *Mind Games : Psychological Warfare Between Therapists and Scientists* », 2003

Mais les preuves sont insuffisantes pour ses détracteurs qui insistent sur le fait que le test de Rorschach ne constitue pas une IRM de nos émotions. Ils donnent comme argument que seuls quelques résultats sur les nombreux issus du test de Rorschach, par exemple ceux liés à l'hostilité et à l'anxiété, se sont avérés valides (Wood, 2006). De plus, ils déclarent que le test n'est pas fiable. Les évaluations fondées sur un ensemble de taches d'encre établissent un diagnostic « pathologique » chez beaucoup d'adultes normaux (Wood et coll., 2003, 2006). Les autres techniques d'évaluation projectives ne valent guère mieux. Scott Lilienfeld, James Wood et Howard Garb (2001) avertissent que « même des professionnels expérimentés peuvent se laisser abuser par leur intuition et leur foi dans des méthodes qui manquent de preuves tangibles ». « Lorsqu'un corpus de recherche important démontre l'erreur de nos anciennes intuitions, il est temps d'adopter de nouvelles manières de penser ». Freud lui-même aurait été d'accord. Il aurait probablement porté plus d'intérêt aux aspects interactifs thérapeute-patient lors du test.

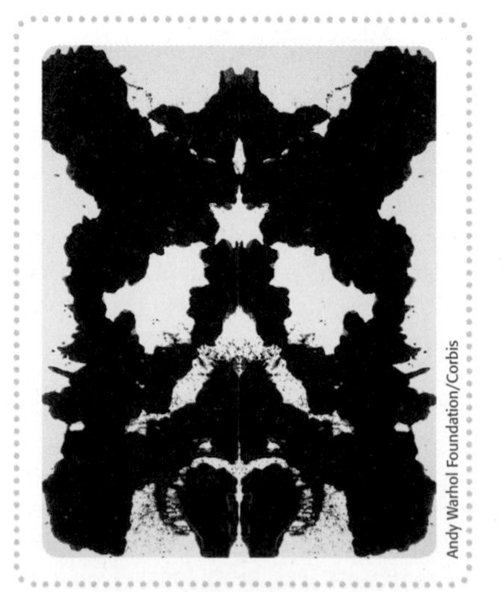
Andy Warhol Foundation/Corbis

➤ FIGURE 13.3
Le test de Rorschach Au cours de ce test projectif, les gens disent ce qu'ils voient dans une série de taches d'encre symétriques. Certains utilisent ce test car ils pensent que l'interprétation de stimuli ambigus révèle les aspects inconscients de la personnalité de celui qui passe les tests. D'autres l'utilisent pour briser la glace ou obtenir des compléments d'information.

Évaluer la perspective psychanalytique

Les preuves contradictoires issues de la recherche moderne

5. Comment les psychologues actuels considèrent-ils Freud et l'inconscient ?

Nous critiquons Freud en nous fondant sur la perspective de ce début du XXIe siècle, qui sera elle-même sujette à révision. Freud n'avait pas accès aux neuromédiateurs et à l'ADN ni à tout ce que nous avons appris depuis, concernant le développement humain, la pensée et l'émotion. Selon certains, critiquer ses théories en les comparant aux concepts actuels, c'est comme si nous critiquions une Ford T® en la comparant aux modèles de voiture hybrides d'aujourd'hui. (Il est toujours très tentant de juger les personnes du passé en se fondant sur nos perspectives actuelles.)

Les admirateurs comme les opposants s'accordent pour dire que les travaux de recherche récents contredisent beaucoup de concepts de base freudiens. Actuellement, les psychologues du développement considèrent notre développement comme un processus qui s'étend tout au long de la vie et ne se limite pas à l'enfance. Ils doutent que les enfants aient un réseau neuronal suffisamment mature pour leur permettre de supporter autant de traumatismes émotionnels que Freud le pensait. Certains pensent que Freud a surestimé l'influence parentale et sous-estimé l'influence des pairs (ainsi que les maltraitances). Ils doutent également que la conscience et l'identité sexuelle se forment chez l'enfant vers l'âge de 5 à 6 ans lors de la résolution du complexe d'Œdipe. L'acquisition de l'identité sexuelle se produit plus tôt et devient fortement masculine ou féminine même en l'absence du parent de même sexe que l'enfant. Ils notent que les idées de Freud à propos de la sexualité de l'enfant résultent de son scepticisme sur les histoires d'abus sexuels subis pendant l'enfance, et racontées par ses patientes ; histoires que certains spécialistes présument qu'il attribuait à leurs propres désirs et conflits sexuels de l'enfance (Esterson, 2001 ; Powell et Boer, 1994). Aujourd'hui, nous comprenons comment les questionnements de Freud pouvaient avoir créé de faux souvenirs d'abus sexuels mais nous savons également que les abus sexuels sur les enfants existent réellement.

Comme nous l'avons vu au chapitre 3, les idées nouvelles concernant le rôle des rêves contredisent l'opinion de Freud qui pensait qu'ils maquillaient et satisfaisaient nos souhaits. Il en est de même pour les lapsus qui peuvent être expliqués par une compétition entre des choix verbaux similaires dans notre réseau mnésique. Si quelqu'un dit : « je ne veux pas ranger ça : il y a trop de mortel », cette personne mélange peut-être *merdier* et *bordel* (Foss et Hakes, 1978). Les chercheurs n'ont trouvé que peu d'arguments en faveur de la théorie de Freud selon laquelle les mécanismes de défense masquent les pulsions sexuelles et agressives (bien que notre gymnastique cognitive fonctionne assez bien pour protéger notre estime de soi). L'histoire n'a également pas réussi à soutenir une autre des idées de Freud, à savoir que le refoulement sexuel provoquerait des troubles psychologiques. De Freud à nos jours, l'inhibition sexuelle a diminué, alors que cela n'a pas été le cas pour les troubles psychologiques.

« De nombreux aspects de la théorie freudienne sont en fait dépassés, à juste titre : Freud est mort en 1939, et il a tardé à entreprendre des révisions plus approfondies. »
Drew Westen, psychologue (1998)

« Pendant sept ans et demi j'ai travaillé aux côtés du président Reagan. Nous avons connu des triomphes. Nous avons commis des erreurs. Nous avons eu quelques expériences sex... euh... décevantes. »
George H. W. Bush, 1988

Le refoulement est-il un mythe ?

Toute la théorie psychanalytique de Freud repose sur l'idée selon laquelle l'esprit humain *refoule* souvent les expériences douloureuses qu'il bannit dans l'inconscient jusqu'à ce qu'elles remontent à la surface comme des livres égarés depuis longtemps dans un grenier poussiéreux. Récupérer et résoudre les désirs conflictuels de l'enfance entraînerait une guérison émotionnelle. Sous l'influence de Freud, le refoulement devint un concept largement accepté, utilisé pour expliquer des phénomènes hypnotiques et des troubles psychologiques. Les adeptes de Freud ont étendu le refoulement pour expliquer la récupération de souvenirs apparemment perdus des traumatismes subis pendant l'enfance (Boag, 2006 ; Cheit, 1998 ; Erdelyi, 2006). Selon une enquête, 88 p. 100 des étudiants universitaires pensent que les expériences douloureuses sont normalement refoulées de notre conscient et renvoyées vers l'inconscient (Garry et coll., 1994).

Les chercheurs contemporains reconnaissent que nous épargnons parfois notre moi en négligeant des informations angoissantes (Green et coll., 2008). Cependant, beaucoup soutiennent que le refoulement, s'il se produit véritablement, constitue une réaction mentale rare en réponse à un traumatisme terrible. « Le folklore autour du thème du refoulement est... en partie réfuté, en partie non testé, et en partie non testable », affirme Elizabeth Loftus (1995). Même ceux qui ont été le témoin du meurtre d'un de leur parent ou qui ont survécu aux camps de la mort nazis conservent les souvenirs de ces horreurs sans les refouler (Helmreich, 1992, 1994 ; Malmquist, 1986 ; Pennebaker, 1990). « Des douzaines d'études en règle n'ont

« Je me souviens parfaitement de votre nom, mais je ne me remémore pas votre visage. »
W. A. Spooner, 1844-1930, professeur d'Oxford célèbre pour ses jeux de mots (contrepèteries)

« Les résultats généraux des recherches... mettent sérieusement en doute la notion psychanalytique classique du refoulement. »
Yacov Rofé, psychologue
« *Does repression exist ?* », 2008

« Pendant l'Holocauste, de nombreux enfants... ont enduré des choses insoutenables. Pour ceux qui continuent à souffrir, [la] douleur est toujours présente, des années après, aussi réelle que le jour où cela s'est passé. »
Eric Zillmer, Molly Harrower, Barry Ritzler et Robert Archer, *The Quest for the Nazi Personality*, 1995

:: Théorie de la gestion de la terreur : théorie de l'anxiété liée à la mort ; explore les réponses émotionnelles et comportementales des individus vis-à-vis des rappels de leur mort imminente.

pas apporté le moindre cas convainquant de répression dans tous les articles publiés sur les traumatismes », conclut John Kihlstrom, chercheur spécialiste de la personnalité (2006). Il en est de même dans les publications mondiales, signale une équipe de Harvard qui a offert 1 000 dollars à quiconque pouvait apporter un exemple médical ou même fictif datant d'avant 1800 d'une personne ayant refoulé un événement traumatique spécifique et s'en étant souvenu au bout d'un an ou même plus (Pope et coll., 2007). Il est sûr que si cela s'était produit fréquemment, quelqu'un l'aurait remarqué. Mais malgré cette large publicité, aucun cas n'a été découvert. (Après la publication de leur article, une personne est venue avec un opéra de 1786 dans lequel une femme avait apparemment oublié qu'elle avait découvert son amant mort après un duel [Pettus, 2008].)

Certains chercheurs soutiennent que le stress extrême et prolongé, comme celui qui se manifeste chez certains enfants victimes de graves abus, peut provoquer une perte de mémoire en lésant l'hippocampe (Schacter, 1996). Mais la réalité bien plus courante est que le stress accru (et les hormones de stress qui y sont associées) accentue la mémoire (*voir* Chapitre 8). Les événements traumatisants tels que la torture ou le viol hantent leurs survivants qui sont soumis à des épisodes de flash-back non désirés. Ces souvenirs sont gravés dans l'âme. Selon les mots d'une survivante de l'Holocauste, Sally H. (1979) : « Vous voyez les bébés. Vous voyez les mères qui crient. Vous voyez les personnes pendues. Vous restez assise et ce visage ne vous quitte pas. C'est quelque chose que l'on ne peut oublier. »

L'inconscient moderne

Nous savons désormais que Freud avait au moins raison sur un point : nous avons, en effet, un accès limité à toutes les choses qui pénètrent notre esprit (Erdelyi, 1985, 1988, 2006 ; Kihlstrom, 1990). Au cours d'expériences, des participants ont appris à anticiper dans quel quadrant d'un ordinateur un caractère allait apparaître avant même d'être capable d'exposer la règle sous-jacente (Lewicki 1992, 1997). Les recherches ont confirmé la réalité d'un *apprentissage implicite* inconscient (Fletcher et coll., 2005 ; Frensch et Rünger, 2003). Notre esprit à deux voies possède un vaste domaine que nous ne voyons pas.

Néanmoins, l'idée de « l'iceberg », partagée par les chercheurs en psychologie contemporains, est différente de celle de Freud, à tel point que selon les arguments présentés par Anthony Greenwald (1992), il est grand temps d'abandonner la conception de Freud concernant l'inconscient. Comme nous l'avons mentionné dans les chapitres précédents, beaucoup de chercheurs pensent maintenant que l'inconscient n'est pas un réservoir bouillonnant de passions et de censures mais plutôt un système de traitement d'informations plus « modéré » qui opère sans que l'on en soit conscient. Selon ces chercheurs, l'inconscient comprend :

- des schémas qui contrôlent automatiquement nos perceptions et nos interprétations (Chapitre 6) ;
- un amorçage par des stimuli qui ne sont pas sous notre direction consciente (Chapitres 6 et 8) ;
- une activité de l'hémisphère cérébral droit qui permet à la main gauche d'un patient au cerveau partagé d'exécuter des instructions indépendantes de son raisonnement verbal (Chapitre 2) ;
- un traitement parallèle de différents aspects de la vision et de la pensée (Chapitres 6 et 9) ;
- une mémoire implicite qui opère indépendamment d'un rappel conscient, même chez les patients amnésiques (Chapitre 8) ;
- des émotions qui s'activent instantanément avant toute analyse consciente (Chapitre 12) ;
- des stéréotypes et un concept du soi qui influencent automatiquement et inconsciemment la façon dont nous traitons les informations sur nous-mêmes et sur les autres (Chapitre 16).

Plus que nous n'en avons conscience, nous sommes dirigés par une sorte de pilote automatique. Nos vies sont guidées par le traitement inconscient de l'information qui s'effectue en dehors de notre écran de contrôle sans que nous le voyions. L'esprit inconscient est immense. La compréhension du traitement inconscient de l'information est comparable à la théorie pré-freudienne de l'existence d'un courant de pensée non surveillé et enfoui à partir duquel nos comportements spontanés et nos idées créatives remontent à la surface (Bargh et Morsella, 2008).

Des recherches récentes ont également apporté un soutien à la théorie de Freud sur les mécanismes de défense (même s'ils ne fonctionnent pas exactement comme Freud le supposait). Par exemple, Roy Baumeister et ses collègues (1998) ont découvert que les gens ont tendance à remarquer leurs propres manies et attitudes chez les autres, un phénomène que

Freud appelait projection et que les chercheurs d'aujourd'hui appellent l'*effet de faux consensus*, une tendance à surestimer le fait que les autres partagent nos croyances et nos comportements. Les gens qui falsifient leurs déclarations fiscales ou qui dépassent les limites de vitesse ont tendance à penser que beaucoup font comme eux. Toutefois, rien de vraiment probant n'a été démontré concernant les autres mécanismes de défense comme le déplacement, qui sont liés à l'énergie instinctuelle. Des preuves plus concluantes existent pour des mécanismes tels que la formation réactionnelle qui défend l'estime de soi. Selon Baumeister, les mécanismes de défense sont davantage motivés par notre besoin de protéger notre image de soi que par des pulsions irrésistibles (comme le supposait Freud).

Finalement, l'histoire récente a soutenu la théorie de Freud selon laquelle nous nous défendons contre l'anxiété. Une fois encore, la théorie contemporaine diffère de celle de Freud. Jeff Greenberg, Sheldon Solomon et Tom Pyszczynski (1997) pensent qu'une des sources de l'anxiété est la « terreur résultant de la prise de conscience de notre vulnérabilité et de la mort ». Plus de 200 études testant leur **théorie de la gestion de la terreur** montrent que le fait de penser à sa mort en écrivant, par exemple, une courte dissertation sur la mort et les émotions qui y sont associées, provoque divers mécanismes de défense de gestion de la terreur. Par exemple, l'anxiété de la mort augmente les préjugés, le mépris des autres et l'estime de soi (Koole et coll., 2006).

Confrontés à un monde menaçant, les individus agissent non seulement pour renforcer leur estime de soi mais aussi pour adhérer plus fortement à des visions du monde qui répondent à leur questionnement sur la signification de la vie. La perspective de la mort favorise les sentiments religieux et les profondes convictions religieuses permettent aux gens d'être moins sur la défensive lorsqu'on leur rappelle la mort - ils ont moins de risques de se soulever pour défendre leur vision du monde (Jonas et Fischer, 2006 ; Norenzayan et Hansen, 2006). De plus, ils privilégient davantage les relations avec leur entourage proche (Mikulincer et coll., 2003). Lors des événements du 11 septembre, qui fut une expérience frappante de la terreur de la mort, les occupants piégés dans le World Trade Center ont passé les derniers moments de leur vie à appeler les personnes qui leur étaient chères, et la plupart des Américains ont essayé de joindre leur famille et leurs amis.

« Ça dit : "Un jour tu mourras." »

« Je ne veux pas atteindre l'immortalité par mon travail ; je veux atteindre l'immortalité en ne mourant pas. »
Woody Allen

« J'ai cherché l'Éternel, et il m'a répondu ; il m'a délivré de toutes mes frayeurs. »
Psaume 34:5

« Nous raisonnons comme un homme qui pourrait dire : "S'il y avait un chat invisible sur la chaise, la chaise paraîtrait vide, or la chaise paraît vide, donc il y a bien un chat invisible sur celle-ci." »
C. S. Lewis, *Les quatre amours*, 1958

Les idées de Freud considérées comme théorie scientifique

Les psychologues critiquent également les théories de Freud pour leurs imperfections scientifiques. Rappelez-vous, nous avons vu au chapitre 1 qu'une bonne théorie scientifique explique des observations et doit fournir des hypothèses susceptibles d'être testées. La théorie de Freud repose sur peu d'observations objectives et offre peu d'hypothèses testables. (Pour Freud, ses propres souvenirs et les interprétations qu'il faisait des rêves, des associations libres et des lapsus de ses patients constituaient des preuves suffisantes.)

Quel est le problème le plus sérieux posé par la théorie de Freud ? Elle offre des explications après-coup de n'importe quelle caractéristique (le tabagisme d'une personne, la peur des chevaux chez une autre, l'orientation sexuelle d'une troisième...) qui ne permettent pas de *prédire* ces comportements ou ces traits de personnalité. Si vous éprouvez de la colère en pensant à la mort de votre mère, vous illustrez cette théorie, car « votre besoin de dépendance non résolu durant l'enfance est menacé ». Cependant, si vous ne ressentez pas de colère, vous illustrez toujours sa théorie parce que « vous refoulez votre colère ». Selon Calvin Hall et Gardner Lindzey (1978, p. 68), « cela équivaut à parier sur un cheval une fois la course terminée ». Une bonne théorie doit conduire à des prédictions testables.

C'est la raison pour laquelle certains opposants de Freud le critiquent sévèrement. Ils voient s'écrouler peu à peu l'édifice freudien, bâti sur les marécages de la sexualité infantile,

le refoulement, l'analyse des rêves et les spéculations après-coup. « Lorsqu'on se laisse guider [par Freud], on constate simplement que l'on s'oriente dans la mauvaise direction », déclare John Kihlstrom (1997). Selon l'opposant le plus virulent de Freud, Frederick Crews (1998), ce qui est original dans les idées de Freud n'est pas bon, et ce qui est bon n'a rien d'original (par exemple, la théorie de l'inconscient remonte à Platon).

La psychologie devrait-elle donc afficher l'ordre de « ne pas ressusciter » cette ancienne théorie ? Les partisans de Freud s'y opposent. Critiquer les théories de Freud du fait de l'absence de prédictions testables revient, selon eux, à critiquer le base-ball parce qu'il n'est pas un exercice d'aérobic, ce qu'il n'a jamais prétendu être. Freud n'a jamais prétendu que la psychanalyse était une science prédictive. Il a simplement déclaré que les psychanalystes pouvaient, par un travail rétrospectif, donner un sens à notre état d'esprit (Rieff, 1979).

Les partisans de Freud déclarent aussi que certaines de ses idées *sont* durables. C'est Freud qui a attiré notre attention sur l'inconscient et l'irrationnel, sur nos autodéfenses protectrices, sur l'importance de la sexualité humaine, et sur la tension entre nos pulsions biologiques et notre bien-être social. C'est Freud qui a dénoncé notre autosatisfaction, qui a décontenancé nos prétentions et qui nous a mis en garde contre notre potentiel à faire le mal.

Dans le domaine scientifique, le legs de Darwin continue à faire ses preuves, celui de Freud est en train de périr (Bornstein, 2001). Selon une enquête nationale, dans les universités américaines près de 9 cours sur 10 qui proposent la psychanalyse ne sont pas traités par le département de psychologie (Cohen, 2007). Dans la culture populaire, le legs de Freud vit encore. Beaucoup de gens considèrent comme vraies certaines idées : que les expériences de l'enfance façonnent notre personnalité, que les rêves ont un sens, que de nombreux comportements ont des motifs cachés, et qu'elles font partie de ce legs. Ces concepts datant du début du XXᵉ siècle subsistent dans notre langage du XXIᵉ siècle. En ignorant leur source, nous pouvons employer des termes tels que le *Moi*, *refoulement*, *projection*, *complexe* (comme dans « complexe d'infériorité »), *rivalité fraternelle*, *lapsus* et *fixation*. « Les prémices de Freud semblent avoir subi un constant déclin dans les milieux universitaires depuis de nombreuses années », remarqua Martin Seligman (1994), « mais Hollywood, les talk-shows, beaucoup de thérapeutes et le public en général les apprécient encore beaucoup. »

AVANT D'ALLER PLUS LOIN...

➤ **INTERROGEZ-VOUS**

Qu'avez-vous compris de la théorie freudienne et quelles sont vos impressions après la lecture de ce chapitre ? Ont-elles changé d'une manière ou d'une autre après avoir lu ce chapitre ?

➤ **TESTEZ-VOUS 2**

De quelle manière la psychologie actuelle évalue-t-elle les théories de Freud ?

Les réponses aux questions « Testez-vous » sont données dans l'annexe B à la fin de l'ouvrage.

La perspective humaniste

6. De quelle manière les psychologues humanistes considèrent-ils la personnalité ? Quels objectifs poursuivent-ils en étudiant la personnalité ?

DANS LES ANNÉES 1960, CERTAINS PSYCHOLOGUES de la personnalité étaient en désaccord avec le caractère négatif de la théorie freudienne et la psychologie mécaniste du behaviorisme de B. F. Skinner. Prenant le contre-pied des études réalisées par Freud sur les motivations de base des gens « malades », ces *psychologues humanistes* se sont intéressés à la manière dont les gens « en bonne santé » se démenaient pour se déterminer et se réaliser. Contrairement à l'objectivité scientifique du behaviorisme, ils étudièrent les personnes par le biais des expériences et des sentiments qu'ils décrivaient eux-mêmes.

Deux théoriciens précurseurs, Abraham Maslow (1908-1970) et Carl Rogers (1902-1987), ont avancé la *perspective de la troisième force* insistant sur le potentiel de l'homme.

:: Développement personnel (accomplissement de soi) : selon Maslow, c'est le besoin psychologique ultime qui apparaît lorsque tous les besoins physiques et psychologiques de base ont été satisfaits, et que l'estime de soi est satisfaisante ; motivation pour exprimer pleinement ses potentialités.

:: Considération positive inconditionnelle : selon Rogers, attitude d'acceptation totale à l'égard de l'autre.

Abraham Maslow : le développement personnel

Maslow a suggéré que nous étions motivés par une hiérarchie de besoins (Chapitre 11). Si nos besoins physiologiques sont assouvis, nous sommes alors préoccupés par notre sécurité personnelle ; si nous parvenons à une sensation de sécurité, nous cherchons alors à aimer, à être aimé et à nous aimer nous-mêmes. Une fois notre besoin d'amour satisfait, nous cherchons l'estime de soi. Ayant alors une bonne estime de soi, nous aspirons finalement au **développement personnel** (ou accomplissement de soi), c'est-à-dire à exprimer pleinement notre potentiel, et à une *transcendance de soi* (une signification, un but et une communion au-delà du soi).

Maslow (1970) développa ses idées en étudiant des personnes créatives et en bonne santé plutôt que des cas cliniques perturbés. Il fonda sa description du développement personnel sur une étude de personnalités remarquables par leur vie riche et productive : Abraham Lincoln, Thomas Jefferson et Eleanor Roosevelt, entre autres. Selon Maslow, ces personnalités partageaient certaines caractéristiques : elles étaient conscientes d'elles-mêmes, s'étaient acceptées, étaient ouvertes et spontanées, affectueuses et attentionnées, et n'étaient pas paralysées par l'opinion d'autrui. Sécurisées par la connaissance qu'elles avaient d'elles-mêmes, elles étaient plus centrées sur les problèmes potentiels que sur elles-mêmes. Elles avaient souvent focalisé leur énergie sur une tâche particulière, qu'elles considéraient comme leur mission dans l'existence. La plupart préféraient avoir quelques relations profondes plutôt que de nombreuses relations superficielles. Elles étaient, en général, mues par des *expériences élevées* personnelles ou spirituelles, surpassant la conscience ordinaire.

Ce sont, dit Maslow, les qualités d'un adulte mature, celles que l'on retrouve chez ceux qui ont assez appris de la vie pour être compatissants, pour avoir dépassé leurs sentiments ambivalents vis-à-vis de leurs parents, pour avoir trouvé leur voie, pour avoir « acquis assez de courage pour être impopulaires, pour n'être pas honteux d'être ouvertement vertueux, etc. » Le travail de Maslow avec des étudiants le conduisit à faire l'hypothèse que ceux qui avaient des chances de parvenir à ce développement personnel à l'âge adulte étaient aimables, attentionnés, « affectueux avec ceux de leurs aînés qui le méritaient » et « secrètement mal à l'aise en face de la cruauté, du manque de valeurs et de l'esprit grégaire si souvent retrouvé chez les jeunes gens ».

Ted Polumbaum/Time Pix/Getty Images

Abraham Maslow « Toute théorie de la motivation digne d'attention doit prendre en compte les plus hautes capacités des individus forts et en bonne santé, aussi bien que les manœuvres défensives des esprits invalides. » (*Motivation and Personality*, 1970)

Carl Rogers : une perspective centrée sur la personne

Carl Rogers, un des psychologues humanistes proche de Maslow, partageait l'essentiel de ses opinions. Rogers pensait que les individus étaient essentiellement bons et qu'ils possédaient des tendances à se réaliser. Chacun d'entre nous ressemble à une graine, conçue pour croître et se développer sauf si elle est gênée par un environnement qui inhibe sa croissance. Rogers (1980) affirmait qu'un climat favorisant la croissance nécessitait trois conditions : l'authenticité, l'acceptation et l'empathie.

Selon Rogers, les gens favorisent notre développement en étant *authentiques* – en exprimant ouvertement leurs sentiments, en laissant tomber leurs masques, en étant transparents et ouverts.

Les gens favorisent également notre développement en nous *acceptant* – en nous offrant ce que Rogers appelait la **considération positive inconditionnelle**. C'est une attitude de grâce, une attitude qui nous apprécie même en connaissant nos échecs. C'est un profond soulagement d'avoir abandonné nos prétentions, d'avoir confessé nos pires sentiments et de découvrir que nous sommes encore acceptés. Dans un mariage heureux, une famille unie ou une amitié proche, nous sommes libres d'être spontanés sans avoir peur de perdre l'estime de l'autre.

Enfin, les gens favorisent notre développement en étant *empathiques*, c'est-à-dire en partageant et en reflétant nos sentiments et en réfléchissant à nos opinions. « Nous écoutons rarement avec une compréhension réelle, une véritable empathie », disait Rogers. « Pourtant, écouter de cette façon particulière est l'une des forces de changement les plus puissantes que je connaisse. »

L'authenticité, la tolérance et l'empathie sont, selon Rogers, l'eau, le soleil et les éléments nutritifs qui permettent aux personnes de se développer comme des chênes vigoureux. En effet, « lorsque les gens sont acceptés et appréciés, ils ont tendance à développer une attitude

L'image de l'empathie Être ouvert et partager des confidences est rendu plus facile lorsque la personne qui vous écoute montre une véritable compréhension. Au sein de telles relations, les gens peuvent se détendre et exprimer pleinement leur véritable soi.

Exemple d'un père qui *n'offre pas* la considération positive inconditionnelle à son fils.

« Rappelle-toi bien mon garçon : ce n'est pas important que tu gagnes ou que tu perdes, sauf si tu veux que papa t'aime. »

plus attentionnée vis-à-vis d'eux-mêmes » (Rogers, 1980, p. 116). Lorsque les gens sont écoutés avec empathie, « il devient possible pour eux d'écouter plus attentivement le flux de leurs expériences intérieures ».

L'écrivain Calvin Trillin (2006) se souvient d'un exemple d'authenticité et d'acceptation parentale. Dans un camp où travaillait sa femme Alice qui s'occupait d'enfants atteints de troubles sévères, il y avait L., une « enfant magique » atteinte d'une maladie génétique qui l'obligeait à la nourrir à la sonde et ne lui permettait de marcher qu'avec de grandes difficultés. Alice se souvient,

> Un jour, que nous jouions au jeu du mouchoir, j'étais assise derrière elle et elle me demanda de lui tenir son courrier pendant qu'elle se levait pour courir autour du cercle. Comme cela lui prit pas mal de temps pour faire le tour du cercle, j'ai eu le temps de voir qu'il y avait une lettre de sa mère sur le dessus de la pile [de courrier]. C'est alors que je fis une chose vraiment horrible... Je voulais simplement savoir ce que les parents de cet enfant avaient bien pu faire pour la rendre si particulière, pour faire d'elle la personne la plus optimiste, la plus enthousiaste, la plus remplie d'espoir que j'avais jamais rencontrée. Je parcourus rapidement la lettre et mes yeux tombèrent sur cette phrase : « Si Dieu nous avait demandé de choisir parmi tous les enfants du monde, L., nous t'aurions choisi toi. » Avant que L. ait eu le temps de revenir à sa place dans le cercle, je montrais cette lettre à Bud, assis à côté de moi. « Vite, lis ceci », je lui chuchotais. « C'est le secret de la vie ».

Maslow et Roger auraient souri en connaissance de cause. Pour eux, une des caractéristiques essentielles de la personnalité est notre **conception du soi**, l'ensemble des pensées et des sentiments que nous avons en réponse à la question : « Qui suis-je ? ». Si la conception que nous avons de notre soi est positive, nous avons tendance à percevoir le monde et à agir de façon positive. Si elle est négative, si à nos propres yeux nous sommes bien en deçà de notre *soi idéal*, disait Rogers, nous nous sentons insatisfaits et malheureux. Une tâche nécessaire pour les thérapeutes, les parents, les enseignants et les amis est donc d'aider les autres à se connaître, à s'accepter et à être authentiques avec eux-mêmes.

Évaluer le soi

7. De quelle manière les psychologues humanistes évaluent-ils le sens du soi de quelqu'un ?

Les psychologues humanistes évaluent parfois la personnalité en demandant aux participants de remplir des questionnaires qui évaluent la conception qu'ont les gens de leur soi. Un questionnaire, inspiré par Carl Rogers, demande aux gens de se décrire eux-mêmes, à la fois comme ils auraient *aimé être*, et comme ils *sont réellement*. Lorsque le soi idéal et le soi réel sont presque identiques, disait Rogers, la conception du soi est positive. Donc, pour évaluer le développement personnel du sujet durant le traitement, il examinait les rapprochements successifs du soi idéal et du soi réel.

Certains psychologues humanistes pensent que toute évaluation standardisée de la personnalité est dépersonnalisante, même un questionnaire. Plutôt que de forcer quelqu'un à répondre dans le cadre de catégories étroites, ces psychologues humanistes pensent que les entretiens et les conversations intimes permettent une meilleure compréhension de l'expérience unique de chaque individu.

Évaluer la perspective humaniste

8. De quelle manière la perspective humaniste a-t-elle influencé la psychologie ? À quelles critiques a-t-elle fait face ?

On peut dire à propos des psychologues humanistes ce qui a été dit à propos de Freud : leur impact s'est fait sentir un peu partout. Les idées de Maslow et Rogers ont influencé l'éducation des enfants, l'enseignement, le conseil et la gestion des entreprises.

Ils ont aussi influencé, parfois selon des voies qu'ils n'avaient pas envisagées, la majeure partie de la psychologie populaire d'aujourd'hui. Avoir une idée positive de soi-même est-elle la clé du bonheur et du succès ? La tolérance et l'empathie aident-elles à nourrir des sentiments positifs vis-à-vis de soi-même ? Les gens sont-ils, par essence, bons et capables de s'améliorer ? Beaucoup de personnes répondent *oui*, *oui* et encore *oui*. Neuf personnes sur 10 répondant à un sondage de l'institut Gallup pour *Newsweek* en 1992 considéraient que l'estime de soi était très importante « pour motiver une personne à travailler dur et pour réussir ». Le message de la psychologie humaniste a été entendu.

:: Conception du soi : ensemble de nos pensées et de nos sentiments à propos de nous-mêmes, en réponse à la question : « Qui suis-je ? ».

La proéminence de la perspective humaniste a essuyé une série de critiques. En premier lieu, disaient-elles, ses concepts sont vagues et *subjectifs*. Considérons la description de Maslow d'une personne qui a atteint son développement personnel : une personne spontanée, ouverte, aimante, s'acceptant elle-même et productive. A-t-on affaire à une description scientifique ? N'est-ce pas, simplement, une description des idéaux et des valeurs personnelles du théoricien ? Ce qu'a fait Maslow, note M. Brewster Smith (1978), c'est donner des images de ses propres héros. Imaginez un autre théoricien qui aurait commencé avec une autre série de héros, comme Napoléon, John D. Rockefeller et l'ancien vice-président américain, Dick Cheney. Ce théoricien aurait probablement décrit les gens qui se réalisent comme « peu préoccupés par les besoins et les avis des autres », « désireux d'arriver » et « obsédés par le pouvoir ».

Certaines critiques s'élèvent également contre l'idée présentée par Rogers selon laquelle « la seule question qui importe est : "Suis-je en train de vivre d'une façon qui me satisfait profondément et qui exprime vraiment ce que je suis ?" » (cité par Wallach et Wallach, 1985). Les critiques pensent que l'*individualisme* encouragé par la psychologie humaniste, c'est-à-dire agir en fonction des sentiments de l'individu et avoir confiance en ces derniers, être vrai avec soi-même, chercher l'accomplissement de soi, peut conduire à l'autoindulgence, l'égoïsme et une érosion des contraintes morales (Campbell et Specht, 1985 ; Wallach et Wallach, 1983). En effet, ce sont ceux qui se focalisent au-delà d'eux-mêmes, qui ont le plus de chances de bénéficier d'un soutien social, de jouir de la vie et de maîtriser le stress (Crandall, 1984).

Les psychologues humanistes répliquent que l'acceptation solide de soi-même, sans recours à des mécanismes de défense, constitue réellement le premier pas vers l'aptitude à aimer autrui. En effet, les personnes qui se sentent intrinsèquement aimées et acceptées pour ce qu'elles sont, et non simplement pour ce qu'elles ont accompli, manifestent moins d'attitudes défensives (Schimel et coll., 2001).

La dernière accusation portée contre la psychologie humaniste est qu'elle est *naïve*, qu'elle n'arrive pas à apprécier la réalité de notre propension humaine pour le mal. Face aux menaces concernant le réchauffement de la planète, la surpopulation, le terrorisme et la propagation des armes nucléaires, l'apathie peut se développer à partir de deux types de raisonnement. L'un est un optimisme naïf qui nie les menaces (« les gens sont bons, par essence ; tout va s'arranger »). L'autre est un désespoir noir (« c'est sans espoir ; pourquoi essayer ? »). L'action nécessite assez de réalisme pour alimenter une inquiétude et assez d'optimisme pour fournir de l'espoir. La psychologie humaniste, disent les critiques, encourage l'espoir dont on a besoin mais pas le réalisme également nécessaire par rapport au mal.

« On réussit plutôt bien lorsqu'on cesse de penser que les gens sont fondamentalement bons. »

AVANT D'ALLER PLUS LOIN...

➤ **INTERROGEZ-VOUS**

Au cours de votre vie, avez-vous rencontré quelqu'un qui vous a accepté sans condition ? Pensez-vous que cette personne vous a aidé à mieux vous connaître et à développer une meilleure image de vous-même ?

➤ **TESTEZ-VOUS 3**

Quelle est la signification du terme « empathique » ? Et celle de la recherche du développement personnel ?

Les réponses aux questions « Testez-vous » sont données dans l'annexe B à la fin de l'ouvrage.

La perspective dimensionnelle (les traits de personnalité)

9. Comment les psychologues utilisent-ils les traits de caractère pour décrire la personnalité ?

PLUTÔT QUE DE SE CONCENTRER SUR DES FORCES inconscientes et les opportunités de développement déjouées, certains chercheurs s'emploient à identifier la personnalité en termes de modèles comportementaux stables et immuables, comme la loyauté et l'optimisme de Sam Gamegie. Cette perspective remonte en partie à une rencontre remarquable

:: Trait de personnalité : modèle caractéristique du comportement ou disposition à ressentir et à agir d'une certaine façon ; évalué par des autoquestionnaires ou par des descriptions effectuées par l'entourage.

au cours de laquelle Gordon Allport, un étudiant en psychologie de 22 ans, particulièrement curieux, interrogea Freud à Vienne en 1919. Il découvrit rapidement à quel point le fondateur de la psychanalyse était préoccupé par la recherche des motivations cachées même dans le propre comportement d'Allport pendant qu'il l'interrogeait. Cette expérience poussa Allport finalement à faire ce que Freud n'avait pas fait, c'est-à-dire décrire la personnalité en termes de **traits de caractère** fondamentaux qui sont les comportements caractéristiques et les motivations conscientes des gens (comme la curiosité qui, par exemple, incita Allport à rendre visite à Freud). « Rencontrer Freud, dit Allport, m'enseigna que [la psychanalyse], malgré tous ses mérites, plonge peut-être trop profondément, et que les psychologues feraient tout aussi bien d'accorder l'importance qu'elle mérite aux motivations manifestes avant d'évaluer l'inconscient. » Allport définit alors la personnalité en termes de modèles de comportements identifiables. Il était moins intéressé par l'*explication* que par la *description* des traits individuels.

Comme Allport, Isabel Briggs Myers (1987) et sa mère, Katharine Briggs, voulaient décrire les différences importantes de la personnalité. Elles ont essayé de trier les gens selon les types de personnalité définis par Carl Jung, en se basant sur leurs réponses à 126 questions. L'*indicateur typologique Myers-Briggs*, traduit dans 21 langues, est un test assez simple qui est passé par plus de 2 millions de personnes par an, surtout pour le conseil, les formations aux postes de direction et le développement d'équipe de travail (CPP, 2008). Il propose des choix tels que : « En général, accordez-vous plus de valeur aux sentiments qu'à la logique, ou plus de valeur à la logique qu'aux sentiments ? » Les préférences des participants sont ensuite comptabilisées et étiquetées sous la forme de types, comme par exemple, le type « sentimental » ou le type « cérébral » qui sont alors décrits à la personne passant le test en termes flatteurs. Ceux présentant un type sentimental sont, par exemple, désignés comme étant « attachés aux valeurs, sympathiques, sensibles et pleins de tact » ; les types cérébraux sont décrits comme « préférant une norme objective de vérité » et « ayant des qualités d'analyse ». (Chaque type a ses qualités, de telle sorte que chacun est flatté.)

La plupart des gens adhèrent au type de profil qu'on leur annonce et qui, en fait, est le reflet de leurs préférences déclarées. Ils peuvent également l'accepter comme base pour être associés à des collègues de travail ou se voir confier des tâches correspondant théoriquement à leur tempérament. Une enquête du *National Research Council* note, cependant, que malgré la popularité de ce test pour les conseils en entreprise et en choix professionnels, l'utilisation initiale de ce test a largement anticipé la recherche sur sa valeur comme indicateur de réussite au travail et que « la popularité de cet instrument, en l'absence de toute valeur scientifique prouvée, pose problème » (Druckman et Bjork, 1991, p. 101 ; *voir aussi* Pittenger, 1993). Malgré la multiplication des travaux de recherche sur les tests de Myers-Briggs suite à cette mise en garde, ce test reste surtout un outil de conseil et d'entraînement et non pas un instrument de recherche.

Explorer les traits de personnalité

Le fait de classer les gens selon tel ou tel type de personnalité ne permet pas de rendre compte de leur individualité dans leur ensemble. Chacun d'entre nous est un mélange complexe de nombreux traits de caractère. Comment pourrions-nous décrire autrement notre personnalité ? Nous pourrions décrire une pomme en la positionnant selon différents traits dimensionnels : grosse ou petite, rouge ou jaune, douce ou acide. En plaçant les gens sur plusieurs traits de personnalité simultanément, les psychologues peuvent décrire d'innombrables variations de personnalités individuelles. (Rappelez-vous qu'au chapitre 6, nous avions vu que les variations de seulement trois dimensions de la couleur à savoir la teinte, l'intensité et l'éclat, suffisaient pour créer plusieurs milliers de couleurs.)

Quelles sont les dimensions des traits qui décrivent la personnalité ? Si vous avez un rendez-vous amoureux avec un(e) inconnu(e), quels sont les traits de personnalité qui pourraient vous donner une idée précise de cette personne ? Allport et son associé H. S. Odbert (1936) ont compté dans un dictionnaire intégral tous les mots utilisables pour décrire quelqu'un. Combien en ont-ils trouvé ? Presque 18 000 ! Comment, donc, les psychologues peuvent-ils condenser cette liste en un nombre gérable de traits de personnalité de base ?

Analyse factorielle

Une des méthodes a consisté à proposer des traits de personnalité, comme l'anxiété, que certaines théories considéraient comme fondamentaux. Une nouvelle technique, l'*analyse factorielle*, est une technique statistique déjà décrite au chapitre 10, qui permet d'identifier des regroupements d'items d'un test donné qui captent les composantes de base de l'intelligence (telles que l'aptitude spatiale ou l'aptitude verbale). Imaginez que des gens qui se disent extravertis, aient également tendance à dire qu'ils aiment la fête et blaguer et n'aiment pas rester seuls à lire. Cet ensemble de comportements ainsi corrélés statistiquement reflète un facteur fondamental ou trait ; dans ce cas, l'*extraversion*.

Les psychologues britanniques Hans et Sybil Eysenck pensent que nous pouvons réduire beaucoup de nos variations individuelles normales à deux ou trois dimensions, en particulier l'*extraversion-introversion* et la *stabilité-instabilité émotionnelle* (FIGURE 13.4). Le *questionnaire de personnalité d'Eysenck* a été administré dans trente-cinq pays, de la Chine à l'Ouganda en passant par la Russie. Lorsque les réponses ont été analysées, les dimensions extraversion et émotion ont émergé inévitablement en tant que dimensions fondamentales de la personnalité (Eysenck, 1990, 1992). Les Eysenck pensaient que ces facteurs étaient influencés génétiquement, ce qui semble être conforté par les recherches récentes.

Biologie et personnalité

L'activité cérébrale des extravertis s'ajoute à la liste toujours croissante des traits et des états mentaux explorés par les techniques d'imagerie cérébrale. (Cette liste englobe l'intelligence, l'impulsivité, le besoin impérieux en cas de dépendance, le mensonge, l'attirance sexuelle, l'agressivité, l'empathie, les expériences spirituelles et même les attitudes ethniques et politiques [Olson, 2005].) Ces études indiquent que les extravertis cherchent à être stimulés parce que leur niveau normal d'*excitation cérébrale* est relativement bas. Par exemple, les images obtenues par tomographie par émission de positons montrent qu'une zone du lobe frontal impliquée dans l'inhibition du comportement est moins active chez les personnes extraverties que chez les personnes introverties (Johnson et coll., 1999). La dopamine ainsi que l'activité nerveuse liée à la dopamine ont tendance à être plus importantes chez les extravertis (Wacker et coll., 2006).

Notre biologie influence également notre personnalité par d'autres façons. Comme vous vous en souvenez peut-être lorsque nous l'avons abordé au chapitre 4 avec les études de jumeaux et d'adoption, nos *gènes* sont responsables en partie de notre tempérament et du type de comportement qui définit notre personnalité. Jerome Kagan, par exemple, attribue la différence de timidité et d'inhibition chez les enfants à la *réactivité de leur système nerveux autonome*. Si nous possédons un système nerveux autonome réactif, nous répondons au stress avec plus d'anxiété et d'inhibition. Un enfant plus intrépide et curieux peut devenir un adulte qui fera de l'escalade ou qui conduira vite.

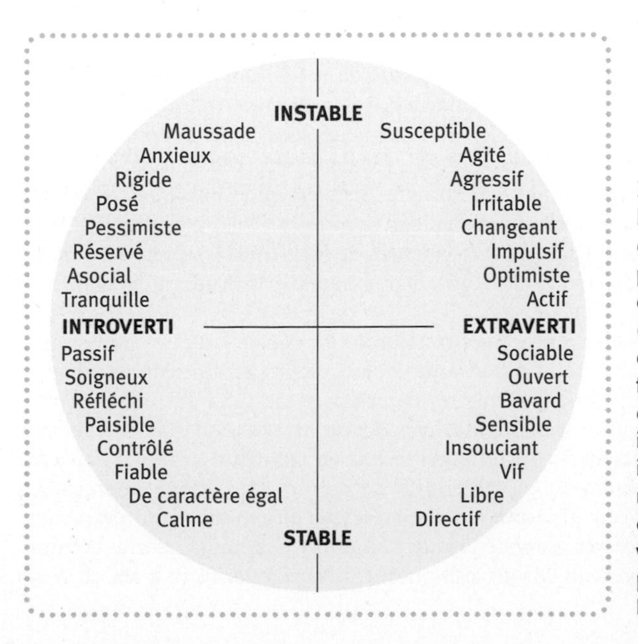

➤ FIGURE 13.4
Deux dimensions de personnalité Les cartographes peuvent indiquer beaucoup de choses en utilisant deux axes (Nord-Sud et Est-Ouest). Hans et Sybil Eysenck ont utilisé deux facteurs primaires (ou dimensions) de personnalité — l'extraversion-introversion et la stabilité-instabilité — en tant qu'axes de référence pour décrire les variations de personnalité. Des combinaisons variées définissent d'autres traits plus spécifiques. (D'après Eysenck et Eysenck, 1963.)

Samuel Gosling et ses collaborateurs (2003 ; Jones et Gosling, 2005) signalent que les différences de personnalité entre les chiens (sur le plan de l'énergie, de l'affection, de la réactivité et de l'intelligence curieuse) sont aussi évidentes et aussi constantes que les différences de personnalité entre les hommes. Les singes, les chimpanzés, les orangs-outans et même les oiseaux ont des personnalités stables (Weiss et coll., 2006). Chez la mésange charbonnière (une parente européenne de la mésange américaine), les oiseaux les plus audacieux inspectent plus rapidement les nouveaux objets et explorent les arbres (Groothuis et Carere, 2005 ; Verbeek et coll., 1994). Par accouplement sélectif, les chercheurs ont pu reproduire des oiseaux audacieux ou timides. Tous ont leur place dans l'histoire naturelle. Les années de disette, les oiseaux audacieux ont plus de chance de trouver de la nourriture ; les années d'abondance, les animaux timides prennent moins de risques pour se nourrir.

Évaluer les traits de personnalité

10. Que sont les inventaires de personnalité ? Quelles sont leurs forces et leurs faiblesses en tant qu'outil d'évaluation des traits de la personnalité ?

Si des traits de personnalité stables et persistants guident nos actions, pouvons-nous imaginer des tests valides et fiables pour les évaluer ? Il existe beaucoup de techniques d'évaluation des traits de personnalité, certaines plus valables que d'autres (tournez la page pour lire le Regard critique sur : Comment être un astrologue ou un chiromancien « à la mode »). Certaines ont pour but de définir le profil de comportement d'une personne et fournissent souvent une évaluation rapide d'un seul trait de caractère comme l'extraversion, l'anxiété ou l'estime de soi. Les **inventaires de personnalité** – questionnaires plus longs couvrant une vaste gamme de sentiments et de comportements – sont conçus pour évaluer plusieurs traits de la personnalité à la fois.

L'inventaire de personnalité le plus classique est le ***Minnesota Multiphasic Personality Inventory* (MMPI)**. Bien qu'il évalue des tendances « anormales » de la personnalité plutôt que des traits de personnalité « normaux », le MMPI illustre la bonne méthode pour développer un inventaire de personnalité. L'un de ses créateurs, Starke Hathaway (1960), a comparé ses efforts à ceux d'Alfred Binet. Binet, comme nous l'avons vu au chapitre 10, a développé le premier test d'intelligence en sélectionnant les items qui identifiaient les enfants qui auraient probablement du mal à progresser normalement dans les écoles françaises. Les questions du MMPI furent aussi **choisies empiriquement**. À partir d'un vaste ensemble de questions, Hathaway et son équipe sélectionnèrent celles qui distinguaient certains groupes de diagnostics particuliers. Puis, ils rassemblèrent les questions en dix échelles cliniques, incluant des échelles qui évaluaient les tendances dépressives, la masculinité/féminité et l'introversion/extraversion.

Au départ, Hathaway et ses collaborateurs proposèrent des centaines d'affirmations en vrai/faux (« personne ne semble me comprendre », « je reçois toute la sympathie qui m'est due » ou « j'aime la poésie ») à des groupes de patients psychologiquement perturbés et à des gens « normaux ». Ils conservèrent toute affirmation, aussi stupide fut-elle, à laquelle la réponse du groupe de patients différait de celle des gens « normaux ». « Rien ne m'intéresse dans le journal à part les bandes dessinées » peut sembler n'avoir aucun sens, mais il s'est avéré que les gens déprimés avaient plus tendance à répondre *vrai*. (Malgré tout, des gens se sont bien amusés en caricaturant le MMPI en y mettant leurs propres items stupides tels que : « pleurer me mouille les yeux » ; « les cris frénétiques me rendent nerveux » ; « je reste dans la baignoire jusqu'à ce que je ressemble à un raisin sec » [Frankel et coll., 1983].) Dans sa version actuelle, le MMPI-2 comporte des échelles évaluant, par exemple, l'attitude au travail, les problèmes familiaux et la colère.

Contrairement à la subjectivité de la plupart des tests projectifs, les inventaires de personnalité sont évalués objectivement à tel point qu'un ordinateur peut les administrer et calculer les scores totaux. (L'ordinateur peut aussi fournir les descriptions de gens qui ont répondu de manière identique précédemment.) L'objectivité, cependant, ne garantit pas la validité. Par exemple, les personnes qui passent le MMPI dans le but de trouver un emploi peuvent répondre par des réponses socialement souhaitables afin de donner une bonne impression. Mais en faisant cela, ils peuvent avoir un score élevé sur l'*échelle du mensonge* qui évalue les bluffeurs (comme lorsque les personnes répondent *faux* à une question toujours vrai comme « je me fâche parfois »). L'objectivité du MMPI a contribué à sa popularité et a abouti à sa traduction en plus de 100 langues.

:: Inventaire de personnalité : questionnaire (les réponses sont souvent dichotomiques : *vrai/faux* ou *d'accord/pas d'accord*) dans lequel les sujets répondent à des questions destinées à jauger une vaste gamme de sentiments et de comportements. Utilisé pour évaluer des traits de personnalité prédéterminés.

:: *Minnesota Multiphasic Personality Inventory* (MMPI) : test de personnalité le plus utilisé en psychologie clinique et sur lequel ont été effectuées le plus grand nombre de recherches. Développé initialement pour identifier les sujets présentant des troubles émotionnels (on considère encore que c'est son usage premier), ce test est maintenant utilisé dans beaucoup d'autres procédures de dépistage.

:: Test empirique : test (comme par exemple le MMPI) développé à partir d'un vaste choix de questions parmi lesquelles sont sélectionnées celles qui permettent de discriminer des groupes pertinents.

Les cinq facteurs de la personnalité : le « *Big Five* »

11. Quels sont les traits de caractère qui, semble-t-il, fournissent les informations les plus intéressantes sur les variations de la personnalité ?

De nos jours, les chercheurs qui étudient les traits de la personnalité pensent que les simples facteurs, comme les dimensions envisagées par Eysenck (introversion/extraversion et stabilité/instabilité émotionnelle), sont importants, mais ne nous apprennent pas tout. Un ensemble de facteurs légèrement plus développé (surnommé le *Big Five*) est plus approprié (Costa et Mc Crae, 2006 ; John et Srivastava, 1999). Si un test permet de vous situer sur l'une des cinq dimensions (conscience, amabilité, neuroticisme, ouverture d'esprit et extraversion, *voir* TABLEAU 13.2), une grande partie de votre personnalité sera mise au jour. De par le monde (dans 56 pays et en 29 langues selon une étude de Schmitt et coll., 2007), les gens décrivent les autres selon des critères compatibles avec ces cinq facteurs. Ce « *Big Five* » peut ne pas être le dernier nombre, mais jusqu'à maintenant du moins c'est le numéro gagnant à la loterie de la personnalité. Le modèle du « *Big Five* », actuel « courant de la psychologie de la personnalité » (Funder, 2001), a fait l'objet des recherches les plus importantes depuis le début des années 1990, et représente à l'heure actuelle la meilleure approximation des dimensions de base de la personnalité en psychologie.

TABLEAU 13.2

LES CINQ FACTEURS DE LA PERSONNALITÉ : LE « BIG FIVE »

(*Moyen mnémotechnique* : pensez à **CANOE** pour vous rappeler ces facteurs.)

Dimension	**Limites de la dimension**		
Conscience	Organisé	⟷	Désorganisé
	Soigneux	⟷	Négligent
	Discipliné	⟷	Impulsif
Amabilité	Cœur tendre	⟷	Rude
	Confiant	⟷	Suspicieux
	Serviable	⟷	Non coopératif
Neuroticisme (stabilité/instabilité émotionnelle)	Calme	⟷	Anxieux
	Tranquille	⟷	Inquiet
	Autosatisfait	⟷	Apitoyé sur son sort
Ouverture d'esprit	Imaginatif	⟷	Pratique
	Préférence pour la diversité	⟷	Préférence pour la routine
	Indépendant	⟷	Conformiste
Extraversion	Sociable	⟷	Replié
	Fêtard	⟷	Sérieux
	Chaleureux	⟷	Réservé

Source : adapté de McCrae et Costa (1986, p. 1002)

Récemment, les recherches sur le modèle du « *Big Five* » ont été consacrées à diverses questions :

- ***Ces traits de personnalité sont-ils stables ?*** À l'âge adulte, les cinq dimensions de la personnalité sont assez stables, avec certaines tendances (instabilité émotionnelle, extraversion, ouverture d'esprit) qui déclinent quelque peu au début de l'âge adulte jusqu'au milieu de celui-ci, tandis que d'autres (amabilité et conscience) se développent (McCrae et coll., 1999 ; Vaidya et coll., 2002). La conscience augmente surtout entre 20 et 30 ans, lorsque les personnes mûrissent et apprennent à gérer leur travail et leurs relations. L'amabilité augmente surtout à partir de la trentaine et poursuit son développement jusqu'aux alentours de la soixantaine (Srivastava et coll., 2003).

REGARD CRITIQUE SUR

Comment être un astrologue ou un chiromancien « à la mode »

Pouvons-nous discerner les traits de caractère d'une personne par l'alignement des étoiles et des planètes au moment de sa naissance ? D'après son écriture ? Par les lignes de sa main ?

Les astronomes se moquent de la naïveté de l'astrologie – les constellations ont changé de position au cours du millénaire qui s'est écoulé depuis que les astrologues ont formulé leurs prédictions (Kelly, 1997, 1998). Les humoristes les tournent en dérision : « Il n'y a pas de mal », déclare Dave Barry, « mais si vous prenez l'horoscope au sérieux, c'est que vos lobes frontaux ont la taille d'un grain de raisin ». Les psychologues posent une question différente : est-ce que ça marche ? Connaissant la date de naissance de quelqu'un, un astrologue a-t-il de meilleurs résultats que ceux dus au hasard si on lui demande d'identifier la personne à partir d'un petit fichier contenant de brèves descriptions de personnalités différentes ? Les gens peuvent-ils repérer leur propre horoscope dans une série d'horoscopes ?

La réponse constante a été *non*, *non* et *non* (*British Psychological Society*, 1993 ; Carlson, 1985 ; Kelly, 1997). Par exemple, un chercheur a examiné les données du recensement de 20 millions de personnes mariées en Angleterre et au Pays de Galles, et a trouvé que « les signes astrologiques n'avaient pas d'impact sur la probabilité de se marier – et de le rester – avec quelqu'un de n'importe quel autre signe » (Voas, 2008).

Les graphologues, qui réalisent des prédictions à partir d'échantillons manuscrits, n'ont pas fait mieux que le hasard lorsqu'ils ont essayé de déterminer la profession des gens à partir de l'analyse de plusieurs pages manuscrites (Beyerstein et Beyerstein, 1992 ; Dean et coll., 1992). Néanmoins, les graphologues et les étudiants de première année de psychologie *percevront* souvent une corrélation entre la personnalité et l'écriture, même s'il n'y en a pas (King et Koehler, 2000).

Si toutes ces corrélations perçues s'évanouissent après un examen minutieux, comment les astrologues, les chiromanciens, et ceux qui lisent dans les boules de cristal parviennent-ils à persuader des millions de personnes à travers le monde d'acheter leurs conseils ? Ray Hyman (1981), qui lisait dans les lignes de la main et qui est devenu, par la suite, psychologue et chercheur, a révélé certaines de leurs méthodes pour vous duper.

Leur technique première, le « boniment formé de lieux communs », est bâtie sur l'observation que chacun de nous est, d'une certaine façon, différent des autres mais également, par d'autres côtés, semblable aux autres. Le fait que certaines choses soient vraies pour chacun d'entre nous permet au « prophète » d'affirmer des éléments qui semblent

étonnamment précis : « Je sens que vous vous faites du souci à propos de certaines choses et ce plus que vous ne le laissez paraître, même à vos meilleurs amis ». Ce genre d'affirmations, le plus souvent vraies, peut être combiné à une description de votre personnalité. Imaginez que vous passiez un test de personnalité et que vous receviez le résumé suivant de votre caractère :

> Vous avez un besoin important d'être aimé et admiré par les autres. Vous avez tendance à être critique envers vous-même… Vous êtes fier de penser par vous-même et de ne pas accepter l'opinion des autres sans preuve satisfaisante. Vous avez constaté qu'il était imprudent d'être trop franc en vous ouvrant aux autres. Par moments, vous êtes extraverti, affable, sociable ; à d'autres moments, vous êtes introverti, prudent et réservé. Certaines de vos aspirations ont tendance à être assez irréalistes (Davies, 1997 ; Forer, 1949).

Au cours d'expériences, des étudiants d'université ont entendu des lieux communs de ce type, tirés d'un livre d'astrologie vendu en kiosque. Lorsqu'ils pensaient que cette fausse description générique était préparée

- ***Quelle est leur héritabilité ?*** L'héritabilité des différences individuelles varie avec la diversité de la population étudiée, mais elle est responsable d'environ 50 p. 100 de chacune des dimensions et les influences génétiques sont semblables dans les différents pays (Loehlin et coll., 1998 ; Yamagata et coll., 2006).
- ***Le modèle du « Big Five » permet-il de prédire d'autres attributs personnels ?*** Encore une fois, oui. Voici des exemples : les gens très consciencieux ont de meilleurs résultats aux examens universitaires (Conard, 2006 ; Noftle et Robins, 2007). Ils ont aussi plus tendance à être du matin (on dit souvent qu'ils se lèvent au « chant du coq ») ; les personnes qui se couchent tard (« les oiseaux de nuit ») sont légèrement plus extraverties (Jackson et Gerard, 1996). Si votre partenaire a de faibles scores en ce qui concerne l'amabilité, la stabilité et la franchise, il se peut que votre satisfaction sexuelle et maritale en souffre (Botwin et coll., 1997 ; Donnellan et coll., 2004).

En étudiant ces questions, la recherche sur le « *Big Five* » a soutenu la psychologie de la personnalité et a renouvelé la reconnaissance de l'importance de la personnalité.

exprès pour eux, et lorsqu'elle était globalement favorable, ils jugeaient presque toujours cette description comme « bonne » ou « excellente » (Davies, 1997). Même des personnes sceptiques, auxquelles on donnait une description flatteuse attribuée à un astrologue, commençaient à penser « qu'il y avait peut-être quelque chose d'intéressant dans cette histoire d'astrologie après tout » (Glick et coll., 1989). Il est dit qu'un astrologue est une personne « préparée à vous dire ce que vous pensez de vous-même » (Jones, 2000).

Le psychologue français Michel Gauguelin a inséré dans un quotidien parisien une publicité offrant un horoscope personnel gratuit. Quatre-vingt-quatorze pour cent des gens ayant reçu l'horoscope ont plus tard considéré que la description était exacte. Mais l'horoscope de qui avaient-ils donc reçu ? En fait, tous avaient reçu l'horoscope du docteur Petiot, le célèbre tueur en série (Kurtz, 1983). Ce phénomène d'acceptation de descriptions communes positives est appelé l'*effet Barnum*, en l'honneur du célèbre dicton de P. T. Barnum, un maître du spectacle : « Il y a un pigeon qui naît toutes les minutes. »

Une autre technique utilisée par les voyants consiste à « lire » sur nos vêtements, nos caractéristiques physiques, notre gestuelle non verbale et nos réactions, ce qu'ils sont en train de nous dire. Mettez-vous à la place du voyant qui a reçu la visite d'une jeune femme d'environ 30 ans. Hyman décrit la femme comme « portant des bijoux précieux, une alliance et une robe noire de qualité médiocre. L'observateur note également qu'elle porte des chaussures conseillées pour les personnes aux pieds sensibles ». Ces indices vous suggèrent-ils quelque chose ?

Brodant à partir de ces observations, le voyant a réussi à étonner son client par ses visions. Il a considéré que cette femme était venue pour le consulter à propos de problèmes financiers ou d'amour, comme le font la plupart de ses clientes. La robe noire et l'alliance lui ont fait penser que son mari était mort récemment. Les bijoux coûteux ont suggéré qu'elle avait été financièrement à l'aise durant son mariage, mais la robe bon marché indique que la mort de son mari l'a laissée dans la gêne. Les chaussures de confort signifient qu'elle est plus souvent debout qu'elle n'avait l'habitude de le faire, impliquant qu'elle a été obligée de travailler pour subvenir à ses besoins depuis la mort de son mari. En se fondant sur ces indices, le voyant a pensé à juste titre que la jeune femme se demandait si elle devrait se remarier dans l'espoir de mettre fin à ses difficultés économiques. Pas étonnant, disent les sceptiques, que lorsque les médiums ne peuvent pas voir la personne qui vient les consulter, le client ne peut pas reconnaître la prédiction qu'ils leur ont faite si celle-ci est mélangée à d'autres prédictions (O'Keeffe et Wiseman, 2005).

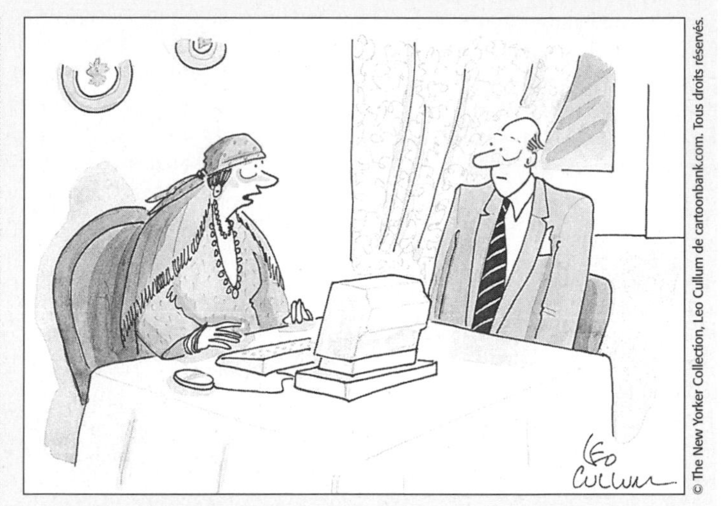

« Madame Zelinski peut vous faire une prédiction encore plus précise si vous lui donnez votre date de naissance et votre numéro de Sécurité sociale. »

Si vous n'êtes pas aussi perspicace que ce « voyant », ce n'est pas un problème, dit Hyman. Si quelqu'un vous demande de lire en lui, commencez par être compatissant : « Je sens que vous avez eu des problèmes récemment. Vous semblez incertain sur ce que vous voulez faire. J'ai le sentiment qu'une autre personne est impliquée ». Puis dites-leur ce qu'ils souhaitent entendre. Souvenez-vous de quelques affirmations à la Barnum, tirées de manuels d'astrologie ou de bonne aventure et utilisez-les largement. Dites aux gens que c'est à eux de coopérer en reliant votre message à leur expérience spécifique. Plus tard, ils se souviendront que vous avez prédit ces événements spécifiques. Formulez vos affirmations sous forme de questions, et lorsque vous détectez une réponse positive, affirmez plus fortement vos dires. Pour finir, sachez bien écouter, puis révélez à votre client, plus tard, en employant des mots différents, ce qu'il vous a déjà dit. Si vous les dupez bien, ils vous croiront.

Le mieux cependant c'est de vous méfier de ceux qui vous exploitent avec leurs techniques dans le but de vider votre porte-monnaie et non de vous prédire l'avenir.

Évaluer la perspective dimensionnelle

12. La recherche conforte-t-elle la constance des traits de la personnalité dans le temps et dans toutes les situations ?

Nos traits de personnalité sont-ils stables et constants ? Ou bien notre comportement dépend-il de l'endroit où nous sommes et avec qui nous sommes ? J. R. R. Tolkien a créé des personnages comme le fidèle Sam Gamegie, dont les caractéristiques personnelles restaient cohérentes à différentes périodes et en différents lieux. L'auteur dramatique italien Luigi Pirandello avait une opinion différente. Pour lui, la personnalité était toujours changeante, adaptée aux rôles joués ou aux situations particulières. Dans l'une des pièces de Pirandello, Lamberto Laudisi se décrit ainsi : « Je suis réellement celui pour qui vous me prenez, bien que, chère Madame, cela ne m'empêche pas d'être également, en réalité, celui pour qui votre mari, ma sœur, ma nièce et la Signora Cini me prennent, car ils ont tous absolument raison ». Ce à quoi la Signora Sirelli répond : « En d'autres termes, vous êtes une personne différente pour chacun d'entre nous. »

« Il existe autant de différence entre nous et nous-mêmes qu'entre nous et autrui. »
Michel de Montaigne, *Les Essais*, 1588

Le débat personne/situation

Qui représente le mieux la personnalité humaine, le constant Sam Gamegie de Tolkien ou le changeant Laudisi de Pirandello ? Les deux. Notre comportement est influencé par l'interaction entre nos dispositions intérieures et notre environnement. La question se pose encore : qu'est-ce qui est le *plus* important ? Sommes-nous *plus* proches de ce que Tolkien ou de ce que Pirandello avaient imaginé que nous étions ?

• En parlant de façon simpliste, les influences externes et temporaires sur le comportement sont du domaine de la psychologie sociale alors que la psychologie de la personnalité s'intéresse, elle, aux influences internes et durables. En fait, le comportement dépend toujours de l'interaction des personnes avec les situations. •

Quand nous étudions ce *débat personne/situation*, nous cherchons les traits de personnalité authentiques, qui persistent au cours de temps *et* dans toutes les situations. Certaines personnes sont-elles dignes de confiance et consciencieuses et d'autres peu fiables, certaines joyeuses et d'autres austères, certaines ouvertes et amicales, et d'autres timides ? Si nous devons considérer la gentillesse comme un trait de personnalité, les personnes gentilles doivent agir avec gentillesse à différents moments et dans différents endroits. Le font-ils ?

• Le changement et la constance peuvent coexister. Si, par exemple, nous devenions tous un peu moins timides avec l'âge, cela entraînerait non seulement un changement de personnalité, mais également une relative stabilité et prévisibilité. •

Au chapitre 5, nous avons vu des études qui ont suivi des gens pendant toute la durée de leur vie. Nous avons noté que certains scientifiques (en particulier ceux qui ont étudié les enfants) avaient été impressionnés par les changements de la personnalité ; d'autres ont, quant à eux, été frappés par la stabilité de la personnalité au cours de la vie adulte. Comme l'illustre la FIGURE 13.5, des données issues de 152 études de longue durée ont révélé une corrélation positive entre les scores des traits de la personnalité et les scores obtenus 7 ans plus tard. Et plus les personnes vieillissent, plus leur personnalité se stabilise. Les centres d'intérêt peuvent changer : un avide collectionneur de poissons tropicaux peut devenir un jardinier passionné. Les carrières peuvent changer : un vendeur accompli peut devenir un assistant social accompli. Les relations peuvent aussi se modifier : l'un des conjoints, difficile à vivre, peut refaire sa vie avec un autre partenaire. Cependant, la majorité des gens reconnaissent avoir des traits de caractère qui leur sont propres, remarquent Robert McCrae et Paul Costa (1994), « et c'est mieux ainsi. La reconnaissance par l'individu des particularités inévitables et uniques de sa personnalité est [...] un point culminant dans sa quête de la sagesse au cours de la vie ». C'est pourquoi la plupart des gens, y compris la plupart des psychologues, se rangeraient probablement du côté de Tolkien, présumant de la stabilité des traits de personnalité. De plus, ces traits ont une signification sociale. Ils influencent notre pensée, notre santé et nos performances professionnelles (Deary et Matthews, 1993 ; Hogan, 1998). Des études qui ont suivi les personnes tout au long de leur vie ont montré que les traits de la personnalité rivalisent avec le statut socio-économique et les capacités cognitives en tant qu'indicateurs de la mortalité, du divorce et de l'accomplissement professionnel (Roberts et coll., 2007).

« M. Coughlin, là-bas, a été le fondateur d'un des premiers gangs de motocyclistes. »

Bien que nos *traits* de personnalité puissent être à la fois stables et puissants, la constance de *comportements* spécifiques d'une situation à une autre est une autre affaire. Comme l'a signalé Walter Mischel (1968, 1984, 2004), les gens n'agissent pas avec une constance prévisible. Les études réalisées par Mischel sur le comportement consciencieux des étudiants d'université ont révélé qu'il n'y avait pratiquement aucune relation entre le fait qu'un étudiant se montre consciencieux en une occasion (comme de se présenter à l'heure en classe) et soit également consciencieux en une autre occasion (disons, rendre ses devoirs à l'heure). Pirandello n'aurait pas été étonné. Si vous avez remarqué à quel

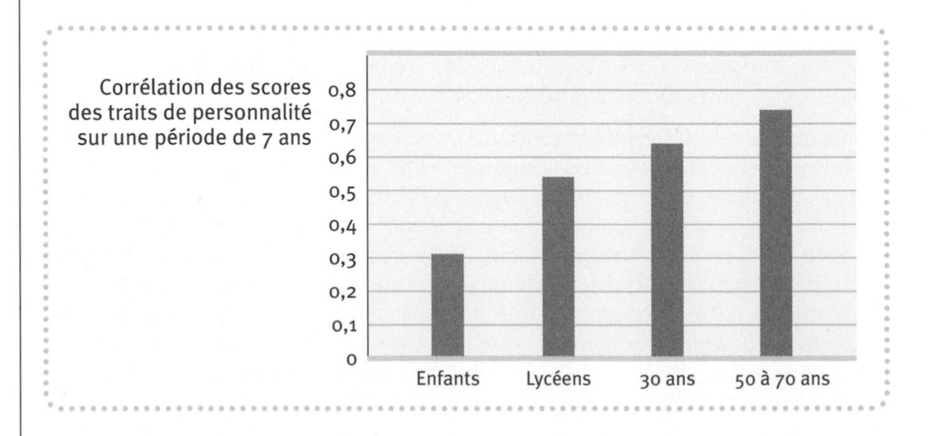

➤ FIGURE 13.5
Stabilité de la personnalité Avec l'âge, les traits de la personnalité se stabilisent, ce que reflète la corrélation entre les scores des traits de la personnalité et ceux obtenus 7 ans plus tard. (Données issues de Roberts et DelVecchio, 2000.)

point vous êtes ouvert dans certaines situations et réservé dans d'autres, vous n'êtes peut-être pas surpris non plus (bien que Mischel signale que pour certains traits de votre personnalité vous pouvez estimer, avec raison, que vous êtes plus constant).

Du fait de ce manque de constance dans les comportements, les résultats aux tests de personnalité ne prédisent que médiocrement leurs comportements. Par exemple, le score de sujets à un test d'extraversion ne prédit pas nettement leur sociabilité effective dans une situation donnée. Si nous nous rappelons de ces résultats, dit Mischel, nous serons plus prudents en étiquetant les individus ou en les cataloguant. La science peut, des années à l'avance, nous dire dans quelle phase sera la lune à une date donnée. Les météorologues peuvent souvent prédire le temps un jour à l'avance, mais nous sommes loin d'être capables de prédire comment *nous* allons nous sentir et agir demain.

« Je pars en France – je suis une personne très différente en France. »

Cependant, le *niveau moyen* d'ouverture d'esprit, de bonheur ou de négligence d'un individu à travers des situations variées est prévisible (Epstein, 1983a,b). Lorsqu'on évalue la timidité ou l'affabilité de quelqu'un, cette constance permet à ceux qui le connaissent bien d'être d'accord (Kenrick et Funder, 1988). En collectant des bribes des expériences quotidiennes des gens par des appareils d'enregistrement portés par les participants, Matthias Mehl et ses collaborateurs (2006) ont confirmé que les extravertis parlaient réellement plus. (J'ai promis maintes fois d'arrêter mes bavardages et mes plaisanteries pendant mes parties de basketball de midi avec mes amis. Hélas, un instant après je redeviens inévitablement cet irrépressible moulin à paroles.) Comme nos meilleurs amis peuvent le vérifier, nous avons bien des traits de personnalité génétiquement prédisposés. Et, d'après une série d'études menées par Samuel Gosling et ses collègues, nos traits de personnalité se cachent même dans :

- nos *préférences musicales*. Ceux qui aiment le classique, le jazz, le blues et la musique folk ont tendance à être ouverts aux expériences et à avoir une intelligence verbale ; les amoureux de la country, de la pop et des musiques religieuses ont tendance à être gais, ouverts et consciencieux (Rentfrow et Gosling, 2003, 2006). Lors de la première rencontre, les étudiants parlent souvent entre eux de leurs préférences musicales, et en faisant cela, ils échangent des informations sur leurs personnalités ;
- nos *chambres et notre bureau*. Notre espace personnel montre notre identité et laisse des traces de notre comportement (dans nos vêtements éparpillés, ou notre bureau bien rangé). Et cela peut aider à expliquer pourquoi seules quelques minutes d'inspection de notre espace de vie ou de travail peuvent permettre à quelqu'un d'estimer avec une précision raisonnable notre conscience, notre ouverture d'esprit aux nouvelles expériences et même notre stabilité émotionnelle (Gosling et coll., 2002) ;
- notre *site Internet personnel*. Votre page web personnelle ou votre profil Facebook® comportent-ils également la trame de votre propre expression ? Ou est-ce une opportunité pour les gens de se présenter de manière fausse ou trompeuse ? C'est plutôt la première proposition qui est vraie (Gosling et coll., 2007 ; Marcus et coll., 2006 ; Vazire et Gosling, 2004). Les visiteurs des sites personnels trouvent rapidement d'importants indices sur l'extraversion, la conscience et l'ouverture d'esprit de celui qui l'a écrit ;
- les *e-mails*. Si vous avez déjà senti que vous pouviez détecter la personnalité de quelqu'un d'après ce qu'ils écrivent sur leurs e-mails, vous avez raison !!! Quelle trouvaille excitante (si vous voyez où je veux en venir) !!! Notre appréciation de la personnalité des autres en se basant uniquement sur leurs e-mails est corrélée aux véritables scores de personnalité mesurant l'extraversion et le neuroticisme (Gill et coll., 2006 ; Oberlander et Gill, 2006). Les extravertis utilisent, par exemple, plus d'adjectifs.

Dans des situations inhabituelles ayant un caractère formel, par exemple lorsque nous sommes invités chez des gens d'une autre culture, nos traits peuvent demeurer cachés car nous suivons scrupuleusement les conventions sociales. Dans des situations familières, informelles, réunis avec des amis par exemple, nous nous sentons moins inhibés, permettant à nos traits de ressortir (Buss, 1989). Dans de telles situations informelles, notre style expressif – notre vivacité, notre façon de parler et notre gestuelle – reste étonnamment constant. C'est pourquoi ces très petits extraits du comportement de quelqu'un, même juste 2 à 3 secondes d'une vidéo d'un enseignant, peuvent être révélateurs (Ambady et Rosenthal, 1992, 1993).

Certaines personnes sont naturellement expressives (et ont donc des talents pour le mime et les charades), mais d'autres le sont moins (et sont donc de meilleurs joueurs de poker). Pour évaluer le contrôle volontaire des gens sur leur expressivité, Bella DePaulo et ses collaborateurs (1992) ont demandé à des sujets d'*agir* de la manière la plus expressive ou la plus inhibée possible pour défendre leurs opinions. Ce qu'ils ont découvert de remarquable, c'est que les gens inexpressifs, même en feignant l'expressivité, restaient moins expressifs que des gens expressifs agissant naturellement. De même, des gens expressifs, même s'ils essayaient de se comporter de façon inhibée, étaient moins inhibés que des personnes inexpressives agissant naturellement. Il est difficile d'être ce que l'on n'est pas, ou de ne pas être ce que l'on est.

Même les mots que nous utilisons dans notre conversation expriment notre personnalité. Par exemple, au cours d'entretien durant une heure, les personnes expressives et assurées utilisent plus de mots exprimant l'assurance comme « j'ai *toujours* apprécié les ordinateurs et Internet et c'est *certainement* dans ce domaine que je souhaite focaliser mon attention » (Fast et Funder, 2008). Le caractère irrépressible de l'expressivité explique pourquoi nous pouvons mesurer en quelques secondes le niveau d'extraversion de quelqu'un. Imaginez l'expérience de Maurice Levesque et David Kenny (1993). Ils firent asseoir des groupes de quatre femmes universitaires autour d'une table et demandèrent à chacune de donner simplement leur nom, leur ancienneté dans l'école, leur lieu de résidence et le nom de leur ville natale. À partir de ces quelques secondes de comportements verbaux et non verbaux, elles devaient alors déterminer la propension à parler des autres femmes. (Comment pensez-vous que vous feriez pour évaluer la même chose en vous fondant simplement sur ces quelques aperçus de comportement ?) Lorsque, plus tard, ce jugement rapide a été comparé à la loquacité effective de chaque femme au cours d'une série d'entretiens en tête-à-tête, filmés sur bande-vidéo, il s'est avéré assez précis. Malgré les variations du comportement liées aux situations, leur personnalité a percé. Une personne qui semblait vive ou ouverte dans une situation avait tendance à paraître (pour quelqu'un d'autre) vive ou ouverte dans une autre situation. Des séquences courtes de comportement peuvent être révélatrices lorsque nous jugeons un trait expressif comme l'expansivité.

Pour résumer, nous pouvons dire qu'à chaque instant, la situation présente influence puissamment le comportement d'une personne, particulièrement lorsque cette situation réclame des exigences précises. Il est plus facile de prédire le comportement d'un conducteur arrêté à un feu si l'on connaît la couleur de ce feu plutôt que si l'on connaît sa personnalité. Un professeur peut ainsi juger un étudiant comme docile (d'après son comportement en classe), mais ses amis peuvent le juger comme assez extravagant (en se fondant sur son comportement dans une soirée). Cependant, en faisant une moyenne des comportements d'un individu dans de nombreuses situations, on s'aperçoit qu'il possède effectivement des traits de personnalité distinctifs. Ces traits de personnalité existent. Nous sommes différents. Et nos différences ont de l'importance.

AVANT D'ALLER PLUS LOIN...

➤ INTERROGEZ-VOUS

Où vous situez-vous par rapport à ces cinq dimensions de la personnalité – conscience, amabilité, neuroticisme (stabilité versus instabilité émotionnelle), ouverture d'esprit et extraversion ? Où vous situeraient les membres de votre famille et vos amis ?

➤ TESTEZ-VOUS 4

Quel est le débat personne/situation ?

Les réponses aux questions « Testez-vous » sont données dans l'annexe B à la fin de l'ouvrage.

La perspective sociocognitiviste

13. Du point de vue des psychologues sociocognitivistes, quelles sont les influences mutuelles qui façonnent la personnalité d'un individu ?

LA SCIENCE DE LA PSYCHOLOGIE CONTEMPORAINE considère que les personnes sont des organismes biopsychosociaux. La **perspective sociocognitiviste** de la personnalité, proposée par Albert Bandura (1986, 2006, 2008), insiste sur l'importance de l'interaction entre nos traits de personnalité et notre situation. L'inné et l'acquis agissent toujours de concert et il en est de même entre les personnes et leurs situations.

:: **Perspective sociocognitiviste :** selon cette perspective, le comportement est influencé par l'interaction entre les traits de personnalité d'un individu (y compris son mode de pensée) et son contexte social.

Les théoriciens sociocognitivistes pensent que nous apprenons beaucoup de nos comportements soit par le conditionnement, soit en observant les autres et en modelant nos attitudes sur les leurs. (C'est la partie « sociale ».) Ils insistent également sur l'importance des processus mentaux : ce que nous *pensons* des différentes situations influence notre comportement. (C'est la partie « cognitive ».) Donc, au lieu de nous fixer uniquement sur la façon dont notre environnement nous *contrôle* (behaviorisme), les sociocognitivistes s'attachent à comprendre comment nous *interagissons* avec notre environnement : comment interprétons-nous et répondons-nous aux événements extérieurs ? Comment nos schémas, nos souvenirs et nos attentes influencent-ils nos types de comportement ?

:: Déterminisme réciproque : influences du comportement, de la cognition interne et de l'environnement qui interagissent les unes avec les autres.

Influences réciproques

Bandura (1986, 2006) considère l'interaction entre la personne et son environnement comme un **déterminisme réciproque**. « Le comportement, les facteurs internes personnels et les influences de l'environnement, dit-il, agissent tous comme des déterminants reliés les uns aux autres » (Figure 13.6). Par exemple, les programmes préférés des enfants (comportement passé) influencent ceux qu'ils ont envie de voir (facteur interne) qui influencent, à leur tour, la façon dont la télévision (facteur environnemental) affecte leur comportement actuel. Les influences sont donc mutuelles.

Considérons trois types d'interactions spécifiques entre les individus et leur environnement :

1. **Des personnes différentes choisissent des environnements différents.** L'université où vous allez, les livres que vous lisez, les programmes de télévision que vous regardez, la musique que vous écoutez, les amis que vous fréquentez, tous font partie d'un environnement que vous avez choisi, en partie en fonction de vos dispositions (Ickes et coll., 1997). Vous avez choisi cet environnement et il vous modèle.
2. **Nos personnalités modèlent la manière dont nous interprétons les événements et dont nous y réagissons.** Les anxieux, par exemple, s'attendent à des événements potentiellement menaçants (Eysenck et coll., 1987). Ils perçoivent donc le monde comme menaçant et réagissent en conséquence.
3. **Nos personnalités contribuent à créer des situations auxquelles nous réagissons.** De nombreuses expériences montrent que la façon dont nous voyons et traitons les gens a une influence sur la manière dont ils nous traitent à leur tour. Si nous nous attendons à ce que quelqu'un soit en colère après nous, nous pouvons lui réserver un accueil glacial qui va alors déclencher exactement la colère que nous attendions. Si nous avons des dispositions plutôt accommodantes et positives, nous apprécierons probablement les amitiés proches qui nous soutiennent (Donnellan et coll., 2005 ; Kendler, 1997).

Dans de telles situations, nous sommes à la fois les produits et les architectes de notre environnement.

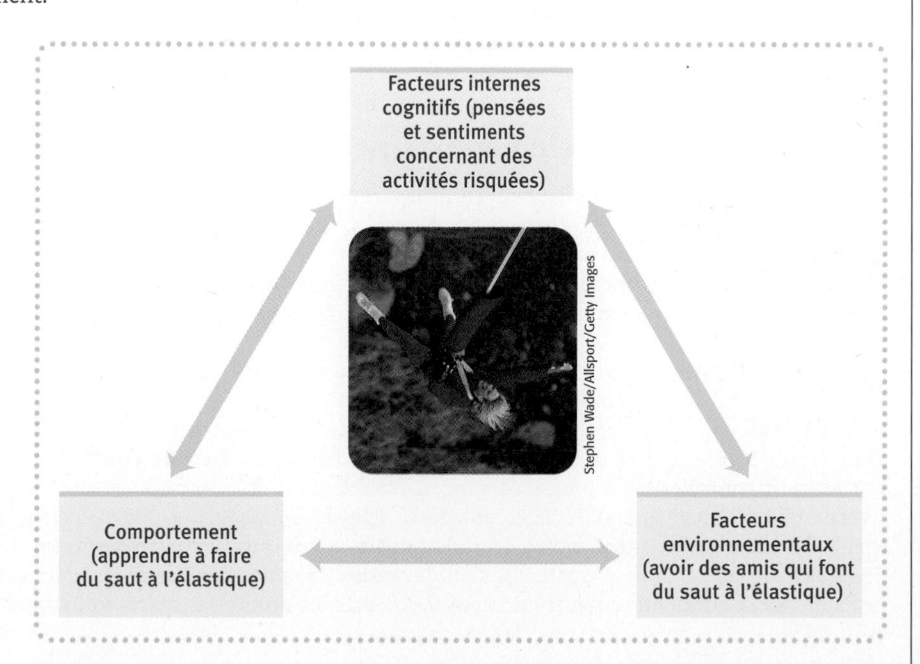

➤ FIGURE 13.6
Le déterminisme réciproque
La perspective sociocognitiviste propose que notre personnalité est modelée par l'interaction de nos traits de personnalité (y compris nos sentiments et nos pensées), notre environnement et nos comportements.

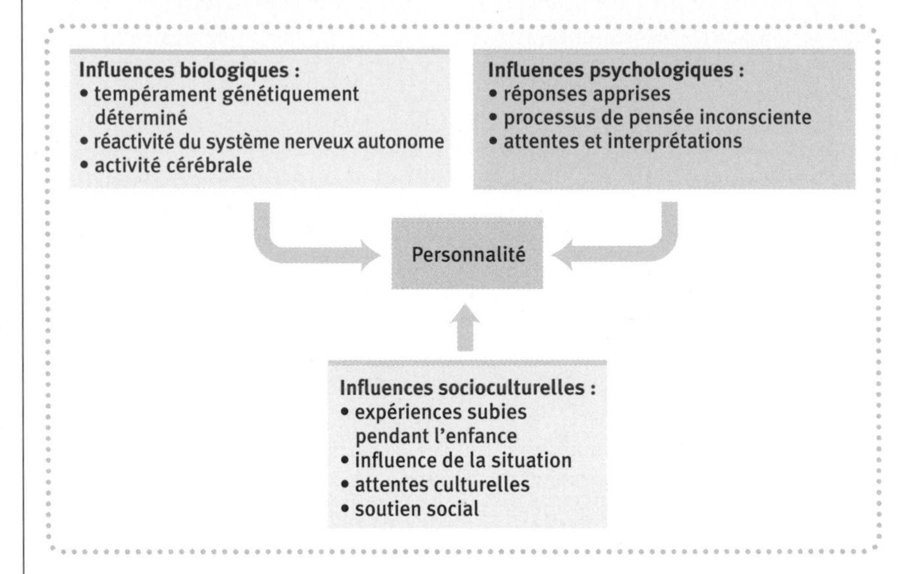

➤ FIGURE 13.7
L'approche biopsychosociale de l'étude de la personnalité Comme pour les autres phénomènes psychologiques, il est judicieux d'étudier la personnalité à de multiples niveaux.

Si tout cela a un goût de déjà-vu, c'est sans doute parce que cela suit et renforce un thème qui traverse toute la psychologie et tout ce livre, à savoir que *le comportement émerge de l'interaction d'influences externes et internes*. L'eau bouillante permet d'obtenir un œuf dur ou de ramollir une pomme de terre. Un environnement menaçant transformera une personne en héros et une autre en lâche. *À tout instant*, notre comportement est influencé par notre biologie, nos expériences socioculturelles ainsi que nos facteurs cognitifs et nos dispositions (FIGURE 13.7).

Contrôle personnel

14. Quelles sont les causes et les conséquences du contrôle personnel ?

En étudiant la manière dont nous interagissons avec notre environnement, les psychologues sociocognitivistes insistent sur notre sentiment de **contrôle personnel** – selon que l'on apprend à se considérer comme contrôlant ou contrôlé par notre environnement. Les psychologues ont deux méthodes fondamentales pour étudier les effets du contrôle personnel (ou de tout facteur de personnalité). L'une consiste à *corréler* le sentiment de contrôle qu'ont les individus avec leur comportement et leur réussite. L'autre consiste à *expérimenter* en augmentant ou en diminuant le sentiment de contrôle des gens pour en observer, ensuite, les effets.

Lieux de contrôle interne et externe

Considérez votre propre sentiment de contrôle. Pensez-vous que votre vie est hors de votre contrôle ? Que le monde est dirigé par quelques personnes toutes puissantes ? Que le fait d'obtenir un travail dépend essentiellement du fait d'être au bon endroit, au bon moment ? Ou pensez-vous, au contraire, que ce qui vous arrive est uniquement de votre fait ? Que le citoyen moyen peut influencer les décisions du gouvernement ? Que le succès est le fruit d'un long travail ?

Des centaines d'études ont comparé les gens qui avaient une perception de contrôle différente. D'un côté, il y a ceux qui ont ce que le psychologue Julian Rotter appelle un **lieu de contrôle externe** ; ils perçoivent que la chance ou des forces externes gouvernent leur destin. D'un autre côté, il y a ceux qui ont la perception d'avoir un **lieu de contrôle interne** et qui pensent contrôler leurs propres destinées. Études après études, ceux qui ont un contrôle interne réussissent mieux à l'école et au travail, agissent de façon plus indépendante, sont en meilleure santé et se sentent moins déprimés que ceux qui ont un contrôle externe (Lefcourt, 1982 ; Ng et coll., 2006). De plus, ils sont davantage capables de différer les gratifications et de faire face à différents facteurs de stress, y compris les problèmes matrimoniaux (Miller et coll., 1986).

:: **Contrôle personnel** : sentiment que l'on a de contrôler son environnement plutôt que de se sentir impuissant.

:: **Lieu de contrôle externe** : sentiment que la chance ou que des forces extérieures, plus que notre contrôle personnel, déterminent notre destin.

:: **Lieu de contrôle interne** : sentiment de contrôler son propre destin.

Perte et renforcement du contrôle de soi

Le contrôle de soi - la capacité à contrôler ses pulsions et à retarder la satisfaction - prédit à son tour une bonne adaptation, de meilleures notes aux examens et une réussite sociale, déclarent June Tangney et ses collègues (2004). Les étudiants qui planifient leurs activités journalières et les mènent à bien comme prévu sont également peu enclins à la dépression (Nezlek, 2001).

Personne ne possède une maîtrise de soi constante. Comme un muscle, le contrôle de soi s'affaiblit temporairement à la suite d'un effort soutenu, se reconstitue par le repos et se renforce par l'exercice, rapportent Roy Baumeister et Julia Exline (2000). La mise à l'épreuve de la volonté peut vider l'énergie mentale ainsi que le glucose sanguin et l'activité nerveuse associée à la concentration mentale (Inzlicht et Gutsell, 2007). Au cours d'une expérience, les personnes affamées qui résistaient à la tentation de manger des cookies au chocolat abandonnaient plus rapidement les tâches fastidieuses. Après avoir dépensé leur volonté dans des tests de laboratoire, par exemple après avoir réprimé des préjugés ou après avoir dit la couleur de mots (par exemple « rouge » même si le mot coloré en rouge était « vert »), les participants ont moins réussi à réprimer leur agressivité ou leur sexualité lorsqu'ils étaient provoqués (DeWall et coll., 2007 ; Gaillot et Baumeister, 2007). Mais, si on donne à ces participants du sucre qui leur donne un coup de fouet énergétique (dans une limonade sucrée naturellement et non pas artificiellement), ce que les expérimentateurs firent lors d'une autre expérience, cela renforce leur pensée contrôlée (Masicampo et Baumeister, 2008).

À long terme, le contrôle de soi nécessite de l'attention et de l'énergie. Les personnes qui exercent leur autorégulation par l'exercice physique et les programmes d'étude de gestion du temps peuvent développer leur capacité d'autorégulation. Le renforcement du contrôle de soi s'observe dans leurs performances à diverses tâches de laboratoire et dans leur amélioration de la gestion personnelle de leur alimentation, de leur consommation d'alcool ou de cigarette et dans les travaux ménagers (Oaten et Cheng, 2006a,b). Si vous développez une autodiscipline dans un domaine de votre vie, le renforcement de votre contrôle personnel pourra s'étendre également à d'autres domaines.

Impuissance acquise et contrôle personnel

Les gens opprimés et sans espoir perçoivent souvent le contrôle comme externe, et cette sensation peut renforcer leurs sentiments de résignation. C'est exactement ce que le chercheur Martin Seligman (1975, 1991) et d'autres ont découvert dans des expériences effectuées chez l'animal et chez l'homme. Quand on attache des chiens et qu'on les soumet à des chocs électriques répétés, sans possibilité de les éviter, ils apprennent à se résigner. Si on les place ensuite dans une autre situation où ils *pourraient* éviter la punition, simplement en sautant une barrière, ils se recroquevillent, comme s'ils n'avaient aucun espoir. Au contraire, les animaux qui peuvent éviter les chocs dans la première situation expérimentale apprennent le contrôle personnel et échappent aisément aux chocs dans la seconde situation.

Face à des événements traumatiques répétés sur lesquels ils n'ont aucun contrôle, les hommes aussi en viennent à se sentir impuissants, désespérés et déprimés. Les psychologues appellent cette résignation passive, l'**impuissance acquise** (Figure 13.8).

::Impuissance acquise : résignation passive et désespérée qui est apprise lorsqu'un animal ou un humain est incapable d'éviter des événements déplaisants répétés.

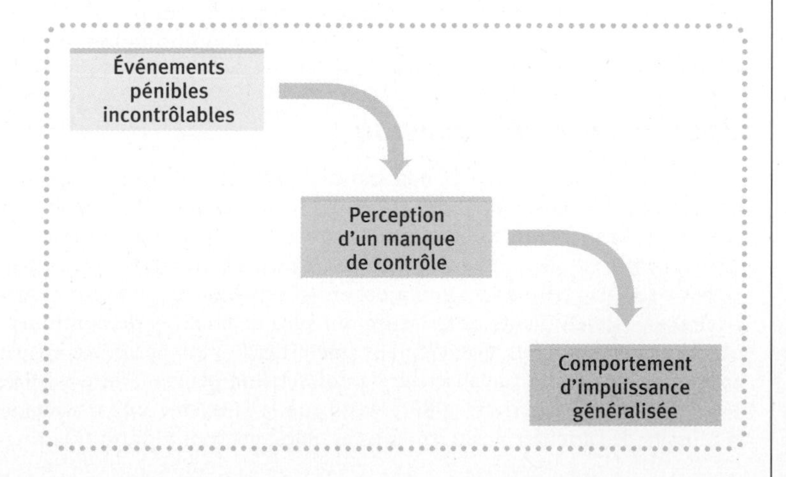

➤ FIGURE 13.8
Impuissance acquise Lorsque des animaux ou des hommes font l'expérience d'un manque de contrôle dans des situations négatives qui se répètent, ils apprennent souvent à se résigner.

Peter Turnley/Corbis

Heureux ceux qui choisissent leurs propres chemins Ces Berlinois de Berlin-Est, heureux, passant dans Berlin-Ouest après la chute du mur en 1989, semblent personnifier ce sentiment du philosophe romain Sénèque.

Dans une culture qui ne nous est pas familière, une partie du choc culturel que nous ressentons est due à un sentiment de perte de contrôle qui se manifeste quand nous ne savons pas exactement la manière dont les gens de ce nouvel environnement vont réagir (Triandis, 1994). De la même manière, les gens qui ont peu de contrôle sur leur environnement - en prison, dans les usines, à l'école et dans les maisons de retraite - ont un moral bas et sont très stressés. En augmentant le contrôle exercé par ces individus, en permettant, par exemple, aux prisonniers de déplacer des chaises et de contrôler les lumières de leur cellule ainsi que la télévision, en autorisant les travailleurs à participer à la prise de décision et en permettant aux pensionnaires de maison de retraite de faire des choix relatifs à leur environnement, on améliore notablement leur état de santé et leur moral (Humphrey et coll., 2007 ; Ruback et coll., 1986 ; Wener et coll., 1987). Lorsque les enquêteurs de Gallup ont demandé à des employés s'ils pouvaient personnaliser leur espace de travail, ceux qui répondirent *oui* avaient 55 p. 100 plus de chances de se considérer également comme plus concernés par leur travail (Krueger et Killham, 2006). Ceux qui font du télétravail ont de même tendance à être satisfaits de leur travail et productifs lorsqu'ils ont, en particulier, le contrôle de leur temps (Gajendran et Harrison, 2007). (Ceux qui travaillent de chez eux deux ou trois fois par semaine, cependant, se sentent plus isolés de leurs collègues.)

Au cours d'une étude célèbre réalisée chez des pensionnaires de maison de retraite, 93 p. 100 de ceux qui furent encouragés à exercer un contrôle plus important sur leur existence étaient devenus plus alertes, plus actifs et plus heureux (Rodin, 1986). Le chercheur Ellen Langer (1983, p. 291) affirme que « percevoir un contrôle est fondamental pour le fonctionnement de l'homme ». Par ailleurs, elle recommande « pour les jeunes comme pour les personnes âgées », de créer des environnements qui augmentent la sensation de contrôle et d'efficacité personnelle. Il n'est pas étonnant que tant de gens aiment leur iPod® ou les vidéos à la demande qui leur donnent le contrôle sur le contenu et le moment de leurs divertissements.

Le résultat de ces études est rassurant, car les individus se développent lorsque la liberté personnelle et l'autonomie sont présentes. Il n'y a rien d'étonnant à ce que les citoyens de démocraties stables décrivent des niveaux de bonheur plus élevés (Inglehart, 1990, 2009). Peu avant la révolution démocratique dans ce qui était auparavant l'Allemagne de l'Est, les psychologues Gabriele Oettingen et Martin Seligman (1990) ont étudié le langage du corps révélateur utilisé dans les bars par des ouvriers de Berlin-Ouest et de Berlin-Est. Comparés à leurs homologues habitant de l'autre côté du mur, les Berlinois de l'Ouest, plus responsables, riaient plus souvent, s'asseyaient bien droits plutôt que tout tassés et les coins de leurs lèvres étaient plutôt tournés vers le haut que dirigés vers le bas.

Mieux vaut un peu de liberté et de contrôle que rien du tout, remarque Barry Schwartz (2000, 2004). Mais est-ce que le fait d'avoir de plus en plus de choix entraîne une vie plus heureuse ? Apparemment pas. Schwartz remarque que l'« excès de liberté » des cultures occidentales actuelles contribue à une diminution de la satisfaction de la vie, à une augmentation des dépressions et parfois à un sentiment de paralysie. L'augmentation du choix du consommateur, lorsqu'il achète une voiture ou un téléphone, est une bénédiction mitigée. Après avoir choisi parmi 30 marques de jambon ou de chocolat, les gens expriment moins de satisfaction que ceux qui choisissent parmi une demi-douzaine d'options (Iyengar et Lepper, 2000). Cette *tyrannie du choix* s'accompagne d'une surcharge d'informations et il est plus probable que nous ayons des regrets de n'avoir pas choisi certaines options proposées.

Les attentes positives motivent souvent la réussite finale.

« Il fallait juste battre des ailes un peu plus fort. »

Optimisme et pessimisme

Une mesure de votre degré d'impuissance ou d'efficacité consiste à vous situer dans la dimension optimisme/pessimisme. De quelle manière expliquez-vous habituellement les événements positifs et les événements négatifs ? Vous avez peut-être rencontré des étudiants dont le *style attributionnel* est pessimiste et qui attribuent leurs mauvaises notes à leur manque de capacité (« je ne sais pas faire cela ») ou à des situations échappant à leur contrôle (« je ne peux rien y faire »). Des étudiants de ce genre ont plus de chances de continuer à avoir de mauvaises notes que les étudiants qui adoptent une attitude plus optimiste en pensant que l'effort, de bonnes habitudes de travail et de l'autodiscipline peuvent faire la différence (Noel et coll., 1987 ; Peterson et Barrett, 1987). Alors que le fantasme pur n'alimente ni la motivation ni la réussite, les attentes positives réalistes, elles, peuvent le faire (Oettingen et Mayer, 2002).

GROS PLAN

Vers une psychologie plus positive

Avec l'aimable autorisation de Martin E. P. Seligman, Ph. D, Directeur du Centre de Psychologie Positive/ Université de Pennsylvanie

Martin E. P. Seligman « Le but principal d'une psychologie positive est d'évaluer, de comprendre et de construire les atouts de l'être humain et les vertus civiques. »

On peut comprendre que, durant son premier siècle, la psychologie ait focalisé son attention en grande partie sur des états négatifs pour les comprendre et les apaiser. Les mauvais traitements et l'anxiété, la dépression et la maladie, les préjugés et la pauvreté ont été étudiés par les psychologues. Comme le montre le chapitre 12, le nombre d'articles sur les émotions négatives, depuis 1887, a largement dépassé celui des articles sur les émotions positives (17 contre 1).

Autrefois, remarque Martin Seligman (2002), ancien président de l'*American Psychological Association*, les périodes de paix et de prospérité relatives ont permis aux cultures de détourner leur attention de leurs faiblesses et des dégâts à réparer afin de la recentrer sur l'amélioration de la « qualité de la vie ». La ville d'Athènes, prospère au ve siècle, a donné naissance à la démocratie et à la philosophie. La ville de Florence, florissante au xve siècle, a donné naissance à un art fabuleux. L'Angleterre victorienne, sous l'éclat et la générosité de l'Empire britannique, a cultivé des valeurs telles que l'honneur, la discipline et le devoir. En ce millénaire, Seligman pense que les cultures occidentales qui se développent ont aussi l'occasion de créer une sorte de « monument humain et scientifique », une **psychologie** plus **positive**, qui ne s'intéresse pas uniquement à nos faiblesses et à nos lésions mais aussi à nos atouts et à nos vertus. Grâce à ses propres qualités de leader et à quelque 30 millions de dollars de financement, le nouveau mouvement de la psychologie positive se renforce (Seligman, 2004).

La psychologie positive et la psychologie humaniste ont un intérêt commun pour l'accomplissement de l'homme, mais la méthodologie de la psychologie positive est scientifique. À partir de ces origines, se sont développées de nouvelles études sur le bonheur et la santé (Chapitre 12). Le sujet principal de ces études s'est également décalé passant de la résignation acquise et de la dépression à l'optimisme et à l'épanouissement. Comme le disent Seligman et ses collaborateurs (2005), « la psychologie positive est un terme général qui englobe l'étude des émotions positives, les traits de personnalité positifs et les institutions qui l'appliquent ».

Pris ensemble, la satisfaction du passé, le bonheur du présent et l'optimisme à propos du futur constituent le premier pilier du mouvement : les *émotions positives*. Pour Seligman, le bonheur dérive d'une vie agréable, engagée et empreinte de signification.

Selon Seligman, la psychologie positive ne recherche pas seulement à construire une vie agréable, mais une *bonne vie* qui utilise les capacités de chacun et d'une *vie sensée* qui va au-delà de nous-mêmes. De ce fait, le deuxième pilier est constitué par la *personnalité positive*, qui se concentre sur l'étude et l'amélioration de la créativité, du courage, de la compassion, de l'intégrité, du contrôle de soi, de la manière de diriger, de la sagesse et de la spiritualité. Des recherches récentes examinent les causes et les conséquences de ces caractéristiques, parfois en étudiant des individus qui se démarquent d'une manière extraordinaire.

Le troisième pilier comprend des *groupes*, des *communautés* et des *cultures positifs* qui cherchent à promouvoir une écologie sociale positive, comprenant des familles saines, une vie associative dans les quartiers, des établissements scolaires efficaces, des médias responsables sur le plan social ainsi qu'un dialogue entre les citoyens.

La psychologie aura-t-elle une mission plus positive au cours de ce siècle ? Les partisans de la psychologie positive espèrent que cela sera possible sans pour autant sous-estimer la nécessité de continuer à soigner les traumatismes et les pathologies. Ces psychologues ont certainement raison d'être positifs compte tenu des publications spécifiques consacrées à la psychologie positive dans l'*American Psychologist* et dans le *British Psychologist*, des nombreux ouvrages publiés, des scientifiques répartis dans le monde entier et travaillant en réseau au sein de groupes de recherche, et du programme universitaire favorisant les bourses d'études sur la psychologie positive.

Optimisme et santé La santé peut également tirer parti d'un optimisme foncier. Comme nous l'avons vu au chapitre 12, un désespoir dépressif atténue les défenses immunitaires de l'organisme lui permettant de combattre les maladies. Au cours d'études répétées, les optimistes ont vécu plus longtemps que les pessimistes ou ont présenté moins de maladies au cours de leur vie. Lorsque des couples qui se fréquentent sont en prise avec des difficultés, les optimistes et leurs partenaires se considèrent de manière constructive comme des fiancés ; ils ont alors tendance à se sentir plus soutenus et satisfaits des résolutions prises et de leur relation (Srivastava et coll., 2006). Si vous attendez de bonnes choses des autres, vous obtiendrez souvent ce que vous attendiez. Ces études ont aidé Seligman à proposer une psychologie plus positive (*voir* Gros plan : Vers une psychologie plus positive).

Excès d'optimisme Si des pensées positives peuvent être bénéfiques dans l'adversité, il est nécessaire de faire également preuve d'un peu de réalisme (Schneider, 2001). Le fait de donner des explications peu flatteuses à nos échecs passés peut contribuer à diminuer nos ambitions, mais une angoisse réaliste sur de *futurs* échecs possibles peut nous donner l'énergie nécessaire pour éviter ce terrible sort (Goodhart, 1986 ; Norem, 2001 ; Showers, 1992). Les étudiants qui, anxieux d'échouer à leur prochain examen, se mettent à étudier consciencieusement,

::Psychologie positive : étude scientifique du fonctionnement optimal de l'homme ; elle cherche à découvrir et à promouvoir les atouts et les vertus qui permettent aux individus et aux communautés de se développer.

« Oh Dieu, donnez-nous la grâce d'accepter avec sérénité les choses qui ne peuvent pas être changées, le courage de changer les choses qui devraient l'être et la sagesse de distinguer les unes des autres. »
Reinhold Niebuhr,
« *The Serenity Prayer* », 1943

« Le pessimisme c'est comme l'optimisme, sauf en moins dangereux »
Mignon McLaughlin, *The Neurotic's Notebook*, 1963

« Je ne pensais pas que cela pouvait m'arriver. »
Earvin « Magic » Johnson, *My Life*, 1993 (après avoir contracté le VIH)

obtiennent souvent de meilleurs résultats que ceux qui ont les mêmes aptitudes mais ont trop confiance en eux. Edward Chang (2001) rapporte que, comparativement aux étudiants américains d'origine européenne, les étudiants américains d'origine asiatique font preuve de plus de pessimisme, ce qui pourrait expliquer leur réussite scolaire impressionnante. Le succès nécessite assez d'optimisme pour engendrer l'espoir et assez de pessimisme pour éviter la suffisance. Nous souhaitons que nos pilotes de ligne soient conscients des pires problèmes possibles.

Un optimisme excessif peut cependant nous aveugler face aux risques réels. Neil Weinstein (1980, 1982, 1996) a montré comment notre biais naturel du raisonnement positif pouvait induire « un optimisme irréaliste à propos des événements de la vie future ». La plupart des adolescents de 17-18 ans se considèrent comme beaucoup moins vulnérables que leurs copains face au virus du sida (Abrams, 1991). La plupart des étudiants considèrent qu'ils ont moins de risques que la moyenne de leurs camarades d'avoir des problèmes d'alcoolisme, de laisser tomber leurs études ou d'avoir une attaque cardiaque vers l'âge de 40 ans. Beaucoup d'utilisateurs de cartes de crédit, optimistes de manière irréaliste sur la manière dont ils utiliseront leur carte de paiement, choisissent des cartes peu onéreuses mais ayant de forts taux d'intérêts (Yang et coll., 2006). Ceux qui sont trop optimistes pour ne pas voir les effets du tabagisme, s'aventurer dans des relations destinées à les rendre malades et se croire plus malins que les autres dans des dizaines d'autres situations, nous rappellent que, comme l'orgueil, l'optimisme aveugle peut entraîner la chute.

Cependant, notre penchant naturel vers le jugement positif semble disparaître quand nous rassemblons notre courage dans l'attente de retours, par exemple de résultats d'examens (Carroll et coll., 2006). (Vous avez peut-être déjà remarqué que lorsqu'un match touche à sa fin, le résultat vous semble plus incertain lorsque votre équipe est en tête que lorsque votre équipe est perdante ?) L'illusion positiviste disparaît également à la suite d'une expérience personnelle traumatisante : après le tremblement de terre catastrophique en Californie, les victimes avaient perdu l'illusion d'être moins vulnérables que les autres aux tremblements de terre (Helweg-Larsen, 1999).

La cécité vis-à-vis de sa propre incompétence Ironiquement, les personnes qui ont trop confiance en elles sont les plus incompétentes. Selon Justin Kruger et David Dunning (1999), il faut une certaine compétence pour reconnaître la compétence. Ils ont découvert que la plupart des étudiants qui ont les résultats les plus faibles aux tests de grammaire et de logique sont ceux qui pensaient être classés parmi les 50 premiers. Si vous ne savez pas ce qu'est une bonne grammaire, il se peut que vous ne soyez pas conscient d'être mauvais en grammaire. Ce phénomène de l'« ignorance de sa propre incompétence » peut être mis en parallèle avec les difficultés qu'ont les malentendants à reconnaître leur propre perte d'audition, comme je peux en témoigner. Nous ne refusons pas de nous rendre à l'évidence, nous n'avons seulement pas conscience de ce que nous n'entendons pas. Si je n'entends pas mon ami m'appeler, celui-ci s'aperçoit de mon inattention. Mais, pour moi, il ne s'est rien passé. J'entends ce que j'entends, ce qui, pour moi, est tout à fait normal.

DOONESBURY

La difficulté à reconnaître sa propre incompétence explique pourquoi tant d'étudiants qui ont des mauvaises notes à un examen n'en reviennent pas. Lorsque vous jouez au Scrabble®, vous pouvez vous sentir plutôt intelligent jusqu'à ce que quelqu'un vous montre toutes les possibilités que vous n'aviez pas vues et dont vous n'aviez pas la moindre idée. Comme Deanna Caputo et Dunning (2005) l'ont démontré au cours d'expériences recréant ce phénomène, notre ignorance de ce que nous ne savons pas, nous aide à conserver notre confiance en nos propres capacités.

Dunning remarque (2006) que pour juger de sa compétence et prédire ses performances futures, il est souvent intéressant de faire appel aux estimations d'un tiers. En se basant sur des études au cours desquelles les individus et leurs connaissances prédisent leur futur, nous pouvons risquer quelques conseils : si vous êtes un étudiant en médecine et que vous voulez savoir si vous aurez de bonnes capacités à l'examen d'aptitude chirurgicale, ne vous fiez pas à vous-même mais demandez à votre entourage qu'ils vous donnent franchement leur avis. Si vous êtes un officier de la marine et que vous voulez estimer vos capacités à commander, ne vous fiez pas à vous-même mais demandez aux autres officiers. Et si vous êtes amoureux et que vous voulez savoir si cela va durer, n'écoutez pas votre cœur, demandez à votre camarade de chambre.

« Le joueur [de Scrabble®] de salon a de la chance… Il n'a pas la moindre idée de ses échecs lamentables répétés, ni du nombre de mots possibles qu'il aurait pu placer de façon optimale à chaque tour, et qui lui ont échappé parce qu'il ne les a même pas vus. »
Stefan Fatsis, *Word Freak*, 2001

Évaluer le comportement en situation

15. Quel principe sous-jacent guide les psychologues sociocognitivistes lorsqu'ils évaluent le comportement et les croyances des individus ?

Les chercheurs sociocognitivistes explorent comment les personnes interagissent avec les situations. Pour prédire un comportement, ils observent souvent les comportements dans des situations réalistes.

Cette idée, bien qu'efficace, n'est pas nouvelle. Il existe un exemple ambitieux d'une telle recherche, utilisée durant la Seconde Guerre mondiale par l'armée américaine, pour tester les candidats à des missions d'espionnage. Plutôt que d'utiliser des tests « papier-crayon », les psychologues de l'armée ont soumis les candidats à des situations simulées d'infiltration. Ils ont testé leur capacité à gérer le stress, à résoudre des problèmes, à maintenir une autorité et à résister à des interrogatoires intensifs sans trahir leur « couverture ». Bien que coûteuse et longue, cette évaluation du comportement dans une situation réaliste a aidé à prédire les succès ultérieurs dans des missions d'espionnage réelles (OSS Assessment Staff, 1948). Les études modernes indiquent que les exercices effectués dans les centres d'évaluation révèlent plus certains traits de la personnalité comme la capacité de communication que d'autres comme l'énergie d'accomplissement (Bowler et Woehr, 2006).

Les organisations militaires ou scolaires et les 500 entreprises classées par le magazine *Fortune* continuent d'adopter cette stratégie en évaluant plusieurs centaines de milliers de personnes chaque année dans des centres d'évaluation (Bray et coll., 1991, 1997 ; Thornton et Rupp, 2005). La société AT&T a observé ses futurs gestionnaires en train d'exercer un travail de direction simulé. Beaucoup d'établissements d'études supérieures jugent le potentiel d'aptitude pédagogique des membres des facultés en les observant lorsqu'ils enseignent, et évaluent le potentiel des étudiants au cours de leurs stages d'enseignement ou de leur période d'internat. L'armée évalue le niveau de ses soldats en les observant pendant les exercices militaires. La plupart des villes américaines dont la population dépasse les 50 000 habitants utilisent des centres d'évaluation pour la police et les sapeurs pompiers (Lowry, 1997).

Ces techniques utilisent le principe selon lequel le meilleur moyen de prévoir le comportement futur des gens n'est pas un test de personnalité ou l'intuition d'une personne durant un entretien, mais plutôt la manière avec laquelle ils ont réagi antérieurement dans une situation similaire (Mischel, 1981 ; Ouellette et Wood, 1998 ; Schmidt et Hunter, 1998). Aussi longtemps que la situation et la personne restent globalement identiques, le meilleur facteur prédictif des résultats futurs en situation professionnelle est les résultats antérieurs obtenus en situation professionnelle ; le meilleur facteur prédictif des notes à venir est les notes antérieures ; le meilleur facteur prédictif de l'agressivité future est l'agressivité passée ; le meilleur facteur prédictif du risque d'utilisation de drogue au début de l'âge adulte est l'utilisation de drogue au lycée. Si vous ne pouvez pas déterminer le comportement antérieur d'un individu, la meilleure chose à faire est de créer une situation d'évaluation qui reproduit la tâche demandée de façon à ce que vous puissiez voir comment il s'en accommode.

© NBC/Avec l'aimable autorisation de Everett Collection

Évaluer les comportements en situation Les émissions de téléréalité, comme « L'apprenti » de Donald Trump, pourraient utiliser les entretiens d'embauche de type « montrez-moi » pour en faire une émission. Toutefois, ils illustrent un point important. La manière de voir comment se comporte un employé potentiel dans une situation ayant un rapport avec le travail permet de prédire ses performances au travail.

Une analyse concernant une centaine de cas de fusillades tragiques au cours des 50 dernières années publiée dans le *New York Times* révèle que parmi les meurtriers, 55 d'entre eux avaient déjà extériorisé des accès de colère et que 63 d'entre eux avaient proféré des menaces violentes (Goodstein et Glaberson, 2000). La plupart n'ont pas, subitement, « juste craqué ».

::Soi : dans la psychologie contemporaine, le soi est considéré comme le centre de la personnalité, l'organisateur de nos pensées, de nos sentiments et de nos actions.

::Effet « *spotlight* » (focalisation) : le fait de surestimer le jugement et le regard que les autres portent sur notre apparence, sur notre performance et même sur nos bourdes (tel un projecteur qui se focalise sur nous).

::Estime de soi : sentiment à propos de sa propre valeur, qui peut être haute ou faible.

Évaluer la perspective sociocognitiviste

16. De quelle manière la perspective sociocognitiviste a-t-elle contribué à l'étude de la personnalité ? À quelles critiques a-t-elle dû faire face ?

La perspective sociocognitiviste de la personnalité a sensibilisé les chercheurs sur la façon dont les situations peuvent affecter – et sont affectées par – les individus. Plus que les autres perspectives, elle a été élaborée à partir des découvertes concernant l'apprentissage et la cognition.

Les critiques reprochent que la perspective sociocognitiviste se focalise tellement sur la situation qu'elle évite d'évaluer les caractéristiques internes propres à l'individu. Où est la personne dans cette vision de la personnalité ? demandent ses détracteurs. Et où sont les émotions humaines ? C'est vrai, les situations guident nos comportements. Mais selon les critiques, dans bien des circonstances, nos motivations inconscientes, nos émotions et nos traits les plus marqués s'étalent au grand jour. Les traits de personnalité ont montré qu'ils pouvaient permettre de prédire les comportements au travail, en amour et au jeu. Nos traits de personnalité, qui sont influencés biologiquement, sont réellement importants. Considérez Percy Ray Pridgen et Charles Gill. Ils ont eu à affronter la même situation : ils ont gagné ensemble le gros lot de la loterie, plus de 90 millions de dollars (Harriston, 1993). En prenant connaissance du numéro gagnant, Pridgen commença à trembler de façon incontrôlable et se blottit dans les bras d'un ami derrière la porte de la salle de bain pendant qu'on confirmait le gain, puis se mit à sangloter. Lorsque Gill entendit la nouvelle, il le dit à sa femme puis alla se coucher.

AVANT D'ALLER PLUS LOIN...

➤ **INTERROGEZ-VOUS**

Êtes-vous pessimiste ? Avez-vous tendance à avoir peu d'attentes et à attribuer les événements négatifs à votre inaptitude à y faire face ou à des facteurs qui sont hors de votre contrôle ? Ou alors, êtes-vous optimiste et même peut-être excessivement optimiste par moments ? Quelle que soit votre tendance, dans quelle mesure a-t-elle influencé vos choix scolaires ou universitaires ?

➤ **TESTEZ-VOUS 5**

De quelle manière l'impuissance acquise et l'optimisme influencent-ils notre comportement ?

Les réponses aux questions « Testez-vous » sont données dans l'annexe B à la fin de l'ouvrage.

Les « possibles » du soi En leur donnant l'opportunité d'essayer de nombreux « soi » possibles, les jeux où l'on fait semblant donnent aux enfants la possibilité importante de se développer sur les plans émotionnel, social et cognitif. Bien que ce jeune garçon puisse ne pas devenir médecin en grandissant, le fait de jouer des rôles d'adultes va certainement porter ses fruits en lui donnant une vision plus étendue de ce qu'il pourrait devenir.

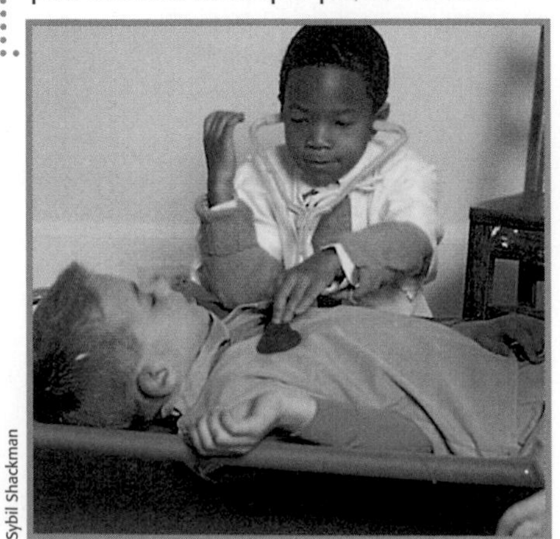
Sybil Shackman

Explorer le soi

17. Sommes-nous gênés ou aidés par une haute estime de soi ?

L'INTÉRÊT DES PSYCHOLOGUES POUR LE SENS du soi des individus remonte au moins à William James, qui a consacré plus de 100 pages sur le sujet dans ses *Principles of Psychology* de 1890. En 1943, Gordon Allport se lamentait parce que le soi avait été « perdu de vue ». Bien que l'intérêt des psychologues humanistes pour le soi n'ait pas suscité beaucoup de recherches scientifiques, il a aidé à renouveler le concept de soi et à le conserver vivant. Aujourd'hui, plus d'un siècle après James, le soi est l'un des sujets de recherche les plus développés de la psychologie occidentale. Chaque année, une profusion de nouvelles études sont publiées concernant l'estime de soi, la conscience de soi, la découverte de soi, les schémas du soi, le contrôle de soi et ainsi de suite. L'hypothèse sous-tendant cette recherche est que le **soi**, en tant qu'organisateur de nos pensées, de nos sentiments et de nos actions, est le pivot de la personnalité.

Un exemple de réflexion sur le soi est le concept de *possibles du soi* développé par Hazel Markus et ses collaborateurs (Cross et Markus, 1991 ; Markus et Nurius, 1986). Les possibles du soi comprennent les visions du soi que vous rêvez de devenir comme le soi riche, le soi couronné de succès, le soi aimé et admiré. Mais ils comprennent également ceux que vous avez peur de devenir, le soi au chômage, le soi solitaire, le soi qui a raté ses études. De tels possibles du soi nous motivent en faisant apparaître devant nous des buts spécifiques et en nous donnant l'énergie nécessaire pour les atteindre. Des étudiants de l'université du Michigan participant à un programme associant de jeunes étudiants non diplômés et des internes en médecine ont obtenu des notes plus élevées lorsqu'ils avaient entrepris le programme en ayant une projection claire d'eux-mêmes en tant que bons médecins. Les rêves donnent souvent naissance à la réussite.

Notre perspective centrée sur nous-mêmes peut nous motiver, mais elle nous conduit aussi à présumer trop facilement que les autres nous remarquent et nous jugent. Thomas Gilovich (1996) a démontré cet **effet « *spotlight* »** en demandant à des étudiants de l'université Cornell de revêtir des T-shirts de Barry Manilow avant d'entrer dans une salle avec d'autres étudiants. Très soucieux de leur apparence, les étudiants qui portaient les T-shirts pensaient que la moitié de la classe les avait remarqués quand ils étaient entrés. En réalité, seulement 23 p. 100 s'en étaient aperçus. Ce manque d'attention s'applique à nos vêtements ringards, notre coiffure peu soignée et aussi à notre degré de nervosité, d'irritation et d'attirance : il y a moins de gens qui nous remarquent que nous ne le pensons (Gilovich et Savitsky, 1999). Les autres s'intéressent moins aussi à nos changements d'apparence et de performance (nos hauts et nos bas) qu'on ne le croit (Gilovich et coll., 2002). Même à la suite d'une bourde (comme par exemple en déclenchant accidentellement l'alarme d'une bibliothèque ou en se présentant avec les vêtements inadaptés à la circonstance), on détonne moins qu'on ne l'imagine (Savitsky et coll., 2001). Le fait de connaître cet effet « *spotlight* » peut donner quelques pouvoirs. Aidez les gens qui doivent prendre la parole en public à comprendre que leur auditoire ne s'apercevra pas tant que cela de leur nervosité naturelle, et leurs performances s'amélioreront (Savitsky et Gilovich, 2003).

« La meilleure façon de connaître des jours meilleurs est de les imaginer. »
Proverbe chinois porte-bonheur

Les bienfaits de l'estime de soi

La manière dont nous nous sentons vis-à-vis de nous-mêmes est également importante. Une haute **estime de soi** - un sentiment de sa propre valeur - procure des avantages. Les gens qui se sentent bien vis-à-vis d'eux-mêmes (qui sont tout à fait d'accord avec les propositions de questionnaires d'affirmation de soi comme « c'est agréable d'être avec moi ») ont moins de nuits sans sommeil, succombent moins aisément aux pressions pour suivre les modes, sont plus persévérants dans les tâches difficiles, sont moins timides, anxieux et solitaires, et sont simplement plus heureux (Greenberg, 2008 ; Leary, 1999 ; Murray et coll., 2002 ; Watson et coll., 2002). De plus, une bonne estime de soi aujourd'hui prédit parfois la réussite de demain. Dans une étude menée sur 297 étudiants finlandais, les résultats d'estime de soi ont prédit les emplois, les salaires et la satisfaction au travail dix ans plus tard (Salmela-Aro et Nurmi, 2007).

Mon cher journal, pardon de te déranger à nouveau.
FAIBLE ESTIME DE SOI

L'estime de soi constitue-t-elle vraiment « une armure qui protège les enfants » des problèmes de la vie ? Certains psychologues en doutent (Baumeister, 2006 ; Dawes 1994 ; Leary, 1999 ; Seligman, 1994, 2002). Bien que le concept du soi des enfants à l'école, leur confiance qu'ils peuvent bien traiter un sujet, puisse prédire la réussite à l'école, l'image de soi générale ne le peut pas (Marsh et Craven, 2006 ; Swann et coll., 2007 ; Trautwein et coll., 2006). Il se peut que l'estime de soi reflète simplement la réalité. Le fait de se sentir bien est peut-être une *conséquence* du bien-faire. Peut-être qu'il s'agit d'un effet collatéral après avoir relevé des défis et avoir surmonté des obstacles. Peut-être que c'est l'effet secondaire de se trouver face à des défis et de surmonter les difficultés. Peut-être que l'estime de soi est une jauge servant à lire l'état de nos relations avec les autres. Si c'est le cas, le fait de remonter cette jauge artificiellement n'équivaut-il pas à forcer celle du réservoir à essence d'une voiture, à indiquer « plein » lorsque le réservoir est presque vide ? Alors, si les problèmes et les échecs provoquent une faible estime de soi, le meilleur encouragement ne dépendrait-il pas plutôt des difficultés que nos enfants ont réussi à surmonter et des succès durement obtenus que du fait de leur répéter sans cesse qu'ils sont merveilleux ?

« On parle beaucoup de l'estime de soi de nos jours. Cela me semble assez évident. Si on veut être fier de soi, il faut faire des choses dont on peut être fier. »
Oseola McCarty, blanchisseuse du Mississippi, après avoir fait un don de 150 000 dollars à l'université du Southern Mississipi

Quoi qu'il en soit, les expériences mettent en évidence un des *effets* d'une faible estime de soi. Si vous « dégonflez » temporairement l'image de soi des gens (par exemple en leur disant qu'ils ont raté un test d'aptitude ou en dénigrant leur personnalité), ils seront plus enclins à dénigrer d'autres personnes ou à exprimer de forts préjugés ethniques (Ybarra, 1999). Les personnes négatives vis-à-vis d'elles-mêmes ont tendance à être susceptibles et à juger (Baumgardner et coll., 1989 ; Pelham, 1993). Au cours d'expériences, des sujets qu'on a amenés à se sentir inquiets deviennent souvent excessivement critiques, comme pour impressionner les autres par leurs propres talents (Amabile, 1983). De telles découvertes sont en accord avec les suppositions de Maslow et Rogers, selon lesquelles une bonne image de soi donne des avantages. Acceptez-vous et vous trouverez plus facile d'accepter les autres. Dénigrez-vous et vous serez enclin à la « *floccinaucinihilipilification* »[1] des autres. Dit plus simplement, certaines personnes « aiment leurs voisins autant qu'eux-mêmes » ; d'autres détestent leurs voisins autant qu'eux-mêmes. Ceux qui sont découragés par eux-mêmes ont tendance à être découragés par les autres personnes ou les autres choses.

Biais d'autosatisfaction

:: Biais d'autosatisfaction : tendance à se voir de façon favorable.

Carl Rogers (1958) désapprouva un jour la doctrine religieuse qui affirmait que les problèmes de l'humanité provenaient d'un amour de soi ou d'un orgueil excessifs. Il faisait remarquer que la plupart des gens qu'il avait connus « se dépréciaient, se voyaient comme sans valeur et se pensaient indigne d'amour ». Mark Twain avait eu la même idée : « Aucun homme, au plus profond de son cœur, n'a un respect considérable pour lui-même. »

En réalité, la plupart d'entre nous ont une image flatteuse d'eux-mêmes. Dans les études sur l'estime de soi, même les gens ayant des résultats faibles répondent dans la zone moyenne des scores possibles (par exemple, une personne ayant une piètre estime d'elle-même répond à des affirmations du genre « j'ai de bonnes idées » en ajoutant des qualificatifs tels que *quelques-unes* ou *de temps en temps*). De plus, l'une des conclusions les plus récentes, les plus provocantes et les plus établies de la psychologie, concerne notre puissant **biais d'autosatisfaction**, notre facilité à nous percevoir favorablement (Mezulis et coll., 2004 ; Myers, 2008). Considérons les découvertes suivantes :

Les gens acceptent plus facilement la responsabilité des bonnes actions plutôt que des mauvaises, et des succès plutôt que des échecs. Les athlètes, en privé, attribuent souvent leurs victoires à leurs propres prouesses tandis qu'ils attribuent leurs défaites à des erreurs, à la négligence d'un officiel ou à la performance exceptionnelle de l'équipe adverse. Après avoir obtenu une mauvaise note à un examen, la plupart des étudiants, dans une demi-douzaine d'études réalisées sur ce sujet, critiquent l'examen plutôt que de se remettre en question. Sur les constats d'assurance, les conducteurs décrivent des accidents en utilisant des phrases telles que : « une voiture invisible a surgi de nulle part, a heurté ma voiture et a disparu » ou bien « au moment où j'ai atteint le croisement, une haie s'est dressée, m'a bouché la vue, et je n'ai pas pu voir l'autre voiture », ou bien encore « un piéton m'a heurté et s'est mis sous ma voiture ». Enfin, la question « qu'est-ce que j'ai fait pour mériter cela ? » est une question que l'on se pose quand on a des problèmes, et non lorsque l'on réussit ; la réussite on l'assume, car on la mérite.

La plupart des gens se croient supérieurs à la moyenne. Cela est vrai pour tout comportement commun qui est estimé subjectivement et socialement souhaitable. Dans des enquêtes réalisées au niveau national, la plupart des responsables d'entreprise prétendent qu'ils ont plus de principes éthiques que la moyenne de leurs homologues. Au cours de plusieurs études, 90 p. 100 des cadres commerciaux et plus de 90 p. 100 des professeurs d'université ont jugé leurs performances supérieures à celles de la moyenne de leurs confrères. En Australie,

PEANUTS

1. N.d.T. : il s'agit d'un mot anglais signifiant : le fait de tenir ou de juger quelque chose sans valeur, sans utilité. (L'auteur dit qu'il s'excuse mais il n'a pas résisté à l'envie de l'employer car c'est le plus long mot non technique de la première édition de l'*Oxford English Dictionary*. Mais rassurez-vous, vous ne serez pas testé dessus !)

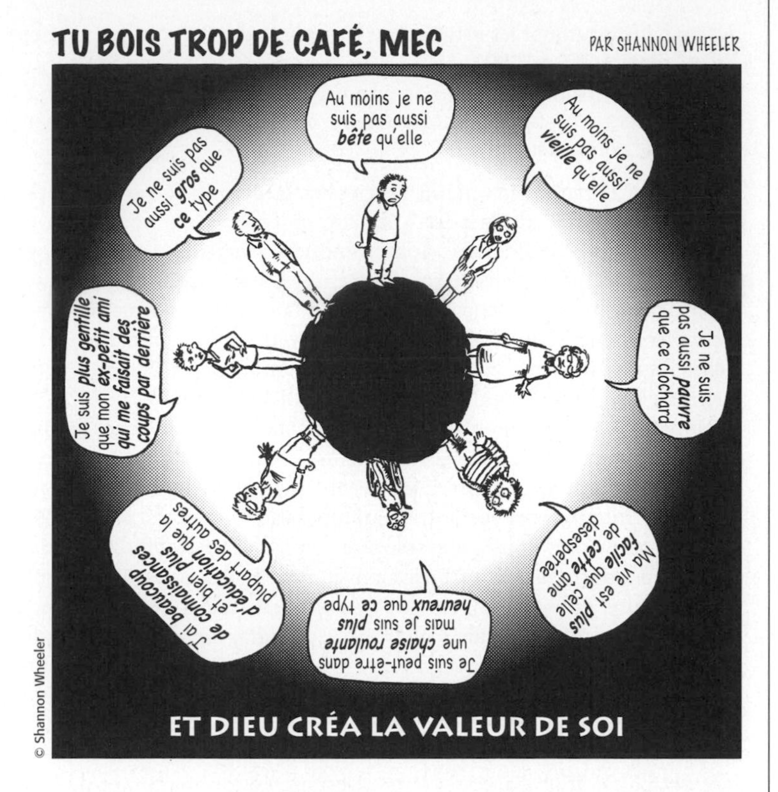

© Shannon Wheeler

86 p. 100 des gens estiment que leurs performances professionnelles sont supérieures à la moyenne, alors que 1 p. 100 seulement les juge inférieures. Le phénomène, qui consiste à se surestimer plutôt qu'à sous-estimer les autres (Epley et Dunning, 2000), est moins net en Asie, où la modestie est appréciée (Heine et Hamamura, 2007). Cependant, le biais de l'autosatisfaction a été observé dans le monde entier, chez des étudiants néerlandais, australiens ou chinois, mais aussi chez des conducteurs japonais ou bien encore chez des Hindous et des Français, quels que soient leurs modes de vie. Dans chacun des 53 pays ayant fait l'objet d'une enquête, les personnes exprimaient une estime de soi au-dessus de la moyenne de l'échelle la plus largement employée (Schmitt et Allik, 2005).

Ironiquement, les gens se croient plus à l'abri que les autres du biais d'autosatisfaction (Pronin, 2007). Le monde, semble-t-il, est comme l'a décrit Garrison Keillor dans le « Lac Wobegon », un endroit où « toutes les femmes sont fortes, tous les hommes présentent bien et tous les enfants sont supérieurs à la moyenne ». Et il en est de même des animaux de compagnie. Trois propriétaires sur quatre pensent que leur animal de compagnie est plus intelligent que la moyenne (Nier, 2004).

Le biais d'autosatisfaction plane au-dessus de la psychologie populaire. « Nous avons tous un complexe d'infériorité », écrit John Powell (1989, p. 15), « ceux qui semblent ne pas en avoir font tout simplement semblant. » Cependant, une accumulation de preuves balaye tous les doutes (Myers, 2008) :

- Nous nous souvenons et justifions nos actions passées en les embellissant.
- Nous montrons une confiance démesurée dans nos jugements et nos croyances.
- Nous surestimons la façon admirable dont *nous* agirions dans des situations où la plupart des gens se comporteraient d'une piètre manière.
- Nous recherchons toujours des renseignements favorables dans le but de renforcer notre moi.
- Nous croyons plus rapidement aux descriptions flatteuses de nous-mêmes qu'aux descriptions désagréables et nous sommes impressionnés par des tests psychologiques qui donnent de nous une bonne image.
- Nous soutenons notre propre image en *sur*estimant l'aspect banal de nos faiblesses et en *sous*-estimant l'aspect banal de nos points forts.
- Nous nous voyons nous-mêmes comme apportant une meilleure contribution que la normale pour notre groupe (mais il en est de même pour les membres de notre équipe, ce qui

« S'aimer soi-même est le début d'une romance qui dure toute la vie. »
Oscar Wilde, *Un mari idéal*, 1895

« Les [auto]portraits auxquels nous croyons vraiment, lorsqu'on nous donne la liberté de les exprimer, sont incroyablement plus positifs qu'en réalité. »
Shelley Taylor, *Positive Illusions*, 1989

« Les assertions enthousiastes proposées par le mouvement en faveur de l'estime de soi oscillent généralement entre les idées fantaisistes et les foutaises. Les effets de l'estime de soi sont peu importants, limités et pas toujours bénéfiques. »

Roy Baumeister (1996)

« Si vous vous comparez à d'autres, vous allez vous sentir inutile ou amer ; il y aura toujours des gens au-dessus et en dessous de vous. »

Max Ehrmann, « *Desiderata* », 1927

explique pourquoi les estimations de l'autocontribution des membres du groupe dépassent en général 100 p. 100).

- Nous montrons une fierté de groupe, c'est-à-dire une tendance à percevoir notre groupe (notre école, notre pays, notre origine ethnique, nos enfants et même nos animaux domestiques) comme supérieur.

De plus, l'orgueil, comme la religion et la littérature nous le rappellent, précède souvent la chute. L'autosatisfaction est à la base de conflits qui vont de la critique de son conjoint dans les querelles de ménage, à la promotion arrogante de notre propre supériorité ethnique. Trouvant que leur estime de soi est menacée, les personnes qui possèdent un ego surdimensionné peuvent parfois dépasser le simple fait de dire du mal des autres : elles peuvent réagir violemment. C'est « l'orgueil d'être aryen » qui a alimenté les atrocités nazies. Daniel Kahneman et Jonathan Renshon (2007) remarquent : « Ces biais ont pour effet de rendre les guerres plus faciles à commencer et plus difficiles à finir ».

Nous pouvons voir ces tendances même chez les enfants, chez lesquels la recette des bagarres fréquentes consiste à mélanger une haute estime de soi au rejet social. Les enfants les plus agressifs ont tendance à porter un regard sur eux-mêmes particulièrement élevé, entamé par l'aversion montrée par les autres enfants (van Boxtel et coll., 2004). Un adolescent ou un adulte réputé pour avoir la « grosse tête » et qui est déstabilisé par une insulte peut être potentiellement dangereux. Brad Bushman et Roy Baumeister (1998) ont expérimenté le « côté sombre d'une estime de soi élevée ». Ils ont demandé à 540 étudiants de premier cycle universitaire de se porter volontaires pour écrire un paragraphe de quelques lignes ; un autre étudiant était chargé d'évaluer ce paragraphe en faisant son éloge : « Excellente dissertation ! » ou en le critiquant de façon blessante : « C'est la pire dissertation que je n'ai jamais lue ! » Ensuite chacun des auteurs des dissertations devait se soumettre à un jeu afin de tester leur temps de réaction face aux critiques de l'autre étudiant. Après l'annonce des résultats, les étudiants évalués avaient le droit d'agresser leur adversaire en faisant autant de bruit qu'ils le souhaitaient.

Pouvez-vous prévoir les résultats ? Ceux dont l'estime de soi était démesurée ont réagi de façon « exceptionnellement agressive » aux critiques. Ils ont manifesté leur mécontentement avec une intensité sonore trois fois plus élevée que les autres étudiants ayant une estime de soi pondérée. L'« égotisme menacé » prédispose plus à l'agression, semble-t-il, que la faible estime de soi. Cela pose problème lorsque l'« on encourage une personne à être fière d'elle-même quand elle ne le mérite pas », conclut Baumeister (2001). « Les individus qui sont très vaniteux et suffisants peuvent être odieux envers quelqu'un qui blesse leur amour-propre surdimensionné. »

Après avoir suivi l'importance du soi pendant plusieurs décennies, la psychologue Jean Twenge (2006 ; Twenge et coll., 2008) souligne que la nouvelle génération, la génération « moi » comme elle l'appelle, exprime plus de narcissisme (en étant le plus souvent d'accord avec des affirmations telles que « si je gouvernais le monde, il serait meilleur » ou « je crois que je suis une personne très spéciale »). Être d'accord avec ces affirmations est corrélé avec le matérialisme, le désir d'être célèbre, des attentes plus importantes, plus de relations virtuelles que d'engagements dans les relations, plus de spéculations et plus de tromperies ; tous ces caractères ont augmenté parallèlement à l'augmentation du narcissisme.

Malgré la mise en évidence des dangers de l'orgueil, beaucoup de personnes rejettent l'idée de biais d'autosatisfaction et insistent sur le fait qu'elle ne tient pas compte des personnes qui se sentent diminuées et indignes d'amour jusqu'au mépris d'elles-mêmes. Si la notion de biais d'autosatisfaction joue un rôle prédominant, pourquoi tant de personnes se déprécient-elles ? Il y a trois raisons à cela : quelquefois, les remarques autodépréciatives font partie d'une stratégie très subtile par le biais de laquelle on obtient du réconfort. Le fait de dire « personne ne m'aime » peut au moins conduire à la réponse de la part d'autrui : « mais tout le monde n'a pas encore fait votre connaissance » ! Dans d'autres circonstances, par exemple avant un match ou un examen, des commentaires d'autodépréciation nous préparent à une défaite possible. L'entraîneur qui met en avant la supériorité de l'adversaire rend une défaite compréhensible et la victoire digne de louange. Enfin l'autodépréciation se rapporte souvent à une perception du « vieux moi ». Les personnes sont parfois beaucoup plus critiques envers leur moi d'autrefois qu'envers celui du présent, même lorsque celui-ci n'a pas changé (Wilson et Ross, 2001). « À l'âge de 18 ans, j'étais un crétin ; aujourd'hui je suis plus raisonnable. » À leurs yeux, les idiots d'hier sont les champions d'aujourd'hui.

Cela est pourtant vrai : en effet nous nous sentons tous parfois inférieurs, et pour certains d'entre nous cela est même constant, surtout lorsque nous nous comparons à ceux qui se trouvent un échelon ou deux plus élevés sur l'échelle du statut social, de l'apparence physique, des compétences ou des revenus. Plus nous avons de sentiments de ce genre et plus ils sont profonds, plus nous sommes malheureux, voire déprimés. Cependant, pour la plupart des gens, la pensée est naturellement dotée d'un biais positif.

Tout en reconnaissant le côté sombre du biais d'autosatisfaction et de l'estime de soi, certains chercheurs préfèrent isoler les effets de deux types d'estime de soi – le type défensif et le type assuré (Kernis, 2003 ; Lambird et Mann, 2006 ; Ryan et Deci, 2004). L'*estime de soi défensive* est fragile. Elle se focalise sur son maintien, ce qui peut rendre les échecs et les critiques menaçants. Selon Jennifer Crocker et Lora Park (2004), cet égotisme expose les gens à percevoir des menaces qui nourrissent la colère et les troubles. Ainsi, comme la faible estime de soi, l'estime de soi défensive est corrélée à des comportements agressifs et antisociaux (Donnellan et coll., 2005).

L'*estime de soi assurée* est moins fragile parce qu'elle dépend moins des jugements externes. Être accepté pour ce que nous sommes et non pas pour notre apparence, notre richesse, ou par reconnaissance, soulage la pression de réussite et nous permet de nous focaliser au-delà de nous-mêmes. Crocker et Park ajoutent qu'en nous perdant dans des relations et des buts plus importants que le soi, nous pouvons atteindre une estime de soi plus assurée et une meilleure qualité de vie.

AVANT D'ALLER PLUS LOIN...

➤ INTERROGEZ-VOUS

Quels « possibles du soi » rêvez-vous de devenir, ou craignez-vous de devenir ? Dans quelle mesure ces « moi » imaginaires vous motivent-ils ?

➤ TESTEZ-VOUS 6

Dans un sondage Gallup de 1997, les Américains blancs estimaient que 44 p. 100 de leurs pairs avaient beaucoup de préjugés (ils leur donnaient une note de 5 ou plus sur une échelle de 10 points). Combien se considéraient dans le même cas ? Seulement 14 p. 100. Quel phénomène cela illustre-t-il ?

Les réponses aux questions « Testez-vous » sont données dans l'annexe B à la fin de l'ouvrage.

RÉVISION : La personnalité

La perspective psychanalytique

1. Comment Freud concevait-il la personnalité et son développement ?

En traitant les troubles émotionnels, Sigmund Freud en vint à penser qu'ils provenaient d'une dynamique *inconsciente*, qu'il chercha à analyser par les *associations libres* et les rêves. Il appela cette théorie et sa technique la *psychanalyse*. Il considérait que la *personnalité* était composée de pulsions psychiques recherchant le plaisir (le *Ça*), d'un directeur exécutif orienté vers la réalité (le *Moi*) et d'un ensemble d'idéaux internalisés (le *Surmoi*). Il pensait que les enfants se développaient en passant par des *stades psychosexuels* et que notre personnalité était influencée par la manière dont nous avons résolu les conflits associés à ces stades et par le fait que nous soyons restés ou non *fixés* dans un de ces stades.

2. De quelle manière, selon Freud, les gens se défendent-ils contre l'anxiété ?

Les tensions entre les demandes du Ça et du Surmoi provoquent de l'anxiété. Le Moi y fait face en utilisant des *mécanismes de défense*, en particulier le *refoulement*.

3. Quelles sont les idées de Freud que ses disciples ont acceptées ou ont rejetées ?

Les néo-freudiens Alfred Adler, Karen Horney et Carl Jung ont accepté de nombreuses idées de Freud. Mais Adler et Horney prétendaient également que nous avions d'autres motivations, qui ne sont pas d'ordre sexuel ou agressif et que le contrôle conscient du Moi était plus important que Freud ne le supposait. Jung proposait un *inconscient collectif*. Les théoriciens psychodynamiques partagent avec Freud l'idée que les processus mentaux inconscients, les conflits internes et les expériences de l'enfance ont des influences importantes sur notre personnalité.

4. Que représentent les tests projectifs ? Comment sont-ils utilisés ?

Les *tests projectifs* cherchent à évaluer la personnalité en présentant des stimuli ambigus conçus pour révéler l'inconscient. Bien que les tests projectifs comme le *test de Rorschach* aient une fiabilité et une validité douteuses, beaucoup de cliniciens continuent de les utiliser.

5. Comment les psychologues actuels considèrent-ils Freud et l'inconscient ?

Les psychologues contemporains spécialisés dans la recherche notent que les théories de Freud n'offrent que des explications après-coup et que le refoulement se produit rarement. Les recherches actuelles de traitement de l'information confirment que notre accès à tout ce qui entre dans notre esprit est très limité mais ne soutiennent pas l'idée que Freud avait de l'inconscient. L'inconscient serait plutôt composé de schémas qui contrôlent notre perception, d'un amorçage, d'un traitement parallèle qui se produit sans que nous en soyons conscients, de souvenirs implicites d'aptitudes apprises, d'émotions activées instantanément, ainsi que de concept de soi et de stéréotypes qui filtrent les informations sur nous-mêmes et sur les autres. Ils supportent également peu l'idée des mécanismes de défense. L'effet de faux consensus de la psychologie (cette tendance à surestimer l'étendue de nos croyances et de nos comportements partagés par les autres) ressemble cependant à la *projection* de Freud et il semble qu'il existe également une *formation réactionnelle*.

Néanmoins Freud a attiré l'attention de la psychologie sur l'inconscient, sur notre lutte pour faire face à l'anxiété et à la sexualité et sur le conflit entre les pulsions biologiques et les contraintes sociales. Son impact culturel a été très important.

La perspective humaniste

6. De quelle manière les psychologues humanistes considèrent-ils la personnalité ? Quels objectifs poursuivent-ils en étudiant la personnalité ?

Les psychologues humanistes cherchent à attirer l'attention de la psychologie sur le potentiel de développement des personnes en bonne santé. Abraham Maslow pensait que si les besoins fondamentaux de l'homme étaient comblés, les personnes pourraient essayer de se tourner vers le *développement personnel*. Pour permettre le développement des autres, Carl Rogers conseillait d'être authentique, tolérant et empathique. Dans ce climat de *considération positive inconditionnelle*, il pensait que les personnes pouvaient développer une conscience de soi plus profonde et un *concept de soi* plus réaliste et positif.

7. De quelle manière les psychologues humanistes évaluent-ils le sens du soi de quelqu'un ?

Les psychologues humanistes évaluent la personnalité par des questionnaires sur lesquels les individus décrivent leur concept du soi et par des traitements en cherchant à comprendre les expériences personnelles subjectives des autres.

8. De quelle manière la perspective humaniste a-t-elle influencé la psychologie ? À quelles critiques a-t-elle fait face ?

La psychologie humaniste a aidé à renouveler l'intérêt de la psychologie pour le concept du soi. Néanmoins, pour les critiques de la psychologie humaniste, ce concept est vague et subjectif, ses valeurs individualistes (ou occidentales) et centrées sur le soi et ses hypothèses naïvement optimistes.

La perspective dimensionnelle (les traits de personnalité)

9. Comment les psychologues utilisent-ils les traits de caractère pour décrire la personnalité ?

Plutôt que d'expliquer, comme Freud, les aspects cachés de la personnalité, les théoriciens spécialistes des traits de la personnalité ont cherché à décrire nos caractéristiques stables et persistantes. Par l'analyse des facteurs, les chercheurs ont isolé des dimensions importantes de la personnalité. Les prédispositions génétiques influencent de nombreux traits de la personnalité.

10. Que sont les inventaires de personnalité ? Quelles sont leurs forces et leurs faiblesses en tant qu'outil d'évaluation des traits de la personnalité ?

Les *inventaires de personnalité* (comme le *MMPI*) sont des questionnaires sur lesquels les personnes répondent à des items destinés à jauger une large gamme de sentiments et de comportements. Les items du test sont *choisis empiriquement* et les résultats mesurés objectivement. Mais les personnes peuvent truquer leurs réponses pour créer une bonne impression et la facilité à faire passer ces tests de manière informatisée peut conduire à leur mauvaise utilisation.

11. Quels sont les traits de caractère qui, semble-t-il, fournissent les informations les plus intéressantes sur les variations de la personnalité ?

Les cinq facteurs de la personnalité (*Big Five*) sont la conscience, l'amabilité, le neuroticisme, l'ouverture d'esprit et l'extraversion. Ils offrent actuellement une image raisonnablement globale de la personnalité.

12. La recherche conforte-t-elle la constance des traits de la personnalité dans le temps et dans toutes les situations ?

Bien que les traits généraux des gens persistent avec le temps, leurs comportements spécifiques varient largement selon les situations. Malgré ces variations, le comportement moyen d'une personne pris dans diverses situations a tendance à être assez constant.

La perspective sociocognitiviste

13. Du point de vue des psychologues sociocognitivistes, quelles sont les influences mutuelles qui façonnent la personnalité d'un individu ?

La *perspective sociocognitiviste* applique les principes de l'apprentissage, de la cognition et de notre comportement social à l'étude de la personnalité, en insistant particulièrement sur les façons dont notre personnalité influence (et est influencée par) nos interactions avec l'environnement. Elle suppose un *déterminisme réciproque* c'est-à-dire que les facteurs cognitifs personnels interagissent avec l'environnement pour influencer le comportement des individus.

14. Quelles sont les causes et les conséquences du contrôle personnel ?

En étudiant comment les personnes varient dans la manière dont ils perçoivent leur *lieu de contrôle* (*interne ou externe*), les chercheurs ont trouvé qu'un sentiment de *contrôle personnel* permet aux personnes de faire face à la vie. Les recherches sur l'*impuissance acquise* ont évolué en recherches sur les effets de l'optimisme et du pessimisme et conduit au mouvement plus général de la *psychologie positive*.

15. Quel principe sous-jacent guide les psychologues sociocognitivistes lorsqu'ils évaluent le comportement et les croyances des individus ?

Les chercheurs sociocognitivistes étudient comment les individus interagissent avec leur situation. Ils ont tendance à croire que le meilleur moyen de prévoir le comportement d'une personne dans une situation donnée est d'observer le comportement de cette personne dans une situation similaire.

16. De quelle manière la perspective sociocognitiviste a-t-elle contribué à l'étude de la personnalité ? À quelles critiques a-t-elle dû faire face ?

Bien que critiquée pour avoir sous-estimé l'importance de la dynamique de l'inconscient, des émotions et des traits de personnalité internes, la perspective sociocognitiviste se construit sur les concepts psychologiques bien établis que sont l'apprentissage et la cognition et nous rappelle le pouvoir des situations sociales.

Explorer le soi

17. Sommes-nous gênés ou aidés par une haute estime de soi ?

Pour la psychologie contemporaine, le *soi* est considéré comme le centre de la personnalité qui organise nos pensées, nos sentiments et nos actions. Les recherches confirment les avantages d'une haute *estime de soi* mais préviennent également des dangers d'une haute estime de soi irréaliste. Le *biais de l'autosatisfaction* nous conduit à nous percevoir favorablement, de ce fait nous amenant à surestimer nos capacités et à sous-estimer nos faiblesses.

Termes et concepts à retenir

Personnalité, p. 553
Association libre, p. 554
Psychanalyse, p. 554
Inconscient, p. 554
Ça, p. 555
Moi, p. 555
Surmoi, p. 555
Stades psychosexuels, p. 556
Complexe d'Œdipe, p. 556
Identification, p. 556
Fixation, p. 556
Mécanismes de défense, p. 557
Refoulement, p. 557
Régression, p. 557
Formation réactionnelle, p. 557
Projection, p. 557
Rationalisation, p. 557
Déplacement, p. 558
Déni de la réalité, p. 558
Inconscient collectif, p. 559
Tests projectifs, p. 559
Thematic Apperception Test (TAT), p. 559
Test de Rorschach, p. 560
Théorie de la gestion de la terreur, p. 563
Développement personnel (accomplissement de soi), p. 565
Considération positive inconditionnelle, p. 565
Conception du soi, p. 566
Trait de personnalité, p. 568
Inventaire de personnalité, p. 570
Minnesota Multiphasic Personality Inventory (MMPI), p. 570
Test empirique, p. 570
Perspective sociocognitiviste, p. 576
Déterminisme réciproque, p. 577
Contrôle personnel, p. 578
Lieu de contrôle externe, p. 578
Lieu de contrôle interne, p. 578
Impuissance acquise, p. 579
Psychologie positive, p. 581
Soi, p. 584
Effet « *spotlight* » (focalisation), p. 585
Estime de soi, p. 585
Biais d'autosatisfaction, p. 586

CHAPITRE 14

Les troubles psychologiques

VUE D'ENSEMBLE DES TROUBLES PSYCHOLOGIQUES

Définir les troubles psychologiques

Regard critique sur : TDAH

Comprendre les troubles psychologiques

Classer les troubles psychologiques

Gros plan : Le « non-DSM »

Étiqueter les troubles psychologiques

Regard critique sur : La folie et la responsabilité

TROUBLES ANXIEUX

Trouble de l'anxiété généralisée

Trouble panique

Phobies

Troubles obsessionnels compulsifs

Le syndrome de stress post-traumatique

Comprendre les troubles anxieux

TROUBLES SOMATOFORMES

TROUBLES DISSOCIATIFS

Trouble dissociatif de l'identité

Comprendre le trouble dissociatif de l'identité

TROUBLES DE L'HUMEUR

Trouble dépressif majeur

Trouble bipolaire

Comprendre les troubles de l'humeur

Gros plan : Le suicide

SCHIZOPHRÉNIE

Symptômes de la schizophrénie

Apparition et développement de la schizophrénie

Comprendre la schizophrénie

TROUBLES DE LA PERSONNALITÉ

Trouble de la personnalité antisociale

Comprendre le trouble de la personnalité antisociale

PRÉVALENCE DES TROUBLES PSYCHOLOGIQUES

Je ressentais le besoin de nettoyer mon appartement d'Indianapolis chaque dimanche et j'y passais 4 à 5 heures. Je sortais chaque livre de la bibliothèque, et le replaçais après l'avoir épousseté. À cette époque, j'adorais faire ça. Par la suite, je n'en ressentais plus l'envie mais je n'arrivais pas à m'arrêter. Dans mon placard, les vêtements étaient suspendus de façon régulière... J'avais un rituel qui consistait à toucher le mur de ma chambre avant d'en sortir, car je craignais que quelque chose de mal ne survienne si je ne le faisais pas correctement. Enfant, je ressentais une anxiété constante concernant ce rituel, et pour la première fois, j'eus l'impression d'être cinglé.

Marc, souffrant de troubles obsessionnels compulsifs (d'après Summers, 1996)

Je suis déprimée chaque fois que je perds mon estime personnelle. Je ne trouve aucune raison de m'aimer. Je me trouve laide. J'ai l'impression que personne ne m'aime... Je deviens renfrognée et irritable. Personne ne veut rester avec moi. On me laisse seule. Le fait d'être seule confirme que je suis une personne laide et peu fréquentable. J'ai l'impression d'être responsable de tout ce qui va mal.

Greta, souffrant de dépression (d'après Thorne, 1993, p. 21)

Des voix comparables au brouhaha d'une foule m'envahissaient. J'étais Jésus ; on me crucifiait. Il faisait sombre. Je continuais à me blottir sous la couverture, je me sentais faible, nu et sans défense dans un monde cruel que je ne comprenais plus.

Stuart, souffrant de schizophrénie (d'après Emmons et coll., 1997)

Les gens sont fascinés par ce qui est exceptionnel, inhabituel ou anormal. « Le soleil brille, nous chauffe et nous éclaire, et nous ne cherchons pas à savoir pourquoi il en est ainsi », observait Ralph Waldo Emerson, « mais nous nous demandons pourquoi le mal, la douleur, la faim et les personnes [différentes] existent. » Mais pourquoi existe-t-il une telle fascination pour les gens perturbés ? Voyons-nous en eux quelque chose de nous-mêmes ? À certains moments, nous sentons, nous pensons et nous agissons de la même manière que les personnes perturbées le font la plupart du temps. Bien que moins intensément et plus brièvement, nous aussi pouvons être anxieux, déprimés, repliés sur nous-mêmes, méfiants et en proie à des illusions. Il n'est pas étonnant que l'étude des troubles psychologiques puisse susciter, par moments, l'étrange impression de se reconnaître, ce qui a pour conséquence d'éclairer la dynamique de notre propre personnalité. « Étudier l'anormal est la meilleure façon de comprendre le normal », suggérait William James (1842-1910).

Une autre raison de notre curiosité est que beaucoup d'entre nous ont éprouvé, personnellement ou à travers des amis ou des membres de leur famille, le désarroi et la douleur d'un trouble psychologique qui peuvent engendrer des symptômes physiques inexpliqués, des peurs irrationnelles, ou un sentiment que la vie ne vaut pas d'être vécue. En fait, en tant que membre de la famille humaine, la plupart d'entre nous rencontreront, à un moment ou à un autre, une personne psychologiquement perturbée.

Selon un rapport de l'Organisation mondiale de la santé (OMS, 2008), environ 450 millions de personnes dans le monde souffrent de troubles mentaux ou comportementaux. Ces troubles représentent une perte de 15,4 p. 100 d'années de vie par par décès ou incapacité mentale : ce taux se situe légèrement en dessous des maladies cardiovasculaires et juste au-dessus du cancer (Murray et Lopez, 1996). La prévalence et les symptômes des troubles psychologiques varient selon les cultures mais aucune société n'échappe à deux terribles maladies : la dépression et la schizophrénie (Baumeister et Härter, 2007 ; Draguns, 1990a,b, 1997). Avant de nous plonger plus au cœur de ces maladies, considérons quelques questions plus basiques.

« Qui peut, sur un arc-en-ciel, tracer la frontière entre le violet et l'orange ? Nous voyons clairement la différence entre les couleurs, mais à quel endroit exact les deux couleurs se mélangent-elles ? En est-il de même de la folie et de la normalité ? »
Herman Melville, *Billy Budd, gabier de misaine*, 1924

Vue d'ensemble des troubles psychologiques

LA PLUPART DES GENS S'ACCORDERONT POUR DIRE qu'une personne trop déprimée pour sortir de son lit pendant des semaines souffre d'un trouble psychologique. Mais qu'en est-il de ceux qui, après avoir perdu un être cher, sont incapables de reprendre leurs activités sociales habituelles ? Où devons-nous tracer la frontière entre la tristesse et la dépression ? Entre la créativité farfelue et une étrange irrationalité ? Entre la normalité et l'anormalité ? Commençons par ces questions :

- Comment devons-nous *définir* les troubles psychologiques ?
- Comment devons-nous *comprendre* ces troubles ? Comme des maladies qui doivent être diagnostiquées et soignées ou comme des réponses naturelles à un environnement troublant ?
- Comment *classer* les troubles psychologiques ? Pouvons-nous le faire d'une façon qui nous permette d'aider les personnes présentant des troubles sans les stigmatiser par des étiquettes ?

Définir les troubles psychologiques

1. Comment devrions-nous tracer la limite entre la normalité et la maladie ?

Les professionnels de la santé mentale considèrent que les **troubles psychologiques** sont des schémas constants de pensées, d'actions ou de sentiments qui sont atypiques (déviants) et entraînent une souffrance et/ou un dysfonctionnement (Comer, 2004).

Être différent (*déviant*) de la plupart des gens appartenant à sa propre culture est un des *éléments* nécessaires pour définir un trouble psychologique. Comme l'observait, en 1862, la poétesse Emily Dickinson, qui vivait recluse :

Acquiescez – vous êtes sain d'esprit –

Opposez-vous – vous êtes aussitôt dangereux –

et attaché avec une chaîne.

Les standards qui déterminent le caractère déviant du comportement varient selon les cultures et le contexte. Dans un contexte comme la guerre, le massacre peut même être considéré comme héroïque. Dans certains contextes, les individus sont considérés comme « dérangés » lorsqu'ils entendent des voix. Mais dans les cultures qui pratiquent le culte des morts, les gens peuvent affirmer parler aux morts sans être pour autant considérés comme des malades parce qu'il y a assez de gens pour les trouver rationnels (Friedrich, 1987).

Les standards du caractère déviant varient aussi avec le temps. De 1952 au 9 décembre 1973, l'homosexualité était une maladie. Le 10 décembre au soir, elle ne l'était plus. L'*American Psychiatric Association* a rayé l'homosexualité de la liste des troubles parce que de plus en plus de membres de cette association ne considéraient plus l'homosexualité comme un problème psychologique. (Des recherches ultérieures ont cependant révélé que la honte et les stress associés au fait d'être homosexuel augmentaient cependant les risques de troubles mentaux [Meyer, 2003].) En ce nouveau siècle, la controverse tourne autour du diagnostic du *trouble du déficit de l'attention avec hyperactivité*, fréquemment établi chez l'enfant (TDAH, *voir* Regard critique sur : TDAH – hyperactivité normale ou véritable trouble ?).

REGARD CRITIQUE SUR

TDAH – hyperactivité normale ou véritable trouble ?

Todd, âgé de 8 ans, a toujours débordé d'énergie. À la maison, il bavarde sans arrêt et passe sans cesse d'une activité à l'autre, se posant rarement pour lire un livre ou se concentrer sur un jeu. Lorsqu'il joue, il est téméraire et réagit de manière excessive quand ses camarades le bousculent ou lui prennent ses jeux. À l'école, ses professeurs exaspérés se plaignent que Todd ne tient pas en place, qu'il n'écoute pas ou ne suit pas les consignes, qu'il n'arrive tout simplement pas à rester assis et faire ses leçons.

Si Todd est examiné par un psychologue ou un psychiatre, celui-ci diagnostiquera peut-être un **trouble du déficit de l'attention avec hyperactivité (TDAH)**, comme environ 4 p. 100 des enfants qui présentent au moins un de ces symptômes-clés (inattention extrême, hyperactivité et impulsivité) (*National Institute of Mental Health*, 2003).

Pour les sceptiques, le fait d'être distrait, agité et impulsif ressemble étrangement à un « trouble » provoqué par une seule variation génétique : le chromosome Y. Ce qui est sûr, c'est que le TDAH est diagnostiqué deux à trois fois plus souvent chez les garçons que chez les filles. Doit-on croire la formule : enfants pleins d'énergie + école ennuyeuse = diagnostic excessif de TDAH ? Cette étiquette n'est-elle pas appliquée à des enfants scolarisés en bonne santé qui, dans un environnement extérieur plus naturel, sembleraient parfaitement normaux ?

C'est ce que pensent les sceptiques. Ils ont remarqué qu'au cours de la décennie qui a suivi 1987, la proportion d'enfants américains traités pour TDAH avait presque quadruplé (Olfson et coll., 2003). En 2005, selon une enquête Gallup effectuée sur les 13-17 ans, 10 p. 100 des adolescents américains déclaraient prendre des médicaments prescrits contre le TDAH (Mason, 2005). La fréquence du diagnostic dépend en partie des envois des enfants aux médecins par les enseignants. Certains enseignants envoient beaucoup d'enfants aux médecins pour estimer l'existence de TDAH ; d'autres n'en envoient aucun. Le taux de TDAH varie d'un facteur 10 selon les différents comtés de l'État de New York (Carlson, 2000).

De l'autre côté se trouvent ceux qui considèrent que l'augmentation de la fréquence du diagnostic du TDAH reflète l'augmentation de la conscience de l'existence de cette maladie, en particulier dans les régions où ce taux est le plus élevé. Ils reconnaissant la subjectivité et le manque de constance de ce diagnostic – la définition du TDAH n'est pas aussi objective que celle d'un bras cassé. Néanmoins la *World Federation for Mental Health* (2005) a déclaré que « la communauté scientifique internationale est fortement d'accord pour considérer le TDAH comme une véritable maladie neurobiologique et que son existence ne devrait plus être débattue ». Un consensus établi par 75 chercheurs note que les études par imagerie neurologique montrent que le TDAH est associé à certains schémas d'activité cérébrale (Barkley et coll., 2002).

Que savons-nous des causes du TDAH ? Il n'est pas provoqué par un excès de sucre ou de mauvaises écoles. (Les chercheurs ont découvert, cependant, que les enfants qui regardaient beaucoup la télé à l'âge de trois ans avaient plus de risques que la moyenne de développer les symptômes du TDAH à l'âge de 7 ans [Christakis et coll., 2004].) Il coexiste souvent avec un trouble de l'apprentissage ou avec un comportement provoquant et sujet à la colère. Selon le *National Institute of Mental Health* (1999, 2003), le TDAH est héréditaire et des équipes de recherche traquent les gènes responsables (Brookes et coll., 2006). Il est traitable par des médicaments n'entraînant pas de dépendance comme la Ritaline® et l'Adderall® qui, bien que ce soient des stimulants, aident à calmer l'hyperactivité et augmentent les capacités d'une personne à s'asseoir et à se concentrer sur une tâche. Les psychothérapies, comme celles centrées sur le modelage du comportement en classe et à la maison, ont également aidé à soulager la souffrance du TDAH.

Les nouvelles études sur cette maladie tentent de trouver, d'une part, plus d'informations sur les causes et, d'autre part, une méthode d'évaluation plus objective du TDAH, à l'aide de mesures comme la mesure physique de l'agitation, l'utilisation d'un appareil de traçage oculaire qui mesure la capacité à se concentrer sur des points lumineux et à les suivre, ainsi que des imageries cérébrales plus détaillées (Ashtari et coll., 2004 ; Pavlidis, 2005 ; Teicher, 2002).

D'autres recherches se concentrent sur les effets de l'utilisation à long terme de ces médicaments stimulants. Environ 80 p. 100 des enfants traités médicalement pour TDAH nécessitent encore un traitement à l'adolescence et 50 p. 100 ou plus en ont besoin à l'âge adulte. Il semble que les personnes en tolèrent la prise à long terme sans risques liés à l'abus de ces substances (Biederman et coll., 1999). Cependant, une des principales études de longue durée a trouvé que les avantages de ces médicaments disparaissaient au bout de 3 ans (Jensen et coll., 2007). Une des explications possibles provient d'une autre étude récente qui s'est basée sur les images cérébrales pour observer le développement des enfants chez qui le diagnostic de TDAH avait été établi (Shaw et coll., 2007). Comparés à leurs camarades, la maturation du cerveau de ces enfants était normale mais en retard d'environ trois ans, avec un retard de l'amincissement (ou *pruning*) du cortex cérébral frontal. De ce fait, beaucoup d'enfants âgés de 5 ans hyperactifs et nerveux se transforment en adolescents normaux.

Ce qu'il faut retenir : l'inattention extrême, l'hyperactivité et l'impulsivité peuvent faire dérailler la réussite sociale, scolaire et professionnelle, et ces symptômes peuvent être traités par des médicaments ou d'autres traitements. Toutefois, le débat continue : n'établit-on pas trop souvent le diagnostic de trouble psychiatrique en face d'une turbulence normale ? L'utilisation prolongée de stimulants dans le traitement du TDAH n'a-t-elle pas un coût ?

Mais présenter un trouble psychologique, ce n'est pas simplement être déviant. Les médaillés d'or aux Jeux olympiques ont des capacités physiques hors normes, pourtant, la société les honore. Pour considérer un comportement déviant comme une maladie, il faut que la personne en *souffre*. Il est clair que Marc, Greta et Stuart souffraient tous les trois de leur comportement.

Les comportements déviants et entraînant une souffrance ont plus de chances d'être considérés comme des troubles lorsqu'ils sont jugés aussi comme un *dysfonctionnement nuisible* (Wakefield, 1992, 2006). Par exemple, le comportement obsessionnel qui distrait Marc interfère avec son travail et ses loisirs. Si l'on se base sur cette mesure, même des comportements habituels, comme les découragements occasionnels qu'éprouvent de nombreux étudiants, peuvent signaler un trouble psychologique *s*'ils deviennent handicapants. Pour définir un trouble, le dysfonctionnement est un élément-clé : la peur des araignées peut être irrationnelle, mais si cela n'entrave pas votre vie, elle n'est pas considérée comme un trouble.

:: **Trouble psychologique** : comportement jugé atypique (déviant), entraînant une souffrance et un dysfonctionnement.

:: **Trouble du déficit de l'attention avec hyperactivité (TDAH)** : trouble psychologique marqué par l'apparition, vers l'âge de 7 ans, d'au moins un de ces trois symptômes-clés : inattention extrême, hyperactivité et impulsivité.

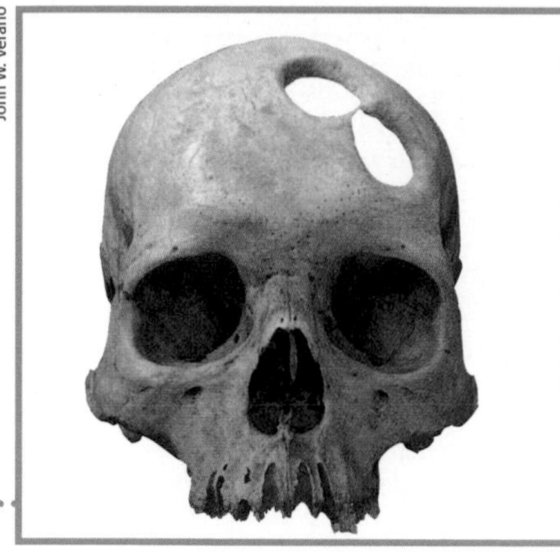

John W. Verano

Les « traitements » d'hier En d'autres temps et en d'autres lieux, les personnes souffrant de troubles psychologiques recevaient des traitements brutaux, comme cette trépanation préhistorique très nette sur ce crâne datant de l'âge de la pierre. Ces trous dans le crâne ont peut-être été forés dans le but de libérer l'esprit du diable et guérir les patients atteints de maladies mentales. Ce patient a-t-il survécu à cette « cure » ?

Comprendre les troubles psychologiques

2. Quels points de vue peuvent nous aider à comprendre les troubles psychologiques ?

Pour expliquer les comportements troublants, nos ancêtres pensaient souvent que des forces étranges – le mouvement des étoiles, des pouvoirs divins ou l'esprit de démons – étaient à l'œuvre. Si vous aviez vécu au Moyen Âge, vous auriez pu dire : « C'est le diable qui lui a fait faire cela » et vous auriez peut-être approuvé comme traitement de supprimer la force maléfique en exorcisant le démon. Jusqu'à il y a 200 ans, les « fous » étaient parfois mis en cage dans des conditions comparables à celles d'un zoo ou recevaient des « traitements » appropriés pour se débarrasser des démons : ils étaient brûlés, battus ou castrés. À d'autres époques, les traitements comprenaient la trépanation (forer des trous dans le crâne), l'arrachage de dents, le retrait de fragments d'intestin, la cautérisation du clitoris, ou la transfusion par du sang animal (Farina, 1982).

Le modèle médical

En réponse à ces traitements brutaux, les réformateurs, comme Philippe Pinel (1745-1826) en France, insistèrent sur le fait que la folie n'était pas due à la possession par le démon, mais à une maladie de l'esprit survenant en réponse à des tensions sévères ou à des conditions inhumaines. Pour Pinel et d'autres, le « traitement moral » signifiait améliorer le moral du patient en lui retirant ses chaînes, en lui parlant et en remplaçant la brutalité par la douceur, l'isolement par l'activité et les endroits sombres et sales par l'air pur et le soleil.

Vers 1800, la découverte que la syphilis affectait le cerveau et troublait l'esprit donna l'élan à de nouvelles réformes. Les asiles furent remplacés par des hôpitaux et le monde médical commença à rechercher des causes physiques à ces troubles mentaux ainsi que des traitements médicaux pouvant les guérir. Aujourd'hui, ce **modèle médical** est reconnaissable dans la terminologie médicale du mouvement pour la *santé* mentale : une *maladie* mentale (également appelée psycho*pathologie*) doit être *diagnostiquée* sur la base de ses *symptômes* et *guérie* par une *thérapie* qui peut inclure un *traitement* dans un *hôpital* psychiatrique.

Georges Wesley Bellows, *Dance in a Madhouse*, 1907. © 1997 The Art Institute of Chicago.

« Traitement moral » Sous l'influence de Philippe Pinel, les hôpitaux parrainaient des soirées dansantes pour leurs patients comme le « Bal des fous » montré sur cette peinture de George Bellows (*Dance in a Madhouse*).

Le point de vue médical a gagné en crédibilité à la suite de découvertes récentes que des anomalies cérébrales biochimiques et structurales, influencées génétiquement, contribuent à de nombreux troubles. Mais comme nous le verrons, des facteurs psychologiques tels que les stress persistants ou des chocs traumatiques jouent également un rôle important.

L'approche biopsychosociale

Les psychologues modernes prétendent que *tous* les comportements, qu'ils soient appelés normaux ou perturbés, proviennent des interactions entre l'inné (facteurs génétiques et physiologiques) et l'acquis (expériences passées et présentes). Considérer qu'une personne est « mentalement malade », c'est attribuer cet état de fait à une « maladie » qui doit être reconnue et traitée. Mais peut-être s'agit-il plutôt (ou existe-t-il en plus) de difficultés liées à l'environnement du sujet, à son interprétation actuelle des événements ou bien à de mauvaises habitudes et à des aptitudes sociales médiocres.

Les preuves en faveur de l'existence de ces effets proviennent des liens existant entre des troubles psychologiques spécifiques et certaines cultures (Beardsley, 1994 ; Castillo, 1997). Des cultures différentes présentent des stress d'origine différente et s'en accommodent de différentes façons. L'anorexie mentale et la boulimie, par exemple, sont des troubles alimentaires principalement observés dans les cultures occidentales. L'Amérique

« Il n'y a aucune mesure sanitaire qui soit appropriée à une société profondément malade. »
Krishnamurti, 1895-1986

En Malaisie, le mot *amok* décrit l'explosion soudaine d'un comportement violent (d'où l'expression anglaise « *run amok* », être en proie à une forte excitation, se déchaîner).

Latine présente des cas de *susto*, un état caractérisé par une anxiété très importante, une agitation et une crainte de la magie noire. Au Japon, on trouve un trouble appelé *taijin-kyofusho* qui combine une anxiété sociale du paraître avec la propension à rougir facilement et la crainte de croiser un regard. Ces troubles peuvent avoir en commun une même dynamique sous-jacente (l'anxiété) mais différer par les symptômes (problèmes alimentaires ou types de peur) qui se manifestent dans différentes cultures. Cependant, tous les troubles ne sont pas liés à la culture. Comme nous l'avons vu précédemment, la dépression et la schizophrénie se produisent partout dans le monde. De l'Asie à l'Afrique en passant par l'Amérique, les symptômes de la schizophrénie englobent souvent une irrationalité et des discours incohérents.

Le modèle biopsychosocial (FIGURE 14.1) peut nous aider à évaluer l'ensemble des influences - les prédispositions génétiques et les états physiologiques, la dynamique psychologique interne, les circonstances socioculturelles. Cette approche reconnaît que le corps et l'esprit sont inséparables. Les émotions négatives contribuent à la maladie physique et les anomalies physiques contribuent aux émotions négatives. Nous sommes en fait un esprit incarné.

Influences biologiques :
- évolution
- gènes individuels
- structure et biochimie cérébrales

Influences psychologiques :
- stress
- traumatisme
- impuissance acquise
- perceptions et souvenirs liés à l'humeur

Troubles psychologiques

Influences socioculturelles :
- rôles
- attentes
- définitions de la *normalité* et du *trouble*

➤ FIGURE 14.1
L'approche biopsychosociale des troubles psychologiques
La psychologie moderne étudie comment les facteurs socioculturels, biologiques et psychologiques interagissent pour engendrer des troubles psychologiques spécifiques.

Classer les troubles psychologiques

3. Comment et pourquoi les cliniciens classent-ils les troubles psychologiques ?

En biologie comme dans les autres sciences, la classification crée un ordre. La classification d'un animal parmi les mammifères nous renseigne sur un grand nombre d'éléments - cela nous indique qu'il a le sang chaud, possède des poils ou de la fourrure et nourrit ses petits avec du lait. En psychiatrie et en psychologie également, la classification ordonne et décrit des symptômes. Classer le trouble psychologique d'un individu dans la catégorie « schizophrénie » suggère qu'il parle de façon incohérente, qu'il hallucine ou qu'il délire (qu'il a des croyances bizarres), qu'il montre peu d'émotion ou des émotions inappropriées et qu'il est socialement à l'écart. Ainsi, le terme « schizophrénie » fournit un résumé pratique pour décrire un trouble complexe.

En psychiatrie et en psychologie, le classement par diagnostic a non seulement pour objet de décrire un trouble, mais aussi d'en prévoir l'évolution, d'impliquer un traitement approprié et de stimuler la recherche de ses causes. En effet, pour étudier un trouble, nous devons d'abord le nommer et le décrire. Le modèle de référence actuel pour classer les troubles psychologiques est le **DSM-IV-TR**. Cet ouvrage est le *Manuel diagnostique et statistique des troubles mentaux* (4e édition) de l'*American Psychiatric Association* révisé en 2000. La publication du DSM-V en 2012 entraînera sa réactualisation substantielle. (Le livre qui accompagne le DSM-IV-TR, comportant de multiples exemples de cas cliniques, a servi de support à ce chapitre.) Le DSM-IV-TR a été développé en coordination étroite avec la 10e édition de la *Classification internationale des maladies* (CIM-10) éditée par l'OMS, qui couvre l'ensemble des troubles médicaux et psychologiques.

Malgré sa terminologie médicale (*diagnostic, symptômes, maladie*), la plupart des praticiens considèrent que le DSM-IV-TR est un outil utile et pratique. Il a également des implications économiques, puisque la plupart des compagnies d'assurance nord-américaines réclament un diagnostic fondé sur le CIM-10 avant de rembourser un traitement.

Le DSM-IV-TR définit un processus diagnostique et seize syndromes cliniques (TABLEAU 14.1, page suivante). Il décrit les divers troubles sans faire de supposition concernant leurs causes. Pour être utile aux praticiens et les aider, les catégories et les grandes lignes diagnostiques doivent être fiables, et en grande partie c'est le cas. Si un psychiatre ou un psychologue déclare qu'une personne souffre, par exemple, d'une schizophrénie catatonique, il y a de grandes chances qu'un autre spécialiste de la santé mentale établisse le même diagnostic sans qu'il y ait eu concertation. En suivant ces lignes directrices, les cliniciens répondent à une série de questions objectives à propos de comportements observables, par exemple : « La personne

« Je suis tout le temps comme ça, et ma famille se demandait si vous pouviez me prescrire un dépresseur léger. »

:: Modèle médical : concept selon lequel les maladies, dans le cas des troubles psychologiques, ont des causes physiques qui peuvent être *diagnostiquées*, *traitées* et, dans la plupart des cas, *guéries* souvent par un *traitement* dans un hôpital.

:: DSM-IV-TR : *Diagnostic and Statistical Manual of Mental Disorders* (4e édition), édité par l'*American Psychiatric Association* avec une actualisation récente ; c'est un système très utilisé pour classer les troubles psychologiques.

TABLEAU 14.1

Comment diagnostiquer les troubles psychologiques ?

En se fondant sur des examens, des entretiens et des observations, beaucoup de cliniciens établissent le diagnostic en répondant aux questions suivantes, placées à cinq niveaux (ou *axes*) du DSM-IV-TR. (Les chapitres entre parenthèses font référence à notre ouvrage.)

Axe 1 : Existe-t-il un *syndrome clinique* ?
Par des critères spécifiquement définis, les cliniciens peuvent sélectionner un, plusieurs ou aucun syndrome de la liste suivante :

- Troubles diagnostiqués généralement pour la première fois durant la petite enfance, l'enfance ou l'adolescence
- Delirium, démence, amnésie ou autres troubles cognitifs (Chapitre 5)
- Troubles mentaux liés à une maladie médicale générale
- Troubles provoqués par une substance (Chapitre 3)
- Schizophrénie et autres troubles psychiatriques (présent chapitre)
- Troubles de l'humeur (présent chapitre)
- Troubles anxieux (présent chapitre)
- Troubles somatoformes (présent chapitre)
- Troubles factices (intentionnellement simulés)
- Troubles dissociatifs (présent chapitre)
- Troubles alimentaires (Chapitre 11)
- Troubles sexuels et troubles de l'identité sexuelle (Chapitre 11)
- Troubles du sommeil (Chapitre 3)
- Troubles du contrôle des pulsions non classés ailleurs
- Troubles de l'adaptation
- Autres troubles qui peuvent attirer l'attention clinique

Axe 2 : Existe-t-il un *trouble de la personnalité* ou un *retard mental* ?
Les cliniciens peuvent sélectionner ou non une de ces deux pathologies

Axe 3 : Existe-t-il une *pathologie médicale générale* comme le diabète, l'hypertension ou l'arthrite ?

Axe 4 : Existe-t-il des *problèmes psychosociaux* ou *liés à l'environnement*, comme des problèmes scolaires ou de logement ?

Axe 5 : Quelle est l'*évaluation globale* du fonctionnement de cette personne ?
Les cliniciens doivent attribuer un score allant de 0 à 100

a-t-elle peur de sortir de chez elle ? ». Au cours d'une étude, 16 psychologues ont utilisé cette procédure d'entretien structuré pour diagnostiquer si 75 patients atteints de troubles psychiatriques souffraient (1) d'une dépression, (2) d'une anxiété généralisée ou (3) d'autres troubles (Riskind et coll., 1987). Sans connaître le diagnostic du premier psychologue, un autre psychologue visionnait la bande de chaque entretien et proposait une seconde opinion. Les deux opinions concordaient pour 83 p. 100 des patients.

Certains critiques reprochent à ce manuel de proposer un éventail beaucoup trop large ramenant « quasiment tous les types de comportement dans le cercle de la psychiatrie » (Eysenck et coll., 1983). D'autres remarquent que du fait de l'augmentation du nombre de catégories (de 60 dans le DSM de 1950 à 400 dans celui d'aujourd'hui), le nombre d'adultes répondant aux critères d'au moins l'une d'entre elles a également augmenté, représentant 26 p. 100 en une année selon le *National Institute of Mental Health* (2008) et 46 p. 100 à un moment donné de la vie de chaque individu (Kessler et coll., 2005). Le nombre d'enfants chez qui le diagnostic de trouble psychologique a été posé s'est également multiplié, triplant pour atteindre 6 millions d'enfants depuis le début des années 1990 selon certaines publications (Carey, 2006). Les sautes d'humeur des adolescents d'aujourd'hui sont plus souvent considérées comme des « troubles bipolaires ». Les tempéraments coléreux, polémiques, susceptibles et rancuniers, sont plus souvent considérés comme des « troubles oppositionnels défiants » (trouble des

GROS PLAN

Le « non-DSM » : manuel diagnostique des aptitudes humaines

Les psychologues Christopher Peterson et Martin Seligman (2004) reconnaissent l'utilité du DSM-IV-TR pour classer et définir des dysfonctionnements. Mais ils se sont demandés s'il ne serait pas utile d'éditer un manuel similaire des aptitudes humaines : les tendances à penser, ressentir et agir qui contribuent à une *bonne* vie pour soi-même et pour les autres.

Le résultat, le *Values in Action Classification of Strengths*, ressemble au DSM-IV-TR en proposant un vocabulaire commun fondé sur des recherches. Un questionnaire, rempli par près de 1 million de personnes dans le monde entier (sur viastrengths.org) évalue six ensembles de 24 aptitudes :

- ***Sagesse et connaissances*** – curiosité ; désir d'apprendre ; jugement critique et ouverture d'esprit ; créativité ; sens de la mesure (sagesse)
- ***Courage (capacité de faire opposition)*** – bravoure/valeur ; zèle et persévérance ; intégrité et honnêteté ; vitalité (entrain et enthousiasme)
- ***Humanité*** – amour ; gentillesse ; et intelligence sociale
- ***Justice*** – esprit de citoyenneté et de travail d'équipe ; impartialité et équité ; qualités de leader
- ***Modération*** – humilité ; maîtrise de soi ; prudence et attention ; mansuétude et clémence
- ***Transcendance*** – appréciation de la beauté ; admiration/émerveillement ; reconnaissance ; espoir et optimisme ; enjouement et humour ; spiritualité et détermination

Cette classification des aptitudes humaines est une autre expression du *mouvement de la psychologie positive* (Chapitre 13). La science de la psychologie cherche à comprendre et à soulager les maladies et les démons humains, reconnaissent les partisans de la psychologie positive, mais aussi à comprendre et à promouvoir les forces et les vertus de l'homme.

conduites). Les enfants impulsifs, inattentifs, agités sont souvent considérés comme souffrant de TDAH. Pour compléter le DSM, certains psychologues offrent un manuel des aptitudes et des vertus humaines (*voir* Gros plan : Le « non-DSM » : manuel diagnostique des aptitudes humaines).

Étiqueter les troubles psychologiques

4. Pourquoi certains psychologues critiquent-ils l'emploi des étiquettes diagnostiques ?

Le DSM attire d'autres critiques qui expriment des problèmes encore plus fondamentaux, c'est-à-dire que ces étiquettes sont, au mieux, arbitraires et, au pire, un ensemble de jugements de valeur sous couvert de science. Lorsque nous avons étiqueté une personne, nous la voyons différemment (Farina, 1982). Les étiquettes créent des idées préconçues qui peuvent guider nos perceptions et nos interprétations.

Dans une étude devenue classique du pouvoir déformant des étiquettes, David Rosenhan (1973) et sept de ses collaborateurs se présentèrent aux bureaux d'admission d'hôpitaux en se plaignant d'« entendre des voix » qui disaient *vide*, *creux* et *bruits sourds*. Hormis ce problème, et tout en donnant de faux noms et de fausses professions, ils répondirent honnêtement à toutes les questions. Tous les huit furent diagnostiqués comme malades.

Devons-nous être surpris ? Comme le signale un psychiatre, si quelqu'un avale du sang, arrive à un service d'urgences et le recrache, va-t-on blâmer le médecin d'avoir diagnostiqué un ulcère hémorragique ? Sûrement pas. Mais dans l'étude de Rosenhan, c'est ce qui suivit le diagnostic qui fut plus étonnant. Avant qu'ils soient « libérés » (en moyenne 19 jours plus tard), les « patients » n'éprouvèrent plus aucun symptôme. Malgré cela, après avoir analysé les histoires (presque normales) de leur existence, les cliniciens furent capables de « découvrir » les causes de leurs troubles, par exemple une réaction à des émotions ambivalentes vis-à-vis d'un parent. Même les comportements normaux des « patients », comme le fait de prendre des notes, furent souvent mal interprétés et pris pour des symptômes.

Les étiquettes ont de l'importance. Lorsque les gens regardent des cassettes vidéo d'entretiens, ceux à qui on a dit que la personne passant l'entretien postulait pour un emploi l'ont perçue comme normale (Langer et coll., 1974, 1980). Ceux qui pensaient qu'ils voyaient un patient atteint de troubles psychiatriques ou d'un cancer le percevaient

« Un tort impardonnable, aux yeux de la plupart des gens, est pour un homme de n'avoir point d'étiquette. Le monde regarde un tel individu comme la police regarde un chien sans muselière, comme quelqu'un qui n'est pas sous contrôle. »
T. H. Huxley, *Evolution and Ethics*, 1893

comme « différent de la plupart des gens ». Des thérapeutes qui pensaient que la personne interrogée était un malade psychiatrique la considéraient comme « effrayée par ses propres pulsions agressives », « une personne de type passif, dépendante » et ainsi de suite. Une étiquette peut, comme le découvrit Rosenhan, aussi avoir « une existence et une influence qui lui sont propres ».

Des enquêtes menées en Europe et en Amérique du Nord ont mis en évidence le pouvoir stigmatisant des étiquettes (Page, 1997). Trouver un travail ou une location peut être un véritable défi pour ceux qui viennent juste d'être libérés de prison ou d'un hôpital psychiatrique. Cependant, à mesure que nous parvenons à une meilleure compréhension des troubles psychologiques et à les considérer non comme des défaillances du caractère, mais comme des maladies du cerveau, ces stigmates semblent se dissiper (Solomon, 1996). Des personnalités publiques se sentent de plus en plus à l'aise lorsqu'elles ressentent l'envie de s'ouvrir et de parler en toute franchise de leurs moments de désarroi face à des troubles tels que la dépression. Plus les gens entrent en contact avec des patients souffrant de troubles psychiques, plus leur attitude d'acceptation envers les autres se développe (Kolodziej et Johnson, 1996).

Néanmoins, les stéréotypes persistent dans les portraits faits par les médias des troubles psychologiques. Certains sont raisonnablement exacts et sympathiques. Mais trop souvent les personnes atteintes de troubles sont montrées comme des objets de dérision ou couverts de ridicule (*Pour le pire et pour le meilleur*), comme des maniaques criminels (Hannibal Lecter dans *Le silence des agneaux*) ou comme des « monstres » (Nairn, 2007). Mis à part les quelques personnes qui sont sujettes à des idées délirantes ou des hallucinations leur faisant entendre des voix qui leur commandent de commettre des actes de violence, les troubles mentaux conduisent rarement à la violence (Harris et Lurigio, 2007). Dans la vraie vie, les personnes atteintes de ces troubles ont plus de risques d'être les victimes de violence plutôt que d'en être les instigateurs (Marley et Bulia, 2001). En effet, comme l'affirme le *US Surgeon General's Office* (1999, p. 7) : « Si vous avez un contact fortuit avec une personne présentant des troubles mentaux, il y a peu de risques qu'elle soit violente et tente de vous faire du mal ». (Bien que la plupart des personnes atteintes de troubles psychologiques ne soient pas violentes, celles qui le sont engendrent un dilemme pour la société. Pour en savoir plus à ce sujet, reportez-vous à Regard critique sur : La folie et la responsabilité.)

Les étiquettes biaisent non seulement les perceptions, mais elles peuvent également modifier la réalité. Lorsque l'on dit à des enseignants que certains étudiants sont « doués », lorsque des étudiants s'attendent à ce que quelqu'un soit « hostile », ou lorsque des enquêteurs testent quelqu'un pour savoir s'il est « extraverti », ils peuvent se comporter de façon à susciter exactement le comportement attendu (Snyder, 1984). Quelqu'un que l'on a amené à penser que vous êtes désagréable peut vous traiter froidement, vous incitant à répondre comme l'aurait fait une personne désagréable. Les étiquettes peuvent servir de prophéties qui s'accomplissent d'elles-mêmes.

Mais rappelons-nous aussi les *avantages* des diagnostics. Les professionnels de la santé mentale utilisent les diagnostics pour communiquer entre eux à propos des cas qui les préoccupent, comprendre les causes sous-jacentes et évaluer les programmes thérapeutiques efficaces.

« À quoi ça leur sert d'avoir un nom », dit le Moucheron, « s'ils ne répondent pas quand on les appelle ? »
« Ça ne leur sert à rien à *eux*, mais je suppose que c'est utile aux gens qui leur donnent des noms », dit Alice.

Lewis Carroll, *De l'autre côté du miroir*, 1871

AVANT D'ALLER PLUS LOIN...

➤ INTERROGEZ-VOUS

Selon vous, où se situe la limite entre l'hôpital psychiatrique et la prison pour un criminel perturbé ? Le passé de ce criminel (des abus pendant l'enfance, par exemple) peut-il influencer votre point de vue ?

➤ TESTEZ-VOUS 1

Quelle est la perspective biopsychosociale des troubles psychologiques ? Pourquoi est-elle importante pour les comprendre ?

Les réponses aux questions « Testez-vous » sont données dans l'annexe B à la fin de l'ouvrage.

REGARD CRITIQUE SUR

La folie et la responsabilité

« C'est mon cerveau... mes gènes... ma mauvaise éducation qui m'ont poussé à faire ça ». Dans *Hamlet*, Shakespeare anticipait déjà ce mode de défense : « Si j'ai trompé quelqu'un lorsque je n'étais pas moi-même, expliquait-il, alors Hamlet ne l'a pas fait, Hamlet le nie. Qui donc l'a fait ? Sa folie. » La folie est devenue légale dans les modes de défense en 1843, après qu'un Écossais halluciné eut essayé d'abattre le Premier ministre (qui, pensait-il, le persécutait) et eut tué son secrétaire par erreur. Cet Écossais, Daniel M'Naughten, fut envoyé dans un hôpital psychiatrique plutôt qu'en prison, comme John Hinckley qui tira sur le président Ronald Reagan et faillit le tuer.

Dans les deux cas, le public fut indigné. « Hinckley dément, le public est fou », titra un journal. Il le fut à nouveau quand, en 1991, Jeffrey Dahmer avoua avoir assassiné 15 jeunes gens avant de manger des parties de leur corps. La population fut choquée quand, en 1998, Kip Kinkel (15 ans), poussé par « ces voix dans ma tête », tua ses parents, deux de ses camarades et en blessa 25 autres, à Springfield (Oregon). On fut également perturbé quand, en 2002, Andrea Yates, à qui l'on avait supprimé son traitement antipsychotique, fut jugée au Texas pour avoir noyé ses 5 enfants. Toutes ces personnes furent envoyées en prison et non dans un hôpital après leur arrestation (bien que plus tard, après un procès en appel, Yates fût hospitalisée).

La plupart des personnes atteintes de troubles psychologiques ne sont pas violentes. Mais que doit faire la société de ceux qui le sont ? Une étude effectuée par le ministère de la Justice américain en 1999 a montré que 16 p. 100 des détenus américains avaient des troubles psychologiques sévères. Cela représente grossièrement 100 000 personnes de plus que les 183 000 personnes hospitalisées pour des troubles psychiatriques dans tous les types d'hôpitaux américains (*Bureau of the Census*, 2004 ; Butterfield, 1999). Un grand nombre de personnes qui ont été exécutées ou condamnées à mort présentaient un retard mental ou entendaient des voix. L'État de l'Arkansas a administré de force des médicaments antipsychotiques à un meurtrier atteint de schizophrénie, Charles Singleton, afin de le rendre mentalement apte pour son exécution.

AP Photo/SIPA

L'hôpital ou la prison ? Deux semaines après que son psychiatre a arrêté les médicaments antipsychotiques, Andrea Yates noya ses cinq enfants âgés de 7, 5, 3, 2 ans et 6 mois dans sa baignoire, croyant apparemment les épargner des « feux de l'enfer ». Bien qu'elle fût psychotique, le premier jury rejeta la folie prônée par la défense, pensant que Yates aurait pu discerner le bon du mauvais. Lors de la révision du procès en appel, le deuxième jury la considéra comme non coupable en raison de sa folie.

Lequel des deux jurys de Yates a pris la bonne décision ? Le premier qui décida que les personnes qui commettent ces crimes rares mais terribles doivent être tenues pour responsables ? Ou le second qui décida de blâmer la « folie » qui brouilla sa vision ? À mesure que nous en venons à mieux comprendre les fondements biologiques et environnementaux de l'ensemble des comportements humains, de la générosité au vandalisme, quand devrions-nous tenir les gens pour responsables de leurs actes, et quand ne devrions-nous pas le faire ?

Troubles anxieux

5. Comment définir les troubles anxieux ? En quoi diffèrent-ils des inquiétudes et des craintes ordinaires ?

L'ANXIÉTÉ FAIT PARTIE DE LA VIE. EN PARLANT devant une classe, en jetant un regard du haut d'une falaise, en attendant le début d'un match important, chacun d'entre nous peut se sentir anxieux. Parfois, nous pouvons ressentir suffisamment d'anxiété pour fuir le regard de quelqu'un ou éviter de lui parler – nous appelons cela de la « timidité ». Heureusement, pour la majorité d'entre nous, cette sensation de malaise n'est ni intense ni durable. Si elle le devient, il est possible que nous souffrions de l'un des **troubles anxieux**, caractérisés par une anxiété persistante et angoissante, ou des comportements inadaptés pour réduire l'anxiété. Considérons ces cinq troubles :

- Le *trouble de l'anxiété généralisée*, lorsqu'une personne est continuellement tendue et mal à l'aise de manière inexplicable.
- Le *trouble panique*, lorsqu'une personne est prise de crises soudaines de craintes intenses.

:: Troubles anxieux : troubles psychologiques caractérisés par une anxiété pénible et persistante ou des comportements inadaptés pour réduire l'anxiété.

Instantanés

Obsédée par les troubles obsessionnels compulsifs

• Le sexe et l'anxiété : 8 mois après les attentats du 11 septembre, 34 p. 100 des femmes contre 19 p. 100 des hommes aux États-Unis ont déclaré dans une enquête Gallup (2002) avoir encore plus peur des gratte-ciel et de prendre l'avion. Début 2003, les femmes craignaient davantage que les hommes (57 p. 100 contre 36 p. 100) d'être victimes du terrorisme (Jones, 2003). •

::Trouble de l'anxiété généralisée : trouble anxieux dans lequel une personne est constamment tendue, inquiète et dans un état de stimulation du système nerveux autonome.

::Trouble panique : trouble anxieux marqué par des épisodes imprévisibles (crises de panique) de crainte intense durant plusieurs minutes, au cours desquels la personne éprouve une terreur accompagnée de douleurs dans la poitrine, de suffocation ou d'autres sensations effrayantes.

::Phobie : trouble anxieux caractérisé par une peur permanente et irrationnelle et l'évitement d'une situation ou d'un objet spécifique.

::Trouble obsessionnel compulsif (TOC) : trouble anxieux caractérisé par des pensées (obsessions) et/ou des actions (compulsions) répétitives et non souhaitées.

- Les *phobies*, lorsqu'une personne est effrayée de façon intense et irrationnelle par un objet ou une situation spécifique.
- Le *trouble obsessionnel compulsif*, au cours duquel une personne est gênée par des pensées ou des actions répétitives.
- Le *syndrome de stress post-traumatique* au cours duquel une personne a des souvenirs persistants, des cauchemars et d'autres symptômes pendant des semaines après la survenue d'un événement incontrôlable et particulièrement angoissant.

Chaque trouble de l'anxiété par lui-même a une action délétère sur la qualité de la vie (Olatunji et coll., 2007). Nos jours les plus anxieux sont typiquement les jours où nous avons été le plus malheureux (Kashdan et Steger, 2006). Pour les personnes qui sont atteintes de troubles de l'anxiété généralisée, cela s'ajoute à beaucoup de malheur.

Trouble de l'anxiété généralisée

Depuis 2 ans, Tom, un électricien de 27 ans, se plaint d'avoir des étourdissements, des palpitations, des bourdonnements d'oreille et une transpiration excessive des mains. Il se sent énervé et, parfois, il ressent des tremblements. Il parvient assez bien à cacher ses symptômes à sa famille et à ses collègues ; cependant, il se permet peu d'autres contacts sociaux et est parfois obligé de quitter son travail. Son médecin de famille et un neurologue n'ont trouvé aucun problème physique.

Les sentiments négatifs diffus et incontrôlés de Tom font penser à un **trouble de l'anxiété généralisée**. Les symptômes de ce trouble sont assez communs, mais leur persistance ne l'est pas. Ceux qui en souffrent (deux tiers sont des femmes) sont continuellement angoissés, ils sont souvent très nerveux, agités et souffrent d'insomnie. La concentration est difficile, car ils passent d'une contrariété à une autre. L'inquiétude et la tension peuvent se manifester par des froncements de sourcils, des tremblements, une transpiration abondante, des battements de paupières ou des marques d'impatience.

Une des pires caractéristiques de l'anxiété généralisée est l'impossibilité d'identifier, et donc d'éviter sa cause ou d'y faire face. Pour utiliser un terme de Freud, l'anxiété *flotte librement*. L'anxiété généralisée s'accompagne souvent de dépression, mais même si ce n'est pas le cas, elle a tendance à être handicapante (Hunt et coll., 2004 ; Moffitt et coll., 2007b). De plus, elle peut conduire à des problèmes physiques comme des ulcères ou une hypertension artérielle.

Beaucoup de personnes souffrant de troubles de l'anxiété généralisée ont été maltraitées ou inhibées lorsqu'elles étaient enfants (Moffitt et coll., 2007a). À mesure que le temps passe, cependant, les émotions tendent à s'atténuer et vers l'âge de 50 ans, l'anxiété généralisée devient rare (Rubio et López-Ibor, 2007).

Trouble panique

Le **trouble panique** est une tornade d'anxiété. Il frappe subitement, fait des ravages, puis disparaît. Pour une personne sur 75 atteinte de ce trouble, l'anxiété peut subitement s'amplifier jusqu'à devenir une terrifiante *attaque de panique*, un épisode d'une durée de plusieurs minutes qui se manifeste par une peur intense que quelque chose d'horrible est en train de se passer. Des palpitations, un essoufflement, des sensations d'étouffement, des tremblements et des étourdissements accompagnent classiquement l'attaque de panique, qui peut être perçue par erreur comme une crise cardiaque ou un autre problème physique grave. Les risques d'attaques de panique sont au moins deux fois plus élevés chez les fumeurs (Zvolensky et Bernstein, 2005). Comme la nicotine est un stimulant, aller fumer une cigarette ne soulage pas l'angoisse.

Une femme se souvient : « Soudain, j'ai eu des bouffées de chaleur comme si je n'arrivais plus à respirer. Mon cœur s'est emballé et j'ai commencé à transpirer, à trembler, et j'étais sûre de m'évanouir. Mes doigts étaient tout engourdis, je sentais des fourmillements et tout me paraissait irréel. C'était si pénible que j'eus l'impression de mourir, je demandai alors à mon mari de me conduire aux urgences. Le temps d'y arriver (environ 10 minutes), le plus gros de la crise était passé, j'étais exténuée. » (Greist et coll., 1986).

Phobies

La **phobie** est un trouble de l'anxiété au cours duquel une peur irrationnelle amène la personne à éviter des objets, une activité ou une situation. Beaucoup de personnes acceptent leurs phobies et vivent avec, mais d'autres sont handicapées par leurs efforts à éviter la situation angoissante. Marilyn est une jeune femme de 28 ans en bonne santé et très heureuse. Elle a tellement peur des orages qu'elle se sent anxieuse dès qu'un bulletin météorologique en prévoit pour les jours qui suivent. Si son mari est absent et qu'un orage est annoncé, elle reste parfois chez un proche. Pendant un orage, elle s'éloigne de la fenêtre et cache son visage pour ne pas voir les éclairs.

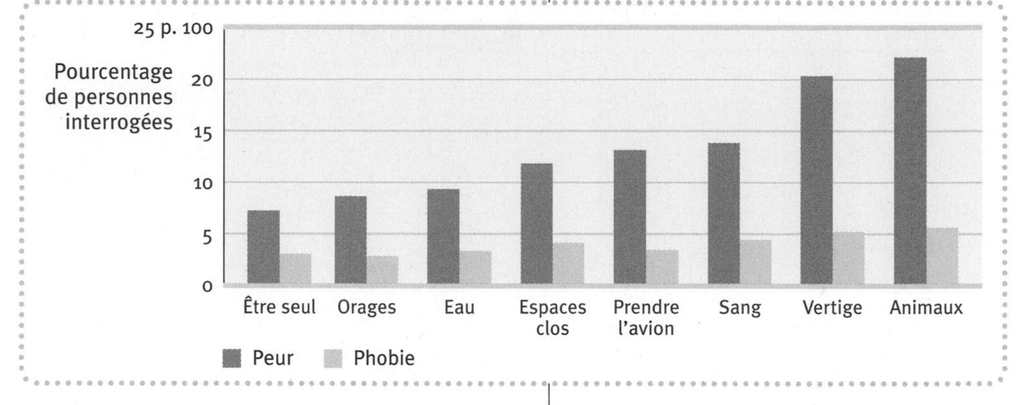

➤ FIGURE 14.2
Quelques peurs communes et peu banales
Cette enquête nationale a identifié la fréquence de diverses peurs particulières. Une peur intense devient une phobie lorsqu'elle provoque un désir irrésistible et irrationnel d'éviter l'objet ou la situation redoutée. (D'après Curtis et coll., 1998.)

D'autres *phobies spécifiques* peuvent se concentrer sur des animaux, des insectes, du sang, des espaces clos ou la hauteur (FIGURE 14.2). Souvent les personnes évitent le stimulus responsable de la peur, par exemple en se cachant durant un orage ou en évitant de se trouver sur des hauteurs.

Toutes les phobies n'ont pas d'éléments déclencheurs aussi spécifiques. La *phobie sociale* est une timidité amenée à l'extrême. Ceux qui sont atteints de phobie sociale ont une peur intense d'être dévisagé par les autres et évitent les situations sociales potentiellement embarrassantes comme élever la voix, prendre ses repas à l'extérieur, ou aller à des fêtes. Dans le cas contraire, ils transpirent, tremblent ou ont la diarrhée.

Les personnes qui ont subi plusieurs crises de panique peuvent en venir à craindre la peur elle-même et évitent les situations où la panique les a submergés auparavant. Si cette crainte est suffisamment intense, elle peut se transformer en *agoraphobie*, c'est-à-dire la peur qui nous pousse à éviter des situations dont on peut difficilement s'échapper ou trouver de l'aide quand la panique nous frappe. Une telle peur peut entraîner les gens à ne plus sortir de chez eux, à éviter la foule, les bus, voire même les ascenseurs.

Après avoir navigué pendant 5 ans à travers le monde, Charles Darwin a commencé à souffrir de troubles paniques à l'âge de 28 ans. À cause de ses attaques de panique, il cessa de naviguer, évita toute réunion mondaine et voyagea uniquement en compagnie de sa femme. Le fait de vivre relativement isolé lui permit de se consacrer à l'élaboration de sa théorie de l'évolution. « Même la mauvaise santé, se dit-il, m'a mis à l'abri des distractions de la société et de ses divertissements. » (cité dans Ma, 1997).

Troubles obsessionnels compulsifs

Comme dans le cas des troubles phobiques ou de l'anxiété généralisée, nous pouvons retrouver certains aspects de nos comportements dans les **troubles obsessionnels compulsifs (TOC)**. Nous pouvons, par moments, être obsédés par des pensées idiotes ou désagréables qui ne veulent pas nous quitter. Nous pouvons aussi adopter des comportements compulsifs, rigides, par exemple en vérifiant les choses, en les ordonnant et en nettoyant avant l'arrivée d'invités ou en alignant nos crayons et nos livres « bien comme il faut » avant de nous mettre au travail.

Les pensées obsédantes et les comportements compulsifs franchissent la mince frontière qui sépare la normalité du trouble avéré lorsqu'ils interfèrent de manière persistante avec notre façon de vivre ou qu'ils sont la cause d'une souffrance psychologique. Il est normal de vérifier une fois qu'une porte est fermée, mais vérifier dix fois ne l'est assurément pas. Il est normal de se laver les mains ; les laver si souvent que la peau en devient râpeuse ne l'est pas. (Le TABLEAU 14.2, page suivante, donne d'autres exemples.) À un moment de leur vie, souvent à la fin de leur adolescence ou avant la trentaine, 2 à 3 p. 100 des gens franchissent la frontière qui sépare les préoccupations et la méticulosité normales des troubles invalidants (Karno et coll., 1988). Les pensées deviennent obsédantes et les rituels compulsifs prennent tellement de temps qu'un fonctionnement efficace devient impossible.

Les TOC sont plus fréquents chez les adolescents et les jeunes adultes que chez les personnes plus âgées (Samuels et Nestadt, 1997). Une étude effectuée sur 144 Suédois sur une période de 40 ans a montré que, pour la plupart, l'obsession et les troubles compulsifs avaient progressivement diminué, mais qu'une personne sur cinq seulement en était totalement libérée (Skoog et Skoog, 1999).

TABLEAU 14.2

OBSESSIONS ET COMPULSIONS FRÉQUENTES CHEZ LES ENFANTS ET LES ADOLESCENTS SOUFFRANT D'UN TROUBLE OBSESSIONNEL COMPULSIF

Pensée ou comportement	Pourcentage de personnes présentant le symptôme
Obsessions (*pensées répétitives*)	
Inquiétude au sujet de la saleté, des germes ou des microbes	40
Quelque chose de terrible va arriver (feu, mort, maladie)	24
Symétrie, ordre, exactitude	17
Compulsions (*comportements répétitifs*)	
Lavage des mains, bains, brossage de dents ou soins corporels excessifs	85
Rituels répétés (entrée/sortie par une porte, assis/debout)	51
Vérification des portes, des serrures, des devoirs, des freins, du matériel	46

Source : adapté de Rapoport, 1989

Le syndrome de stress post-traumatique

En tant qu'éclaireur d'infanterie de l'armée pendant la guerre en Irak, Jesse « a vu le meurtre d'enfants, de femmes. C'était simplement horrible pour tous ceux qui l'ont vécu ». Après avoir fait appel à un hélicoptère pour bombarder une maison où il avait vu transporter des caisses de munitions, il entendit les hurlements des enfants restés à l'intérieur. « Je ne savais pas qu'il y avait des enfants là », se souvient-il. De retour au Texas, il souffrait de « flash-backs très durs » (Welch, 2005).

Nos souvenirs existent en partie pour nous protéger dans l'avenir. Il y a là une sagesse biologique dans le fait de ne pas oublier nos expériences les plus émotionnelles et traumatisantes : nos plus grands embarras, nos pires accidents, nos expériences les plus horribles. Mais parfois, pour certains d'entre nous, l'inoubliable prend le dessus sur nos vies. Les vétérans de guerre comme Jesse se plaignent de souvenirs récurrents qui les hantent et de cauchemars, se retirent de la société, souffrent d'angoisses fébriles et d'insomnies. Ces symptômes sont typiques de ce que nous appelions auparavant la « psychose traumatique du soldat » et que nous appelons maintenant le **syndrome de stress post-traumatique (SPT)** (Hoge et coll., 2004 ; Kessler, 2000).

Les symptômes du syndrome de stress post-traumatique ont également été décrits chez des survivants d'accidents ou de catastrophes, et chez des victimes de viol ou de violences (y compris selon les estimations chez deux tiers des prostituées) (Brewin et coll., 1999 ; Farley et coll., 1998 ; Taylor et coll., 1998). Un mois après l'attaque terroriste du 11 septembre, une enquête sur les habitants de Manhattan a indiqué que 8,5 p. 100 souffraient de SPT, la plupart liés à cet attentat (Galea et coll., 2002). Parmi ceux qui vivaient près du World Trade Center, 20 p. 100 ont décrit ces signes révélateurs de cauchemars, d'anxiété sévère et de crainte des endroits publics (Susser et coll., 2002).

Pour déterminer la fréquence de ce trouble, les *Centers for Disease Control* américains (1988) ont comparé 7 000 vétérans du Vietnam à 7 000 soldats ayant servi la même année, mais sans combattre. En moyenne, selon une nouvelle analyse récente, 19 p. 100 des vétérans du Vietnam présentaient des symptômes de stress post-traumatique. Ce taux variait entre 10 p. 100 parmi ceux qui n'avaient jamais vu de combats et 32 p. 100 chez ceux qui avaient participé aux combats difficiles (Dohrenwend et coll., 2006). On a constaté des variations similaires des taux de SPT chez les personnes ayant vécu une catastrophe naturelle, ayant été kidnappées, ou maintenues captives, torturées ou violées (Brewin et coll., 2000 ; Brody, 2000 ; Kessler, 2000 ; Stone, 2005).

Le tribut semble au moins aussi important chez les vétérans de la guerre en Irak. Un combattant américain sur 6 faisant partie de l'infanterie a décrit des symptômes post-traumatiques, de la dépression ou une anxiété sévère dans les mois qui ont suivi leur retour à la maison (Hoge et coll., 2006, 2007). Au cours d'une étude menée sur 103 788 vétérans revenus d'Irak et d'Afghanistan, le diagnostic de troubles psychologiques a été établi chez 1 vétéran sur 4 et le plus souvent il s'agissait d'un stress post-traumatique (Seal et coll., 2007). L'étendue de ce problème de SPT était clairement visible dans les allocations d'invalidité réglées aux vétérans américains au cours des 10 années qui ont suivi 1995 : toutes les formes de troubles mentaux ont diminué excepté le syndrome de SPT qui a presque triplé, entraînant une facture de 4,3 milliards de dollars pour le contribuable (Satel, 2006).

Par conséquent qu'est-ce qui détermine si un individu présentera un stress post-traumatique après un événement traumatisant ? Les recherches indiquent que plus la détresse émotionnelle de la personne est importante lors du traumatisme, plus le risque qu'il développe des symptômes post-traumatiques est élevé (Ozer et coll., 2003). Parmi les habitants de New York qui ont été témoins de l'attentat du 11 septembre, le SPT était deux fois plus important chez les survivants qui étaient à l'intérieur du World Trade Center que chez ceux qui se trouvaient à l'extérieur (Bonanno, 2006). Et plus les expériences d'agression sont fréquentes, plus les séquelles à long terme ont tendance à être néfastes (Golding, 1999).

Il semblerait qu'un système limbique sensible augmente la vulnérabilité en inondant le corps d'hormones de stress encore et toujours à mesure que les images de l'expérience traumatisante arrivent dans la conscience (Kosslyn, 2005 ; Ozer et Weiss, 2004). Les gènes peuvent aussi jouer un rôle. Certains vrais jumeaux exposés à des combats avaient un frère qui ne l'avait pas été. Cependant, ces jumeaux non exposés avaient tendance à partager les risques de leurs frères et à avoir des difficultés cognitives, par exemple à focaliser leur attention. Ces résultats suggèrent que certains symptômes du SPT pourraient réellement être génétiquement prédisposés (Gilbertson et coll., 2006).

Cependant, certains psychologues considèrent que l'on surestime le diagnostic du syndrome de stress post-traumatique, en partie parce que l'on a élargi la définition du terme *traumatisme* (qui à l'origine signifie : exposition directe à la mort effrayante ou à des lésions sérieuses, comme lors de combats ou de viols [McNally, 2003]). Les détracteurs déclarent que ce syndrome est en réalité assez rare et que les tentatives bien attentionnées de faire revivre le traumatisme peuvent exacerber l'émotion et rendre pathologique des réactions normales au stress (Wakefield et Spitzer, 2002). Demander aux survivants de parler d'un traumatisme juste après l'avoir vécu en leur faisant revivre leur expérience et laisser éclater leur émotion s'est réellement montré inefficace et parfois même néfaste (Devilly et coll., 2006 ; McNally et coll., 2003 ; Rose et coll., 2003).

D'autres chercheurs s'intéressent également à l'impressionnante *résilience des survivants* de ceux qui *n'*ont *pas* développé de syndrome de SPT (Bonanno, 2004, 2005). Près de la moitié des adultes connaissent au moins un événement traumatisant dans leur vie, mais une femme sur 10 et un homme sur 20 seulement développent un syndrome post-traumatique (Olff et coll., 2007 ; Ozer et Weiss, 2004 ; Tolin et Foa, 2006). Plus de 9 New-Yorkais sur 10, bien qu'ayant été choqués et accablés de douleur lors des attentats du 11 septembre, *n'*ont *pas* eu de réactions pathologiques et, au mois de janvier suivant, les symptômes du stress avaient quasiment disparu chez les autres personnes (Galea et coll., 2002). De même, la plupart des vétérans stressés par les combats et la plupart des dissidents politiques qui survivent à de nombreuses tortures ne présentent pas, par la suite, de symptômes de stress post-traumatique (Mineka et Zinbarg, 1996).

Le psychologue Peter Suedfeld (1998, 2000 ; Cassel et Suedfeld, 2006) qui, enfant, a survécu à l'Holocauste dans de terribles conditions de privation alors que sa mère mourait à Auschwitz, s'est documenté sur la capacité de résilience des survivants de l'Holocauste, la plupart d'entre eux ayant des vies épanouies. « La maxime « ce qui ne tue pas rend plus fort » n'est pas toujours vraie, mais elle l'est dans beaucoup de cas », constate-t-il. Et « ce qui ne vous tue pas peut vous révéler à quel point vous êtes fort. » Son confrère Ervin Straub, lui aussi ayant survécu à l'Holocauste (Staub et Vollhardt, 2008), a décrit : « L'altruisme est né dans la souffrance ». Bien que rien ne justifie la terreur et la persécution, ceux qui en ont souffert, nous dit-il, développent souvent une sensibilité plus grande que la normale vis-à-vis de la souffrance et une empathie envers ceux qui souffrent, un plus grand sens des responsabilités et une capacité plus importante pour prendre soin des autres. Staub est un exemple vivant de son propre travail. Après avoir été épargné d'être envoyé à Auschwitz grâce à une intervention héroïque, la mission de toute sa vie a été de comprendre pourquoi certaines personnes perpétuent le mal, d'autres attendent et d'autres viennent en aide.

En fait, la souffrance peut amener des « résultats bénéfiques » (Helgeson et coll., 2006), que Richard Tedeschi et Lawrence Calhoun (2004) appellent la **croissance post-traumatique**. Selon Tedeschi et Calhoun, lorsque des gens doivent lutter pour faire face à des crises difficiles (par exemple survivre à un cancer), ils rapportent que, par la suite, ils apprécient davantage la vie, nouent des relations plus profondes, développent une plus grande force personnelle, modifient leurs priorités et ont une vie spirituelle plus riche. Cette idée – à savoir que la souffrance peut nous transformer – se retrouve également dans le judaïsme, le christianisme, le bouddhisme, l'hindouisme et l'islam. Même de vos pires expériences, il peut venir quelque chose de bon. Comme le corps, l'esprit a de très grands pouvoirs de récupération.

::Syndrome de stress post-traumatique (SPT) : trouble anxieux caractérisé par des souvenirs obsédants, des cauchemars, un retrait de la société, des angoisses et/ou des insomnies qui persistent plus de quatre semaines après une expérience traumatisante.

::Croissance post-traumatique : changement psychologique positif se produisant après une lutte contre des circonstances particulièrement difficiles et des crises de la vie.

« À toute chose malheur est bon »

Traduction du proverbe anglais « *Tis an ill wind that blows nobody any good* »

Comprendre les troubles anxieux

6. D'où proviennent les pensées et les sentiments spécifiques des troubles anxieux ?

L'anxiété est à la fois un sentiment et un processus cognitif, une évaluation chargée de doute de notre sécurité ou de notre compétence sociale. D'où de telles sensations et de tels processus cognitifs émanent-ils ? Selon la théorie psychanalytique de Freud, ils débuteraient dans l'enfance, avec le *refoulement* d'idées, de sentiments et de pulsions insupportables, et cette énergie mentale submergée serait parfois à l'origine de symptômes intrigants tels que l'anxiété. Cependant, beaucoup de psychologues actuels se sont tournés vers deux perspectives contemporaines axées sur l'apprentissage et la biologie.

La perspective de l'apprentissage

Le conditionnement de la peur Quand un événement négatif a lieu, de manière imprévisible et incontrôlable, l'anxiété se développe souvent (Field, 2006 ; Mineka et Zinbarg, 2006). Souvenez-vous du chapitre 7, nous avons vu que les chiens apprenaient à craindre des stimuli neutres associés à un choc et les très jeunes enfants en venaient à craindre des jouets en peluche lorsqu'ils étaient associés à des bruits effrayants. Par le conditionnement classique, les chercheurs ont également créé des rats anxieux et ulcéreux de manière chronique en leur infligeant des chocs électriques imprévisibles (Schwartz, 1984). Comme la victime d'un viol qui décrivait son anxiété en revenant dans son ancien quartier, les rats deviennent craintifs dans l'environnement du laboratoire. Le lien entre la peur conditionnée et l'anxiété générale aide à expliquer pourquoi les personnes anxieuses sont hyperattentives à toute menace potentielle et pourquoi les gens ayant des troubles paniques associent leur anxiété à certains indices (Bar-Haim et coll., 2007 ; Bouton et coll., 2001). Dans une étude, 58 p. 100 des personnes présentant des phobies sociales ont vu apparaître ce trouble après un événement traumatisant (Ost et Hugdahl, 1981).

Par le conditionnement, les quelques événements naturellement douloureux et effrayants peuvent se multiplier pour former une longue liste de peurs humaines. Une fois, ma voiture a été heurtée par une autre voiture qui a brûlé un stop. J'ai ressenti, pendant des mois après cet événement, un profond malaise à l'approche de toute voiture venant d'une rue latérale. La phobie de Marilyn a peut-être été conditionnée de manière similaire au cours d'une expérience terrifiante ou douloureuse associée à un orage.

Deux processus d'apprentissage spécifiques peuvent contribuer à ce type d'anxiété. Le premier, la *généralisation du stimulus*, se produit par exemple lorsqu'une personne attaquée par un chien féroce développe par la suite une crainte de *tous* les chiens. Le deuxième processus d'apprentissage, le *renforcement*, aide à maintenir nos phobies et nos compulsions une fois qu'elles se sont produites. Éviter ou fuir les situations redoutées réduit l'anxiété, mais renforce ainsi le comportement phobique. Se sentant anxieuse ou craignant une crise de panique, une personne peut rester chez elle et se sentir renforcée en se sentant plus calme (Antony et coll., 1992). Les comportements compulsifs agissent de manière similaire. Si le fait de vous laver les mains apaise votre sensation d'anxiété, vous vous laverez probablement les mains à nouveau lorsque la sensation reviendra.

L'apprentissage par observation Nous pouvons aussi apprendre la peur grâce à l'apprentissage par observation, en observant la peur des autres. Comme Susan Mineka (1985) l'a mis en évidence, les singes sauvages transmettent leur peur des serpents à leur progéniture qui les observe. Chez les hommes, les parents transmettent aussi leurs peurs à leurs enfants. De plus, le simple fait d'observer quelqu'un recevant un léger choc électrique après un stimulus conditionné produit une peur similaire à celle produite par l'expérience directe de ce choc (Olsson et Phelps, 2004).

La perspective biologique

Cependant, l'anxiété va bien au-delà d'un simple conditionnement ou d'un simple apprentissage par observation. La perspective biologique peut nous aider à comprendre pourquoi quelques personnes développent des phobies durables après avoir souffert de traumatismes, pourquoi nous apprenons plus facilement certaines peurs et pourquoi certains individus sont plus vulnérables que d'autres.

La sélection naturelle Nous autres hommes sommes biologiquement préparés à craindre les dangers auxquels nos ancêtres étaient confrontés. Nos phobies se concentrent sur ces craintes spécifiques : les araignées, les serpents et autres animaux, mais aussi les espaces clos, la hauteur, les tempêtes et l'obscurité. (Ceux qui ne craignaient pas ces menaces occasionnelles avaient moins de chances de survivre et de laisser des descendants.) C'est ainsi que même au Royaume-Uni, qui ne possède qu'une seule espèce de serpent venimeux, les personnes ont peur des serpents. Et les enfants non encore scolarisés détectent plus rapidement les serpents dans une scène que des fleurs, des chenilles et des grenouilles (LoBue et DeLoache, 2008). Il est facile d'être conditionné à la peur, mais très difficile de se débarrasser de la crainte de tels stimuli (Davey, 1995 ; Öhman, 1986).

Bon nombre de nos craintes modernes peuvent avoir une explication évolutionniste. Par exemple, notre peur de l'avion peut être provoquée par nos prédispositions biologiques à craindre les endroits clos et l'altitude. De plus, considérez ce à quoi les gens ont tendance à *ne pas* apprendre à avoir peur. Durant la Seconde Guerre mondiale, les raids aériens ont provoqué particulièrement peu de phobies durables. Alors que les bombardements continuaient, les populations britanniques, japonaises et allemandes ne succombaient pas à la panique, mais restaient indifférentes aux avions ne se trouvant pas directement au-dessus d'elles (Mineka et Zinbarg, 1996). L'évolution de notre espèce ne nous a pas préparés à craindre les bombes venant du ciel.

De la même manière que nos phobies se concentrent sur les dangers auxquels étaient confrontés nos ancêtres, nos actes compulsifs exacerbent des comportements qui contribuaient à la survie de notre espèce. Le simple geste de se coiffer peut devenir déraisonnable et prendre la forme d'une compulsion à s'arracher les cheveux. Le fait de se laver constamment peut se transformer en un rituel obsessionnel consistant à se laver les mains. Le besoin de marquer son territoire peut se transformer en un besoin de vérifier à maintes reprises si une porte est bien fermée à clé (Rapoport, 1989).

Les gènes Certaines personnes plus que d'autres semblent prédisposées à l'anxiété. Les gènes ont de l'importance. Si l'on associe un événement traumatisant à un tempérament sensible et très tendu, il peut en résulter une nouvelle phobie.

Chez les singes, les peurs se transmettent au sein des familles. Un singe réagit plus fortement au stress si ses proches parents biologiques sont eux-mêmes anxieux (Suomi, 1986). Chez l'homme, la vulnérabilité aux troubles anxieux s'accroît si le parent atteint est un vrai jumeau (Hettema et coll., 2001 ; Kendler et coll., 1992, 1999, 2002a,b). Les vrais jumeaux peuvent également développer des phobies similaires même s'ils ont été élevés séparément (Carey, 1990 ; Eckert et coll., 1981). De vraies jumelles de 35 ans ont développé indépendamment une peur telle de l'eau que chacune d'elle ne supportait pas d'entrer dans la mer plus loin que jusqu'aux genoux.

Une fois que la contribution génétique aux troubles de l'anxiété a été établie, les recherches se sont focalisées sur la détermination des gènes spécifiques pouvant augmenter les risques chez les gens. Une équipe de recherche a identifié 17 gènes qui semblent être exprimés en présence de symptômes typiques des troubles de l'anxiété (Hovatta et coll., 2005). Une autre équipe a trouvé des gènes associés spécifiquement aux TOC (Hu et coll., 2006).

Les gènes influencent les troubles en régulant les neurotransmetteurs. Certaines études ont mis en évidence un *gène de l'anxiété* qui affecte les taux de sérotonine dans le cerveau, un neurotransmetteur qui influence le sommeil et l'humeur (Canli, 2008). D'autres études impliquent des gènes qui régulent le *glutamate*, un autre neurotransmetteur (Lafleur et coll., 2006 ; Welch et coll., 2007). Lorsqu'il y a trop de glutamate, le centre d'alarme du cerveau devient hyperactif.

Le cerveau L'anxiété généralisée, les attaques de panique, le syndrome de stress post-traumatique ou même les obsessions et les compulsions se manifestent biologiquement sous forme d'une hyperexcitation des zones cérébrales impliquées dans le contrôle des pulsions et des comportements habituels. Lorsque le cerveau troublé détecte une anomalie quelconque, il réagit en déclenchant une forme de « hoquet » mental en répétant des pensées ou des actions (Gehring et coll., 2000). Des scanners cérébraux réalisés sur des personnes souffrant d'un trouble obsessionnel compulsif ont révélé une activité élevée dans des zones cérébrales spécifiques associées à des comportements compulsifs comme se laver les mains, tout vérifier sans cesse, remettre en ordre, ou amasser des choses (Mataix-Cols et coll., 2004, 2005). Comme le montre la FIGURE 14.3, le *cortex cingulaire antérieur*, une zone cérébrale qui surveille

John Coletti/Stock, Boston

Un sommet émotionnel La crainte des hauteurs est certainement une réponse adaptative. La perspective biologique nous aide à comprendre pourquoi la plupart des gens seraient terrifiés dans la même situation et pourquoi certains individus, comme cet ouvrier du bâtiment, semblent ne pas avoir peur.

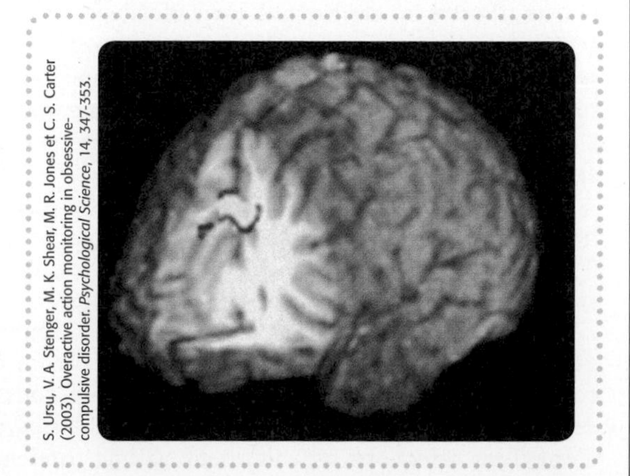

S. Ursu, V. A. Stenger, M. K. Shear, M. R. Jones et C. S. Carter (2003). Overactive action monitoring in obsessive-compulsive disorder. *Psychological Science*, 14, 347-353.

➤ FIGURE 14.3
Un cerveau obsessionnel compulsif
Le neuroscientifique Stefan Ursu et ses collaborateurs (2003) ont utilisé des IRM fonctionnelles pour comparer les cerveaux de personnes atteintes ou non de TOC au moment où celles-ci commençaient une tâche cognitive difficile. Les images d'IRM fonctionnelle montraient une élévation de l'activité de la partie du cortex cingulaire antérieure dans la région cérébrale frontale chez les personnes atteintes de TOC.

nos actions et recherche les erreurs, semble particulièrement hyperactif chez les personnes atteintes de TOC (Ursu et coll., 2003). Certaines expériences liées à l'apprentissage de la peur qui ont un effet traumatisant sur le cerveau peuvent également créer un réseau de la peur au niveau de l'amygdale (Etkin et Wager, 2007 ; Kolassa et Elbert, 2007 ; Maren, 2007). Certains médicaments antidépresseurs apaisent l'activité du réseau de la peur et le comportement obsessionnel compulsif qui l'accompagne.

La perspective biologique ne peut en elle-même expliquer tous les aspects des troubles de l'anxiété comme la forte augmentation des niveaux d'anxiété des enfants et des étudiants au cours de la deuxième moitié du xxe siècle qui semble être liée à l'effilochement du soutien social accompagnant les séparations familiales (Twenge, 2006). Il est clair néanmoins que la biologie sous-tend l'anxiété.

AVANT D'ALLER PLUS LOIN...

➤ INTERROGEZ-VOUS

Vous souvenez-vous d'une peur que vous avez apprise ? Quels rôles, le cas échéant, jouaient le conditionnement par la peur et l'apprentissage par observation ?

➤ TESTEZ-VOUS 2

Pouvez-vous faire la différence entre l'anxiété généralisée, les phobies, les troubles obsessionnels compulsifs et le syndrome de stress post-traumatique ?

Les réponses aux questions « Testez-vous » sont données dans l'annexe B à la fin de l'ouvrage.

Troubles somatoformes

7. Qu'est-ce qu'un trouble somatoforme ?

PARMI LES PROBLÈMES LES PLUS FRÉQUENTS qui amènent le plus souvent les personnes à consulter leur médecin se trouvent les « maladies médicalement inexpliquées » (Johnson, 2008). Ellen a été prise de vertiges et de nausées à la fin de l'après-midi, peu avant que son mari rentre à la maison. Ni son médecin de famille, ni le neurologue chez qui il l'a envoyée n'ont pu identifier une cause physique. Ils ont suspecté que ses symptômes avaient une origine psychologique inconsciente probablement déclenchée par ses sentiments mitigés vis-à-vis de son mari. Lors des **troubles somatoformes**, comme ceux d'Ellen, les symptômes de malaise prennent une forme somatique (corporelle) sans cause physique apparente. Une personne peut avoir divers problèmes : vomissements, vertiges, vision floue, difficultés de déglutition. Une autre peut ressentir une douleur sévère et prolongée.

La culture a un effet important sur les motifs physiques de consultation et sur la manière dont les patients les expliquent (Kirmayer et Sartorius, 2007). En Chine, les explications psychologiques de l'anxiété et de la dépression sont socialement moins acceptables que dans de nombreux pays occidentaux et les personnes expriment moins souvent l'aspect émotionnel de leur malaise. Les Chinois apparaissent plus sensibles aux symptômes physiques de leurs maladies et plus disposés à les décrire (Ryder et coll., 2008). M. Wu, un technicien de 36 ans de Hunan, illustre un des troubles psychologiques les plus fréquents en Chine (Spitzer et Skodol, 2000). Il trouve le travail difficile à cause de ses insomnies, de sa fatigue, de sa faiblesse et de ses maux de tête. Les herbes chinoises et la médecine occidentale ne l'ont pas soulagé. Pour son médecin chinois, qui traite les symptômes corporels, il semble moins déprimé qu'exténué. De même, des symptômes corporels généraux ont souvent été observés dans les cultures africaines (Binitie, 1975).

Même chez les Occidentaux, les symptômes somatiques sont familiers. À un moindre degré, nous avons tous ressenti des symptômes physiques inexplicables sous l'influence du stress et il est peu réconfortant de s'entendre dire que le problème « est dans notre tête ». Bien que les symptômes puissent être d'origine psychologique, ils sont néanmoins véritablement ressentis.

Le **trouble de conversion** était un type de trouble somatoforme plus fréquent au temps de Freud qu'au nôtre. Il est ainsi nommé parce que l'on supposait que l'anxiété était convertie en un symptôme physique. (Comme nous l'avons noté au chapitre 13, les efforts de Freud pour traiter et comprendre les troubles psychologiques sont venus de sa perplexité devant des affections qui n'avaient pas de fondement physiologique.) Un patient ayant

:: Troubles somatoformes : troubles psychologiques au cours desquels les symptômes prennent une forme somatique (corporelle) sans cause physique apparente (voir *trouble de conversion* et *hypochondrie*).

:: Trouble de conversion : trouble somatoforme rare au cours duquel une personne ressent des symptômes physiques réels spécifiques pour lesquels aucune base physiologique ne peut être trouvée.

un trouble de conversion peut, par exemple, ne plus avoir de sensation d'une façon qui n'a aucun sens neurologique. Cependant, les symptômes physiques sont réels et aucune réponse n'est obtenue lorsque le médecin enfonce des aiguilles dans la zone atteinte. Les troubles de conversion peuvent s'accompagner aussi de paralysie inexpliquée, de cécité ou d'une incapacité à déglutir. Dans chaque cas, la personne semblera étrangement indifférente à ce problème.

Comme vous pouvez l'imaginer, les patients atteints de troubles somatoformes ne consultent pas un psychologue ou un psychiatre mais un médecin. Cela est particulièrement vrai des patients qui souffrent d'**hypochondrie**. Les patients atteints de ce trouble somatoforme relativement fréquent interprètent des sensations normales (une crampe d'estomac aujourd'hui, un mal de tête demain) comme un symptôme d'une maladie redoutée. La sympathie ou le soulagement temporaire des exigences de tous les jours peut renforcer ces problèmes. Toutes les paroles rassurantes du médecin ne peuvent convaincre le patient de ne pas s'en faire. De ce fait, le patient va voir un autre médecin pour chercher et recevoir plus d'attention mais refusera d'être confronté aux origines psychologiques de cette maladie.

::Hypochondrie : trouble somatoforme au cours duquel une personne interprète des sensations physiques normales comme des symptômes d'une maladie.

::Troubles dissociatifs : troubles au cours desquels la conscience se sépare (se dissocie) des souvenirs, des pensées et des sentiments antérieurs.

::Trouble dissociatif de l'identité : trouble dissociatif rare au cours duquel une personne présente deux (ou plusieurs) personnalités distinctes et alternées. Anciennement appelé *trouble de personnalité multiple*.

AVANT D'ALLER PLUS LOIN...

➤ **INTERROGEZ-VOUS**

Pouvez-vous vous souvenir (comme la plupart des gens) d'un moment où vous vous êtes inquiété inutilement d'une sensation corporelle normale ?

➤ **TESTEZ-VOUS 3**

Que signifie *somatoforme* ?

Les réponses aux questions « Testez-vous » sont données dans l'annexe B à la fin de l'ouvrage.

Troubles dissociatifs

8. Comment définir les troubles dissociatifs ? Pourquoi sont-ils controversés ?

PARMI LES TROUBLES LES PLUS DÉCONCERTANTS, on trouve les **troubles dissociatifs**, qui sont rares. Il s'agit de troubles de la conscience au cours desquels une personne semble faire l'expérience d'une soudaine perte de mémoire ou d'un changement d'identité souvent en réponse à une situation qui devient trop éprouvante. Un vétéran du Vietnam qui été hanté par la mort de ses camarades et avait quitté son bureau du World Trade Center peu de temps avant l'attentat du 11 septembre, disparut un jour alors qu'il se rendait à son travail et fut retrouvé 6 mois plus tard dans un centre d'hébergement pour les personnes sans domicile fixe à Chicago. Il avait perdu la mémoire de son identité et de sa famille (Stone, 2006). Dans ce cas, la perception consciente de cette personne se *dissocie* (se sépare) de ses souvenirs, ses pensées et ses sentiments douloureux. (Notez que cette explication suppose l'existence de souvenirs refoulés qui, comme l'ont montré les chapitres 8 et 13, ont été remis en question par les chercheurs spécialistes de la mémoire.)

La dissociation en elle-même n'est pas si rare. À un moment donné, beaucoup de personnes peuvent avoir un sentiment d'irréalité ou l'impression d'être séparées de leur propre corps et de se voir comme dans un film. Nous disons parfois « je n'étais pas moi-même à ce moment-là ». Peut-être vous souvenez-vous avoir pris votre voiture et vous être retrouvé quelque part sans l'avoir voulu, alors que vos pensées étaient ailleurs ? Face à un traumatisme, un tel détachement peut, en fait, protéger un individu en lui évitant d'être submergé par l'émotion.

Trouble dissociatif de l'identité

Une dissociation massive entre le soi et la conscience ordinaire caractérise les sujets présentant un **trouble dissociatif de l'identité**. On dit que ces personnes présentent tour à tour au moins deux personnalités distinctes qui contrôlent leur comportement. Chaque personnalité a sa propre voix et ses propres manières. Ainsi, la personne peut être très collet monté à un moment et charmeuse et bruyante à un autre. Il est classique que la personnalité originale nie avoir connaissance de l'autre (ou des autres).

Bien que les sujets chez qui l'on a diagnostiqué un trouble dissociatif de l'identité (anciennement appelé *trouble de personnalité multiple*) ne soient, en général, pas violents, on a observé des cas de dissociation entre une personnalité « bonne » et une autre « mauvaise » (ou agressive) – une version édulcorée du Dr Jekyll et Mr Hyde immortalisée par Robert Louis Stevenson. Un cas inhabituel est celui de Kenneth Bianchi, qui fut accusé du viol et du meurtre de dix femmes californiennes commis par l'« étrangleur d'Hillside ». Au cours d'une séance d'hypnose avec Bianchi, le psychologue John Watkins (1984) fit « émerger » une personnalité cachée : « J'ai beaucoup parlé avec Ken, mais je pense qu'il existe peut-être une autre partie de Ken qui... se sent peut-être quelque peu différente de la partie avec qui j'ai parlé... Voulez-vous parler avec moi, en partie, en disant : « Je suis là » ? » Bianchi répondit « oui » et prétendit être « Steve ».

Parlant sous l'identité de Steve, Bianchi affirma qu'il haïssait Ken parce que Ken était gentil et que lui, Steve, avec l'aide d'un cousin, avait assassiné des femmes. Il affirmait également que Ken ne connaissait pas son existence et qu'il était innocent pour les meurtres. La seconde personnalité de Bianchi était-elle une ruse, une simple façon de rejeter la responsabilité de ses actions ? En effet, Bianchi, qui fut plus tard condamné, était un menteur habile qui avait lu des articles sur la personnalité multiple dans des livres de psychologie.

Comprendre le trouble dissociatif de l'identité

Les sceptiques se demandent si le trouble dissociatif de l'identité est un véritable trouble ou une extension de notre capacité normale à changer d'identité. Nicholas Spanos (1986, 1994, 1996) demanda à des étudiants de faire comme s'ils étaient accusés de meurtre au cours d'un entretien avec un psychiatre. Lorsqu'on leur administra le même traitement hypnotique que celui qu'avait reçu Bianchi, la plupart exprimèrent spontanément une seconde personnalité. Cette découverte conduisit Spanos à se demander si les troubles dissociatifs n'étaient pas une version plus extrême de notre capacité humaine normale à présenter des soi différents – faire le pitre quand on sort avec ses amis ou être respectueux et posé face à ses grands-parents par exemple. Les cliniciens qui ont découvert des personnalités multiples ne poussent-ils pas simplement les gens ayant une personnalité imaginative à jouer un rôle ? Ces patients, comme les acteurs qui décrivent classiquement se « perdre eux-mêmes » dans leurs rôles, ne peuvent-ils se convaincre eux-mêmes de l'authenticité des rôles qu'ils jouent ? Spanos n'était pas étranger à cette ligne de pensée. Dans un domaine de recherche voisin, il avait également soulevé ces questions au sujet de l'état d'hypnose. Étant donné que la plupart des patients ayant une personnalité multiple sont faciles à hypnotiser, tout ce qui peut expliquer un état – dissociation ou jeu de rôle – pourrait contribuer à expliquer l'autre.

« La simulation peut devenir réalité. »

Proverbe chinois

Les sceptiques trouvent néanmoins étrange que ce trouble soit si localisé dans le temps et dans l'espace. En Amérique du Nord, le nombre de cas diagnostiqués était de 2 par décennies entre 1930 et 1960. Dans les années 1980, lorsque le DSM a contenu la première codification officielle de ce trouble, le nombre de cas a explosé, passant à plus de 20 000 (McHugh, 1995a). Le nombre moyen de personnalités affichées s'est accru rapidement, passant de 3 à 12 par patient (Goff et Simms, 1993). Ce trouble n'existe pratiquement pas en dehors de l'Amérique du Nord, bien que dans d'autres cultures, certains sujets soient décrits comme « possédés » par un esprit étranger (Aldridge-Morris, 1989 ; Kluft, 1991). En Grande-Bretagne, le diagnostic de ce trouble – considéré comme une « lubie américaine farfelue » (Cohen, 1995) – est rare et, en Inde et au Japon, il est pratiquement inexistant.

« Serait-il possible de parler à la personnalité qui paie les séances ? »

Pour les sceptiques, cela ressemble à un phénomène culturel, un trouble créé par les thérapeutes dans un contexte social particulier (Merskey, 1992). Les patients ne débutent pas une thérapie en disant : « Permettez-moi de nous présenter ». Les sceptiques remarquent plutôt que certains thérapeutes pratiquant souvent l'hypnose, (Goff, 1993 ; Piper, 1998) partent à la pêche aux personnalités multiples : « Avez-vous parfois ressenti qu'une autre partie de vous faisait des choses que vous ne pouviez pas contrôler ? Cette partie de vous a-t-elle un nom ? Puis-je parler à cette partie de vous qui est en colère ? » Une fois que les patients ont autorisé le thérapeute à « parler à cette partie d'eux-mêmes qui dit ces choses agressives », ils ont commencé à mettre en scène leur imagination. Le résultat peut être un réel phénomène, où les patients vulnérables ont l'impression d'avoir affaire à un autre Moi.

D'autres psychologues ne sont pas d'accord, soutenant la dissociation de la personnalité en tant que véritable trouble dans les états distincts du cerveau et du corps associés à différentes personnalités (Putnam, 1991). Par exemple, la latéralité change parfois la personnalité (Henninger, 1992). Des ophtalmologistes ont détecté des décalages de l'acuité visuelle et de l'équilibre entre l'œil et les muscles lorsque les patients changeaient de personnalité, des modifications qui ne se produisent pas chez les membres du groupe contrôle essayant de simuler un dédoublement de la personnalité (Miller et coll., 1991). Les patients ayant des troubles dissociatifs ont également présenté une activité plus forte dans les régions cérébrales associées au contrôle et à l'inhibition des souvenirs traumatisants (Elzinga et coll., 2007).

Les chercheurs et les cliniciens ont interprété les symptômes des troubles dissociatifs de l'identité en se fondant sur les perspectives psychanalytiques et d'apprentissage. Ces deux points de vue s'accordent sur le fait que les symptômes sont des moyens de faire face à l'anxiété. Les psychanalystes les envisagent comme des défenses contre l'anxiété provoquée par l'éruption de pulsions inacceptables. Une deuxième personnalité impudique permet de se soulager des pulsions interdites. Les théoriciens de l'apprentissage les estiment comme des comportements renforcés par la réduction de l'anxiété.

« Bien que ceci soit de la folie,
on y trouve encore une certaine
méthode. »
William Shakespeare, *Hamlet*, 1600

D'autres cliniciens voient les troubles dissociatifs comme des états post-traumatiques – une réponse protectrice et naturelle « aux histoires traumatisantes de l'enfance » (Putnam, 1995 ; Spiegel, 2008). Beaucoup de patients atteints de troubles dissociatifs se souviennent d'avoir souffert de maltraitance physique, sexuelle ou émotionnelle pendant l'enfance (Gleaves, 1996 ; Lilienfeld et coll., 1999). Une étude menée sur 12 meurtriers atteints d'un trouble dissociatif de l'identité a montré que 11 d'entre eux avaient subi des tortures pendant l'enfance (Lewis et coll., 1997). L'un d'eux avait été brûlé par ses parents. Un autre avait participé à des tournages de films pédophiles et gardait des cicatrices car on le forçait à s'asseoir sur une cuisinière. Cependant, certains critiques se demandent si l'imagination très vive ou les suggestions du thérapeute n'ont pas contribué à ces souvenirs (Kihlstrom, 2005).

Ainsi, le débat continue. D'un côté, on trouve ceux qui croient que les personnalités multiples sont un effort désespéré de la personne traumatisée pour se détacher de son existence horrible. D'un autre côté, les sceptiques pensent que la dissociation de l'identité est une affection inventée par des personnes vulnérables émotionnellement et sujettes à des fantasmes et construite à partir de l'interaction thérapeute/patient. Si c'est le cas, « cette épidémie finira de la manière dont s'est terminé l'engouement pour les sorcières à Salem », prédit le psychiatre Paul McHugh (1995b). « Le [phénomène de personnalité multiple] sera perçu comme une fabrication de toutes pièces. »

AVANT D'ALLER PLUS LOIN...

➤ **INTERROGEZ-VOUS**

D'une façon plus normale, avez-vous déjà affiché différentes personnalités en passant de l'une à l'autre ?

➤ **TESTEZ-VOUS 4**

Les perspectives psychanalytiques et d'apprentissage s'accordent sur le fait que les symptômes du trouble dissociatif de l'identité sont une manière de faire face à l'anxiété. En quoi leurs explications diffèrent-elles ?

Les réponses aux questions « Testez-vous » sont données dans l'annexe B à la fin de l'ouvrage.

Troubles de l'humeur

9. Que sont les troubles de l'humeur ? Quelles formes prennent-ils ?

LES EXPRESSIONS ÉMOTIONNELLES EXTRÊMES des **troubles de l'humeur** surviennent sous deux formes principales : (1) le *trouble dépressif majeur*, au cours duquel la personne éprouve un désespoir et une léthargie prolongés et (2) le *trouble bipolaire* (anciennement appelé *trouble maniaco-dépressif*) au cours duquel la personne alterne entre la dépression et l'épisode maniaque, qui est un état d'hyperactivité et de surexcitation.

::Troubles de l'humeur : troubles psychologiques caractérisés par des extrêmes émotionnels. Voir *trouble bipolaire, trouble dépressif majeur* et *épisode maniaque*.

• Chez certaines personnes, une dépression récurrente, survenant au cours des mois sombres de l'hiver, constitue un *trouble affectif saisonnier*. Pour d'autres, le manque de luminosité de l'hiver entraîne une certaine morosité. À la question : « Avez-vous pleuré hier ? », les Américains ont surtout répondu « oui » en hiver :

	Pourcentage répondant OUI	
	Hommes	Femmes
Août	4 p. 100	7 p. 100
Décembre	8 p. 100	21 p. 100

Source : *Time*/CNN survey, 1994 •

« Ma vie s'était soudainement arrêtée. J'étais capable de respirer, de manger, de boire et de dormir. Je ne pouvais pas, en effet, intervenir sur ces fonctions ; mais il n'y avait en moi aucune vie réelle. »
Léon Tolstoï, *Confessions*, 1887

« La dépression [...] est bien adaptée pour protéger l'être vivant de tout mal grave ou soudain. »
Charles Darwin, *La vie et les lettres de Charles Darwin*, 1887

« Si quelqu'un vous offrait une pilule qui vous rendrait constamment heureux, vous feriez bien de prendre vos jambes à votre cou. L'émotion est comme une boussole que nous dit quoi faire et une boussole qui indique perpétuellement le NORD ne sert à rien ».
Daniel Gilbert, « *The Science of Happiness* », 2006

Trouble dépressif majeur

Si vous êtes comme la plupart des étudiants, à certains moments de l'année, plutôt pendant les mois sombres de l'hiver que pendant les jours lumineux de l'été, vous allez probablement éprouver quelques-uns des symptômes de la dépression. Vous pouvez vous sentir profondément découragé à propos de votre avenir, mécontent de votre vie actuelle ou socialement isolé. Vous pouvez manquer d'énergie pour accomplir les choses que vous avez à faire ou même pour vous forcer à sortir de votre lit. Vous pouvez être incapable de vous concentrer, de manger ou de dormir normalement, vous pouvez même vous demander si la vie vaut la peine d'être vécue. Peut-être était-il aisé pour vous d'obtenir de bonnes notes au lycée et vous pensez, maintenant, qu'une mauvaise note va compromettre vos objectifs. Des difficultés relationnelles, comme la solitude ou un échec sentimental, vous ont peut-être plongé dans un profond désespoir. Enfin, il se peut que le fait de broyer du noir a aggravé, à un moment donné, vos propres tourments. Vous n'êtes pas le seul. Au cours d'une étude sur 90 000 étudiants américains, 44 p. 100 ont déclaré qu'une ou plusieurs fois au cours de l'année précédente, ils se sont « sentis si déprimés qu'il était difficile de travailler » (ACHA, 2006).

La dépression a été appelée le « rhume banal » des troubles psychologiques - une expression qui révèle effectivement sa fréquence, mais non sa gravité. Bien que les phobies soient plus fréquentes, la dépression est la première des raisons pour lesquelles les gens demandent de l'aide auprès des services de santé mentale. À un moment de leur vie, les troubles dépressifs ont tourmenté 12 p. 100 des Canadiens adultes et 13 p. 100 des Américains adultes (Hasin et coll., 2005 ; Patten et coll., 2006). De plus, c'est la principale cause de maladie invalidante au monde (OMS, 2002). Tous les ans, selon l'Organisation mondiale de la santé, une crise dépressive tourmente 5,8 p. 100 des hommes et 9,5 p. 100 des femmes.

De la même manière que l'anxiété est une réponse à la menace d'une perte future, la dépression est souvent une réponse à une perte passée et actuelle. Environ une personne sur quatre diagnostiquée comme ayant une dépression est simplement en train de lutter avec l'impact émotionnel normal d'une perte importante comme la mort d'un être aimé, un mariage rompu, la perte d'un travail (Wakefield et coll., 2007). Se sentir mal en réaction à des événements profondément tristes c'est être en contact avec la réalité. Dans ces moments, la dépression est comme le voyant du niveau d'huile d'une voiture, un avertissement qui signale qu'il faut s'arrêter et prendre des mesures de protection. Souvenez-vous que, biologiquement parlant, le but de la vie n'est pas le bonheur, mais la survie et la reproduction. À cette fin, le fait de tousser ou de vomir, tout comme d'autres manifestations de douleur protègent notre organisme des toxines dangereuses. Ainsi, la dépression est une sorte d'hibernation psychique : elle nous ralentit, désamorce notre agressivité et diminue notre prise de risque (Allen et Badcock, 2003). S'immobiliser temporairement et ruminer, comme le font les personnes déprimées, nous incite à réévaluer notre vie lorsque nous la sentons menacée et à canaliser notre énergie autrement, de manière plus prometteuse (Watkins, 2008). La souffrance a un sens.

Mais à quel moment une telle réponse peut-elle devenir dangereusement inadaptée ? La joie, le contentement, la tristesse et le désespoir sont les différents points d'un continuum, points où chacun de nous peut se trouver à tout moment de sa vie. La différence entre un coup de cafard après une mauvaise nouvelle et un trouble de l'humeur est la même que la différence entre être à bout de souffle après une course rapide et avoir le souffle court de manière chronique.

Un **trouble dépressif majeur** survient lorsqu'au moins cinq signes de dépression (léthargie, autodépréciation ou perte d'intérêt pour la famille, les amis et les activités) durent deux semaines ou plus et ne sont pas provoqués par des médicaments ou un trouble médical. Certains cliniciens suggèrent, pour vous faire une idée de ce qu'est la dépression majeure, d'imaginer la douleur d'un chagrin associée à la léthargie causée par un décalage horaire.

Trouble bipolaire

Avec ou sans traitement, les épisodes dépressifs majeurs ont en général une fin. Les gens déprimés retournent de façon temporaire ou permanente à leurs modes de comportement antérieurs. Cependant, certaines personnes rebondissent vers, ou commencent par, un autre extrême sur le plan émotionnel, un état euphorique hyperactif et extrêmement optimiste, l'**épisode maniaque**. Si la dépression revient à vivre au ralenti, la manie est une accélération vers l'avant. L'alternance entre la dépression et l'épisode maniaque signale le **trouble bipolaire**.

Les changements d'humeur de l'adolescent, qui passe de la fureur à la vitalité débordante, peuvent, s'ils se prolongent, entraîner un diagnostic de trouble bipolaire. Entre 1994 et 2003, les enquêtes annuelles menées chez les médecins par le *National Center for Health Statistics* américain ont mis en évidence une surprenante multiplication par 40 du nombre de diagnostics de trouble bipolaire chez les adolescents de 19 ans ou moins, passant d'une estimation de 20 000 à 800 000 cas (Carey, 2007 ; Moreno et coll., 2007). La nouvelle popularité du diagnostic, établi chez des garçons dans les deux tiers des cas, a été une aubaine pour les industries pharmaceutiques dont les médicaments sont prescrits pour réduire les sautes d'humeur.

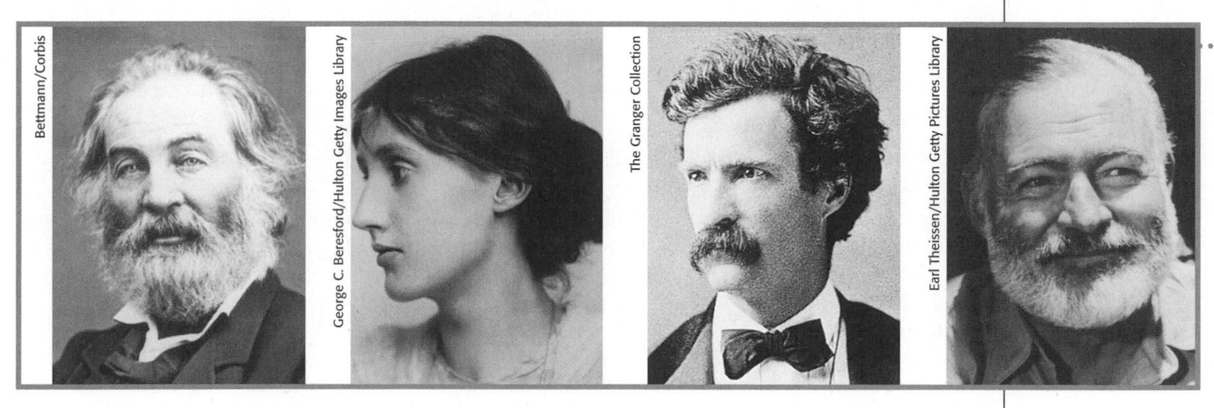

Créativité et trouble bipolaire L'histoire nous a offert de nombreux artistes, compositeurs et écrivains souffrant de troubles bipolaires : (de gauche à droite) Walt Whitman, Virginia Woolf, Samuel Clemens (Mark Twain) et Ernest Hemingway.

Au cours de la phase maniaque d'un trouble bipolaire, la personne est généralement extrêmement bavarde, hyperactive, enthousiaste (quoique facilement irritée si elle est contredite), a besoin de peu de sommeil et montre moins d'inhibitions sexuelles. Le verbe est haut, le discours superficiel et difficile à interrompre. La personne est irritée par les conseils. Cependant, elle a besoin d'être protégée contre la faiblesse de ses propres jugements qui peuvent la conduire à des dépenses imprudentes ou des relations sexuelles non protégées.

Pour simuler les pensées rapides de l'épisode maniaque, qui ressemblent un peu à ce que vous ressentez lorsque vous êtes excité par une nouvelle idée, Emily Pronin et Daniel Wegner (2006) ont invité des étudiants à lire une série d'affirmations en augmentant leur vitesse de lecture par deux ou en la réduisant de moitié. Ceux qui venaient de lire très vite les publications se sont sentis plus heureux, plus puissants, remplis d'énergie et plus créatifs. Un esprit très rapide éveille une humeur optimiste.

Dans les formes modérées, l'énergie et le flot de pensées de l'épisode maniaque peuvent alimenter la créativité. George Frideric Haendel (1685-1759), qui a peut-être souffert d'une forme légère de trouble bipolaire, a composé son *Messie*, qui dure près de 4 heures, au cours de 3 semaines d'énergie créatrice intense (Keynes, 1980). Robert Schumann a composé 51 œuvres musicales pendant les 2 années où il a souffert d'épisodes maniaques (1840 et 1849) et aucune durant l'année 1844 pendant laquelle il fut sévèrement déprimé (Slater et Meyer, 1959). Selon Arnold Ludwig (1995), les créateurs dont le travail relève de la précision et de la logique (architectes, designers, journalistes) souffrent moins souvent de troubles bipolaires que les personnes puisant dans leurs émotions et utilisant une imagerie très explicite. Les compositeurs, les artistes, les poètes, les romanciers, les animateurs semblent particulièrement sujets à ces troubles (Jamison, 1993, 1995 ; Kaufman et Baer, 2002 ; Ludwig, 1995).

Ce qui est vrai pour les émotions l'est pour tout le reste : ce qui monte redescend toujours. En peu de temps, une personne ivre d'allégresse retourne à un état normal ou plonge dans la dépression. Bien que le trouble bipolaire soit beaucoup moins fréquent qu'une dépression majeure, il est souvent plus handicapant, entraînant plus du double de jours de travail perdus par an (Kessler et coll., 2006). Il affecte autant les hommes que les femmes.

« Parmi tous ceux que j'admire le plus dans l'histoire, la littérature et le monde de l'art – Mozart, Shakespeare, Homère, Le Gréco, Saint-Jean, Tchekhov, Grégoire de Nysse, Dostoïevski, Emily Brontë – aucun n'aurait reçu un certificat de bonne santé mentale. »

Madeleine L'Engle, *A Circle of Quiet*, 1972

::Trouble dépressif majeur : trouble de l'humeur au cours duquel une personne éprouve, en l'absence de prise de médicament ou de maladie, pendant deux semaines ou plus, un sentiment d'inutilité, une humeur déprimée significative et une diminution de l'intérêt ou du plaisir pour la plupart de ses activités.

::Épisode maniaque : trouble de l'humeur marqué par un état hyperactif et excessivement optimiste.

::Trouble bipolaire : trouble de l'humeur au cours duquel la personne oscille entre le désespoir et la léthargie de la dépression et la surexcitation de l'épisode maniaque. (Anciennement appelé *trouble maniaco-dépressif*.)

Comprendre les troubles de l'humeur

10. Quelles sont les causes des troubles de l'humeur ? Comment pourrait-on expliquer l'augmentation de l'incidence de la dépression chez les jeunes et les jeunes adultes dans le monde occidental ?

Au cours de milliers d'études, les psychologues ont accumulé des preuves pour expliquer les troubles de l'humeur et suggérer des moyens plus efficaces de les prévenir ou de les traiter. Le chercheur Peter Lewinsohn et ses collaborateurs (1985, 1998, 2003) ont résumé les faits que toute théorie de la dépression se doit d'expliquer, et en particulier les points suivants :

- ***De nombreux changements cognitifs et comportementaux accompagnent la dépression.*** Les gens enfermés dans leur dépression sont inactifs et démotivés. Ils sont particulièrement sensibles aux événements négatifs, ont plus tendance à se rappeler des informations négatives et s'attendent à des résultats négatifs (mon équipe va perdre, mes notes vont chuter, je vais connaître un échec amoureux). Lorsque l'humeur remonte, les perturbations cognitives et comportementales qui l'accompagnent disparaissent. Pratiquement dans un cas sur deux, les gens déprimés présentent des symptômes d'autres troubles tels que l'anxiété, ou la consommation de drogue.
- ***La dépression est largement répandue.*** La banalité de la dépression suggère que sa cause doit l'être également.
- ***Les femmes sont deux fois plus vulnérables que les hommes à la dépression majeure*** (FIGURE 14.4). Ce fossé entre les genres commence dès l'adolescence ; les filles préadolescentes ne sont pas plus sujettes à la dépression que les garçons (Hyde et coll., 2008). Les facteurs qui rendent sensibles les femmes à la dépression (prédispositions génétiques, abus sexuels pendant l'enfance, faible estime de soi, problèmes de couple, etc.) entraînent les mêmes risques chez les hommes (Kendler et coll., 2006). Cependant, les femmes sont plus sensibles aux troubles impliquant des états internes, tels que la dépression, l'anxiété et l'inhibition du désir sexuel. Les troubles de l'homme ont tendance à être plus externes, comme l'alcoolisme, les conduites antisociales ou le manque de contrôle des pulsions. Quand les femmes sont tristes, elles le sont plus que les hommes. Lorsque les hommes deviennent fous, ils deviennent souvent plus fous que les femmes.
- ***La plupart des épisodes de dépression majeure s'estompent d'eux-mêmes.*** Bien qu'un traitement puisse accélérer la récupération, la plupart des gens présentant une dépression majeure reviennent à un état normal sans l'aide d'un professionnel. Le fléau de la dépression survient et s'en va quelques semaines ou quelques mois plus tard, bien que les symptômes puissent parfois réapparaître (Burcusa et Iacono, 2007). Environ 50 p. 100 de ceux qui sortent d'une dépression subiront un nouvel épisode dépressif dans les 2 ans à venir. La rémission a plus de chances d'être persistante si le premier épisode dépressif a été tardif, si les épisodes précédents sont peu nombreux, si le patient ne rechute pas rapidement, ne subit pas de stress et bénéficie d'une aide de son entourage (Belsher et Costello, 1988 ; Fergusson et Woodward, 2002 ; Kendler et coll., 2001).

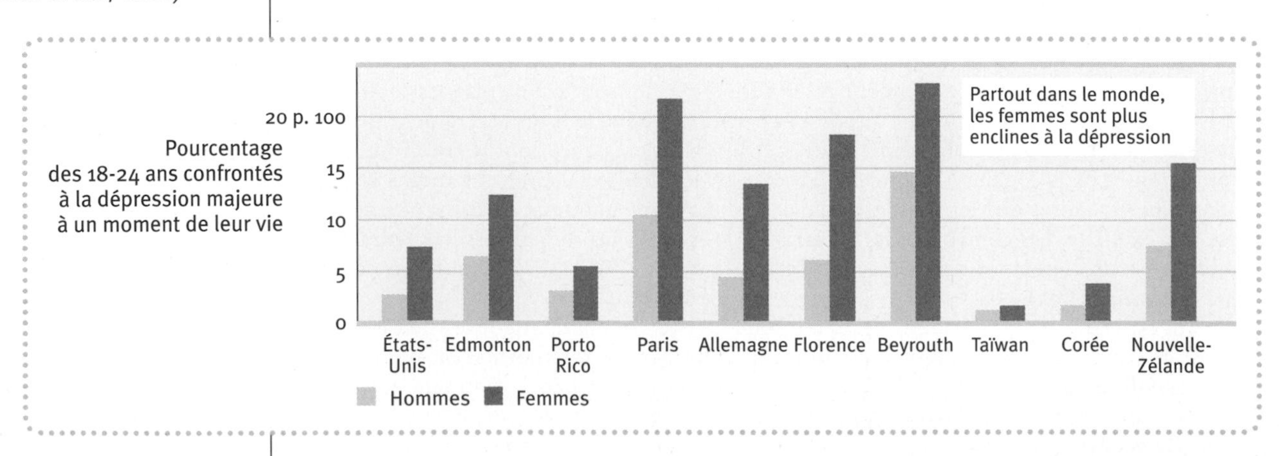

➤ FIGURE 14.4
La dépression majeure en fonction du sexe Des interviews réalisées sur 38 000 adultes dans 10 pays ont confirmé les résultats d'études plus restreintes : le risque de dépression majeure est deux fois plus élevé chez les femmes que chez les hommes. Il faut aussi noter que le risque de dépression au cours de la vie varie en fonction de la culture – de 1,5 p. 100 à Taïwan jusqu'à 19 p. 100 à Beyrouth. (Données de Weissman et coll., 1996.)

- ***Des événements stressants liés au travail, à la vie de couple ou aux relations avec ses proches précèdent souvent une dépression.*** La mort d'un membre de la famille, la perte d'un travail, une crise au sein du mariage ou une agression physique augmentent le risque de dépression. Si, comme le remarque le biologiste Robert Sapolsky (2003), l'anxiété liée au stress est un « feu de broussaille menaçant qui crépite, la dépression représente la couverture, lourde et étouffante, que l'on jette par-dessus ». D'après une étude où 2 000 personnes ont été suivies à long terme, il a été trouvé que 24 p. 100 de celles qui avaient été exposées à trois événements existentiels majeurs et stressants risquaient de développer une dépression dans le courant du mois suivant, contre moins de 1 p. 100 chez celles qui n'avaient connu aucun événement éprouvant (Kendler, 1998). Les événements majeurs comme l'ouragan Katrina et les attentats du 11 septembre ont augmenté l'anxiété et les troubles de l'humeur (Galea et coll., 2007 ; Person et coll., 2006). Mais, en général, la dépression résulte plus souvent d'un amoncellement de stress que d'une seule perte ou d'un seul échec (Keller et coll., 2007 ; van der Werf et coll., 2006).
- ***À chaque nouvelle génération, la dépression apparaît plus tôt (souvent, aujourd'hui, à la fin de l'adolescence) et touche plus de personnes.*** C'est vrai au Canada, aux États-Unis, au Royaume-Uni, en Allemagne, en France, en Italie, au Liban, en Nouvelle-Zélande, à Taïwan et à Porto Rico (Collishaw et coll., 2007 ; *Cross-National Collaborative Group*, 1992 ; Twenge et coll., 2000). Selon une étude, en Australie, 12 p. 100 des adolescents interrogés présentent des symptômes de dépression (Sawyer et coll., 2000). La plupart les dissimulent à leurs parents ; près de 90 p. 100 des parents *ne* perçoivent *pas* que leur enfant déprimé souffre de dépression. En Amérique du Nord, la probabilité qu'un jeune adulte d'aujourd'hui ait déjà souffert d'une dépression est trois fois supérieure à celle de ses grands-parents (bien que les grands-parents aient eu plus d'années à risque). Cette augmentation paraît en partie réelle, mais peut aussi refléter la plus grande volonté des jeunes adultes d'aujourd'hui à révéler leur dépression.

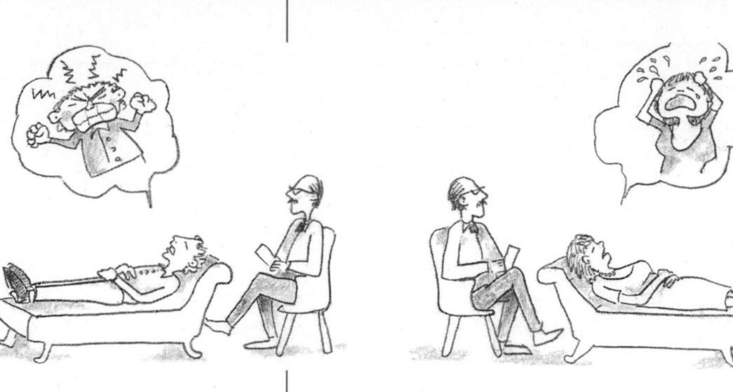
Paula Niedenthal

Les vies émotionnelles des hommes et des femmes ?

« Je considère la dépression comme le fléau de l'ère moderne. »
Lewis Judd, ancien responsable du *National Institute of Mental Health*, 2000

Les chercheurs peuvent accepter ces faits sans être d'accord sur la meilleure façon de les expliquer. Par exemple, les partisans de la théorie psychanalytique de Freud (ou de l'approche psychodynamique plus moderne) proposent une idée : la dépression survient souvent quand une perte importante, par exemple la fin d'une relation amoureuse, évoque des sentiments associés à une perte vécue dans l'enfance (la relation intime de l'enfant avec sa mère, par exemple). D'un autre côté, ces théoriciens peuvent considérer la dépression comme une colère irrésolue vis-à-vis d'un des parents, retournée contre nous-mêmes.

« Ne seraient-ce pas les mauvaises pensées cognitives, plutôt que les conflits sur le sexe, les responsables de ce sortilège ? »
Robert L. Spitzer, psychiatre, et ses collaborateurs (1982)

Les chercheurs plus contemporains proposent une explication biologique et cognitive de la dépression souvent associée à une perspective biopsychosociale.

La perspective biologique

Une grande partie des dépenses de la recherche dans le domaine de la santé mentale a été consacrée ces dernières années à l'exploration des influences biologiques sur les troubles de l'humeur. Les domaines d'intérêt ont été les prédispositions génétiques, l'activité cérébrale et les déséquilibres biochimiques.

Les influences génétiques Nous savons depuis longtemps que les troubles de l'humeur sont récurrents dans certaines familles. Comme le remarquait un chercheur, les émotions sont les « cartes postales envoyées par nos gènes » (Plotkin, 1994). Le risque de trouble dépressif majeur et de trouble bipolaire augmente si vous avez un parent ou un frère atteint de cette maladie (Sullivan et coll., 2000). Si un vrai jumeau présente un trouble dépressif majeur, il y a 50 p. 100 de risques pour que l'autre jumeau en souffre aussi à un moment ou à un autre. Si un vrai jumeau présente un trouble bipolaire, il y a 7 risques sur 10 que l'autre jumeau relève du même diagnostic à un moment quelconque. Chez les faux jumeaux, ces probabilités sont légèrement inférieures à 2 sur 10 (Tsuang et Faraone, 1990). Cette ressemblance plus importante chez les vrais jumeaux s'observe même s'ils sont élevés séparément (DiLalla et coll., 1996). Résumant les études les plus importantes sur les jumeaux, Kenneth Kendler et ses collaborateurs (2006) ont estimé que l'héritabilité de la dépression majeure était de 35 à 40 p. 100.

GROS PLAN

Le suicide

« Mais la vie, fatiguée de tous ces obstacles universels, Ne manque jamais du pouvoir de se congédier elle-même. » — William Shakespeare, *Jules César*, 1599

Dans le monde, chaque année, environ 1 million de personnes désespérées choisissent une solution permanente à ce qui est peut-être un problème temporaire (OMS, 2008). En comparant les taux de suicide de différents groupes, les chercheurs ont trouvé :

- ***des différences nationales.*** En Grande-Bretagne, en Italie et en Espagne, les taux de suicides représentent un peu plus de la moitié des taux enregistrés en Australie, au Canada et aux États-Unis. En Autriche et en Finlande, les taux de suicide sont proches du double (OMS, 2008). En Europe, les personnes les plus prédisposées au suicide (les Lituaniens) ont 14 fois plus de risques de se tuer que les personnes qui le sont le moins (les Grecs) ;
- ***des différences ethniques.*** Aux États-Unis, les Blancs ont une probabilité deux fois supérieure à celle des Noirs de se suicider (NIMH, 2002) ;
- ***des différences en fonction du sexe.*** Les femmes sont beaucoup plus susceptibles de faire une tentative de suicide que les hommes (OMS, 2008). Mais la probabilité que les hommes réussissent leur suicide est deux à quatre fois supérieure (selon le pays) à celle des femmes (FIGURE 14.5). Les hommes emploient des méthodes plus radicales, se tirer une balle dans la tête par exemple (une méthode choisie par 6 Américains sur 10) ;
- ***des différences d'âge et de tendance.*** Le taux de suicide explose chez les hommes plus âgés (Figure 14.5). Au cours de la dernière moitié du XXe siècle, le taux global annuel de suicide est passé de 10 à 18 pour 100 000 (OMS, 2008) ;
- ***d'autres différences entre les groupes.*** Les taux de suicide sont bien plus élevés chez les riches, les personnes sans religion, les personnes célibataires, veuves ou divorcées (Hoyer et Lund, 1993 ; Stack, 1992 ; Stengel, 1981). Les jeunes homosexuels (gays ou lesbiennes) souffrent beaucoup plus d'angoisse et de tentatives de suicide que leurs camarades hétérosexuels (Goldfried, 2001). Parmi les 1,3 million de militaires suédois âgés de 18 ans, les hommes les plus minces se suicident plus souvent par la suite que leurs camarades du même âge plus corpulents (Magnusson et coll., 2006). En Angleterre et au Pays de Galles, il y a une augmentation de 17 p. 100 du risque de suicide chez les personnes nées au printemps et au début de l'été que chez celles nées en automne (Salib et Cortina-Borja, 2006).

Le risque de suicide chez les gens qui ont connu une dépression est au moins cinq fois supérieur à celui de la population générale (Bostwick et Pankratz, 2000). Les gens se suicident rarement quand ils sont en pleine dépression, car ils manquent d'énergie et d'initiative. C'est au moment où ils commencent à récupérer et deviennent capables d'aller jusqu'au bout que le risque augmente. Comparativement aux personnes n'ayant aucun trouble, les alcooliques sont 100 fois plus susceptibles de se suicider ; c'est le cas pour 3 p. 100 d'entre eux (Murphy et Wetzel, 1990). Même parmi ceux qui ont tenté de se suicider, les alcooliques ont cinq fois plus de risques de réussir à se tuer que les non-alcooliques (Beck et Steer, 1989). Le suicide chez l'adolescent est souvent lié à l'abus d'alcool et de drogue ; le passage à l'acte peut suivre un événement traumatisant, tel qu'une rupture affective ou un acte antisocial, qui engendre un sentiment de culpabilité (Fowler et coll., 1986 ; Kolata, 1986). Comme le suicide est si souvent un acte impulsif, des barrières environnementales (comme des barrières au niveau des ponts pour empêcher les gens de sauter et l'interdiction de vendre des armes chargées) peuvent réduire le suicide (Anderson, 2008). Même si le bon sens suggère qu'une personne déterminée cherchera simplement à trouver un autre moyen pour perpétrer son acte, ces obstacles donnent le temps aux pulsions autodestructrices de s'atténuer.

De plus, les personnes adoptées qui présentent un trouble de l'humeur ont souvent des membres de leur famille biologique qui ont souffert de troubles de l'humeur, sont devenus alcooliques ou se sont suicidés (Wender et coll., 1986). (Le Gros plan : « Le suicide » présente d'autres résultats de recherches sur le suicide.)

Pour identifier les gènes pouvant augmenter le risque de dépression chez les gens, certains chercheurs ont utilisé la méthode d'*analyse de liaison génique*. Après avoir trouvé des familles où sévit le trouble depuis plusieurs générations, les généticiens examinent l'ADN des membres de la famille atteints et de ceux qui ne le sont pas, recherchant les différences. Les chercheurs Robert Plomin et Peter McGuffin, spécialistes de la génétique du comportement (2003), remarquent que l'analyse de liaison met en évidence un voisinage chromosomique : « Une recherche porte-à-porte est ensuite nécessaire pour trouver le gène responsable ». Ces études renforcent le point de vue que la dépression est une affection complexe. De nombreux gènes travaillent probablement ensemble pour produire une mosaïque de petits effets qui interagissent avec d'autres facteurs pour augmenter le risque chez les individus. Si les variations géniques responsables peuvent être identifiées, elles peuvent ouvrir la voie vers des traitements plus efficaces (Hu et coll., 2007 ; McMahon et coll., 2006 ; Paddock et coll., 2007).

Jerry Irwin Photography

Les chasseurs de gènes à la recherche d'un lien entre l'ADN et les troubles bipolaires Les analyses de liaisons géniques servent à identifier les gènes anormaux chez les membres d'une famille présentant le trouble. Les membres de cette famille Amish de Pennsylvanie, un peuple isolé partageant un mode de vie commun et présentant une certaine vulnérabilité à ce trouble, se sont portés volontaires pour l'étude.

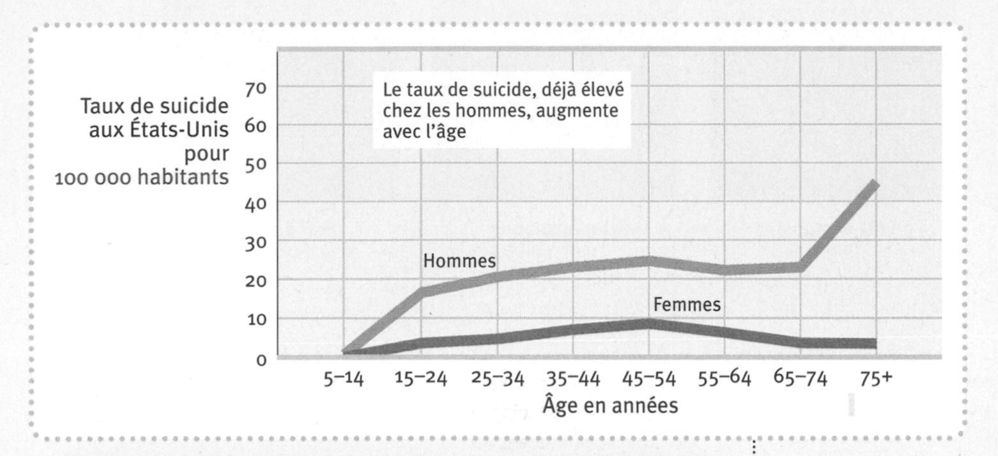

➤ FIGURE 14.5
Taux de suicide par sexe et par âge Dans le monde, les taux de suicide sont plus élevés chez les hommes que chez les femmes. On trouve le taux de suicide le plus élevé chez les hommes plus âgés. (D'après *Statistical Abstract*, 2008.)

Une suggestion sociale peut déclencher le suicide. À la suite de suicides ayant été médiatisés ou de programmes de télévision parlant du suicide, le nombre de suicides augmente. C'est ce qui se passe aussi pour les « accidents » de voiture fatals et les crashs d'avions privés. Une étude menée pendant six ans a recensé les cas de suicides parmi les 1,2 million de personnes vivant dans la ville de Stockholm au cours des années 1990 (Hedström et coll., 2008). Les hommes exposés à un suicide familial avaient 8 fois plus de risques de se suicider que les hommes n'ayant pas été exposés. Bien que ce phénomène puisse être en partie attribuable à des gènes familiaux, les prédispositions génétiques communes n'expliquent pas pourquoi les hommes exposés au suicide d'un collègue de travail avaient 3,5 fois plus de risques de se suicider que les hommes non exposés.

Le suicide n'est pas nécessairement un acte d'hostilité ou de vengeance. Chez les personnes âgées, le suicide est parfois choisi comme alternative aux souffrances actuelles ou futures. Chez les gens de tout âge, le suicide peut être une manière de supprimer une douleur insupportable et de soulager la charge perçue pour les membres de la famille. « Les personnes désirent la mort lorsque deux besoins fondamentaux sont arrivés au point d'extinction », remarque Thomas Joiner (2006, p. 47), « le besoin d'appartenir ou d'être lié à d'autres et le besoin de se sentir efficace ou d'influencer les autres. »

Rétrospectivement, les familles et les amis peuvent se souvenir de signes qui auraient dû les mettre en garde : allusions verbales, don d'affaires personnelles, repli sur soi et obsession de la mort. Mais peu de personnes qui pensent à se suicider ou qui en parlent (dont un tiers d'adolescents et de lycéens) passent vraiment à l'acte, et parmi celles qui le font, peu vont jusqu'au bout (Yip, 1998). Par exemple, les États-Unis enregistrent un demi-million d'admissions aux urgences pour tentatives de suicide chaque année (ministère de la Santé, 1999). Mais environ 30 000 suicides sont effectifs et comprennent un tiers des personnes ayant déjà fait des tentatives auparavant. La plupart des gens en avaient parlé. Ainsi, si l'un de vos amis vous fait part de ses intentions suicidaires, il est important de l'écouter et de le diriger vers des professionnels qui pourront l'aider. Toute personne menaçant de mettre fin à ses jours envoie au moins un signal qu'il se sent désespéré et découragé.

Le cerveau déprimé Utilisant des technologies modernes, les chercheurs ont eu un aperçu de l'activité cérébrale pendant les états dépressifs et les épisodes maniaques ainsi que des effets de certains neuromédiateurs pendant ces états. Une étude a fait subir à 13 nageurs de compétition canadiens l'expérience violente de regarder la cassette vidéo de l'épreuve à l'issue de laquelle ils n'avaient pas été qualifiés pour rejoindre l'équipe olympique ou avaient perdu les Jeux olympiques (Davis et coll., 2008). Les IRM fonctionnelles ont montré que les schémas d'activité cérébrale présentés par les nageurs désappointés étaient voisins de ceux des patients ayant une humeur déprimée.

Beaucoup d'études ont montré une diminution de l'activité du cerveau durant les états dépressifs marchant au ralenti et une plus grande activité au cours des épisodes maniaques (FIGURE 14.6, page suivante). Le lobe frontal gauche, qui est actif durant les émotions positives, est plus particulièrement susceptible d'être inactif durant les états dépressifs (Davidson et coll., 2002). Au cours d'une étude menée sur des personnes atteintes de dépression grave, les IRM ont montré une diminution de 7 p. 100 de la taille des lobes frontaux (Coffey et coll., 1993). D'autres études montrent que l'*hippocampe*, le centre de traitement de la mémoire lié au circuit émotionnel cérébral, était vulnérable aux lésions liées aux stress.

Au moins deux systèmes de neuromédiateurs jouent un rôle dans les troubles de l'humeur. Le premier, la *noradrénaline*, qui augmente le niveau d'éveil et stimule l'humeur, est surabondant durant la phase maniaque et rare durant la dépression. (Les médicaments qui soulagent les épisodes maniaques réduisent la concentration en noradrénaline.) La plupart des sujets ayant des antécédents de dépression ont aussi des antécédents de tabagisme.

➤ FIGURE 14.6
Les hauts et les bas d'un trouble bipolaire
Les images en TEP montrent que la consommation énergétique du cerveau augmente et diminue avec les modifications émotionnelles du patient. Les zones rouges sont celles où le cerveau consomme le glucose rapidement.

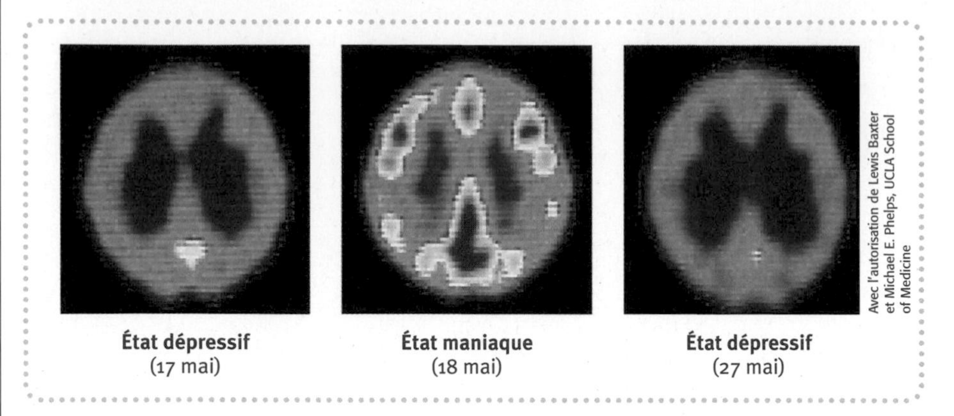

Cela peut indiquer qu'ils essayent une sorte d'automédication en inhalant la nicotine, qui peut augmenter temporairement le taux de noradrénaline et améliorer l'humeur (HMHL, 2002).

Un deuxième neuromédiateur, la *sérotonine*, est aussi rare durant la phase de dépression. Certains gènes étudiés avec minutie fournissent les codes d'une protéine qui contrôle l'activité de la sérotonine (Plomin et McGuffin, 2003). Les effets d'un tel gène étaient clairs au cours d'une étude importante menée chez les jeunes adultes néo-zélandais qui avaient subi plusieurs stress majeurs comme une rupture amoureuse ou le décès d'un membre de la famille. Ces individus stressés avaient plus de risques de souffrir de dépression *s'ils* étaient porteurs d'une variation d'un gène contrôlant la sérotonine (Caspi et coll., 2003 ; Moffitt et coll., 2006). Selon cette étude, la recette de la dépression nécessite l'interaction de deux ingrédients : un stress significatif et un gène. Lorsqu'ils ne sont pas associés, l'environnement défavorable à lui seul, ou le gène à lui seul, entraînent peu de différences. Comme nous l'avons vu si souvent tout au long de cet ouvrage, les gènes et l'environnement - l'inné et l'acquis - interagissent pour nous modeler.

Les médicaments qui traitent la dépression ont tendance à augmenter l'apport de noradrénaline ou de sérotonine en bloquant soit leur recapture (comme le font le Prozac®, le Zoloft® et le Paxil® avec la sérotonine), soit leur dégradation chimique. Un exercice physique régulier, comme le jogging, augmente le taux de sérotonine et réduit la dépression (Jacobs, 1994 ; Ilardi et coll., 2007). Augmenter la sérotonine peut favoriser la guérison de la dépression en stimulant la croissance des neurones de l'hippocampe (Airan et coll., 2007 ; Jacobs et coll., 2000).

La perspective sociocognitiviste

La dépression est un trouble du corps entier. Les influences biologiques contribuent à la dépression mais ne l'expliquent pas totalement. La perspective sociocognitiviste explore les rôles de la pensée et de l'action.

Les gens déprimés voient l'existence à travers des verres sombres. Leurs considérations très négatives à propos d'eux-mêmes, de leur situation et de leur futur les amènent à amplifier les expériences malheureuses et à minimiser les bonnes. Écoutons Norman, un professeur canadien, qui se souvient de sa dépression :

> Je [désespérais] de redevenir humain. Honnêtement, je me considérais comme un sous-homme, plus faible que la plus faible des vermines. De plus, je me déconsidérais et je ne comprenais pas qu'on puisse s'associer avec moi ou sans parler de m'aimer... J'étais persuadé d'être un imposteur et un charlatan qui ne méritait pas son doctorat. Je ne méritais pas d'être titulaire, ni d'être professeur... Je ne méritais pas les bourses de recherche qui m'étaient accordées. Je ne comprenais pas comment j'avais pu écrire des livres et des articles de journaux... J'ai dû tromper un grand nombre de gens. (Endler, 1982, pp. 45-49)

Les recherches ont révélé comment les *sentiments d'autodépréciation* et un *style explicatif négatif* entretiennent le cercle vicieux de la dépression.

Les pensées négatives interagissent avec les humeurs négatives Des sentiments d'autodépréciation peuvent naître d'une *impuissance acquise*. Comme nous l'avons vu dans le chapitre 13, les chiens, comme les hommes, agissent de façon dépressive, passive et restent repliés sur eux-mêmes après avoir vécu des événements incontrôlables et douloureux.

L'impuissance acquise est plus fréquente chez les femmes que chez les hommes et elles peuvent répondre plus fortement au stress (Hankin et Abramson, 2001 ; Mazure et coll., 2002 ; Nolen-Hoeksema, 2001, 2003). Par exemple, 38 p. 100 des femmes et 17 p. 100 des hommes qui entrent à l'université américaine se disent « souvent dépassé(e)s par le volume de travail à fournir » (Pryor et coll., 2006). (Les hommes déclarent consacrer plus de temps à des « activités faiblement anxiogènes » telles que le sport, la télévision et la fête, évitant ainsi des situations dans lesquelles ils pourraient se sentir dépassés.) Cela peut expliquer pourquoi, commençant au début de l'adolescence, les femmes sont deux fois plus vulnérables à la dépression (Kessler, 2001). Susan Nolen-Hoeksema (2003) pense que le risque supérieur de dépression chez les femmes peut également être lié à leur tendance à *trop penser* et à ruminer comme elle le décrit. Les femmes ont souvent des souvenirs très clairs de leurs expériences horribles ou magnifiques. Les hommes se souviennent plus vaguement de ces expériences (Seidlitz et Diener, 1998). La différence entre les sexes des souvenirs émotionnels peut nourrir la rumination plus importante des femmes concernant les événements négatifs et expliquer pourquoi il y a moins d'hommes que de femmes se trouvant fréquemment submergés en entrant à l'université.

Mais pourquoi les échecs inévitables de l'existence conduisent-ils certaines personnes (hommes ou femmes) et pas d'autres à déprimer ? La réponse réside, en partie, dans *le style explicatif* des gens, c'est-à-dire qui ou quoi blâmer pour nos échecs. Pensez à la façon dont vous allez vous sentir si vous ratez un test. Si vous extériorisez le blâme (quel test peu équitable !), vous avez plus de chances d'être en colère, mais si vous vous blâmez vous-même, vous allez probablement vous sentir stupide et déprimé.

Il en est de même pour les gens déprimés qui ont tendance à expliquer les événements pénibles par des termes *stables* (« c'est parti pour durer toujours »), *généraux* (« cela va affecter tout ce que je fais ») et *internes* (« tout cela est de ma faute ») (FIGURE 14.7). Les personnes sujettes à la dépression répondent aux mauvais événements de manière particulièrement centrée sur elles-mêmes, en se blâmant elles-mêmes (Mor et Winquist, 2002 ; Pyszczynski et coll., 1991 ; Wood et coll., 1990a,b). Leur estime de soi fluctue plus rapidement vers le haut avec des stimulations et le bas avec des menaces (Butler et coll., 1994).

Le résultat de ces attributions pessimistes, généralisées et autoculpabilisantes, aboutit à un sentiment déprimant de désespoir (Abramson et coll., 1989 ; Panzarella et coll., 2006). Comme le remarque Martin Seligman, la « recette de la dépression sévère est un pessimisme préexistant rencontrant un échec » (1991, p. 78). Qu'attendriez-vous de la part de nouveaux

Michael Marsland

Susan Nolen-Hoeksema « Cette épidémie de méditation morbide est une maladie qui touche davantage les femmes que les hommes. Les femmes peuvent ruminer sur tout et n'importe quoi : l'apparence, la famille, la carrière, la santé. » (*Women Who Think Too Much : How to Break Free of Overthinking and Reclaim your Life*, 2003)

« J'ai appris à accepter mes erreurs en les rattachant à une histoire personnelle qui n'était pas de mon fait. »
B. F. Skinner (1983)

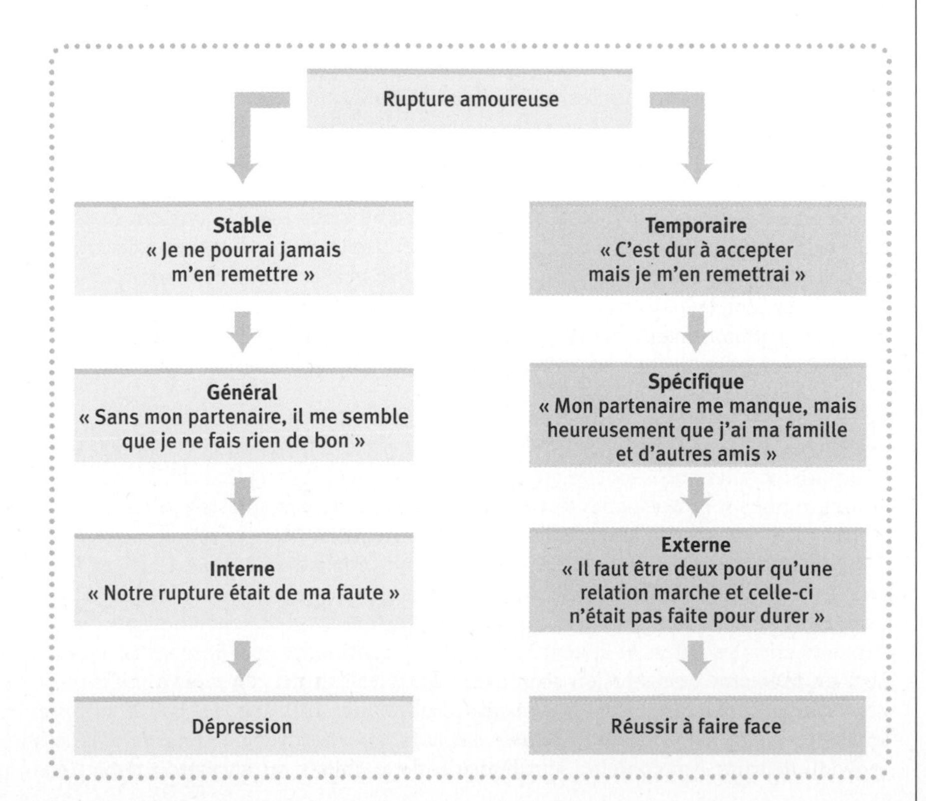

➤ FIGURE 14.7
Style explicatif et dépression

Charlie Brown pourrait-il être aidé par un programme d'entraînement à l'optimisme ?

PEANUTS

étudiants qui ne sont pas déprimés, mais qui manifestent tout de même un style explicatif pessimiste ? Lauren Alloy et ses collaborateurs (1999) ont suivi des étudiants de l'université de Temple et de l'université du Wisconsin toutes les 6 semaines pendant 2 ans et demi. Parmi ceux qui avaient un mode de pensée pessimiste, 17 p. 100 avaient connu un premier épisode de dépression majeure, contre 1 p. 100 seulement de ceux qui entraient à l'université avec un mode de pensée optimiste. Des recherches complémentaires ont mis en évidence que les étudiants qui étaient optimistes à leur entrée à l'université développaient un réseau de relations sociales qui les soutenait et contribuait à réduire le risque de dépression (Brissette et coll., 2002).

Seligman (1991, 1995) prétend que la dépression est fréquente chez les jeunes occidentaux à cause de l'extension de l'individualisme et du déclin de l'implication dans la famille et la religion qui ont obligé les jeunes à se rendre personnellement responsables des échecs ou du rejet. Dans les cultures non occidentales, où les relations étroites et l'entraide constituent la norme, la dépression majeure est moins fréquente et moins reliée à l'auto-accusation devant un échec personnel (OMS, 2004). Au Japon, par exemple, les déprimés ont au contraire tendance à reporter le sentiment de honte sur le fait d'abandonner les autres (Draguns, 1990a).

• De 1985 à 2004, les Américains ont véritablement décrit moins de relations étroites avec leurs collègues de travail, leur famille au sens large et leurs voisins et, par conséquent, ils peuvent discuter de choses importantes avec moins de personnes. Le nombre de gens n'ayant personne à qui se confier est passé de 10 à 25 p. 100 (McPherson et coll., 2006). •

Il existe toutefois un problème analogue à celui de l'œuf et de la poule en ce qui concerne l'explication sociocognitiviste de la dépression. L'auto-accusation, l'autodestruction et les attributions négatives contribuent certainement à la dépression. Peter Barnett et Ian Gotlib (1988) notent que ces éléments cognitifs *coïncident* avec l'humeur dépressive et sont des *indicateurs* de la dépression. Mais sont-ils la *cause* de la dépression au même titre que le compteur de vitesse qui, indiquant 90 km/h, est la cause de la vitesse de la voiture ? Avant ou après avoir été déprimés, les gens ont des pensées moins négatives. Peut-être est-ce parce que, comme nous l'avons noté dans notre discussion à propos des souvenirs dépendant de l'état de la personne (Chapitre 8), une humeur dépressive suscite des pensées négatives. Si vous mettez temporairement des gens de mauvaise humeur ou dans une humeur triste, leurs souvenirs, leurs attentes et leurs jugements vont brusquement devenir plus pessimistes.

Joseph Forgas et ses collaborateurs (1984) ont fourni une démonstration éclatante de cet effet de l'humeur. Tout d'abord, ils ont filmé les participants en train de discuter. Le jour suivant, ils ont mis ceux-ci de bonne ou de mauvaise humeur sous hypnose et leur ont demandé de regarder le film qu'ils avaient tourné sur eux. Les sujets heureux se sont trouvé plus d'éléments de comportement positifs que d'éléments négatifs ; les sujets mécontents se sont vus plus souvent sous un jour négatif.

« L'homme ne réfléchit et ne se livre jamais autant à l'introspection que lorsqu'il souffre, car il est anxieux de comprendre la cause de sa souffrance. »

Luigi Pirandello, *Six personnages en quête d'auteur*, 1922

Le cercle vicieux de la dépression La dépression, comme nous l'avons vu, est souvent déclenchée par des expériences stressantes – la perte d'un travail, le divorce, un rejet ou un traumatisme physique – tout ce qui peut perturber notre perception de qui nous sommes et de pourquoi nous sommes dignes d'être des hommes. Cette perturbation peut à son tour conduire à broyer du noir, ce qui amplifie les sentiments négatifs. Mais ce retrait, cette focalisation sur nous-mêmes et ces plaintes peuvent elles-mêmes engendrer le rejet (Furr et Funder, 1998 ; Gotlib et Hammen, 1992). Au cours d'une étude, les chercheurs Stephen Strack et James Coyne (1983) ont noté que « les personnes déprimées suscitaient l'hostilité, la dépression et l'anxiété chez les autres et étaient rejetées. Leur sentiment de n'être pas acceptées n'était pas lié à un problème de distorsion cognitive. » En fait, les sujets en proie à la dépression courent un risque plus élevé de divorcer, de perdre leur emploi ainsi que de subir d'autres événements stressants sur le plan existentiel. Lassés par la fatigue, l'attitude désespérée et la léthargie d'un individu déprimé, un conjoint peut menacer de le quitter ou un patron remettre en question ses compétences. (Cela constitue un autre exemple d'interaction entre la génétique et l'environnement : les sujets génétiquement prédisposés à la dépression se retrouvent plus souvent confrontés à des événements dépressogènes.) Les pertes et les stress ne sont que des composants de la dépression originale. Le rejet et la dépression s'alimentent l'un l'autre. Le malheur aime peut-être la compagnie de l'autre, mais la compagnie n'aime guère le malheur de l'autre.

Nous pouvons à présent assembler certaines pièces du puzzle de la dépression (FIGURE 14.8) : (1) les événements négatifs stressants interprétés (2) par un style explicatif pessimiste et un ressassement créent (3) un état dépressif, désespéré qui (4) perturbe la façon dont les gens pensent et agissent. Ce phénomène à son tour alimente (1) de nouvelles expériences négatives comme le rejet.

Aucun d'entre nous n'échappe au découragement, à la perte de l'estime de soi et aux pensées négatives liées au rejet et à l'échec. Comme Edward Hirt et ses collaborateurs (1992) l'ont démontré, même des échecs mineurs peuvent temporairement aigrir nos pensées. Ils ont étudié des supporters de l'équipe de basketball de l'université d'Indiana qui semblaient considérer l'équipe comme un prolongement d'eux-mêmes. Après que ces supporteurs ont vu leur équipe perdre ou gagner un match, les chercheurs leur demandaient de prédire les futures performances de leur équipe et les leurs. Après une défaite, les gens donnèrent une évaluation plus sombre, non seulement de l'avenir de l'équipe, mais également de leur réussite probable au jeu de fléchettes, à la résolution de mots croisés ou même à l'obtention d'un rendez-vous amoureux. Lorsque les choses ne vont pas comme nous le voulons, nous avons l'impression que rien ne se passera jamais bien.

C'est un cycle que nous connaissons tous. La mauvaise humeur s'auto-alimente : quand on *se sent* déprimé, on *pense* de manière négative et on se souvient des mauvaises expériences. Lorsqu'on est du côté plus brillant, il est possible de rompre ce cercle de la dépression en chacun de ces points - en se déplaçant dans un environnement différent, en inversant son autocritique et ses attributions négatives, en tournant son attention vers l'extérieur ou en se lançant dans des activités plus agréables et dans un comportement plus satisfaisant.

Winston Churchill traitait la dépression de « chien noir » qui périodiquement le prenait en chasse. La poétesse Emily Dickinson avait si peur d'éclater en sanglots en public qu'elle vécut recluse la majeure partie de sa vie d'adulte (Patterson, 1951). Comme chacune de ces existences nous le rappelle, les gens peuvent et doivent se battre contre la dépression. La plupart récupèrent leurs capacités à aimer, à travailler et même à réussir au plus haut niveau.

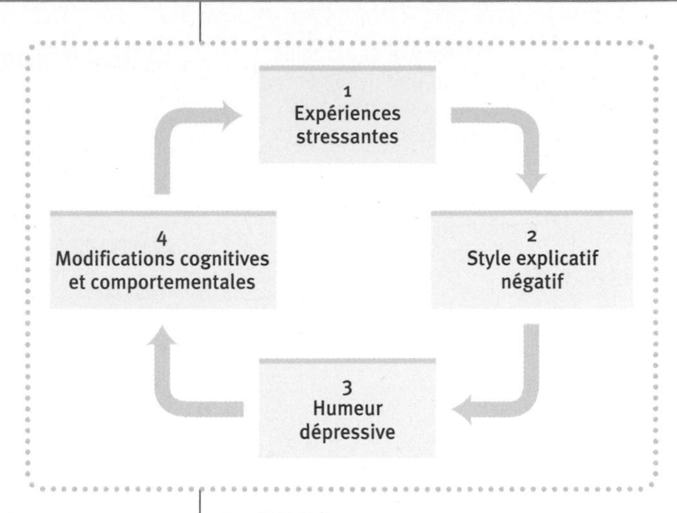

➤ FIGURE 14.8
Le cercle vicieux des pensées dépressives
Les thérapeutes cognitivistes essayent de rompre ce cycle, comme nous le verrons au chapitre 15, en changeant la façon dont les personnes déprimées traitent les événements. Les psychiatres essayent de modifier les origines biologiques des humeurs constamment déprimées à l'aide de médicaments.

AVANT D'ALLER PLUS LOIN...

➤ **INTERROGEZ-VOUS**

Votre entrée à l'université a-t-elle été un moment difficile pour vous ? Quels conseils pourriez-vous donner à un futur étudiant ?

➤ **TESTEZ-VOUS 5**

Qu'entend-on par l'expression « la dépression est le rhume des troubles psychologiques » ?

Les réponses aux questions « Testez-vous » sont données dans l'annexe B à la fin de l'ouvrage.

Schizophrénie

11. Quels sont les modes de pensée, de perception, de sensation et de comportement qui caractérisent la schizophrénie ?

SI LA DÉPRESSION EST LE RHUME BANAL des troubles psychologiques, la schizophrénie chronique en est le cancer. Environ une personne sur cent développera une schizophrénie, rejoignant les 24 millions de personnes dans le monde qui souffrent d'un des troubles les plus terrifiants de l'humanité (OMS, 2008).

:: Schizophrénie : ensemble de troubles sévères, caractérisés par une désorganisation de la pensée, des idées délirantes, des troubles perceptifs et des actions ou des émotions inappropriées.

:: Idées délirantes : fausses croyances, souvent de persécution ou de grandeur, qui peuvent accompagner les troubles psychotiques.

Symptômes de la schizophrénie

Au sens littéral, **schizophrénie** signifie « esprit coupé ». Cela ne se rapporte pas à une division en personnalités multiples, mais plutôt à une coupure avec la réalité, qui se manifeste par une pensée désorganisée, des perceptions perturbées, des actions et des émotions inappropriées.

Désorganisation de la pensée

Imaginez-vous en train d'essayer de communiquer avec Maxine, une jeune femme dont les pensées jaillissent sans ordre logique. Susan Sheehan (1982, p. 25), sa biographe, l'observait parlant à haute voix, sans s'adresser à quelqu'un en particulier. « Ce matin, quand j'étais à l'hôpital, j'étais en train de faire un film. J'étais entourée de stars de cinéma... Je suis Mary Poppins. Cette chambre est-elle peinte en bleu pour m'énerver ? Ma grand-mère est morte quatre semaines après mon dix-huitième anniversaire. »

Comme le montre cet étrange monologue, la pensée du patient schizophrène est fragmentée, bizarre et distordue par des croyances erronées, appelées **idées délirantes** (« je suis Mary Poppins »). Les personnes qui présentent une tendance *paranoïde* sont particulièrement sujettes à des idées délirantes de persécution. Même à l'intérieur d'une phrase, les idées confuses peuvent créer ce qu'on appelle une *salade de mots*. Un jeune homme demandait « un peu plus d'allegro dans le traitement » et suggérait que « les mouvements de libération ayant en vue un élargissement de l'horizon » allaient « donc extorquer un peu d'esprit dans leurs conférences ».

Les pensées désorganisées résultent d'une rupture dans l'*attention sélective*. Rappelez-vous le chapitre 3, où nous avons vu que nous possédions normalement une remarquable capacité à consacrer toute notre attention à un groupe de stimuli sensoriels tout en filtrant les autres. Les schizophrènes ne peuvent pas faire cela. Des stimuli infimes, sans aucun intérêt, comme les fissures d'une brique ou l'inflexion d'une voix, peuvent détourner leur attention de l'événement plus important ou du discours de celui qui parle. Comme s'en souvient un malade autrefois schizophrène : « Ce qui m'est arrivé... était une rupture du filtre et un tohu-bohu de stimuli non pertinents qui me distrayaient des événements qui auraient dû recevoir toute mon attention » (MacDonald, 1960, p. 218). Cette difficulté d'attention sélective est une des douzaines de différences cognitives associées à la schizophrénie (Reichenberg et Harvey, 2007).

Troubles perceptifs

Une personne atteinte de schizophrénie peut avoir des *hallucinations* (expériences sensorielles en l'absence de stimulation sensorielle) et voir, ressentir, goûter ou sentir des choses qui n'existent pas. Le plus souvent, cependant, ces hallucinations sont auditives et prennent souvent la forme de voix qui l'insultent ou lui donnent des ordres. Les voix peuvent dire au patient qu'il est mauvais ou qu'il doit se brûler avec un briquet. Imaginez

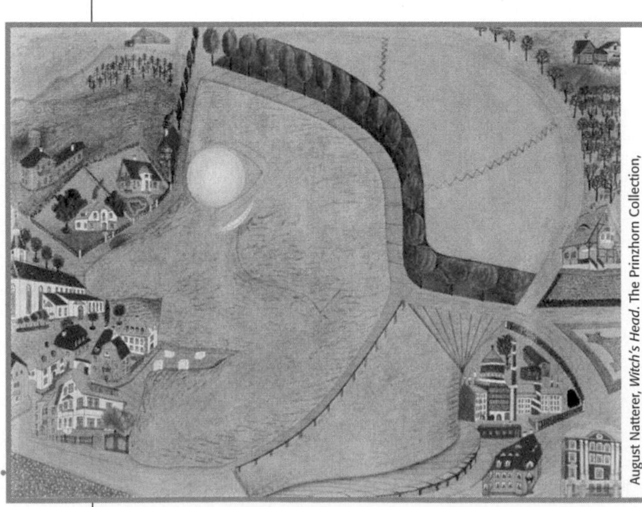

August Natterer, *Witch's Head*. The Prinzhorn Collection, université d'Heidelberg

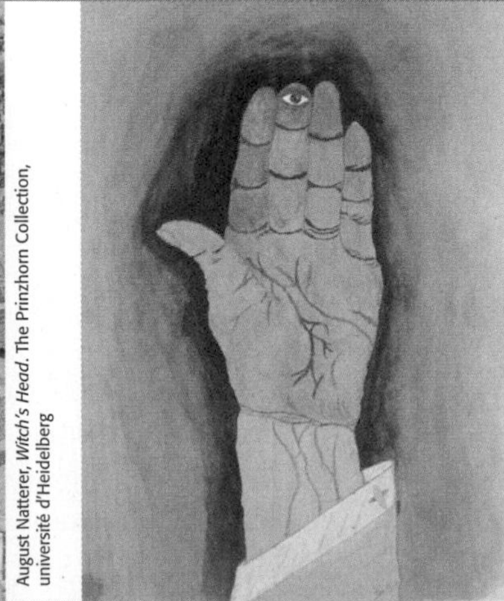

Photos par Krannert Museum, université de l'Illinois à Urbana-Champaign

Toiles de sujets diagnostiqués schizophrènes Dans un commentaire portant sur le genre de tableaux que l'on voit ici, le poète et critique d'art John Ashbery écrivit : « L'attrait de ce travail est puissant, mais puissante également est la terreur des énigmes sans réponse qu'il propose. »

vos propres réactions si un rêve faisait irruption dans votre conscience éveillée. Lorsque l'irréel semble réel, les perceptions qui en résultent sont au mieux bizarres et au pire terrifiantes.

Émotions et actions inappropriées

Les émotions de la schizophrénie sont souvent totalement inappropriées, coupées de la réalité. Maxine riait en se rappelant de la mort de sa grand-mère. Par moments, elle se mettait en colère sans raison apparente ou pleurait quand les autres riaient. D'autres schizophrènes tombent dans un état dépourvu d'émotion, un *affect abrasé*.

Le comportement moteur peut lui aussi être inapproprié. La personne peut exécuter des actes compulsifs, dénués de sens, comme par exemple se balancer ou se frotter continuellement un bras. Ceux qui présentent une *catatonie* peuvent rester sans bouger pendant des heures d'affilée puis devenir agités.

Comme vous pouvez l'imaginer, ces pensées désorganisées, ces troubles perceptifs et ces actions ou ces émotions inappropriées perturbent profondément les relations sociales, et pour ces personnes il devient difficile de garder un travail. Au cours de leurs crises les plus sévères, les schizophrènes vivent dans un monde qui leur est propre, préoccupés par des idées irrationnelles et des images irréelles. Avec un soutien extérieur, certaines personnes finissent par guérir et à mener une existence normale ou ne souffrent de schizophrénie que par intermittence. D'autres restent socialement isolées et renfermées pendant la majeure partie de leur vie.

« Quand on me demande d'expliquer la schizophrénie, je dis que c'est comme si un rêve était réel et se transformait parfois en cauchemar. C'est comme si je marchais dans un rêve, mais tout ce qui m'entoure est réel. Parfois, le monde d'aujourd'hui m'ennuie et je me demande si je n'aimerais pas retourner dans mes rêves schizophréniques, puis je me souviens aussi des expériences terrifiantes que j'endurais. »

Stuart Emmons, avec Craig Geisler, Kalman J. Kaplan et Martin Harrow, *Living with Schizophrenia*, 1997

Apparition et développement de la schizophrénie

La schizophrénie frappe typiquement les jeunes gens au moment où ils entrent dans l'âge adulte. Elle n'a aucune limite géographique et affecte les hommes comme les femmes, bien que les hommes aient tendance à être atteints plus tôt, plus sévèrement et légèrement plus souvent (Aleman et coll., 2003 ; Picchioni et Murray, 2007). Des études menées sur des hommes originaires du Danemark et de la Suède révèlent que les jeunes hommes minces et ceux qui n'ont pas été nourris au sein sont plus vulnérables (Sørensen et coll., 2005, 2006 ; Zammit et coll., 2007).

Pour certains, la schizophrénie apparaît brusquement, comme si c'était une réaction au stress. Pour d'autres, comme dans le cas de Maxine, la schizophrénie se développe progressivement, émergeant d'une longue histoire d'inadaptation sociale (ce qui explique, en partie, pourquoi les gens prédisposés à la schizophrénie ont un niveau socio-économique très bas ou même sont sans abris). Nous avons jusque-là décrit la schizophrénie comme un trouble unique. En fait, c'est un ensemble de troubles. Les différents types ont des caractéristiques communes, mais également des symptômes spécifiques (TABLEAU 14.3). Les patients schizophrènes qui ont des *symptômes positifs* peuvent souffrir d'hallucinations, sont désorganisés et délirants dans leurs discours, et sont enclins à rire, à pleurer ou à se mettre en colère de manière inappropriée. Les patients schizophrènes qui ont des *symptômes négatifs* ont des voix monocordes et des visages sans expression, sont muets et rigides dans leurs postures corporelles. Ainsi, les symptômes positifs sont la *présence* de comportements inappropriés et les symptômes négatifs l'*absence* de comportements appropriés. Comme la schizophrénie est un ensemble de troubles, ses symptômes variés peuvent avoir plusieurs causes.

TABLEAU 14.3

TYPES DE SCHIZOPHRÉNIE

Paranoïde	Préoccupation accompagnée d'idées délirantes ou d'hallucinations qui ont souvent trait à la persécution et aux idées de grandeur
Désorganisée	Discours ou comportement désorganisé, émotions abrasées ou inappropriées
Catatonique	Immobilité (ou mouvements excessifs et inutiles), négativisme extrême. Comme un perroquet, le sujet répète les paroles et les gestes d'autres personnes
Non différenciée	Plusieurs symptômes variés
Résiduelle	Repli sur soi-même, une fois que les idées délirantes et les hallucinations ont disparu

Il existe une règle qui se vérifie partout dans le monde : lorsque la schizophrénie se développe lentement (*schizophrénie chronique* ou *processuelle*), on peut douter d'une guérison possible (OMS, 1979). Les personnes souffrant de schizophrénie chronique montrent souvent des symptômes négatifs de repli sur soi-même persistants et handicapants (Kirkpatrick et coll., 2006). Les hommes, chez qui la schizophrénie se manifeste environ quatre ans plus tôt que chez les femmes, ont plus souvent des symptômes négatifs caractéristiques d'une schizophrénie chronique (Räsänen et coll., 2000). Lorsqu'une personne, jusqu'ici bien adaptée, développe brutalement une schizophrénie en réaction à un stress particulier de l'existence (*schizophrénie aiguë* ou *réactionnelle*), la guérison est beaucoup plus probable. Elle présente plus souvent les symptômes positifs qui ont plus tendance à répondre au traitement médicamenteux (Fenton et McGlashan, 1991, 1994 ; Fowles, 1992).

Comprendre la schizophrénie

12. Quelle est la cause de la schizophrénie ?

La schizophrénie est non seulement le plus terrifiant des troubles psychologiques, mais également l'un des plus étudiés. La plupart des recherches actuelles associent la schizophrénie à des anomalies cérébrales et à des prédispositions génétiques. La schizophrénie est une maladie du cerveau qui manifeste ses symptômes dans l'esprit.

Anomalies cérébrales

Un déséquilibre biochimique cérébral pourrait-il être à l'origine de la schizophrénie ? Les scientifiques savent en effet, depuis longtemps, que des comportements étranges peuvent avoir des causes chimiques étranges. L'expression anglaise « fou comme un chapelier » (*mad as a hatter*) se réfère à la détérioration psychologique des fabricants de chapeaux britanniques dont les cerveaux, comme on le découvrit plus tard, étaient lentement empoisonnés lorsqu'ils humectaient avec leurs lèvres le bord chargé de mercure des chapeaux de feutre (Smith, 1983). Comme nous l'avons vu au chapitre 3, les scientifiques commencent à comprendre les mécanismes par lesquels des substances chimiques, telles que le LSD, produisent des hallucinations. Ces découvertes suggèrent que les symptômes de la schizophrénie pourraient avoir une clé biochimique.

Hyperactivité dopaminergique Les chercheurs découvrirent une de ces clés en examinant le cerveau de patients atteints de schizophrénie après leur mort. Ils ont trouvé un excès de *récepteurs dopaminergiques*, en fait six fois plus de récepteurs que la normale en ce qui concerne le récepteur D4 de la dopamine (Seeman et coll., 1993 ; Wong et coll., 1986). Les chercheurs supposent qu'un niveau aussi élevé peut augmenter les signaux cérébraux lors de schizophrénie, créant ainsi les symptômes positifs tels que les hallucinations et la paranoïa. Comme nous pouvons donc nous y attendre, les médicaments qui bloquent les récepteurs dopaminergiques réduisent souvent les symptômes de la schizophrénie ; ceux qui augmentent le niveau de dopamine, comme les amphétamines et la cocaïne, peuvent parfois les exacerber (Swerdlow et Koob, 1987). Une telle hyperactivité dopaminergique peut être ce qui sous-tend les réactions excessives des patients à des stimuli internes ou externes sans intérêt.

Les substances ayant pour effet de bloquer la dopamine agissent peu sur les symptômes négatifs persistants liés au repli sur soi-même. Les chercheurs travaillent actuellement sur un neuromédiateur excitant, le glutamate. Le blocage de l'activité du glutamate semble être une autre source des symptômes de la schizophrénie (Javitt et Coyle, 2004). Les drogues qui interfèrent avec les récepteurs du glutamate peuvent engendrer les symptômes négatifs schizophréniques.

• Environ 60 p. 100 des schizophrènes fument, et souvent beaucoup. Il semblerait que la nicotine stimule certains récepteurs cérébraux qui permettent de focaliser l'attention (Javitt et Coyle, 2004). •

Anomalies de l'anatomie et de l'activité cérébrales Les techniques modernes d'imagerie cérébrale ont montré que beaucoup de schizophrènes chroniques avaient une activité anormale au niveau de plusieurs zones cérébrales. Certains ont une activité cérébrale particulièrement basse dans les lobes frontaux qui sont essentiels au raisonnement, à la planification et à la résolution des problèmes (Morey et coll., 2005 ; Pettegrew et coll., 1993 ; Resnick, 1992). Les patients schizophrènes présentent également un déclin notable des ondes cérébrales qui reflètent la synchronisation de l'activité neuronale dans les lobes frontaux (Spencer et coll., 2004 ; Symond et coll., 2005). Les neurones asynchrones pourraient interrompre le fonctionnement intégré du réseau neuronal, contribuant probablement ainsi aux symptômes de la schizophrénie.

Une étude a obtenu des images par TEP de l'activité cérébrale de sujets en état hallucinatoire (Silbersweig et coll., 1995). Lorsque ces patients entendaient des voix ou avaient des visions, leur cerveau manifestait une activité intense dans plusieurs zones profondes, notamment au niveau du thalamus, une structure interne du cerveau filtrant les signaux sensoriels entrant et les transmettant au cortex. Une autre étude par TEP de personnes atteintes de paranoïa a montré une augmentation de l'activité dans l'amygdale, un centre de traitement de la peur (Epstein et coll., 1998).

De nombreuses études chez les patients schizophrènes ont mis en évidence un élargissement des zones remplies de liquide ainsi qu'un rétrécissement proportionnel des tissus cérébraux (Wright et coll., 2000). Une étude a même trouvé ces anomalies dans le cerveau des personnes qui pourraient *ultérieurement* développer ce trouble ainsi que chez leurs proches parents (Boos et coll., 2007 ; Job et coll., 2006). Plus le rétrécissement était important, plus les troubles de la pensée étaient graves (Collinson et coll., 2003 ; Nelson et coll., 1998 ; Shenton, 1992). Une des zones qui apparaît plus petite que la normale est le cortex. Le thalamus en est une autre, ce qui peut expliquer pourquoi les schizophrènes ont des difficultés à filtrer les signaux sensoriels et à se concentrer (Andreasen et coll., 1994). La conclusion de nombreuses recherches est que la schizophrénie n'émane pas d'une seule anomalie cérébrale, mais de problèmes survenant dans différentes zones du cerveau, impliquant également leur réseau d'interconnexions (Andreasen, 1997, 2001).

Naturellement, les scientifiques s'interrogent sur la cause de ces anomalies cérébrales. Une des hypothèses concerne l'existence d'un problème prénatal ou survenant au moment de l'accouchement. Il existe deux facteurs de risques bien connus de la schizophrénie qui sont un poids très bas à la naissance et un manque d'oxygène au cours de l'accouchement (Buka et coll., 1999 ; Zornberg et coll., 2000). La famine pourrait également augmenter les risques. Aux Pays-Bas, en temps de guerre, les enfants conçus pendant la famine eurent plus tard un taux de schizophrénie doublé, tout comme ceux conçus entre 1959 et 1961 dans la partie Est de la Chine, touchée par la famine (St. Clair et coll., 2005 ; Susser et coll., 1996).

Chris Usher

Étude neurophysiologique de la schizophrénie
Le psychiatre E. Fuller Torrey conserve les cerveaux de centaines de jeunes adultes morts prématurément qui étaient schizophrènes ou souffraient de troubles bipolaires. Torrey effectue des prélèvements tissulaires qu'il met à disposition des chercheurs du monde entier.

Infection virale survenant au milieu de la grossesse Un autre coupable possible est une infection virale survenant au milieu de la grossesse et qui pourrait altérer le développement du cerveau fœtal (Patterson, 2007). Pouvez-vous concevoir une façon de tester cette hypothèse virale ? Les scientifiques se sont posé les questions suivantes :

- *Les gens ont-ils un risque accru de souffrir de schizophrénie si, au cours de la période intermédiaire de leur développement fœtal, leur pays a connu une épidémie de grippe ?* À cette question, plusieurs fois, la réponse a été *oui* (Mednick et coll., 1994 ; Murray et coll., 1992 ; Wright et coll., 1995).
- *Les personnes nées dans des endroits à forte densité de population, où les maladies virales se propagent plus facilement, ont-elles plus de risques de souffrir de schizophrénie ?* La réponse, qui a été confirmée par une étude effectuée sur 1,75 million de Danois, est *positive* (Jablensky, 1999 ; Mortensen, 1999).
- *Ceux qui sont nés durant les mois d'hiver ou du printemps, après l'épidémie de grippe de la fin de l'hiver, présentent-ils un risque accru ?* La réponse est *oui*, avec un risque accru de 5 à 8 p. 100 (Torrey et coll., 1997, 2002).
- *Dans l'hémisphère sud, où les saisons sont inversées par rapport à l'hémisphère nord, les mois comportant un excès de naissances de schizophrènes sont-ils également inversés ?* Encore une fois, la réponse est *oui*, quoiqu'un peu plus mitigée. En Australie, par exemple, les gens nés entre août et octobre présentent le risque le plus élevé, *sauf* s'ils ont émigré de l'hémisphère nord, auquel cas le risque est plus grand pour ceux nés entre janvier et mars (McGrath et coll., 1995, 1999).
- *Les mères qui déclarent avoir eu la grippe pendant leur grossesse ont-elles plus de risques de porter un enfant susceptible de développer une schizophrénie ?* Si l'on se fonde sur une étude effectuée sur environ 8 000 femmes, la réponse est *oui*. Le risque de schizophrénie, qui est en général de 1 p. 100, monte à 2 p. 100, mais seulement si l'infection survient au cours du deuxième trimestre de la grossesse (Brown et coll., 2000).
- *Le sang prélevé chez les femmes enceintes dont les enfants développent une schizophrénie révèle-t-il des niveaux d'anticorps plus élevés que la normale, suggérant une infection virale ?* Dans le cas d'une étude comprenant 27 femmes dont les enfants ont développé une schizophrénie plus tard, la réponse a été *oui* (Buka et coll., 2001). La réponse a été encore *positive* lors d'une

étude californienne très importante qui a recueilli le sang prélevé chez 20 000 femmes enceintes durant les années 1950 et 1960. Certains de leurs enfants développèrent ultérieurement une schizophrénie. Lorsque les anticorps présents dans le sang indiquaient que la mère avait été exposée au virus de la grippe au cours de la première moitié de la grossesse, le risque que son enfant devienne ultérieurement schizophrène triplait. Une grippe pendant la deuxième moitié de la grossesse ne produisait pas une telle augmentation du risque (Brown et coll., 2004).

Ces preuves convergentes suggèrent que les infections virales du fœtus jouent un rôle contribuant au développement de la schizophrénie. Cela renforce également les recommandations selon lesquelles « les femmes qui seront enceintes de plus de trois mois au cours des mois d'épidémie de grippe » seront vaccinées contre le virus (CDC, 2003).

Comment expliquer qu'une infection grippale au cours du deuxième trimestre de la grossesse comporte un risque pour le fœtus ? Le virus lui-même en est-il la cause ? Est-ce dû à la réponse immunitaire de la mère ? Les médicaments ingérés pendant cette période ont-ils une incidence ? (Wyatt et coll., 2001). Cette infection affaiblit-elle les cellules gliales du cerveau, ce qui entraîne une réduction des connexions synaptiques (Moises et coll., 2002) ? Aucune réponse claire n'est encore disponible à l'heure actuelle.

Facteurs génétiques

Les infections virales pendant la grossesse semblent augmenter la probabilité que l'enfant développe une schizophrénie. Mais cette théorie ne nous explique pas pourquoi près de 98 p. 100 des femmes qui attrapent la grippe pendant le deuxième trimestre de la grossesse mettent au monde des enfants qui *ne* développeront *pas* de schizophrénie. Se peut-il que nous puissions également hériter de prédispositions à cette maladie ? Les éléments dont nous disposons suggèrent fortement que *oui* c'est effectivement le cas chez certains d'entre nous. La probabilité de 1 p. 100 pour un individu quelconque de présenter une schizophrénie passe à 10 p. 100 chez ceux qui ont un frère ou un parent atteint et pratiquement à 50 p. 100 chez ceux dont le frère jumeau (homozygote) est malade (FIGURE 14.9). Bien qu'il n'y ait qu'une douzaine de cas connus, il semble que le vrai jumeau d'un patient schizophrène conserve cette probabilité d'un risque sur deux s'ils ont été élevés séparément (Plomin et coll., 1997).

Souvenez-vous que les jumeaux identiques partagent le même environnement prénatal. Environ deux tiers d'entre eux partagent le même placenta et sont nourris par le même sang ; l'autre tiers se développe dans deux placentas séparés. Dans le cas d'un jumeau homozygote schizophrène, il y a 6 risques sur 10 que l'autre soit également affecté par la même maladie s'ils ont partagé le même placenta, mais seulement 1 risque sur 10 si les jumeaux ont eu des placentas différents, comme des faux jumeaux (Davis et coll., 1995a,b ; Phelps et coll., 1997). Les jumeaux partageant le même placenta sont plus sujets aux mêmes virus prénataux. Il est donc possible que le fait d'avoir été exposés aux mêmes germes – en ayant les mêmes gènes – produise ces similarités entre les vrais jumeaux.

Les études d'adoption ont confirmé l'existence d'un véritable lien génétique (Gottesman, 1991). Les enfants adoptés par quelqu'un qui développe une schizophrénie ont peu de

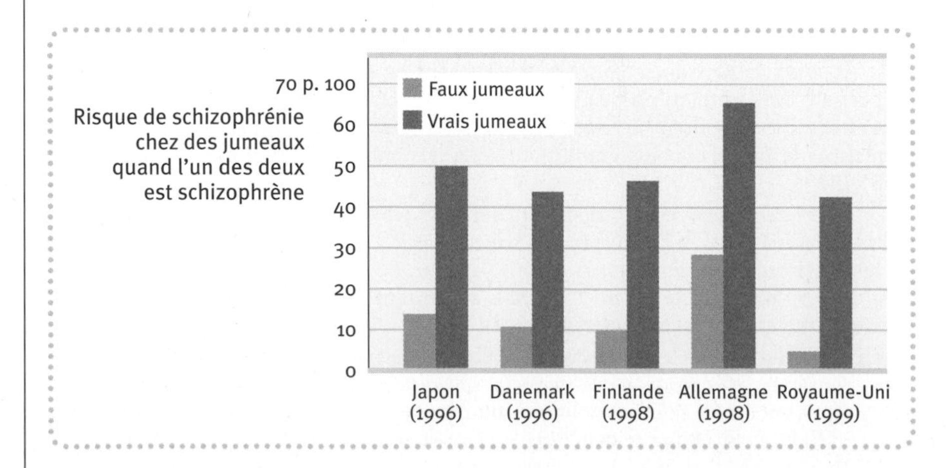

➤ FIGURE 14.9
Risques de développer une schizophrénie
Le risque de présenter une schizophrénie au cours de l'existence varie avec la parenté génétique du sujet avec quelqu'un présentant ce trouble. Dans chaque pays, un faux jumeau sur dix en est atteint, contre cinq sur dix chez les vrais jumeaux. (Adapté d'après Gottesman, 2001.)

risques de contracter ce trouble. En revanche, les enfants adoptés présentent un risque élevé si l'un de leurs parents biologiques souffre de schizophrénie.

Après avoir mis en évidence les facteurs génétiques, les chercheurs recherchent maintenant des gènes spécifiques qui, combinés d'une certaine façon, pourraient prédisposer aux anomalies cérébrales induisant la schizophrénie (Marx, 2007 ; Millar et coll., 2005 ; Williams et coll., 2007). (Ce ne sont pas nos gènes qui contrôlent directement notre comportement, mais notre cerveau.) Certains de ces gènes influencent les effets de la dopamine et d'autres neuromédiateurs dans le cerveau. D'autres affectent la fabrication de la *myéline* une substance lipidique qui recouvre les axones des cellules nerveuses et permet aux influx nerveux de se propager plus rapidement dans le réseau nerveux.

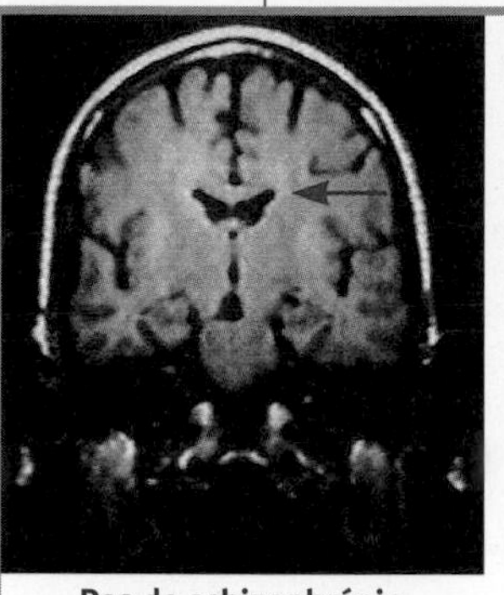
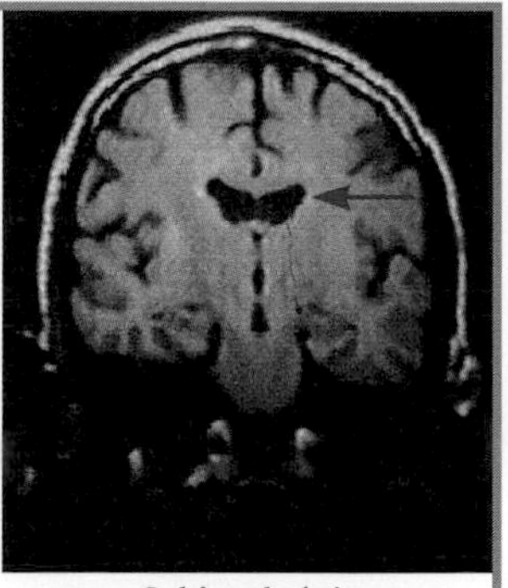

Pas de schizophrénie — Schizophrénie

Les deux photographies, avec l'autorisation de Daniel R. Weinberger, M.D., NIH-NIMH/NSC

La schizophrénie chez les vrais jumeaux
Lorsque des jumeaux sont différents, seul celui qui présente une schizophrénie a, en général, des ventricules cérébraux élargis et remplis de liquide (à droite) (Suddath et coll., 1990). La différence entre les jumeaux implique qu'il existe également d'autres facteurs qui ne sont pas génétiques, comme les virus.

Même si la contribution génétique à la schizophrénie est indubitable, la formule génétique n'est pas aussi simple que la transmission de la couleur des yeux. Un trouble aussi complexe que la schizophrénie est certainement influencé par des gènes multiples à effets restreints mais l'identification de ces gènes s'avère difficile (McClellan et coll., 2007 ; Sanders et coll., 2008 ; Walsh et coll., 2008). Et même dans ce contexte, d'autres facteurs, comme les infections virales prénatales, les privations alimentaires et le manque d'oxygène à la naissance que nous avons mentionné auparavant peuvent d'une façon quelconque aider à « activer » les gènes qui prédisposent certains d'entre nous à cette maladie. Comme nous l'avons souvent vu, la nature et la culture (l'inné et l'acquis) interagissent. Aucune main ne peut applaudir seule.

Notre connaissance du génome humain et des influences génétiques exercées sur des troubles tels que la schizophrénie est en plein essor, grâce en partie aux millions de dollars que le *National Institute of Mental Health* américain met à disposition pour résoudre l'énigme de la schizophrénie. En 2007, un nouveau centre de recherche privé a annoncé son objectif ambitieux : « Pouvoir diagnostiquer dans 10 ans sans aucune ambiguïté les patients ayant des troubles psychiatriques en se fondant sur leur séquence ADN » (Holden, 2007). Les scientifiques seront-ils capables de mettre au point des tests génétiques révélant les individus à risque ? Si oui, dans l'avenir, les futurs parents devront-ils soumettre leur embryon à des tests génétiques (afin d'y apporter des réparations génétiques ou choisir l'avortement) en cas de risque de maladies psychiques ou physiques ? Vont-ils soumettre leur ovule et leur sperme à un examen de dépistage avant de décider de les unir pour produire un embryon ? Ou bien les enfants vont-ils être soumis à un dépistage génétique pour déterminer les risques de maladies et y remédier par un traitement préventif ? Dans ce paradis du XXIe siècle, toutes ces questions attendent des réponses.

Avec l'aimable autorisation de la famille Genain

Les quadruplées Genain
La probabilité que quatre personnes quelconques prises au hasard soient toutes schizophrènes est de 1 sur 100 millions. Mais les quadruplées Nora, Iris, Myra et Hester Genain, génétiquement semblables, présentent toutes les quatre la maladie. Deux des sœurs ont des formes plus sévères, ce qui suggère l'existence d'influences de l'environnement aussi bien que de facteurs biologiques.

Facteurs psychologiques

Si, par eux-mêmes, les virus prénataux et les prédispositions génétiques ne provoquent pas la schizophrénie, il en est de même de la famille ou des facteurs sociaux seuls. Les psychologues qui attribuaient auparavant la schizophrénie à des « mères réfrigérateurs », glaciales et capricieuses, ont depuis longtemps abandonné cette idée. Comme l'ont dit Susan Nicol et Irving Gottesman il y a presque 30 ans (1983), il reste vrai qu'« aucun facteur environnemental n'a été découvert qui puisse, invariablement, ou même avec une faible probabilité, provoquer une schizophrénie chez des personnes qui ne sont pas apparentées » à un schizophrène.

Espérant identifier les causes environnementales de la schizophrénie, plusieurs chercheurs suivent actuellement le développement d'enfants à haut risque, tels ceux nés d'un parent atteint de schizophrénie ou exposés à des risques prénataux (Freedman et coll., 1998 ; Olin et Mednick, 1996 ; Susser, 1999). Une étude a suivi 163 adolescents et adultes d'une vingtaine d'années ayant deux membres de la famille schizophrènes. Au cours des 2 ans et demi que dura l'étude, les 20 p. 100 qui développèrent une schizophrénie présentaient une certaine

::Troubles de la personnalité : troubles psychologiques caractérisés par des comportements stables et durables qui gênent l'insertion sociale.

::Trouble de la personnalité antisociale : trouble de la personnalité au cours duquel une personne (généralement un homme) montre une absence de conscience pour une mauvaise action commise, même à l'encontre de ses amis ou des membres de sa famille. L'individu peut être agressif et sans pitié ou bien un remarquable escroc.

tendance à rester socialement en retrait et se comportaient étrangement avant l'apparition de leur maladie (Johnstone et coll., 2005). En comparant le vécu d'enfants à haut risque ou à faible risque qui développeront ou non une schizophrénie, les chercheurs ont jusqu'à maintenant souligné certains signes annonciateurs possibles :

- une mère dont la schizophrénie a été sévère et a duré longtemps ;
- des complications à la naissance, impliquant souvent un manque d'oxygène et un faible poids à la naissance ;
- une séparation d'avec les parents ;
- une faible capacité attentionnelle et une mauvaise coordination musculaire ;
- un comportement replié ou violent ;
- une instabilité émotionnelle ;
- peu de camarades, des jeux solitaires.

***

La majeure partie d'entre nous se sent plus proche des « hauts » et des « bas » des troubles de l'humeur que des pensées, des perceptions et des comportements étranges de la schizophrénie. Parfois, nos pensées vagabondent effectivement, mais nous ne parlons pas de façon insensée. De temps à autre, nous sommes injustement soupçonneux envers quelqu'un, mais nous ne craignons pas que le monde entier complote contre nous. Nos perceptions sont souvent erronées, mais nous voyons ou entendons rarement des choses qui n'existent pas. Nous avons parfois regretté d'avoir ri de l'infortune de quelqu'un, mais nous sautons rarement de joie en apprenant une mauvaise nouvelle. À certains moments, nous avons simplement envie d'être seuls, mais nous ne vivons pas dans l'isolement social. Cependant, des millions de personnes dans le monde parlent de façon bizarre, souffrent d'idées délirantes, entendent des voix et voient des choses qui n'existent pas, pleurent ou rient en des occasions inappropriées et se retirent dans leur monde imaginaire. La quête de la réponse à la cruelle énigme qu'est la schizophrénie continue, plus vigoureusement que jamais.

AVANT D'ALLER PLUS LOIN...

➤ **INTERROGEZ-VOUS**

Pensez-vous que les médias dressent le portrait précis du comportement des personnes qui souffrent de schizophrénie ? Quelle que soit votre réponse, précisez pourquoi.

➤ **TESTEZ-VOUS 6**

Quels sont les deux principaux types de schizophrénie ?

Les réponses aux questions « Testez-vous » sont données dans l'annexe B à la fin de l'ouvrage.

Troubles de la personnalité

13. Quelles sont les caractéristiques typiques des troubles de la personnalité ?

CERTAINS MODES DE COMPORTEMENT MAL ADAPTÉS gênent le fonctionnement social sans qu'il y ait dépression ou délire. Parmi eux se trouvent les **troubles de la personnalité**, qui sont des comportements perturbants, rigides et durables qui empêchent notre fonctionnement social. Un ensemble de troubles exprime l'anxiété, comme une sensibilité angoissante au rejet d'autrui qui prédispose au *trouble de la personnalité évitante*, et entraîne les personnes à se mettre à l'écart. Un deuxième ensemble de troubles s'exprime par des conduites excentriques, comme le détachement dépourvu d'émotion du *trouble de la personnalité schizoïde*. Un troisième ensemble se manifeste par un comportement impulsif et exagéré comme le *trouble de la personnalité histrionique*, en quête d'attention, et le *trouble de la personnalité narcissique* centré sur soi-même et sujet à l'autovalorisation. Cependant, ces troubles de la personnalité ne sont pas des catégories bien délimitées et ils seront certainement revus lors de la prochaine édition révisée du DSM (Clark, 2007 ; Widiger et Trull, 2007).

Trouble de la personnalité antisociale

Le plus inquiétant de ces troubles de la personnalité et le plus étudié est le **trouble de la personnalité antisociale**. La personne auparavant appelée *psychopathe* ou *sociopathe* est généralement un homme dont l'absence de conscience devient évidente avant l'âge de 15 ans, au moment où il commence à mentir, se battre, voler ou manifester un comportement sexuel sans retenue (Cale et Lilienfeld, 2002). Environ la moitié de ces enfants deviennent des adultes antisociaux, incapables de garder un travail, irresponsables en tant que parent ou mari, ayant une tendance à la violence, voire même à la criminalité (Farrington, 1991). Lorsque la personnalité antisociale est combinée avec une grande intelligence et une absence de sens moral, le résultat peut donner un escroc charmant et adroit, ou pire.

En dépit de leur comportement antisocial, la plupart des criminels ne correspondent pas à la description de la personnalité antisociale. Pourquoi ? Parce que la plupart des criminels se sentent des responsabilités envers leurs amis et les membres de leur famille. Ceux qui présentent une personnalité antisociale éprouvent et craignent peu de choses, et, dans les cas extrêmes, le résultat peut être horrifiant et tragique. Henry Lee Lucas confessa qu'au cours de ses 32 années de crime, il avait étouffé, assommé, tué d'un coup de feu, poignardé ou mutilé environ 360 femmes, hommes ou enfants, dont le premier (une femme) à l'âge de 13 ans. Dans les 6 dernières années de son règne de terreur, Lucas faisait équipe avec Elwood Toole, qui avait, dit-on, assassiné environ 50 personnes dont « il ne pensait pas, de toute façon, qu'elles méritaient de vivre ». Cela prit fin lorsque Lucas confessa avoir matraqué et découpé sa concubine âgée de 15 ans, qui était la nièce de Toole.

Ceux qui présentent une personnalité antisociale expriment peu de regret d'avoir violé les droits d'autrui. « Lorsque j'ai commis un crime, je l'oublie simplement », dit Lucas. Toole était aussi pragmatique : « Je pense à tuer comme à fumer une cigarette, comme à une autre habitude » (Darrach et Norris, 1984).

Beaucoup de criminels comme celui-ci montrent un certain sens des responsabilités et une certaine conscience dans d'autres domaines de leur vie et, de ce fait, ils **ne** sont **pas** atteints de troubles de la personnalité antisociale.

« Jeudi ce n'est pas possible, je suis juré. »

Comprendre le trouble de la personnalité antisociale

La personnalité antisociale est tressée de brins biologiques et de brins psychologiques. Bien qu'il n'y ait pas un gène unique qui code un comportement aussi complexe que le crime, les études de jumeaux ou d'enfants adoptés montrent que les personnes biologiquement apparentées à certains individus ayant des tendances antisociales et dépourvus d'émotions ont un risque plus élevé de présenter un comportement antisocial (Larsson et coll., 2007 ; Livesley et Jang, 2008). La vulnérabilité génétique de ces personnes ayant des tendances antisociales ou dépourvues d'émotion se manifeste par une approche de la vie assez peu craintive. Lorsqu'ils attendent un événement pénible, comme un choc électrique ou un bruit très fort, ils ne montrent qu'une faible activation de leur système nerveux autonome (Hare, 1975 ; van Goozen et coll., 2007). Même lorsqu'ils sont plus jeunes, et avant même d'avoir commis un crime, ils réagissent avec des niveaux moindres d'hormones du stress que les autres jeunes du même âge (Figure 14.10).

Certaines études ont révélé des signes précoces de comportement antisocial chez de jeunes enfants âgés de 3 à 6 ans (Caspi et coll., 1996 ; Tremblay et coll., 1994). Les garçons qui se sont montrés agressifs plus tard ou ont développé un comportement antisocial à l'adolescence avaient généralement été de jeunes enfants impulsifs, peu inhibés, indifférents aux récompenses sociales et peu anxieux. Canalisée dans des directions plus productives, cette absence de crainte peut donner naissance à l'héroïsme ou au courage d'un aventurier ou d'un athlète de haut niveau (Poulton et Milne, 2002). La même disposition, en l'absence d'une notion de responsabilité sociale, produit un escroc froid ou un tueur (Lykken, 1995). Les gènes qui augmentent les risques de développement d'un comportement antisocial augmentent également les risques de dépendance à l'alcool ou à d'autres drogues, ce qui peut aider à expliquer pourquoi ces troubles sont souvent associés (Dick, 2007).

➤ FIGURE 14.10
Niveau d'excitabilité des individus ayant beaucoup de sang-froid et risque criminel Les niveaux d'adrénaline (hormone du stress) ont été mesurés dans deux groupes de garçons suédois âgés de 13 ans. Ceux qui, plus tard, furent accusés d'un délit (entre 18 et 26 ans) montraient, dans les situations stressantes et non stressantes, une réactivité relativement faible. (D'après Magnusson, 1990.)

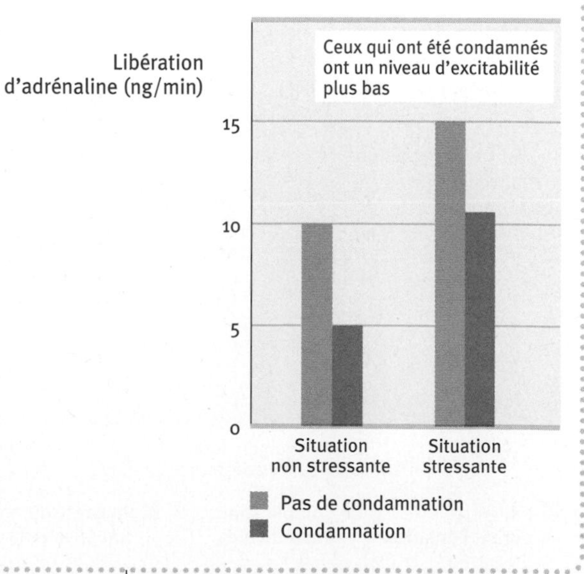

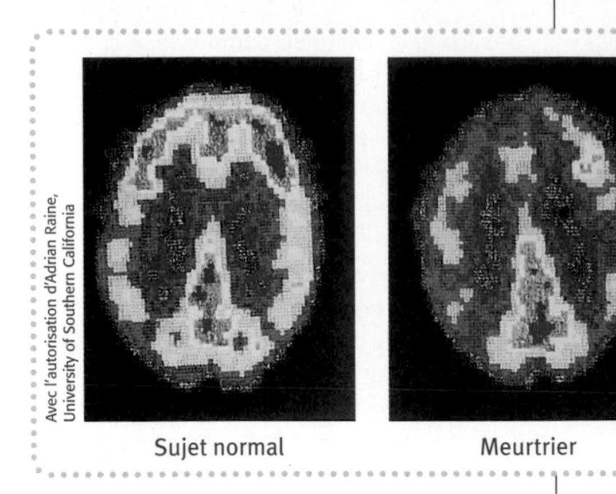

➤ FIGURE 14.11
Des esprits meurtriers Les images en TEP montrent une activité réduite (moins de rouge et de jaune) dans le cortex frontal d'un meurtrier – une zone du cerveau servant à freiner les comportements impulsifs et agressifs. (D'après Raine, 1999.)

L'influence génétique facilite les connexions du cerveau. Adrian Raine (1999, 2005) a comparé les images par TEP des cerveaux de 41 meurtriers avec ceux d'autres individus du même âge et du même sexe. Raine remarqua chez les meurtriers une activité réduite dans les lobes frontaux, une région du cortex qui aide à contrôler les pulsions (FIGURE 14.11). Cette réduction est particulièrement visible chez des individus ayant tué impulsivement. Dans une étude complémentaire, Raine et ses collègues (2000) ont découvert que les lobes frontaux des criminels récidivistes violents possédaient 11 p. 100 de tissu cérébral en moins que la normale. Cela permet d'expliquer pourquoi les personnes atteintes de troubles de la personnalité antisociale présentent une forte insuffisance des fonctions cognitives dévolues aux lobes frontaux, telles que la planification, l'organisation et l'inhibition (Morgan et Lilienfeld, 2000). Comparés avec les personnes qui ressentent et présentent de l'empathie, leurs cerveaux répondent également moins aux modifications faciales affichées par ceux qui sont en détresse (Deeley et coll., 2006).

Peut-être est-ce une absence de crainte d'origine biologique, autant que l'environnement précoce, qui permet de comprendre la réunion de deux sœurs longtemps séparées, Joyce Lott, 27 ans, et Mary Jones, 29 ans, dans une prison de Caroline du Sud pour trafic de drogues. Après la parution d'un article sur cette réunion, leur demi-frère, Frank Strickland, perdu de vue depuis longtemps, leur téléphona. Il expliqua qu'il se passerait un bon moment avant qu'il puisse venir les voir, car lui aussi était en prison pour vols, trafic de drogues et cambriolages (Shepherd et coll., 1990). Selon un rapport du ministère de la Justice américain de 2004, 48 p. 100 des 2 millions d'individus incarcérés ont reconnu avoir (ou avoir eu) un parent incarcéré (Johhson, 2008).

Cependant, la génétique seule ne peut guère apporter toutes les explications relatives aux crimes antisociaux. Par rapport à 1960, l'Américain moyen en 1995 (avant le déclin de l'incidence criminelle de la fin des années 1990) avait deux fois plus de risques d'être victime d'un meurtre, quatre fois plus de probabilité de porter plainte à la suite d'un viol, quatre fois plus de risques d'être victime de vol et cinq fois plus de probabilité de porter plainte à la suite d'une agression (FBI, *Uniform Crime Reports*). On constatait également une brutale augmentation de la violence criminelle dans d'autres pays occidentaux et pourtant le pool génique n'avait guère changé. Considérons l'expérience sociale britannique, initiée en 1787, utilisant l'Australie comme terre d'exil pour ses 160 000 criminels. Les descendants des exilés, porteurs des soi-disant « gènes criminels » de leurs ancêtres, ont su développer une démocratie civilisée dont le taux de criminalité est similaire à celui de la Grande-Bretagne. Il est vrai que les prédispositions génétiques constituent un facteur de risque antisocial plus important chez certains individus que chez d'autres. Toutefois, l'influence des facteurs biologiques et environnementaux explique pourquoi 5 à 6 p. 100 des délinquants sont responsables de 50 à 60 p. 100 des crimes (Lyman, 1996). Nous devons aussi tenir compte des facteurs socioculturels pour expliquer l'épidémie de violence dans la société moderne.

Une étude sur les tendances criminelles parmi les jeunes hommes danois illustre bien l'utilité d'une approche biopsychosociale complète. Une équipe de recherche dirigée par Adrian Raine (1996) a vérifié les casiers judiciaires de presque 400 hommes âgés de 20 à 22 ans, sachant au préalable que tous avaient été exposés à des facteurs de risque biologiques à la naissance - tels qu'une naissance prématurée - ou qu'ils étaient issus de familles très pauvres et instables. Les chercheurs ont comparé chacun de ces groupes avec un troisième groupe *biosocial* dont les individus étaient marqués à la fois par les facteurs de risque biologiques et sociaux. Le groupe biosocial avait deux fois plus de risques de commettre des crimes (FIGURE 14.12). Des résultats similaires proviennent d'une étude fameuse qui a suivi 1 037 enfants pendant un quart de siècle : l'association de deux facteurs, un gène responsable d'un déséquilibre des neuromédiateurs et des mauvais traitements pendant l'enfance, prédisait des problèmes antisociaux (Caspi et coll., 2002). Ni les « mauvais » gènes ni le « mauvais » environnement ne pouvaient être, à eux seuls, à l'origine d'une prédisposition à un comportement antisocial ultérieur. Les gènes prédisposent plutôt certains enfants à une plus grande sensibilité au mauvais traitement. Au sein du « segment de la population génétiquement vulnérable », les influences de l'environnement ont de l'importance, pour le meilleur comme pour le pire (Belsky et coll., 2007 ; Moffitt, 2005). Pour le comportement antisocial, comme pour d'autres domaines, l'inné et l'acquis interagissent.

➤ FIGURE 14.12
Les racines biopsychosociales du crime
Les bébés danois de sexe masculin marqués à la fois par des complications obstétricales et par le stress social associé à la pauvreté, avaient deux fois plus de risques d'être des délinquants vers l'âge de 20 à 22 ans que ceux qui faisaient uniquement partie du groupe marqué par les risques biologiques ou du groupe marqué par le risque social. (D'après Raine et coll., 1996.)

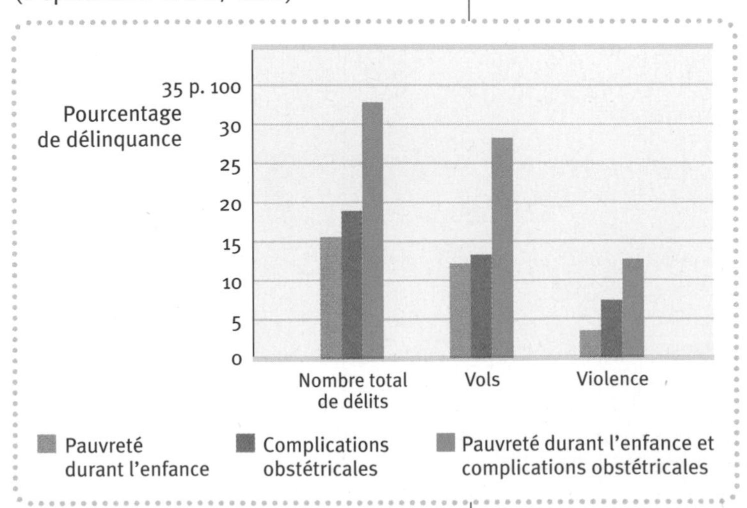

AVANT D'ALLER PLUS LOIN...

➤ INTERROGEZ-VOUS

La recherche sur le trouble de la personnalité antisociale vous laisse-t-elle l'espoir que l'éducation parentale et l'instruction puissent aider à éviter ce trouble ?

➤ TESTEZ-VOUS 7

Le trouble de la personnalité antisociale est-il une maladie héréditaire ?

Les réponses aux questions « Testez-vous » sont données dans l'annexe B à la fin de l'ouvrage.

Prévalence des troubles psychologiques

14. Combien de personnes souffrent ou ont déjà souffert d'un trouble psychologique ?

Qui est le plus vulnérable aux troubles psychologiques ? À quel moment de la vie ? Pour répondre à ces questions, plusieurs pays ont mené de très longs entretiens structurés avec des milliers de leurs citoyens formant un échantillon représentatif de leur population. Après avoir posé des centaines de questions révélatrices de symptômes telles que : « S'est-il jamais trouvé une période de 2 semaines ou plus au cours de laquelle vous vous êtes senti comme si vous vouliez mourir ? », les chercheurs ont évalué, pour les différents troubles, leur prévalence actuelle, celle de l'année écoulée et celle sur la vie entière.

Combien de gens souffrent ou ont souffert d'un trouble psychologique ? Beaucoup plus que la plupart d'entre nous le supposent.

- Le NIMH américain (2008, basé sur Kessler et coll., 2005) estime que 26 p. 100 des Américains adultes « souffrent, au cours d'une année quelconque, d'un trouble mental pouvant être diagnostiqué » (TABLEAU 14.4).
- Des enquêtes nationales sur la population révèlent différents taux annuels en Australie (16 p. 100), en Allemagne (31 p. 100) et aux Pays-Bas (23 p. 100) (Baumeister et Härter, 2007).
- Une étude menée par l'OMS au début du XXIe siècle (2004), fondée sur des entretiens de 90 minutes passés par 60 463 personnes a estimé le nombre de troubles mentaux au cours de l'année écoulée dans 20 pays. Comme le montre la FIGURE 14.13, Shanghai avait le taux le plus faible de troubles mentaux et les États-Unis avaient le plus élevé. De plus, les personnes issues du Mexique, d'Afrique ou d'Asie immigrant aux États-Unis avaient en moyenne une meilleure santé mentale que leurs compatriotes nés aux États-Unis (Breslau et coll., 2007). Par exemple, comparés aux Mexicains ayant récemment immigré aux États-Unis, les Mexicains nés aux États-Unis ont plus de risques de souffrir de troubles mentaux.

TABLEAU 14.4

POURCENTAGE D'AMÉRICAINS AYANT SOUFFERT D'UN TROUBLE PSYCHOLOGIQUE AU COURS DE L'ANNÉE ÉCOULÉE

Trouble psychologique	Pourcentage
Anxiété généralisée	3,1
Phobie sociale	6,8
Phobie d'objets ou de situations spécifiques	8,7
Troubles de l'humeur	9,5
Trouble obsessionnel compulsif	1,0
Schizophrénie	1,1
Stress post-traumatique	3,5
Trouble du déficit de l'attention avec hyperactivité (TDAH)	4,1
Tout trouble mental	26,2

Source : National Institute of Mental Health, 2008

Qui est le plus vulnérable aux troubles mentaux ? Comme nous l'avons vu, la réponse varie selon le trouble. Un des facteurs prédictifs des troubles mentaux, la pauvreté, traverse les frontières ethniques ou liées au sexe. L'incidence des troubles psychologiques graves est deux fois plus élevée chez ceux qui vivent au-dessous du

• La pleine lune déclenche-t-elle une « folie » chez certaines personnes ? James Rotton et I.W. Kelly (1985) ont passé en revue les données de 37 études reliant les phases de la lune aux crimes, homicides, appels concernant des crises ou admissions à l'hôpital psychiatrique. Leur conclusion est qu'il n'y a pratiquement aucune preuve d'une « folie lunaire ». Il en est de même pour les phases de la lune qui ne présentent pas plus de liens avec les suicides, les accès de violence, les admissions aux urgences ou les accidents de la route (Martin et coll., 1992 ; Raison et coll., 1999). •

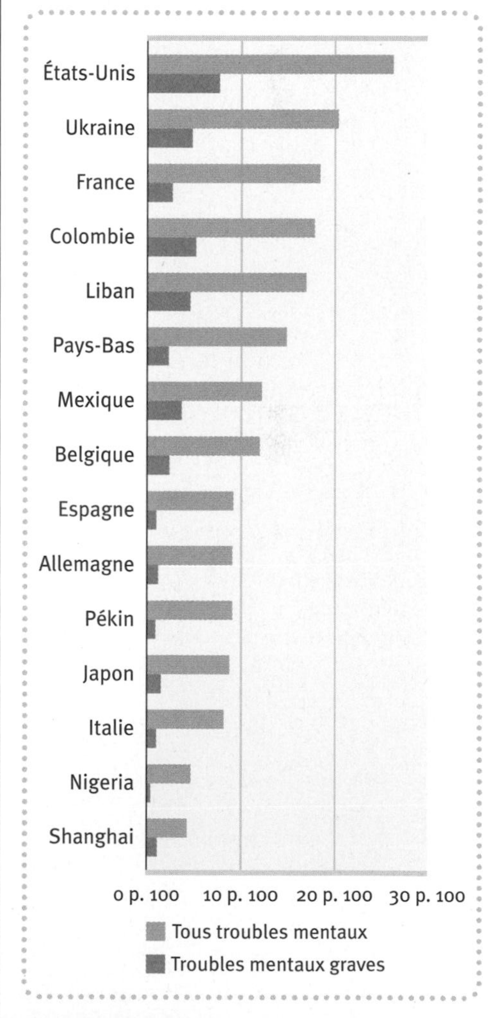

➤ FIGURE 14.13
Prévalence des troubles au cours de l'année écoulée dans certaines régions
D'après les données collectées par l'OMS au cours d'entretiens menés dans 20 pays (2004).

seuil de pauvreté (*Centers for Disease Control*, 1992). Comme beaucoup d'autres corrélations, celle entre pauvreté et troubles psychologiques pose un problème analogue à celui de l'œuf et de la poule. La pauvreté est-elle à l'origine des troubles ? Ou bien les troubles sont-ils à l'origine de la pauvreté ? Ces deux affirmations sont vraies, bien que la réponse varie avec le trouble considéré. La schizophrénie, de façon compréhensible, conduit à la pauvreté. Cependant, le stress et la démoralisation engendrés par la pauvreté peuvent également précipiter l'apparition de troubles psychologiques, en particulier la dépression chez les femmes et l'abus de drogues chez les hommes (Dohrenwend et coll., 1992). Au cours d'une expérience naturelle sur le lien entre la pauvreté et la maladie, les chercheurs ont recherché le taux de problèmes comportementaux chez les enfants indiens de Caroline du Nord à mesure que le développement économique permettait la réduction spectaculaire du taux de pauvreté de leur communauté. Au début de l'étude, les enfants pauvres avaient des comportements plus atypiques et agressifs. Au bout de 4 ans, on notait chez les enfants dont les familles étaient passées au-dessus du seuil de pauvreté une diminution de 40 p. 100 des problèmes comportementaux, alors qu'il n'y avait aucun changement chez ceux qui n'avaient pas changé de statut social (restant en dessous ou au-dessus du seuil de pauvreté) (Costello et coll., 2003).

Comme l'indique le TABLEAU 14.5, il existe un large éventail de facteurs de risque et de facteurs protecteurs des troubles mentaux. À quel moment de la vie ces troubles nous frappent-ils ? En général au début de l'âge adulte. « Plus de 75 p. 100 de notre échantillon

TABLEAU 14.5

FACTEURS DE RISQUE ET FACTEURS PROTECTEURS DES TROUBLES MENTAUX

Facteurs de risque	Facteurs protecteurs
Échec scolaire	Aérobic
Complications à la naissance	Communauté offrant l'émancipation, des opportunités et de la sécurité
S'occuper de patients atteints de maladie chronique ou de démence	Indépendance économique
Abus ou négligence pendant l'enfance	Sentiments de sécurité
Insomnie chronique	Sentiment de maîtrise et de contrôle
Douleur chronique	Bonne éducation parentale
Désorganisation familiale et conflits	Alphabétisation
Faible poids à la naissance	Attachement positif et création précoce de liens
Faible statut socio-économique	Relations positives parents/enfants
Maladies	Capacité de résolution des problèmes
Déséquilibre neurochimique	Résistance à faire face au stress et à l'adversité
Parents atteints de maladies mentales	Estime de soi
Parents abusant de drogues	Aptitudes sociales et professionnelles
Séparations et deuils personnels	Soutien social par la famille et les amis
Mauvaises capacités et habitudes professionnelles	
Analphabétisme	
Incapacités sensorielles	
Incompétence sociale	
Événements stressants dans la vie	
Abus de substances	
Expériences traumatisantes	

Source : Organisation mondiale de la santé (2004a,b)

présentant un trouble psychologique quelconque en ont éprouvé les premiers symptômes vers l'âge de 24 ans », rapportent Lee Robins et Darrel Regier (1991, p. 331). Les symptômes d'une personnalité antisociale ou d'une phobie sont parmi les plus précoces à apparaître, avec des âges médians qui sont respectivement de 8 et 10 ans. Les symptômes de l'alcoolisme, du trouble obsessionnel compulsif, du trouble bipolaire et de la schizophrénie apparaissent à un âge médian proche de 20 ans. Le trouble dépressif majeur frappe un peu plus tard, en moyenne vers 25 ans. Ces découvertes montrent clairement la nécessité des recherches et des traitements pour aider le nombre croissant de personnes, et en particulier d'adolescents et de jeunes adultes, qui souffrent de la désorientation et de la douleur d'un trouble psychologique.

Bien qu'étant conscients de la douleur engendrée par ces troubles, nous pouvons aussi être encouragés par les personnages célèbres comme Léonard de Vinci, Isaac Newton et Léon Tolstoï, qui ont eu une brillante carrière tout en souffrant de troubles psychologiques. Selon l'analyse des biographies des présidents américains faite par un psychiatre, il en est de même pour 18 présidents américains, dont Abraham Lincoln qui était périodiquement déprimé (Davidson et coll., 2006). La confusion, la peur et la tristesse causées par les troubles psychologiques sont réelles. Mais, comme nous le verrons au chapitre 15, l'espoir, lui aussi, est réel.

AVANT D'ALLER PLUS LOIN...

➤ INTERROGEZ-VOUS

Avez-vous un des membres de votre famille ou un de vos amis qui a souffert d'un trouble psychologique ? Si oui, ce que vous avez lu dans ce chapitre a-t-il amélioré votre compréhension des difficultés auxquelles cette personne a dû faire face ?

➤ TESTEZ-VOUS 8

Quelle est la relation entre la pauvreté et les troubles psychologiques ?

Les réponses aux questions « Testez-vous » sont données dans l'annexe B à la fin de l'ouvrage.

RÉVISION : Les troubles psychologiques

Vue d'ensemble des troubles psychologiques

1. Comment devrions-nous tracer la limite entre la normalité et la maladie ?

Les psychologues et les psychiatres considèrent qu'un comportement est pathologique lorsqu'il est atypique (déviant), mal adapté et entraîne une souffrance. La définition de déviant varie selon le contexte et la culture. Elle varie également selon le moment ; par exemple, certains enfants jugés turbulents il y a quelques décennies sont maintenant considérés atteints d'un *trouble du déficit de l'attention avec hyperactivité*.

2. Quels points de vue peuvent nous aider à comprendre les troubles psychologiques ?

Selon le *modèle médical*, les *troubles psychologiques* sont des maladies mentales qui peuvent être diagnostiquées d'après leurs symptômes et guéries par un traitement, mené parfois dans un hôpital. La perspective biopsychosociale suppose que les comportements jugés pathologiques, tout comme les autres comportements, se produisent du fait de prédispositions génétiques et d'un état physiologique, d'une dynamique psychologique interne et de circonstances socioculturelles.

3. Comment et pourquoi les cliniciens classent-ils les troubles psychologiques ?

La quatrième édition révisée du DSM-IV-TR de l'*American Psychiatric Association* (*Diagnostic and Statistical Manual of Mental Disorder*, 4e édition) fournit des étiquettes diagnostiques et des descriptions qui aident les professionnels de la santé mentale en leur fournissant un langage commun et en leur permettant de partager des concepts pour communiquer entre eux et effectuer des recherches. La plupart des assurances maladies américaines nécessitent un diagnostic selon le DSM-IV avant de rembourser le traitement.

4. Pourquoi certains psychologues critiquent-ils l'emploi des étiquettes diagnostiques ?

Les étiquettes peuvent engendrer des idées préconçues qui stigmatisent injustement les personnes et peuvent biaiser nos perceptions de leurs comportements passés et présents. L'étiquette « fou », utilisée par certains avocats de la défense, entraîne des questions à la fois éthiques et morales sur la manière dont la société se doit de traiter les personnes atteintes de troubles et ayant commis un crime.

Troubles anxieux

5. Comment définir les troubles anxieux ? En quoi diffèrent-ils des inquiétudes et des craintes ordinaires ?

L'anxiété n'est classée comme un trouble psychologique que lorsqu'elle engendre de la souffrance, est durable ou se caractérise par des comportements mal adaptés visant à la réduire.

Les personnes ayant un *trouble de l'anxiété généralisée* se sentent constamment tendues de manière incontrôlable et craintives sans aucune raison apparente. Au cours du *trouble panique*, plus extrême, l'anxiété s'accentue jusqu'à engendrer des épisodes de frayeur intense. Les personnes atteintes de *phobies* connaissent des peurs irrationnelles vis-à-vis d'objets ou de situations spécifiques. Des pensées (obsessions) ou des actions (compulsions) persistantes et répétitives caractérisent les *troubles obsessionnels compulsifs*. Les personnes atteintes du *stress post-traumatique* souffrent de symptômes survenant après un événement traumatisant et incontrôlable et durant plus de quatre semaines, tels des souvenirs qui viennent les hanter, des cauchemars, un retrait social, une anxiété fébrile et des troubles du sommeil.

6. D'où proviennent les pensées et les sentiments spécifiques des troubles anxieux ?

Freud considérait les troubles anxieux comme la manifestation d'une énergie mentale associée à la libération des pulsions refoulées. Les psychologues qui travaillent selon la théorie de l'apprentissage considèrent que les troubles anxieux sont le résultat d'un conditionnement de la peur, de la généralisation du stimulus, du renforcement du comportement angoissant et de l'apprentissage par observation des peurs des autres. Ceux qui se basent sur le point de vue biologique prennent en compte le rôle, dans la sélection naturelle et l'évolution, de la peur des animaux, des objets ou des situations pouvant représenter une menace vitale, la transmission génétique d'un fort niveau de réactivité émotionnelle et les réponses anormales des circuits de la peur au niveau du cerveau.

Troubles somatoformes

7. Qu'est-ce qu'un trouble somatoforme ?

Les *troubles somatoformes* se présentent sous la forme de symptômes somatiques (corporels), c'est-à-dire d'une maladie physiologiquement inexpliquée mais réellement ressentie. Lors de *troubles de conversion*, l'anxiété est convertie en un symptôme physique qui n'a aucune base neurologique sensée. Les personnes *hypochondriaques* interprètent plus fréquemment des sensations normales comme des troubles redoutables.

Troubles dissociatifs

8. Comment définir les troubles dissociatifs ? Pourquoi sont-ils controversés ?

Les *troubles dissociatifs* sont des affections au cours desquelles la pensée consciente semble s'être séparée des souvenirs, des pensées et des sentiments anciens. Les sceptiques remarquent que les *troubles dissociatifs de l'identité*, appelés fréquemment trouble de la personnalité multiple, ont augmenté de manière spectaculaire à la fin du vingtième siècle, qu'ils sont rarement observés hors des États-Unis et qu'ils peuvent refléter un rôle joué par des personnes qui sont vulnérables aux suggestions des thérapeutes. D'autres considèrent cette maladie comme la manifestation d'un sentiment d'anxiété ou comme une réponse apprise lorsque ces comportements sont renforcés par une diminution du sentiment d'anxiété.

Troubles de l'humeur

9. Que sont les troubles de l'humeur ? Quelles formes prennent-ils ?

Les *troubles de l'humeur* se caractérisent par des extrêmes émotionnels. Une personne atteinte de *trouble dépressif majeur* présente pendant au moins 2 semaines une humeur gravement déprimée et des sentiments d'inutilité, ressent peu d'intérêt pour la plupart des activités et en tire peu de plaisir. Ces sentiments ne sont pas provoqués par des médicaments ou une maladie. Les personnes atteintes d'une maladie plus rare, le *trouble bipolaire*, souffrent non seulement de dépression mais aussi d'épisodes maniaques, qui sont des comportements hyperactifs, impulsifs et largement optimistes.

10. Quelles sont les causes des troubles de l'humeur ? Comment pourrait-on expliquer l'augmentation de l'incidence de la dépression chez les jeunes et les jeunes adultes dans le monde occidental ?

La perspective biologique de la dépression se concentre sur les prédispositions génétiques et les anomalies de la structure et de la fonction cérébrale (y compris celles observées dans les systèmes

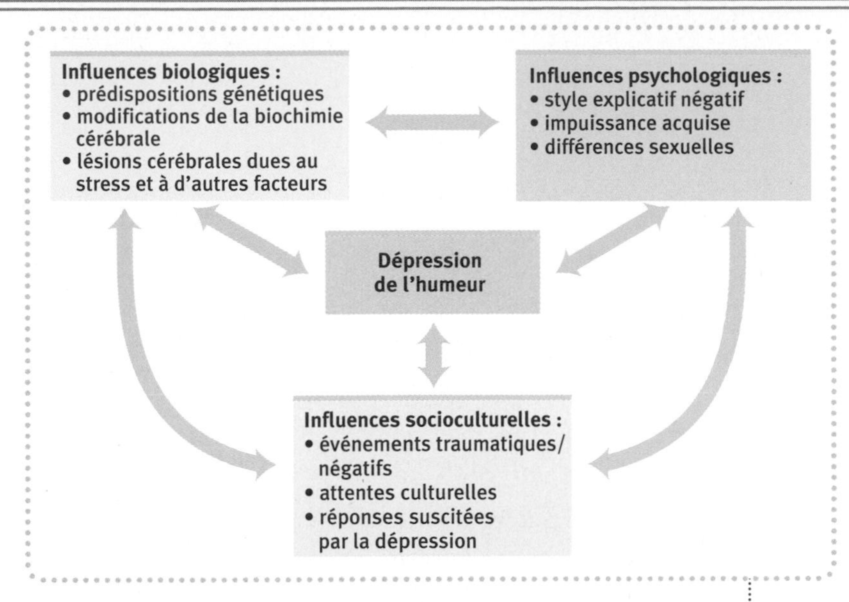

➤ FIGURE 14.14
Approche biopsychosociale de la dépression Les humeurs fortement déprimées résultent d'une association de facteurs qui influent les uns sur les autres. L'altération d'un seul composant peut altérer les autres.

de neuromédiateurs). La perspective sociocognitiviste examine l'influence des sentiments cycliques autodestructeurs, d'impuissance acquise, d'un style explicatif négatif et des expériences stressantes. La perspective biopsychosociale considère que les influences interagissent à de nombreux niveaux (FIGURE 14.14). L'augmentation du taux de dépression chez les jeunes occidentaux peut être provoquée par l'augmentation de l'individualisme et la baisse de l'engagement envers la religion et la famille mais il s'agit d'une observation corrélationnelle et, de ce fait, la relation de cause à effet n'est pas encore clairement établie.

Schizophrénie

11. Quels sont les modes de pensée, de perception, de sensation et de comportement qui caractérisent la schizophrénie ?

La *schizophrénie* englobe un ensemble de troubles qui apparaissent généralement à la fin de l'adolescence, touchent très légèrement plus d'hommes que de femmes et semblent se produire dans toutes les cultures. Les symptômes de la schizophrénie incluent des pensées désorganisées et des idées délirantes, des troubles perceptifs ainsi que des actions et des émotions inappropriées. Les *idées délirantes* sont de fausses croyances ; les *hallucinations* sont des expériences sensorielles surgissant sans aucune stimulation sensorielle. La schizophrénie peut apparaître peu à peu à partir d'un état chronique d'inadaptation sociale (et dans ce cas les horizons sont sombres) ou brutalement par réaction à un stress (et dans ce cas les perspectives de guérison sont meilleures).

12. Quelle est la cause de la schizophrénie ?

Les personnes atteintes de schizophrénie ont plus de récepteurs de la dopamine, un neuromédiateur, ce qui peut amplifier les symptômes positifs de la schizophrénie. Les anomalies cérébrales associées à la schizophrénie comprennent l'augmentation de la taille des cavités cérébrales remplies de liquide et le rétrécissement proportionnel du cortex. L'imagerie cérébrale révèle une activité anormale au niveau des lobes frontaux, du thalamus et de l'amygdale. Des dysfonctionnements de multiples régions cérébrales et de leurs interconnexions interagissent apparemment pour produire les symptômes de la schizophrénie. Les recherches confortent l'effet causatif d'une infection virale contractée au milieu de la grossesse. Les études de jumeaux et d'adoption mettent également en évidence une prédisposition génétique qui interagit avec les facteurs environnementaux pour entraîner la schizophrénie.

Troubles de la personnalité

13. Quelles sont les caractéristiques typiques des troubles de la personnalité ?

Les *troubles de la personnalité* sont des modes de comportement persistants et mal adaptés qui perturbent le fonctionnement social. Le *trouble de la personnalité antisociale* se caractérise par une absence de conscience et parfois par des comportements agressifs et dépourvus de crainte. Les prédispositions génétiques peuvent interagir avec l'environnement pour entraîner l'altération de l'activité cérébrale associée à ce trouble.

Prévalence des troubles psychologiques

14. Combien de personnes souffrent ou ont déjà souffert d'un trouble psychologique ?

Les enquêtes menées sur la santé mentale dans de nombreux pays donnent diverses estimations de la prévalence des troubles psychologiques. La pauvreté est un facteur prédictif des maladies mentales. Les maladies et les expériences associées à la pauvreté contribuent au développement de troubles mentaux, mais certains troubles mentaux, comme la schizophrénie, peuvent conduire les gens à la pauvreté. Parmi les Américains ayant souffert d'un trouble psychologique, les trois troubles les plus fréquents étaient les phobies, l'alcoolisme et les troubles de l'humeur.

Termes et concepts à retenir

Trouble psychologique, p. 594
Trouble du déficit de l'attention avec hyperactivité (TDAH), p. 595
Modèle médical, p. 596
DSM-IV-TR, p. 597
Troubles anxieux, p. 601
Trouble de l'anxiété généralisée, p. 602
Trouble panique, p. 602
Phobie, p. 603
Trouble obsessionnel compulsif (TOC), p. 603
Syndrome de stress post-traumatique (SPT), p. 604
Croissance post-traumatique, p. 605
Troubles somatoformes, p. 608
Troubles de conversion, p. 608
Hypochondrie, p. 609
Troubles dissociatifs, p. 609
Trouble dissociatif de l'identité, p. 609
Troubles de l'humeur, p. 611
Trouble dépressif majeur, p. 612
Épisode maniaque, p. 613
Trouble bipolaire, p. 613
Schizophrénie, p. 622
Idées délirantes, p. 622
Troubles de la personnalité, p. 628
Personnalité antisociale, p. 629

CHAPITRE 15

Traitements

LES THÉRAPIES PSYCHOLOGIQUES

Psychanalyse

Thérapies humanistes

Thérapies comportementales

Thérapies cognitives

Thérapies de groupe et thérapies familiales

ÉVALUATION DES PSYCHOTHÉRAPIES

La psychothérapie est-elle efficace ?

Regard critique sur : « Régresser » de l'anormal à la normale

L'efficacité relative des différentes thérapies

Évaluer les médecines parallèles

Caractères communs aux différentes psychothérapies

Culture et valeurs en psychothérapie

Gros plan : Un guide des psychothérapeutes

LES TRAITEMENTS BIOMÉDICAUX

Traitements pharmacologiques

Stimulation cérébrale

Psychochirurgie

Modification thérapeutique du mode de vie

PRÉVENIR LES TROUBLES PSYCHOLOGIQUES

À l'heure actuelle, nous possédons une connaissance approfondie de l'espace intersidéral et nous pouvons décrire avec certitude la composition chimique de l'atmosphère de Jupiter. Toutefois, en ce qui concerne la compréhension et le traitement des troubles de notre espace intérieur profond, tels que les troubles psychologiques décrits dans le chapitre 14, nous commençons à peine à faire des progrès réels. Imaginez que 2 200 ans après qu'Ératosthène ait estimé correctement la circonférence de la Terre, nous avons parcouru le ciel, décrypté le code génétique et éradiqué ou trouvé des traitements pour toutes sortes de maladies. Pendant ce temps, nous avons traité les troubles psychologiques au moyen d'une variété déconcertante de méthodes brutales ou douces : nous avons percé des trous dans les crânes et donné des bains chauds et des massages ; nous avons retenu les gens de force, les avons saignés ou « battus pour chasser le démon » ; nous les avons placés dans des endroits calmes et ensoleillés ; nous leur avons administré des médicaments et des chocs électriques ; nous leur avons parlé des expériences qu'ils avaient eues dans leur enfance, de leurs sentiments actuels, de leurs pensées et de leurs comportements inadaptés.

La transition entre les traitements brutaux et les approches plus douces a eu lieu grâce aux efforts de réformateurs comme Philippe Pinel en France et Dorothea Dix aux États-Unis, au Canada et en Écosse. Tous deux se prononcèrent pour la construction d'hôpitaux psychiatriques proposant des traitements plus humains. Mais les temps ont de nouveau changé et l'apparition de médicaments et le développement de programmes de traitements dans des communautés ont contribué à vider massivement les hôpitaux psychiatriques depuis le milieu des années 1950.

Aujourd'hui, les traitements des troubles mentaux peuvent être classés en deux principales catégories, et le mode de traitement choisi dépend à la fois du trouble et de l'avis du thérapeute. Les troubles psychologiques qui sont liés à l'apprentissage, comme les phobies, seront certainement traités par une *psychothérapie* au cours de laquelle un thérapeute qualifié utilise des techniques psychologiques pour aider quelqu'un qui cherche à dominer ses difficultés ou à atteindre un développement personnel. Les troubles qui ont une origine biologique – comme la schizophrénie – ont tendance à être soignés par un *traitement biomédical* – la prescription de médicaments ou d'une procédure médicale qui agit directement sur le système nerveux du patient.

Culver Pictures

Dorothea Dix (1802-1887) « [...] J'attire votre attention sur l'état des personnes frappées de folie dans ce Commonwealth et qui sont enfermées, dans des cages. »

En fonction du patient et de son trouble, certains thérapeutes – en particulier les nombreux thérapeutes utilisant l'approche biopsychosociale – utilisent diverses techniques. Beaucoup de patients reçoivent un traitement médical associé à une psychothérapie. La moitié des psychothérapeutes se décrivent comme ayant une **approche éclectique**, et mélangent différents traitements (Beitman et coll., 1989 ; Castonguay et Goldfried, 1994). La *psychothérapie intégrative* cherche à combiner en un seul système cohérent un assortiment de diverses techniques.

:: Approche éclectique : approche de la psychothérapie qui utilise, en fonction des problèmes du patient, des techniques employées dans différents types de thérapie.

L'histoire du traitement Comme le montre la peinture (à gauche) de William Hogarth (1697-1764) de l'hôpital St. Mary of Bethlehem à Londres (généralement appelé Bedlam), les visiteurs des hôpitaux psychiatriques au XVIIIe siècle payaient pour se gausser des patients comme s'ils allaient au zoo. Benjamin Rush (1746-1813), l'un des fondateurs du mouvement en faveur d'un traitement plus humain des malades mentaux, a conçu la chaise à droite pour le « bénéfice des patients maniaques ». Il croyait qu'ils avaient besoin d'être attachés pour retrouver leurs sens.

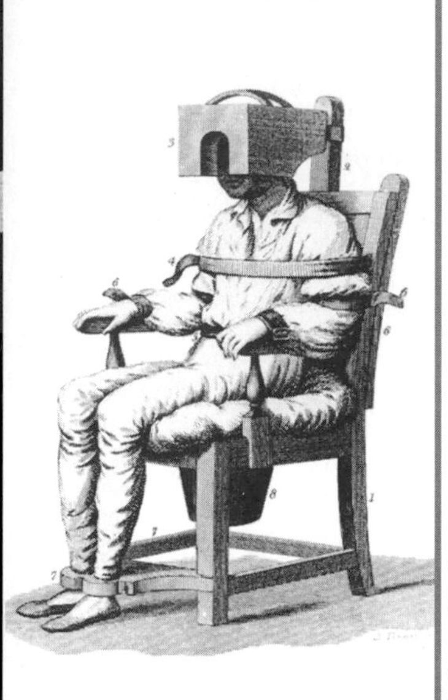

The Granger Collection

:: **Psychothérapie** : traitement impliquant des techniques psychologiques ; consiste en des interactions entre un thérapeute qualifié et une personne qui cherche à surmonter ses difficultés psychologiques ou à atteindre un développement personnel.

:: **Psychanalyse** : théorie thérapeutique de Freud. Il pensait que les associations libres de ses patients, leurs résistances, leurs rêves et leurs transferts, ainsi que les interprétations qu'en faisait le thérapeute, libéraient des sentiments refoulés et permettaient au patient de prendre conscience du soi.

:: **Résistance** : en psychanalyse, le fait d'empêcher un matériel chargé d'anxiété de parvenir à la conscience.

:: **Interprétation** : en psychanalyse, les notes du psychanalyste sur la signification supposée des rêves, des résistances et d'autres comportements ou événements significatifs dans le but de favoriser la prise de conscience du patient.

:: **Transfert** : en psychanalyse, le transfert que le patient effectue sur l'analyste des émotions qui sont attachées à d'autres personnes (par exemple, la haine ou l'amour vis-à-vis d'un parent).

Les thérapies psychologiques

PARMI LES DOUZAINES de **psychothérapies** identifiées, nous examinerons uniquement celles qui ont le plus d'influence. Chacune dérive des principales théories de la psychologie : psychanalytique, humaniste, comportementale et cognitive. La plupart de ces techniques peuvent être utilisées en face à face ou en groupe.

Psychanalyse

1. Quels sont les objectifs et les méthodes de la psychanalyse et comment ont-ils été adaptés à la thérapie psychodynamique ?

La **psychanalyse** de Freud fut la première psychothérapie et la terminologie freudienne fait maintenant partie de notre vocabulaire moderne. Peu de thérapeutes d'aujourd'hui pratiquent comme le faisait Sigmund Freud, mais bon nombre de ses techniques et de ses hypothèses ont survécu, en particulier lors des *thérapies psychodynamiques*.

Buts

Comme Freud considérait que beaucoup de problèmes psychologiques étaient alimentés par des séquelles de pulsions et de conflits refoulés au cours de l'enfance (*voir* Chapitre 13), lui et ses étudiants ont cherché à ramener ces sentiments refoulés à la conscience du patient. En étant éclairé sur l'origine du trouble - en déterrant le passé de son enfance et en appliquant l'ancien commandement « connais-toi toi-même » d'une façon approfondie - le patient travaille sur ses sentiments enfouis et prend la responsabilité de son propre développement. La théorie psychanalytique part du principe qu'une existence plus saine et moins anxieuse devient possible lorsque les malades libèrent l'énergie auparavant consacrée aux conflits entre le Ça, le Moi et le Surmoi.

Méthodes

La psychanalyse est une reconstruction historique. La théorie psychanalytique insiste sur le pouvoir de formation des expériences vécues dans l'enfance et a pour objectif de déterrer le passé dans l'espoir de dévoiler le présent. Mais comment ?

Edmund Engelman

Le cabinet de consultation de Freud Le bureau de Freud était rempli d'antiquités provenant du monde entier, y compris des objets d'art reflétant ses idées à propos des motivations inconscientes. Son fameux divan, recouvert de coussins, plaçait les patients dans une position inclinée confortable, lui tournant le dos pour les aider à se concentrer sur eux-mêmes.

Après avoir essayé l'hypnose, Freud l'écarta comme non fiable, et s'orienta vers l'*association libre*. Imaginez-vous à la place d'un patient utilisant la technique de l'association libre. D'abord, vous vous détendez, peut-être en vous étendant sur un divan. Pour vous aider à concentrer votre attention sur vos sentiments et vos pensées intérieures, le psychanalyste s'assiéra probablement en dehors de votre champ de vision. Vous dites tout haut tout ce qui vous passe par l'esprit à l'instant présent, par exemple, un souvenir d'enfance, un rêve ou une expérience récente. Cela semble facile, mais très vite, vous allez vous rendre compte que vous modifiez souvent vos pensées lorsque vous parlez, omettant des choses qui semblent insignifiantes, hors de propos ou honteuses. Malgré la présence apaisante de l'analyste, vous allez momentanément vous arrêter avant d'exprimer une pensée embarrassante. Vous pouvez alors faire une plaisanterie ou changer de sujet afin d'aborder quelque chose de moins dangereux. Parfois, vous allez vous sentir la tête vide ou vous sentir incapable de vous souvenir de détails importants.

Pour le psychanalyste, ces blocages dans le flux de vos associations libres sont des **résistances**. Elles révèlent que l'anxiété se cache et que vous vous défendez contre un « matériel » sensible. L'analyste va noter vos résistances puis **interprétera** leur signification, vous donnant des *aperçus* (prise de conscience) de vos désirs, de vos sentiments ou de vos conflits sous-jacents. Cette interprétation – par exemple, pourquoi vous ne voulez pas parler de votre mère – peut, si elle est fournie au bon moment, mettre la lumière sur ce que vous voulez éviter et vous montrer comment cette résistance s'emboîte avec les autres morceaux de votre puzzle psychologique.

« Je n'ai pas vu mon analyste pendant 200 ans. C'était un freudien strict. Si j'avais été le voir pendant tout ce temps, je serais probablement presque guéri à l'heure qu'il est. »
Woody Allen, après s'être éveillé après une cryogénisation dans le film *Woody et les robots*

Freud pensait qu'un autre indice permettant d'identifier les conflits de votre inconscient était le *contenu latent* de nos rêves – leur signification sous-jacente censurée. Ainsi, après vous avoir demandé de le décrire, l'analyste peut effectuer l'*analyse du rêve* et suggérer son interprétation.

Au cours de plusieurs séances de ce genre, vous allez probablement révéler à votre analyste beaucoup plus de vous-même que vous n'en avez jamais dit à personne d'autre, et la plupart de ces révélations se rapporteront à vos tout premiers souvenirs. Vous allez probablement ressentir des sentiments très forts, négatifs ou positifs, envers votre analyste qui pourra vous suggérer que vous êtes en train de faire le **transfert** sur lui-même des sentiments que vous avez autrefois éprouvés envers des membres de votre famille ou envers quelqu'un d'important dans votre vie. En exposant ces sentiments que vous avez au préalable refoulés, comme la dépendance ou un mélange d'amour et de colère, ce transfert vous donne une chance différée de les traiter avec l'aide de votre analyste. L'examen de vos sentiments peut également vous donner un aperçu de vos relations actuelles et non pas seulement de celles de votre enfance passée.

Les psychanalystes reconnaissent les critiques concernant leurs interprétations qui ne peuvent être ni prouvées ni démenties. Mais ils insistent sur le fait que les interprétations constituent souvent une aide importante pour les patients. La psychanalyse, disent-ils, est un traitement et non une science.

La psychanalyse traditionnelle est lente et coûteuse : plusieurs années de plusieurs séances hebdomadaires. (Trois séances par semaine pendant 2 ans à plus de 100 dollars la séance représentent une somme d'environ

« Vous dites "qu'on lui coupe la tête", mais ce que j'entends c'est "je me sens délaissé". »

« Entendons-nous bien, il n'est pas question de vous rendre heureux mais je peux vous donner un récit captivant de vos souffrances. »

30 000 dollars.) Cela explique pourquoi, excepté à New York City, au Québec, en France et en Allemagne, il y a peu de thérapeutes qui la proposent (Goode, 2003). En effet, aux États-Unis, ce n'est pas surprenant étant donné que le département de gestion des soins de santé a limité le type et la durée des soins de santé mentale pouvant être couverts par les assurances de santé.

La thérapie psychodynamique

Influencés par Freud, les thérapeutes **psychodynamiques** tentent de comprendre les symptômes actuels des patients en se focalisant sur des thèmes ayant trait à des relations importantes, y compris les expériences vécues dans l'enfance et les relations avec le thérapeute. Ils aident aussi les gens à explorer les pensées et les sentiments contre lesquels ils se défendent et à avoir un point de vue dessus. Mais ces thérapeutes peuvent parler aux patients en face à face (plutôt qu'en dehors de leur champ visuel), une fois par semaine (plutôt que plusieurs fois par semaine) et seulement pendant quelques semaines ou quelques mois (plutôt que pendant plusieurs années).

Aucun compte rendu sommaire ne peut illustrer la manière dont la thérapie psychodynamique interprète les conflits du patient. Mais l'interaction suivante entre le thérapeute David Malan (1978, pp. 133-134) et une patiente déprimée illustre l'objectif du thérapeute qui est de permettre une pris de conscience (*insight*) en cherchant des thèmes fréquents et récurrents, en particulier dans les relations avec les autres.

Malan : J'ai l'impression que vous êtes le genre de personne qui a besoin de rester active. Si vous n'êtes pas active, quelque chose ne va pas. Est-ce vrai ?

La patiente : Oui.

Malan : J'ai une deuxième impression en ce qui vous concerne, c'est qu'au-dessous de tout cela, vous devez avoir une masse terrifiante de sentiments forts qui vous dérangent. D'une certaine façon, ils sont là, mais vous n'êtes pas directement en contact avec eux, n'est-ce pas ? Je pense que vous avez été ainsi depuis aussi longtemps que vous pouvez vous en souvenir.

La patiente : Depuis quelques années, chaque fois que je m'asseyais et que j'y pensais, je me sentais déprimée, si bien que j'essayais de ne pas y penser.

Malan : Vous voyez, vous avez établi un système, n'est-ce pas ? Vous êtes même ainsi ici, avec moi, car en dépit du fait que vous avez des problèmes et que vous avez l'impression que votre monde s'effondre, vous m'en parlez tout à fait comme s'il n'y avait rien qui clochait.

Voyez comment Malan interprète les premières remarques de sa patiente (lorsque c'était surtout elle qui parlait) et lui suggère que la relation qu'elle entretient avec lui est révélatrice d'un comportement typique ? Il était en train de lui suggérer une prise de conscience de son problème.

La *psychothérapie interpersonnelle* constitue une alternative plus brève (12 à 16 séances) à la thérapie psychodynamique et s'est avérée efficace chez les patients déprimés (Weissman, 1999). Elle consiste à aider les patients à prendre conscience de l'origine de leurs problèmes, mais son but est de soulager les symptômes dans le moment présent et non pas de modifier la personnalité. Plutôt que de se focaliser sur les souffrances du passé, dans le but de leur donner des interprétations, le thérapeute se concentre sur les relations du présent afin d'aider le patient à améliorer ses aptitudes relationnelles.

Les objectifs de la psychothérapie interpersonnelle peuvent être illustrés par le cas d'Anna (un pseudonyme), une femme d'affaires mariée et âgée de 34 ans. Cinq mois après avoir obtenu une promotion, comportant des responsabilités accrues et des journées de travail plus longues, des tensions s'établirent entre Anna et son mari au sujet de leur projet d'avoir un deuxième enfant. Elle commença à se sentir déprimée, à avoir des insomnies, à manifester de l'irritabilité et à prendre du poids. Un thérapeute utilisant l'approche psychodynamique peut aider Anna à prendre conscience de ses colères impulsives et de ses défenses contre la colère. Un thérapeute interpersonnel va tenter aussi d'amener son patient à une meilleure compréhension de lui-même, mais il va encourager Anna à réfléchir sur les questions les plus immédiates telles que l'équilibre entre la maison et le travail, les moyens de résoudre ses disputes avec son mari et d'exprimer ses émotions de manière plus efficace (Markowitz et coll., 1998).

Thérapies humanistes

2. Quels sont les thèmes fondamentaux de la thérapie humaniste comme la thérapie centrée sur la personne de Carl Rogers ?

Le point de vue humaniste (Chapitre 13) souligne la capacité, inhérente à chaque personne, à s'accomplir. Comme nous pouvions nous y attendre, les thérapeutes humanistes essayent donc de favoriser l'accomplissement de soi en aidant les gens à accroître leur conscience d'eux-mêmes et à s'accepter. Comme les thérapies psychanalytiques, les thérapies humanistes cherchent à réduire les conflits internes qui empêchent le développement naturel en fournissant aux patients une nouvelle prise de conscience d'eux-mêmes. En fait, les thérapies psychanalytiques et humanistes sont souvent appelées des **thérapies de l'*insight***. Mais à la différence des psychanalystes, les thérapeutes humanistes ont tendance à se concentrer sur :

- Le *présent* et le *futur* plutôt que sur le passé. Ils mettent l'accent sur l'exploration des sentiments au fur et à mesure qu'ils se manifestent, au lieu de rechercher une prise de conscience des origines des sentiments pendant l'enfance.
- Les pensées *conscientes* plutôt qu'inconscientes.
- La prise immédiate de *responsabilité* de ses sentiments et de ses actes, plutôt que la recherche de déterminants cachés.
- La promotion du développement plutôt que le traitement d'une maladie. Ceux qui viennent en thérapie sont des « clients » et non des « patients » (un changement « d'étiquette » suivi par de nombreux thérapeutes).

Carl Rogers (1902-1987) a développé la technique humaniste la plus utilisée qu'il a appelée la **thérapie centrée sur la personne** qui se focalise sur la perception consciente qu'a la personne d'elle-même. Au cours de cette *thérapie non directive*, le thérapeute écoute sans juger ni interpréter et s'interdit de diriger son client vers certaines prises de conscience.

Croyant que la plupart des gens possèdent déjà les ressources leur permettant de se développer, Rogers (1961, 1980) encourageait les thérapeutes à la *sincérité*, à la *tolérance* et à l'*empathie*. Lorsque les thérapeutes laissent tomber leur façade et expriment de façon sincère leurs véritables sentiments, lorsqu'ils permettent à leurs patients de se sentir acceptés de façon inconditionnelle et lorsqu'ils ressentent et reflètent avec empathie les sentiments de leurs patients, ceux-ci peuvent approfondir leur compréhension et leur acceptation de soi (Hill et Nakayama, 2000). Rogers (1980, p. 10) expliquait :

> Écouter n'est pas sans conséquences. Lorsque j'écoute de manière authentique une personne et les signifiants qui sont importants pour elle à ce moment, n'écoutant pas seulement ses mots, mais elle-même, et lorsque je lui fais savoir que j'ai entendu le sens très personnel qu'elle leur donne, beaucoup de choses peuvent arriver. Il y a d'abord un regard de gratitude. Elle se sent libérée. Elle veut m'en dire plus au sujet de son monde. Elle se lève avec une nouvelle sensation de liberté. Elle devient plus ouverte au processus de changement.
>
> J'ai souvent remarqué que plus j'entends profondément le sens de ce que dit la personne, plus cela se produit. Presque toujours, lorsqu'une personne comprend qu'elle a été profondément entendue, ses yeux se mouillent. Je pense qu'en un certain sens, elle pleure de joie. C'est comme si elle disait : « Merci mon Dieu, quelqu'un m'a entendu. Quelqu'un sait ce que c'est qu'être moi. »

::Thérapie psychodynamique : thérapie dérivant de la tradition psychanalytique qui voit les individus comme répondant à des forces inconscientes et aux expériences vécues dans l'enfance et qui cherche à améliorer la conscience de soi.

::Thérapies de l'*insight* (introvision) : ensemble de thérapies qui ont pour objectif d'améliorer le fonctionnement psychologique en augmentant la conscience du patient de ses motivations et de ses défenses sous-jacentes.

::Thérapie centrée sur la personne (ou le client) : thérapie humaniste, développée par Carl Rogers, au cours de laquelle le thérapeute utilise des techniques telles que l'écoute active dans un environnement sincère, tolérant et empathique, afin de permettre au patient de se développer sur le plan personnel.

L'écoute active Carl Rogers (à droite) montre de l'empathie envers un client au cours d'une séance de thérapie de groupe.

Le terme d'« écoute » se réfère à la technique d'**écoute active** de Rogers, c'est-à-dire faire écho, reformuler et chercher à clarifier ce qu'exprime la personne (verbalement ou non) et reconnaître les sentiments exprimés. L'écoute active fait maintenant partie des habitudes du conseil thérapeutique dans de nombreuses écoles, universités ou cliniques. Le conseiller écoute attentivement et n'interrompt que pour reformuler et confirmer les sentiments du client, pour accepter ce qu'il est en train d'exprimer ou pour clarifier un point. Le bref extrait suivant entre Rogers et un de ses patients (un homme) illustre comment il cherche à lui fournir un miroir psychologique pouvant l'aider à se voir lui-même plus clairement.

« Nous avons deux oreilles et une bouche, de sorte que nous pouvons écouter plus et parler moins. »
Zénon, 335-263 avant J.-C., *Diogenes Laertius*

Rogers : Vous ressentez cela en ce moment, hum ? Que vous n'êtes pas bon pour vous-même, bon pour personne, que vous n'avez rien apporté de bon à personne. Simplement que vous n'avez aucune valeur ? Hein ? Ce sont réellement des sentiments moches. Vous sentez juste que vous n'êtes bon à rien, hum ?

Le client : Ouais. (*Marmonnant à voix basse et découragé.*) C'est exactement ce que m'a dit, l'autre jour, ce type avec qui je suis descendu en ville.

Rogers : Le type avec qui vous êtes descendu en ville vous a réellement dit cela, que vous n'étiez bon à rien ? Est-ce bien ce que vous êtes en train de dire ? Est-ce que j'ai saisi correctement ?

Le client : Mmh.

Rogers : J'ai l'impression que la signification de tout cela, si j'ai bien compris, c'est qu'il y a quelqu'un qui vous a fait une remarque sur ce qu'il pensait de vous ? Pourquoi vous a-t-il dit qu'il pensait que vous n'étiez bon à rien ? Et cela vous a littéralement coupé les pattes. (*Le client se met à pleurer calmement.*) Cela vous met les larmes aux yeux. (*Silence de 20 secondes.*)

Le client : (*Plutôt d'un air de défi.*) Je m'en fiche.

Rogers : Vous vous dites que cela vous est égal, mais d'une certaine façon, je pense qu'une part de vous s'en préoccupe car elle pleure à ce propos.

(*Meador et Rogers, 1984, p. 167*)

Mais un thérapeute peut-il être un miroir parfait sans choisir ni interpréter ce qu'il reflète ? Rogers concédait que personne ne pouvait être *totalement* non directif. Cependant, il pensait que la contribution la plus importante du thérapeute était d'accepter et de comprendre son client. Dans un environnement accueillant et dépourvu de jugement qui fournit une **considération positive inconditionnelle**, les gens peuvent accepter même leurs pires caractéristiques et se sentir appréciés dans leur globalité.

Si vous souhaitez développer une meilleure écoute dans votre cercle de relations, trois suggestions peuvent vous aider :

1. ***La paraphrase.*** Plutôt que de dire « je sais ce que vous ressentez », vérifiez votre compréhension en résumant les mots de la personne qui vous parle en utilisant vos propres mots.
2. ***L'éclaircissement.*** « Pouvez-vous en donner un exemple ? » et encourager de ce fait, votre interlocuteur à en dire plus.
3. ***Reflet des sentiments.*** « Comme c'est frustrant... » peut refléter ce que vous ressentez de l'intensité du discours tenu par l'interlocuteur ainsi que de son langage corporel.

:: Écoute active : écoute empathique au cours de laquelle l'auditeur fait écho, reformule et clarifie. C'est une des caractéristiques de la thérapie centrée sur la personne de Rogers.

:: Considération positive inconditionnelle : une attitude attentive d'acceptation sans aucun jugement. Carl Rogers pensait qu'elle pouvait conduire au développement de la conscience de soi et de l'acceptation de soi.

:: Thérapie comportementale : traitement qui applique les principes de l'apprentissage à l'élimination des comportements indésirables.

:: Déconditionnement : technique de la thérapie comportementale qui utilise le conditionnement classique pour susciter de nouvelles réponses aux stimuli suscitant des comportements non désirés. Comprend la *thérapie d'exposition* et le *conditionnement aversif*.

:: Thérapie d'exposition : technique comportementale qui, comme la désensibilisation systématique, traite l'anxiété en exposant les gens (par l'imagination ou réellement) aux choses qui les effraient et qu'ils évitent.

:: Désensibilisation systématique : type de théorie d'exposition qui associe un état de relaxation agréable à des stimuli générateurs d'anxiété d'intensité croissante. Utilisée classiquement pour lutter contre les phobies.

Thérapies comportementales

3. Quelles sont les hypothèses et les techniques des thérapies comportementales ?

Les thérapies de l'*insight* supposent que de nombreux problèmes psychologiques diminuent à mesure que la conscience de soi augmente. Les psychanalystes traditionnels s'attendent à ce que les problèmes s'aplanissent au fur et à mesure que les gens découvrent leurs tensions inconscientes non résolues. Les thérapeutes humanistes s'attendent à ce que les problèmes diminuent lorsque les gens entrent en contact avec leurs sentiments. Les partisans des **thérapies comportementales**, cependant, doutent du pouvoir de guérison de la prise de conscience. (Vous pouvez, par exemple, devenir conscient de la raison de votre grande anxiété au cours des examens et rester malgré tout anxieux.) Ils supposent que les comportements problématiques *sont* le problème et que l'application des principes d'apprentissage peut les éliminer. Plutôt que de fouiller en profondeur sous la surface en recherchant des causes internes, les thérapeutes comportementalistes considèrent les symptômes d'une mauvaise adaptation, comme les phobies ou les troubles sexuels, comme des comportements acquis qui peuvent être remplacés par des comportements constructifs.

Techniques de conditionnement classique

Une catégorie de thérapies comportementales dérive des principes développés dans les expériences de conditionnement de Pavlov menées au début du xxe siècle (Chapitre 7). Comme l'ont montré Pavlov et ses collaborateurs, nous apprenons des comportements et des émotions divers via un conditionnement classique. Les symptômes inadaptés sont-ils alors des exemples de réponses conditionnées ? Si tel est le cas, le reconditionnement peut-il être une solution ? Le théoricien de l'apprentissage O. H. Mowrer le pensait et développa une thérapie par conditionnement efficace pour des sujets souffrant d'énurésie chronique. Un enfant dort sur une surface sensible aux liquides et reliée à une alarme qui se déclenche en cas d'humidité, ce qui réveille l'enfant. Après un nombre de répétitions suffisant, l'association du relâchement urinaire et du réveil stoppe l'énurésie. Dans trois cas sur quatre, le traitement est efficace et améliore l'image que l'enfant a de lui-même (Christophersen et Edwards, 1992 ; Houts et coll., 1994).

Que dirait un psychanalyste de la thérapie de l'énurésie de Mowrer ? Comment répliquerait un thérapeute comportementaliste ?

Prenons un autre exemple : si une peur claustrophobique des ascenseurs est une réponse apprise au stimulus de se trouver dans un espace clos, ne pourrait-on pas désapprendre cette association en subissant un autre conditionnement pour remplacer la réponse de crainte ? Le **déconditionnement** consiste à associer le stimulus déclenchant (dans ce cas l'espace clos de l'ascenseur) à une nouvelle réponse (la relaxation) incompatible avec la peur. Effectivement, les thérapeutes comportementalistes ont réussi à déconditionner cette crainte chez les personnes. La *thérapie d'exposition* et le *conditionnement aversif* sont deux techniques de déconditionnement de ce type qui remplacent les réponses non désirées.

Thérapies d'exposition Imaginez cette scène rapportée en 1924 par Mary Cover Jones, une psychologue comportementaliste : le petit Peter, âgé de 3 ans, est terrorisé par les lapins et autres objets en peluche. Jones voulait remplacer la peur des lapins de Peter par une réponse conditionnée incompatible avec cette crainte. Sa stratégie fut d'associer le lapin évoquant la peur à une réponse agréable et apaisante associée à la nourriture.

Au moment où Peter commençait à manger son goûter, Jones introduisait un lapin en cage de l'autre côté de la grande pièce. Peter le remarquait à peine alors qu'il avalait goulûment son lait et ses biscuits. Les jours suivants, elle rapprocha de plus en plus le lapin. En 2 mois, Peter tolérait le lapin sur ses genoux et le caressait même en mangeant. De plus, sa peur des peluches disparut également, ayant été *contrée* ou remplacée par un état de détente qui ne pouvait pas coexister avec la peur (Fisher, 1984 ; Jones, 1924).

Malheureusement pour ceux que ces procédures de déconditionnement auraient pu aider, l'histoire de Jones concernant Peter et son lapin n'est pas immédiatement devenue partie intégrante du savoir de la psychologie. Ce n'est que plus de 30 ans plus tard que le psychiatre Joseph Wolpe (1958 ; Wolpe et Plaud, 1997) améliora la technique de Jones pour mettre au point ce qui est devenu la méthode la plus utilisée de la thérapie comportementale : la **thérapie d'exposition**. Ces thérapies confrontent le patient à ce qu'il a l'habitude d'éviter. Tout comme on peut s'habituer au bruit d'un train qui passe à proximité de notre nouvel appartement, on peut, à force de répéter l'exposition, répondre de manière moins anxieuse aux choses qui jadis nous ont pétrifiés (Deacon et Abramowitz, 2004).

L'une des techniques d'exposition très utilisée est la **désensibilisation systématique**. Wolpe partit du principe, comme Jones, que vous ne pouvez pas être en même temps anxieux et détendu. De sorte que si vous pouvez vous détendre à plusieurs reprises face à un stimulus provoquant l'anxiété, vous pouvez progressivement éliminer votre anxiété. L'astuce, c'est de procéder progressivement. Voyons comment cela peut fonctionner avec une phobie courante. Imaginez que vous soyez inquiet de parler en public. Un comportementaliste va d'abord vous demander votre aide pour bâtir une hiérarchie des situations génératrices d'anxiété lorsque vous êtes amené à prendre la parole. Votre hiérarchie d'anxiété peut aller d'une situation provoquant une peur modérée – par exemple le fait de parler devant un petit groupe d'amis – jusqu'à des situations provoquant une panique – comme le fait d'avoir à s'adresser à un vaste public.

THE FAR SIDE® By GARY LARSON

Le professeur Gallagher et sa technique controversée pour confronter simultanément son patient à sa peur du vide, des serpents et du noir.

Au moyen d'une *relaxation progressive*, le thérapeute va alors vous entraîner à vous détendre, un groupe de muscles après l'autre, jusqu'à ce que vous arriviez à un état de somnolence, une relaxation complète et confortable. Alors, le thérapeute vous demande d'imaginer, en gardant vos yeux fermés, une situation suscitant une anxiété modérée : vous prenez un café avec un groupe d'amis et vous vous demandez si vous allez prendre la parole. Si le fait d'imaginer la scène provoque chez vous le moindre sentiment d'anxiété, vous signalez votre tension en levant le doigt et le thérapeute vous indique de couper l'image mentale et de revenir à une relaxation profonde. La scène imaginée est associée à la relaxation de façon répétée, jusqu'à ce que vous ne ressentiez plus aucune trace d'angoisse.

Le thérapeute remonte dans votre échelle d'anxiété en utilisant l'état de relaxation pour vous désensibiliser à chaque situation imaginée. Après plusieurs séances, vous passez aux situations réelles et vous pratiquez les comportements que vous aviez seulement imaginés, en commençant par des tâches relativement faciles et en progressant vers d'autres plus anxiogènes. Vaincre votre anxiété dans une situation réelle, et pas seulement dans votre imagination, renforce votre confiance en vous (Foa et Kozak, 1986 ; Williams, 1987). Vous pourriez même devenir, finalement, un orateur tout à fait à l'aise.

Lorsque la situation qui génère l'anxiété est trop difficile, onéreuse ou embarrassante à recréer, la **thérapie par réalité virtuelle** peut être un compromis efficace entre les deux situations. Avec le port d'un casque de vision permettant de projeter un monde virtuel en trois dimensions, vous voyez défiler une série de scènes très semblables à la vie réelle. Lorsque vous tournez la tête, les capteurs de mouvements réajustent la scène. Des expériences menées par plusieurs équipes de chercheurs ont permis de soigner différentes personnes atteintes de peurs diverses, telles que celles de l'avion, des hauteurs, de certaines espèces animales et de parler en public (Gregg et Tarrier, 2007 ; Powers et Emmelkamp, 2008 ; Rothbaum, 2006). Par exemple, des patients qui ont peur de l'avion sont amenés à regarder à travers le hublot virtuel d'un avion simulé, sentant les vibrations et entendant les moteurs vrombir à mesure que l'avion roule sur la piste puis décolle. Les participants aux premiers groupes expérimentaux ayant suivi la thérapie par réalité virtuelle ont atténué leurs peurs, dans la vie réelle, à un niveau supérieur à celui du groupe contrôle.

Bob Mahoney/The Image Works

Bob Mahoney/The Image Works

La thérapie par réalité virtuelle
Dans une pièce confinée, la réalité virtuelle expose les patients à des simulations vivantes des stimuli redoutés, tels que le décollage d'un avion.

Le développement de la thérapie par réalité virtuelle suggère la possibilité de concevoir des mondes simulés dans lesquels les patients créent un avatar (la représentation informatisée de leur moi) grâce auquel ils peuvent essayer de nouveaux comportements dans des environnements virtuels (Gorini, 2007). Par exemple, une personne ayant une phobie sociale peut aller dans une fête virtuelle ou dans un groupe de discussion avec d'autres personnes les rejoignant à mesure que le temps passe.

Conditionnement aversif Au cours de la désensibilisation systématique, l'objectif est de substituer une réponse positive (détente) à une réponse négative (crainte) face à un stimulus *inoffensif*. Dans le **conditionnement aversif**, l'objectif est de substituer une réponse négative (aversion) à une réponse positive vis-à-vis d'un stimulus *dangereux* (comme l'alcool). Le conditionnement aversif est donc l'inverse de la désensibilisation systématique : il cherche à conditionner une aversion à quelque chose que le patient *doit* éviter.

Le protocole est simple : il associe le comportement non désiré à des sensations déplaisantes. Pour traiter une personne qui se ronge les ongles, on peut les vernir avec un produit dont le goût est répugnant (Baskind, 1997). Lors du traitement d'un alcoolique, le thérapeute propose des boissons tentantes contenant une substance produisant des nausées violentes. En reliant la consommation d'alcool à des nausées violentes, (rappelez-vous les expériences gustatives aversives chez les rats et les coyotes, au chapitre 7) le thérapeute cherche à transformer la réaction positive de la personne vis-à-vis de l'alcool en une réponse négative (FIGURE 15.1).

:: Thérapie par réalité virtuelle : traitement de l'anxiété qui expose progressivement les patients à des simulations de leurs craintes les plus importantes, comme prendre l'avion, se trouver en présence d'araignées ou parler en public.

:: Conditionnement aversif : type de déconditionnement qui associe un état pénible (une nausée, par exemple) à un comportement indésirable (boire de l'alcool, par exemple).

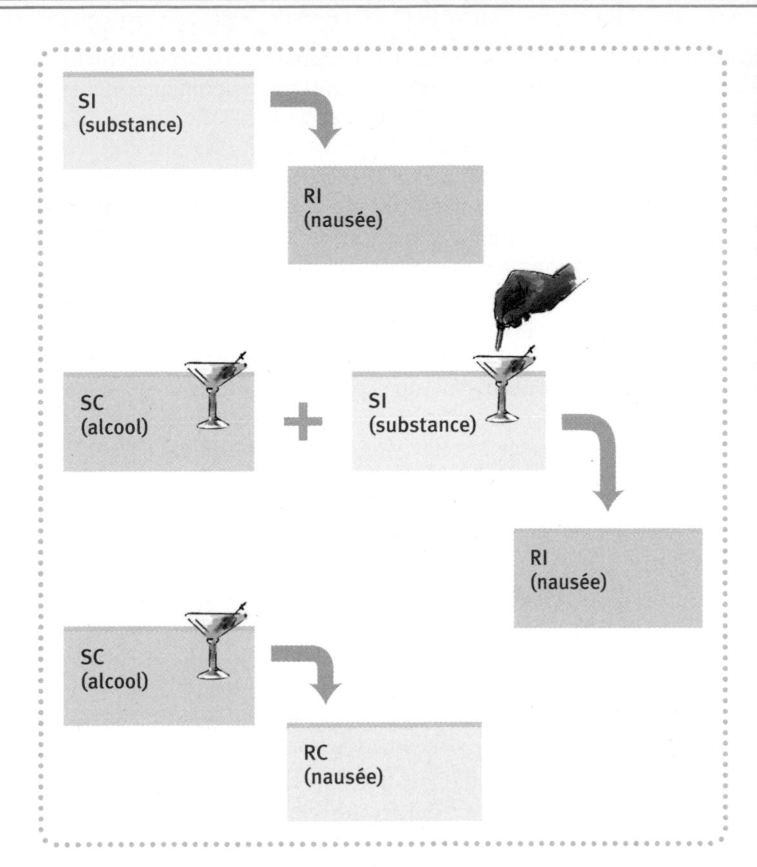

➤ FIGURE 15.1
Traitement aversif pour les alcooliques Après avoir absorbé, à plusieurs reprises, une boisson alcoolisée mélangée à une substance produisant de fortes nausées, certains patients alcooliques développent, du moins de façon temporaire, une aversion conditionnée pour l'alcool.

Le conditionnement aversif est-il efficace ? À court terme, peut-être. Arthur Wiens et Carol Menustik (1983) ont étudié 685 patients alcooliques, ayant achevé des traitements de sevrage par des thérapies aversives en milieu hospitalier, à Portland dans l'Oregon. Un an plus tard, après avoir suivi plusieurs traitements associant alcool-maladie, 63 p. 100 des patients observaient toujours l'abstinence avec succès. Toutefois, au terme de 3 années, 33 p. 100 seulement demeuraient encore des alcooliques abstinents.

Mais comme nous l'avons vu au chapitre 7, le problème est que la connaissance influence le conditionnement. Les gens savent qu'en dehors du bureau des thérapeutes, ils peuvent boire sans craindre la nausée. La possibilité qu'a la personne de distinguer les situations de conditionnement aversif de toutes les autres situations peut limiter l'efficacité du traitement. Il est donc souvent utilisé avec un autre traitement.

Conditionnement opérant

Le concept fondamental du conditionnement opérant (Chapitre 7) est que les comportements volontaires sont fortement influencés par leurs conséquences. Sachant cela, les thérapeutes comportementalistes peuvent *modifier le comportement* – renforcer les comportements désirés et éviter le renforcement des comportements non désirés ou les punir. L'utilisation du conditionnement opérant pour résoudre des problèmes spécifiques de comportement a soulevé un espoir dans certains cas considérés comme désespérés. On a appris à des enfants présentant un retard mental à prendre soin d'eux-mêmes. Des enfants autistes socialement repliés ont appris à communiquer. Des schizophrènes ont été amenés à se comporter de façon plus rationnelle dans les services hospitaliers. Dans de tels cas, les thérapeutes utilisent le renforcement positif pour modeler progressivement le comportement, récompensant les approximations de plus en plus proches du comportement désiré.

Dans les cas extrêmes, le traitement doit être intensif. Au cours d'une étude portant sur 19 enfants autistes de 3 ans repliés sur eux-mêmes et ne pouvant communiquer, il a fallu un programme sur 2 ans, à raison de 40 heures par semaine au cours duquel leurs parents

:: Économie de jetons : technique de conditionnement opérant au cours duquel le patient gagne un jeton grâce à l'adoption du comportement souhaité, qu'il peut ultérieurement échanger contre divers avantages ou gâteries.

:: Thérapie cognitive : traitement qui enseigne aux patients de nouvelles façons mieux adaptées de penser et d'agir ; elle est fondée sur l'hypothèse que des pensées interviennent entre les événements et nos réactions émotionnelles.

ont essayé de modeler leur comportement (Lovaas, 1987). L'association du renforcement positif des comportements désirés et de l'ignorance ou de la punition des comportements agressifs ou automutilateurs a fait des merveilles pour certains d'entre eux. Une fois au CP, 9 enfants sur 19 avaient une conduite normale en classe et montraient une intelligence normale. Parmi un groupe de 40 enfants semblables qui n'avaient pas subi ce traitement (qui implique des efforts soutenus), 1 seul a présenté une amélioration comparable.

Les récompenses utilisées pour modifier le comportement varient. Avec certaines personnes, le pouvoir renforçateur de l'attention et de l'éloge suffit. D'autres ont besoin de récompenses plus concrètes, comme la nourriture. Dans les institutions, les thérapeutes peuvent créer une **économie de jetons**. Lorsque les sujets manifestent un comportement approprié, qu'ils se lèvent, se lavent, s'habillent, mangent, parlent de façon cohérente, rangent leur chambre ou jouent sereinement, ils reçoivent un jeton en plastique en guise de renforcement positif. Plus tard, ils peuvent échanger les jetons accumulés contre diverses récompenses - des bonbons, le droit de regarder la télévision, une visite en ville ou une meilleure chambre. L'économie de jetons a été appliquée avec succès dans diverses conditions (à la maison, en classe, dans des hôpitaux, en maisons de redressement) et avec diverses populations (enfants perturbés, patients schizophrènes ou présentant d'autres troubles mentaux).

Les personnes qui critiquent ces modifications du comportement expriment deux inquiétudes. L'une est purement pratique : *combien de temps durent ces comportements ?* Les sujets sont-ils devenus tellement dépendants des récompenses extrinsèques que les comportements appropriés disparaissent lorsque les renforcements s'arrêtent, ce qui arrive par exemple, lorsqu'ils quittent l'institution ? Les partisans de la modification comportementale pensent que les comportements persistent si le thérapeute sèvre le patient de la récompense par jetons en l'amenant à rechercher d'autres récompenses, par exemple une approbation sociale, plus caractéristique de la vie en dehors de l'institution. Ils mettent aussi en avant que les comportements adaptés peuvent être par eux-mêmes intrinsèquement gratifiants. Par exemple, si une personne renfermée devient plus à l'aise sur le plan social, les satisfactions intrinsèques qu'elle tire de ses interactions sociales vont aider au maintien de son comportement.

Le second problème est éthique : *un homme a-t-il le droit de contrôler le comportement d'autrui ?* Ceux qui mettent en place des économies de jetons privent en fait les gens de quelque chose qu'ils désirent, puis décident des comportements qu'ils veulent renforcer. D'après les critiques, la totalité du processus de modification du comportement a une tonalité totalitaire. Les partisans répliquent que certains patients sollicitent ce traitement. De plus, ce contrôle existe déjà ; les récompenses et les punitions entretiennent déjà des schémas destructeurs de comportements. Pourquoi alors ne pas renforcer des comportements adaptatifs à la place ? Ils affirment que le traitement par des récompenses positives est plus humain que d'être enfermé dans une institution ou puni, et que le droit à un traitement effectif et à une vie meilleure justifie une privation temporaire.

Thérapies cognitives

4. Quels sont les objectifs et les techniques des thérapies cognitives ?

Nous avons vu comment les comportementalistes traitaient les peurs spécifiques et les problèmes de comportement. Mais comment font-ils face aux troubles dépressifs majeurs ? Ou à l'anxiété généralisée au cours de laquelle l'anxiété n'est pas focalisée sur quelque chose de particulier et il devient difficile d'établir une hiérarchie des situations génératrices d'anxiété ? Les thérapeutes comportementalistes qui traitent ces troubles psychologiques moins clairement définis ont trouvé de l'aide dans la *révolution cognitive*, qui a profondément fait évoluer d'autres domaines de la psychologie durant ces 50 dernières années.

Les **thérapies cognitives** sous-tendent que nos pensées colorent nos sentiments (Figure 15.2) et qu'entre un événement et la réponse se trouve notre esprit. L'autodépréciation et la généralisation abusive des explications des événements désagréables sont des éléments constitutifs du cercle vicieux de la dépression (*voir* Chapitre 14). La personne déprimée interprète une suggestion comme une critique, un désaccord comme un rejet, un compliment

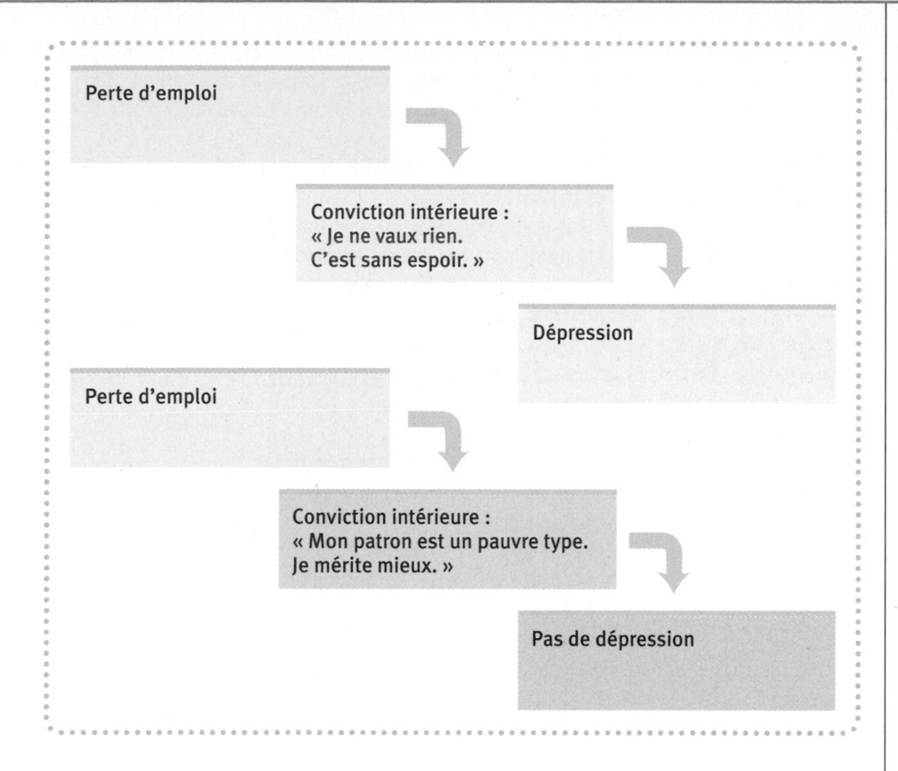

➤ FIGURE 15.2
Une perspective cognitive des troubles psychologiques
Les réactions émotionnelles d'un individu ne sont pas directement produites par l'événement ; elles sont le produit de ses pensées en réponse à cet événement.

comme une flatterie et l'amitié comme de la pitié. La rumination de telles pensées entretient la mauvaise humeur. Si ces modes de pensée dépressogènes peuvent être appris, ils peuvent certainement être remplacés. Les thérapeutes cognitivistes tentent donc, de différentes façons, d'apprendre aux gens de nouveaux modes de pensée plus constructifs. Si une personne est malheureuse, ils peuvent l'aider à modifier sa vision des choses.

« La vie n'est pas essentiellement constituée de faits et d'événements. Elle est faite principalement de tempêtes de pensées qui ravagent sans cesse notre esprit. »
Mark Twain, 1835-1910

Thérapie de la dépression de Beck

Le thérapeute cognitiviste Aaron Beck fut, au départ, formé selon les techniques freudiennes. Lors de l'analyse des rêves de ses patients déprimés, il trouva des thèmes négatifs récurrents de perte, de rejet et d'abandon, persistant aussi dans leurs pensées éveillées. Cette négativité s'étendait même au cours de la thérapie, au fur et à mesure que les patients se souvenaient et répétaient leurs faiblesses ainsi que leurs pires pulsions (Kelly, 2000). Dans leur mode de traitement cognitif, Beck et ses collaborateurs (1979) cherchèrent donc à changer les croyances *catastrophiques* de leurs patients vis-à-vis d'eux-mêmes, de leur situation et de leur avenir. En les questionnant doucement afin de les aider à découvrir l'irrationalité de leurs pensées, ils persuadèrent les patients déprimés de retirer les lunettes noires à travers lesquelles ils voyaient l'existence (Beck et coll., 1979, pp. 145-146).

Le client : Je suis d'accord avec la description que vous faites de moi, mais je pense que je ne suis pas d'accord pour dire que c'est mon mode de pensée qui me déprime.
Beck : Comment le comprenez-vous ?
Le client : Je suis déprimé lorsque les choses vont mal. Comme lorsque je rate un examen.
Beck : Comment le fait de rater un examen peut-il vous déprimer ?
Le client : Eh bien, si je le rate, je n'entrerai pas à la faculté de droit.
Beck : Donc, le fait de rater un examen a pour vous une importante signification. Mais si le fait de rater un examen pouvait conduire les gens à une dépression clinique, ne vous attendriez-vous pas à ce que chaque personne qui rate un examen ait une dépression ?... Est-ce que chaque personne qui rate un examen est assez déprimée pour nécessiter un traitement ?
Le client : Non, mais cela dépend de l'importance que la personne accorde à l'examen.
Beck : Exact, mais qui décide de cette importance ?
Le client : C'est moi.

Beck : Ce que nous devons donc examiner, c'est votre façon d'envisager l'examen (ou plutôt la façon dont vous pensez à propos de celui-ci) et comment cela affecte vos chances d'entrer à la fac de droit. Êtes-vous d'accord ?

Le client : D'accord.

Beck : Êtes-vous d'accord avec le fait que la façon dont vous interprétez les résultats de l'examen va vous affecter ? Vous allez peut-être vous sentir déprimé, avoir des insomnies, ne pas avoir très faim et vous allez peut-être vous demander si vous ne devriez pas laisser tomber.

Le client : Oui, je suis d'accord, j'ai effectivement pensé que je n'y arriverai pas.

Beck : Maintenant, que signifie l'échec ?

Le client : (*les larmes aux yeux*) Que je ne pourrai pas aller à la fac de droit.

Beck : Et qu'est-ce que cela signifie pour vous ?

Le client : Que je ne suis pas assez bon.

Beck : Rien d'autre ?

Le client : Que je ne pourrai jamais être heureux.

Beck : Et comment vous sentez-vous face à ces pensées ?

Le client : Très malheureux.

Beck : C'est donc la signification de l'échec à l'examen qui vous rend malheureux. En fait, croire que vous ne pourrez jamais être heureux est un facteur puissant qui contribue à vous rendre malheureux. Vous vous enfermez vous-même dans un piège – par définition, l'impossibilité d'entrer à la fac de droit signifie « je ne pourrai jamais être heureux ».

PEANUTS

Nous pensons généralement avec des mots. De ce fait, obtenir des gens qu'ils changent ce qu'ils se disent à eux-mêmes est un moyen efficace de changer leurs pensées. Peut-être pouvez-vous vous identifier à ces étudiants anxieux qui, avant un examen, se rendent les choses plus difficiles avec des pensées autodépréciatives : « Cet examen va probablement être impossible. Tous ces étudiants autour de moi semblent si sûrs d'eux et détendus. J'aimerais être mieux préparé. Quoi qu'il en soit, je suis si nerveux que je vais tout oublier. » Pour changer de telles dispositions négatives, Donald Meichenbaum (1977, 1985) a proposé sa méthode de *stress inoculation training* : apprendre aux gens à restructurer leur mode de pensée dans des situations stressantes. Parfois, il peut simplement suffire de se dire à soi-même des choses plus positives : « Du calme. L'examen est peut-être difficile, mais il le sera également pour tous les autres. J'ai travaillé plus dur que la plupart des gens. De toute façon, je n'ai pas besoin d'avoir 20/20 pour réussir mon examen. » Après avoir été entraînés à contester leurs pensées négatives, les enfants et les étudiants sujets à la dépression présentent moitié moins de risques de dépression future (Seligman, 2002). En grande partie, ce *sont* les pensées qui comptent.

Thérapie cognitivo-comportementale

La **thérapie cognitivo-comportementale**, une thérapie intégrative largement répandue, a pour objectif non seulement de modifier la manière dont les gens pensent (thérapie cognitive) mais aussi de changer la manière dont ils agissent (thérapie comportementale). Elle cherche à faire prendre conscience aux patients de leur mode de pensée irrationnel et négatif, les amène à le remplacer par de nouvelles façons de penser *et à s'entraîner* à avoir cette approche plus positive dans la vie de tous les jours. L'anxiété et les troubles de l'humeur ont un problème en commun : la régulation de l'émotion. Un programme thérapeutique efficace pour ces troubles émotionnels entraîne les personnes à remplacer leurs pensées qu'il va se produire une catastrophe par des estimations plus réalistes et à les amener à pratiquer des comportements qui sont incompatibles avec leurs problèmes (Moses et Barlow, 2006). Une personne ayant peur des situations sociales, par exemple, pourrait apprendre un nouveau mode de pensée mais aussi s'entraîner à approcher d'autres personnes.

> « Le problème avec la plupart des thérapies c'est qu'elles vous aident à vous sentir mieux. Mais pas à aller mieux. Vous devez les renforcer par de l'action, de l'action et encore de l'action. »
> Albert Ellis, thérapeute (1913-2007)

Au cours d'une étude, des patients atteints de troubles obsessionnels compulsifs ont appris à « renommer » leurs tendances compulsives (Schwartz et coll., 1996). Lorsqu'ils ressentaient le besoin compulsif de se relaver les mains, par exemple, ils s'adressaient à eux-mêmes en disant « je suis en train d'avoir une envie compulsive » et l'attribuaient à l'activité anormale de leur cerveau, révélée dans les tomographies par émission de positons (TEP) qu'ils avaient effectuées auparavant. Plutôt que de céder à leur compulsion, ils se livraient pendant un quart d'heure à une autre activité agréable, telle que la pratique d'un instrument de musique, une promenade à pied ou du jardinage. Cela leur permettait de mobiliser le cerveau en détournant l'attention et en activant d'autres aires corticales. Ces séances de thérapie hebdomadaires se poursuivaient durant 2 à 3 mois, et les patients se devaient de mettre en pratique chez eux le même processus (renommer et recentrer leur attention). Au terme de ce travail de recherche, on a pu constater chez les patients une diminution de la plupart de leurs symptômes, avec une normalisation de l'activité cérébrale révélée par les images de TEP. Beaucoup d'autres études ont confirmé l'efficacité de la thérapie cognitivo-comportementale chez les personnes souffrant d'anxiété ou de dépression (Covin et coll., 2008 ; Mitte, 2005 ; Norton et Price, 2007).

:: **Thérapie cognitivo-comportementale :** thérapie intégrative populaire associant la thérapie cognitive (modification d'une perception pessimiste de soi-même) à la thérapie comportementale (modification du comportement).

:: **Thérapie familiale :** thérapie qui traite la famille comme un système. Elle considère que les comportements non désirés de l'un des membres sont influencés par ou dirigés vers d'autres membres de la famille.

Thérapies de groupe et thérapies familiales

5. Quels sont les objectifs et les avantages des thérapies de groupe et des thérapies familiales ?

Sauf en ce qui concerne la psychanalyse traditionnelle, la plupart des thérapies peuvent également être réalisées en petits groupes. La thérapie de groupe ne procure pas à chaque patient le même niveau d'implication de la part du thérapeute. Cependant, elle épargne du temps au thérapeute et de l'argent aux patients – et elle n'est souvent pas moins efficace qu'une thérapie individuelle (Fuhriman et Burlingame, 1994). Les thérapeutes préconisent souvent la thérapie de groupe aux personnes en conflit avec leur famille ou dont le comportement met les autres en souffrance. Pendant 90 minutes par semaine, le thérapeute guide les interactions entre un groupe de personnes lorsqu'elles font part de leurs problèmes et réagissent les unes par rapport aux autres.

Les séances en groupe offrent aussi un bénéfice unique : le contexte social permet aux gens de découvrir que les autres ont des problèmes similaires aux leurs et d'avoir un certain retour lorsqu'ils essayent de nouvelles manières de se comporter. Cela peut être un soulagement de découvrir que vous n'êtes pas seul et d'apprendre que les autres, en dépit de leur calme apparent, partagent vos problèmes et vos sentiments pénibles. Il peut être également rassurant d'entendre que vous-même paraissez calme et posé, même si vous vous sentez anxieux et que vous en êtes conscient.

Un type particulier d'interaction de groupe, la **thérapie familiale**, considère qu'aucune personne n'est isolée. Nous vivons et grandissons en relation avec d'autres, et particulièrement avec les membres de notre famille. Nous luttons pour nous différencier de notre famille, mais nous avons également besoin d'être reliés à elle sur le plan émotionnel. Certains de nos comportements à problèmes naissent de la tension entre ces deux tendances, qui crée souvent un stress familial.

À la différence de la plupart des psychothérapies, qui se concentrent sur ce qui se passe dans la peau de la personne, les thérapeutes familiaux travaillent avec les membres de la famille pour améliorer les relations et mobiliser les ressources familiales. Ils voient la famille comme un système dans lequel chaque action d'une personne déclenche des réactions de la part des autres et ils aident les membres de la famille à découvrir leur rôle au sein du système social qu'est la famille. La rébellion d'un enfant, par exemple, affecte et est affectée par d'autres tensions familiales. Les thérapeutes tentent également – avec un certain succès, comme le suggèrent certaines recherches – d'ouvrir de nouvelles voies de communication au sein de la famille et d'aider les membres à trouver de nouveaux moyens pour prévenir ou résoudre les conflits (Hazelrigg et coll., 1987 ; Shadish et coll., 1993).

Un grand nombre de personnes participent à des programmes d'entraide et de soutien (Yalom, 1985). Une analyse (Davison et coll., 2000) effectuée sur des groupes de soutien sur Internet et sur plus de 14 000 groupes d'entraide rapporte que la plupart d'entre eux se concentrent sur des maladies stigmatisées ou embarrassantes dont il est difficile de parler. Les patients atteints du sida sont 250 fois plus susceptibles de faire partie d'un groupe de soutien que ne le sont les patients souffrant d'hypertension. Ceux qui luttent contre l'anorexie et l'alcoolisme rejoignent souvent des groupes ; ce qui n'est pas le cas de ceux qui ont des migraines ou des ulcères. Les personnes atteintes de surdité ont des organisations nationales et des groupes locaux ; les personnes atteintes de cécité font généralement face à leur trouble sans bénéficier d'un tel soutien.

Thérapie familiale Ce type de thérapie agit souvent comme une stratégie de prévention des troubles mentaux. Le thérapeute aide les membres de la famille à comprendre comment leur façon d'être en relation les uns avec les autres engendre les problèmes. Le traitement donne de l'importance aux modifications des relations et des interactions entre les différents membres de la famille et non pas au changement des individus.

Michael Newman/PhotoEdit

• L'association des Alcooliques anonymes (AA), avec plus de 2 millions de membres dans le monde entier, est considérée comme « la plus grande association sur Terre à laquelle personne n'a jamais voulu adhérer » (Finlay, 2000). •

L'ancêtre des groupes de soutien personnel, les Alcooliques anonymes (AA), compte 114 000 sections dans le monde entier avec plus de 2 millions de membres. Sa fameuse stratégie en 12 étapes, copiée par beaucoup d'autres groupes d'entraide, demande à ses membres d'admettre leur impuissance, de chercher de l'aide auprès d'une puissance supérieure ou de quelqu'un d'autre et (la douzième étape) de délivrer le message à d'autres qui en ont besoin. Sur une période de 8 ans, dont le coût a été estimé à 27 millions de dollars, les personnes adhérant à l'AA ont réussi à réduire considérablement leur consommation d'alcool, tout comme ceux ayant suivi des thérapies cognitivo-comportementales, ou des « thérapies motivationnelles » (Project Match, 1997). D'autres études ont de même montré que le programme en 12 étapes comme celui proposé par l'AA avait aidé à réduire la dépendance à l'alcool dans des mesures comparables à celles des autres traitements (Ferri et coll., 2006 ; Moos et Moos, 2005). Plus le patient participe aux réunions, plus son abstinence vis-à-vis de l'alcool est importante (Moos et Moos, 2006). Une étude portant sur 2 300 anciens alcooliques ayant suivi un traitement a montré qu'une forte implication dans les AA était suivie d'une diminution des problèmes d'alcoolisme (McKellar et coll., 2003).

À une époque où l'individualisme sévit et où de plus en plus de gens vivent seuls ou se sentent isolés, la popularité des groupes de soutien (pour les personnes veuves, divorcées, les personnes souffrant d'un trouble de dépendance ou qui cherchent simplement de l'amitié et un moyen d'évoluer) semble refléter un désir d'appartenance à une communauté et d'avoir des relations avec les autres. Plus de 100 millions d'Américains appartiennent à des petits groupes religieux, à des groupes d'entraide ou ayant un intérêt commun ; ces groupes se réunissent régulièrement et 9 sur 10 déclarent que leurs membres s'accordent un « soutien émotionnel mutuel » (Gallup, 1994).

***

Pour avoir un résumé des principales formes de psychothérapie dont nous avons parlé, reportez-vous au TABLEAU 15.1.

TABLEAU 15.1

COMPARAISON D'UN ÉCHANTILLON DES PRINCIPALES PSYCHOTHÉRAPIES

Thérapie	Problème supposé	Objectif de la thérapie	Méthode
Psychodynamique	Forces inconscientes et expériences vécues dans l'enfance	Réduire l'anxiété par la prise de conscience de soi	Analyse et interprétation
Centrée sur la personne	Barrières empêchant la compréhension de soi et l'acceptation de soi	Croissance personnelle par la prise de conscience de soi	Écoute active et considération positive inconditionnelle
Comportementale	Comportement inadapté	Extinction et réapprentissage	Déconditionnement, exposition, désensibilisation, conditionnement aversif et conditionnement opérant
Cognitive	Pensées négatives, autodépréciatives	Penser plus sainement et se parler à soi-même	Révéler l'autodépréciation et l'inverser
Familiale	Relations stressantes	Amélioration des relations	Comprendre le système social familial ; explorer les rôles, améliorer la communication

AVANT D'ALLER PLUS LOIN...

➤ **INTERROGEZ-VOUS**

Les critiques disent que les techniques de modification comportementale, comme celles utilisées lors de l'économie de jetons, sont inhumaines. Êtes-vous d'accord ou non ? Pourquoi ?

➤ **TESTEZ-VOUS 1**

Quelle est la distinction majeure entre les hypothèses sous-jacentes des thérapies de l'*insight* et des thérapies comportementales ?

Les réponses aux questions « Testez-vous » sont données dans l'annexe B à la fin de l'ouvrage.

Évaluation des psychothérapies

LES SPÉCIALISTES DU COURRIER DES LECTEURS CONSEILLENT souvent à leurs correspondants perturbés de rechercher l'aide d'un professionnel. « Ne laissez pas tomber. Trouvez un psychothérapeute qui puisse vous aider. Prenez un rendez-vous. »

Les thérapeutes peuvent vérifier que de nombreux Américains partagent cette confiance dans l'efficacité de la psychothérapie. Avant 1950, les psychiatres étaient les premiers à dispenser des soins de santé mentale. Aujourd'hui, la poussée de la demande de psychothérapies occupe tout le temps et l'attention des psychologues, cliniciens ou conseillers ; des travailleurs sociaux ou des conseillers religieux, scolaires, matrimoniaux ou spécialistes des abus ; et des infirmiers psychiatriques. En 2004, par exemple, 7,4 p. 100 des Américains disaient « suivre des conseils pour des problèmes mentaux ou émotionnels », une augmentation de 25 p. 100 depuis 1991 (Smith, 2005). Avec une telle dépense de temps et d'argent, d'effort et d'espoir, il est important de se demander : est-il justifié que ces millions de personnes dans le monde placent tant d'espoir dans la psychothérapie ?

La psychothérapie est-elle efficace ?

6. La psychothérapie est-elle efficace ? Qui peut en décider ?

Bien que la question soit simple à poser, il n'est pas facile d'y répondre. La mesure de l'efficacité d'une thérapie n'est pas aussi facile que celle de la température du corps pour voir si votre fièvre a baissé. Si vous et moi allions entreprendre une psychothérapie, comment pourrions-nous en évaluer l'efficacité ? Par la façon dont nous ressentons nos progrès ? Par l'opinion de nos thérapeutes sur ces progrès ? Par l'avis de notre famille et de nos amis ? Par la manière dont notre comportement a changé ?

Point de vue des patients

Si les témoignages des patients étaient les seuls critères de référence, nous pourrions affirmer haut et fort l'efficacité de la psychothérapie. Lorsque 2 900 lecteurs du *Consumer Reports* (1995 ; Kotkin et coll., 1996 ; Seligman, 1995) ont exprimé leur avis concernant leur expérience avec les professionnels de la santé mentale, 89 p. 100 se sont montrés au moins « assez satisfaits ». Neuf sur dix ayant commencé une thérapie en se sentant *moyennement bien* ou *très mal* ont déclaré se sentir depuis *très bien, bien* ou *moyennement bien*. Nous les croyons sur parole : ils sont les mieux placés pour nous le dire.

Nous ne devons pas prendre ces témoignages à la légère. Mais il existe plusieurs raisons pour lesquelles les témoignages des patients ne suffisent pas à persuader les détracteurs de la psychothérapie :

- ***Les gens commencent souvent une thérapie lors d'une crise.*** Lorsque, avec le flux et le reflux des événements, la crise se termine, les gens peuvent attribuer l'amélioration à la thérapie.
- ***Les patients ont besoin de croire que le traitement méritait un effort.*** Admettre d'investir du temps et de l'argent dans un processus inefficace, cela revient à admettre de faire réparer une automobile à maintes reprises par un mécanicien qui est incapable de la régler. L'autojustification est une motivation humaine puissante.
- ***Généralement, les patients apprécient leur thérapeute et le trouvent gentil.*** Même si leurs problèmes subsistent, disent les détracteurs, « les patients essayent à tout prix de trouver quelque chose de positif à dire. Le thérapeute a été très compréhensif, le patient a acquis une nouvelle façon de voir les choses, il a appris à mieux communiquer, son esprit a été soulagé, n'importe quoi pour ne pas avoir à dire que le traitement a été un échec » (Zilbergeld, 1983, p. 117).

Comme l'ont montré les chapitres précédents, nous sommes enclins à avoir des souvenirs sélectifs et biaisés et à prononcer des jugements qui confirment nos opinions. Considérez les témoignages rassemblés au cours d'une expérience massive avec plus de 500 garçons du Massachusetts âgés de 5 à 13 ans, dont beaucoup semblaient destinés à la délinquance. Par tirage au sort, la moitié de ces garçons fut incluse dans un programme de traitement de 5 ans. Des conseillers leur rendirent visite deux fois par mois. Ils participèrent à des programmes communautaires et, selon le besoin, ils reçurent un soutien scolaire, des soins médicaux et une assistance familiale. Environ 30 ans après la fin de ce programme, Joan McCord (1978, 1979) localisa 485 de ces participants, leur envoya des questionnaires et analysa les dossiers publics des tribunaux, des hôpitaux psychiatriques et d'autres sources. Le traitement avait-il été efficace ?

Les témoignages des sujets ayant participé fournissent des résultats encourageants, et même des rapports élogieux. Certains déclarèrent que, sans leur conseiller : « je serais probablement en prison », « ma vie aurait pris une autre direction », ou « je pense que j'aurais fini ma vie dans la criminalité ». Les rapports juridiques offraient un soutien apparent à ces témoignages. Même parmi les « garçons difficiles » du programme, 66 p. 100 n'avaient pas été condamnés pour délit au cours de l'adolescence.

Mais rappelez-vous que l'arme la plus puissante de la psychologie pour distinguer la réalité de ce que l'on souhaite, c'est le *groupe contrôle*. Pour chacun des garçons qui recevait un conseil psychologique, il y avait un garçon similaire dans le groupe contrôle qui n'en recevait pas. Chez les garçons non traités, *70 p. 100* n'avaient jamais été condamnés durant leur adolescence. Pour plusieurs autres évaluations telles que les condamnations pour un deuxième délit, les tendances alcooliques, le taux de mortalité et la satisfaction au travail, les hommes non traités montraient légèrement *moins* de problèmes. Les témoignages chaleureux des gens traités se sont avérés trompeurs de manière non intentionnelle.

Point de vue des cliniciens

Le point de vue des cliniciens nous donne-t-il d'autres raisons de nous réjouir ? Les études de cas décrivant le succès d'un traitement abondent. Le problème est que les clients justifient le fait de commencer une psychothérapie en soulignant leurs malheurs et justifient leur départ en proclamant leur bien-être. Ils restent en contact seulement s'ils ont été satisfaits. Chaque thérapeute garde soigneusement les remerciements de ses clients au moment où ils disent au revoir ou lorsque, plus tard, ils expriment leur gratitude. Mais ils ont peu connaissance des clients qui n'ont eu qu'un soulagement temporaire et qui ont recherché un autre thérapeute du fait de la récidive de leur problème. Ainsi, la même personne avec le même problème d'anxiété récurrent, de dépression ou le même problème de couple - peut représenter l'histoire d'un « succès » dans les dossiers de plusieurs thérapeutes.

Comme les gens débutent une thérapie quand ils se sentent très malheureux et l'interrompent souvent quand ils vont « un peu mieux », la plupart des thérapeutes et la majorité des patients témoignent du succès de la thérapie, quel que soit le traitement (*voir* Regard critique sur : « Régresser » de l'anormal à la normale).

REGARD CRITIQUE SUR

« Régresser » de l'anormal à la normale

La perception qu'ont les gens et les thérapeutes de l'efficacité des thérapies peut être surestimée par deux phénomènes. Le premier est le fait de croire en un traitement, phénomène appelé *effet placebo*. Si vous pensez qu'un traitement va être efficace, il peut l'être (grâce au pouvoir curatif de votre attente positive).

Le second est le phénomène de **régression à la moyenne** – tendance qu'ont des événements (ou des émotions) inhabituels à régresser (revenir) vers un état moyen. Donc des événements extraordinaires (se sentir déprimé) sont en général suivis par des événements plus ordinaires (retourner à notre état habituel). En effet, quand on touche le fond, toutes les choses qu'on essaye (psychothérapie, yoga, aérobic) sont plus susceptibles d'être suivies d'une amélioration que de nous faire descendre plus bas.

« Lorsque vous avez été sensibilisé au phénomène de la régression, vous le voyez partout. »
— Daniel Kahneman, psychologue (1985)

Ce point peut sembler évident et, pourtant, nous le négligeons régulièrement. C'est ainsi que nous attribuons parfois à quelque chose que nous avons fait ce qui n'est peut-être qu'une régression normale (le retour attendu vers la normale). Considérez ceci :

- Des étudiants qui ont obtenu un résultat bien meilleur ou plus mauvais à un examen que leurs résultats habituels ont des chances de retourner vers leur moyenne lors d'un test ultérieur.
- Des sujets qui présentent des perceptions extrasensorielles inhabituelles, défiant le hasard lors d'un premier essai, vont presque toujours perdre leurs « pouvoirs psychiques » au cours d'essais ultérieurs (phénomène que les parapsychologues ont appelé l'*effet de déclin*).
- Les entraîneurs qui « aboient » contre leurs joueurs après une première mi-temps particulièrement mauvaise peuvent se féliciter de l'avoir fait en voyant que les résultats de l'équipe s'améliorent (retournent à la normale) pendant la seconde mi-temps.

Ce lien de cause à effet peut être réel dans chaque cas. Cependant, il s'agit probablement plus d'une tendance naturelle, sur le plan comportemental, à rétrograder de l'inhabituel vers l'habituel. Cela définit les paramètres d'un travail de recherche concernant l'efficacité de la thérapie : l'amélioration présentée à la suite d'une thérapie va-t-elle au-delà de ce qu'on pourrait attendre d'un placebo et des seuls effets de la régression qui sont observés par comparaison avec les groupes contrôles ?

« Le but réel de [la] méthode scientifique est d'être certain que la Nature ne vous a pas trompé en vous faisant croire que vous savez quelque chose qu'en réalité vous ne savez pas. »
— Robert Pirsig, *Zen and the Art of Motorcycle Maintenance*, 1974

Recherche sur les résultats

Comment, alors, pouvons-nous mesurer objectivement l'efficacité d'une psychothérapie si ni le client ni le clinicien ne peuvent nous le dire ? Comment pouvons-nous déterminer quels types de personnes peuvent être le mieux aidés ? Quels problèmes peuvent être le mieux résolus ? Et par quel type de psychothérapie ?

En quête de réponses, les psychologues se sont tournés vers des études contrôlées. Au XIXe siècle, de telles recherches ont transformé la médecine. Les médecins sceptiques quant à de nombreux traitements à la mode (saignées, purges, éléments minéraux métalliques et infusions de plantes) ont commencé à se rendre compte que de nombreux patients allaient mieux spontanément, sans ces traitements et que d'autres mouraient malgré ces traitements. Pour sortir les faits des superstitions, il était nécessaire de suivre de près les malades avec ou sans traitement particulier. Les patients atteints de fièvre typhoïde, par exemple, allaient souvent mieux après un traitement tel que la saignée. Cela avait convaincu la plupart des médecins de l'efficacité du traitement. Jusqu'à ce qu'un groupe contrôle ne soit traité que par le repos au lit et que les médecins observent qu'après 5 semaines de fièvre, il y avait une amélioration dans 70 p. 100 des cas. Les médecins apprirent donc, une fois le choc passé, que la saignée n'avait pas d'intérêt (Thomas, 1992).

Dans le domaine de la psychologie, le premier défi concernant l'efficacité de la psychothérapie fut posé par le psychologue britannique Hans Eysenck (1952). Lançant un débat plein d'esprit, il résuma des études montrant qu'après avoir bénéficié d'une psychothérapie, deux tiers des patients présentant des troubles non psychotiques montraient une nette amélioration. Jusqu'à ce jour, personne n'a contesté cette estimation optimiste.

Pourquoi, dans ce cas, sommes-nous toujours en train de débattre de l'efficacité de la psychothérapie ? Parce qu'Eysenck décrivit également une même amélioration chez les personnes *non traitées*, comme celles qui figuraient sur la liste d'attente. Avec ou sans psychothérapie, dit-il, environ deux tiers des personnes montraient une amélioration notable. Le temps est un puissant guérisseur.

Les recherches ultérieures ont mis en évidence des imperfections dans les analyses d'Eysenk : ses échantillons étaient faibles (seules 24 études des résultats de la psychothérapie en 1952). Aujourd'hui, il y a des centaines d'études disponibles. Les meilleures sont les *essais cliniques randomisés* au cours desquels les chercheurs répartissent au hasard les sujets sur une liste d'attente pour un traitement ou l'absence de traitement. Ensuite, les chercheurs évaluent le cas de chacun au moyen de tests et des commentaires de personnes qui ignorent s'il y a eu, ou non, traitement. Les résultats de ce type d'études sont ensuite analysés grâce à une technique appelée **méta-analyse**, une procédure statistique qui combine les résultats de nombreuses études distinctes. Pour rester simple, les méta-analyses nous donnent le résultat final d'un grand nombre d'études.

Les psychothérapeutes ont bien accueilli la première méta-analyse d'environ 475 études de résultats de psychothérapies (Smith et coll., 1980). Elle a montré que les clients suivant une thérapie terminaient en moyenne dans un meilleur état que 80 p. 100 des individus non traités sur les listes d'attente (FIGURE 15.3). Cette affirmation est modeste car,

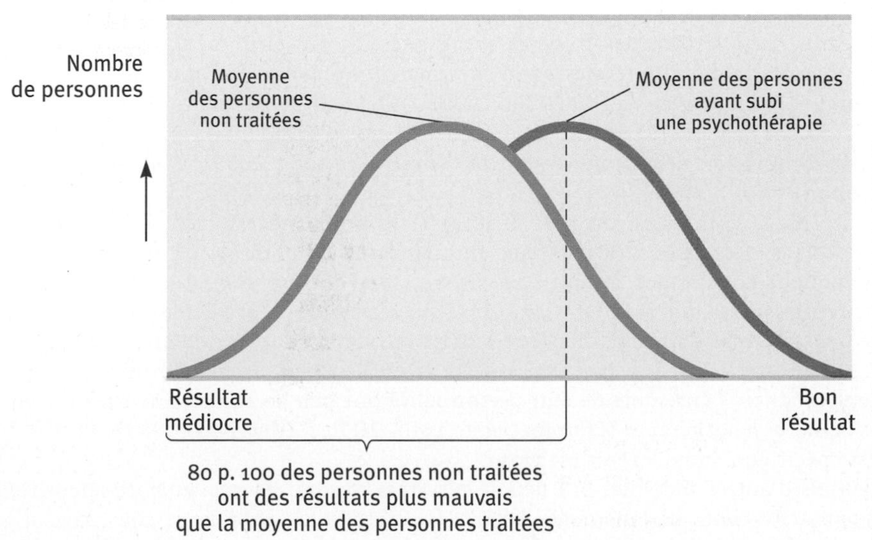

::**Régression à la moyenne** : tendance qu'ont des résultats extrêmes ou inhabituels à revenir (régresser) vers la moyenne.

::**Méta-analyse** : procédure qui permet de combiner statistiquement les résultats de nombreuses études différentes.

« Heureusement, la psychanalyse n'est pas le seul moyen de résoudre les conflits intérieurs, la vie elle-même demeure toujours un thérapeute très efficace. »
Karen Horney, *Our Inner Conflicts*, 1945

Nombre de personnes
Moyenne des personnes non traitées
Moyenne des personnes ayant subi une psychothérapie
Résultat médiocre
Bon résultat
80 p. 100 des personnes non traitées ont des résultats plus mauvais que la moyenne des personnes traitées

➤ FIGURE 15.3
Traitement versus absence de traitement
Ces deux courbes de distribution normale, fondées sur les résultats de 475 études, montrent l'amélioration observée chez des patients non traités et chez des patients ayant suivi une psychothérapie. Le résultat de la moyenne des patients traités est supérieur à celui de 80 p. 100 des personnes non traitées. (Adapté de Smith et coll., 1980.)

par définition, environ 50 p. 100 des sujets non traités se portent également mieux que la moyenne des sujets non traités. Cependant, Mary Lee Smith et son équipe conclurent que « la psychothérapie profite aux personnes de tous âges de façon aussi fiable que l'école les éduque, que la médecine les soigne ou que le commerce fait des bénéfices » (p. 183).

Plus de 60 résumés ont maintenant examiné cette question (Kopta et coll., 1999 ; Shadish et coll., 2000). Leur verdict reprend les résultats des premières études de résultats : *l'état de ceux qui ne suivent pas de thérapie s'améliore souvent, cependant, celui de ceux qui suivent une thérapie a de plus fortes chances de s'améliorer.*

La psychothérapie est-elle également rentable ? Là encore la réponse est *oui*. Des études ont montré que, lorsque les personnes suivent un traitement psychologique, leur recherche pour d'autres traitements médicaux chute de 16 p. 100, d'après un résumé de 91 études (Chiles et coll., 1999). Étant donné le coût annuel incroyable des troubles psychologiques et de l'abus de drogues – incluant les crimes, les accidents, la perte d'un emploi et la thérapie, il s'agit d'un bon investissement, un peu comme l'argent investi dans les domaines de la prévention prénatale et de la puériculture. Tous deux *réduisent* les coûts à long terme. Améliorer le bien-être psychologique des employés, par exemple, peut réduire les coûts médicaux, améliorer la productivité et diminuer l'absentéisme.

Notez, cependant, que l'affirmation que la psychothérapie *en moyenne* est quelque peu efficace, ne se rapporte à aucune thérapie en particulier. Ce qui reviendrait à rassurer un malade ayant un cancer du poumon en lui disant que le traitement médical des problèmes de santé est « en moyenne » efficace. Ce que les gens veulent connaître, c'est l'efficacité d'un traitement *particulier* concernant leurs problèmes spécifiques.

L'efficacité relative des différentes thérapies

7. Certaines thérapies sont-elles plus efficaces que d'autres ?

Que peut-on dire aux gens qui envisagent une thérapie et à ceux qui paient pour faire une thérapie et qui souhaitent savoir *quelle* psychothérapie sera la plus efficace dans leur cas ? Les résumés statistiques et les enquêtes ne présentent pas un type de traitement comme généralement supérieur (Smith et coll., 1977, 1980). Le *Consumer Reports* conclut que les clients semblent aussi satisfaits qu'ils aient été traités par un psychiatre, un psychologue ou un assistant social ; qu'ils aient suivi un traitement de groupe ou individuel ; que leur thérapeute ait une expérience et une formation étendues ou relativement limitées (Seligman, 1995). D'autres études sont du même avis. Il y a peu de lien, voir aucun, entre l'expérience du clinicien, ses études, sa supervision, son statut et les résultats obtenus par les patients (Luborsky et coll., 2002 ; Wampold, 2007).

« Quelles que soient les différences d'efficacité existant entre les traitements, elles semblent infimes. »
Bruce Wampold et ses collaborateurs (1997)

Dans ce cas, le Dodo d'*Alice au pays des merveilles* avait-il raison : « Tout le monde a gagné et tous doivent avoir des prix » ? Pas tout à fait. Certaines formes de thérapies sont parfaites pour des problèmes particuliers. Les thérapies fondées sur le conditionnement comportemental, par exemple, ont obtenu des résultats particulièrement satisfaisants dans le soin des troubles spécifiques du comportement tels que l'énurésie, les phobies, les compulsions, les problèmes matrimoniaux et les troubles sexuels (Bowers et Clum, 1988 ; Hunsley et DiGiulio, 2002 ; Shadish et Baldwin, 2005). Et de nouvelles études confirment l'efficacité de la thérapie cognitive dans la gestion de la dépression et la diminution des risques de suicide (Brown et coll., 2005 ; DeRubeis et coll., 2005 ; Hollon et coll., 2005).

« Aux grands maux les grands remèdes. »
Proverbe anglais

De plus, la thérapie est plus efficace si le problème est bien défini (Singer, 1981 ; Westen et Morrison, 2001). Ceux qui souffrent de phobies, de troubles paniques, qui manquent d'assurance ou qui sont frustrés par des problèmes de performance sexuelle peuvent espérer une amélioration. Ceux qui souffrent de problèmes moins ciblés, comme la dépression et l'anxiété, ont des résultats positifs à court terme mais rechutent souvent. Ceux qui souffrent des symptômes négatifs de la schizophrénie chronique ou qui souhaitent modifier l'ensemble de leur personnalité ont peu de chances de tirer un bénéfice de la seule psychothérapie (Pfammatter et coll., 2006 ; Zilbergeld, 1983). Plus le problème est spécifique, plus l'espoir est grand.

Mais d'autres thérapies ont peu de résultats et aussi peu de support scientifique, voire aucun (Arkowitz et Lilienfeld, 2006). Il serait donc pour nous tous sage d'éviter les approches suivantes qui n'ont pas été vérifiées.

- Les ***thérapies énergétiques*** qui proposent de manipuler des champs énergétiques invisibles.
- Les ***thérapies par récupération de souvenirs*** qui ont pour objectif de déterrer les « souvenirs refoulés » des abus sexuels subis pendant l'enfance (Chapitre 8).
- La ***rebirth thérapie*** qui demande aux personnes de revivre le traumatisme supposé de leur naissance.
- La ***communication facilitée*** au cours de laquelle un assistant tient la main d'un enfant atteint d'autisme pour la faire écrire sur un clavier.
- Le ***débriefing ou intervention de crise*** qui force les personnes à répéter et à « traiter » leurs expériences traumatisantes.

Mais cette question - quelle thérapie est efficace et laquelle ne l'est pas ? - réside au cœur d'une importante controverse que certains appellent la guerre civile de la psychologie. Dans quelle mesure la science doit-elle guider, d'une part, la pratique clinique et, d'autre part, la volonté de ceux qui fournissent les soins et des assureurs qui paient la psychothérapie ? D'un côté, il y a les psychologues spécialisés dans la recherche qui utilisent les méthodes scientifiques pour étendre la liste des thérapies bien définies et validées pour diverses pathologies. De l'autre côté, se trouvent les thérapeutes non scientifiques qui considèrent que leur pratique est plus un art qu'une science, et considèrent que les individus sont trop complexes et la thérapie trop intuitive pour la décrire dans un ouvrage ou la tester dans des expériences. Entre ces deux extrêmes se trouvent les cliniciens orientés vers la science qui pensent que si la pratique se fonde sur les preuves et si les professionnels de la santé mentale sont rendus responsables de l'efficacité du traitement, ce dernier ne pourra que gagner en crédibilité. De plus, cela permettra de protéger le public des pseudo-thérapies et les thérapeutes des accusations qui les font passer pour des charlatans - « Fais moi confiance, je sais que ça marche, je l'ai vu ».

Pour encourager la **pratique fondée sur les preuves** en psychologie, l'*American Psychological Association* (2006 ; Spring, 2007) a suivi l'exemple de l'Institut de médecine, demandant aux cliniciens d'intégrer les meilleures recherches disponibles aux expertises cliniques et aux préférences et caractéristiques du patient. Les thérapies disponibles « doivent être rigoureusement évaluées » puis appliquées par des cliniciens conscients de leurs aptitudes et de la situation particulière de chaque patient (FIGURE 15.4). De plus en plus, les assureurs et les services de santé mentale soutenus par le gouvernement exigent une pratique fondée sur les preuves. À la fin de 2007, par exemple, le *National Health Service* britannique a annoncé qu'il mettrait l'équivalent de 600 millions de dollars pour former les nouveaux personnels de la santé mentale aux pratiques basées sur les preuves (comme la thérapie cognitivo-comportementale) et pour diffuser toutes les informations sur ces traitements (DeAngelis, 2008).

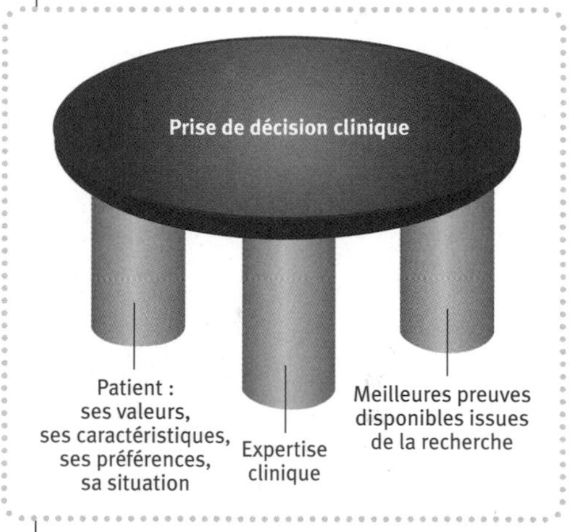

➤ FIGURE 15.4
Prise de décision clinique basée sur les preuves La prise de décision clinique idéale peut être représentée comme un tabouret à trois pieds, soutenu par les preuves issues de la recherche, l'expertise clinique et la connaissance du patient.

Évaluer les médecines parallèles

8. Comment les médecines parallèles ont-elles passé l'examen minutieux de la science ?

La tendance d'un état d'esprit anormal à « revenir » à la normale, associée à l'effet placebo, crée un terrain fertile pour les pseudo-thérapies. Soutenues par des anecdotes, relayées par les médias et louées par Internet, les médecines parallèles peuvent se propager comme un feu de paille. Une enquête nationale a révélé que 57 p. 100 des personnes ayant déjà eu des crises d'anxiété et 54 p. 100 ayant un passé dépressif ont eu recours aux médecines parallèles telles que la phytothérapie, la massothérapie et la guérison spirituelle (Kessler et coll., 2001).

Si on ne tient pas compte des témoignages, que disent les preuves sur les médecines parallèles ? C'est une question difficile parce qu'il n'y a pas de preuves pour ou contre la plupart d'entre elles, bien que leurs défenseurs pensent souvent que les expériences personnelles sont des preuves suffisantes. Certaines, cependant, ont fait l'objet de recherches sous contrôle. Considérons deux d'entre elles. Pendant que nous le ferons, souvenez-vous que la séparation du sensé et du non-sens nécessite une attitude scientifique ; être sceptique sans être cynique, être ouvert aux surprises sans être crédule.

:: Pratique basée sur les preuves : prise de décision clinique qui intègre les meilleures recherches disponibles à l'expertise clinique et aux caractéristiques du patient ainsi qu'à ses préférences.

« Les études indiquent que la thérapie EMDR est tout aussi efficace avec les yeux immobiles. Si cette conclusion est correcte, ce qui semble utile dans cette thérapie (essentiellement la désensibilisation comportementale) n'est pas nouveau, et ce qui semble nouveau est superflu. »
Harvard Mental Health Letter, 2002

La technique de l'EMDR : désensibilisation et retraitement par les mouvements oculaires

L'*EMDR* (*eye movement desensitization and reprocessing*, ou désensibilisation et retraitement par les mouvements oculaires) est appréciée par des milliers de gens, mais elle est aussi rejetée par des milliers d'autres qui la considèrent comme étant truquée, « un parfait exemple illustrant la différence entre un traitement scientifique et un traitement pseudo-scientifique », suggère James Herbert et sept autres scientifiques (2000). Alors qu'elle se promenait dans un parc, Francine Shapiro (1989, 2007) développa l'EMDR en observant que ses pensées anxieuses disparaissaient quand elle bougeait les yeux spontanément. Offrant son nouveau traitement contre l'anxiété aux autres, elle demandait au patient d'imaginer des scènes traumatisantes, pendant qu'elle déclenchait un mouvement oculaire en faisant onduler son doigt devant les yeux du patient, ce qui était supposé lui permettre de débloquer et de retraiter les souvenirs traumatisants anciennement gelés. Elle essaya cette technique sur 22 personnes hantées par d'anciens souvenirs traumatisants, et tous signalèrent une réduction de leur angoisse après seulement une séance de traitement. Ce résultat extraordinaire déclencha une vaste réaction chez les professionnels de la santé. Actuellement près de 70000 d'entre eux, issus de plus de 75 pays, ont suivi une formation (EMDR, 2008). Depuis la thérapie du *magnétisme animal* (hypnose) du charismatique Franz Anton Mesmer (il y a plus de 200 ans), qui avait aussi été inspirée par une expérience en extérieur, aucun traitement n'avait suscité un engouement aussi rapide.

Cette thérapie est-elle efficace ? Elle le fut pour 84 p. 100 des victimes de traumatismes uniques ayant participé à quatre études récentes, rapporte Shapiro (1999, 2002). (Quand la technique de l'EMDR ne fonctionnait pas au cours d'autres essais, Shapiro déclarait que les thérapeutes n'avaient pas été formés correctement.) De plus, cette thérapie ne nécessite pas plus de trois séances de 90 minutes. Le comité d'études constitué par la *Society of Clinical Psychology*, chargé de statuer sur les traitements validés sur des bases empiriques, reconnaît que le traitement est « probablement efficace » dans le cas du syndrome de stress post-traumatique non militaire (Chambless et coll., 1997 ; *voir aussi* Bisson et Andrew, 2007 ; Seidler et Wagner, 2006). Encouragés par leur succès apparent, les thérapeutes utilisant la technique de l'EMDR l'appliquent aussi à d'autres troubles anxieux, tels que les troubles paniques, et, encouragés par Shapiro (1995, 2002), à un large éventail d'autres troubles comme la douleur, le chagrin, la schizophrénie paranoïde, la colère et le sentiment de culpabilité.

Pourquoi, se demandent les sceptiques, le fait de bouger les yeux rapidement en se remémorant des souvenirs traumatisants peut-il être thérapeutique ? En effet, il semble que les mouvements oculaires *ne* soient *pas* un élément thérapeutique. Dans des essais au cours desquels les personnes imaginaient des scènes traumatiques et tapaient avec un doigt ou avaient le regard fixe alors que le thérapeute bougeait les doigts – les résultats furent les mêmes (Devilly, 2003). L'EMDR marche mieux que ne rien faire, reconnaissent les sceptiques (Lilienfeld et Arkowitz, 2007) mais beaucoup suspectent que ce qui est thérapeutique est dû à l'association d'une thérapie d'exposition – associer de manière répétée les souvenirs traumatisants à un contexte sans danger et rassurant qui fournit une certaine distance émotionnelle par rapport à l'expérience – et d'un effet placebo puissant. Richard McNally (1999) déclare que si le pseudo-traitement de Mesmer avait été comparé sur des personnes n'ayant reçu aucun traitement, il se serait avéré « probablement efficace » (grâce au pouvoir curatif de la pensée positive).

La luminothérapie

Avez-vous tendance à trop dormir, à prendre du poids ou à être léthargique pendant les sombres matinées hivernales ? Ralentir sa manière de vivre et conserver son énergie durant les jours sombres de l'hiver représentait certainement un avantage pour la survie de nos ancêtres éloignés. Pour certaines personnes, cependant, surtout les femmes et celles qui vivent loin de l'Équateur, le cafard de l'hiver constitue une forme de dépression appelée *dépression saisonnière* (dont l'acronyme en anglais, plutôt bien adapté, est SAD pour *seasonnal affective disorder*). Pour lutter contre ce trouble, les chercheurs du *National Institute of Mental Health* ont eu au début des années 1980 une idée : exposer les personnes qui en sont atteintes à une certaine dose quotidienne de lumière intense. Bien sûr, les participants ont dit qu'ils se sentaient mieux.

Était-ce une idée lumineuse ou un autre exemple idiot de l'effet placebo attribuable aux attentes des personnes traitées ? Des études récentes ont apporté certaines lumières. L'une d'elles consistait à exposer des patients atteints de dépression saisonnière à une lumière intense pendant 90 minutes et d'autres à un traitement placebo : un générateur d'ions négatifs dont l'équipe médicale vantait les mérites de manière aussi enthousiaste (mais qui, à l'insu du patient, était éteint). Après 4 semaines de traitement, 61 p. 100 des patients exposés à la lumière matinale voyaient une très nette amélioration contre 50 p. 100 de ceux exposés au crépuscule et 32 p. 100 de ceux ayant reçu le traitement placebo (Eastman et coll., 1998). D'autres études ont montré que 30 minutes d'exposition à une lumière blanche fluorescente de 10000 lux soulageaient plus de la moitié des gens exposés à la lumière matinale et un tiers des personnes recevant la lumière du crépuscule (Terman et coll., 1998, 2001). Vingt études contrôlées avec attention nous amènent à la conclusion suivante (Golden et coll., 2005) : la lumière vive matinale réduit effectivement les symptômes de la dépression saisonnière chez un grand nombre de patients. De plus, elle est aussi efficace que de prendre des antidépresseurs ou de suivre une thérapie cognitivo-comportementale (Lam et coll., 2006 ; Rohan et coll., 2007). Les effets sont clairs au niveau des scanners cérébraux : ce traitement entraîne une activité dans une région du cerveau qui influence l'activation du corps et la production d'hormones (Ishida et coll., 2005).

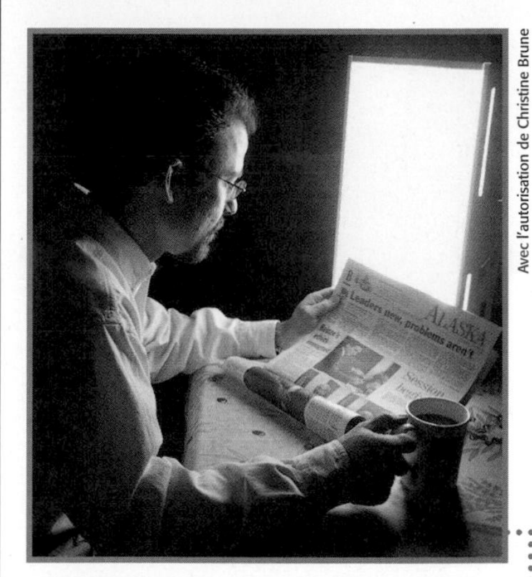

Avec l'autorisation de Christine Brune

Luminothérapie Pour éviter la dépression saisonnière qui peut survenir pendant l'hiver, certaines personnes passent un certain temps chaque matin devant une lumière vive qui mime la lumière extérieure naturelle. Les caissons lumineux servant à contrer la dépression saisonnière sont disponibles dans les magasins d'articles de santé et les magasins de luminaires.

Caractères communs aux différentes psychothérapies

9. Quels sont les trois éléments communs à toutes les formes de psychothérapies ?

L'attitude scientifique nous aide à examiner minutieusement ce qui est sensé et à le séparer du non-sens à mesure que nous considérons de nouvelles formes de thérapies. Peut-elle également aider à expliquer pourquoi des études ont trouvé peu de corrélations entre les formations et les expériences des thérapeutes et le résultat de leurs clients ? En cherchant des réponses, Jerome Frank (1982), Marvin Goldfried (Goldfried et Padawer, 1982), Hans Strupp (1986) et Bruce Wampold (2001, 2007) ont étudié les éléments communs à diverses thérapies et ont suggéré que toutes offraient au moins trois avantages : un *espoir pour les personnes démoralisées*, une *nouvelle vision* de soi et du monde, et une *relation empathique, confiante et chaleureuse*.

Un espoir pour les personnes démoralisées

Généralement, les personnes qui recherchent une thérapie se sentent anxieuses, déprimées, dépourvues d'estime d'elles-mêmes et sont incapables de renverser la situation. Ce qu'offre toute thérapie, c'est l'espoir qu'avec l'implication du patient, les choses peuvent et vont aller mieux. Indépendamment de toute technique thérapeutique particulière, cette conviction peut fonctionner comme un placebo, améliorer le moral de l'individu, développer de nouveaux sentiments d'efficacité et atténuer les symptômes (Prioleau et coll., 1983). Les analyses statistiques montrant que les personnes traitées par un placebo vont mieux que celles qui ne le sont pas, suggèrent qu'une des raisons pour lesquelles les psychothérapies apportent une aide est qu'elles exploitent le pouvoir de guérison propre du patient. Et cela, dit le psychiatre Jerome Frank, nous aide à comprendre pourquoi toutes sortes de traitements, y compris certains rites de guérison populaires connus pour être sans effet en l'absence de la croyance des patients, peuvent, en certains endroits et à certaines époques, produire des guérisons.

Une nouvelle perspective

Chaque thérapie offre aux gens une explication plausible de leurs symptômes et une autre façon de se voir ou de répondre au monde qui les entoure. Armés de perspectives nouvelles auxquelles ils peuvent croire, ils peuvent aborder la vie avec une attitude nouvelle, être ouverts pour modifier leur comportement et leur vision d'eux-mêmes.

Une relation empathique, confiante et chaleureuse

Dire que les résultats des thérapies ne sont pas liés à la formation et à l'expérience ne veut pas dire que tous les *thérapeutes* ont la même efficacité. Indépendamment de la technique thérapeutique qu'ils utilisent, les thérapeutes efficaces sont des personnes empathiques qui cherchent à comprendre l'expérience de l'autre ; qui communiquent leur attention et leur intérêt pour le client et qui gagnent la confiance du client et son respect parce qu'ils les écoutent respectueusement, les conseillent et les rassurent. Marvin Goldfried et ses associés (1998) ont analysé des séances de thérapies menées par 36 thérapeutes de renom et enregistrées sur des cassettes. Certains thérapeutes étaient cognitivistes et comportementalistes, d'autres pratiquaient la thérapie psychodynamique et interpersonnelle. Peu importe l'approche thérapeutique, ce que l'on

« J'utilise le meilleur de Freud, le meilleur de Jung et le meilleur de mon oncle Marty, un type très chouette. »

Mary Kate Denny/PhotoEdit

Une relation chaleureuse
Les thérapeutes efficaces établissent un lien de confiance avec leurs patients.

a pu constater de plus frappant était le degré de *similitude* entre les thérapeutes dans les parties de leurs séances jugées les plus significatives. Lors des moments déterminants, les thérapeutes empathiques des deux approches ont aidé leurs patients à s'auto-évaluer et à relier un aspect de leur vie à un autre, et à avoir une vision plus approfondie de leur interaction avec les autres.

Les liens émotionnels qui se tissent entre le thérapeute et le client – l'*alliance thérapeutique* – sont un aspect fondamental d'une thérapie efficace (Klein et coll., 2003 ; Wampold, 2001). Une étude sur le traitement de la dépression menée au niveau national par l'*Institute of Mental Health* américain a confirmé que les thérapeutes les plus efficaces étaient ceux qui étaient perçus comme les plus empathiques et les plus chaleureux et qui établissaient les liens thérapeutiques les plus proches avec leurs clients (Blatt et coll., 1996). L'idée que toutes les thérapies offrent un espoir par l'intermédiaire d'une nouvelle perspective proposée par une personne chaleureuse est également ce qui permet aux paraprofessionnels (des personnes ayant suivi une brève formation) d'aider si efficacement autant de personnes atteintes de troubles (Christensen et Jacobson, 1994).

Ces trois éléments communs font également partie de ce qu'offre à leurs membres le nombre de plus en plus important de groupes d'entraide ou de soutien. Et ils font partie de ce que les guérisseurs traditionnels offraient (Jackson, 1992). Partout dans le monde, ceux qui guérissent, c'est-à-dire ces personnes particulières à qui les autres déclarent leurs souffrances, qu'ils soient psychiatres, sorciers ou chamans, les ont écoutées afin de les comprendre et de leur montrer de l'empathie, de les rassurer, de les conseiller, de les consoler, d'interpréter ou d'expliquer (Torrey, 1986). Ces qualités peuvent expliquer pourquoi les personnes qui se sentent soutenues par des relations étroites, qui jouissent de la compagnie et de l'affection de personnes chaleureuses et attentives, ont une probabilité plus faible d'avoir besoin ou de rechercher une thérapie (Frank, 1982 ; O'Connor et Brown, 1984).

***

En résumé, les personnes qui cherchent de l'aide vont en général mieux se porter. Celles qui n'entreprennent pas de psychothérapie également, et c'est un hommage à notre ingéniosité humaine et à notre capacité à prendre soin les uns des autres. Quoi qu'il en soit, bien qu'il semble que l'orientation thérapeutique et l'expérience du thérapeute n'aient pas d'importance, ceux qui suivent une psychothérapie quelconque iront généralement mieux que ceux qui n'en suivront pas. Les gens qui présentent des problèmes bien définis et spécifiques sont souvent ceux dont l'amélioration est la plus nette.

Culture et valeurs en psychothérapie

10. De quelle manière la culture et les valeurs peuvent-elles influencer la relation entre le thérapeute et son client ?

Toutes les thérapies offrent un espoir, et pratiquement tous les thérapeutes tentent d'accroître la sensibilité, l'ouverture, la responsabilité personnelle et la sensation d'être utile chez leurs patients (Jensen et Bergin, 1988). Mais en matière de diversité culturelle et morale, ils peuvent être différents les uns des autres et différents de leurs patients (Delaney et coll., 2007 ; Kelly, 1990).

Ces différences peuvent devenir importantes lorsqu'un thérapeute appartenant à une certaine culture rencontre un patient d'une autre culture. En Amérique du Nord, en Europe et en Australie, par exemple, la plupart des thérapeutes reflètent l'individualisme de leur culture en donnant la priorité aux désirs personnels et à l'identité. Les patients qui ont immigré de contrées asiatiques, où les gens sont plus attentifs aux attentes des autres, peuvent donc rencontrer des difficultés lors de thérapies nécessitant qu'ils pensent uniquement à leur bien-être. De telles différences permettent d'expliquer les réticences de certaines minorités à utiliser les services de santé mentale (Sue, 2006). Au cours d'une expérience, les patients américains d'origine asiatique associés à des conseillers qui partageaient leurs valeurs culturelles (et non pas associés improprement à ceux qui ne la partageaient pas) percevaient plus d'empathie de la part de leur conseiller et ressentaient une alliance plus forte avec lui (Kim et coll., 2005). Tenant compte du fait que les thérapeutes et les patients peuvent différer par leurs valeurs, leurs modes de communication et leur langage, de nombreux programmes de formation pour thérapeutes proposent maintenant des formations concernant la sensibilité culturelle et tentent de recruter des membres de groupes culturels sous-représentés.

Un autre domaine de conflit potentiel concernant les valeurs est la religion. Les personnes très pratiquantes peuvent préférer des thérapeutes également pratiquant et mieux profiter de leurs conseils (Smith et coll., 2007 ; Wade et coll., 2006 ; Worthington et coll., 1996). Ils peuvent avoir des difficultés à établir un lien émotionnel avec un thérapeute ne partageant pas leurs valeurs.

Albert Ellis, qui conseille une *thérapie rationnelle-émotive* agressive, et Allen Bergin, le coéditeur du *Handbook of Psychotherapy and Behavior Change*, illustrent à quel point les valeurs des thérapeutes peuvent être différentes et de quelle manière ces différences peuvent affecter leur perception d'une personne en bonne santé. Ellis (1980) considère que « rien ni personne n'est divin », que le « plaisir personnel » doit être encouragé et que « l'amour sans équivoque, l'implication, le service et [...] la fidélité à tout engagement interpersonnel, en particulier le mariage, entraînent des conséquences fâcheuses ». À l'opposé, Bergin (1980) considère que « puisque Dieu est l'être suprême, l'humilité et l'acceptation de l'autorité divine sont des vertus », que « le contrôle de soi, l'amour engagé et le sacrifice de soi doivent être encouragés » et que « l'infidélité à tout engagement interpersonnel, et en particulier le mariage, entraîne des conséquences fâcheuses ».

Bergin et Ellis s'opposent plus radicalement que la plupart des thérapeutes au sujet des valeurs les plus saines. Ce faisant, ils illustrent cependant ce sur quoi ils sont d'accord : les croyances personnelles des psychothérapeutes influencent leur façon de traiter leurs patients. Comme les patients ont tendance à adopter les valeurs de leur thérapeute (Worthington et coll., 1996), certains psychologues pensent que les thérapeutes devraient afficher plus ouvertement leurs convictions. (Pour ceux qui envisagent d'entreprendre une psychothérapie, le Gros plan : « Un guide des psychothérapeutes » offre certaines indications sur le moment auquel vous devez rechercher de l'aide et comment vous y prendre pour rechercher un thérapeute ayant des valeurs et des objectifs similaires aux vôtres.)

GROS PLAN

Un guide des psychothérapeutes

Pour tout le monde, la vie est marquée par un mélange de sérénité et de stress, de bienfaits et de deuils, de gaieté et de tristesse. À quel moment doit-on envisager de rechercher l'aide d'un professionnel de la santé mentale ? L'*American Psychological Association* relève certains signes courants des perturbations :

- des sentiments de désespoir ;
- une dépression profonde et durable ;
- des comportements autodestructeurs comme l'alcoolisme ou la consommation de drogue ;
- des peurs paralysantes ;
- des sautes d'humeur brutales ;
- des pensées suicidaires ;
- des rituels compulsifs tels que le lavage des mains ;
- des difficultés sexuelles.

Si vous êtes à la recherche d'un thérapeute, vous pouvez souhaiter prospecter en vous rendant à une consultation préliminaire chez deux ou trois thérapeutes. Vous pouvez décrire votre problème et voir quelle est l'approche thérapeutique envisagée par chaque thérapeute. Vous pouvez poser des questions concernant les valeurs de chaque thérapeute, leurs références (Tableau 15.2) et leur tarif. Et, connaissant l'importance du lien émotionnel entre le thérapeute et le patient, vous pouvez évaluer vos propres impressions à propos de chacun d'eux.

TABLEAU 15.2

Les thérapeutes et leurs traitements

Type	Description
*Conseillers**	Les conseillers matrimoniaux ou familiaux se spécialisent dans les problèmes liés aux relations familiales. Les conseillers pastoraux donnent des conseils à d'innombrables personnes. Certains conseillers travaillent avec les drogués, les gens maltraitant leurs femmes et leurs enfants, ainsi que leurs victimes
Travailleurs sociaux en psychiatrie ou en pratique clinique*	Une maîtrise de 2 ans en sciences sociales complétée par un stage prépare certains travailleurs sociaux à effectuer des psychothérapies, essentiellement auprès de personnes ayant des problèmes personnels ou familiaux de tous les jours. Environ la moitié d'entre eux a obtenu la qualification de travailleur social en milieu hospitalier auprès de la *National Association of Social Workers*
*Psychologues cliniciens**	La plupart sont des psychologues possédant un doctorat et une qualification en recherche, évaluation et traitement, souvent complétés par une année d'internat supervisé* et une formation post-doctorale. Environ la moitié d'entre eux travaille dans des institutions ou des services officiels, l'autre moitié a une clientèle privée
*Psychiatres**	Les psychiatres sont des médecins spécialisés dans le traitement des troubles psychologiques. Tous les psychiatres n'ont pas eu une formation poussée en psychothérapie*, mais en tant que médecins, ils peuvent prescrire des médicaments. Ils ont donc tendance à voir les personnes touchées par les problèmes les plus sérieux. Beaucoup ont une clientèle privée

*N.d.T. : aux États-Unis.

:: **Thérapie biomédicale** : prescriptions de médicaments ou procédures médicales qui agissent directement sur le système nerveux du patient.

:: **Psychopharmacologie** : étude des effets des médicaments sur le psychisme et le comportement.

AVANT D'ALLER PLUS LOIN...

➤ **INTERROGEZ-VOUS**

Sans essayer de jouer au thérapeute, comment pourriez-vous utiliser les principes présentés dans ce chapitre pour aider un ami qui est anxieux ?

➤ **TESTEZ-VOUS 2**

Comment l'effet placebo peut-il biaiser l'estimation qu'ont les patients de l'efficacité de la psychothérapie ?

Les réponses aux questions « Testez-vous » sont données dans l'annexe B à la fin de l'ouvrage.

Les traitements biomédicaux

LA PSYCHOTHÉRAPIE EST UNE FAÇON DE TRAITER les troubles psychologiques. L'autre, souvent utilisée lorsque ces troubles sont graves, est la **thérapie biomédicale**, qui consiste à modifier physiquement le fonctionnement du cerveau en changeant sa biochimie à l'aide de médicaments, ou en modifiant ses circuits par l'électroconvulsivothérapie (ECT), des flux magnétiques ou la psychochirurgie. Les psychologues peuvent faire des psychothérapies. Mais sauf quelques exceptions, seuls les psychiatres (en tant que médecins) proposent des thérapies biomédicales.

« Les malades mentaux sortaient de l'hôpital, mais dans bien des cas ils se retrouvaient simplement dans la rue, moins agités mais perdus, encore handicapés mais dès lors sans aucun soin. »

Lewis Thomas, *Late Night Thoughts on Listening to Mahler's Ninth Symphony*, 1983

Traitements pharmacologiques

11. Quelles sont les thérapies pharmacologiques ? Quelles critiques ont été portées contre les traitements pharmacologiques ?

Les traitements biomédicaux les plus utilisés, et de loin, sont aujourd'hui les traitements pharmacologiques. Les découvertes effectuées depuis 1950 en **psychopharmacologie** (l'étude de l'effet des substances sur l'esprit et le comportement) ont révolutionné le traitement des personnes gravement perturbées, libérant des centaines de milliers d'entre eux de l'enfermement dans des hôpitaux psychiatriques. Grâce aux traitements pharmacologiques – et aux efforts pour minimiser les hospitalisations non volontaires et soutenir les personnes par des programmes communautaires de santé mentale aux États-Unis – la population hospitalisée dans des hôpitaux psychiatriques représente une fraction de ce qu'elle était il y a 50 ans (FIGURE 15.5). Cependant, pour ceux qui sont toujours incapables de se prendre en charge, la sortie de l'hôpital a plutôt signifié de se retrouver sans abri et non pas une libération.

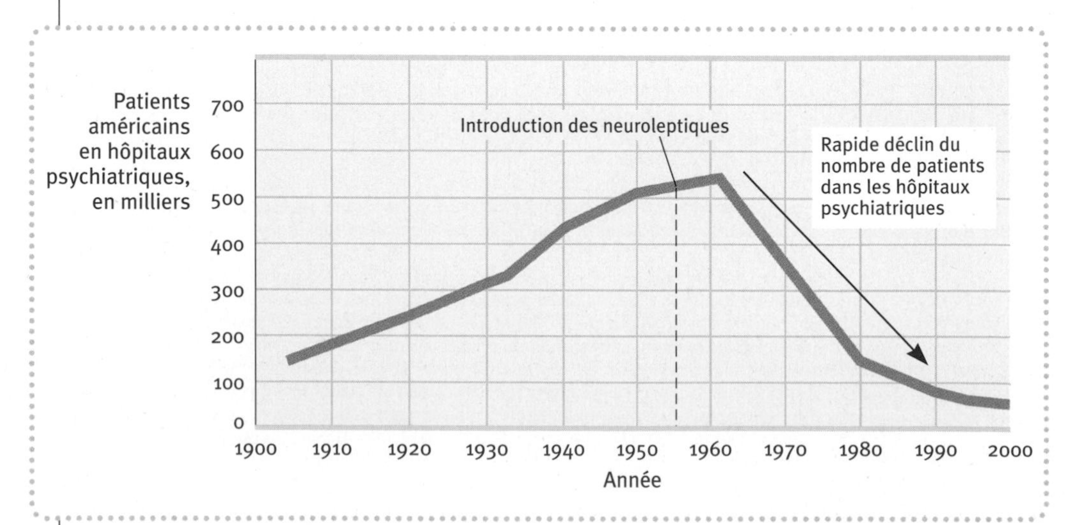

➤ FIGURE 15.5
Les hôpitaux psychiatriques américains se vident Après l'introduction généralisée des neuroleptiques, vers 1955, le nombre de patients a très fortement diminué dans les hôpitaux psychiatriques. Mais, dans la fièvre de la « désinstitutionalisation » des malades mentaux, de nombreuses personnes peu à même de s'occuper d'elles-mêmes furent laissées à l'abandon dans les rues des villes. (Données tirées du *National Institute of Mental Health* et du *Bureau of the Census*, 2004.)

Avec pratiquement tout nouveau traitement, y compris un traitement pharmacologique, on observe une vague d'enthousiasme initial au moment où de nombreuses personnes vont apparemment mieux. Mais cet enthousiasme retombe souvent après que les chercheurs enlèvent la proportion (1) de récupération normale chez les personnes non traitées et (2) les guérisons dues à l'effet placebo, qui proviennent de l'attente positive des patients et de l'équipe médicale. De sorte que, pour évaluer l'efficacité d'un nouveau traitement, les chercheurs donnent le médicament à la moitié des patients et à l'autre moitié un placebo ayant la même apparence. Comme ni l'équipe médicale ni les patients ne savent qui prend quoi, cette méthode est dite en *double aveugle*. La bonne nouvelle est que, dans les études en double aveugle, plusieurs types de substances se sont avérés utiles dans le traitement des troubles psychologiques.

« Notre psychopharmacologue est un génie. »

Effet du médicament ou effet placebo ? Pour beaucoup de personnes, la dépression se dissipe sous l'effet des antidépresseurs. Mais des personnes recevant un placebo peuvent ressentir les mêmes effets. Des essais cliniques en double aveugle suggèrent que les antidépresseurs ont au moins un léger effet clinique, en particulier chez les personnes atteintes de dépression sévère.

Neuroleptiques (antipsychotiques)

La révolution dans le traitement pharmacologique des troubles psychologiques a débuté par la découverte accidentelle que certaines substances utilisées à d'autres fins médicales calmaient aussi les patients atteints de *psychoses* (troubles au cours desquels des hallucinations ou des idées délirantes indiquent une certaine perte de contact avec la réalité). Ces **neuroleptiques**, telle la chlorpromazine (vendue sous le nom de Largactil®), atténuent leur réponse aux stimuli parasites. Ils apportent surtout une aide aux personnes schizophrènes qui éprouvent des symptômes positifs : des hallucinations auditives ou de la paranoïa (Lehman et coll., 1998 ; Lenzenweger et coll., 1989).

Les molécules de la plupart des neuroleptiques conventionnels sont suffisamment proches de celles de la dopamine, un neuromédiateur, pour occuper ses sites récepteurs et bloquer son activité. Cette découverte renforce l'idée qu'un système trop réactif à la dopamine contribue à la schizophrénie. Les neuroleptiques sont des médicaments puissants. Certains peuvent produire une apathie, des tremblements et des contractures semblables à celles observées dans la maladie de Parkinson, qui est due à un manque de dopamine (Kaplan et Saddock, 1989). L'utilisation à long terme de ces médicaments peut également entraîner une **dyskinésie tardive**, s'accompagnant de mouvements involontaires des muscles faciaux (engendrant des grimaces), de la langue et des membres.

• Peut-être pouvez-vous deviner un des effets secondaires occasionnels de la L-dopa, un médicament utilisé chez les parkinsoniens et qui augmente la concentration en dopamine : les hallucinations. •

Les patients présentant les symptômes négatifs de la schizophrénie, tels que l'apathie et le repli, répondent souvent mal aux neuroleptiques conventionnels. Les nouveaux *neuroleptiques atypiques*, comme la clozapine (commercialisée sous le nom de Leponex®), cible les récepteurs à la dopamine et à la sérotonine. Cela aide à soulager les symptômes négatifs, permettant parfois un « éveil » chez ces personnes. Les neuroleptiques atypiques peuvent également aider les personnes ayant des symptômes positifs, mais ne répondant pas aux autres traitements.

Bien qu'ils ne soient pas plus efficaces dans le traitement des symptômes de la schizophrénie, beaucoup de ces nouveaux neuroleptiques ont moins d'effets secondaires que les traitements conventionnels. Mais ils peuvent augmenter les risques d'obésité et de diabète (Lieberman et coll., 2005, 2006). Un nouveau médicament, qui subit actuellement des tests, stimule les récepteurs d'un acide aminé, le glutamate. Un essai initial a engendré l'espoir qu'il pourrait réduire les symptômes de la schizophrénie avec encore moins d'effets secondaires (Berenson, 2007).

Malgré leurs inconvénients, les neuroleptiques, associés à des programmes d'enseignement des compétences et le soutien familial, ont permis à des centaines de milliers de patients schizophrènes qui avaient été enfermés dans l'enceinte des hôpitaux psychiatriques de retrouver leur travail et une vie quasi normale (Leucht et coll., 2003).

Anxiolytiques

De même que l'alcool, les **anxiolytiques**, comme le Xanax® ou le Valium®, dépriment l'activité du système nerveux central (ils ne doivent donc pas être associés à l'alcool). Les anxiolytiques sont souvent utilisés en association avec une psychothérapie. Un nouvel anxiolytique, la D-cyclosérine[1], un antibiotique, agit sur un récepteur qui facilite l'extinction des peurs apprises. Des expériences indiquent que ce médicament augmente les avantages de la thérapie d'exposition et permet de soulager les symptômes du syndrome de stress post-traumatique et des troubles obsessionnels compulsifs (Davis, 2005 ; Kushner et coll., 2007).

1. N.d.T : ce médicament a été retiré du marché en France pour toxicité.

:: Neuroleptiques (antipsychotiques) : médicaments utilisés pour traiter la schizophrénie et d'autres formes de troubles sévères de la pensée.

:: Dyskinésie tardive : mouvements involontaires des muscles faciaux, de la langue et des membres ; il s'agit d'un effet secondaire neurotoxique potentiel de l'utilisation à long terme de neuroleptiques ciblant certains récepteurs dopaminergiques.

:: Anxiolytiques : médicaments utilisés pour contrôler l'anxiété et l'agitation.

:: **Antidépresseurs** : médicaments utilisés pour traiter la dépression ; de plus en plus prescrits pour traiter l'anxiété. Différents types d'antidépresseurs agissent en modifiant la disponibilité de divers neuromédiateurs.

Les critiques parfois adressées aux thérapies comportementales, selon lesquelles elles réduisent les symptômes sans résoudre les problèmes sous-jacents, sont également faites aux anxiolytiques. Cependant, à la différence des thérapies comportementales, ces substances peuvent être utilisées en traitement continu. « Avaler un Xanax® » dès le premier signe de tension peut entraîner une dépendance psychologique vis-à-vis de la substance, car le soulagement immédiat renforce la tendance des gens à prendre ces médicaments quand ils sont angoissés. Les anxiolytiques peuvent également engendrer une dépendance physiologique. Lorsque les gros utilisateurs cessent de les prendre, ils peuvent éprouver une angoisse accrue, des insomnies ou d'autres symptômes de sevrage.

Au cours des années 1990, le taux de traitement ambulatoire des patients atteints de troubles de l'anxiété a presque doublé. La proportion de patients recevant des médicaments pendant ces années-là est passée de 52 à 70 p. 100 (Olfson et coll., 2004). Et les antidépresseurs sont devenus le nouveau traitement standard des troubles de l'anxiété.

Antidépresseurs

Les **antidépresseurs** ont été appelés ainsi du fait de leur capacité à faire sortir les personnes de leur état de dépression et cela a été leur principale utilisation jusque récemment. Cette dénomination est quelque peu inadaptée, car ces médicaments sont de plus en plus utilisés avec succès pour traiter également les troubles anxieux comme les troubles obsessionnels compulsifs. Ils agissent en augmentant la disponibilité de certains neuromédiateurs, la noradrénaline et la sérotonine, qui semblent manquer durant la dépression et qui améliorent l'état d'activation et l'humeur. La fluoxétine que des dizaines de millions d'utilisateurs dans le monde connaissent sous le nom de Prozac® bloque partiellement la réabsorption et l'élimination de la sérotonine dans les synapses (FIGURE 15.6). Étant donné qu'ils ralentissent l'élimination de la sérotonine dans les synapses (par recapture), le Prozac® et ses cousins, le Zoloft® et le Déroxat®, sont donc appelés *inhibiteurs sélectifs de la recapture de la sérotonine (ISRS)*. D'autres antidépresseurs agissent en bloquant la réabsorption ou la dégradation à la fois de la noradrénaline et de la sérotonine. Bien qu'efficaces, ces médicaments à double action ont des effets secondaires plus importants, comme une sécheresse de la bouche, un gain de poids, une hypertension ou une diction hésitante (Anderson, 2000 ; Mulrow, 1999). L'administration de ces médicaments sous forme de patch, évitant ainsi leur passage par les intestins et le foie, permet de réduire les effets secondaires (Bodkin et Amsterdam, 2002).

Après l'introduction des ISRS, le pourcentage des patients recevant des médicaments pour traiter leur dépression a grimpé de manière spectaculaire passant de 70 p. 100 en 1987, une année avant l'introduction des ISRS, à 89 p. 100 en 2001 (Olfson et coll., 2003 ; Stafford et coll., 2001). Aux États-Unis, 11 p. 100 des femmes et 5 p. 100 des hommes prennent actuellement des antidépresseurs (Barber, 2008).

• En 1994, sur les campus universitaires américains, environ 9 p. 100 des étudiants consultant des conseillers psychologiques prenaient des médicaments pour un trouble psychiatrique. Ce chiffre avait presque triplé en 2004, atteignant 24,5 p. 100 (Duenwald, 2004). •

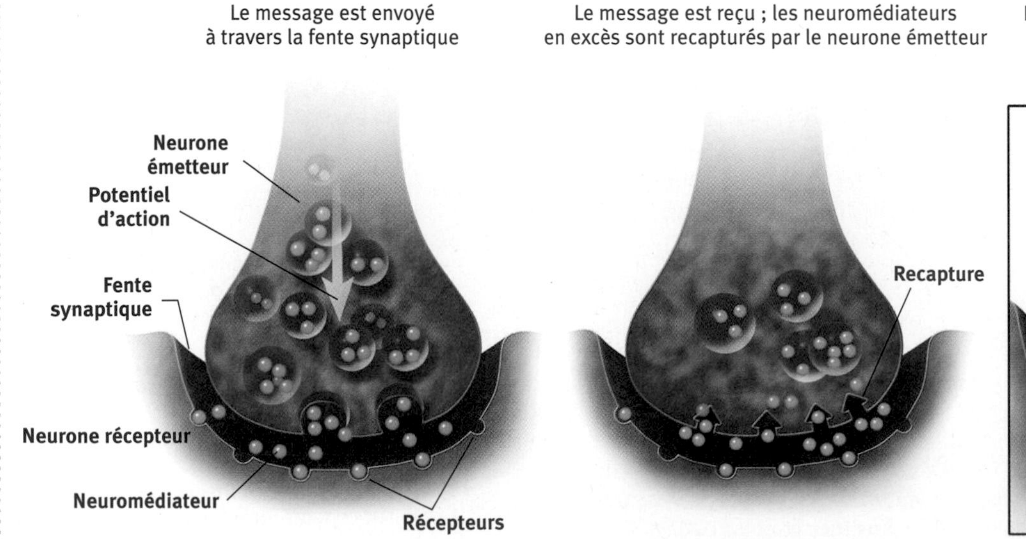
Le message est envoyé à travers la fente synaptique
Neurone émetteur
Potentiel d'action
Fente synaptique
Neurone récepteur
Neuromédiateur
Récepteurs
(a)
Le message est reçu ; les neuromédiateurs en excès sont recapturés par le neurone émetteur
Recapture
(b)

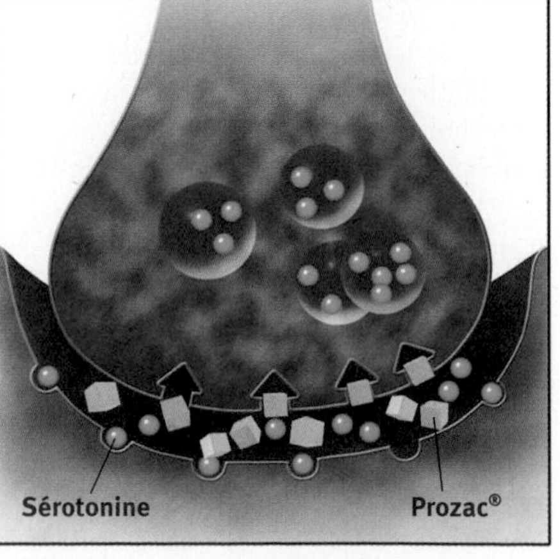
Le Prozac® bloque partiellement la recapture normale de la sérotonine ; la sérotonine en excès dans la synapse augmente son effet positif sur l'humeur
Sérotonine
Prozac®
(c)

➤ FIGURE 15.6
La biologie des antidépresseurs Cette figure montre l'action du Prozac®, qui bloque partiellement la recapture de la sérotonine.

Attention : le patient dépressif qui commence à prendre un antidépresseur ne va pas se réveiller le lendemain en chantant : « Quel beau matin ! » Bien que l'influence des antidépresseurs sur la transmission nerveuse intervienne en quelques heures, leur effet psychologique complet requiert souvent 4 semaines (et peut impliquer comme effet secondaire, une baisse du désir sexuel). Une explication possible à l'effet retardé de l'antidépresseur est que l'augmentation de la sérotonine semble favoriser la *neurogenèse* (naissance de nouvelles cellules cérébrales), inversant peut-être ainsi le processus de perte des neurones dû au stress (Becker et Wojtowicz, 2007 ; Jacobs, 2004).

Un effet secondaire possible des ISRS se manifeste par la baisse du désir sexuel, ce qui a conduit à leur prescription occasionnelle pour contrôler les comportements sexuels (Slater, 2000).

Les antidépresseurs ne sont pas le seul moyen de redonner un coup de fouet à l'organisme. L'aérobic, qui calme les personnes anxieuses et fournit de l'énergie aux personnes déprimées, fait autant de bien chez certaines personnes atteintes de dépression légère à modérée, et possède des effets secondaires positifs en prime (pour en savoir plus sur ce sujet, voir plus loin dans ce chapitre). En aidant le patient à inverser son mode de pensée négatif habituel, la thérapie cognitive peut accentuer le soulagement de la dépression apporté par les médicaments et réduire le risque de rechute après le traitement (Hollon et coll., 2002 ; Keller et coll., 2000 ; Vittengl et coll., 2007). Mieux encore, certaines études suggèrent d'attaquer la dépression par ses deux bouts (Goldapple et coll., 2004 ; TADS, 2004) par l'utilisation d'un antidépresseur (qui agit de bas en haut, sur le système limbique responsable des émotions) associée à une thérapie cognitivo-comportementale (qui agit de haut en bas, en commençant par modifier l'activité du lobe frontal).

Tout le monde s'accorde pour dire qu'après un mois de traitement à base d'antidépresseurs, le patient dépressif se sent mieux. Mais après avoir considéré l'amélioration naturelle (le retour à l'état normal appelé *récupération spontanée*) et l'effet placebo, quelle est l'importance de l'effet de ces médicaments ? Elle n'est pas énorme, selon Irving Kirsch et son équipe (1998, 2002). Leurs analyses cliniques effectuées en double aveugle indiquent que l'effet placebo correspond à environ 75 p. 100 de l'efficacité du produit actif. Au cours d'une analyse ultérieure incluant des essais cliniques non publiés, les effets des antidépresseurs étaient là encore modestes (Kirsch et coll., 2008). L'effet placebo était moins important chez ceux souffrant de dépression sévère rendant l'action bénéfique de ce médicament un peu plus importante chez eux. Kirsch en conclut (BBC, 2008) qu'« étant donné ces résultats, il semble y avoir peu de raisons de prescrire des antidépresseurs aux patients déprimés à part chez ceux qui le sont sévèrement, à moins que les autres traitements n'aient échoué ». Pour une personne sur quatre environ qui ne répond pas à un antidépresseur particulier, le changement pour un autre antidépresseur peut la soulager (Rush et coll., 2006). Les scientifiques rêvent d'un jour pas trop lointain où les patients pourront subir un dépistage des variations géniques qui pourraient indiquer quels sont les médicaments à utiliser ou à éviter.

« Il n'y a pas de pensée tordue qui ne trouve sa molécule tordue. »
Attribué au psychologue Ralph Gerard

Bien que les effets des thérapies pharmacologiques soient moins prometteurs que beaucoup de publicités télévisées ne le laissent entendre, ceux-ci sont toutefois bien moins terrifiants que les histoires circulant à leur sujet. Par exemple, certaines personnes se sont suicidées sous Prozac®, mais leur nombre semble plus faible que prévu si l'on considère les millions de personnes atteintes de dépression prenant actuellement ce médicament. De plus, une importante étude britannique a mis en évidence que les hauts et les bas des prescriptions d'ISRS chez les adolescents en fonction des époques n'étaient pas liés au taux de suicide des adolescents (Wheeler et coll., 2008). Les personnes sous Prozac® qui tentent de se suicider sont comme les utilisateurs de téléphone portable qui développent un cancer du cerveau. Étant donné que des millions de personnes prennent du Prozac® et utilisent le téléphone portable, les anecdotes alarmantes n'ont pas beaucoup d'impact.

La question posée par ceux qui réfléchissent de manière critique est la suivante : ces groupes présentent-ils un *taux* élevé de suicide ou de cancer du cerveau ? Dans chaque cas, la réponse est *non* (Grunebaum et coll., 2004 ; Paulos, 1995 ; Tollefson et coll., 1993, 1994). Certains chercheurs ont émis l'hypothèse que le commencement du traitement pharmacologique peut donner à des personnes anciennement inertes suffisamment d'énergie pour agir sur leur dépression, ce qui pourrait rendre compte d'une augmentation temporaire du risque de suicide. Mais trois études récentes portant sur 70000 à 439000 patients s'accordent pour dire que, à long terme, les patients tentent moins de se suicider s'ils sont traités par des antidépresseurs (Gibbons et coll., 2007 ; Simon et Savarino, 2007 ; Sønergård et coll., 2006).

« Si ça ne vous aide pas, ne vous inquiétez pas, c'est un placebo. »

« Tout d'abord, je pense que vous devriez savoir que les chiffres de vente du dernier trimestre interfèrent avec mes médicaments pour réguler l'humeur. »

Régulateurs de l'humeur

En plus des neuroleptiques, des anxiolytiques et des antidépresseurs, les psychiatres ont dans leur arsenal des *médicaments régulateurs de l'humeur*. Pour ceux qui souffrent des hauts et des bas d'un trouble bipolaire, un simple sel, le *lithium*, peut être un stabilisateur efficace de l'humeur. Un médecin australien, John Cade, découvrit ce phénomène dans les années 1940 en administrant du lithium à un patient gravement maniaque. Bien que son motif pour le faire fût erroné - il pensait que le lithium avait calmé des cochons d'Inde excitables, alors qu'en fait, il les avait rendus malades - Cade observa qu'en moins d'une semaine, le patient devint parfaitement équilibré (Snyder, 1986). Après avoir souffert de changements d'humeur pendant des années, environ 7 personnes sur 10 souffrant de troubles bipolaires trouvent l'apaisement en prenant une dose journalière de ce sel peu onéreux (Solomon et coll., 1995). Leur risque de suicide ne représente qu'un sixième du risque des patients atteints de troubles bipolaires ne prenant pas de lithium (Tondo et coll., 1997). Cependant, on n'a pas encore entièrement compris pourquoi le lithium était efficace. Il en est de même du Dépakote®, un médicament utilisé à l'origine pour traiter l'épilepsie et qui s'est récemment avéré efficace dans le contrôle des épisodes maniaques associés aux troubles bipolaires.

« Le lithium a évité mes « hauts » séducteurs mais désastreux, a diminué mes dépressions, a débarrassé mes pensées désorganisées de ses sangles et de sa ouate, m'a ralentie, m'a adoucie, m'a empêchée de ruiner ma carrière et mes relations, m'a permis de ne pas être hospitalisée, m'a maintenue vivante et a rendu possible la psychothérapie »

Kay Redfield Jamison, *De l'exaltation à la dépression : confession d'une psychiatre maniaco-dépressive*, 1995

Stimulation cérébrale

12. Quelle est l'efficacité de l'électroconvulsivothérapie ? Quelles autres options de stimulation cérébrale peuvent permettre de soulager les malades atteints de dépression sévère ?

Électroconvulsivothérapie

Une manipulation cérébrale plus controversée a lieu lors du traitement par électrochocs ou **électroconvulsivothérapie (ECT)**. Lorsque ce traitement fut utilisé pour la première fois, en 1938, le patient, complètement éveillé, était attaché sur une table et secoué par une décharge d'environ 100 volts au niveau du cerveau, produisant des convulsions douloureuses et une brève perte de conscience. L'ECT a donc acquis l'image d'une technique barbare qui persiste encore de nos jours. Aujourd'hui, cependant, le sujet est placé sous anesthésie générale et reçoit un myorelaxant pour éviter les blessures dues aux convulsions avant qu'un psychiatre applique un choc électrique au niveau du cerveau pendant 30 à 60 secondes (FIGURE 15.7). Au bout de 30 minutes, le patient se réveille et ne garde aucun souvenir du traitement ou des heures qui le précèdent. Après trois séances hebdomadaires de ce genre pendant 2 à 4 semaines, au moins 80 p. 100 des sujets recevant l'ECT montrent une amélioration marquée sans dommage cérébral perceptible, à part une légère perte de mémoire pendant la période du traitement. Étude après étude, il est confirmé que l'ECT est un traitement efficace pour les dépressions sévères chez les patients qui n'ont pas répondu aux traitements pharmacologiques (Pagnin et coll., 2004 ; *UK ECT Review Group*, 2003). En 2001, la confiance en l'ECT s'est encore accrue, notamment à la suite de la conclusion d'un journal médical de premier plan qui notait que « les résultats des traitements des dépressions sévères par ECT sont parmi les plus efficaces de toute la médecine » (Glass, 2001).

Comment l'ECT peut-elle soulager les dépressions sévères ? Après plus de 50 ans, personne ne le sait exactement. Un bénéficiaire de ce traitement a comparé l'ECT au vaccin contre la variole, qui sauvait des vies avant même que l'on ne connaisse son mode de fonctionnement. Il est possible que les convulsions provoquées par le choc calment les centres neuronaux dont l'hyperactivité est la cause de la dépression. L'ECT comme les antidépresseurs et l'exercice semble également activer la production de nouvelles cellules cérébrales (Bolwig et Madsen, 2007).

• L'utilisation médicale de l'électricité est une pratique ancienne. Les médecins traitaient les migraines de l'empereur romain Claudius (10 av. J.-C.-54 ap. J.-C.) en appliquant des anguilles sur ses tempes. •

L'ECT réduit les pensées suicidaires et semble avoir sauvé beaucoup de gens du suicide (Kellner et coll., 2005). Elle est maintenant administrée par des impulsions plus brèves, parfois uniquement sur le côté droit du cerveau de manière à moins perturber la mémoire (HMLH, 2007). Cependant, quelle que soit la qualité des résultats obtenus, l'idée de provoquer des convulsions chez les patients par un choc électrique heurte encore beaucoup de gens qui considèrent l'ECT comme un acte barbare, et ce d'autant plus que nous ignorons pourquoi elle

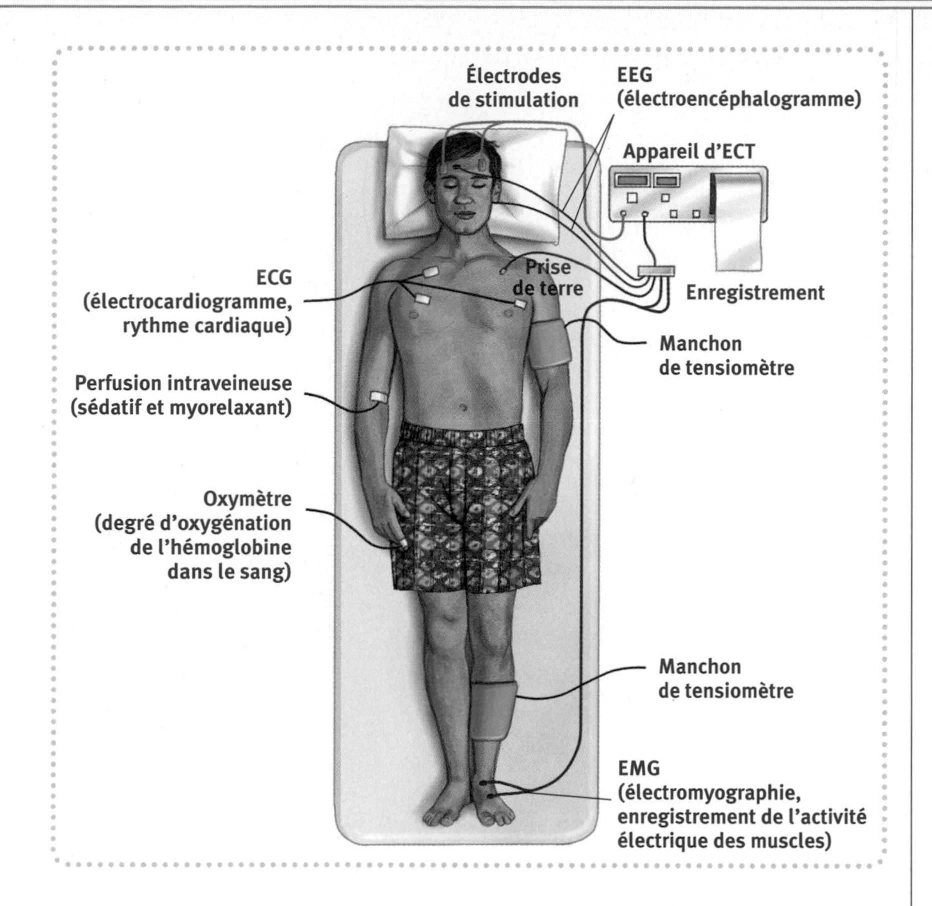

➤ FIGURE 15.7
Électroconvulsivothérapie Bien qu'elle reste un sujet de controverse, l'ECT est souvent un traitement efficace de la dépression quand le patient ne répond pas aux médicaments.

est efficace. De plus, quatre patients déprimés sur dix traités par ECT, rechutent dans les six mois qui suivent (Kellner et coll., 2006). Malgré tout, le traitement par électrochoc est, dans l'esprit de nombreux psychiatres et de patients, un moindre mal comparé à l'angoisse et à la souffrance de la dépression sévère ou aux risques de suicide. Norman Endler, un psychologue spécialiste de la recherche (1982), constate après que l'ECT a soulagé sa dépression : « Un miracle s'est produit en deux semaines ».

Alternatives à la neurostimulation

Certains patients atteints de dépression chronique ont été soulagés par l'implant d'un générateur sous la peau au niveau du thorax, qui stimule le nerf vague de manière intermittente. Ce nerf envoie des signaux au système limbique, centre cérébral qui influence l'humeur (Fitzgerald et Daskalakis, 2008 ; George et Belmaker, 2007 ; Marangell et coll., 2007). Deux autres techniques, la stimulation magnétique et la stimulation cérébrale profonde, apportent l'espoir de trouver des alternatives plus douces qui permettent de réactiver les circuits nerveux des cerveaux des patients déprimés.

Stimulation magnétique Les humeurs déprimées semblent s'améliorer lorsque des impulsions répétitives sont envoyées sur le crâne du patient par le biais d'une bobine magnétique (FIGURE 15.8, page suivante). Contrairement à la stimulation profonde du cerveau, l'énergie magnétique ne pénètre que la surface du cerveau (bien que des tests soient en cours avec un champ de plus forte énergie pouvant pénétrer plus profondément). Cette technique, appelée **stimulation magnétique transcrânienne répétée (SMTr)**, est une intervention indolore, réalisée sur un patient complètement éveillé, pendant plusieurs semaines. Contrairement à l'ECT, la SMTr ne provoque pas de convulsions, ni de troubles mnésiques, ni d'autres effets secondaires.

Lors d'un essai mené en double aveugle, 67 Israéliens atteints de dépression majeure ont été répartis au hasard en deux groupes (Klein et coll., 1999). Au cours d'une période de 2 semaines, on a administré aux participants de l'un des deux groupes des séances quotidiennes de SMTr, et simulé chez les participants de l'autre groupe un traitement dépourvu de stimulation magnétique. Au terme des deux semaines, la moitié des patients ayant été traités

:: Électroconvulsivothérapie (ECT) : traitement biomédical des patients gravement déprimés au cours duquel le cerveau du patient, anesthésié, est soumis à un bref courant électrique.

:: Stimulation magnétique transcrânienne répétée (SMTr) : application répétée de pulsations d'énergie magnétique sur le cerveau ; utilisée pour stimuler ou inhiber l'activité cérébrale.

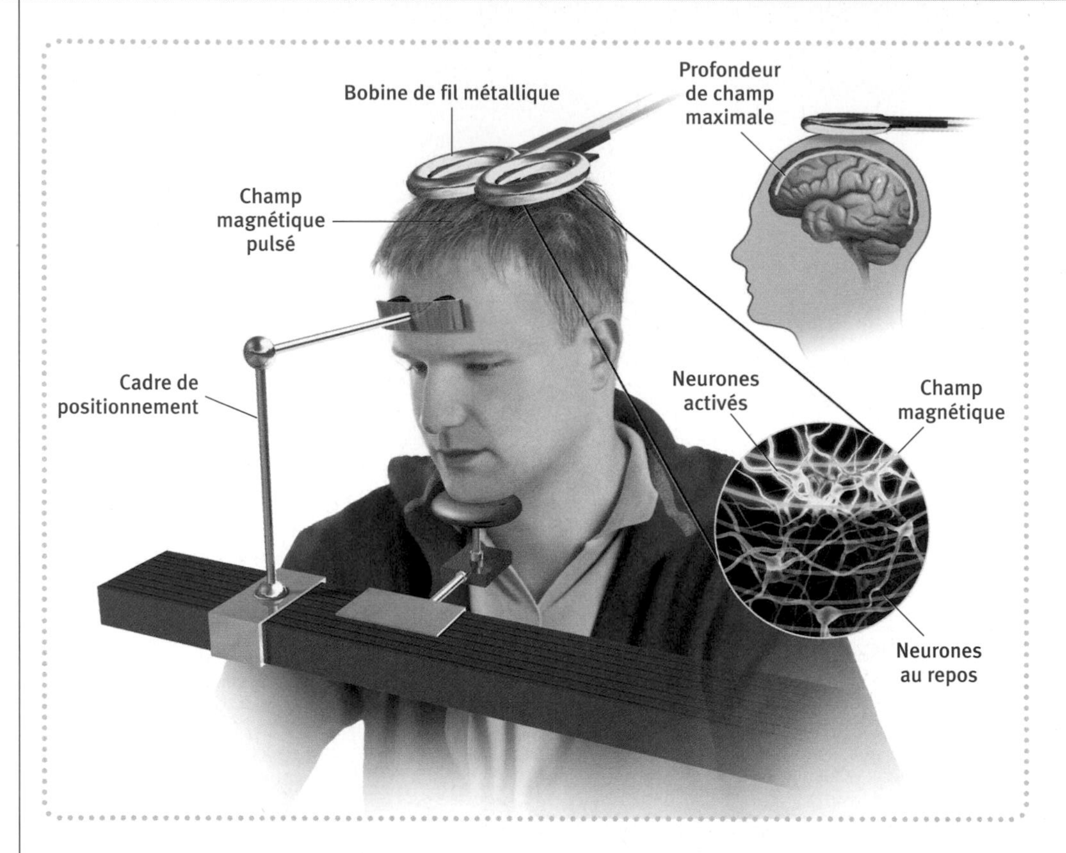

➤ FIGURE 15.8
Des aimants pour l'esprit La stimulation magnétique transcrânienne répétée (SMTr) envoie un champ magnétique indolore jusqu'à la surface corticale en traversant le crâne, et ces impulsions peuvent être utilisées pour stimuler ou étouffer l'activité dans diverses zones corticales. (D'après George, 2003.)

par stimulation magnétique présentaient au moins 50 p. 100 de signes d'amélioration selon les résultats d'un test sur l'échelle de dépression, contre seulement 25 p. 100 des participants du groupe placebo. Une explication possible de cet effet serait que des stimulations donnent de l'énergie au lobe frontal gauche relativement inactif des patients déprimés (Helmuth, 2001). Lors de stimulations répétées, les cellules nerveuses peuvent former des circuits qui fonctionnent par le biais d'un processus que nous avons appelé, au chapitre 8, la potentialisation à long terme (LTP).

D'autres expériences cliniques ont donné des résultats mitigés. Certaines ont trouvé peu d'effets de ce traitement par SMTr. Cependant, plusieurs études très récentes utilisant les dernières techniques ont engendré un soulagement significatif de la dépression comparé aux traitements simulés (George et Belmaker, 2007 ; Gross et coll., 2007 ; O'Reardon et coll., 2007).

Stimulation profonde du cerveau D'autres patients dont la dépression avait résisté aux médicaments inondant le corps et à l'ECT qui secoue au moins la moitié du cerveau ont tiré bénéfice d'un traitement expérimental concentré sur le centre cérébral de la dépression. Des neuroscientifiques comme Helen Mayberg et ses collaborateurs (2005, 2006, 2007 ; Dobbs, 2006) se sont concentrés sur une région du cortex qui relie les lobes frontaux au système limbique par un pont. Ils ont découvert que cette région, qui est hyperactive dans le cerveau d'une personne déprimée ou temporairement triste, se calme lorsqu'elle est traitée par l'ECT ou les antidépresseurs. Pour exciter expérimentalement les neurones qui inhibent cette activité nourrie par les émotions négatives, Mayberg a fait appel à la technologie de stimulation cérébrale profonde parfois utilisée pour traiter les tremblements parkinsoniens. Sur les 12 patients recevant des électrodes implantées et un stimulateur de pacemaker, 8 se sont sentis soulagés. Certains se sont sentis brusquement plus conscients, se sont mis à parler plus et se sont plus engagés dans la conversation ; d'autres ne se sont que légèrement améliorés ou même pas du tout. Les recherches ultérieures devront explorer si Mayberg a découvert un commutateur pouvant éliminer la dépression. D'autres recherches sont en cours sur les rapports concernant le fait que la stimulation cérébrale profonde pouvait soulager les personnes ayant un trouble obsessionnel compulsif.

Un commutateur de la dépression ? En comparant les cerveaux de patients atteints ou non de dépression, le chercheur Helen Mayberg a identifié une zone cérébrale qui semble active chez les personnes déprimées ou tristes et dont l'activité peut être calmée par la stimulation profonde du cerveau.

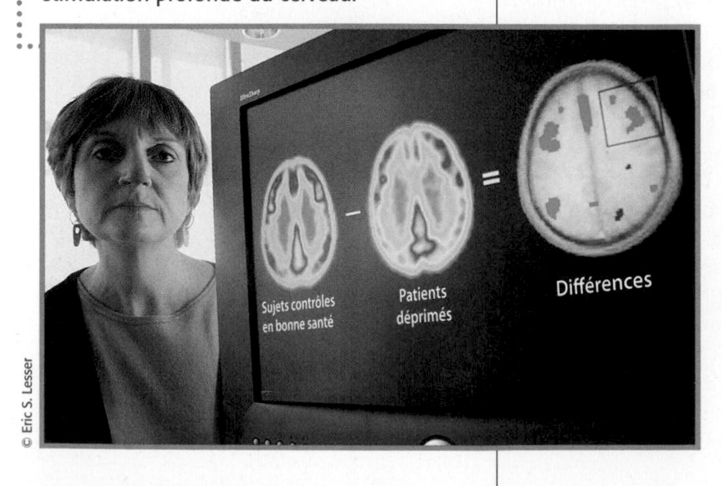

Psychochirurgie

13. Qu'est-ce que la psychochirurgie ?

:: **Psychochirurgie** : chirurgie qui enlève ou détruit certains tissus cérébraux afin de modifier le comportement.

:: **Lobotomie** : technique psychochirurgicale, aujourd'hui très rare, autrefois utilisée pour calmer des patients violents ou aux émotions incontrôlables. Au cours de cette opération, les nerfs qui relient les lobes frontaux aux centres profonds contrôlant les émotions sont sectionnés.

La **psychochirurgie**, qui procède à l'ablation ou à la destruction de tissus cérébraux pour modifier le comportement, est l'intervention biomédicale la plus drastique et la moins utilisée, car ses effets sont irréversibles. Dans les années 1930, le médecin portugais Egas Moniz développa ce qui est devenu l'opération psychochirurgicale la plus connue, la **lobotomie**. Moniz observa que la section des nerfs reliant les lobes frontaux aux centres contrôlant l'émotion dans le cerveau profond calmait les patients violents ou aux émotions incontrôlables. Après avoir plongé le patient dans le coma, le neurochirurgien introduit une sorte de pic à glace dans son cerveau en passant par les orbites, puis il le fait tourner pour détruire les connexions allant aux lobes frontaux. Cette procédure plutôt grossière présentait l'avantage d'être facile et peu onéreuse, ne durant qu'une dizaine de minutes. Entre 1936 et 1954, des dizaines de milliers de personnes sévèrement perturbées, dont Rosemary, la sœur du président John F. Kennedy, furent « lobotomisées », et Moniz reçut un prix Nobel (Valenstein, 1986).

Bien que l'intention fût simplement de déconnecter les émotions de la pensée, l'effet était souvent plus drastique. La lobotomie diminuait généralement la tension ou la souffrance des patients mais avait également pour conséquence de rendre de manière permanente la personnalité des sujets léthargique, immature et sans plus aucune créativité. Au cours des années 1950, après la lobotomisation de quelque 35 000 personnes rien qu'aux États-Unis, les calmants firent leur apparition et la psychochirurgie fut largement abandonnée. Aujourd'hui, les lobotomies font partie de l'histoire et les autres psychochirurgies ne sont utilisées que dans des cas extrêmes. Par exemple, si un patient souffre de crises d'épilepsie incontrôlables, le chirurgien peut désactiver le groupe de nerfs spécifiques qui provoquent ou transmettent les convulsions. On fait parfois appel à la précision des neurochirurgies guidées par IRM afin de procéder à la section des circuits cérébraux impliqués dans des cas graves de trouble obsessionnel compulsif (Sachdev et Sachdev, 1997). Cependant, comme ces opérations sont irréversibles, les neurochirurgiens ne les pratiquent qu'en dernier recours.

Modification thérapeutique du mode de vie

14. Comment les personnes atteintes de dépression peuvent-elles être soulagées de leurs maux en adoptant un mode de vie plus sain et en prenant soin de leur corps ?

L'efficacité des traitements biomédicaux nous rappelle une leçon fondamentale : nous trouvons pratique de parler d'influences psychologiques ou biologiques séparées, mais tout ce qui est psychologique est aussi biologique (Figure 15.9). Chaque pensée et chaque sentiment dépendent du fonctionnement du cerveau. Chaque idée créatrice, chaque moment de joie ou de colère, chaque période de dépression sont issus de l'activité électrochimique du cerveau vivant. L'influence agit dans les deux sens : lorsque la thérapie parvient à soulager un trouble obsessionnel compulsif, les images de TEP révèlent également un cerveau plus serein (Schwartz et coll., 1996).

Les troubles anxieux, la dépression majeure, les troubles bipolaires et la schizophrénie sont tous des événements biologiques. Comme nous l'avons vu encore et toujours, *un être humain est un système biopsychosocial intégré*. Pendant des années, nous avons confié notre corps aux médecins et notre esprit aux psychiatres et aux psychologues. Cette séparation nette n'est plus valable. Le stress affecte la biochimie et la santé de notre corps. Et les déséquilibres chimiques, quelles qu'en soient leurs causes, peuvent produire la schizophrénie ou une dépression.

Stephen Ilardi et ses collègues (2008) appliquent cette leçon dans leurs séminaires d'enseignement pour promouvoir la *modification thérapeutique du mode de vie*. Ils constatent que le cerveau et le corps humain ont été conçus pour avoir une activité physique et un engagement social. Nos ancêtres chassaient, se réunissaient, et se développaient en groupe et il y avait peu de preuves de l'existence de dépression handicapante. En fait, ceux dont le mode de vie comporte une activité physique fatigante, de très forts liens communautaires, une exposition au soleil et beaucoup de sommeil souffrent très rarement de dépression (pensez aux tribus de Papouasie de Nouvelle Guinée qui partent chercher leur nourriture ou aux communautés fermières des Amish en Amérique du Nord). « Dit plus simplement : les hommes n'ont jamais

➤ FIGURE 15.9
Interaction entre l'esprit et le corps
Les traitements biomédicaux partent du principe que le corps et l'esprit constituent une unité : si vous atteignez l'un, vous atteindrez l'autre.

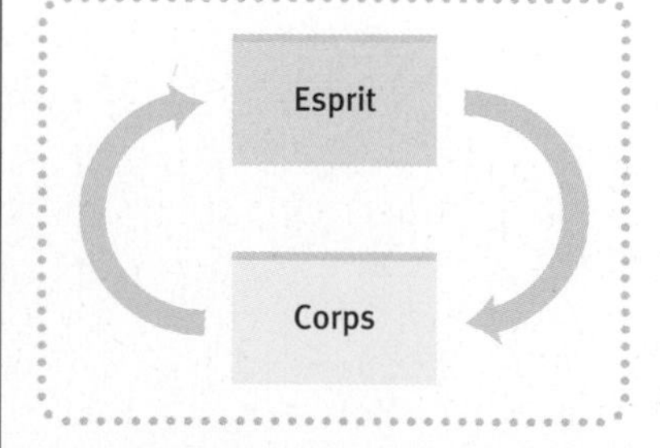

été conçus pour le mode de vie américain du vingt-et-unième siècle sédentaire, désengagé, socialement isolé mal nourri et privé de sommeil. »

L'équipe de Ilardi a été également impressionnée par les recherches montrant que la pratique régulière de l'aérobic rivalisait avec le pouvoir de guérison des antidépresseurs et qu'une bonne nuit de sommeil améliorait l'humeur et donnait de l'énergie. Ils ont donc invité de petits groupes de personnes déprimées à suivre un programme d'entraînement de 12 semaines ayant les objectifs suivants :

- *Exercice d'aérobic*, 30 minutes par jour au moins 3 fois par semaine (augmente la forme physique et la vitalité, stimule les endorphines).
- Un *temps de sommeil adapté* avec comme objectif 7 à 8 heures par nuit (augmente l'énergie et la vigilance, active l'immunité).
- L'*exposition à la lumière*, au moins 30 minutes chaque matin avec un caisson lumineux (améliore l'éveil, influence les hormones).
- Des *connexions sociales* avec moins de temps seul et au moins deux engagements sociaux par semaine ayant une signification (satisfait le besoin d'appartenance de l'homme).
- *S'opposer à la rumination* en identifiant et en redirigeant les pensées négatives (augmente la pensée positive).
- *Compléments nutritionnels*, y compris tous les jours un complément à base d'huile de poisson contenant des acides gras oméga 3 (pour un fonctionnement cérébral sain).

Dans une étude menée chez 74 personnes, 77 p. 100 de ceux qui ont terminé le programme ont présenté un soulagement de leurs symptômes dépressifs comparé aux 19 p. 100 de ceux qui ont été assignés aux conditions de contrôle comportant le traitement habituel. De futures recherches vont tenter de répliquer ces résultats frappants de modifications du mode de vie et aussi d'identifier quels sont composants de ce traitement qui produisent les effets thérapeutiques, soit en s'additionnant, soit en se combinant d'une certaine façon. Mais il semble qu'il existe peu de raisons de douter de la vérité de cet adage latin « *Mens sana in corpore sano* » ou « un esprit sain dans un corps sain ».

AVANT D'ALLER PLUS LOIN...

➤ **INTERROGEZ-VOUS**

Si un ami ayant des problèmes vous le demandait, comment résumeriez-vous les thérapies biomédicales disponibles ?

➤ **TESTEZ-VOUS 3**

Comment les chercheurs évaluent-ils l'efficacité d'un traitement pharmacologique particulier ?

Les réponses aux questions « Testez-vous » sont données dans l'annexe B à la fin de l'ouvrage.

Prévenir les troubles psychologiques

15. Quel est le raisonnement suivi par les programmes préventifs de santé mentale ?

LES PSYCHOTHÉRAPIES ET LES TRAITEMENTS BIOMÉDICAUX ont tendance à localiser la cause des troubles psychologiques chez la personne qui présente le trouble. Nous considérons que l'individu qui agit cruellement doit être cruel et que celui qui agit comme un « fou » doit être « malade ». Nous accrochons des étiquettes à ces personnes et les distinguons ainsi du monde « normal ». Il s'ensuit que nous essayons de traiter les personnes « anormales » en leur donnant un aperçu de leurs problèmes, en changeant leur façon de penser ou en les contrôlant avec des médicaments.

Il existe une autre façon de voir les choses : nous pouvons interpréter de nombreux troubles psychologiques comme des réponses compréhensibles à une société stressante et perturbante. Selon cette optique, ce n'est pas simplement la personne qui a besoin d'un traitement, mais également le contexte social dans lequel elle évolue. Il est préférable de prévenir un problème en modifiant une situation pathogène et en développant les aptitudes des gens à y faire face plutôt que d'attendre que le problème se déclenche pour ensuite le traiter.

Une histoire concernant le sauvetage d'une personne tombée dans un torrent illustre ce point de vue. Ayant réussi à administrer les premiers soins à la première victime, le sauveteur repère une autre personne en train de se débattre et lui porte secours à son tour. Après une demi-douzaine d'autres sauvetages, le sauveteur se retourne et se met à courir vers l'amont tandis que la rivière charrie une autre personne en train de « barboter ». « N'allez-vous pas essayer de la sauver ? » demande un spectateur. « Ben non, répond le sauveteur, je vais aller voir en amont ce qui pousse tous ces gens à l'eau. »

La prévention en santé mentale est un travail en amont. Elle cherche à prévenir les accidents psychologiques en identifiant et en éliminant les conditions qui les provoquent. George Albee (1986) considère qu'il existe de nombreux éléments attestant que la pauvreté, un travail inintéressant, la critique constante, le chômage, le racisme et la discrimination sexuelle minorent la notion qu'ont les personnes de leur compétence, de leur estime d'eux-mêmes et de leur sentiment de contrôle personnel. De telles conditions stressantes augmentent le risque de dépression, d'alcoolisme et de suicide.

Albee prétend que ceux qui se soucient de prévenir les accidents psychologiques doivent donc soutenir les programmes qui soulagent ces situations démoralisantes. Nous avons éradiqué la variole en vaccinant les individus non touchés, et non en traitant les malades. Nous avons vaincu la fièvre jaune en détruisant les moustiques. La prévention des problèmes psychologiques consiste à stimuler ceux qui ont appris une attitude de désespoir, à changer l'environnement qui nourrit la solitude, à rebâtir les familles éclatées et à renforcer l'aptitude des parents et des professeurs à soutenir la réussite de leurs enfants et l'estime d'eux-mêmes qui en résulte. En effet, « chaque élément destiné à améliorer la condition humaine et à donner à l'existence sens et plénitude peut être considéré comme un élément de la prévention primaire des perturbations mentales et émotionnelles » (Kessler et Albee, 1975, p. 557). Cela comprend aussi les exercices d'entraînement des fonctions cognitives destinés à développer des pensées positives chez les enfants à haut risque de dépression (Gillham et coll., 2006).

« Mieux vaut prévenir que guérir. »
Sagesse populaire péruvienne

« Les troubles mentaux peuvent provenir de problèmes physiques et, de la même manière, les troubles physiques peuvent provenir de problèmes mentaux. »
Le Mahabharata, 200 ap. J.-C.

AVANT D'ALLER PLUS LOIN...

➤ INTERROGEZ-VOUS

Pouvez-vous imaginer un moyen d'améliorer l'environnement dans lequel vous vivez afin d'éviter à certains habitants de développer certains troubles psychologiques ?

➤ TESTEZ-VOUS 4

Quelle est la différence entre la prévention en santé mentale et le traitement psychologique ou biomédical ?

Les réponses aux questions « Testez-vous » sont données dans l'annexe B à la fin de l'ouvrage.

RÉVISION : Traitements

Les thérapies psychologiques

La *psychothérapie* consiste en des interactions entre un thérapeute formé et une personne cherchant à surmonter ses difficultés psychologiques ou atteindre un développement personnel.
Les principales psychothérapies dérivent des perspectives psychanalytiques, humanistes, comportementales et cognitives de la psychologie. Actuellement, de nombreux thérapeutes associent les aspects de ces perspectives en une *approche éclectique* ou une psychothérapie intégrative, parfois au sein d'un groupe.

1. Quels sont les objectifs et les méthodes de la psychanalyse et comment ont-ils été adaptés à la thérapie psychodynamique ?

Par la *psychanalyse*, Sigmund Freud et ses étudiants avaient comme objectif d'aider les personnes à prendre conscience des origines inconscientes de leurs troubles, de travailler au niveau des sentiments qui les accompagnent et de prendre la responsabilité de leur propre croissance. Les techniques comprennent les associations libres, l'analyse des rêves et l'*interprétation des résistances* et des *transferts* sur le thérapeute des sentiments longtemps refoulés. La *thérapie psychodynamique* contemporaine a été influencée par la psychanalyse traditionnelle mais dure moins longtemps et est moins onéreuse. Elle se concentre sur les conflits actuels du patient et ses défenses en recherchant des thèmes communs à de nombreuses relations importantes passées et présentes. La thérapie interpersonnelle (une forme brève de 12 à 16 séances de thérapie psychodynamique) s'intéresse principalement aux symptômes actuels (comme la dépression) plutôt qu'aux origines des conflits inconscients.

2. Quels sont les thèmes fondamentaux de la thérapie humaniste comme la thérapie centrée sur la personne de Carl Rogers ?

Les thérapeutes humanistes se concentrent sur les sentiments conscients actuels de leurs clients, et sur le fait qu'ils doivent prendre la responsabilité de leur propre croissance. La *thérapie centrée sur la personne* de Carl Rogers propose que les principales contributions du thérapeute sont d'agir comme un miroir psychologique par son *écoute active* et de lui fournir un environnement favorable au développement par une *considération positive inconditionnelle* caractérisée par sa sincérité, son acceptation et de l'empathie. Les thérapies humanistes et psychanalytiques sont connues sous le nom de *thérapies de l'insight* (introvision).

3. Quelles sont les hypothèses et les techniques des thérapies comportementales ?

Les *thérapeutes comportementalistes* n'essayent pas d'expliquer les origines des troubles ni de promouvoir la conscience de soi. En revanche, ils tentent de modifier directement les comportements à problèmes. Ainsi, ils peuvent *déconditionner* les comportements par des *thérapies d'exposition* comme la *désensibilisation systématique*, la *thérapie par réalité virtuelle* ou le *conditionnement aversif.* Ou ils peuvent appliquer les principes du conditionnement opérant en les associant à des techniques de modification du comportement comme l'*économie de jetons*.

4. Quels sont les objectifs et les techniques des thérapies cognitives ?

Les *thérapies cognitives*, comme la thérapie cognitive de la dépression d'Aaron Beck, ont pour objectif de modifier les pensées d'autodépréciation en entraînant les personnes à regarder en eux-mêmes d'une nouvelle manière plus positive. La *thérapie cognitivo-comportementale*, largement utilisée, a fait l'objet de nombreuses recherches et aide également les clients à pratiquer régulièrement de nouvelles manières de penser et de parler.

5. Quels sont les objectifs et les avantages des thérapies de groupe et des thérapies familiales ?

Les thérapies de groupe peuvent aider plus de personnes et sont moins onéreuses que les thérapies individuelles. Il peut être bénéfique pour les patients de savoir que d'autres ont des problèmes similaires, d'avoir connaissance des retours et d'être réconfortés par d'autres. La *thérapie familiale* considère la famille comme un système interactif et essaye d'aider ses membres à découvrir leurs rôles et à communiquer de manière plus ouverte et directe.

Évaluation des psychothérapies

6. La psychothérapie est-elle efficace ? Qui peut en décider ?

Comme les témoignages positifs des clients et des thérapeutes ne permettent pas de prouver que ces thérapies sont réellement efficaces, les psychologues ont mené des centaines d'études des résultats des psychothérapies à l'aide de *méta-analyses*. Des études d'essais cliniques par randomisation indiquent que les personnes qui restent sans traitement s'améliorent souvent mais que ceux qui reçoivent une psychothérapie ont plus de chances de s'améliorer quel que soit le type de thérapie ou sa durée. Les traitements par placebo ou la sympathie et les conseils amicaux des paraprofessionnels ont également tendance à produire une meilleure amélioration que l'absence de traitement.

7. Certaines thérapies sont-elles plus efficaces que d'autres ?

Aucun type de psychothérapie n'est généralement supérieur à tous les autres. La thérapie est plus efficace pour ceux qui ont des problèmes biens spécifiques et clairs. Certaines thérapies, comme le conditionnement comportemental utilisé pour traiter les phobies et les compulsions, sont plus efficaces pour les troubles spécifiques. La *pratique fondée sur les preuves* intègre les meilleures recherches disponibles à l'expertise du clinicien et aux caractéristiques et aux préférences du patient.

8. Comment les médecines parallèles ont-elles passé l'examen minutieux de la science ?

Les recherches sous contrôle n'ont pas conforté les affirmations de la thérapie par mouvement oculaire et désensibilisation (EMDR). La luminothérapie semble soulager les symptômes de la dépression saisonnière.

9. Quels sont les trois éléments communs à toutes les formes de psychothérapies ?

Toutes les psychothérapies amènent de nouveaux espoirs pour les personnes démoralisées, une nouvelle perspective et (si le thérapeute est efficace) une relation empathique, emplie de confiance et chaleureuse.

10. De quelle manière la culture et les valeurs peuvent-elles influencer la relation entre le thérapeute et son client ?

Les thérapeutes ont différentes valeurs qui influencent leurs objectifs. Ces différences peuvent engendrer des problèmes lorsque les thérapeutes travaillent avec des clients ayant différents points de vue culturels ou religieux. Une personne recherchant une thérapie peut souhaiter demander l'approche thérapeutique du thérapeute, ses valeurs, ses croyances et ses honoraires.

Les traitements biomédicaux

Les *thérapies biomédicales* traitent les troubles psychologiques par des médicaments ou des procédés médicaux qui agissent directement sur le système nerveux du patient.

11. Quelles sont les thérapies pharmacologiques ? Quelles critiques ont été portées contre les traitements pharmacologiques ?

Les thérapies pharmacologiques représentent les thérapies biomédicales les plus employées. Les *neuroleptiques,* utilisés pour traiter la schizophrénie, bloquent l'activité de la dopamine. Certaines peuvent avoir de graves effets secondaires, y compris une *dyskinésie tardive* (avec des mouvements involontaires des muscles faciaux, de la langue et des membres) ou une augmentation du risque d'obésité et de diabète. Les *anxiolytiques,* qui diminuent l'activité du système nerveux central, sont utilisés dans le traitement des troubles anxieux. Ces médicaments peuvent être physiquement et psychologiquement sources de dépendance. Les *antidépresseurs,* qui augmentent la disponibilité de la sérotonine et de la noradrénaline, sont utilisés lors de dépression avec une efficacité modérément supérieure à celle des placebos. Le lithium et le Dépakote® sont des stabilisateurs de l'humeur prescrits pour les patients ayant un trouble bipolaire.

12. Quelle est l'efficacité de l'électroconvulsivothérapie ? Quelles autres options de stimulation cérébrale peuvent permettre de soulager les malades atteints de dépression sévère ?

L'*électroconvulsivothérapie (ECT)* est un traitement efficace de dernier recours des personnes sévèrement déprimées qui n'ont pas répondu aux autres traitements. Elle consiste à envoyer un bref courant électrique dans le cerveau d'un patient anesthésié. De nouvelles alternatives thérapeutiques de la dépression incluent la *stimulation magnétique transcrânienne répétée (SMTr)* et, dans les expériences cliniques préliminaires, la stimulation profonde du cerveau qui calme une région cérébrale hyperactive liée aux émotions négatives.

13. Qu'est-ce que la psychochirurgie ?

La *psychochirurgie* enlève ou détruit des tissus cérébraux dans l'espoir de modifier le comportement. Les traitements radicaux de psychochirurgie comme la *lobotomie* étaient auparavant populaires mais les neurochirurgiens effectuent maintenant rarement des interventions chirurgicales sur le cerveau pour modifier le comportement ou l'humeur. La chirurgie cérébrale est un traitement de dernier recours parce que ses effets sont irréversibles.

14. Comment les personnes atteintes de dépression peuvent-elles être soulagées de leurs maux en adoptant un mode de vie plus sain et en prenant soin de leur corps ?

Un esprit sain habite généralement dans un corps sain. Les personnes déprimées qui subissent un programme comportant de l'aérobic, suffisamment de sommeil, une exposition à la lumière, un engagement social, une baisse des pensées négatives et une meilleure alimentation obtiennent souvent un certain soulagement.

Prévenir les troubles psychologiques

15. Quel est le raisonnement suivi par les programmes préventifs de santé mentale ?

Les programmes de prévention de la santé mentale sont basés sur l'idée que de nombreux troubles psychologiques pourraient être évités en changeant les environnements qui oppressent et détruisent l'estime de soi en des environnements plus bienveillants et attentionnés qui favorisent le développement individuel et la confiance en soi.

Termes et concepts à retenir

Approche éclectique, p. 637
Psychothérapie, p. 638
Psychanalyse, p. 638
Résistance, p. 639
Interprétation, p. 639
Transfert, p. 639
Thérapie psychodynamique, p. 640
Thérapies de l'*insight* (introvision), p. 641
Thérapie centrée sur la personne (ou le client), p. 641
Écoute active, p. 642
Considération positive inconditionnelle, p. 642
Thérapie comportementale, p. 642
Déconditionnement, p. 643
Thérapie d'exposition, p. 643
Désensibilisation systématique, p. 643
Thérapie par réalité virtuelle, p. 644
Conditionnement aversif, p. 644
Économie de jetons, p. 646
Thérapie cognitive, p. 646
Thérapie cognitivo-comportementale, p. 648
Thérapie familiale, p. 649
Régression à la moyenne, p. 652
Méta-analyse, p. 653
Pratique basée sur les preuves, p. 655
Thérapie biomédicale, p. 660
Psychopharmacologie, p. 660
Neuroleptiques (antipsychotiques), p. 661
Dyskinésie tardive, p. 661
Anxiolytiques, p. 661
Antidépresseurs, p. 662
Électroconvulsivothérapie (ECT), p. 664
Stimulation magnétique transcrânienne répétée (SMTr), p. 665
Psychochirurgie, p. 667
Lobotomie, p. 667

CHAPITRE 16

Psychologie sociale

PENSÉE SOCIALE

Attribuer un comportement aux personnes ou aux situations

Attitudes et actions

Gros plan : La prison d'Abu Ghraib : une « situation engendrant l'atrocité » ?

INFLUENCE SOCIALE

Conformisme et soumission

Influence du groupe

Le pouvoir des individus

RELATIONS SOCIALES

Préjugés

Gros plan : Les préjugés automatiques

Agressivité

Gros plan : Une comparaison entre l'effet du tabagisme et l'effet de la violence dans les médias

Attirance

Gros plan : Mise en relation en ligne et *speed dating*

Altruisme

Conflits et médiation

Bien qu'encore jeune, le XXIe siècle nous a rappelé de manière spectaculaire que nous sommes des animaux sociaux dont la vie et la culture tournent autour de la manière dont nous pensons les uns aux autres, nous nous influençons et entrons en relations les uns avec les autres.

Le 11 septembre 2001, 19 hommes armés de simples cutters effectuèrent un acte de violence abominable qui déclencha de la terreur, de la colère et un désir de revanche. Mais cela déclencha également une effusion d'amour et de compassion, y compris des aides financières, des dons de vivres, de vêtements et d'ours en peluche, dépassant les besoins des New-Yorkais. Quelles sont les raisons qui amènent des individus à ressentir ces sentiments de haine qui les poussent à détruire des milliers de vies innocentes ? Qu'est-ce qui a inspiré l'altruisme héroïque de ceux qui sont morts en essayant de sauver d'autres vies, et de beaucoup d'autres encore qui ont tendu la main aux personnes plongées dans le deuil ?

Ces questions ont refait surface après le génocide du Darfour, une région du Soudan, ayant commencé en 2003 et lors de la guerre en Irak où le nombre de morts estimé par des enquêtes est compris entre 151 000 et plus de 1 million entre 2002 et 2006 (*Iraq Family Study*, 2008 ; ORB, 2008). Quels sont les facteurs qui affectent la prise de décision de nos dirigeants ? Comment pouvons-nous transformer les poings serrés des conflits internationaux en des bras ouverts pour la paix et l'entraide ?

Ce siècle a également défié toutes les notions préconçues des Américains concernant l'origine ethnique, le sexe et l'âge. Pour la première fois, l'élection présidentielle américaine de 2008 a opposé une femme blanche âgée de 60 ans (Hillary Clinton), un homme de 46 ans afro-américain (Barack Obama) et un homme blanc âgé de 71 ans (John McCain). Sachant qu'une différence de quelques votes pouvait changer le cours de l'histoire, les donateurs ont apporté des millions de dollars dans l'espoir d'influencer les opinions des électeurs. Comment modelons-nous nos attitudes et comment celles-ci peuvent-elles affecter nos actions ?

Comme chaque nouvelle quotidienne apporte de nouveaux actes de violence ou d'héroïsme, de défaites ou de victoires, beaucoup d'entre nous ont subi des expériences d'amour ou de perte. Pourquoi sommes-nous attirés par certaines personnes et pas par d'autres ? Qu'est-ce qui déclenche l'amitié et l'amour ?

Les connexions entre les hommes sont puissantes et peuvent être dangereuses. Cependant, comme l'a remarqué le romancier Herman Melville : « Nul ne peut vivre uniquement pour soi. Nos vies sont liées les unes aux autres par des milliers de fils invisibles. » Les **psychosociologues** explorent ces connexions en étudiant scientifiquement comment nous *pensons* aux autres, les *influençons* et *entrons en relation* avec eux.

Pensée sociale

NOTRE COMPORTEMENT SOCIAL provient de notre cognition sociale. En particulier lorsque l'inattendu se produit, nous analysons les raisons qui poussent les gens à agir comme ils le font. Son contact chaleureux reflète-t-il une attirance pour moi ou bien se comporte-t-elle ainsi avec tout le monde ? Son absentéisme correspond-il à une maladie, à de la paresse, ou est-il le reflet d'une atmosphère de travail oppressante ? L'horreur du 11 septembre fut-elle l'œuvre d'esprits fous ou d'individus quelconques, corrompus par les événements de la vie ?

Attribuer un comportement aux personnes ou aux situations

1. De quelle manière avons-nous tendance à expliquer le comportement des autres et le nôtre ?

Après avoir étudié comment les gens expliquaient le comportement des autres, Fritz Heider (1958) exposa sa **théorie de**

:: Psychologie sociale : étude scientifique de la façon dont nous pensons aux autres, les influençons et entrons en relation avec eux.

:: Théorie de l'attribution : théorie selon laquelle nous avons tendance à trouver une explication causale au comportement de quelqu'un, souvent en l'attribuant soit à la situation, soit aux dispositions de la personne.

L'erreur fondamentale d'attribution
Si notre nouvelle amie est ronchon, nous pouvons en déduire que c'est une râleuse. Mais elle pourrait avoir plutôt tendance à expliquer son comportement par son manque de sommeil dû à des soucis familiaux, la crevaison qu'elle a subie sur le chemin du travail ou sa dispute avec son petit ami.

l'attribution. Heider avait remarqué que les gens attribuaient, en général, le comportement d'autrui soit à leurs dispositions internes, soit aux situations externes. Un enseignant peut, par exemple, se demander si l'hostilité d'un enfant reflète une personnalité agressive (*attribution dispositionnelle*) ou s'il réagit en fonction d'un stress ou de sévices (*attribution situationnelle*).

En cours, nous remarquons que Juliette ne dit pas grand-chose ; au café, Jack parle sans arrêt. En attribuant leurs comportements à des dispositions personnelles, nous allons en conclure que Juliette est timide et Jack extraverti. Comme les individus ont des traits de personnalité stables, de telles attributions sont parfois fondées. Mais nous sommes souvent en proie à ce qu'on appelle l'**erreur fondamentale d'attribution** en surestimant l'influence de la personnalité et sous-estimant celle de la situation. En cours, Jack peut être aussi silencieux que Juliette, mais surprenez Juliette lors d'une soirée et vous aurez de la peine à reconnaître votre paisible camarade de classe.

Une expérience réalisée par David Napolitan et George Goethals (1979) illustre ce phénomène. Ils firent converser, un par un, des étudiants du Williams College avec une jeune femme qui se comportait soit amicalement et chaleureusement, soit de façon distante et critique. Auparavant, ils avaient dit à la moitié des étudiants que le comportement de la jeune femme serait spontané et à l'autre moitié la vérité, c'est-à-dire que l'on avait demandé à cette jeune femme d'*agir* amicalement (ou de façon inamicale). Selon vous, quel fut l'effet de dire la vérité ?

Aucun. Les étudiants négligèrent l'information. Si la jeune femme se comportait de façon amicale, ils en déduisaient qu'elle était vraiment chaleureuse. Si elle jouait un rôle inamical, ils en déduisaient qu'elle était réellement froide. En d'autres termes, ils attribuèrent son comportement à une disposition personnelle *même après qu'on leur eut dit que son comportement dépendait de la situation*, qu'elle était simplement en train de jouer ce personnage pour les besoins de l'expérience. Bien que l'erreur fondamentale d'attribution existe dans toutes les cultures étudiées, cette tendance à attribuer un comportement aux dispositions d'une personne est bien plus prononcée dans les pays occidentaux individualistes. Dans les cultures est-asiatiques, par exemple, les personnes sont plus sensibles au pouvoir de la situation (Masuda et Kitayama, 2004).

Vous aussi avez certainement commis l'erreur fondamentale d'attribution. Pour juger, par exemple, si votre professeur de psychologie était timide ou extraverti, vous avez peut-être déduit de votre expérience en cours qu'il avait une personnalité extravertie. Mais vous ne connaissez votre professeur que dans le cadre d'une salle de cours, une situation qui réclame un comportement extraverti. Si vous rencontriez votre professeur dans une situation différente, vous pourriez être surpris. En dehors de leurs rôles assignés, les professeurs semblent moins professoraux, les serveurs moins serviles et les présidents moins présidentiels.

D'autre part, le professeur observe son propre comportement dans bien des situations différentes – en cours, dans des conférences, à la maison – et c'est ainsi qu'il peut dire : « Moi, extraverti ? Tout dépend des circonstances. En cours ou avec de vieux amis, oui, je suis extraverti. Mais dans une assemblée, je suis plutôt timide. » Ainsi, lorsque nous expliquons *notre propre* comportement ou celui des personnes que nous connaissons bien, et que nous voyons dans diverses situations, nous sommes attentifs à la façon dont il se modifie en fonction de la situation (Idson et Mischel, 2001). (Il existe une exception importante, ce sont nos propres actions intentionnelles et admirables que nous attribuons le plus souvent à nos propres bonnes raisons qu'aux raisons liées à la situation [Malle, 2006 ; Malle et coll., 2007].)

Lorsque nous expliquons le comportement des *autres*, en particulier celui des étrangers que nous n'avons observé que dans un seul type de situation, nous commettons souvent l'erreur fondamentale d'attribution. Nous négligeons la situation et tirons hâtivement des conclusions non fondées concernant leurs traits de personnalité. Beaucoup de personnes ont d'abord pensé que les terroristes du 11 septembre étaient manifestement fous, alors qu'en réalité ils passaient inaperçus dans leurs quartiers, dans leurs clubs de sport et dans leurs restaurants favoris.

Les chercheurs qui ont renversé les perspectives de l'acteur et de l'observateur, en demandant à chacun de visionner une vidéo de la situation selon la perspective de l'autre, ont également renversé les attributions (Lassiter et Irvine, 1986 ; Storms, 1973). En voyant le monde à travers la perspective de l'acteur, l'observateur évalue mieux la situation. (Lorsque vous agissez, vos yeux regardent vers l'extérieur ; vous voyez le visage des autres, pas le vôtre.) En envisageant le point de vue de l'observateur, les acteurs apprécient mieux leur propre style personnel. Si vous réfléchissez au « moi » passé que vous aviez il y a 5 ou 10 ans, votre point de vue se modifie également. Vous adoptez alors le point de vue d'un observateur et attribuez votre comportement en grande partie à vos traits de personnalité (Pronin et Ross, 2006). De même, dans 5 ou 10 ans, il se peut que notre « moi » d'aujourd'hui ressemble à celui d'une autre personne.

« Otis, crie à cet homme de se secouer un peu. »

• Près de 7 étudiantes sur 10 disent avoir connu un homme ayant attribué par erreur leur gentillesse à une sollicitation d'ordre sexuel (Jacques-Tiura et coll., 2007). •

Les effets de l'attribution

Dans la vie quotidienne, nous luttons souvent pour expliquer les actions des autres. Un jury doit décider si un assassinat était prémédité ou s'il s'agissait de légitime défense. La personne qui fait passer un entretien doit décider si la bonne humeur du candidat est réelle. Une personne doit décider s'il doit attribuer la gentillesse d'une autre à un intérêt sexuel. Lorsque nous émettons des jugements de ce genre, ce que nous attribuons, soit à la personne soit à la situation, peut avoir des conséquences importantes (Fincham et Bradbury, 1993 ; Fletcher et coll., 1990). Dans les couples heureux, les maris attribuent la remarque acerbe de leur épouse à une situation temporaire (« elle a dû avoir une mauvaise journée au boulot »). Les couples en difficulté attribuent la même remarque à une disposition habituelle (« pourquoi me suis-je marié(e) à une personne aussi désagréable ? »).

Considérez également les effets politiques des attributions : comment expliquez-vous la pauvreté et le chômage ? En Grande-Bretagne, en Inde, en Australie et aux États-Unis, des chercheurs (Furnham, 1982 ; Pandey et coll., 1982 ; Wagstaff, 1982 ; Zucker et Weiner, 1993) ont observé que les personnes aux idées politiques conservatrices avaient tendance à attribuer ce genre de problèmes sociaux aux dispositions personnelles des pauvres ou des chômeurs : « Les gens récoltent généralement ce qu'ils méritent. Ceux qui ne travaillent pas sont souvent des assistés. Les gens qui prennent des initiatives peuvent toujours s'en sortir. » « Ce n'est pas la société qui est responsable du crime, ce sont les criminels », déclara un candidat conservateur aux élections présidentielles américaines (Dole, 1996). Les partisans d'une politique libérale (ainsi que les scientifiques sociaux) ont plus tendance à rendre responsables les événements passés ou présents : « Si vous ou moi devions vivre avec la même éducation limitée, le même manque d'opportunité et la même discrimination, ferions-nous mieux ? » Ils pensent que pour comprendre les événements terroristes et les prévenir, il faut examiner de plus près les situations qui engendrent les terroristes. Il est plus efficace de drainer les marécages que d'écraser les moustiques.

Les attributions données par les responsables ont également des effets. Dans l'appréciation de leurs employés, ils ont tendance à attribuer la piètre performance des travailleurs à des facteurs personnels tels qu'un manque de compétence ou de motivation. Mais souvenez-vous du point de vue de l'acteur : les employés dont les résultats dans l'accomplissement d'une tâche sont mauvais reconnaissent l'existence d'influences de la situation : matériel inadéquat, mauvaises conditions de travail, difficultés avec les collègues, exigences impossibles (Rice, 1985).

Ce qu'il faut retenir : ce que nous attribuons aux dispositions des individus ou à leurs situations doit se faire avec prudence, car cela a de réelles conséquences.

Attitudes et actions

2. Ce que nous pensons influence-t-il ce que nous faisons ou bien est-ce le contraire ?

Les **attitudes** sont des sentiments, souvent influencés par nos croyances, qui prédisposent nos réactions vis-à-vis des objets, des personnes ou des événements. Si nous *croyons* que quelqu'un est méprisable, nous pouvons *éprouver* de l'aversion pour lui et *agir* de façon hostile.

Nos attitudes affectent nos actions

Nos attitudes prédisent souvent nos comportements. Le film d'Al Gore *Une vérité qui dérange,* qui a donné naissance à l'Alliance pour la protection du climat, repose sur un principe simple : l'opinion publique sur la réalité et les dangers du réchauffement climatique peut changer, ce qui aura des effets sur les comportements personnels et la politique publique. En effet, à la fin de 2007, une analyse des enquêtes sur l'opinion internationale menée par la WorldPublicOpinion.org a montré que « partout dans le monde les gens se sentaient de plus en plus concernés par le réchauffement climatique. Une grande majorité pense que les activités humaines provoquent ce changement climatique et est favorable à une politique conçue

:: Erreur fondamentale d'attribution : tendance d'un observateur, lorsqu'il analyse le comportement de quelqu'un d'autre, à sous-estimer l'impact de la situation et à surestimer l'impact des dispositions personnelles.

:: Attitude : sentiment, souvent influencé par nos croyances, prédisposant quelqu'un à répondre d'une façon particulière à des objets, des personnes ou des événements.

:: Voie centrale de la persuasion : voie empruntée lorsque des personnes intéressées se concentrent sur les arguments et y répondent par des pensées favorables.

:: Voie périphérique de la persuasion : voie empruntée lorsque les personnes sont influencées par des indices secondaires comme l'attirance de celui qui parle.

:: Phénomène du « doigt dans l'engrenage » : tendance des personnes ayant d'abord acquiescé à une demande mineure, à obéir, plus tard, à une requête plus importante.

:: Rôle : ensemble d'attentes (normes) sur une position sociale définissant la manière dont ceux qui se trouvent dans cette position doivent se comporter.

pour réduire les émissions ». Grâce à la campagne massive de persuasion, beaucoup d'entreprises ainsi que de campus sont maintenant en train de « virer au vert ».

Ce raz de marée de changement s'est produit lorsque des gens ont présenté des preuves et des arguments scientifiques et y ont répondu par des réflexions favorables. Cette **voie centrale de la persuasion** se produit surtout lorsque les gens sont naturellement analytiques ou impliqués dans le résultat. Lorsque les résultats n'engagent pas une réflexion systématique, la persuasion peut emprunter une **voie périphérique** plus rapide, et les personnes répondent alors à des éléments secondaires comme l'adhésion de personnes respectées et se forgent immédiatement leurs jugements. Comme la voie centrale de la persuasion fait plus appel à la réflexion et est moins superficielle, elle est plus durable et à plus de chances d'influencer le comportement.

D'autres facteurs, comme la situation extérieure, influencent également le comportement. Une forte pression sociale peut affaiblir la relation attitude/comportement (Wallace et coll., 2005). Par exemple, le soutien écrasant de l'opinion publique américaine au président George W. Bush lors de la préparation à l'offensive irakienne a motivé les représentants du Parti démocrate à voter le soutien au plan d'offensive du président Bush, malgré leur réserve personnelle (Nagourney, 2002). Néanmoins, les attitudes peuvent effectivement affecter le comportement lorsque les influences extérieures sont minimes, en particulier lorsque l'attitude est stable, spécifique au comportement et facile à se souvenir (Glasman et Albarracín, 2006). Une expérience a utilisé des informations marquantes, faciles à se remémorer pour persuader les gens que le bronzage constant favorisait à terme les risques de cancer de la peau. Un mois plus tard, 72 p. 100 des participants avaient une peau moins bronzée contre seulement 16 p. 100 de ceux qui se trouvaient sur la liste d'attente et représentaient le groupe contrôle (McClendon et Prentice-Dunn, 2001).

Nos actions affectent nos attitudes

Envisageons maintenant un principe plus surprenant : non seulement les gens défendent parfois ce qu'ils croient, mais ils en viennent aussi à croire aux idées qu'ils ont soutenues. Plusieurs faisceaux de preuves confirment que *les attitudes se mettent en place après le comportement* (FIGURE 16.1).

Le phénomène du « doigt dans l'engrenage » Le fait de convaincre des gens d'agir contre leur croyance peut modifier leurs attitudes. Durant la guerre de Corée, de nombreux soldats américains capturés furent emprisonnés dans des camps dirigés par des communistes chinois. Sans user de brutalité, les gardiens s'assurèrent de la collaboration des prisonniers pour des activités diverses. Certains faisaient simplement des courses ou acceptaient certaines faveurs. D'autres faisaient des appels à la radio et de fausses confessions. D'autres encore révélaient des informations concernant les autres prisonniers ou des secrets militaires. À la fin de la guerre, 21 prisonniers choisirent de rester avec les communistes. Beaucoup d'autres revinrent chez eux après un « lavage de cerveau », convaincus que le communisme était une bonne chose pour l'Asie.

➤ FIGURE 16.1
L'attitude suit le comportement
Les actions menées dans un cadre coopératif, comme celui d'une équipe sportive, nourrissent chez les participants des sentiments d'estime mutuelle. À leur tour, de telles attitudes encouragent un comportement positif.

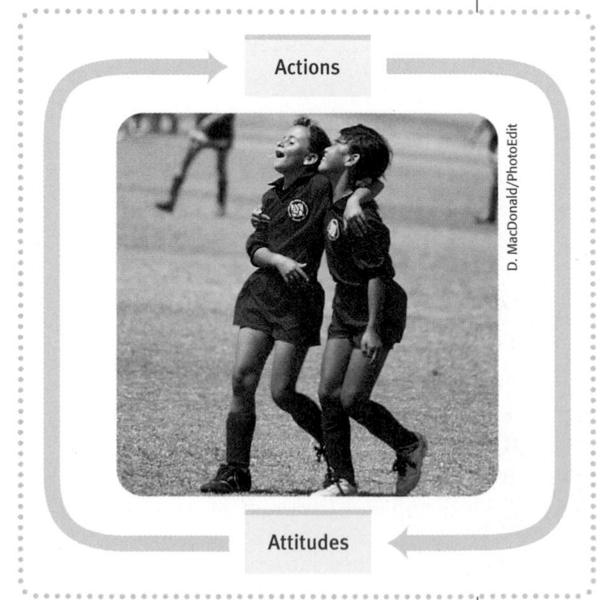

Un élément essentiel du programme chinois de « contrôle de la pensée » était l'utilisation efficace du **phénomène du « doigt dans l'engrenage »** – tendance des personnes ayant d'abord acquiescé à une demande mineure, à obéir, plus tard, à une requête plus importante. Les Chinois commençaient par des requêtes sans conséquences mais augmentaient graduellement les demandes faites aux prisonniers (Schein, 1956). Ayant « entraîné » les prisonniers à énoncer ou à écrire des affirmations banales, les communistes leur demandèrent ensuite de copier ou d'imaginer quelque chose de plus important, comme de souligner, par exemple, les carences du capitalisme. Ensuite, peut-être pour obtenir certains privilèges, les prisonniers participèrent à des groupes de discussion, écrivirent des autocritiques ou se livrèrent à des confessions publiques. Après avoir fait cela, les prisonniers ajustèrent souvent leurs convictions pour être en conformité avec leurs actes publics.

Ce point est simple, dit Robert Cialdini (1993) : pour obtenir des gens qu'ils adhèrent à quelque chose d'important, « commencez petit et bâtissez ». Une fois que vous savez cela, vous pouvez vous méfier de ceux qui veulent vous exploiter avec cette tactique. Cette spirale de la poule et de l'œuf, dans laquelle les actions alimentent les attitudes qui nourrissent les actions, permet au comportement de se développer. Une vétille rend la prochaine action plus facile. Succombez à une tentation et vous trouverez plus difficile de résister à la prochaine.

Des douzaines d'expériences ont simulé une partie de celle vécue par les prisonniers de guerre, en amenant par la douceur les gens à agir contre leurs attitudes ou à violer leurs règles morales. Voici le résultat, presque inévitable : l'action devient la croyance. Lorsque l'on amène les gens à blesser des victimes innocentes, en faisant des commentaires acerbes ou en envoyant des chocs électriques, ils se mettent en général à dénigrer leur victime. Incités à écrire ou à parler au nom d'une cause envers laquelle ils éprouvaient des doutes, ils commencent à croire en leurs propres paroles.

« Si le roi tue un homme, c'est une preuve pour le roi que cet homme devait être mauvais. »
Thomas Cromwell dans l'ouvrage de Robert Bolt, *A Man for All Seasons*, 1960

Heureusement, le principe selon lequel l'attitude fait suite au comportement fonctionne aussi bien pour les bonnes actions que pour les mauvaises. La tactique du « doigt dans l'engrenage » peut être efficace pour promouvoir les organisations caritatives, encourager les dons de sang et stimuler les ventes de produits. Au cours d'une expérience, des chercheurs se faisant passer pour des « conducteurs prudents » volontaires ont demandé à certains résidents californiens l'autorisation de poser un grand panneau dans le jardin devant leur maison, sur lequel les mots suivants étaient maladroitement gribouillés : « Conduisez avec prudence ». Dix-sept pour cent seulement des personnes sollicitées ont consenti. Par ailleurs, ils ont abordé d'autres résidents en leur demandant d'abord une chose simple : « Accepteriez-vous d'afficher un panneau de 8 cm de haut avec les mots suivants : "Soyez un conducteur prudent" ? » Presque tous ont donné leur accord. Lorsque deux semaines plus tard, les chercheurs ont repris contact avec les derniers résidents consultés afin de poser les grands panneaux disgracieux dans le jardin devant leur maison, 76 p. 100 d'entre eux ont accepté (Freedman et Fraser, 1966). Pour s'assurer un engagement important, il est souvent payant de mettre le doigt dans l'engrenage : commencez petit puis construisez peu à peu.

Les attitudes ethniques suivent aussi le comportement. Au cours des années qui ont suivi le processus de déségrégation du système scolaire américain avec la mise en vigueur du *Civil Rights Act* de 1964, les Blancs américains ont exprimé moins de préjugés ethniques. Au fur et à mesure que les Américains de différentes régions réagissaient de façon similaire – grâce à l'établissement de normes semblables contre la discrimination ethnique sur le plan national – ils ont commencé à penser aussi de la même manière. Les expériences confirment l'observation : l'action morale renforce les convictions morales.

Jouer un rôle affecte les attitudes Lorsque vous adoptez un nouveau **rôle**, lorsque vous devenez un étudiant, que vous vous mariez ou que vous commencez un nouveau travail, vous vous efforcez de suivre les prescriptions sociales. Au début, vos comportements peuvent sembler faux, parce que vous *jouez* un rôle. Les premières semaines dans l'armée paraissent artificielles, comme si l'on prétendait être un soldat. Les premières semaines d'un mariage peuvent être comme jouer au « papa et à la maman ». Mais avant longtemps, ce qui a commencé comme un rôle au théâtre de la vie est devenu *vous*.

« Feignez-le jusqu'à ce que vous puissiez le faire. »
Proverbe des Alcooliques anonymes

Les chercheurs ont confirmé cet effet en évaluant l'attitude des gens avant et après l'adoption d'un nouveau rôle, parfois dans une situation expérimentale et parfois dans la vie quotidienne, comme avant et après avoir commencé un nouveau travail. Au cours d'une étude célèbre de laboratoire, des étudiants se portèrent volontaires pour passer un certain temps dans une prison simulée mise au point par le psychologue Philip Zimbardo (1972). Certains, tirés au sort, furent nommés gardiens ; ils reçurent un uniforme, une matraque, un sifflet et des instructions pour faire respecter certaines règles. Les autres devinrent des prisonniers, furent enfermés dans des cellules vides et forcés de revêtir un accoutrement humiliant. Après un jour ou deux pendant lesquels les participants jouaient consciemment un rôle, la simulation devint réelle, trop réelle. La plupart des gardiens adoptèrent des attitudes méprisantes et certains développèrent des habitudes cruelles et dégradantes. L'un après l'autre, les prisonniers craquèrent, se rebellèrent ou se résignèrent passivement, ce qui incita Zimbardo à arrêter l'expérience après seulement 6 jours. Plus récemment, des situations similaires se sont réellement déroulées, par exemple dans la prison d'Abu Ghraib en Irak (*voir* Gros plan : La prison d'Abu Ghraib : une « situation engendrant l'atrocité » ?, page suivante).

Le pouvoir de la situation Dans la prison simulée de Stanford de Philip Zimbardo, une situation malsaine a déclenché des comportements dégradants parmi ceux qui étaient assignés au rôle de gardes.

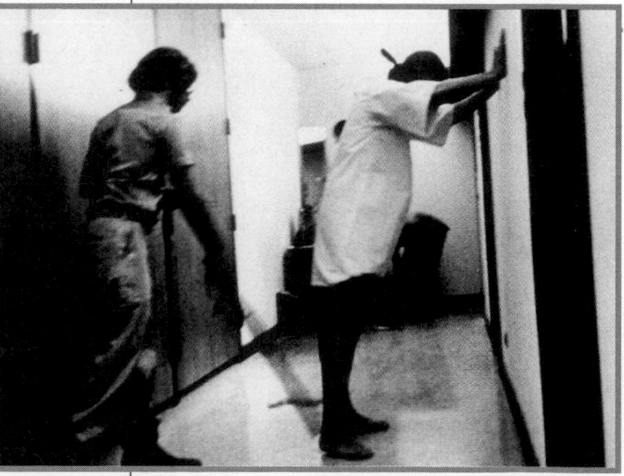
Philip G. Zimbardo, Inc.

Au début des années 1970, la junte militaire au pouvoir en Grèce tirait avantage des effets du jeu de rôle en entraînant un groupe d'hommes à devenir des tortionnaires (Staub, 1989). L'endoctrinement des hommes dans leurs rôles se fit par petites étapes. Les hommes entraînés montèrent d'abord la garde à l'extérieur de la cellule d'interrogatoire – le « doigt dans l'engrenage ». Ensuite, ils montèrent la garde à l'intérieur. Ce n'est qu'à partir de ce moment-là qu'ils furent prêts à être impliqués activement dans les interrogatoires et la torture. Comme l'a noté l'écrivain du XIXe siècle Nathaniel Hawthorne, « aucun homme ne peut, pendant une longue période, présenter un visage pour lui-même et un autre pour les autres, sans être finalement perturbé par la question de savoir lequel est le vrai. » Nous devenons graduellement ce que nous faisons.

GROS PLAN

La prison d'Abu Ghraib : une « situation engendrant l'atrocité » ?

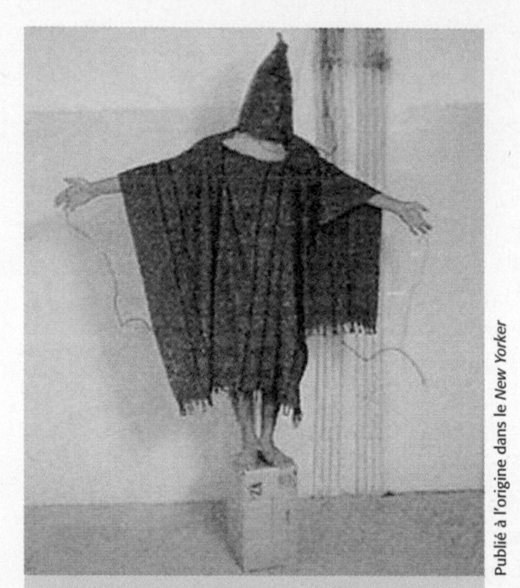

Publié à l'origine dans le *New Yorker*

Mauvaise graine ou poudrière ? Comme l'expérience de la prison de Stanford en 1971, le dérapage bien réel de la prison d'Abu Ghraib en 2004 est une situation puissamment malsaine, soutient le psychosociologue Philip Zimbardo.

En 2004, lorsque parurent les premières photographies de la prison d'Abu Ghraib en Irak, le monde civilisé fut choqué. Les photos montraient des gardes de l'armée américaine obligeant les prisonniers à se mettre nus, leur mettant des cagoules, les entassant, les poussant par des décharges électriques, les insultant en présence de chiens d'attaque et les soumettant à des privations de sommeil, des humiliations et des stress extrêmes. Était-ce comme l'ont supposé initialement tant de gens, un problème lié à quelques individus mauvais, des gardes irresponsables voire même sadiques ? Ce fut vraisemblablement ce verdict que choisit l'armée américaine lorsque, après avoir fait passer les soldats en Cour martiale et emprisonné certains, elle disculpa quatre des cinq officiers commandants en chef responsables de la police et des opérations d'Abu Ghraib. Les gardes militaires moins gradés étaient « des salauds et des malades », expliqua l'avocat de la défense d'un des officiers de commandement (Tarbert, 2004).

Cependant, beaucoup de psychosociologues nous rappellent qu'une situation malsaine peut transformer même de bons bougres en de mauvaises graines (Fiske et coll., 2004). Comme nous l'a montré Philip Zimbardo (2004), « lorsque des gens ordinaires sont placés dans un nouvel endroit malsain, comme le sont la plupart des prisons, la situation l'emporte sur l'homme », ajoutant « toutes les recherches pertinentes menées en psychosociologie depuis ces 40 dernières années ont montré que cela était vrai pour la majorité des gens ».

Considérez la situation, nous explique Zimbardo. Les gardes, dont la plupart étaient des soldats réservistes modèles sans aucun passé criminel ni sadique, étaient épuisés par un travail 12 heures d'affilée, sept jours sur sept. Ils faisaient face à un ennemi et leurs préjugés étaient accentués par leur peur des attaques mortelles et la mort violente de nombreux soldats. On leur donna le rôle de garde par manque de personnel, leur entraînement et leur surveillance furent minimes et on les encouragea à « réduire la résistance » des détenus interrogés qui ne pouvaient accéder à la Croix-Rouge. « Lorsque vous associez ces conditions de travail horribles aux facteurs externes abominables, c'est comme un baril de poudre. Vous pouvez mettre virtuellement n'importe qui dans cette poudrière et vous obtiendrez ce type de comportement cruel » (Zimbardo, 2005). Les comportements atroces se produisent souvent dans des situations atroces.

Les psychologues ajoutent une remarque de prudence : dans la simulation de la prison de Zimbardo, dans la prison d'Abu Ghraib et dans d'autres situations engendrant l'atrocité, certaines personnes succombent à la situation alors que d'autres pas (Carnahan et McFarland, 2007 ; Haslam et Reicher, 2007 ; Mastroianni et Reed, 2006 ; Zimbardo, 2007). Les gens et les situations interagissent. Comme le remarque John Johnson (2007), l'eau a le pouvoir de dissoudre certaines substances mais pas toutes. Dans l'eau, le sel se dissout mais pas le sable. De même, lorsqu'elles sont mises en présence de pommes pourries, seules certaines personnes deviennent de mauvaises graines.

Concernant l'engagement du président Lyndon Johnson dans la guerre au Vietnam : « Un président qui justifie ses actions uniquement devant le public peut être amené à les changer. Un président qui a justifié ses actions devant lui-même, croyant qu'il détient *la vérité*, devient insensible à l'autocorrection. »
Carol Tavris et Elliot Aronson, *Mistakes were made (but not by me)*, 2007

La discordance cognitive : soulager la tension Nous avons vu jusqu'à présent que nos actions peuvent affecter nos attitudes, transformant parfois les prisonniers en collaborateurs, les incrédules en croyants, de simples relations en amis et des gardes complaisants en gardes infligeant de mauvais traitements. Mais pourquoi ? Une des raisons est que lorsque nous nous rendons compte que nos attitudes et nos actions ne concordent pas, nous éprouvons une tension, appelée *discordance cognitive*. (Je suis conscient des menaces engendrées par le réchauffement climatique et je suis conscient, non sans un certain malaise, que je prends souvent des avions déversant beaucoup de CO_2. De ce fait, j'apprécie les compagnies aériennes qui me permettent de réduire cette discordance en me vendant, avec le billet, des compensations carbone). Selon la **théorie de la discordance cognitive** proposée par Leon Festinger, pour apaiser cette tension, les gens vont souvent mettre en accord leurs attitudes et leurs actions. C'est comme si les gens raisonnaient ainsi : « Si je choisis de faire (ou de dire) cela, je dois y croire. » Moins nous nous sentons obligés et plus nous nous sentons responsables d'une action qui nous trouble, plus nous éprouvons de discordance. Plus nous éprouvons cette discordance, plus nous sommes motivés à être cohérents, par exemple en changeant nos attitudes pour aider à justifier nos actes.

L'invasion américaine de l'Irak était surtout fondée sur le principe d'une menace liée à la possession, par Saddam Hussein, d'armes de destruction massive (ADM). Lorsque la guerre commença, seuls 38 p. 100 des Américains interrogés pensaient que la guerre était justifiée même s'il n'y avait pas d'ADM en Irak (Gallup, 2003) et près de 80 p. 100 croyaient que ces armes seraient découvertes (Duffy, 2003 ; Newport et coll., 2003). Lorsqu'aucune ADM ne fut trouvée, beaucoup d'Américains ressentirent une discordance qui était d'autant plus accentuée qu'ils avaient conscience du coût financier et des pertes humaines engendrés par cette guerre, des scènes de chaos en Irak et de l'exacerbation des sentiments anti-américains et pro-terroristes dans certaines parties du monde.

Pour réduire cette discordance, certaines personnes corrigèrent leurs souvenirs des principales raisons les ayant amenées à soutenir l'entrée en guerre : elles devinrent la libération d'un peuple oppressé et la promotion de la démocratie au Moyen-Orient. Très vite, cette opinion, jadis minoritaire devint le point de vue majoritaire : 58 p. 100 des Américains disaient soutenir la guerre même s'il n'y avait pas d'ADM (Gallup, 2003). Comme l'expliquait Frank Luntz (2003), spécialiste des sondages pour les Républicains, « qu'ils trouvent des armes de destruction massive ou non n'a pas grande importance, parce que les raisons de cette guerre ont changé ». Ce n'est que vers la fin de 2004, lorsque l'espoir d'une paix florissante s'est évanoui, que le soutien des Américains pour cette guerre est retombé en dessous de la barre des 50 p. 100.

Des douzaines d'expériences ont confirmé cette notion de discordance cognitive en rendant les gens responsables d'un comportement en désaccord avec leur attitude et ayant des conséquences prévisibles. Comme l'un des sujets d'une de ces expériences, vous pourriez accepter, en échange de 2 dollars, d'aider un chercheur à écrire un article en faveur d'une chose à laquelle vous ne croyez pas (par exemple une augmentation des frais de scolarité). Vous sentant responsable de ces affirmations (qui sont incompatibles avec vos attitudes), vous allez vraisemblablement éprouver une discordance, en particulier si vous pensez qu'un responsable pourrait lire votre texte. Comment pourriez-vous réduire cette discordance inconfortable ? L'un des moyens d'y parvenir serait de commencer à croire à votre prose mensongère, de laisser cette comédie devenir votre réalité.

Le principe selon lequel les attitudes font suite au comportement renferme une autre implication encourageante. Bien que nous ne puissions pas contrôler directement nos sentiments, nous pouvons les influencer en changeant notre comportement. (Souvenez-vous du chapitre 12 et des effets émotionnels des expressions faciales et des postures corporelles.) Si nous nous sentons déprimés, nous pouvons suivre les conseils des thérapeutes cognitivistes et nous exprimer de manière plus positive, démontrant une meilleure acceptation de soi-même et moins d'autocritique. Si nous ne sommes pas amoureux, nous pouvons le devenir davantage en nous comportant comme si nous l'étions – en étant prévenant, en exprimant notre affection et en affirmant l'être. « Affectez la vertu, si vous ne l'avez pas » dit Hamlet à sa mère, « car l'usage peut presque changer l'empreinte de la nature. »

Ce qu'il faut retenir : les actes mauvais façonnent notre moi. Mais il en est de même des bonnes actions. Agissez comme si vous aimiez quelqu'un et vous l'aimerez rapidement. Changer notre comportement peut changer ce que nous pensons des autres et ce que nous ressentons envers nous-mêmes.

:: Théorie de la discordance cognitive : théorie selon laquelle nous agissons pour réduire l'inconfort (discordance) que nous ressentons quand deux de nos pensées (cognitions) ne sont pas congruentes. Par exemple, quand on prend conscience que nos attitudes et nos actes sont en désaccord, on peut réduire la discordance en modifiant nos attitudes.

« Restez assis toute la journée dans une posture avachie en soupirant, répondez à tous avec une voix lugubre... et votre mélancolie s'accentuera ! Si nous voulons vaincre les tendances émotionnelles indésirables qui sont en nous, nous devons... afficher l'expression qui a notre préférence et qui est contraire à nos dispositions. »

William James, *Principles of Psychology*, 1890

AVANT D'ALLER PLUS LOIN...

➤ Interrogez-vous

Avez-vous des attitudes ou des habitudes que vous aimeriez modifier ? En utilisant le principe selon lequel les attitudes font suite au comportement, comment pourriez-vous changer ces attitudes ?

➤ Testez-vous 1

Un jour de neige, Marco va à l'université en voiture et évite de justesse une voiture qui passe au feu rouge. « Ralentis donc ! Quel mauvais conducteur », pense-t-il. Un instant après, Marco glisse au feu à un carrefour et s'écrie : « Oh là là ! Ces routes sont dangereuses. Il faudrait penser à sortir les chasse-neige. » Quel principe de psychologie sociale illustre Marco ? Expliquez votre réponse.

Les réponses aux questions « Testez-vous » sont données dans l'annexe B à la fin de l'ouvrage.

Influence sociale

L'ENSEIGNEMENT PRINCIPAL DE LA PSYCHOLOGIE SOCIALE est le pouvoir énorme de l'influence sociale. Cette influence peut être observée dans notre conformisme, notre soumission et notre comportement en groupe. Les suicides, les alertes à la bombe, les détournements d'avion et les observations de soucoupes volantes ont une curieuse tendance à se produire par vagues. Sur les campus universitaires, les jeans représentent le code vestimentaire ; dans les rues de Wall Street (New York) ou de Bond Street (Londres), le costume et la cravate sont de rigueur. Lorsque nous savons comment agir, nous préparer, parler, la vie s'écoule avec plus de douceur. Armés des principes de l'influence sociale, les publicitaires, les œuvres de bienfaisance et ceux qui mènent campagne cherchent à influencer nos décisions concernant nos achats, nos dons et nos intentions de vote. Isolés en compagnie de ceux qui partagent leurs doléances, les dissidents peuvent petit à petit devenir des rebelles, et les rebelles des terroristes. Examinons à présent ces forces sociales. Quelle est leur puissance ? Comment opèrent-elles ?

Conformisme et soumission

3. Que nous apprennent les expériences sur le conformisme et la soumission concernant le pouvoir des influences sociales ?

Le comportement est contagieux. Considérez ceci :

- Si un groupe de personnes regarde vers le haut, les passants vont s'arrêter pour faire la même chose.
- Les serveurs et les musiciens de rue savent comment « amorcer » leur coupelle avec des pièces pour faire croire que d'autres ont donné.
- Une personne se met à rire, à tousser ou à bâiller et d'autres membres du groupe vont bientôt faire de même. Les chimpanzés aussi ont de grandes chances de bâiller après avoir observé un autre chimpanzé bâiller (Anderson et coll., 2004).
- La « maladie » peut également être psychologiquement contagieuse. Dans l'anxiété de l'après-coup du 11 septembre, des enfants de plus d'une vingtaine d'écoles maternelles et primaires ont eu des éruptions de taches rouges, ce qui amena les parents à se demander s'ils n'avaient pas été victimes de terrorisme bactériologique (Talbot, 2002). Certains cas étaient sûrement dus au stress, mais selon les experts de la santé, les parents avaient seulement remarqué une poussée normale d'acné, des piqûres d'insectes, un eczéma ou une sécheresse cutanée due à des salles de classe surchauffées.

Nous sommes des imitateurs naturels – un effet que Tanya Chartrand et John Bargh (1999) appellent l'*effet caméléon*. Le fait d'imiter inconsciemment les expressions, les postures et la voix des autres nous permet de ressentir ce qu'ils ressentent. Cela explique pourquoi nous nous sentons plus heureux avec des personnes joyeuses qu'entourés de personnes déprimées, et pourquoi les études effectuées sur des groupes d'infirmières et de comptables anglais révèlent un *lien de l'humeur* qui fait partager les hauts et les bas (Totterdell et coll., 1998). Le simple fait d'entendre une personne lisant un texte neutre avec un ton joyeux ou triste entraîne la transmission « contagieuse » de l'humeur aux auditeurs (Neumann et Strack, 2000).

Chartrand et Bargh ont démontré l'effet caméléon en demandant à des étudiants de travailler dans une pièce à côté d'un complice travaillant pour l'expérimentateur. Celui-ci se frottait parfois le visage ou faisait bouger son pied. Les sujets avaient tendance à se frotter le visage quand ils se trouvaient à côté de la personne qui se frottait le visage, et à faire bouger leurs pieds en présence de la personne qui bougeait son pied. Ce phénomène d'imitation automatique relève de l'empathie : les personnes empathiques bâillent plus après avoir vu quelqu'un bâiller (Morrison, 2007). Et les personnes empathiques, qui ont tendance à imiter sont les plus appréciées. Et les personnes les plus désireuses de faire partie d'un groupe semblent le savoir intuitivement, car elles sont particulièrement enclines à en imiter inconsciemment les comportements (Lakin et Chartrand, 2003).

Parfois, l'effet de la suggestibilité est plus grave. Pendant les huit jours qui ont suivi le massacre de la Columbine High School en 1999 dans le Colorado, tous les États américains,

:: Conformisme : ajustement de la pensée ou du comportement de quelqu'un pour coïncider avec une norme du groupe.

excepté l'État du Vermont, ont fait l'objet de menaces similaires. À lui seul, l'État de Pennsylvanie a enregistré 60 menaces de ce genre (Cooper, 1999). Le sociologue David Phillips et ses collègues (1985, 1989) ont découvert que le nombre de suicides augmentait parfois après un suicide hautement médiatisé. Par exemple, après le suicide de Marilyn Monroe le 6 août 1962, le nombre de suicides au mois d'août aux États-Unis a dépassé de 200 le nombre habituel. Sur une période d'un an, un service de psychiatrie à Londres a enregistré 14 suicides parmi les patients (Joiner, 1999). Le jour qui a suivi l'exécution largement médiatisée de Saddam Hussein en Irak, il y a eu des cas de garçons en Turquie, au Pakistan, au Yemen, en Arabie Saoudite et aux États Unis qui se sont pendus, apparemment accidentellement, après avoir fait glisser un nœud coulant autour de leur propre tête (AP, 2007).

Quelle est la cause de ces groupes de suicides ? Les gens agissent-ils de la même manière en raison de l'influence qu'ils exercent les uns sur les autres ? Ou parce qu'ils sont confrontés en même temps aux mêmes événements et aux mêmes conditions de vie ? À la recherche de réponses, les psychosociologues ont mené des expériences sur la pression du groupe et le conformisme.

Pression du groupe et conformisme

La suggestibilité est une forme subtile de **conformisme** (adapter notre comportement ou notre pensée pour les amener à être en accord avec le standard du groupe). Pour étudier le conformisme, Solomon Asch (1955) élabora un test simple. En tant que participant à ce que vous pensez être une étude sur la perception visuelle, vous arrivez sur les lieux juste à temps pour prendre un siège à une table où cinq personnes sont déjà assises. L'expérimentateur demande laquelle de ces trois lignes de comparaison est identique à la ligne de référence (FIGURE 16.2). Vous voyez clairement que la réponse est la ligne 2 et vous attendez votre tour pour le dire après les autres. Vous commencez à vous ennuyer lorsque la série suivante s'avère tout aussi facile.

➤ FIGURE 16.2
Expériences de conformisme d'Asch
Laquelle de ces trois lignes de comparaison est identique à la ligne de référence ? Que pensez-vous que vont dire la plupart des gens après avoir entendu cinq autres personnes dire : « ligne 3 » ? Sur cette photographie prise pendant une des expériences d'Asch, le sujet (au centre) montre le profond malaise que lui procure le fait d'être en désaccord avec les réponses des autres membres du groupe (dans ce cas des complices de l'expérimentateur).

C'est alors qu'arrive le troisième essai et la réponse correcte semble tout aussi évidente, mais cette fois le premier sujet dit ce que vous remarquez être une mauvaise réponse : « ligne 3 ». Lorsque le second, puis le troisième et le quatrième sujet donnent la même réponse fausse, vous vous redressez sur votre siège et louchez sur les lignes. Lorsque le cinquième sujet s'avère être en accord avec les quatre premiers, vous sentez votre cœur commencer à battre plus fort et c'est alors que l'expérimentateur vous regarde et s'enquiert de votre réponse. Tiraillé entre l'unanimité des cinq autres sujets et l'évidence de ce que vous montrent vos yeux, vous vous sentez tendu et beaucoup moins sûr de vous que vous ne l'étiez un instant avant. Vous hésitez avant de répondre, vous demandant si vous devez subir le malaise d'être regardé comme un drôle d'oiseau. Quelle réponse donnerez-vous ?

Dans les expériences menées par Asch et d'autres après lui, des milliers d'étudiants ont vécu ce conflit. Répondant seuls à ce genre de question, ils se sont trompés dans moins de 1 p. 100 des cas. Mais les chiffres furent bien différents lorsque plusieurs autres, en accord avec l'expérimentateur, répondirent incorrectement. Bien que la plupart des personnes dirent la bonne réponse alors que les autres mentaient, Asch fut néanmoins troublé par les résultats : dans plus d'un tiers des cas, ces étudiants « intelligents et sensés » furent alors « désireux d'appeler blanc ce qui était noir », en répondant dans le même sens que le groupe.

Conditions renforçant le conformisme Le protocole d'Asch devint le modèle d'expériences ultérieures. Bien que les expériences n'aient pas toujours montré un tel degré de conformisme, elles révèlent que le conformisme s'accroît lorsque :

- nous sommes placés dans des conditions où nous nous sentons mal à l'aise ou incompétents ;
- le groupe comprend au moins trois personnes ;
- le groupe est unanime (le soutien d'un seul autre participant dissident augmente considérablement notre courage social) ;
- nous admirons le statut du groupe et sommes séduits par lui ;
- nous n'avons fait aucun choix antérieur sur une réponse quelconque ;
- d'autres membres du groupe observent notre comportement ;
- notre culture encourage fortement le respect des conventions sociales.

> « Avez-vous déjà remarqué qu'un exemple, qu'il soit bon ou mauvais, peut entraîner les autres ? Une voiture mal garée semble donner la permission à d'autres de se garer au même endroit. Une blague raciste est souvent suivie d'autres blagues du même genre. »
> Marian Wright Edelman, *The Measure of Our Success*, 1992

Il nous est donc possible de prédire le comportement d'Austin, un nouveau membre passionné, mais mal à l'aise, d'une association prestigieuse. Notant que les 40 autres membres semblent unanimes dans leur avis concernant une collecte de fonds à venir, il est peu probable qu'Austin formule son désaccord.

Raisons expliquant le conformisme Les poissons nagent en bancs. Les oiseaux se déplacent par volées. Les hommes aussi ont tendance à aller avec leur groupe, à penser comme lui et à l'imiter. Les chercheurs l'ont remarqué dans les résidences universitaires où, peu à peu, l'attitude des étudiants devient plus semblable à celle de ceux qui vivent à leur côté (Cullum et Harton, 2007). Mais pourquoi donc ? Pourquoi applaudissons-nous quand les autres applaudissent, mangeons-nous quand les autres mangent, croyons-nous ce que croient les autres et même voyons-nous ce qu'ils voient ? Le plus souvent, c'est pour éviter un rejet ou recevoir l'approbation sociale. Dans ces conditions, nous répondons à ce que les psychosociologues appellent une **influence sociale normative**. Nous sommes sensibles aux normes sociales, qui sont des règles implicites concernant un comportement accepté et attendu, car le prix à payer pour être différent peut être très élevé.

Mais le respect des normes n'est pas l'unique raison de notre conformisme : le groupe peut fournir des informations correctes et seule une personne très têtue n'écoutera jamais les autres. Lorsque nous acceptons l'opinion des autres à propos de la réalité, nous répondons à une **influence sociale informationnelle**. Comme l'avait observé Joseph Joubert, un essayiste français du XVIIIe siècle, « ceux qui ne rétractent jamais leurs opinions ont plus d'estime pour eux-mêmes que pour la vérité ». En 2004, Rebecca Denton a mis en évidence qu'il est parfois payant de supposer que les autres ont raison et de suivre leur guide. Denton a établi le record de la plus grande distance parcourue à contresens sur une autoroute britannique dont les deux voies sont séparées : elle a roulé 48 kilomètres avec un seul léger coup sur le côté, avant que l'autoroute ne présente une sortie et que la police ne soit capable de crever ses pneus. Denton expliqua par la suite qu'elle pensait que les centaines d'autres conducteurs qui venaient vers elle étaient tous à contresens (Woolcock, 2004).

« J'aime beaucoup cette façon que vous avez d'être identique à tous les autres. »

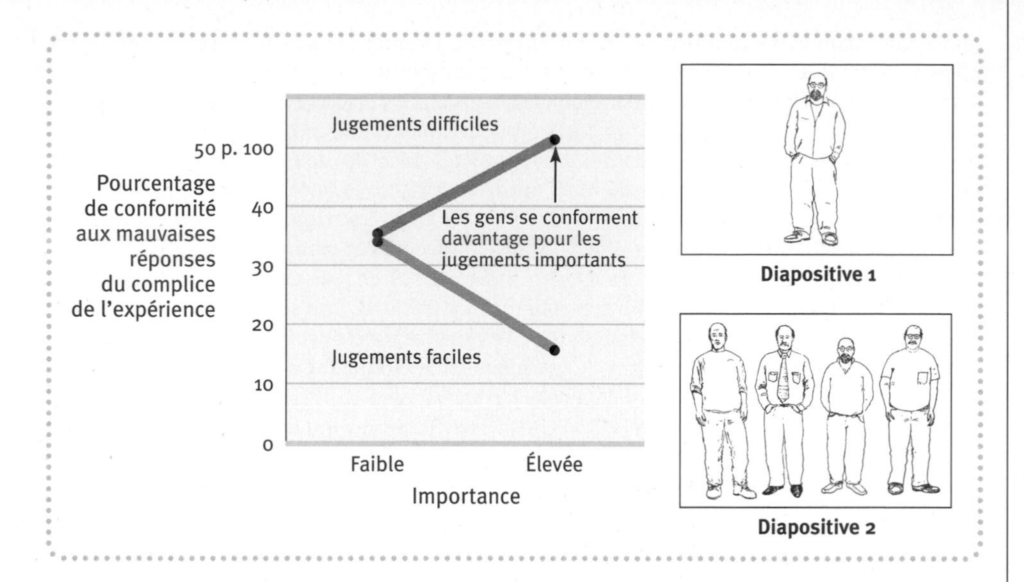

➤ FIGURE 16.3
L'influence informationnelle Consigne : après avoir visionné les diapositives 1 et 2, les participants devaient désigner le sujet de la diapositive 2 figurant également sur la diapositive 1. (D'après Baron et coll., 1996.)

Robert Baron et ses collaborateurs (1996) ont démontré très astucieusement notre réceptivité vis-à-vis de l'influence informationnelle lorsque nous devons émettre des jugements difficiles et importants. Ils ont modernisé l'expérience d'Asch en présentant à des étudiants de l'université d'Iowa une diapositive montrant une personne (le stimulus), suivie d'une seconde diapositive montrant quatre personnes (dont le stimulus) côte à côte (Figure 16.3). Au cours de l'expérience, la tâche de reconnaissance du stimulus était soit simple (le groupe de personnes était projeté pendant cinq secondes) soit difficile (le groupe de personnes n'étant projeté qu'une demi-seconde). Ils les conduisirent également à penser que leur jugement était soit sans importance (présenté comme un simple test préliminaire d'une quelconque procédure d'identification par des témoins oculaires), soit important (présenté comme servant à établir les normes d'une véritable procédure d'investigation policière, et doté d'une récompense de 20 dollars pour les participants donnant les réponses les plus précises). Lorsque les étudiants pensaient qu'il était important que leur jugement soit exact, ils se conformaient rarement lorsque la tâche de reconnaissance était facile ; en revanche, ils se conformaient dans la moitié des cas lorsque cette tâche devenait difficile. Lorsqu'il est important que nous donnions la bonne réponse, mais que nous sommes peu sûrs de la connaître, nous devenons réceptifs à l'opinion des autres.

Notre point de vue sur l'influence sociale, qu'il soit bon ou mauvais, dépend de nos valeurs. Lorsque l'influence s'exerce en faveur de ce que nous approuvons, nous applaudissons ceux qui ont l'« esprit ouvert » et sont assez « sensibles » pour y « répondre ». Lorsque l'influence soutient ce que nous désapprouvons, nous méprisons le « conformisme soumis » de ceux qui se rangent aux vœux des autres. Comme nous l'avons vu au chapitre 4, les cultures varient dans l'importance qu'elles accordent à l'individualisme ou au collectivisme. Les Européens de l'Ouest et les habitants de la plupart des pays anglophones ont tendance à préférer l'individualisme au conformisme et à l'obéissance. Ces valeurs se reflètent dans les expériences sur l'influence sociale qui ont été menées dans 17 pays : dans les cultures plutôt individualistes, le taux de conformisme est plus bas (Bond et Smith, 1996). Aux États-Unis, pays individualiste, les étudiants ont tendance à se considérer moins conformistes que les autres dans les domaines allant des achats des biens de consommation aux opinions politiques (Pronin et coll., 2007). Nous sommes, à nos yeux, des individus au milieu d'un troupeau de moutons. Ainsi, les tatouages, jadis symbole du non-conformisme, peuvent perdre leur attrait s'ils deviennent trop populaires.

Soumission

Le psychosociologue Stanley Milgram (1963, 1974), élève de Solomon Asch, savait que les gens se soumettent souvent à la pression sociale. Mais comment répondent-ils à des ordres illégaux ? Pour le savoir, il entreprit ce qui est devenu l'une des expériences les plus connues et les plus controversées de la psychologie sociale. Imaginez que vous soyez l'un des quelque 1000 participants aux 20 expériences de Milgram.

Répondant à une annonce, vous vous présentez au département de psychologie de l'université de Yale pour participer à une expérience. Un assistant du professeur Milgram explique

::Influence sociale normative : influence résultant du désir d'une personne d'obtenir l'approbation ou d'éviter la désapprobation.

::Influence sociale informationnelle : influence résultant de la volonté d'une personne d'accepter les opinions d'autrui à propos de la réalité.

Avec l'autorisation de CUNY Graduate School et University Center

Stanley Milgram (1933-1984)
Les expériences sur la soumission de ce psychosociologue « appartiennent maintenant au bagage d'une personne instruite de notre époque » (Sabini, 1986).

que l'étude concerne les effets de la punition sur l'apprentissage. Vous, et un autre sujet, allez tirer au sort pour déterminer qui sera l'« enseignant » (c'est vous qui le serez) et qui sera l'« élève ». L'élève est alors conduit dans une pièce adjacente et attaché sur une chaise qui est reliée, à travers le mur, à un appareil délivrant des chocs électriques. Vous êtes assis devant la machine présentant des boutons étiquetés avec des tensions variables. Votre rôle est d'apprendre à l'élève une liste de mots appariés, puis de le tester. Vous devez punir l'élève pour chaque réponse fausse en lui envoyant un bref choc électrique, en commençant par un bouton étiqueté « 15 volts : choc léger ». Après chaque erreur commise par l'élève, vous vous déplacez jusqu'au bouton suivant, de tension supérieure. À chaque pression sur un bouton, des lumières s'allument, les relais des interrupteurs cliquettent et une sonnerie se fait entendre.

Si vous vous soumettez aux instructions de l'expérimentateur, vous entendez l'élève grogner lorsque vous appuyez sur le troisième, le quatrième et le cinquième bouton. Après avoir appuyé sur le huitième bouton (étiqueté « 120 volts : choc modéré »), l'élève se plaint que les chocs sont douloureux. Après le dixième (« 150 volts : choc intense »), il crie : « Sortez-moi de là ! Je ne veux plus faire partie de l'expérience ! Je refuse de continuer ! » Vous reculez en entendant ces plaintes, mais l'expérimentateur vous pousse : « S'il vous plaît, continuez ; l'expérience exige que vous continuiez. » Si vous résistez encore, il insiste : « Il est absolument essentiel que vous poursuiviez » ou « Vous n'avez pas d'autres choix, vous *devez* continuer. »

Si vous obéissez, vous entendez les protestations de l'élève s'élever jusqu'à des cris d'agonie au fur et à mesure que vous augmentez l'intensité des chocs après chaque nouvelle erreur. Arrivé au niveau de 330 volts, l'élève refuse de répondre et bientôt le silence tombe. De nouveau, l'expérimentateur vous incite à appuyer sur le dernier bouton de 450 volts, vous ordonnant de poser la question et d'administrer le niveau suivant si une réponse correcte n'est pas fournie.

Jusqu'à quel point pensez-vous que vous suivriez les ordres de l'expérimentateur ? Au cours d'une enquête que Milgram effectua avant l'expérience, la plupart des sujets déclarèrent qu'ils cesseraient de jouer un rôle aussi sadique dès que l'élève indiquerait la première douleur et certainement bien avant les cris d'agonie. Ce fut aussi la prédiction faite par chacun des 40 psychiatres à qui Milgram demanda de prévoir le résultat de l'expérience. Lorsque Milgram réalisa l'expérience avec des hommes âgés de 20 à 50 ans, il fut étonné de voir que 63 p. 100 se plièrent complètement aux instructions jusqu'à délivrer le dernier choc. Dix études effectuées par la suite incluant des femmes révélèrent que leur niveau de conformité était similaire à celui des hommes (Blass, 1999).

Les « enseignants » pensaient-ils que c'était une blague et qu'aucun choc électrique n'était administré ? Croyaient-ils que l'élève était un complice qui ne faisait que prétendre recevoir des chocs ? Réalisaient-ils que l'expérience voulait en fait tester leur bonne volonté à obéir à des instructions infligeant une punition ? Non, les « enseignants » manifestaient une véritable angoisse, ils étaient en sueur, tremblaient, riaient nerveusement et se mordaient les lèvres. Au cours d'une récente reconstitution de ces expériences par réalité virtuelle, les participants ont répondu de manière très similaire à celle des participants de Milgram, avec également une transpiration et une accélération du rythme cardiaque lorsqu'ils ont infligé un choc à une femme virtuelle sur l'écran en face d'eux (Slater et coll., 2006).

L'usage par Milgram de la tromperie et du stress a déclenché un débat sur l'éthique de ses recherches. Pour sa défense, Milgram déclara qu'après avoir appris qu'ils avaient été trompés et avoir compris l'enjeu de ces recherches, pratiquement aucun participant ne regretta d'y avoir pris part (bien que peut-être à ce moment-là, les participants aient diminué leur discordance). Quand 40 des « enseignants » qui avaient le plus souffert furent interrogés plus tard par un psychiatre, aucun ne présentait de séquelles émotionnelles. D'après Milgram, les expériences ont provoqué moins de stress chez les participants que les examens importants auxquels font face les étudiants et qui se terminent par un échec (Blass, 1996).

Se demandant s'il était possible que les participants aient obéi parce que les protestations des « élèves » n'étaient pas convaincantes, Milgram répéta cette expérience avec 40 nouveaux « enseignants ». Cette fois-ci, son complice mentionna un « léger problème cardiaque » lorsqu'on l'attacha sur la chaise et ensuite se plaignit et hurla avec plus de force lorsque les chocs devinrent plus intenses. Cette fois-ci encore, 65 p. 100 des nouveaux « enseignants » obéirent jusqu'au bout (FIGURE 16.4).

Lors d'expériences ultérieures, Milgram découvrit que des détails subtils d'une situation influençaient considérablement les sujets. En variant les origines sociales de ses sujets, la proportion de ceux qui se soumettaient totalement pouvait varier de 0 à 93 p. 100. La soumission était plus importante quand :

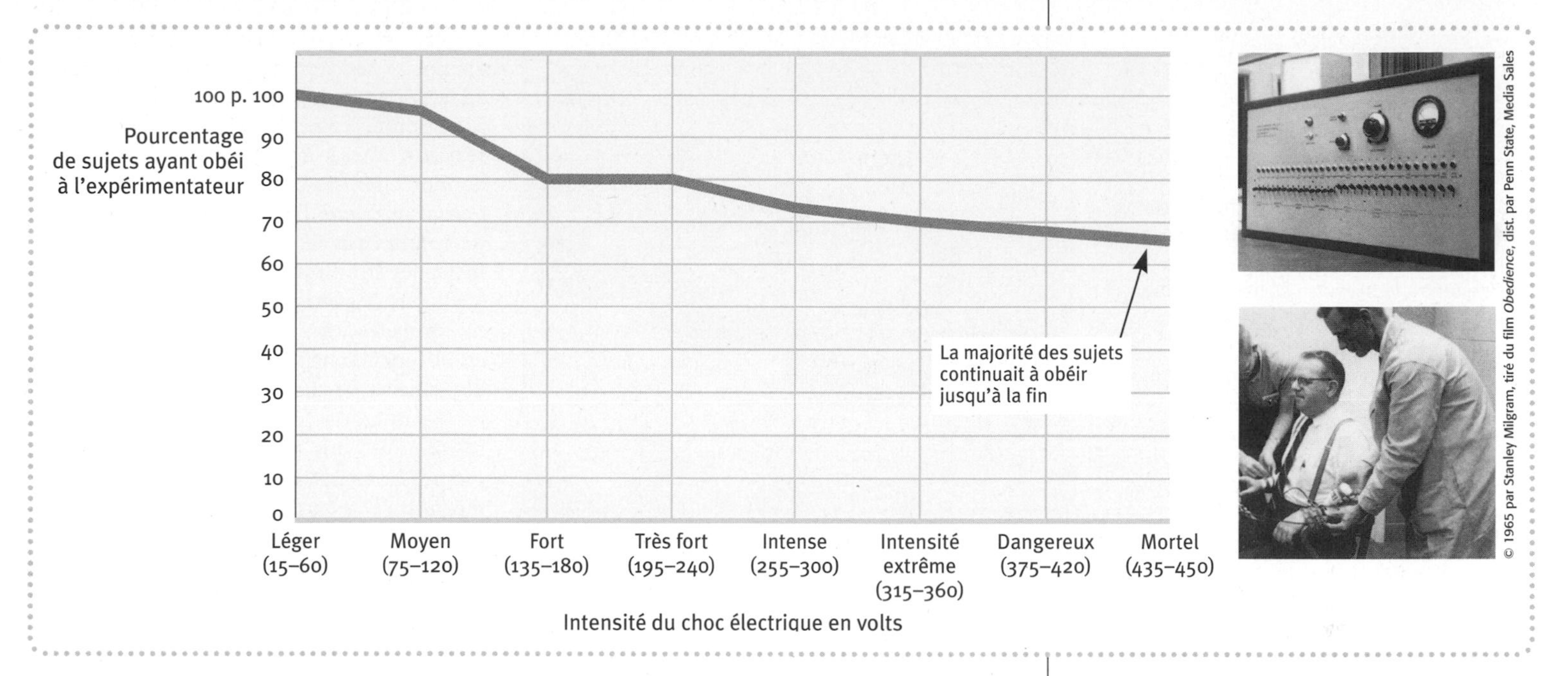

© 1965 par Stanley Milgram, tiré du film *Obedience*, dist. par Penn State, Media Sales

➤ FIGURE 16.4
Expérience ultérieure de Milgram menée sur l'évolution de la soumission
En reproduisant la première expérience, 65 p. 100 des « enseignants » adultes de sexe masculin se soumirent jusqu'au bout aux injonctions de continuer faites par l'expérimentateur. Cela se fit en dépit des « problèmes cardiaques » que l'élève avait mentionné auparavant et des cris de protestation émis après un choc de 150 volts ou des cris d'agonie poussés après 330 volts. (Données tirées de Milgram, 1974.)

- la personne qui donnait les ordres était à proximité du sujet et perçue comme une figure légitime d'autorité. (Ce fut le cas en 2005, lorsque l'entraîneur de basket de l'université de Temple fit entrer en jeu Nehemiah Ingram, un joueur de 113 kg, avec comme instruction de jouer à la « déloyale ». Suivant les ordres, Ingram heurta au bout de quatre minutes un adversaire et lui cassa le bras droit) ;
- la figure d'autorité était soutenue par une institution prestigieuse. Milgram obtint une moins bonne complaisance lorsqu'il dissocia ses expériences de l'université de Yale ;
- la victime était dépersonnalisée ou à distance, même dans une autre pièce. (De même, lors d'un combat avec un ennemi qu'ils peuvent voir, beaucoup de soldats n'appuient pas sur la détente ou ne visent pas correctement. De tels refus de tuer sont rares chez ceux qui utilisent des armes agissant à grande distance comme l'artillerie ou l'aviation [Padgett, 1989]) ;
- il n'y avait personne représentant un modèle de défi, c'est-à-dire lorsqu'on ne voyait aucun autre sujet désobéissant à l'expérimentateur.

Le pouvoir d'autorités légitimes et proches est particulièrement apparent dans les récits de ceux qui ont obéi aux ordres de perpétrer les atrocités de l'Holocauste et dans les récits de ceux qui ne l'ont pas fait. L'obéissance en soi ne permet pas d'expliquer l'Holocauste ; l'idéologie antisémite a également produit de fervents meurtriers (Mastroianni, 2002). Mais l'obéissance était un des facteurs. Au cours de l'été 1942, environ 500 Allemands d'âge moyen, officiers de police de réserve, furent envoyés à Jozefow, en Pologne, dans un territoire occupé par l'Allemagne. Le 13 juillet, le commandant du groupe, visiblement bouleversé, informa ses recrues, pour la plupart des pères de famille, qu'ils avaient été chargés d'encercler les juifs du village soupçonnés d'aider l'ennemi. Les hommes valides devaient être transférés dans des camps de travail et tous les autres devaient être exécutés sur place. Ayant la possibilité de refuser de participer à l'exécution, seule une douzaine refusa immédiatement. En 17 heures, les 485 officiers restants tuèrent 1 500 femmes, enfants et vieillards sans défense en leur tirant une balle dans la nuque alors qu'ils étaient couchés face contre terre. Confrontés aux plaintes de leurs victimes et voyant l'horreur de ce qu'ils faisaient, environ 20 p. 100 des policiers firent finalement dissidence, s'arrangeant soit pour rater leur victime, soit pour s'éloigner et se cacher jusqu'à ce que le massacre soit terminé (Browning, 1992). Mais, dans la vraie vie comme dans l'expérience de Milgram, les rebelles furent la minorité.

Pendant ce temps, dans le village français de Le Chambon, des juifs français destinés à la déportation en Allemagne furent cachés par les villageois qui défièrent ouvertement les ordres de coopérer avec l'« Ordre Nouveau ». Les ancêtres de ces villageois avaient eux-mêmes été

Dessiné par Mel Yauk.

« Avancez James, je veux me suicider. »

AP/Wide World Photos

Debout pour la démocratie Certains individus – à peu près une personne sur trois dans les expériences de Milgram – résistent à la pression sociale, comme le fit cet homme sans arme à Beijing (Pékin), en défiant seul et à mains nues une rangée de chars en marche, le lendemain de l'écrasement du soulèvement des étudiants de la place Tien an Men en 1989.

persécutés et leurs pasteurs leur avaient appris à « résister chaque fois que [leurs] adversaires [leur] demandaient d'obéir à un ordre contraire à la loi divine » (Rochat, 1993). Sommé par la police de donner une liste des juifs cachés, le pasteur avait donné l'exemple du refus : « Je ne connais pas de juifs, je connais seulement des êtres humains. » Sans réaliser à quel point la guerre serait longue et terrible ni connaître les punitions et la pauvreté qu'ils endureraient, les villageois firent, dès le début, le choix de résister. Soutenus par leurs croyances, leurs modèles, leurs relations les uns avec les autres et leurs propres actes initiaux, ils restèrent insoumis jusqu'à la fin de la guerre.

Enseignements tirés des études sur le conformisme et la soumission

Que nous apprennent les expériences de Asch et de Milgram sur nous-mêmes ? Comment le fait d'évaluer la longueur d'une ligne ou d'appuyer sur un bouton délivrant un choc électrique est-il relié à notre comportement social quotidien ? Rappelez-vous qu'au chapitre 1, nous avons vu que les expériences psychologiques n'ont pas pour objet de recréer les comportements véritables de notre vie de tous les jours, mais de saisir et d'explorer les processus sous-jacents qui façonnent ces comportements. Asch et Milgram ont conçu des expériences dans lesquelles les sujets avaient à choisir entre s'en tenir à leurs propres références ou être sensibles à celles des autres, un dilemme que nous rencontrons tous fréquemment.

Dans les expériences de Milgram, les sujets étaient également tiraillés entre ce à quoi ils devaient répondre : les plaintes de la victime ou les ordres de l'expérimentateur. Leur sens moral leur suggérait de ne pas faire de mal, mais il les poussait aussi à obéir à l'expérimentateur et à être un bon élément au sein de l'équipe de recherche. Lorsque la bonté et l'obéissance entrent en conflit, c'est en général l'obéissance qui l'emporte.

Ces expériences démontrent que les influences sociales peuvent être assez puissantes pour inciter les gens à se conformer à des mensonges ou à capituler devant la cruauté. « La leçon la plus fondamentale de notre étude, notait Milgram, est que des gens ordinaires, faisant simplement leur travail et sans aucune hostilité particulière, peuvent devenir les agents d'un terrible processus de destruction » (1974, p. 6). Milgram ne prenait pas ses sujets au piège en leur demandant dès le départ d'envoyer à leur « élève » un choc électrique suffisamment important pour faire se dresser les cheveux sur la tête. Il exploitait plutôt l'effet du « doigt dans l'engrenage », en commençant par une légère décharge électrique et en l'augmentant étape par étape. Dans l'esprit de ceux qui délivraient les chocs électriques, le premier pas devenait justifié, rendant l'étape suivante tolérable. À Jozefow, à Le Chambon ou dans les expériences de Milgram, ceux qui ont résisté l'ont souvent fait dès le début. Après les premières actions d'obéissance ou de résistance, les attitudes commençaient à suivre et à justifier le comportement.

C'est ce qui arrive lorsque des individus succombent graduellement au mal. Dans n'importe quelle société, l'horreur se développe à partir de l'acquiescement des gens à des choses insignifiantes. Les chefs nazis soupçonnèrent que la plupart des civils allemands seraient réticents à abattre ou à gazer les juifs directement, mais ils les trouvèrent d'une bonne volonté étonnante pour s'occuper des documents administratifs concernant l'Holocauste (Silver et Geller, 1978). De même, lorsque Milgram demanda à 40 hommes de faire passer le test d'apprentissage pendant que quelqu'un d'autre appuyait sur le bouton, 93 p. 100 obéirent. Contrairement à notre image des méchants diaboliques, le mal ne nécessite pas des personnages monstrueux ; il suffit d'avoir des gens ordinaires corrompus par une situation diabolique : des soldats ordinaires qui suivent l'ordre de torturer des prisonniers, des étudiants ordinaires qui suivent l'ordre de bizuter les nouveaux arrivants, des employés ordinaires qui suivent l'ordre de produire et de commercialiser des produits dangereux. Avant d'entreprendre l'attentat du 11 septembre, Mohamed Atta était une personne saine, rationnelle, un « bon garçon » et un excellent étudiant issu d'une famille unie ; l'opposé de l'idée que l'on se fait d'un monstre barbare.

« J'exécutais simplement les ordres. »
Adolf Eichmann, responsable du programme nazi de déportation des juifs vers les camps de concentration

« La réaction normale à une situation anormale est un comportement anormal. »
James Waller, *Becoming Evil : How Ordinary People Commit Genocide and Mass Killing*, 2007

Influence du groupe

Comment les groupes influencent-ils notre comportement ? Pour le savoir, les psychosociologues étudièrent les influences variées qui existent dans le plus simple des groupes, une personne en présence d'une autre, et celles qui sont à l'œuvre dans des groupes plus complexes comme les familles, les équipes ou les structures de décision.

Comportement individuel en présence d'autres personnes

4. De quelle manière notre comportement est-il affecté par la présence des autres ou par le fait de faire partie d'un groupe ?

Les premières expériences de la psychologie sociale se sont évidemment focalisées sur la plus simple des questions concernant le comportement social : comment sommes-nous influencés par les gens qui nous regardent ou se joignent à nous lorsque nous pratiquons diverses activités ?

Facilitation sociale Ayant remarqué que les temps réalisés par des cyclistes étaient meilleurs lorsqu'ils couraient l'un contre l'autre plutôt que contre le chronomètre, Norman Triplett (1898) supposa que la présence des autres améliorait la performance. Pour tester cette hypothèse, Triplett demanda à des adolescents de rembobiner avec un moulinet la ligne d'une canne à pêche aussi rapidement que possible. Il découvrit qu'ils la rembobinaient plus rapidement en présence de quelqu'un qui accomplissait simultanément la même tâche. Cette performance supérieure en présence d'autrui est connue sous le nom de **facilitation sociale**. Par exemple, lorsque le feu passe au vert, les conducteurs mettent 15 p. 100 de temps en moins pour parcourir les premiers cent mètres lorsqu'une autre voiture est à côté d'eux que lorsqu'ils sont seuls (Towler, 1986).

Mais pour des tâches difficiles (apprendre des syllabes sans aucun sens ou résoudre des séries complexes de multiplications), les gens réussissent *moins* bien s'il y a des observateurs ou d'autres personnes faisant la même chose. Des études complémentaires ont montré pourquoi la présence d'autrui peut parfois aider et parfois gêner la performance (Guerin, 1986 ; Zajonc, 1965). Lorsque nous sommes observés par d'autres, nous sommes stimulés. Cette activation renforce la réponse la plus *probable* : une réponse correcte si la tâche est facile, une réponse incorrecte si la tâche est difficile. Ainsi, quand on nous observe, nous réussissons effectivement plus rapidement et plus précisément les opérations bien apprises et de façon moins rapide et moins précise les tâches non maîtrisées.

James Michaels et ses collaborateurs (1982) montrèrent que les joueurs d'un groupe de bons buteurs qui réussissaient 71 p. 100 de leurs tirs lorsqu'ils étaient seuls, passaient à 80 p. 100 lorsqu'il y avait quatre personnes pour les regarder. Les mauvais tireurs, qui réussissaient 36 p. 100 de leurs tirs lorsqu'ils étaient seuls, n'en réussissaient plus que 25 p. 100 devant des spectateurs. Les effets stimulants d'une assistance enthousiaste contribuent vraisemblablement à expliquer l'avantage que représente pour différents sports d'équipe le fait de jouer « à domicile ». Les études effectuées sur plus de 80 000 manifestations sportives universitaires ou professionnelles au Canada, aux États-Unis et en Grande-Bretagne ont montré que les équipes locales gagnaient 6 parties sur 10 (un peu moins pour le base-ball et le football américain, un peu plus pour le basketball et le football – *voir* TABLEAU 16.1).

Ce qu'il faut retenir : ce que vous faites bien, vous avez des chances de le faire encore mieux devant un public et en particulier devant un public chaleureux ; ce que vous trouvez difficile en temps normal peut sembler impossible lorsque d'autres vous regardent.

La facilitation sociale permet également d'expliquer un effet bizarre de la foule, comme par exemple le fait qu'une comédie semble modérément amusante à ceux qui l'ont vue dans une salle vide et beaucoup plus drôle à ceux qui l'ont vue dans une salle comble (Aiello et coll., 1983 ; Freedman et Perlick, 1979). Comme le savent les comiques et les acteurs, une « bonne salle » est une salle pleine. L'excitation provoquée par la foule amplifie également d'autres réactions. Assis côte à côte, les sujets d'une expérience vont apprécier davantage une personne sympathique et moins une personne peu sympathique (Schiffenbauer et Schiavo, 1976 ; Storms et Thomas, 1977). La leçon qu'il faut en tirer : si vous devez choisir une salle pour un cours ou installer des chaises pour une réunion, ayez juste assez de places assises.

:: Facilitation sociale : amélioration des résultats dans le cas de tâches simples et bien apprises, en présence des autres.

TABLEAU 16.1

AVANTAGE DES PRINCIPALES ÉQUIPES DE SPORT QUAND ELLES JOUENT « À DOMICILE »

Sport	Nombre de matchs étudiés	Nombre de matchs gagnés par l'équipe locale (en pourcentage)
Base-ball	23 034	53,5
Football américain	2 592	57,3
Hockey sur glace	4 322	61,1
Basketball	13 596	64,4
Football	37 202	69,0

D'après Courneya et Carron, 1992

Paresse sociale Les expériences de facilitation sociale évaluent l'effet de la présence des autres sur les performances à une tâche individuelle, comme tirer une série de paniers. Mais qu'en est-il des performances lorsque les personnes effectuent cette tâche en commun ? Dans une équipe de tir à la corde, par exemple, pensez-vous que les efforts que chacun va effectuer individuellement seront supérieurs, inférieurs ou équivalents à ceux qu'ils déploieraient dans une compétition à un contre un ? Pour le découvrir, Alan Ingham et son équipe (1974) demandèrent à des étudiants de l'université du Massachusetts dont ils avaient bandé les yeux de « tirer aussi fort qu'ils le pouvaient » sur une corde. Lorsque Ingham fit croire aux étudiants que trois autres personnes tiraient également derrière eux, ils déployèrent seulement 82 p. 100 des efforts mis en œuvre lorsqu'ils se croyaient seuls à tirer.

Pour décrire cette diminution de l'effort, Bibb Latané (1981 ; Jackson et Williams, 1988) utilisa le terme de **paresse sociale**. Au cours de 78 expériences menées aux États-Unis, en Inde, en Thaïlande, au Japon, en Chine et à Taïwan, la paresse sociale fut observée dans des tâches variées, quoique plus particulièrement chez les hommes appartenant à des cultures individualistes (Karau et Williams, 1993). Dans l'une des expériences de Latané, des sujets aux yeux bandés assis dans un groupe ont applaudi et crié aussi fort qu'ils le pouvaient en écoutant à travers un casque des applaudissements ou des hurlements. Lorsqu'on leur disait qu'ils le faisaient avec d'autres, les sujets firent environ un tiers de bruit en moins que lorsqu'ils pensaient que leur effort individuel était identifiable.

Pourquoi cette paresse sociale ? D'abord, les gens qui agissent au sein d'un groupe se sentent moins responsables et se soucient donc beaucoup moins de ce que peuvent penser les autres. Ensuite, ils peuvent considérer que leur participation n'est pas indispensable (Harkins et Szymanski, 1989 ; Kerr et Bruun, 1983). Comme le savent bien de nombreux responsables d'organisations (et comme vous l'avez sûrement remarqué lors de la création de groupes à l'université), si les membres du groupe partagent les bénéfices à parts égales sans que la contribution effective de chacun soit prise en compte, ils peuvent baisser les bras. À moins de s'identifier fortement au groupe ou d'être très motivé, ils peuvent se reposer sur les efforts des autres membres du groupe.

Désindividualisation Ainsi, la présence d'autrui peut stimuler les gens (comme dans les expériences de facilitation sociale) ou diminuer leur sentiment de responsabilité (comme dans les expériences de paresse sociale). Parfois, la présence des autres peut à la fois stimuler les gens *et* diminuer leur sens des responsabilités. Le résultat peut être un comportement débridé allant de la bataille de nourriture au réfectoire ou des hurlements contre un arbitre de basket jusqu'au vandalisme ou à l'émeute. Le fait d'abandonner ses réserves habituelles face au pouvoir du groupe est un processus appelé **désindividualisation**. Être désindividualisé, c'est être moins conscient de soi-même et moins réservé dans une situation de groupe.

La désindividualisation se produit souvent lorsque la participation au groupe permet aux gens de se sentir stimulés et anonymes. Au cours d'une expérience, des femmes de l'université de New York vêtues des cagoules dépersonnalisantes ressemblant à celles du Ku Klux Klan administrèrent deux fois plus de chocs électriques à une victime que ne le firent les femmes identifiables (Zimbardo, 1970). (Comme dans toutes ces expériences, la « victime » ne recevait pas réellement de décharges.) De même, les guerriers tribaux qui se dépersonnalisent en peignant leur visage ou en portant des masques ont plus tendance que ceux dont le visage est découvert à tuer, torturer ou mutiler les ennemis capturés (Watson, 1973). Que ce soit au sein d'une bande, lors d'un concert de rock, au cours d'un match (basket, football ou autre) ou au cours d'une cérémonie religieuse, perdre la conscience de soi-même (se désindividualiser), c'est devenir plus sensible à l'expérience de groupe.

Effets des interactions de groupe

5. Qu'est-ce que la polarisation de groupe et la pensée de groupe ?

Nous avons examiné les conditions dans lesquelles la *présence* d'autrui pouvait :

- inciter les gens à se reposer sur les efforts des autres ou les motiver à s'impliquer davantage ;
- rendre plus facile les tâches aisées et plus difficiles les tâches complexes ;
- renforcer l'humeur ou alimenter la violence des bandes.

La recherche a montré comment les *interactions* au sein d'un groupe pouvaient également avoir de bons comme de mauvais côtés.

:: **Paresse sociale** : tendance d'une personne au sein d'un groupe à exercer un effort moindre lorsque les efforts de tous sont réunis pour atteindre un but commun que lorsque les efforts de chacun sont mesurables.

:: **Désindividualisation** : perte de la conscience de soi et de l'autocensure se produisant dans des situations de groupe qui augmentent l'excitation et l'anonymat.

:: **Polarisation du groupe** : affirmation des attitudes majoritaires d'un groupe au fil des discussions.

Polarisation du groupe Les chercheurs en sciences de l'éducation ont noté que la différence initiale entre groupes d'étudiants grandissait souvent au fil du temps. Si les étudiants de première année de l'université X ont tendance à être plus « intellectuels » que ceux de l'université Y, il y a des chances que cette différence s'accentue en fin de cursus. De même, si le conservatisme politique des étudiants qui adhèrent à une confrérie est plus important que celui des étudiants qui n'y participent pas, le fossé entre les attitudes politiques des deux groupes va probablement s'élargir au fur et à mesure qu'ils poursuivront leurs études (Wilson et coll., 1975). Comme le note Eleanor Maccoby (2002) après des dizaines d'années d'observation sur le développement en fonction du sexe, les filles parlent plus intimement que les garçons, jouent et fantasment de manière moins agressive qu'eux et ces différences s'affirment avec le temps à mesure qu'elles communiquent principalement avec des personnes du même sexe.

Cet accroissement des tendances dominantes d'un groupe, appelé **polarisation du groupe**, survient lorsque les membres du groupe discutent des attitudes qui, pour la plupart, les rapprochent ou les opposent. La polarisation du groupe peut avoir des résultats bénéfiques, comme lorsqu'elle affermit une quête spirituelle assumée ou renforce la détermination des participants à un groupe d'entraide, ou raffermit les sentiments de tolérance dans un groupe ayant de faibles préjugés. Mais elle peut aussi avoir les pires conséquences. Par exemple, Georges Bishop et moi-même avons découvert que lorsque des étudiants ayant beaucoup de préjugés discutaient de racisme, leurs préjugés *augmentaient* (Figure 16.5). (Les étudiants ayant peu de préjugés devenaient encore plus tolérants.) La séparation idéologique et la polarisation de cette expérience trouvaient un parallèle dans l'augmentation de la polarisation des Américains politisés. Le pourcentage de comtés dont l'électorat votait à 60 p. 100 ou plus pour un candidat aux présidentielles a augmenté, passant de 26 p. 100 en 1976 à 48 p. 100 en 2004 (Bishop, 2004). De plus en plus, les personnes vivent à proximité les unes des autres et apprennent des autres qui pensent comme elles. Une expérience a réuni de petits groupes de citoyens dans la ville libérale de Boulder dans le Colorado et d'autres groupes dans la ville plutôt conservatrice de Colorado Springs pour discuter du réchauffement climatique, de la discrimination positive et des mariages homosexuels. Bien que ces débats aient renforcé les accords au sein des groupes, les groupes de Boulder ont développé des idées encore plus « libérales » et ceux de Colorado Springs encore plus « conservatrices » (Schkade et coll., 2006). Ainsi, la séparation idéologique associée à la délibération entraîne une polarisation entre les groupes.

Cet effet de polarisation des interactions entre des personnes ayant les mêmes idées s'applique également aux terroristes candidats au suicide. Après avoir analysé les organisations terroristes du monde entier, les psychologues Clark McCauley et Mary Segal (1987 ; McCauley, 2002) ont noté que la mentalité des terroristes ne surgit pas soudainement. Cette mentalité se forge entre des personnes qui se rassemblent pour exprimer leurs griefs et qui deviennent de plus en plus extrémistes à mesure qu'elles interagissent dans l'isolement sans aucune influence modératrice. De plus en plus, les membres du groupe (qui peuvent être isolés dans des camps avec d'autres « frères » et « sœurs ») cataloguent le monde en deux : « nous » contre « eux » (Moghaddam, 2005 ; Qirko, 2004). Le terrorisme suicide n'est pratiquement jamais entrepris sur un coup de tête personnel, rapporte le chercheur Ariel Merari (2002). En 2006, le *National Intelligence Estimate* américain disait : « Nous estimons que la menace opérationnelle des cellules terroristes radicales continuera à se développer », spéculant que les individus continueront à être polarisés par les chambres de réverbération formées de personnes pensant de manière identique.

Internet est un moyen pour la polarisation de groupe. Des dizaines de milliers de groupes virtuels permettent à des parents endeuillés, des médiateurs et des enseignants de trouver du réconfort et un soutien de la part de personnes avec lesquelles ils ont des affinités. Mais Internet permet également aux gens ayant des intérêts communs en ce qui concerne les conspirations gouvernementales, les visiteurs extraterrestres, la suprématie des Blancs, la création de milices, de se contacter et de trouver un soutien pour les soupçons qu'ils partagent (McKenna et Bargh, 1998).

Pensée de groupe Les interactions de groupe peuvent-elles aboutir à fausser d'importantes décisions ? C'est ce que pensa le psychosociologue Irving Janis lorsqu'il lut le récit de l'historien Arthur M. Schlesinger Jr., décrivant comment le président John F. Kennedy et ses conseillers firent l'erreur de se lancer dans un plan funeste pour envahir Cuba avec 1 400 exilés cubains entraînés par la CIA. Lorsque les envahisseurs furent facilement capturés et que le lien avec le

➤ FIGURE 16.5
Polarisation du groupe Si un groupe partage les mêmes opinions, la discussion renforce les opinions dominantes. Parler de racisme augmente les préjugés dans un groupe de lycéens intolérants et les diminue dans un groupe tolérant. (Myers et Bishop, 1970.)

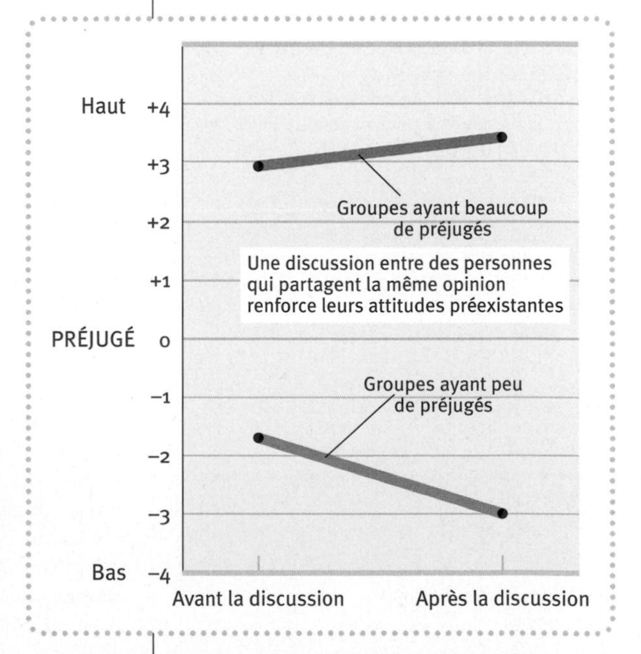

« L'envie de chacun de tirer le signal d'alarme à propos de cette ineptie fut simplement anéantie par les circonstances de la discussion. »
Arthur M. Schlesinger Jr.,
Les 1 000 jours de Kennedy, 1965

gouvernement américain fut établi, Kennedy se demanda avec du recul : « Comment avons-nous pu être aussi stupides ? »

Pour le savoir, Janis (1982) étudia les procédures de prise de décision qui aboutirent à ce fiasco. Il découvrit que le moral très élevé du président récemment élu et de ses conseillers engendra une confiance injustifiée dans ce plan. Pour préserver la bonne impression du groupe, les points de vue opposés furent supprimés ou autocensurés, en particulier après que le président eut exprimé son enthousiasme pour le plan. Comme personne ne s'élevait fortement contre l'idée, chacun supposa qu'il y avait un soutien consensuel en sa faveur. Pour décrire cette pensée harmonieuse mais irréaliste d'un groupe, Janis inventa le terme de **pensée de groupe**.

Janis et d'autres examinèrent d'autres fiascos historiques, comme l'échec de la prévision de l'attaque de Pearl Harbor par les Japonais en 1941, l'escalade de la guerre du Vietnam, la dissimulation du Watergate, l'accident du réacteur nucléaire de Tchernobyl (Reason, 1987) et l'explosion de la navette spatiale *Challenger* (Esser et Lindoerfer, 1989). Ils découvrirent que, dans ces cas également, la pensée de groupe fut alimentée par un excès de confiance, le conformisme, l'autojustification et la polarisation du groupe.

La pensée de groupe a refait surface, rapporte le Comité au renseignement du Sénat américain (2004) lorsque les « personnes impliquées dans la question des ADM en Irak ont montré plusieurs facettes de la pensée de groupe : examen de peu d'alternatives, regroupement sélectif d'informations, pressions pour se conformer au groupe ou élimination des critiques, et justification collective. » Cette pensée de groupe a conduit les analystes à « interpréter les preuves ambiguës comme des indications concluantes de l'existence d'un programme d'ADM et à ignorer ou minimiser les preuves que l'Irak ne possédait pas de programme d'ADM. »

« La vérité jaillit de la discussion entre amis. »
David Hume, philosophe, 1711-1776

Malgré ces fiascos et ces tragédies, pour certains types de problèmes, deux têtes valent mieux qu'une. Sachant cela, Janis étudia également les cas où les présidents américains et leurs conseillers prirent collectivement de bonnes décisions, comme par exemple la mise en place, par l'administration Truman, du plan Marshall pour remettre l'Europe sur pied après la Seconde Guerre mondiale et l'action de l'administration de Kennedy pour empêcher l'installation de fusées soviétiques à Cuba. Dans ces circonstances - mais aussi dans le monde des affaires, pensait Janis - le phénomène de pensée de groupe est évité par un chef qui accueille volontiers des opinions différentes, suscite les critiques des experts concernant les plans en cours d'élaboration ou confie à certains la tâche d'identifier les problèmes. De la même manière que la suppression des avis contraires entraîne un groupe vers de mauvaises décisions, les débats ouverts sont souvent le creuset de bonnes décisions. Cela est particulièrement vrai avec divers groupes dont les points de vue différents permettent des résultats créatifs ou meilleurs (Nemeth et Ormiston, 2007 ; Page, 2007). Nous sommes plus intelligents à plusieurs.

« Si vous et moi possédons chacun une pomme et que nous l'échangeons, alors nous aurons tous les deux toujours une pomme chacun. Mais si nous avons chacun une idée et que nous échangeons cette idée, alors chacun d'entre nous aura deux idées. »
Attribué au dramaturge
George Bernard Shaw, 1856-1950

Le pouvoir des individus

6. Quel est notre pouvoir en tant qu'individu ? Une minorité peut-elle influencer une majorité ?

En affirmant le pouvoir de l'influence sociale, nous ne devons pas négliger notre pouvoir en tant qu'individu. Le *contrôle social* (le pouvoir de la situation) et le *contrôle personnel* (le pouvoir de l'individu) interagissent. Les gens ne sont pas des boules de billard. Quand nous ressentons une pression, nous pouvons réagir de manière opposée à ce que l'on attend de nous, ce qui nous permet d'affirmer notre désir de liberté (Brehm et Brehm, 1981).

Trois soldats isolés de la prison d'Abu Ghraib firent valoir leur contrôle personnel (O'Connor, 2004). Le lieutenant David Sutton mit un terme à un incident, qu'il rapporta à son commandant. Le soldat William Kimbro, maître-chien, refusa la pression le poussant à participer aux interrogatoires non conformes avec son chien d'attaque. Le policier militaire Joseph Darby montra en plein jour les images des horreurs commises, fournissant des preuves irréfutables de ces atrocités. Chacun risqua le ridicule ou même la Cour martiale pour désobéissance aux ordres.

Comme ces trois soldats l'ont découvert, des individus engagés peuvent influencer la majorité et écrire l'histoire sociale. Si cela n'avait pas été le cas, le communisme serait une théorie obscure, le christianisme serait une petite secte du Moyen-Orient et le refus de Rosa Park de s'asseoir à l'arrière des bus n'aurait pas allumé le mouvement pour les droits civiques aux

États-Unis. L'histoire technologique est également souvent faite par des minorités innovatrices qui surmontent la résistance au changement de la majorité. Pour de nombreuses personnes, le train était un non-sens ; certains fermiers craignaient que le bruit du train n'empêchât les poules de pondre. Les gens se moquaient du bateau à vapeur de Robert Fulton en l'appelant « folie de Fulton ». Comme le dit plus tard Fulton : « Jamais une simple remarque encourageante, un espoir lumineux ou un souhait chaleureux n'a croisé ma route. » Le même genre de réaction accueillit l'imprimerie, le télégraphe, la lampe à incandescence et la machine à écrire (Cantril et Bumstead, 1960).

Des psychosociologues européens ont cherché à mieux comprendre l'*influence des minorités* - comment un ou deux individus peuvent influencer les majorités (Moscovici, 1985). Ils ont étudié des groupes dans lesquels un ou deux individus exprimaient de façon ferme une attitude polémique ou un jugement perceptif inhabituel. Ils ont clairement montré qu'une minorité qui demeure fermement sur ses positions a beaucoup plus de chances d'influencer la majorité qu'une minorité qui parle pour ne rien dire. Vous en tenir fermement à une opinion minoritaire ne vous rendra pas populaire, mais peut vous rendre influent. Cela est particulièrement vrai si votre confiance en vous suscite chez les autres le désir de comprendre pourquoi vous réagissez de cette façon. Bien que les gens suivent souvent, en public, l'opinion de la majorité, ils peuvent, en privé, développer de la sympathie pour l'opinion de la minorité. Même lorsque l'influence d'une minorité n'est pas encore visible, elle peut être en train de persuader certains membres de la majorité de reconsidérer leur point de vue (Wood et coll., 1994). Le pouvoir de l'influence sociale est énorme, mais le pouvoir d'un individu engagé l'est également.

Gandhi Comme l'atteste fortement la vie du Mahatma Gandhi, chef spirituel des nationalistes hindous, la voix ferme et stable d'une minorité peut parfois influencer la majorité. Les appels non violents et les jeûnes de Gandhi ont joué un rôle majeur dans l'accession de l'Inde à son indépendance vis-à-vis de la Grande-Bretagne en 1947.

AVANT D'ALLER PLUS LOIN...

➤ INTERROGEZ-VOUS

Citez deux exemples d'influence sociale dont vous avez fait l'expérience cette semaine (gardez à l'esprit que l'influence peut être informationnelle).

➤ TESTEZ-VOUS 2

Vous êtes chargé de l'organisation d'une assemblée générale à l'hôtel de ville à laquelle doivent participer des opposants politiques. Afin d'ajouter une note d'humour à l'événement, des amis suggèrent que vous distribuiez des masques à l'image des candidats à leurs partisans. Quel phénomène ces masques vont-ils déclencher ?

Les réponses aux questions « Testez-vous » sont données dans l'annexe B à la fin de l'ouvrage.

Relations sociales

AYANT ENVISAGÉ LA FAÇON DONT NOUS *PENSONS* aux autres et dont nous nous *influençons* mutuellement, nous en venons finalement au troisième pôle de la psychologie sociale, à savoir la façon dont nous *entrons en relation* les uns avec les autres. Qu'est-ce qui nous rend blessant, qui nous pousse à aider ou nous fait tomber amoureux ? Comment pouvons-nous transformer un conflit destructeur en une paix juste ? Nous allons considérer les mauvais et les bons côtés : du préjugé et de l'agressivité à l'attraction, l'altruisme et la médiation.

:: Pensée de groupe : mode de pensée qui apparaît lorsque le désir d'harmonie dans un groupe chargé de prendre une décision l'emporte sur une appréciation réaliste des autres possibilités.

Préjugés

7. Qu'est-ce qu'un préjugé ?

Préjugé signifie « jugement a priori ». C'est une attitude injustifiable et généralement négative envers un groupe, souvent différent par sa culture, son origine ethnique ou son sexe. Comme toutes les attitudes, le **préjugé** est un mélange de *croyances* (dans ce cas appelées **stéréotypes**), d'*émotions* (hostilité, envie ou crainte) et de prédispositions à *agir* (discriminer). *Croire* que les gens obèses sont gloutons, *ressentir* de l'antipathie envers un obèse ou hésiter à engager un obèse ou à sortir avec lui (elle), c'est avoir un préjugé. Le préjugé est une *attitude* négative ; la **discrimination** est un *comportement* négatif.

:: Préjugé : attitude injustifiable (habituellement négative) envers un groupe et ses membres. Le préjugé implique en général des croyances stéréotypées, des sentiments négatifs et une prédisposition à une action discriminatoire.

:: Stéréotype : opinion généralisée (parfois juste mais souvent trop généralisée) concernant un groupe de personnes.

:: Discrimination : comportement négatif injustifiable envers un groupe ou ses membres.

Quelle est l'importance des préjugés chez les gens ?

Pour savoir quelle est l'importance des préjugés, nous pouvons évaluer ce que les gens disent et ce qu'ils font. À en juger parce que disent les Américains, les attitudes racistes et sexistes ont changé de façon considérable au cours des cinquante dernières années. En 1937, un tiers des Américains disait aux enquêteurs de Gallup vouloir élire une femme qualifiée à la présidence si celle-ci était choisie par leur parti ; en 2007 ce nombre est passé à 89 p. 100. Le soutien de toutes les formes de contact entre les ethnies, y compris les mariages interethniques (FIGURE 16.6) a également augmenté de manière spectaculaire. Presque tout le monde est d'accord pour dire que les enfants de toutes les origines ethniques doivent aller dans les mêmes écoles et que les hommes et les femmes doivent recevoir le même salaire pour le même travail.

En dépit de la disparition du préjugé *manifeste*, les préjugés *subtils* persistent. Malgré le soutien verbal de plus en plus important pour les mariages interethniques, de nombreuses personnes admettent que dans des situations sociales intimes (sortir avec quelqu'un, se marier, danser), elles se sentiraient mal à l'aise avec quelqu'un d'une autre origine ethnique. En Europe de l'Ouest, où de nombreux réfugiés et travailleurs immigrés se sont installés à la fin du vingtième siècle, une forme de « préjugé moderne » (attitude de rejet envers les immigrés minoritaires demandant un emploi pour des raisons soi-disant non ethniques) a remplacé les préjugés manifestes (Jackson et coll., 2001 ; Lester, 2004 ; Pettigrew, 1998, 2006). Un tas d'expériences récentes illustrent que les préjugés peuvent non seulement être subtils, mais aussi automatiques et inconscients (*voir* Gros plan : Les préjugés automatiques).

Cependant, des préjugés manifestes s'observent encore en public. Dans de nombreux États américains, les automobilistes comptent une minorité de conducteurs noirs qui sont des fous du volant sur les autoroutes, mais ils font néanmoins partie de la majorité des automobilistes arrêtés et recherchés par la police d'État (Lamberth, 1998 ; Staples, 1999a,b). Dans la région de Los Angeles, 1 115 propriétaires ont reçu des e-mails identiques provenant d'un locataire en recherche d'appartement (en vérité, un chercheur) exprimant son intérêt pour les appartements proposés sur le Net. Des réponses positives ont été reçues pour 56 p. 100 des messages signés « Tyrell Jackson », 66 p. 100 des messages signés « Said Al-Rahman » et pour 89 p. 100 de ceux signés « Patrick McDougall » (Carpusor et Loges, 2006).

« Malheureusement, le monde a encore beaucoup à faire pour apprendre à vivre avec la diversité. »
Message adressé par le pape Jean-Paul II aux Nations unies en 1995

Après l'attentat du 11 septembre et la guerre en Irak, 4 Américains sur 10 ont reconnu « avoir quelques préjugés envers les musulmans » et environ la moitié des non-musulmans en Europe de l'Ouest et aux États-Unis percevaient les musulmans comme des personnes « violentes » (Saad, 2006 ; Wike et Grim, 2007). Pour les musulmans, cette perception négative est réciproque et la plupart des musulmans en Jordanie, en Égypte, en Turquie et en Grande-Bretagne considèrent que les Occidentaux sont « immoraux » et « cupides ».

Dans la plupart des endroits du monde, les gays et les lesbiennes ne peuvent facilement reconnaître qui ils sont et qui ils aiment. Les préjugés sexuels et la discrimination persistent également. Bien que l'égalité des sexes ait été prouvée par les tests d'intelligence, les gens ont tendance à trouver que leur père est plus intelligent que leur mère (Furnham et Rawles, 1995). En Arabie Saoudite, les femmes n'ont pas le droit de conduire une voiture. Dans les pays occidentaux, nous payons davantage les personnes qui s'occupent de nos ordures (habituellement des hommes) que celles (habituellement des femmes) qui s'occupent de nos enfants. Dans le

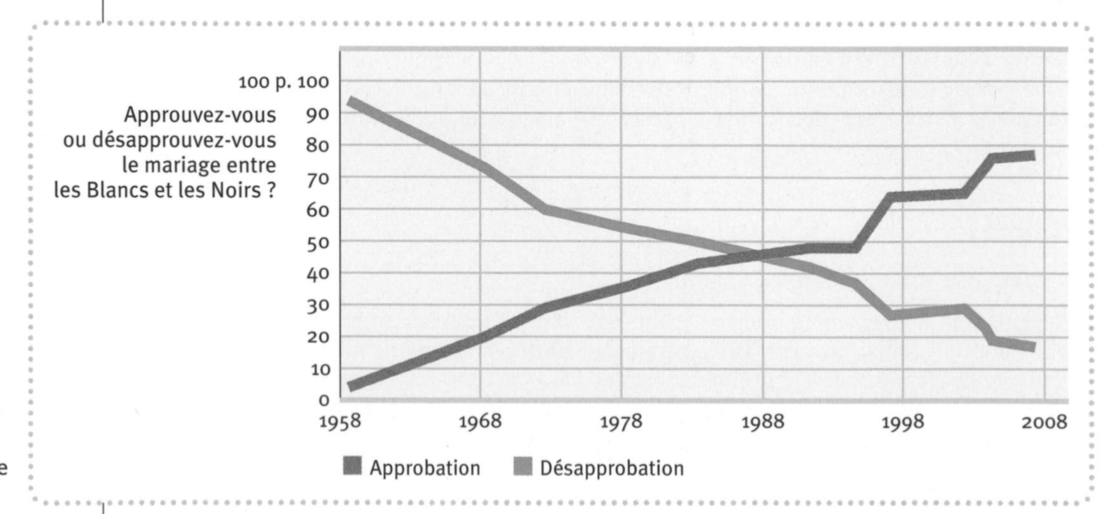

➤ FIGURE 16.6
Préjugés en fonction du temps
L'approbation américaine du mariage interethnique a augmenté ces cinquante dernières années. (Enquête Gallup citée par Caroll, 2007.)

GROS PLAN

Les préjugés automatiques

Comme nous l'avons vu tout au long de cet ouvrage, nous traitons les informations à deux niveaux : conscient et inconscient. D'une certaine façon, nos pensées, nos souvenirs et nos attitudes sont *explicites* – se trouvent sur l'écran radar de notre conscience. Mais bien plus souvent les chercheurs contemporains pensent qu'ils sont *implicites*, c'est-à-dire qu'ils n'atteignent pas l'écran radar et restent invisibles. Des études modernes sur les attitudes automatiques et implicites indiquent que les préjugés relèvent souvent plus d'une réponse automatique non réfléchie, un peu comme un réflexe, que d'une véritable décision. Examinez ces résultats sur les préjugés ethniques des Américains :

Associations ethniques implicites Lorsque des personnes tapent sur un clavier d'ordinateur, elles associent plus rapidement des mots positifs comme *heureux* ou *paix* avec des objets positifs comme des fleurs, et des mots négatifs comme *pourri* ou *horrible* avec des insectes. En étendant ces tests d'association implicites, Anthony Greenwald et ses collaborateurs (1998) ont démontré que même les personnes niant toute attitude discriminatoire ethnique sont susceptibles de faire des associations négatives. Par exemple, 9 sujets blancs sur 10, interrogés sur des mots agréables (tels que *paix* ou *paradis*), ont mis plus de temps à les identifier comme « bons » lorsqu'ils leur étaient présentés par des personnes ayant un prénom à consonance noire (comme *Latisha* et *Darnell*), plutôt qu'à consonance blanche (comme *Katie* et *Ian*). De plus, les personnes qui associent le plus rapidement les bonnes choses aux noms ou aux visages blancs perçoivent également le plus rapidement la colère et la menace apparentes sur les visages noirs (Hugenberg et Bodenhausen, 2003). (En 2008, plus de 6 millions de personnes ont passé les tests d'association implicite, comme vous pouvez le faire sur implicit.harvard.edu.)

Condescendance inconsciente Kent Harber (1998) a demandé à des étudiantes blanches de noter une dissertation de mauvaise qualité en leur disant qu'elle avait été écrite soit par un étudiant noir, soit par un étudiant blanc. Lorsqu'elles croyaient que l'auteur de la dissertation était Noir, les notes étaient sensiblement plus élevées et elles n'exprimaient jamais de critiques aussi rudes que celles qu'elles écrivaient sur les dissertations des Blancs, comme par exemple « lorsque je lis des copies aussi mal écrites cela me donne envie de poser ma tête sur le bureau et de pleurer ». Harber s'est interrogé sur la possibilité qu'un ajustement des évaluations de la part des correcteurs, selon leurs stéréotypes ethniques, pouvait établir des barèmes moins exacts, favorisant ainsi les copies écrites par des étudiants noirs. Si c'est le cas dans les examens réels, ces attentes aussi basses entraînant des « éloges exagérées et des critiques insuffisantes », pourraient gêner la réussite de nombreux étudiants issus de minorités ethniques. (Pour éviter ce biais, beaucoup de professeurs lisent les dissertations sans connaître l'auteur.)

Perceptions influencées par l'origine ethnique Deux équipes de chercheurs se sont intéressées à un incident où un homme désarmé avait été tué à l'entrée de son immeuble dans le quartier du Bronx par des policiers qui avaient pris son portefeuille pour une arme à feu. Chaque équipe de recherche a reconstitué la scène à l'aide d'une caméra vidéo en demandant à des gens d'appuyer rapidement sur les boutons d'un écran pour « tuer » ou ne pas tuer des hommes qui s'affichaient sur l'écran avec une arme à feu à la main ou un objet inoffensif tel qu'une lampe de poche ou une bouteille (Correll et coll., 2002, 2007 ; Greenwald et coll., 2003). Les participants de l'expérience (composé de Blancs et de Noirs dans l'une des études) ont souvent commis l'erreur de tirer sur les cibles représentées par des individus noirs. Le fait de présenter rapidement au préalable aux participants l'image d'un visage noir plutôt que celui d'un visage blanc a fait qu'ils ont eu également plus de chances de percevoir par erreur l'objet présenté rapidement ensuite comme un revolver (FIGURE 16.7).

Vision de la personne noire Plusieurs études ont montré que plus les caractéristiques d'une personne sont perçues comme typiques de son origine ethnique, plus elles ont de chances d'engendrer une réponse basée sur cette origine (Maddox, 2004). Dans une étude portant sur 182 officiers de police, Jennifer Eberhardt et ses collègues (2004, 2006) ont trouvé que les « visages noirs semblaient plus criminels pour les policiers ; plus ils étaient noirs, plus ils étaient criminels. » Au cours d'une étude menée ensuite, elles ont trouvé que les participants étaient plus enclins à prononcer la peine de mort à des accusés ayant les caractéristiques les plus stéréotypées des Noirs.

> « Il existe encore des barrières et des biais ici-bas, dont la plupart sont inconscients. »
>
> — Sénateur Hillary Rodham Clinton, discours de retrait après les primaires présidentielles américaines de 2008

Réponse corporelle réflexe L'approche biopsychosociale contemporaine a stimulé des études neuroscientifiques mesurant les réponses immédiates des gens à la projection de visages blancs et noirs. Ces études ont détecté des préjugés implicites dans les réponses des muscles faciaux des gens et dans l'activation de leur amygdale, le centre de traitement des émotions (Cunningham et coll., 2004 ; Eberhardt, 2005 ; Vanman et coll., 2004). Même les personnes qui exprimaient consciemment peu de préjugés pouvaient émettre des signaux révélateurs lorsque leur corps répondait sélectivement à une autre ethnie.

Si vos propres entrailles révèlent parfois des sentiments sur d'autres personnes que vous préféreriez ne pas avoir, soyez sûrs que vous n'êtes pas les seuls. C'est ce que nous faisons avec nos sentiments qui importe. En surveillant nos sentiments et nos actions et en remplaçant les vieilles habitudes par de nouvelles basées sur de nouvelles amitiés, nous pouvons nous libérer de nos préjugés.

➤ FIGURE 16.7
L'ethnie influence les perceptions **Au cours d'expériences menées par Keith Payne (2006), les participants ont vu un visage masculin blanc ou noir, suivi immédiatement de celle d'un revolver ou d'un outil puis l'image a été masquée. Les participants percevaient plus souvent par erreur que l'outil était un pistolet lorsqu'il était précédé d'un visage noir que d'un visage blanc.**

Paul Burnst/Blend/Getty Images
© 2010 Lavoisier
Avec l'autorisation de B. K. Payne (2006)

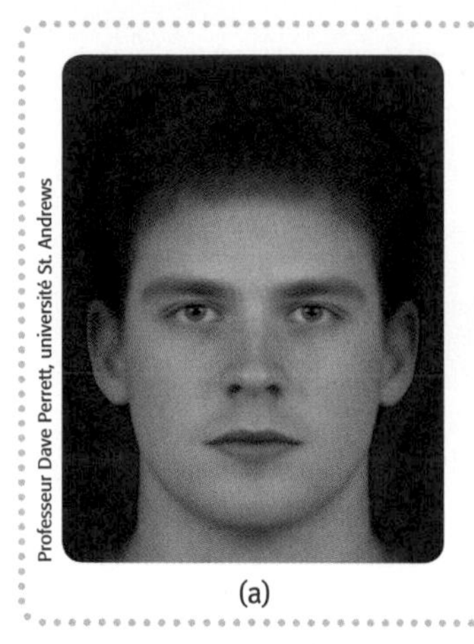

(a)

(b)

Professeur Dave Perrett, université St. Andrews

➤ FIGURE 16.8
Qui préférez-vous ? Lequel de ces deux hommes a lancé la petite annonce « recherche femme spéciale pour l'aimer et la chérir toute ma vie » ? *Voir* la réponse inversée ci-dessous.

La recherche monte qu'un visage ayant des traits subtilement féminisés véhicule une image sympathique que les gens ont plutôt tendance à attribuer à un père dévoué qu'à un homme aux mœurs légères. Ainsi, 66 p. 100 des femmes ont choisi le visage b (créé par ordinateur) en réponse aux deux questions.

monde entier, les femmes sont plus susceptibles de vivre dans la pauvreté (Lipps, 1999). Et leur taux d'alphabétisation de 69 p. 100 est bien en dessous de celui des hommes, qui est de 83 p. 100 (PRB, 2002).

Nulle part les bébés de sexe féminin ne sont exposés au soleil, à flanc de colline, pour les faire mourir, comme cela se pratiquait dans la Grèce antique. Cependant, aujourd'hui encore, les garçons sont souvent plus appréciés que leurs sœurs. Avec l'apparition de tests permettant les avortements sélectifs en fonction du sexe, plusieurs pays sud-asiatiques, y compris certaines régions de Chine et d'Inde, ont connu un effondrement des naissances de filles. La mortalité naturelle des femmes et le ratio normal des naissances qui est de 105 garçons pour 100 filles expliquent difficilement l'estimation mondiale de 101 millions de femmes « manquantes » (lisez bien ce chiffre doucement) (Sen, 2003). En 2005, la Chine a annoncé que le ratio sexuel des naissances avait atteint 118 garçons pour 100 filles (AP, 2007). Avec les prédictions démographiques de 40 millions de bacheliers chinois incapables de trouver une femme, la Chine a déclaré que les avortements sélectifs (ou génocide sexuel) sont maintenant considérés comme un crime.

Supposez que vous ne puissiez avoir qu'un seul enfant. Préféreriez-vous un garçon ou une fille ? Quand l'institut Gallup posa cette question à des citoyens américains, deux tiers exprimèrent une préférence en fonction du sexe, et pour deux tiers d'entre eux (en 2003 comme en 1941), la préférence allait aux garçons (Lyons, 2003).

Mais les nouvelles ne sont pas toutes mauvaises pour les filles et les femmes. La plupart des gens ont en général une *opinion* plus positive des femmes que des hommes (Eagly, 1994 ; Haddock et Zanna, 1994). Les gens à travers le monde considèrent que les femmes ont certaines caractéristiques que l'on a tendance à préférer : l'aptitude à éduquer un enfant, la sensibilité et moins d'agressivité (Glick et coll., 2004 ; Swim, 1994). Cela peut expliquer pourquoi les femmes ont tendance à aimer les femmes plus que les hommes aiment les hommes (Rudman et Goodwin, 2004). C'est peut-être la raison pour laquelle les gens préfèrent un visage légèrement féminisé (créé par ordinateur), qu'il soit masculin ou féminin, à un visage légèrement masculinisé. Le chercheur David Perrett et ses collaborateurs (1998) pensent qu'un visage masculin légèrement féminisé symbolise les qualités d'un bon père, telles que la gentillesse et un esprit coopératif. Quand la *British Broadcasting Corporation* demanda à 18 000 femmes de deviner lequel des deux hommes de la FIGURE 16.8 était plus susceptible de passer une annonce personnelle stipulant « recherche une femme spéciale pour l'aimer et la chérir toute ma vie », lequel pensez-vous qu'elles ont choisi ?

• Les répercussions de la politique sociale chinoise de l'enfant unique et les avortements sélectifs ont entraîné un excédent de jeunes Chinois de sexe masculin dont l'impact pourrait menacer la société chinoise. Ce déséquilibre du ratio sexuel de la population a influencé le rôle des genres d'une manière historique. Dans les régions où il existe une pénurie de femmes non mariées, cela a mis en avant la question de la moralité sexuelle et du rôle traditionnel des femmes (Guttentag et Secord, 1983). Dans ces endroits où vivent de très nombreux hommes non mariés, comme dans certaines villes frontalières, dans les ghettos d'immigrants et les régions minières, le taux de violence a également tendance à être plus élevé (Hvistendahl, 2008). •

Origines sociales du préjugé

8. Quelles sont les origines sociales et émotionnelles des préjugés ?

Pourquoi les préjugés prennent-ils naissance ? Les inégalités, les divisions sociales et les boucs émissaires émotionnels en sont en partie responsables.

Inégalités sociales Lorsque certaines personnes ont de l'argent, du pouvoir et du prestige et que d'autres n'en ont pas, les « possédants » développent habituellement des attitudes qui justifient cet état de fait. Dans un cas extrême, les possesseurs d'esclaves considèrent les esclaves comme paresseux, ignorants et irresponsables, comme ayant en fait tous les traits qui « justifient » qu'on les réduise en esclavage. De façon plus banale, les femmes sont souvent perçues comme indécises mais sensibles, et donc adaptées aux tâches qu'elles remplissent traditionnellement consistant à prendre soin des autres (Hoffman et Hurst, 1990). En bref, les stéréotypes rationalisent les inégalités.

La discrimination augmente les préjugés et les stéréotypes par les réactions qu'elle provoque chez ses victimes. Dans son livre classique publié en 1954, *The Nature of Prejudice*, Gordon Allport notait que le fait d'être victime d'une discrimination peut produire soit une autocritique, soit de la colère. Les deux réactions peuvent créer la base nouvelle d'un préjugé selon le mouvement classique qui consiste à *rendre responsable la victime*. Si les circonstances de la pauvreté favorisent un taux plus élevé de crimes, quelqu'un peut utiliser cette fréquence plus élevée pour justifier le maintien des discriminations envers ceux qui vivent dans la pauvreté.

Nous et eux : groupe d'appartenance et groupe de non-appartenance Grâce à notre besoin ancestral d'appartenance, nous sommes une espèce à tendance groupale. Nos ancêtres vivant dans un monde où les tribus voisines s'attaquaient et se pillaient mutuellement, savaient que la solidarité apportait une certaine sécurité (ceux qui ne se rassemblaient pas en bandes laissaient moins de descendants). Que ce soit à la chasse, pour se défendre ou pour attaquer, 10 mains valent mieux que 2. Diviser notre monde en « nous » et « eux » entraîne le racisme et la guerre, mais cela amène aussi les avantages de la solidarité communautaire. De ce fait, nous soutenons notre groupe, et nous sommes capables de tuer ou de mourir pour celui-ci. En effet, nous nous définissons - notre identité - en grande partie en termes d'appartenance à notre groupe. Les psychologues australiens John Turner (1987, 2007) et Michael Hogg (1996, 2006) ont remarqué qu'à travers notre *identité sociale* nous nous associons à certains groupes et nous nous distinguons des autres. Lorsque Ian se définit comme un homme, Australien, travailliste, étudiant de l'université de Sydney, catholique et descendant des MacGregor, il sait qui il est et nous aussi.

De manière assez ironique, nous réservons souvent notre dégoût le plus intense vis-à-vis des groupes rivaux de non-appartenance qui nous ressemblent le plus. Freud (1922, p. 42) reconnaissait il y a longtemps déjà cette animosité engendrée par de petites différences : « Si l'on prend deux villes voisines, chacune est la rivale la plus jalouse de l'autre ; chaque petit canton regarde l'autre avec mépris. Les races les plus proches se tiennent toujours éloignées à un bras de distance : les Allemands du sud ne peuvent supporter les Allemands du nord, les Anglais lancent toutes sortes de calomnies sur les Écossais, les Espagnols méprisent les Portugais. » Au cours d'une étude, 7 Japonais sur 10 ont exprimé des idées défavorables sur la Chine et, de même, 7 Chinois sur 10 n'appréciaient pas les Japonais (Pew, 2006). Les hostilités entre les Sunnites et les Chiites irakiens, les Hutus et les Tutsis rwandais et les protestants et catholiques d'Irlande du Nord ont opposé des groupes d'appartenance à des groupes de non-appartenance qui, si on se réfère à l'échelle de la diversité mondiale, sont des groupes bien plus semblables que différents.

En tant que résident occasionnel d'Écosse, j'ai été témoin de nombreux exemples d'observations faites dans *The Xenophobe's Guide to the Scots* (guidc xénophobe pour les Écossais) : les Écossais séparent les non-Écossais « en deux groupes principaux : (1) les Anglais ; (2) les autres ». Tout comme les fans enragés des *Cubs* de Chicago sont heureux lorsque leur club gagne ou lorsque les *White Sox* de Chicago perdent, les fans écossais enragés de football se réjouissent des victoires écossaises ou des défaites anglaises. « Pff, ils ont perdu ! » titraient les journaux après la défaite devant l'Allemagne du club de football anglais lors de l'Euro 1996. Rien de plus. Les minorités en nombre, comme les Écossais en Grande-Bretagne, sont particulièrement conscientes de leur identité sociale. Les 5 millions d'Écossais sont plus conscients de leur identité nationale qui les sépare des 51 millions d'Anglais voisins que le contraire. De même, les 4 millions de Néo-Zélandais sont plus conscients de leur identité que les 21 millions d'Australiens et ont plus de chances d'encourager les équipes sportives adverses des Australiens (Halberstadt et coll., 2006).

La définition sociale de qui vous êtes implique également de savoir qui vous n'êtes pas. Le tracé mental d'un cercle définissant le « nous » (**groupe d'appartenance**) exclut le « eux »

:: Groupe d'appartenance (endogroupe) : « Nous » – ceux avec qui nous partageons une identité commune.

Mike Hewitt/Getty Images

Le groupe d'appartenance
Voici une photo de la célèbre « armée des tartans » constituée de fans de football écossais lors d'un match contre leurs traditionnels rivaux anglais. Ils partagent une identité sociale qui les définit en tant que « nous » (groupe d'appartenance écossais ou endogroupe) par rapport à « eux » (groupe de non-appartenance anglais ou exogroupe).

(**groupe de non-appartenance**). De telles identifications à un groupe favorisent de façon classique un **biais de groupe** en faveur de quelqu'un de son propre groupe. Même une distinction arbitraire eux/nous, créée par la formation de groupes par tirage au sort, pousse les gens à favoriser leur propre groupe lors du partage de récompenses (Tajfel, 1982 ; Wilder, 1981).

« Tous les braves gens sont d'accord,
Et tous les braves gens disent que
Tous les gens bien, comme Nous, sont Nous
Et que tous les autres sont Eux.
Mais si vous traversez l'océan
Au lieu de simplement changer de trottoir
Vous allez finir par Nous regarder (pensez-y)
Comme simplement une sorte d'Eux. »
Rudyard Kipling, « *We and They* », 1926

Le besoin de distinguer les ennemis des amis et d'avoir un groupe dominant favorise les préjugés envers les étrangers (Whitley, 1999). Pour les Grecs de l'époque classique, tous les non-Grecs étaient des « barbares ». Actuellement, la plupart des enfants pensent que leur école est la meilleure des écoles de la ville. Dans les lycées, les étudiants forment souvent des cliques (les athlètes, les « gothiques », les fans de skateboard, les truands, les originaux, les tarés) et ils dénigrent ceux qui se trouvent hors de leur groupe. Même des chimpanzés ont été surpris à essuyer l'endroit où ils avaient été touchés par des chimpanzés d'un autre groupe (Goodall, 1986).

Origines émotionnelles des préjugés

Les préjugés jaillissent non seulement des divisions de la société, mais également des passions du cœur. Le fait d'être confronté à la terreur de la mort tend à renforcer le sentiment de patriotisme et à engendrer des sentiments de répugnance et d'agressivité envers « les autres », c'est-à-dire ceux qui menacent notre vision du monde (Pyszczynski et coll., 2002). Se souvenir de ce type de terreur peut modifier les attitudes, comme Mark Landau et huit autres (2004) l'ont montré à des participants, en leur rappelant leur propre mortalité ou la terreur des attentats du 11 septembre. Ces souvenirs de terreur les ont conduits à exprimer un plus grand soutien au président George W. Bush.

« Si le Tibre atteint les murs de la cité, si le Nil ne déborde pas dans les champs, si le ciel ne bouge pas ou si la terre tremble, s'il y a une famine, s'il y a une épidémie, la clameur est toujours la même : les Chrétiens aux lions ! »
Tertullien, *Apologétique*, 197 ap. J.-C.

Le préjugé peut également exprimer la colère. Selon la **théorie du bouc émissaire** à propos des préjugés, trouver quelqu'un qu'on peut rendre responsable lorsque les choses vont mal, peut fournir une cible pour sa colère. Vers la fin des années 1600, après avoir subi des pertes écrasantes lors des conflits avec les Amérindiens et leurs alliés français, les colons de l'État de Nouvelle-Angleterre ont réagi violemment en exécutant par pendaison les personnes soupçonnées de sorcellerie (Norton, 2002). Après les événements du 11 septembre, certaines personnes se sentant offensées se sont attaquées à des Américains d'origine arabe innocents, car les stéréotypes négatifs à leur sujet proliféraient. Les appels à l'élimination de Saddam Hussein, que les Américains avaient jusqu'ici tolérés à contrecœur, se multipliaient. Philip Zimbardo (2001) note que : « La peur et la colère engendrent l'agressivité et l'agressivité contre les citoyens d'une ethnie différente engendre le racisme qui, à son tour, engendre de nouvelles formes de terrorisme. »

Des preuves en faveur de cette théorie du bouc émissaire viennent de l'observation de niveaux élevés de préjugés chez les gens brimés sur le plan économique et d'expériences montrant qu'une frustration temporaire augmente les préjugés. Au cours d'expériences, des étudiants mis en échec ou déstabilisés et insécurisés vont souvent restaurer leur propre estime de soi en dénigrant une école rivale ou une autre personne (Cialdini et Richardson, 1980 ; Crocker et coll., 1987). Pour accroître l'appréciation que nous avons de notre propre statut, il est utile d'avoir quelqu'un à dénigrer. C'est pourquoi l'infortune d'un rival procure parfois une bouffée de plaisir. En revanche, les personnes qui se sentent aimées et soutenues ont tendance à être plus ouvertes aux autres qui sont différents et à les accepter plus facilement (Mikulincer et Shaver, 2001).

Origines cognitives des préjugés

9. Quelles sont les origines cognitives des préjugés ?

Les préjugés jaillissent des divisions de la société, des passions du cœur, mais également de la façon naturelle dont travaille l'esprit. Les stéréotypes constituent un produit dérivé de la façon dont nous simplifions le monde d'un point de vue cognitif.

Catégorisation Un moyen de simplifier notre monde est de ranger les choses par catégories. Un chimiste classe les molécules en organiques et inorganiques. Un professionnel de la santé mentale peut classer les troubles psychologiques en différents types. Cependant, en catégorisant les personnes en groupes, nous avons tendance à leur appliquer un stéréotype qui

Il semble que l'une des antidotes aux préjugés soit l'intelligence. Les résultats d'une importante enquête nationale menée sur des enfants britanniques ont montré que ceux qui avaient eu de bons résultats aux tests d'intelligence passés à l'âge de 10 ans avaient typiquement peu de préjugés à l'âge de 30 ans (Deary et coll., 2008).

biaise les perceptions que nous avons de leur diversité. Nous reconnaissons que *nous* sommes très différents des autres individus de *notre* groupe, nous surestimons la ressemblance des personnes à l'intérieur d'un groupe autre que le nôtre. « Eux » – les membres d'un autre groupe – paraissent se ressembler et agir de la même manière, mais « nous » sommes différents (Bothwell et coll., 1989). Pour les personnes d'un groupe ethnique, ceux d'une autre ethnie se ressemblent souvent plus sur le plan de l'apparence, de la personnalité et de l'attitude que dans la réalité. Cette reconnaissance plus importante des visages de notre propre ethnie, appelée l'**effet trans-ethnique**, se forme durant la petite enfance, entre l'âge de 3 et 9 mois (Kelly et coll., 2007).

Cependant, avec un peu d'expérience, nous pouvons améliorer notre capacité à différencier les visages individuels d'un autre groupe. Par exemple, les personnes d'origine européenne parviennent à mieux identifier les visages africains si elles regardent souvent les matchs de basketball à la télévision, où un grand nombre de joueurs sont d'origine africaine (Li et coll., 1996). Et plus des personnes chinoises ont résidé longtemps dans un pays occidental, moins elles présentent cet effet trans-ethnique (Hancock et Rhodes, 2008).

Cas marquants Comme nous l'avons vu au chapitre 9, nous jugeons souvent de la fréquence des événements en fonction des exemples qui nous viennent facilement à l'esprit. Dans une expérience classique, Myron Rothbart et ses collaborateurs (1978) ont mis en évidence cette capacité à généraliser à partir d'exemples frappants et mémorables. Ils divisèrent des étudiants volontaires de l'université de l'Oregon en deux groupes et leur montrèrent des informations concernant 50 hommes. La liste du premier groupe comportait 10 hommes arrêtés pour des délits non violents, comme la contrefaçon. La liste du second groupe comportait 10 hommes arrêtés pour des délits violents, comme des agressions. Lorsque, plus tard, les deux groupes se rappelèrent combien d'hommes dans leur liste avaient commis un délit quelconque, les membres du second groupe surestimèrent leur nombre. Les cas frappants (violents), aisément disponibles en mémoire, influencent de ce fait notre jugement sur un groupe (FIGURE 16.9).

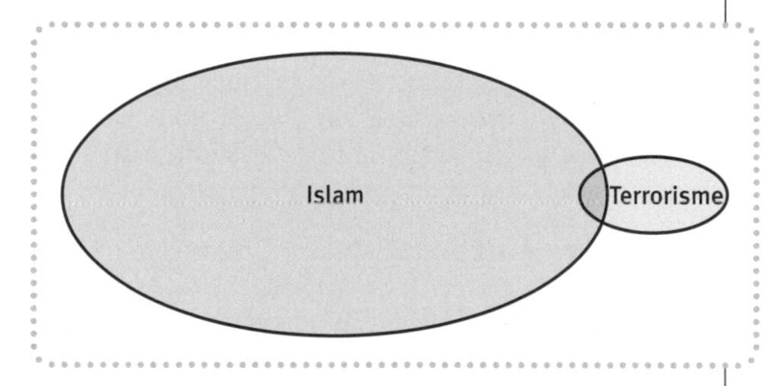

➤ FIGURE 16.9
Des événements bouleversants renforcent les stéréotypes
Les terroristes musulmans impliqués dans l'attentat du 11 septembre ont créé, dans l'esprit de beaucoup de gens, un stéréotype exagéré des musulmans comme étant des individus plus enclins à faire usage de la terreur. En réalité, selon un rapport établi par une commission d'enquête du *National Research Council* des États-Unis concernant le terrorisme, cette illustration est inexacte car la plupart des terroristes ne sont pas musulmans et « la grande majorité des peuples se réclamant de l'Islam n'a aucun rapport avec le terrorisme et s'y oppose » (Smelser et Mitchell, 2002).

Le phénomène du monde équitable Nous avons noté auparavant que les gens justifient souvent leurs préjugés en rendant responsables les victimes. Les spectateurs peuvent également blâmer les victimes en considérant que le monde est équitable et que « les gens obtiennent ce qu'ils méritent ». Au cours d'expériences, le simple fait d'observer quelqu'un qui reçoit des chocs électriques douloureux a conduit de nombreuses personnes à mépriser les victimes (Lerner, 1980). Ce **phénomène du monde équitable** reflète une idée que nous enseignons classiquement à nos enfants, à savoir que le bien est récompensé et que le mal est puni. À partir de là, il n'y a qu'un pas à faire pour considérer que ceux qui réussissent doivent être gentils et ceux qui souffrent, méchants. Ce genre de raisonnement permet au riche de considérer sa propre fortune et la misère du pauvre comme justement méritées. On rapporte qu'un civil allemand visitant le camp de concentration de Bergen-Belsen peu après la Seconde Guerre mondiale aurait dit : « Ces prisonniers devaient être de terribles criminels pour subir un tel traitement. »

Le *biais de l'après-coup* fonctionne également ici (Carli et Leonard, 1989). Avez-vous jamais entendu des gens dire que les victimes de viol, les épouses trompées ou les gens atteints du sida n'avaient eu que ce qu'ils méritaient ? Dans certains pays, les femmes qui ont été violées ont subi des châtiments sévères pour avoir enfreint la loi contre l'adultère (Mydans, 2002). Une expérience menée par Ronnie Janoff-Bulman et ses collaborateurs (1985) illustre cette culpabilisation des victimes. Après avoir entendu le compte rendu d'un rendez-vous qui se termina par le viol de la femme, les gens la considérèrent comme partiellement fautive. Rétrospectivement, ils pensèrent : « Elle aurait dû s'en douter. » (La culpabilisation de la victime rassure également les gens en leur faisant croire que cela ne peut pas leur arriver.) D'autres personnes auxquelles on raconta la même histoire, mais sans le viol, ne perçurent pas une invitation au viol de la part de la femme.

::Groupe de non-appartenance (exogroupe) : « Eux » – ceux perçus comme différents ou à l'extérieur de notre groupe d'appartenance.

::Biais de groupe : tendance à favoriser quelqu'un de son groupe.

::Théorie du bouc émissaire : théorie selon laquelle les préjugés constituent une soupape à la colère, en fournissant quelqu'un à accuser.

::Effet trans-ethnique : tendance à se souvenir plus précisément des visages des personnes de notre propre ethnie que des visages des personnes d'une ethnie différente. Appelé aussi *cross-race effect, own-race bias*.

::Phénomène du monde équitable : tendance à croire que le monde est juste et que les gens reçoivent donc ce qu'ils méritent et méritent ce qui leur arrive.

• Au cours des 40 dernières années aux États-Unis, bien plus d'1 million de personnes ont été tuées par des armes à feu dans des contextes indépendants de la guerre, soit plus que tous les morts réunis tués lors des guerres de l'histoire américaine. Comparés à une population de même sexe, de même origine ethnique, de même âge et partageant le même environnement, ceux qui possèdent une arme à la maison (ironiquement souvent pour se protéger) ont trois fois plus de risques d'être assassinés chez eux, souvent par un membre de la famille ou une relation proche. Pour chaque utilisation d'un pistolet pour assurer sa défense chez soi, il y a 4 meurtres involontaires, 7 actes criminels ou homicides et 11 suicides ou tentatives de suicide (Kellermann et coll., 1993, 1997, 1998). •

« C'est vraiment un truc de mec. »

Agressivité

La plus grande force de destruction dans nos relations sociales est l'agressivité. En psychologie, l'*agressivité* a une signification plus restreinte que dans la vie de tous les jours. Le vendeur insistant et persuasif n'est pas agressif, pas plus que le dentiste qui vous fait tressaillir de douleur. Mais la personne qui répand une méchante rumeur vous concernant, celle qui vous injurie ou encore l'ennemi qui vous attaque sont agressifs. Ainsi, pour un psychologue, l'**agressivité** est un comportement physique ou verbal destiné à blesser ou détruire, qu'il soit accompli en retour et sans aucune hostilité ou comme un moyen calculé pour parvenir à une fin. Ainsi, les violences et les meurtres issus des crises d'hostilité constituent une agression, comme c'est le cas pour les 110 millions de personnes tuées lors des guerres du siècle dernier, souvent de sang-froid et de façon préméditée.

Les recherches sur l'agressivité montrent que le comportement émerge de l'interaction entre la biologie et l'expérience vécue. Pour qu'un pistolet tire une balle, on doit appuyer sur la gâchette ; pour certaines personnes à la détente facile, il en faut peu pour déclencher une explosion. Examinons d'abord les facteurs biologiques qui influencent les seuils auxquels apparaissent nos comportements agressifs. Ensuite, nous examinerons les facteurs psychologiques qui appuient sur la gâchette.

La biologie de l'agressivité

10. Quels sont les facteurs biologiques qui nous amènent à nous faire du mal mutuellement ?

Les comportements agressifs varient trop largement d'une culture à l'autre, d'une époque à l'autre ou d'un individu à l'autre pour être considérés comme des instincts innés. Mais la biologie a une *influence* sur l'agressivité. Les stimuli qui déclenchent notre comportement agressif passent par notre système biologique. Nous pouvons chercher des influences biologiques à trois niveaux : génétique, nerveux et biochimique. Nos gènes modèlent nos systèmes nerveux individuels, qui opèrent électrochimiquement.

Influences génétiques Certains animaux ont été sélectionnés pour leur agressivité – parfois pour le sport, parfois pour la recherche. Les pitbulls et les cockers sont formés de gènes différents. Les études sur les jumeaux suggèrent que les gènes influencent également l'agressivité humaine (Miles et Carey, 1997 ; Rowe et coll., 1999). Si un vrai jumeau admet « avoir un tempérament violent », l'autre va souvent, et de manière indépendante, admettre la même chose. Les faux jumeaux ont beaucoup plus de chances de répondre différemment. À l'heure actuelle, les chercheurs sont en quête de marqueurs génétiques présents chez les individus responsables des crimes les plus violents. (L'un d'entre eux est déjà bien connu et il est porté par la moitié de l'humanité : le chromosome Y.)

Influences nerveuses Les cerveaux animaux et humains possèdent des systèmes nerveux qui produisent ou inhibent un comportement agressif quand ils sont stimulés (Moyer, 1983). Considérons les cas suivants :

- Une électrode télécontrôlée a été implantée dans une zone du cerveau d'un singe dominant d'une colonie en captivité. Une fois stimulée, elle inhibe les comportements agressifs. Lorsque les chercheurs placent, dans la cage abritant la colonie, un bouton contrôlant l'activation de l'électrode, un petit singe apprend par lui-même à activer le bouton chaque fois que le chef devient menaçant.
- Un neurochirurgien a implanté une électrode à des fins diagnostiques dans le système limbique (amygdale) d'une femme ayant de bonnes manières. Le cerveau n'ayant pas de récepteurs sensoriels, elle était incapable de sentir la stimulation. Mais quand la zone fut stimulée, elle grogna : « Prenez ma tension, prenez-la maintenant », puis elle se dressa et commença à frapper le chirurgien.
- Une évaluation poussée de 15 détenus condamnés à mort a montré que tous les 15 avaient subi de sérieuses blessures à la tête. Bien que la plupart des individus souffrant de troubles neurologiques ne soient pas violents, Dorothy Lewis et ses collaborateurs (1986) en ont déduit que des troubles neurologiques méconnus pouvaient être un des ingrédients menant les gens à la violence. D'autres études sur des criminels violents ont révélé une diminution d'activité dans les lobes frontaux, lesquels jouent un rôle important dans le contrôle des pulsions (Amen et coll., 1996 ; Davidson et coll., 2000 ; Raine, 1999, 2005).

Finalement, le cerveau possède-t-il un « centre de la violence » qui déclenche l'agressivité lorsqu'il est stimulé ? En fait, il n'existe pas de point précis dans le cerveau qui contrôle l'agressivité, car l'agressivité est un comportement complexe qui se déclenche dans des conditions particulières. Le cerveau possède plutôt des systèmes neuronaux qui *facilitent* l'agressivité, face à une provocation. Il existe un système dans le lobe frontal qui inhibe l'agressivité, laquelle peut probablement augmenter si ce système est endommagé, inactif ou déconnecté, ou non entièrement mature.

:: Agressivité : tout comportement physique ou verbal ayant pour but de faire du mal ou de détruire.

Influences biochimiques Les hormones, l'alcool et d'autres substances dans le sang influencent les systèmes neuronaux qui contrôlent l'agressivité. Un taureau enragé devient un animal paisible lorsque la castration diminue sa concentration en testostérone. Il en va de même pour une souris castrée. Cependant, si on lui injecte de la testostérone, la souris castrée sera à nouveau agressive.

Bien que les humains soient moins sensibles aux changements hormonaux, les criminels violents sont souvent de jeunes hommes musclés avec une intelligence inférieure à la normale, de faibles concentrations en sérotonine (un neurotransmetteur) et une concentration en testostérone plus élevée que la normale (Dabbs et coll., 2001a ; Pendick, 1994). Des médicaments, qui réduisent fortement leur concentration en testostérone, apaisent leurs tendances agressives. Des niveaux élevés de testostérone sont corrélés à l'irritabilité, à la faible tolérance aux frustrations, à l'affirmation de soi et à l'impulsivité : des qualités qui prédisposent à des réactions quelque peu plus agressives à la provocation (Dabbs et coll., 2001b ; Harris, 1999). Chez les adolescents et les adultes, les niveaux élevés de testostérone sont corrélés à la délinquance, à l'utilisation de drogues dures et à des réponses agressives et brutales à la frustration (Berman et coll., 1993 ; Dabbs et Morris, 1990 ; Olweus et coll., 1988). Avec l'âge, les niveaux de testostérone et l'agressivité diminuent. Un adolescent de 17 ans agressif et rempli d'hormones devient en mûrissant un homme de 70 ans hormonalement plus calme et doux.

« Nous pourrions éviter les deux tiers des crimes en plongeant simplement tous les jeunes hommes en bonne santé dans un sommeil cryogénique entre 12 et 28 ans. »

David T. Lykken, *The Antisocial Personalities*, 1995

La relation entre le comportement et les hormones est à double sens. La testostérone augmente l'agressivité et l'instinct de domination, mais un comportement dominant fait également augmenter le taux de testostérone (Mazur et Booth, 1998). Au cours d'une étude, on a mesuré le taux de testostérone dans la salive d'étudiants masculins supporters d'une équipe de basketball avant et après un match important. Le taux de testostérone des fans victorieux était élevé, alors que celui des autres était très bas (Bernhardt et coll., 1998). Il a également été montré que le fait de tenir et de décrire un pistolet augmentait la testostérone dans la salive de participants à une recherche et augmentait la quantité de sauce piquante qu'ils mettaient dans l'eau supposée être bue par quelqu'un d'autre (Klinesmith et coll., 2006).

À la fois pour des raisons biologiques et psychologiques, l'alcool libère les réponses agressives lors de frustration (Bushman, 1993 ; Ito et coll., 1996 ; Taylor et Chermack, 1993). Le simple fait de *penser* que vous avez bu de l'alcool a un certain effet, mais il en est de même si vous avez, sans le savoir, ingéré de l'alcool versé dans une boisson. À moins que les personnes soient distraites, l'alcool a tendance à concentrer leur attention sur les provocations plutôt que sur les éléments inhibiteurs (Giancola et Corman, 2007). Les données de la police et les enquêtes dans les prisons renforcent les conclusions des expériences sur l'alcool et l'agressivité. Les personnes aux tendances agressives ont plus de chances de boire et de devenir violentes lorsqu'elles sont ivres (White et coll., 1993). On constate que les individus se trouvant sous l'emprise de l'alcool sont responsables de 4 crimes violents sur 10 et de 3 cas de violences conjugales sur 4 (Greenfeld, 1998).

Mitsuaki Iwago/Minden Pictures

La hyène femelle efflanquée chargée de testostérone : une véritable machine de combat L'embryologie inhabituelle de la hyène fait qu'elle fournit beaucoup de testostérone à son fœtus femelle. Il en résulte que les jeunes hyènes femelles semblent nées pour se battre.

Facteurs psychologiques et socioculturels de l'agressivité

11. Quels sont les facteurs psychologiques qui peuvent déclencher l'agressivité ?

Les facteurs biologiques influencent la facilité avec laquelle l'agressivité se déclenche. Mais quels sont les facteurs psychologiques qui appuient sur la détente ?

Expériences aversives Bien que la souffrance forge parfois le caractère, elle peut aussi faire ressortir la pire facette de notre personnalité. Les études dans lesquelles des animaux ou des hommes sont soumis à des expériences aversives montrent que ceux que l'on rend malheureux rendent souvent les autres malheureux (Berkowitz, 1983, 1989).

Le fait d'être bloqué à proximité d'un but augmente également la tendance des gens à l'agressivité. Nous connaissons ce phénomène sous le nom de **principe de frustration/agressivité**. La frustration engendre la colère qui peut, chez certaines personnes, engendrer l'agressivité, en particulier en présence d'un élément agressif, comme une arme à feu. Une analyse de 27 667 incidents majeurs de « frappeurs atteints » au base-ball entre 1960 et 2004 a montré que les lanceurs avaient plus de risques d'atteindre un batteur lorsqu'ils avaient été frustrés par le batteur précédent ayant frappé un coup de circuit, par le batteur actuel ayant frappé un coup de circuit la fois d'avant ou par un équipier ayant été atteint au cours de la précédente moitié de manche (Timmerman, 2007).

Rappelez-vous que les organismes réagissent au stress selon le *mécanisme du « combat ou de la fuite »*. Après les sentiments de frustration et de stress causés par les événements du 11 septembre, les Américains ont réagi par une détermination à combattre. Le terrorisme peut, de même, surgir d'un désir de vengeance, parfois après qu'un membre de la famille ou qu'un ami ait été tué ou blessé. Contrairement à la pensée populaire que la pauvreté nourrit le terrorisme, les responsables d'attentats suicide et ceux qui les soutiennent ont en réalité tendance à être ni mal éduqués ni désespérément pauvres (Krueger, 2007). Les kamikazes du 11 septembre par exemple étaient pour la plupart des hommes ayant une certaine éducation issus d'Arabie Saoudite, un pays riche (McDermott, 2005). La frustration (et l'agressivité) vient moins des privations que du fossé entre la réalité et les attentes, qui peut augmenter avec l'éducation et les connaissances.

Comme la frustration, d'autres stimuli aversifs comme la douleur physique, les insultes personnelles, les odeurs nauséabondes, les températures élevées ou la fumée de cigarette et bien d'autres encore, peuvent susciter l'hostilité. Par exemple, le taux de crimes violents et de violences conjugales est plus élevé au cours des années, des saisons, des mois ou des jours de forte chaleur (FIGURE 16.10). Lorsque nous avons chaud, nous sentons, nous pensons et agissons plus agressivement. D'après les données disponibles, Craig Anderson et ses collaborateurs (2000) prévoient qu'un réchauffement de 2 °C de la planète provoquera, toutes choses étant égales par ailleurs, 50 000 cas d'agressions et de meurtres supplémentaires rien qu'aux États-Unis.

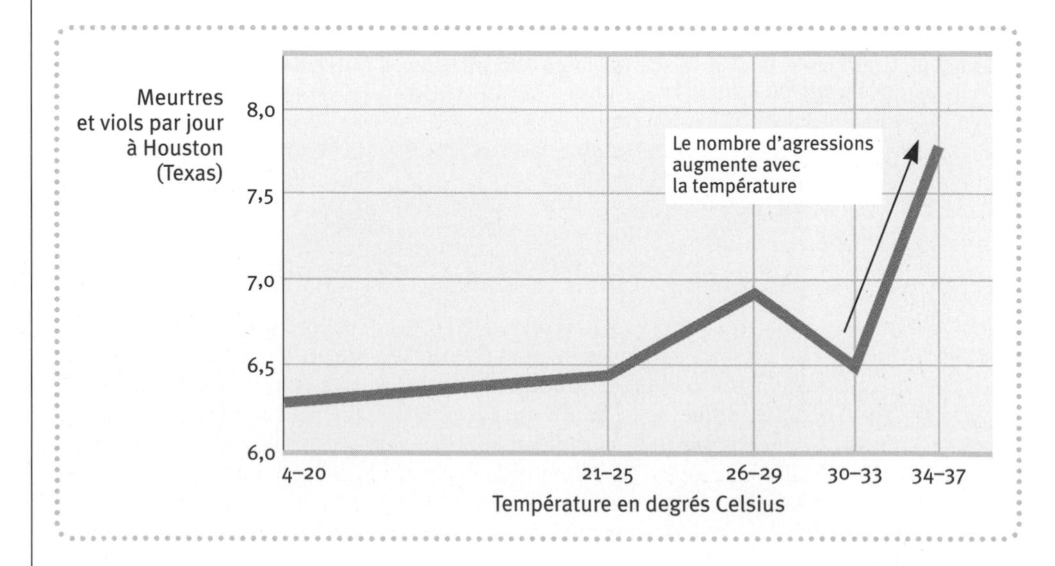

➤ FIGURE 16.10
Temps lourd et désagréable et réactions agressives À Houston, entre 1980 et 1982, les meurtres et les viols furent plus fréquents les jours où la température dépassait 33 °C, comme nous le voyons sur le graphique. Cette découverte est en accord avec celle des expériences de laboratoire au cours desquelles des gens travaillant dans une atmosphère chaude réagissent aux provocations avec une hostilité plus importante. (D'après Anderson et Anderson, 1984.)

Influences socioculturelles L'agression peut être une réponse naturelle à des événements désagréables, mais l'apprentissage peut modifier les réactions naturelles. Les animaux se nourrissent spontanément lorsqu'ils ont faim. Mais s'ils sont récompensés ou punis de manière appropriée, ils peuvent apprendre à se goinfrer ou à jeûner.

Nos réactions ont plus tendance à être agressives dans des situations où l'expérience nous a appris que l'agression payait. Les enfants dont l'agressivité réussit à intimider les autres enfants peuvent devenir plus agressifs. Des animaux qui ont combattu avec succès pour obtenir de la nourriture ou une femelle deviennent de plus en plus féroces.

Comme nous l'avons noté au chapitre 11, l'ostracisme peut engendrer une réelle douleur. Au cours d'une série d'études, Jean Twenge et ses collaborateurs (2001, 2002, 2003) dirent à des sujets que les gens qu'ils avaient rencontrés ne les désiraient pas dans leur groupe ou que leur test de personnalité indiquait qu'ils « étaient du genre à finir leur vie seuls ». Ceux qui se sentaient socialement exclus avaient plus tendance ultérieurement à dénigrer ou à agresser (en hurlant) une personne qui les avait insultés. Cette agressivité induite par le rejet rappelle les diverses fusillades dans les écoles américaines et européennes, commises par des jeunes qui avaient été mis à l'écart, malmenés ou ridiculisés par leurs pairs, ce qui a également été le cas en 2007 pour le tueur fou de l'université de Virginia Tech, Seung-Hui Cho. D'autres études confirment que le rejet intensifie souvent l'agressivité (Catanese et Tice, 2005 ; Gaertner et Iuzzini, 2005).

Différents modèles culturels renforcent et suscitent diverses tendances vis-à-vis de la violence. Par exemple, les taux de criminalité sont plus élevés (et le bonheur moyen plus faible) dans les pays marqués par une forte disparité entre les riches et les pauvres (Triandis, 1994). Richard Nisbett et Dov Cohen (1996) montrèrent comment la violence pouvait être différente selon la culture à l'intérieur d'un même pays. Ils analysèrent la violence chez les Blancs dans les villes du sud des États-Unis fondées par des bergers écossais ou irlandais dont la tradition insistait sur l'« honneur viril », l'usage des armes pour protéger les troupeaux et un passé marqué par l'esclavagisme. Nisbett et Cohen ont trouvé que leurs descendants avaient fait tripler le taux d'homicide et étaient plus favorables au châtiment corporel pour les enfants, aux initiatives guerrières et à la possession non réglementée d'armes à feu que ne le sont leurs pairs dans les villes de Nouvelle-Angleterre, fondées par des puritains traditionnellement calmes, des Quakers et des artisans et fermiers hollandais.

L'influence sociale se manifeste également par l'existence d'un taux de violence élevé dans les cultures et les familles qui n'ont reçu qu'une faible éducation paternelle (Triandis, 1994). Même après avoir contrôlé l'éducation parentale, l'ethnie, les revenus et la maternité des adolescentes, le taux d'incarcération des jeunes hommes américains élevés dans des maisons où le père est absent est deux fois plus important (Harper et McLanahan, 2004).

Cependant, il est important de noter que de nombreux individus mènent des vies calmes et même héroïques au milieu de stress sociaux, ce qui nous rappelle que les individus sont différents. L'individualité en elle-même a son importance. Le fait que les gens se comportent différemment selon le moment et l'endroit nous rappelle que les environnements sont différents et que les situations ont leur importance. Les Vikings jadis pillards sont devenus les Scandinaves d'aujourd'hui fervents pacifistes. Les comportements agressifs, comme tous les comportements, naissent de l'interaction entre des individus et des situations.

Cependant, une fois établis, les modes de comportement agressifs sont difficiles à modifier. Pour créer un monde plus convivial et plus respectueux, nous ferions mieux de susciter et de récompenser la sensibilité et la coopération dès le plus jeune âge, en expliquant par exemple aux parents comment faire preuve d'autorité, sans donner l'exemple de la violence. Souvent, c'est ce que font les parents exaspérés – frapper, crier et donner l'exemple de la violence. Les parents de jeunes délinquants exercent souvent leur autorité en les battant, l'agressivité étant érigée en méthode pour résoudre les problèmes (Patterson et coll., 1982, 1992). Ils ont aussi tendance à céder (récompenser) fréquemment face aux larmes des enfants, ainsi qu'à leurs caprices.

Les programmes de formation des parents suggèrent habituellement une approche plus positive. Ils les encouragent à renforcer les comportements souhaitables et à formuler les instructions de manière plus positive : « Lorsque tu auras fini de remplir le lave-vaisselle, tu pourras aller jouer », plutôt que : « Si tu ne mets pas les assiettes dans le lave-vaisselle, tu n'iras pas jouer ». Un *programme de « substitution de l'agressivité »*, qui a réduit le nombre des arrestations pour récidive chez de jeunes délinquants et membres de gang, a appris à ces jeunes et à leurs parents comment communiquer entre eux, les a entraînés à contrôler la colère et à encourager un raisonnement moral plus réfléchi (Goldstein et coll., 1998).

:: Principe de frustration/agressivité : principe selon lequel la frustration, c'est-à-dire le fait d'être empêché d'atteindre un but quelconque, suscite une colère qui peut engendrer l'agressivité.

« Pourquoi tuons-nous les gens qui tuent d'autres gens pour leur apprendre qu'il est mal de tuer autrui ? »

National Coalition to Abolish the Death Penalty, 1992

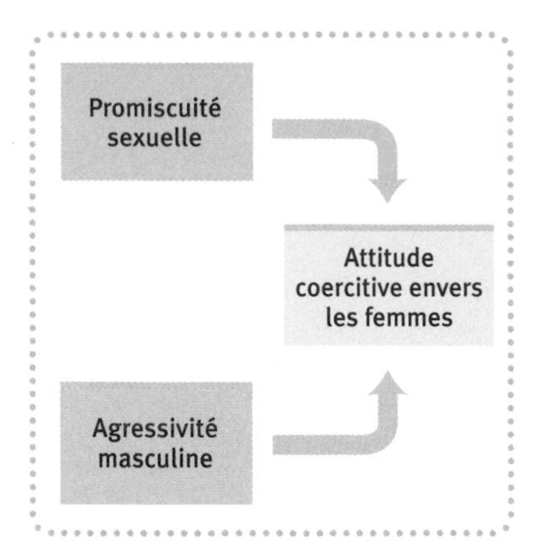

➤ FIGURE 16.11
Les hommes qui abusent sexuellement des femmes La coercition sexuelle envers les femmes relève d'une approche impersonnelle envers le rapport sexuel associée à une agressivité masculine. (Adapté de Malamuth, 1996.)

Observer des modèles d'agressivité Les parents ne constituent pas les seuls modèles d'agressivité. Comme nous l'avons vu au chapitre 7, la violence à la télévision tend à désensibiliser les gens à la cruauté et à les inciter à réagir avec agressivité quand on les provoque. Cette incidence des médias a-t-elle le même impact sur la violence sexuelle ? Nous savons que les hommes obligeant au sexe sous la contrainte ont typiquement des relations dissolues et hostiles avec les femmes (Figure 16.11). Nous savons aussi du fait d'enquêtes menées sur des étudiants et des adolescents américains et australiens que les garçons voient bien plus de films X et de pornographie sur Internet que les filles (Carroll et coll., 2008 ; Flood, 2007 ; Wolak et coll., 2007). Les modèles sexuellement implicites dans les médias contribuent-ils aux tendances sexuellement agressives ?

L'analyse du contenu de ces films classés X révèle qu'ils montrent essentiellement des scènes d'actes sexuels rapides et fortuits entre étrangers, mais que les scènes de viol et d'exploitation sexuelle de femmes par des hommes sont également fréquentes (Cowan et coll., 1988 ; NCTV, 1987 ; Yang et Linz, 1990). Les scènes de viol représentent souvent les victimes d'abord s'enfuyant et résistant à leur agresseur, puis devenant excitées et enfin succombant à l'extase. Sous une forme moins crue, le même scénario irréaliste (elle résiste, il persiste, elle cède) est banal à la télévision ou dans les romans à l'eau de rose. Dans *Autant en emporte le vent*, Scarlett O'Hara est amenée au lit en hurlant et se réveille en chantant. La plupart des violeurs acceptent ce *mythe du viol*, l'idée selon laquelle certaines femmes incitent ou prennent plaisir au viol et sont, ensuite, « emportées » pendant qu'elles sont « prises » (Brinson, 1992). (La vérité est que le viol est très traumatisant et nuit souvent à la vie sexuelle et aux fonctions de reproduction de la femme [Golding, 1996].) Comparés à ceux qui regardent peu la télévision, les hommes et les femmes qui la regardent beaucoup ont plus de chances d'accepter ce mythe du viol (Kahlor et Morrison, 2007).

Quand on interroge des responsables d'agressions sexuelles canadiens ou américains (violeurs, tueurs en série ou pédophiles), ils rapportent en fait un intérêt supérieur à la normale pour les scènes sexuellement explicites ou violentes, classiquement considérées comme *pornographiques* (Marshall, 1989 ; Oddone-Paolucci et coll., 2000 ; Ressler et coll., 1988). Le département de police de Los Angeles, par exemple, rapporte que la pornographie était « manifestement présente » dans 62 p. 100 des cas d'abus sexuels sur des enfants hors du milieu familial, enregistrés au cours des années 1980 (Bennett, 1991). L'importante consommation de la pornographie a également prédit une plus grande agressivité sexuelle au sein des universitaires de sexe masculin même après avoir contrôlé les autres facteurs prédisant un comportement antisocial (Vega et Malamuth, 2007). Mais les délinquants sexuels utilisent-ils la pornographie, comme le pense le spécialiste de la sexualité John Money (1988), simplement « comme un alibi pour s'expliquer à eux-mêmes et à ceux qui les arrêtent ce qui serait inexplicable autrement » ?

Des expériences de laboratoire montrent que la vision répétée de films classés X (même non violents) rend sa propre partenaire moins attirante, donne à l'amabilité des femmes une apparence plus sexuelle et fait paraître les agressions sexuelles comme moins graves (Harris, 1994). Au cours de l'une de ces études, Dolf Zillmann et Jennings Bryant (1984) montrèrent à des étudiants non encore diplômés six films courts sexuellement explicites par semaine pendant 6 semaines. Un groupe contrôle visionnait des films non érotiques pendant la même période de 6 semaines. Trois semaines plus tard, les deux groupes lurent dans un journal un article à propos d'un homme accusé du viol d'une auto-stoppeuse, mais non encore condamné. Lorsqu'on leur suggéra de proposer une peine de prison appropriée, ceux qui avaient vu des films érotiques proposèrent une durée d'emprisonnement deux fois moins longue que celle proposée par le groupe contrôle.

Bien que de telles expériences ne puissent engendrer une violence sexuelle réelle, elles peuvent évaluer le désir qu'a un homme de faire du mal à une femme. Souvent, un tel travail de recherche permet d'évaluer l'effet que peuvent avoir des films érotiques violents (par rapport aux films non violents) sur l'envie qu'ont les hommes de donner une décharge électrique aux femmes qui les avaient provoqués. Ces expériences suggèrent que ce n'est pas l'érotisme, mais la description de *violences* sexuelles (que ce soit dans des films d'horreur ou des films classés X) qui affecte le plus directement l'acceptation et la réalisation par les hommes d'agressions envers les femmes. Une conférence tenue par 21 psychosociologues, comprenant de nombreux chercheurs ayant réalisé ces expériences, a abouti à un consensus (Surgeon General, 1986) : « La pornographie qui présente une agression sexuelle comme agréable pour la victime augmente l'acceptation de l'usage de la force dans les relations sexuelles. » Contrairement à une opinion très populaire, la vue de telles représentations n'offre pas un dérivatif à des pulsions réprimées. Au contraire, « dans des études de laboratoire mesurant les effets à court terme, l'exposition à la pornographie violente augmente le comportement punitif envers les femmes ».

• Au cours d'études complémentaires, Zillmann (1989) observa qu'après avoir regardé un grand nombre de films X, les hommes et les femmes acceptaient plus volontiers les relations extraconjugales, la soumission sexuelle des femmes aux hommes, ou le fait qu'un homme séduise une fillette de 12 ans. Une personne intensément exposée au crime par la télévision perçoit le monde comme plus dangereux ; de même, une personne exposée à la pornographie voit le monde comme plus sexualisé. •

Acquérir des scénarios sociaux Les comportements significatifs tels que la violence ont, en général, de nombreux déterminants, faisant de toute explication unique une simplification abusive. Se demander ce qui provoque la violence revient à se demander quelle est la cause du cancer. Ceux qui étudient, par exemple, les effets de l'exposition à l'amiante sur l'incidence des cancers doivent nous rappeler que l'amiante est en effet une cause de cancers, mais seulement une parmi beaucoup d'autres. De la même manière, Neil Malamuth et ses collaborateurs (1991, 1995) rapportent que plusieurs facteurs peuvent créer une prédisposition à la violence sexuelle ; ils comprennent non seulement les médias, mais aussi un désir de domination, la levée des inhibitions par l'alcool et les mauvais traitements durant l'enfance. Cependant, si les scènes de violence dans les médias peuvent désensibiliser et désinhiber, si la vision de violences sexuelles pousse à des attitudes et à des comportements dominants et dégradants envers les femmes, et si la vue d'éléments pornographiques incite les spectateurs à banaliser le viol, à dévaluer leurs partenaires et à avoir des relations sexuelles sans lendemain, alors l'influence des médias n'est pas un problème mineur.

Les psychosociologues attribuent en partie l'influence des médias aux *scénarios sociaux* (un enregistrement mental de la manière d'agir, fourni par notre culture) qu'ils engendrent. Lorsque nous nous trouvons dans des situations nouvelles, sans savoir quoi faire, nous nous raccrochons à ces scénarios sociaux. Après tant de films d'action, les jeunes peuvent acquérir un scénario qui est activé lorsqu'ils se trouvent face à un problème réel. Si on les provoque, ils peuvent agir « comme un homme » en intimidant ou en éliminant la menace. De même, après avoir vu de multiples allusions ou actes sexuels aux heures de grande écoute à la télévision – presque tous impliquant de brèves relations impulsives – les jeunes peuvent acquérir des scénarios sexuels qu'ils vont ensuite reproduire dans les relations de la vie réelle (Kunkel et coll., 2001 ; Sapolsky et Tabarlet, 1991). Les paroles des musiques écrivent également des scénarios sociaux. Au cours d'un ensemble d'expériences, des universitaires allemands de sexe masculin qui écoutaient les paroles d'une chanson décrivant de la haine envers les femmes administraient la sauce la plus piquante à une femme et se souvenaient de sentiments et de pensées plus négatives sur les femmes. Les paroles d'une chanson décrivant de la haine envers les hommes avaient un effet similaire sur le comportement agressif des auditrices (Fischer et Greitemeyer, 2006).

Se pourrait-il que le niveau de conscience du public augmente en informant les gens de ce que vous venez de lire ? (*Voir* Gros plan : Une comparaison entre l'effet du tabagisme et l'effet de la violence dans les médias, page suivante.) Dans les années 1940, les films représentaient et décrivaient souvent les Noirs américains comme des bouffons superstitieux et enfantins. Aujourd'hui, des images de ce genre ne seraient plus tolérées. Dans les années 1960 et 1970, la musique rock et certains films glorifiaient l'usage des drogues. En réponse à une modification de fond des attitudes culturelles, l'industrie du divertissement montre maintenant plus souvent le côté noir des drogues. Répondant à une préoccupation croissante du public à propos de la violence dans les médias, le niveau de violence à la télévision a diminué au début des années 1990 (Gerbner et coll., 1993). La sensibilité croissante envers la violence a fait naître l'espoir qu'un jour les producteurs et le public pourraient, peut-être, regarder avec embarras le temps où les films « distrayaient » les gens avec des scènes de torture, de mutilation et d'actes sexuels exercés sous la contrainte.

Les jeux vidéo enseignent-ils la violence ou permettent-ils de s'en affranchir ? Les jeux vidéo violents sont devenus l'objet d'un débat, après que des assassinats commis par des adolescents dans plus d'une douzaine de lieux ont semblé reproduire le carnage du jeu vidéo auquel ils avaient si souvent joué (Anderson, 2004a). En 2002, deux adolescents de Grand Rapids (Michigan) et un jeune homme d'une vingtaine d'années passèrent une partie de la nuit à boire de la bière et à jouer au jeu *Grand Theft Auto III*, dont les règles consistent à renverser des piétons avec une voiture, puis de les frapper à coups de poing avant de laisser un corps ensanglanté (Kolker, 2002). Ils prirent ensuite leur propre voiture et percutèrent un cycliste de 38 ans avant de le piétiner et de le frapper à coups de poing, puis retournèrent chez eux pour continuer leur jeu. (La victime, un père de trois enfants, mourut 6 jours plus tard.)

Les jeux interactifs transportent le joueur dans sa propre réalité virtuelle. Lorsque les jeunes jouent au jeu *Grand Theft Auto : San Andreas*, ils peuvent voler des voitures, renverser des piétons, tirer pendant qu'ils conduisent, faire monter une prostituée, avoir des relations sexuelles avec elle puis la tuer. Quand les jeunes jouent à de tels jeux, apprennent-ils des scénarios sociaux ?

La plupart des enfants maltraités ne deviennent pas des parents maltraitants. La plupart des personnes qui boivent en société ne deviennent pas alcooliques. Et la plupart des jeunes qui passent des centaines d'heures devant ces simulateurs de crimes ne deviendront pas des adolescents meurtriers. Cependant, on peut se demander, comme les recherches le montrent, si le fait de regarder passivement de la violence augmente les comportements agressifs quand on se sent provoqué et fait diminuer notre sensibilité à la cruauté, qu'en est-il si on participe activement à ces jeux ?

Désensibilisation à la violence

Mark C. Burnett/Stock, Boston

GROS PLAN

Une comparaison entre l'effet du tabagisme et l'effet de la violence dans les médias

Les chercheurs Brad Bushman et Craig Anderson (2001) notent que la corrélation entre le fait d'être spectateur de la violence et le comportement agressif est similaire à la corrélation entre le tabagisme et le cancer du poumon. Ils notent également d'autres parallèles :

1. Toutes les personnes qui fument ne contractent pas un cancer du poumon.
2. Le tabagisme n'est que l'une des causes du cancer du poumon, mais c'est une cause importante.
3. La première cigarette peut donner la nausée, mais cette sensation d'écœurement s'estompe après plusieurs cigarettes.
4. À court terme, l'effet d'une cigarette est mineur et disparaît pendant l'heure qui suit.
5. À long terme, les effets cumulés de la cigarette peuvent avoir de graves répercussions.
6. Le système corporatif a nié tout lien entre le tabagisme et le cancer.

1. Toutes les personnes qui assistent à des scènes violentes ne deviennent pas agressives.
2. Le fait de voir de la violence n'est que l'une des causes de l'agressivité, mais c'est une cause importante.
3. Une première exposition à la violence peut mettre mal à l'aise, mais cette sensation s'atténue avec la répétition.
4. Une émission télévisée violente peut amorcer des pensées et un comportement agressifs, mais les effets disparaissent une heure après.
5. À long terme, les effets cumulés de la vision de la violence augmentent la probabilité de devenir agressif au quotidien.
6. Le système corporatif a nié tout lien entre le fait de voir des scènes de violence et l'agressivité.

Même si peu d'individus commettent des massacres, beaucoup ne seront-ils pas désensibilisés à la violence et donc plus enclins à la perpétrer ?

Trente-huit études effectuées sur plus de 7 000 personnes apportent quelques réponses (Anderson et coll., 2004). Une étude (Ballard et Wiest, 1998) a observé un taux d'activation et de sentiments d'hostilité plus élevé chez des étudiants de sexe masculin lorsqu'ils jouaient à *Mortal Kombat*. D'autres études ont découvert que les jeux vidéo pouvaient amorcer des pensées agressives et augmenter l'agressivité. Considérons les résultats de Craig Anderson et de Karen Dill (2000) : les étudiants de sexe masculin qui passent le plus d'heures à jouer à des jeux vidéo violents ont tendance à être les plus agressifs physiquement (ils reconnaissent, par exemple, avoir frappé ou attaqué une autre personne). Dans une expérience, les personnes qui furent désignées au hasard pour jouer à un jeu où elles devaient tuer des gens gémissant de douleur (plutôt que de jouer à *Myst*, qui est un jeu non violent) montraient par la suite davantage d'hostilité. Dans la suite de l'expérience, ils avaient aussi plus de chances de soumettre leurs condisciples à un bruit très intense. Ceux qui ont une importante expérience des jeux vidéo violents présentent également une désensibilisation aux images violentes mise en évidence par des réponses cérébrales estompées (Bartholow et coll., 2006).

De plus, des études menées chez de jeunes adolescents par Douglas Gentile et ses collaborateurs (2004, 2007) ont révélé que les enfants qui jouent à un grand nombre de jeux vidéo violents considèrent le monde de manière plus hostile, se disputent et se battent plus souvent et obtiennent des notes plus mauvaises (les heures passées à jouer ne le sont pas à lire ou à étudier). Ah bon ? Mais n'est-ce pas simplement parce que les enfants ayant naturellement un caractère hostile sont attirés par ces jeux ? *Non*, répond Gentile. Même parmi les joueurs de jeux violents qui obtiennent un score bas dans la mesure de l'hostilité, 38 p. 100 avaient participé à des bagarres. Ce chiffre représente presque dix fois plus que les 4 p. 100 d'enfants qui sont impliqués dans des bagarres, mais ne jouent pas à ces jeux. De plus, avec le temps, les risques que les non-joueurs se trouvent mêlés à une bagarre n'augmentent que s'ils commencent à jouer à des jeux violents. Anderson et ses collaborateurs (2007) pensent que les jeux vidéo violents ont même plus d'effets sur les comportements agressifs et la cognition que les émissions violentes à la télévision ou les films de violence, en partie du fait de la participation plus active et du fait que la violence est récompensée lors de ces jeux.

« Nous sommes ce que nous faisons constamment. »
Aristote

Bien qu'il y ait encore beaucoup de choses à découvrir, ces études infirment à nouveau l'*hypothèse de la catharsis*, théorie selon laquelle nous nous sentons mieux si nous « décompressons » en laissant libre cours à nos émotions (Chapitre 12). Jouer à des jeux vidéo violents *augmente* les pensées, les émotions et les comportements agressifs. Une compagnie de jeux vidéo explique que « nous sommes violents de nature [et que] nous avons besoin de relâcher la soupape ». « C'est une façon de traiter les sentiments violents et l'anxiété par un moyen imaginaire », ajoute un avocat reconnu des libertés civiles, expliquant ainsi son intuition que le fait de jouer à des jeux violents calme nos tendances violentes (Heins, 2004). En réalité, l'expression de la colère engendre encore plus de colère et la pratique de la violence engendre plus de violence. Les jeux de demain pourraient avoir encore plus d'impact. Les psychosociologues Susan Persky et Jim Blascovich (2005) ont créé un jeu vidéo violent pour les étudiants. Ceux-ci pouvaient y jouer soit sur leur ordinateur soit en mettant un casque et en entrant dans la réalité virtuelle. Comme ils l'avaient prévu, la réalité virtuelle augmente de manière plus spectaculaire encore les sentiments et les comportements agressifs pendant le jeu et après celui-ci.

Pour résumer, les recherches révèlent des influences biologiques, psychologiques et socioculturelles sur les comportements agressifs. Comme beaucoup d'autres choses, l'agressivité est un phénomène biopsychosocial (FIGURE 16.12).

Influences biologiques :
- influences génétiques
- influences biochimiques, comme la testostérone et l'alcool
- influences nerveuses, comme de graves lésions à la tête

Influences psychologiques :
- comportement dominant (qui augmente la concentration en testostérone dans le sang)
- croire que vous avez bu de l'alcool (que vous en ayez réellement bu ou pas)
- frustration
- modèles de rôles agressifs
- récompense envers les comportements agressifs

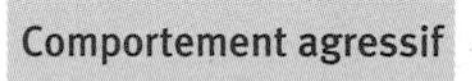

Comportement agressif

Influences socioculturelles :
- désindividualisation due au fait d'être dans une foule
- facteurs environnementaux difficiles, comme la foule, la chaleur, la provocation directe
- modèles parentaux d'agressivité
- implication minimale du père
- rejet par un groupe
- exposition à la violence dans les médias

➤ FIGURE 16.12
Comprendre l'agressivité du point de vue biopsychosocial Beaucoup de facteurs contribuent aux comportements agressifs, mais il existe de nombreuses façons de changer ces comportements, y compris en apprenant à gérer notre colère et à développer nos aptitudes à communiquer et en évitant la violence dans les médias et les jeux vidéo.

Attirance

Arrêtez-vous un moment et pensez à vos relations à deux, avec un ami proche et quelqu'un qui a suscité en vous des sentiments amoureux. Quelle est la chimie psychologique qui lie deux personnes ensemble dans cette sorte d'affection particulière qui aide quelqu'un à affronter toutes les autres relations ? La psychosociologie nous propose quelques éléments de réponse.

La psychologie de l'attirance

12. Pourquoi devenons-nous l'ami ou tombons-nous amoureux de certaines personnes mais pas d'autres ?

Nous nous demandons sans cesse comment nous pouvons gagner l'affection d'autrui et ce qui fait que notre propre affection se développe ou s'efface. La familiarité alimente-t-elle le dédain ou, au contraire intensifie-t-elle l'affection ? Est-ce que qui se ressemble s'assemble ou est-on attiré par son contraire ? La beauté est-elle uniquement superficielle où l'attirance physique a-t-elle beaucoup d'importance ? Considérons trois éléments qui favorisent notre affection pour autrui : la proximité, l'attirance physique et la ressemblance.

Proximité Avant de devenir étroites, les amitiés doivent d'abord débuter. La *proximité* – le voisinage géographique – est le facteur prédictif le plus puissant de l'amitié. La proximité fournit des possibilités d'agressions, mais, beaucoup plus souvent, elle suscite l'affection. Les études, les unes après les autres, montrent que les gens ont plus tendance à apprécier et même à épouser, ceux qui vivent dans le même voisinage, qui sont assis à côté d'eux en cours, qui travaillent dans le même bureau, qui partagent le même parking, qui mangent dans le même restaurant. Regardez autour de vous. (Concernant la technologie du XXIe siècle qui met les gens en relation sans passer par la proximité physique, *voir* Gros plan : Mise en relation en ligne et *speed dating*, page suivante).

Pourquoi la proximité incite-t-elle autant à l'affection ? Il est clair qu'une partie de la réponse se trouve être la disponibilité plus grande de ceux que nous rencontrons fréquemment. Mais il y a là quelque chose de plus. C'est que l'exposition répétée à un stimulus nouveau, que ce soit un choix de syllabes dénuées de sens, des morceaux de musique, des figures géométriques, des caractères chinois, des visages humains ou les lettres de notre propre nom, augmente notre intérêt pour eux (Moreland et Zajonc, 1982 ; Nuttin, 1987 ; Zajonc, 2001). Les personnes ont un peu plus de chances de se marier avec quelqu'un dont le nom ou le prénom ressemble un peu au leur (Jones et coll., 2004).

La familiarité engendre l'acceptation Lorsque ce pingouin blanc, très rare, naquit au zoo de Sydney (Australie), ses semblables en « smoking » le rejetèrent. Pour qu'il soit accepté, les gardiens du zoo pensèrent qu'ils devraient le peindre en noir, mais après 3 semaines à son contact, les autres pingouins l'acceptèrent.

Rex USA

GROS PLAN

Mise en relation en ligne et *speed dating*

Si vous n'avez pas trouvé de partenaire à aimer dans votre entourage immédiat, pourquoi ne pas explorer un réseau plus large ? Aux États-Unis, 16 millions d'individus ont essayé les services de rencontre et de mise en relation en ligne, comme, selon les estimations, 14 millions d'autres en Chine, 10 millions en Inde et des dizaines de millions dans d'autres pays (Cullen et Masters, 2008).

Bien qu'il y ait très peu de recherches publiées sur l'efficacité de ces services de mise en relation sur Internet, il semble bien établi que certaines personnes mentent sur leur âge, leur pouvoir de séduction, leur métier ou d'autres détails et qui, de ce fait, ne sont pas ceux qu'ils semblent être. Néanmoins, Katelyn McKenna, John Bargh et leurs collaborateurs ont trouvé qu'en moyenne les amitiés et les relations amoureuses formées sur Internet avaient plus de chances que les relations formées entre deux personnes de durer plus de deux ans (Bargh et coll., 2002, 2004 ; McKenna et Bargh, 1998, 2000 ; McKenna et coll., 2002). Au cours d'une de leurs études, les participants révélaient plus de choses sur eux, avec moins d'affection, à ceux qu'ils rencontraient en ligne. Lorsqu'ils communiquaient en ligne avec quelqu'un pendant 20 minutes, ils ressentaient plus de sympathie pour cette personne que lorsqu'ils rencontraient quelqu'un et lui parlaient en face à face. C'était vrai même lorsque dans les deux cas c'était la même personne (sans qu'ils le sachent bien sûr) ! Pas étonnant que les amitiés développées sur Internet soient souvent ressenties comme aussi réelles et importantes pour les gens que les relations directes entre individus.

Le *speed dating* est la mise en relation de deux personnes. Les personnes conversent pendant 3 à 8 minutes avec différents partenaires éventuels qui se succèdent, décidant après chacun s'ils ont envie de le revoir. Selon les chercheurs, il suffit souvent de 4 minutes pour que les participants se forgent un sentiment envers le partenaire avec qui ils ont parlé et sachent si ce partenaire les apprécie (Eastwick et Finkel, 2008a,b). Cela suffit aussi pour que les chercheurs aient commencé à utiliser le *speed dating* comme support pour étudier les différentes influences sur les premières impressions des participants sur les partenaires amoureux potentiels.

AP Photo/SIPA/Jacques Brinon

L'effet d'exposition simple Il s'applique également à nous-mêmes. Comme le visage humain n'est pas totalement symétrique, le visage que nous voyons dans un miroir n'est pas le même que celui que voient nos amis. La plupart d'entre nous préfèrent l'image familière du miroir, tandis que nos amis préfèrent l'autre (Mita et coll., 1977). Le Bill Gates que nous connaissons tous est celui de gauche. La personne qu'il voit dans son miroir chaque matin est présentée à droite, et c'est la photographie qu'il préférerait probablement.

Ce phénomène est appelé l'**effet d'exposition simple**. Dans une certaine mesure (Bornstein, 1989, 1999), la familiarité engendre la tendresse. Richard Moreland et Scott Beach (1992) démontrèrent cet effet en demandant à quatre femmes ayant le même pouvoir de séduction d'assister silencieusement à un cours suivi par 200 étudiants pendant 0, 5, 10 ou 15 cours. À la fin du trimestre, on montra aux étudiants des diapositives de chacune de ces femmes et on leur demanda de les classer selon leur pouvoir d'attraction. La plus séduisante fut celle qu'ils avaient vue le plus souvent. Ce phénomène ne saurait surprendre le jeune Taïwanais qui écrivit plus de 700 lettres à sa petite amie pour la supplier de l'épouser ; elle se maria, en effet, mais avec le facteur (Steinberg, 1993).

Aucun visage n'est plus familier que son propre visage. Cela permet d'expliquer une observation intéressante faite par Lisa DeBruine (2004) : les hommes aimaient les autres hommes (et les femmes les autres femmes) dont les visages avaient certaines caractéristiques semblables aux leurs (incorporées par *morphing*). Lorsque DeBruine (2002) demanda à des étudiants de l'université de McMaster de participer à un jeu avec un joueur hypothétique, ils se montrèrent plus coopératifs et plus confiants envers ceux dont les images ressemblaient aux traits de leur propre visage (incorporés par *morphing*). J'ai confiance en moi. (*Voir aussi* FIGURE 16.13.)

Pour nos ancêtres, l'effet d'exposition simple était un phénomène adaptatif. Ce qui était familier était en général sécurisant et accessible. Ce qui ne l'était pas était plus souvent dangereux et menaçant. L'évolution semble nous avoir programmés pour avoir tendance à nous lier avec ceux qui nous sont familiers et à se méfier de ceux qui ne nous sont pas familiers (Zajonc, 1998). Les préjugés instinctifs contre ceux qui nous sont culturellement différents relèvent peut-être d'une réponse émotionnelle automatique primitive (Devine, 1995). Ce qui est important c'est ce que nous faisons de ces préjugés réflexes suggèrent les chercheurs. Laissons-nous ces sentiments contrôler notre comportement ? Ou devons-nous surveiller nos sentiments et agir de la manière qui reflète nos valeurs conscientes de l'égalité humaine ?

Attirance physique Une fois que la proximité vous a apporté le contact, qu'est-ce qui affecte le plus vos premières impressions ? La sincérité de la personne ? Son intelligence ? Sa personnalité ? Des centaines d'expériences révèlent que c'est vraisemblablement quelque chose de plus superficiel : l'apparence. Pour les personnes à qui l'on explique que « la beauté n'est que superficielle » et qu'« il ne faut pas se fier aux apparences », le pouvoir de l'attirance physique est déconcertant.

Dans une étude, Elaine Hatfield et ses collaborateurs (Walster et coll., 1966) apparièrent, au hasard, de nouveaux étudiants de l'université du Minnesota pour une « soirée dansante de bienvenue ». Avant la soirée, chacun avait passé une batterie de tests de personnalité et

:: Effet d'exposition simple : phénomène selon lequel l'exposition répétée à un stimulus nouveau augmente l'affection qu'on lui porte.

Votant

Georges Bush

Mélange 60:40

➤ FIGURE 16.13
J'aime le candidat qui ressemble un peu à mon cher vieux moi Jeremy Bailenson et ses collaborateurs (2005) ont incorporé par *morphing* les visages des votants aux visages de Georges Bush et John Kerry, les candidats à l'élection présidentielle américaine de 2004. Sans avoir conscience que leur propre visage avait été incorporé sur les photographies, les participants avaient plus de chances de préférer le candidat dont le visage comprenait certaines caractéristiques du leur.

d'aptitudes. Au cours de la soirée, les couples tirés au sort dansèrent et discutèrent pendant plus de deux heures, puis s'arrêtèrent quelques instants pour laisser à chacun le temps de donner une évaluation de son partenaire. Qu'est-ce qui a déterminé si oui ou non ils s'appréciaient mutuellement ? Autant que les chercheurs ont pu le déterminer, une seule chose importait : l'attirance physique (qui avait été préalablement estimée par les responsables de l'expérience). Aussi bien les hommes que les femmes préféraient les partenaires agréables à regarder. Bien que les femmes aient une plus forte tendance à dire que l'apparence du partenaire ne les affecte pas (Lippa, 2007), l'apparence d'un homme modifie leur comportement (Feingold, 1990 ; Sprecher, 1989 ; Woll, 1986). Des expériences de *speed dating* ont confirmé l'influence de l'attirance physique sur la première impression quel que soit le sexe (Belot et Francesconi, 2006 ; Finkel et Eastwick, 2008).

Le pouvoir d'attraction physique des gens prédit également le nombre de leurs petit(e)s ami(e)s, leur sentiment de popularité et l'impression initiale des autres sur leur personnalité. Nous percevons les gens séduisants comme plus sains, plus heureux, plus sensibles, comme ayant plus de succès et étant socialement mieux adaptés, mais pas plus honnêtes ou plus compatissants (Eagly et coll., 1991 ; Feingold, 1992 ; Hatfield et Sprecher, 1986). Des gens attirants et bien habillés ont une probabilité plus grande de faire bonne impression à des employeurs potentiels et de connaître une réussite professionnelle (Cash et Janda, 1984 ; Langlois et coll., 2000 ; Solomon, 1987). Les analyses des revenus montrent des pénalités pour les rondeurs ou l'obésité et des primes pour la beauté (Engemann et Owyang, 2005).

Une analyse portant sur les 100 longs métrages ayant obtenu les plus grands succès au box-office depuis 1940 a révélé que les personnages attirants étaient présentés comme ayant une moralité dépassant celle des personnages peu attirants (Smith et coll., 1999). Cependant, le modèle hollywoodien n'explique pas pourquoi même les bébés préfèrent les visages attirants, ceci étant estimé d'après le temps durant lequel les bébés les regardent (Langlois et coll., 1987). Il en est de même pour les aveugles comme l'a découvert le professeur John Hull de l'université de Birmingham (1990, p. 23), après être lui-même devenu aveugle. Le fait qu'un collègue fasse des commentaires au sujet de la beauté d'une femme influence de manière étrange ses sentiments. Il trouve cela « déplorable... Qu'est-ce que cela peut me faire ce que les hommes voyants peuvent penser des femmes... et pourtant je prends à cœur ce qu'ils pensent, et je me sens incapable de me défaire de ce préjugé ».

L'importance de l'apparence semble injuste et bien peu évolué. Pourquoi cela devrait-il avoir de l'importance ? Il y a deux mille ans, l'homme politique romain Cicéron avait déjà la même impression, considérant que « le bien final et la tâche suprême d'une personne avisée sont de résister à l'apparence ». Cicéron serait peut-être rassuré par deux autres découvertes.

En premier lieu, l'attirance physique est étonnamment non corrélée à l'estime de soi et au bonheur (Diener et coll., 1995 ; Major et coll., 1984). Une des raisons est peut-être que, sauf après comparaison avec des individus très beaux, peu de gens se trouvent vraiment laids (grâce, peut-être, à l'effet d'exposition simple) (Thornton et Moore, 1993). Une autre raison est que les personnes particulièrement séduisantes se demandent parfois si l'appréciation de leur travail n'est pas simplement une réaction à leur apparence physique. Lorsque des gens moins séduisants sont appréciés pour leur travail, ils ont plus de chances d'accepter les compliments comme sincères (Berscheid, 1981).

Cicéron aurait également pu trouver du réconfort dans l'idée que les jugements concernant la beauté sont relatifs. Les critères selon lesquels Miss Univers est élue s'appliquent difficilement à l'ensemble de la planète. La beauté dépend plutôt de la culture, nos normes de beauté

Quand l'homme de Néanderthal tombe amoureux.

« La beauté personnelle est une recommandation plus importante qu'aucune lettre d'introduction. »
Aristote, *Apothegems*, 330 av. J.-C.

Pourcentage d'hommes et de femmes qui « pensent constamment à leur apparence »

	Hommes	Femmes
Canada	18 p. 100	20 p. 100
États-Unis	17	27
Mexique	40	45
Vénézuela	47	65

D'après l'enquête de Roper Starch, commentée par McCool (1999).

Dans l'œil de celui qui contemple Les conceptions de ce qui est attirant varient en fonction des cultures. De plus, les normes actuelles concernant la beauté au Maroc, au Kenya, et en Scandinavie pourraient bien changer dans le futur.

reflètent un moment donné et un lieu donné. Espérant paraître attirants, les gens, dans des cultures différentes, ont percé leur nez, allongé leur cou, bandé leurs pieds, teint leur peau et leurs cheveux, mangé pour avoir une figure ronde ou supprimé leur graisse par liposuccion pour être mince, appliqué des produits chimiques dans l'espoir de faire disparaître leurs poils ou pour faire repousser leurs cheveux, bandé leur poitrine avec des bandes de cuir pour empêcher leurs seins de grossir ou mis des prothèses en silicone dans leurs seins et un Wonderbra® pour les rendre plus gros.

Pour les femmes, en Amérique du Nord, l'idéal ultramince des années 1920 a laissé la place, dans les années 1950, à l'idéal doux et voluptueux de Marilyn Monroe, pour être depuis remplacé par l'idéal mince mais plantureux des années 1990. Actuellement, les Américains dépensent plus en produits de beauté que pour l'éducation et les services sociaux réunis, et ceux qui n'ont pas de résultats satisfaisants ont recours à des millions de traitements cosmétiques médicaux chaque année, y compris la chirurgie esthétique, les injections de Botox®, l'épilation au laser, sans compter les techniques dentaires de pose de facettes ou de blanchissement des dents (ASAPS, 2008). Mais le résultat de la course à la beauté est que, depuis 1970, de plus en plus de femmes se disent *mé*contentes de leur apparence (Feingold et Mazella, 1998).

• Maureen Dowd, chroniqueuse au *New York Times*, écrit à propos de la liposuccion (19 janvier 2000) : « Dans les années 1950, les femmes aspiraient. En 2000, elles se font aspirer. Nos aspirateurs se sont retournés contre nous ! » •

• Les techniques esthétiques sont utilisées à 91 p. 100 par des femmes (ASAPS, 2008). Les femmes se souviennent également mieux de l'apparence physique des autres que les hommes (Mast et Hall, 2006). •

Certains aspects de la séduction, cependant, traversent les lieux et les époques (Cunningham et coll., 2005 ; Langlois et coll., 2000). Comme nous l'avons vu au chapitre 4, les hommes issus de cultures très diverses, de l'Australie à la Zambie, jugent les femmes plus attirantes si elles ont une apparence juvénile. Pour les femmes, les hommes d'apparence saine semblent plus attirants s'ils paraissent mûrs et dominants et ont une bonne situation.

Partout également les gens semblent préférer des caractéristiques physiques (nez, jambes, apparence physique) qui ne soient pas anormalement grandes ou petites. Un visage qui se situe dans la moyenne est attirant (Figure 16.14). Au cours d'une démonstration astucieuse de ce phénomène, Judith Langlois et Lori Roggman (1990) ont digitalisé les visages de 32 étudiants et utilisé un ordinateur pour obtenir un visage « moyen ». Les étudiants ont jugé les visages moyens recomposés plus attirants que 96 p. 100 des visages des individus. L'une des raisons découle du fait que les visages de la moyenne des gens sont symétriques, et que les personnes

➤ FIGURE 16.14
Une moyenne attirante Lequel de ces visages présentés par David Perrett (2002), psychologue à l'université de St. Andrews, est le plus attirant ? La plupart des gens disent que c'est le visage de droite – un visage qui n'est pas réel et qui est un mélange des trois premiers visages ainsi que de 57 autres visages réels.

Transformation extrême Dans les cultures d'abondance, où l'on se soucie beaucoup de sa beauté, de plus en plus de gens (comme cette femme de l'émission télévisée américaine *Extreme Makeover*, « Transformation extrême ») ont recours à la chirurgie esthétique pour améliorer leur apparence. Si l'argent n'était pas un problème, feriez-vous la même chose ?

dont le visage et le corps sont symétriques sont aussi plus sexuellement attirantes (Rhodes et coll., 1999 ; Singh, 1995 ; Thornhill et Gangestad, 1994). En réunissant la moitié de votre visage à son reflet dans le miroir, vous obtiendrez votre nouveau visage symétrique qui sera nettement plus attirant.

Les normes culturelles mises à part, l'attirance physique dépend aussi de nos sentiments envers la personne en question. Si des gens pensent que quelqu'un a des caractéristiques attirantes (par exemple qu'il est honnête, a de l'humour et est poli plutôt que grossier, injuste et maltraitant), ils perçoivent cette personne comme plus attirante physiquement (Lewandowski et coll., 2007). Dans une comédie musicale de Rodgers et Hammerstein, le prince charmant demande à Cendrillon : « Est-ce que je vous aime parce que vous êtes belle ou est-ce que vous êtes belle parce que je vous aime ? » Il est probable que cela soit les deux. Au fur et à mesure que nous voyons la personne que nous aimons encore et encore, ses imperfections physiques deviennent de moins en moins perceptibles et son pouvoir de séduction devient plus évident (Beaman et Klentz, 1983 ; Gross et Crofton, 1977). Comme le dit Shakespeare dans *Songe d'une nuit d'été* : « L'amour ne voit pas avec les yeux mais avec l'esprit. » Aimez quelqu'un et sa beauté grandira.

« L'amour a toujours en perspective le charme absolu de ce qu'il regarde. »
George MacDonald, *Unspoken Sermons*, 1867

Ressemblance Si la proximité vous a mis en contact avec quelqu'un et que votre apparence a permis une première impression favorable, qu'est-ce qui va maintenant déterminer si ces relations vont déboucher sur de l'amitié ? Par exemple, si vous en arrivez à mieux connaître quelqu'un, l'alchimie fonctionnera-t-elle mieux si vous êtes opposés ou si vous êtes semblables ?

Cela permet d'écrire de bonnes histoires, lorsque des personnages très différents vivent en bonne harmonie : le rat, la taupe et le blaireau dans *Le vent dans les saules*, la grenouille et le crapaud dans les livres d'Arnold Lobel. Ces histoires nous plaisent parce qu'elles expriment ce que nous vivons rarement, car nous avons tendance à *ne pas* apprécier ceux qui sont différents de nous (Rosenbaum, 1986). Dans la vie réelle, les extrêmes se repoussent. Ceux qui s'assemblent en général *se ressemblent*. Les amis et les couples ont beaucoup plus de chances d'avoir des attitudes, des croyances et des intérêts communs (et, pour autant que cela ait de l'importance, le même âge, la même origine ethnique, la même religion, la même éducation, la même intelligence, le même comportement vis-à-vis du tabac et le même statut économique) que n'en ont des personnes appariées au hasard. En outre, plus les gens se ressemblent, plus leurs liens affectifs sont durables (Byrne, 1971). Le journaliste Walter Lippmann avait raison de supposer que l'amour était plus durable lorsque « les amoureux aiment beaucoup de choses en commun et pas simplement l'autre ». La ressemblance engendre le contentement. Les différences entraînent souvent une disgrâce ce qui permet d'expliquer pourquoi beaucoup d'hommes hétérosexuels désapprouvent les hommes homosexuels qui sont doublement différents d'eux quand à leur orientation sexuelle et à leur rôle sexuel (Lehavot et Lambert, 2007).

La proximité, l'attraction physique et les ressemblances ne sont pas les seuls déterminants de l'attirance. Nous aimons aussi ceux qui nous aiment, en particulier lorsque notre image de nous-même est mauvaise. Lorsque nous pensons que quelqu'un nous aime, nous nous sentons bien et réagissons de façon plus chaleureuse envers lui, ce qui l'incite à nous aimer davantage (Curtis et Miller, 1986). Être aimé est une puissante récompense.

• En Italie et aux États-Unis, les personnes apprécient également les candidats politiques qui partagent leurs propres traits de personnalité. En 2004, John Kerry était considéré comme un candidat à l'esprit ouvert et Georges Bush comme loyal et sincère. De chaque côté, les électeurs ont préféré celui chez qui ils voyaient les mêmes traits de personnalité que les leurs (Caprara et coll., 2007). •

Instantanés sur jasonlove.com

Bill regarda Susan et Susan regarda Bill. Tout à coup la mort ne sembla plus envisageable. C'était le coup de foudre.

En effet, une théorie simple de l'*effet renforçateur de l'attirance,* selon laquelle nous aimons ceux dont le comportement nous récompense et nous poursuivons les relations qui offrent plus d'avantages que d'inconvénients, peut expliquer toutes les découvertes que nous avons envisagées jusqu'à présent. Lorsqu'une personne vit ou travaille à proximité immédiate de quelqu'un d'autre, cela coûte moins de temps et d'effort de développer une relation amicale et de jouir de ses avantages. Les personnes attirantes sont esthétiquement plaisantes, et avoir des relations avec elles peut être valorisant sur le plan social. Ceux qui ont des opinions similaires aux nôtres nous récompensent en les validant.

L'amour romantique

13. De quelle manière l'amour romantique change-t-il avec le temps ?

Parfois, les gens progressent rapidement des premières impressions à l'amitié, pour arriver au stade complexe, mystérieux et plus intense de l'amour romantique. Elaine Hatfield (1988) distingue deux types d'amour : l'amour passionnel, temporaire, et la complicité amoureuse plus durable.

Amour passionnel Ayant remarqué que l'excitation était un élément majeur de l'**amour passionnel**, Hatfield suggéra que la théorie bifactorielle des émotions (Chapitre 12) pouvait nous aider à comprendre cette fusion positive et intense avec autrui. La théorie considère que (1) les émotions sont constituées de deux éléments - la stimulation physique et l'évaluation cognitive - et que (2) la stimulation provenant de n'importe quelle source peut accroître une émotion ou une autre, selon la façon dont nous interprétons et nommons cette stimulation.

Pour tester cette théorie, des étudiants de sexe masculin ont été stimulés par une peur, une course sur place, la vue de films érotiques ou l'écoute de monologues drôles ou rébarbatifs. On les mit ensuite en présence d'une jeune femme attirante et on leur demanda de donner une appréciation de celle-ci (ou de leur petite amie). À la différence des sujets qui n'avaient pas été stimulés, ceux qui l'avaient été attribuèrent une partie de leur excitation à la femme ou à leur petite amie et se sentirent plus attirés par cette dernière (Carducci et coll., 1978 ; Dermer et Pyszczynski, 1978 ; White et Kight, 1984).

En dehors du laboratoire, Donald Dutton et Arthur Aron (1974, 1989) se rendirent sur deux ponts traversant la rivière Capilano, un torrent des rocheuses de Colombie britannique. L'un était une passerelle suspendue à 70 mètres au-dessus des rochers, l'autre un pont bas et solide. Une jeune femme attirante, complice de l'expérience, interceptait les hommes à l'extrémité de chacun des ponts, sollicitait leur aide pour remplir un bref questionnaire et leur proposait ensuite son numéro de téléphone au cas où ils souhaiteraient en savoir plus sur l'étude. Une proportion beaucoup plus importante de ceux qui venaient juste de traverser le pont le plus haut, qui avaient eu le cœur battant, acceptèrent le numéro de téléphone et appelèrent ensuite la jeune femme. Avoir le cœur qui bat et associer une partie de cette excitation à une personne désirable, c'est sentir la poussée de la passion. L'adrénaline rend le cœur plus amoureux.

Complicité amoureuse Bien que l'étincelle amoureuse subsiste, l'intense fusion à l'autre, les frissons du désir, le sentiment vertigineux de « flotter sur un nuage » s'estompent généralement. Les Français ont-ils donc raison de dire que « l'amour fait passer le temps et le temps fait passer l'amour » ? Ou bien, l'amitié et l'engagement peuvent-ils permettre à une relation de se poursuivre lorsque la passion se refroidit ?

::Amour passionnel : état d'excitation caractérisé par une fusion intense et positive avec un autre, en général présent au début d'une histoire d'amour.

::Complicité amoureuse : attachement profond que nous éprouvons envers ceux avec qui nous partageons notre vie.

::Équité : condition dans laquelle les gens reçoivent d'une relation en proportion de ce qu'ils lui donnent.

::Confidence intime : révélation d'aspects intimes de soi-même aux autres.

HI & LOIS

Hatfield note que si l'amour mûrit, il se transforme en **complicité amoureuse**, plus solide, en un attachement profond et affectueux. Il peut y avoir une sagesse adaptative à cette transition de la passion vers l'affection (Reis et Aron, 2008). L'amour passion donne souvent naissance à des enfants dont la survie est aidée par le déclin de l'obsession des parents l'un envers l'autre. La psychosociologue Ellen Berscheid et ses collaborateurs (1984) notent que le fait de ne pas saisir que la durée de vie d'un amour passionnel est limitée peut vouer une relation à l'échec. « Si la probabilité implacable s'opposant à la passion éternelle dans une relation était mieux comprise, beaucoup plus de gens pourraient choisir de se satisfaire de sentiments plus paisibles de satisfaction et de contentement. » En effet, conscients de la courte durée de l'amour passion, certaines sociétés ont considéré que de tels sentiments représentaient une raison irrationnelle au mariage. Il est préférable, préconisent de telles sociétés, de choisir (ou d'avoir quelqu'un qui choisit pour vous) un partenaire du même milieu et ayant des intérêts compatibles. Dans les cultures non occidentales, où les individus accordent moins d'importance à l'amour pour le mariage, les taux de divorce sont inférieurs (Levine et coll., 1995).

Une des clés d'une relation gratifiante et durable est l'**équité** : les deux partenaires reçoivent en proportion de ce qu'ils donnent. Lorsque l'équité existe, c'est-à-dire lorsqu'ils donnent et reçoivent librement, lorsqu'ils partagent la prise de décision, leurs chances d'arriver à une complicité amoureuse durable et satisfaisante sont bonnes (Gray-Little et Burks, 1983 ; Van Yperen et Buunk, 1990). Selon une enquête nationale, « partager les travaux ménagers » arrive en troisième rang après « la fidélité » et « des relations sexuelles heureuses » sur la liste des neuf choses que les gens associent à un mariage réussi. Comme le résume le Centre de recherche de Pew (2007) : « J'aime bien les étreintes. J'aime bien les baisers. Mais ce que j'aime réellement c'est qu'on m'aide à faire la vaisselle. »

L'importance de l'équité s'étend au-delà du mariage. Partager mutuellement soi et ses possessions, donner et recevoir un soutien émotionnel, favoriser et prendre soin du bien-être l'un de l'autre, sont au cœur de n'importe quel type de relation amoureuse (Sternberg et Grajek, 1984). C'est vrai pour les amoureux, pour des parents et leurs enfants, et pour des amis intimes.

« Lorsque deux personnes sont sous l'influence des sentiments les plus violents, les plus fous, les plus insaisissables et les plus fugaces de la passion, on leur demande de jurer qu'ils vont rester éternellement dans cette situation d'excitation, anormale et épuisante, jusqu'à ce que la mort les sépare. »
George Bernard Shaw, « *Getting Married* », 1908

Un autre élément vital de la relation amoureuse est les **confidences intimes**, la révélation de détails intimes nous concernant, comme nos goûts et nos dégoûts, nos rêves et nos soucis, les moments dont nous sommes fiers et ceux dont nous avons honte. « Lorsque je suis avec mes amis », notait Sénèque (homme d'État romain), « je pense que je suis seul et que je suis libre de dire n'importe quoi comme de le penser. » Le fait de s'ouvrir aux autres engendre de l'affection, et l'affection engendre l'ouverture (de soi) aux autres (Collins et Miller, 1994). Lorsqu'une personne révèle une petite chose, l'autre fait de même, la première en raconte encore plus et ainsi de suite, au fur et à mesure que les amoureux ou les amis progressent vers une intimité plus grande. On ranime la passion au fur et à mesure que le niveau d'intimité évolue (Baumeister et Bratslavsky, 1999).

Dans le cadre d'une expérience, des étudiants volontaires ont été répartis par groupe de deux et amenés à engager une conversation intense de 45 minutes avec des questions de plus en plus personnelles comme par exemple : « Quand avez-vous chanté tout seul la dernière fois ? » ou « Quand avez-vous pleuré devant une autre personne pour la dernière fois ? Et tout seul ? » Au terme de l'expérience, ceux qui avaient participé à ce tête-à-tête de plus en plus intense sur le plan de l'intimité se sont sentis extrêmement proches des partenaires avec qui ils avaient discuté, bien plus que les autres qui n'avaient échangé que des banalités du type « comment était ton lycée ? » (Aron et coll., 1997). Les confidences intimes associées au soutien mutuel, d'égal à égal, tendent à favoriser une complicité amoureuse durable.

L'intimité peut également croître lorsque l'on fait une pause pour réfléchir et écrire nos sentiments. C'est ce qu'ont découvert Richard Slatchter et James Pennebaker (2006) lorsqu'ils ont invité une personne de chacun des 86 couples sortant ensemble à passer 20 minutes par jour pendant trois jours soit à écrire leurs pensées et

AP Photo/SIPA/Archaeological Society SAP, ho

L'amour est une chose ancienne
En 2007, un couple de jeunes « Romeo et Juliette » âgé de 5 000 à 6 000 ans et enlacé a été déterré près de Rome.

sentiments les plus profonds à propos de leur relation soit d'écrire simplement leurs activités quotidiennes. Ceux qui avaient écrit à propos de leurs sentiments ont exprimé plus d'émotion dans leurs messages à leur partenaire dans les jours qui ont suivi l'expérience et 77 p. 100 étaient encore ensemble trois mois plus tard (comparés aux 52 p. 100 qui avaient écrit à propos de leurs activités).

Altruisme

14. À quel moment sommes-nous le plus enclin, ou le moins, à venir en aide ?

Carl Wilkens, un missionnaire de l'église adventiste du Septième Jour vivait avec sa famille à Kigali (Rwanda) lorsque la milice Hutu commença à massacrer les Tutsis en 1994. Le gouvernement américain, les hauts dignitaires de l'église et ses amis l'implorèrent de partir. Il refusa. Après avoir évacué sa famille et après le départ des autres Américains de Kigali, il resta seul et combattit ce génocide de 800 000 personnes. Lorsque la milice vint pour le tuer, lui et ses serviteurs Tutsis, ses voisins Hutus dissuadèrent les miliciens. Malgré les menaces de mort répétées, il passa ses jours risquant les barrages routiers pour amener de l'eau et de la nourriture aux orphelins et pour négocier, plaider et forcer son chemin au milieu des carnages, sauvant des vies encore et encore. Plus tard, il expliqua « qu'il me semblait simplement que c'était la bonne chose à faire » (Kristof, 2004).

Quelque part ailleurs dans Kigali, Paul Rusesabagina, un Hutu marié à une Tutsi et gérant d'un hôtel de luxe donnait refuge à plus de 1 200 Tutsis terrifiés et Hutus modérés. Lorsque les forces de paix internationales abandonnèrent la ville et que la milice hostile menaça les réfugiés dans « l'hôtel Rwanda » (comme il fut ensuite appelé dans un film en 2004), le courageux Rusesabagina commença à se faire rembourser ses faveurs passées, soudoya la milice et téléphona à des personnes influentes à l'étranger pour faire pression sur les autorités locales, épargnant ainsi les vies des occupants de l'hôtel du chaos qui l'entourait.

Une telle bonté désintéressée illustre l'**altruisme**, qui est une attention désintéressée portée au bien-être d'autrui, et qui devint une préoccupation majeure des psychosociologues à la suite d'un acte de violence sexuelle particulièrement répugnant. Un rôdeur frappa Kitty Genovese de plusieurs coups de couteau, puis la viola alors qu'elle gisait, mourante, devant son appartement du Queens (New York) à 3 h 30 du matin, le 13 mars 1964. « Oh ! Mon Dieu, il m'a poignardée ! », criait la femme dans le silence du petit matin. « S'il vous plaît, aidez-moi ! » Les fenêtres s'ouvrirent et les lumières s'allumèrent lorsque 38 de ses voisins, entendirent ses plaintes selon un des premiers rapports du *New York Times*, bien que ce nombre fût par la suite contesté. Son agresseur s'enfuit, puis revint sur ses pas pour la poignarder et la violer de nouveau. Ce n'est que lorsqu'il fut parti pour de bon que quelqu'un fit enfin quelque chose : appeler la police. Il était 3 h 50.

« Aucun incident isolé n'a autant poussé les psychosociologues à s'intéresser à un aspect du comportement social que le meurtre de Kitty Genovese. »
R. Lance Shotland (1984)

Intervention des témoins

En réfléchissant au meurtre de cette femme et à d'autres tragédies du même genre, la plupart des commentateurs se lamentaient de l'« apathie » et de l'« indifférence » des témoins. Plutôt que de les blâmer, les psychosociologues John Darley et Bibb Latané (1968b) attribuèrent l'inaction des témoins à un facteur de situation important, à savoir la présence d'autres personnes. Ils supposaient que, dans certaines circonstances, la plupart d'entre nous auraient fait de même.

Après avoir mis en scène des situations d'urgence dans diverses conditions, Darley et Latané ont résumé leurs résultats dans un arbre de décision : nous allons prêter main-forte uniquement si la situation nous permet de *remarquer* l'incident, puis de l'*interpréter* comme ayant un caractère d'urgence et, enfin, de *prendre la responsabilité* de venir en aide (Figure 16.15). À chaque étape, la présence d'autres témoins détourne les gens du chemin qui les conduit à apporter de l'aide. Au laboratoire comme dans la rue, des personnes se trouvant dans un groupe de gens étrangers ont plus tendance que des individus solitaires à rester concentré sur ce qu'ils sont en train de faire ou l'endroit où ils vont. S'ils remarquent une situation inhabituelle, ils peuvent déduire de la réaction blasée des autres passants que la situation n'a pas un caractère d'urgence. « La personne couchée sur le trottoir doit être ivre », pensent-ils, et ils passent leur chemin.

:: **Altruisme** : attention désintéressée portée au bien-être d'autrui.

:: **Effet témoin** : tendance d'un témoin quelconque à moins intervenir pour apporter de l'aide si d'autres spectateurs sont présents.

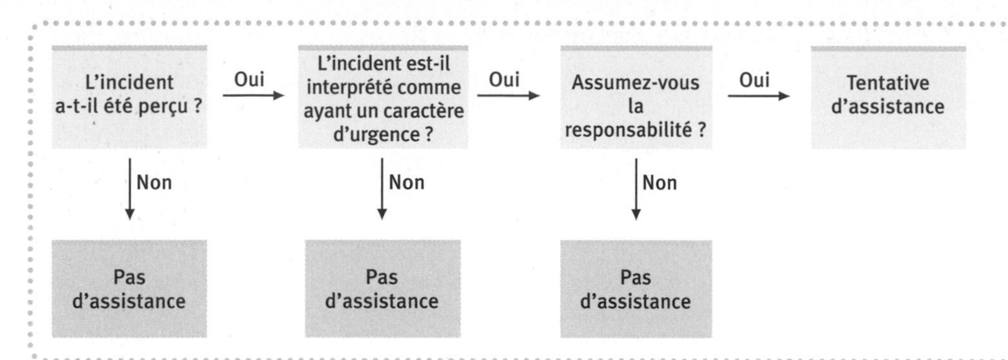

➤ FIGURE 16.15
Le processus de prise de décision conduisant à l'intervention des témoins Avant d'apporter son aide, on doit d'abord remarquer l'urgence, puis l'interpréter correctement, et enfin se sentir responsable. (D'après Darley et Latané, 1968b.)

Mais, dans certains cas comme celui du meurtre de Kitty Genovese, le caractère d'urgence est sans ambiguïté, et les gens ne lui ont pourtant pas porté secours. Les témoins regardant dehors à travers leurs carreaux se sont aperçus de l'incident, ont correctement interprété le caractère d'urgence et n'ont pourtant pas pris leurs responsabilités. Pourquoi ? Pour essayer de le comprendre, Darley et Latané (1968a) ont simulé un problème physique nécessitant une intervention d'urgence dans leur laboratoire. Des étudiants participaient à une discussion par l'intermédiaire d'interphones. Chaque étudiant était dans un box séparé et seule la personne dont l'interphone était allumé pouvait être entendue. L'un des étudiants était complice des expérimentateurs. Lorsque vint son tour, il appela à l'aide et émit des sons comme s'il était en proie à une crise d'épilepsie.

Comment réagirent les autres étudiants ? Comme le montre la FIGURE 16.16, ceux qui pensaient qu'ils étaient les seuls à pouvoir entendre la victime, et donc qu'ils portaient l'entière responsabilité de l'aide, lui portèrent secours en général. Ceux qui croyaient que d'autres pouvaient aussi entendre furent moins enclins à réagir, comme le furent les voisins de Kitty Genovese. Lorsque plusieurs personnes partageaient la responsabilité d'apporter de l'aide, c'est-à-dire lorsque la *responsabilité semblait diffuse*, chacun des auditeurs était moins enclin à porter secours.

Au cours de centaines d'autres expériences, les psychologues ont étudié les facteurs qui influençaient la bonne volonté d'un témoin à relayer un appel téléphonique d'urgence, à aider un automobiliste en panne, à donner du sang, à ramasser un livre tombé, à donner de l'argent ou du temps. Par exemple, Latané, James Dabbs (1975) et 145 collaborateurs ont emprunté 1497 ascenseurs dans trois villes différentes et ont fait « accidentellement » tomber une pièce ou un crayon devant 4813 passagers. Les femmes laissant tomber des pièces eurent plus de chances que les hommes de recevoir de l'aide, une différence entre sexes souvent rapportée par d'autres chercheurs (Eagly et Crowley, 1986). Mais la découverte majeure fut l'**effet témoin** : un témoin quelconque a une probabilité moindre d'offrir son aide si d'autres témoins sont présents. Lorsque la personne dans le besoin se trouvait seule avec une autre personne, elle recevait de l'aide dans 40 p. 100 des cas. En présence de cinq autres témoins, l'aide ne se manifestait que dans seulement 20 p. 100 des cas.

➤ FIGURE 16.16
Réponses à une urgence physique simulée Lorsque les gens pensent qu'ils sont seuls à entendre une personne qu'ils croient épileptique appeler au secours, ils lui viennent en général en aide. Mais lorsqu'ils pensent que quatre autres personnes l'entendent également, moins d'un tiers répond. (D'après Darley et Latané, 1968a.)

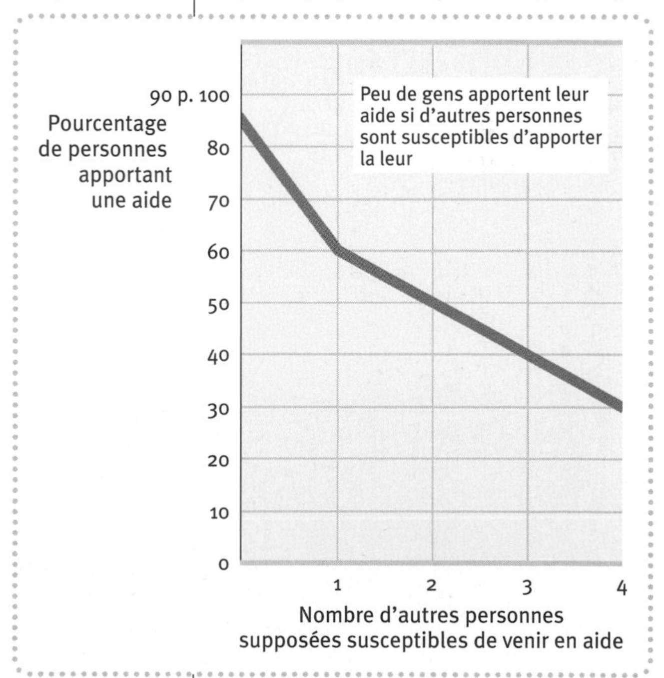

De leurs observations réalisées sur le comportement des gens dans des dizaines de milliers de situations de ce genre, les chercheurs intéressés par l'altruisme ont déduit quelques éléments complémentaires. La probabilité que nous aidions quelqu'un est *meilleure* lorsque :

- la victime semble avoir besoin d'aide et la mériter ;
- la victime nous ressemble par certains aspects ;
- nous venons juste de voir quelqu'un porter secours ;
- nous ne sommes pas pressés ;
- nous sommes dans une petite ville ou une zone rurale ;
- nous nous sentons coupables ;
- nous sommes tournés vers les autres et non préoccupés ;
- nous sommes de bonne humeur.

Ce dernier résultat montrant que les gens heureux sont particulièrement secourables est l'une des découvertes les plus constantes de toute la psychologie. Peu importe la raison pour laquelle les gens se sentent heureux – que ce soit parce qu'ils se sentent intelligents et chanceux, qu'ils pensent à des choses joyeuses, qu'ils aient trouvé de l'argent ou même qu'ils aient reçu une suggestion posthypnotique – ils deviennent alors plus généreux et davantage désireux d'aider (Carlson et coll., 1988).

« Oh, rend-nous heureux, et nous serons bons ! »
Robert Browning, *L'anneau et le livre*, 1868

Les normes de l'assistance

Pourquoi aidons-nous ? Une opinion généralement répandue est que chaque interaction entre individus est sous-tendue par un intérêt personnel, que notre but constant est d'obtenir des récompenses optimales et de minimiser les coûts. Les comptables appellent cela l'*analyse coûts/bénéfices*. Les philosophes l'appellent l'*utilitarisme*. Les psychosociologues l'appellent **théorie de l'échange social**. Si vous vous demandez si vous allez donner votre sang, vous pouvez évaluer les coûts de ce don (temps, inconfort et anxiété) face aux bénéfices (réduction de culpabilité, approbation sociale et sensation de bien-être). Si les récompenses que vous attendez de votre aide excèdent les coûts prévus, vous allez aider.

Pour la plupart d'entre nous, aider représente une récompense intrinsèque. Faire des dons caritatifs active les zones cérébrales associées à la récompense (Harbaugh et coll., 2007). Cela permet d'expliquer certaines observations d'Elizabeth Dunn et de ses collaborateurs (2008). Ceux qui donnent le plus d'argent aux autres sont plus heureux que ceux qui dépensent leur argent presque entièrement pour eux. Les employés qui reçoivent des bonus inattendus, par exemple, sont ensuite plus heureux s'ils l'ont utilisé pour faire quelque chose pour quelqu'un d'autre. Au cours d'une expérience, les chercheurs ont donné aux participants une enveloppe avec de l'argent et leur ont demandé de le dépenser soit pour eux soit pour les autres. Selon vous, quel était le groupe le plus heureux à la fin de la journée ? C'était en effet ceux à qui l'on avait demandé de le dépenser pour les autres.

Mais pourquoi apporter de l'aide apporte-t-il du bonheur (et vice versa) ? Et pourquoi donnons-nous des pourboires à des gens que nous ne reverrons jamais et des renseignements à des inconnus ? En partie parce que notre socialisation nous dit de le faire, par le biais de normes qui nous indiquent comment nous *devons* nous conduire, souvent avec un intérêt réciproque. Par le biais de la socialisation, nous nous familiarisons avec la **norme de réciprocité**, selon laquelle nous devons aider ceux qui nous ont rendu service et non leur faire du mal. Dans nos relations avec les personnes de statut équivalent, la norme de réciprocité nous oblige à donner autant que nous recevons (sous forme de services, cadeaux ou invitations sociales). Nous apprenons également la norme de responsabilité sociale qui consiste à aider ceux qui ont besoin de notre aide, des jeunes enfants ou ceux qui ne peuvent donner autant qu'ils reçoivent, même si les coûts surpassent les avantages. D'après de nombreux sondages de l'institut Gallup, les personnes pratiquantes et assidues aux offices religieux hebdomadaires respectent souvent la **norme de responsabilité sociale** : elles consacrent bénévolement deux fois plus de temps aux pauvres et aux infirmes que les personnes qui assistent rarement ou jamais aux offices religieux (Hodgkinson et Weitzman, 1992 ; Independent Sector, 2002). Leurs dons d'argent sont aussi trois fois plus élevés.

Une norme de responsabilité sociale a été active le 2 janvier 2007 lorsqu'un ouvrier du bâtiment, Wesley Autrey, et ses filles de 6 et 4 ans attendaient le métro de New York. Devant eux un homme fut pris d'une crise d'épilepsie, se leva, puis trébucha au bord du quai et tomba sur les rails. Voyant les lumières du métro approcher, « j'ai dû prendre une décision immédiate » se souvint ensuite Autrey (Buckley, 2007). Sa décision, que ses filles virent avec effroi, fut de sauter du quai, repousser l'homme pour le mettre entre les rails dans un espace qui a à peine 30 cm de profondeur et de se coucher sur lui. Lorsque le train crissa pour s'arrêter, cinq wagons étaient passés au-dessus de sa tête, laissant du cambouis sur son bonnet en laine. Lorsque Autrey cria « j'ai mes deux filles sur le quai. Dites-leur que leur père va bien », les témoins l'applaudirent.

Conflits et Médiation

15. Comment les pièges sociaux et les perceptions en miroir alimentent-ils les conflits sociaux ?

Nous vivons une époque étonnante. Les mouvements démocratiques de la fin du vingtième siècle ont renversé avec une vitesse surprenante les règles totalitaires des pays de l'Est et les espoirs d'un nouvel ordre mondial ont brisé la glace de la guerre froide. Et, pourtant, le XXIe siècle a commencé par des actes terroristes et la guerre, et le monde continue de dépenser 2 milliards de dollars chaque jour pour ses armes et ses armées, argent qui pourrait être utilisé pour le logement, la nourriture, l'éducation et la santé. Sachant que les guerres commencent dans les esprits humains, les psychologues se sont demandé ce qui engendre, dans l'esprit humain, un conflit destructeur. Comment la diversité sociale, perçue comme une menace, peut-elle donner naissance à un esprit de coopération ?

Pour un psychosociologue, un **conflit** est une incompatibilité apparente entre des actions, des buts ou des idées. Les éléments d'un conflit sont en grande partie les mêmes à tous les niveaux, qu'il s'agisse de nations engagées dans une guerre, de dissensions culturelles au sein d'une société ou d'individus dans un conflit de couple. Dans chaque situation, les gens s'empêtrent dans un processus social potentiellement destructeur qui peut produire des résultats que personne ne souhaite. Parmi ces processus destructeurs, on trouve les pièges sociaux et les perceptions biaisées.

Pièges sociaux

Dans certaines situations, nous pouvons augmenter notre bien-être collectif en poursuivant notre propre intérêt. Comme l'écrivait le capitaliste Adam Smith dans *La richesse des nations* (1776) : « Ce n'est pas de la bonne volonté du boucher, du brasseur ou du boulanger que nous attendons notre dîner, mais de leur attention à leurs propres intérêts. » Dans d'autres situations, nous causons du tort au bien-être collectif en poursuivant notre propre intérêt. De telles situations sont des **pièges sociaux**.

Prenez la simple matrice de jeu de la FIGURE 16.17, qui est semblable à celles utilisées dans des expériences réalisées avec des milliers de personnes. Dans ce jeu, les deux parties peuvent perdre ou gagner selon les choix individuels des joueurs. Faites comme si vous étiez le joueur 1 et que vous et le joueur 2 receviez la somme indiquée après avoir séparément choisi *A* ou *B*. (Vous pouvez demander à quelqu'un de regarder la matrice avec vous et de tenir le rôle du joueur 2.) Qu'allez-vous choisir : *A* ou *B* ?

Vous et le joueur 2 êtes pris dans un dilemme. Si vous choisissez *A* tous les deux, vous faites tous les deux un bénéfice en recevant chacun 5 dollars. Si vous choisissez *B* tous les deux, aucun de vous ne fera de bénéfice, vous ne recevrez rien. Malgré tout, sur un seul essai, vous servez vos intérêts si vous choisissez *B* : vous ne pouvez pas perdre et vous pouvez gagner 10 dollars. Mais la même chose est vraie pour l'autre joueur. D'où le piège social : aussi longtemps que vous poursuivez tous deux votre seul intérêt immédiat et choisissez *B*, vous allez tous deux finir sans rien, le résultat typique, alors que vous auriez pu gagner 5 dollars.

De nombreuses situations de la vie réelle opposent de la même manière les intérêts individuels des gens au bien-être communautaire. Chaque pêcheur de baleine pense que les quelques baleines qu'il prend ne mettent pas l'espèce en danger et que si lui ne les tue pas, d'autres le feront de toute façon. Il en résulte que certaines espèces de baleines sont menacées de disparition. Il en est de même pour les chasseurs de bisons d'hier et les braconniers d'aujourd'hui qui tuent les éléphants pour l'ivoire. Chaque propriétaire de voiture ou de maison se dit : « Cela va me coûter de l'argent ou du bien-être d'acheter une voiture consommant moins ou une chaudière plus économique. Du reste, le pétrole que je brûle n'ajoute pas grand-chose à l'effet de serre. » Si d'autres raisonnent de la même façon, le résultat global est la menace d'une catastrophe : le réchauffement climatique global, la montée des eaux et des climats plus extrêmes.

Les pièges sociaux nous incitent à trouver des moyens de réconcilier notre droit à rechercher notre bien-être personnel avec notre responsabilité dans le bien-être de tous. Les psychologues explorent donc des façons de convaincre les gens de coopérer à une amélioration mutuelle par le biais de *règlements* acceptés par tous, d'une meilleure *communication* et en favorisant la *conscience* de notre responsabilité envers la communauté, la nation et l'ensemble de l'humanité (Dawes, 1980 ; Linder, 1982 ; Sato, 1987). Si on leur donne des règlements efficaces, les gens coopèrent plus souvent, que ce soit en jouant à des jeux de laboratoire ou au jeu de la vie réelle.

Perceptions de l'ennemi

Les psychologues ont observé une curieuse tendance, chez ceux qui sont en conflit, à se former l'un de l'autre une mauvaise image. Ces images déformées sont ironiquement si semblables que nous les appelons **perceptions en miroir** : de même que nous « les » voyons comme peu dignes de confiance et animés de mauvaises intentions, « ils » nous voient de la même façon. Chacun transforme l'autre en démon.

:: Théorie de l'échange social : théorie selon laquelle notre comportement social résulte d'un processus d'échange dont le but est d'obtenir le maximum de bénéfices et de minimiser les coûts.

:: Norme de réciprocité : l'attente que les gens aideront ceux qui les ont aidés au lieu de leur faire du mal.

:: Norme de responsabilité sociale : l'attente que les gens aideront ceux qui dépendent d'eux.

:: Conflit : incompatibilité perçue entre des actions, des buts ou des idées.

:: Piège social : situation dans laquelle les parties en conflit, en poursuivant rationnellement chacune leur propre intérêt, se trouvent coincées dans un comportement mutuellement destructeur.

:: Perception en miroir : point de vue mutuel souvent tenu par des personnes en conflit, comme lorsque chaque côté se considère comme éthique et pacifique et considère l'autre comme diabolique et agressif.

➤ FIGURE 16.17

Matrice du jeu du piège social

En poursuivant son propre intérêt et en ne faisant pas confiance aux autres, on peut finir perdant. Pour illustrer ce phénomène, imaginez que vous jouiez à ce jeu. Les triangles roses montrent les résultats pour le joueur 1, qui dépendent des choix faits pas les deux joueurs. Si vous étiez le joueur 1, choisiriez-vous *A* ou *B* ? (Ce jeu est appelé « *un jeu à somme non nulle* » car le résultat final n'a pas besoin d'être égal à zéro ; les deux parties peuvent gagner ou les deux peuvent perdre.)

		Joueur 1	
		Choix *A*	Choix *B*
Joueur 2	Choix *A*	Résultat optimal +$5 (joueur 1) +$5 (joueur 2)	+$10 (joueur 1) –$5 (joueur 2)
	Choix *B*	–$5 (joueur 1) +$10 (joueur 2)	Résultat probable 0 (joueur 1) 0 (joueur 2)

AP Photo/Lisa Poole

Pas dans mon océan ! Beaucoup de personnes soutiennent les sources d'énergie alternatives, y compris les éoliennes. Mais les propositions de construction de champs d'éoliennes suscitent bien moins de soutien dans le voisinage immédiat. Une de ces propositions, consistant à placer des éoliennes le long de la côte de l'île de Nantucket (Massachusetts) a entraîné des débats houleux sur les avantages futurs de cette énergie propre, comparés aux coûts liés à l'altération de cette magnifique vue sur l'océan et à la modification éventuelle de la route empruntée par les oiseaux migrateurs.

Les perceptions en miroir engendrent souvent un cercle vicieux d'hostilité. Si Jean croit que Marie est fâchée avec lui, il va l'éviter, la poussant à se comporter d'une façon qui justifie sa perception. C'est la même chose avec les pays qu'avec les individus. Les perceptions peuvent devenir des prophéties qui s'accomplissent. Elles se confirment elles-mêmes en poussant l'autre pays à réagir d'une façon qui semble les justifier.

Les personnes en conflit ont également tendance à voir leurs propres actions comme des réponses à une provocation et non pas comme la cause de ce qui se produit ensuite. Lorsqu'ils répondent à une provocation perçue, ils ripostent souvent plus durement, se percevant eux-mêmes comme simplement rendant la pareille. Au cours d'une expérience, des volontaires de l'université de Londres ont utilisé un appareil pour appuyer mécaniquement sur le doigt d'un autre volontaire après avoir reçu une pression sur leur propre doigt. Bien que leur tâche fût d'appuyer avec la même pression, ils ont typiquement répondu avec une force environ 40 p. 100 plus importante que celle qu'ils avaient ressentie. Bien qu'ils aient cherché à répondre uniquement par une pression douce, leur appui s'est rapidement intensifié en une pression dure, un peu comme un enfant qui après une bagarre déclare : « Je l'ai juste poussé mais il m'a frappé plus fort » (Shergill et coll., 2003).

Au début du XXIe siècle, un grand nombre d'Américains se sont mis à détester Saddam Hussein. Comme le « maléfique » Saddam Hussein, a déclaré George W. Bush (2001), « certains tyrans d'aujourd'hui sont animés par une haine implacable envers les États-Unis d'Amérique. Ils haïssent nos amis, ils haïssent nos valeurs, ils haïssent la démocratie et la liberté en général ainsi que la liberté individuelle. Beaucoup ne se soucient pas de la vie de leur propre peuple. » Hussein (2002) a fait également part de sa perception en considérant les États-Unis comme « un tyran guidé par le mal » qui, protégé par Satan, ne convoite que le pétrole et agresse « ceux qui défendent ce qui est juste ».

La question n'est pas tant de savoir que la vérité se trouve à mi-chemin entre deux points de vue différents (l'un d'entre eux pouvant être plus exact), mais que les perceptions de l'ennemi constituent souvent des images en miroir. De plus, lorsque les ennemis changent, les perceptions se modifient également. Dans les esprits et les médias américains, les Japonais de la Seconde Guerre mondiale « assoiffés de sang, cruels et fourbes » sont devenus plus tard nos alliés « intelligents, travailleurs, disciplinés et pleins de ressource » (Gallup, 1972).

Comment pouvons-nous faire la paix ? Le contact, la coopération, la communication et la conciliation transforment-ils les antagonismes nourris par les préjugés et les conflits en des attitudes qui favorisent la paix ? Les recherches indiquent que dans certains cas, c'est possible.

Contact

16. De quelle manière pouvons-nous transformer les sentiments de préjugés, d'agressivité et de conflits en des attitudes qui favorisent la paix ?

Le fait de rapprocher les parties en conflit peut-il aider ? Cela dépend. Lorsque ce type de contact n'est pas compétitif et si les parties ont le même statut, comme des vendeurs travaillant au même poste, cela peut typiquement aider. Les collègues de différentes ethnies ayant initialement des préjugés se sont, dans ces circonstances, généralement acceptés mutuellement.

Cette observation est confirmée par une méta-analyse de plus de 500 études de contact en face-à-face avec des groupes de non-appartenance (comme des minorités ethniques, les personnes âgées et les personnes handicapées). Parmi le quart de million de personnes étudiées dans 38 pays, les contacts ont été corrélés avec des attitudes plus positives et dans des études expérimentales, ils ont conduit à des attitudes plus positives (Pettigrew et Tropp, 2006). Voici certains exemples :

- Avec le contact interethnique, « les attitudes des Blancs et des Noirs sud-africains sont devenues plus proches » (Dixon et coll., 2007).

- Le contact personnel des hétérosexuels avec des homosexuels est corrélé avec l'acceptation des attitudes. Au cours d'une enquête nationale, ceux qui avaient un membre de leur famille ou un ami proche homosexuel avaient deux fois plus de chances de soutenir les mariages entre homosexuels que ceux qui n'en avaient pas avec une probabilité de 55 p. 100 contre 25 p. 100 (Neidorf et Morin, 2007).
- Même un contact indirect avec un membre d'un groupe de non-appartenance (par la lecture d'une histoire ou par l'intermédiaire d'un ami qui a un ami dans un groupe de non-appartenance) a tendance à réduire les préjugés (Cameron et Rutland, 2006 ; Pettigrew et coll., 2007).

Cependant, le simple contact n'est pas toujours suffisant. Dans la plupart des écoles sans ségrégation, les groupes ethniques se rassemblent eux-mêmes à la cantine ou dans la cour d'école (Clack et coll., 2005 ; Schofield, 1986). Dans chaque groupe, les personnes croient souvent qu'ils accepteraient volontiers plus de contacts avec l'autre groupe mais supposent que l'autre groupe ne pense pas de même (Richeson et Shelton, 2007). « Je ne tends pas la main vers eux parce que je n'ai pas envie d'être rejeté ; ils ne tendent pas la main vers moi simplement parce qu'ils ne sont pas intéressés. » Lorsque ces mauvaises perceptions en miroir sont corrigées, l'amitié peut prendre forme et les préjugés disparaître.

« Vous ne pouvez pas serrer des mains avec un poing fermé. »
Indira Gandhi, 1971

Coopération

Pour voir si des ennemis pouvaient venir à bout de leurs différences, le chercheur Muzafer Sherif (1966) commença par susciter un conflit. Il plaça 22 garçons d'Oklahoma City dans deux zones séparées d'un camp de scouts. Il mit alors les deux équipes à l'épreuve en organisant une série de compétitions, avec des prix pour les vainqueurs. En peu de temps, chacun des groupes devint très fier de lui-même et hostile aux injures de l'autre groupe telles que « faux jetons » ou « frimeurs puants ». Des batailles de nourriture éclatèrent pendant les repas. Les tentes furent dévastées. Des bagarres durent être stoppées par les membres de l'encadrement. Lorsque Sherif remit ensemble les deux groupes, ils s'évitèrent les uns les autres, sauf pour se menacer et se moquer les uns des autres.

Malgré tout et en quelques jours, Sherif transforma ces jeunes ennemis en camarades joviaux en leur donnant des **buts supérieurs** - des buts partagés qui nécessitaient leur coopération et les incitaient à surmonter leurs différences. Une rupture organisée de l'approvisionnement en eau du camp nécessita que les 22 garçons travaillent ensemble pour rétablir l'arrivée d'eau. La location d'un film, en ces jours d'avant le DVD, demanda la mise en commun de leurs ressources financières. Un camion embourbé nécessita que tous les garçons poussent et tirent ensemble pour le faire repartir. Ayant utilisé l'isolement et la compétition pour transformer des étrangers en ennemis, Sherif utilisa le partage de situations difficiles et des buts communs pour réconcilier les ennemis et en faire des amis. Ce qui apaisa les conflits, ce ne fut pas le contact lui-même, mais le contact dans la *coopération*.

Le fait de partager une situation difficile - la peur d'une menace externe et un désir ardent d'en venir à bout - a permis d'unifier fortement la population dans les semaines qui suivirent le 11 septembre. Le patriotisme remonta en flèche lorsque les Américains sentirent « qu'ils étaient attaqués ». Les enquêtes Gallup ont montré que l'approbation de « leur président » était passée de 51 p. 100 dans la semaine précédant l'attentat à 90 p. 100 (un niveau jamais atteint) 10 jours après celui-ci, dépassant de peu les 89 p. 100 dont avait bénéficié son père, George Bush, en pleine guerre du Golfe en 1991 (Newport, 2002). À la fois sur Internet ou dans les discussions de tous les jours, l'utilisation du mot « nous » (comparé à « je ») est devenue fréquente après les événements du 11 septembre (Pennebaker, 2002).

La coopération a des effets particulièrement positifs lorsqu'elle amène les gens à définir un nouveau groupe inclusif qui dissout les autres sous-groupes antérieurs (Dovidio et Gaertner, 1999). Demandez aux membres de deux groupes de s'asseoir autour d'une table en alternance et non pas l'un en face de l'autre. Ensuite, donnez leur un nouveau nom commun. Faites-les travailler ensemble. De telles expériences permettent de modifier « nous et eux » en « nous » simplement. Des individus perçus auparavant comme appartenant à un autre groupe sont maintenant considérés comme faisant partie du même groupe. Un jeune homme du New Jersey âgé de 18 ans n'aurait pas été surpris. Après le 11 septembre, il explique qu'il a ressenti un changement dans son identité sociale : « Je me considérais comme un Noir. Mais aujourd'hui, je me sens Américain plus que jamais. » (Sengupta, 2001). Au cours d'une expérience, les Blancs américains qui lisaient un article de journal sur le terrorisme menaçant de nouveau tous les Américains exprimaient par la suite moins de préjugés envers les Afro-Américains (Dovidio et coll., 2004).

Au cours des années 1970, plusieurs équipes de chercheurs dans le domaine de l'éducation se posèrent simultanément les questions suivantes : si les contacts coopératifs entre membres

:: **Buts supérieurs :** buts partagés qui permettent de surmonter les différences entre les gens et qui requièrent leur coopération.

de groupes rivaux encouragent des attitudes positives, pouvons-nous appliquer ce principe dans des écoles multiculturelles ? Pouvons-nous favoriser les amitiés interethniques en remplaçant les situations de compétition par des situations de coopération dans les salles de cours ? Cet apprentissage coopératif peut-il alors maintenir, voire améliorer, les résultats des étudiants ? De nombreuses expériences menées sur des adolescents dans 11 pays ont confirmé que, dans les trois cas, la réponse était *oui* (Roseth, Johnson et Johnson, 2008). Les membres de groupes interethniques qui travaillent ensemble sur des projets et jouent ensemble dans des équipes sportives en viennent classiquement à éprouver de l'amitié envers ceux des autres ethnies. Cette approche est également efficace pour ceux qui participent à des classes pratiquant l'apprentissage coopératif. Ces résultats sont si encourageants que des milliers d'enseignants ont introduit l'apprentissage coopératif interethnique dans leurs classes.

« La plupart d'entre nous ont une identité mixte qui nous rattache à des groupes très divers. Nous pouvons aimer ce que nous sommes sans haïr ce que – et qui – nous *ne* sommes *pas*. Nous pouvons nous épanouir dans nos propres traditions tout en apprenant des autres. »
Kofi Annan, ancien Secrétaire général de l'ONU, discours lors de la remise de son prix Nobel de la paix, 2001

Ce pouvoir de l'activité coopérative à transformer en amis des anciens ennemis a conduit les psychologues à insister sur la nécessité de développer les échanges et la coopération internationale (Klineberg, 1984). Lorsque nous nous lançons dans un commerce équitable, lorsque nous travaillons pour protéger notre destin commun sur cette planète fragile et lorsque nous devenons plus conscients du fait que nos espoirs et nos craintes sont partagés, nous changeons nos perceptions biaisées qui nourrissent les conflits en une solidarité fondée sur des intérêts communs.

Travailler pour des buts communs a permis à divers peuples de découvrir une unité dans leurs valeurs communes et une identité de niveau supérieur. Le président de la Commission britannique pour l'égalité ethnique a déclaré lorsque les tensions ethniques se sont récemment ravivées que les « valeurs communes » étaient ce dont nous avions besoin (Phillips, 2004). Le gouvernement du Rwanda a proclamé, « il n'y a plus d'ethnies ici. Nous sommes tous Rwandais » lorsqu'il cherchait à résoudre l'animosité historique entre les Tutsis et les Hutus (Lacey, 2004). Les démocraties occidentales ont été largement épargnées par les guerres tribales ethniques parce que leurs différents groupes ethniques partageaient de nombreux objectifs communs, remarque le sociologue Amitai Etzioni (1999). Aux États-Unis, ces buts communs sont un traitement égal pour tous, des exigences morales très élevées et le souhait que tous les universitaires diplômés « comprennent l'histoire et les idées communes qui unissent tous les Américains ». Bien que la diversité force l'attention, nous sommes – comme nous le rappelle le fait de travailler pour des buts communs – bien plus semblables que différents.

« Je suis prêt, à ce jour, à me déclarer citoyen du monde et à inviter chacun à adopter, partout, cette vision plus large de notre monde interdépendant, de notre quête commune pour la justice et, finalement, pour la paix dans le monde. »
Père Theodore Hesburgh, *The Human Imperative*, 1974

« Nous oublions souvent tout ce qui unit tous les membres de l'humanité », déclarait le président Ronald Reagan en 1987. « Peut-être avons-nous besoin d'une menace extérieure universelle pour reconnaître ces liens communs ». Reprenant ces mots, Al Gore, s'opposant au réchauffement climatique, remarque (2007) « nous, c'est-à-dire tous autant que nous sommes, faisons maintenant face à une menace universelle [qui] nécessite que nous, pour reprendre les mots de Ronald Reagan, nous unissions en reconnaissant notre lien commun. »

Communication

Lorsque les conflits réels deviennent intenses, un médiateur neutre (un conseiller conjugal, un médiateur des conflits dans le domaine professionnel, un diplomate ou un volontaire appartenant à la communauté) peut faciliter la communication devenue indispensable (Rubin et coll., 1994). Le médiateur aide chacune des parties à exprimer son propre point de vue et à comprendre celui de l'autre. En aidant chacun des adversaires à penser aux besoins et aux buts sous-jacents de l'autre, le médiateur cherche à remplacer une compétition *vainqueur-vaincu* par une coopération *vainqueur-vainqueur*, aboutissant à un résultat mutuellement bénéfique. Un exemple classique est celui des deux amies qui, après s'être querellées à propos d'une orange, se sont mises d'accord pour la diviser, l'une utilisant sa moitié pour faire un jus et l'autre l'écorce de sa moitié pour faire un gâteau. Si seulement elles avaient toutes les deux compris le motif de l'autre, elles auraient pu se mettre d'accord sur la solution vainqueur-vainqueur, l'une ayant tout le jus et l'autre toute l'écorce.

Les buts supérieurs surmontent les différences Des efforts partagés pour atteindre un but commun constituent un moyen efficace pour briser les barrières sociales.

Syracuse Newspapers/The Image Works

Une telle compréhension et un tel désir de coopération sont surtout nécessaires, quoique moins vraisemblables, dans les périodes de colère et de crise (Bodenhausen et coll., 1994 ; Tetlock, 1988).

Conciliation

Lorsque les conflits s'intensifient, les images deviennent plus stéréotypées, et les jugements plus rigides, la communication plus difficile, voire même impossible. Chaque partie est vraisemblablement prête à menacer, exercer une contrainte ou se venger. Dans les semaines précédant la guerre du Golfe, le président George Bush menaça, sous les feux de la presse, « de botter les fesses de Saddam ». Saddam Hussein communiqua de la même façon, menaçant de « faire nager les Américains dans leur propre sang ».

Dans ces conditions, existe-t-il une autre solution que de faire la guerre ou de se rendre ? Le psychosociologue Charles Osgood (1962, 1980) propose une stratégie « d'initiatives progressives et réciproques pour réduire la tension » surnommée GRIT (*Graduated and Reciprocated Initiatives in Tension-Reduction*). En appliquant les **GRIT**, une partie annonce d'abord qu'elle reconnaît qu'il existe des intérêts mutuels et qu'elle a l'intention de réduire les tensions. Elle prend alors l'initiative d'un ou de plusieurs actes de conciliation mineurs. Sans diminuer sa capacité de riposte, ce modeste début ouvre la porte à une action réciproque de l'autre partie. Si l'ennemi répond avec hostilité, on peut répondre de la même manière. Il en va de même pour n'importe quel geste de conciliation. C'est ainsi que la décision du président Kennedy de stopper les essais nucléaires dans l'atmosphère a marqué le début d'une série d'actes de conciliation réciproques qui a abouti au traité d'interdiction des essais nucléaires en 1993.

« Pour commencer, je voudrais exprimer mes sincères remerciements et ma profonde satisfaction pour l'occasion qui m'est donnée de vous rencontrer. Bien qu'il subsiste encore des différences profondes entre nous, je pense que le simple fait de ma présence ici, aujourd'hui, est une avancée majeure. »

En laboratoire, les GRIT ont été une stratégie reconnue efficace pour augmenter la confiance et la coopération (Lindskold et coll., 1978, 1988). Même pendant un conflit personnel intense, lorsque la communication a été nulle, un petit geste de conciliation (un sourire, un geste amical, un mot d'excuse) peut faire des merveilles. La conciliation permet à chaque partie de commencer à réduire la tension à un niveau plus sûr où la communication et la compréhension mutuelle peuvent commencer.

Comme il serait bon que ce genre de choses puisse se produire car la civilisation avance non par isolement culturel (en érigeant des murs autour des enclaves ethniques), mais en drainant les connaissances, les aptitudes et les œuvres d'art que chaque culture a léguées à l'humanité tout entière. Thomas Sowell (1991) note que, grâce au partage culturel, chaque société moderne est enrichie par un mélange de cultures. Nous devons remercier la Chine pour le papier, l'imprimerie et la boussole qui a ouvert le chemin des grandes découvertes. Nous devons remercier l'Égypte pour la trigonométrie. Il faut également remercier le monde arabe et les Hindous pour les chiffres arabes. Tout en célébrant et proclamant ces héritages culturels, nous pouvons accueillir l'enrichissement dû à la diversité sociale actuelle. Nous pouvons nous considérer comme des instruments individuels dans le grand orchestre de l'humanité. Et nous pouvons donc affirmer notre propre héritage culturel lorsque nous construisons des ponts de communication, de compréhension et de coopération entre les traditions culturelles, lorsque nous pensons les uns aux autres, nous nous influençons et nous entrons en relation.

AVANT D'ALLER PLUS LOIN...

➤ Interrogez-vous

Regrettez-vous de ne pas vous entendre avec des amis ou des membres de votre famille ? De quelle manière pourriez-vous vous y prendre afin de vous réconcilier avec ces personnes ?

➤ Testez-vous 3

Pourquoi personne n'a-t-il secouru Kitty Genovese ? Quels sont les principes de relations sociales illustrés par cet incident ?

Les réponses aux questions « Testez-vous » sont données dans l'annexe B à la fin de l'ouvrage.

:: GRIT : *Graduated and Reciprocated Initiatives in Tension-Reduction* ou initiatives progressives et réciproques pour réduire les tensions – stratégie destinée à apaiser les tensions internationales.

RÉVISION : Psychologie sociale

Les *sociopsychologues* étudient la manière dont les gens pensent les uns des autres, s'influencent et entrent en relation les uns avec les autres.

Pensée sociale

1. De quelle manière avons-nous tendance à expliquer le comportement des autres et le nôtre ?

Nous expliquons généralement le comportement des gens en l'*attribuant* à des *dispositions* internes et/ou à des *situations* externes. En commettant l'*erreur fondamentale d'attribution* nous sous-estimons l'influence de la situation sur les actions des autres. Lorsque nous expliquons notre propre comportement, nous insistons souvent sur la situation. Nos attributions influencent nos jugements personnels, légaux, politiques et professionnels.

2. Ce que nous pensons influence-t-il ce que nous faisons ou bien est-ce le contraire ?

Les *attitudes* influencent nos comportements lorsque d'autres influences sont minimales, que notre attitude est stable et spécifique au comportement et que nous nous en souvenons facilement.

Des études sur le *phénomène du « doigt dans l'engrenage »* et du jeu de rôle révèlent que nos actions (en particulier celles dont nous nous sentons responsables) peuvent également modifier nos attitudes. La théorie de la *discordance cognitive* propose que le comportement façonne nos attitudes parce que nous nous sentons mal à l'aise lorsque nos actions et nos attitudes diffèrent. Nous réduisons ce malaise en rapprochant nos attitudes de ce que nous avons fait.

Influence sociale

3. Que nous apprennent les expériences sur le conformisme et la soumission concernant le pouvoir des influences sociales ?

Les études sur le conformisme de Solomon Asch ont mis en évidence que sous certaines conditions les individus se *conforment* au jugement du groupe même s'il est clairement établi qu'il est mauvais. Nous pouvons nous conformer soit pour obtenir l'approbation sociale (*influence sociale normative*), soit parce que nous acceptons l'information que les autres nous fournissent (*influence sociale informationnelle*). Au cours des expériences célèbres de Stanley Milgram, les personnes, déchirées entre l'obéissance à l'expérimentateur et la réponse aux plaintes de l'autre lui demandant d'arrêter les chocs, choisissaient généralement d'obéir aux ordres. Les individus avaient plus de chances d'obéir lorsque celui qui donnait les ordres était près d'eux et perçu comme une figure d'autorité légitime, lorsque la personne donnant les ordres était soutenue par une institution prestigieuse, lorsque la victime était dépersonnalisée ou placée à distance et lorsqu'aucune autre personne ne représentait un modèle de défi en désobéissant.

4. De quelle manière notre comportement est-il affecté par la présence des autres ou par le fait de faire partie d'un groupe ?

Les expériences de *facilitation sociale* révèlent que la présence d'observateurs ou de coacteurs peut entraîner l'excitation des individus, augmentant leurs performances pour les tâches faciles, mais les diminuant si les tâches sont difficiles. Lorsque les personnes mettent en commun leurs efforts en vue d'un objectif commun, une *paresse sociale* peut se développer si les individus se reposent sur les efforts des autres. La *désindividualisation* (devenir moins conscient de soi-même et moins inhibé) peut se produire lorsqu'un individu est excité et se sent anonyme.

5. Qu'est-ce que la polarisation de groupe et la pensée de groupe ?

Les discussions entre les membres d'un groupe ayant les mêmes idées produisent souvent une *polarisation de groupe*, à mesure que s'intensifient les attitudes prédominantes. Ce processus est une des causes de la *pensée de groupe*, la tendance à supprimer les informations dissidentes et à prendre des décisions irréalistes par égard pour l'harmonie du groupe. Pour éviter la pensée de groupe, les meneurs doivent être ouverts aux diverses opinions, susciter les critiques des experts et confier à certains la tâche d'identifier les problèmes possibles en élaborant des plans.

6. Quel est notre pouvoir en tant qu'individu ? Une minorité peut-elle influencer une majorité ?

Le pouvoir d'un groupe est important mais même une petite minorité peut réussir à influencer les opinions d'un groupe en particulier lorsque la minorité exprime ses opinions fermement.

Relations sociales

7. Qu'est-ce qu'un préjugé ?

Un *préjugé* est un mélange de croyances (souvent des *stéréotypes*), d'émotions négatives et de prédispositions à agir. Le préjugé peut être manifeste (comme refuser ouvertement et consciemment à un groupe ethnique particulier le droit de vote) ou subtil (comme ressentir de la crainte lorsqu'on se retrouve seul dans un ascenseur en présence d'un étranger ayant une origine ethnique différente).

8. Quelles sont les origines sociales et émotionnelles des préjugés ?

Les inégalités sociales et économiques peuvent déclencher des préjugés car les personnes ayant le pouvoir cherchent à justifier ce statu quo ou développent un *biais de groupe*. La peur et la colère nourrissent les préjugés et si l'individu est frustré, il peut focaliser sa colère sur un *bouc émissaire*.

9. Quelles sont les origines cognitives des préjugés ?

Lors du traitement de l'information, nous avons tendance à surestimer les similitudes lorsque nous classons les gens, et à remarquer et nous souvenir des cas marquants. Ces deux tendances favorisent la formation de stéréotypes. Les groupes sociaux favorisés trouvent souvent une raison à leur statut élevé avec le *phénomène du monde équitable*.

10. Quels sont les facteurs biologiques qui nous amènent à nous faire du mal mutuellement ?

L'*agressivité* est un comportement complexe qui résulte d'une interaction entre la biologie et les expériences vécues. Par exemple, les gènes influencent notre tempérament nous rendant plus ou moins susceptibles de répondre agressivement lorsque nous sommes frustrés dans des situations spécifiques. Des expériences stimulant des parties de notre cerveau (comme l'amygdale et les lobes frontaux) ont mis en évidence que le cerveau possède un système neural qui facilite ou inhibe l'agressivité. Des influences biochimiques comme la testostérone et d'autres hormones, l'alcool (qui libère les inhibitions) et d'autres substances contribuent également à l'agressivité.

11. Quels sont les facteurs psychologiques qui peuvent déclencher l'agressivité ?

La frustration et d'autres expériences aversives (comme la chaleur, la foule et la provocation) peuvent déclencher de l'hostilité en particulier chez ceux qui sont récompensés pour leur agressivité, ceux qui ont appris l'agressivité de modèles jouant un rôle et ceux qui ont été influencés par la violence dans les médias. Agir par la violence dans les jeux vidéo ou la regarder dans les médias peut désensibiliser les gens à la cruauté et les amener à se conduire agressivement lorsqu'ils sont provoqués ou à considérer les agressions sexuelles comme plus acceptables.

12. Pourquoi devenons-nous l'ami ou tombons-nous amoureux de certaines personnes mais pas d'autres ?

Trois facteurs sont connus pour affecter notre amitié pour quelqu'un d'autre. La proximité, voisinage géographique, favorise l'attirance en partie parce que la *simple exposition* à un nouveau stimulus augmente son appréciation. L'attirance physique augmente également les opportunités sociales et influence la façon dont nous sommes perçus. À mesure que la relation se transforme en amitié, les similitudes d'attitudes et d'intérêts augmentent fortement l'appréciation mutuelle.

13. De quelle manière l'amour romantique change-t-il avec le temps ?

L'*amour passionnel* est un état d'excitation que nous appelons de manière cognitive l'amour. L'affection profonde de la *complicité amoureuse* qui apparaît souvent lorsque l'amour passionnel s'estompe est renforcée par une relation *équitable* et par les *confidences* amenant l'intimité.

14. À quel moment sommes-nous le plus enclin, ou le moins, à venir en aide ?

L'*altruisme* est l'attention désintéressée portée au bien-être d'autrui. Nous sommes moins susceptibles d'aider en présence d'autres personnes. Cet *effet témoin* est particulièrement visible dans les situations où la présence des autres empêche que l'on remarque la situation, qu'on l'interprète comme une urgence ou que l'on assume la responsabilité d'offrir de l'aide. Les explications de notre volonté d'aider les autres sont focalisées sur la *théorie de l'échange social* (les coûts et les avantages d'aider les autres), la récompense intrinsèque d'aider les autres ; la *norme de réciprocité* (nous aidons ceux qui nous ont aidés) et la *norme de responsabilité sociale* (nous aidons ceux qui ont besoin de notre aide).

15. Comment les pièges sociaux et les perceptions en miroir alimentent-ils les conflits sociaux ?

Les *conflits* sociaux sont des situations au cours desquelles les individus perçoivent que leurs actions, leurs objectifs ou leurs idées sont incompatibles. Dans les *pièges sociaux*, deux personnes ou plus s'engagent mutuellement dans des comportements destructeurs en poursuivant de manière raisonnée leur propre intérêt. Les personnes en conflit ont tendance à percevoir le pire dans chacun, produisant des perceptions *d'image en miroir* qui peuvent devenir des prophéties qui se réalisent d'elles-mêmes.

16. De quelle manière pouvons-nous transformer les sentiments de préjugés, d'agressivité et de conflits en des attitudes qui favorisent la paix ?

Les ennemis peuvent parfois devenir des amis, en particulier lorsque les circonstances favorisent un *contact* entre des personnes de même statut, une coopération pour atteindre un *but supérieur*, une compréhension par la communication et des gestes de conciliation réciproques.

Termes et concepts à retenir

Psychologie sociale, p. 673
Théorie de l'attribution, p. 673
Erreur fondamentale d'attribution, p. 674
Attitude, p. 675
Voie centrale de la persuasion, p. 676
Voie périphérique de la persuasion, p. 676
Phénomène du « doigt dans l'engrenage », p. 676
Rôle, p. 677
Théorie de la discordance cognitive, p. 678
Conformisme, p. 681
Influence sociale normative, p. 682
Influence sociale informationnelle, p. 682
Facilitation sociale, p. 687
Paresse sociale, p. 688
Désindividualisation, p. 688
Polarisation du groupe, p. 689
Pensée de groupe, p. 690
Préjugé, p. 691
Stéréotype, p. 691
Discrimination, p. 691
Groupe d'appartenance (endogroupe), p. 696
Groupe de non-appartenance (exogroupe), p. 696
Biais de groupe, p. 696
Théorie du bouc émissaire, p. 696
Effet trans-ethnique, p. 697
Phénomène du monde équitable, p. 697
Agressivité, p. 698
Principe de frustration/agressivité, p. 700
Effet d'exposition simple, p. 706
Amour passionnel, p. 710
Complicité amoureuse, p. 711
Équité, p. 711
Confidence intime, p. 711
Altruisme, p. 712
Effet témoin, p. 713
Théorie de l'échange social, p. 714
Norme de réciprocité, p. 714
Norme de responsabilité sociale, p. 714
Conflit, p. 715
Piège social, p. 715
Perception en miroir, p. 715
Buts supérieurs, p. 717
GRIT, p. 719

Annexe A

Carrières dans la psychologie

Jennifer Zwolinski
Université de San Diego

SE PRÉPARER À UNE CARRIÈRE DE PSYCHOLOGIE
La licence
Diplômes de troisième cycle
LES DOMAINES DE LA PSYCHOLOGIE
SE PRÉPARER TÔT POUR DES ÉTUDES SUPÉRIEURES EN PSYCHOLOGIE
POUR PLUS D'INFORMATIONS

Que pouvez-vous faire avec un diplôme en psychologie ? Beaucoup de choses !

En tant qu'étudiant en psychologie, vous obtiendrez votre diplôme avec un état d'esprit scientifique et une connaissance des principes de base du comportement humain (mécanismes biologiques, développement, cognition, troubles psychologiques, interaction sociale). Ce bagage vous préparera à réussir dans plusieurs domaines, incluant les affaires, les professions dédiées au service des autres, les services de santé, le marketing, les métiers juridiques, commerciaux et l'enseignement. Vous pourrez même continuer dans des universités de troisième cycle pour suivre une formation spécialisée afin de devenir un psychologue professionnel. Cette annexe décrit les différents niveaux de l'enseignement de la psychologie, et certains métiers accessibles à ces niveaux, les domaines de spécialisation en psychologie et les manières d'améliorer vos chances d'admission dans une université de troisième cycle[1].

Se préparer à une carrière de psychologie

Aux États-Unis, la psychologie obtient la deuxième place des matières les plus populaires pour les universitaires, venant juste après le commerce (*Princeton Review*, 2005). Des données récentes montrent que plus de 88 000 étudiants en psychologie obtiennent leur diplôme chaque année dans les établissements d'enseignement supérieur et les universités américaines (*U.S. National Center for Education Statistics*, 2007). Une licence en psychologie peut vous préparer, une fois diplômé, à une large gamme de métiers dans de nombreux domaines. Pour suivre une carrière plus proche du domaine de la psychologie, vous aurez besoin d'un diplôme de troisième cycle.

La licence

Si vous obtenez votre licence en psychologie vous pourrez suivre plusieurs choix de carrières (Cannon, 2005). Tout d'abord, vous pourrez envisager de chercher un emploi après l'obtention de votre diplôme dans divers cadres professionnels. La plupart des étudiants qui obtiennent leur diplôme en psychologie travaillent dans des entreprises à but lucratif, spécialement dans le management, les ventes et l'administration. Le TABLEAU A.1, page suivante, liste les dix principales activités professionnelles des personnes titulaires d'une licence en psychologie[2]. Si vous choisissez de travailler plus directement dans le domaine de la psychologie, la licence vous permettra de travailler comme assistant d'un psychologue, d'un chercheur ou d'autres professionnels dans des centres de santé mentale (psychiatriques), des bureaux des Centres d'aide par le travail, et dans l'élaboration des programmes correctionnels (*U. S. Bureau of*

1. Bien que ce texte traite de la psychologie accessible aux étudiants de nombreux pays, cette annexe tire principalement ses renseignements de données provenant des États-Unis. Sa description des domaines de la psychologie et les suggestions proposées pour préparer l'entrée dans la profession sont, toutefois, applicables dans de nombreux autres pays.
2. Pour une liste plus complète de toutes les carrières possibles voir Appleby (2006).

TABLEAU A.1

Les 10 activités les plus exercées par les personnes titulaires d'une licence en psychologie
1. Managers, cadres, administrateurs de niveau supérieur ou moyen
2. Métiers de la vente, incluant la vente au détail
3. Travailleurs sociaux
4. Autres métiers dédiés au management
5. Spécialistes en ressources humaines, en formation, en relations de travail
6. Autres fonctions administratives (commis aux dossiers, opérateurs téléphoniques)
7. Assurances, sécurité, immobilier, services commerciaux
8. Autres fonctions dans le marketing et les ventes
9. Infirmières agréées, pharmaciens, thérapeutes, assistants médicaux
10. Comptables, auditeurs, autres spécialistes financiers

Source : Fogg, et coll. (2004).

Labor Statistics, 2008). Une seconde option pour ceux qui ont obtenu une licence en psychologie est de poursuivre leurs études pour obtenir un diplôme de troisième cycle en psychologie. Environ 42 p. 100 des étudiants américains ayant leur licence en psychologie poursuivent leurs études en troisième cycle de psychologie (Fogg et coll., 2004). La troisième possibilité consiste à suivre des formations avancées dans d'autres disciplines comme le droit, le commerce, l'éducation ou la médecine.

Il est clair que les étudiants ayant une licence en psychologie trouvent des emplois au-delà des limites de la psychologie. Les compétences recherchées comprennent une capacité à travailler et bien s'entendre avec les autres, un désir et une volonté d'acquérir de nouvelles connaissances, une capacité d'adaptation aux situations changeantes, et des aptitudes à résoudre les problèmes (Landrum, 2001). Ces licenciés en psychologie ont également un certain nombre d'aptitudes méthodologiques qui résultent de leur concentration sur l'étude scientifique du comportement humain et animal. Les études statistiques et la méthodologie de la recherche contribuent à un esprit scientifique qui met l'accent sur l'exploration et la gestion des incertitudes, des aptitudes critiques et analytiques et des capacités à penser de manière logique. La capacité à analyser des données en utilisant des statistiques, à mener des recherches de données et à intégrer de multiples sources d'information les aidera dans de nombreuses situations professionnelles. Les employeurs potentiels apprécient également les excellentes aptitudes à communiquer oralement et par écrit des étudiants qui présentent leur projet de recherche lors de conférences et maîtrisent le style de l'*American Psychological Association* (APA).

Il existe certaines choses qu'un licencié en psychologie peut faire pour optimiser sa réussite sur le marché du travail. Les employeurs qui embauchent des personnes ayant seulement une licence ont tendance à préférer les individus ayant des compétences relationnelles importantes, une expérience pratique ainsi qu'une bonne formation (Cannon, 2005). Betsy Morgan et Ann Korschgen (1998) vous donnent des astuces utiles pour augmenter vos chances d'obtenir un emploi après l'obtention du diplôme. Beaucoup de ces points rendront services aux étudiants qui planifient de s'inscrire dans une école de troisième cycle :

1. *Cherchez à connaître vos professeurs*. Parlez avec eux des domaines de la psychologie et demandez-leur leur avis sur votre plan de carrière. Demandez-leur de vous soutenir sur une étude indépendante de stage universitaire ou sur un projet de recherche. En apprenant plus sur vos aptitudes et vos objectifs futurs, les membres de la faculté pourront vous aider à les atteindre. Cela peut même déboucher sur des références enthousiastes importantes pour votre emploi futur.
2. *Suivez les cours qui sont dans vos champs d'intérêts*. Bien que les licences en psychologie fournissent une large gamme d'aptitudes qui vous aideront sur le marché du travail, ne supposez pas que votre curriculum en psychologie vous donnera toutes les aptitudes nécessaires pour obtenir un travail dans votre domaine d'intérêt. Ajoutez des cours pour augmenter vos connaissances de base et vos compétences. Cela montrera également à vos

employeurs potentiels que vos intérêts spécifiques sont en accord avec les demandes de l'emploi.

3. *Familiarisez-vous avec les ressources disponibles, telles que les services des carrières du campus et les anciens élèves.* Les services des carrières peuvent vous aider à identifier et à vendre vos compétences professionnelles, et à mettre en valeur les connaissances et les capacités que vous avez dans votre CV. Elles peuvent aussi vous aider à vous mettre en relation avec des anciens élèves qui travaillent dans votre domaine d'intérêt et qui pourront vous aider à vous préparer à la carrière que vous souhaitez.
4. *Participez au moins à une expérience de stage universitaire.* Beaucoup d'employeurs veulent que les étudiants aient des expériences intéressantes en dehors des heures de cours. Des stages universitaires sont proposés pendant l'année scolaire ainsi que durant les vacances d'été. Certains sont payés, d'autres pas, mais vous pouvez gagner des crédits de cours tout en terminant votre stage. En plus de l'obtention d'une expérience professionnelle significative avant de passer votre licence, vous augmenterez votre réseau de soutien par des mentors qui pourront surveiller vos travaux et vous soutenir dans la réalisation de vos objectifs de carrière. Ils pourront également vous fournir des lettres d'introduction lorsque vous postulerez pour un travail.
5. *Donnez spontanément de votre temps et de vos talents au campus ou à des associations telles que Psi Chi (la société nationale honorifique en psychologie) ou le club de psychologie de l'école.* En plus de montrer que vous êtes un citoyen actif dans votre département, cela développera des compétences importantes comme la planification des événements et des rencontres, le travail en groupe et l'amélioration des aptitudes de communication, ce qui augmentera vos chances sur le marché du travail.

Diplômes de troisième cycle

Un diplôme de troisième cycle en psychologie vous donnera toute compétence dans un domaine de spécialisation psychologique. Selon le *Bureau of Labor Statistics* américain (2008), les psychologues ayant un diplôme de troisième cycle occupaient environ 166 000 emplois en 2006. On s'attend à une croissance de 15 p. 100 des emplois des psychologues entre 2006 et 2016, soit une croissance moyenne bien plus forte que dans tous les autres métiers. Les profils de poste adaptés aux psychologues varient sensiblement en fonction du type de diplôme de troisième cycle. Comme nous le montre la FIGURE A.1, page suivante, les psychologues ayant un doctorat travaillent principalement dans les universités et les établissements d'enseignement supérieur, la plupart de ceux qui obtiennent un master travaillent dans d'autres établissements d'enseignement (comme les écoles élémentaires ou les collèges) et dans des sociétés à but lucratif. Parmi ceux qui avaient une formation supérieure en psychologie en 2005-2006, 19 770 avaient un master et 4 921 avaient un doctorat (*US National Center for Education Statistics*, 2007).

Le master

Un master en psychologie nécessite au moins deux ans d'études supérieures à plein temps dans un domaine spécifique de la psychologie. En plus des cours spécialisés en psychologie, cette formation demande une expérience pratique dans un domaine appliqué et/ou une thèse de master sur un projet de recherche original. Il se peut que vous deviez obtenir un master pour faire une spécialisation en psychologie. Ayant obtenu un master, vous pourrez vous occuper de recherches, de recueil de données et d'analyses dans une université, au gouvernement ou dans une entreprise industrielle privée. Vous pourrez travailler sous la direction d'un psychologue possédant son doctorat, en assurant des fonctions cliniques comme des psychothérapies ou des tests. Ou bien vous pourrez trouver un emploi dans le domaine de la santé, au sein du gouvernement, dans l'industrie ou l'éducation. Vous pouvez enfin acquérir un master comme tremplin pour des études plus poussées dans un programme de doctorat en psychologie, ce qui augmentera considérablement le nombre d'opportunités d'emplois qui s'offriront à vous (Super et Super, 2001).

Les doctorats

Vous aurez probablement besoin de cinq à sept années d'études supérieures dans un domaine spécifique de la psychologie pour obtenir votre doctorat. Le doctorat que vous choisirez

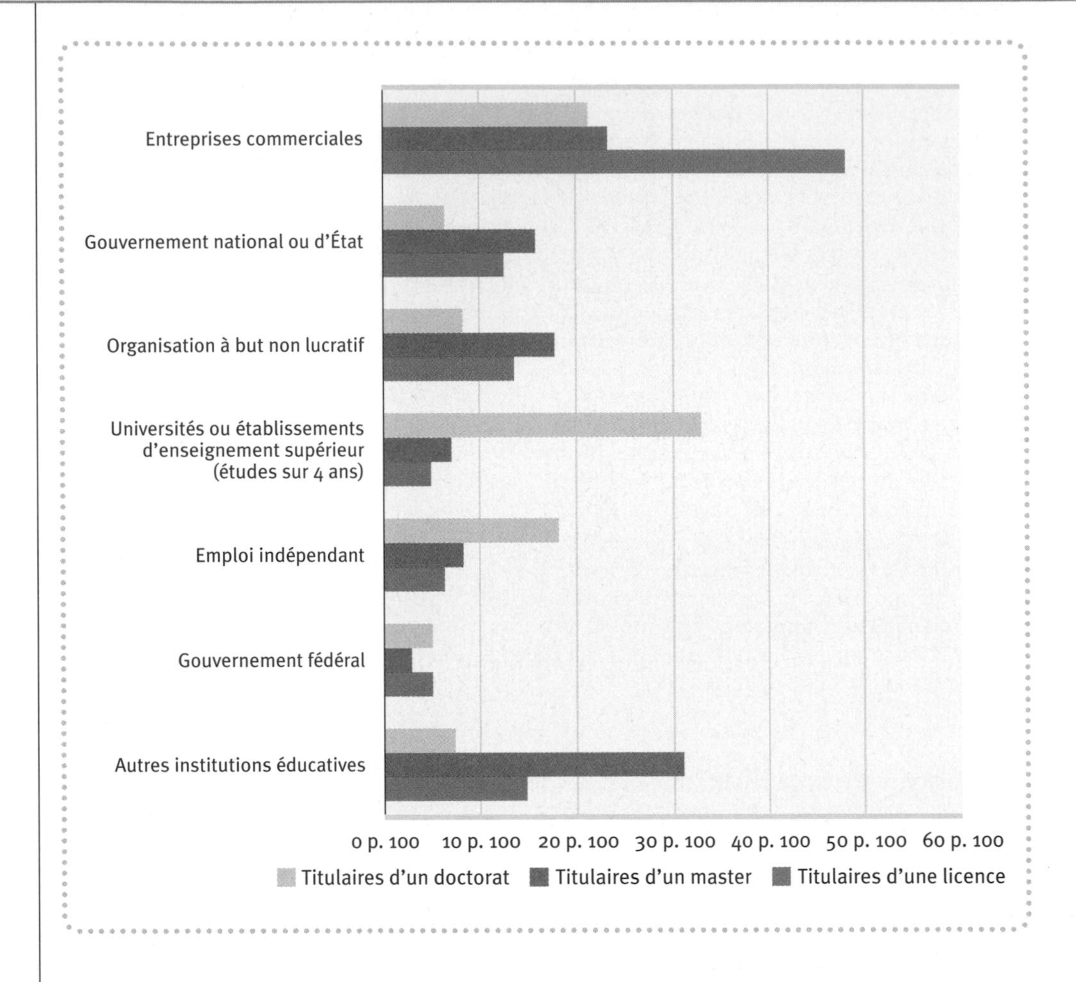

➤ FIGURE A.1
Nature des emplois des psychologues diplômés
Source : Fogg et coll., 2004.

dépendra de votre objectif de carrière. Vous choisirez probablement d'obtenir un doctorat de recherche en psychologie (Ph.D.) si vos objectifs de carrière sont orientés vers la recherche ou un doctorat de psychologie (Psy.D.) si vous êtes plutôt intéressé par la pratique professionnelle. Le Ph.D. en psychologie se termine par une thèse (un mémoire de recherches approfondies que vous aurez à soutenir oralement) ayant pour sujet un travail de recherche original. Les cours en méthodes de recherche quantitative, qui comprennent l'utilisation d'analyses informatiques, représentent une partie importante des études supérieures et sont nécessaires pour terminer la thèse. Le Psy.D. peut avoir pour objet un travail clinique (thérapeutique) et des consultations plutôt qu'une thèse. Il est cependant important de remarquer que les psychologues ayant un Psy.D. ne sont pas les seuls à travailler dans le domaine pratique. Beaucoup de psychologues ayant un Ph.D. de psychologie clinique ou de conseil mènent des recherches et travaillent en tant que psychologues professionnels. Si vous poursuivez des programmes cliniques et de conseil en psychologie, vous pouvez vous attendre à au moins un stage universitaire d'un an en supplément des cours normaux, de la pratique clinique et du travail de recherche.

La FIGURE A.2 présente la liste par domaines des Ph.D. obtenus récemment aux États-Unis. La psychologie clinique est la spécialité la plus en vogue parmi les détenteurs de doctorats en psychologie. Les secteurs d'emploi ayant la plus forte croissance pour les titulaires de doctorats ont été les secteurs des entreprises à but lucratif et des emplois indépendants, incluant les fournisseurs de services de santé, la psychologie industrielle et organisationnelle (psychologie du travail) et la psychologie éducative. Environ un tiers des psychologues ayant le niveau du doctorat sont employés dans l'enseignement (Fogg et coll., 2004).

En 2001, un sondage a montré que pour 73 p. 100 des nouveaux titulaires d'un doctorat et 55 p. 100 des nouveaux titulaires d'un master, le premier poste qu'ils ont occupé avait été leur premier choix. La plupart des nouveaux diplômés titulaires d'un master ou d'un

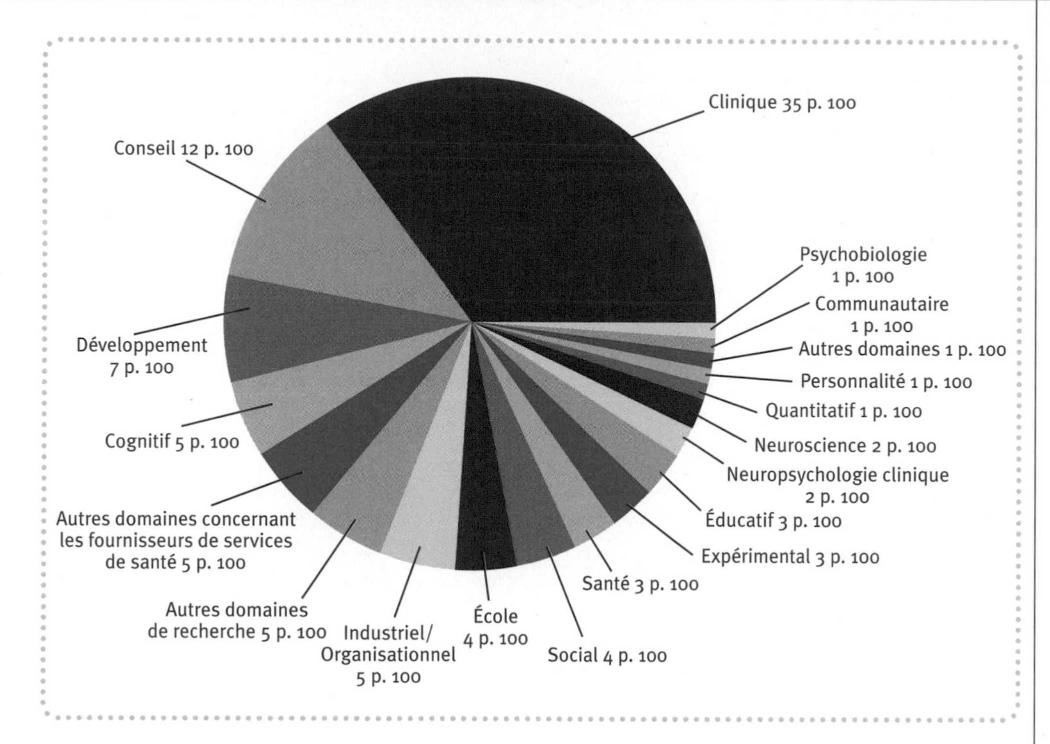

➤ FIGURE A.2
Répartition des Ph.D. américains par domaines, 2001
Source : *National Science Foundation 2001 Survey of Doctorate Recipients*. Établie par l'*American Psychological Association*.

Ph.D. sont plutôt satisfaits de leur situation actuelle, que ce soit en termes de salaires, bénéfices, opportunités de développement personnel, hiérarchie, collègues et conditions de travail (Kohout et Wicherski, 2004 ; Singleton et coll., 2003).

Les domaines de la psychologie

Si vous êtes comme la plupart des étudiants en psychologie, il se peut que vous n'ayez pas conscience de la grande diversité des spécialités et types d'emplois accessibles aux psychologues (Terre et Stoddart, 2000). À ce jour, l'*American Psychological Association* (APA) compte 56 divisions (TABLEAU A.2, page suivante). Les paragraphes suivants décrivent quelques carrières dans les principaux domaines spécialisés qui, pour la plupart, nécessitent un diplôme supérieur en psychologie.

Les ***psychologues cliniciens*** contribuent à la santé psychologique des individus, des groupes et des organisations. Certains psychologues cliniciens se spécialisent dans des troubles psychologiques spécifiques. D'autres traitent une large gamme de troubles, allant des difficultés d'ajustement aux psychopathologies graves. Les psychologues cliniciens peuvent s'orienter vers la recherche, l'enseignement, les évaluations et la consultation. Certains organisent des séminaires ou font des conférences sur des sujets relatifs à la psychologie pour d'autres professionnels ou pour le grand public. Les psychologues cliniciens travaillent dans diverses structures, comme des cabinets privés, des services de psychiatrie, des écoles, des universités, des industries, des organismes légaux, des organismes médicaux, des centres de conseil, des agences gouvernementales et des services de l'armée.

Pour devenir psychologue clinicien, vous devrez acquérir un doctorat en psychologie clinique. L'APA établit les standards des programmes des diplômes en psychologie clinique, offrant des accréditations (reconnaissance officielle) à ceux qui satisfont ces standards. Dans tout les États-Unis, les psychologues cliniciens doivent obtenir une licence pour pouvoir effectuer des psychothérapies ou faire passer des tests.

Les ***psychologues cognitivistes*** étudient les processus de la pensée et se concentrent sur des sujets comme la perception, le langage, l'attention, la résolution de problèmes, la mémoire, le jugement et la prise de décision, l'oubli et l'intelligence. Récemment, leurs recherches se sont intéressées à des domaines comme la conception de modèles informatisés des processus de la pensée et l'identification des corrélations biologiques de la cognition. En tant que psychologue cognitiviste, vous pourrez travailler comme professeur,

TABLEAU A.2

LES DIVISIONS DE L'APA CLASSÉES PAR NUMÉRO ET NOM

1. Société de psychologie générale	29. Psychothérapie
2. Société de l'enseignement de la psychologie	30. Société de psychologie par l'hypnose
3. Psychologie expérimentale	31. Affaires des associations psychologiques d'État, de province et territoriales
4. Il n'y a pas de division 4	32. Société de la psychologie humaniste
5. Évaluation, mesure et statistiques	33. Retards mentaux et incapacités liées au développement
6. Neuroscience comportementale et psychologie comparative	34. Psychologie des populations et de l'environnement
7. Psychologie du développement	35. Société de psychologie des femmes
8. Société de la personnalité et de la psychologie sociale	36. Psychologie de la religion
9. Société de l'étude psychologique des thèmes sociaux	37. Société pour l'enfant et les services aux familles
10. Société pour la psychologie de l'esthétique, de la créativité et des arts	38. Psychologie de la santé
11. Il n'y a pas de division 11	39. Psychanalyse
12. Société de psychologie clinique	40. Neuropsychologie clinique
13. Société de psychologie consultative	41. Société américaine de psychologie légale
14. Société de psychologie industrielle et organisationnelle (psychologie du travail)	42. Psychologues en exercice libéral
15. Psychologie éducative	43. Société de psychologie de la famille
16. Psychologie scolaire	44. Société d'étude psychologique des problèmes des lesbiennes, homosexuels et bisexuels
17. Société de psychologie du conseil	45. Société de l'étude psychologique des problèmes des minorités ethniques
18. Psychologues du service public	46. Psychologie des médias
19. Société de psychologie militaire	47. Psychologie du sport et de l'exercice
20. Développement de l'adulte et troisième âge	48. Société de l'étude de la paix, du conflit et de la violence : division de la psychologie de la paix
21. Psychologie expérimentale appliquée et technique	49. Psychologie de groupe et psychothérapie de groupe
22. Psychologie de réinsertion	50. Addictions
23. Société de psychologie de la consommation	51. Société d'étude psychologique de l'homme et de la masculinité
24. Société de psychologie théorique et philosophique	52. Psychologie internationale
25. Analyse comportementale	53. Société de psychologie clinique de l'enfant et de l'adolescent
26. Société de l'histoire de la psychologie	54. Société de psychologie pédiatrique
27. Société de recherche communautaire et de l'action : branche de la psychologie communautaire	55. Société américaine pour l'avancée de la pharmacothérapie
28. Psychopharmacologie et abus de substances	56. Psychologie des traumatismes

Source : *American Psychological Association*

consultant en industrie, spécialiste des facteurs humains en entreprise ou dans une institution éducative.

Les ***psychologues communautaires*** dépassent les individus ou leur famille et se concentrent sur les problèmes généraux de santé mentale au sein des communautés. Selon eux, le comportement humain est grandement influencé par les interactions entre l'individu et son environnement physique, social, politique et économique. Les psychologues communautaires cherchent à optimiser le fonctionnement de chacun en améliorant les contextes environnementaux qui favorisent la santé psychologique. Ils se focalisent sur la prévention, la promotion d'une santé mentale positive et les interventions en cas de crise en s'intéressant particulièrement aux problèmes des groupes sous-utilisés et des minorités ethniques. Partageant la même idée sur l'importance de la prévention, certains psychologues communautaires collaborent avec des professionnels dans d'autres domaines comme la santé publique. En tant que psychologue communautaire, vous travaillerez dans les départements psychiatriques, de correction et de bien-être aussi bien au niveau fédéral, d'un État ou local. Vous pourrez mener des recherches ou aider à évaluer les résultats des recherches dans les services de santé, être un consultant indépendant, travailler pour des agences privées ou gouvernementales ou enseigner comme membre d'une université ou d'un établissement d'enseignement supérieur et y donner des consultations.

Les ***psychologues-conseil*** aident les gens à s'adapter aux transitions de la vie ou à modifier leur style de vie. Ce domaine ressemble beaucoup à celui de la psychologie clinique excepté qu'en général, les psychologues-conseil aident les gens ayant des problèmes d'ajustement et non pas des psychopathologies graves. Comme les psychologues cliniciens, les psychologues-conseil mènent des psychothérapies et fournissent des évaluations individuelles ou de groupe. En tant que psychologue-conseil, vous insisterez sur les points forts de vos clients, et les aiderez à faire face lors d'une période de transition en utilisant leurs propres capacités, leurs centres d'intérêt et leurs aptitudes. Vous pourrez exercer dans des universités en tant que membre ou administrateur, dans un centre de conseil universitaire, dans un centre de santé mentale communautaire, dans une entreprise ou dans un cabinet privé. Comme les psychologues cliniciens, si vous prévoyez de travailler dans un cabinet privé vous devrez obtenir une licence pour offrir au public vos services de conseiller.

Les ***psychologues du développement*** mènent des recherches sur les modifications comportementales relatives à l'âge et appliquent leurs connaissances scientifiques à l'éducation, aux soins aux enfants, à la politique et à d'autres domaines qui leur sont liés. En tant que psychologue du développement, vous étudierez les modifications se produisant dans un grand nombre de domaines du développement, par exemple leurs aspects biologique, social, psychologique et cognitif. La psychologie du développement apporte ses informations à de nombreux domaines appliqués comme la psychologie de l'éducation, la psychologie scolaire, la psychopathologie de l'enfant et la gérontologie. Les psychologues du développement informent également la politique publique dans des domaines tels que les réformes de l'éducation et de soins aux enfants, la santé des mères et de leurs enfants, les liens d'attachement et l'adoption. Vous vous spécialiserez probablement dans le comportement du nourrisson, de l'enfant, de l'adolescent ou de l'adulte d'âge mûr ou plus âgé. Vous travaillerez dans un établissement éducatif, une crèche, ou une maison de retraite ou participerez à des programmes pour les jeunes.

Les ***psychologues de l'éducation*** étudient la relation entre l'apprentissage et notre environnement social et physique. Ils étudient les processus psychologiques impliqués dans l'apprentissage et développent des stratégies pour améliorer ces processus d'apprentissage. En tant que psychologue de l'éducation, vous pourrez travailler dans une université – dans le département de psychologie universitaire ou dans un établissement de psychologie de l'éducation. Vous pourrez mener des recherches fondamentales sur des sujets liés à l'apprentissage ou développer des méthodes novatrices d'enseignement pour améliorer les processus d'apprentissage. Vous pourrez concevoir des tests efficaces permettant la mesure des aptitudes et de l'accomplissement. Vous pourrez être employé par une école, une agence gouvernementale ou dans une entreprise, où vous serez chargé de concevoir et de mettre en application des programmes de formation efficaces pour les employés.

Les ***expérimentateurs*** ou les ***chercheurs en psychologie*** forment un groupe varié de scientifiques qui étudient divers processus comportementaux fondamentaux par des recherches menées sur l'homme et/ou sur d'autres animaux. Les principaux domaines d'étude de la recherche expérimentale incluent les comparaisons des méthodes scientifiques, la motivation, l'apprentissage, la pensée, l'attention, la mémoire, la perception et le langage. La plupart des chercheurs en psychologie s'identifient avec un domaine particulier comme la psychologie cognitive, selon leur domaine d'étude. Il est également important de remarquer que les méthodes expérimentales pour mener les études de recherche ne sont pas limitées au domaine de la psychologie expérimentale car beaucoup d'autres domaines reposent sur la méthodologie expérimentale pour mener leurs études. En tant que chercheur en psychologie, vous travaillerez certainement dans une université, donnerez des cours et dirigerez les recherches des étudiants, menant en plus vos propres recherches en utilisant la méthodologie expérimentale. Vous pourrez également être employé par un laboratoire de recherche, des zoos, des entreprises, des filiales industrielles ou des agences gouvernementales.

Le ***psychologue légal*** applique les principes de la psychologie aux domaines légaux. Il mène des recherches sur l'interface entre la loi et la psychologie, aide à créer des politiques publiques liées à la santé mentale, soutient les agences de renforcement de la loi dans leurs recherches criminelles ou prête assistance dans les consultations légales impliquant des recherches sur le choix des jurys et les délibérations. Ces psychologues légaux fournissent également des traitements et des estimations pour aider la communauté juridique. Certains ont fait des études de droit et proposent également à leurs clients des services juridiques. Bien que la plupart des psychologues légaux soient aussi cliniciens, ils peuvent avoir des spécialités dans d'autres domaines de la psychologie comme la psychologie sociale ou cognitive. En tant que psychologue légal, vous pourrez travailler dans un département de psychologie d'une université, dans une université de droit, au sein d'une organisation de recherche, dans une agence de santé mentale communautaire, dans une agence de renforcement de la loi, dans un tribunal ou dans des maisons de correction ou des prisons.

Les ***psychologues de la santé*** sont des chercheurs et des praticiens soucieux de la contribution de la psychologie à l'amélioration de la santé et à la prévention des maladies. Faisant de la psychologie appliquée ou clinique, ils peuvent aider les individus à mener une vie plus saine en concevant des programmes destinés à arrêter de fumer, perdre du poids, améliorer le sommeil, gérer la douleur, traiter les problèmes psychologiques associés aux maladies chroniques ou au stade terminal ou éviter la dissémination des maladies sexuellement transmissibles, en menant ces programmes et en les évaluant. En tant que chercheurs et cliniciens, ils identifient les conditions et les pratiques associées à la santé et aux maladies pour pouvoir ensuite intervenir efficacement. Dans le service public, les psychologues de la santé étudient et travaillent pour améliorer la politique gouvernementale et les systèmes de soins. En tant que psychologue de la santé vous pourrez travailler dans un hôpital, une école de médecine, un centre de réinsertion, une agence de santé publique, un établissement d'enseignement supérieur ou une université ou, si vous êtes aussi psychologue clinicien, dans un cabinet privé.

Les ***psychologues industriels/organisationnels*** (psychologues du travail) étudient les relations entre les personnes et leur environnement de travail. Ils peuvent développer de nouvelles manières d'augmenter la productivité, d'améliorer le choix du personnel ou de favoriser la satisfaction au travail dans les entreprises. Ils s'intéressent aux structures et aux modifications de l'organisation du travail, au comportement du consommateur et au choix du personnel ainsi qu'à sa formation. En tant que psychologue du travail, vous pourrez mener des formations sur les lieux de travail ou fournir une analyse de l'organisation du travail et développer celle-ci. Vous pourrez trouver un travail dans une entreprise, dans l'industrie, au gouvernement, ou dans un établissement d'enseignement supérieur ou une université. Ou vous pourrez être employé comme consultant ou travailler pour une entreprise de conseil en management.

Les ***neuropsychologues*** étudient les relations entre les processus neurologiques (structure et fonction du cerveau) et le comportement. En tant que neuropsychologue, vous pourrez évaluer, diagnostiquer ou traiter les troubles liés au système nerveux central, comme la maladie d'Alzheimer ou les accidents vasculaires cérébraux. Vous pourrez également examiner les individus pour rechercher des lésions de la tête, des difficultés d'apprentissage et des handicaps développementaux comme l'autisme et d'autres troubles psychiatriques dont le TDAH. Si vous êtes ***neuropsychologue clinicien*** vous pourrez travailler dans une unité de neurologie, de neurochirurgie ou de psychiatrie d'un hôpital. Les neuropsychologues travaillent également dans les universités où ils enseignent et mènent des recherches.

Les ***psychologues psychométriciens*** et ***spécialisés en évaluation quantitative*** étudient les méthodes et les techniques utilisées pour acquérir les connaissances psychologiques. Un psychométricien peut mettre à jour les tests neurocognitifs ou de personnalité préexistants ou concevoir de nouveaux tests devant être utilisés en clinique ou dans les écoles, ainsi que dans les entreprises et l'industrie. Ces psychologues font également passer ces tests, mesurent les résultats et les interprètent. Les psychologues spécialisés dans les analyses quantitatives collaborent avec les chercheurs pour concevoir, analyser et interpréter les résultats des programmes de recherche. En tant que psychologue psychométricien ou spécialisé dans les analyses quantitatives, vous devrez être bien formé sur les méthodes de recherche, les statistiques et la technologie informatique. Vous aurez des chances d'être employé par une université ou un établissement d'enseignement supérieur, une entreprise spécialisée dans les tests, un laboratoire de recherche privé ou une agence gouvernementale.

Les ***psychologues en réinsertion*** sont des chercheurs et des praticiens qui travaillent avec des personnes ayant perdu un fonctionnement optimal après un accident, une maladie ou un autre événement. En tant que psychologue en réinsertion, vous travaillerez probablement dans une institution médicale de réinsertion ou un hôpital. Vous pourrez également travailler dans une école de médecine ou une université, une agence de réinsertion professionnelle d'État ou fédérale, ou dans un cabinet privé au service de personnes ayant des handicaps physiques.

Les ***psychologues scolaires*** évaluent les enfants dans le cadre de l'éducation et interviennent auprès d'eux en cas de besoin. Ils diagnostiquent et traitent les problèmes cognitifs, sociaux et émotionnels qui peuvent influencer de manière négative l'apprentissage des enfants ou leur fonctionnement général à l'école. En tant que psychologue scolaire, vous collaborerez avec des enseignants, des parents et des administrations, et proposerez des recommandations pour améliorer l'apprentissage des étudiants. Vous travaillerez au sein d'une université, d'une agence gouvernementale fédérale ou d'État, dans un centre médico-psycho-pédagogique ou dans un laboratoire de recherche comportemental.

Les ***psychologues sociaux*** s'intéressent à nos interactions avec les autres. Ils étudient comment nos croyances, nos sentiments et nos comportements sont affectés par ou influencent d'autres personnes. Ils étudient par exemple les attitudes, l'agressivité, les préjugés, l'attraction interpersonnelle, le comportement de groupe et le leadership. En tant que psychologue social, vous travaillerez probablement en tant que membre d'un établissement d'enseignement supérieur ou d'une université. Vous pourrez aussi donner des consultations organisationnelles, effectuer des recherches dans le commerce ou dans d'autres champs de la psychologie appliquée, y compris la neuroscience sociale. Certains psychologues sociaux travaillent dans des hôpitaux, des agences fédérales ou des entreprises pour y effectuer de la recherche appliquée.

En tant que ***psychologue du sport,*** vous étudierez les facteurs psychologiques qui influencent ou sont influencés par notre participation à des activités sportives ou à d'autres activités physiques. Les activités professionnelles des psychologues du sport comprennent la formation des entraîneurs et la préparation des athlètes ainsi que de la recherche et de l'enseignement. Les psychologues du sport qui ont également un diplôme clinique ou de conseil peuvent appliquer ces compétences en travaillant avec des individus ayant des troubles psychologiques comme l'anxiété et l'abus de drogues qui pourraient interférer avec leurs performances optimales. Si vous ne travaillez pas dans le cadre de l'enseignement ou de la recherche, vous travaillerez certainement comme membre d'une équipe ou d'une entreprise, ou dans un cabinet privé.

Se préparer tôt pour des études supérieures en psychologie

La compétition pour l'entrée dans les établissements d'études supérieures en psychologie est rude. Si vous choisissez d'entrer dans une école supérieure, il y a un certain nombre de choses que vous pouvez faire dès maintenant pour optimiser vos chances d'entrer dans l'école de votre choix.

Si possible, commencez à vous préparer au cours de votre première année universitaire pour optimiser les opportunités et obtenir l'expérience nécessaire pour être admis dans un programme compétitif. Kristy Arnold et Kelly Horrigan (2002) vous donnent un certain nombre de suggestions pour faciliter ce processus :

1. *Constituez-vous un réseau de connaissances.* Cherchez à connaître les membres de la faculté et du département de psychologie en étant présents lors d'activités ou de réunions. Cela est particulièrement utile lorsque vous postulez pour une école de troisième cycle ou pour un poste professionnel parce que beaucoup de formulaires d'inscription demandent deux ou trois lettres de référence. Impliquez-vous dans les clubs de psychologie et dans le Psi Chi, la société honorifique nationale de psychologie. Ces réunions mettent en rapport des étudiants ayant les mêmes centres d'intérêts et leur permettent d'étudier plus globalement ce domaine.

2. *Impliquez-vous activement dans la recherche le plus tôt possible.* Commencez par faire des tâches simples comme entrer ou recueillir des données et, peu à peu, vous serez préparé à mener votre propre projet de recherche sous la surveillance d'un directeur de recherche. Envisagez de postuler pour un poste de recherche d'été par le biais de votre université ou d'organisations comme les programmes du *Summer Science Institute* (SSI) de l'*American Psychological Association*, ou du *Research Experiences for Undergraduates* (REU) de la *National Science Foundation* pour tester votre intérêt pour les carrières universitaires et façonner vos compétences pour vos études futures en psychologie.
3. *Faites du volontariat ou recherchez un travail dans un domaine lié à la psychologie.* Le fait d'être impliqué montrera votre volonté d'appliquer des concepts psychologiques à la réalité de tous les jours. De plus, cela sera une vitrine de vos capacités à pouvoir jongler avec un certain nombre de tâches comme le travail et les études, une aptitude importante pour réussir dans les études supérieures.
4. *Maintenez de bons résultats.* Démontrez votre capacité à bien travailler dans les établissements supérieurs en affichant une réussite totale dans les cours difficiles, en particulier ceux liés à vos centres d'intérêt dans l'école supérieure. (*Voir* pp. 12 et 364-365, pour des astuces vous permettant de réussir dans ce cours d'introduction et dans d'autres et d'améliorer votre mémoire de l'information que vous êtes en train d'apprendre.)

Au cours de votre première année, vous devrez commencer à étudier pour l'examen GRE (*Graduate Record Exam*), un test standardisé que vous devrez passer si vous postulez aux écoles supérieures. Beaucoup de programmes supérieurs en psychologie nécessitent que vous ayez le GRE général et que vous passiez un test sur un sujet de psychologie. Si vous commencez à vous y préparer tôt, vous serez prêt pour présenter votre candidature et réussir les études dans l'école supérieure de votre choix.

***

Donc, la prochaine fois que quelqu'un vous demandera ce que vous allez faire avec votre diplôme de psychologie, dites-lui que de nombreuses options s'offrent à vous. Vous pourrez utiliser les compétences et les connaissances que vous aurez acquises pour obtenir un travail et réussir dans de nombreux domaines, ou vous pourrez poursuivre vos études dans des universités de troisième cycle et obtenir des opportunités de carrière dans d'autres professions associées. Dans tous les cas, ce que vous aurez appris sur le comportement et les processus mentaux aura sûrement enrichi votre vie (Hammer, 2003).

Pour plus d'informations

www.apa.org (site Internet de l'*American Psychological Association*).

Actkinson, T. R. (2000). Master's and myths. *Eye on Psi Chi*, 4, 19-25.

American Psychological Association (2003). *Careers for the twenty-first century*. Washington, DC.

American Psychological Association (2005). *Graduate study in psychology*. Washington, DC.

Appleby, D. C. (2002). *The savvy psychology major*. Dubuque, IA : Kendall/Hunt.

Appleby, D. C. (2006). Occupations of interest to psychology majors from the Dictionary of Occupational Titles. *Eye on Psi Chi*, 10, 28-29.

Arnold, K., et Horrigan, K. (2002). Gaining admission into the graduate program of your choice. *Eye on Psi Chi*, *7*, 1, 30-33.

Aubrecht, L. (2001). What can you do with a BA in psychology ? *Eye on Psi Chi*, 5, 29-31.

Cannon, J. (2005). Career Planning and Opportunities : The Bachelor's Degree in Psychology, *Eye on Psi Chi*, 9, 26-28.

Huss, M. (1996). Secrets to standing out from the pile : Getting into graduate school. *Psi Chi Newsletter*, 6-7.

Koch, G. (2001). Utilizing Psi Chi's Programs to Maximize Learning and Success. *Eye on Psi Chi*, 10, 22.

Kracen, A. C., et Wallace, I. J. (Eds.) (2008). *Applying to graduate school in psychology : Advice from successful students and prominent psychologists*. Washington, DC : American Psychological Association.

Lammers, B. (2000). Quick tips for applying to graduate school in psychology. *Eye on Psi Chi*, 4, 40-42.

Landrum, E. (2001). I'm getting my bachelor's degree in psychology. What can I do with it ? *Eye on Psi Chi*, 6, 22-24.
LaRoche, K. (2004). Advantages of undergraduate research : A student's perspective. *Eye on Psi Chi*, 8, 20-21.
Morgan, B., et Korschgen, A. (2001). Psychology career exploration made easy. *Eye on Psi Chi*, 35-36.
Schultheiss, D. E. P. (2008). *Psychology as a major : Is it right for me and what can I do with my degree ?* Washington, DC : American Psychological Association.
Sternberg, R. (Ed.) (2002). *Career paths in psychology : Where your degree can take you.* Washington, DC : American Psychological Association.

Réponses à « Testez-vous »

INTRODUCTION
Histoire de la psychologie

1. **Quel est l'événement fondateur de la psychologie scientifique ?**

   Réponse : L'événement le plus remarquable constituant les fondements de la psychologie scientifique est la création du laboratoire de psychologie de l'université de Leipzig par Wilhelm Wundt en 1879. Cette nouvelle science de la psychologie s'est très vite organisée en différentes écoles de pensée, incluant le structuralisme (fondé par Edward Bradford Titchener, qui utilise l'introspection pour explorer la structure élémentaire de l'esprit humain) et le fonctionnalisme (fondé par William James, qui étudie comment les processus mentaux et comportementaux permettent à l'organisme de s'adapter, de survivre et de se développer). James est aussi l'auteur d'un important ouvrage de psychologie, qu'il acheva en 1890.

2. **Quels sont les principaux niveaux d'analyse de la psychologie ?**

   Réponse : Les trois principaux niveaux d'analyse de la psychologie sont les niveaux biologique, psychologique et socioculturel. Les aperçus complémentaires recueillis par les psychologues qui étudient le comportement et les processus mentaux selon les perspectives neuroscientifique, évolutionniste, de la génétique comportementale, psychodynamique, comportementale, cognitive, et socioculturelle, permettent une compréhension plus importante qui ne peut généralement pas être obtenue par l'étude d'un seul de ces points de vue.

CHAPITRE 1
Penser de manière critique grâce à la psychologie scientifique

1. **Quelle est l'attitude scientifique et pourquoi est-elle importante pour la réflexion critique ?**

   Réponse : L'attitude scientifique associe du *scepticisme* en mettant à l'épreuve par des tests les diverses idées et affirmations et de l'*humilité* concernant nos propres hypothèses non examinées. L'examen des hypothèses, la recherche de valeurs cachées, l'évaluation des preuves et l'estimation des conclusions, sont des parties essentielles de la réflexion critique.

2. **Pourquoi, lorsque l'on essaie un nouveau médicament contre l'hypertension artérielle, apprenons-nous plus à propos de son efficacité en l'administrant à la moitié des sujets d'un groupe de 1 000 personnes plutôt qu'à la totalité des 1 000 participants ?**

   Réponse : Afin de vérifier si cette substance est médicalement efficace, et ne sert pas uniquement de placebo, nous devons comparer ses effets sur des sujets désignés au hasard pour prendre ce médicament (le groupe expérimental) avec les effets obtenus sur un autre groupe traité par un placebo (le groupe contrôle). La seule différence entre les deux groupes est qu'ils reçoivent ou non réellement le médicament. Si la tension artérielle est moins élevée chez les sujets du groupe expérimental, nous savons alors que c'est le médicament lui-même qui a produit cet effet et que ce dernier n'est pas dû au fait que les participants savent qu'ils sont traités (effet placebo).

3. **Considérez la question suivante, posée par Christopher Jepson, David Krantz et Richard Nisbett (1983) aux étudiants de première année de psychologie à l'université du Michigan :**

   Le secrétaire général de l'université du Michigan a découvert qu'habituellement, au terme de leur premier semestre à l'université, environ 100 étudiants inscrits en arts et en sciences obtiennent des notes excellentes. Toutefois, seulement 10 à 15 étudiants achèvent leurs études avec de telles notes. Qu'est-ce qui, à votre avis, explique de la façon la plus probable le fait qu'il y ait plus de notes excellentes au terme du premier semestre qu'en fin d'études ?

Réponse : La plupart des étudiants participant à ce travail de recherche ont donné des raisons plausibles pour expliquer une baisse de leurs notes, en disant par exemple que « les étudiants ont tendance à travailler davantage au début de leurs études universitaires et moins vers la fin ». Moins d'un tiers d'entre eux ont su repérer un phénomène statistique courant : les moyennes basées sur moins de matières varient davantage et font apparaître un plus grand nombre de notes extrêmement faibles et de notes très élevées à la fin du premier trimestre.

4. De quelle manière les sujets participant à des recherches sur les hommes et les animaux sont-ils protégés ?

   Réponse : La législation en faveur de la protection des animaux, la réglementation et les normes d'inspection des laboratoires de recherche ainsi que les comités d'éthique locaux veillent au bien-être des animaux et des hommes.

CHAPITRE 2
La biologie de l'esprit

1. Comment les neurones communiquent-ils les uns avec les autres ?

   Réponse : Un neurone déclenche un influx lorsque la somme des signaux excitateurs dépasse celle des signaux inhibiteurs d'un seuil suffisant. Lorsque l'influx qui en résulte atteint les terminaisons de l'axone, celui-ci déclenche la libération des neuromédiateurs chimiques. Après avoir traversé la minuscule fente synaptique, ces molécules activent les sites récepteurs situés sur les neurones voisins. Très succinctement, la réponse à la question quant à la façon dont les neurones communiquent entre eux est la suivante : *chimiquement*.

2. Comment l'information se diffuse-t-elle à travers le système nerveux quand vous saisissez une fourchette ? Pouvez-vous résumer ce processus ?

   Réponse : Votre système nerveux central affamé active et guide les muscles de votre bras et de votre main par l'intermédiaire des motoneurones de votre système nerveux périphérique. Lorsque vous prenez votre fourchette, votre cerveau traite l'information émise par le système nerveux sensoriel, et lui permet de continuer à diriger votre fourchette vers votre bouche. Le cercle fonctionnel débute par l'influx sensoriel (entrant), poursuit son processus de communication interneuronale à travers le système nerveux central et s'achève par un influx moteur (sortant).

3. Pourquoi l'hypophyse est-elle appelée la « glande maîtresse » ?

   Réponse : L'hypophyse, répondant aux signaux issus de l'hypothalamus, libère des hormones qui agissent comme des stimulateurs. En réponse, d'autres glandes endocrines libèrent leurs propres hormones qui influencent à leur tour le cerveau et le comportement.

4. Si vous étiez incapable de sauter à la corde, quelle zone de votre cerveau serait la plus probablement endommagée ? Ou bien si vous étiez insensible au goût et au son ? Quelle zone lésée du cerveau vous ferait peut-être tomber dans le coma ? Sans le moindre battement de cœur, ni le moindre souffle de vie ?

   Réponse : Ces régions sont, respectivement, le *cervelet*, le *thalamus*, la *formation réticulée* et le *bulbe rachidien*. Ces questions vous permettent d'évaluer votre compréhension des fonctions essentielles des structures cérébrales inférieures.

CHAPITRE 3
La conscience et les deux voies de l'esprit

1. Qu'entend-on par les deux voies de l'esprit, révélées par la théorie du « double processus » ?

   Réponse : Le cerveau humain possède deux voies séparées, consciente et inconsciente, qui traitent l'information simultanément. Concernant par exemple la vision, la voie de l'action visuelle guide notre traitement visuel conscient tandis que la voie de la perception visuelle opère de manière inconsciente, et nous permet la reconnaissance rapide des objets.

2. Dormez-vous assez ? Que devez-vous vous demander afin de répondre à cette question ?

   Réponse : Vous pouvez commencer par les questions vrai ou faux du questionnaire de James Maas sur le manque de sommeil présenté chapitre 3. De même, William Dement (1999, p. 73) vous invite à réfléchir à ces questions : « Pensez-vous souvent qu'un petit somme serait bien utile ? Vous frottez-vous les yeux et baillez-vous souvent au cours de la journée ? Avez-vous souvent la sensation d'avoir vraiment besoin de café ? » Dement conclut que « chacun de ces éléments est un signe de manque de sommeil que vous ignorez à vos risques et périls ».

3. Dans quels cas l'utilisation de l'hypnose peut-elle être dangereuse ? Quand peut-elle être utile ?

   Réponse : L'hypnose est potentiellement dangereuse quand les thérapeutes, à la recherche de souvenirs « retrouvés par l'hypnose », implantent de faux souvenirs. Mais les suggestions post-hypnotiques peuvent aider à soulager certains troubles et l'hypnose peut aider à contrôler la douleur.

4. Une enquête du gouvernement américain concernant 27 616 personnes ayant ou ayant eu des problèmes de boisson a montré que 40 p. 100 de ceux qui ont commencé à boire avant l'âge de 15 ans restent dépendants de l'alcool. On ne retrouve ce phénomène que chez 10 p. 100 de ceux qui ont commencé entre 21 et 22 ans (Grant et Dawson, 1998). Quelle pourrait être l'explication de la corrélation entre la consommation précoce et la dépendance à long terme ?

   Réponse : Parmi les explications possibles, on peut avancer (1) qu'il y a une prédisposition biologique commune à la consommation précoce et à l'abus d'alcool secondaire, (2) que la consommation précoce induit des modifications cérébrales et certaines préférences gustatives, et (3) que la persistance d'habitudes, d'attitudes, d'activités et/ou de types d'entourage favorise l'abus d'alcool.

5. En quoi les expériences au seuil de la mort sont-elles semblables aux hallucinations induites par les substances psychoactives ?

   Réponse : Les rapports sur les expériences au seuil de la mort et sur les hallucinations induites par les médicaments dépeignent des expériences similaires : rappels de souvenirs anciens, sensation de sortie hors du corps, vision de tunnel ou d'entonnoir de lumière brillante ou d'êtres de lumière.

CHAPITRE 4
L'inné, l'acquis et la diversité humaine

1. Qu'est-ce que l'*héritabilité* ?

   Réponse : L'*héritabilité* est la proportion de variation entre individus que nous pouvons attribuer aux gènes. *N.B.* : l'héritabilité *ne* se rapporte *pas* à l'étendue des traits génétiquement déterminés chez un *seul individu*, mais à la proportion de variation *entre* individus qu'il est possible d'attribuer aux différents gènes. L'héritabilité d'un caractère peut varier en fonction des populations et de la palette des environnements étudiés.

2. Quelles sont les trois principales critiques de l'explication évolutionniste de la sexualité humaine ?

   Réponse : Les critiques de l'explication évolutionniste de la sexualité humaine remarquent : (1) qu'elle commence par l'effet pour remonter en arrière et proposer une explication ; (2) les hommes sans éthique ni morale peuvent utiliser ce type d'explication pour rationaliser leur comportement envers les femmes ; et (3) cette explication néglige les effets des attentes culturelles et de la socialisation.

3. Pour prédire si un adolescent fumera, demandez-lui combien de ses amis fument. Une des explications de cette corrélation est l'influence des pairs. Quelle est l'autre ?

   Réponse : Il peut également exister un *effet de sélection*. Les adolescents ont tendance à se répartir eux-mêmes dans des groupes partageant les mêmes pensées – les enthousiastes, les excentriques, les drogués, etc. Ceux qui fument peuvent de même rechercher d'autres adolescents qui fument.

4. En quoi les cultures individualistes et collectivistes diffèrent-elles ?

   Réponse : Une culture qui favorise l'individualisme donne la priorité aux objectifs personnels par rapport aux objectifs du groupe ; dans cette culture, les personnes ont tendance à définir leur identité en termes d'attributs personnels. Une culture qui favorise le collectivisme favorise les objectifs de groupe par rapport aux objectifs individuels ; les individus des cultures collectivistes ont tendance à définir leur identité en termes d'identification de groupe. Les cultures varient selon l'importance de l'individualisme ou du collectivisme qu'elles favorisent.

5. Qu'appelle-t-on les rôles sexués, et en quoi leurs variations nous renseignent-elles sur l'aptitude de l'être humain à apprendre et à s'adapter ?

   Réponse : Les *rôles sexués* sont des normes ou des règles sociales des comportements admis et attendus de la part des hommes et des femmes. Les normes associées à différents rôles, y compris les rôles sexués, varient fortement en fonction du contexte culturel, ce qui prouve que nous sommes parfaitement capables d'apprendre et de nous adapter aux exigences sociales de différents environnements.

6. De quelle manière l'approche biopsychosociale peut-elle expliquer notre développement individuel ?

Réponse : L'approche biopsychosociale considère tous les facteurs qui influencent notre développement individuel : les facteurs biologiques (comme l'évolution, les gènes, les hormones et le cerveau), les facteurs psychologiques (comme nos expériences, nos croyances, nos sentiments et nos attentes) et les facteurs socioculturels (comme l'influence parentale et des pairs, l'individualisme ou le collectivisme culturel et les normes sexuées).

CHAPITRE 5
Le développement de l'individu tout au long de sa vie

1. Une de vos amies qui boit régulièrement désire avoir un enfant rapidement. Elle arrête de boire. Pourquoi est-ce une bonne idée ? Quels sont les effets négatifs de la consommation d'alcool sur le fœtus pendant la grossesse ?

Réponse : Il n'y a pas de quantité d'alcool minimale autorisée sans risques pendant la grossesse et de ce fait votre amie est bien avisée d'arrêter de boire avant de tomber enceinte. Les effets nocifs peuvent survenir avant même que la femme sache qu'elle est enceinte. Si une femme boit de manière importante et constante pendant sa grossesse, le fœtus peut risquer de présenter des handicaps physiques ou cognitifs (comme le syndrome d'alcoolisme fœtal).

2. En utilisant les trois premiers stades du développement cognitif de Piaget, expliquez pourquoi l'esprit du jeune enfant n'est pas un modèle miniature de celui de l'adulte.

Réponse : Au cours du *stade sensori-moteur*, l'enfant a tendance à se focaliser sur sa propre perception du monde et peut, par exemple, ne pas être conscient que les objets continuent d'exister quand il ne les voit plus. Au cours du *stade préopératoire*, l'enfant est encore égocentrique et incapable d'avoir un raisonnement logique simple, comme la réversibilité d'une opération. Au cours du *stade des opérations concrètes*, le préadolescent commence à raisonner logiquement sur des événements concrets, mais pas sur des concepts abstraits.

3. De quelle manière la transition entre l'enfance et l'âge adulte s'est-elle modifiée dans les cultures occidentales au cours des 100 dernières années ?

Réponse : Au cours des cent dernières années, le fossé entre la puberté et l'indépendance de l'adulte s'est étiré passant d'une période d'environ 7 ans à environ 12 ans. Cette tendance, appelée émergence de l'âge adulte, peut être limitée aux nations occidentales industrialisées.

4. La recherche montre que le fait d'avoir vécu en concubinage avant le mariage permet de prédire une importante probabilité de divorce futur. Pouvez-vous proposer deux explications possibles pour cette corrélation ?

Réponse : William Axinn et Arland Thornton (1992) fournissent des données qui soutiennent ces deux explications. (1) La première explication est un exemple de l'*effet de sélection* – notre tendance à rechercher ceux qui nous ressemblent. Le concubinage attire les personnes qui sont les plus aptes à mettre fin à une relation insatisfaisante. Les personnes qui vivent en concubinage ont une éthique du mariage plus individualiste ; ils ont davantage tendance à considérer que les relations intimes sont temporaires et fragiles, acceptent plus la notion de divorce et ont en général trois fois plus de chances d'avoir une relation extraconjugale après le mariage (Forste et Tanfer, 1996). (2) La seconde explication d'Axinn et Thornton illustre l'*effet causal* de l'expérience de la cohabitation. Avec le temps, ceux qui cohabitent ont tendance à approuver l'idée qu'on puisse dissoudre une relation où l'on ne s'épanouit pas. L'attitude qui consiste à admettre le divorce augmente la probabilité des divorces dans l'avenir.

5. Quelles observations de la psychologie soutiennent la théorie des stades de développement ainsi que l'idée de stabilité de la personnalité au cours de la vie ? Quelles sont les conclusions susceptibles de contester ces idées ?

Réponse : La théorie des stades est soutenue par le travail de Piaget (développement cognitif), de Kohlberg (développement moral) et d'Erikson (développement psychosocial), mais elle est remise en question par des découvertes qui montrent que le changement est plus progressif et moins universel sur le plan culturel que ne le pensaient ces théoriciens. Certains traits de personnalité, comme le tempérament, s'avèrent être remarquablement stables avec le temps. Mais nous changeons pour certains traits, tels que nos attitudes sociales, particulièrement dans les premières années de notre vie.

CHAPITRE 6
La sensation et la perception

1. **De façon sommaire, comment distingue-t-on la sensation de la perception ?**

   Réponse : La *sensation* implique un traitement de bas en haut par lequel le système sensoriel de l'organisme reçoit et se représente les stimuli. La *perception* est le processus mental agissant de haut en bas et qui organise et interprète les informations sensorielles entrantes. Mais dans l'expérience de tous les jours, la sensation et la perception représentent différents aspects d'un seul processus continu.

2. **Faites une reconstitution de la séquence rapide des différentes étapes qui se succèdent lorsque vous voyez et reconnaissez une personne de votre connaissance.**

   Réponse : Les ondes lumineuses se reflètent sur la personne et parcourent votre œil, où les cônes et les bâtonnets convertissent leur énergie en influx neuronaux envoyés à votre cerveau. Puis, votre cerveau traite les sous-dimensions de cette information visuelle (la couleur, la profondeur, le mouvement et la forme) séparément mais simultanément et intègre l'information (avec des informations précédemment stockées) sous forme de perception consciente de la personne que vous connaissez.

3. **Quelles sont les étapes fondamentales de la transformation des ondes sonores en sons perçus ?**

   Réponse : Une figure simple résume bien le processus.

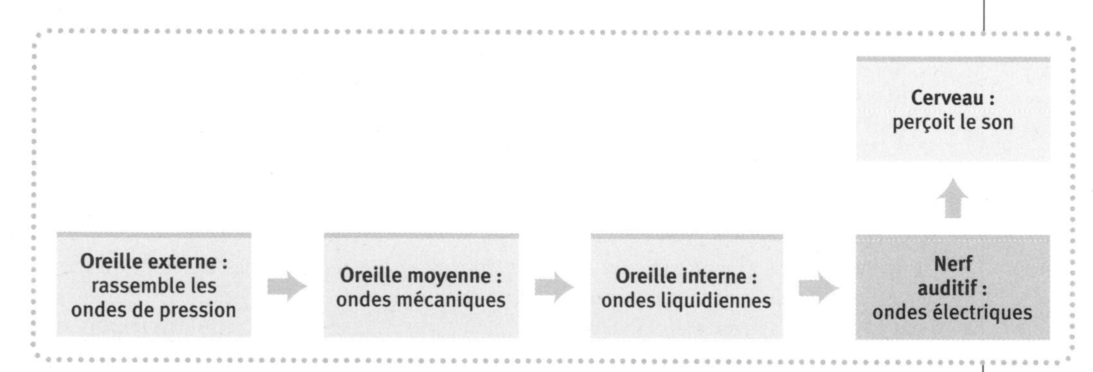

4. **De quelle manière notre système responsable de l'odorat diffère-t-il de nos systèmes sensoriels responsables de la vue, du toucher et du goût ?**

   Réponse : Nous avons trois types de récepteurs de la couleur, quatre récepteurs de base pour le toucher et cinq sensations de base pour le goût. Nous n'avons pas de récepteurs de base pour l'odorat, mais 1 000 récepteurs des odeurs agissent individuellement et associés les uns aux autres pour reconnaître quelque 10 000 odeurs que nous pouvons détecter.

5. **Lorsque nous disons, en parlant de la perception, que le tout n'est pas égal à la somme des parties, qu'entendons-nous par là ?**

   Réponse : Lorsque les psychologues gestaltistes disent cela, ils décrivent notre tendance perceptuelle à organiser des groupes de sensations en des formes ayant un sens ou en des groupes cohérents.

6. **Quel constat montre qu'en effet « la perception n'est pas le simple reflet de ce que nos sens ont capté » ?**

   Réponse : Nous construisons nos perceptions en nous basant sur les influx sensoriels entrant et – d'après les expériences effectuées – sur nos suppositions, nos attentes, nos schémas, nos cadres perceptuels, souvent influencés par le contexte environnant.

7. **Quels dons de voyance la chaîne sportive prétend-elle avoir dans la bande dessinée ci-contre ?**

   Réponse : La chaîne sportive psychique prétend avoir des prémonitions : l'aptitude à prévoir des événements futurs.

The Quigmans par Buddy Hickerson ; © 1990, Los Angeles Times Syndicate. Reproduit avec autorisation.

CHAPITRE 7
L'apprentissage

1. À mesure que nous nous développons, nous apprenons des signaux qui nous conduisent à attendre et à nous préparer aux événements bons ou mauvais. Nous apprenons à répéter des comportements qui entraînent des récompenses. Et nous apprenons en regardant les autres. Comment les psychologues appellent-ils ces trois types d'apprentissage ?

   Réponse : Par le *conditionnement classique*, nous apprenons des signaux qui nous conduisent à attendre et à nous préparer aux événements bons ou mauvais. Par le *conditionnement opérant*, nous apprenons à répéter des comportements qui entraînent des récompenses. Par l'*apprentissage par observation*, nous regardons les autres pour apprendre.

2. Dans les films de violence, des images érotiques de femmes sont parfois associées à des actes violents envers les femmes. En vous fondant sur les principes de conditionnement classique, quel effet peut avoir cette association ?

   Réponse : Le fait de regarder une femme attirante, nue ou à moitié nue (SI) entraîne une excitation sexuelle (RI). Si l'on associe le SI à un nouveau stimulus (la violence), la violence peut devenir un stimulus conditionnel (SC) qui provoque à son tour une excitation sexuelle, une réponse conditionnée (RC).

3. Le *renforcement positif*, le *renforcement négatif*, la *punition positive* et la *punition négative* sont des concepts délicats pour un grand nombre d'étudiants. Pouvez-vous placer les termes appropriés dans les quatre cases de ce tableau ? J'ai rempli la première case pour vous (renforcement positif) ici et aussi dans le chapitre 7.

   Réponse :

Type de stimulus	Donner	Enlever
Désiré (un compliment, par exemple)	*Renforcement positif*	*Punition négative*
Non désiré/désagréable (une insulte, par exemple)	*Punition positive*	*Renforcement négatif*

4. Les parents de Jason et ses amis plus âgés fument, mais lui déconseillent d'en faire autant. Les parents de Juan et ses amis ne fument pas, mais ils ne font rien pour l'en empêcher. Qui est le plus susceptible de commencer à fumer, Jason ou Juan ?

   Réponse : Bien que dire et faire puissent influencer les individus, les expériences suggèrent que les enfants font le plus souvent comme les autres et répètent ce qu'ils disent. Si l'on étend cette découverte au tabagisme, on peut s'attendre à ce que Jason soit le plus susceptible de se mettre à fumer.

CHAPITRE 8
La mémoire

1. La mémoire comprend (par ordre alphabétique) : la mémoire à court terme/de travail, la mémoire à long terme et la mémoire sensorielle. Quel est l'ordre chronologique correct de ces trois types de mémoire ?

   Réponse : La mémoire sensorielle, la mémoire à court terme/de travail et la mémoire à long terme.

2. Quelle serait la stratégie la plus efficace pour apprendre une liste de noms de personnages historiques importants et la retenir pendant une semaine ? Et pendant un an ?

   Réponse : Sur une semaine : il faut donner une signification personnelle aux noms. Sur une année : apprendre un grand nombre de fois la liste et espacer les répétitions sur plusieurs semaines.

3. Votre amie vous dit que son père a eu des lésions cérébrales au cours d'un accident. Elle se demande si la psychologie peut expliquer pourquoi il peut encore très bien jouer aux échecs alors qu'il n'est plus capable d'avoir une conversation sensée. Que pouvez-vous dire à cette personne ?

   Réponse : Notre mémoire *explicite* (déclarative) est différente de la mémoire *implicite* de nos aptitudes et des procédures qui nous permettent de jouer aux échecs. Les souvenirs de notre mémoire implicite sont traités par des zones cérébrales plus anciennes, qui apparemment ne furent pas lésées au cours de l'accident.

4. Qu'est-ce que l'amorçage ?

   Réponse : L'*amorçage* est l'activation (souvent inconsciente) d'associations. Imaginez que voir un revolver vous prédispose temporairement après cela à interpréter un visage ambigu comme étant menaçant ou à vous souvenir de votre patron comme d'une personne malsaine. Même si vous ne vous souvenez pas consciemment du revolver, il « amorce » (influence) votre manière d'interpréter ou de vous souvenir de certains événements.

5. Pouvez-vous citer un exemple d'interférence proactive ?

   Réponse : L'interférence proactive (agissant vers l'avant) intervient lorsque des choses apprises précédemment perturbent le rappel de choses que vous mémorisez plus tard. Si le fait d'apprendre les noms de vos nouveaux camarades de première année vous gêne pour apprendre les noms de ceux de deuxième année, c'est que l'interférence proactive est à l'œuvre.

6. Compte tenu du fait que l'amnésie de la source est très fréquente, à quoi ressemblerait la vie, selon vous, si nous pouvions nous souvenir de toutes nos expériences éveillées et de nos rêves ?

   Réponse : On confondrait les expériences vécues avec les expériences rêvées. En rencontrant une personne, nous ne serions pas certains de réagir à quelque chose qu'elle a fait ou que nous ayons rêvé qu'elle faisait. William Dement (1999, p. 298) pense que « ce serait un lourd fardeau à porter pour notre santé mentale... Je pense vraiment que le mur de la mémoire est une protection bénie ».

7. Quelles sont les stratégies conseillées pour accroître la mémoire que vous venez de lire ? (L'une d'elles préconise de répéter les éléments qui doivent être mémorisés. Que préconisent les autres ?)

   Réponse : Étudiez de manière répétitive pour améliorer votre mémoire à long terme. Passez davantage de temps à répéter ou à penser activement aux éléments que vous voulez retenir. Il faut personnaliser les éléments à retenir. Pour mémoriser une liste d'éléments non familiers, utilisez les moyens mnémotechniques. Rafraîchissez votre mémoire en activant les indices de rappel. Rappelez-vous des événements quand ils sont encore frais, avant que l'effet de désinformation ne se produise. Réduisez les interférences au minimum. Testez vos connaissances, à la fois pour les récapituler et pour déterminer ce que vous ne savez pas.

CHAPITRE 9
Pensée et langage

1. L'heuristique de la disponibilité nous permet d'effectuer des jugements rapides et aisés, mais qui peuvent parfois être trompeurs. Qu'est-ce que l'heuristique de la disponibilité ?

   Réponse : L'*heuristique de la disponibilité* est notre tendance à estimer la probabilité d'événements en fonction de la facilité avec laquelle nous pouvons nous en rappeler des exemples. Comme toutes les heuristiques, ce guide est efficace, mais peut être trompeur, notamment quand nous tentons d'évaluer la probabilité de certains risques (un voyage en avion, par exemple).

2. Si un enfant n'a pas encore acquis la parole, a-t-on raison de penser que des lectures dispensées par ses parents ou les personnes qui prennent soin de lui seront bénéfiques ?

   Réponse : Nous avons effectivement raison de le penser, car bien avant l'âge d'un an, l'enfant apprend à détecter les mots à travers un flot de paroles et à discerner des règles de grammaire. Avant un an, il babille avec les phonèmes de son propre langage. Les enfants s'imprègnent du langage plus que leurs parents ne le pensent. Comme nous le rappelle le chercheur Peter Jusczyk, « les petites oreilles nous écoutent ».

3. Quel concept illustre la phrase : « les mots sont à l'origine des idées » ?

   Réponse : Cette phrase corrobore l'hypothèse du déterminisme linguistique selon laquelle le langage détermine la pensée. Les recherches indiquent que cette position est trop extrême, mais que le langage *influence* réellement ce que nous percevons et ce que nous pensons.

4. Votre chien aboie quand un étranger se présente à votre porte. Peut-on considérer ces aboiements comme un langage ? Qu'en est-il si votre chien jappe de manière à vous faire comprendre qu'il a besoin de sortir ?

   Réponse : Il y a effectivement une communication. Mais si le langage est défini par des mots et notre manière de les assembler selon des règles de grammaire pour leur donner un sens, peu de scientifiques définissent les aboiements et les jappements d'un chien comme un langage.

CHAPITRE 10
L'intelligence

1. Joseph est étudiant à la Harvard Law School. Ses notes se situent en général autour de 16/20, il écrit des articles dans la *Harvard Law Review* et devra prendre ses fonctions à la Cour suprême des États-Unis l'année prochaine. Judith, sa grand-mère, est très fière de lui et pense qu'il est bien plus intelligent qu'elle ne l'a jamais été. Mais Joseph est aussi très fier de Judith qui a été emprisonnée par les Nazis quand elle était jeune. À la fin de la guerre, elle s'enfuit d'Allemagne à pied et prit contact avec une agence d'aide aux réfugiés pour rejoindre les États-Unis, où elle commença une nouvelle vie en travaillant comme assistante-cuisinière dans le restaurant de son cousin. En vous fondant sur la définition de l'*intelligence* dans ce chapitre, peut-on dire que Joseph est la seule personne intelligente dans cette histoire ? Justifiez votre réponse.

   Réponse : Joseph n'est pas la seule personne intelligente dans cette histoire. L'intelligence est la capacité à apprendre, à résoudre des problèmes et à s'adapter à de nouvelles situations. Après tout ce qu'elle a accompli, Judith correspond bien à cette définition.

2. Quel était le but initial de Binet lorsqu'il mit au point les tests d'intelligence ?

   Réponse : À l'origine, les tests de Binet et ceux qui ont été conçus par la suite étaient destinés à prédire la réussite scolaire.

3. Les Smith ont inscrit leur fils de 2 ans dans un programme spécialisé qui est censé estimer son QI puis, s'il est dans les cinq premiers du test, créer un plan d'étude adapté, lui garantissant son admission dans une des meilleures universités à l'âge de 18 ans. Pourquoi cette décision est-elle discutable ?

   Réponse : C'est au mieux un gaspillage d'argent. Tout d'abord, les tests d'estimation du QI réalisés avant l'âge de 3 ans n'ont qu'une faible valeur prédictive de l'intelligence future. Deuxièmement, l'admission dans une des meilleures universités dépend de bien plus de choses que du simple QI. Troisièmement, il n'existe aucun programme d'éducation connu qui pourrait garantir ce résultat. Les Smith feraient mieux de lire des histoires à leur enfant, ce qui prédira un apprentissage précoce de la lecture et l'amour de la lecture.

4. Plus la société parviendra à créer une égalité des chances de réussite pour tous, plus elle fera augmenter l'héritabilité des aptitudes. L'héritabilité des scores d'intelligence sera plus importante dans une société où tout le monde a les mêmes opportunités, plutôt que dans une société de paysans et d'aristocrates. Pourquoi ?

   Réponse : Une égalité environnementale parfaite créerait 100 p. 100 d'héritabilité, car seuls les gènes compteraient dans les différences entre les hommes.

CHAPITRE 11
La motivation et le travail

1. Alors que vous faites un long voyage en voiture, vous vous sentez soudainement très affamé. Vous voyez un restaurant qui semble désertique et sinistre, mais vous êtes *réellement* affamé et vous vous arrêtez quand même. Quel aspect de la motivation explique le plus certainement ce comportement et pourquoi ?

   Réponse : La *théorie du contrôle des pulsions* – l'idée que les besoins physiques créent un état d'excitation qui nous entraîne à réduire nos besoins – peut expliquer notre comportement.

2. Vous avez voyagé et vous n'avez rien mangé depuis 8 heures. Lorsqu'on vous présente votre plat favori, vous avez l'eau à la bouche. Le simple fait d'imaginer ce plat vous met aussi l'eau à la bouche. Qu'est-ce qui déclenche cette salivation anticipée ?

   Réponse : Comme les chiens de Pavlov, vous avez appris par le *conditionnement classique* à répondre aux indices (la vue et l'arôme) signalant que la nourriture va entrer dans votre bouche. Les *indices physiologiques* (après 8 heures sans manger, la glycémie est basse) et les *indices psychologiques* (l'anticipation du goût des aliments) augmentent votre sensation de faim.

3. Comment la théorie du contrôle des pulsions, la théorie de l'excitation et la perspective évolutionniste expliquent-elles notre motivation sexuelle ?

   Réponse : La théorie du contrôle des pulsions pourrait impliquer que les influences hormonales créent un état d'activation (physiologique) obligeant l'organisme à réduire cette pulsion. La théorie de l'activation pourrait ajouter que les individus *recherchent* quelquefois le plaisir et la stimulation produite par l'activation. Les psychologues évolutionnistes nous rappellent que les individus dont le désir sexuel était plus important laissaient plus de descendants – c'est-à-dire nous – que ceux qui manquaient de désir sexuel.

4. **De quelle manière la théorie du contrôle des pulsions, la théorie de l'excitation et la perspective évolutionniste peuvent-elles expliquer notre besoin d'affiliation ?**

   Réponse : La théorie du contrôle des pulsions pourrait dire que la menace ou la peur nous incite à rechercher la sécurité dans la compagnie des autres (réduisant ainsi notre état d'activation). La théorie de l'activation nous rappelle que nous avons tendance à rechercher un niveau de stimulation optimal et que la présence d'autres personnes est un facteur stimulant. Les psychologues évolutionnistes ont constaté que nos ancêtres chassaient et arrivaient à faire face aux menaces grâce à leur appartenance à un groupe et qu'ils trouvaient leur nourriture et la sécurité en étant en groupe. Étant leurs descendants, nous sommes disposés à vivre en groupe avec un besoin de nous lier à d'autres personnes qui nous soutiennent.

5. **Un directeur des ressources humaines vous dit : « Je n'ai pas besoin de tests et de références. Je choisis mes employés au feeling. » En vous fondant sur les recherches effectuées en psychologie industrielle et organisationnelle, quels problèmes cela peut-il entraîner ?**

   Réponse : Les spécialistes en entretien professionnel sont très confiants dans leur aptitude à prédire des performances professionnelles à long terme à partir d'un premier entretien informel. Toutefois, la plupart du temps, ces prédictions sont erronées, à tel point que les spécialistes en psychologie industrielle et organisationnelle appellent la différence entre l'intuition de l'intervieweur et la réalité sur les lieux du travail l'*illusion de l'intervieweur*. Quatre facteurs contribuent à cette divergence : (1) les entretiens dévoilent surtout les bonnes intentions de la personne interviewée, et non pas son comportement habituel ; (2) les intervieweurs suivent plus souvent les personnes qui ont réussi leur carrière et qu'ils ont engagées plutôt que celles qui ont réussi et qu'ils ont rejetées ; (3) les intervieweurs présument que les gens sont ce qu'ils semblent être dans les conditions de l'entretien ; et (4) les idées préconçues de l'intervieweur et son humeur peuvent modifier la manière dont il perçoit les réponses de la personne interrogée.

CHAPITRE 12
Émotions, Stress et Santé

1. **Christine tient son bébé de 8 mois quand un chien agressif surgit de nulle part en montrant les dents et saute en direction du visage de l'enfant. Christine essaie immédiatement de couvrir son bébé pour le protéger, invective le chien, puis remarque que son cœur bat très fort et qu'elle a des sueurs froides. Comment les théories de James-Lange, de Cannon-Bard et la théorie bifactorielle expliquent-elles les réactions émotionnelles de Christine ?**

   Réponse : Selon la théorie de James-Lange, la réaction émotionnelle de Christine survient quand elle prend conscience de sa réponse physiologique à l'attaque du chien. Selon la théorie de Cannon-Bard, sa peur survient en même temps que son activation physiologique. Selon la théorie bifactorielle de Schacter, la réaction émotionnelle de Christine provient du fait qu'elle interprète et appose une étiquette à l'activation.

2. **De quelle manière les deux branches du système nerveux autonome nous permettent de répondre à une crise, puis de récupérer après celle-ci. Pourquoi est-ce important pour l'étude des émotions ?**

   Réponse : La branche sympathique du système nerveux autonome nous active en libérant des hormones de stress, l'adrénaline et la noradrénaline, afin de préparer notre corps à combattre ou à fuir. La branche parasympathique prend le contrôle une fois la crise passée en calmant notre corps.

3. **Qui a tendance à exprimer le plus ses émotions : l'homme ou la femme ? Comment pouvons-nous connaître la réponse à cette question ?**

   Réponse : Les femmes semblent plus aptes que les hommes à détecter les émotions et à en exprimer certaines (bien que les hommes soient légèrement plus aptes à exprimer la colère). Les chercheurs l'ont découvert en projetant à des gens des petites séquences vidéo silencieuses montrant des visages de femmes et d'hommes exprimant diverses émotions, et en observant ceux qui parvenaient le mieux à lire et à exprimer les émotions.

4. Qu'est-ce qui permet (ou pas) de prédire le bonheur personnel ?

   Réponse : L'âge, le sexe et les revenus donnent peu d'indices sur le bonheur. Les traits de personnalité, les relations proches, le sentiment de « flux » dans le travail et les loisirs ainsi que la foi religieuse fournissent des indices prédictifs du bonheur.

5. Quels sont les liens basiques de notre système de réponse au stress ?

   Réponse : Lorsqu'il est alerté d'une menace (un événement négatif, incontrôlable), notre système nerveux sympathique nous met en état d'activation. Le rythme cardiaque et la respiration s'accélèrent. Le sang est détourné de la digestion vers les muscles squelettiques. L'organisme libère des sucres et des graisses pour nous préparer à combattre ou à fuir. Simultanément, le cerveau (via l'hypothalamus et l'hypophyse) ordonne aux glandes surrénales de sécréter l'hormone du stress : le cortisol. Ce système est remarquablement adaptatif. Mais si le stress est continu, il peut entraîner une grande fatigue et des problèmes de santé.

6. En quoi le *coping* centré sur le problème est-il différent du *coping* centré sur l'émotion ?

   Réponse : Le *coping* centré sur le problème cherche à soulager directement le stress en modifiant les facteurs de stress ou la manière dont nous interagissons avec lui. Le *coping* centré sur l'émotion cherche à soulager indirectement le stress en évitant ou en ignorant les facteurs de stress et en gérant les émotions engendrées au cours de notre réaction au stress.

CHAPITRE 13
La personnalité

1. Quels sont, selon Freud, les principaux mécanismes de défense ? Contre quoi nous défendent-ils ?

   Réponse : Freud pensait que le refoulement était le principal mécanisme de défense. D'autres y ajoutent la régression, la formation réactionnelle, la projection, la rationalisation et le déplacement. Tous ces mécanismes sont supposés réduire l'anxiété. La recherche actuelle conforte ce phénomène que Freud appelait *projection* et que les chercheurs contemporains nomment l'*effet de faux consensus*. Certaines preuves soutiennent également les mécanismes de défense de l'estime de soi, comme la formation réactionnelle. Mais il y a peu de preuves soutenant les autres mécanismes.

2. De quelle manière la psychologie actuelle évalue-t-elle les théories de Freud ?

   Réponse : La recherche actuelle ne soutient pas le point de vue de Freud concernant l'inconscient ou le refoulement. Elle considère l'inconscient comme une partie de notre esprit à deux voies. L'inconscient englobe les nombreux types et exemples de traitement de l'information qui s'effectuent en dehors de notre conscience comme l'amorçage, le traitement parallèle des différents aspects de la vision, etc. La théorie de Freud ne permet pas de prédire et a tendance à expliquer les choses une fois que les faits se sont produits.

3. Quelle est la signification du terme « empathique » ? Et celle de la recherche du développement personnel ?

   Réponse : Être *empathique*, c'est avoir la capacité de partager et de refléter les sentiments d'une autre personne. Selon Carl Rogers, être empathique envers les autres permet de se développer intérieurement. Abraham Maslow considérait que le *développement personnel* était le dernier besoin psychologique, la motivation d'accomplir pleinement son propre potentiel.

4. Quel est le débat personne/situation ?

   Réponse : Le débat personne/situation pose la question de savoir si les traits de la personnalité restent constants en fonction du temps et des situations. Les traits de la personnalité ont tendance à être constants bien que les comportements spécifiques puissent varier en fonction du moment et de l'endroit.

5. De quelle manière l'impuissance acquise et l'optimisme influencent-ils notre comportement ?

   Réponse : L'impuissance acquise engendre une résignation passive quand l'organisme se sent incapable d'éviter des événements désagréables. On a observé que l'enfermement dans les camps de concentration, les prisons, ainsi que les entreprises et les pays autocratiques engendraient des symptômes d'impuissance acquise. L'optimisme produit l'effet inverse : une meilleure humeur, davantage de ténacité et une meilleure santé.

6. Dans un sondage Gallup de 1997, les Américains blancs estimaient que 44 p. 100 de leurs pairs avaient beaucoup de préjugés (ils leur donnaient une note de 5 ou plus sur une échelle de 10 points). Combien se considéraient dans le même cas ? Seulement 14 p. 100. Quel phénomène cela illustre-t-il ?

Réponse : Cela reflète notre tendance générale à nous considérer comme étant supérieurs à la moyenne des gens : c'est un exemple du *biais d'autosatisfaction*.

CHAPITRE 14
Les troubles psychologiques

1. Quelle est la perspective biopsychosociale des troubles psychologiques ? Pourquoi est-elle importante pour les comprendre ?

   Réponse : La perspective contemporaine suppose que les facteurs socioculturels, biologiques et psychologiques se combinent pour produire des troubles psychologiques. Les gènes sont importants, le cerveau aussi. Les pensées et les sentiments ont aussi leur importance, tout comme les influences sociales et culturelles. Afin d'avoir une vue d'ensemble avec tous les éléments intégrés, il est utile de faire appel à la perspective biopsychosociale.

2. Pouvez-vous faire la différence entre l'anxiété généralisée, les phobies, les troubles obsessionnels compulsifs et le syndrome de stress post-traumatique ?

   Réponse : Le *trouble de l'anxiété généralisée* se traduit par une tension non focalisée, une appréhension et un état d'activation. Les *phobies* focalisent l'anxiété sur des situations ou des objets spécifiques entraînant la peur. Le *trouble obsessionnel compulsif* exprime l'anxiété par des pensées (obsessions) ou des actions (compulsions) répétitives non souhaitées. Lors du *syndrome du stress post-traumatique*, l'anxiété peut s'accompagner de souvenirs récurrents et de cauchemars, d'un retrait social et d'insomnies survenant pendant au moins quatre semaines après un événement traumatisant.

3. Que signifie *somatoforme* ?

   Réponse : Les symptômes somatiques sont des symptômes ressentis par le corps. Lors de troubles somatoformes, les individus expriment leur détresse par des problèmes physiques plutôt que psychologiques.

4. Les perspectives psychanalytiques et d'apprentissage s'accordent sur le fait que les symptômes du trouble dissociatif de l'identité sont une manière de faire face à l'anxiété. En quoi leurs explications diffèrent-elles ?

   Réponse : Selon l'explication psychanalytique, les symptômes de dissociation de l'identité sont une défense contre l'anxiété engendrée par des pulsions inacceptables. Selon la perspective d'apprentissage, ces symptômes sont des comportements qui ont été renforcés parce qu'ils ont soulagé l'anxiété par le passé. D'autres expliquent les symptômes de dissociation de l'identité comme un détachement provoqué par des expériences horribles comme des abus subis pendant l'enfance.

5. Qu'entend-on par l'expression « la dépression est le rhume des troubles psychologiques » ?

   Réponse : Cette expression décrit la fréquence de la dépression mais ne cherche pas à minimiser la gravité de cette affection.

6. Quels sont les deux principaux types de schizophrénie ?

   Réponse : La schizophrénie chronique ou processuelle est un trouble se développant lentement et s'accompagnant souvent de symptômes négatifs. La schizophrénie aiguë ou réactionnelle est un trouble qui se développe rapidement après un événement stressant spécifique de la vie. Les individus atteints de la forme aiguë présentent souvent des symptômes positifs qui répondent mieux au traitement médical.

7. Le trouble de la personnalité antisociale est-il une maladie héréditaire ?

   Réponse : Le *trouble de la personnalité antisociale* au cours duquel une personne n'a plus conscience de ce qui est mal, semble avoir des composantes biologiques et psychologiques. Les études de jumeaux et d'adoption montrent que les personnes de la même famille biologique d'une personne atteinte de ce trouble présentent plus de risques d'avoir un comportement antisocial. Mais, lorsqu'elle est associée à un sens des responsabilités sociales, cette tendance à n'avoir peur de rien peut conduire à de l'héroïsme, un esprit aventurier ou à la réussite sportive.

8. Quelle est la relation entre la pauvreté et les troubles psychologiques ?

   Réponse : Le stress lié à la pauvreté peut, en effet, provoquer l'apparition de troubles psychologiques. Cependant, certains troubles particulièrement handicapants peuvent aussi contribuer à la pauvreté. C'est un problème analogue à celui de l'œuf et de la poule : il est difficile de dire lequel des deux est apparu en premier.

CHAPITRE 15
Traitements

1. Quelle est la distinction majeure entre les hypothèses sous-jacentes des thérapies de l'*insight* et des thérapies comportementales ?

   Réponse : Les thérapies de l'*insight* (thérapies psychanalytique et humaniste) ont pour but de soulager les problèmes en faisant prendre conscience au patient de leur origine. Les thérapies comportementales supposent que le problème est d'ordre comportemental et qu'il faut le traiter directement en accordant moins d'attention à ses origines.

2. Comment l'effet placebo peut-il biaiser l'estimation qu'ont les patients de l'efficacité de la psychothérapie ?

   Réponse : L'*effet placebo* est le pouvoir curatif attribué au fait de *croire* à un traitement. Les patients qui s'attendent à ce que le traitement soit efficace peuvent croire que cela a été le cas.

3. Comment les chercheurs évaluent-ils l'efficacité d'un traitement pharmacologique particulier ?

   Réponse : Dans l'idéal, les chercheurs répartissent les sujets en deux groupes, ceux qui reçoivent un traitement et ceux qui n'en reçoivent aucun, afin de vérifier si les patients traités manifestent plus de signes d'amélioration que les autres. Dans de nombreuses études, le groupe non traité reçoit un placebo, ce qui permet un contrôle selon la procédure en double aveugle. Lorsque l'équipe médicale et les patients ne savent pas qui a pris le traitement expérimental (un médicament, par exemple), toute différence constatée entre le groupe traité et le groupe non traité sera attribuée à l'efficacité réelle du traitement.

4. Quelle est la différence entre la prévention en santé mentale et le traitement psychologique ou biomédical ?

   Réponse : Les psychothérapies et les thérapies biomédicales cherchent à soulager les individus qui souffrent de troubles psychologiques. La prévention en santé mentale cherche à éviter la souffrance en identifiant et en éliminant les conditions qui entraînent les troubles.

CHAPITRE 16
Psychologie sociale

1. Un jour de neige, Marco va à l'université en voiture et évite de justesse une voiture qui passe au feu rouge. « Ralentis donc ! Quel mauvais conducteur », pense-t-il. Un instant après, Marco glisse au feu à un carrefour et s'écrie : « Oh là là ! Ces routes sont dangereuses. Il faudrait penser à sortir les chasse-neige. » Quel principe de psychologie sociale illustre Marco ? Expliquez votre réponse.

   Réponse : En attribuant le comportement de l'autre personne à la personne même (« c'est un mauvais conducteur ») et son propre comportement à une situation externe (« les routes sont dangereuses »), Marco commet l'*erreur fondamentale d'attribution*.

2. Vous êtes chargé de l'organisation d'une assemblée générale à l'hôtel de ville à laquelle doivent participer des opposants politiques. Afin d'ajouter une note d'humour à l'événement, des amis suggèrent que vous distribuiez des masques à l'image des candidats à leurs partisans. Quel phénomène ces masques vont-ils déclencher ?

   Réponse : La préservation de l'anonymat au moyen de masques, associée à l'excitation d'un cadre controversé, peut créer un phénomène de *désindividualisation* (diminution de la conscience de soi et de l'autocensure).

3. Pourquoi personne n'a-t-il secouru Kitty Genovese ? Quels sont les principes de relations sociales illustrés par cet incident ?

   Réponse : Cet incident illustre l'*effet témoin*. Cela se produit parce qu'en présence des autres, un individu a moins de chances de remarquer la situation, de l'interpréter correctement comme étant une urgence et d'assumer la responsabilité de porter secours.

Glossaire

Accommodation : (1) adaptation d'un schème actuel de compréhension pour y intégrer une information nouvelle. (p. 180) ; (2) processus permettant au cristallin de changer de forme pour condenser l'image des objets proches ou lointains sur la rétine. (p. 237)

Acquisition : stade initial du conditionnement classique ; c'est la phase pendant laquelle un stimulus neutre est associé à un stimulus inconditionnel jusqu'à ce que le stimulus neutre déclenche une réponse conditionnée. Dans le conditionnement opérant, c'est l'accroissement d'une réponse renforcée. (p. 296)

Adaptation perceptive : dans le cas de la vision, capacité à s'adapter à un déplacement artificiel, voire à l'inversion du champ visuel. (p. 274)

Adaptation sensorielle : diminution de sensibilité consécutive à une stimulation constante. (p. 234)

Addiction : désir irrépressible et consommation compulsive d'une drogue malgré les conséquences néfastes. (p. 113)

ADN (acide désoxyribonucléique) : molécule complexe contenant l'information génétique et qui est le principal constituant des chromosomes. (p. 134)

Adolescence : période de transition entre l'enfance et l'âge adulte, s'étendant de la puberté à l'indépendance. (p. 196)

Aérobic : exercice soutenu qui améliore la forme physique du cœur et des poumons ; il peut aussi apaiser l'anxiété et la dépression. (p. 543)

Âge mental : mesure du résultat au test d'intelligence inventé par Binet ; l'âge chronologique qui correspond le plus exactement à un certain niveau de performance. Ainsi, un enfant qui a d'aussi bons résultats que la moyenne des enfants de 8 ans se verra attribuer un âge mental de 8 ans. (p. 416)

Agents tératogènes : agents tels que les virus ou les produits chimiques susceptibles d'atteindre l'embryon ou le fœtus au cours du développement prénatal et de provoquer des malformations. (p. 175)

Agressivité : tout comportement physique ou verbal ayant pour but de faire du mal ou de détruire. (pp. 160, 698)

Aire de Broca : zone de contrôle de l'expression du langage, située habituellement dans le lobe frontal de l'hémisphère gauche, responsable des mouvements musculaires impliqués dans la parole. (p. 389)

Aire de Wernicke : zone de contrôle de la réception du langage, située habituellement dans le lobe temporal gauche, impliquée dans l'expression et la compréhension du langage. (p. 389)

Aires associatives : aires du cortex cérébral qui ne sont pas impliquées dans des fonctions motrices ou sensorielles primaires ; elles sont plutôt impliquées dans des fonctions mentales supérieures telles que l'apprentissage, la mémoire, la pensée et la parole. (p. 72)

Algorithme : procédé ou règle méthodique et logique qui garantit la résolution d'un problème particulier. Peut être opposé à l'utilisation de l'*heuristique*, en général plus rapide, mais plus propice à l'erreur. (p. 371)

Altruisme : attention désintéressée portée au bien-être d'autrui. (p. 712)

Amnésie : perte de la mémoire. (p. 342)

Amnésie de la source : attribution d'un événement que nous avons vécu, lu, imaginé ou entendu à une mauvaise source. (Également appelée *source d'attribution erronée.*) L'amnésie de la source, associée à l'effet de désinformation, est au cœur de nombreux faux souvenirs. (p. 358)

Amorçage : (1) activation implicite (souvent inconsciente) de certaines associations qui prédispose les gens à une certaine perception, mémoire ou réponse. (p. 232) ; (2) activation souvent inconsciente d'associations particulières dans la mémoire. (p. 346)

Amour passionnel : état d'excitation caractérisé par une fusion intense et positive avec un autre, en général présent au début d'une histoire d'amour. (p. 710)

Amphétamines : substances psychoactives qui stimulent l'activité nerveuse, entraînant une accélération des fonctions corporelles et les modifications d'énergie et d'humeur associées. (p. 117)

Amygdale : deux centres nerveux, en forme d'amande, faisant partie du système limbique et impliqués dans les émotions. (p. 65)

Analyse factorielle : méthode statistique qui permet d'identifier des groupes d'éléments comparables (appelés *facteurs*) dans un test ; elle est utilisée pour identifier les différents aspects de la performance inclus dans le résultat global d'une personne. (p. 406)

Anorexie mentale : trouble des conduites alimentaires au cours duquel une personne (en général une adolescente) jeûne et atteint un poids significativement inférieur à la normale (de 15 p. 100 ou plus) et pourtant, se sentant encore grosse, continue à se priver. (p. 453)

Antidépresseurs : médicaments utilisés pour traiter la dépression ; de plus en plus prescrits pour traiter l'anxiété. Différents types d'antidépresseurs agissent en modifiant la disponibilité de divers neuromédiateurs. (p. 662)

Anxiolytiques : médicaments utilisés pour contrôler l'anxiété et l'agitation. (p. 661)

Aphasie : troubles du langage, provoqués en général par une lésion de l'hémisphère gauche au niveau de l'aire de Broca (perturbant le langage) ou de l'aire de Wernicke (altérant la compréhension). (p. 389)

Apnées du sommeil : trouble du sommeil caractérisé par des arrêts temporaires de la respiration au cours du sommeil, lesquels entraînent des réveils momentanés. (p. 102)

Apprentissage : changement relativement permanent dans le comportement d'un organisme, provoqué par l'expérience. (p. 291)

Apprentissage latent : apprentissage qui ne devient apparent que lorsqu'une incitation permet de le mettre en évidence. (p. 312)

Apprentissage par association : apprendre que certains événements se produisent ensemble. Les événements peuvent être deux stimuli (comme dans le conditionnement classique), ou une réponse et ses conséquences (comme dans le conditionnement opérant). (p. 292)

Apprentissage par observation : apprendre en observant le comportement des autres. (p. 317)

Approche biopsychosociale : approche intégrée qui incorpore les niveaux d'analyse biologique, psychologique et socioculturel. (p. 8)

Approche éclectique : approche de la psychothérapie qui utilise, en fonction des problèmes du patient, des techniques employées dans différents types de thérapie. (p. 637)

Assimilation : interprétation d'une expérience nouvelle selon un schème existant. (p. 180)

Association libre : en psychanalyse, méthode d'exploration de l'inconscient au cours de laquelle le patient se détend et dit tout ce qui lui vient à l'esprit sans se soucier du caractère insignifiant ou embarrassant de ses pensées. (p. 554)

Attachement : lien affectif avec une autre personne ; mis en évidence chez les jeunes enfants par leur façon de rechercher le contact avec ceux qui s'occupent d'eux et par leur détresse en cas de séparation. (p. 188)

Attention sélective : concentration de l'éveil conscient sur un stimulus particulier. (p. 89)

Attitude : sentiment, souvent influencé par nos croyances, prédisposant quelqu'un à répondre d'une façon particulière à des objets, des personnes ou des événements. (p. 675)

Audition : sens correspondant à l'ouïe. (p. 245)

Autisme : trouble débutant précocement dans l'enfance, caractérisé par une grande difficulté à communiquer et à interagir socialement, et par une incapacité à comprendre l'état d'esprit d'autrui. (p. 186)

Axone : extension d'un neurone qui se termine par un bouquet de fibres ramifiées, au travers desquelles des messages sont envoyés aux autres neurones, aux muscles ou aux glandes. (p. 49)

Barbituriques : substances qui diminuent l'activité du système nerveux central, réduisant ainsi l'anxiété, mais altérant la mémoire et le jugement. (p. 116)

Bâtonnets : récepteurs rétiniens qui détectent le noir, le blanc et le gris ; nécessaires à la vision périphérique et crépusculaire, lorsque les cônes ne répondent pas. (p. 238)

Biais d'autosatisfaction : tendance à se voir de façon favorable. (p. 586)

Biais de confirmation : tendance à rechercher les informations qui confirment les idées préconçues et d'ignorer ou de fausser les preuves contradictoires. (p. 372)

Biais de groupe : tendance à favoriser quelqu'un de son groupe. (p. 696)

Biais de l'après-coup : tendance à croire, après avoir eu connaissance d'un résultat, qu'on aurait pu le prévoir. (Ce biais est aussi connu sous le nom du *phénomène de « je l'ai toujours su »*.) (p. 16)

Bien-être subjectif : perception qu'a une personne du bonheur et de la satisfaction de la vie. Il est utilisé avec les mesures du bien-être objectif (par exemple, des indicateurs physiques et économiques) pour évaluer la qualité de vie d'un individu. (p. 520)

Biofeedback (rétroaction biologique) : système permettant d'enregistrer électroniquement, d'amplifier et de renvoyer l'information concernant un état physiologique ténu, comme la tension artérielle ou la tension musculaire. (p. 544)

Boulimie : trouble des conduites alimentaires caractérisé par des épisodes de suralimentation (en général d'aliments riches en calories), suivis de vomissements, d'utilisation de laxatifs, de périodes de jeûne et d'exercice physique intensif. (p. 453)

Bulbe rachidien : base du tronc cérébral qui contrôle la respiration et les battements du cœur. (p. 63)

Buts supérieurs : buts partagés qui permettent de surmonter les différences entre les gens et qui requièrent leur coopération. (p. 717)

Ça : réservoir d'énergie psychique inconsciente, qui, selon Freud, lutte pour satisfaire les pulsions sexuelles et agressives fondamentales. Le Ça opère selon le *principe de plaisir*, en demandant une gratification immédiate. (p. 555)

Cadre mental : tendance à envisager un problème d'une façon particulière, souvent d'une manière couronnée de succès antérieurement. (p. 373)

Cadre perceptif : prédisposition mentale à percevoir une chose et non une autre. (p. 275)

Cage à conditionnement opérant : utilisée pour la recherche sur le conditionnement opérant ; boîte (aussi connue sous le nom de *boîte de Skinner*) contenant un levier ou un bouton qu'un animal peut manipuler pour obtenir un renforcement - eau ou nourriture - et un appareil pour enregistrer le nombre de fois où l'animal appuie sur le levier ou picore le bouton. (p. 305)

Caractères sexuels primaires : organes (ovaires, testicules, ainsi que les organes génitaux externes) qui rendent possible la reproduction sexuelle. (p. 197)

Caractères sexuels secondaires : caractères sexuels non liés à la reproduction tels que les hanches et les seins chez la femme, la voix grave et la pilosité du corps chez l'homme. (p. 197)

Carte cognitive : représentation mentale de la disposition de l'environnement de quelqu'un. Par exemple, après avoir exploré un labyrinthe, les rats se conduisent comme s'ils en avaient appris une carte cognitive. (p. 312)

Catharsis : libération émotionnelle. En psychologie, l'hypothèse de la catharsis affirme que « libérer » l'énergie agressive (sous forme de fantasmes ou d'actions) apaise les pulsions agressives. (p. 518)

Cécité au changement : incapacité à remarquer un changement dans notre environnement. (p. 90)

Cécité inattentionnelle : incapacité à voir des objets visibles lorsque notre attention est occupée par autre chose. (p. 90)

Cellules gliales : cellules du système nerveux qui apportent leur support, des éléments nutritifs et leur protection aux neurones. (p. 68)

Cerveau partagé (*split brain*) : situation résultant d'une opération chirurgicale au cours de laquelle les deux hémisphères cérébraux sont isolés, après section des fibres qui les relient entre eux (essentiellement celles du corps calleux). (p. 75)

Cervelet : le « petit cerveau » est une structure placée à l'arrière du tronc cérébral ; il contribue au traitement des influx sensoriels, à la coordination des mouvements volontaires et à l'équilibre. (p. 64)

Chromosome X : chromosome sexuel présent aussi bien chez l'homme que chez la femme. Les femmes ont deux chromosomes X ; les hommes en ont un. L'apport d'un chromosome X par chacun des parents donne une fille. (p. 162)

Chromosome Y : chromosome sexuel présent uniquement chez les hommes ; apparié à un chromosome X provenant de la mère, cela donne un garçon. (p. 162)

Chromosomes : structures filamenteuses formées de molécules d'ADN et qui contiennent les gènes. (p. 134)

Cochlée : tube osseux enroulé, rempli de liquide, situé dans l'oreille interne et au niveau duquel les ondes sonores déclenchent des influx nerveux. (p. 246)

Coefficient de corrélation : indice statistique de la relation entre deux choses (varie entre −1 et +1). (p. 25)

Cognition : activités mentales associées à la pensée, au savoir, au souvenir et à la communication. (pp. 179, 369)

Collectivisme : donner la priorité aux buts du groupe auquel on appartient (souvent la famille élargie ou l'entreprise) et définir son identité par rapport à lui. (p. 155)

Complexe d'Œdipe : selon Freud, désir sexuel d'un garçon envers sa mère et sentiment de jalousie et de haine envers le père qui devient un rival. (p. 556)

Complicité amoureuse : attachement profond que nous éprouvons envers ceux avec qui nous partageons notre vie. (p. 711)

Comportement de réponse (ou répondant) : comportement qui se produit en réponse automatique à un stimulus. (p. 304)

Comportement opérant : comportement qui agit sur l'environnement en induisant des conséquences. (p. 304)

Comportement prosocial : comportement constructif utile et positif par opposition au comportement antisocial. (p. 321)

Comportementalisme ou behaviorisme : courant selon lequel la psychologie (1) doit être une science objective qui (2) étudie les comportements sans référence aux processus mentaux. La plupart des chercheurs en psychologie sont d'accord avec la première partie de la définition mais pas avec la deuxième. (pp. 5, 294)

Concept : regroupement mental d'objets, d'événements, d'idées et d'individus semblables. (p. 369)

Conception du soi : ensemble de nos pensées et de nos sentiments à propos de nous-mêmes, en réponse à la question : « Qui suis-je ? ». (p. 566)

Conditionnement aversif : type de déconditionnement qui associe un état pénible (une nausée, par exemple) à un comportement indésirable (boire de l'alcool, par exemple). (p. 644)

Conditionnement classique : type d'apprentissage dans lequel un organisme en vient à associer deux ou plusieurs stimuli et à anticiper les événements. (p. 294)

Conditionnement d'ordre supérieur : un processus au cours duquel le stimulus conditionné dans une expérience de conditionnement est associé à un nouveau stimulus neutre créant un deuxième stimulus conditionnel (souvent plus faible). Par exemple, un animal qui a appris qu'un certain son prédit de la nourriture peut apprendre qu'une lumière peut prédire ce son et commencer à répondre à la seule lumière (appelé aussi *conditionnement du second degré*). (p. 296)

Conditionnement opérant : type d'apprentissage dans lequel le comportement s'accroît s'il est suivi par un renforcement ou s'atténue s'il est suivi par une punition. (p. 304)

Cônes : récepteurs rétiniens concentrés à proximité du centre de la rétine et qui fonctionnent à la lumière du jour ou dans des conditions de bon éclairage. Les cônes détectent les détails fins et sont à l'origine de la sensation de couleur. (p. 238)

Confiance de base : d'après Erik Erikson, sentiment selon lequel le monde est fiable et prévisible ; on considère qu'il se forme au cours de l'enfance par des contacts appropriés avec des parents ou des adultes nourriciers attentifs. (p. 191)

Confidence intime : révélation d'aspects intimes de soi-même aux autres. (p. 711)

Conflit : incompatibilité perçue entre des actions, des buts ou des idées. (p. 715)

Conformisme : ajustement de la pensée ou du comportement de quelqu'un pour coïncider avec une norme du groupe. (p. 681)

Conscience : perception que nous avons de nous-mêmes et de notre environnement. (p. 86)

Conservation : principe (que Piaget considérait comme un élément du raisonnement opératoire concret) selon lequel les propriétés telles que la masse, le volume ou le nombre demeurent les mêmes en dépit d'un changement de forme des objets. (p. 183)

Considération positive inconditionnelle : selon Rogers, attitude d'acceptation totale à l'égard de l'autre. (pp. 565, 642)

Constance des couleurs : perception que les objets familiers ont une couleur constante, même si un changement de lumière modifie les longueurs d'ondes réfléchies par l'objet. (p. 271)

Constance perceptive : percevoir des objets comme inchangés (ayant une luminosité, une couleur, une forme, une taille constantes) même quand l'éclairage et l'image rétinienne se modifient. (p. 269)

Contenu latent : selon Freud, la signification sous-jacente d'un rêve (à distinguer du contenu manifeste). (p. 105)

Contenu manifeste : selon Freud, le scénario de rêve dont on se souvient (distinct de son contenu latent, ou caché). (p. 104)

Contrôle personnel : sentiment que l'on a de contrôler son environnement plutôt que de se sentir impuissant. (p. 578)

***Coping* (« faire face à ») :** soulager un stress à l'aide d'une méthode émotionnelle, cognitive ou comportementale. (p. 538)

***Coping* centré sur le problème :** tentative de soulagement direct d'un stress en modifiant le facteur de stress ou notre manière de réagir à ce facteur de stress. (p. 538)

***Coping* centré sur les émotions :** tentative de soulagement d'un stress en évitant ou en ignorant le facteur de stress et en gérant les besoins émotionnels liés à notre réaction au stress. (p. 538)

Corps calleux : large bande de fibres nerveuses connectant les deux hémisphères et transportant les messages entre eux. (p. 75)

Corrélation : mesure du degré de variation commune de deux facteurs et, par conséquent, de la façon dont chaque facteur prédit l'autre. (p. 25)

Corrélation illusoire : perception d'une relation qui n'existe pas. (p. 28)

Cortex cérébral : tissu formé de neurones imbriqués et interconnectés qui recouvre les hémisphères cérébraux ; il constitue l'ultime centre de contrôle et de traitement des informations de l'organisme. (p. 68)

Cortex moteur : zone située à l'arrière des lobes frontaux qui contrôle les mouvements volontaires. (p. 69)

Cortex sensoriel : zone située en avant des lobes pariétaux, qui enregistre et traite les sensations de toucher et de mouvement éprouvées par l'organisme. (p. 71)

Courbe normale (distribution normale) : courbe symétrique en forme de cloche qui décrit la distribution d'un grand nombre de types de données ou de nombreux caractères physiques ou psychologiques. La plupart des résultats sont regroupés autour de la moyenne (68 p. 100 se trouvent à moins d'un écart type de part et d'autre de la moyenne) et plus on se dirige vers les extrêmes moins on trouve de valeurs. (pp. 36, 419)

Créativité : capacité à créer des idées nouvelles et intéressantes. (p. 410)

Cristallin : structure transparente située derrière la pupille qui change de forme pour concentrer les images sur la rétine. (p. 237)

Croissance post-traumatique : changement psychologique positif se produisant après une lutte contre des circonstances particulièrement difficiles et des crises de la vie. (p. 605)

Culture : comportements, idées, attitudes et traditions durables partagés par un groupe de personnes et transmis de génération en génération. (pp. 39, 153)

Cycle de la réponse sexuelle : les quatre étapes de la réponse sexuelle décrites par Masters et Johnson : excitation, plateau, orgasme et résolution. (p. 465)

Déconditionnement : technique de la thérapie comportementale qui utilise le conditionnement classique pour susciter de nouvelles réponses aux stimuli suscitant des comportements non désirés. Comprend la *thérapie d'exposition* et le *conditionnement aversif.* (p. 643)

Définition opératoire : description des procédures (ou des opérations) qui sont utilisées pour définir les variables d'une recherche. Par exemple, l'*intelligence humaine* peut être définie de manière opératoire par ce que mesure un test d'intelligence. (p. 21)

Déjà-vu : impression curieuse « d'avoir déjà vécu cela auparavant ». Les indices présents dans la situation actuelle peuvent susciter d'une manière subconsciente la récupération d'une expérience antérieure. (p. 348)

Dendrite : ramification d'un neurone qui reçoit les messages et conduit l'influx nerveux jusqu'au corps cellulaire. (p. 49)

Déni de la réalité : mécanisme de défense au cours duquel les personnes refusent de croire ou même de percevoir la réalité douloureuse. (p. 558)

Dépendance physique : besoin physique d'une drogue, caractérisé par des symptômes de sevrage pénibles lors de l'arrêt de la drogue. (p. 113)

Dépendance psychologique : besoin psychologique de consommer une drogue, de manière à réduire les émotions négatives. (p. 113)

Déplacement : dans la théorie psychanalytique, mécanisme de défense qui déplace des pulsions sexuelles ou agressives vers des objets ou des personnes plus acceptables et moins menaçants, comme par exemple en réorientant la colère dans une direction moins dangereuse. (p. 558)

Dépresseurs : substances (telles que l'alcool, les barbituriques et les opiacés) qui réduisent l'activité nerveuse et ralentissent les fonctions corporelles. (p. 114)

Désensibilisation systématique : type de théorie d'exposition qui associe un état de relaxation agréable à des stimuli générateurs d'anxiété d'intensité croissante. Utilisée classiquement pour lutter contre les phobies. (p. 643)

Désindividualisation : perte de la conscience de soi et de l'autocensure se produisant dans des situations de groupe qui augmentent l'excitation et l'anonymat. (p. 688)

Détecteurs de caractéristiques : cellules nerveuses du cerveau qui répondent aux caractéristiques précises d'un stimulus : forme, angle ou encore mouvement. (p. 241)

Déterminisme réciproque : influences du comportement, de la cognition interne et de l'environnement qui interagissent les unes avec les autres. (p. 577)

Développement personnel (accomplissement de soi) : selon Maslow, c'est le besoin psychologique ultime qui apparaît lorsque tous les besoins physiques et psychologiques de base ont été satisfaits, et que l'estime de soi est satisfaisante ; motivation pour exprimer pleinement ses potentialités. (p. 565)

Discrimination : (1) comportement négatif injustifiable envers un groupe ou ses membres. (p. 691) ; (2) dans le conditionnement classique, capacité apprise à distinguer un stimulus conditionnel des stimuli voisins qui ne signalent pas un stimulus inconditionnel. (p. 299)

Disparité rétinienne : indice binoculaire permettant de percevoir la profondeur : en comparant les images issues des deux globes oculaires, le cerveau calcule la distance : plus la disparité (différence) entre les deux images est importante, plus l'objet est proche de nous. (p. 267)

Dissociation : clivage au sein de la conscience qui permet que certaines pensées et certains comportements surviennent simultanément. (p. 111)

DSM-IV-TR : *Diagnostic and Statistical Manual of Mental Disorders* (4e édition), édité par l'*American Psychiatric Association* avec une actualisation récente ; c'est un système très utilisé pour classer les troubles psychologiques. (p. 597)

Dyskinésie tardive : mouvements involontaires des muscles faciaux, de la langue et des membres ; il s'agit d'un effet secondaire neurotoxique potentiel de l'utilisation à long terme de neuroleptiques ciblant certains récepteurs dopaminergiques. (p. 661)

Écart type : mesure informatisée de l'importance de la variation des résultats par rapport à la moyenne. (p. 35)

Échantillon randomisé (tiré au sort) : échantillon qui représente une population de la manière la plus juste parce que chacun de ses membres a les mêmes chances d'y être inclus. (p. 24)

Échelle d'intelligence de Wechsler pour adultes (WAIS, *Wechsler Adult Intelligence Scale*) : le WAIS est le test d'intelligence le plus utilisé ; il contient des sous-tests verbaux et des sous-tests de performance (non verbaux). (p. 418)

Économie de jetons : technique de conditionnement opérant au cours duquel le patient gagne un jeton grâce à l'adoption du comportement souhaité, qu'il peut ultérieurement échanger contre divers avantages ou gâteries. (p. 646)

Écoute active : écoute empathique au cours de laquelle l'auditeur fait écho, reformule et clarifie. C'est une des caractéristiques de la thérapie centrée sur la personne de Rogers. (p. 642)

Ecstasy (MDMA) : stimulant de synthèse, modérément hallucinogène. L'ecstasy induit une euphorie et facilite les contacts sociaux, mais au prix de risques à court terme pour la santé et d'une dégradation à long terme des neurones produisant la sérotonine, de l'humeur et des capacités cognitives. (p. 120)

Effet d'espacement : tendance selon laquelle un apprentissage ou des exercices fractionnés aboutissent à une meilleure rétention à long terme qu'une étude ou des exercices concentrés en une seule fois. (p. 332)

Effet d'exposition simple : phénomène selon lequel l'exposition répétée à un stimulus nouveau augmente l'affection qu'on lui porte. (p. 706)

Effet de désinformation : incorporer des informations erronées dans son souvenir d'un événement. (p. 356)

Effet de position sériel : notre tendance à nous souvenir surtout des derniers et des premiers éléments d'une liste. (p. 332)

Effet placebo (du latin « je fais plaisir ») : résultats expérimentaux obtenus uniquement à partir des attentes ; tout effet sur le comportement occasionné par une substance inerte administrée à la place d'un agent présumé actif. (p. 31)

Effet « *spotlight* » (focalisation) : le fait de surestimer le jugement et le regard que les autres portent sur notre apparence, sur notre performance et même sur nos bourdes (tel un projecteur qui se focalise sur nous). (p. 585)

Effet témoin : tendance d'un témoin quelconque à moins intervenir pour apporter de l'aide si d'autres spectateurs sont présents. (p. 713)

Effet trans-ethnique : tendance à se souvenir plus précisément des visages des personnes de notre propre ethnie que des visages des personnes d'une ethnie différente. Appelé aussi *cross-race effect, own-race bias*. (p. 697)

Égocentrisme : selon la théorie de Piaget, incapacité de l'enfant au stade préopératoire à voir les choses selon le point de vue d'autrui. (p. 183)

Électroconvulsivothérapie (ECT) : traitement biomédical des patients gravement déprimés au cours duquel le cerveau du patient, anesthésié, est soumis à un bref courant électrique. (p. 664)

Électroencéphalogramme (EEG) : enregistrement amplifié des ondes d'activité électrique qui se propagent à la surface du cerveau. Ces ondes sont mesurées en plaçant des électrodes sur le scalp. (p. 61)

Embryon : organisme humain en développement, 2 semaines après la fertilisation jusqu'à la fin du 2e mois. (p. 174)

Émergence de l'âge adulte : pour certaines personnes dans les cultures modernes, c'est la période entre 18 et 25 ans qui comble le fossé entre la dépendance de l'adolescent et l'indépendance totale et les responsabilités de l'adulte. (p. 206)

Émotion : réponse de l'ensemble de l'organisme qui met en jeu (1) une activation physiologique, (2) des comportements expressifs et (3) des expériences conscientes. (p. 498)

Empreinte : processus par lequel certains animaux forment un attachement au cours d'une période critique située au tout début de la vie. (p. 189)

Encodage : traitement de l'information permettant de l'introduire dans le système mnésique, par exemple en extrayant sa signification. (p. 328)

Encodage acoustique : encodage des sons, en particulier du son des mots. (p. 333)

Encodage sémantique : encodage de la signification, y compris de la signification des mots. (p. 333)

Encodage visuel : encodage d'images visuelles. (p. 333)

Endorphines : morphines endogènes, neuromédiateurs naturels analogues aux opiacés, associés au contrôle de la douleur et au plaisir. (p. 53)

Enquête : technique permettant de vérifier les attitudes et les comportements autodéclarés d'un groupe particulier de personnes, généralement en questionnant un échantillon représentatif, pris au hasard (randomisé), de ce groupe. (p. 23)

Entretien structuré : entretien où l'on pose les mêmes questions relatives au travail à tous les postulants, qui sont ensuite évalués selon une échelle préétablie. (p. 485)

Environnement : toute influence non génétique, allant de la nutrition prénatale aux personnes et aux choses qui nous entourent. (p. 134)

Épisode maniaque : trouble de l'humeur marqué par un état hyperactif et excessivement optimiste. (p. 613)

Équité : condition dans laquelle les gens reçoivent d'une relation en proportion de ce qu'ils lui donnent. (p. 711)

Erreur fondamentale d'attribution : tendance d'un observateur, lorsqu'il analyse le comportement de quelqu'un d'autre, à sous-estimer l'impact de la situation et à surestimer l'impact des dispositions personnelles. (p. 674)

Espace personnel : zone tampon que nous aimons maintenir autour de notre corps. (p. 154)

Estime de soi : sentiment à propos de sa propre valeur, qui peut être haute ou faible. (p. 585)

Étendue : différence entre la valeur la plus basse et la valeur la plus élevée d'une distribution. (p. 35)

Étude de cas : technique d'observation par laquelle une personne est étudiée en profondeur dans l'espoir de mettre à jour des principes universels. (p. 22)

Étude longitudinale : étude au cours de laquelle les mêmes personnes sont étudiées et testées à plusieurs reprises sur une longue période de temps. (p. 214)

Étude transversale : étude au cours de laquelle des gens d'âges différents sont comparés les uns aux autres. (p. 214)

Excès de confiance : tendance à être plus confiant qu'exact et à surestimer l'exactitude de son opinion ou de son jugement. (p. 376)

Expérience au seuil de la mort : état modifié de la conscience signalé après avoir frôlé la mort (comme lors d'un arrêt cardiaque) ; souvent semblable aux hallucinations induites par des drogues. (p. 127)

Expérimentation : méthode de recherche par laquelle un investigateur manipule un ou plusieurs facteurs (variables indépendantes) pour observer leurs effets sur certains comportements ou processus mentaux (la variable dépendante). *En répartissant* les participants *au hasard*, l'expérimentateur cherche à contrôler les autres facteurs pertinents. (p. 30)

Extinction : diminution d'une réponse conditionnée lorsque, dans le conditionnement classique, un stimulus inconditionnel (SI) ne suit pas un stimulus conditionnel (SC) ; ou lorsque, dans le conditionnement opérant, une réponse n'est plus renforcée. (p. 297)

Facilitation sociale : amélioration des résultats dans le cas de tâches simples et bien apprises, en présence des autres. (p. 687)

Falaise visuelle : montage de laboratoire pour tester la perception de la profondeur chez les enfants avant deux ans et les jeunes animaux. (p. 266)

Faux jumeaux : jumeaux qui se développent à partir de zygotes distincts. Ils ne sont pas plus proches génétiquement que des frères et sœurs, mais bénéficient du même environnement fœtal. (p. 135)

Fiabilité : mesure de la probabilité qu'un test donne des résultats constants, comme cela peut être évalué par l'homogénéité des résultats aux deux moitiés du test, ou lors d'un deuxième passage du test. (p. 421)

Figure/fond : organisation du champ visuel en objets (les *figures*) qui se détachent de leur environnement (le *fond*). (p. 264)

Fixation : (1) incapacité à voir un problème sous une perspective nouvelle en employant un cadre mental différent. (p. 373) ; (2) selon Freud, attachement persistant des énergies cherchant le plaisir à un stade psychosexuel antérieur, où les conflits n'ont pas été résolus. (p. 556)

Flux : état de la conscience où l'on se sent complètement impliqué et concentré sur quelque chose à tel point que l'on a moins conscience de soi-même et du temps qui passe ; cet état est dû à un engagement optimal de nos aptitudes. (p. 482)

Fœtus : organisme humain en développement entre la 9e semaine après la conception et la naissance. (p. 175)

Fonctionnalisme : école de psychologie qui s'intéresse au fonctionnement des processus mentaux et comportementaux – la manière dont ils nous permettent de nous adapter, de survivre et de nous développer. (p. 3)

Formation réactionnelle : dans la théorie psychanalytique, mécanisme de défense par lequel le Moi transforme inconsciemment les pulsions inacceptables en leur contraire. Les personnes peuvent ainsi exprimer des sentiments qui sont à l'opposé de leurs sentiments inconscients, générateurs d'anxiété. (p. 557)

Formation réticulée : réseau de nerfs dans le tronc cérébral jouant un rôle important dans le contrôle de l'éveil. (p. 63)

Fovéa : point focal au centre de la rétine, autour duquel les cônes de l'œil sont regroupés. (p. 239)

Fréquence : nombre de longueurs d'ondes complètes qui passent en un point en un temps donné (par exemple, par seconde). (p. 246)

Gaine de myéline : couche de cellules riches en lipides et enroulées de façon segmentée autour des fibres de nombreux neurones ; cette couche permet de transmettre les influx nerveux à des vitesses beaucoup plus importantes au fur et à mesure que l'influx saute d'un nœud à l'autre. (p. 49)

Généralisation : une fois la réponse conditionnée, tendance des stimuli semblables au stimulus conditionnel à déclencher des réponses similaires. (p. 298)

Gènes : unités biochimiques de l'hérédité, constituant les chromosomes ; segment d'ADN qui permet la synthèse d'une protéine. (p. 134)

Génétique du comportement : étude du pouvoir et des limites relatifs de la génétique, et des influences environnementales sur le comportement. (p. 134)

Génétique moléculaire : partie de la biologie qui étudie la structure moléculaire et la fonction des gènes. (p. 142)

Génome : ensemble des instructions qui permettent de construire un organisme, représentées par l'ensemble du matériel génétique contenu dans ses chromosomes. (p. 135)

Genre : en psychologie, caractéristiques (qu'elles soient biologiques ou influencées socialement) par lesquelles un individu se définit comme étant un *homme* ou une *femme*. (p. 146)

Gestalt : un tout organisé. Les psychologues gestaltistes insistent sur notre tendance à organiser les éléments d'information en un tout ayant une signification. (p. 263)

Glandes surrénales : paire de glandes endocrines situées juste au-dessus des reins. Les surrénales sécrètent des hormones (l'adrénaline et la noradrénaline) qui participent à l'éveil de l'organisme en situation de stress. (p. 59)

Glucose : forme de sucre qui circule dans le sang et qui fournit la source majeure d'énergie pour les tissus de l'organisme. Quand son niveau est bas, nous ressentons la faim. (p. 449)

Grammaire : dans un langage, système de règles qui nous permet de communiquer avec les autres et de les comprendre. (p. 384)

GRIT : *Graduated and Reciprocated Initiatives in Tension-Reduction* ou initiatives progressives et réciproques pour réduire les tensions - stratégie destinée à apaiser les tensions internationales. (p. 719)

Groupe contrôle : dans une expérience, le groupe qui *n'est pas* exposé au traitement. S'oppose au groupe expérimental et sert de comparaison pour évaluer les effets du traitement. (p. 31)

Groupe d'appartenance (endogroupe) : « Nous » - ceux avec qui nous partageons une identité commune. (p. 695)

Groupe de non-appartenance (exogroupe) : « Eux » - ceux perçus comme différents ou à l'extérieur de notre groupe d'appartenance. (p. 696)

Groupe expérimental : dans une expérience, le groupe qui est exposé au traitement, c'est-à-dire à une version de la variable indépendante. (p. 31)

Groupement : organisation des éléments en unités familières et faciles à manipuler, effectuée souvent de façon automatique. (p. 336)

Habituation : diminution de la réponse à une stimulation répétée. Par exemple, lorsqu'un nourrisson est familiarisé à un stimulus visuel par une exposition répétée, son intérêt disparaît et il va bientôt regarder ailleurs. (p. 176)

Hallucinations : expériences sensorielles trompeuses, telles que la vision d'un objet en l'absence de stimulus visuel externe. (p. 95)

Hallucinogènes : substances psychédéliques (« manifestations de l'esprit »), telles que le LSD, qui entraînent une distorsion de la perception de la réalité et suscitent des images sensorielles en l'absence de stimulation. (p. 121)

Hauteur tonale : hauteur d'un son (grave ou aigu) ; dépend de la fréquence. (p. 246)

Héritabilité : proportion de variation entre individus qu'il est possible d'attribuer aux gènes. L'héritabilité d'un caractère peut varier en fonction de l'étendue des populations et des environnements étudiés. (p. 140)

Heuristique : stratégie mentale simple qui nous permet souvent de porter un jugement et de résoudre efficacement un problème ; en général plus rapide, mais aussi plus sujette à l'erreur que les *algorithmes*. (p. 371)

Heuristique de la disponibilité : estimer la probabilité d'événements en fonction de leur disponibilité en mémoire ; si l'exemple vient facilement à l'esprit (peut-être à cause de son caractère frappant), nous présumons qu'un tel événement est fréquent. (p. 375)

Heuristique de la représentativité : juger de la probabilité des choses en termes de ressemblance ou de la conformité avec un prototype particulier ; peut conduire quelqu'un à ignorer d'autres informations pertinentes. (p. 374)

Hiérarchie des besoins : pyramide des besoins humains de Maslow, commençant, à la base, par les besoins physiologiques qui doivent être satisfaits en premier avant que les besoins de niveau supérieur, comme la sécurité, puis les besoins psychologiques, ne se manifestent. (p. 446)

Hippocampe : centre nerveux, localisé dans le système limbique, qui participe au traitement des souvenirs explicites en vue du stockage. (p. 344)

Homéostasie : tendance à maintenir un état intérieur constant ou équilibré ; régulation de tous les aspects de la chimie de l'organisme, comme le taux de glucose sanguin, autour d'une valeur donnée. (p. 445)

Horloge sociale : organisation temporelle consensuelle sur le plan culturel des événements sociaux tels que le mariage, la parentalité ou la retraite. (p. 217)

Hormones : messagers chimiques essentiellement fabriqués par les glandes endocrines et qui sont transportés dans le sang et agissent sur d'autres tissus. (p. 58)

Hyperphagie boulimique : épisodes significatifs d'hyperphagie boulimique suivie d'un état de détresse, de dégoût ou un sentiment de culpabilité mais ne s'accompagnant cependant pas de purge, de période de jeûne ou d'un exercice intensif pour compenser comme lors de boulimie. (p. 453)

Hypnose : type d'interaction sociale dans lequel une personne (l'hypnotiseur) suggère à une autre (le sujet) que certaines perceptions, sensations, pensées ou comportements vont se produire spontanément. (p. 108)

Hypochondrie : trouble somatoforme au cours duquel une personne interprète des sensations physiques normales comme des symptômes d'une maladie. (p. 609)

Hypophyse (glande pituitaire) : glande la plus influente du système endocrinien. Sous le contrôle de l'hypothalamus, l'hypophyse régule la croissance et contrôle les autres glandes endocrines. (p. 59)

Hypothalamus : structure nerveuse située sous (*hypo*) le thalamus ; il gouverne différentes activités de conservation (faim, soif, température corporelle), contribue à la régulation du système endocrinien par l'intermédiaire de l'hypophyse et est impliqué dans les émotions et les récompenses. (p. 66)

Hypothèse : prédiction qui peut être testée, souvent inférée par une théorie. (p. 21)

Idées délirantes : fausses croyances, souvent de persécution ou de grandeur, qui peuvent accompagner les troubles psychotiques. (p. 622)

Identification : processus par lequel les enfants, selon Freud, incorporent les valeurs de leurs parents dans leur Surmoi qui est en cours de développement. (p. 556)

Identification sexuée : acquisition d'un rôle masculin ou féminin traditionnel. (p. 165)

Identité : sentiment que l'on a de soi ; selon Erikson, la tâche de l'adolescent est de forger son identité en testant et en intégrant des rôles différents. (p. 203)

Identité sexuelle : sentiment individuel de masculinité ou de féminité. (p. 165)

Identité sociale : l'aspect « nous » de notre concept du moi : la partie de notre réponse à la question « Qui suis-je ? » provenant des membres de notre groupe. (p. 203)

Image de soi : compréhension et appréciation de ce que nous sommes. (p. 194)

Imagerie (images mentales) : une aide puissante pour le traitement contrôlé, en particulier lorsqu'elles sont associées à l'encodage sémantique. (p. 335)

Implant cochléaire : appareil qui traduit les sons en signaux électriques et stimule le nerf auditif par le biais d'électrodes placées sur la cochlée. (p. 250)

Impuissance acquise : résignation passive et désespérée qui est apprise lorsqu'un animal ou un humain est incapable d'éviter des événements déplaisants répétés. (p. 579)

Incitation : stimulus environnemental, positif ou négatif, qui motive le comportement. (p. 445)

Inconscient : selon Freud, c'est un réservoir de pensées, de souhaits, de sentiments et de souvenirs, pour la plupart inacceptables. Selon les psychologues contemporains, il s'agit d'un traitement d'informations dont nous ne sommes pas conscients. (p. 554)

Inconscient collectif : concept d'ensemble de souvenirs partagés, hérités de l'histoire de notre espèce, introduit par Carl Jung. (p. 559)

Indices binoculaires : indices de profondeur, par exemple la disparité rétinienne, qui dépendent de l'usage simultané des deux yeux. (p. 266)

Indices monoculaires : indices de profondeur, par exemple la perspective linéaire ou l'interposition, accessibles à chacun des deux yeux séparément. (p. 267)

Individualisme : donner la priorité à ses propres buts plutôt qu'à ceux du groupe, et définir son identité en termes d'attributs personnels plutôt que par son appartenance à un groupe. (p. 155)

Influence sociale informationnelle : influence résultant de la volonté d'une personne d'accepter les opinions d'autrui à propos de la réalité. (p. 682)

Influence sociale normative : influence résultant du désir d'une personne d'obtenir l'approbation ou d'éviter la désapprobation. (p. 682)

Insomnie : problèmes récurrents d'endormissement ou de maintien du sommeil. (p. 101)

Instinct : comportement complexe, ayant une structure rigide commune à toute une espèce et qui n'est pas appris. (p. 444)

Intelligence : qualité mentale qui implique l'aptitude à apprendre de l'expérience, à résoudre des problèmes et à utiliser son savoir pour s'adapter à de nouvelles situations. (p. 406)

Intelligence cristallisée : connaissance et capacités verbales accumulées par quelqu'un ; elle tend à augmenter avec l'âge. (p. 215)

Intelligence émotionnelle : aptitude à percevoir, comprendre, gérer et utiliser les émotions. (p. 412)

Intelligence fluide : capacité d'une personne à raisonner rapidement et de façon abstraite ; elle tend à diminuer avec l'âge. (p. 215)

Intelligence générale (*facteur g*) : facteur général d'intelligence qui, selon Spearman et d'autres, sous-tend des aptitudes mentales spécifiques et peut donc être mesuré par chaque question d'un test d'intelligence. (p. 406)

Intensité : quantité d'énergie dans une onde lumineuse ou sonore, que nous percevons comme la luminosité ou la sonorité ; elle dépend de l'amplitude de l'onde. (p. 237)

Interaction : dépendance de l'effet d'un facteur (tel que l'environnement) par rapport à un autre facteur (tel que l'hérédité). (p. 142)

Interaction sensorielle : principe selon lequel un sens peut en influencer un autre, comme lorsque l'odeur de la nourriture influence son goût. (p. 259)

Interférence proactive : effet perturbateur d'un apprentissage antérieur sur le rappel d'informations nouvelles. (p. 353)

Interférence rétroactive : effet perturbateur d'un apprentissage nouveau sur le rappel d'informations anciennes. (p. 353)

Interneurones : neurones du système nerveux central qui communiquent en interne et interviennent directement entre les influx sensoriels entrants et les influx moteurs sortants. (p. 49)

Interprétation : en psychanalyse, les notes du psychanalyste sur la signification supposée des rêves, des résistances et d'autres comportements ou événements significatifs dans le but de favoriser la prise de conscience du patient. (p. 639)

Intimité : selon la théorie d'Erikson, capacité de développer des liens étroits et affectifs avec quelqu'un. Il s'agit d'une tâche du développement primaire qui survient à la fin de l'adolescence et au début de l'âge adulte. (p. 204)

Intuition : (1) *insight* (flash d'inspiration) ; compréhension soudaine et souvent nouvelle de la solution d'un problème ; elle s'oppose à une solution fondée sur une stratégie. (p. 371) ; (2) un sentiment ou une pensée immédiate, automatique et facile, s'opposant au raisonnement explicite et conscient. (p. 378)

Inventaire de personnalité : questionnaire (les réponses sont souvent dichotomiques : *vrai/faux* ou *d'accord/pas d'accord*) dans lequel les sujets répondent à des questions destinées à jauger une vaste gamme de sentiments et de comportements. Utilisé pour évaluer des traits de personnalité prédéterminés. (p. 570)

Iris : anneau de tissu musculaire qui forme la partie colorée de l'œil autour de la pupille et qui contrôle la taille de son ouverture. (p. 237)

IRM (Imagerie par résonance magnétique) : technique utilisant des champs magnétiques et des ondes radio pour produire des images des tissus mous générées par ordinateur ; cette technique permet de voir l'anatomie du cerveau. (p. 62)

IRM fonctionnelle (IRMf) : technique qui met en évidence le flux sanguin et, de ce fait, l'activité cérébrale en comparant différentes IRM successives. Les IRM fonctionnelles présentent le fonctionnement du cerveau. (p. 62)

Kinesthésie : système permettant d'évaluer la position et le mouvement des différentes parties du corps. (p. 254)

Langage : mots parlés, écrits ou gestuels et façon dont nous les combinons pour transmettre une signification. (p. 382)

Langage télégraphique : stade précoce du langage durant lequel l'enfant parle comme un télégramme – « aller voiture » – en utilisant surtout les noms et les verbes. (p. 386)

Leadership fonctionnel : leadership orienté vers un but qui définit des règles, organise le travail et focalise l'attention sur le but. (p. 491)

Leadership social : leadership tourné vers le groupe, formant des équipes, apaisant les conflits et offrant un soutien. (p. 492)

Lésion : destruction d'un tissu. Une lésion cérébrale est une destruction naturelle ou expérimentale de tissu cérébral. (p. 61)

Lieu de contrôle externe : sentiment que la chance ou que des forces extérieures, plus que notre contrôle personnel, déterminent notre destin. (p. 578)

Lieu de contrôle interne : sentiment de contrôler son propre destin. (p. 578)

Lobes frontaux : partie du cortex cérébral située juste derrière le front ; impliqués dans la parole et les mouvements des muscles, mais aussi dans l'élaboration de plans et de jugements. (p. 68)

Lobes occipitaux : partie du cortex cérébral située à l'arrière de la tête, comprenant des aires qui reçoivent des informations des champs visuels. (p. 68)

Lobes pariétaux : partie du cortex cérébral située au sommet du crâne, vers l'arrière ; reçoivent les influx sensoriels liés au toucher et à la position du corps. (p. 68)

Lobes temporaux : partie du cortex cérébral située au niveau des tempes et comprenant les aires auditives, dont chacune reçoit principalement les informations auditives provenant de l'oreille opposée. (p. 68)

Lobotomie : technique psychochirurgicale, aujourd'hui très rare, autrefois utilisée pour calmer des patients violents ou aux émotions incontrôlables. Au cours de cette opération, les nerfs qui relient les lobes frontaux aux centres profonds contrôlant les émotions sont sectionnés. (p. 667)

Loi de l'effet : principe formulé par Thorndike selon lequel on a plutôt tendance à reproduire les comportements suivis de conséquences favorables que les comportements suivis de conséquences défavorables. (p. 305)

Loi de Weber : principe selon lequel la perception de la différence entre deux stimuli est possible s'ils diffèrent d'un pourcentage minimal constant (plutôt que d'une quantité constante). (p. 234)

Longueur d'onde : distance entre le sommet d'une onde lumineuse ou sonore et celui de la suivante. Les longueurs des ondes électromagnétiques varient depuis les longues pulsations des ondes radio jusqu'aux signaux très courts des rayons cosmiques. (p. 237)

LSD : puissant hallucinogène aussi connu sous le nom d'acide (*acide lysergique diéthylamide*). (p. 121)

Lymphocytes : deux types de globules blancs qui font partie du système immunitaire de l'organisme : les *lymphocytes B* se forment dans la moelle osseuse (*bone marrow*) et libèrent des anticorps qui luttent contre les infections bactériennes ; les *lymphocytes T* se forment dans le thymus et les autres tissus lymphatiques, et attaquent les cellules cancéreuses, les virus et les substances étrangères. (p. 534)

Maladie coronarienne : obstruction des vaisseaux qui alimentent le muscle cardiaque ; c'est la principale cause de décès dans la plupart des pays développés. (p. 532)

Maladies psychophysiologiques : au sens littéral, maladies « du corps et de l'esprit » ; toute maladie physique liée au stress, comme l'hypertension et certains maux de tête. (p. 534)

Maturation : processus biologique de croissance permettant des changements séquentiels du comportement, relativement peu influencés par l'expérience. (p. 177)

Mécanismes de défense : dans la théorie psychanalytique, méthodes de protection du Moi pour réduire l'anxiété, en déformant inconsciemment la réalité. (p. 557)

Médecine comportementale : domaine interdisciplinaire qui intègre et applique les connaissances médicales et comportementales à la santé et à la maladie. (p. 527)

Médecines douces et médecines parallèles : traitements n'ayant pas encore de preuves scientifiques, ayant pour but d'être un complément ou une alternative à la médecine conventionnelle et qui typiquement sont très peu enseignés dans les écoles de médecine, peu utilisés dans les hôpitaux et généralement non remboursés par la Sécurité sociale. Lorsque les études montrent qu'un de ces traitements est efficace et sans danger, il devient généralement une partie de la médecine acceptée. (p. 546)

Médiane : résultat situé au milieu d'une distribution ; la moitié des valeurs sont situées au-dessus et l'autre moitié au-dessous. (p. 34)

Mémoire : persistance de l'apprentissage au cours du temps par le biais du stockage et du rappel de l'information. (p. 327)

Mémoire à court terme : mémoire activée qui retient brièvement quelques éléments, par exemple les 10 chiffres d'un numéro de téléphone pendant qu'on le compose, avant que l'information ne soit stockée ou perdue. (p. 329)

Mémoire à long terme : capacité relativement permanente et illimitée de stockage dans le système mnésique. Comprend les connaissances, les aptitudes et les expériences. (p. 329)

Mémoire congruente à l'humeur : tendance à se rappeler d'expériences congruentes à sa bonne ou sa mauvaise humeur actuelle. (p. 349)

Mémoire de travail : nouvelle conception de la mémoire à court terme qui se focalise sur le traitement actif et conscient des informations entrantes, auditives et visuelles/spatiales, ainsi que sur les informations rappelées au niveau de la mémoire à long terme. (p. 329)

Mémoire échoïque : mémoire sensorielle momentanée des stimuli auditifs ; si l'attention est ailleurs, les sons et les mots peuvent être encore retenus pendant 3 à 4 secondes. (p. 338)

Mémoire explicite : mémoire de faits et d'expériences que l'on peut connaître et « déclarer » consciemment. (Encore appelée *mémoire déclarative.*) (p. 343)

Mémoire (souvenir) flash : souvenir précis d'un moment ou d'un événement ayant une signification émotionnelle profonde. (p. 342)

Mémoire iconographique : mémoire sensorielle momentanée des stimuli visuels, image photographique ou picturale qui ne dure pas plus que quelques dixièmes de seconde. (p. 337)

Mémoire implicite : rétention sans souvenir conscient. (Encore appelée *mémoire non déclarative.*) (p. 343)

Mémoire sensorielle : enregistrement initial, très bref, des informations sensorielles dans le système mnésique. (p. 329)

Menace du stéréotype : préoccupation fondée sur l'autosuggestion selon laquelle on est jugé d'après un stéréotype négatif. (p. 438)

Ménarche : période des premières règles. (p. 198)

Ménopause : période d'arrêt naturel des règles ; se rapporte également aux changements biologiques vécus par la femme pendant les années du déclin de sa fécondité. (p. 207)

Méta-analyse : procédure qui permet de combiner statistiquement les résultats de nombreuses études différentes. (p. 653)

Métabolisme basal : niveau de dépense énergétique du corps quand celui-ci est au repos. (p. 451)

Méthamphétamine : drogue entraînant une très forte dépendance, qui stimule le système nerveux central en accélérant les fonctions corporelles et les modifications d'énergie et d'humeur associées ; avec le temps, la concentration basale en dopamine semble réduire. (p. 117)

Mimétisme (*modeling*) : processus par lequel un comportement particulier est observé et imité. (p. 317)

***Minnesota Multiphasic Personality Inventory* (MMPI) :** test de personnalité le plus utilisé en psychologie clinique et sur lequel ont été effectuées le plus grand nombre de recherches. Développé initialement pour identifier les sujets présentant des troubles émotionnels (on considère encore que c'est son usage premier), ce test est maintenant utilisé dans beaucoup d'autres procédures de dépistage. (p. 570)

Mnémotechnique : aide-mémoire ; se dit en particulier des techniques qui utilisent des images mentales fortes et des stratégies d'organisation. (p. 335)

Mode : résultat(s) le(s) plus fréquent(s) dans une distribution. (p. 34)

Modelage : procédé du conditionnement opérant au cours duquel des renforcements guident le comportement vers une approximation de plus en plus proche du but désiré. (p. 305)

Modèle médical : concept selon lequel les maladies, dans le cas des troubles psychologiques, ont des causes physiques qui peuvent être *diagnostiquées*, *traitées* et, dans la plupart des cas, *guéries* souvent par un *traitement* dans un hôpital. (p. 596)

Moi : partie de la personnalité, largement consciente, assumant la position de « directeur » et qui, selon Freud, est l'intermédiaire entre les demandes du Ça, du Surmoi et de la réalité. Le Moi opère sur le *principe de réalité*, en satisfaisant les désirs du Ça d'une façon réaliste, apportant du plaisir plutôt que de la douleur. (p. 555)

Morphème : dans un langage, la plus petite unité qui véhicule une information ; ce peut être un mot ou un fragment de mot (comme un préfixe). (p. 384)

Motivation : besoin ou désir qui anime et dirige un comportement. (p. 443)

Motivation d'accomplissement : désir important d'accomplissement ; avoir la maîtrise des choses, des personnes ou des idées. Désir d'atteindre rapidement un niveau élevé. (p. 487)

Motivation extrinsèque : désir de réaliser un comportement pour obtenir une récompense promise ou par crainte d'une punition. (p. 312)

Motivation intrinsèque : désir de réaliser un comportement de façon efficace pour son propre compte. (p. 312)

Moyenne : moyenne arithmétique d'une distribution, obtenue en additionnant toutes les valeurs et en divisant cette somme par le nombre de celles-ci. (p. 34)

Mutation : erreur attribuée au hasard dans la réplication des gènes et qui entraîne un changement. (p. 144)

Narcolepsie : trouble du sommeil caractérisé par des attaques de sommeil incoercibles. Les patients atteints peuvent entrer directement en sommeil REM, souvent au moment le plus inopportun. (p. 102)

Nerf optique : nerf qui véhicule les influx nerveux de l'œil au cerveau. (p. 238)

Nerfs : « câbles » neuronaux contenant de multiples axones connectant le système nerveux central aux muscles, aux glandes et aux organes des sens. (p. 55)

Neurogenèse : formation de nouveaux neurones. (p. 74)

Neuroleptiques (antipsychotiques) : médicaments utilisés pour traiter la schizophrénie et d'autres formes de troubles sévères de la pensée. (p. 661)

Neuromédiateurs : messagers chimiques qui traversent la fente synaptique entre des neurones. Lorsqu'ils sont libérés par les neurones émetteurs, les neuromédiateurs diffusent à travers la synapse et s'associent à des récepteurs situés sur les neurones receveurs, où ils vont influencer le déclenchement d'influx nerveux. (p. 51)

Neurone : cellule nerveuse ; élément de base du système nerveux. (p. 49)

Neurones miroirs : neurones du lobe frontal qui sont activés quand on accomplit certaines actions ou lorsqu'on observe une autre personne les accomplir. Les actions d'une autre personne qui se reflètent dans notre cerveau permettent l'imitation et l'empathie. (p. 318)

Neurones moteurs : neurones transportant l'information issue du système nerveux central vers les muscles et les glandes. (p. 49)

Neurones sensitifs : neurones transportant l'information qui arrive en provenance des récepteurs sensoriels vers le système nerveux central (cerveau et moelle épinière). (p. 49)

Neurosciences cognitives : étude interdisciplinaire de l'activité cérébrale liée à la cognition (incluant la perception, la pensée, la mémoire et le langage). (pp. 5, 87)

Niveaux d'analyse : différents points de vue complémentaires qui permettent d'analyser tout phénomène donné. Ils ont trait à la biologie, la psychologie et l'aspect socioculturel. (p. 8)

Norme : règle convenue concernant les comportements attendus et acceptés. Les normes prescrivent les comportements « adéquats ». (p. 154)

Norme de réciprocité : l'attente que les gens aideront ceux qui les ont aidés au lieu de leur faire du mal. (p. 714)

Norme de responsabilité sociale : l'attente que les gens aideront ceux qui dépendent d'eux. (p. 714)

Nuage de points : graphique constitué d'un ensemble de points qui représentent chacun la valeur de deux variables. La pente du nuage de points est une indication de la direction de la relation entre les deux variables. Le taux de dispersion indique l'intensité de la corrélation (une dispersion faible indique une corrélation élevée). (p. 25)

Observation naturaliste : observation et enregistrement des comportements dans des situations telles qu'elles se présentent naturellement sans essayer de les manipuler ou de les contrôler. (p. 24)

Œstrogènes : hormones sexuelles, telles que l'œstradiol, sécrétées en quantités plus grandes par les femmes que par les hommes et qui contribuent aux caractères sexuels féminins. Chez les femelles de mammifères autres que l'homme, le taux d'œstrogènes atteint un sommet au moment de l'ovulation, favorisant ainsi la réceptivité sexuelle. (p. 466)

Ondes alpha : ondes cérébrales relativement lentes présentes au cours de l'état de veille relaxée. (p. 94)

Ondes delta : ondes amples et lentes associées au sommeil profond. (p. 95)

Opiacés : l'opium et ses dérivés tels que la morphine et l'héroïne ; ils réduisent l'activité nerveuse et atténuent temporairement la douleur et l'anxiété. (p. 116)

Oreille interne : partie la plus profonde de l'oreille, contenant la cochlée, les canaux semi-circulaires et les sacs vestibulaires. (p. 246)

Oreille moyenne : chambre entre le tympan et la cochlée ; elle contient trois petits os (marteau, enclume et étrier) qui concentrent les vibrations du tympan sur la fenêtre ovale de la cochlée. (p. 246)

Orientation sexuelle : attraction sexuelle permanente envers les membres du même sexe (orientation homosexuelle) ou du sexe opposé (orientation hétérosexuelle). (p. 471)

Parapsychologie : étude des phénomènes paranormaux, comprenant la PES et la psychokinèse. (p. 282)

Paresse sociale : tendance d'une personne au sein d'un groupe à exercer un effort moindre lorsque les efforts de tous sont réunis pour atteindre un but commun que lorsque les efforts de chacun sont mesurables. (p. 688)

Pensée de groupe : mode de pensée qui apparaît lorsque le désir d'harmonie dans un groupe chargé de prendre une décision l'emporte sur une appréciation réaliste des autres possibilités. (p. 690)

Perception : processus d'organisation et d'interprétation des informations sensorielles qui nous permet de reconnaître les événements et les objets qui ont un sens. (p. 230)

Perception de la profondeur : capacité à voir des objets en trois dimensions bien que l'image qui frappe notre rétine soit bidimensionnelle ; elle nous permet d'estimer les distances. (p. 266)

Perception en miroir : point de vue mutuel souvent tenu par des personnes en conflit, comme lorsque chaque côté se considère comme éthique et pacifique et considère l'autre comme diabolique et agressif. (p. 715)

Perception extrasensorielle (PES) : affirmation controversée selon laquelle la perception peut se produire sans qu'il y ait d'entrée sensorielle. Elle comprend la télépathie, la voyance et la prémonition (précognition). (p. 282)

Période critique : période optimale située peu après la naissance et durant laquelle l'exposition d'un organisme à certaines expériences ou à certains stimuli déclenche un développement adéquat. (p. 189)

Période réfractaire : période de repos qui suit l'orgasme, pendant laquelle un homme ne peut parvenir à un nouvel orgasme. (p. 466)

Permanence de l'objet : perception que les choses continuent d'exister même si on ne les voit pas. (p. 181)

Persévération des préjugés : se raccrocher à sa conception initiale après que les bases sur lesquelles elle a été formée ont été invalidées. (p. 377)

Personnalité : modèle intégrant la manière caractéristique de raisonner, de ressentir et d'agir d'un individu. (p. 553)

Perspective sociocognitive : selon cette perspective, le comportement est influencé par l'interaction entre les traits de personnalité d'un individu (y compris son mode de pensée) et son contexte social. (p. 576)

Peur de l'étranger : crainte des étrangers que manifestent en général les bébés et qui commence à environ 8 mois. (p. 188)

Phénomène du « doigt dans l'engrenage » : tendance des personnes ayant d'abord acquiescé à une demande mineure, à obéir, plus tard, à une requête plus importante. (p. 676)

Phénomène du monde équitable : tendance à croire que le monde est juste et que les gens reçoivent donc ce qu'ils méritent et méritent ce qui leur arrive. (p. 697)

Phénomène du niveau d'adaptation : notre tendance à former un jugement (à propos de sons, de lumières, de salaires) par rapport à un niveau « neutre » défini à partir de notre expérience antérieure. (p. 524)

Phénomène du « qui se sent bien, agit bien » : tendance des individus à être serviables lorsqu'ils sont déjà de bonne humeur. (p. 520)

Phénomène phi : illusion de mouvement créée par le clignotement successif rapide d'au moins deux lumières adjacentes. (p. 269)

Phobie : trouble anxieux caractérisé par une peur permanente et irrationnelle et l'évitement d'une situation ou d'un objet spécifique. (p. 603)

Phonème : dans un langage, la plus petite unité de son distincte. (p. 383)

Piège social : situation dans laquelle les parties en conflit, en poursuivant rationnellement chacune leur propre intérêt, se trouvent coincées dans un comportement mutuellement destructeur. (p. 715)

PIL2R : méthode d'étude comprenant cinq étapes : faire le Plan, s'Interroger, Lire, Répéter, Revoir. (p. 12)

Plasticité : capacité du cerveau à se modifier, en particulier chez l'enfant, en se réorganisant après une lésion ou en développant de nouvelles voies fondées sur l'expérience. (p. 73)

Point aveugle : point au niveau duquel le nerf optique quitte l'œil. Il est dit « aveugle » car il n'existe aucune cellule réceptrice à cet endroit. (p. 238)

Point de référence : point auquel le « thermostat pondéral » d'un individu est supposé être réglé. Lorsque le corps tombe au-dessous de ce poids, une augmentation de la faim et une diminution de l'activité métabolique peuvent se déclencher pour récupérer le poids perdu. (p. 451)

Polarisation du groupe : affirmation des attitudes majoritaires d'un groupe au fil des discussions. (p. 689)

Polygraphe : machine couramment utilisée dans le but de détecter les mensonges et qui mesure plusieurs réponses physiologiques accompagnant l'émotion (comme la transpiration et les changements cardiovasculaires et respiratoires). (p. 504)

Population : tous les individus ou « cas » d'un groupe à partir duquel des échantillons peuvent être constitués pour une étude. (Excepté dans le cas des études nationales, cette définition *ne* s'applique *pas* à la population entière d'un pays.) (p. 24)

Potentialisation à long terme (LTP) : augmentation de l'activité électrique de base d'une synapse après une stimulation rapide et brève. Il s'agirait d'une base neuronale de l'apprentissage et de la mémoire. (p. 340)

Potentiel d'action : influx nerveux ; brève décharge électrique qui se propage le long de l'axone. (p. 49)

Pratique basée sur les preuves : prise de décision clinique qui intègre les meilleures recherches disponibles à l'expertise clinique et aux caractéristiques du patient ainsi qu'à ses préférences. (p. 655)

Préjugé : attitude injustifiable (habituellement négative) envers un groupe et ses membres. Le préjugé implique en général des croyances stéréotypées, des sentiments négatifs et une prédisposition à une action discriminatoire. (p. 691)

Présentation : façon dont un problème est posé ; la présentation du problème peut affecter significativement les décisions et les jugements. (p. 381)

Principe de frustration/agressivité : principe selon lequel la frustration, c'est-à-dire le fait d'être empêché d'atteindre un but quelconque, suscite une colère qui peut engendrer l'agressivité. (p. 700)

Privation relative : l'estimation que l'on est plus mal loti que les autres dépend de ceux avec lesquels on se compare. (p. 524)

Problématique nature/culture (inné/acquis) : ancienne controverse, qui persiste encore, concernant la contribution relative des gènes et de l'expérience dans le développement des traits psychologiques et des comportements. La science considère actuellement que les caractères et les comportements proviennent des interactions entre la nature et la culture (l'inné et l'acquis). (p. 7)

Procédure en double aveugle : procédure expérimentale par laquelle le sujet et l'équipe des expérimentateurs ignorent (sont aveugles) si le sujet a reçu le traitement actif ou le placebo. Cette procédure est couramment utilisée dans les études d'évaluation des médicaments. (p. 31)

Programme à intervalles fixes : dans le conditionnement opérant, programme de renforcement où la réponse n'est récompensée qu'après un temps donné. (p. 309)

Programme à intervalles variables : dans le conditionnement opérant, programme de renforcement où la réponse est récompensée à des intervalles de temps imprévisibles. (p. 309)

Programme à proportion fixe : dans le conditionnement opérant, schéma de renforcement qui ne récompense une réponse qu'après un nombre fixé de réponses. (p. 309)

Programme à proportion variable : dans le conditionnement opérant, programme de renforcement où la récompense a lieu après une quantité imprévisible de réponses. (p. 309)

Projection : dans la théorie psychanalytique, mécanisme de défense par lequel les gens masquent leurs propres pulsions menaçantes en les attribuant à d'autres. (p. 557)

Prototype : image mentale ou meilleur exemple d'une catégorie ; faire correspondre des éléments nouveaux à un prototype constitue une méthode rapide et simple pour classer ces éléments dans une catégorie (comme en comparant des créatures à plumes à un prototype d'oiseau tel que le rouge-gorge). (p. 370)

Psychanalyse : la théorie psychanalytique de Freud à propos de la personnalité qui attribue nos pensées et nos actes à des motivations et des conflits inconscients. Technique consistant à traiter les troubles psychologiques en cherchant à révéler et interpréter les tensions inconscientes. (pp. 554, 638)

Psychiatrie : branche de la médecine traitant les troubles psychologiques. Elle est pratiquée par des médecins qui administrent parfois des traitements médicaux (par exemple des médicaments) ou conduisent des psychothérapies. (p. 11)

Psychochirurgie : chirurgie qui enlève ou détruit certains tissus cérébraux afin de modifier le comportement. (p. 667)

Psychologie : science du comportement et des processus mentaux. (p. 6)

Psychologie biologique : branche de la psychologie traitant des liens entre la biologie et le comportement (certains psychologues biologistes s'appellent eux-mêmes *neurocomportementalistes, neuropsychologues, généticiens comportementaux, psychophysiologistes* ou *biopsychologues*). (p. 48)

Psychologie clinique : branche de la psychologie qui étudie, évalue et traite ceux qui souffrent de troubles psychologiques. (p. 10)

Psychologie de la santé : champ de la psychologie qui apporte la contribution de la psychologie à la médecine comportementale. (p. 527)

Psychologie du conseil et de l'orientation : branche de la psychologie qui aide les personnes ayant des problèmes dans leur vie quotidienne (souvent liés à l'école, à leur travail ou à leur mariage) et cherche à améliorer leur bien-être. (p. 10)

Psychologie du développement : branche de la psychologie qui étudie l'évolution physique, cognitive et sociale tout au long de la vie. (p. 173)

Psychologie du personnel : branche de la psychologie I/O consacrée au recrutement de l'employé, visant à la sélection, l'orientation, la formation, l'évaluation et l'évolution. (p. 482)

Psychologie ergonomique : branche de la psychologie qui explore l'interaction entre les machines et les hommes et qui étudie comment les machines et l'environnement physique peuvent être conçus de manière à présenter une totale innocuité et à être faciles à utiliser. (p. 279)

Psychologie évolutionniste : étude de l'évolution du comportement et de l'esprit, qui utilise les principes de la sélection naturelle. (p. 143)

Psychologie humaniste : perspective historiquement significative qui insistait sur le potentiel de développement des gens en bonne santé et le potentiel de chaque individu à l'épanouissement personnel. (p. 5)

Psychologie industrielle et organisationnelle (I/O) : application des concepts et des méthodes utilisés en psychologie pour optimiser le comportement humain sur le lieu de travail. (p. 482)

Psychologie organisationnelle : branche de la psychologie I/O qui examine l'influence de l'organisation sur la satisfaction et la productivité des travailleurs et qui facilite le changement de l'organisation. (p. 483)

Psychologie positive : étude scientifique du fonctionnement optimal de l'homme ; elle cherche à découvrir et à promouvoir les atouts et les vertus qui permettent aux individus et aux communautés de se développer. (p. 581)

Psychologie sociale : étude scientifique de la façon dont nous pensons aux autres, les influençons et entrons en relation avec eux. (p. 673)

Psycho-neuro-immunologie (PNI) : étude de la manière dont les processus psychologiques, nerveux et endocriniens affectent le système immunitaire et l'état de santé qui en découle. (p. 534)

Psychopharmacologie : étude des effets des médicaments sur le psychisme et le comportement. (p. 660)

Psychophysique : étude des relations entre les caractéristiques physiques des stimuli (leur intensité, par exemple) et l'expérience psychologique que nous en avons. (p. 231)

Psychothérapie : traitement impliquant des techniques psychologiques ; consiste en des interactions entre un thérapeute qualifié et une personne qui cherche à surmonter ses difficultés psychologiques ou à atteindre un développement personnel. (p. 638)

Puberté : période de maturation sexuelle, lorsqu'on devient capable de se reproduire. (p. 197)

Punition : événement qui *atténue* le comportement qu'il suit. (p. 310)

Pupille : ouverture variable au centre de l'œil par laquelle entre la lumière. (p. 237)

Quotient intellectuel (QI) : défini initialement comme le rapport entre l'âge mental (*am*) et l'âge réel (*ar*) multiplié par 100 (QI = *am/ar* x 100). Dans les tests d'intelligence actuels, la performance moyenne pour un âge donné prend la valeur 100. (p. 417)

Rappel : (1) évaluation de la mémoire dans laquelle la personne doit retrouver une information apprise auparavant, comme dans le cas des questions à trous. (p. 345) ; (2) processus permettant de récupérer une information dans le système de stockage mnésique. (p. 328)

Rationalisation : mécanisme de défense qui propose des explications auto-justificatrices à une action à la place d'une cause réelle, inconsciente mais plus menaçante. (p. 557)

Réapprentissage : mesure de la mémoire qui détermine le temps épargné lorsqu'on apprend une information pour la seconde fois. (p. 345)

Rebond en REM : tendance du sommeil REM à augmenter après une privation de ce stade (provoquée par des éveils répétés durant le sommeil REM). (p. 107)

Recapture : réabsorption des neurotransmetteurs par le neurone émetteur. (p. 51)

Recherche appliquée : étude scientifique ayant pour but de résoudre des problèmes d'ordre pratique. (p. 10)

Recherche fondamentale : science pure qui a pour but d'augmenter les connaissances de base scientifiques. (p. 10)

Reconnaissance : évaluation de la mémoire dans laquelle la personne a seulement besoin d'identifier des éléments déjà appris, comme dans un questionnaire à choix multiples. (p. 345)

Récupération spontanée : réapparition, après une période de repos, d'une réponse conditionnée éteinte. (p. 298)

Réflexe : réponse simple et automatique, à un stimulus sensoriel, par exemple le réflexe rotulien. (p. 57)

Réflexion (pensée) critique : pensée qui n'accepte pas aveuglément les arguments et les conclusions, mais qui, au contraire, examine les hypothèses, débusque les valeurs cachées, évalue les preuves et juge les conclusions. (p. 20)

Refoulement : dans la théorie psychanalytique, mécanisme de défense de base qui bannit de la conscience les souvenirs, les sentiments et les pensées suscitant l'anxiété. (pp. 355, 557)

Régression : dans la théorie psychanalytique, mécanisme de défense dans lequel un individu confronté à l'anxiété retourne à un stade psychosexuel plus infantile, où une partie de l'énergie psychique reste fixée. (p. 557)

Régression à la moyenne : tendance qu'ont des résultats extrêmes ou inhabituels à revenir (régresser) vers la moyenne. (p. 652)

Regroupement : tendance perceptive à organiser les stimuli en groupes cohérents. (p. 265)

Relativité linguistique : hypothèse de Whorf selon laquelle le langage détermine la façon dont nous pensons. (p. 391)

Renforcement : dans le conditionnement opérant, tout événement qui *accroît* le comportement qu'il suit. (p. 307)

Renforcement conditionnel : stimulus qui acquiert son pouvoir de renforcement par association à un renforcement primaire. Également appelé *renforcement secondaire*. (p. 307)

Renforcement continu : renforcement de la réponse désirée chaque fois qu'elle a lieu. (p. 308)

Renforcement négatif : renforcement d'un comportement par l'arrêt ou la diminution de stimuli négatifs, comme un choc électrique. Un renforçateur négatif est un stimulus qui, lorsqu'il est *éliminé* après la réponse, renforce cette dernière. (Remarque : le renforcement négatif n'est pas une punition.) (p. 307)

Renforcement partiel (intermittent) : le renforcement de la réponse n'a lieu qu'à certains moments ; ce système produit une acquisition plus lente de la réponse, mais une résistance beaucoup plus grande à l'extinction que le renforcement continu. (p. 308)

Renforcement positif : renforcement des comportements par la présentation de stimuli positifs comme de la nourriture. Tout stimulus qui, lorsqu'il est *présenté* après une réponse, renforce cette dernière est un renforçateur positif. (p. 307)

Renforcement primaire : stimulus de renforcement inné, satisfaisant par exemple un besoin biologique. (p. 307)

Répartition au hasard (randomisée) : action de répartir par tirage au sort les sujets entre le groupe expérimental et le groupe contrôle, de manière à minimiser les différences préexistantes entre les sujets des deux groupes. (p. 31)

Répétition : répétition consciente d'une information, soit pour la conserver à l'esprit, soit pour l'encoder et la stocker. (p. 331)

Réplication : répétition des principes de base d'une étude, généralement avec des sujets différents dans des conditions différentes, pour voir si les résultats de base peuvent être appliqués à d'autres sujets et d'autres circonstances. (p. 21)

Réponse conditionnée (RC) : dans le conditionnement classique, réponse apprise à un stimulus conditionnel (SC) auparavant neutre. (p. 295)

Réponse inconditionnelle (RI) : dans le conditionnement classique, c'est la réponse non apprise, spontanée, au stimulus inconditionnel (SI), comme la salivation lorsque l'on place de la nourriture dans la bouche. (p. 295)

Résistance : en psychanalyse, le fait d'empêcher un matériel chargé d'anxiété de parvenir à la conscience. (p. 639)

Retard mental : appelé aussi *handicap intellectuel*, capacité mentale limitée indiquée par un score d'intelligence inférieur à 70, qui entraîne des difficultés d'adaptation aux exigences de la vie ; varie de « léger » à « profond ». (p. 425)

Rétine : surface interne de l'œil, sensible à la lumière, contenant les récepteurs en forme de cônes et de bâtonnets et des couches de neurones qui commencent le traitement de l'information visuelle. (p. 237)

Rêve : séquence d'images, d'émotions et de pensées traversant l'esprit d'une personne endormie. Les rêves sont remarquables en raison de leur imagerie hallucinatoire, de leur discontinuité et de leurs incongruités. On doit aussi noter que le rêveur accepte leur contenu sans le critiquer et a du mal à s'en souvenir plus tard. (p. 104)

Rigidité fonctionnelle : tendance à voir les choses uniquement sous l'angle de leurs fonctions usuelles ; une gêne pour la résolution de problèmes. (p. 373)

Rôle : ensemble d'attentes (normes) à propos d'une position sociale définissant comment ceux qui occupent cette position doivent se conduire. (pp. 164, 677)

Rôle sexué : ensemble de comportements attendus de la part des hommes et des femmes. (p. 164)

Rythme circadien : l'horloge biologique ; rythmes corporels réguliers (par exemple, celui de la température et de l'éveil) qui surviennent sur un cycle de 24 heures. (p. 92)

Schème (ou schéma) : concept ou cadre qui organise et interprète l'information. (p. 180)

Schizophrénie : ensemble de troubles sévères, caractérisés par une désorganisation de la pensée, des idées délirantes, des troubles perceptifs et des actions ou des émotions inappropriées. (p. 622)

Sélection naturelle : principe selon lequel les caractères héréditaires qui contribuent à la reproduction et à la survie ont plus de chances d'être transmis aux générations à venir. (pp. 7, 143)

Sémantique : ensemble de règles à partir desquelles on tire une signification des morphèmes, des mots et des phrases dans une langue donnée ; c'est également l'étude du sens. (p. 384)

Sens vestibulaire (de l'équilibre) : sens évaluant le mouvement et la position de l'ensemble du corps y compris le sens de l'équilibre. (p. 254)

Sensation : processus par lequel nos récepteurs sensoriels et notre système nerveux reçoivent et représentent les énergies du stimulus provenant de notre environnement. (p. 230)

Seuil : niveau de stimulation nécessaire pour déclencher un influx nerveux. (p. 50)

Seuil absolu : stimulation minimale nécessaire pour détecter un stimulus particulier dans 50 p. 100 des cas. (p. 231)

Seuil différentiel : différence minimale qu'un sujet peut détecter entre deux stimuli dans 50 p. 100 des cas. Nous ressentons ce seuil différentiel comme *une différence tout juste perceptible* (également appelée *différence tout juste détectable*). (p. 234)

Sevrage : malaise et angoisse qui suivent l'arrêt d'une drogue entraînant une dépendance. (p. 113)

Significativité statistique : affirmation statistique indiquant la probabilité qu'un résultat observé soit dû au hasard. (p. 37)

Soi : dans la psychologie contemporaine, le soi est considéré comme le centre de la personnalité, l'organisateur de nos pensées, de nos sentiments et de nos actions. (p. 584)

Sommeil : perte de conscience périodique, naturelle et réversible, distincte de l'inconscience résultant d'un coma, d'une anesthésie générale ou de l'hibernation. (D'après Dement, 1999.) (p. 94)

Sommeil REM : sommeil avec mouvements oculaires rapides, une phase de sommeil récurrente durant laquelle surviennent habituellement des rêves intenses. Aussi connu sous le terme de *sommeil paradoxal*, car les muscles sont totalement relâchés (à l'exception de contractions minimes) alors que les autres systèmes corporels sont actifs. (p. 93)

Stade à deux mots : commençant à l'âge de 2 ans environ, stade du développement du langage au cours duquel un enfant parle surtout avec des énoncés de deux mots. (p. 386)

Stade des opérations concrètes : selon la théorie de Piaget, stade du développement cognitif (entre 6 ou 7 ans et 11 ans) au cours duquel l'enfant acquiert les processus mentaux qui lui permettent de penser logiquement à propos d'événements concrets. (p. 185)

Stade des opérations formelles : selon la théorie de Piaget, stade du développement cognitif (commençant normalement à l'âge de 12 ans) au cours duquel l'individu commence à penser de façon logique à propos de concepts abstraits. (p. 185)

Stade du babillage : commençant vers 4 mois, stade du développement de la parole au cours duquel un enfant prononce spontanément des sons variés, au départ non liés à la langue maternelle. (p. 385)

Stade du mot-phrase : stade du développement de la parole, entre 1 et 2 ans, durant lequel un enfant parle essentiellement par des mots uniques. (p. 385)

Stade préopératoire : selon la théorie de Piaget, stade (entre 2 et 6 ou 7 ans) au cours duquel un enfant apprend à utiliser un langage, mais ne comprend pas encore les opérations mentales de la logique concrète. (p. 183)

Stade sensori-moteur : selon la théorie de Piaget, c'est le stade (depuis la naissance jusqu'à 2 ans environ) au cours duquel les enfants connaissent le monde essentiellement en termes d'impressions sensorielles et d'activités motrices. (p. 181)

Stades psychosexuels : stades du développement enfantin (oral, anal, phallique, latent ou génital) au cours desquels, selon Freud, l'énergie de recherche du plaisir du Ça se concentre sur des zones érogènes distinctes. (p. 556)

Standardisation : définir les scores significatifs en comparaison avec les performances d'un groupe testé préalablement. (p. 419)

Stanford-Binet : révision américaine largement utilisée (adaptée par Terman, professeur à l'université de Stanford) du test d'intelligence original de Binet. (p. 417)

Stéréotype : opinion généralisée (parfois juste mais souvent trop généralisée) concernant un groupe de personnes. (p. 691)

Stimulants : substances (telles que la caféine, la nicotine ainsi que les amphétamines, la cocaïne et l'ecstasy, plus puissantes) qui stimulent l'activité nerveuse et accélèrent les fonctions corporelles. (p. 117)

Stimulation magnétique transcrânienne répétée (SMTr) : application répétée de pulsations d'énergie magnétique sur le cerveau ; utilisée pour stimuler ou inhiber l'activité cérébrale. (p. 665)

Stimulus conditionnel (SC) : dans le conditionnement classique, un stimulus au départ neutre qui, après association avec un stimulus inconditionnel (SI), en vient à déclencher une réponse conditionnée. (p. 295)

Stimulus inconditionnel (SI) : dans le conditionnement classique, stimulus qui déclenche une réponse de façon non conditionnée – naturelle et automatique. (p. 295)

Stockage : maintien de l'information encodée au fil du temps. (p. 328)

Stress : processus au travers duquel nous percevons et répondons à certains événements, appelés *facteurs de stress*, que nous appréhendons comme une menace ou un défi. (p. 528)

Structuralisme : une des premières écoles de psychologie à utiliser l'introspection pour explorer les éléments structurels de l'esprit humain. (p. 3)

Subliminal : au-dessous du seuil absolu pour une perception consciente. (p. 232)

Substance psychoactive : substance chimique qui altère la perception et l'humeur. (p. 112)

Suggestion post-hypnotique : suggestion faite au cours de la séance d'hypnose et qui doit être exécutée alors que le sujet n'est plus hypnotisé. Elle est utilisée par certains cliniciens pour aider à contrôler certains symptômes ou comportements indésirables. (p. 109)

Surdité de conduction (de transmission) : perte auditive provoquée par une lésion du système mécanique qui conduit les ondes sonores à la cochlée. (p. 250)

Surdité neurosensorielle (de perception) : perte auditive provoquée par une lésion des cellules réceptrices de la cochlée ou du nerf auditif. (p. 250)

Surmoi : part de la personnalité qui représente selon Freud les idéaux intériorisés et qui fournit les références pour le jugement (la conscience) et les aspirations futures. (p. 555)

Synapse : jonction entre l'extrémité de l'axone du neurone émetteur et la dendrite ou le corps cellulaire du neurone receveur. La fente étroite existant au niveau de cette jonction est appelée *fente synaptique*. (p. 51)

Syndrome d'alcoolisme fœtal (SAF) : anomalies physiques et cognitives de l'enfant provoquées par une consommation excessive d'alcool de la mère durant la grossesse. Dans les cas graves, les symptômes comprennent des malformations faciales notables. (p. 175)

Syndrome de Down (trisomie 21) : état de retard mental associé à des altérations physiques provoquées par l'existence d'une copie supplémentaire du chromosome 21. (p. 425)

Syndrome de stress post-traumatique (SPT) : trouble anxieux caractérisé par des souvenirs obsédants, des cauchemars, un retrait de la société, des angoisses et/ou des insomnies qui persistent plus de quatre semaines après une expérience traumatisante. (p. 604)

Syndrome du savant : pathologie dans laquelle une personne de capacité mentale limitée possède, par ailleurs, une aptitude spécifique étonnante – par exemple dans le domaine du calcul ou du dessin. (p. 407)

Syndrome général d'adaptation (SGA) : concept de Selye selon lequel la réponse adaptative de l'organisme au stress est composée de trois étapes : alarme, résistance et épuisement. (p. 529)

Syntaxe : règles pour combiner les mots en phrases ayant un sens grammatical dans une langue donnée. (p. 384)

Système endocrinien : système de communication chimique « lente » de l'organisme ; ensemble de glandes qui sécrètent des hormones dans la circulation sanguine. (p. 58)

Système limbique : système nerveux (comprenant l'*hippocampe*, l'*amygdale* et l'*hypothalamus*), situé sous les hémisphères cérébraux ; associé aux émotions et aux pulsions. (p. 65)

Système nerveux : réseau de communication électrochimique rapide de l'organisme, formé de l'ensemble des cellules nerveuses des systèmes nerveux central et périphérique. (p. 55)

Système nerveux autonome : partie du système nerveux périphérique contrôlant les glandes et les muscles des organes internes (tels que le cœur). Sa partie sympathique stimule, sa partie parasympathique calme. (p. 55)

Système nerveux central (SNC) : cerveau et moelle épinière. (p. 55)

Système nerveux parasympathique : partie du système nerveux autonome qui apaise l'organisme et conserve son énergie. (p. 56)

Système nerveux périphérique (SNP) : neurones sensitifs et moteurs connectant le système nerveux central (SNC) au reste de l'organisme. (p. 55)

Système nerveux somatique : partie du système nerveux périphérique contrôlant les muscles squelettiques (également appelé *système nerveux squelettique* ou *système moteur somatique*). (p. 55)

Système nerveux sympathique : partie du système nerveux autonome impliquée dans l'éveil de l'organisme, mobilisant son énergie dans les situations stressantes. (p. 55)

Teinte : dimension d'une couleur déterminée par la longueur d'onde de la lumière ; c'est ce que nous nommons *bleu*, *vert* et ainsi de suite. (p. 237)

Tempérament : réactivité et intensité émotionnelles caractéristiques de chacun. (p. 139)

Terreurs nocturnes : trouble du sommeil caractérisé par un haut niveau d'activation chez un sujet qui semble terrifié ; contrairement aux cauchemars, les terreurs nocturnes surviennent durant le stade 4 du sommeil, dans les 2 ou 3 heures suivant l'endormissement, et sont rarement mémorisées. (p. 103)

Test d'aptitude : test développé pour prédire les résultats futurs d'une personne. L'*aptitude* est la capacité à apprendre. (p. 418)

Test d'intelligence : méthode pour évaluer les aptitudes mentales d'un individu et les comparer à celles d'autres personnes, en utilisant des résultats chiffrés. (p. 405)

Test de connaissance : test destiné à évaluer ce qu'une personne a appris. (p. 418)

Test de Rorschach : test projectif le plus largement utilisé, qui est formé d'un ensemble de dix taches d'encre, conçu par Hermann Rorschach ; il est destiné à identifier les sentiments internes des sujets en analysant l'interprétation qu'ils font de ces taches. (p. 560)

Test empirique : test (comme par exemple le MMPI) développé à partir d'un vaste choix de questions parmi lesquelles sont sélectionnées celles qui permettent de discriminer des groupes pertinents. (p. 570)

Testostérone : la plus importante des hormones sexuelles masculines. Elle est présente à la fois chez les hommes et les femmes, mais la testostérone, plus abondante chez les hommes, stimule le développement des organes sexuels masculins chez le fœtus et le développement des caractères sexuels secondaires masculins lors de la puberté. (pp. 162, 466)

Tests projectifs : tests de personnalité, tels que le Rorschach ou le TAT, qui proposent des stimuli ambigus destinés à déclencher la projection de la dynamique interne de quelqu'un. (p. 559)

Thalamus : relais sensoriel du cerveau ; situé au sommet du tronc cérébral, il dirige les messages vers les aires sensorielles réceptrices du cortex et transmet les réponses au cervelet et au bulbe rachidien. (p. 64)

THC : principal composant actif du cannabis. Il déclenche divers effets et notamment des hallucinations modérées. (p. 122)

***Thematic Apperception Test* (TAT) :** test projectif dans lequel les gens expriment leurs sentiments et leurs intérêts internes à travers les histoires qu'ils inventent à partir de scènes ambiguës. (p. 559)

Théorie : explication qui utilise un ensemble de principes pour organiser les observations et prédire des comportements ou des événements. (p. 21)

Théorie bifactorielle : théorie de Schachter-Singer qui dit que pour ressentir une émotion on doit (1) être physiquement activé et (2) identifier de façon cognitive la stimulation. (p. 498)

Théorie de Cannon-Bard : théorie selon laquelle un stimulus produisant une émotion déclenche simultanément (1) des réponses physiologiques et (2) l'expérience subjective de l'émotion. (p. 498)

Théorie de James-Lange : théorie selon laquelle notre expérience des émotions correspond à la conscience que nous avons de nos réponses physiologiques à des stimuli suscitant l'émotion. (p. 498)

Théorie de l'apprentissage social : théorie selon laquelle nous apprenons les comportements sociaux en observant, en imitant et en étant récompensés ou punis. (p. 165)

Théorie de l'attribution : théorie selon laquelle nous avons tendance à trouver une explication causale au comportement de quelqu'un, souvent en l'attribuant soit à la situation, soit aux dispositions de la personne. (p. 673)

Théorie de l'échange social : théorie selon laquelle notre comportement social résulte d'un processus d'échange dont le but est d'obtenir le maximum de bénéfices et de minimiser les coûts. (p. 714)

Théorie de l'emplacement : pour l'audition, théorie qui relie la hauteur du son que nous entendons à l'endroit où la membrane de la cochlée est stimulée. (p. 249)

Théorie de l'esprit : raisonnement sur son propre état mental et sur celui d'autrui (sentiments, perceptions et pensées), à partir duquel il est possible de prédire les comportements. (p. 184)

Théorie de la détection du signal : théorie consistant à juger de la présence d'un faible stimulus (*signal*) au sein d'une stimulation de fond (*bruit*). Selon cette théorie, il n'y a pas de seuil absolu unique, et la détection d'un signal faible dépend en partie de l'expérience de la personne, de ce qu'elle attend, de sa motivation et de son niveau de fatigue. (p. 231)

Théorie de la discordance cognitive : théorie selon laquelle nous agissons pour réduire l'inconfort (discordance) que nous ressentons quand deux de nos pensées (cognitions) ne sont pas congruentes. Par exemple, quand on prend conscience que nos attitudes et nos actes sont en désaccord, on peut réduire la discordance en modifiant nos attitudes. (p. 678)

Théorie de la gestion de la terreur : théorie de l'anxiété liée à la mort ; explore les réponses émotionnelles et comportementales des individus vis-à-vis des rappels de leur mort imminente. (p. 563)

Théorie des couleurs complémentaires : théorie selon laquelle des processus antagonistes de la rétine (rouge-vert, jaune-bleu, blanc-noir) permettent la vision des couleurs. Par exemple, certaines cellules sont stimulées par le vert et inhibées par le rouge ; d'autres sont stimulées par le rouge et inhibées par le vert. (p. 244)

Théorie des fréquences : pour l'audition, théorie selon laquelle le rythme de l'influx nerveux remontant le nerf auditif correspond à la fréquence d'un ton, nous permettant ainsi de ressentir sa hauteur. (p. 249)

Théorie du bouc émissaire : théorie selon laquelle les préjugés constituent une soupape à la colère, en fournissant quelqu'un à accuser. (p. 696)

Théorie du contrôle des pulsions : théorie selon laquelle un besoin physiologique crée un état de tension et d'excitation (une pulsion) qui motive un organisme à satisfaire ce besoin. (p. 445)

Théorie du contrôle du « portillon » (*gate control*) : théorie qui suggère que la moelle épinière contient une « porte » neurologique qui interdit ou permet aux signaux douloureux de remonter jusqu'au cerveau. La « porte » est ouverte par l'activité des signaux douloureux remontant par les fibres nerveuses de petit diamètre et fermée par l'activité des fibres de grand diamètre ou par des informations en provenance du cerveau. (p. 255)

Théorie du double processus : principe selon lequel l'information est souvent traitée simultanément par deux voies séparées, l'une consciente et l'autre inconsciente. (p. 87)

Théorie trichromatique (trois couleurs) de Young-Helmholtz : théorie selon laquelle la rétine contient des récepteurs distincts pour trois couleurs, les uns surtout sensibles au rouge, d'autres au vert et d'autres encore au bleu, et dont la stimulation combinée peut aboutir à la perception de n'importe quelle couleur. (p. 244)

Thérapie biomédicale : prescriptions de médicaments ou procédures médicales qui agissent directement sur le système nerveux du patient. (p. 660)

Thérapie centrée sur la personne (ou le client) : thérapie humaniste, développée par Carl Rogers, au cours de laquelle le thérapeute utilise des techniques telles que l'écoute active dans un environnement sincère, tolérant et empathique, afin de permettre au patient de se développer sur le plan personnel. (p. 641)

Thérapie cognitive : traitement qui enseigne aux patients de nouvelles façons mieux adaptées de penser et d'agir ; elle est fondée sur l'hypothèse que des pensées interviennent entre les événements et nos réactions émotionnelles. (p. 646)

Thérapie cognitivo-comportementale : thérapie intégrative populaire associant la thérapie cognitive (modification d'une perception pessimiste de soi-même) à la thérapie comportementale (modification du comportement). (p. 648)

Thérapie comportementale : traitement qui applique les principes de l'apprentissage à l'élimination des comportements indésirables. (p. 642)

Thérapie d'exposition : technique comportementale qui, comme la désensibilisation systématique, traite l'anxiété en exposant les gens (par l'imagination ou réellement) aux choses qui les effraient et qu'ils évitent. (p. 643)

Thérapie familiale : thérapie qui traite la famille comme un système. Elle considère que les comportements non désirés de l'un des membres sont influencés par ou dirigés vers d'autres membres de la famille. (p. 649)

Thérapie par réalité virtuelle : traitement de l'anxiété qui expose progressivement les patients à des simulations de leurs craintes les plus importantes, comme prendre l'avion, se trouver en présence d'araignées ou parler en public. (p. 644)

Thérapie psychodynamique : thérapie dérivant de la tradition psychanalytique qui voit les individus comme répondant à des forces inconscientes et aux expériences vécues dans l'enfance et qui cherche à améliorer la conscience de soi. (p. 640)

Thérapies de l'*insight* (introvision) : ensemble de thérapies qui ont pour objectif d'améliorer le fonctionnement psychologique en augmentant la conscience du patient de ses motivations et de ses défenses sous-jacentes. (p. 641)

Tolérance : diminution de l'effet après l'utilisation régulière de la même dose de produit, ce qui nécessite la prise de doses de plus en plus importantes pour obtenir l'effet désiré. (p. 113)

Tomographie par émission de positons (TEP ou PET scan) : mise en évidence visuelle de l'activité du cerveau, qui suit le devenir d'une forme radioactive du glucose au moment où le cerveau accomplit une tâche donnée. (p. 62)

Trait de personnalité : modèle caractéristique du comportement ou disposition à ressentir et à agir d'une certaine façon ; évalué par des autoquestionnaires ou par des descriptions effectuées par l'entourage. (p. 568)

Traitement automatique : encodage inconscient d'informations incidentes, concernant par exemple l'espace, le temps et la fréquence, et d'informations bien connues telles que la signification des mots. (p. 330)

Traitement contrôlé (avec efforts) : encodage qui nécessite notre attention et un effort conscient. (p. 331)

Traitement de bas en haut : analyse dont le point de départ se situe au niveau des récepteurs sensoriels et qui avance progressivement jusqu'à l'intégration cérébrale des informations sensorielles. (p. 230)

Traitement de haut en bas : traitement de l'information, commandé par des processus mentaux élevés, tels que la construction des perceptions fondées sur nos expériences et nos attentes. (p. 230)

Traitement parallèle : traitement de l'information durant lequel différents aspects d'un problème sont abordés en même temps. C'est le mode naturel de traitement de l'information du cerveau applicable à de nombreuses fonctions, dont la vision. Il se distingue du traitement en série (pas à pas) de la plupart des ordinateurs ou de la résolution consciente d'un problème. (p. 242)

Transduction : conversion d'une forme d'énergie en une autre. Dans le cas d'une sensation, c'est la transformation de l'énergie d'un stimulus comme la lumière, les sons et les odeurs, en influx nerveux que notre cerveau peut interpréter. (p. 236)

Transfert : en psychanalyse, le transfert que le patient effectue sur l'analyste des émotions qui sont attachées à d'autres personnes (par exemple, la haine ou l'amour vis-à-vis d'un parent). (p. 639)

Tronc cérébral : partie la plus ancienne et profonde du cerveau, commençant au niveau où la moelle s'élargit en pénétrant dans le crâne ; il est responsable des fonctions automatiques de survie. (p. 63)

Trouble bipolaire : trouble de l'humeur au cours duquel la personne oscille entre le désespoir et la léthargie de la dépression et la surexcitation de l'épisode maniaque. (Anciennement appelé *trouble maniaco-dépressif.*) (p. 613)

Trouble de conversion : trouble somatoforme rare au cours duquel une personne ressent des symptômes physiques réels spécifiques pour lesquels aucune base physiologique ne peut être trouvée. (p. 608)

Trouble de l'anxiété généralisée : trouble anxieux dans lequel une personne est constamment tendue, inquiète et dans un état de stimulation du système nerveux autonome. (p. 602)

Trouble de la personnalité antisociale : trouble de la personnalité au cours duquel une personne (généralement un homme) montre une absence de conscience pour une mauvaise action commise, même à l'encontre de ses amis ou des membres de sa famille. L'individu peut être agressif et sans pitié ou bien un remarquable escroc. (p. 629)

Trouble dépressif majeur : trouble de l'humeur au cours duquel une personne éprouve, en l'absence de prise de médicament ou de maladie, pendant deux semaines ou plus, un sentiment d'inutilité, une humeur déprimée significative et une diminution de l'intérêt ou du plaisir pour la plupart de ses activités. (p. 612)

Trouble dissociatif de l'identité : trouble dissociatif rare au cours duquel une personne présente deux (ou plusieurs) personnalités distinctes et alternées. Anciennement appelé *trouble de personnalité multiple.* (p. 609)

Trouble du déficit de l'attention avec hyperactivité (TDAH) : trouble psychologique marqué par l'apparition, vers l'âge de 7 ans, d'au moins un de ces trois symptômes-clés : inattention extrême, hyperactivité et impulsivité. (p. 595)

Trouble obsessionnel compulsif (TOC) : trouble anxieux caractérisé par des pensées (obsessions) et/ou des actions (compulsions) répétitives et non souhaitées. (p. 603)

Trouble panique : trouble anxieux marqué par des épisodes imprévisibles (crises de panique) de crainte intense durant plusieurs minutes, au cours desquels la personne éprouve une terreur accompagnée de douleurs dans la poitrine, de suffocation ou d'autres sensations effrayantes. (p. 602)

Trouble psychologique : comportement jugé atypique (déviant), entraînant une souffrance et un dysfonctionnement. (p. 594)

Troubles anxieux : troubles psychologiques caractérisés par une anxiété pénible et persistante ou des comportements inadaptés pour réduire l'anxiété. (p. 601)

Troubles de l'humeur : troubles psychologiques caractérisés par des extrêmes émotionnels. Voir *trouble bipolaire, trouble dépressif majeur* et *épisode maniaque.* (p. 611)

Troubles de la personnalité : troubles psychologiques caractérisés par des comportements stables et durables qui gênent l'insertion sociale. (p. 628)

Troubles dissociatifs : troubles au cours desquels la conscience se sépare (se dissocie) des souvenirs, des pensées et des sentiments antérieurs. (p. 609)

Troubles sexuels : problèmes qui perturbent de façon systématique l'excitation ou le fonctionnement sexuel. (p. 466)

Troubles somatoformes : troubles psychologiques au cours desquels les symptômes prennent une forme somatique (corporelle) sans cause physique apparente (voir *trouble de conversion* et *hypochondrie*). (p. 608)

Type A : terme utilisé par Friedman et Rosenman pour désigner les gens compétitifs et verbalement agressifs, impatients, conduisant brutalement et coléreux. (p. 532)

Type B : terme utilisé par Friedman et Rosenman pour désigner les sujets paisibles et détendus. (p. 532)

Validité : probabilité avec laquelle un test évalue ou prédit ce qu'il est supposé évaluer ou prédire (voir aussi *validité de contenu* et *validité prédictive*). (p. 421)

Validité de contenu : capacité d'un test à recenser les comportements pertinents pour le test. (p. 421)

Validité prédictive : succès avec lequel un test prédit le comportement qu'il est censé prédire ; il est évalué en calculant la corrélation entre les résultats au test et le comportement utilisé comme critère (également appelé *validité de critère*). (p. 421)

Variable dépendante : le facteur mesuré ; la variable qui peut être modifiée en réponse aux manipulations de la variable indépendante. (p. 32)

Variable indépendante : le facteur expérimental qui est manipulé ; la variable dont les effets sont étudiés. (p. 32)

Voie centrale de la persuasion : voie empruntée lorsque des personnes intéressées se concentrent sur les arguments et y répondent par des pensées favorables. (p. 676)

Voie périphérique de la persuasion : voie empruntée lorsque les personnes sont influencées par des indices secondaires comme l'attirance de celui qui parle. (p. 676)

Vrais jumeaux : jumeaux qui se développent à partir d'un zygote unique (ovule fertilisé) qui se divise en deux, créant deux organismes génétiquement identiques. (p. 135)

Zygote : l'œuf fertilisé ; après 2 semaines de divisions cellulaires rapides, il devient un embryon. (p. 174)

Références

Abbey, A. (1987). Misperceptions of friendly behavior as sexual interest : A survey of naturally occurring incidents. *Psychology of Women Quarterly, 11,* 173-194. (p. 147)

Abbey, A. (1991). Acquaintance rape and alcohol consumption on college campuses : How are they linked ? *Journal of American College Health, 39,* 165-169. (p. 116)

Abbott, R. D., White, L. R., Ross, G. W., Masaki, K. H., Curb, J. D., & Petrovitch, H. (2004). Walking and dementia in physically capable elderly men. *Journal of the American Medical Association, 292,* 1447-1453. (p. 212)

Abrams, D. B. (1991). AIDS : What young people believe and what they do. Paper presented at the British Association for the Advancement of Science conference. (p. 582)

Abrams, D. B., & Wilson, G. T. (1983). Alcohol, sexual arousal, and selfcontrol. *Journal of Personality and Social Psychology, 45,* 188-198. (p. 116)

Abrams, L. (2008). Tip-of-the-tongue states yield language insights. *American Scientist, 96,* 234-239. (p. 353)

Abrams, M. (2002, June). Sight unseen — Restoring a blind man's vision is now a real possibility through stem-cell surgery. But even perfect eyes cannot see unless the brain has been taught to use them. *Discover, 23,* 54-60. (p. 273)

Abramson, L. Y., Metalsky, G. I., & Alloy, L. B. (1989). Hopelessness depression : A theory-based subtype. *Psychological Review, 96,* 358-372. (p. 619)

ACHA (2006). American College Health Association National College Health Assessment. Baltimore, MD : American College Health Association (acha-ncha.org). (p. 612)

Ackerman, D. (2004). *An alchemy of mind : The marvel and mystery of the brain.* New York : Scribner. (pp. 51, 60)

Actkinson, T. R. (2000). Master's and myth. *Eye on Psi Chi, 4,* 19-25. (p. A-10)

Adelmann, P. K., Antonucci, T. C., Crohan, S. F., & Coleman, L. M. (1989). Empty nest, cohort, and employment in the well-being of midlife women. *Sex Roles, 20,* 173-189. (p. 219)

Adelson, R. (2004, August). Detecting deception. *APA Monitor,* pp. 70-73. (p. 505)

Adelson, R. (2005, September). Lessons from H. M. *Monitor on Psychology,* p. 59. (p. 343)

Ader, R., & Cohen, N. (1985). CNS-immune system interactions : Conditioning phenomena. *Behavioral and Brain Sciences, 8,* 379-394. (p. 303)

Adolphs, R. (2006). Perception and emotion : How we recognize facial expressions. *Current Directions in Psychological Science, 15,* 222-226. (p. 508)

Adolphs, R., Tranel, D., & Damasio, A. R. (1998). The human amygdala in social judgment. *Nature,* 393, 470-474. (p. 517)

Affleck, G., Tennen, H., Urrows, S., & Higgins, P. (1994). Person and contextual features of daily stress reactivity : Individual differences in relations of undesirable daily events with mood disturbance and chronic pain intensity. *Journal of Personality and Social Psychology, 66,* 329-340. (p. 520)

Ai, A. L., Park, C. L., Huang, B., Rodgers, W., & Tice, T. N. (2007). Psychosocial mediation of religious coping styles : A study of short-term psychological distress following cardiac surgery. *Personality and Social Psychology Bulletin, 33,* 867-882. (p. 548)

Aiello, J. R., Thompson, D. D., & Brodzinsky, D. M. (1983). How funny is crowding anyway ? Effects of room size, group size, and the introduction of humor. *Basic and Applied Social Psychology, 4,* 193-207. (p. 687)

Ainsworth, M. D. S. (1973). The development of infant-mother attachment. In B. Caldwell & H. Ricciuti (Eds.), *Review of child development research (Vol. 3).* Chicago : University of Chicago Press. (p. 190)

Ainsworth, M. D. S. (1979). Infant-mother attachment. *American Psychologist, 34,* 932-937. (p. 190)

Ainsworth, M. D. S. (1989). Attachments beyond infancy. *American Psychologist, 44,* 709-716. (p. 190)

Airan, R. D., Meltzer, L. A., Roy, M., Gong, Y., Chen, H., & Deisseroth, K. (2007). High-speed imaging reveals neurophysiological links to behavior in an animal model of depression. *Science, 317,* 819-823. (p. 618)

Åkerstedt, T., Kecklund, G., & Axelsson, J. (2007). Impaired sleep after bedtime stress and worries. *Biological Psychology, 76,* 170-173. (p. 102)

Albee, G. W. (1986). Toward a just society : Lessons from observations on the primary prevention of psychopathology. *American Psychologist, 41,* 891-898. (p. 669)

Albert, B., Brown, S., & Flanigan, C. M. (Eds.) (2003). *14 and younger : The sexual behavior of young adolescents.* Washington, DC : National Campaign to Prevent Teen Pregnancy. (p. 470)

Alcock, J. E. (1981). *Parapsychology : Science or magic ?* Oxford : Pergamon. (p. 348)

Aldrich, M. S. (1989). Automobile accidents in patients with sleep disorders. *Sleep, 12,* 487-494. (p. 102)

Aldridge-Morris, R. (1989). *Multiple personality : An exercise in deception.* Hillsdale, NJ : Erlbaum. (p. 610)

Aleman, A., Kahn, R. S., & Selten, J-P. (2003). Sex differences in the risk of schizophrenia : Evidence from meta-analysis. *Archives of General Psychiatry, 60,* 565-571. (p. 623)

Alexander, C. N., Langer, E. J., Newman, R. I., Chandler, H. M., & Davies, J. L. (1989). Transcendental meditation, mindfulness, and longevity : An experimental study with the elderly. *Journal of Personality and Social Psychology, 57,* 950-964. (p. 547)

Allard, F., & Burnett, N. (1985). Skill in sport. *Canadian Journal of Psychology, 39,* 294-312. (p. 336)

Allen, J. B., Repinski, D. J., Ballard, J. C., & Griffin, B. W. (1996). Beliefs about the etiology of homosexuality may influence attitudes toward homosexuals. Paper presented to the American Psychological Society convention. (p. 477)

Allen, K. (2003). Are pets a healthy pleasure ? The influence of pets on blood pressure. *Current Directions in Psychological Science, 12,* 236-239. (p. 541)

Allen, N. B., & Badcock, P. B. T. (2003). The social risk hypothesis of depressed mood : Evolutionary, psychosocial, and neurobiological perspectives. *Psychological Bulletin, 129,* 887-913. (p. 612)

Alloy, L. B., Abramson, L. Y., Whitehouse, W. G., Hogan, M. E., Tashman, N. A., Steinberg, D. L., Rose, D. T., & Donovan, P. (1999). Depressogenic cognitive styles : Predictive validity, information processing and personality characteristics, and developmental origins. *Behaviour Research and Therapy, 37,* 503-531. (p. 620)

Allport, G. W. (1943). The ego in contemporary psychology. *Psychological Review. 50,* 451-478.

Allport, G. W. (1954). *The nature of prejudice.* New York : Addison-Wesley. (pp. 10, 694)

Allport, G. W., & Odbert, H. S. (1936). Trait-names : A psycho-lexical study. *Psychological Monographs, 47*(1). (p. 568)

Altman, L. K. (2004, November 24). Female cases of HIV found rising worldwide. *New York Times* (www.nytimes.com). (p. 536)

Alwin, D. F. (1990). Historical changes in parental orientations to children. In N. Mandell (Ed.), *Sociological studies of child development (Vol. 3).* Greenwich, CT : JAI Press. (p. 157)

Amabile, T. M. (1983). *The social psychology of creativity.* New York : Springer-Verlag. (p. 585)

Amabile, T. M., & Hennessey, B. A. (1992). The motivation for creativity in children. In A. K. Boggiano & T. S. Pittman (Eds.), *Achievement and motivation : A social-developmental perspective.* New York : Cambridge University Press. (p. 411)

Amabile, T. M., Barsade, S. G., Mueller, J. S., & Staw, B. M. (2005). Affect and creativity at work. *Administrative Science Quarterly, 50,* 367-403. (p. 520)

Amato, P. R., Booth, A., Johnson, D. R., & Rogers, S. J. (2007). *Alone together : How marriage in America is changing.* Cambridge, MA : Harvard University Press. (p. 164)

Ambady, N., & Rosenthal, R. (1992). Thin slices of expressive behavior as predictors of interpersonal consequences : A meta-analysis. *Psychological Bulletin, 111,* 256-274. (p. 575)

Ambady, N., & Rosenthal, R. (1993). Half a minute : Predicting teacher evaluations from thin slices of nonverbal behavior and physical attractiveness. *Journal of Personality and Social Psychology, 64,* 431-441. (p. 575)

Ambady, N., Hallahan, M., & Rosenthal, R. (1995). On judging and being judged accurately in zero-acquaintance situations. *Journal of Personality and Social Psychology, 69,* 518-529. (p. 509)

Amedi, A., Floel, A., Knect, S., Zohary, E., & Cohen, L. (2004). Transcranial magnetic stimulation of the occipital pole interferes with verbal processing in blind subjects. *Nature Neuroscience, 7,* 1266-1270. (p. 74)

Amedi, A., Merabet, L. B., Bermpohl, F., & Pascual-Leone, A. (2005). The occipital cortex in the blind : Lessons about plasticity and vision. *Current Directions in Psychological Science, 14,* 306-311. (p. 74)

Amen, D. G., Stubblefield, M., Carmichael, B., & Thisted, R. (1996). Brain SPECT findings and aggressiveness. *Annals of Clinical Psychiatry, 8,* 129-137. (p. 698)

American Enterprise. (1992, January/February). Women, men, marriages & ministers. p. 106. (p. 157)

American Psychiatric Association. (1994). *Diagnostic and statistical manual of mental disorders (Fourth Edition).* Washington, DC : American Psychiatric Press. (p. 425)

American Psychological Association (2006). Evidence-based practice in psychology (from APA Presidential Task Force on Evidence-Based Practice). *American Psychologist, 61,* 271-285. (p. 655)

American Psychological Association (2007). Answers to your questions about sexual orientation and homosexuality (www.apa.org. Accessed December 6, 2007). (p. 472)

American Psychological Association. (1992). Ethical principles of psychologists and code of conduct. *American Psychologist, 47,* 1597-1611. (p. 29)

American Psychological Association. (2002). *Ethical principles of psychologists and code of conduct.* Washington, DC : American Psychological Association. (p. 28)

American Psychological Association. (2003). *Careers for the twenty-first century.* Washington, DC. (p. A-10)

American Psychological Association. (2005). *Graduate study in psychology.* Washington, DC. (p. A-10)

Ames, D. R., & Flynn, F. J. (2007). What breaks a leader : The curvilinear relation between assertiveness and leadership. *Journal of Personality and Social Psychology, 92,* 307-324. (p. 492)

Andersen, R. A. (2005, October). Dialogue : A locksmith for the mind. *Discover* (www.discovermagazine.com). (p. 71)

Andersen, R. A., Burdick, J. W., Musallam, S., Pesaran, B., & Cham, J. G. (2004). Cognitive neural prosthetics. *Trends in Cognitive Sciences, 8,* 486-493. (p. 71)

Andersen, R. E., Crespo, C. J., Bartlett, S. J., Cheskin, L. J., & Pratt, M. (1998). Relationship of physical activity and television watching with body weight and level of fatness among children. *Journal of the American Medical Association, 279,* 938-942. (p. 463)

Andersen, S. M. (1998). *Service Learning : A National Strategy for Youth Development.* A position paper issued by the Task Force on Education Policy. Washington, DC : Institute for Communitarian Policy Studies, George Washington University. (p. 202)

Andersen, S. M., & Saribay, S. A. (2005). The relational self and transference : Evoking motives, self-regulation, and emotions through activation of mental representations of significant others. In M. W. Baldwin (Ed.), *Interpersonal cognition.* New York : Guilford. (p. 347)

Anderson, A. K., & Phelps, E. A. (2000). Expression without recognition : Contributions of the human amygdala to emotional communication. *Psychological Science, 11,* 106-111. (p. 65)

Anderson, B. L. (2002). Biobehavioral outcomes following psychological interventions for cancer patients. *Journal of Consulting and Clinical Psychology, 70,* 590-610. (p. 537)

Anderson, C. A. (2004a). An update on the effects of playing violent video games. Journal of *Adolescence, 27,* 113-122. (p. 703)

Anderson, C. A., & Anderson, D. C. (1984). Ambient temperature and violent crime : Tests of the linear and curvilinear hypotheses. *Journal of Personality and Social Psychology, 46,* 91-97. (p. 700)

Anderson, C. A., & Dill, K. E. (2000). Video games and aggressive thoughts, feelings, and behavior in the laboratory and in life. *Journal of Personality and Social Psychology, 78,* 772-790. (p. 704)

Anderson, C. A., & Gentile, D. A. (2008). Media violence, aggression, and public policy. In E. Borgida & S. Fiske (Eds.), *Beyond common sense : Psychological science in the courtroom.* Malden, MA : Blackwell. (p. 322)

Anderson, C. A., Anderson, K. B., Dorr, N., DeNeve, K. M., & Flanagan, M. (2000). Temperature and aggression. In M. P. Zanna (Ed.), *Advances in Experimental Social Psychology.* San Diego : Academic Press. (p. 700)

Anderson, C. A., Carnagey, N. L., Flanagan, M., Benjamin, A. J., Jr., Eubanks, J., & Valentine, J. C. (2004). Violent video games : Specific effects of violent content on aggressive thoughts and behavior. *Advances in Experimental Social Psychology, 36,* 199-249. (p. 704)

Anderson, C. A., Gentile, D. A., & Buckley, K. E. (2007). *Violent video game effects on children and adolescents : Theory, research, and public policy.* New York : Oxford University Press. (pp. 344, 704)

Anderson, C. A., Lindsay, J. J., & Bushman, B. J. (1999). Research in the psychological laboratory : Truth or triviality ? *Current Directions in Psychological Science, 8,* 3-9. (p. 26)

Anderson, I. M. (2000). Selective serotonin reuptake inhibitors versus tricyclic antidepressants : A meta-analysis of efficacy and tolerability. *Journal of Affective Disorders, 58,* 19-36. (p. 662)

Anderson, J. R., Myowa-Yamakoshi, M., & Matsuzawa, T. (2004). Contagious yawning in chimpanzees. *Biology Letters, 271,* S468–S470. (p. 680)

Anderson, R. C., Pichert, J. W., Goetz, E. T., Schallert, D. L., Stevens, K. V., & Trollip, S. R. (1976). Instantiation of general terms. *Journal of Verbal Learning and Verbal Behavior, 15,* 667-679. (p. 346)

Anderson, S. (2008, July 6). The urge to end it. *New York Times* (www.nytimes.com). (p. 616)

Anderson, S. E., Dallal, G. E., & Must, A. (2003). Relative weight and race influence average age at menarche : Results from two nationally representative surveys of U.S. girls studied 25 years apart. *Pediatrics, 111,* 844-850. (p. 198)

Anderson, S. R. (2004). *Doctor Dolittle's delusion : Animals and the uniqueness of human language.* New Haven : Yale University Press. (p. 400)

Anderson, U. S., Stoinski, T. S., Bloomsmith, M. A., Marr, M. J., Anderson, D., & Maple, T. L. (2005). Relative numerous judgment and summation in young and old western lowland gorillas. *Journal of Comparative Psychology, 119,* 285-295. (p. 215)

Andreasen, N. C. (1997). Linking mind and brain in the study of mental illnesses : A project for a scientific psychopathology. *Science, 275,* 1586-1593. (p. 625)

Andreasen, N. C. (2001). *Brave new brain : Conquering mental illness in the era of the genome.* New York : Oxford University Press. (p. 625)

Andreasen, N. C., Arndt, S., Swayze, V., II, Cizadlo, T., & Flaum, M. (1994). Thalamic abnormalities in schizophrenia visualized through magnetic resonance image averaging. *Science, 266,* 294-298. (p. 625)

Angell, M., & Kassirer, J. P. (1998). Alternative medicine : The risks of untested and unregulated remedies. *New England Journal of Medicine, 17,* 839-841. (p. 546)

Angelsen, N. K., Vik, T., Jacobsen, G., & Bakketeig, L. S. (2001). Breast feeding and cognitive development at age 1 and 5 years. *Archives of Disease in Childhood, 85,* 183-188. (p. 17)

Angoff, W. H. (1988, Winter). A philosophical discussion : The issues of test and item bias. *ETS Developments,* pp. 10-11. (p. 423)

Annan, K. A. (2001). We can love what we are, without hating who — and what — we are not. Nobel Peace Prize lecture. (p. 718)

Antoni, M. H., & Lutgendorf, S. (2007). Psychosocial factors and disease progression in cancer. *Current Directions in Psychological Science, 16,* 42-46. (p. 537)

Antony, M. M., Brown, T. A., & Barlow, D. H. (1992). Current perspectives on panic and panic disorder. *Current Directions in Psychological Science, 1,* 79-82. (p. 606)

Antrobus, J. (1991). Dreaming : Cognitive processes during cortical activation and high afferent thresholds. *Psychological Review, 98,* 96-121. (p. 106)

AP (2007). AP-Ipsos poll of 1,013 U.S. adults taken October 16-18, 2007 and distributed via Associated Press. (p. 282)

AP (2007). Kids copying execution accidentally hang selves. Associated Press, January 15, 2007 (*Grand Rapids Press,* p. A3). (p. 681)

AP (2007, January 12). China facing major gender imbalance. Associated Press release. (p. 694)

APA. (2003, November). *Psychology careers for the twenty-first century.* Washington, DC : American Psychological Association. (p. 10)

Apostolova, L. G., Dutton, R. A., Dinov, I. D., Hayashi, K. M., Toga, A. W., Cummings, J. L., Thompson, P. M. (2006). Conversion of mild cognitive impairment to Alzheimer disease predicted by hippocampal atrophy maps. *Archives of Neurology, 63,* 693-699. (p. 212)

Appleby, D. (2006). Occupations of interest to psychology majors from the dictionary of occupational titles. *Eye on Psi Chi, 10,* 28-29. (pp. A-1, A-11)

Appleby, D. C. (2002). *The savvy psychology major.* Dubuque, IA : Kendall/Hunt. (p. A-10)

Archer, J. (2004). Sex differences in aggression in real-world settings : A meta-analytic review. Review of *General Psychology, 8,* 291-322. (p. 160)

Archer, J. (2006). Cross-cultural differences in physical aggression between partners : A social-role analysis. *Personality and Social Psychology Review, 10,* 133-153. (p. 160)

Arendt, H. (1963). *Eichmann in Jerusalem : A report on the banality of evil.* New York : Viking Press. (p. 201)

Arenson, K. W. (1997, May 4). Romanian woman breaks male grip on top math prize. *New York Times* News Service (in *Grand Rapids Press,* p. A7). (p. 432)

Aries, E. (1987). Gender and communication. In P. Shaver & C. Henrick (Eds.), *Review of Personality and Social Psychology, 7,* 149-176. (p. 160)

Arkowitz, H., & Lilienfeld, S. O. (2006, April/May). Psychotherapy on trial. *Scientific American : Mind,* pp. 42-49. (p. 654)

Armel, K. C., & Ramachandran, V. S. (2003). Projecting sensations to external objects : Evidence from skin conductance response. *Proceedings of the Royal Society of London. Series B. Biological Sciences, 270,* 1499-1506. (p. 257)

Arnett, J. J. (1999). Adolescent storm and stress, reconsidered. *American Psychologist, 54,* 317-326. (p. 197)

Arnett, J. J. (2006). Emerging adulthood : Understanding the new way of coming of age. In J. J. Arnett & J. L. Tanner (Eds.), *Emerging adults in America : Coming of age in the 21st century.* Washington, DC : American Psychological Association. (p. 206)

Arnett, J. J. (2007). Socialization in emerging adulthood : From the family to the wider world, from socialization to self-socialization. In J. E. Grusec & P. D. Hastings (Eds.), *Handbook of socialization : Theory and research.* New York : Guilford Press. (p. 206)

Arnold, K., & Horrigan, K. (2002). Gaining admission into the graduate program of your choice. *Eye on Psi Chi,* 30-33. (pp. A-9, A-10)

Aron, A., Melinat, E., Aron, E. N., Vallone, R. D., & Bator, R. J. (1997). The experimental generation of interpersonal closeness : A procedure and some preliminary findings. *Personality and Social Psychology Bulletin, 23,* 363-377. (p. 711)

Aronson, E. (2001, April 13). Newsworthy violence. E-mail to SPSP discussion list, drawing from *Nobody Left to Hate.* New York : Freeman, 2000. (p. 205)

Artiga, A. I., Viana, J. B., Maldonado, C. R., Chandler-Laney, P. C., Oswald, K. D., & Boggiano, M. M. (2007). Body composition and endocrine status of long-term stress-induced binge-eating rats. *Physiology and Behavior, 91,* 424-431. (p. 451)

ASAPS (2008). Cosmetic procedures in 2007. American Society for Aesthetic Plastic Surgery (www.surgery.org). (p. 708)

Asch, S. E. (1955). Opinions and social pressure. *Scientific American, 193,* 31-35. (p. 681)

Aserinsky, E. (1988, January 17). Personal communication. (p. 93)

ASHA (2003). STD statistics. American Social Health Association (www.ashastd.org/stdfaqs/statistics.html). (p. 470)

Ashtari, M., Kumra, S., Clarke, T., Ardekani, B., Bhaskar, S., & Rhinewine, J. (2004, November 29). Diffusion tensor imaging of children with attention deficit/hyperactivity disorder. Paper presented to the Radiological Society of North America convention. (p. 595)

Askay, S. W., & Patterson, D. R. (2007). Hypnotic analgesia. *Expert Review of Neurotherapeutics, 7,* 1675-1683. (p. 110)

Aspy, C. B., Vesely, S. K., Oman, R. F., Rodine, S., Marshall, L., & McLeroy, K. (2007). Parental communication and youth sexual behaviour. *Journal of Adolescence, 30,* 449-466. (p. 470)

Assanand, S., Pinel, J. P. J., & Lehman, D. R. (1998). Personal theories of hunger and eating. *Journal of Applied Social Psychology, 28,* 998-1015. (p. 451)

Associated Press. (1999, April 26). Airline passengers mistakenly told plane would crash. *Grand Rapids Press,* p. A3. (p. 529)

Associated Press. (2006, October 4). Man recites pi to 100,000 places. (p. 339)

Astin, A. W., Astin, H. S., & Lindholm, J. A. (2004). *Spirituality in higher education : A national study of college students' search for meaning and purpose.* Los Angeles : Higher Education Research Institute, UCLA. (p. 203)

Atance, C. M., & Meltzoff, A. N. (2006). Preschoolers' current desires warp their choices for the future. *Psychological Science, 17,* 583-7. (p. 448)

Atkinson, R. C., & Shiffrin, R. M. (1968). Human memory : A control system and its control processes. In K. Spence (Ed.), *The psychology of learning and motivation (Vol. 2).* New York : Academic Press. (p. 328)

Aubrecht, L. (2001). What can you do with a BA in psychology ? *Eye on PsiChi, 5,* 29-31. (p. A-10)

Austin, E. J., Deary, I. J., Whiteman, M. C., Fowkes, F. G. R., Pedersen, N. L., Rabbitt, P., Bent, N., & McInnes, L. (2002). Relationships between ability and personality : Does intelligence contribute positively to personal and social adjustment ? *Personality and Individual Differences, 32,* 1391-1411. (p. 426)

Australian Bureau of Statistics (2007, July 8). Overweight and obesity (www.abs.gov.au). (p. 456)

Averill, J. R. (1983). Studies on anger and aggression : Implications for theories of emotion. *American Psychologist, 38,* 1145-1160. (pp. 518, 519)

Averill, J. R. (1993). William James's other theory of emotion. In M. E. Donnelly (Ed.), *Reinterpreting the legacy of William James.* Washington, DC : American Psychological Association. (p. 502)

Avery, R. D., & others. (1994, December 13). Mainstream science on intelligence. *Wall Street Journal,* p. A-18. (p. 434)

Ax, A. F. (1953). The physiological differentiation of fear and anger in humans. *Psychosomatic Medicine, 15,* 433-442. (p. 501)

Axinn, W. & Thornton, A. (1992). The relationship between cohabitation and divorce : Selectivity or causal influence ? *Demography, 29,* 357-374. (p. B-4)

Axiss (2007). Immigration and foreign population as percentage of total population : 1992 and 2003. *Axiss Australia, Australian Government* (www.axiss.gov.au). (p. 154)

Azar, B. (1998, June). Why can't this man feel whether or not he's standing up ? *APA Monitor* (www.apa.org/monitor/jun98/touch.html). (p. 254)

Babad, E., Bernieri, F., & Rosenthal, R. (1991). Students as judges of teachers' verbal and nonverbal behavior. *American Educational Research Journal, 28,* 211-234. (p. 508)

Babyak, M., Blumenthal, J. A., Herman, S., Khatri, P., Doraiswamy, M., Moore, K., Craighead, W. W., Baldewics, T. T., & Krishnan, K. R. (2000). Exercise treatment for major depression : Maintenance of therapeutic benefit at ten months. *Psychosomatic Medicine, 62,* 633-638. (p. 543)

Bachman, J., O'Malley, P. M., Schulenberg, J. E., Johnston, L. D., Freedman-Doan, P., & Messersmith, E. E. (2007). *The education-drug use connection : How successes and failures in school relate to adolescent smoking, drinking, drug use, and delinquency.* Mahwah, NJ : Erlbaum. (p. 125)

Bachman, J., Wadsworth, K., O'Malley, P., Johnston, L., & Schulenberg, J. (1997). *Smoking, drinking, and drug use in young adulthood : The impact of new freedoms and new responsibilities.* Mahwah, NJ ; Erlbaum. (p. 124)

Backman, L., & Dixon, R. A. (1992). Psychological compensation : A theoretical framework. *Psychological Bulletin, 112,* 259-283. (p. 252)

Backman, L., & MacDonald, S. W. S. (2006). Death and cognition : Synthesis and outlook. *European Psychologist, 11,* 224-235. (p. 216)

Baddeley, A. D. (1982). *Your memory : A user's guide.* New York : Macmillan. (p. 331)

Baddeley, A. D. (2001). Is working memory still working ? *American Psychologist, 56,* 849-864. (p. 329)

Baddeley, A. D. (2002, June). Is working memory still working ? *European Psychologist, 7,* 85-97. (p. 329)

Bagemihl, B. (1999). Biological exuberance : Animal homosexuality and natural diversity. New York : St. Martins. (p. 474)

Bahrick, H. P. (1984). Semantic memory content in permastore : 50 years of memory for Spanish learned in school. *Journal of Experimental Psychology : General, 111,* 1-29. (p. 351, 352)

Bahrick, H. P., Bahrick, L. E., Bahrick, A. S., & Bahrick, P. E. (1993). Maintenance of foreign language vocabulary and the spacing effect. *Psychological Science, 4,* 316-321. (p. 332)

Bahrick, H. P., Bahrick, P. O., & Wittlinger, R. P. (1975). Fifty years of memory for names and faces : A cross-sectional approach. *Journal of Experimental Psychology : General, 104,* 54-75. (p. 346)

Bailenson, J. N., Iyengar, S., & Yee, N. (2005). Facial identity capture and presidential candidate preference. Paper presented at the Annual Conference of the International Communication Association. (p. 707)

Bailey, J. M., & Zucker, K. J. (1995). Childhood sex-typed behavior and sexual orientation : A conceptual analysis and quantitative review. *Developmental Psychology, 31,* 43-55. (p. 471)

Bailey, J. M., Gaulin, S., Agyei, Y., & Gladue, B. A. (1994). Effects of gender and sexual orientation on evolutionary relevant aspects of human mating psychology. *Journal of Personality and Social Psychology, 66,* 1081-1093. (p. 146)

Bailey, J. M., Kirk, K. M., Zhu, G., Dunne, M. P., & Martin, N. G. (2000). Do individual differences in sociosexuality represent genetic or environmentally contingent strategies ? Evidence from the Australian twin registry. *Journal of Personality and Social Psychology, 78,* 537-545. (p. 146)

Bailey, R. E., & Gillaspy, Jr., J. A. (2005). Operant psychology goes to the fair : Marian and Keller Breland in the popular press, 1947-1966. *The Behavior Analyst, 28,* 143-159. (p. 313)

Baillargeon, R. (1995). A model of physical reasoning in infancy. In C. Rovee-Collier & L. P. Lipsitt (Eds.), *Advances in infancy research (Vol. 9).* Stamford, CT : Ablex. (p. 182)

Baillargeon, R. (1998). Infants' understanding of the physical world. In M. Sabourin, F. I. M. Craik, & M. Roberts (Eds.), *Advances in psychological science, Vol. 2 : Biological and cognitive aspects.* Hove, England : Psychology Press. (p. 182)

Baird, G., Simonoff, E., Pickles, A., Chandler, S., Loucas, T., Meldrum, D., & Charman, T. (2006). Prevalence of disorders of the autism spectrum in a population cohort of children in South Thames : The special needs and autism project (SNAP). *The Lancet, 368,* 210-215. (p. 186)

Baker, E. L. (1987). The state of the art of clinical hypnosis. *International Journal of Clinical and Experimental Hypnosis, 35,* 203-214. (p. 109)

Baker, T. B., Piper, M. E., McCarthy, D. E., Majeskie, M. R., & Fiore, M. C. (2004). Addiction motivation reformulated : An affective processing model of negative reinforcement. *Psychological Review, 111,* 33-51. (p. 307)

Bakermans-Kranenburg, M. J., van IJzendoorn, M. H., & Juffer, F. (2003). Less is more : Meta-analyses of sensitivity and attachment interventions in early childhood. *Psychological Bulletin, 129,* 195-215. (p. 190)

Balcetis, E., & Dunning, D. (2006). See what you want to see : Motivational influences on visual perception. *Journal of Personality and Social Psychology, 91,* 612-625. (p. 279)

Ballard, M. E., & Wiest, J. R. (1998). Mortal Kombat : The effects of violent videogame play on males' hostility and cardiovascular responding. *Journal of Applied Social Psychology, 26,* 717-730. (p. 704)

Balsam, K. F., Beauchaine, T. P., Mickey, R. M., & Rothblum, E. D. (2005). Mental health of lesbian, gay, bisexual, and heterosexual siblings : Effects of gender, sexual orientation, and family. *Journal of Abnormal Psychology, 114,* 471-476. (p. 472)

Balsam, K. F., Beauchaine, T. P., Rothblum, E. S., & Solomon, S. E. (2008). Three-year follow-up of same-sex couples who had civil unions in Vermont, same-sex couples not in civil unions, and heterosexual married couples. *Developmental Psychology, 44,* 102-116. (p. 218)

Baltes, P. B. (1993). The aging mind : Potential and limits. *The Gerontologist, 33,* 580-594. (p. 215)

Baltes, P. B. (1994). *Life-span developmental psychology : On the overall landscape of human development.* Invited address, American Psychological Association convention. (p. 215)

Baltes, P. B., & Baltes, M. M. (1999, September-October). Harvesting the fruits of age : Growing older, growing wise. *Science and the Spirit,* pp. 11-14. (p. 215)

Bancroft, J., Loftus, J., & Long, J. S. (2003). Distress about sex : A national survey of women in heterosexual relationships. *Archives of Sexual Behavior, 32,* 193-208. (p. 466)

Bandura, A. (1982). The psychology of chance encounters and life paths. *American Psychologist, 37,* 747-755. (p. 217)

Bandura, A. (1986). *Social foundations of thought and action : A social-cognitive theory.* Englewood Cliffs, NJ : Prentice-Hall. (pp. 576, 577)

Bandura, A. (2005) The evolution of social cognitive theory. In K. G. Smith & M. A. Hitt (Eds.), *Great minds in management : The process of theory development.* Oxford : Oxford University Press. (pp. 217, 320)

Bandura, A. (2006). Toward a psychology of human agency. *Perspectives on Psychological Science, 1,* 164-180. (p. 576, 577)

Bandura, A. (2008). An agentic perspective on positive psychology. In S. J. Lopez (Ed.), *The science of human flourishing.* Westport, CT : Praeger. (p. 576)

Bandura, A., Ross, D., & Ross, S. A. (1961). Transmission of aggression through imitation of aggressive models. *Journal of Abnormal and Social Psychology, 63,* 575-582. (p. 319)

Barash, D. P. (2006, July 14). I am, therefore I think. *Chronicle of Higher Education,* pp. B9, B10. (p. 86)

Barber, C. (2008, February/March). The medicated American. *Scientific American Mind,* pp. 45-51. (p. 662)

Barber, T. X. (2000). A deeper understanding of hypnosis : Its secrets, its nature, its essence. American *Journal of Clinical Hypnosis, 42,* 208-272. (p. 214. (p. 110)

Bargh, J. A., & Chartrand, T. L. (1999). The unbearable automaticity of being. *American Psychologist, 54,* 462-479. (p. 88)

Bargh, J. A., & McKenna, K. Y. A. (2004). The Internet and social life. *Annual Review of Psychology, 55,* 573-590. (p. 706)

Bargh, J. A., & Morsella, E. (2008). The unconscious mind. *Perspectives on Psychological Science, 3,* 73-79. (p. 562)

Bargh, J. A., McKenna, K. Y. A., & Fitzsimons, G. M. (2002). Can you see the real me ? Activation and expression of the « true self » on the Internet. *Journal of Social Issues, 58,* 33-48. (p. 706)

Bar-Haim, Y., Lamy, D., Pergamin, L., Bakermans-Kranenburg, M. J., & van Ijzendoorn, M. H. (2007). Threat-related attentional bias in anxious and nonanxious individuals : A meta-analytic study. *Psychological Bulletin, 133,* 1-24. (p. 606)

Barinaga, M. (1991). How long is the human life-span ? *Science, 254,* 936-938. (p. 209)

Barinaga, M. (1992b). How scary things get that way. *Science, 258,* 887-888. (p. 517)

Barinaga, M. (1999). Salmon follow watery odors home. *Science, 286,* 705-706. (p. 262)

Barinaga, M. B. (1992a). The brain remaps its own contours. *Science, 258,* 216-218. (p. 74)

Barinaga, M. B. (1997). How exercise works its magic. *Science, 276,* 1325. (p. 544)

Barkley, R. A., & 74 others. (2002). International consensus statement (January 2002). *Clinical Child and Family Psychology Review, 5,* 2. (p. 595)

Barnes, M. L., & Sternberg, R. J. (1989). Social intelligence and decoding of nonverbal cues. *Intelligence, 13,* 263-287. (p. 510)

Barnett, P. A., & Gotlib, I. H. (1988). Psychosocial functioning and depression : Distinguishing among antecedents, concomitants, and consequences. *Psychological Bulletin, 104,* 97-126. (p. 620)

Barnier, A. J., & McConkey, K. M. (2004). Defining and identifying the highly hypnotizable person. In M. Heap, R. J. Brown, & D. A. Oakley (Eds.), *High hypnotisability : Theoretical, experimental and clinical issues.* London ; Brunner-Routledge. (p. 108)

Baron, R. A. (1988). Negative effects of destructive criticism : Impact on conflict, self-efficacy, and task performance. *Journal of Applied Psychology, 73*, 199-207. (p. 315)

Baron, R. S., Vandello, J. A., & Brunsman, B. (1996). The forgotten variable in conformity research : Impact of task importance on social influence. *Journal of Personality and Social Psychology, 71*, 915-927. (p. 683)

Baron-Cohen, S. (2008). Autism, hypersystemizing, and truth. *Quarterly Journal of Experimental Psychology, 61*, 64-75. (p. 186)

Baron-Cohen, S., Golan, O., Chapman, E., & Granader, Y. (2007). Transported to a world of emotion. *The Psychologist, 20*, 76-77. (p. 187)

Baron-Cohen, S., Leslie, A. M., & Frith, U. (1985). Does the autistic child have a « theory of mind » ? *Cognition, 21*, 37-46. (p. 184)

Barrett, L. F. (2006). Are emotions natural kinds ? *Perspectives on Psychological Science, 1*, 28-58. (pp. 501, 502)

Barrett, L. F., Lane, R. D., Sechrest, L., & Schwartz, G. E. (2000). Sex differences in emotional awareness. *Personality and Social Psychology Bulletin, 26*, 1027-1035. (p. 510)

Barry, D. (1995, September 17). *Teen smokers, too, get cool, toxic, wasteblackened lungs.* Asbury Park Press, p. D3. (p. 118)

Bartholow, B. C., Bushman, B. J., & Sestir, M. A. (2006). Chronic violent video game exposure and desensitization to violence : Behavioral and event-related brain potential data. *Journal of Experimental Social Psychology, 42*, 532-539. (p. 704)

Bashore, T. R., Ridderinkhof, K. R., & van der Molen, M. W. (1997). The decline of cognitive processing speed in old age. *Current Directions in Psychological Science, 6*, 163-169. (p. 210)

Baskind, D. E. (1997, December 14). Personal communication, from Delta College. (p. 644)

Bassett, D. R., Schneider, P. L., & Huntington, G. E. (2004). Physical activity in an Old Order Amish community. *Medicine and Science in Sports and Exercise, 36*, 79-85. (p. 461)

Bat-Chava, Y. (1993). Antecedents of self-esteem in deaf people : A metaanalytic review. *Rehabilitation Psychology, 38*(4), 221-234. (p. 251)

Bat-Chava, Y. (1994). Group identification and self-esteem of deaf adults. *Personality and Social Psychology Bulletin, 20*, 494-502. (p. 251)

Bauer, P. J. (2002). Long-term recall memory : Behavioral and neurodevelopmental changes in the first 2 years of life. *Current Directions in Psychology, 11*, 137-141. (p. 178)

Bauer, P. J. (2007). Recall in infancy : A neurodevelopmental account. *Current Directions in Psychological Science, 16*, 142-146. (p. 178)

Bauer, P. J., Burch, M. M., Scholin, S. E., & Güler, O. E. (2007). Using cue words to investigate the distribution of autobiographical memories in childhood. *Psychological Science, 18*, 910-916. (p. 345)

Baum, A., & Posluszny, D. M. (1999). Health psychology : Mapping biobehavioral contributions to health and illness. *Annual Review of Psychology, 50*, 137-163. (p. 536)

Baumeister, H., & Härter, M. (2007). Prevalence of mental disorders based on general population surveys. *Social Psychiatry and Psychiatric Epidemiology, 42*, 537-546. (pp. 594, 631)

Baumeister, R. F. (1989). The optimal margin of illusion. *Journal of Social and Clinical Psychology, 8*, 176-189. (p. 377)

Baumeister, R. F. (1996). Should schools try to boost self-esteem ? Beware the dark side. *American Educator, 20*, 14019, 43. (p. 588)

Baumeister, R. F. (2000). Gender differences in erotic plasticity : The female sex drive as socially flexible and responsive. *Psychological Bulletin, 126*, 347-374. (p. 472)

Baumeister, R. F. (2001, April). Violent pride : Do people turn violent because of self-hate, or self-love ? *Scientific American*, pp. 96-101. (p. 588)

Baumeister, R. F. (2005). *The cultural animal : Human nature, meaning, and social life.* New York : Oxford University Press. (p. 153)

Baumeister, R. F. (2006, August/September). Violent pride. *Scientific American Mind*, pp. 54-59. (p. 585)

Baumeister, R. F., & Bratslavsky, E. (1999). Passion, intimacy, and time : Passionate love as a function of change in intimacy. *Personality and Social Psychology Review, 3*, 49-67. (p. 711)

Baumeister, R. F., & Exline, J. J. (2000). Self-control, morality, and human strength. *Journal of Social and Clinical Psychology, 19*, 29-42. (p. 579)

Baumeister, R. F., & Leary, M. R. (1995). The need to belong : Desire for interpersonal attachments as a fundamental human motivation. *Psychological Bulletin, 117*, 497-529. (p. 478)

Baumeister, R. F., & Tice, D. M. (1986). How adolescence became the struggle for self : A historical transformation of psychological development. In J. Suls & A. G. Greenwald (Eds.), *Psychological perspectives on the self* (Vol. 3). Hillsdale, NJ : Erlbaum. (p. 205)

Baumeister, R. F., Catanese, K. R., & Vohs, K. D. (2001). Is there a gender difference in strength of sex drive ? Theoretical views, conceptual distinctions, and a review of relevant evidence. *Personality and Social Psychology Review, 5*, 242-273. (p. 146)

Baumeister, R. F., Dale, K., & Sommer, K. L. (1998). Freudian defense mechanisms and empirical findings in modern personality and social psychology : Reaction formation, projection, displacement, undoing, isolation, sublimation, and denial. *Journal of Personality, 66*, 1081-1125. (p. 562)

Baumeister, R. F., Twenge, J. M., & Nuss, C. K. (2002). Effects of social exclusion on cognitive processes : Anticipated aloneness reduces intelligent thought. *Journal of Personality and Social Psychology, 83*, 817-827. (p. 481)

Baumgardner, A. H., Kaufman, C. M., & Levy, P. E. (1989). Regulating affect interpersonally : When low esteem leads to greater enhancement. *Journal of Personality and Social Psychology, 56*, 907-921. (p. 585)

Baumrind, D. (1982). Adolescent sexuality : Comment on Williams' and Silka's comments on Baumrind. *American Psychologist, 37*, 1402-1403. (p. 478)

Baumrind, D. (1996). The discipline controversy revisited. *Family Relations, 45*, 405-414. (p. 195)

Baumrind, D., Larzelere, R. E., & Cowan, P. A. (2002). Ordinary physical punishment : Is it harmful ? Comment on Gershoff (2002). *Psychological Bulletin, 128*, 602-611. (p. 311)

Bavelier, D., Dye, M. W. G., & Hauser, P. C. (2006). Do deaf individuals see better ? *Trends in Cognitive Sciences, 10*, 512-518. (p. 252)

Bavelier, D., Newport, E. L., & Supalla, T. (2003). Children need natural languages, signed or spoken. *Cerebrum, 5(1)*, 19-32. (p. 387)

Bavelier, D., Tomann, A., Hutton, C., Mitchell, T., Corina, D., Liu, G., & Neville, H. (2000). Visual attention to the periphery is enhanced in congenitally deaf individuals. *Journal of Neuroscience, 20*, 1-6. (p. 73)

Bayley, N. (1949). Consistency and variability in the growth of intelligence from birth to eighteen years. *Journal of Genetic Psychology, 75*, 165-196. (p. 423)

BBC (2006, June 14). Crystal meth to be Class A drug. BBC News (www.news.bbc.co.uk). (p. 117)

BBC (2008, February 26). Anti-depressants « of little use. » *BBC News* (www.news.bbc.co.uk). (p. 663)

Beaman, A. L., & Klentz, B. (1983). The supposed physical attractiveness bias against supporters of the women's movement : A meta-analysis. *Personality and Social Psychology Bulletin, 9*, 544-550. (p. 709)

Beardsley, L. M. (1994). Medical diagnosis and treatment across cultures. In W. J. Lonner & R. Malpass (Eds.), *Psychology and culture.* Boston : Allyn & Bacon. (p. 596)

Beaton, A. A., & Mellor, G. (2007). Direction of hair whorl and handedness. *Laterality, 12*, 295-301. (p. 476)

Beauchamp, G. K. (1987). The human preference for excess salt. *American Scientist, 75*, 27-33. (p. 451)

Beaujean, A. A. (2005). Heritability of cognitive abilities as measured by mental chronometric tasks : A meta-analysis. *Intelligence, 33*, 187-201. (p. 428)

Beck, A. T., & Steer, R. A. (1989). Clinical predictors of eventual suicide : A 5- to 10-year prospective study of suicide attempters. *Journal of Affective Disorders, 17*, 203-209. (p. 616)

Beck, A. T., Rush, A. J., Shaw, B. F., & Emery, G. (1979). *Cognitive therapy of depression.* New York : Guilford Press. (p. 647)

Becker, D. V., Kenrick, D. T., Neuberg, S. L., Blackwell, K. C., & Smith, D. M. (2007). The confounded nature of angry men and happy women. *Journal of Personality and Social Psychology, 92*, 179-190. (p. 510)

Becker, S., & Wojtowicz, J. M. (2007). A model of hippocampal neurogenesis in memory and mood disorders. *Trends in Cognitive Sciences, 11*, 70-76. (p. 663)

Becklen, R., & Cervone, D. (1983). Selective looking and the noticing of unexpected events. *Memory and Cognition, 11*, 601-608. (p. 90)

Beckman, M. (2004). Crime, culpability, and the adolescent brain. *Science, 305*, 596-599. (p. 199)

Beeman, M. J., & Chiarello, C. (1998). Complementary right- and left-hemisphere language comprehension. *Current Directions in Psychological Science, 7*, 2-8. (p. 78)

Beilin, H. (1992) Piaget's enduring contribution to developmental psychology. *Developmental Psychology, 28*, 191-204. (p. 186)

Beitman, B. D., Goldfried, M. R., & Norcross, J. C. (1989). The movement toward integrating the psychotherapies : An overview. *American Journal of Psychiatry, 146*, 138-147. (p. 637)

Bell, A. P., Weinberg, M. S., & Hammersmith, S. K. (1981). *Sexual preference : Its development in men and women.* Bloomington : Indiana University Press. (p. 473)

Bell, R. Q., & Waldrop, M. F. (1989). Achievement and cognitive correlates of minor physical anomalies in early development. In M. G. Bornstein & N. A. Krasnegor (Eds.), *Stability and continuity in mental development : Behavioral and biological perspectives.* Hillsdale, NJ : Erlbaum. (p. 423)

Bellugi, U. (1994, August). Quoted in P. Radetsky, Silence, signs, and wonder. *Discover*, pp. 60-68. (p. 383)

Belot, M., & Francesconi, M. (2006, November). *Can anyone be « the one » ? Evidence on mate selection from speed dating.* London : Centre for Economic Policy Research (www.cepr.org). (p. 707)

Belsher, G., & Costello, C. G. (1988). Relapse after recovery from unipolar depression : A critical review. *Psychological Bulletin, 104*, 84-96. (p. 614)

Belsky, J. (2003). The politicized science of day care : A personal and professional odyssey. *Family Policy Review 1*(2), 23-40. (p. 194)

Belsky, J., Bakermans-Kranenburg, M. J., & van Ijzendoorn, M. H. (2007). For better *and* for worse : Differential susceptibility to environmental influences. *Current Directions in Psychological Science, 16*, 300-304. (p. 630)

Bem, D. J. (1984). Quoted in *The Skeptical Inquirer, 8*, 194. (p. 284)

Bem, D. J. (1996). Exotic becomes erotic : A developmental theory of sexual orientation. *Psychological Review, 103*, 320-335. (p. 477)

Bem, D. J. (1998). Is EBE theory supported by the evidence ? Is it androcentric ? A reply to Peplau et al. (1998). *Psychological Review, 105*, 395-398. (p. 477)

Bem, D. J. (2000). Exotic becomes erotic : Interpreting the biological correlates of sexual orientation. *Archives of Sexual Behavior, 29*, 531-548. (p. 477)

Bem, D. J., & Honorton, C. (1994). Does psi exist ? Replicable evidence for an anomalous process of information transfer. *Psychological Bulletin, 115*, 4-18. (p. 284)

Bem, D. J., Palmer, J., & Broughton, R. S. (2001). Updating the Ganzfeld database : A victim of its own success ? *Journal of Parapsychology, 65*, 207-218. (p. 284)

Bem, S. L. (1987). Masculinity and femininity exist only in the mind of the perceiver. In J. M. Reinisch, L. A. Rosenblum, & S. A. Sanders (Eds.), *Masculinity/ femininity : Basic perspectives.* New York : Oxford University Press. (p. 165)

Bem, S. L. (1993). *The lenses of gender.* New Haven : Yale University Press. (p. 165)

Benbow, C. P., Lubinski, D., Shea, D. L., & Eftekhari-Sanjani, H. (2000). Sex differences in mathematical reasoning ability at age 13 : Their status 20 years later. *Psychological Science, 11*, 474-2000. (p. 433)

Bennett, R. (1991, February). Pornography and extrafamilial child sexual abuse : Examining the relationship. Unpublished manuscript, Los Angeles Police Department Sexually Exploited Child Unit. (p. 702)

Bennett, W. I. (1995). Beyond overeating. *New England Journal of Medicine, 332*, 673-674. (p. 463)

Ben-Shakhar, G., & Elaad, E. (2003). The validity of psychophysiological detection of information with the guilt knowledge test : A meta-analytic review. *Journal of Applied Psychology, 88*, 131-151. (p. 504)

Benson, H. (1996). *Timeless healing : The power and biology of belief.* New York : Scribner. (p. 547)

Benson, K., & Feinberg, I. (1977). The beneficial effect of sleep in an extended Jenkins and Dallenbach paradigm. *Psychophysiology, 14*, 375-384. (p. 354)

Benson, P. L. (1992, Spring). Patterns of religious development in adolescence and adulthood. *PIRI Newsletter*, 2-9. (p. 162)

Berenbaum, S. A., & Bailey, J. M. (2003). Effects on gender identity of prenatal androgens and genital appearance : Evidence from girls with congenital adrenal hyperplasia. *Journal of Clinical Endocrinology and Metabolism, 88*, 1102-1106. (p. 163)

Berenbaum, S. A., & Hines, M. (1992). Early androgens are related to childhood sex-typed toy preferences. *Psychological Science, 3*, 203-206. (p. 163)

Berenbaum, S. A., Korman, K., & Leveroni, C. (1995). Early hormones and sex differences in cognitive abilities. *Learning and Individual Differences, 7*, 303-321. (p. 433)

Berenson, A. (2007, September 3). New schizophrenia drug shows promise in trials. *New York Times* (www.nytimes.com). (p. 661)

Berghuis, P. & 16 others (2007). Hardwiring the brain : Endocannabinoids shape neuronal connectivity. *Science, 316*, 1212-1216. (p. 122)

Bergin, A. E. (1980). Psychotherapy and religious values. *Journal of Consulting and Clinical Psychology, 48*, 95-105. (p. 659)

Berk, L. E. (1994, November). Why children talk to themselves. *Scientific American*, pp. 78-83. (p. 185)

Berk, L. S., Felten, D. L., Tan, S. A., Bittman, B. B., & Westengard, J. (2001). Modulation of neuroimmune parameters during the eustress of humor-associated mirthful laughter. *Alternative Therapies, 7*, 62-76. (p. 540)

Berkel, J., & de Waard, F. (1983). Mortality pattern and life expectancy of Seventh Day Adventists in the Netherlands. *International Journal of epidemiology, 12*, 455-459. (p. 548)

Berkowitz, L. (1983). Aversively stimulated aggression : Some parallels and differences in research with animals and humans. *American Psychologist, 38*, 1135-1144. (p. 700)

Berkowitz, L. (1989). Frustration-aggression hypothesis : Examination and reformulation. *Psychological Bulletin, 106*, 59-73. (p. 700)

Berkowitz, L. (1990). On the formation and regulation of anger and aggression : A cognitive-neoassociationistic analysis. *American Psychologist, 45*, 494-503. (p. 518)

Berman, M., Gladue, B., & Taylor, S. (1993). The effects of hormones, Type A behavior pattern, and provocation on aggression in men. *Motivation and Emotion, 17*, 125-138. (p. 699)

Berndt, T. J. (1992). Friendship and friends' influence in adolescence. *Current Directions in Psychological Science, 1*, 156-159. (p. 162)

Bernhardt, P. C., Dabbs, J. M., Jr., Fielden, J. A., & Lutter, C. D. (1998). Testosterone changes during vicarious experiences of winning and losing among fans at sporting events. *Physiology and Behavior, 65*, 59-62. (p. 699)

Berridge, K. C., & Winkielman, P. (2003). What is an unconscious emotion ? (The case of unconscious « liking »). *Cognition and Emotion, 17*, 181-211. (p. 504)

Berry, D. S., & McArthur, L. Z. (1986). Perceiving character in faces : The impact of age-related craniofacial changes on social perception. *Psychological Bulletin, 100*, 3-18. (p. 298)

Berscheid, E. (1981). An overview of the psychological effects of physical attractiveness and some comments upon the psychological effects of knowledge of the effects of physical attractiveness. In G. W. Lucker, K. Ribbens, & J. A. McNamara (Eds.), *Psychological aspects of facial form* (Craniofacial growth series). Ann Arbor : Center for Human Growth and Development, University of Michigan. (p. 707)

Berscheid, E. (1985). Interpersonal attraction. In G. Lindzey & E. Aronson (Eds.), *The handbook of social psychology.* New York : Random House. (p. 479)

Berscheid, E., Gangestad, S. W., & Kulakowski, D. (1984). Emotion in close relationships : Implications for relationship counseling. In S. D. Brown & R. W. Lent (Eds.), *Handbook of counseling psychology.* New York : Wiley. (p. 711)

Berti, A., Cottini, G., Gandola, M., Pia, L., Smania, N., Stracciari, A., Castiglioni, I., Vallar, G., & Paulesu, E. (2005). Shared cortical anatomy for motor awareness and motor control. *Science, 309*, 488-491. (p. 79)

Bertua, C., Anderson, N., & Salgado, J. F. (2005). The predictive validity of cognitive ability tests : A UK meta-analysis. *Journal of Occupational and Organizational Psychology, 78*, 387-409. (p. 408)

Bettencourt, B. A., & Kernahan, C. (1997). A meta-analysis of aggression in the presence of violent cues : Effects of gender differences and aversive provocation. *Aggressive Behavior, 23*, pp. 447-457. (p. 160)

Beyerstein, B., & Beyerstein, D. (Eds.) (1992). *The write stuff : Evaluations of graphology.* Buffalo, NY : Prometheus Books. (p. 572)

Bhatt, R. S., Wasserman, E. A., Reynolds, W. F., Jr., & Knauss, K. S. (1988). Conceptual behavior in pigeons : Categorization of both familiar and novel examples from four classes of natural and artificial stimuli. *Journal of Experimental Psychology : Animal Behavior Processes, 14*, 219-234. (p. 306)

Bialystok, E. (2001). *Bilingualism in development, language, literacy, and cognition.* New York : Cambridge University Press. (p. 393)

Biederman, I., & Vessel, E. A. (2006). Perceptual pleasure and the brain. *American Scientist, 94*, 247-253. (p. 446)

Biederman, J., Wilens, T., Mick, E., Spencer, T., & Faraone, S. V. (1999). Pharmacotherapy of Attention-Deficit/Hyperactivity Disorder reduces risk for substance use disorder. *Pediatrics, 104*, 1-5. (p. 595)

Biggs, V. (2001, April 13). Murder suspect captured in Grand Marais. *Cook County News-Herald.* (p. 510)

Bigler, E. D., Johnson, S. C., Jackson, C., & Blatter, D. D. (1995). Aging, brain size, and IQ. *Intelligence, 21*, 109-119. (p. 413)

Binet, A. (1909). *Les idées mordermes sur les enfants.* Paris : Flammarion (quoted by A. Clarke & A. Clarke, Born to be bright. *The Psychologist, 19*, 409). (p. 416)

Binitie, A. (1975) A factor-analytical study of depression across cultures (African and European). *British Journal of Psychiatry, 127*, 559-563.. (p. 608)

Birnbaum, G. E., Reis, H. T., Mikulincer, M., Gillath, O., & Orpaz, A. (2006). When sex is more than just sex : Attachment orientations, sexual experience, and relationship quality. *Journal of Personality and Social Psychology, 91*, 929-943. (p. 191)

Birnbaum, S. G., Yuan, P. X., Wang, M., Vijayraghavan, S., Bloom, A. K., Davis, D. J., Gobeski, K. T., Sweatt, J. D., Manhi, H. K., & Arnsten, A. F. T. (2004). Protein kinase C overactivity impairs prefrontal cortical regulation of working memory. *Science, 306*, 882-884. (p. 341)

Bishop, G. (2004, November 22). Personal correspondence, and earlier articles on « The great divide » in the *Austin Statesman.* (p. 689)

Bishop, G. D. (1991). Understanding the understanding of illness : Lay disease representations. In J. A. Skelton & R. T. Croyle (Eds.), *Mental representation in health and illness.* New York : Springer-Verlag. (p. 371)

Bisson, J., & Andrew, M. (2007). Psychological treatment of post-traumatic stress disorder (PTSD). *Cochrane Database of Systematic Reviews 2007*, Issue 3. Art. No : CD003388. (p. 656)

Bjork, R. A. (2000, July/August). Toward one world of psychological science. *APS Observer*, p. 3. (p. 6)

Bjorklund, D. F., & Green, B. L. (1992). The adaptive nature of cognitive immaturity. *American Psychologist, 47*, 46-54. (p. 188)

Blackburn, E. H., Greider, C. W., & Szostak, J. W. (2007). Telomeres and telomerase : The path from maize, *Tetrahymena* and yeast to human cancer and aging. *Nature Medicine, 12*(10), vii-xii. (p. 209)

Blackmore, S. (1991, Fall). Near-death experiences : In or out of the body ? *Skeptical Inquirer*, pp. 34-45. (p. 127)

Blackmore, S. (1993). *Dying to live.* Amherst, NY : Prometheus Books. (p. 127)

Blakemore, S-J. (2008). Development of the social brain during adolescence. *Quarterly Journal of Experimental Psychology, 61*, 40-49. (p. 198)

Blakemore, S-J., Wolpert, D. M., & Frith, C. D. (1998). Central cancellation of self-produced tickle sensation. *Nature Neuroscience, 1*, 635-640. (p. 220), 253)

Blakeslee, S. (2006, January 10). Cells that read minds. *New York Times* (www.nytimes.com). (p. 318)

Blakeslee, S. (2005, February 8). Focus narrows in search for autism's cause. *New York Times* (www.nytimes.com). (p. 186)

Blanchard, R. (1997). Birth order and sibling sex ratio in homosexual versus heterosexual males and females. *Annual Review of Sex Research, 8, 27-67.* (p. 473)

Blanchard, R. (2008). Review and theory of handedness, birth order, and homosexuality in men. *Laterality, 13*, 51-70. (p. 473)

Blanchard-Fields, F. (2007). Everyday problem solving and emotion : An adult developmental perspective. *Current Directions in Psychological Science, 16*, 26-31. (p. 216)

Blanchflower, D. G., & Oswald, A. J. (2008). Hypertension and happiness across nations. *Journal of Health Economics, 27*, 218-233. (pp. 220, 531)

Blank, H., Musch, J., & Pohl, R. F. (2007) Hindsight bias : On being wise after the event. *Social Cognition, 25*, 1-9. (p. 3)

Blanke, O., Landis, T., & Spinelli, L. (2004). Out-of-body experience and autoscopy of neurological origin. *Brain : Journal of Neurology, 127*, 243-258. (p. 127)

Blanke, O., Ortigue, S., Landis, T., & Seeck, M. (2002). Stimulating illusory own-body perceptions. *Nature, 419*, 269-270. (p. 127)

Blankenburg, F., Taskin, B., Ruben, J., Moosmann, M., Ritter, P., Curio, G., & Villringer, A. (2003). Imperceptive stimuli and sensory processing impediment. *Science, 299*, 1864. (p. 233)

Blascovich, J., Seery, M. D., Mugridge, C. A., Norris, R. K., & Weisbuch, M. (2004). Predicting athletic performance from cardiovascular indexes of challenge and threat. *Journal of Experimental Social Psychology, 40*, 683-688. (p. 528)

Blass, T. (1996). Stanley Milgram : A life of inventiveness and controversy. In G. A. Kimble, C. A. Boneau, & M. Wertheimer (Eds.), *Portraits of pioneers in psychology (Vol. II)*. Washington, DC and Mahwah, NJ : American Psychological Association and Lawrence Erlbaum Publishers. (p. 684)

Blass, T. (1999). The Milgram paradigm after 35 years : Some things we now know about obedience to authority. *Journal of Applied Social Psychology, 29*, 955-978. (p. 684)

Blatt, S. J., Sanislow, C. A., III, Zuroff, D. C., & Pilkonis, P. (1996). Characteristics of effective therapists : Further analyses of data from the National Institute of Mental Health Treatment of Depression Collaborative Research Program. *Journal of Consulting and Clinical Psychology, 64*, 1276-1284. (p. 658)

Bleustein, J. (2002, June 15). Quoted in « Harley retooled, » by S. S. Smith, *American Way Magazine.* (p. 492)

Bloom, B. C. (Ed.). (1985). *Developing talent in young people.* New York : Ballantine. (p. 488)

Bloom, B. J. (1964). *Stability and change in human characteristics.* New York : Wiley. (p. 423)

Bloom, F. E. (1993, January/February). What's new in neurotransmitters. *BrainWork*, pp. 7-9. (p. 51)

Bloom, P. (2000). *How children learn the meanings of words.* Cambridge, MA : MIT Press. (p. 384)

Blum, K., Cull, J. G., Braverman, E. R., & Comings, D. E. (1996). Reward deficiency syndrome. *American Scientist, 84*, 132-145. (p. 67)

Boag, S. (2006). Freudian repression, the common view, and pathological science. *Review of General Psychology, 10*, 74-86. (p. 561)

Boahen, K. (2005, May). Neuromorphic microchips. *Scientific American*, pp. 56-63. (p. 250)

Bocklandt, S., Horvath, S., Vilain, E., & Hamer, D. H. (2006). Extreme skewing of X chromosome inactivation in mothers of homosexual men. *Human Genetics, 118*, 691-694. (p. 475)

Bodenhausen, G. V., Sheppard, L. A., & Kramer, G. P. (1994). Negative affect and social judgment : The differential impact of anger and sadness. *European Journal of Social Psychology, 24*, 45-62. (p. 718)

Bodkin, J. A., & Amsterdam, J. D. (2002). Transdermal selegiline in major depression : A double-blind, placebo-controlled, parallel-group study in outpatients. *American Journal of Psychiatry, 159*, 1869-1875. (p. 662)

Boehm, K. E., Schondel, C. K., Marlowe, A. L., & Manke-Mitchell, L. (1999). Teens' concerns : A national evaluation. *Adolescence, 34*, 523-528. (p. 205)

Boehm-Davis, D. A. (2006). Improving product safety and effectiveness in the home. In R. S. Nickerson (Ed.), *Reviews of human factors and ergonomics.* Volume 1 (pp. 219-253). Santa Monica, CA : Human Factors and Ergonomics Society, 219-253. (p. 280)

Boesch-Achermann, H., & Boesch, C. (1993). Tool use in wild chimpanzees : New light from dark forests. *Current Directions in Psychological Science, 2*, 18-21. (p. 396)

Bogaert, A. F. (2003). Number of older brothers and sexual orientation : New texts and the attraction/behavior distinction in two national probability samples. *Journal of Personality and Social Psychology, 84*, 644-652. (p. 473)

Bogaert, A. F. (2004). Asexuality : Prevalence and associated factors in a national probability sample. *Journal of Sex Research, 41*, 279-287. (p. 472)

Bogaert, A. F. (2006). Biological versus nonbiological older brothers and men's sexual orientation. *Proceedings of the National Academy of Sciences, 103*, 10771-10774. (p. 473)

Bogaert, A. F. (2006). Toward a conceptual understanding of asexuality. *Review of General Psychology, 10*, 241-250. (p. 472)

Bogaert, A. F., Friesen, C., & Klentrou, P. (2002). Age of puberty and sexual orientation in a national probability sample. *Archives of Sexual Behavior, 31*, 73-81. (p. 474)

Boggiano, A. K., Harackiewicz, J. M., Bessette, M. M., & Main, D. S. (1985). Increasing children's interest through performance-contingent reward. *Social Cognition, 3*, 400-411. (p. 313)

Boggiano, M. M., Chandler, P. C., Viana, J. B., Oswald, K. D., Maldonado, C. R., & Wauford, P. K. (2005). Combined dieting and stress evoke exaggerated responses to opioids in binge-eating rats. *Behavioral Neuroscience, 119*, 1207-1214. (p. 451)

Bohman, M., & Sigvardsson, S. (1990). Outcome in adoption : Lessons from longitudinal studies. In D. Brodzinsky & M. Schechter (Eds.), *The psychology of adoption.* New York : Oxford University Press. (p. 139)

Bolger, N., DeLongis, A., Kessler, R. C., & Schilling, E. A. (1989). Effects of daily stress on negative mood. *Journal of Personality and Social Psychology, 57,* 808-818. (p. 520)

Bolwig, T. G., Madsen, T. M. (2007). Electroconvulsive therapy in melancholia : The role of hippocampal neurogenesis. *Acta Psychiatrica Scandinavica, 115,* 130-135. (p. 664)

Bonanno, G. A. (2001). Grief and emotion : Experience, expression, and dissociation. In M. Stroebe, W. Stroebe, R. O. Hansson, & H. Schut (Eds.), *New handbook of bereavement : Consciousness, coping, and care.* Cambridge : Cambridge University Press. (p. 222)

Bonanno, G. A. (2004). Loss, trauma, and human resilience : Have we underestimated the human capacity to thrive after extremely aversive events ? *American Psychologist, 59,* 20-28. (pp. 222, 605)

Bonanno, G. A. (2005). Adult resilience to potential trauma. *Current Directions in Psychological Science, 14,* 135-137. (p. 605)

Bonanno, G. A., & Kaltman, S. (1999). Toward an integrative perspective on bereavement. *Psychological Bulletin, 125,* 760-777. (p. 222)

Bonanno, G. A., Galea, S., Bucciarelli, A., & Vlahov, D. (2006). Psychological resilience after disaster. *Psychological Science, 17,* 181-186. (p. 605)

Bond, Jr., C. F. & the 89 others on The Global Deception Research Team (2006). A world of lies. *Journal of Cross-Cultural Psychology, 37,* 60-74. (p. 509)

Bond, Jr., C. F., & DePaulo, B. M. (2006). Accuracy of deception judgments. *Personality and Social Psychology Review, 10,* 214-234. (p. 509)

Bond, Jr., C. F., & DePaulo, B. M. (2008). Individual differences in detecting deception : Accuracy and bias. *Psychological Bulletin, 134,* 477-492. (p. 509)

Bond, M. H. (1988). Finding universal dimensions of individual variation in multi-cultural studies of values : The Rokeach and Chinese values surveys. *Journal of Personality and Social Psychology, 55,* 1009-1015. (p. 156)

Bond, R., & Smith, P. B. (1996). Culture and conformity : A meta-analysis of studies using Asch's (1952b, 1956) line judgment task. *Psychological Bulletin, 119,* 111-137. (p. 683)

Bonnie, K. E., Horner, V., Whiten, A., & de Waal, F. B. M. (2007). Spread of arbitrary conventions among chimpanzees : A controlled experiment. *Proceedings of the Royal Society, 274,* 367-372. (p. 397)

Bono, J. E., & Judge, T. A. (2004). Personality and transformational and transactional leadership : A meta-analysis. *Journal of Applied Psychology, 89,* 901-910. (p. 492)

Bookheimer, S. H., Strojwas, M. H., Cohen, M. S., Saunders, A. M., Pericak-Vance, M. A., Mazziotta, J. C., & Small, G. W. (2000). Patterns of brain activation in people at risk for Alzheimer's disease. *New England Journal of Medicine, 343,* 450-456. (p. 212)

Bookwala, J., & Boyar, J. (2008). Gender, excessive body weight, and psychological well-being in adulthood. *Psychology of Women Quarterly, 32,* 188-195. (p. 458)

Boos, H. B. M., Aleman, A., Cahn, W., Hulshoff, H., & Kahn, R. S. (2007). Brain volumes in relatives of patients with schizophrenia. *Archives of General Psychiatry, 64,* 297-304. (p. 625)

Booth, F. W., & Neufer, P. D. (2005). Exercise controls gene expression. *American Scientist, 93,* 28-35. (p. 544)

Boring, E. G. (1930). A new ambiguous figure. *American Journal of Psychology, 42,* 444-445. (p. 275)

Bornstein, M. H., Cote, L. R., Maital, S., Painter, K., Park, S-Y., Pascual, L., Pecheux, M-G., Ruel, J., Venute, P., & Vyt, A. (2004). Cross-linguistic analysis of vocabulary in young children : Spanish, Dutch, French, Hebrew, Italian, Korean, and American English. *Child Development, 75,* 1115-1139. (p. 387)

Bornstein, M. H., Tal, J., Rahn, C., Galperin, C. Z., Pecheux, M-G., Lamour, M., Toda, S., Azuma, H., Ogino, M., & Tamis-LeMonda, C. S. (1992a). Functional analysis of the contents of maternal speech to infants of 5 and 13 months in four cultures : Argentina, France, Japan, and the United States. *Developmental Psychology, 28,* 593-603. (p. 158)

Bornstein, M. H., Tamis-LeMonda, C. S., Tal, J., Ludemann, P., Toda, S., Rahn, C. W., Pecheux, M-G., Azuma, H., Vardi, D. (1992b). Maternal responsiveness to infants in three societies : The United States, France, and Japan. *Child Development, 63,* 808-821. (p. 158)

Bornstein, R. F. (1989). Exposure and affect : Overview and meta-analysis of research, 1968-1987. *Psychological Bulletin, 106,* 265-289. (pp. 189, 706)

Bornstein, R. F. (1999). Source amnesia, misattribution, and the power of unconscious perceptions and memories. *Psychoanalytic Psychology, 16,* 155-178. (p. 706)

Bornstein, R. F. (2001). The impending death of psychoanalysis. *Psychoanalytic Psychology, 18,* 3-20. (p. 564)

Bornstein, R. F., Galley, D. J., Leone, D. R., & Kale, A. R. (1991). The temporal stability of ratings of parents : Test-retest reliability and influence of parental contact. *Journal of Social Behavior and Personality, 6,* 641-649. (p. 349)

Boscarino, J. A. (1997). Diseases among men 20 years after exposure to severe stress : Implications for clinical research and medical care. *Psychosomatic Medicine, 59,* 605-614. (p. 528)

Bösch, H., Steinkamp, F., & Boller, E. (2006a). Examining psychokinesis : The interaction of human intention with random number generators — A meta-analysis. *Psychological Bulletin, 132,* 497-523. (p. 284)

Bösch, H., Steinkamp, F., & Boller, E. (2006b). In the eye of beholder : Reply to Wilson and Shadish (2006) and Radin, Nelson, Dobyns, and Houtkooper (2006). *Psychological Bulletin, 132,* 533-537. (p. 284)

Bosma, H., Marmot, M. G., Hemingway, H., Nicolson, A. C., Brunner, E., & Stansfeld, S. A. (1997). Low job control and risk of coronary heart disease in Whitehall II (prospective cohort) study. *British Medical Journal, 314,* 558-565. (p. 539)

Bosma, H., Peter, R., Siegrist, J., & Marmot, M. (1998). Two alternative job stress models and the risk of coronary heart disease. *American Journal of Public Health, 88,* 68-74. (p. 539)

Bostwick, J. M., & Pankratz, V. S. (2000). Affective disorders and suicide risk : A re-examination. *American Journal of Psychiatry, 157,* 1925-1932. (p. 616)

Bosworth, R. G., & Dobkins, K. R. (1999). Left-hemisphere dominance for motion processing in deaf signers. *Psychological Science, 10,* 256-262. (p. 74)

Bothwell, R. K., Brigham, J. C., & Malpass, R. S. (1989). Cross-racial identification. *Personality and Social Psychology Bulletin, 15,* 19-25. (p. 697)

Bothwell, R. K., Deffenbacher, K. A., & Brigham, J. C. (1987). Correlation of eyewitness accuracy and confidence : Optimality hypothesis revised. *Journal of Applied Psychology, 72,* 691-695. (p. 359)

Botwin, M. D., Buss, D. M., & Shackelford, T. K. (1997). Personality and mate preferences : Five factors in mate selection and marital satisfaction. *Journal of Personality, 65,* 107-136. (p. 572)

Bouchard, T. J., Jr. (1981, December 6). Interview on Nova : Twins [program broadcast by the Public Broadcasting Service]. (p. 138)

Bouchard, T. J., Jr. (1995). Longitudinal studies of personality and intelligence : A behavior genetic and evolutionary psychology perspective. In D. H. Saklofske & M. Zeidner (Eds.), *International handbook of personality and intelligence.* New York : Plenum. (p. 428)

Bouchard, T. J., Jr. (1996a). IQ similarity in twins reared apart : Finding and responses to critics. In R. Sternberg & C. Grigorenko (Eds.), *Intelligence : Heredity and environment.* New York : Cambridge University Press. (p. 427)

Bouchard, T. J., Jr. (1996b). Behavior genetic studies of intelligence, yesterday and today : The long journey from plausibility to proof. *Journal of Biosocial Science, 28,* 527-555. (p. 428)

Bouchard, T. J., Jr., & McGue, M. (1990). Genetic and rearing environmental influences on adult personality : An analysis of adopted twins reared apart. *Journal of Personality, 58,* 263. (p. 138)

Bouton, M. E., Mineka, S., & Barlow, D. H. (2001). A modern learning theory perspective on the etiology of panic disorder. *Psychological Review, 108,* 4-32. (p. 606)

Bowden, E. M., & Beeman, M. J. (1998). Getting the right idea : Semantic activation in the right hemisphere may help solve insight problems. *Psychological Science, 9,* 435-440. (p. 78)

Bower, B. (2003, November 22). Vision seekers. *Science News, 164,* pp. 331, 332. (p. 273)

Bower, G. H. (1983). Affect and cognition. *Philosophical Transaction : Royal Society of London, Series B, 302,* 387-402. (p. 348)

Bower, G. H. (1986). Prime time in cognitive psychology. In P. Eelen (Ed.), *Cognitive research and behavior therapy : Beyond the conditioning paradigm.* Amsterdam : North Holland Publishers. (p. 347)

Bower, G. H., & Morrow, D. G. (1990). Mental models in narrative comprehension. *Science, 247,* 44-48. (p. 333)

Bower, G. H., Clark, M. C., Lesgold, A. M., & Winzenz, D. (1969). Hierarchical retrieval schemes in recall of categorized word lists. *Journal of Verbal Learning and Verbal Behavior, 8*, 323-343. (p. 337)

Bower, J. E., Kemeny, M. E., Taylor, S. E., & Fahey, J. L. (1998). Cognitive processing, discovery of meaning, CD4 decline, and AIDS-related mortality among bereaved HIV-seropositive men. *Journal of Consulting and Clinical Psychology, 66*, 979-986. (p. 536)

Bower, J. M., & Parsons, L. M. (2003, August). Rethinking the « lesser brain. » *Scientific American*, pp. 50-57. (p. 64)

Bowers, K. S. (1984). Hypnosis. In N. Endler & J. M. Hunt (Eds.), *Personality and behavioral disorders (2nd ed.)*. New York : Wiley. (p. 108 ; Wiley. (pp. 211, 212. (p. 109)

Bowers, K. S. (1987, July). Personal communication. (p. 109)

Bowers, T. G., & Clum, G. A. (1988). Relative contribution of specific and nonspecific treatment effects : Meta-analysis of placebo-controlled behavior therapy research. *Psychological Bulletin, 103*, 315-323. (p. 654)

Bowlby, J. (1973). *Separation : Anxiety and anger.* New York : Basic Books. (p. 193)

Bowler, M. C., & Woehr, D. J. (2006). A meta-analytic evaluation of the impact of dimension and exercise factors on assessment center ratings. *Journal of Applied Psychology, 91*, 1114-1124. (p. 583)

Bowles, S., & Kasindorf, M. (2001, March 6). Friends tell of picked-on but « normal » kid. *USA Today*, p. 4A. (p. 480)

Bowling, N. A. (2007). Is the job satisfaction-job performance relationship spurious ? A meta-analytic examination. *Journal of Vocational Behavior, 71*, 167-185. (p. 488)

Bowman, H. (2003, Fall). Interactions between chimpanzees and their human caregivers in captive settings : The effects of gestural communication on reciprocity. *Friends of Washoe, 25(1)*, 7-16. (p. 398)

Boyatzis, C. J., Matillo, G. M., & Nesbitt, K. M. (1995). Effects of the « Mighty Morphin Power Rangers » on children's aggression with peers. *Child Study Journal, 25*, 45-55. (p. 323)

Boyer, J. L., Harrison, S., & Ro, T. (2005). Unconscious processing of orientation and color without primary visual cortex. *Proceedings of the National Academy of Sciences, 102*, 16875-16879 (www.pnas.org). (p. 242)

Boynton, R. M. (1979). *Human color vision.* New York : Holt, Rinehart & Winston. (p. 244)

Braden, J. P. (1994). *Deafness, deprivation, and IQ.* New York : Plenum. (pp. 251, 434)

Bradley, D. R., Dumais, S. T., & Petry, H. M. (1976). Reply to Cavonius. *Nature, 261*, 78. (p. 264)

Bradley, R. B. & 15 others (2008). Influence of child abuse on adult depression : Moderation by the corticotropin-releasing hormone receptor gene. *Archives of General Psychiatry, 65*, 190-200. (p. 192)

Braiker, B. (2005, October 18). A quiet revolt against the rules on SIDS. *New York Times* (www.nytimes.com). (p. 178)

Brainerd, C. J. (1996). Piaget : A centennial celebration. *Psychological Science, 7*, 191-195. (p. 179)

Brainerd, C. J., & Poole, D. A. (1997). Long-term survival of children's memories : A review. *Learning and Individual Differences, 9*, 125-151. (p. 359)

Brainerd, C. J., & Reyna, V. F. (1998). When things that were never experienced are easier to « remember » than things that were. *Psychological Science, 9*, 484-489. (p. 359)

Brainerd, C. J., & Reyna, V. F. (2002). Fuzzy-trace theory and false memory. *Current Directions in Psychological Science, 11*, 164-169. (p. 359)

Brainerd, C. J., Reyna, V. F., & Brandse, E. (1995). Are children's false memories more persistent than their true memories ? *Psychological Science, 6*, 359-364. (p. 359)

Brandon, S., Boakes, J., Glaser, & Green, R. (1998). Recovered memories of childhood sexual abuse : Implications for clinical practice. *British Journal of Psychiatry, 172*, 294-307. (p. 362)

Brang, D., Edwards, L., Ramachandran, V. S., & Coulson, S. (2008). Is the sky 2 ? Contextual priming in grapheme-color synaesthesia. *Psychological Science, 19*, 421-428. (p. 260)

Brannon, L. A., & Brock, T. C. (1993). Comment on report of HIV infection in rural Florida : Failure of instructions to correct for gross underestimation of phantom sex partners in perception of AIDS risk. *New England Journal of Medicine, 328*, 1351-1352. (p. 470)

Bransford, J. D., & Johnson, M. K. (1972). Contextual prerequisites for understanding : Some investigations of comprehension and recall. *Journal of Verbal Learning and Verbal Behavior, 11*, 717-726. (p. 334)

Braun, S. (1996). New experiments underscore warnings on maternal drinking. *Science, 273*, 738-739. (p. 175)

Braun, S. (2001, Spring). Seeking insight by prescription. *Cerebrum*, pp. 10-21. (p. 120)

Braunstein, G. D., Sundwall, D. A., Katz, M., Shifren, J. L., Buster, J. E., Simon, J. A., Bachman, G., Aguirre, O. A., Lucas, J. D. Rodenberg, C., Buch, A., & Watts, N. B. (2005). Safety and efficacy of a testosterone patch for the treatment of hypoactive sexual desire disorder in surgically menopausal women : A randomized, placebo-controlled trial. *Archives of Internal Medicine, 165*, 1582-1589. (p. 467)

Bray, D. W., & Byham, W. C. (1991, Winter). Assessment centers and their derivatives. *Journal of Continuing Higher Education*, pp. 8-11. (p. 583)

Bray, D. W., Byham, W., interviewed by Mayes, B. T. (1997). Insights into the history and future of assessment centers : An interview with Dr. Douglas W. Bray and Dr. William Byham. *Journal of Social Behavior and Personality, 12*, 3-12. (p. 583)

Bray, G. A. (1969). Effect of caloric restriction on energy expenditure in obese patients. *Lancet, 2*, 397-398. (p. 459)

Brayne, C., Spiegelhalter, D. J., Dufouil, C., Chi, L-Y., Dening, T. R., Paykel, E. S., O'Connor, D.W., Ahmed, A., McGee, M. A., & Huppert, F.A. (1999). Estimating the true extent of cognitive decline in the old old. *Journal of the American Geriatrics Society, 47*, 1283-1288. (p. 215)

Breedlove, S. M. (1997). Sex on the brain. *Nature, 389*, 801. (p. 474)

Brehm, S., & Brehm, J. W. (1981). *Psychological reactance : A theory of freedom and control.* New York : Academic Press. (p. 690)

Breland, K., & Breland, M. (1961). The misbehavior of organisms. *American Psychologist, 16*, 661-664. (p. 313)

Breslau, J., Aguilar-Gaxiola, S., Borges, G., Kendler, K. S., Su, M., & Kessler, R. C. (2007). Risk for psychiatric disorder among immigrants and their US-born descendants. *Journal of Nervous and Mental Disease, 195*, 189-195. (p. 631)

Bressan, P., & Dal Martello, M. F. (2002). Talis pater, talis filius : Perceived resemblance and the belief in genetic relatedness. *Psychological Science, 13*, 213-218. (p. 275)

Brewer, C. L. (1990). Personal correspondence. (p. 142)

Brewer, C. L. (1996). Personal communication. (p. 8)

Brewer, M. B., & Chen, Y-R. (2007). Where (who) are collectives in collectivism ? Toward conceptual clarification of individualism and collectivism. *Psychological Review, 114*, 133-151. (p. 156)

Brewer, W. F. (1977). Memory for the pragmatic implications of sentences. *Memory & Cognition, 5*, 673-678. (p. 333)

Brewin, C. R., Andrews, B., & Valentine, J. D. (2000). Meta-analysis of risk factors for posttraumatic stress disorder in trauma-exposed adults. *Journal of Consulting and Clinical Psychology, 68*, 748-766. (p. 604)

Brewin, C. R., Andrews, B., Rose, S., & Kirk, M. (1999). Acute stress disorder and posttraumatic stress disorder in victims of violent crime. *American Journal of Psychiatry, 156*, 360-366. (p. 604)

Brewin, C. R., Kleiner, J. S., Vasterling J. J., & Field, A. P. (2007). Memory for emotionally neutral information in posttraumatic stress disorder : A meta-analytic investigation. *Journal of Abnormal Psychology, 116*, 448-463. (p. 341)

Bricker, J. B., Stallings, M. C., Corley, R. P., Wadsworth, S. J., Bryan, A., Timberlake, D. S., Hewitt, J. K., Caspi, A., Hofer, S. M., Rhea, S. A., & DeFries, J. C. (2006). Genetic and environmental influences on age at sexual initiation in the Colorado Adoption Project. *Behavior Genetics, 36*, 820-832. (p. 469)

Brief, A. P., & Weiss, H. M. (2002). Organizational behavior : Affect in the workplace. *Annual Review of Psychology, 53*, 279-307. (p. 488)

Briers, B., Pandelaere, M., Dewitte, S., & Warlop, L. (2006). Hungry for money : The desire for caloric resources increases the desire for financial resources and vice versa. *Psychological Science, 17*, 939-943. (p. 308)

Briñol, P., Petty, R. E., & Barden, J. (2007). Happiness versus sadness as a determinant of thought confidence in persuasion : A self-validation analysis. *Journal of Personality and Social Psychology, 93*, 711-727. (p. 519)

Brinson, S. L. (1992). The use and opposition of rape myths in prime-time television dramas. *Sex Roles, 27*, 359-375. (p. 702)

Briscoe, D. (1997, February 16). Women lawmakers still not in charge. *Associated Press* (in *Grand Rapids Press*, p. A23). (p. 165)

Brislin, R. W. (1988). Increasing awareness of class, ethnicity, culture, and race by expanding on students' own experiences. In I. Cohen (Ed.), *The G. Stanley Hall Lecture Series*. Washington, DC : American Psychological Association. (p. 153)

Brissette, I., & Cohen, S. (2002). The contribution of individual differences in hostility to the associations between daily interpersonal conflict, affect, and sleep. *Personality and Social Psychology Bulletin, 28,* 1265-1274. (p. 102)

Brissette, I., Scheier, M. F., & Carver, C. S. (2002). The role of optimism in social network development, coping, and psychological adjustment during a life transition. *Journal of Personality and Social Psychology, 82,* 102-111. (p. 620)

British Psychological Society. (1993). Ethical principles for conducting research with human participants. *The Psychologist : Bulletin of the British Psychological Society,* 6, 33-36. (pp. 29, 572)

Britton, W. B., & Bootzin, R. R. (2004). Near-death experiences and the temporal lobe. *Psychological Science, 15,* 254-258. (p. 128)

Brody, J. E. (1999, November 30). Yesterday's precocious puberty is norm today. *New York Times* (www.nytimes.com). (p. 198)

Brody, J. E. (2000, March 21). When post-traumatic stress grips youth. *New York Times* (www.nytimes.com). (p. 604)

Brody, J. E. (2002, November 26). When the eyelids snap shut at 65 miles an hour. *New York Times* (www.nytimes.com). (p. 99)

Brody, J. E. (2003, December 23). Stampede of diabetes as U.S. races to obesity. *New York Times* (www.nytimes.com). (p. 461)

Brody, J. E. (2003, September). Addiction : A brain ailment, not a moral lapse. *New York Times* (www.nytimes.com). (p. 113)

Brody, N. (1992). *Intelligence*, 2nd ed. San Diego : Academic Press. (p. 415)

Brody, N. (2001). Inspection time : Past, present, and future. *Intelligence, 29,* 537-541. (p. 415)

Brody, S., & Tillmann, H. C. (2006). The post-orgasmic prolactin increase following intercourse is greater than following masturbation and suggests greater satiety. *Biological Psychology, 71,* 312-315. (p. 478)

Broks, P. (2007, April). The mystery of consciousness. *Prospect* (www.prospect-magazine.co.uk). (p. 179)

Broman, S. H. (1989). Infant physical status and later cognitive development. In M. G. Bornstein & N. A. Krasnegor (Eds.), *Stability and continuity in mental development : Behavioral and biological perspectives.* Hillsdale, NJ : Erlbaum. (p. 423)

Bronner, E. (1998, February 25). U.S. high school seniors among worst in math and science. *New York Times* (www.nytimes.com). (p. 432)

Brookes, K. & 61 others (2006). The analysis of 51 genes in DSM-IV combined type attention deficit hyperactivity disorder : Association signals in DRD4, DAT1 and 16 other genes. *Molecular Psychiatry, 11,* 935-953. (p. 595)

Brooks, D. (2005, April 28). Mourning Mother Russia. *New York Times* (www.nytimes.com). (p. 209)

Brooks, D. J. (2002, October 8). Running down the road to happiness. *Gallup Tuesday Briefing* (www.gallup.com). (p. 543)

Brooks, R., & Meltzoff, A. N. (2005). The development of gaze following and its relation to language. *Developmental Science, 8,* 535-543. (p. 318)

Brown, A. S. (2003). A review of the déjà vu experience. *Psychological Bulletin, 129,* 394-413. (p. 348)

Brown, A. S. (2004). *The déjà vu experience.* East Sussex, England : Psychology Press. (p. 348)

Brown, A. S. (2004b). Getting to grips with déja vu. *The Psychologist, 17,* 694-696. (p. 348)

Brown, A. S., Begg, M. D., Gravenstein, S., Schaefer, C. A., Wyatt, R. J., Bresnahan, M., Babulas, V. P., & Susser, E. S. (2004). Serologic evidence of prenatal influenza in the etiology of schizophrenia. *Archives of General Psychiatry, 61,* 774-780. (p. 626)

Brown, A. S., Bracken, E., Zoccoli, S., & Douglas, K. (2004). Generating and remembering passwords. *Applied Cognitive Psychology, 18,* 641-651. (p. 354)

Brown, A. S., Schaefer, C. A., Wyatt, R. J., Goetz, R., Begg, M. D., Gorman, J. M., & Susser, E. S. (2000). Maternal exposure to respiratory infections and adult schizophrenia spectrum disorders : A prospective birth cohort study. *Schizophrenia Bulletin, 26,* 287-295. (p. 625)

Brown, E. L., & Deffenbacher, K. (1979). *Perception and the senses.* New York : Oxford University Press. (p. 249)

Brown, G. K., Ten Have, T., Henriques, G. R., Xie, S. X., Hollander, J. E., & Beck, A. T. (2005). Cognitive therapy for the prevention of suicide attempts. *JAMA : Journal of the American Medical Association, 294,* 563-570. (p. 654)

Brown, J. A. (1958). Some tests of the decay theory of immediate memory. *Quarterly Journal of Experimental Psychology, 10,* 12-21. (p. 338)

Brown, J. D., Steele, J. R., & Walsh-Childers, K. (2002). *Sexual teens, sexual media : Investigating media's influence on adolescent sexuality.* Mahwah, NJ : Erlbaum. (p. 470)

Brown, J. L., & Pollitt, E. (1996, February). Malnutrition, poverty and intellectual development. *Scientific American,* pp. 38-43. (p. 430)

Brown, R. (1965). *Social psychology.* New York : Free Press. (p. 516)

Brown, R. (1986). Linguistic relativity. In S. H. Hulse & B. F. Green, Jr. (Eds.), *One hundred years of psychological research in America.* Baltimore : Johns Hopkins University Press. (p. 391)

Brown, S. L., Brown, R. M., House, J. S., & Smith, D. M. (2008). Coping with spousal loss : Potential buffering effects of self-reported helping behavior. *Personality and Social Psychology Bulletin, 34,* 849-861. (p. 222)

Brown, S. W., Garry, M., Loftus, E., Silver, B., DuBois, K., & DuBreuil, S. (1996). People's beliefs about memory : Why don't we have better memories ? Paper presented at the American Psychological Society convention. (p. 355)

Brownell, K. D. (2002). Public policy and the prevention of obesity. In C. G. Fairburn & K. D. Brownell (Eds.), *Eating disorders and obesity : A comprehensive handbook* (2nd ed.). New York : Guilford. (p. 462)

Brownell, K., & Nestle, M. (2004, June 7). Are you responsible for your own weight ? *Time,* p. 113. (p. 461)

Browning, C. (1992). *Ordinary men : Reserve police battalion 101 and the final solution in Poland.* New York : HarperCollins. (p. 685)

Brownmiller, S. (1975). *Against our will : Men, women, and rape.* New York : Simon and Schuster. (p. 469)

Bruce, D., Dolan, A., & Phillips-Grant, K. (2000). On the transition from childhood amnesia to the recall of personal memories. *Psychological Science, 11,* 360-364. (p. 178)

Bruck, M., & Ceci, S. (2004). Forensic developmental psychology : Unveiling four common misconceptions. *Current Directions in Psychological Science, 15,* 229-232. (p. 360)

Bruck, M., & Ceci, S. J. (1999). The suggestibility of children's memory. *Annual Review of Psychology, 50,* 419-439. (p. 360)

Bruder, C. E. G. & 22 others (2008). Phenotypically concordant and discordant monozygotic twins display different DNA copy-number-variation profiles. *American Journal of Human Genetics, 82, 763-771.* (p. 135)

Bruer, J. T. (1999). *The myth of the first three years : A new understanding of early brain development and lifelong learning.* New York : Free Press. (p. 430)

Brumberg, J. J. (2000). *Fasting girls : The history of anorexia nervosa.* New York : Vintage. (p. 453)

Bryant, A. N. & Astin, H. A. (2008). The correlates of spiritual struggle during the college years. *Journal of Higher Education, 79,* 1-27. (p. 203)

Bryant, R. A. (2001). Posttraumatic stress disorder and traumatic brain injury : Can they co-exist ? *Clinical Psychology Review, 21,* 931-948. (p. 362)

Buchanan, T. W. (2007). Retrieval of emotional memories. *Psychological Bulletin, 133,* 761-779. (p. 341)

Buck, L., & Axel, R. (1991). A novel multigene family may encode odorant receptors : A molecular basis for odor recognition. *Cell, 65,* 175-187. (p. 261)

Buckingham, M. (2001, August). Quoted by P. LaBarre, « Marcus Buckingham thinks your boss has an attitude problem. » *The Magazine* (fastcompany.com/online/49/buckingham.html). (pp. 488, 490)

Buckingham, M. (2007). *Go put your strengths to work : 6 powerful steps to achieve outstanding performance.* New York : Free Press. (p. 484)

Buckingham, M., & Clifton, D. O. (2001). *Now, discover your strengths.* New York : Free Press. (p. 484)

Buckley, C. (2007, January 3). Man is rescued by stranger on subway tracks. *New York Times* (www.nytimes.com). (p. 714)

Buckley, K. E., & Leary, M. R. (2001). Perceived acceptance as a predictor of social, emotional, and academic outcomes. Paper presented at the Society of Personality and Social Psychology annual convention. (p. 480)

Buehler, R., Griffin, D., & Ross, M. (1994). Exploring the « planning fallacy » : Why people underestimate their task completion times. *Journal of Personality and Social Psychology, 67,* 366-381. (p. 377)

Bugelski, B. R., Kidd, E., & Segmen, J. (1968). Image as a mediator in one-trial paired-associate learning. *Journal of Experimental Psychology, 76,* 69-73. (p. 335)

Bugental, D. B. (1986). Unmasking the « polite smile » : Situational and personal determinants of managed affect in adult-child interaction. *Personality and Social Psychology Bulletin, 12,* 7-16. (p. 508)

Buka, S. L., Goldstein, J. M., Seidman, L. J., Zornberg, G., Donatelli, J-A. A., Denny, L. R., & Tsuang, M. T. (1999). Prenatal complications, genetic vulnerability, and schizophrenia : The New England longitudinal studies of schizophrenia. *Psychiatric Annals, 29,* 151-156. (p. 625)

Buka, S. L., Tsuang, M. T., Torrey, E. F., Klebanoff, M. A., Wagner, R. L., & Yolken, R. H. (2001). Maternal infections and subsequent psychosis among offspring. *Archives of General Psychiatry, 58,* 1032-1037. (p. 626)

Bullough, V. (1990). The Kinsey scale in historical perspective. In D. P. McWhirter, S. A. Sanders, & J. M. Reinisch (Eds.), *Homosexuality/heterosexuality : Concepts of sexual orientation.* New York : Oxford University Press. (p. 471)

Bunde, J., & Suls, J. (2006). A quantitative analysis of the relationship between the Cook-Medley Hostility Scale and traditional coronary artery disease risk factors. *Health Psychology, 25,* 493-500. (p. 532)

Buquet, R. (1988). Le rêve et les déficients visuels (Dreams and the visually-impaired). *Psychanalyse-à-l'Université, 13,* 319-327. (p. 104)

Burcusa, S. L., & Iacono, W. G. (2007). Risk for recurrence in depression. *Clinical Psychology Review, 27,* 959-985. (p. 614)

Bureau of Labor Statistics. (2004, September 14). *American time-user survey summary.* Washington, DC : United States Department of Labor (www.bls.gov). (p. 164)

Bureau of Labor Statistics. (2008). *U.S. Department of Labor, Occupational Outlook Handbook, 2008-09 Edition, Psychologists.* Retrieved on September 4, 2008 from http : //www.bls.gov/oco/ocos056.htm. (pp. A-1, A-3)

Bureau of the Census. (2004). *Statistical abstract of the United States 2004.* Washington, DC : U.S. Government Printing Office. (pp. 576, 601)

Bureau of the Census. (2007). *Statistical abstract of the United States 2007.* Washington, DC : U.S. Government Printing Office. (p. 218)

Burgess, M., Enzle, M. E., & Schmaltz, R. (2004). Defeating the potentially deleterious effects of externally imposed deadlines : Practitioners' rulesofthumb. *Personality and Social Psychology Bulletin, 30,* 868-877. (p. 491)

Buri, J. R., Louiselle, P. A., Misukanis, T. M., & Mueller, R. A. (1988). Effects of parental authoritarianism and authoritativeness on self-esteem. *Personality and Social Psychology Bulletin, 14,* 271-282. (p. 195)

Burish, T. G., & Carey, M. P. (1986). Conditioned aversive responses in cancer chemotherapy patients : Theoretical and developmental analysis. *Journal of Counseling and Clinical Psychology, 54,* 593-600. (p. 302)

Burke, D. M., & Shafto, M. A. (2004). Aging and language production. *Current Directions in Psychological Science,* 13, 21-24. (p. 214)

Burkholder, R. (2005a, January 11). Chinese far wealthier than a decade ago — but are they happier ? *Gallup Poll News Service* (www.gallup.com). (p. 525)

Burkholder, R. (2005b, January 18). China's citizens optimistic, yet not entirely satisfied. *Gallup Poll News Service* (www.gallup.com). (p. 525)

Burns, B. C. (2004). The effects of speed on skilled chess performance. *Psychological Science, 15,* 442-447. (p. 381)

Burns, J. F., & Filkins, D. (2006, June 14). Bush makes surprise visit to Iraq to press leadership. *New York Times* (www.nytimes.com). (p. 509)

Burrell, B. (2005). *Postcards from the brain museum : The improbable search for meaning in the matter of famous minds.* New York : Broadway Books. (p. 413)

Burris, C. T., & Branscombe, N. R. (2005). Distorted distance estimation induced by a self-relevant national boundary. *Journal of Experimental Social Psychology, 41,* 305-312. (p. 392)

Burton, C. M., & King, L. A. (2008). Effects of (very) brief writing on health : The two-minute miracle. *British Journal of Health Psychology, 13,* 9-14. (p. 542)

Bush, G. W. (1999). Quoted by M. Ivins, syndicated column, November 27, 1999. (p. 2)

Bush, G. W. (2001). Quoted in various places, including BBC News (bbc.co.uk), June 16, 2001. (p. 716)

Bushman, B. J. (1993). Human aggression while under the influence of alcohol and other drugs : An integrative research review. *Current Directions in Psychological Science, 2,* 148-152. (p. 699)

Bushman, B. J. (2002). Does venting anger feed or extinguish the flame ? Catharsis, rumination, distraction, anger, and aggressive responding. *Personality and Social Psychology Bulletin, 28,* 724-731. (p. 519)

Bushman, B. J., & Anderson, C. A. (2001). Media violence and the American public : Scientific facts versus media misinformation. *American Psychologist, 56,* 477-489. (p. 704)

Bushman, B. J., & Baumeister, R. F. (1998). Threatened egotism, narcissism, self-esteem, and direct and displaced aggression : Does self-love or selfhate lead to violence ? *Journal of Personality and Social Psychology, 75,* 219-229. (p. 588)

Bushman, B. J., & Bonacci, A. M. (2002). Violence and sex impair memory for television ads. *Journal of Applied Psychology, 87,* 557-564. (pp. 354, 468)

Bushman, B. J., Baumeister, R. F., & Stack, A. D. (1999). Catharsis, aggression, and persuasive influence : Self-fulfilling or self-defeating prophecies ? *Journal of Personality and Social Psychology, 76, 367-376.* (p. 519)

Busnel, M. C., Granier-Deferre, C., & Lecanuet, J. P. (1992, October). Fetal audition. *New York Academy of Sciences, 662,* 118-134. (p. 175)

Buss, A. H. (1989). Personality as traits. *American Psychologist, 44,* 1378-1388. (p. 575)

Buss, D. (2008). Female sexual psychology. World Question Center 2008 (edge.org). (p. 467)

Buss, D. M. (1991). Evolutionary personality psychology. *Annual Review of Psychology, 42,* 459-491. (p. 141)

Buss, D. M. (1994). The strategies of human mating : People worldwide are attracted to the same qualities in the opposite sex. p 238-249. (p. 147)

Buss, D. M. (1995). Evolutionary psychology : A new paradigm for psychological science. *Psychological Inquiry, 6,* 1-30. (p. 147)

Buss, D. M. (1996). Sexual conflict : Evolutionary insights into feminism and the « battle of the sexes. » In D. M. Buss & N. M. Malamuth (Eds.), *Sex, power, conflict : Evolutionary and feminist perspectives.* New York : Oxford University Press. (p. 148)

Buss, D. M. (2000). The dangerous passion : Why jealousy is as necessary as love and sex. New York : Free Press. (p. 148)

Busseri, M. A., Willoughby, T., Chalmers, H., & Bogaert, A. R. (2006). Same-sex attraction and successful adolescent development. *Journal of Youth and Adolescence, 35,* 563-575. (p. 471)

Buster, J. E., Kingsberg, S. A., Aguirre, O., Brown, C., Breaux, J. G., Buch, A., Rodenberg, C. A., Wekselman, K., & Casson, P. (2005). Testosterone patch for low sexual desire in surgically menopausal women : A randomized trial. *Obstetrics and Gynecology, 105*(5), 944-952. (p. 467)

Butcher, L. M., Davis, O. S. P., Craig, I. W., & Plomin, R. (2008). Genome-wide quantitative trait locus association scan of general cognitive ability using pooled DNA and 500K single nucleotide polymorphism microarrays. *Genes, Brain and Behavior, 7,* 435-446. (p. 428)

Butler, A. C., Hokanson, J. E., & Flynn, H. A. (1994). A comparison of self-esteem lability and low trait self-esteem as vulnerability factors for depression. *Journal of Personality and Social Psychology, 66,* 166-177. (p. 619)

Butler, R. A. (1954, February). Curiosity in monkeys. *Scientific American,* pp. 70-75. (p. 445)

Butterfield, F. (1999, July 12). Experts say study confirms prison's new role as mental hospital. *New York Times* (www.nytimes.com). (p. 601)

Butterworth, G. (1992). Origins of self-perception in infancy. *Psychological Inquiry, 3,* 103-111. (p. 194)

Byne, W., & Parsons, B. (1993). Human sexual orientation : The biologic theories reappraised. *Archives of General Psychiatry, 50,* 228-239. (p. 477)

Byrne, D. (1971). *The attraction paradigm.* New York : Academic Press. (p. 709)

Byrne, D. (1982). Predicting human sexual behavior. In A. G. Kraut (Ed.), *The G. Stanley Hall Lecture Series (Vol. 2).* Washington, DC : American Psychological Association. (p. 296)

Byrne, D. (1982). Predicting human sexual behavior. In A. G. Kraut (Ed.), *The G. Stanley Hall Lecture Series (Vol. 2).* Washington, DC : American Psychological Association. (p. 467)

Byrne, J. (2003, September 21). From correspondence reported by Michael Shermer, E-Skeptic for September 21, 2003, from The Skeptics Society. (p. 283)

Byrne, R. W. & Corp, N. (2004). Neocortex size predicts deception in primates. *Proceedings of the Royal Society B, 271,* 1693-1699. (p. 11)

Byrne, R. W. (1991, May/June). Brute intellect. *The Sciences,* pp. 42-47. (p. 398)

Byrne, R. W., & Russon, A. E. (1998). Learning by imitation : A hierarchical approach. *Behavioral and Brain Sciences, 21,* 667-721. (p. 318)

Cable, D. M., & Gilovich, T. (1998). Looked over or overlooked ? Prescreening decisions and postinterview evaluations. *Journal of Personality and Social Psychology, 83,* 501-508. (p. 485)

Cacioppo, J. T. (2007). Better interdisciplinary research through psychological science. *APS Observer, 20,* 3, 48-49. (p. 10)

Cacioppo, J. T., Hawkley, L. C., Kalil, A., Hughes, M. E., Waite, L., & Thisted, R. A. (2008). Happiness and the invisible threads of social connection : The Chicago Health, Aging, and Social Relations Study. In M. Eid & R. Larsen (Eds.), *The science of subjective well-being.* New York : Guilford. (p. 522)

Cahill, L. (1994). (Beta)-adrenergic activation and memory for emotional events. *Nature, 371,* 702-704. (p. 342)

Cahill, L. (2005, May). His brain, her brain. *Scientific American,* pp. 40-47. (p. 163)

Cahn, B. R., & Polich, J. (2006). Meditation states and traits : EEG, ERP, and neuroimaging studies. *Psychological Bulletin, 132,* 180-211. (p. 547)

Cale, E. M., Lilienfeld, S. O. (2002). Sex differences in psychopathy and antisocial personality disorder : A review and integration. *Clinical Psychology Review, 22,* 1179-1207. (p. 629)

Call, K. T., Riedel, A. A., Hein, K., McLoyd, V., Petersen, A., & Kipke, M. (2002). Adolescent health and well-being in the twenty-first century : A global perspective. *Journal of Research on Adolescence, 12,* 69-98. (p. 469)

Callaghan, T., Rochat, P., Lillard, A., Claux, M. L., Odden, H., Itakura, S., Tapanya, S., & Singh, S. (2005). Synchrony in the onset of mental-state reasoning. *Psychological Science, 16,* 378-384. (p. 184)

Calle, E. E., Thun, M. J., Petrelli, J. M., Rodriguez, C., & Health, C. W., Jr. (1999). Body-mass index and mortality in a prospective cohort of U.S. adults. *New England Journal of Medicine, 341,* 1097-1105. (p. 457)

Calvo-Merino, B., Glaser, D. E., Grèzes, J., Passingham, R. E., & Haggard, P. (2004). Action observation and acquired motor skills : An fMRI study with expert dancers. *Cerebral Cortex, 15,* 1243-1249. (p. 394)

Camerer, C. F., Loewenstein, G., & Weber, M. (1989). The curse of knowledge in economic settings : An experimental analysis. *Journal of Political Economy, 97,* 1232-1254. (p. 281)

Cameron, L., & Rutland, A. (2006). Extended contact through story reading in school : Reducing children's prejudice toward the disabled. *Journal of Social Issues, 62,* 469-488. (p. 717)

Campbell, D. T. (1975). On the conflicts between biological and social evolution and between psychology and moral tradition. *American Psychologist, 30,* 1103-1126. (p. 524)

Campbell, D. T., & Specht, J. C. (1985). Altruism : Biology, culture, and religion. *Journal of Social and Clinical Psychology, 3*(1), 33-42. (p. 567)

Campbell, S. (1986). *The Loch Ness Monster : The evidence.* Willingborough, Northamptonshire, U.K. : Acquarian Press. (p. 276)

Camper, J. (1990, February 7). Drop pompom squad, U. of I. rape study says. *Chicago Tribune,* p. 1. (p. 116)

Camperio-Ciani, A., Cermelli, P., & Zanzott, G. (2008). Sexually antagonistic selection in human male homosexuality. *PloS One, 3,* e2282, 1-8. (p. 475)

Camperio-Ciani, A., Corna, F., & Capiluppi, C. (2004). Evidence for maternally inherited factors favouring male homosexuality and promoting female fecundity. *Proceedings of the Royal Society of London B, 271,* 2217-2221. (p. 475)

Campos, J. J., Bertenthal, B. I., & Kermoian, R. (1992). Early experience and emotional development : The emergence of wariness and heights. *Psychological Science, 3,* 61-64. (pp. 266, 516)

Canli, T. (2008, February/March). The character code. *Scientific American Mind,* pp. 53-57. (p. 607)

Canli, T., Desmond, J. E., Zhao, Z., & Gabrieli, J. D. E. (2002). Sex differences in the neural basis of emotional memories. *Proceedings of the National Academy of Sciences, 99,* 10789-10794. (p. 511)

Cannon, J. (2005). Career planning and opportunities : The bachelor's degree in psychology, *Eye on Psi Chi, 9,* 26-28. (pp. A-1, A-2, A-10)

Cannon, W. B. (1929). *Bodily changes in pain, hunger, fear, and rage.* New York : Branford. (pp. 449, 528)

Cannon, W. B., & Washburn, A. (1912). An explanation of hunger. *American Journal of Physiology, 29,* 441-454. (p. 449)

Cantor, N., & Kihlstrom, J. F. (1987). *Personality and social intelligence.* Englewood Cliffs, NJ : Prentice-Hall. (p. 412)

Cantril, H., & Bumstead, C. H. (1960). *Reflections on the human venture.* New York : New York University Press. (p. 691)

Caplan, N., Choy, M. H., & Whitmore, J. K. (1992, February). Indochinese refugee families and academic achievement. *Scientific American,* pp. 36-42. (pp. 152, 436)

Caprara, G. V., Vecchione, M., Barbaranelli, C., & Fraley, R. C. (2007). When likeness goes with liking : The case of political preference. *Political Psychology, 28,* 609-632. (p. 709) Caption – pg. A-7. (p. A-7)

Caputo, D., & Dunning, D. (2005). What you don't know : The role played by errors of omission in imperfect self-assessments. *Journal of Experimental Social Psychology,* 488-505. (p. 583)

Carducci, B. J., Cosby, P. C., & Ward, D. D. (1978). Sexual arousal and interpersonal evaluations. *Journal of Experimental Social Psychology, 14,* 449-457. (p. 710)

Carey, B. (2006, November 11). What's wrong with a child ? Psychiatrists often disagree. *New York Times* (www.nytimes.com). (p. 598)

Carey, B. (2007, September 4). Bipolar illness soars as a diagnosis for the young. *New York Times* (www.nytimes.com). (p. 613)

Carey, D. P. (2007). Is bigger really better ? The search for brain size and intelligence in the twenty-first century. In S. Della Sala (Ed.), *Tall tales about the mind and brain : Separating fact from fiction.* Oxford : Oxford University Press. (p. 413)

Carey, G. (1990). Genes, fears, phobias, and phobic disorders. *Journal of Counseling and Development, 68,* 628-632. (p. 607)

Carli, L. L., & Leonard, J. B. (1989). The effect of hindsight on victim derogation. *Journal of Social and Clinical Psychology, 8,* 331-343. (p. 697)

Carlson, C. L. (2000). ADHD is overdiagnosed. In R. L. Atkinson, R. C. Atkinson, E. E. Smith, D. J. Bem, & S. Nolen-Hoeksema (Eds.), *Hilgard's introduction to psychology, Thirteenth edition.* Fort Worth : Harcourt. (p. 595)

Carlson, M. (1995, August 29). Quoted by S. Blakeslee, In brain's early growth, timetable may be crucial. *New York Times,* pp. C1, C3. (p. 192)

Carlson, M., Charlin, V., & Miller, N. (1988). Positive mood and helping behavior : A test of six hypotheses. *Journal of Personality and Social Psychology, 55,* 211-229. (p. 713)

Carlson, S. (1985). A double-blind test of astrology. *Nature, 318,* 419-425. (p. 572)

Carlson, S. M., & Meltzoff, A. N. (2008). Bilingual experience and executive functioning in young children. *Developmental Science, 11,* 282-298. (p. 393)

Carnahan, T., & McFarland, S. (2007). Revisiting the Stanford Prison Experiment : Could participant self-selection have led to the cruelty ? *Personality and Social Psychology Bulletin, 33,* 603-614. (p. 678)

Carnegie Council on Adolescent Development. (1989, June). *Turning points : Preparing American youth for the 21st century.* (The report of the Task Force on Education of Young Adolescents.) New York : Carnegie Corporation. (p. 426)

Carnelley, K. B., Wortman, C. B., Bolger, N., Burke, C. T. (2006). The time course of grief reactions to spousal loss : Evidence from a national probability sample. *Journal of Personality and Social Psychology, 91,* 476-492. (p. 221)

Carpusor, A., & Loges, W. E. (2006). Rental discrimination and ethnicity in names. *Journal of Applied Social Psychology, 36,* 934-952. (pp. 19, 692)

Carrière, G. (2003). Parent and child factors associated with youth obesity. *Statistics Canada, Catalogue 82-003,* Supplement to Health Reports, 2003. (p. 460)

Carroll, D., Davey Smith, G., & Bennett, P. (1994, March). Health and socio-economic status. *The Psychologist, pp.* 122-125. (p. 539)

Carroll, J. (2005, January 14). Terrorism concerns fade. *The Gallup Organization* (www.gallup.com). (p. 379)

Carroll, J. (2007, August 16). Most Americans approve of interracial marriages. *Gallup News Service* (www.gallup.com). (p. 692)

Carroll, J. (2008, January 2). Time pressures, stress common for Americans. Gallup Poll (www.gallup.com). (p. 527)

Carroll, J. M., & Russell, J. A. (1996). Do facial expressions signal specific emotions ? Judging emotion from the face in context. *Journal of Personality and Social Psychology, 70,* 205-218. (p. 512)

Carroll, J. S., Padilla-Walker, L. M., Nelson, L. J., Olson, C. D., Barry, C. M., & Madsen, S. D. (2008). Generation XXX : Pornography acceptance and use among emerging adults. *Journal of Adolescent Research, 23,* 6-30. (p. 702)

Carroll, P., Sweeny, K., & Shepperd, J. A. (2006). Forsaking optimism. *Review of General Psychology, 10,* 56-73. (p. 582)

Carskadon, M. (2002). *Adolescent sleep patterns : Biological, social, and psychological influences.* New York ; Cambridge University Press. (p. 98)

Carstensen, L. I., & Mikels, J. A. (2005). At the intersection of emotion and cognition : Aging and the positivity effect. *Current Directions in Psychological Science, 14,* 117-121. (pp. 216, 220)

Carter, R. (1998). *Mapping the mind.* Berkeley, CA : University of California Press. (p. 52)

Cartwright, R. D. (1978). *A primer on sleep and dreaming.* Reading, MA : Addison-Wesley. (p. 95)

Caryl, P. G. (1994). Early event-related potentials correlate with inspection time and intelligence. *Intelligence, 18,* 15-46. (p. 414)

CASA. (2003). *The formative years : Pathways to substance abuse among girls and young women ages 8-22.* New York, NY ; National Center on Addiction and Substance Use, Columbia University. (p. 115, 124)

Casey, B. J., Getz, S., & Galvan, A. (2008). The adolescent brain. *Deveopmental Review, 28,* 62-77. (p. 199)

Cash, T. F., & Henry, P. E. (1995). Women's body images : The results of a national survey in the U.S.A. *Sex Roles, 33,* 19-28. (p. 454)

Cash, T., & Janda, L. H. (1984, December). The eye of the beholder. *Psychology Today,* pp. 46-52. (p. 707)

Caspi, A. (2000). The child is father of the man : Personality continuities from childhood to adulthood. *Journal of Personality and Social Psychology, 78,* 158-172. (p. 140)

Caspi, A., Harrington, H., Milne, B., Amell, J. W., Theodore, R. F., & Moffitt, T. E. (2003). Children's behavioral styles at age 3 are linked to their adult personality traits at age 26. *Journal of Personality, 71,* 496-513. (pp. 224, 618)

Caspi, A., McClay, J., Moffitt, T., Mill, J., Martin, J., Craig, I. W., Taylor, A., & Poulton, R. (2002). Role of genotype in the cycle of violence in maltreated children. *Science, 297,* 851-854. (p. 630)

Caspi, A., Moffitt, T. E., Newman, D. L., & Silva, P. A. (1996). Behavioral observations at age 3 years predict adult psychiatric disorders : Longitudinal evidence from a birth cohort. *Archives of General Psychiatry, 53,* 1033-1039. (p. 629)

Caspi, A., Williams, B., Kim-Cohen, J., Craig, I. W., Milne, B. J., Poulton, R., Schalkwyk, L. C., Taylor, A., Werts, H., & Moffitt, T. E. (2007). Moderation of breastfeeding effects on the IQ by genetic variation in fatty acid metabolism. *Proceedings of the National Academy of Sciences, 104,* 18860-18865. (p. 141)

Cassel, L., & Suedfeld, P. (2006). Salutogenesis and autobiographical disclosure among Holocaust survivors. *The Journal of Positive Psychology, 1,* 212-225. (p. 605)

Cassidy, J., & Shaver, P. R. (1999). *Handbook of attachment.* New York : Guilford. (p. 189)

Castillo, R. J. (1997). *Culture and mental illness : A client-centered approach.* Pacific Grove, CA : Brooks/Cole. (p. 596)

Castonguay, L. G., & Goldfried, M. R. (1994). Psychotherapy integration : An idea whose time has come. *Applied & Preventive Psychology, 3,* 159-172. (p. 637)

Catanese, K. R., & Tice, D. M. (2005). The effect of rejection on anti-social behaviors : Social exclusion produces aggressive behaviors. In K. D. Williams, J. P. Forgas, & W. Von Hippel (Eds.), *The social outcast : Ostracism, social exclusion, rejection, and bullying.* New York : Psychology Press. (p. 701)

Cattell, R. B. (1963). Theory of fluid and crystallized intelligence : A critical experiment. *Journal of Educational Psychology, 54,* 1-22. (p. 216)

Cavalli-Sforza, L., Menozzi, P., & Piazza, A. (1994). *The history and geography of human genes.* Princeton, NJ : Princeton University Press. (p. 435)

Cavigelli, S. A., & McClintock, M. K. (2003). Fear of novelty in infant rats predicts adult corticosterone dynamics and an early death. *Proceedings of the National Academy of Sciences, 100,* 16131-16136. (p. 530)

Cawley, B. D., Keeping, L. M., & Levy, P. E. (1998). Participation in the performance appraisal process and employee reactions : A meta-analytic review of field investigations. *Journal of Applied Psychology, 83,* 615-633. (p. 492)

CDC (2006, June 9). Youth risk behavior surveillance : United States, 2005. *Morbidity and Mortality Weekly Report, 55,* No. SS-5, Centers for Disease Control and Prevention. (p. 469)

CDC (2007, February 8). *CDC releases new data on Autism Spectrum Disorders (ASDs) from multiple communities in the United States.* Centers for Disease Control and Prevention (www.cdc.gov). (p. 186)

CDC (2007, November). Obesity among adults in the United States – No change since 2003-2004. NCHS Data Brief, Centers for Disease Control and Prevention (www.cdc.gov/nchs/data/databriefs/db01.pdf). (p. 456)

CDC (Centers for Disease Control). (2002, September 27). Trends in sexual risk behaviors among high school students – United States, 1991-2002. *MMWR, 51*(38): 856-859 (www.cdc.gov/mmwr). (p. 471)

CDC. (2003). Who should get a flu shot (influenza vaccine). National Center for Infectious Diseases (http : //www.cdc.gov/ncidod/diseases/flu/who.htm). (p. 626)

Ceci, S. J. (1993). Cognitive and social factors in children's testimony. Master Lecture, American Psychological Association convention. (p. 360, 361)

Ceci, S. J., & Bruck, M. (1993). Child witnesses : Translating research into policy. *Social Policy Report (Society for Research in Child Development), 7(3),* 1-30. (p. 360)

Ceci, S. J., & Bruck, M. (1995). *Jeopardy in the courtroom : A scientific analysis of children's testimony.* Washington, DC : American Psychological Association. (p. 360)

Ceci, S. J., & Williams, W. M. (1997). Schooling, intelligence, and income. *American Psychologist, 52,* 1051-1058. (p. 430)

Ceci, S. J., Huffman, M. L. C., Smith, E., & Loftus, E. F. (1994). Repeatedly thinking about a non-event : Source misattributions among preschoolers. *Consciousness and Cognition, 3,* 388-407. (p. 361)

Centers for Disease Control Vietnam Experience Study. (1988). Health status of Vietnam veterans. *Journal of the American Medical Association, 259,* 2701-2709. (p. 604)

Centers for Disease Control. (1992, September 16). Serious mental illness and disability in the adult household population : United States, 1989. *Advance Data* No. 218 from *Vital and Health Statistics*, National Center for Health Statistics. (p. 632)

Centerwall, B. S. (1989). Exposure to television as a risk factor for violence. *American Journal of Epidemiology, 129,* 643-652. (p. 322)

Cepeda, N. J., Pashler, H., Vul, E., Wixted, J. T., & Rohrer, D. (2006). Distributed practice in verbal recall tasks : A review and quantitative synthesis. *Psychological Bulletin, 132,* 354-380. (p. 332)

Cerella, J. (1985). Information processing rates in the elderly. *Psychological Bulletin, 98,* 67-83. (p. 210)

CFI. (2003, July). International developments. Report. Amherst, NY : Center for Inquiry International. (p. 284)

Chabris, C. F., & Glickman, M. E. (2006). Sex differences in intellectual performance : Analysis of a large cohort of competitive chess players. *Psychological Science, 17,* 1040-1046. (p. 433)

Chambless, D. L., Baker, M. J., Baucom, D. H., Beutler, L. E., Calhoun, K. S., Crits-Christoph, P., Daiuto, A., DeRubeis, R., Detweiler, J., Haaga, D. A. F., Johnson, S. B., McCurry, S., Mueser, K. T., Pope, K. S., Sanderson, W. C., Shoham, V., Stickle, T., Williams, D. A., & Woody, S. R. (1997). Update on empirically validated therapies, II. *The Clinical Psychologist, 51(1),* 3-16. (p. 656)

Chamove, A. S. (1980). Nongenetic induction of acquired levels of aggression. *Journal of Abnormal Psychology, 89, 469*-488. (p. 321)

Chang, E. C. (2001). Cultural influences on optimism and pessimism : Differences in Western and Eastern construals of the self. In E. C. Chang (Ed.), *Optimism and pessimism.* Washington, DC : APA Books. (p. 582)

Chang, P. P., Ford, D. E., Meoni, L. A., Wang, N-Y., & Klag, M. J. (2002). Anger in young men and subsequent premature cardiovascular disease : The precursors study. *Archives of Internal Medicine, 162,* 901-906. (p. 533)

Chaplin, W. F., Phillips, J. B., Brown, J. D., Clanton, N. R., & Stein, J. L. (2000). Handshaking, gender, personality, and first impressions. *Journal of Personality and Social Psychology, 79,* 110-117. (p. 508)

Charles, S. T., Reynolds, C. A., & Gatz, M. (2001). Age-related differences and change in positive and negative affect over 23 years. *Journal of Personality and Social Psychology, 80,* 136-151. (p. 220)

Charpak, G., & Broch, H. (2004). *Debunked! ESP, telekinesis, and other pseudoscience.* Baltimore, MD : Johns Hopkins University Press. (p. 283)

Chartrand,T. L., & Bargh, J. A. (1999). The chameleon effect : The perceptionbehavior link and social interaction. *Journal of Personality and Social Psychology, 76,* 893-910. (p. 680)

Chase, W. G., & Simon, H. A. (1973). Perception in chess. *Cognitive Psychology, 4,* 55-81. (p. 336)

Cheek, J. M., & Melchior, L. A. (1990). Shyness, self-esteem, and selfconsciousness. In H. Leitenberg (Ed.), *Handbook of social and evaluation anxiety.* New York : Plenum. (p. 156)

Cheit, R. E. (1998). Consider this, skeptics of recovered memory. *Ethics & Behavior, 8,* 141-160. (p. 561)

Chen, E. (2004). Why socioeconomic status affects the health of children : A psychosocial perspective. *Current Directions in Psychological Science, 13,* 112-115. (p. 539)

Chen, X., Beydoun, M. A., & Wang, Y. (2008). Is sleep duration associated with childhood obesity ? A systematic review and meta-analysis. *Obesity, 16,* 265-274. (p. 98)

Cheng, M. (2006, November 16). Europeans OK anti-obesity charter. *Associated Press.* (p. 461)

Cherkas, L. F., Hunkin, J. L., Kato, B. S., Richards, J. B., Gardner, J. P., Surdulescu, G. L., Kimura, M., Lu, X., Spector, T. D., & Aviv, A. (2008). The association between physical activity in leisure time and leukocyte telomere length. *Archives of Internal Medicine, 168,* 154-158. (p. 211)

Chess, S., & Thomas, A. (1987). *Know your child : An authoritative guide for today's parents.* New York : Basic Books. (pp. 72, 139, 190)

Child Trends. (2001, August). Facts at a glance. (www.childtrends.org). (p. 469)

Chiles, J. A., Lambert, M. J., & Hatch, A. L. (1999). The impact of psychological interventions on medical cost offset : A meta-analytic review. *Clinical Psychology ; Science and Practice, 6,* 204-220. (p. 654)

Chisholm, K. (1998). A three year follow-up of attachment and indiscriminate friendliness in children adopted from Romanian orphanages. *Child Development, 69,* 1092-1106. (p. 192)

Chisolm, T. H., Johnson, C. E., Danhauer, J. L., Portz, L. J. P., Abrams, H. B., Lesner, S., McCarthy, P. A., & Newman, C. W. (2007). A systematic review of health-related quality of life and hearing aids : Final report of the American Academy of Audiology Task Force on the Health-Related Quality of Life Benefits of Amplification in Adults. *Journal of the American Academy of Audiology, 18,* 151-183. (p. 251)

Chivers, M. L. (2005). A brief review and discussion of sex differences in the specificity of sexual arousal. *Sexual and Relationship Therapy, 20,* 377-390. (p. 472)

Chivers, M. L., Seto, M. C., & Blanchard, R. (2007). Gender and sexual orientation differences in sexual response to sexual activities versus gender of actors in sexual films. *Journal of Personality and Social Psychology, 93,* 1108-1121. (p. 473)

Choi, C. Q. (2008, March). Do you need only half your brain ? *Scientific American,* p. 104. (p. 74)

Choi, I., & Choi, Y. (2002). Culture and self-concept flexibility. *Personality and Social Psychology Bulletin, 28,* 1508-1517. (p. 156)

Chomsky, N. (1959). Review of B. F. Skinner's Verbal behavior. *Language, 35,* 26-58. (p. 386)

Chomsky, N. (1972). *Language and mind.* New York : Harcourt Brace. (p. 382)

Chomsky, N. (1987). Language in a psychological setting. Sophia Linguistic Working Papers in Linguistics, No. 22, Sophia University, Tokyo. (p. 386)

Christakis, D. S., Zimmerman, F. J., DiGiuseppe, D. L., & McCarty, C. A. (2004). Early television exposure and subsequent attentional problems in children. *Pediatrics, 113,* 708-713. (p. 595)

Christakis, N. A., & Fowler, J. H. (2007). The spread of obesity in a large social network over 32 years. *New England Journal of Medicine, 357,* 370-379. (pp. 126, 460)

Christensen, A., & Jacobson, N. S. (1994). Who (or what) can do psychotherapy : The status and challenge of nonprofessional therapies. *Psychological Science, 5,* 8-14. (p. 658)

Christophersen, E. R., & Edwards, K. J. (1992). Treatment of elimination disorders : State of the art 1991. *Applied & Preventive Psychology, 1,* 15-22. (p. 643)

Chugani, H. T., & Phelps, M. E. (1986). Maturational changes in cerebral function in infants determined by 18FDG Positron Emission Tomography. *Science, 231,* 840-843. (p. 177)

Cialdini, R. B. (1993). *Influence : Science and practice (3rd ed.).* New York : HarperCollins. (p. 676)

Cialdini, R. B., & Richardson, K. D. (1980). Two indirect tactics of image management : Basking and blasting. *Journal of Personality and Social Psychology, 39,* 406-415. (p. 696)

Ciarrochi, J., Forgas, J. P., & Mayer, J. D. (2006). *Emotional intelligence in everyday life,* 2nd edition. New York : Psychology Press. (p. 412)

Cin, S. D., Gibson, B., Zanna, M. P., Shumate, R., & Fong, G. T. (2007). Smoking in movies, implicit associations of smoking with the self, and intentions to smoke. *Psychological Science, 18,* 559-563. (p. 118)

Clack, B., Dixon, J., & Tredoux, C. (2005). Eating together apart : Patterns of segregation in a multi-ethnic cafeteria. *Journal of Community and Applied Social Psychology, 15,* 1-16. (p. 717)

Clancy, S. A. (2005). Abducted : How people came to believe they were abducted by aliens. Boston ; Harvard University Press. (pp. 95, 357)

Clancy, S. A., Schacter, D. L., McNally, R. J., & Pitman, R. K. (2000). False recognition in women reporting recovered memories of sexual abuse. *Psychological Science, 11,* 26-31. (p. 357)

Clark, A., Seidler, A., & Miller, M. (2001). Inverse association between sense of humor and coronary heart disease. *International Journal of Cardiology, 80,* 87-88. (p. 540)

Clark, L. A. (2007). Assessment and diagnosis of personality disorder : Perennial issues and an emerging reconceptualization. *Annual Review of Psychology, 58,* 227-257. (p. 628)

Clark, R. D. (1990, May). The impact of AIDS on gender differences in willingness to engage in casual sex. *Journal of Applied Social Psychology, 20,* 771-782. (p. 147)

Clark, R. D., III, & Hatfield, E. (2003). Love in the afternoon. *Psychological Inquiry, 14,* 227-231. (p. 146)

Clark, R. D., III, & Hatfield, E. (1989). Gender differences in willingness to engage in casual sex. *Journal of Psychology and Human Sexuality, 2,* 39-55. (p. 146)

Clark, R., Anderson, N. B., Clark, V. R., & Williams, D. R. (1999). Racism as a stressor for African Americans : A biopsychosocial model. *American Psychologist, 54,* 805-816. (p. 531)

Coan, J. A., Schaefer, H. S., & Davidson, R. J. (2006). Lending a hand : Social regulation of the neural response to threat. *Psychological Science, 17,* 1032-1039. (p. 540)

Coffey, C. E., Wilkinson, W. E., Weiner, R. D., Parashos, I. A., Djang, W. T., Webb, M. C., Figiel, G. S., & Spritzer, C. E. (1993). Quantitative cerebral anatomy in depression : A controlled magnetic resonance imaging study. *Archives of General Psychiatry, 50,* 7-16. (p. 617)

Cogan, J. C., & Ernsberger, P. (1999). Dieting, weight, and health : Reconceptualizing research and policy. *Journal of Social Issues, 55,* 187-205. (p. 464)

Cogan, J. C., Bhalla, S. K., Sefa-Dedeh, A., & Rothblum, E. D. (1996). A comparison study of United States and African students on perceptions of obesity and thinness. *Journal of Cross-Cultural Psychology, 27,* 98-113. (p. 456)

Cohen, D. (1995, June 17). Now we are one, or two, or three. *New Scientist,* pp. 14-15. (p. 610)

Cohen, K. M. (2002). Relationships among childhood sex-atypical behavior, spatial ability, handedness, and sexual orientation in men. *Archives of Sexual Behavior, 31,* 129-143. (p. 477)

Cohen, P. (2007, November 15). Freud is widely taught at universities, except in the psychology department. *New York Times* (www.nytimes.com). (p. 564)

Cohen, S. (1988). Psychosocial models of the role of social support in the etiology of physical disease. *Health Psychology, 7,* 269-297. (p. 541)

Cohen, S. (2004). Social relationships and health. *American Psychologist, 59,* 676-684. (p. 542)

Cohen, S., & Pressman, S. D. (2006). Positive affect and health. *Current Directions in Psychological Science, 15,* 122-125. (p. 438)

Cohen, S., Alper, C. M., Doyle, W. J., Treanor, J. J., & Turner, R. B. (2006). Positive emotional style predicts resistance to illness after experimental exposure to rhinovuros or influenza A virus. *Psychosomatic Medicine, 68,* 809-815. (p. 535)

Cohen, S., Doyle, W. J., Skoner, D. P., Rabin, B. S., & Gwaltney, J. M., Jr. (1997). Social ties and susceptibility to the common cold. *Journal of the American Medical Association, 277,* 1940-1944. (p. 542)

Cohen, S., Doyle, W. J., Turner, R., Alper, C. M., & Skoner, D. P. (2003). Sociability and susceptibility to the common cold. *Psychological Science, 14,* 389-395. (p. 535)

Cohen, S., Kaplan, J. R., Cunnick, J. E., Manuck, S. B., & Rabin, B. S. (1992). Chronic social stress, affiliation, and cellular immune response in nonhuman primates. *Psychological Science, 3,* 301-304. (p. 535)

Cohen, S., Line, S., Manuck, S. B., Rabin, B. S., Heise, E. R., & Kaplan, J. R. (1997). Chronic social stress, social status, and susceptibility to upper respiratory infections in nonhuman primates. *Psychosomatic Medicine, 59,* 213-221. (p. 539)

Cohen, S., Tyrrell, D. A. J., & Smith, A. P. (1991). Psychological stress and susceptibility to the common cold. *New England Journal of Medicine, 325,* 606-612. (p. 535)

Colangelo, N., Assouline, S. G., & Gross, M. U. M. (2004). *A nation deceived : How schools hold back America's brightest students, Volumes I and II. The Templeton National Report on Acceleration.* Iowa City, IA : College of Education, University of Iowa. (p. 427)

Colapinto, J. (2000). *As nature made him : The boy who was raised as a girl.* New York : HarperCollins. (p. 163)

Colarelli, S. M., & Dettman, J. R. (2003). Intuitive evolutionary perspectives in marketing. *Psychology and Marketing, 20,* 837-865. (p. 145)

Colarelli, S. M., Spranger, J. L., & Hechanova, M. R. (2006). Women, power, and sex composition in small groups : An evolutionary perspective. *Journal of Organizational Behavior, 27,* 163-184. (p. 160)

Colcombe, S. J., & Kramer, A. F. (2003). Fitness effects on the cognitive function of older adults : A meta-analytic study. *Psychological Science, 14,* 125-130. (p. 211)

Colcombe, S. J., Kramer, A. F., Erickson, K. I., Scalf, P., McAuley, E., Cohen, N. J., Webb, A., Jerome, G. J., Marquex, D. X., & Elavsky, S. (2004). Cardiovascular fitness, cortical plasticity, and aging. *Proceedings of the National Academy of Sciences,* 101, 3316-3321. (p. 211)

Cole, K. C. (1998). *The universe and the teacup : The mathematics of truth and beauty.* New York ; Harcourt Brace. (p. 117)

Coleman, P. D., & Flood, D. G. (1986). Dendritic proliferation in the aging brain as a compensatory repair mechanism. In D. F. Swaab, E. Fliers, M. Mirmiram, W. A. Van Gool, & F. Van Haaren (Eds.), *Progress in brain research* (Vol. 20). New York : Elsevier. (p. 211)

Collins, D. W., & Kimura, D. (1997). A large sex difference on a twodimensional mental rotation task. *Behavioral Neuroscience, 111,* 845-849. (p. 433)

Collins, F. (2006). *The language of God.* New York : Free Press. (p. 168)

Collins, N. L., & Miller, L. C. (1994). Self-disclosure and liking : A metaanalytic review. *Psychological Bulletin, 116,* 457-475. (p. 711)

Collins, R. L., Elliott, M. N., Berry, S. H., Danouse, D. E., Kunkel, D., Hunter, S. B., & Miu, A. (2004). Watching sex on television predicts adolescent initiation of sexual behavior. *Pediatrics, 114,* 280-289. (p. 13)

Collinson, S. L., MacKay, C. E., James, A. C., Quested, D. J., Phillips, T., Roberts, N., & Crow, T. J. (2003). Brain volume, asymmetry and intellectual impairment in relation to sex in early-onset schizophrenia. *British Journal of Psychiatry, 183,* 114-120. (p. 625)

Collishaw, S., Pickles, A., Natarajan, L., & Maughan, B. (2007, June). 20-year trends in depression and anxiety in England. Paper presented at the Thirteenth Scientific Meeting on The Brain and the Developing Child, London, UK. (p. 615)

Colom, R., Jung, R. E., & Haier, R. J. (2006). Distributed brain sites for the *g*-factor of intelligence. *NeuroImage, 31,* 1359-1365. (p. 414)

Colom, R., Lluis-Font, J. M., & Andrés-Pueyo, A. (2005). The generational intelligence gains are caused by decreasing variance in the lower half of the distribution : Supporting evidence for the nutrition hypothesis. *Intelligence, 33,* 83-91. (p. 421)

Colombo, J. (1982). The critical period concept : Research, methodology, and theoretical issues. *Psychological Bulletin, 91,* 260-275. (p. 190)

Comer, R. J. (2004). *Abnormal psychology.* New York : Worth Publishers. (p. 594)

Commission on Children at Risk (2003). *Hardwired to connect : The new scientific case for authoritative communities.* New York : Institute for American Values. (p. 195)

Comstock, G. (2008). A sociological perspective on television violence and aggression. *American Behavioral Scientist, 51,* 1184-1211. (p. 322)

Conard, M. A. (2006). Aptitude is not enough : How personality and behavior predict academic performance. *Journal of Research in Personality, 40,* 339-346. (p. 572)

Connor-Smith, J. K., & Flachsbart, C. (2007). Relations between personality and coping : A meta-analysis. *Journal of Personality and Social Psychology, 93,* 1080-1107. (p. 538)

Consumer Reports. (1995, November). Does therapy help ? Pp. 734-739. (p. 651)

Conway, M. A., Wang, Q., Hanyu, K., & Haque, S. (2005). A cross-cultural investigation of autobiographical memory. On the universality and cultural variation of the reminiscence bump. *Journal of Cross-Cultural Psychology, 36,* 739-749. (p. 212)

Cook, M., & Mineka, S. (1991). Selective associations in the origins of phobic fears and their implications for behavior therapy. In P. Martin (Ed.), *Handbook of behavior therapy and psychological science : An integrative approach.* New York : Pergamon Press. (p. 516)

Cooke, L. J., Wardle, J., & Gibson, E. L. (2003). Relationship between parental report of food neophobia and everyday food consumption in 2-6-year-old children. *Appetite, 41,* 205-206. (p. 259)

Cooper, K. J. (1999, May 1). This time, copycat wave is broader. *Washington Post* (www.washingtonpost.com). (pp. 323, 681)

Cooper, M. L. (2006). Does drinking promote risky sexual behavior ? A complex answer to a simple question. *Current Directions in Psychological Science, 15,* 19-23. (p. 116)

Coopersmith, S. (1967). *The antecedents of self-esteem.* San Francisco : Freeman. (p. 195)

Corballis, M. C. (1989). Laterality and human evolution. *Psychological Review, 96,* 492-505. (p. 80)

Corballis, M. C. (2002). *From hand to mouth : The origins of language.* Princeton : Princeton University Press. (p. 399)

Corballis, M. C. (2003). From mouth to hand : Gesture, speech, and the evolution of right-handedness. *Behavioral and Brain Sciences, 26,* 199-260. (p. 399)

Coren, S. (1996). *Sleep thieves : An eye-opening exploration into the science and mysteries of sleep.* New York ; Free Press. (pp. 97, 100, 101)

Corey, D. P., & 15 others (2004). TRPA1 is a candidate for the mechanosensitive transduction channel of vertebrate hair cells. *Nature* (advance online publication, October 13, at www.nature.com). (p. 247)

Corina, D. P. (1998). The processing of sign language : Evidence from aphasia. In B. Stemmer & H. A. Whittaker (Eds.), *Handbook of neurolinguistics.* San Diego : Academic Press. (p. 78)

Corina, D. P., Vaid, J., & Bellugi, U. (1992). The linguistic basis of left hemisphere specialization. *Science, 255,* 1258-1260. (p. 78)

Corneille, O., Huart, J., Becquart, E., & Brédart, S. (2004). When memory shifts toward more typical category exemplars : Accentuation effects in the recollection of ethnically ambiguous faces. *Journal of Personality and Social Psychology, 86,* 236-250. (p. 370)

Correll, J., Park, B., Judd, C. M., & Wittenbrink, B. (2002). The police officer's dilemma : Using ethnicity to disambiguate potentially threatening individuals. *Journal of Personality and Social Psychology, 83,* 1314-1329. (p. 693)

Correll, J., Park, B., Judd, C. M., Wittenbrink, B., Sadler, M. S., & Keesee, T. (2007). Across the thin blue line : Police officers and racial bias in the decision to shoot. *Journal of Personality and Social Psychology, 92,* 1006-1023. (p. 693)

Costa, P. T., Jr., & McCrae, R. R. (2006). Trait and factor theories. In J. C. Thomas, D. L. Segal, & M. Hersen (Eds.), *Comprehensive handbook of personality and psychopathology, Vol. 1 : Personality and everyday functioning.* Hoboken, NJ : Wiley. (p. 571)

Costa, P. T., Jr., Terracciano, A., & McCrae, R. R. (2001). Gender differences in personality traits across cultures : Robust and surprising findings. *Journal of Personality and Social Psychology, 81,* 322-331. (p. 510)

Costa, P. T., Jr., Zonderman, A. B., McCrae, R. R., Cornoni-Huntley, J., Locke, B. Z., & Barbano, H. E. (1987). Longitudinal analyses of psychological well-being in a national sample : Stability of mean levels. *Journal of Gerontology, 42,* 50-55. (p. 221)

Costello, E. J., Compton, S. N., Keeler, G., & Angold, A. (2003). Relationships between poverty and psychopathology : A natural experiment. *Journal of the American Medical Association, 290,* 2023-2029. (p. 632)

Coughlin, J. F., Mohyde, M., D'Ambrosio, L. A., & Gilbert, J. (2004). *Who drives older driver decisions ?* Cambridge, MA : MIT Age Lab. (p. 210)

Couli, J. T., Vidal, F., Nazarian, B., & Macar, F. (2004). Functional anatomy of the attentional modulation of time estimation. *Science, 303,* 1506-1508. (p. 482)

Courage, M. L., & Howe, M. L. (2002). From infant to child : The dynamics of cognitive change in the second year of life. *Psychological Bulletin, 128,* 250-277. (p. 194)

Courneya, K. S., & Carron, A. V. (1992). The home advantage in sports competitions : A literature review. *Journal of Sport and Exercise Psychology, 14,* 13-27. (p. 687)

Courtney, J. G., Longnecker, M. P., Theorell, T., & de Verdier, M. G. (1993). Stressful life events and the risk of colorectal cancer. *Epidemiology, 4,* 407-414. (p. 536)

Covin, R., Ouimet, A. J., Seeds, P. M., & Dozois, D. J. A. (2008). A metaanalysis of CBT for pathological worry among clients with GAD. *Journal of Anxiety Disorders, 22,* 108-116. (p. 649)

Cowan, G., Lee, C., Levy, D., & Snyder, D. (1988). Dominance and inequality in X-rated videocassettes. *Psychology of Women Quarterly, 12,* 299-311. (p. 702)

Cowan, N. (1988). Evolving conceptions of memory storage, selective attention, and their mutual constraints within the human information-processing system. *Psychological Bulletin, 104,* 163-191. (p. 338)

Cowan, N. (1994). Mechanisms of verbal short-term memory. *Current Directions in Psychological Science, 3,* 185-189. (p. 338)

Cowan, N. (2001). The magical number 4 in short-term memory : A reconsideration of mental storage capacity. *Behavioral and Brain Sciences, 24,* 87-185. (p. 339)

Cowart, B. J. (1981). Development of taste perception in humans : Sensitivity and preference throughout the life span. *Psychological Bulletin, 90,* 43-73. (p. 259)

Cowart, B. J. (2005). Taste, our body's gustatory gatekeeper. *Cerebrum, 7*(2), 7-22. (p. 259)

Cox, J. J. & 18 others (2006). An *SCN9A* channelopathy causes congenital inability to experience pain. *Nature, 444,* 894-898. (p. 256)

CPP (2008). Myers-Briggs Type Indicator® assessment (MBTI®). CPP, Inc. (www.cpp.com). (p. 568)

Crabbe, J. C. (2002). Genetic contributions to addiction. *Annual Review of Psychology, 53,* 435-462. (p. 123)

Crabtree, S. (2005, January 13). Engagement keeps the doctor away. *Gallup Management Journal* (gmj.gallup.com). (p. 490)

Craik, F. I. M. (1986). A functional account of age differences in memory. In F. Klix & H. Hagendorf (Eds.), *Human memory and cognitive capabilities.* Amsterdam : Elsevier. (p. 215)

Craik, F. I. M., & Tulving, E. (1975). Depth of processing and the retention of words in episodic memory. *Journal of Experimental Psychology : General, 104,* 268-294. (pp. 333, 334)

Craik, F. I. M., & Watkins, M. J. (1973). The role of rehearsal in shortterm memory. *Journal of Verbal Learning and Verbal Behavior, 12,* 599-607. (pp. 332, 333)

Crain-Thoreson, C., & Dale, P. S. (1992). Do early talkers become early readers ? Linguistic precocity, preschool language, and emergent literacy. *Developmental Psychology, 28,* 421-429. (p. 423)

Crandall, C. S. (1988). Social contagion of binge eating. *Journal of Personality and Social Psychology, 55,* 588-598. (p. 453)

Crandall, C. S. (1994). Prejudice against fat people : Ideology and self-interest. *Journal of Personality and Social Psychology, 66,* 882-894. (p. 457)

Crandall, C. S. (1995). Do parents discriminate against their heavyweight daughters ? *Personality and Social Psychology Bulletin, 21,* 724-735. (p. 457)

Crandall, J. E. (1984). Social interest as a moderator of life stress. *Journal of Personality and Social Psychology, 47,* 164-174. (p. 567)

Crawford, M., Chaffin, R., & Fitton, L. (1995). Cognition in social context. *Learning and Individual Differences, Special Issue : Psychological and psychobiological perspectives on sex differences in cognition : 1. Theory and Research, 7,* 341-362. (p. 433)

Crawley, J. N. (2007). Testing hypotheses about autism. *Science, 318,* 56-57. (p. 187)

Crews, F. (Ed.) (1998). *Unauthorized Freud : Doubters confront a legend.* New York : Viking. (p. 564)

Crews, F. T., Mdzinarishvilli, A., Kim, D., He, J., & Nixon, K. (2006). Neurogenesis in adolescent brain is potently inhibited by ethanol. *Neuroscience, 137,* 437-445. (p. 115)

Crews, F., He, J., & Hodge, C. (2007). Adolescent cortical development : A critical period of vulnerability for addiction. *Pharmacology, Biochemistry and Behavior, 86,* 189-199. (p. 115)

Crews, F., He, J., & Hodge, C. (2007). Adolescent cortical development : A critical period of vulnerability for addiction. *Pharmacology, Biochemistry and Behavior, 86,* 189-199. (p. 199)

Crocker, J., & Park, L. E. (2004). The costly pursuit of self-esteem. *Psychological Bulletin, 130,* 392-414. (p. 589)

Crocker, J., Thompson, L. L., McGraw, K. M., & Ingerman, C. (1987). Downward comparison, prejudice, and evaluation of others : Effects of selfesteem and threat. *Journal of Personality and Social Psychology, 52,* 907-916. (p. 696)

Croft, R. J., Klugman, A., Baldeweg, T., & Gruzelier, J. H. (2001). Electrophysiological evidence of serotonergic impairment in long-term MDMA (« Ecstasy ») users. *American Journal of Psychiatry, 158,* 1687-1692. (p. 121)

Crombie, A. C. (1964, May). Early concepts of the senses and the mind. *Scientific American,* pp. 108-116. (p. 238)

Crook, T. H., & West, R. L. (1990). Name recall performance across the adult life-span. *British Journal of Psychology, 81,* 335-340. (p. 213)

Cross, S., & Markus, H. (1991). Possible selves across the life span. *Human Development, 34,* 230-255. (p. 584)

Cross-National Collaborative Group. (1992). The changing rate of major depression. *Journal of the American Medical Association, 268,* 3098-3105. (p. 615)

Crowell, J. A., & Waters, E. (1994). Bowlby's theory grown up : The role of attachment in adult love relationships. *Psychological Inquiry, 5,* 1-22. (p. 189)

Csikszentmihalyi, M. (1990). *Flow : The psychology of optimal experience.* New York : Harper & Row. (p. 482)

Csikszentmihalyi, M. (1999). If we are so rich, why aren't we happy ? *American Psychologist, 54,* 821-827. (p. 482)

Csikszentmihalyi, M., & Hunter, J. (2003). Happiness in everyday life : The uses of experience sampling. *Journal of Happiness Studies, 4,* 185-199. (p. 204)

Csikszentmihalyi, M., & Larson, R. (1984). *Being adolescent : Conflict and growth in the teenage years.* New York : Basic Books. (p. 221)

Cullen, L. T., & Masters, C. (2008, January 28). We just clicked. *Time,* pp. 84-89. (p. 706)

Cullum, J., & Harton, H. C. (2007). Cultural evolution : Interpersonal influence, issue importance, and the development of shared attitudes in college residence halls. *Personality and Social Psychology Bulletin, 33,* 1327-1339. (p. 682)

Cummings, R. A. (2006, April 4). *Australian Unity Wellbeing Index : Survey 14.1.* Australian Centre on Quality of Life, Deakin University, Melbourne : Report 14.1. (p. 522)

Cunningham, M. R., & others. (2005). « Their ideas of beauty are, on the whole, the same as ours » : Consistency and variability in the cross-cultural perception of female physical attractiveness. *Journal of Personality and Social Psychology, 68, 261-279.* (p. 708)

Cunningham, W. A., Johnson, M. K., Raye, C. L., Gatenby, J. C., Gore, J. C., & Banaji, M. R. (2004). Separable neural components in the processing of Black and White faces. *Psychological Science, 15,* 806-813. (p. 693)

Curtis, G. C., Magee, W. J., Eaton, W. W., Wittchen, H-U., & Kessler, R. C. (1998). Specific fears and phobias : Epidemiology and classification. *British Journal of Psychiatry, 173,* 212-217. (p. 603)

Curtis, R. C., & Miller, K. (1986). Believing another likes or dislikes you : Behaviors making the beliefs come true. *Journal of Personality and Social Psychology, 51,* 284-290. (p. 709)

Cushman, F., Young, L., & Hauser, M. (2006). The role of conscious reasoning and intuition in moral judgment : Testing three principles of harm. *Psychological Science, 17,* 1082-1088. (p. 201)

Cutler, B. L., & Penrod, S. D. (1989). Forensically relevant moderators of the relation between eyewitness identification accuracy and confidence. *Journal of Applied Psychology, 74*, 650-652. (p. 359)

Cynkar, A. (2007, June). The changing gender composition of psychology. *Monitor on Psychology*, 46-47. (p. 165)

Czeisler, C. A., Allan, J. S., Strogatz, S. H., Ronda, J. M., Sanchez, R., Rios, C. D., Freitag, W. O., Richardson, G. S., & Kronauer, R. E. (1986). Bright light resets the human circadian pacemaker independent of the timing of the sleep-wake cycle. *Science, 233*, 667-671. (p. 93)

Czeisler, C. A., Duffy, J. F., Shanahan, T. L., Brown, E. N., Mitchell, J. F., Rimmer, D. W., Ronda, J. M., Silva, E. J., Allan, J. S., Emens, J. S., Dijk, D-J., & Kronauer, R. E. (1999). Stability, precision, and near-24-hour period of the human circadian pacemaker. *Science, 284*, 2177-2181. (p. 93)

Czeisler, C. A., Kronauer, R. E., Allan, J. S., & Duffy, J. F. (1989). Bright light induction of strong (type O) resetting of the human circadian pacemaker. *Science, 244*, 1328-1333. (p. 93)

Dabbs, J. M., Jr. (2000). *Heroes, rogues, and lovers : Testosterone and behavior.* New York : McGraw-Hill. (p. 467)

Dabbs, J. M., Jr., & Morris, R. (1990). Testosterone, social class, and antisocial behavior in a sample of 4,462 men. *Psychological Science, 1*, 209-211. (p. 699)

Dabbs, J. M., Jr., Bernieri, F. J., Strong, R. K., Campo, R., & Milun, R. (2001b). Going on stage : Testosterone in greetings and meetings. *Journal of Research in Personality, 35*, 27-40. (p. 699)

Dabbs, J. M., Jr., Riad, J. K., & Chance, S. E. (2001a). Testosterone and ruthless homicide. *Personality and Individual Differences, 31*, 599-603. (p. 699)

Dabbs, J. M., Jr., Ruback, R. B., & Besch, N. F. (1987). Male saliva testosterone following conversations with male and female partners. Paper presented at the American Psychological Association convention. (p. 467)

Daley, T. C., Whaley, S. E., Sigman, M. D., Espinosa, M. P., & Neumann, C. (2003). IQ on the rise : The Flynn effect in rural Kenyan children. *Psychological Science, 14*, 215-219. (p. 420)

Damasio, A. (2003). *Looking for Spinoza : Joy, sorrow, and the feeling brain.* New York : Harcourt. (p. 502, 507)

Damasio, A. R. (1994). *Descartes error : Emotion, reason, and the human brain.* New York : Grossett/Putnam & Sons. (pp. 412, 507)

Damasio, H., Grabowski, T., Frank, R., Galaburda, A. M., & Damasio, A. R. (1994). The return of Phineas Gage : Clues about the brain from the skull of a famous patient. *Science, 264*, 1102-1105. (p. 73)

Damon, W., & Hart, D. (1982). The development of self-understanding from infancy through adolescence. *Child Development, 53*, 841-864. (p. 194)

Damon, W., & Hart, D. (1988). *Self-understanding in childhood and adolescence.* Cambridge : Cambridge University Press. (p. 194)

Damon, W., & Hart, D. (1992). Self-understanding and its role in social and moral development. In M. H. Bornstein & M. E. Lamb (Eds.), *Developmental psychology : An advanced textbook*, 3rd ed. Hillsdale, NJ : Lawrence Erlbaum. (p. 194)

Damon, W., Menon, J., & Bronk, K. (2003). The development of purpose during adolescence. *Applied Developmental Science, 7*, 119-128. (p. 203)

Danner, D. D., Snowdon, D. A., & Friesen, W. V. (2001). Positive emotions in early life and longevity : Findings from the Nun Study. *Journal of Personality and Social Psychology, 80*, 804-813. (p. 540)

Danso, H., & Esses, V. (2001). Black experimenters and the intellectual test performance of white participants : The tables are turned. *Journal of Experimental Social Psychology, 37*, 158-165. (p. 438)

Dapretto, M., Davies, M. S., Pfeifer, J. H., Scott, A. A., Sigman, M., Bookheimer, S. Y., & Iacoboni, M. (2006). Understanding emotions in others : Mirror neuron dysfunction in children with autism spectrum disorders. *Nature Neuroscience, 9*, 28-30. (p. 187)

Darley, J. M., & Latané, B. (1968a). Bystander intervention in emergencies : Diffusion of responsibility. *Journal of Personality and Social Psychology, 8*, 377-383. (p. 713)

Darley, J. M., & Latané, B. (1968b, December). When will people help in a crisis ? *Psychology Today*, pp. 54-57, 70-71. (p. 712, 713)

Darley, J., & Alter, A. (in press). Behavioral issues of punishment and deterrence. In E. Shafir (Ed.), *The behavioral foundations of policy.* Princeton, NJ : Princeton University Press and the Russell Sage Foundation. (p. 310)

Darrach, B., & Norris, J. (1984, August). An American tragedy. *Life*, pp. 58-74. (p. 629)

Darwin, C. (1859). *On the origin of species by means of natural selection.* London : John Murray. (p. 145)

Daum, I., & Schugens, M. M. (1996). On the cerebellum and classical conditioning. *Psychological Science, 5*, 58-61. (p. 345)

Davey, G. C. L. (1992). Classical conditioning and the acquisition of human fears and phobias : A review and synthesis of the literature. *Advances in Behavior Research and Therapy, 14*, 29-66. (p. 302)

Davey, G. C. L. (1995). Preparedness and phobias : Specific evolved associations or a generalized expectancy bias ? *Behavioral and Brain Sciences, 18*, 289-297. (p. 607)

Davidoff, J. (2004). Coloured thinking. *The Psychologist, 17*, 570-572. (p. 392)

Davidson, J. R. T., Connor, K. M., & Swartz, M. (2006). Mental illness in U.S. presidents between 1776 and 1974: A review of biographical sources. *Journal of Nervous and Mental Disease, 194*, 47-51. (p. 633)

Davidson, R. J. (2000). Affective style, psychopathology, and resilience : Brain mechanisms and plasticity. *American Psychologist, 55*, 1196-1209. (pp. 502, 698)

Davidson, R. J. (2003). Affective neuroscience and psychophysiology : Toward a synthesis. *Psychophysiology, 40*, 655-665. (p. 502)

Davidson, R. J., Kabat-Zinn, J., Schumacher, J., Rosenkranz, M., Muller, D., Santorelli, S. F., Urbanowski, F., Harrington, A., Bonus, K., & Sheridan, J. F. (2003). Alterations in brain and immune function produced by mindfulness meditation. *Psychosomatic Medicine, 65*, 564-570. (p. 547)

Davidson, R. J., Pizzagalli, D., Nitschke, J. B., & Putnam, K. (2002). Depression : Perspectives from affective neuroscience. *Annual Review of Psychology, 53*, 545-574. (p. 617)

Davies, D. R., Matthews, G., & Wong, C. S. K. (1991). Aging and work. *International Review of Industrial and Organizational Psychology, 6, 149-211.* (p. 217)

Davies, M. F. (1997). Positive test strategies and confirmatory retrieval processes in the evaluation of personality feedback. *Journal of Personality and Social Psychology, 73*, 574-583. (pp. 572, 573)

Davies, P. (2007). *Cosmic jackpot : Why our universe is just right for life.* Boston : Houghton-Mifflin. (p. 169)

Davis, B. E., Moon, R. Y., Sachs, H. C., & Ottolini, M. C. (1998). Effects of sleep position on infant motor development. *Pediatrics, 102*, 1135-1140. (p. 178)

Davis, H. IV, Liotti, M., Ngan, E. T., Woodward, T. S., Van Sellenberg, J. X., van Anders, S. M., Smith, A., & Mayberg, H. S. (2008). FMRI BOLD signal changes in elite swimmers while viewing videos of personal failures. *Brain Imaging and Behavior, 2*, 94-104. (p. 617)

Davis, J. O., & Phelps, J. A. (1995a). Twins with schizophrenia : Genes or germs ? *Schizophrenia Bulletin, 21*, 13-18. (p. 626)

Davis, J. O., Phelps, J. A., & Bracha, H. S. (1995b). Prenatal development of monozygotic twins and concordance for schizophrenia. *Schizophrenia Bulletin, 21*, 357-366. (pp. 135, 626)

Davis, K. C., Norris, J., George, W. H., Martell, J., & Heiman, J. R. (2006). Men's likelihood of sexual aggression : The influence of alcohol, sexual arousal, and violent pornography. *Aggressive Behavior, 32*, 581-589. (p. 116)

Davis, M. (2005). Searching for a drug to extinguish fear. *Cerebrum, 7*(3), 47-58. (p. 661)

Davis, S., Rees, M., Ribot, J., Moufarege, A., Rodenberg, C., & Purdie, D. (2003). Efficacy and safety of testosterone patches for the treatment of low sexual desire in surgically menopausal women. Presented to the American Society for Reproductive Medicine, San Antonio, October 11-15. (p. 467)

Davison, K. P., Pennebaker, J. W., & Dickerson, S. S. (2000). Who talks ? The social psychology of illness support groups. *American Psychologist, 55*, 205-217. (p. 649)

Dawes, R. M. (1980). Social dilemmas. *Annual Review of Psychology, 31*, 169-193. (p. 715)

Dawes, R. M. (1994). House of cards : Psychology and psychotherapy built on myth. New York : Free Press. (p. 585)

Dawkins, R. (1998). *Unweaving the rainbow.* Boston : Houghton Mifflin. (p. 168)

Dawkins, R. (1999, April 8). Is science killing the soul (a discussion with Richard Dawkins and Steven Pinker). www.edge.org. (p. 85)

Dawkins, R. (2007, July 1). Inferior design. *New York Times* (www.nytimes.com). (p. 143)

Dawood, K., Kirk, K. M., Bailey, J. M., Andrews, P. W., & Martin, N. G. (2005). Genetic and environmental influences on the frequency of orgasm in women. *Twin Research, 8,* 27-33. (p. 466)

de Boysson-Bardies, B., Halle, P., Sagart, L., & Durand, C. (1989). A cross linguistic investigation of vowel formats in babbling. *Journal of Child Language, 16,* 1-17. (p. 385)

de Courten-Myers, G. M. (2002, May 9). Personal correspondence. (p. 177)

de Courten-Myers, G. M. (2005, February 4). Personal correspondence (estimating total brain neurons, extrapolating from her carefully estimated 20 to 23 billion cortical neurons). (pp. 57, 68)

de Cuevas, J. (1990, September-October). « No, she holded them loosely. » *Harvard Magazine,* pp. 60-67. (p. 386)

de Hoogh, A. H. B., den Hartog, D. N., Koopman, P. L., Thierry, H., van den Berg, P. T., van der Weide, J. G., & Wilderom, C. P. M. (2004). Charismatic leadership, environmental dynamism, and performance. *European Journal of Work and Organisational Psychology, 13,* 447-471. (p. 492)

De Houwer, J., Baeyens, F., & Field, A. P. (2005a). Associative learning of likes and dislikes : Some current controversies and possible ways forward. *Cognition and Emotion, 19,* 161-174. (p. 297)

De Houwer, J., Thomas, S., & Baeyens, F. (2001). Associative learning of likes and dislikes : A review of 25 years of research on human evaluative conditioning. *Psychological Bulletin, 127,* 853-869. (p. 296)

De Houwer, J., Vandorpe, S., & Beckers, T. (2005b). On the role of controlled cognitive processes in human associative learning. In A. J. Wills (Ed.), *New directions in human associative learning.* Mahwah, NJ : Erlbaum. (p. 297)

De Koninck, J. (2000). Waking experiences and dreaming. In M. Kryger, T. Roth, & W. Dement (Eds.), *Principles and practice of sleep medicine, 3rd ed.* Philadelphia : Saunders. (p. 104)

de Quervain, D. J.-F., Roozendaal, B., & McGaugh, J. L. (1998). Stress and glucocorticoids impair retrieval of long-term spatial memory. *Nature, 394,* 787-790. (p. 342)

De Vogli, R., Chandola, T., & Marmot, M. G. (2007). Negative aspects of close relationships and heart disease. *Archives of Internal Medicine, 167,* 1951-1957. (p. 541)

de Waal, F. (2005, September 23). We're all Machiavellians. *Chronicle of Higher Education.* (p. 11)

de Waal, F. B. M. (1999, December). The end of nature versus nurture. *Scientific American,* pp. 94-99. (p. 163)

de Waal, F. B. M., & Johanowicz, D. L. (1993). Modification of reconciliation behavior through social experience : An experiment with two macaque species. *Child Development, 64,* 897-908. (p. 318)

De Wolff, M. S., & van IJzendoorn, M. H. (1997). Sensitivity and attachment : A meta-analysis on parental antecedents of infant attachment. *Child Development, 68,* 571-591. (p. 190)

Deacon, B. J., & Abramowitz, J. S. (2004). Cognitive and behavioral treatments for anxiety disorders : A review of meta-analytic findings. *Journal of Clinical Psychology, 60,* 429-441. (p. 643)

Dean, G. A., Kelly, I. W., Saklofske, D. H., & Furnham, A. (1992). Graphology and human judgment. In B. Beyerstein & D. Beyerstein (Eds.), *The write stuff : Evaluations of graphology.* Buffalo, NY : Prometheus Books. (p. 572)

DeAngelis, T. (2008, February). U.K. gives huge boost to psychologists. *Monitor on Psychology,* p. 51. (p. 655)

Deary, I. J., & Caryl, P. G. (1993). Intelligence, EEG and evoked potentials. In P. A. Vernon (Ed.), *Biological approaches to the study of human intelligence.* Norwood, NJ : Ablex. (p. 414)

Deary, I. J., & Der, G. (2005). Reaction time explains IQ's association with death. *Psychological Science, 16,* 64-69. (p. 414)

Deary, I. J., & Matthews, G. (1993). Personality traits are alive and well. *The Psychologist : Bulletin of the British Psychological Society, 6,* 299-311. (p. 574)

Deary, I. J., & Stough, C. (1996). Intelligence and inspection time : Achievements, prospects, and problems. *American Psychologist, 51,* 599-608. (p. 414)

Deary, I. J., Batty, G. D., & Gale, C. R. (2008). Bright children become enlightened adults. *Psychological Science, 19,* 1-6. (p. 696)

Deary, I. J., Strand, S., Smith, P., & Fernandes, C. (2007). Intelligence and educational achievement. *Intelligence, 35,* 13-21. (p. 421)

Deary, I. J., Thorpe, G., Wilson, V., Starr, J. M., & Whalley, L. J. (2003). Population sex differences in IQ at age 11 : The Scottish mental survey 1932. *Intelligence, 31,* 533-541. (pp. 431, 434)

Deary, I. J., Whiteman, M. C., Starr, J. M., Whalley, L. J., & Fox, H. C. (2004). The impact of childhood intelligence on later life : Following up the Scottish mental surveys of 1932 and 1947. *Journal of Personality and Social Psychology, 86,* 130-147. (pp. 423, 424)

DeBruine, L. M. (2002). Facial resemblance enhances trust. *Proceedings of the Royal Society of London, 269,* 1307-1312. (p. 706)

DeBruine, L. M. (2004). Facial resemblance increases the attractiveness of same-sex faces more than other-sex faces. *Proceedings of the Royal Society of London B, 271,* 2085-2090. (p. 706)

Deci, E. L., & Ryan, R. M. (1985). *Intrinsic motivation and self-determination in human behavior.* New York : Plenum Press. (p. 313)

Deci, E. L., & Ryan, R. M. (1992). The initiation and regulation of intrinsically motivated learning and achievement. In A. K. Boggiano & T. S. Pittman (Eds.), *Achievement and motivation : A social-developmental perspective.* New York : Cambridge University Press. (p. 313)

Deci, E. L., & Ryan, R. M. (Eds.) (2002). *Handbook of self-determination research.* Rochester, NJ : University of Rochester Press. (pp. 313, 479)

Deci, E. L., Koestner, R., & Ryan, R. M. (1999, November). A meta-analytic review of experiments examining the effects of extrinsic rewards on intrinsic motivation. *Psychological Bulletin, 125(6),* 627-668. (p. 312)

Deeley, Q., Daly, E., Surguladze, S., Tunstall, N., Mezey, G., Beer, D., Ambikapathy, A., Robertson, D., Giampietro, V., Brammer, M. J., Clarke, A., Dowsett, J., Fahy, T., Phillips, M. L., & Murphy, D. G. (2006). Facial emotion processing in criminal psychopathy. *British Journal of Psychiatry, 189,* 533-539. (p. 630)

DeHart, T., Tennen, H., Armeli, S., Todd, M., & Affleck, G. (2008). Drinking to regulate negative romantic relationship interactions : The moderating role of self-esteem. *Journal of Experimental Social Psychology, 44,* 527-538. (p. 116)

Dehne, K. L., & Riedner, G. (2005). *Sexually transmitted infections among adolescents : The need for adequate health services.* Geneva : World Health Organization. (p. 470)

DeLamater, J. D., & Sill, M. (2005). Sexual desire in later life. *Journal of Sex Research, 42,* 138-149. (p. 208)

Delaney, H. D., Miller, W. R., & Bisonó, A. M. (2007). Religiosity and spirituality among psychologists : A survey of clinician members of the American Psychological Association. *Professional Psychology ; Research and Practice, 38,* 538-546. (p. 658)

Delaney, P. F., Ericsson, K. A., Weaver, G. E., & Mahadevan, S. (1999). Accounts of the memorist Rajan's exceptional performance : Comparing three theoretical proposals. Paper presented to the American Psychological Society convention. (p. 339)

Delgado, J. M. R. (1969). *Physical control of the mind : Toward a psychocivilized society.* New York : Harper & Row. (p. 70)

DeLoache, J. S. (1987). Rapid change in the symbolic functioning of very young children. *Science, 238,* 1556-1557. (p. 183)

DeLoache, J. S. (1995). Early understanding and use of symbols : The model model. *Current Directions in Psychological Science, 4,* 109-113. (p. 183)

DeLoache, J. S., Uttal, D. H., & Rosengren, K. S. (2004). Scale errors offer evidence for a perception-action dissociation early in life. *Science, 304,* 1027-1029. (p. 180)

Dement, W. C. (1978). *Some must watch while some must sleep.* New York : Norton. (pp. 94, 102)

Dement, W. C. (1997, September). What all undergraduates should know about how their sleeping lives affect their waking lives. Stanford University : www.leland.stanford.edu/~dement/sleepless.html. (p. 98)

Dement, W. C. (1999). *The promise of sleep.* New York : Delacorte Press. (pp. 93, 94, 95, 97, 98, 99, 102, 103, B-2, B-7)

Dement, W. C., & Wolpert, E. A. (1958). The relation of eye movements, body mobility, and external stimuli to dream content. *Journal of Experimental Psychology, 55,* 543-553. (p. 104)

Demir, E., & Dickson, B. J. (2005). Fruitless splicing specifies male courtship behavior in Drosophila. *Cell, 121,* 785-794. (p. 475)

Denes-Raj, V., Epstein, S., & Cole, J. (1995). The generality of the ratio-bias phenomenon. *Personality and Social Psychology Bulletin, 21,* 1083-1092. (p. 381)

DeNeve, K. M., & Cooper, H. (1998). The happy personality : A metaanalysis of 137 personality traits and subjective well-being. *Psychological Bulletin, 124,* 197-229. (p. 526)

Dennett, D. (2005, December 26). Spiegel interview with evolution philosopher Danniel Dennett : Darwinism completely refutes intelligent design. *Der Spiegel* (www.service.spiegel.de). (p. 7)

Dennett, D. C. (1991). *Consciousness explained.* Boston : Little, Brown. (p. 299)

Denton, K., & Krebs, D. (1990). From the scene to the crime : The effect of alcohol and social context on moral judgment. *Journal of Personality and Social Psychology, 59,* 242-248. (p. 115)

DePaulo, B. M. (1994). Spotting lies : Can humans learn to do better ? *Current Directions in Psychological Science 3,* 83-86. (p. 510)

DePaulo, B. M., Blank, A. L., Swaim, G. W., & Hairfield, J. G. (1992). Expressiveness and expressive control. *Personality and Social Psychology Bulletin, 18,* 276-285. (p. 576)

Der, G., Batty, G. D., & Deary, I. J. (2006). Effect of breast feeding on intelligence in children : Prospective study, sibling pairs analysis, and metaanalysis. *British Medical Journal, 333,* 945. (p. 17)

Dermer, M., & Pyszczynski, T. A. (1978). Effects of erotica upon men's loving and liking responses for women they love. *Journal of Personality and Social Psychology, 36,* 1302-1309. (p. 710)

Dermer, M., Cohen, S. J., Jacobsen, E., & Anderson, E. A. (1979). Evaluative judgments of aspects of life as a function of vicarious exposure to hedonic extremes. *Journal of Personality and Social Psychology, 37,* 247-260. (p. 525)

Deroche-Garmonet, V., Belin, D., & Piazza, P. V. (2004). Evidence for addiction-like behavior in the rat. *Science, 305,* 1014-1017. (p. 114)

DeRubeis, R. J., & 10 others. (2005). Cognitive therapy vs. medications in the treatment of moderate to severe depression. *Archives of General Psychiatry, 62,* 409-416. (p. 654)

DeSteno, D., Dasgupta, N., Bartlett, M. Y., & Cajdric, A. (2004). Prejudice from thin air : The effect of emotion on automatic intergroup attitudes. *Psychological Science, 15,* 319-324. (p. 519)

DeSteno, D., Petty, R. E., Wegener, D. T., & Rucker, D. D. (2000). Beyond valence in the perception of likelihood : The role of emotion specificity. *Journal of Personality and Social Psychology, 78,* 397-416. (p. 349)

Dettman, S. J., Pinder, D., Briggs, R. J. S., Dowell, R. C., & Leigh, J. R. (2007). Communication development in children who receive the cochlear implant younger than 12 months : Risk versus benefits. *Ear and Hearing, 28*(2), Supplement 11S-18S. (p. 250)

Deutsch, J. A. (1972, July). Brain reward : ESP and ecstasy. *Psychology Today,* 46-48. (p. 67)

DeValois, R. L., & DeValois, K. K. (1975). Neural coding of color. In E. C. Carterette & M. P. Friedman (Eds.), *Handbook of perception : Vol. V. Seeing.* New York : Academic Press. (p. 245)

Devilly, G. J. (2003). Eye movement desensitization and reprocessing : A chronology of its development and scientific standing. *Scientific Review of Mental Health Practice, 1,* 113-118. (p. 656)

Devilly, G. J., Gist, R., & Cotton, P. (2006). Ready! Fire! Aim! The status of psychological debriefing and therapeutic interventions : In the work place and after disasters. *Review of General Psychology, 10,* 318-345. (p. 605)

Devine, P. G. (1995). Prejudice and outgroup perception. In A. Tesser (Ed.), *Advanced social psychology.* New York : McGraw-Hill. (p. 706)

Devlin, B., Daniels, M., & Roeder, K. (1997). The heritability of IQ. *Nature, 388,* 468-471. (p. 427)

Dew, M. A., Hoch, C. C., Buysse, D. J., Monk, T. H., Begley, A. E., Houck, P. R., Hall, M., Kupfer, D. J., Reynolds, C. F., III (2003). Healthy older adults' sleep predicts all-cause mortality at 4 to 19 years of follow-up. *Psychosomatic Medicine, 65,* 63-73. (p. 99)

DeWall, C. N., Baumeister, R. F., Stillman, T. F., & Gaillot, M. T. (2007). Violence restrained : Effects of self-regulation and its depletion on aggression. *Journal of Experimental Social Psychology, 43,* 62-76. (p. 579)

Diaconis, P. (2002, August 11). Quoted by L. Belkin, The odds of that. *New York Times* (www.nytimes.com). (p. 17)

Diaconis, P., & Mosteller, F. (1989). Methods for studying coincidences. *Journal of the American Statistical Association, 84,* 853-861. (p. 17)

Diamond, J. (2001, February). A tale of two reputations : Why we revere Darwin and give Freud a hard time. *Natural History,* pp. 20-24. (p. 145)

Diamond, L. M. (2007). A dynamical systems approach to the development and expression of female same-sex sexuality. *Perspectives on Psychological Science, 2,* 142-161. (p. 472)

Diamond, R. (1993). Genetics and male sexual orientation (letter). *Science, 261,* 1258. (p. 477)

Dick, D. M. & 14 others (2007). Association of *CHRM2* with IQ : Converging evidence for a gene influencing intelligence. *Behavior Genetics, 37,* 265-272. (p. 428)

Dick, D. M. (2007). Identification of genes influencing a spectrum of externalizing psychopathology. *Current Directions in Psychological Science, 16,* 331-335. (p. 629)

Dickens, W. T., & Flynn, J. R. (2006). Black Americans reduce the racial IQ gap : Evidence from standardization samples. *Psychological Science, 17,* 913-920. (p. 434)

Dickerson, S. S., & Kemeny, M. E. (2004). Acute stressors and cortisol responses : A theoretical integration and synthesis of laboratory research. *Psychological Bulletin, 130,* 355-391. (p. 538)

Dickinson, H. O., Parkinson, K. M., Ravens-Sieberer, U., Schirripa, G., Thyen, U., Arnaud, C., Beckung, E., Fauconnier, J., McManus, V., Michelsen, S. I., Parkes, J., & Colver, A. F. (2007). Self-reported quality of life of 8-12-year-old children with cerebral palsy : A cross-sectional European study. *Lancet, 369,* 2171-2178. (p. 521)

Dickson, B. J. (2005, June 3). Quoted in E. Rosenthal, For fruit flies, gene shift tilts sex orientation. *New York Times* (www.nytimes.com). (p. 475)

Diener, E. (2006). Guidelines of national indicators of subjective well-being and ill-being. *Journal of Happiness Studies, 7,* 397-404. (p. 523)

Diener, E., & Biswas-Diener, R. (2002). Will money increase subjective well-being ? A literature review and guide to needed research. *Social Indicators Research, 57,* 119-169. (p. 523)

Diener, E., & Biswas-Diener, R. (2008). *Rethinking happiness : The science of psychological wealth.* Malden, MA : Wiley Blackwell. (pp. 521, 522, 523)

Diener, E., & Oishi, S. (2000). Money and happiness : Income and subjective well-being across nations. In E. Diener & E. M. Suh (Eds.), *Subjective wellbeing across cultures.* Cambridge, MA : MIT Press. (p. 522)

Diener, E., & Seligman, M. E. P. (2002). Very happy people. *Psychological Science, 13,* 81-84. (p. 479)

Diener, E., Emmons, R. A., & Sandvik, E. (1986). The dual nature of happiness : Independence of positive and negative moods. Unpublished manuscript, University of Illinois. (p. 221)

Diener, E., Lucas, R. E., & Scollon, C. N. (2006). Beyond the hedonic treadmill : Revising the adaptation theory of well-being. *American Psychologist, 61,* 305-314. (p. 524)

Diener, E., Nickerson, C., Lucas, R. E., & Sandvik, E. (2002). Dispositional affect and job outcomes. *Social Indicators Research, 59,* 229-259. (p. 520)

Diener, E., Oishi, S., & Lucas, R. E. (2003). Personality, culture, and subjective well-being : Emotional and cognitive evaluations of life. *Annual Review of Psychology, 54,* 403-425. (p. 526)

Diener, E., Wolsic, B., & Fujita, F. (1995). Physical attractiveness and subjective well-being. *Journal of Personality and Social Psychology, 69,* 120-129. (p. 707)

Dietz, W. H., Jr., & Gortmaker, S. L. (1985). Do we fatten our children at the television set ? Obesity and television viewing in children and adolescents. *Pediatrics, 75,* 807-812. (p. 463)

DiFranza, J. R. (2008, May). Hooked from the first cigarette. *Scientific American,* pp. 82-87. (p. 119)

Dijksterhuis, A., & Aarts, H. (2003). On wildebeests and humans : The preferential detection of negative stimuli. *Psychological Science, 14,* 14-18. (p. 508)

Dijksterhuis, A., & Nordgren, L. F. (2006a). A theory of unconscious thought. *Perspectives on Psychological Science, 1,* 95-109. (p. 380)

Dijksterhuis, A., Bos, M. W., Nordgren, L. F., & van Baaren, R. B. (2006b). Complex choices better made unconsciously ? *Science, 313,* 760-761. (p. 380)

DiLalla, D. L., Carey, G., Gottesman, I. I., & Bouchard, T. J., Jr. (1996). Heritability of MMPI personality indicators of psychopathology in twins reared apart. *Journal of Abnormal Psychology, 105,* 491-499. (pp. 138, 615)

Dimberg, U., Thunberg, M., & Elmehed, K. (2000). Unconscious facial reactions to emotional facial expressions. *Psychological Science, 11,* 86-89. (pp. 318, 505, 514)

Dimberg, U., Thunberg, M., & Grunedal, S. (2002). Facial reactions to emotional stimuli : Automatically controlled emotional responses. *Cognition and Emotion, 16,* 449-472. (p. 318)

Dindia, K., & Allen, M. (1992). Sex differences in self-disclosure : A metaanalysis. *Psychological Bulletin, 112,* 106-124. (p. 162)

Dindo, M., Thierry, B., & Whiten, A. (2008). Social diffusion of novel foraging methods in brown capuchin monkeys (*Cebus apella*). *Proceedings of the Royal Society. Series B. Biological Sciences, 275,* 187-193. (p. 397)

Dinges, N. G., & Hull, P. (1992). Personality, culture, and international studies. In D. Lieberman (Ed.), *Revealing the world : An interdisciplinary reader for international studies.* Dubuque, IA : Kendall-Hunt. (p. 392)

Dingfelder, S. (2007, December). $10 million project aims to integrate law and neuroscience. *Monitor on Psychology,* p. 11. (p. 505)

Dion, K. K., & Dion, K. L. (1993). Individualistic and collectivistic perspectives on gender and the cultural context of love and intimacy. *Journal of Social Issues, 49,* 53-69. (p. 157)

Dion, K. K., & Dion, K. L. (2001). Gender and cultural adaptation in immigrant families. *Journal of Social Issues, 57,* 511-521. (p. 165)

Discover (1996, May). A fistful of risks. Pp. 82-83. (p. 118)

Dixon, J., Durrheim, K., & Tredoux, C. (2007). Intergroup contact and attitudes toward the principle and practice of racial equality. *Psychological Science, 18,* 867-872. (p. 716)

Dobbs, D. (2006, August/September). Turning off depression. *Scientific American Mind,* pp. 26-31. (p. 666)

Dobel, C., Diesendruck, G., & Bölte, J. (2007). How writing system and age influence spatial representations of actions : A developments, cross-linguistic study. *Psychological Science, 18,* 487-491. (p. 392)

Doherty, E. W., & Doherty, W. J. (1998). Smoke gets in your eyes : Cigarette smoking and divorce in a national sample of American adults. *Families, Systems, and Health, 16,* 393-400. (p. 119)

Dohrenwend, B. P., Levav, I., Shrout, P. E., Schwartz, S., Naveh, G., Link, B. G., Skodol, A. E., & Stueve, A. (1992). Socioeconomic status and psychiatric disorders : The causation-selection issue. *Science, 255,* 946-952. (p. 632)

Dohrenwend, B. P., Turner, J. B., Turse, N. A., Adams, B. G., Koenen, K. C., & Marshall, R. (2006). The psychological risks of Vietnam for U.S. veterans : A revisit with new data and methods. *Science, 313,* 979-982. (p. 604)

Dohrenwend, B., Pearlin, L., Clayton, P., Hamburg, B., Dohrenwend, B. P., Riley, M., & Rose, R. (1982). Report on stress and life events. In G. R. Elliott & C. Eisdorfer (Eds.), *Stress and human health : Analysis and implications of research* (A study by the Institute of Medicine/National Academy of Academy of Sciences). New York : Springer. (p. 531)

Doidge, N. (2007). *The brain that changes itself.* New York : Viking. (p. 74)

Dolan, C. M., Kraemer, H., Browner, W., Ensrud, K., & Kelsey, J. L. (2007). Associations between body composition, anthropometry and mortality in women of age 65 and older. *American Journal of Public Health, 97,* 913-918. (p. 456)

Dole, R. (1996, April 20). Quoted by M. Duffy, Look who's talking. *Time,* p. 48. (p. 675)

Dolezal, H. (1982). *Living in a world transformed.* New York : Academic Press. (p. 274)

Domhoff, G. W. (1996). *Finding meaning in dreams : A quantitative approach.* New York ; Plenum. (p. 104)

Domhoff, G. W. (2003). *The scientific study of dreams : Neural networks, cognitive development, and content analysis.* Washington, DC ; APA Books. (p. 105, 106)

Domhoff, G. W. (2007). Realistic simulations and bizarreness in dream content : Past findings and suggestions for future research. In D. Barrett & P. McNamara (Eds.), *The new science of dreaming ; Content, recall, and personality characteristics.* Westport, CT : Praeger. 104)

Domjan, M. (1992). Adult learning and mate choice : Possibilities and experimental evidence. *American Zoologist, 32,* 48-61. (p. 296)

Domjan, M. (1994). Formulation of a behavior system for sexual conditioning. *Psychonomic Bulletin & Review, 1,* 421-428. (p. 296)

Domjan, M. (2005). Pavlovian conditioning : A functional perspective. *Annual Review of Psychology, 56.* (pp. 296, 300)

Domjan, M., Cusato, B., & Krause, M. (2004). Learning with arbitrary versus ecological conditioned stimuli : Evidence from sexual conditioning. *Psychonomic Bulletin & Review, 11,* 232-246. (p. 300)

Donahoe, J. W., & Vegas, R. (2004). Pavlovian conditioning : The CS-UR relation. *Journal of Experimental Psychology : Animal Behavior, 30, 17-33.* (p. 316)

Donnellan, M. B., Conger, R. D., & Bryant, C. M. (2004). The Big Five and enduring marriages. *Journal of Research in Personality, 38,* 481-504. (p. 572)

Donnellan, M. B., Trzesniewski, K. H., Robins, R. W., Moffitt, T. E., & Caspi, A. (2005). Low self-esteem is related to aggression, antisocial behavior, and delinquency. *Psychological Science, 16,* 328-335. (pp. 577, 589)

Donnerstein, E. (1998). Why do we have those new ratings on television. Invited address to the National Institute on the Teaching of Psychology. (p. 322)

Donnerstein, E., Linz, D., & Penrod, S. (1987). *The question of pornography.* New York : Free Press. (p. 323)

Dorner, G. (1976). *Hormones and brain differentiation.* Amsterdam : Elsevier Scientific. (p. 475)

Dorner, G. (1988). Neuroendocrine response to estrogen and brain differentiation in heterosexuals, homosexuals, and transsexuals. *Archives of Sexual Behavior, 17,* 57-75. (p. 475)

Doty, R. L. (2001). Olfaction. *Annual Review of Psychology, 52,* 423-452. (p. 262)

Doty, R. L., Shaman, P., Applebaum, S. L., Giberson, R., Siksorski, L., & Rosenberg, L. (1984). Smell identification ability : Changes with age. *Science, 226,* 1441-1443. (p. 210)

Dovidio, J. F., & Gaertner, S. L. (1999). Reducing prejudice : Combating intergroup biases. *Current Directions in Psychological Science, 8,* 101-105. (p. 717)

Dovidio, J. F., ten Vergert, M., Stewart, T. L., Gaertner, S. L., Johnson, J. D., Esses, V. M., Riek, B. M., & Pearson, A. R. (2004). Perspective and prejudice : Antecedents and mediating mechanisms. *Personality and Social Psychology Bulletin, 30,* 1537-154. (p. 717)

Downing, P. E., Jiang, Y., & Shuman, M. (2001). A cortical area selective for visual processing of the human body. *Science, 293,* 2470-2473. (p. 241)

Doyle, R. (2005, March). Gay and lesbian census. *Scientific American,* p. 28. (p. 146)

Draguns, J. G. (1990a). Normal and abnormal behavior in cross-cultural perspective : Specifying the nature of their relationship. *Nebraska Symposium on Motivation 1989, 37,* 235-277. (pp. 594, 620)

Draguns, J. G. (1990b). Applications of cross-cultural psychology in the field of mental health. In R. W. Brislin (Ed.), *Applied cross-cultural psychology.* Newbury Park, CA : Sage. (p. 594)

Draguns, J. G. (1997). Abnormal behavior patterns across cultures : Implications for counseling and psychotherapy. *International Journal of Intercultural Relations, 21,* 213-248. (p. 594)

Drake, R. A. (1993). Processing persuasive arguments : II. Discounting of truth and relevance as a function of agreement and manipulated activation asymmetry. *Journal of Research in Personality, 27,* 184-196. (p. 78)

Drake, R. A., & Myers, L. R. (2006). Visual attention, emotion, and action tendency : Feeling active or passive. *Cognition and Emotion, 20,* 608-622. (p. 502)

Druckman, D., & Bjork, R. A. (1991). *In the mind's eye : Enhancing human performance.* National Academy Press : Washington, DC. (p. 568)

Druckman, D., & Bjork, R. A. (Eds.) (1994). *Learning, remembering, believing : Enhancing human performance.* Washington, DC ; National Academy Press. (pp. 109, 110)

Duckworth, A. L., & Seligman, M. E. P. (2005). Discipline outdoes talent : Self-discipline predicts academic performance in adolescents. *Psychological Science, 12,* 939-944. (p. 488)

Duckworth, A. L., & Seligman, M. E. P. (2006). Self-discipline gives girls the edge : Gender in self-discipline, grades, and achievement tests. *Journal of Educational Psychology, 98,* 198-208. (p. 488)

Duclos, S. E., Laird, J. D., Sexter, M., Stern, L., & Van Lighten, O. (1989). Emotion-specific effects of facial expressions and postures on emotional experience. *Journal of Personality and Social Psychology, 57,* 100-108. (p. 513)

Duenwald, M. (2004, October 26). The dorms may be great, but how's the counseling ? *New York Times* (www.nytimes.com). (p. 662)

Duffy, M. (2003, June 9). Weapons of mass disappearance. *Time,* pp. 28-33. (p. 679)

Dugatkin, L. A. (2002, Winter). Watching culture shape even guppy love. *Cerebrum,* pp. 51-66. (p. 318)

Duggan, J. P., & Booth, D. A. (1986). Obesity, overeating, and rapid gastric emptying in rats with ventromedial hypothalamic lesions. *Science, 231,* 609-611. (p. 450)

Dumont, K. A., Widom, C. S., Czaja, S. J. (2007). Predictors of resilience in abused and neglected children grown-up : The role of individual and neighborhood characteristics. *Child Abuse & Neglect, 31,* 255-274. (p. 192)

Duncan, J. (2000, July 21). Quoted by N. Angier, Study finds region of brain may be key problem solver. *New York Times* (www.ny times.com). (p. 414)

Duncan, J., Seitz, R. J., Kolodny, J., Bor, D., Herzog, H., Ahmed, A., Newell, F. N., & Emslie, H. (2000). A neural basis of general intelligence. *Science, 289,* 457-460. (p. 414)

Duncker, K. (1945). On problem solving. *Psychological Monographs, 58* (Whole no. 270). (pp. 373, 374)

Dunn, A. L., Trivedi, M. H., Kampert, J. B., Clark, C. G., & Chambliss, H. O. (2005). Exercise treatment for depression : Efficacy and dose response. *American Journal of Preventive Medicine, 28,* 1-8. (p. 543)

Dunn, E. W., Aknin, L. B., & Norton, M. I. (2008). Spending money on others promotes happiness. *Science, 319,* 1687-1688. (p. 714)

Dunning, D. (2006). Strangers to ourselves ? *The Psychologist, 19,* 600-603. (p. 583)

Dunson, D. B., Colombo, B., & Baird, D. D. (2002). Changes with age in the level and duration of fertility in the menstrual cycle. *Human Reproduction, 17,* 1399-1403. (p. 207)

Durgin, F. H., Evans, L., Dunphy, N., Klostermann, S., & Simmons, K. (2007). Rubber hands feel the touch of light. *Psychological Science, 18,* 152-157. (p. 254)

Dush, C. M. K, Cohan, C. L., & Amato, P. R. (2003). The relationship between cohabitation and marital quality and stability : Change across cohorts ? *Journal of Marriage and Family, 65,* 539-549. (p. 218)

Dutton, D. G., & Aron, A. (1989). Romantic attraction and generalized liking for others who are sources of conflict-based arousal. *Canadian Journal of Behavioural Sciences, 21,* 246-257. (p. 710)

Dutton, D. G., & Aron, A. P. (1974). Some evidence for heightened sexual attraction under conditions of high anxiety. *Journal of Personality and Social Psychology, 30,* 510-517. (p. 710)

Dweck, C. S. (2006). *Mindset : The new psychology of success.* New York : Random House. (p. 431)

Dweck, C. S. (2007, November 28). The secret to raising smart kids. *Scientific American Mind,* pp. 36-43 (http : //www.sciam.com). (p. 431)

Eagly, A. H. (1994). Are people prejudiced against women ? Donald Campbell Award invited address, American Psychological Association convention. (p. 694)

Eagly, A. H. (2007). Female leadership advantage and disadvantage : Resolving the contradictions. *Psychology of Women Quarterly, 31,* 1-12. (p. 492)

Eagly, A. H., & Crowley, M. (1986). Gender and helping behavior : A metaanalytic review of the social psychological literature. *Psychological Bulletin, 100,* 283-308. (p. 713)

Eagly, A. H., & Wood, W. (1999). The origins of sex differences in human behavior : Evolved dispositions versus social roles. *American Psychologist, 54,* 408-423. (p. 148)

Eagly, A. H., Ashmore, R. D., Makhijani, M. G., & Kennedy, L. C. (1991). What is beautiful is good, but . . .: A meta-analytic review of research on the physical attractiveness stereotype. *Psychological Bulletin, 110,* 109-128. (p. 707)

Eagly, A., & Carli, L. (2007). *Through the labyrinth : The truth about how women become leaders.* Cambridge, MA : Harvard University Press. (p. 160)

Eastman, C. L., Boulos, Z., Terman, M., Campbell, S. S., Dijk, D-J., & Lewy, A. J. (1995). Light treatment for sleep disorders : Consensus report. VI. Shift work. *Journal of Biological Rhythms, 10,* 157-164. (p. 93)

Eastman, C. L., Young, M. A., Fogg, L. F., Liu, L., & Meaden, P. M. (1998). Bright light treatment of winter depression : A placebo-controlled trial. *Archives of General Psychiatry, 55,* 883-889. (p. 657)

Eastwick, P. W., & Finkel, E. J. (2008a). Speed-dating as a methodological innovation. *The Psychologist, 21,* 402-403. (p. 706)

Eastwick, P. W., & Finkel, E. J. (2008b). Sex differences in mate preferences revisited : Do people know what they initially desire in a romantic partner ? *Journal of Personality and Social Psychology, 94,* 245-264. (p. 706)

Ebbesen, E. B., Duncan, B., & Konecni, V. J. (1975). Effects of content of verbal aggression on future verbal aggression : A field experiment. *Journal of Experimental Social Psychology, 11,* 192-204. (p. 518)

Ebbinghaus, H. (1885). Über das Gedachtnis. Leipzig : Duncker & Humblot. Cited in R. Klatzky (1980), *Human memory : Structures and processes.* San Francisco : Freeman. (p. 332)

Ebbinghaus, H. (1885/1964). *Memory : A contribution to experimental psychology* (tr. by H. A. Ruger & C. E. Bussenius). New York : Dover. (p. 351, 352)

Eberhardt, J. L. (2005). Imaging race. *American Psychologist, 60,* 181-190. (p. 693)

Eberhardt, J. L., Davies, P. G., Purdie-Vaughns, V. J., & Johnson, S. L. (2006). Looking deathworthy : Perceived stereotypicality of Black defendants predicts capital-sentencing outcomes. *Psychological Science, 17,* 383-386. (p. 693)

Eberhardt, J. L., Goff, P. A., Purdie, V. J., & Davies, P. G. (2004). Seeing Black : Race, crime, and visual processing. *Journal of Personality and Social Psychology, 87,* 876-893. (p. 693)

Eccles, J. S., Jacobs, J. E., & Harold, R. D. (1990). Gender role stereotypes, expectancy effects, and parents' socialization of gender differences. *Journal of Social Issues, 46,* 183-201. (p. 433)

Eckensberger, L. H. (1994). Moral development and its measurement across cultures. In W. J. Lonner & R. Malpass (Eds.), *Psychology and culture.* Boston : Allyn and Bacon. (p. 201)

Eckert, E. D., Heston, L. L., & Bouchard, T. J., Jr. (1981). MZ twins reared apart : Preliminary findings of psychiatric disturbances and traits. In L. Gedda, P. Paris, & W. D. Nance (Eds.), *Twin research : Vol. 3. Pt. B. Intelligence, personality, and development.* New York, 607)

Ecklund-Flores, L. (1992). The infant as a model for the teaching of introductory psychology. Paper presented to the American Psychological Association annual convention. (p. 175)

Economist. (2001, December 20). An anthropology of happiness. *The Economist* (www.economist.com/world/asia). (p. 480)

Edelman, S., & Kidman, A. D. (1997). Mind and cancer : Is there a relationship ? A review of the evidence. *Australian Psychologist, 32,* 1-7. (p. 536)

Edison, T. A. (1948). *The diary and sundry observations of Thomas Alva Edison,* edited by D. D. Runes. New York : Philosophical Library. Cited by S. Coren (1996). *Sleep Thieves.* New York ; Free Press. (p. 97)

Eibl-Eibesfeldt, I. (1971). *Love and hate : The natural history of behavior patterns.* New York : Holt, Rinehart & Winston. (p. 512)

Eich, E. (1990). Learning during sleep. In R. B. Bootzin, J. F. Kihlstrom, & D. L. Schacter (Eds.), *Sleep and cognition.* Washington, DC : American Psychological Association. (p. 105)

Einstein, G. O., & McDaniel, M. A. (1990). Normal aging and prospective memory. *Journal of Experimental Psychology : Learning, Memory, and Cognition, 16,* 717-726. (p. 213)

Einstein, G. O., McDaniel, M. A., Richardson, S. L., Guynn, M. J., & Cunfer, A. R. (1995). Aging and prospective memory : Examining the influences of self-initiated retrieval processes. *Journal of Experimental Psychology : Learning, Memory, and Cognition, 21,* 996-1007. (p. 213)

Einstein, G. O., McDaniel, M. A., Smith, R. E., & Shaw, P. (1998). Habitual prospective memory and aging : Remembering intentions and forgetting actions. *Psychological Science, 9,* 284-288. (p. 213)

Eisenberg, N., & Lennon, R. (1983). Sex differences in empathy and related capacities. *Psychological Bulletin, 94,* 100-131. (p. 511)

Eisenberger, N. I., Lieberman, M. D., & Williams, K. D. (2003). Does rejection hurt ? An fMRI study of social exclusion. *Science, 302,* 290-292. (p. 481)

Eisenberger, R., & Rhoades, L. (2001). Incremental effects of reward on creativity. *Journal of Personality and Social Psychology, 81,* 728-741. (p. 313)

Eiser, J. R. (1985). Smoking : The social learning of an addiction. *Journal of Social and Clinical Psychology, 3,* 446-457. (p. 118)

Ekman, P. (1994). Strong evidence for universals in facial expressions : A reply to Russell's mistaken critique. *Psychological Bulletin, 115,* 268-287. (p. 511)

Ekman, P. (2003). *Emotions revealed : Recognizing faces and feelings to improve communication and emotional life.* New York : Times Books. (p. 505)

Ekman, P., Friesen, W. V. (1975). *Unmasking the face.* Englewood Cliffs, NJ : Prentice-Hall. (p. 511)

Ekman, P., Friesen, W. V., O'Sullivan, M., Chan, A., Diacoyanni-Tarlatzis, I., Heider, K., Krause, R., LeCompte, W. A., Pitcairn, T., Ricci-Bitti, P. E., Scherer, K., Tomita, M., & Tzavaras, A. (1987). Universals and cultural differences in the judgments of facial expressions of emotion. *Journal of Personality and Social Psychology, 53,* 712-717. (p. 511)

Elbert, T., Pantev, C., Wienbruch, C., Rockstroh, B., & Taub, E. (1995). Increased cortical representation of the fingers of the left hand in string players. *Science, 270,* 305-307. (p. 150)

Elfenbein, H. A., & Ambady, N. (1999). Does it take one to know one ? A meta-analysis of the universality and cultural specificity of emotion recognition. Unpublished manuscript, Harvard University. (p. 511)

Elfenbein, H. A., & Ambady, N. (2002). On the universality and cultural specificity of emotion recognition : A meta-analysis. *Psychological Bulletin, 128,* 203-235. (p. 512)

Elfenbein, H. A., & Ambady, N. (2003a). When familiarity breeds accuracy : Cultural exposure and facial emotion recognition. *Journal of Personality and Social Psychology, 85,* 276-290. (p. 512)

Elfenbein, H. A., & Ambady, N. (2003b). Universals and cultural differences in recognizing emotions. *Current Directions in Psychological Science, 12,* 159-164. (p. 512)

Elkind, D. (1970). The origins of religion in the child. *Review of Religious Research, 12,* 35-42. (p. 199)

Elkind, D. (1978). *The child's reality : Three developmental themes.* Hillsdale, NJ : Erlbaum. (p. 199)

Ellenbogen, J. M., Hu, P. T., Payne, J. D., Titone, D., & Walker, M. P. (2007). Human relational memory requires time and sleep. *Proceedings of the National Academy of Sciences, 104,* 7723-7728. (p. 101)

Elliot, A. J., & McGregor, H. A. (2001). A 2x2 achievement goal framework. *Journal of Personality and Social Psychology, 80,* 501-519. (p. 491)

Elliot, A. J., & Niesta, D. (2008). Romantic red : Red enhances men's attraction to women. *Journal of Personality and Social Psychology, 95,* 1150-1164. (p. 300, 301)

Elliot, A. J., & Reis, H. T. (2003). Attachment and exploration in adulthood. *Journal of Personality and Social Psychology, 85,* 317-331. (p. 191)

Ellis, A. (1980). Psychotherapy and atheistic values : A response to A. E. Bergin's « Psychotherapy and religious values. » *Journal of Consulting and Clinical Psychology, 48,* 635-639. (p. 659)

Ellis, A., & Becker, I. M. (1982). *A guide to personal happiness.* North Hollywood, CA : Wilshire Book Co. (p. 303)

Ellis, B. J. (2004). Timing of pubertal maturation in girls : An integrated life history approach. *Psychological Bulletin, 130,* 920-958. (p. 206)

Ellis, B. J., Bates, J. E., Dodge, K. A., Fergusson, D. M., John, H. L., Pettit, G. S., & Woodward, L. (2003). Does father absence place daughters at special risk for early sexual activity and teenage pregnancy ? *Child Development, 74,* 801-821. (p. 471)

Ellis, L., & Ames, M. A. (1987). Neurohormonal functioning and sexual orientation : A theory of homosexuality-heterosexuality. *Psychological Bulletin, 101,* 233-258. (p. 475)

Elzinga, B. M., Ardon, A. M., Heijnis, M. K., De Ruiter, M. B., Van Dyck, R., & Veltman, D. J. (2007). Neural correlates of enhanced working-memory performance in dissociative disorder : A functional MRI study. *Psychological Medicine, 37,* 235-245. (p. 611)

EMDR (2008). E-mail correspondence from Robbie Dunton, EMDR Institute (www.emdr.org). (p. 656)

Emerging Trends. (1997, September). *Teens turn more to parents than friends on whether to attend church.* Princeton, NJ : Princeton Religion Research Center, p. 5. (p. 205)

Emery, G. (2004). Psychic predictions 2004. Committee for the Scientific Investigation of Claims of the Paranormal (www.csicop.org). (p. 283)

Emmons, R. A. (2007). *Thanks! How the new science of gratitude can make you happier.* Boston : Houghton Mifflin. (p. 525)

Emmons, S., Geisler, C., Kaplan, K. J., & Harrow, M. (1997). *Living with schizophrenia.* Muncie, IN : Taylor and Francis (Accelerated Development). (pp. 593, 623)

Emmorey, K., Allen, J. S., Bruss, J., Schenker, N., & Damasio, H. (2003). A morphometric analysis of auditory brain regions in congenitally deaf adults. *Proceedings of the National Academy of Sciences, 100,* 10049-10054. (p. 252)

Empson, J. A. C., & Clarke, P. R. F. (1970). Rapid eye movements and remembering. *Nature, 227,* 287-288. (p. 105)

Emslie, C., Hunt, K., & Macintyre, S. (2001). Perceptions of body image among working men and women. *Journal of Epidemiology and Community Health, 55,* 406-407. (p. 454)

Endler, N. S. (1982). Holiday of darkness : *A psychologist's personal journey out of his depression.* New York : Wiley. (pp. 618 665)

Engemann, K. M., & Owyang, M. T. (2005, April). So much for that merit raise : The link between wages and appearance. *Regional Economist* (www.stlouisfed.org). (p. 707)

Engen, T. (1987). Remembering odors and their names. *American Scientist, 75,* 497-503. (p. 262)

Engle, R. W. (2002). Working memory capacity as executive attention. *Current Directions in Psychological Science, 11,* 19-23. (p. 329)

Epel, E. S., Blackburn, E. H., Lin, J., Dhabhar, F. S., Adler, N. E., Morrow, J. D., & Cawthon, R. M. (2004). Accelerated telomere shortening in response to life stress. *Proceedings of the National Academy of Sciences, 101,* 17312-17315. (p. 530)

Epley, N., & Dunning, D. (2000). Feeling « holier than thou » : Are selfserving assessments produced by errors in self- or social prediction ? *Journal of Personality and Social Psychology, 79,* 861-875. (p. 587)

Epley, N., & Huff, C. (1998). Suspicion, affective response, and educational benefit as a result of deception in psychology research. *Personality and Social Psychology Bulletin, 24,* 759-768. (p. 29)

Epley, N., Keysar, B., Van Boven, L., & Gilovich, T. (2004). Perspective taking as egocentric anchoring and adjustment. *Journal of Personality and Social Psychology, 87,* 327-339. (p. 183)

EPOCH. (2000). Legal reforms : Corporal punishment of children in the family (www.stophitting.com/laws/legalReform.php). (p. 311)

Epstein, J., Stern, E., & Silbersweig, D. (1998). Mesolimbic activity associated with psychosis in schizophrenia : Symptom-specific PET studies. In J. F. McGinty (Ed.), *Advancing from the ventral striatum to the extended amygdala : Implications for neuropsychiatry and drug use : In honor of Lennart Heimer. Annals of New York Academy of Sciences, 877,* 562-574. (p. 625)

Epstein, S. (1983a). Aggregation and beyond : Some basic issues on the prediction of behavior. *Journal of Personality, 51,* 360-392. (p. 575)

Epstein, S. (1983b). The stability of behavior across time and situations. In R. Zucker, J. Aronoff, & A. I. Rabin (Eds.), *Personality and the prediction of behavior.* San Diego : Academic Press. (p. 575)

Epstein, S., & Meier, P. (1989). Constructive thinking : A broad coping variable with specific components. *Journal of Personality and Social Psychology, 57,* 332-350. (p. 412)

Erdberg, P. (1990). Rorschach assessment. In G. Goldstein & M. Hersen (Eds.), *Handbook of psychological assessment, 2nd ed.* New York : Pergamon. (p. 560)

Erdelyi, M. H. (1985). *Psychoanalysis : Freud's cognitive psychology.* New York : Freeman. (p. 562)

Erdelyi, M. H. (1988). Repression, reconstruction, and defense : History and integration of the psychoanalytic and experimental frameworks. In J. Singer (Ed.), *Repression : Defense mechanism and cognitive style.* Chicago : University of Chicago Press. (p. 562)

Erdelyi, M. H. (2006). The unified theory of repression. *Behavioral and Brain Sciences, 29,* 499-551. (p. 561, 562)

Erel, O., & Burman, B. (1995). Interrelatedness of marital relations and parent-child relations : A meta-analytic review. *Psychological Bulletin, 118,* 108-132. (p. 219)

Erel, O., Oberman, Y., & Yirmiya, N. (2000). Maternal versus nonmaternal care and seven domains of children's development. *Psychological Bulletin, 126,* 727-747. (p. 193)

Erickson, M. F., & Aird, E. G. (2005). *The motherhood study : Fresh insights on mothers' attitudes and concerns.* New York : The Motherhood Project, Institute for American Values. (p. 219)

Ericsson, K. A. (2001). Attaining excellence through deliberate practice : Insights from the study of expert performance. In M. Ferrari (Ed.), *The pursuit of excellence in education.* Hillsdale, NJ : Erlbaum. (p. 488)

Ericsson, K. A. (2002). Attaining excellence through deliberate practice : Insights from the study of expert performance. In C. Desforges & R. Fox (Eds.), *Teaching and learning : The essential readings.* Malden, MA : Blackwell Publishers. (p. 409)

Ericsson, K. A. (2006). The influence of experience and deliberate practice on the development of superior expert performance. In K. A. Ericsson, N. Charness, P. J. Feltovich, & R. R. Hoffman (Eds.), *The Cambridge handbook of expertise and expert performance.* Cambridge : Cambridge University Press. (p. 488)

Ericsson, K. A. (2007). Deliberate practice and the modifiability of body and mind : Toward a science of the structure and acquisition of expert and elite performance. *International Journal of Sport Psychology, 38*, 4-34. (p. 409)

Ericsson, K. A., Roring, R. W., & Nandagopal, K. (2007). Giftedness and evidence for reproducibly superior performance : An account based on the expert performance framework. *High Ability Studies, 18*, 3-56. (pp. 409, 431, 488)

Erikson, E. H. (1963). *Childhood and society.* New York : Norton. (p. 202)

Erikson, E. H. (1983, June). A conversation with Erikson (by E. Hall). *Psychology Today*, pp. 22-30. (p. 191)

Ernsberger, P., & Koletsky, R. J. (1999). Biomedical rationale for a wellness approach to obesity : An alternative to a focus on weight loss. *Journal of Social Issues, 55*, 221-260. (p. 463)

Ertmer, D. J., Young, N. M., & Nathani, S. (2007). Profiles of focal development in young cochlear implant recipients. *Journal of Speech, Language, and Hearing Research, 50*, 393-407. (p. 386)

Escobar-Chaves, S. L., Tortolero, S., Markham, C., Low, B., Eitel, P., Thitckstun, P. (2005). Impact of the media on adolescents attitudes and behaviors. *Pediatrics, 116*, 303-326. (p. 470)

ESPAD. (2003). Summary of the 2003 findings. European School Survey Project on Alcohol and Other Drugs (www.espad.org). (p. 125)

Esser, J. K., & Lindoerfer, J. S. (1989). Groupthink and the space shuttle Challenger accident : Toward a quantitative case analysis. *Journal of Behavioral Decision Making, 2*, 167-177. (p. 690)

Esterson, A. (2001). The mythologizing of psychoanalytic history : Deception and self-deception in Freud's accounts of the seduction theory episode. *History of Psychiatry, 12*, 329-352. (p. 561)

Esty, A. (2004). The new wealth of nations. *American Scientist, 92*, 513. (p. 523)

Eszterhas, J. (2002, August 9). Hollywood's responsibility for smoking deaths. *New York Times* (www.nytimes.com). (p. 118)

Etkin, A., & Wager, T. D. (2007). Functional neuroimaging of anxiety : A meta-analysis of emotional processing in PTSD, social anxiety disorder, and specific phobia. *American Journal of Psychiatry, 164*, 1476-1488. (p. 608)

Etzioni, A. (1999). The monochrome society. *The Public Interest, 137* (Fall), 42-55. (p. 718)

Euston, D. R., Tatsuno, M., & McNaughton, B. L. (2007). Fast-forward playback of recent memory sequences in prefrontal cortex during sleep. *Science, 318*, 1147-1150. (p. 344)

Evans, C. R., & Dion, K. L. (1991). Group cohesion and performance : A meta-analysis. *Small Group Research, 22*, 175-186. (p. 492)

Evans, G. W. (2004). The environment of childhood poverty. *American Psychologist, 59*, 77-92. (p. 193)

Evans, G. W., & Kim, P. (2007). Childhood poverty and health : Cumulative risk exposure and stress dysregulation. *Psychological Science, 18*, 953-957. (p. 539)

Evans, G. W., Palsane, M. N., & Carrere, S. (1987). Type A behavior and occupational stress : A cross-cultural study of blue-collar workers. *Journal of Personality and Social Psychology, 52*, 1002-1007. (p. 532)

Evans, R. I., Dratt, L. M., Raines, B. E., & Rosenberg, S. S. (1988). Social influences on smoking initiation : Importance of distinguishing descriptive versus mediating process variables. *Journal of Applied Social Psychology, 18*, 925-943. (p. 118)

Everson, S. A., Goldberg, D. E., Kaplan, G. A., Cohen, R. D., Pukkala, E., Tuomilehto, J., & Salonen, J. T. (1996). Hopelessness and risk of mortality and incidence of myocardial infarction and cancer. *Psychosomatic Medicine, 58*, 113-121. (p. 540)

Ewing, R., Schmid, T., Killingsworth, R., Zlot, A., & Raudenbush, S. (2003). Relationship between urban sprawl and physical activity, obesity, and morbidity. *American Journal of Health Promotion, 18*, 47-57. (p. 461)

Exner, J. E. (2003). *The Rorschach : A comprehensive system, 4th edition.* Hoboken, NJ : Wiley. (p. 560)

Eysenck, H. J. (1952). The effects of psychotherapy : An evaluation. *Journal of Consulting Psychology, 16*, 319-324. (p. 653)

Eysenck, H. J. (1990, April 30). An improvement on personality inventory. *Current Contents : Social and Behavioral Sciences, 22*(18), 20. (p. 569)

Eysenck, H. J. (1992). Four ways five factors are *not* basic. *Personality and Individual Differences, 13*, 667-673. (p. 569)

Eysenck, H. J., & Grossarth-Maticek, R. (1991). Creative novation behaviour therapy as a prophylactic treatment for cancer and coronary heart disease : Part II — Effects of treatment. *Behaviour Research and Therapy, 29*, 17-31. (p. 547)

Eysenck, H. J., Wakefield, J. A., Jr., & Friedman, A. F. (1983). Diagnosis and clinical assessment : The DSM-III. *Annual Review of Psychology, 34*, 167-193. (p. 598)

Eysenck, M. W., MacLeod, C., & Mathews, A. (1987). Cognitive functioning and anxiety. *Psychological Research, 49*, 189-195. (p. 577)

Eysenck, S. B. G., & Eysenck, H. J. (1963). The validity of questionnaire and rating assessments of extraversion and neuroticism, and their factorial stability. *British Journal of Psychology, 54*, 51-62. (p. 569)

Faber, N. (1987, July). Personal glimpse. *Reader's Digest*, p. 34. (p. 410)

Fagan, J. F., & Holland, C. R. (2007). Racial equality in intelligence : Predictions from a theory of intelligence as processing. *Intelligence, 35*, 319-334. (p. 436)

Fagan, J. F., Holland, C. R., & Wheeler, K. (2007). The prediction, from infancy, of adult IQ and achievement. *Intelligence, 35*, 225-231. (p. 423)

Fagan, J. F., III. (1992). Intelligence : A theoretical viewpoint. *Current Directions in Psychological Science, 1*, 82-86. (p. 436)

Fairburn, C. G., Cowen, P. J., & Harrison, P. J. (1999). Twin studies and the etiology of eating disorders. *International Journal of Eating Disorders, 26*, 349-358. (p. 454)

Fantz, R. L. (1961, May). *The origin of form perception.* Scientific American, pp. 66-72. (p. 176)

Farah, M. J., Rabinowitz, C., Quinn, G. E., & Liu, G. T. (2000). Early commitment of neural substrates for face recognition. *Cognitive Neuropsychology, 17*, 117-124. (p. 73)

Farina, A. (1982). The stigma of mental disorders. In A. G. Miller (Ed.), *In the eye of the beholder.* New York : Praeger. (pp. 596, 599)

Farley, M., Baral, I., Kiremire, M., & Sezgin, U. (1998). Prostitution in five countries : Violence and post-traumatic stress disorder. *Feminism and Psychology, 8*, 405-426. (p. 604)

Farley, T., & Cohen, D. (2001, December). Fixing a fat nation. *Washington Monthly* (www.washingtonmonthly.com/features/2001/0112.farley.cohen.html). (p. 461)

Farooqi, I. S., Bullmore, E., Keogh, J., Gillard, J., O'Rahilly, S., & Fletcher, P. C. (2007). Leptin regulates striatal regions and human eating behavior. *Science, 317*, 1355. (p. 450)

Farrington, D. P. (1991). Antisocial personality from childhood to adulthood. *The Psychologist : Bulletin of the British Psychological Society, 4*, 389-394. (p. 629)

Fast, L. A., & Funder, D. C. (2008). Personality as manifest in word use : Correlations with self-report, acquaintance report, and behavior. *Journal of Personality and Social Psychology, 94*, 334-346. (p. 576)

FBI, 2007. Crime in the United States, 2007. Murder Offenders by Age, Sex, and Race, 2006, Expanded Homicide Data, Table 3 (www.fbi.gov/ucr/cius2006/ offenses/expanded_information/data/shrtable_03.html). (p. 160)

Feder, H. H. (1984). Hormones and sexual behavior. *Annual Review of Psychology, 35*, 165-200. (p. 466)

Feeney, D. M. (1987) Human rights and animal welfare. *American Psychologist, 42*, 593-599. (p. 28)

Feeney, J. A., & Noller, P. (1990). Attachment style as a predictor of adult romantic relationships. *Journal of Personality and Social Psychology, 58*, 281-291. (p. 191)

Feigenson, L., Carey, S., & Spelke, E. (2002). Infants' discrimination of number vs. continuous extent. *Cognitive Psychology, 44*, 33-66. (p. 182)

Feinberg, T. E., & Keenan, J. P. (Eds.) (2005). *The lost self : Pathologies of the brain and identity.* New York : Oxford University Press. (p. 79)

Feingold, A. (1990). Gender differences in effects of physical attractiveness on romantic attraction : A comparison across five research paradigms. *Journal of Personality and Social Psychology, 59*, 981-993. (p. 707)

Feingold, A. (1992). Good-looking people are not what we think. *Psychological Bulletin, 111*, 304-341. (p. 707)

Feingold, A., & Mazzella, R. (1998). Gender differences in body image are increasing. *Psychological Science, 9*, 190-195. (pp. 454, 708)

Fellinger, J., Holzinger, D., Gerich, J., & Goldberg, D. (2007). Mental distress and quality of life in the hard of hearing. *Acta Psychiatrica Scandinavica*, 115, 243-245. (p. 251)

Fellowes, D., Barnes, K., & Wilkinson, S. (2004). Aromatherapy and massage for symptom relief in patients with cancer. *The Cochrane Library, 3*, Oxford, UK : Update Software. (p. 546)

Feminist Psychologist. (2002, Winter). *Justice for Mary Whiton Calkins*, p. 11. (p. 4)

Feng, J., Spence, I., & Pratt, J. (2007). Playing an action video game reduces gender differences in spatial cognition. *Psychological Science, 18*, 850-855. (p. 433)

Fenton, W. S., & McGlashan, T. H. (1991). Natural history of schizophre nia subtypes : II. Positive and negative symptoms and long-term course. *Archives of General Psychiatry, 48*, 978-986. (p. 624)

Fenton, W. S., & McGlashan, T. H. (1994). Antecedents, symptom progression, and long-term outcome of the deficit syndrome in schizophrenia. *American Journal of Psychiatry, 151*, 351-356. (p. 624)

Ferguson, E. D. (1989). Adler's motivational theory : An historical perspective on belonging and the fundamental human striving. *Individual Psychology, 45*, 354-361. (p. 478)

Ferguson, E. D. (2001). Adler and Dreikurs : Cognitive-social dynamic innovators. *Journal of Individual Psychology, 57*, 324-341. (p. 478)

Ferguson, E. D. (2003). Social processes, personal goals, and their intertwining : Their importance in Adlerian theory and practice. *Journal of Individual Psychology, 59*, 136-144. (p. 558)

Fergusson, D. M., & Woodward, L. G. (2002). Mental health, educational, and social role outcomes of adolescents with depression. *Archives of General Psychiatry, 59*, 225-231. (p. 614)

Fernandex-Dols, J-M., & Ruiz-Belda, M-A. (1995). Are smiles a sign of happiness ? Gold medal winners at the Olympic Games. *Journal of Personality and Social Psychology, 69*, 1113-1119. (p. 512)

Fernandez, E., & Turk, D. C. (1989). The utility of cognitive coping strategies for altering pain perception : A meta-analysis. *Pain, 38*, 123-135. (p. 258)

Fernández-Ballesteros, R., & Caprara, M. (2003). Psychology of aging in Europe. *European Psychologist, 8*, 129-130. (p. 209)

Ferri, M., Amato, L., & Davoli, M. (2006). Alcoholics Anonymous and other 12-step programmes for alcohol dependence. *Cochrane Database of Systematic Reviews*, Issue 3. Art. No. : CD005032. (p. 650)

Ferris, C. F. (1996, March). The rage of innocents. *The Sciences*, pp. 22-26. (p. 192)

Feynman, R. (1997). Quoted by E. Hutchings (Ed.), *« Surely you're joking, Mr. Feynman. »* New York : Norton. (p. 3)

Fiedler, F. E. (1981). Leadership effectiveness. *American Behavioral Scientist, 24*, 619-632. (p. 491)

Fiedler, F. E. (1987, September). When to lead, when to stand back. *Psychology Today*, pp. 26-27. (p. 491)

Fiedler, K., Nickel, S., Muehlfriedel, T., & Unkelbach, C. (2001). Is mood congruency an effect of genuine memory or response bias ? *Journal of Experimental Social Psychology, 37*, 201-214. (p. 349)

Field, A. P. (2006). I don't like it because it eats sprouts : Conditioning preferences in children. *Behaviour Research and Therapy, 44*, 439-455. (p. 296)

Field, A. P. (2006). Is conditioning a useful framework for understanding the development and treatment of phobias ? *Clinical Psychology Review, 26*, 857-875. (p. 606)

Field, T. (1996). Attachment and separation in young children. *Annual Review of Psychology, 47*, 541-561. (p. 194)

Field, T., Diego, M., & Hernandez-Reif, M. (2007). Massage therapy research. *Developmental Review, 27*, 75-89. (p. 150)

Field, T., Hernandez-Reif, M., Feijo, L, & Freedman, J. (2006). Prenatal, perinatal and neonatal stimulation : A survey of neonatal nurseries. *Infant Behavior & Development, 29*, 24-31. (p. 150)

Fields, R. D. (2004, April). The other half of the brain. *Scientific American*, pp. 54-61. (p. 68)

Fields, R. D. (2008, March). White matter. *Scientific American*, pp. 54-61. (p. 49)

Fincham, F. D., & Bradbury, T. N. (1993). Marital satisfaction, depression, and attributions : A longitudinal analysis. *Journal of Personality and Social Psychology, 64*, 442-452. (p. 675)

Fink, G. R., Markowitsch, H. J., Reinkemeier, M., Bruckbauer, T., Kessler, J., & Heiss, W-D. (1996). Cerebral representation of one's own past : Neural networks involved in autobiographical memory. *Journal of Neuroscience, 16*, 4275-4282. (p. 344)

Finkel, E. J., & Eastwick, P. W. (2008). Speed-dating. *Current Directions in Psychological Science, 17*, 193-197. (p. 707)

Finlay, S. W. (2000). Influence of Carl Jung and William James on the origin of alcoholics anonymous. *Review of General Psychology, 4*, 3-12. (p. 650)

Finney, E. M., Fine, I., & Dobkins, K. R. (2001). Visual stimuli activate auditory cortex in the deaf. *Nature Neuroscience, 4*, 1171-1173. (p. 252)

Finzi, E., & Wasserman, E. (2006). Treatment of depression with botulinum toxin A : A case series. *Dermatological Surgery, 32*, 645-650. (p. 514)

Fischer, P., & Greitemeyer, T. (2006). Music and aggression : The impact of sexual-aggressive song lyrics on aggression-related thoughts, emotions, and behavior toward the same and the opposite sex. *Personality and Social Psychology Bulletin, 32*, 1165-1176. (p. 703)

Fischhoff, B. (1982). Debiasing. In D. Kahneman, P. Slovic, & A. Tversky (Eds.), *Judgment under uncertainty : Heuristics and biases*. New York : Cambridge University Press. (p. 377)

Fischhoff, B., Slovic, P., & Lichtenstein, S. (1977). Knowing with certainty : The appropriateness of extreme confidence. *Journal of Experimental Psychology : Human Perception and Performance, 3*, 552-564. (p. 376)

Fischtein, D. S., Herold, E. S., & Desmarais, S. (2007). How much does gender explain in sexual attitudes and behaviors ? A survey of Canadian adults. *Archives of Sexual Behavior, 36*, 451-461. (p. 146)

Fishbach, A., Dhar, R., & Zhang, Y. (2006). Subgoals as substitutes or complements : The role of goal accessibility. *Journal of Personality and Social Psychology, 91*, 232-242. (p. 491)

Fisher, H. E. (1993, March/April). After all, maybe it's biology. *Psychology Today*, pp. 40-45. (p. 218)

Fisher, H. E., Aron, A., Mashek, D., Li, H., & Brown, L. L. (2002). Defining the brain systems of lust, romantic attraction, and attachment. *Archives of Sexual Behavior, 31*, 413-419. (p. 465)

Fisher, H. T. (1984). Little Albert and Little Peter. *Bulletin of the British Psychological Society, 37*, 269. (p. 643)

Fisher, K., Egerton, M., Gershuny, J. I., & Robinson, J. P. (2006). Gender convergence in the American Heritage Time Use Study (AHTUS). *Social Indicators Research, 82*, 1-33. (p. 164)

Fisher, R. P., & Geiselman, R. E. (1992). *Memory-enhancing techniques for investigative interviewing : The cognitive interview*. Springfield, IL : Charles C. Thomas. (p. 360)

Fisher, R. P., Geiselman, R. E., & Raymond, D. S. (1987). Critical analysis of police interview techniques. *Journal of Police Science and Administration, 15*, 177-185. (p. 360)

Fiske, S. T., Harris, L. T., & Cuddy, A. J. C. (2004). Why ordinary people torture enemy prisoners. *Science, 306*, 1482-1483. (p. 678)

Fitzgerald, P. B., & Daskalakis, Z. J. (2008). The use of repetitive transcranial magnetic stimulation and vagal nerve stimulation in the treatment of depression. *Current Opinion in Psychiatry, 21*, 25-29. (p. 665)

Fleming, I., Baum, A., & Weiss, L. (1987). Social density and perceived control as mediator of crowding stress in high-density residential neighborhoods. *Journal of Personality and Social Psychology, 52*, 899-906. (p. 539)

Fleming, J. H. (2001, Winter/Spring). Introduction to the special issue on linkage analysis. *The Gallup Research Journal*, pp. i-vi. (p. 490)

Fleming, J. H., & Scott, B. A. (1991). The costs of confession : The Persian Gulf War POW tapes in historical and theoretical perspective. *Contemporary Social Psychology, 15*, 127-138. (p. 511)

Fletcher, G. J. O., Fitness, J., & Blampied, N. M. (1990). The link between attributions and happiness in close relationships : The roles of depression and explanatory style. *Journal of Social and Clinical Psychology, 9*, 243-255. (p. 675)

Fletcher, P. C., Zafiris, O., Frith, C. D., Honey, R. A. E., Corlett, P. R., Zilles, K., & Fink, G. R. (2005). On the benefits of not trying : Brain activity and connectivity reflecting the interactions of explicit and implicit sequence learning. *Cerebral Cortex, 7*, 1002-1015. (p. 562)

Flier, J. S., & Maratos-Flier, E. (2007, September). What fuels fat. *Scientific American*, pp. 72-81. (p. 460)

Flood, M. (2007). Exposure to pornography among youth in Australia. *Journal of Sociology, 43*, 45-60. (p. 702)

Flora, S. R. (2004). *The power of reinforcement.* Albany, NJ : SUNY Press. (p. 314)

Flouri, E., & Buchanan, A. (2004). Early father's and mother's involvement and child's later educational outcomes. *British Journal of Educational Psychology, 74,* 141-153. (p. 191)

Flynn, J. R. (1987). Massive IQ gains in 14 nations : What IQ tests really measure. *Psychological Bulletin, 101,* 171-191. (p. 420)

Flynn, J. R. (2003). Movies about intelligence : The limitations of g. *Current Directions in Psychological Science, 12,* 95-99. (p. 429)

Flynn, J. R. (2007). *What is intelligence ?* New York : Cambridge University Press. (pp. 420, 429)

Foa, E. B., & Kozak, M. J. (1986). Emotional processing of fear : Exposure to corrective information. *Psychological Bulletin, 99,* 20-35. (p. 644)

Fodor, J. D. (1999). Let your brain alone. *London Review of Books, 21* (www.lrb.co.uk). (p. 60)

Fogg, N. P., Harrington P. E., & Harrington T. F. (2004). *The college majors' handbook.* Indianapolis, IN : JIST Works, Inc. (pp. A-2, A-4)

Ford, E. S. (2002). Does exercise reduce inflammation ? Physical activity and B-reactive protein among U.S. adults. *Epidemiology, 13,* 561-569. (p. 544)

Foree, D. D., & LoLordo, V. M. (1973). Attention in the pigeon : Differential effects of food-getting versus shock-avoidance procedures. *Journal of Comparative and Physiological Psychology, 85,* 551-558. (p. 313)

Forer, B. R. (1949). The fallacy of personal validation : A classroom demonstration of gullibility. *Journal of Abnormal and Social Psychology, 44,* 118-123. (p. 572)

Forgas, J. P. (2008). Affect and cognition. *Perspectives on Psychological Science, 3,* 94-101. (p. 507)

Forgas, J. P., Bower, G. H., & Krantz, S. E. (1984). The influence of mood on perceptions of social interactions. *Journal of Experimental Social Psychology, 20,* 497-513. (pp. 349, 620)

Forhan, S. E., Gottlieb, S. L., Sternberg, M. R., Xu, F., Datta, D., Berman, S., & Markowitz, L. (2008). Prevalence of sexually transmitted infections and bacterial vaginosis among female adolescents in the United States : Data from the National Health and Nutrition Examination Survey (NHANES) 2003-2004. Paper presented to the 2008 National STD Prevention Conference, Chicago, Illinois. (p. 470)

Forman, D. R., Aksan, N., & Kochanska, G. (2004). Toddlers' responsive imitation predicts preschool-age conscience. *Psychological Science, 15,* 699-704. (p. 321)

Forste, R. & Tanfer, K. (1996). Sexual exclusivity among dating, cohabiting, and married women. *Journal of Marriage and the Family 58,* 33-47. (p. B-4)

Foss, D. J., & Hakes, D. T. (1978). *Psycholinguistics : An introduction to the psychology of language.* Englewood Cliffs, NJ : Prentice-Hall. (p. (p. 561)

Foster, R. G. (2004). Are we trying to banish biological time ? *Cerebrum, 6(2),* 7-26. (p. 92)

Foulkes, D. (1999). *Children's dreaming and the development of consciousness.* Cambridge, MA : Harvard University Press. (p. 106)

Fouts, R. S. (1992). Transmission of a human gestural language in a chimpanzee mother-infant relationship. *Friends of Washoe, 12/13,* pp. 2-8. (p. 400)

Fouts, R. S. (1997). *Next of kin : What chimpanzees have taught me about who we are.* New York : Morrow. (p. 400)

Fouts, R. S., & Bodamer, M. (1987). Preliminary report to the National Geographic Society on : « Chimpanzee intrapersonal signing. » *Friends of Washoe, 7(1),* 4-12. (p. 400)

Fowler, M. J., Sullivan, M. J., & Ekstrand, B. R. (1973). Sleep and memory. *Science, 179,* 302-304. (p. 354)

Fowler, R. C., Rich, C. L., & Young, D. (1986). San Diego suicide study : II. Substance abuse in young cases. *Archives of General Psychiatry, 43,* 962-965. (p. 616)

Fowles, D. C. (1992). Schizophrenia : Diathesis-stress revisited. *Annual Review of Psychology, 43,* 303-336. (p. 624)

Fox, B. H. (1998). Psychosocial factors in cancer incidence and prognosis. In P. M. Cinciripini & others (Eds.), *Psychological and behavioral factors in cancer risk.* New York : Oxford University Press. (p. 536)

Fox, E., Lester, V., Russo, R., Bowles, R. J., Pichler, A., & Dutton, K. (2000). Facial expression of emotion : Are angry faces detected more efficiently ? *Cognition and Emotion, 14,* 61-92. (p. 508)

Fozard, J. L., & Popkin, S. J. (1978). Optimizing adult development : Ends and means of an applied psychology of aging. *American Psychologist, 33,* 975-989. (p. 210)

Fracassini, C. (2000, August 27). Holidaymakers led by the nose in sales quest. *Scotland on Sunday.* (p. 262)

Fraley, R. C. (2002). Attachment stability from infancy to adulthood : Metaanalysis and dynamic modeling of developmental mechanisms. *Personality and Social Psychology Review, 6,* 123-151. (p. 191)

Frank, J. D. (1982). Therapeutic components shared by all psychotherapies. In J. H. Harvey & M. M. Parks (Eds.), *The Master Lecture Series : Vol. 1. Psychotherapy research and behavior change.* Washington, DC ; American Psychological Association. (p. 657, 658)

Frank, R. (1999). *Luxury fever : Why money fails to satisfy in an era of excess.* New York : Free Press. (p. 155)

Frank, S. J. (1988). Young adults' perceptions of their relationships with their parents : Individual differences in connectedness, competence, and emotional autonomy. *Developmental Psychology, 24,* 729-737. (p. 205)

Frankel, A., Strange, D. R., & Schoonover, R. (1983). CRAP : Consumer rated assessment procedure. In G. H. Scherr & R. Liebmann-Smith (Eds.), *The best of The Journal of Irreproducible Results.* New York : Workman Publishing. (p. 570)

Frankenburg, W., Dodds, J., Archer, P., Shapiro, H., & Bresnick, B. (1992). The Denver II : A major revision and restandardization of the Denver Developmental Screening Test. *Pediatrics, 89,* 91-97. (p. 178)

Franz, E. A., Waldie, K. E., & Smith, M. J. (2000). The effect of callosotomy on novel versus familiar bimanual actions : A neural dissociation between controlled and automatic processes ? *Psychological Science, 11,* 82-85. (p. 76)

Frasure-Smith, N., & Lespérance, F. (2005). Depression and coronary heart disease : Complex synergism of mind, body, and environment. *Current Directions in Psychological Science, 14,* 39-43. (p. 533)

Frattaroli, J. (2006). Experimental disclosure and its moderators : A metaanalysis. *Psychological Bulletin, 132,* 823-865. (p. 542)

Frayling, T. M. & 41 others (2007, April 12). A common variant in the *FTO* gene is associated with body mass index and predisposes to childhood and adult obesity. *Science, 316,* 889-894. (p. 460)

Frederick, D. A., Peplau, L. A., & Lever, J. (2006). The swimsuit issue : Correlates of body image in a sample of 52,667 heterosexual adults. *Body Image, 3,* 413-419. (p. 454)

Fredrickson, B. L. (2006). The broaden-and-build theory of positive emotions. In M. Csikszentmihalyi & I. S. Csikszentmihalyi (Eds.), *A life worth living : Contributions to positive psychology.* New York : Oxford University Press. (p. 520)

Fredrickson, B. L., & Kahneman, D. (1993). Duration neglect in retrospective evaluations of affective episodes. *Journal of Personality and Social Psychology, 65,* 45-55. (p. 335)

Fredrickson, B. L., Roberts, T-A., Noll, S. M., Quinn, D. M., & Twenge, J. M. (1998). That swimsuit becomes you : Sex differences in self-objectification, restrained eating, and math performance. *Journal of Personality and Social Psychology, 75,* 269-284. (p. 454)

Freedman, D. J., Riesenhuber, M., Poggio, T., & Miller, E. K. (2001). Categorical representation of visual stimuli in the primate prefrontal cortex. *Science, 291,* 312-316. (p. 396)

Freedman, J. L. (1988). Television violence and aggression : What the evidence shows. In S. Oskamp (Ed.), *Television as a social issue.* Newbury Park, CA : Sage. (p. 322)

Freedman, J. L., & Fraser, S. C. (1966). Compliance without pressure : The foot-in-the-door technique. *Journal of Personality and Social Psychology, 4,* 195-202. (p. 677)

Freedman, J. L., & Perlick, D. (1979). Crowding, contagion, and laughter. *Journal of Experimental Social Psychology, 15,* 295-303. (p. 687)

Freedman, L. R., Rock, D., Roberts, S. A., Cornblatt, B. A., & Erlenmeyer-Kimling, L. (1998). The New York high-risk project : Attention, anhedonia and social outcome. *Schizophrenia Research, 30,* 1-9. (p. 627)

Freeman, W. J. (1991, February). The physiology of perception. *Scientific American,* pp. 78-85. (p. 245)

Frensch, P. A., & Rünger, D. (2003). Implicit learning. Current *Directions in Psychological Science, 12,* 13-18. (p. 562)

Freud, S. (1922/1975). *Group psychology and the analysis of the ego.* New York : Norton. (p. 695)

Freud, S. (1931: reprinted 1961). Female sexuality. In J. Strachey (Trans.), *The standard edition of the complete psychological works of Sigmund Freud*. London : Hogarth Press. (p. 558)

Freud, S. (1935; reprinted 1960). *A general introduction to psychoanalysis.* New York : Washington Square Press. (p. 217)

Frey, M. C., & Detterman, D. K. (2004). Scholastic assessment or g ? The relationship between the Scholastic Assessment Test and general cognitive ability. *Psychological Science, 15,* 373-378. (p. 418)

Freyd, J. J., DePrince, A. P., & Gleaves, D. H. (2007). The state of betrayal trauma theory : Reply to McNally – Conceptual issues and future directions. *Memory, 15,* 295-311. (p. 362)

Freyd, J. J., Putnam, F. W., Lyon, T. D., Becker-Blease, K. A., Cheit, R. E., Siegel, N. B., & Pezdek, K. (2005). The science of child sexual abuse. *Science, 308,* 501. (p. 192)

Friedman, M., & Ulmer, D. (1984). *Treating Type A behavior – and your heart.* New York : Knopf. (pp. 532, 545)

Friedrich, O. (1987, December 7). New age harmonies. *Time,* pp. 62-72. (p. 594)

Friend, T. (2004). *Animal talk : Breaking the codes of animal language.* New York : Free Press. (p. 400)

Frijda, N. H. (1988). The laws of emotion. *American Psychologist, 43,* 349-358. (p. 524)

Frith, U., & Frith, C. (2001). The biological basis of social interaction. *Current Directions in Psychological Science, 10,* 151-155. (p. 186)

Fromkin, V., & Rodman, R. (1983). *An introduction to language* (3rd ed.). New York : Holt, Rinehart & Winston. (pp. 383, 386)

Fry, A. F., & Hale, S. (1996). Processing speed, working memory, and fluid intelligence : Evidence for a developmental cascade. *Psychological Science, 7,* 237-241. (p. 210)

Fryar, C., Hirsch, R., Porter, K. S., Kottiri, B., Brody, D. J., & Louis, T. (2007, June 28). Drug use and sexual behavior reported by adults : United States, 1999-2002. *Advance Data : From Vital and Health Statistics,* Number 384 (Centers for Disease Control and Prevention). (p. 466)

Fuhriman, A., & Burlingame, G. M. (1994). Group psychotherapy : Research and practice. In A. Fuhriman & G. M. Burlingame (Eds.), *Handbook of group psychotherapy.* New York ; Wiley. (p. 649)

Fujiki, N., Yoshida, Y., Ripley, B., Mignot, E., & Nishino, S. (2003). Effects of IV and ICV hypocretin-1 (Orexin A) in hypocretin receptor-2 gene mutated narcoleptic dogs and IV hypocretin-1 replacement therapy in a hypocretin-ligand-deficient narcoleptic dog. *Sleep, 26,* 953-959. (p. 102)

Fuller, M. J., & Downs, A. C. (1990). Spermarche is a salient biological marker in men's development. Poster presented at the American Psychological Society convention. (p. 198)

Fulmer, I. S., Gerhart, B., & Scott, K. S. (2003). Are the 100 best better ? An empirical investigation fo the relationship between being a « great place to work » and firm performance. *Personnel Psychology, 56,* 965-993. (p. 489)

Funder, D. C. (2001). Personality. *Annual Review of Psychology, 52,* 197-221. (p. 571)

Funder, D. C., & Block, J. (1989). The role of ego-control, ego-resiliency, and IQ in delay of gratification in adolescence. *Journal of Personality and Social Psychology, 57,* 1041-1050. (p. 202)

Furlow, F. B., & Thornhill, R. (1996, January/February). The orgasm wars. *Psychology Today,* pp. 42-46. (p. 465)

Furnham, A. (1982). Explanations for unemployment in Britain. *European Journal of Social Psychology, 12,* 335-352. (p. 675)

Furnham, A. (2001). Self-estimates of intelligence : Culture and gender difference in self and other estimates of both general (g) and multiple intelligences. *Personality and Individual Differences, 31,* 1381-1405. (p. 432)

Furnham, A., & Baguma, P. (1994). Cross-cultural differences in the evaluation of male and female body shapes. *International Journal of Eating Disorders, 15,* 81-89. (p. 456)

Furnham, A., & Mottabu, R. (2004b). Sex and culture differences in the estimates of general and multiple intelligence : A study comparing British and Egyptian students. *Individual Differences Research, 3,* 82-96. (p. 432)

Furnham, A., & Rawles, R. (1995). Sex differences in the estimation of intelligence. *Journal of Social Behavior and Personality, 10,* 741-748. (p. 692)

Furnham, A., & Thomas, C. (2004c). Parents' gender and personality and estimates of their own and their children's intelligence. *Personality and Individual Differences, 37,* 887-903. (p. 432)

Furnham, A., Callahan, I., & Akande, D. (2004a). Self-estimates of intelligence : A study in two African countries. *Journal of Psychology, 138,* 265-285. (p. 432)

Furnham, A., Callahan, I., & Rawles, R. (2003). Adults' knowledge of general psychology. *European Psychologist, 8,* 101-116. (p. 4)

Furnham, A., Hosoe, T., & Tang, T. L-P. (2002a). Male hubris and female humility ? A cross-cultural study of ratings of self, parental, and sibling multiple intelligence in American, Britain, and Japan. *Intelligence, 30,* 101-115. (p. 432)

Furnham, A., Reeves, E., & Bughani, S. (2002b). Parents think their sons are brighter than their daughters : Sex differences in parental self-estimations and estimations of their children's multiple intelligences. *Journal of Genetic Psychology, 163,* 24-39. (p. 432)

Furr, R. M., & Funder, D. C. (1998). A multimodal analysis of personal negativity. *Journal of Personality and Social Psychology, 74,* 1580-1591. (p. 620)

Gable, S. L., Gonzaga, G. C., & Strachman, A. (2006). Will you be there for me when things go right ? Supportive responses to positive event disclosures. *Journal of Personality and Social Psychology, 91,* 904-917. (p. 219)

Gabrieli, J. D. E., Desmond, J. E., Demb, J. E., Wagner, A. D., Stone, M. V., Vaidya, C. J., & Glover, G. H. (1996). Functional magnetic resonance imaging of semantic memory processes in the frontal lobes. *Psychological Science, 7,* 278-283. (p. 344)

Gaertner, L., & Iuzzini, J. (2005). Rejection and entitativity : A synergistic model of mass violence. In K. D. Williams, J. P. Forgas, & W. von Hippel (Eds.). *The social outcast : Ostracism, social exclusion, rejection, and bullying.* New York : Psychology Press. (p. 701)

Gage, F. H. (2003, September). Repair yourself. *Scientific American,* pp. 46-53. (p. 75)

Gaillot, M. T., & Baumeister, R. F. (2007). Self-regulation and sexual restraint : Dispositionally and temporarily poor self-regulatory abilities contribute to failures at restraining sexual behavior. *Personality and Social Psychology Bulletin, 33,* 173-186. (p. 579)

Gajendran, R. S., & Harrison, D. A. (2007). The good, the bad, and the unknown about telecommunity : Meta-analysis of psychological mediators and individual consequences. *Journal of Applied Psychology, 92,* 1524-1541. (p. 580)

Galambos, N. L. (1992). Parent-adolescent relations. *Current Directions in Psychological Science, 1,* 146-149. (p. 205)

Galambos, N. L., Barker, E. T., & Krahn, H. J. (2006). Depression, selfesteem, and anger in emerging adulthood : Seven-year trajectories. *Developmental Psychology, 42,* 350-365. (p. 206)

Galanter, E. (1962). Contemporary psychophysics. In R. Brown, E. Galanter, E. H. Hess, & G. Mandler (Eds.), *New directions in psychology.* New York : Holt Rinehart, & Winston. (p. 231)

Galati, D., Scherer, K. R., & Ricci-Bitti, P. E. (1997). Voluntary facial expression of emotion : Comparing congenitally blind with normally sighted encoders. *Journal of Personality and Social Psychology, 73,* 1363-1379. (p. 512)

Galea, S., Boscarino, J., Resnick, H., & Vlahov, D. (2002). Mental health in New York City after the September 11 terrorist attacks : Results from two population surveys. Chapter 7. *In Mental-Health, United States, 2001,* R. W. Manderscheid, & M. J. Henderson (Eds.). Washington, DC, 604, 605 : Results from two population surveys. In R. W. Manderscheid & M. J. Henderson (Eds.), *Mental-Health, United States, 2001.* Washington, DC. (p. 615)

Gallup Organization. (2003, July 8). American public opinion about Iraq. *Gallup Poll News Service* (www.gallup.com). (p. 679)

Gallup Organization. (2004, August 16). 65% of Americans receive NO praise or recognition in the workplace. E-mail from Tom Rath : bucketbook Self-recognition. *Science, 167,* 86-87. (p. 195)

Gallup, G. G., Jr., & Suarez, S. D. (1986). Self-awareness and the emergence of mind in humans and other primates. In J. Suls & A. G. Greenwald (Eds.), *Psychological perspectives on the self* (Vol. 3.). Hillsdale, NJ : Erlbaum. (p. 194)

Gallup, G. H. (1972). *The Gallup poll : Public opinion 1935-1971 (Vol. 3).* New York : Random House. (p. 716)

Gallup, G. H., Jr. (1994, October). Millions finding care and support in small groups. *Emerging Trends,* pp. 2-5. (p. 650)

Gallup, G., Jr. (1982). *Adventures in immortality*. New York : McGraw-Hill. (p. 127)

Gallup. (2001). Reported in « The gender gap : Sleeplessness. » (www.gallup.com/ poll/pollInsights), January 29, 2002. (p. 98)

Gallup. (2002, June 11). Poll insights : The gender gap – post Sept. 11th fear. *The Gallup Organization* (www.gallup.com/poll/pollInsights). (p. 602)

Gangestad, S. W., & Simpson, J. A. (2000). The evolution of human mating : Trade-offs and strategic pluralism. *Behavioral and Brain Sciences, 23*, 573-587. (p. 148)

Garber, K. (2007). Autism's cause may reside in abnormalities at the synapse. *Science, 317*, 190-191. (p. 187)

Garcia, J., & Gustavson, A. R. (1997, January). Carl R. Gustavson (1946-1996) : Pioneering wildlife psychologist. *APS Observer*, pp. 34-35. (p. 301)

Garcia, J., & Koelling, R. A. (1966). Relation of cue to consequence in avoidance learning. *Psychonomic Science, 4*, 123-124. (p. 300)

Gardner, H. (1983). *Frames of mind : The theory of multiple intelligences*. New York : Basic Books. (p. 407)

Gardner, H. (1998, March 19). An intelligent way to progress. *The Independent* (London), p. E4. (p. 408)

Gardner, H. (1998, November 5). Do parents count ? *New York Review of Books* (www.nybooks.com). (p. 152)

Gardner, H. (1999). *Multiple views of multiple intelligence*. New York : Basic Books. (p. 413)

Gardner, H. (1999, February). Who owns intelligence ? *Atlantic Monthly*, pp. 67-76. (p. 418)

Gardner, H. (2006). *The development and education of the mind : The selected works of Howard Gardner*. New York : Routledge/Taylor & Francis. (p. 407)

Gardner, J. W. (1984). *Excellence : Can we be equal and excellent too ?* New York : Norton. (p. 492)

Gardner, J., & Oswald, A. J. (2007). Money and mental well-being : A longitudinal study of medium-sized lottery wins. *Journal of Health Economics, 6*, 49-60. (p. 522)

Gardner, M. (2006, January/February). The memory wars, Part One. *Skeptical Inquirer, 30*, 28-31. (p. 362)

Gardner, R. A., & Gardner, B. I. (1969). Teaching sign language to a chimpanzee. *Science, 165*, 664-672. (p. 398)

Gardner, R. M., & Tockerman, Y. R. (1994). A computer-TV video methodology for investigating the influence of somatotype on perceived personality traits. *Journal of Social Behavior and Personality, 9*, 555-563. (p. 457)

Garfield, C. (1986). Peak performers : The new heroes of American business. New York : Morrow. (p. 214), 393)

Garlick, D. (2002). Understanding the nature of the general factor of intelligence : The role of individual differences in neural plasticity as an explanatory mechanism. *Psychological Review, 109*, 116-136. (p. 413)

Garlick, D. (2003). Integrating brain science research with intelligence research. *Current Directions in Psychological Science, 12*, 185-189. (p. 413)

Garnets, L., & Kimmel, D. (1990). Lesbian and gay dimensions in the psychological study of human diversity. Master lecture, American Psychological Association convention. (p. 471)

Garon, N., Bryson, S. E., & Smith, I. M. (2008). Executive function in preschoolers : A review using an integrative framework. *Psychological Bulletin, 134*, 31-60. (p. 177)

Garrett, B. L. (2008). Judging innocence. *Columbia Law Review, 108*, 55-142. (p. 359)

Garry, M., & Loftus, E. F., & Brown, S. W. (1994). Memory : A river runs through it. *Consciousness and Cognition, 3*, 438-451. (p. 561)

Garry, M., Manning, C. G., Loftus, E. F., & Sherman, S. J. (1996). Imagination inflation : Imagining a childhood event inflates confidence that it occurred. *Psychonomic Bulletin & Review, 3*, 208-214. (p. 357)

Gatchel, R. J., Peng, Y. B., Peters, M. L., Fuchs, P. N., & Turk, D. C. (2007). The biopsychosocial approach to chronic pain : Scientific advances and future directions. *Psychological Bulletin, 133*, 581-624. (p. 255)

Gates, G. A., & Miyamoto, R. T. (2003). Cochlear implants. *New England Journal of Medicine, 349*, 421-423. (p. 250)

Gates, W. (1998, July 20). Charity begins when I'm ready (inter-view). *Fortune* (www.pathfinder.com/fortune/1998/980720/bil7.html). (p. 409)

Gatz, M. (2007). Genetics, dementia, and the elderly. *Current Directions in Psychological Science, 16*, 123-127. (p. 212)

Gawande, A. (1998, September 21). The pain perplex. *The New Yorker*, pp. 86-94. (p. 257)

Gawin, F. H. (1991). Cocaine addiction : Psychology and neurophysiology. *Science, 251*, 1580-1586. (p. 120)

Gazzaniga, M. S. (1967, August). The split brain in man. *Scientific American*, pp. 24-29. (pp. 75, 76)

Gazzaniga, M. S. (1983). Right hemisphere language following brain bisection : A 20-year perspective. *American Psychologist, 38*, 525-537. (p. 77)

Gazzaniga, M. S. (1988). Organization of the human brain. *Science, 245*, 947-952. (p. 77)

Gazzaniga, M. S. (1997). Brain, drugs, and society. *Science, 275*, 459. (p. 114)

Geary, D. C. (1995). Sexual selection and sex differences in spatial cognition. *Learning and Individual Differences, 7*, 289-301. (p. 433)

Geary, D. C. (1996). Sexual selection and sex differences in mathematical abilities. *Behavioral and Brain Sciences, 19*, 229-247. (p. 433)

Geary, D. C. (1998). *Male, female : The evolution of human sex differences*. Washington, DC : American Psychological Association. (p. 148)

Geary, D. C., Salthouse, T. A., Chen, G-P., & Fan, L. (1996). Are East Asian versus American differences in arithmetical ability a recent phenomenon ? *Developmental Psychology, 32*, 254-262. (p. 436)

Geen, R. G., & Quanty, M. B. (1977). The catharsis of aggression : An evaluation of a hypothesis. In L. Berkowitz (Ed.), *Advances in experimental social psychology (Vol. 10)*. New York : Academic Press. (p. 518)

Geen, R. G., & Thomas, S. L. (1986). The immediate effects of media violence on behavior. *Journal of Social Issues, 42*(3), 7-28. (p. 323)

Gehring, W. J., Wimke, J., & Nisenson, L. G. (2000). Action monitoring dysfunction in obsessive-compulsive disorder. *Psychological Science, 11(1)*, 1-6. (p. 607)

Geier, A. B., Rozin, P., & Doros, G. (2006). Unit bias : A new heuristic that helps explain the effects of portion size on food intake. *Psychological Science, 17*, 521-525. (p. 452)

Geldard, F. A. (1972). *The human senses* (2nd ed.). New York : Wiley. (p. 243)

Gelman, D. (1989, May 15). Voyages to the unknown. *Newsweek*, pp. 66-69. (p. 512)

Genesee, F., & Gándara, P. (1999). Bilingual education programs : A cross-national perspective. *Journal of Social Issues, 55*, 665-685. (p. 393)

Genevro, J. L. (2003). *Report on bereavement and grief research*. Washington, DC : Center for the Advancement of Health. (p. 222)

Gentile, D. A., Lynch, P. J., Linder, J. R., & Walsh, D. A. (2004). The effects of violent video game habits on adolescent hostility, aggressive behaviors, and school performance. *Journal of Adolescence, 27*, 5-22. (pp. 322, 704)

Gentile, D. A., Saleem, M., & Anderson, C. A. (2007). Public policy and the effects of media violence on children. *Social Issues and Policy Review, 1*, 15-61. (p. 704)

George, L. K., Ellison, C. G., & Larson, D. B. (2002). Explaining the relationships between religious involvement and health. *Psychological Inquiry, 13*, 190-200. (p. 549)

George, L. K., Larson, D. B., Koenig, H. G., & McCullough, M. E. (2000). Spirituality and health : What we know, what we need to know. *Journal of Social and Clinical Psychology, 19*, 102-116. (p. 549)

George, M. S. (2003, September). Stimulating the brain. *Scientific American*, pp. 67-73. (p. 666)

George, M. S., & Belmaker, R. H. (Eds.). (2007). *Transcranial magnetic stimulation in clinical psychiatry*. Washington, DC : American Psychiatric Publishing. (pp. 665, 666)

Geraerts, E., Schooler, J. W., Merckelbach, H., Jelicic, M., Hauer, B. J. A., & Ambadar, Z. (2007). The reality of recovered memories : Corroborating continuous and discontinuous memories of childhood sexual abuse. *Psychological Science, 18*, 564-568. (p. 362)

Gerbner, G. (1990). Stories that hurt : Tobacco, alcohol, and other drugs in the mass media. In H. Resnik (Ed.), *Youth and drugs ; Society's mixed messages*. Rockville, MD ; Office for Substance Abuse Prevention, U.S. Department of Health and Human Services. (p. 125)

Gerbner, G., Morgan, M., & Signorielli, N. (1993). *Television violence profile No. 16 : The turning point from research to action*. Annenberg School for Communication, University of Pennsylvania. (p. 703)

Gernsbacher, M. A., Dawson, M., & Goldsmith, H. H. (2005). Three reasons not to believe in an autism epidemic. *Current Directions in Psychological Science, 14,* 55-58. (p. 186)

Gerrard, M., & Luus, C. A. E. (1995). Judgments of vulnerability to pregnancy : The role of risk factors and individual differences. *Personality and Social Psychology Bulletin, 21,* 160-171. (p. 470)

Gershoff, E. T. (2002). Parental corporal punishment and associated child behaviors and experiences : A meta-analytic and theoretical review. *Psychological Bulletin, 128,* 539-579. (p. 310)

Gerstorf, D., Ram, N., Röcke, C., Lindenberger, U., & Smith, J. (2008). Decline in life satisfaction in old age : Longitudinal evidence for links to distance-to-death. *Psychology and Aging, 23,* 154-168. (p. 221)

Geschwind, N. (1979, September). Specializations of the human brain. *Scientific American, 241,* 180-199. (p. 389)

Geschwind, N., & Behan, P. O. (1984). Laterality, hormones, and immunity. In N. Geschwind & A. M. Galaburda (Eds.), *Cerebral dominance : The biological foundations.* Cambridge, MA : Harvard University Press. (p. 80)

Gfeller, J. D., Lynn, S. J., & Pribble, W. E. (1987). Enhancing hypnotic susceptibility : Interpersonal and rapport factors. *Journal of Personality and Social Psychology, 52,* 586-595. (p. 110)

Giancola, P. R., & Corman, M. D. (2007). Alcohol and aggression : A test of the attention-allocation model. *Psychological Science, 18,* 649-655. (p. 699)

Gibbons, F. X. (1986). Social comparison and depression : Company's effect on misery. *Journal of Personality and Social Psychology, 51,* 140-148. (p. 526)

Gibbons, R. D., Brown, C. H., Hur, K., Marcus, S. M., Bhaumik, D. K., & Mann, J. J. (2007). Relationship between antidepressants and suicide attempts : An analysis of the Veterans Health Administration data sets. *American Journal of Psychiatry, 164,* 1044-1049. (p. 663)

Gibbs, J. C., Basinger, K. S., Grime, R. L., & Snarey, J. R. (2007). Moral judgment development across cultures : Revisiting Kohlberg's universality claims. *Developmental Review, 27,* 443-500. (p. 201)

Gibbs, W. W. (1996, June). Mind readings. *Scientific American,* pp. 34-36. (p. 70)

Gibbs, W. W. (2002, August). Saving dying languages. *Scientific American, 287,* 79-85. (p. 384)

Gibbs, W. W. (2005, June). Obesity : An overblown epidemic ? *Scientific American,* pp. 70-77. (p. 456)

Gibson, E. J., & Walk, R. D. (1960, April). The « visual cliff. » *Scientific American,* pp. 64-71. (p. 266)

Gibson, H. B. (1995, April). Recovered memories. *The Psychologist,* pp. 153-154. (p. 109)

Gigerenzer, G. (2004). Dread risk, September 11, and fatal traffic accidents. *Psychological Science, 15,* 286-287. (p. 378)

Gigerenzer, G. (2004). Fast and frugal heuristics : The tools of bounded rationality. In D. Koehler & N. Harvey (Eds.), *Handbook of judgment and decision making.* Oxford, UK : Blackwell. (pp. 378, 380)

Gigerenzer, G. (2007). *Gut feelings : The intelligence of the unconscious.* New York : Viking. (p. 380)

Gilbert, D. T. (2006). *Stumbling on happiness.* New York : Knopf. (pp. 219, 356, 369, 503)

Gilbert, D. T., Pelham, B. W., & Krull, D. S. (2003). The psychology of good ideas. *Psychological Inquiry, 14,* 258-260. (p. 4)

Gilbert, D. T., Pinel, E. C., Wilson, T. D., Blumberg, S. J., & Wheatley, T. P. (1998). Immune neglect : A source of durability bias in affective forecasting. *Journal of Personality and Social Psychology, 75,* 617-638. (p. 521)

Gilbertson, M. W., Paulus, L. A., Williston, S. K., Gurvits, T. V., Lasko, N. B., Pitman, R. K., & Orr, S. P. (2006). Neurocognitive function in monozygotic twins discordant for combat exposure : Relationship to posttraumatic stress disorder. *Journal of Abnormal Psychology, 115,* 484-495. (p. 605)

Giles, D. E., Dahl, R. E., & Coble, P. A. (1994). Childbearing, developmental, and familial aspects of sleep. In J. M. Oldham & M. B. Riba (Eds.), *Review of psychiatry* (Vol. 13). Washington, DC : American Psychiatric Press. (p. 95)

Gill, A. J., Oberlander, J., & Austin, E. (2006). Rating e-mail personality at zero acquaintance. *Personality and Individual Differences, 40,* 497-507. (p. 575)

Gillham, J.E., Hamilton, J., Freres, D.R., Patton, K. & Gallop, R. (2006). Preventing depression among early adolescents in the primary care setting : A randomized controlled study of the Penn Resiliency Program. *Journal of Abnormal Child Psychology, 34,* 195-211. (p. 669)

Gilligan, C. (1982). *In a different voice : Psychological theory and women's development.* Cambridge, MA : Harvard University Press. (p. 160)

Gilligan, C., Lyons, N. P., & Hanmer, T. J. (Eds.). (1990). *Making connections : The relational worlds of adolescent girls at Emma Willard School.* Cambridge, MA : Harvard University Press. (p. 160)

Gilovich, T. (1991). *How we know what isn't so : The fallibility of human reason in everyday life.* New York : Free Press. (pp. 15, 16)

Gilovich, T. D. (1996). The spotlight effect : Exaggerated impressions of the self as a social stimulus. Unpublished manuscript, Cornell University. (p. 585)

Gilovich, T., & Medvec, V. H. (1995). The experience of regret : What, when, and why. *Psychological Review, 102,* 379-395. (p. 220)

Gilovich, T., & Savitsky, K. (1999). The spotlight effect and the illusion of transparency : Egocentric assessments of how we are seen by others. *Current Directions in Psychological Science, 8,* 165-168. (p. 585)

Gilovich, T., Kruger, J., & Medvec, V. H. (2002). The spotlight effect revisted : Overestimating the manifest variability of our actions and appearance. *Journal of Experimental Social Psychology, 38,* 93-99. (p. 585)

Gilovich, T., Vallone, R., & Tversky, A. (1985). The hot hand in basketball : On the misperception of random sequences. *Cognitive Psychology, 17,* 295-314. (p. 17)

Giltay, E. J., Geleijnse, J. M., Zitman, F. G., Buijsse, B., & Kromhout, D. (2007). Lifestyle and dietary correlates of dispositional optimism in men : The Zutphen Elderly Study. *Journal of Psychosomatic Research, 63,* 483-490. (p. 540)

Giltay, E. J., Geleijnse, J. M., Zitman, F. G., Hoekstra, T., & Schouten, E. G. (2004). Dispositional optimism and all-cause and cardiovascular mortality in a prospective cohort of elderly Dutch men and women. *Archives of General Psychiatry, 61,* 1126-1135. (p. 540)

Gingerich, O. (1999, February 6). Is there a role for natural theology today ? *The Real Issue* (www.origins.org/real/n9501/natural.html). (p. 169)

Gingerich, O. (2006). *God's universe.* Cambridge, MA : Belknap Press of Harvard University Press. (p. 1)

Giuliano, T. A., Barnes, L. C., Fiala, S. E., & Davis, D. M. (1998a). An empirical investigation of male answer syndrome. Paper presented at the Southwestern Psychological Association convention. (p. 161)

Gladue, B. A. (1990). Hormones and neuroendocrine factors in atypical human sexual behavior. In J. R. Feierman (Ed.), *Pedophilia : Biosocial dimensions.* New York : Springer-Verlag. (p. 475)

Gladue, B. A. (1994). The biopsychology of sexual orientation. *Current Directions in Psychological Science, 3,* 150-154. (p. 477)

Gladwell, M. (2000, May 9). The new-boy network : What do job interviews really tell us ? *New Yorker,* pp. 68-86. (p. 486)

Glasman, L. R., & Albarracin, D. (2006). Forming attitudes that predict future behavior : A meta-analysis of the attitude-behavior relation. *Psychological Bulletin, 132,* 778-822. (p. 676)

Glass, R. I. (2004). Perceived threats and real killers. *Science, 304,* 927. (p. 379)

Glass, R. M. (2001). Electroconvulsive therapy : Time to bring it out of the shadows. *Journal of the American Medical Association, 285,* 1346-1348. (p. 664)

Gleaves, D. H. (1996). The sociocognitive model of dissociative identity disorder : A reexamination of the evidence. *Psychological Bulletin, 120,* 42-59. (p. 611)

Glenn, N. D. (1975). Psychological well-being in the postparental stage : Some evidence from national surveys. *Journal of Marriage and the Family, 37,* 105-110. (p. 219)

Glick, P., & 15 others. (2004). Bad but bold : Ambivalent attitudes toward men predict gender inequality in 16 nations. *Journal of Personality and Social Psychology, 86,* 713-728. (p. 694)

Glick, P., Gottesman, D., & Jolton, J. (1989). The fault is not in the stars : Susceptibility of skeptics and believers in astrology to the Barnum effect. *Personality and Social Psychology Bulletin, 15,* 572-583. (p. 573)

Gluhoski, V. L., & Wortman, C. B. (1996). The impact of trauma on world views. *Journal of Social and Clinical Psychology, 15,* 417-429. (p. 304)

Godden, D. R., & Baddeley, A. D. (1975). Context-dependent memory in two natural environments : On land and underwater. *British Journal of Psychology, 66,* 325-331. (p. 347)

Goel, V., & Dolan, R. J. (2001). The functional anatomy of humor : Segregating cognitive and affective components. *Nature Neuroscience, 4,* 237-238. (p. 390)

Goff, D. C. (1993). Reply to Dr. Armstrong. *Journal of Nervous and Mental Disease, 181*, 604-605. (p. 610)

Goff, D. C., & Simms, C. A. (1993). Has multiple personality disorder remained consistent over time ? *Journal of Nervous and Mental Disease, 181*, 595-600. (p. 610)

Goff, L. M., & Roediger, H. L., III. (1998). Imagination inflation for action events : Repeated imaginings lead to illusory recollections. *Memory and Cognition, 26*, 20-33. (p. 357)

Gold, M., & Yanof, D. S. (1985). Mothers, daughters, and girlfriends. *Journal of Personality and Social Psychology, 49*, 654-659. (p. 205)

Goldapple, K., Segal, Z., Garson, C., Lau, M., Bieling, P., Kennedy, S., & Mayberg, H. (2004). Modulation of cortical-limbic pathways in major de-pression. *Archives of General Psychiatry, 61*, 34-41. (p. 663)

Golden, R. N., Gaynes, B. N., Ekstrom, R. D., Hamer, R. M., Jacobsen, F. M., Suppes, T., Wisner, K. L., & Nemeroff, C. B. (2005). The efficacy of light therapy in the treatment of mood disorders : A review and meta-analysis of the evidence. *American Journal of Psychiatry, 162*, 656-662. (p. 657)

Goldfried, M. R. (2001). Integrating gay, lesbian, and bisexual issues into mainstream psychology. *American Psychologist, 56*, 977-988. (p. 616)

Goldfried, M. R., & Padawer, W. (1982). Current status and future directions in psychotherapy. In M. R. Goldfried (Ed.), *Converging themes in psychotherapy : Trends in psychodynamic, humanistic, and behavioral practice.* New York ; Springer. (p. 657)

Goldfried, M. R., Raue, P. J., & Castonguay, L. G. (1998). The therapeutic focus in significant sessions of master therapists : A comparison of cognitivebehavioral and psychodynamic-interpersonal interventions. *Journal of Consulting and Clinical Psychology, 66*, 803-810. (p. 658)

Golding, J. M. (1996). Sexual assault history and women's reproductive and sexual health. *Psychology of Women Quarterly, 20*, 101-121. (p. 702)

Golding, J. M. (1999). Sexual-assault history and the long-term physical health problems : Evidence from clinical and population epidemiology. *Current Directions in Psychological Science, 8*, 191-194. (p. 605)

Goldin-Meadow, S. (2006). Talking and thinking with our hands. *Current Directions in Psychological Science, 15*, 34-39. (p. 399)

Goldstein, A. P., Glick, B., & Gibbs, J. C. (1998). *Aggression replacement training : A comprehensive intervention for aggressive youth* (Rev. ed.). Champaign, IL : Research Press. (p. 701)

Goldstein, I. (2000, August). Male sexual circuitry. *Scientific American*, pp. 70-75. (p. 57)

Goldstein, I., Lue, T. F., Padma-Nathan, H., Rosen, R. C., Steers, W. D., & Wicker, P. A. (1998). Oral sildenafil in the treatment of erectile dysfunction. *New England Journal of Medicine, 338*, 1397-1404. (p. 19)

Goleman, D. (1980, February). 1,528 little geniuses and how they grew. *Psychology Today*, pp. 28-53. (p. 487)

Goleman, D. (1995). *Emotional intelligence.* New York : Bantam. (p. 502)

Goleman, D. (2006). *Social intelligence.* New York : Bantam Books. (p. 412)

Gómez, R. L., Bootzin, R. R., & Nadel, L. (2006). Naps promote abstraction in language-learning infants. *Psychological Science, 17*, 670-674. (p. 101)

Gonsalkorale, K., & Williams, K. D. (2006). The KKK would not let me play : Ostracism even by a despised outgroup hurts. *European Journal of Social Psychology, 36*, 1-11. (p. 481)

Gonsalves, B., Reber, P. J., Gitelman, D. R., Parrish, T. B., Mesulam, M-M., & Paller, K. A. (2004). Neural evidence that vivid imagining can lead to false remembering. *Psychological Science, 15*, 655-659. (p. 357)

Goodale, M. A., & Milner, D. A. (2004). *Sight unseen : An exploration of conscious and unconscious vision.* Oxford ; Oxford University Press. (p. 87)

Goodale, M. A., & Milner, D. A. (2006). One brain — two visual systems. *The Psychologist, 19*, 660-663. (p. 87)

Goodall, J. (1968). The behaviour of free-living chimpanzees in the Gombe Stream Reserve. *Animal Behaviour Monographs, 1*, 161-311. (p. 151)

Goodall, J. (1986). *The chimpanzees of Gombe : Patterns of behavior.* Cambridge, MA : Harvard University Press. (p. 696)

Goodall, J. (1998). Learning from the chimpanzees : A message humans can understand. *Science, 282*, 2184-2185. (p. 11)

Goodchilds, J. (1987). Quoted by Carol Tavris, Old age is not what it used to be. *The New York Times Magazine : Good Health Magazine*, September 27, pp. 24-25, 91-92. (p. 207)

Goode, E. (1999, April 13). If things taste bad, « phantoms » may be at work. *New York Times* (www.nytimes.com). (p. 257)

Goode, E. (2003, January 28). Even in the age of Prozac, some still prefer the couch. *New York Times* (www.nytimes.com). (p. 639)

Goodhart, D. E. (1986). The effects of positive and negative thinking on performance in an achievement situation. *Journal of Personality and Social Psychology, 51*, 117-124. (p. 581)

Goodman, G. S. (2006). Children's eyewitness memory : A modern history and contemporary commentary. *Journal of Social Issues, 62*, 811-832. (p. 361)

Goodman, G. S., Ghetti, S., Quas, J. A., Edelstein, R. S., Alexander, K. W., Redlich, A. D., Cordon, I. M., & Jones, D. P. H. (2003). A prospective study of memory for child sexual abuse : New findings relevant to the repressedmemory controversy. *Psychological Science, 14*, 113-118. (p. 362)

Goodstein, L., & Glaberson, W. (2000, April 9). The well-marked roads to homicidal rage. *New York Times* (www.nytimes.com). (p. 583)

Goodwin, F. K., & Morrison, A. R. (1999). Scientists in bunkers : How appeasement of animal rights activism has failed. *Cerebrum, 1(2)*, 50-62. (p. 27)

Gopnik, A., & Meltzoff, A. N. (1986). Relations between semantic and cognitive development in the one-word stage : The specificity hypothesis. *Child Development, 57*, 1040-1053. (p. 393)

Goranson, R. E. (1978). The hindsight effect in problem solving. Unpublished manuscript, cited by G. Wood (1984), Research methodology : A decision-making perspective. In A. M. Rogers & C. J. Scheirer (Eds.), *The G. Stanley Hall Lecture Series (Vol. 4)*. Washington, DC. (p. 5)

Gordon, P. (2004). Numerical cognition without words : Evidence from Amazonia. *Science, 306*, 496-499. (p. 392)

Gore, A. (2007, July 1). Moving beyond Kyoto. *New York Times* (www.nytimes.com). (p. 718)

Gore-Felton, C., Koopman, C., Thoresen, C., Arnow, B., Bridges, E., & Spiegel, D. (2000). Psychologists' beliefs and clinical characteristics : Judging the veracity of childhood sexual abuse memories. *Professional Psychology : Research and Practice, 31*, 372-377. (p. 362)

Gorini, A. (2007). Virtual worlds, real healing. *Science, 318*, 1549. (p. 644)

Gortmaker, S. L., Must, A., Perrin, J. M., Sobol, A. M., & Dietz, W. H. (1993). Social and economic consequences of overweight in adolescence and young adulthood. *New England Journal of Medicine, 329*, 1008-1012. (p. 457)

Gosling, S. D., Gladdis, S., & Vazire, S. (2007). Personality impressions based on Facebook profiles. Paper presented to the Society for Personality and Social Psychology meeting. (p. 575)

Gosling, S. D., Ko, S. J., Mannarelli, T., & Morris, M. E. (2002). A room with a cue : Personality judgments based on offices and bedrooms. *Journal of Personality and Social Psychology, 82*, 379-398. (p. 575)

Gosling, S. D., Kwan, V. S. Y., & John, O. P. (2003). A dog's got personality : A cross-species comparative approach to personality judgments in dogs and humans. *Journal of Personality and Social Psychology, 85*, 1161-1169. (p. 570)

Gotlib, I. H., & Hammen, C. L. (1992). *Psychological aspects of depression : Toward a cognitive-interpersonal integration.* New York : Wiley. (p. 620)

Gottesman, I. I. (1991). *Schizophrenia genesis : The origins of madness.* New York : Freeman. (p. 626)

Gottesman, I. I. (2001). Psychopathology through a life span — genetic prism. *American Psychologist, 56*, 867-881. (p. 626)

Gottfredson, L. S. (2002a). Where and why g matters : Not a mystery. *Human Performance, 15*, 25-46. (p. 408)

Gottfredson, L. S. (2002b). g : Highly general and highly practical. In R. J. Sternberg & E. L. Grigorenko (Eds.), *The general factor of intelligence : How general is it ?* Mahwah, NJ : Erlbaum. (p. 408)

Gottfredson, L. S. (2003a). Dissecting practical intelligence theory : Its claims and evidence. *Intelligence, 31*, 343-397. (p. 408)

Gottfredson, L. S. (2003b). On Sternberg's « Reply to Gottfredson. » *Intelligence, 31*, 415-424. (p. 408)

Gottfried, J. A., O'Doherty, J., & Dolan, R. J. (2003). Encoding predictive reward value in human amygdala and orbitofrontal cortex. *Science, 301*, 1104-1108. (p. 295)

Gottman, J., with Silver N. (1994). *Why marriages succeed or fail.* New York : Simon & Schuster. (p. 219)

Gougoux, F., Zatorre, R., Lassonde, M., Voss, P., & Lepore, F. (2005). A functional neuroimaging study of sound localization : Visual cortex activity predicts performance in early-blind individuals. *PloS Biology*, 3(2), e27. (p. 252)

Gould, E. (2007). How widespread is adult neurogenesis in mammals ? *Nature Neuroscience, 8*, 481-488. (p. 74)

Gould, S. J. (1981). *The mismeasure of man.* New York : Norton. (p. 417)

Gould, S. J. (1997, June 12). Darwinian fundamentalism. *The New York Review of Books, XLIV(10)*, 34-37. (p. 148)

Grabe, S., Ward, L. M., & Hyde, J. S. (2008). The role of the media in body image concerns among women : A meta-analysis of experimental and correlational studies. *Psychological Bulletin, 134*, 460-476. (p. 454)

Grady, C. L., & McIntosh, A. R., Horwitz, B., Maisog, J. M., Ungeleider, L. G., Mentis, M. J., Pietrini, P., Schapiro, M. B., & Haxby, J. V. (1995). Agerelated reductions in human recognition memory due to impaired encoding. *Science, 269*, 218-221. (p. 350)

Grady, D. (2007, December 26). Finding Alzheimer's before a mind fails. *New York Times* (www.nytimes.com). (p. 212)

Graf, P. (1990). Life-span changes in implicit and explicit memory. *Bulletin of the Psychonomic Society, 28*, 353-358. (p. 214)

Graham, J. E., Christian, L. M., & Kiecolt-Glaser, J. K. (2006). Marriage, health, and immune function. In S. R. H. Beach & others (Eds.), *Relational processes and DSM-V : Neuroscience, assessment, prevention, and treatment.* Washington, DC : American Psychiatric Association. (p. 542)

Grant, B. F., & Dawson, D. A. (1998). Age of onset of drug use and its association with DSM-IV drug abuse and dependence : Results from the national Longitudinal Alcohol Epidemiologic Survey. *Journal of Substance Abuse, 10*, 163-173. (p. 126)

Gray, P. B., Yang, C-F. J., & Pope, Jr., H. G. (2006). Fathers have lower salivary testosterone levels than unmarried men and married non-fathers in Beijing, China. *Proceedings of the Royal Society, 273*, 333-339. (p. 467)

Gray-Little, B., & Burks, N. (1983). Power and satisfaction in marriage : A review and critique. *Psychological Bulletin, 93*, 513-538. (p. 711)

Green, B. (2002). Listening to leaders : Feedback on 360-degree feedback one year later. *Organizational Development Journal, 20*, 8-16. (p. 487)

Green, C. S., & Bavelier, D. (2003). Action video game modifies visual selective attention. *Nature, 423*, 534-537. (p. 232)

Green, J. D., Sedikides, C., & Gregg, A. P. (2008). Forgotten but not gone : The recall and recognition of self-threatening memories. *Journal of Experimental Social Psychology, 44*, 547-561. (p. 561)

Green, J. T., & Woodruff-Pak, D. S. (2000). Eyeblink classical conditioning : Hippocampal formation is for neutral stimulus associations as cerebellum is for association-response. *Psychological Bulletin, 126*, 138-158. (p. 345)

Greenberg, J. (2008). Understanding the vital human quest for self-esteem. *Perspectives on Psychological Science, 3*, 48-55. (p. 585)

Greenberg, J., Solomon, S., & Pyszczynski, T. (1997). Terror management theory of self-esteem and cultural worldviews : Empirical assessments and conceptual refinements. *Advances in Social Psychology, 29*, 61-142. (p. 563)

Greene, J., Sommerville, R. B., Nystrom, L. E., Darley, J. M., & Cohen, J. D. (2001). An fMRI investigation of emotional engagement in moral judgment. *Science, 293*, 2105. (p. 201)

Greene, R. L. (1987). Effects of maintenance rehearsal on human memory. *Psychological Bulletin, 102*, 403-413. (p. 333)

Greenfeld, L. A. (1998). *Alcohol and crime : An analysis of national data on the prevalence of alcohol involvement in crime.* Washington, DC : Document NCJ-168632, Bureau of Justice Statistics (www.ojp.usdoj.gov/bjs). (p. 699)

Greenwald, A. G. (1992). Subliminal semantic activation and subliminal snake oil. Paper presented to the American Psychological Association Convention, Washington, DC. (pp. 233, 234, 562)

Greenwald, A. G., McGhee, D. E., & Schwartz, J. L. K. (1998). Measuring individual differences in implicit cognition : The implicit association test. *Journal of Personality and Social Psychology, 74*, 1464-1480. (p. 693)

Greenwald, A. G., Oakes, M. A., & Hoffman, H. (2003). Targets of discrimination : Effects of race on responses to weapons holders. *Journal of Experimental Social Psychology, 39*, 399. (p. 693)

Greenwald, A. G., Spangenberg, E. R., Pratkanis, A. R., & Eskenazi, J. (1991). Double-blind tests of subliminal self-help audiotapes. *Psychological Science, 2*, 119-122. (p. 233)

Greenwood, M. R. C. (1989). Sexual dimorphism and obesity. In A. J. Stunkard & A. Baum (Eds.). *Perspectives in behavioral medicine : Eating, sleeping, and sex.* Hillsdale, NJ : Erlbaum. (p. 456)

Greer, G. (1984, April). The uses of chastity and other paths to sexual pleasures. *MS*, pp. 53-60, 96. (p. 467)

Greers, A. E. (2004). Speech, language, and reading skills after early cochlear implantation. *Archives of Otolaryngology — Head & Neck Surgery, 130*, 634-638. (p. 387)

Gregg, L., & Tarrier, N. (2007). Virtual reality in mental health : A review of the literature. *Social Psychiatry and Psychiatric Epidemiology, 42*, 343-354. (p. 644)

Gregory, R. L. (1978). *Eye and brain : The psychology of seeing (3rd ed.).* New York : McGraw-Hill. (p. 273)

Gregory, R. L., & Gombrich, E. H. (Eds.). (1973). *Illusion in nature and art.* New York : Charles Scribner's Sons. (p. 278)

Greif, E. B., & Ulman, K. J. (1982). The psychological impact of menarche on early adolescent females : A review of the literature. *Child Development, 53*, 1413-1430. (p. 198)

Greist, J. H., Jefferson, J. W., & Marks, I. M. (1986). *Anxiety and its treatment : Help is available.* Washington, DC : American Psychiatric Press. (p. 602)

Grello, C. M., Welsh, D. P., & Harper, M. S. (2006). No strings attached : The nature of casual sex in college students. *Journal of Sex Research, 43*, 255-267. (p. 116)

Grèzes, J., & Decety, J. (2001). Function anatomy of execution, mental simulation, observation, and verb generation of actions : A meta-analysis. *Human Brain Mapping, 12*, 1-19. (p. 394)

Griffiths, M. (2001). Sex on the Internet : Observations and implications for Internet sex addiction. *Journal of Sex Research, 38*, 333-342. (p. 114)

Grill-Spector, K., & Kanwisher, N. (2005). Visual recognition : As soon as you know it is there, you know what it is. *Psychological Science, 16*, 152-160. (p. 370)

Grilo, C. M., & Pogue-Geile, M. F. (1991). The nature of environmental influences on weight and obesity : A behavior genetic analysis. *Psychological Bulletin, 110*, 520-537. (p. 460)

Grinker, R. R. (2007). *Unstrange minds : Remapping the world of autism.* New York : Basic Books. (p. 186)

Grobstein, C. (1979, June). External human fertilization. *Scientific American*, pp. 57-67. (p. 174)

Groothuis, T. G. G., & Carere, C. (2005). Avian personalities : Characterization and epigenesis. *Neuroscience and Biobehavioral Reviews, 29*, 137-150. (p. 570)

Gross, A. E., & Crofton, C. (1977). What is good is beautiful. *Sociometry, 40*, 85-90. (p. 709)

Gross, M., Nakamura, L., Pascual-Leone, A., & Fregni, F. (2007). Has repetitive transcranial magnetic stimulation (rTMS) treatment for depression improved ? A systematic review and meta-analysis comparing the recent vs. the earlier rTMS studies. *Acta Psychiatrica Scandinavica, 116*, 165-173. (p. 666)

Grossberg, S. (1995). The attentive brain. *American Scientist, 83*, 438-449. (p. 277)

Grossman, M., & Wood, W. (1993). Sex differences in intensity of emotional experience : A social role interpretation. *Journal of Personality and Social Psychology, 65*, 1010-1022. (p. 510)

Gruder, C. L. (1977). Choice of comparison persons in evaluating oneself. In J. M. Suls & R. L. Miller (Eds.), *Social comparison processes.* New York : Hemisphere. (p. 525)

Grunebaum, M. F., Ellis, S. P., Li, S., Oquendo, M. A., Mann, J. J. (2004). Antidepressants and suicide risk in the United States, 1985-1999. *Journal of Clinical Psychiatry, 65*, 1456-1462. (p. 663)

Guerin, B. (1986). Mere presence effects in humans : A review. *Journal of Personality and Social Psychology, 22*, 38-77. (p. 687)

Guerin, B. (2003). Language use as social strategy : A review and an analytic framework for the social sciences. *Review of General Psychology, 7*, 251-298. (p. 383)

Guiso, L, Monte, F., Sapienza, P., & Zingales, L. (2008). Culture, gender, and math. *Science, 320*, 1164-1165. (p. 433)

Gundersen, E. (2001, August 1). MTV is a many splintered thing. *USA Today*, pp. D1, D2. (p. 321)

Güntürkün, O. (2003). Adult persistence of head-turning asymmetry. *Nature, 421*, 711. (p. 79)

Gura, T. (2000). Enzyme blocker prompts mice to shed weight. *Science, 288*, 2299-2300. (p. 450)

Gustafson, D., Lissner, L., Bengtsson, C., Björkelund, C., & Skoog, I. (2004). A 24-year follow-up of body mass index and cerebral atrophy. *Neurology, 63*, 1876-1881. (p. 456)

Gustafson, D., Rothenberg, E., Blennow, K., Steen, B., & Skoog, I. (2003). An 18-year follow-up of overweight and risk of Alzheimer disease. *Archives of Internal Medicine, 163,* 1524-1528. (pp. 212, 456)

Gustavson, C. R., Garcia, J., Hankins, W. G., & Rusiniak, K. W. (1974). Coyote predation control by aversive conditioning. *Science, 184,* 581-583. (p. 300)

Gustavson, C. R., Kelly, D. J., & Sweeney, M. (1976). Prey-lithium aversions I : Coyotes and wolves. *Behavioral Biology, 17,* 61-72. (p. 300)

Guttentag, M., & Secord, P. F. (1983). *Too many women ? The sex ratio question.* Thousand Oaks, CA : Sage. (p. 694)

Guttmacher Institute. (1994). *Sex and America's teenagers.* New York : Alan Guttmacher Institute. (pp. 206, 470)

Guttmacher Institute. (2000). *Fulfilling the promise : Public policy and U.S. family planning clinics.* New York : Alan Guttmacher Institute. (p. 206)

H., Sally. (1979, August). Videotape recording number T-3, Fortunoff Video Archive of Holocaust Testimonies. New Haven, CT : Yale University Library. (p. 562)

Haber, R. N. (1970, May). How we remember what we see. *Scientific American,* pp. 104-112. (p. 328)

Haddock, G., & Zanna, M. P. (1994). Preferring « housewives » to « feminists. » *Psychology of Women Quarterly, 18,* 25-52. (p. 694)

Haesler, S. (2007, June/July). Programmed for speech. *Scientific American Mind,* pp. 67-71. (p. 386)

Haidt, J. (2000). The positive emotion of elevation. *Prevention and Treatment, 3,* article 3 (journals.apa.org/prevention/volume3). (p. 201)

Haidt, J. (2002). The moral emotions. In R. J. Davidson, K. Scherer, & H. H. Goldsmith (Eds.), *Handbook of Affective Sciences.* New York : Oxford University Press. (p. 201)

Haidt, J. (2006). *The happiness hypothesis : Finding modern truth in ancient wisdom.* New York : Basic Books. (p. 200)

Haidt, J. (2007). The new synthesis in moral psychology. *Science, 316,* 998-1001. (p. 201)

Haidt, J. (2008). Morality. *Perspectives on Psychological Science, 3,* 65-72. (p. 201)

Haier, R. J., Jung, R. E., Yeo, R. A., Head, K., & Alkire, M. T. (2004). Structural brain variation and general intelligence. *NeuroImage, 23,* 425-433. (p. 414)

Hakuta, K., Bialystok, E., & Wiley, E. (2003). Critical evidence : A test of the critical-period hypothesis for second-language acquisition. *Psychological Science, 14,* 31-38. (p. 388)

Halberstadt, J. B., & Niedenthal, P. M. (2001). Effects of emotion concepts on perceptual memory for emotional expressions. *Journal of Personality and Social Psychology, 81,* 587-598. (p. 358)

Halberstadt, J. B., Niedenthal, P. M., & Kushner, J. (1995). Resolution of lexical ambiguity by emotional state. *Psychological Science, 6,* 278-281. (p. 277)

Halberstadt, J., O'Shea, R. P., & Forgas, J. (2006). Outgroup fanship in Australia and New Zealand. *Australian Journal of Psychology, 58,* 159-165. (p. 695)

Haldeman, D. C. (1994). The practice and ethics of sexual orientation conversion therapy. *Journal of Consulting and Clinical Psychology, 62,* 221-227. (p. 472)

Haldeman, D. C. (2002). Gay rights, patient rights : The implications of sexual orientation conversion therapy. *Professional Psychology : Research and Practice, 33,* 260-264. (p. 472)

Hall, C. S., & Lindzey, G. (1978). *Theories of personality* (2nd ed.). New York : Wiley. (p. 563)

Hall, C. S., Dornhoff, W., Blick, K. A., & Weesner, K. E. (1982). The dreams of college men and women in 1950 and 1980: A comparison of dream contents and sex differences. *Sleep, 5,* 188-194. (p. 104)

Hall, G. (1997). Context aversion, Pavlovian conditioning, and the psychological side effects of chemotherapy. *European Psychologist, 2,* 118-124. (p. 302)

Hall, G. S. (1904). *Adolescence : Its psychology and its relations to physiology, anthropology, sex, crime, religion and education* (Vol. I). New York : AppletonCentury-Crofts. (p. 197)

Hall, J. A. (1984). *Nonverbal sex differences : Communication accuracy and expressive style.* Baltimore : Johns Hopkins University Press. (p. 510)

Hall, J. A. (1987). On explaining gender differences : The case of nonverbal communication. In P. Shaver & C. Hendrick (Eds.), *Review of Personality and Social Psychology, 7,* 177-200. (pp. 160, 510)

Hall, J. A. Y., & Kimura, D. (1994). Dermatoglyphic assymetry and sexual orientation in men. *Behavioral Neuroscience, 108,* 1203-1206. (p. 476)

Hall, J. G. (2003). Twinning. *Lancet, 362,* 735-743. (p. 136)

Hall, S. S. (2004, May). The good egg. *Discover,* pp. 30-39. (p. 174)

Hall, W. (2006). The mental health risks of adolescent cannabis use. *PloS Medicine, 3*(2): e39. (p. 122)

Halpern, D. F. (1991). Cognitive sex differences : Why diversity is a critical research issue. Paper presented to the American Psychological Association convention. (p. 432)

Halpern, D. F. (2000). *Sex-related ability differences : Changing perspectives, changing minds.* Mahwah, NJ : Erlbaum. (pp. 433, 471)

Halpern, D. F. (2005, May 20). Response to Drs. Pinker and Spelke. www.edge.org. (p. 433)

Halpern, D. F., & Coren, S. (1990). Laterality and longevity : Is left-handedness associated with a younger age at death ? In S. Coren (Ed.), *Left-handedness : Behavioral implications and anomalies.* Amsterdam : North-Holland. (p. 80)

Halpern, D. F., Benbow, C. P., Geary, D. C., Gur, R. C., Hyde, J. S., & Gernsbacher, M. A. (2007). The science of sex differences in science and mathematics. *Psychological Science in the Public Interest, 8,* 1-51. (pp. 432, 433, 434)

Hamann, S., Herman, R. A., Nolan, C. L., & Wallen, K. (2004). Men and women differ in amygdala response to visual sexual stimuli. *Nature Neuroscience, 7,* 411-416. (p. 468)

Hamilton, R. H. (2000, November). Increased prevalence of absolute pitch in blind musicians (Abstract 739.13). Society for Neuroscience meeting, New Orleans. (p. 252)

Hammack, P. L., (2005). The life course development of human sexual orientation : An integrative paradigm. *Human Development, 48,* 267-290. (pp. 471, 474)

Hammersmith, S. K. (1982, August). Sexual preference : An empirical study from the Alfred C. Kinsey Institute for Sex Research. Paper presented at the meeting of the American Psychological Association, Washington, DC. (p. 473)

Hampson, R. (2000, April 10). In the end, people just need more room. *USA Today,* p. 19A. (p. 461)

Hampson, S. E., & Goldberg, L. R. (2006). A first large cohort study of personality trait stability over the years between elementary school and midlife. *Journal of Personality and Social Psychology, 91,* 763-779. (p. 224)

Hancock, K. J., & Rhodes, G. (2008). Contact, configural coding and the other-race effect in face recognition. *British Journal of Psychology, 99,* 45-56. (p. 697)

Hankin, B. L., & Abramson, L. Y. (2001). Development of gender differences in depression : An elaborated cognitive vulnerability-transactional stress theory. *Psychological Bulletin, 127,* 773-796. (p. 619)

Hansen, C. H., & Hansen, R. D. (1988). Finding the face-in-the-crowd : An anger superiority effect. *Journal of Personality and Social Psychology, 54,* 917-924. (p. 508)

Harbaugh, W. T., Mayr, U., & Burghart, D. R. (2007). Neural responses to taxation and voluntary giving reveal motives for charitable donations. *Science, 316,* 1622-1625. (p. 714)

Harber, K. D. (1998), Feedback to minorities : Evidence of a positive bias. *Journal of Personality and Social Psychology, 74,* 622-628. (p. 693)

Hardin, C., & Banaji, M. R. (1993). The influence of language on thought. *Social Cognition, 11,* 277-308. (p. 392)

Hare, R. D. (1975). Psychophysiological studies of psychopathy. In D. C. Fowles (Ed.), *Clinical applications of psychophysiology.* New York : Columbia University Press. (p. 629)

Hariri, A. R., Mattay, V. S., Tessitore, A., Kolachana, B., Fera, F., Goldman, D., Egan, M. F., & Weinberger, D. R. (2002). Serotonin transporter genetic variation and the response of the human amygdala. *Science, 297,* 400-403. (p. 517)

Harker, L. A., & Keltner, D. (2001). Expressions of positive emotion in women's college yearbook pictures and their relationship to personality and life outcomes across adulthood. *Journal of Personality and Social Psychology, 80,* 112-124. (p. 520)

Harkins, S. G., & Szymanski, K. (1989). Social loafing and group evaluation. *Journal of Personality and Social Psychology, 56,* 934-941. (p. 688)

Harlow, H. F., Harlow, M. K., & Suomi, S. J. (1971). From thought to therapy : Lessons from a primate laboratory. *American Scientist, 59,* 538-549. (p. 188)

Harlow, R. E., & Cantor, N. (1996). Still participating after all these years : A study of life task participation in later life. *Journal of Personality and Social Psychology, 71,* 1235-1249. (p. 221)

Harmon-Jones, E., Abramson, L. Y., Sigelman, J., Bohlig, A., Hogan, M. E., & Harmon-Jones, C. (2002). Proneness to hypomania/mania symptoms or depression symptoms and asymmetrical frontal cortical responses to an anger-evoking event. *Journal of Personality and Social Psychology, 82,* 610-618. (p. 502)

Harper, C., & McLanahan, S. (2004). Father absence and youth incarceration. *Journal of Research on Adolescence, 14,* 369-397. (p. 701)

Harris, A., & Lurigio, A. J. (2007). Mental illness and violence : A brief review of research and assessment strategies. *Aggression and Violent Behavior, 12,* 542-551. (p. 600)

Harris, B. (1979). Whatever happened to Little Albert ? *American Psychologist, 34,* 151-160. (p. 303)

Harris, J. A. (1999). Review and methodological considerations in research on testosterone and aggression. *Aggression and Violent Behavior, 4,* 273-291. (p. 699)

Harris, J. R. (1998). *The nurture assumption.* New York : Free Press. (pp. 152, 190)

Harris, J. R. (2000). Beyond the nurture assumption : Testing hypotheses about the child's environment. In J. G. Borkowski & S. L. Ramey (Eds.), *Parenting and the child's world : Influences on academic, intellectual, and social-emotional development.* Washington, DC. (p. 152)

Harris, J. R. (2006). *No two are alike : Human nature and human individuality.* New York : Norton. (p. 138)

Harris, J. R. (2007, August 8). Do pals matter more than parents ? *The Times* (www.timesonline.co.uk). (p. 152)

Harris, R. J. (1994). The impact of sexually explicit media. In J. Brant & D. Zillmann (Eds.), *Media effects : Advances in theory and research.* Hillsdale, NJ : Erlbaum. (p. 702)

Harrison, Y., & Horne, J. A. (2000). The impact of sleep deprivation on decision making : A review. *Journal of Experimental Psychology ; Applied, 6,* 236-249. (p. 99)

Harriston, K. A. (1993, December 24). 1 shakes, 1 snoozes : both win $45 million. *Washington Post* release (in *Tacoma News Tribune,* pp. A1, A2). (p. 584)

Hart, D. (1988). The development of personal identity in adolescence : A philosophical dilemma approach. *Merrill-Palmer Quarterly, 34,* 105-114. (p. 204)

Harter, J. K., Schmidt, F. L., & Hayes, T. L. (2002). Business-unit-level relationship between employee satisfaction, employee engagement, and business outcomes : A meta-analysis. *Journal of Applied Psychology, 87,* 268-279. (p. 489)

Hartmann, E. (1981, April). The strangest sleep disorder. *Psychology Today,* pp. 14, 16, 18. (p. 103)

Harvard Mental Health Letter. (2002, February). EMDR (Eye movement and reprocessing). *Harvard Mental Health Letter, 18,* 4-5. (p. 656)

Harvey, F. (2002, February). Surrounded by sound. *Scientific American,* pp. 94-95. (p. 249)

Haselton, M. G., Mortezaie, M., Pillsworth, E. G., Bleske-Rechek, A., & Frederick, D. A. (2006). Ovulatory shifts in human female ornamentation : Near ovulation, women dress to impress. *Hormones and Behavior, 51,* 40-45. (p. 466)

Hasin, D. S., Goodwin, R. D., Stinson, F. S., & Grant, B. F. (2005). Epidemiology of major depressive disorder : Results from the National Epidemiologic Survey on Alcoholism and Related Conditions. *Archives of General Psychiatry, 62,* 1097-1106. (p. 612)

Haslam, N., & Levy, S. R. (2006). Essentialist beliefs about homosexuality : Structure and implications for prejudice. *Personality and Social Psychology Bulletin, 32,* 471-485. (p. 477)

Haslam, S. A., & Reicher, S. (2007). Beyond the banality of evil : Three dynamics of an interactionist social psychology of tyranny. *Personality and Social Psychology Bulletin, 33,* 615-622. (p. 678)

Hassan, B., & Rahman, Q. (2007). Selective sexual orientation-related differences in object location memory. *Behavioral Neuroscience, 121,* 625-633. (p. 477)

Hatfield, E. (1988). Passionate and companionate love. In R. J. Sternberg & M. L. Barnes (Eds.), *The psychology of love.* New Haven : Yale University Press. (p. 710)

Hatfield, E., & Sprecher, S. (1986). *Mirror, mirror . . . The importance of looks in everyday life.* Albany : State University of New York Press. (p. 707)

Hatfield, J., Faunce, G. J., & Job, R. F. S. (2006). Avoiding confusion surrounding the phrase « correlation does not imply causation. *Teaching of Psychology, 33,* 49-51. (p. 15)

Hathaway, S. R. (1960). *An MMPI Handbook* (Vol. 1, Foreword). Minneapolis : University of Minnesota Press. (Revised edition, 1972). (p. 570)

Hauser, M. (2006). *Moral minds : How nature designed our universal sense of right and wrong.* New York : Ecco. (pp. 201, 387)

Hauser, M. D., Chomsky, N., & Fitch, W. T. (2002). The faculty of language : What is it, who has it, and how did it evolve ? *Science, 298,* 1569-1579. (p. 384)

Havas, D. A., Glenberg, A. M., & Rink, M. (2007). Emotion simulation during language comprehension. *Psychonomic Bulletin & Review, 14,* 436-441. (p. 514)

Haxby, J. V. (2001, July 7). Quoted by B. Bower, Faces of perception. *Science News,* pp. 10-12. See also J. V. Haxby, M. I. Gobbini, M. L. Furey, A. Ishai, J. L. Schouten & P. Pietrini, Distributed and overlapping representations of faces and objects in ventral temporal cortex. *Science, 293,* 2425-2430. (p. 241)

Haynes, J-D., & Rees, G. (2005). Predicting the orientation of invisible stimuli from activity in human primary visual cortex. *Nature Neuroscience, 8,* 686-691. (p. 233)

Haynes, J-D., & Rees, G. (2006). Decoding mental states from brain activity in humans. *Nature Reviews Neuroscience, 7,* 523-534. (p. 233)

Hazan, C., & Shaver, P. R. (1994). Attachment as an organizational framework for research on close relationships. *Psychological Inquiry, 5,* 1-22. (p. 193)

Hazelrigg, M. D., Cooper, H. M., & Borduin, C. M. (1987). Evaluating the effectiveness of family therapies : An integrative review and analysis. *Psychological Bulletin, 101,* 428-442. (p. 649)

Head Start. (2005). Head Start program fact sheet. www.acf.hhs.gov/. (p. 430)

Health Canada (2007). *Canadian addiction survey : Substance use by Canadian youth.* Health Canada Publication 4946 (www.hc-sc.gc.ca). (p. 123)

Heaps, C. M., & Nash, M. (2001). Comparing recollective experience in true and false autobiographical memories. *Journal of Experimental Psychology : Learning, Memory, and Cognition, 27,* 920-930. (p. 363)

Hebb, D. O. (1980). *Essay on mind.* Hillsdale, NJ : Erlbaum. 9-16. (pp. 302, 497)

Hebl, M. R., & Mannix, L. M. (2003). The weight of obesity in evaluating others : A mere proximity effect. *Personality and Social Psychology Bulletin, 29,* 28-38. (p. 458)

Hedges, L. V., & Nowell, A. (1995). Sex differences in mental test scores, variability, and numbers of high-scoring individuals. *Science, 269,* 41-45. (p. 432)

Hedström, P., Liu, K-Y., & Nordvik, M. K. (2008). Interaction domains and suicides : A population-based panel study of suicides in the Stockholm metropolitan area, 1991-1999. *Social Forces,* in press. (p. 617)

Heider, F. (1958). *The psychology of interpersonal relations.* New York : Wiley. (p. 673)

Heiman, J. R. (1975, April). The physiology of erotica : Women's sexual arousal. *Psychology Today,* 90-94. (p. 468)

Heine, S. J., & Hamamura, T. (2007). In search of East Asian self-enhancement. *Personality and Social Psychology Review, 11,* 4-27. (p. 587)

Heins, M. (2004, December 14). Quoted by B. Kloza, Violent Christmas games. *ScienCentralNews* (www.sciencecentral.com). (p. 705)

Helgeson, V. S., Cohen, S., & Fritz, H. L. (1998). Social ties and cancer. In P. M. Cinciripini & others (Eds.), *Psychological and behavioral factors in cancer risk.* New York : Oxford University Press. (p. 541)

Helgeson, V. S., Reynolds, K. A., & Tomich, P. L. (2006). A meta-analytic review of benefit finding and growth. *Journal of Consulting and Clinical Psychology, 74,* 797-816. (p. 605)

Heller, W. (1990, May/June). Of one mind : Second thoughts about the brain's dual nature. *The Sciences,* pp. 38-44. (p. 79)

Helmreich, W. B. (1992). *Against all odds : Holocaust survivors and the successful lives they made in America.* New York : Simon & Schuster. (pp. 192, 561)

Helmreich, W. B. (1994). Personal correspondence. Department of Sociology, City University of New York. (p. 561)

Helms, J. E., Jernigan, M., & Mascher, J. (2005). The meaning of race in psychology and how to change it : A methodological perspective. *American Psychologist, 60,* 27-36. (p. 436)

Helmuth, L. (2001). Boosting brain activity from the outside in. *Science, 292*, 1284-1286. (p. 666)

Helweg-Larsen, M. (1999). (The lack of) optimistic biases in response to the 1994 Northridge earthquake : The role of personal experience. *Basic and Applied Social Psychology, 21*, 119-129. (p. 582)

Hembree, R. (1988). Correlates, causes, effects, and treatment of test anxiety. *Review of Educational Research, 58*, 47-77. (p. 501)

Hemenover, S. H. (2003). The good, the bad, and the healthy : Impacts of emotional disclosure of trauma on resilient self-concept and psychological distress. *Personality and Social Psychology Bulletin, 29*, 1236-1244. (p. 542)

Henderlong, J., & Lepper, M. R. (2002). The effects of praise on children's intrinsic motivation : A review and synthesis. *Psychological Bulletin, 128*, 774-795. (p. 313)

Henderson, J. M. (2007). Regarding scenes. *Current Directions in Psychological Science, 16*, 219-222. (p. 235)

Henkel, L. A., Franklin, N., & Johnson, M. K. (2000, March). Cross-modal source monitoring confusions between perceived and imagined events. *Journal of Experimental Psychology : Learning, Memory, & Cognition, 26*, 321-335. (p. 358)

Henley, N. M. (1989). Molehill or mountain ? What we know and don't know about sex bias in language. In M. Crawford & M. Gentry (Eds.), *Gender and thought : Psychological perspectives*. New York : Springer-Verlag. (p. 393)

Henninger, P. (1992). Conditional handedness : Handedness changes in multiple personality disordered subject reflect shift in hemispheric dominance. *Consciousness and Cognition, 1*, 265-287. (p. 611)

Henry, J. D., MacLeod, M. S., Phillips, L. H., & Crawford, J. R. (2004). A meta-analytic review of prospective memory and aging. *Psychology and Aging, 19*, 27-39. (p. 213)

Hepper, P. (2005). Unravelling our beginnings. *The Psychologist, 18*, 474-477. (p. 174)

Hepper, P. G., Shahidullah, S., & White, R. (1990). Origins of fetal handedness. *Nature, 347*, 431. (p. 80)

Hepper, P. G., Wells, D. L., & Lynch, C. (2004). Prenatal thumb sucking is related to postnatal handedness. *Neuropsychologia, 43*, 313-315. (p. 80)

Herbert, B. (2001, July 23). Economics 202 at Big Tobacco U. *New York Times* (www.nytimes.com). (p. 118)

Herbert, J. D., Lilienfeld, S. O., Lohr, J. M., Montgomery, R. W., O'Donohue, W. T., Rosen, G. M., & Tolin, D. F. (2000). Science and psudoscience in the development of eye movement desensitization and reprocessing : Implications for clinical psychology. *Clinical Psychology Review, 20*, 945-971. (p. 656)

Herek, G. M. (2006). Legal recognition of same-sex relationships in the United States : A social science perspective. *American Psychologist, 61*, 607-621. (p. 472)

Herman, C. P., & Polivy, J. (1980). Restrained eating. In A. J. Stunkard (Ed.), *Obesity*. Philadelphia : Saunders. (p. 463)

Herman, C. P., Roth, D. A., & Polivy, J. (2003). Effects of the presence of others on food intake : A normative interpretation. *Psychological Bulletin, 129*, 873-886. (p. 452)

Herman-Giddens, M. E., Wang, L., & Koch, G. (2001). Secondary sexual characteristics in boys : Estimates from the National Health and Nutrition Examination Survey III, 1988-1994. *Archives of Pediatrics and Adolescent Medicine, 155*, 1022-1028. (p. 197)

Hernandez, A. E., & Li, P. (2007). Age of acquisition : Its neural and computational mechanisms. *Psychological Bulletin, 133*, 638-650. (p. 387)

Herrmann, D. (1982). Know thy memory : The use of questionnaires to assess and study memory. *Psychological Bulletin, 92*, 434-452. (p. 364)

Herrmann, E., Call, J., Hernández-Lloreda, M. V., Hare, B., & Tomasello, M. (2007). Humans have evolved specialized skills of social cognition : The cultural intelligence hypothesis. *Science, 317*, 1360-1365. (p. 318)

Herrnstein, R. J., & Loveland, D. H. (1964). Complex visual concept in the pigeon. *Science, 146*, 549-551. (p. 306)

Herrnstein, R. J., & Murray, C. A. (1994). *The bell curve : Intelligence and class structure in American life*. NY : Free Press. (p. 434)

Hershenson, M. (1989). *The moon illusion*. Hillsdale, NJ : Erlbaum. (p. 270)

Hertenstein, M. J., Keltner, D., App, B. Bulleit, B. & Jaskolka, A. (2006). Touch communicates distinct emotions. *Emotion, 6*, 528-533. (p. 189)

Hertenstein, M. J., Verkamp, J. M., Kerestes, A. M., & Holmes, R. M. (2006). The communicative functions of touch in humans, nonhumans primates, and rats : A review and synthesis of the empirical research. *Genetic, Social, and General Psychology Monographs, 132*, 5-94. (p. 253)

Herz, R. S. (2001). Ah sweet skunk! Why we like or dislike what we smell. *Cerebrum, 3*(4), 31-47. (p. 262)

Herz, R.S., Beland, S.L. & Hellerstein, M. (2004). Changing odor hedonic perception through emotional associations in humans. *International Journal of Comparative Psychology, 17*, 315-339. (p. 262)

Hess, E. H. (1956, July). Space perception in the chick. *Scientific American*, pp. 71-80. (p. 274)

Hetherington, M. M., Anderson, A. S., Norton, G. N. M., & Newson, L. (2006). Situational effects on meal intake : A comparison of eating alone and eating with others. *Physiology and Behavior, 88*, 498-505. (p. 452)

Hettema, J. M., Neale, M. C., & Kendler, K. S. (2001). A review and meta-analysis of the genetic epidemiology of anxiety disorders. *American Journal of Psychiatry, 158*, 1568-1578. (p. 607)

Hewlett, B. S. (1991). *Intimate fathers : The nature and context of Aka Pygmy*. Ann Arbor : University of Michigan Press. (p. 191)

Hickok, G., Bellugi, U., & Klima, E. S. (2001, June). Sign language in the brain. *Scientific American*, pp. 58-65. (p. 78)

Hilgard, E. R. (1986). *Divided consciousness : Multiple controls in human thought and action*. New York ; Wiley. (p. 111)

Hilgard, E. R. (1992). Dissociation and theories of hypnosis. In E. Fromm & M. R. Nash (Eds.), *Contemporary hypnosis research*. New York : Guilford. (p. 111)

Hill, C. E., & Nakayama, E. Y. (2000). Client-centered therapy : Where has it been and where is it going ? A comment on Hathaway. *Journal of Clinical Psychology, 56*, 961-875. (p. 641)

Hill, H., & Johnston, A. (2001). Categorizing sex and identity from the biological motion of faces. *Current Biology, 11*, 880-885. (p. 511)

Hines, M. (2004). *Brain gender*. New York : Oxford University Press. (p. 163)

Hines, M., & Green, R. (1991). Human hormonal and neural correlates of sex-typed behaviors. *Review of Psychiatry, 10*, 536-555. (p. 163)

Hingson, R. W., Heeren, T., & Winter, M. R. (2006). Age at drinking onset and alcohol dependence. *Archives of Pediatrics & Adolescent Medicine, 160*, 739-746. (p. 125)

Hintzman, D. L. (1978). *The psychology of learning and memory*. San Francisco : Freeman. (p. 336)

Hinz, L. D., & Williamson, D. A. (1987). Bulimia and depression : A review of the affective variant hypothesis. *Psychological Bulletin, 102*, 150-158. (p. 453)

Hirsch, J. (2003). Obesity : Matter over mind ? *Cerebrum, 5(1)*, 7-18. (p. 458)

Hirt, E. R., Zillmann, D., Erickson, G. A., & Kennedy, C. (1992). Costs and benefits of allegiance : Changes in fans' self-ascribed competencies after team victory versus defeat. *Journal of Personality and Social Psychology, 63*, 724-738. (p. 621)

HMHL (2007, February). Electroconvulsive therapy. *Harvard Mental Health Letter*, Harvard Medical School, pp. 1-4. (p. 665)

HMHL. (2002, August). Smoking and depression. *Harvard Mental Health Letter*, pp. 6-7. (p. 618)

HMHL. (2002, January). Disaster and trauma. *Harvard Mental Health Letter*, pp. 1-5. (p. 530)

Hobson, J. A. (1995, September). Quoted by C. H. Colt, The power of dreams. *Life*, pp. 36-49. (p. 105)

Hobson, J. A. (2003). *Dreaming : An introduction to the science of sleep*. New York ; Oxford. (p. 106)

Hobson, J. A. (2004). *13 dreams Freud never had : The new mind science*. New York ; Pi Press. (p. 106)

Hochberg, L. R., Serruya, M. D., Friehs, G. M., Mukand, J. A., Saleh, M., Caplan, A. H., Branner, A., Chen, D., Penn, R. D. & Donoghue, J. P. (2006). Neuronal ensemble control of prosthetic devices by a human with tetraplegia. *Nature, 442*, 164-171. (p. 71)

Hodgkinson, V. A., & Weitzman, M. S. (1992). *Giving and volunteering in the United States*. Washington, DC : Independent Sector. (p. 714)

Hoebel, B. G., & Teitelbaum, P. (1966). Effects of forcefeeding and starvation on food intake and body weight in a rat with ventromedial hypothalamic lesions. *Journal of Comparative and Physiological Psychology, 61*, 189-193. (p. 450)

Hoeft, F., Watson, C. L., Kesler, S. R., Bettinger, K. E., & Reiss, A. L. (2008). Gender differences in the mesocorticolimbic system during computer game-play. *Journal of Psychiatric Research, 42*, 253-258. (p. 114)

Hoffman, C., & Hurst, N. (1990). Gender stereotypes : Perception or rationalization ? *Journal of Personality and Social Psychology, 58*, 197-208. (p. 694)

Hoffman, D. D. (1998). *Visual intelligence : How we create what we see.* New York : Norton. (p. 242)

Hoffman, H. G. (2004, August). Virtual-reality therapy. *Scientific American*, pp. 58-65. (p. 258)

Hogan, J. (1995, November). Get smart, take a test. *Scientific American*, pp. 12, 14. (p. 420)

Hogan, R. (1998). Reinventing personality. *Journal of Social and Clinical Psychology, 17*, 1-10. (p. 574)

Hoge, C. W., & Castro, C. A. (2006). Post-traumatic stress disorder in UK and U.S. forces deployed to Iraq. *Lancet, 368*, 837. (p. 604)

Hoge, C. W., Castro, C. A., Messer, S. C., McGurk, D., Cotting, D. I., & Koffman, R. L. (2004). Combat duty in Iraq and Afghanistan, mental health problems, and barriers to care. *New England Journal of Medicine, 351*, 13-22. (p. 604)

Hoge, C. W., Terhakopian, A., Castro, C. A., Messer, S. C., & Engel, C. C. (2007). Association of posttraumatic stress disorder with somatic symptoms, health care visits, and absenteeism among Iraq War veterans. *American Journal of Psychiatry, 164*, 150-153. (p. 604)

Hogg, M. A. (1996). Intragroup processes, group structure and social identity. In W. P. Robinson (Ed.), *Social groups and identities : Developing the legacy of Henri Tajfel.* Oxford : Butterworth Heinemann. (p. 695)

Hogg, M. A. (2006). Social identity theory. In P. J. Burke (Ed.), *Contemporary social psychological theories.* Stanford, CA : Stanford University Press. (p. 695)

Hohmann, G. W. (1966). Some effects of spinal cord lesions on experienced emotional feelings. *Psychophysiology, 3*, 143-156. (p. 502)

Hokanson, J. E., & Edelman, R. (1966). Effects of three social responses on vascular processes. *Journal of Personality and Social Psychology, 3*, 442-447. (p. 518)

Holahan, C. K., & Sears, R. R. (1995). *The gifted group in later maturity.* Stanford, CA : Stanford University Press. (p. 426)

Holden, C. (1980a). Identical twins reared apart. *Science, 207*, 1323-1325. (p. 138)

Holden, C. (1980b, November). Twins reunited. *Science, 80*, 55-59. (p. 138)

Holden, C. (1993). Wake-up call for sleep research. *Science, 259*, 305. (p. 98)

Holden, C. (2007). Mental illness : The next frontier. *Science, 317*, 23. (p. 627)

Holden, G. W., & Miller, P. C. (1999). Enduring and different : A metaanalysis of the similarity in parents' child rearing. *Psychological Bulletin, 125*, 223-254. (p. 196)

Holliday, R. E., & Albon, A. J. (2004). Minimizing misinformation effects in young children with cognitive interview mnemonics. *Applied Cognitive Psychology, 18*, 263-281. (p. 361)

Hollis, K. L. (1997). Contemporary research on Pavlovian conditioning : A « new » functional analysis. *American Psychologist, 52*, 956-965. (p. 296)

Hollon, S. D., & 10 others. (2005). Prevention of relapse following cognitive therapy vs. medications in moderate to severe depression. *Archives of General Psychiatry, 62*, 417-422. (p. 654)

Hollon, S. D., Thase, M. E., & Markowitz, J. C. (2002). Treatment and prevention of depression. *Psychological Science in the Public Interest, 3*, 39-77. (p. 663)

Holm-Denoma, J., Joiner, T., Vohs, K., & Heatherton, T. (2008). The « freshman fifteen » (the freshman five actually) : Predictors and possible explanations. *Health Psychology, 27*, S3–S9. (p. 461)

Holstege, G., Georgiadis, J. R., Paans, A. M. J., Meiners, L. C., van der Graaf, F. H. C. E., & Reinders, A. A. T. S. (2003a). Brain activation during male ejaculation. *Journal of Neuroscience, 23*, 9185-9193. (p. 465)

Holstege, G., Reinders, A. A. T., Paans, A. M. J., Meiners, L. C., Pruim, J., & Georgiadis, J. R. (2003b). *Brain activation during female sexual orgasm. Program No. 727.7.* Washington, DC : Society for Neuroscience. (p. 465)

Holt, L. (2002, August). Reported in « Sounds of speech, » p. 26, and in personal correspondence, July 18, 2002. (p. 383)

Holzman, P. S., & Matthysse, S. (1990). The genetics of schizophrenia : A review. *Psychological Science, 1*, 279-286. (p. 234)

Home Office. (2003). *Prevalence of drug use : Key findings from the 2002/2003 British Crime Survey.* London ; Research, Development and Statistics Directorate, Home Office. (p. 120)

Homer, B. D., Solomon, T. M., Moeller, R. W., Mascia, A., DeRaleau, L., & Halkitis, P. N. (2008). Methamphetamine abuse and impairment of social functioning : A review of the underlying neurophysiological causes and behavioral implications. *Psychological Bulletin, 134*, 301-310. (p. 117)

Hooper, J., & Teresi, D. (1986). *The three-pound universe.* New York : Macmillan. (p. 67)

Hooykaas, R. (1972). *Religion and the rise of modern science.* Grand Rapids, MI : Eerdmans. (p. 6)

Hopkins, W. D. (2006). Comparative and familial analysis of handedness in great apes. *Psychological Bulletin, 132*, 538-559. (pp. 79, 80)

Hopper, L. M., Lambeth, S. P., Schapiro, S. J., & Whiten, A. (2008). Observational learning in chimpanzees and children studied through « ghost » conditions. *Proceedings of the Royal Society, 275*, 835-840. (p. 318)

Horn, J. L. (1982). The aging of human abilities. In J. Wolman (Ed.), *Handbook of developmental psychology.* Englewood Cliffs, NJ : Prentice-Hall. (p. 216)

Horner, V., Whiten, A., Flynn, E., & de Waal, F. B. M. (2006). Faithful replication of foraging techniques along cultural transmission chains by chimpanzees and children. *Proceedings of the National Academy of Sciences, 103*, 13878-13883. (p. 397)

Horowitz, T. S., Cade, B. E., Wolfe, J. M., & Czeisler, C. A. (2003). Searching night and day : A dissociation of effects of circadian phase and time awake on visual selective attention and vigilance. *Psychological Science, 14*, 549-557. (p. 99)

Horwood, L. J., & Fergusson, D. M. (1998). Breastfeeding and later cognitive and academic outcomes. *Pediatrics, 101(1)*. (p. 13)

House, J. S., Landis, K. R., & Umberson, D. (1988). *Social relationships and health. Science, 241*, 540-545. (p. 541)

House, R. J., & Singh, J. V. (1987). Organizational behavior : Some new directions for I/O psychology. *Annual Review of Psychology, 38*, 669-718. (p. 492)

Houts, A. C., Berman, J. S., & Abramson, H. (1994). Effectiveness of psychological and pharmacological treatments for nocturnal enuresis. *Journal of Consulting and Clinical Psychology, 62*, 737-745. (p. 643)

Hovatta, I., Tennant, R. S., Helton, R., Marr, R. A., Singer, O., Redwine, J. M., Ellison, J. A., Schadt, E. E., Verma, I. M., Lockhart, D. J., & Barlow, C. (2005). Glyoxalase 1 and glutathione reductase 1 regulate anxiety in mice. *Nature, 438*, 662-666. (p. 607)

Howard Hughes Medication Institute (2008). The quivering bundles that let us hear (www.hhmi.org/senses/c120.html). (p. 247)

Howe, M. L. (1997). Children's memory for traumatic experiences. *Learning and Individual Differences, 9*, 153-174. (p. 361)

Howell, R. T., & Howell, C. J. (2008). The relation of economic status to subjective well-being in developing countries : A meta-analysis. *Psychological Bulletin, 134*, 536-560. (p. 522)

Hoyer, G., & Lund, E. (1993). Suicide among women related to number of children in marriage. *Archives of General Psychiatry, 50*, 134-137. (p. 616)

Hu, F. B., Li, T. Y., Colditz, G. A., Willett, W. C., & Manson, J. E. (2003). Television watching and other sedentary behaviors in relation to risk of obesity and type 2 diabetes mellitus in women. *Journal of the American Medical Association, 289*, 1785-1791. (p. 461)

Hu, X-Z. & 13 others (2007). Association between a functional serotonin transporter promoter polymorphism and citalopram treatment in adult out-patients with major depression. *Archives of General Psychiatry, 64*, 783-792. (p. 616)

Hu, X-Z., Lipsky, R. H., Zhu, G., Akhtar, L. A., Taubman, J., Greenberg, B. D., Xu, K., Arnold, P. D., Richter, M. A., Kennedy, J. L., Murphy, D. L., & Goldman, D. (2006). Serotonin transporter promoter gain-of-function genotypes are linked to obsessive-compulsive disorder. *American Journal of Human Genetics, 78*, 815-826. (p. 607)

Huart, J., Corneille, O., & Becquart, E. (2005). Face-based categorization, context-based categorization, and distortions in the recollection of gender ambiguous faces. *Journal of Experimental Social Psychology, 41*, 598-608. (p. 370)

Hubbard, E. M., Arman, A. C., Ramachandran, V. S., & Boynton, G. M. (2005). Individual differences among grapheme-color synesthetes : Brain-behavior correlations. *Neuron, 45*, 975-985. (p. 260)

Hubel, D. H. (1979, September). The brain. *Scientific American*, pp. 45-53. (p. 234)

Hubel, D. H., & Wiesel, T. N. (1979, September). Brian mechanisms of vision. *Scientific American*, pp. 150-162. (p. 241)

Hublin, C., Kaprio, J., Partinen, M., & Koskenvuo, M. (1998). Sleeptalking in twins : Epidemiology and psychiatric comorbidity. *Behavior Genetics, 28*, 289-298. (p. 103)

Hublin, C., Kaprio, J., Partinen, M., Heikkila, K., & Koskenvuo, M. (1997). Prevalence and genetics of sleepwalking — A population-based twin study. *Neurology, 48*, 177-181. (p. 103)

Hucker, S. J., & Bain, J. (1990). Androgenic hormones and sexual assault. In W. Marshall, R. Law, & H. Barbaree (Eds.), *The handbook on sexual assault.* New York : Plenum. (p. 467)

Hudson, J. I., Hiripi, E., Pope, H. G., & Kessler, R. C. (2007). The prevalence and correlates of eating disorders in the National Comorbidity Survey Replication. *Biological Psychiatry, 61*, 348-358. (p. 453)

Huey, E. D., Krueger, F., & Grafman, J. (2006). Representations in the human prefrontal cortex. *Current Directions in Psychological Science, 15*, 167-171. (p. 72)

Huffcutt, A. I., Conway, J. M., Roth, P. L., & Stone, N. J. (2001). Identification and meta-analytic assessment of psychological constructs measured in employment interviews. *Journal of Applied Psychology, 86*, 897-913. (p. 486)

Hugenberg, K., & Bodenhausen, G. V. (2003). Facing prejudice : Implicit prejudice and the perception of facial threat. *Psychological Science, 14*, 640-643. (p. 693)

Hughes, H. C. (1999). *Sensory exotica : A world beyond human experience.* Cambridge, MA : MIT Press. (p. 231)

Hugick, L. (1989, July). Women play the leading role in keeping modern families close. *Gallup Report, No. 286*, p. 27-34. (p. 161)

Huizink, A. C., & Mulder, E. J. (2006). Maternal smoking, drinking or cannabis use during pregnancy and neurobehavioral and cognitive functioning in human offspring. *Neuroscience and Biobehavioral Reviews, 30*, 24-41. (p. 122)

Hulbert, A. (2005, November 20). The prodigy puzzle. *New York Times Magazine* (www.nytimes.com). (p. 426)

Hull, H. R., Morrow, M. L., Dinger, M. K., Han, J. L., & Fields, D. A. (2007, November 20). Characterization of body weight and composition changes during the sophomore year of college. *BMC Women's Health, 7*: 21 (biomedcentral.com). (p. 98)

Hull, J. G., & Bond, C. F., Jr. (1986). Social and behavioral consequences of alcohol consumption and expectancy : A meta-analysis. *Psychological Bulletin, 99*, 347-360. (p. 116)

Hull, J. M. (1990). *Touching the rock : An experience of blindness.* New York : Vintage Books. (pp. 346 707)

Hulme, C., & Tordoff, V. (1989). Working memory development : The effects of speech rate, word length, and acoustic similarity on serial recall. *Journal of Experimental Child Psychology, 47*, 72-87. (p. 338)

Hummer, R. A., Rogers, R. G., Nam, C. B., & Ellison, C. G. (1999). Religious involvement and U.S. adult mortality. *Demography, 36*, 273-285. (pp. 548, 549)

Humphrey, S. E., Nahrgang, J. D., & Morgeson, F. P. (2007). Integrating motivational, social, and contextual work design features : A meta-analytic summary and theoretical extension of the work design literature. *Journal of Applied Psychology, 92*, 1332-1356. (p. 580)

Humphreys, L. G., & Davey, T. C. (1988). Continuity in intellectual growth from 12 months to 9 years. *Intelligence, 12*, 183-197. (p. 423)

Hunsberger, J. G., Newton, S. S., Bennett, A. H., Duman, C. H., Russell, D. S., Salton, S. R., & Duman, R. S. (2007). Antidepressant actions of the exercise-regulated gene VGF. *Nature Medicine, 13*, 1476-1482. (p. 544)

Hunsley, J., & Di Giulio, G. (2002). Dodo bird, phoenix, or urban legend ? The question of psychotherapy equivalence. *Scientific Review of Mental Health Practice, 1*, 11-22. (p. 654)

Hunt, C., Slade, T., & Andrews, G. (2004). Generalized anxiety disorder and major depressive disorder comorbidity in the *National Survey of Mental Health and Well-Being. Depression and Anxiety, 20*, 23-31. (p. 602)

Hunt, E. (1983). On the nature of intelligence. *Science, 219*, 141-146. (p. 414)

Hunt, E., & Carlson, J. (2007). Considerations relating to the study of group differences in intelligence. *Perspectives on Psychological Science, 2*, 194-213. (p. 437)

Hunt, J. M. (1982). Toward equalizing the developmental opportunities of infants and preschool children. *Journal of Social Issues, 38(4)*, 163-191. (p. 430)

Hunt, M. (1974). *Sexual behavior in the 1970s.* Chicago : Playboy Press. (p. 469)

Hunt, M. (1990). *The compassionate beast : What science is discovering about the humane side of humankind.* New York : William Morrow. (p. 11)

Hunt, M. (1993). *The story of psychology.* New York : Doubleday. (pp. 2, 4, 5, 47, 203, 303, 426)

Hunter, J. E. (1997). Needed : A ban on the significance test. *Psychological Science, 8*, 3-7. (p. 25)

Hunter, S., & Sundel, M. (Eds.). (1989). *Midlife myths : Issues, findings, and practice implications.* Newbury Park, CA : Sage. (p. 216)

Hurst, M. (2008, April 22). Who gets any sleep these days ? Sleep patterns of Canadians. *Canadian Social Trends.* Statistics Canada Catalogue No. 11-008. (p. 97)

Huss, M. (1996). Secrets to standing out from the pile : Getting into graduate school. *Psi Chi Newsletter*, 6-7. (p. A-10)

Hussein, S. (2002, July 17 and August 28). Speeches to the Iraqi people as reported by various media. (p. 716)

Huston, A. C., Donnerstein, E., Fairchild, H., Feshbach, N. D., Katz, P. A., & Murray, J. P. (1992). *Big world, small screen : The role of television in American society.* Lincoln, NE : University of Nebraska Press. (p. 321)

Hvistendahl, M. (2008, July 9). No country for young men. *New Republic* (www.tnr.com). (p. 694)

Hyde, J. (2005). The gender similarities hypothesis. *American Psychologist, 60*, 581-592. (p. 159)

Hyde, J. S. (1983, November). Bem's gender schema theory. Paper presented at GLCA Women's Studies Conference, Rochester, IN. (p. 356)

Hyde, J. S., Fennema, E., & Lamon, S. J. (1990). Gender differences in mathematics performance : A meta-analysis. *Psychological Bulletin, 107*, 139-155. (p. 432)

Hyde, J. S., Mezulis, A. H., & Abramson, L. Y. (2008). The ABCs of depression : Integrating affective, biological, and cognitive models to explain the emergence of the gender difference in depression. *Psychological Review, 115*, 291-313. (pp. 432, 614)

Hyman, R. (1981). Cold reading : How to convince strangers that you know all about them. In K. Frazier (Ed.), *Paranormal borderlands of science.* Buffalo, NY : Prometheus. (p. 572)

Iacoboni, M. (2008). *Mirroring people : The new science of how we connect with others.* New York : Farrar, Straus & Giroux. (p. 318)

IAP (2006, June 21). IAP statement on the teaching of evolution. *The Interacademy Panel on International Issues* (www.interacademies.net/iap). (p. 168)

Ickes, W., Snyder, M., & Garcia, S. (1997). Personality influences on the choice of situations. In R. Hogan, J. Johnson, & S. Briggs (Eds.). *Handbook of Personality Psychology.* San Diego, CA : Academic Press. (p. 577)

Idson, L. C., & Mischel, W. (2001). The personality of familiar and significant people : The lay perceiver as a social-cognitive theorist. *Journal of Personality and Social Psychology, 80*, 585-596. (p. 674)

Ikonomidou, C., Bittigau, P., Ishimaru, M. J., Wozniak, D. F., Koch, C., Genz, K., Price, M. T., Stefovska, V., Hoerster, F., Tenkova, T., Dikranian, K., & Olney, J. W. (2000). Ethanol-induced apoptotic neurodegeneration and fetal alcohol syndrome. *Science, 287*, 1056-1060. (p. 175)

Ilardi, S. S., Karwoski, L., Lehman, K. A., Stites, B. A., & Steidtmann, D. (2007). We were never designed for this : The depression epidemic and the promise of therapeutic lifestyle change. Unpublished manuscript, University of Kansas, in press. (pp. 544, 618, 667)

Independent Sector. (2002). *Faith and philanthropy : The connection between charitable giving behavior and giving to religion.* Washington, DC : Independent Sector. (p. 714)

Ingham, A. G., Levinger, G., Graves, J., & Peckham, V. (1974). The Ringelmann effect : Studies of group size and group performance. *Journal of Experimental Social Psychology, 10*, 371-384. (p. 688)

Inglehart, R. (1990). *Culture shift in advanced industrial society.* Princeton, NJ : Princeton University Press. (pp. 220, 480, 482, 580)

Inglehart, R. (2008, June 30). Subjective well-being in 97 countries based on reported happiness and life satisfaction, equally weighted. World Values Survey distributed by University of Michigan News Service : umich.edu/news/ happy_08/HappyChart.pdf. (p. 522)

Inglehart, R. (2009). Cultural change and democracy in Latin America, in F. Hagopian (Ed.), *Contemporary Catholicism, religious pluralism and democracy in Latin America.* South Bend : Notre Dame University Press, in press. (pp. 522, 580)

Inman, M. L., & Baron, R. S. (1996). Influence of prototypes on perceptions of prejudice. *Journal of Personality and Social Psychology, 70,* 727-739. (p. 371)

Inzlicht, M., & Ben-Zeev, T. (2000). A threatening intellectual environment : Why females are susceptible to experiencing problem-solving deficits in the presence of males. *Psychological Science, 11,* 365-371. (p. 438)

Inzlicht, M., & Gutsell, J. N. (2007). Running on empty : Neural signals for self-control failure. *Psychological Science, 18,* 933-937. (p. 579)

Ipsos (2006, February 21). Sexual behaviour and lack of knowledge threaten health of Canadian teens. Ipsos Reid (www.ipsos-na.com). (p. 469)

IPU (2008). Women in national parliaments : Situation as of 30 April 2008. International Parliamentary Union (www.ipu.org). (p. 160)

Iraq Family Health Survey Study Group (2008). Violence-related mortality in Iraq from 2002 to 2006. *New England Journal of Medicine, 358,* 484-493. (p. 673)

Ironson, G., Solomon, G. F., Balbin, E. G., O'Cleirigh, C., George, A., Kumar, M., Larson, D., & Woods, T. E. (2002). The Ironson-Woods spiritual/religiousness index is associated with long survival, health behaviors, less distress, and low cortisol in people with HIV/AIDS. *Annals of Behavioral Medicine, 24,* 34-48. (p. 549)

Irwin, M. R., Cole, J. C., & Nicassio, P. M. (2006). Comparative metaanalysis of behavioral interventions for insomnia and their efficacy in middle-aged adults and in older adults 55+ years of age. *Health Psychology, 25,* 3-14.. (p. 101)

Ishida, A., Mutoh, T., Ueyama, T., Brando, H., Masubuchi, S., Nakahara, D., Tsujimoto, G., & Okamura, H. (2005). Light activates the adrenal gland : Timing of gene expression and glucocorticoid release. *Cell Metabolism, 2,* 297-307. (p. 657)

Iso, H., Simoda, S., & Matsuyama, T. (2007). Environmental change during postnatal development alters behaviour. *Behavioural Brain Research, 179,* 90-98. (p. 75)

Ito, T. A., Chiao, K. W., Devine P. G., Lorig, T. S., & Cacioppo, J. T. (2006). The influence of facial feedback on race bias. *Psychological Science, 17,* 256-261. (p. 514)

Ito, T. A., Miller, N., & Pollock, V. E. (1996). Alcohol and aggression : A meta-analysis on the moderating effects of inhibitory cues, triggering events, and self-focused attention. *Psychological Bulletin, 120,* 60-82. (p. 699)

Iversen, L. L. (2000). *The science of marijuana.* New York : Oxford. (p. 122)

Iverson, J. M., & Goldin-Meadow, S. (1998). Why people gesture when they speak. *Nature, 396,* 228. (p. 399)

Iverson, J. M., & Goldin-Meadow, S. (2005). Gesture paves the way for language development. *Psychological Science, 16,* 367-371. (p. 399)

Iyengar, S. S., & Lepper, M. R. (2000). When choice is demotivating : Can one desire too much of a good thing ? *Journal of Personality and Social Psychology, 79,* 995-1006. (p. 580)

Izard, C. E. (1977). *Human emotions.* New York : Plenum Press. (pp. 511, 514)

Izard, C. E. (1994). Innate and universal facial expressions : Evidence from developmental and cross-cultural research. *Psychological Bulletin, 114,* 288-299. (p. 511)

Jablensky, A. (1999). Schizophrenia : Epidemiology. *Current Opinion in Psychiatry, 12,* 19-28. (p. 625)

Jackson, J. M., & Williams, K. D. (1988). Social loafing : A review and theoretical analysis. Unpublished manuscript, Fordham University. (p. 688)

Jackson, J. S., Brown, K. T., Brown, T. N., & Marks, B. (2001). Contemporary immigration policy orientations among dominant-group members in western Europe. *Journal of Social Issues, 57,* 431-456. (p. 692)

Jackson, L. A., & Gerard, D. A. (1996). Diurnal types, the « Big Five » personality factors and other personal characteristics. *Journal of Social Behavior and Personality, 11,* 273-283. (p. 572)

Jackson, S. W. (1992). The listening healer in the history of psychological healing. *American Journal Psychiatry, 149,* 1623-1632. (p. 658)

Jacobi, C., Hayward, C., deZwaan, M., Kraemer, H. C., & Agras, W. S. (2004). Coming to terms with risk factors for eating disorders : Application of risk terminology and suggestions for a general taxonomy. *Psychological Bulletin, 130,* 19-65. (p. 453)

Jacobs, B. L. (1987). How hallucinogenic drugs work. *American Scientist, 75,* 386-392. (p. 121)

Jacobs, B. L. (1994). Serotonin, motor activity, and depression-related disorders. *American Scientist, 82,* 456-463. (p. 544)

Jacobs, B. L. (1994). Serotonin, motor activity, and depression-related disorders. *American Scientist, 82,* 456-463. (p. 618)

Jacobs, B. L. (2004). Depression : The brain finally gets into the act. *Current Directions in Psychological Science, 13,* 103-106. (p. 663)

Jacobs, B., van Praag, H., & Gage, F. H. (2000). Adult brain neurogenesis and psychiatry : A novel theory of depression. *Molecular Psychiatry, 5,* 262-269. (p. 618)

Jacoby, L. L., & Rhodes, M. G. (2006). False remembering in the aged. *Current Directions in Psychological Science, 15,* 49-53. (p. 361)

Jacoby, L. L., Bishara, A. J., Hessels, S., & Toth, J. P. (2005). Aging, subjective experience, and cognitive control : Dramatic false remembering by older adults. *Journal of Experimental Psychology : General, 154,* 131-148. (p. 361)

Jacques, C., & Rossion, B. (2006). The speed of individual face categorization. *Psychological Science, 17,* 485-492. (p. 229)

Jacques-Tiura, A. J., Abbey, A., Parkhill, M. R., & Zawacki, T. (2007). Why do some men misperceive women's sexual intentions more frequently than others do ? An application of the confluence model. *Personality and Social Psychology Bulletin, 33,* 1467-1480. (p. 675)

Jaffe, E. (2004, October). Peace in the Middle East may be impossible : Lee D. Ross on naive realism and conflict resolution. *APS Observer,* pp. 9-11. (p. 279)

James, K. (1986). Priming and social categorizational factors : Impact on awareness of emergency situations. *Personality and Social Psychology Bulletin, 12,* 462-467. (p. 347)

James, W. (1890). *The principles of psychology (Vol. 2).* New York : Holt. (pp. 57, 111, 252, 349, 364, 498, 514, 679)

James, W. (1902: reprinted 1958). *Varieties of religious experience.* New York : Mentor Books.. (p. 519)

Jameson, D. (1985). Opponent-colors theory in light of physiological findings. In D. Ottoson & S. Zeki (Eds.), *Central and peripheral mechanisms of color vision.* New York : Macmillan. (p. 271)

Jamison, K. R. (1993). *Touched with fire : Manic-depressive illness and the artistic temperament.* New York : Free Press. (p. 613)

Jamison, K. R. (1995). *An unquiet mind.* New York : Knopf. (pp. 613, 664)

Janis, I. L. (1982). *Groupthink : Psychological studies of policy decisions and fiascoes.* Boston : Houghton Mifflin. (p. 690)

Janis, I. L. (1986). Problems of international crisis management in the nuclear age. *Journal of Social Issues, 42*(2), 201-220. (p. 373)

Janoff-Bulman, R., Timko, C., & Carli, L. L. (1985). Cognitive biases in blaming the victim. *Journal of Experimental Social Psychology, 21,* 161-177. (p. 697)

Javitt, D. C., & Coyle, J. T. (2004, January). Decoding schizophrenia. *Scientific American,* pp. 48-55. (p. 624)

Jeffery, R. W., Drewnowski, A., Epstein, L. H., Stunkard, A. J., Wilson, G. T., Wing, R. R., & Hill, D. R. (2000). Long-term maintenance of weight loss : Current status. *Health Psychology, 19,* No. 1 (Supplement), 5-16. (p. 463)

Jenkins, J. G., & Dallenbach, K. M. (1924). Obliviscence during sleep and waking. *American Journal of Psychology, 35,* 605-612. (pp. 353, 354)

Jenkins, J. M., & Astington, J. W. (1996). Cognitive factors and family structure associated with theory of mind development in young children. *Developmental Psychology, 32,* 70-78. (p. 184)

Jensen, A. R. (1980). *Bias in mental testing.* New York : The Free Press. (p. 421)

Jensen, A. R. (1983, August). The nature of the black-white difference on various psychometric tests : Spearman's hypothesis. Paper presented at the meeting of the American Psychological Association, Anaheim, CA. (p. 437)

Jensen, A. R. (1989). New findings on the intellectually gifted. *New Horizons, 30,* 73-80. (p. 414)

Jensen, A. R. (1998). *The g factor : The science of mental ability.* Westport, CT : Praeger/Greenwood. (p. 437)

Jensen, J. P., & Bergin, A. E. (1988). Mental health values of professional therapists : A national interdisciplinary survey. *Professional Psychology ; Research and Practice, 19,* 290-297. (p. 658)

Jensen, P.S. & 20 others (2007). 3-year follow-up of the NIMH MTA study. *Journal of the American Academy of Child and Adolescent Psychiatry, 46,* 989-1002. (p. 595)

Jepson, C., Krantz, D. H., & Nisbett, R. E. (1983). Inductive reasoning : Competence or skill. *The Behavioral and Brain Sciences, 3,* 494-501. (pp. 25, B-1)

Jessberger, S., Aimone, J. B., & Gage, F. H. (2008). Neurogenesis. In *Learning and memory : A comprehensive reference.* Oxford : Elsevier. (p. 74)

Job, D. E., Whalley, H. C., McIntosh, A. M., Owens, D. G. C., Johnstone, E. C., & Lawrie, S. M. (2006). Grey matter changes can improve the prediction of schizophrenia in subjects at high risk. *BMC Medicine, 4,* 29. (p. 625)

Johansson, P., Hall, L., Sikström, S., & Olsson, A. (2005). Failure to detect mismatches between intention and outcome in a simple decision task. *Science, 310,* 116-119. (p. 90)

John, O. P., & Srivastava, S. (1999). The Big Five trait taxonomy : History, measurement, and theoretical perspectives. In L. A. Pervin & O. P. John (Eds.), *Handbook of personality : Theory and research.* New York : Guilford. (p. 571)

Johnson, C. B., Stockdale, M. S., & Saal, F. E. (1991). Persistence of men's misperceptions of friendly cues across a variety of interpersonal encounters. *Psychology of Women Quarterly, 15,* 463-475. (p. 147)

Johnson, D. F. (1997). Margaret Floy Washburn. *Psychology of Women Newsletter,* pp. 17, 22. (p. 4)

Johnson, D. L., Wiebe, J. S., Gold, S. M., Andreasen, N. C., Hichwa, R. D., Watkins, G. L., & Ponto, L. L. B. (1999). Cerebral blood flow and personality : A Positron Emission Tomography study. *American Journal of Psychiatry, 156,* 252-257. (p. 569)

Johnson, E. J., & Goldstein, D. (2003). Do defaults save lives ? *Science, 302,* 1338-1339. (p. 382)

Johnson, J. A. (2007, June 26). Not so situational. Commentary on the SPSP listserv (spsp-discuss The status of subjacency in the acquisition of a second language. *Cognition, 39,* 215-258. (p. 388)

Johnson, K. (2008, January 29). For many of USA's inmates, crime runs in the family. *USA Today,* pp. 1A, 2A. (p. 630)

Johnson, L. C. (2001, July 10). The declining terrorist threat. *New York Times* (www.nytimes.com). (p. 378)

Johnson, M. E., & Hauck, C. (1999). Beliefs and opinions about hypnosis held by the general public : A systematic evaluation. *American Journal of Clinical Hypnosis, 42,* 10-20. (p. 109)

Johnson, M. H. (1992). Imprinting and the development of face recognition : From chick to man. *Current Directions in Psychological Science, 1,* 52-55. (p. 190)

Johnson, M. H., & Morton, J. (1991). *Biology and cognitive development : The case of face recognition.* Oxford : Blackwell Publishing. (p. 176)

Johnson, R. E., Chang, C-H., & Lord, R. G. (2006). Moving from cognition to behavior : What the research says. *Psychological Bulletin, 132,* 381-415. (p. 491)

Johnson, S. C. & 13 others (2006). Activation of brain regions vulnerable to Alzheimer's disease : The effect of mild cognitive impairment. *Neurobiology of Aging, 27,* 1604-1612. (p. 212)

Johnson, S. K. (2008). *Medically unexplained illness : Gender and biopsychosocial implications.* Washington, DC : American Psychological Association. (p. 608)

Johnson, W., McGue, M., & Krueger, R. F. (2005). Personality stability in late adulthood : A behavioral genetic analysis. *Journal of Personality, 73,* 523-552. (p. 224)

Johnston, L. D., O'Malley, P. M., Bachman, J. G., & Schulenberg, J. E. (2007). *Monitoring the Future national results on adolescent drug use : Overview of key findings, 2006.* Bethesda, MD ; National Institute on Drug Abuse. (p. 125)

Johnston, L. D., O'Malley, P. M., Bachman, J. G., & Schulenberg, J. E. (2008). *Monitoring the Future national results on adolescent drug use : Overview of key findings, 2007.* Bethesda, MD ; National Institute on Drug Abuse. (p. 120, 123, 124)

Johnstone, E. C., Ebmeier, K. P., Miller, P., Owens, D. G. C., & Lawrie, S. M. (2005). Predicting schizophrenia : Findings from the Edinburgh High-Risk Study. *British Journal of Psychiatry, 186,* 18-25, 627)

Joiner, T. (2006). *Why people die by suicide.* Boston, MA : Harvard University Press. (p. 617)

Joiner, T. E., Jr. (1999). The clustering and contagion of suicide. *Current Directions in Psychological Science, 8,* 89-92. (p. 681)

Jolly, A. (2007). The social origin of mind. *Science, 317,* 1326. (p. 396)

Jonas, E., & Fischer, P. (2006). Terror management and religion : Evidence that intrinsic religiousness mitigates worldview defense following mortality salience. *Journal of Personality and Social Psychology, 91,* 553-567. (p. 563)

Jones, A. C., & Gosling, S. D. (2005). Temperament and personality in dogs (*Canis familiaris*) : A review and evaluation of past research. *Applied Animal Behaviour Science, 95,* 1-53. (p. 570)

Jones, J. M. (2003, February 12). Fear of terrorism increases amidst latest warning. *Gallup News Service* (www.gallup.com/releases/pr030212.asp). (p. 602)

Jones, J. M. (2007, July 25). Latest Gallup update shows cigarette smoking near historical lows. Gallup Poll News Service (poll.gallup.com). (p. 119)

Jones, J. T., Pelham, B. W., Carvallo, M., & Mirenberg, M. C. (2004). How do I love thee ? Let me count the Js : Implicit egotism and interpersonal attraction. *Journal of Personality and Social Psychology, 87,* 665-683. (p. 705)

Jones, L. (2000, December). Skeptics New Year quiz. *Skeptical Briefs,* p. 11. (p. 573)

Jones, M. C. (1924). A laboratory study of fear : The case of Peter. *Journal of Genetic Psychology, 31,* 308-315. (p. 643)

Jones, M. V., Paull, G. C., & Erskine, J. (2002). The impact of a team's aggressive reputation on the decisions of association football referees. *Journal of Sports Sciences, 20,* 991-1000. (p. 279)

Jones, S. S. (2007). Imitation in infancy : The development of mimicry. *Psychological Science, 18,* 593-599. (p. 318)

Jones, S. S., Collins, K., & Hong, H-W. (1991). An audience effect on smile production in 10-month-old infants. *Psychological Science, 2,* 45-49. (p. 512)

Jones, W. H., Carpenter, B. N., & Quintana, D. (1985). Personality and interpersonal predictors of loneliness in two cultures. *Journal of Personality and Social Psychology, 48,* 1503-1511. (p. 26)

Jonides, J., Lewis, R. L., Nee, D. E., Lustig, C. A., Berman, M. G., & Moore, K. S. (2008). The mind and brain of short-term memory. *Annual Review of Psychology, 59,* 193-224. (p. 339)

Jorm, A. F., Korten, A. E., & Henderson, A. S. (1987). The prevalence of dementia : A quantitative integration of the literature. *Acta Psychiatrica Scandinavica, 76,* 465-479. (p. 211)

Joseph, J. (2001). Separated twins and the genetics of personality differences : A critique. *American Journal of Psychology, 114,* 1-30. (p. 138)

Judge, T. A., Thoresen, C. J., Bono, J. E., & Patton, G. K. (2001). The job satisfaction/job performance relationship : A qualitative and quantitative review. *Psychological Bulletin, 127,* 376-407. (p. 488)

Juffer, F., & van Ijzendoorn, M. H. (2007). Adoptees do not lack self-esteem : A meta-analysis of studies on self-esteem of transracial, international, and domestic adoptees. *Psychological Bulletin, 133,* 1067-1083. (p. 195)

Jung, R. E., & Haier, R. J. (2007). The Parieto-Frontal Integration Theory (P-FIT) of intelligence : Converging neuroimaging evidence. *Behavioral and Brain Sciences, 30,* 135-187. (p. 413)

Jung-Beeman, M., Bowden, E. M., Haberman, J., Frymiare, J. L., Arambel-Liu, S., Greenblatt, R., Reber, P. J., & Kounios, J. (2004). Neural activity when people solve verbal problems with insight. *PloS Biology 2(4):* e111. (pp. 371, 372)

Kagan, J. (1976). Emergent themes in human development. *American Scientist, 64,* 186-196. (p. 191)

Kagan, J. (1984). *The nature of the child.* New York : Basic Books. (p. 188)

Kagan, J. (1995). On attachment. *Harvard Review of Psychiatry, 3,* 104-106. (p. 190)

Kagan, J. (1998). *Three seductive ideas.* Cambridge, MA : Harvard University Press. (pp. 81, 224)

Kagan, J., Arcus, D., Snidman, N., Feng, W. Y., Hendler, J., & Greene, S. (1994). Reactivity in infants : A cross-national comparison. *Developmental Psychology, 30,* 342-345. (p. 140)

Kagan, J., Lapidus, D. R., & Moore, M. (December, 1978). Infant antecedents of cognitive functioning : A longitudinal study. *Child Development, 49*(4), 1005-1023. (p. 224)

Kagan, J., Snidman, N., & Arcus, D. M. (1992). Initial reactions to unfamiliarity. *Current Directions in Psychological Science, 1,* 171-174. (p. 140)

Kahlor, L., & Morrison, D. (2007). Television viewing and rape myth acceptance among college women. *Sex Roles, 56,* 729-739. (p. 702)

Kahneman, D. (1985, June). Quoted by K. McKean, Decisions, decisions. *Discover,* pp. 22-31. (p. 652)

Kahneman, D. (1999). Assessments of objective happiness : A bottom-up approach. In D. Kahneman, E. Diener, & N. Schwartz (Eds.), *Understanding well-being : Scientific perspectives on enjoyment and suffering.* New York : Russell Sage Foundation. (p. 257)

Kahneman, D. (2005, February 10). Are you happy now ? *Gallup Management Journal* interview (www.gmj.gallup.com). (pp. 521, 524)

Kahneman, D. (2005, January 13). What were they thinking ? Q&A with Daniel Kahneman. *Gallup Management Journal* (gmj.gallup.com). (p. 375)

Kahneman, D., & Renshon, J. (2007, January/February). Why hawks win. *Foreign Policy* (www.foreignpolicy.com). (p. 588)

Kahneman, D., & Tversky, A. (1972). Subjective probability : A judgment of representativeness. *Cognitive Psychology, 3,* 430-454. (p. 16)

Kahneman, D., Fredrickson, B. L., Schreiber, C. A., & Redelmeier, D. A. (1993). When more pain is preferred to less : Adding a better end. *Psychological Science, 4,* 401-405. (p. 257)

Kahneman, D., Krueger, A. B., Schkade, D. A., Schwarz, N., & Stone, A. A. (2004). A survey method for characterizing daily life experience : The day reconstruction method. *Science, 306,* 1776-1780. (pp. 98, 520)

Kail, R. (1991). Developmental change in speed of processing during childhood and adolescence. *Psychological Bulletin, 109,* 490-501. (p. 210)

Kaiser Family Foundation. (2003, October 28). New study finds children age zero to six spend as much time with TV, computers and video games as playing outside. www.kff.org/entmedia/entmedia102803nr.cfm. (p. 13)

Kaiser. (2001). Inside-out : A report on the experiences of lesbians, gays and bisexuals in America and the public's views on issues and policies related to sexual orientation. The Henry J. Kaiser Foundation (www.kff.org). (p. 477)

Kamarck, T., & Jennings, J. R. (1991). Biobehavioral factors in sudden cardiac death. *Psychological Bulletin, 109,* 42-75. (p. 532)

Kamena, M. (1998). Repressed/false childhood sexual abuse memories : A survey of therapists. Paper presented to the Sexual Abuse memories Symposium at the American Psychological Association convention. (p. 361)

Kamil, A. C., & Cheng, K. (2001). Way-finding and landmarks : The multiple-bearings hypothesis. *Journal of Experimental Biology, 204,* 103-113. (p. 344)

Kaminski, J., Cali, J., & Fischer, J. (2004). Word learning in a domestic dog : Evidence for « fast mapping. » *Science, 304,* 1682-1683. (p. 398)

Kanaya, T., Scullin, M. H., & Ceci, S. J. (2003). The Flynn effect and U.S. policies : The impact of rising IQ scores on American society via mental retardation diagnoses. *American Psychologist, 58,* 778-790. (p. 425)

Kanazawa, S. (2004). General intelligence as a domain-specific adaptation. *Psychological Review, 111,* 512-523. (p. 406)

Kanazawa, S. (2006). Mind the gap... in intelligence : Re-examining the relationship between inequality and health. *British Journal of Health Psychology, 11,* 623-642. (p. 539)

Kandel, D. B., & Raveis, V. H. (1989). Cessation of illicit drug use in young adulthood. *Archives of General Psychiatry, 46,* 109-116. (p. 126)

Kandel, E. R., & Schwartz, J. H. (1982). Molecular biology of learning : Modulation of transmitter release. *Science, 218,* 433-443. (p. 340)

Kane, M. J., Brown, L. H., McVay, J. C., Silvia, P. J., Myin-Germeys, I., & Kwapil, T. R. (2007). For whom the mind wanders, and when : An experience-sampling study of working memory and executive control in daily life. *Psychological Science, 18,* 614-621. (p. 329)

Kaplan, A. (2004). Exploring the gene-environment nexus in anorexia, bulimia. *Psychiatric Times, 21* (www.psychiatrictimes.com/p040801b.html). (p. 454)

Kaplan, H. I., & Saddock, B. J. (Eds.). (1989). *Comprehensive textbook of psychiatry, V.* Baltimore, MD : Williams and Wilkins. (p. 661)

Kaplan, R. M., & Kronick, R. G. (2006). Marital status and longevity in the United States population. *Journal of Epidemiology and Community Health, 60,* 760-765. (p. 541)

Kaprio, J., Koskenvuo, M., & Rita, H. (1987). Mortality after bereavement : A prospective study of 95,647 widowed persons. *American Journal of Public Health, 77,* 283-287. (p. 531)

Kaptchuk, T. J., Stason, W. B., Davis, R. B., Legedza, A. R. T., Schnyer, R. N., Kerr, C. E., Stone, D. A., Nam, B. H., Kirsch, I., & Goldman, R. H. (2006). Sham device v inert pill : Randomised controlled trial of two placebo treatments. *British Medical Journal, 332,* 391-397. (p. 258)

Karacan, I., Aslan, C., & Hirshkowitz, M. (1983). Erectile mechanisms in man. *Science, 220,* 1080-1082. (p. 96)

Karacan, I., Goodenough, D. R., Shapiro, A., & Starker, S. (1966). Erection cycle during sleep in relation to dream anxiety. *Archives of General Psychiatry, 15,* 183-189. (p. 96)

Karau, S. J., & Williams, K. D. (1993). Social loafing : A meta-analytic review and theoretical integration. *Journal of Personality and Social Psychology, 65,* 681-706. (p. 688)

Kark, J. D., Shemi, G., Friedlander, Y., Martin, O., Manor, O., & Blondheim, S. H. (1996). Does religious observance promote health ? Mortality in secular vs. religious kibbutzim in Israel. *American Journal of Public Health, 86,* 341-346. (p. 548)

Karni, A., & Sagi, D. (1994). Dependence on REM sleep for overnight improvement of perceptual skills. *Science, 265,* 679-682. (p. 105)

Karni, A., Meyer, G., Rey-Hipolito, C., Jezzard, P., Adams, M. M., Turner, R., & Ungerleider, L. G. (1998). The acquisition of skilled motor performance : Fast and slow experience-driven changes in primary motor cortex. *Proceedings of the National Academy of Sciences, 95,* 861-868. (p. 151)

Karno, M., Golding, J. M., Sorenson, S. B., & Burnam, A. (1988). The epidemiology of obsessive-compulsive disorder in five US communities. *Archives of General Psychiatry, 45,* 1094-1099. (p. 603)

Karpicke, J. D., & Roediger, H. L. III, (2008). The critical importance of retrieval for learning. *Science, 319,* 966-968. (p. 332)

Karremans, J. C., Stroebe, W., & Claus, J. (2006). Beyond Vicary's fantasies : The impact of subliminal priming and brand choice. *Journal of Experimental Social Psychology, 42,* 792-798. (p. 233)

Kasen, S., Chen, H., Sneed, J., Crawford, T., & Cohen, P. (2006). Social role and birth cohort influences on gender-linked personality traits in women : A 20-year longitudinal analysis. *Journal of Personality and Social Psychology, 91,* 944-958. (p. 162)

Kashdan, T. B., & Steger, M. F. (2006). Expanding the topography of social anxiety : An experience-sampling assessment of positive emotions, positive events, and emotion suppression. *Psychologial Science, 17,* 120-128. (p. 602)

Kashima, Y., Siegal, M., Tanaka, K., & Kashima, E. S. (1992). Do people believe behaviours are consistent with attitudes ? Towards a cultural psychology of attribution processes. *British Journal of Social Psychology, 31,* 111-124. (p. 156)

Kasser, T. (2000). Two version of the American dream : Which goals and values make for a high quality of life ? In E. Diener (Ed.), *Advances in quality of life theory and research.* Dordrecth, Netherlands : Kluwer. (p. 523)

Kasser, T. (2002). *The high price of materialism.* Cambridge, MA : MIT Press. (p. 523)

Kaufman, A. S., Reynolds, C. R., & McLean, J. E. (1989). Age and WAIS-R intelligence in a national sample of adults in the 20- to 74-year age range : A cross-sectional analysis with educational level controlled. *Intelligence, 13,* 235-253. (p. 216)

Kaufman, J. C., & Baer, J. (2002). I bask in dreams of suicide : Mental illness, poetry, and women. *Review of General Psychology, 6,* 271-286. (p. 613)

Kaufman, J., & Zigler, E. (1987). Do abused children become abusive parents ? *American Journal of Orthopsychiatry, 57,* 186-192. (p. 192)

Kaufman, L., & Kaufman, J. H. (2000). Explaining the moon illusion. *Proceedings of the National Academy of Sciences, 97,* 500-505. (p. 270)

Kavsek, M. (2004). Predicting later IQ from infant visual habituation and dishabituation : A meta-analysis. *Journal of Applied Developmental Psychology, 25,* 369-393. (p. 423)

Kayser, C. (2007, April/May). Listening with your eyes. *Scientific American Mind,* pp. 24-29. (p. 260)

Kazdin, A. E., & Benjet, C. (2003). Spanking children : Evidence and issues. *Current Directions in Psychological Science, 12,* 99-103. (p. 310)

Keesey, R. E., & Corbett, S. W. (1983). Metabolic defense of the body weight set-point. In A. J. Stunkard & E. Stellar (Eds.), *Eating and its disorders.* New York : Raven Press. (p. 451)

Keith, S. W. & 19 others (2006). Putative contributors to the secular increase in obesity : Exploring the roads less traveled. *International Journal of Obesity, 30,* 1585-1594. (p. 460)

Kellehear, A. (1996). *Experiences near death : Beyond medicine and religion.* New York ; Oxford University Press. (p. 127)

Keller, J. (2007, March 9). As football players get bigger, more of them risk a dangerous sleep disorder. *Chronicle of Higher Education,* pp. A43-44. (p. 103)

Keller, M. B., McCullough, J. P., Klein, D. N., Arnow, B., Dunner, D. L., Gelenberg, A. J., Markowitz, J. C., Nemeroff, C. B., Russell, J. M., Thase, M. E., Trivedi, M. H., & Zajecka J. (2000), A comparison of nefazodone, the cognitive behavioral-analysis system of psychotherapy, and their combination for the treatment of chronic depression. *New England Journal of Medicine, 342,* 1462-1470. (p. 663)

Keller, M. C., Neale, M. C., & Kendler, K. S. (2007). Association of different adverse life events with distinct patterns of depressive symptoms. *American Journal of Psychiatry, 164,* 1521-1529. (p. 615)

Kellerman, J., Lewis, J., & Laird, J. D. (1989). Looking and loving : The effects of mutual gaze on feelings of romantic love. *Journal of Research in Personality, 23,* 145-161. (p. 508)

Kellermann, A. L. (1997). Comment : Gunsmoke – changing public attitudes toward smoking and firearms. *American Journal of Public Health, 87,* 910-913. (p. 698)

Kellermann, A. L., Rivara, F. P., Rushforth, N. B., Banton, H. G., Feay, D. T., Francisco, J. T., Locci, A. B., Prodzinski, J., Hackman, B. B., & Somes, G. (1993). Gun ownership as a risk factor for homicide in the home. *New England Journal of Medicine, 329,* 1084-1091. (p. 698)

Kellermann, A. L., Somes, G. Rivara, F. P., Lee, R. K., & Banton, J. G. (1998). Injuries and deaths due to firearms in the home. *Journal of Trauma, 45,* 263-267. (p. 698)

Kelley, J., & De Graaf, N. D. (1997). National context, parental socialization, and religious belief : Results from 15 nations. *American Sociological Review, 62,* 639-659. (p. 139)

Kelling, S. T., & Halpern, B. P. (1983). Taste flashes : Reaction times, intensity, and quality. *Science, 219,* 412-414. (p. 259)

Kellner, C. H. & 16 others (2006). Continuation electroconvulsive therapy vs. pharmacotherapy for relapse prevention in major depression : A multisite study from the Consortium for Research in Electroconvulsive Therapy (CORE). *Archives of Gneeral Psychiatry, 63,* 1337-1344. (p. 665)

Kellner, C. H., & 15 others. (2005). Relief of expressed suicidal intent by ECT : A consortium for research in ECT study. *American Journal of Psychiatry, 162,* 977-982. (p. 665)

Kelly, A. E. (2000). Helping construct desirable identities : A self-presentational view of psychotherapy. *Psychological Bulletin, 126,* 475-494. (p. 647)

Kelly, D. J., Quinn, P. C., Slater, A. M., Lee, K., Ge, L., & Pascalis, O. (2007). The other-race effect develops during infancy : Evidence of perceptual narrowing. *Psychological Science, 18,* 1084-1089. (p. 697)

Kelly, I. W. (1997). Modern astrology : A critique. *Psychological Reports, 81,* 1035-1066. (p. 572)

Kelly, I. W. (1998). Why astrology doesn't work. *Psychological Reports, 82,* 527-546. (p. 572)

Kelly, T. A. (1990). The role of values in psychotherapy : A critical review of process and outcome effects. *Clinical Psychology Review, 10,* 171-186. (p. 658)

Kempe, R. S., & Kempe, C. C. (1978). *Child abuse.* Cambridge, MA : Harvard University Press. (p. 192)

Kempermann, G., Kuhn, H. G., & Gage, F. H. (May, 1998). Experienceinduced neurogenesis in the senescent dentate gyrus. *Journal of Neuroscience, 18*(9), 3206-3212. (p. 211)

Kendall-Tackett, K. A. (Ed.) (2004). *Health consequences of abuse in the family : A clinical guide for evidence-based practice.* Washington, DC : American Psychological Association. (p. 192)

Kendall-Tackett, K. A., Williams, L. M., & Finkelhor, D. (1993). Impact of sexual abuse on children : A review and synthesis of recent empirical studies. *Psychological Bulletin, 113,* 164-180. (pp. 192, 362)

Kendler, K. S. (1996). Parenting : A genetic-epidemiologic perspective. *The American Journal of Psychiatry, 153,* 11-20. (p. 196)

Kendler, K. S. (1997). Social support : A genetic-epidemiologic analysis. *American Journal of Psychiatry, 154,* 1398-1404. (p. 577)

Kendler, K. S. (1998, January). Major depression and the environment : A psychiatric genetic perspective. *Pharmacopsychiatry, 31(1),* 5-9. (p. 615)

Kendler, K. S., Gardner, C. O., & Prescott, C. A. (2006). Toward a comprehensive developmental model for major depression in men. *American Journal of Psychiatry, 163,*115-124. (p. 614)

Kendler, K. S., Gatz, M., Gardner, C. O., & Pedersen, N. L. (2006). A Swedish national twin study of lifetime major depression. *American Journal of Psychiatry, 163,* 109-114. (p. 615)

Kendler, K. S., Jacobson, K. C., Myers, J., & Prescott, C. A. (2002a). Sex differences in genetic and environmental risk factors for irrational fears and phobias. *Psychological Medicine, 32,* 209-217. (p. 607)

Kendler, K. S., Karkowski, L. M., & Prescott, C. A. (1999). Fears and phobias : Reliability and heritability. *Psychological Medicine, 29,* 539-553. (p. 607)

Kendler, K. S., Myers, J., & Prescott, C. A. (2002b). The etiology of phobias : An evaluation of the stress-diathesis model. *Archives of General Psychiatry, 59,* 242-248. (p. 607)

Kendler, K. S., Neale, M. C., Kessler, R. C., Heath, A. C., & Eaves, L. J. (1992). Generalized anxiety disorder in women : A population-based twin study. *Archives of General Psychiatry, 49,* 267-272. (p. 607)

Kendler, K. S., Neale, M. C., Thornton, L. M., Aggen, S. H., Gilman, S. E., & Kessler, R. C. (2002). Cannabis use in the last year in a U.S. national sample of twin and sibling pairs. *Psychological Medicine, 32,* 551-554. (p. 123)

Kendler, K. S., Thornton, L. M., & Gardner, C. O. (2001). Genetic risk, number of previous depressive episodes, and stressful life events in predicting onset of major depression. *American Journal of Psychiatry, 158,* 582-586. (p. 614)

Kennedy, S., & Over, R. (1990). Psychophysiological assessment of male sexual arousal following spinal cord injury. *Archives of Sexual Behavior, 19,* 15-27. (p. 58)

Kenrick, D. T., & Funder, D. C. (1988). Profiting from controversy : Lessons from the person-situation debate. *American Psychologist, 43,* 23-34. (p. 575)

Kenrick, D. T., & Gutierres, S. E. (1980). Contrast effects and judgments of physical attractiveness : When beauty becomes a social problem. *Journal of Personality and Social Psychology, 38,* 131-140. (p. 468)

Kenrick, D. T., Gutierres, S. E., & Goldberg, L. L. (1989). Influence of popular erotica on judgments of strangers and mates. *Journal of Experimental Social Psychology, 25,* 159-167. (p. 468)

Kenrick, D. T., Nieuweboer, S., & Bunnk, A. P. (in press). Universal mechanisms and cultural diversity : Replacing the blank slate with a coloring book. In M. Schaller, S. Heine, A. Norenzayan, T. Yamagishi, & T. Kameda (Eds.), *Evolution, culture, and the human mind.* Mahway, NJ. (pp. 148, 149)

Kensinger, E. A. (2007). Negative emotion enhances memory accuracy : Behavioral and neuroimaging evidence. *Current Directions in Psychological Science, 16,* 213-218. (p. 341)

Keough, K. A., Zimbardo, P. G., & Boyd, J. N. (1999). Who's smoking, drinking, and using drugs ? Time perspective as a predictor of substance use. *Basic and Applied Social Psychology, 2,* 149-164. (p. 555)

Kernis, M. H. (2003). Toward a conceptualization of optimal self-esteem. *Psychological Inquiry, 14,* 1-26. (p. 589)

Kerr, N. L., & Bruun, S. E. (1983). Dispensability of member effort and group motivation losses : Free-rider effects. *Journal of Personality and Social Psychology, 44,* 78-94. (p. 688)

Kessler, M., & Albee, G. (1975). Primary prevention. *Annual Review of Psychology, 26,* 557-591. (p. 669)

Kessler, R. C. (2000). Posttraumatic stress disorder : The burden to the individual and to society. *Journal of Clinical Psychiatry, 61*(suppl. 5), 4-12. (p. 604)

Kessler, R. C. (2001). Epidemiology of women and depression. *Journal of Affective Disorders, 74,* 5-1. (p. 619)

Kessler, R. C., Akiskal, H. S., Ames, M., Birnbaum, H., Greenberg, P., Hirschfeld, R. M. A., Jin, R., Merikangas, K. R., Simon, G. E., & Wang, P. S. (2006). Prevalence and effects of mood disorders on work performance in a nationally representative sample of U.S. workers. *American Journal of Psychiatry, 163,* 1561-1568. (p. 613)

Kessler, R. C., Berglund, P., Demler, O., Jin, R., Merikangos, K. R. & Walters, E. E. (2005). Lifetime prevalence and age-of-onset distributions of DSM-IV disorders in the National Comorbidity Survey Replication. *Archives of General Psychiatry, 62,* 593-602. (p. 598, 631)

Kessler, R. C., Foster, C., Joseph, J., Ostrow, D., Wortman, C., Phair, J., & Chmiel, J. (1991). Stressful life events and symptom onset in HIV infection. *American Journal of Psychiatry, 148,* 733-738. (p. 537)

Kessler, R. C., Soukup, J., Davis, R. B., Foster, D. F., Wilkey, S. A., Van Rompay, M. I., & Eisenberg, D. M. (2001). The use of complementary and alternative therapies to treat anxiety and depression in the United States. *American Journal of Psychiatry, 158,* 289-294. (p. 655)

Keynes, M. (1980, December 20/27). Handel's illnesses. *The Lancet,* pp. 1354-1355. (p. 613)

Keys, A., Brozek, J., Henschel, A., Mickelsen, O., & Taylor, H. L. (1950). *The biology of human starvation.* Minneapolis : University of Minnesota Press. (p. 448)

Kiecolt-Glaser, J. K., & Glaser, R. (1995). Psychoneuroimmunology and health consequences : Data and shared mechanisms. *Psychosomatic Medicine, 57,* 269-274. (p. 536)

Kiecolt-Glaser, J. K., & Newton, T. L. (2001). Marriage and health : His and hers. *Psychological Bulletin, 127,* 472-503. (p. 541)

Kiecolt-Glaser, J. K., Loving, T. J., Stowell, J. R., Malarkey, W. B., Lemeshow, S., Dickinson, S. L., & Glaser, R. (2005). Hostile marital interactions, proinflammatory cytokine production, and wound healing. *Archives of General Psychiatry, 62,* 1377-1384. (p. 535)

Kiecolt-Glaser, J. K., Page, G. G., Marucha, P. T., MacCallum, R. C., & Glaser, R. (1998). Psychological influences on surgical recovery : Perspectives from psychoneuroimmunology. *American Psychologist, 53,* 1209-1218. (p. 535)

Kihlstrom, J. F. (1990). The psychological unconscious. In L. A. Pervin (Ed.), *Handbook of personality : Theory and research.* New York : Guilford Press. (pp. 355, 562)

Kihlstrom, J. F. (1994). The social construction of memory. Paper presented at the American Psychological Society convention. (p. 356)

Kihlstrom, J. F. (1997, November 11). Freud as giant pioneer on whose shoulders we should stand. Social Psychology listserv posting (spsp A unified theory of a will-o'-the-wisp. *Behavioral and Brain Sciences, 29,* 523. (p. 562)

Kihlstrom, J. F., & McConkey, K. M. (1990). William James and hypnosis : A centennial reflection. *Psychological Science, 1,* 174-177. (p. 112)

Killeen, P. R., & Nash, M. R. (2003). The four causes of hypnosis. *Internal Journal of Clinical and Experimental Hypnosis, 51,* 195-231. (p. 112)

Kim, B. S. K., Ng, G. F., & Ahn, A. J. (2005). Effects of client expectation for counseling success, client-counselor worldview match, and client adherence to Asian and European American cultural values on counseling process with Asian Americans. *Journal of Counseling Psychology, 52,* 67-76. (p. 658)

Kim, H., & Markus, H. R. (1999). Deviance or uniqueness, harmony or conformity ? A cultural analysis. *Journal of Personality and Social Psychology, 77,* 785-800. (p. 156)

Kim, K. H. S., Relkin, N. R., Lee, K-M., & Hirsch, J. (1997). Distinct cortical areas associated with native and second languages. *Nature, 388,* 171-174. (p. 390)

Kimata, H. (2001). Effect of humor on allergen-induced wheal reactions. *Journal of the American Medical Association, 285,* 737. (p. 540)

Kimble, G. A. (1956). *Principles of general psychology.* New York : Ronald. (p. 299)

Kimble, G. A. (1981). *Biological and cognitive constraints on learning.* Washington, DC : American Psychological Association. (p. 299)

Kimmel, A. J. (1998). In defense of deception. *American Psychologist, 53,* 803-805. (p. 29)

King, L. A., Hicks, J. A., Krull, J. L., & Del Gaiso, A. K. (2006). Positive affect and the experience of meaning in life. *Journal of Personality and Social Psychology, 90,* 179-196. (p. 520)

King, M., & Bartlett, A. (2006). What same sex civil partnerships may mean for health. *Journal of Epidemiology and Community Health, 60,* 188-191. (p. 472)

King, R. N., & Koehler, D. J. (2000). Illusory correlations in graphological interference. *Journal of Experimental Psychology : Applied, 6,* 336-348. (p. 572)

Kinnier, R. T., & Metha, A. T. (1989). Regrets and priorities at three stages of life. *Counseling and Values, 33,* 182-193. (p. 220)

Kirby, D. (2002). Effective approaches to reducing adolescent unprotected sex, pregnancy, and childbearing. *Journal of Sex Research, 39,* 51-57. (p. 471)

Kirkpatrick, B., Fenton, W. S., Carpenter, Jr., W. T., & Marder, S. R. (2006). The NIMH-MATRICS consensus statement on negative symptoms. *Schizophrenia Bulletin, 32,* 214-219. (p. 624)

Kirkpatrick, L. (1999). Attachment and religious representations and behavior. In J. Cassidy & P. R. Shaver (Eds.), *Handbook of attachment.* New York : Guilford. (p. 189)

Kirmayer, L. J., & Sartorius, N. (2007). Cultural models and somatic syndromes. *Psychosomatic Medicine, 69,* 832-840. (p. 608)

Kirsch, I. (1996). Hypnotic enhancement of cognitive-behavioral weight loss treatments : Another meta-reanalysis. *Journal of Consulting and Clinical Psychology, 64,* 517-519. (p. 110)

Kirsch, I., & Braffman, W. (2001). Imaginative suggestibility and hypnotizability. *Current Directions in Psychological Science, 10,* 57-61. (p. 108)

Kirsch, I., & Lynn, S. J. (1995). The altered state of hypnosis. *American Psychologist, 50,* 846-858. (p. 110)

Kirsch, I., & Sapirstein, G. (1998). Listening to Prozac but hearing placebo : A meta-analysis of antidepressant medication. *Prevention and Treatment, 1,* posted June 26 at (journals.apa.org/prevention/volume1). (pp. 18, 663)

Kirsch, I., Deacon, B. J., Huedo-Medina, T. B., Scoboria, A., Moore, T. J., & Johnson, B. T. (2008) Initial severity and antidepressant benefits : A metaanalysis of data submitted to the Food and Drug Administration. *Public Library of Science Medicine, 5,* e45. (p. 663)

Kirsch, I., Moore, T. J., Scoboria, A., & Nicholls, S. S. (2002, July 15). New study finds little difference between effects of antidepressants and placebo. *Prevention and Treatment* (journals.apa.org/prevention). (p. 663)

Kisley, M. A., Wood, S., & Burrows, C. L. (2007). Looking at the sunny side of life : Age-related change in an event-related potential measure of the negativity bias. *Psychological Science, 18,* 838-843. (p. 220)

Kisor, H. (1990). *What's that pig outdoors.* New York : Hill and Wang. (p. 251)

Kitayama, S., Ishii, K., Imada, T., Takemura, K., & Ramaswamy, J. (2006). Voluntary settlement and the spirit of independence : Evidence from Japan's « northern frontier. » *Journal of Personality and Social Psychology, 91,* 369-384. (p. 156)

Kitts, R. L. (2005). Gay adolescents and suicide : Understanding the association. *Adolescence, 40,* 621-628. (p. 472)

Kivimaki, M., Leino-Arjas, P., Luukkonen, R., Rihimaki, H., & Kirjonen, J. (2002). Work stress and risk of cardiovascular mortality : Prospective cohort study of industrial employees. *British Medical Journal, 325,* 857. (p. 539)

Klar, A. J. S. (2003). Human handedness and scalp hair-whorl direction develop from a common mechanism. *Genetics, 165,* 269-276. (p. 476)

Klar, A. J. S. (2004). Excess of counter-clockwise scalp hair-whorl rotation in homosexual men. *Journal of Genetics, 83,* 251-255. (p. 476)

Klar, A. J. S. (2005). A 1927 study supports a current genetic model for inheritance of human scalp hair-whorl orientation and hand-use preference traits. *Genetics, 170,* 2027-2030. (p. 476)

Klayman, J., & Ha, Y-W. (1987). Confirmation, disconfirmation, and information in hypothesis testing. *Psychological Review, 94,* 211-228. (p. 372)

Klein, D. N., & 16 others. (2003). Therapeutic alliance in depression treatment : Controlling for prior change and patient characteristics. *Journal of Consulting and Clinical Psychology, 71,* 997-1006. (p. 658)

Klein, E., Kreinin, I., Chistyakov, A., Koren, D., Mecz, L., Marmur, S., Ben-Shachar, D., & Feinsod, M. (1999). Therapeutic efficacy of right prefrontal slow repetitive transcranial magnetic stimulation in major depression. *Archives of General psychiatry, 56,* 315-320. (p. 666)

Kleinfeld, J. (1998). *The myth that schools shortchange girls : Social science in the service of deception.* Washington, DC : Women's Freedom Network. Available from ERIC, Document ED423210, and via www.uaf.edu/northern/schools/myth.html. (p. 434)

Kleinke, C. L. (1986). Gaze and eye contact : A research review. *Psychological Bulletin, 1000,* 78-100. (p. 508)

Kleinmuntz, B., & Szucko, J. J. (1984). A field study of the fallibility of polygraph lie detection. *Nature, 308,* 449-450. (p. 505)

Kleitman, N. (1960, November). Patterns of dreaming. *Scientific American,* pp. 82-88. (p. 93)

Klemm, W. R. (1990). Historical and introductory perspectives on brainstem-mediated behaviors. In W. R. Klemm & R. P. Vertes (Eds.), *Brainstem mechanisms of behavior.* New York : Wiley. (p. 63)

Kline, D., & Schieber, F. (1985). Vision and aging. In J. E. Birren & K. W. Schaie (Eds.), *Handbook of the psychology of aging.* New York : Van Nostrand Reinhold. (p. 210)

Kline, G. H., Stanley, S. M., Markman, J. H., Olmos-Gallo, P. A., St. Peters, M., Whitton, S. W., & Prado, L. M. (2004). Timing is everything : Pre-engagement cohabitation and increased risk for poor marital outcomes. *Journal of Family Psychology, 18,* 311-318. (p. 218)

Klineberg, O. (1938). Emotional expression in Chinese literature. *Journal of Abnormal and Social Psychology, 33,* 517-520. (p. 511)

Klineberg, O. (1984). Public opinion and nuclear war. *American Psychologist, 39,* 1245-1253. (p. 718)

Klinesmith, J., Kasser, T., & McAndrew, F. T. (2006). Guns, testosterone, and aggression : An experimental test of a mediational hypothesis. *Psychological Science, 17,* 568-576. (p. 699)

Klinke, R., Kral, A., Heid, S., Tillein, J., & Hartmann, R. (1999). Recruitment of the auditory cortex in congenitally deaf cats by long-term cochlear electrostimulation. *Science, 285,* 1729-1733. (p. 274)

Kluft, R. P. (1991). Multiple personality disorder. In A. Tasman & S. M. Goldfinger (Eds.), *Review of Psychiatry, (Vol. 10).* Washington, DC : American Psychiatric Press. (p. 610)

Klump, K. L., & Culbert, K. M. (2007). Molecular genetic studies of eating disorders : Current status and future directions. *Current Directions in Psychological Science, 16,* 37-41. (p. 454)

Klüver, H., & Bucy, P. C. (1939). Preliminary analysis of functions of the temporal lobes in monkeys. *Archives of Neurology and Psychiatry, 42,* 979-1000. (p. 65)

Knapp, S., & VandeCreek, L. (2000, August). Recovered memories of childhood abuse : Is there an underlying professional consensus ? *Professional Psychology : Research and Practice, 31,* 365-371. (p. 362)

Knäuper, B., Kornik, R., Atkinson, K., Guberman, C., & Aydin, C. (2005). Motivation influences the underestimation of cumulative risk. *Personality and Social Psychology Bulletin, 31,* 1511-1523. (p. 470)

Knickmeyer, E. (2001, August 7). In Africa, big is definitely better. *Associated Press* (Seattle Times, p. A7). (p. 454)

Knight, R. T. (2007). Neural networks debunk phrenology. *Science, 316,* 1578-1579. (p. 73)

Knight, W. (2004, August 2). Animated face helps deaf with phone chat. NewScientist.com. (p. 260)

Knoblich, G., & Oellinger, M. (2006, October/November). The Eureka moment. *Scientific American Mind,* pp. 38-43. (p. 372)

Knutson, K. L., Spiegel, K., Penev, P., & Van Cauter, E. (2007). The metabolic consequences of sleep deprivation. *Sleep Medicine Reviews, 11,* 163-178. (p. 98)

Ko, C-K., Yen, J-Y., Chen, C-C., Chen, S-H., & Yen, C-F. (2005). Proposed diagnostic criteria of Internet addiction for adolescents. *Journal of Nervous and Mental Disease, 193,* 728-733. (p. 114)

Koch, C., & Greenfield, S. (2007, October). How does consciousness happen ? *Scientific American,* pp. 76-83. (p. 87)

Koch, G. (2001). Utilizing Psi Chi's Programs to Maximize Learning and Success. *Eye on Psi Chi, 10,* 22. (p. A-10)

Koenig, H. G. (2002, October 9). Personal communication, from Director of Center for the Study of Religion/Spirituality and Health, Duke University. (p. 548)

Koenig, H. G., & Larson, D. B. (1998). Use of hospital services, religious attendance, and religious affiliation. *Southern Medical Journal, 91,* 925-932. (p. 549)

Koenig, L. B., McGue, M., Krueger, R. F., & Bouchard, T. J., Jr. (2005). Genetic and environmental influences on religiousness : Findings for retrospective and current religiousness ratings. *Journal of Personality, 73,* 471-488. (p. 139)

Koenigs, M., Young, L., Adolphs, R., Tranel, D., Cushman, F., Hauser, M., & Damasio, A. (2007). Damage to the prefrontal cortex increases utilitarian moral judgements. *Nature, 446,* 908-911. (pp. 73, 201)

Koestner, R., Lekes, N., Powers, T. A., & Chicoine, E. (2002). Attaining personal goals : Self-concordance plus implementation intentions equals success. *Journal of Personality and Social Psychology, 83,* 231-244. (p. 491)

Kohlberg, L. (1981). *The philosophy of moral development : Essays on moral development* (Vol. I). San Francisco : Harper & Row. (p. 200)

Kohlberg, L. (1984). *The psychology of moral development : Essays on moral development* (Vol. II). San Francisco : Harper & Row. (p. 200)

Köhler, W. (1925: reprinted 1957). *The mentality of apes.* London : Pelican. (p. 396)

Kohler, I. (1962, May). Experiments with goggles. *Scientific American,* pp. 62-72. (p. 274)

Kohn, P. M., & Macdonald, J. E. (1992). The survey of recent life experiences : A decontaminated hassles scale for adults. *Journal of Behavioral Medicine, 15,* 221-236. (p. 531)

Kohout, J., & Wicherski, M. (2004). 2001 *Doctorate employment survey,*Washington, DC : American Psychological Association. (p. A-4)

Kolassa, I-T., & Elbert, T. (2007). Structural and functional neuroplasticity in relation to traumatic stress. *Current Directions in Psychological Science, 16,* 321-325. (p. 608)

Kolata, G. (1986). Youth suicide : New research focuses on a growing social problem. *Science, 233,* 839-841. (p. 616)

Kolata, G. (1987). Metabolic catch-22 of exercise regimens. *Science, 236,* 146-147. (p. 463)

Kolb, B. (1989). Brain development, plasticity, and behavior. *American Psychologist, 44,* 1203-1212. (p. 74)

Kolb, B., & Whishaw, I. Q. (1998). Brain plasticity and behavior. *Annual Review of Psychology, 49,* 43-64. (p. 150)

Kolb, B., & Whishaw, I. Q. (2006). *An introduction to brain and behavior, 2nd edition.* New York : Worth Publishers. (p. 411)

Kolivas, E. D., & Gross, A. M. (2007). Assessing sexual aggression : Addressing the gap between rape victimization and perpetration prevalence rates. *Aggression and Violent Behavior, 12,* 315-328. (p. 147)

Kolker, K. (2002, December 8). *Video violence disturbs some : others scoff at influence.* Grand Rapids Press, pp. A1, A12. (p. 703)

Kolodziej, M. E., & Johnson, B. T. (1996). Interpersonal contact and acceptance of persons with psychiatric disorders : A research synthesis. *Journal of Consulting and Clinical Psychology, 64,* 1387-1396. (p. 600)

Koltko-Rivera, M. E. (2006). Rediscovering the later version of Maslow's hierarchy of needs : Self-transcendence and opportunities for theory, research, and unification. *Review of General Psychology, 10,* 302-317. (p. 446)

Koole, S. L., Greenberg, J., & Pyszczynski, T. (2006). Introducing science to the psychology of the soul. *Current Directions in Psychological Science, 15,* 212-216. (p. 563)

Kopta, S. M., Lueger, R. J., Saunders, S. M., & Howard, K. I. (1999). Individual psychotherapy outcome and process research : Challenges leading to greater turmoil or a positive transition ? *Annual Review of Psychology, 30,* 441-469. (p. 654)

Koriat, A., Goldsmith, M., & Pansky, A. (2000). Toward a psychology of memory accuracy. *Annual Review of Psychology, 51,* pp. 481-537. (p. 358)

Kosslyn, S. (2007). *Human intelligence can be increased, and can be increased dramatically.* World Question Center, The Edge (www.edge.org). (p. 430)

Kosslyn, S. M. (2005). Reflective thinking and mental imagery : A perspective on the development of posttraumatic stress disorder. *Development and Psychopathology, 17,* 851-863. (p. 605)

Kosslyn, S. M., & Koenig, O. (1992). *Wet mind : The new cognitive neuroscience.* New York : Free Press. (p. 57)

Kosslyn, S. M., Thompson, W. L., Costantini-Ferrando, M. F., Alpert, N. M., & Spiegel, D. (2000). Hypnotic visual illusion alters color processing in the brain. *American Journal of Psychiatry, 157,* 1279-1284. (p. 111)

Kotchick, B. A., Shaffer, A., & Forehand, R. (2001). Adolescent sexual risk behavior : A multi-system perspective. *Clinical Psychology Review, 21,* 493-519. (p. 470)

Kotkin, M., Daviet, C., & Gurin, J. (1996). The Consumer Reports mental health survey. *American Psychologist, 51,* 1080-1082. (p. 651)

Kracen, A. C., & Wallace, I. J. (Eds.) (2008). *Applying to graduate school in psychology : Advice from successful students and prominent psychologists.* Washington, DC, US ; American Psychological Association. (p. A-11)

Kraft, C. (1978). A psychophysical approach to air safety : Simulator studies of visual illusions in night approaches. In H. L. Pick, H. W. Leibowitz, J. E. Singer, A. Steinschneider, & H. W. Stevenson (Eds.), *Psychology : From research to practice.* New York : Plenum Press. (p. 280)

Kraft, R. N. (2002). *Memory perceived : Recalling the Holocaust.* Westport, CT : Praeger. (p. 363)

Kramer, A. F., & Erickson, K. I. (2007). Capitalizing on cortical plasticity : Influence of physical activity on cognition and brain function. *Trends in Cognitive Sciences, 11,* 342-348. (p. 544)

Kranz, F., & Ishai, A. (2006). Face perception is modulated by sexual preference. *Current Biology, 16,* 63-68. (p. 475)

Kraus, N., Malmfors, T., & Slovic, P. (1992). Intuitive toxicology : Expert and lay judgments of chemical risks. *Risk Analysis, 12,* 215-232. (p. 381)

Krauss, R. M. (1998). Why do we gesture when we speak. *Current Directions in Psychology, 7,* 54-60. (p. 399)

Kraut, R. E., & Johnston, R. E. (1979). Social and emotional messages of smiling : An ethological approach. *Journal of Personality and Social Psychology, 37,* 1539-1553. (p. 512)

KRC Research & Consulting. (2001, August 7). Memory isn't quite what it used to be (survey for General Nutrition Centers). *USA Today,* p. D1. (p. 213)

Krebs, D. L., & Denton, K. (2005). Toward a more pragmatic approach to morality : A critical evaluation of Kohlberg's model. *Psychological Review, 112,* 629-649. (p. 201)

Kring, A. M., & Gordon, A. H. (1998). Sex differences in emotion : Expression, experience, and physiology. *Journal of Personality and Social Psychology, 74,* 686-703. (p. 511)

Kristensen, P., & Bjerkedal, T. (2007). Explaining the relation between birth order and intelligence. *Science, 316,* 1717. (p. 25)

Kristof, N. D. (2004, July 21). Saying no to killers. *New York Times* (www.nytimes.com). (p. 712)

Kroll, R., Danis, S., Moreau, M., Waldbaum, A., Shifren, J., & Wekselman, K. (2004). Testosterone transdermal patch (TPP) significantly improved sexual function in naturally menopausal women in a large Phase III study. Presented to the American Society of Reproductive Medicine annual meeting, Philadelphia, October. (p. 467)

Krosnick, J. A., Betz, A. L., Jussim, L. J., & Lynn, A. R. (1992). Subliminal conditioning of attitudes. *Personality and Social Psychology Bulletin, 18*, 152-162. (p. 233)

Krueger, A. (2007, November/December). What makes a terrorist. *The American* (www.american.com). (p. 700)

Krueger, J., & Killham, E. (2005, December 8). At work, feeling good matters. *Gallup Management Journal* (www.gmj.gallup.com). (p. 491)

Krueger, J., & Killham, E. (2006, March 9). Why Dilbert is right. Uncomfortable work environments make for disgruntled employees – just like the cartoon says. *Gallup Management Journal* (www.gmj.gallup.com). (p. 580)

Kruger J., Epley, N., Parker, J., & Ng, Z-W. (2005). Egocentrism over e-mail : Can we communicate as well as we think ? *Journal of Personality and Social Psychology, 89*, 925-936. (pp. 183, 509)

Kruger, J., & Dunning, D. (1999). Unskilled and unaware of it : How difficulties in recognizing one's own incompetence lead to inflated selfassessments. *Journal of Personality and Social Psychology, 77*, 1121-1134. (p. 582)

Krupa, D. J., Thompson, J. K., & Thompson, R. F. (1993). Localization of a memory trace in the mammalian brain. *Science, 260*, 989-991. (p. 345)

Krützen, M., Mann, J., Heithaus, M. R., Connor, R. C., Bejder, L., & Sherwin, W. B. (2005). Cultural transmission of tool use in bottlenose dolphins. *Proceedings of the National Academy of Sciences, 102*, 8939-8943. (p. 397)

Kubey, R., & Csikszentmihalyi, M. (2002, February). Television addiction is no mere metaphor. *Scientific American*, pp. 74-80. (p. 321)

Kübler, A., Winter, S., Ludolph, A. C., Hautzinger, M., & Birbaumer, N. (2005). Severity of depressive symptoms and quality of life in patients with amyotrophic lateral sclerosis. *Neurorehabilitation and Neural Repair, 19(3)*, 182-193. (p. 521)

Kubzansky, L. D., Sparrow, D., Vokanas, P., Kawachi, I. (2001). Is the glass half empty or half full ? A prospective study of optimism and coronary heart disease in the normative aging study. *Psychosomatic Medicine, 63*, 910-916. (p. 533)

Kuhl, B. A., Dudukovic, N. M., Kahn, I., & Wagner, A. D. (2007). Decreased demands on cognitive control reveal the neural processing benefits of forgetting. *Nature Neuroscience, 10*, 908-914. (p. 353)

Kuhl, P. K., & Meltzoff, A. N. (1982). The bimodal perception of speech in infancy. *Science, 218*, 1138-1141. (p. 385)

Kuhn, D. (2006). Do cognitive changes accompany developments in the adolescent brain ? *Perspectives on Psychological Science, 1*, 59-67. (p. 199)

Kujala, U. M., Kaprio, J., Sarna, S., & Koskenvuo, M. (1998). Relationship of leisure-time physical activity and mortality : The Finnish twin cohort. *Journal of the American Medical Association, 279*, 440-444. (p. 544)

Kuncel, N. R., & Hezlett, S. A. (2007). Standardized tests predict graduate students' success. *Science, 315*, 1080-1081. (p. 421)

Kuncel, N. R., Nezlett, S. A., & Ones, D. S. (2004). Academic performance, career potential, creativity, and job performance : Can one construct predict them all ? *Journal of Personality and Social Psychology, 86*, 148-161. (p. 408)

Kunkel, D. (2001, February 4). *Sex on TV.* Menlo Park, CA : Henry J. Kaiser Family Foundation (www.kff.org). (p. 470)

Kunkel, D., Cope-Farrar, K., Biely, E., Farinola, W. J. M., & Donnerstein, E. (2001). *Sex on TV (2) : A biennial report to the Kaiser Family Foundation.* Menlo Park, CA : Kaiser Family Foundation. (p. 703)

Kuntsche, E., Knibbe, R., Gmel, G., & Engels, R. (2005). Why do young people drink ? A review of drinking motives. *Clinical Psychology Review, 25*, 841-861. (p. 125)

Kupper, N., & Denollet, J. (2007). Type D personality as a prognostic factor in heart disease : Assessment and mediating mechanisms. *Journal of Personality Assessment, 89*, 265-276. (p. 533)

Kurdek, L. A. (2005). What do we know about gay and lesbian couples ? *Current Directions in Psychological Science, 14*, 251-254. (p. 472)

Kurtz, P. (1983, Spring). Stars, planets, and people. *The Skeptical Inquirer*, pp. 65-68. (p. 573)

Kushner, M. G., Kim, S. W., Conahue, C., Thuras, P., Adson, D., Kotlyar, M., McCabe, J., Peterson, J., & Foa, E. B. (2007). D-cycloserine augmented exposure therapy for obsessive-compulsive disorder. *Biological Psychiatry, 62*, 835-838. (p. 661)

Kutas, M. (1990). Event-related brain potential (ERP) studies of cognition during sleep : Is it more than a dream ? In R. R. Bootzin, J. F. Kihlstrom, & D. Schacter (Eds.), *Sleep and cognition.* Washington, DC ; American Psychological Association. (p. 92)

Kutcher, E. J., & Bragger, J. D. (2004). Selection interviews of overweight job applicants : Can structure reduce the bias ? *Journal of Applied Social Psychology, 34*, 1993-2022. (p. 486)

L'Engle, M. (1973). *A Wind in the Door.* New York : Farrar, Straus and Giroux. (p. 16)

Labouvie-Vief, G., & Schell, D. A. (1982). Learning and memory in later life. In B. B. Wolman (Ed.), *Handbook of developmental psychology.* Englewood Cliffs, NJ : Prentice-Hall. (p. 214)

Lacayo, R. (1995, June 12). Violent reaction. *Time Magazine*, pp. 25-39. (p. 10)

Lacey, H. P., Smith, D. M., & Ubel, P. A. (2006). Hope I die before I get old : Mispredicting happiness across the lifespan. *Journal of Happiness Studies, 7*, 167-182. (p. 220)

Lacey, M. (2004. April 9). A decade after massacres, Rwanda outlaws ethnicity. *New York Times* (www.nytimes.com). (p. 718)

Lachman, M. E. (2004). Development in midlife. *Annual Review of Psychology, 55*, 305-331. (p. 216)

Ladd, E. C. (1998, August/September). The tobacco bill and American public opinion. *The Public Perspective*, pp. 5-19. (p. 126)

Ladd, G. T. (1887). *Elements of physiological psychology.* New York : Scribner's. (p. 85)

Laird, J. D. (1974). Self-attribution of emotion : The effects of expressive behavior on the quality of emotional experience. *Journal of Personality and Social Psychology, 29*, 475-486. (p. 513)

Laird, J. D. (1984). The real role of facial response in the experience of emotion : A reply to Tourangeau and Ellsworth, and others. *Journal of Personality and Social Psychology, 47*, 909-917. (p. 513)

Laird, J. D., Cuniff, M., Sheehan, K., Shulman, D., & Strum, G. (1989). Emotion specific effects of facial expressions on memory for life events. *Journal of Social Behavior and Personality, 4*, 87-98. (p. 513)

Lakin, J. L., & Chartrand, T. L. (2003). Using nonconscious behavioral mimicry to create affiliation and rapport. *Psychological Science, 14*, 334-339. (p. 681)

Lalumière, M. L., Blanchard, R., & Zucker, K. J. (2000). Sexual orientation and handedness in men and women : A meta-analysis. *Psychological Bulletin, 126*, 575-592. (p. 476)

Lam, R. W., Levitt, A. J., Levitan, R. D., Enns, M. W., Morehouse, R., Michalak, E. E., & Tam, E. M. (2006). The Can-SAD study : A randomized controlled trial of the effectiveness of light therapy and fluoxetine in patients with winter seasonal affective disorder. *American Journal of Psychiatry, 163*, 805-812. (p. 657)

Lambert, K. (2008, August/September). Depressingly easy. *Scientific American Mind*, pp. 31-37. (p. 544)

Lambert, K. G. (2005). Rising rates of depression in today's society : Consideration of the roles of effort-based rewards and enhanced resilience in day-to-day functioning. *Neuroscience and Biobehavioral Reviews, 30*, 497-510. (p. 544)

Lambert, W. E. (1992). Challenging established views on social issues : The power and limitations of research. *American Psychologist, 47*, 533-542. (p. 393)

Lambert, W. E., Genesee, F., Holobow, N., & Chartrand, L. (1993). Bilingual education for majority English-speaking children. *European Journal of Psychology of Education, 8*, 3-22. (p. 393)

Lamberth, J. (1998, August 6). Driving while black : A statistician proves that prejudice still rules the road. *Washington Post*, p. C1. (p. 692)

Lambird, K. H., & Mann, T. (2006). When do ego threats lead to selfregulation failure ? Negative consequences of defensive high self-esteem. *Personality and Social Psychology Bulletin, 32*, 1177-1187. (p. 589)

Lammers, B. (2000). Quick tips for applying to graduate school in psychology. *Eye onPsi Chi, 4*, 40-42. (p. A-11)

Lampinen, J. M. (2002). What exactly is déjà vu ? *Scientific American* (scieam.com/askexpert/biology/biology63). (p. 348)

Landau, M. J., Solomon, S., Greenberg, J., Cohen, F., Pyszczynski, T., Arndt, J., Miller, C. H., Ogilvie, D. M., & Cook, A. (2004). Deliver us from evil : The effects of mortality salience and reminders of 9/11 on support for President George W. Bush. *Personality and Social Psychology Bulletin, 30,* 1136-1150. (p. 696)

Landauer, T. (2001, September). Quoted by R. Herbert, You must remember this. *APS Observer*, p. 11. (p. 364)

Landauer, T. K., & Whiting, J. W. M. (1979). Correlates and consequences of stress in infancy. In R. Munroe, B. Munroe & B. Whiting (Eds.), *Handbook of Cross-Cultural Human Development.* New York : Garland. (p. 528)

Landrum, E. (2001). I'm getting my bachelor's degree in psychology. What can I do with it ? *Eye on Psi Chi,* 22-24. (pp. A-2, A-11)

Landry, M. J. (2002). MDMA : A review of epidemiologic data. *Journal of Psychoactive Drugs, 34,* 163-169. (p. 121)

Langer, E. J. (1983). *The psychology of control.* Beverly Hills, CA : Sage. (p. 580)

Langer, E. J., & Abelson, R. P. (1974). A patient by any other name . . .: Clinician group differences in labeling bias. *Journal of Consulting and Clinical Psychology, 42,* 4-9. (p. 600)

Langer, E. J., & Imber, L. (1980). The role of mindlessness in the perception of deviance. *Journal of Personality and Social Psychology, 39,* 360-367. (p. 600)

Langleben, D. D., Dattilio, F. M., & Gutheil, T. G. (2006). True lies : Delusions and lie-detection technology. *Journal of Psychiatry and Law, 34,* 351-370. (p. 505)

Langleben, D. D., Loughead, J. W., Bilker, W. B., & others. (2005). Telling truth from lie in individual subjects with fast event-related fMRI. *Human Brain Mapping, 26,* 262-273. (p. 505)

Langleben, D. D., Schroeder, L., Maldjian, J. A., Gur, R. C., McDonald, S., Ragland, J. D., O'Brien, C. P., & Childress, A. R. (2002). Brain activity during simulated deception : An event-related functional magnetic resonance study. *NeuroImage, 15,* 727-732. (p. 505)

Langlois, J. H., & Roggman, L. A. (1990). Attractive faces are only average. *Psychological Science, 1,* 115-121. (p. 708)

Langlois, J. H., Kalakanis, L., Rubenstein, A. J., Larson, A., Hallam, M., & Smoot, M. (2000). Maxims or myths of beauty ? A meta-analytic and theoretical review. *Psychological Bulletin, 126,* 390-423. (pp. 707, 708)

Langlois, J. H., Roggman, L. A., Casey, R. J., Ritter, J. M., Rieser-Danner, L. A., & Jenkins, V. Y. (1987). Infant preferences for attractive faces : Rudiments of a stereotype ? *Developmental Psychology, 23,* 363-369. (p. 707)

Långström, N., Rahman, Q., Carlström, E., & Lichtenstein, P. (2008). Genetic and environmental effects on same-sex sexual behavior : A population study of twins in Sweden. *Archives of Sexual Behavior.* (p. 475)

Larkin, K., Resko, J. A., Stormshak, F., Stellflug, J. N., & Roselli, C. E. (2002). Neuroanatomical correlates of sex and sexual partner preference in sheep. Society for Neuroscience convention. (p. 474)

LaRoche, K. (2004). Advantages of Undergraduate Research : A Student's Perspective. *Eye on Psi Chi, 8,* 20-21. (p. A-11)

Larsen, R. J., & Diener, E. (1987). Affect intensity as an individual difference characteristic : A review. *Journal of Research in Personality, 21,* 1-39. (pp. 140, 507)

Larsen, R. J., Kasimatis, M., & Frey, K. (1992). Facilitating the furrowed brow : An unobtrusive test of the facial feedback hypothesis applied to unpleasant affect. *Cognition and Emotion, 6,* 321-338. (p. 513)

Larson, R. W., & Verma, S. (1999). How children and adolescents spend time across the world : Work, play, and developmental opportunities. *Psychological Bulletin, 125,* 701-736. (p. 436)

Larsson, H., Tuvblad, C., Rijsdijk, F. V., Andershed, H., Grann, M., & Lichetenstein, P. (2007). A common genetic factor explains the association between psychopathic personality and antisocial behavior. *Psychological Medicine, 37,* 15-26. (p. 629)

Larzelere, R. E. (2000). Child outcomes of non-abusive and customary physical punishment by parents : An updated literature review. *Clinical Child and Family Psychology Review, 3,* 199-221. (p. 311)

Larzelere, R. E., & Kuhn, B. R. (2005). Comparing child outcomes of physical punishment and alternative disciplinary tactics : A meta-analysis. *Clinical Child and Family Psychology Review, 8,* 1-37. (p. 311)

Larzelere, R. E., Kuhn, B. R., & Johnson, B. (2004). The intervention selection bias : An underrecognized confound in intervention research. *Psychological Bulletin, 130,* 289-303. (p. 311)

Lashley, K. S. (1950). In search of the engram. In *Symposium of the Society for Experimental Biology (Vol. 4).* New York : Cambridge University Press. (p. 340)

Lassiter, G. D., & Irvine, A. A. (1986). Video-taped confessions : The impact of camera point of view on judgments of coercion. *Journal of Personality and Social Psychology, 16,* 268-276. (p. 674)

Latané, B. (1981). The psychology of social impact. *American Psychologist, 36,* 343-356. (p. 688)

Latané, B., & Dabbs, J. M., Jr. (1975). Sex, group size and helping in three cities. *Sociometry, 38,* 180-194. (p. 713)

Latham, G. P., & Locke, E. A. (2007). New developments in and directions for goal-setting research. *European Psychologist, 12,* 290-300. (p. 491)

Laudenslager, M. L., & Reite, M. L. (1984). Losses and separations : Immunological consequences and health implications. *Review of Personality and Social Psychology, 5,* 285-312. (p. 538)

Laumann, E. O., Gagnon, J. H., Michael, R. T., & Michaels, S. (1994). *The social organization of sexuality : Sexual practices in the United States.* Chicago : University of Chicago Press. (pp. 146, 472)

Laws, K. R., & Kokkalis, J. (2007). Ecstasy (MDMA) and memory function : A meta-analytic update. *Human Psychopharmacology ; Clinical and Experimental, 22,* 381-388. (p. 121)

Lazaruk, W. (2007). Linguistic, academic, and cognitive benefits of French immersion. *Canadian Modern Language Review, 63,* 605-628. (p. 393)

Lazarus, R. S. (1991). Progress on a cognitive-motivational-relational theory of emotion. *American Psychologist, 46,* 352-367. (p. 506)

Lazarus. R. S. (1998). Fifty years of the research and theory of R. S. Lazarus : An analysis of historical and perennial issues. Mahwah, NJ : Erlbaum. (pp. 506, 528)

Le Grand, R., Mondloch, C. J., Maurer, D., & Brent, H. P. (2004). Impairment in holistic face processing following early visual deprivation. *Psychological Science, 15,* 762-768. (p. 273)

Lea, S. E. G. (2000). Towards an ethical use of animals. *The Psychologist, 13,* 556-557. (p. 28)

Leach, P. (1993). Should parents hit their children ? *The Psychologist : Bulletin of the British Psychological Society, 6,* 216-220. (p. 311)

Leach, P. (1994). *Children first.* New York : Knopf. (p. 311)

Leaper, C., & Ayres, M. M. (2007). A meta-analytic review of gender variations in adults' language use : Talkativeness, affiliative speech, and assertive speech. *Personality and Social Psychology Review, 11,* 328-363. (p. 160)

Leary, M. R. (1999). The social and psychological importance of self-esteem. In R. M. Kowalski & M. R. Leary (Eds.), *The social psychology of emotional and behavioral problems.* Washington, DC : APA Books. (p. 585)

Leary, M. R., Haupt, A. L., Strausser, K. S., & Chokel, J. T. (1998). Calibrating the sociometer : The relationship between interpersonal appraisals and state self-esteem. *Journal of Personality and Social Psychology, 74,* 1290-1299. (p. 479)

Leary, W. E. (1998, September 28). Older people enjoy sex, survey says. *New York Times* (www.nytimes.com). (p. 208)

Leask, S. J., & Beaton, A. A. (2007). Handedness in Great Britain. *Laterality, 12,* 559-572. (p. 79)

LeDoux, J. E. (2002). *The synaptic self.* London : Macmillan. (p. 505)

LeDoux, J. (1996). The emotional brain : The mysterious underpinnings of emotional life. New York : Simon & Schuster. (p. 345)

LeDoux, J. E., & Armony, J. (1999). Can neurobiology tell us anything about human feelings ? In D. Kahneman, E. Diener, & N. Schwartz (Eds.), *Well-being : The foundations of hedonic psychology.* New York : Sage. (p. 505)

Lee, K., Byatt, G., & Rhodes, G. (2000). Caricature effects, distinctiveness, and identification : Testing the face-space framework. *Psychological Science, 11,* 379-385. (p. 276)

Lee, L., Frederick, S., & Ariely, D. (2006). Try it, you'll like it : The influence of expectation, consumption, and revelation on preferences for beer. *Psychological Science, 17,* 1054-1058. (p. 276)

Lefcourt, H. M. (1982). *Locus of control : Current trends in theory and research.* Hillsdale, NJ : Erlbaum. (p. 578)

Lefleur, D. L., Pittenger, C., Kelmendi, B., Gardner, T., Wasylink, S., Malison, R. T., Sanacora, G., Krystal, J. H., & Coric, V. (2006). *N-acetylcysteine* augmentation in serotonin reuptake inhibitor refractory obsessive-compulsive disorder. *Psychopharmacology, 184,* 254-256. (p. 607)

Legrand, L. N., Iacono, W. G., & McGue, M. (2005). Predicting addiction. *American Scientist, 93,* 140-147. (p. 125)

Lehavot, K., & Lambert, A. J. (2007). Toward a greater understanding of antigay prejudice : On the role of sexual orientation and gender role violation. *Basic and Applied Social Psychology, 29, 279-292.* (p. 709)

Lehman, A. F., Steinwachs, D. M., Dixon, L. B., Goldman, H. H., Osher, F., Postrado, L., Scott, J. E., Thompson, J. W., Fahey, M., Fischer, P., Kasper, J. A., Lyles, A., Skinner, E. A., Buchanan, R., Carpenter, W. T., Jr., Levine, J., McGlynn, E. A., Rosenheck, R., & Zito, J. (1998). Translating research into practice : The schizophrenia patient outcomes research team (PORT) treatment recommendations. *Schizophrenia Bulletin, 24,* 1-10. (p. 661)

Lehman, D. R., Wortman, C. B., & Williams, A. F. (1987). Long-term effects of losing a spouse or child in a motor vehicle crash. *Journal of Personality and Social Psychology, 52,* 218-231. (p. 222)

Leigh, B. C. (1989). In search of the seven dwarves : Issues of measurement and meaning in alcohol expectancy research. *Psychological Bulletin, 105,* 361-373. (p. 116)

Leitenberg, H., & Henning, K. (1995). Sexual fantasy. *Psychological Bulletin, 117,* 469-496. (pp. 467, 469)

Lemonick, M. D. (2002, June 3). Lean and hungrier. *Time,* p. 54. (p. 450)

Lennox, B. R., Bert, S., Park, G., Jones, P. B., & Morris, P. G. (1999). Spatial and temporal mapping of neural activity associated with auditory hallucinations. *Lancet, 353,* 644. (p. 72)

Lenzenweger, M. F., Dworkin, R. H., & Wethington, E. (1989). Models of positive and negative symptoms in schizophrenia : An empirical evaluation of latent structures. *Journal of Abnormal Psychology, 98,* 62-70. (p. 661)

Lerner, M. J. (1980). *The belief in a just world : A fundamental delusion.* New York : Plenum Press. (p. 697)

Leserman, J., Jackson, E. D., Petitto, J. M., Golden, R. N., Silva, S. G., Perkins, D. O., Cai, J., Folds, J. D., & Evans, D. L. (1999). Progression to AIDS : The effects of stress, depressive symptoms, and social support. *Psychosomatic Medicine, 61,* 397-406. (p. 536)

Lessard, N., Pare, M., Lepore, F., & Lassonde, M. (1998). Early-blind human subjects localize sound sources better than sighted subjects. *Nature, 395,* 278-280. (p. 252)

Lester, W. (2004, May 26). AP polls : Nations value immigrant workers. *Associated Press* release. (p. 692)

Leucht, S., Barnes, T. R. E., Kissling, W., Engel, R. R., Correll, C., & Kane, J. M. (2003). Relapse prevention in schizophrenia with new-generation antipsychotics : A systematic review and exploratory meta-analysis of randomized, controlled trials. *American Journal of Psychiatry, 160,* 1209-1222. (p. 661)

Leung, A. K-Y., Maddux, W. W., Galinsky, A. D., & Chiu, C-Y. (2008). Multicultural experience enhances creativity : The when and how. *American Psychologist, 63,* 169-181. (p. 411)

LeVay, S. (1991). A difference in hypothalamic structure between heterosexual and homosexual men. *Science, 253,* 1034-1037. (p. 474)

LeVay, S. (1994, March). Quoted in D. Nimmons, Sex and the brain. *Discover,* p. 64-71. (p. 474)

Levenson, R. W. (1992). Autonomic nervous system differences among emotions. *Psychological Science, 3,* 23-27. (p. 501)

Lever, J. (2003, November 11). Personal correspondence reporting data responses volunteered to *Elle/MSNBC.com* survey of weight perceptions. (p. 454)

Levesque, M. J., & Kenny, D. A. (1993). Accuracy of behavioral predictions at zero acquaintance : A social relations analysis. *Journal of Personality and Social Psychology, 65,* 1178-1187. (p. 576)

Levin, I. P., & Gaeth, G. J. (1988). How consumers are affected by the framing of attribute information before and after consuming the product. *Journal of Consumer Research, 15,* 374-378. (p. 382)

Levin, R., & Nielsen, T. A. (2007). Disturbed dreaming, posttraumatic stress disorder, and affect distress : A review and neurocognitive model. *Psychological Bulletin, 133,* 482-528. (p. 104)

Levine, J. A., Eberhardt, N. L., & Jensen, M. D. (1999). Role of nonexercise activity thermogenesis in resistance to fat gain in humans. *Science, 283,* 212-214. (p. 459)

Levine, J. A., Lanningham-Foster, L. M., McCrady, S. K., Krizan, A. C., Olson, L. R., Kane, P. H., Jensen, M. D., & Clark, M. M. (2005). Interindividual variation in posture allocation : Possible role in human obesity. *Science, 307,* 584-586. (p. 460)

Levine, R. V., & Norenzayan, A. (1999). The pace of life in 31 countries. *Journal of Cross-Cultural Psychology, 30,* 178-205. (pp. 12, 154)

Levine, R., Sato, S., Hashimoto, T., & Verma, J. (1995). Love and marriage in eleven cultures. *Journal of Cross-Cultural Psychology, 26,* 554-571. (p. 711)

Levy, B., & Langer, E. (1992). Avoidance of the memory loss stereotype : Enhanced memory among the elderly deaf. American Psychological Association convention, Washington, DC. (p. 252)

Levy, P. E. (2003). *Industrial/organizational psychology : Understanding the workplace.* Boston : Houghton Mifflin. (p. 487)

Lewald, J. (2007). More accurate sound localisation induced by short-term light deprivation. *Neuropsychologia, 45,* 1215-1222. (p. 252)

Lewandowski, Jr., G. W., Aron, A., & Gee, J. (2007). Personality goes a long way : The malleability of opposite-sex physical attractiveness. *Personality Relationships, 14,* 571-585. (p. 709)

Lewicki, P. (1985). Nonconscious biasing effects of single instances on subsequent judgments. *Journal of Personality and Social Psychology, 48,* 563-574. (p. 347)

Lewicki, P., Hill, T., & Czyzewska, M. (1992). Nonconscious acquisition of information. *American Psychologist, 47,* 796-801. (p. 562)

Lewicki, P., Hill, T., & Czyzewska, M. (1997). Hidden covariation detection : A fundamental and ubiquitous phenomenon. *Journal of Experimental Psychology : Learning, Memory, and Cognition, 23,* 221-228. (p. 562)

Lewinsohn, P. M., & Rosenbaum, M. (1987). Recall of parental behavior by acute depressives, remitted depressives, and nondepressives. *Journal of Personality and Social Psychology, 52,* 611-619. (p. 349)

Lewinsohn, P. M., Hoberman, H., Teri, L., & Hautziner, M. (1985). An integrative theory of depression. In S. Reiss & R. Bootzin (Eds.), *Theoretical issues in behavior therapy.* Orlando, FL : Academic Press. (p. 614)

Lewinsohn, P. M., Petit, J., Joiner, T. E., Jr., & Seeley, J. R. (2003). The symptomatic expression of major depressive disorder in adolescents and young adults. *Journal of Abnormal Psychology, 112,* 244-252. (p. 614)

Lewinsohn, P. M., Rohde, P., & Seeley, J. R. (1998). Major depressive disorder in older adolescents : Prevalence, risk factors, and clinical implications. *Clinical Psychology Review, 18,* 765-794. (p. 614)

Lewis, C. S. (1960). *Mere Christianity.* New York : Macmillan. (p. 3)

Lewis, C. S. (1967). *Christian reflections.* Grand Rapids, MI : Eerdmans. (p. 351)

Lewis, D. O., Pincus, J. H., Bard, B., Richardson, E., Prichep, L. S., Feldman, M., & Yeager, C. (1988). Neuropsychiatric, psychoeducational, and family characteristics of 14 juveniles condemned to death in the United States. *American Journal of Psychiatry, 145,* 584-589. (p. 192)

Lewis, D. O., Pincus, J. H., Feldman, M., Jackson, L., & Bard, B. (1986). Psychiatric, neurological, and psychoeducational characteristics of 15 death row inmates in the United States. *American Journal of Psychiatry, 143,* 838-845. (p. 698)

Lewis, D. O., Yeager, C. A., Swica, Y., Pincus, J. H., & Lewis, M. (1997). Objective documentation of child abuse and dissociation in 12 murderers with dissociative identity disorder. *American Journal of Psychiatry, 154,* 1703-1710. (p. 611)

Lewis, M. (1992). Commentary. *Human Development, 35,* 44-51. (p. 349)

Lewontin, R. (1976). Race and intelligence. In N. J. Block & G. Dworkin (Eds.), *The IQ controversy : Critical readings.* New York : Pantheon. (p. 435)

Lewontin, R. (1982). *Human diversity.* New York : Scientific American Library. (pp. 145, 435)

Li, J. C., Dunning, D., & Malpass, R. L. (1996). Cross-racial identification among European-Americans Basketball fandom and the contact hypothesis. Unpublished manuscript, Cornell University. (p. 697)

Li, J., Laursen, T. M., Precht, D. H., Olsen, J., & Mortensen, P. B. (2005). Hospitalization for mental illness among parents after the death of a child. *New England Journal of Medicine, 352,* 1190-1196. (p. 222)

Li, W., Moallem, I., Paller, K. A., & Gottfried, J. A. (2007). Subliminal smells can guide social preferences. *Psychological Science, 18,* 1044-1049. (p. 233)

Libet, B. (1985). Unconscious cerebral initiative and the role of conscious will in voluntary action. *Behavioral and Brain Sciences, 12,* 181-187. (p. 88)

Libet, B. (2004). *Mind time : The temporal factor in consciousness.* Cambridge, MA ; Harvard University Press. (p. 88)

Licata, A., Taylor, S., Berman, M., & Cranston, J. (1993). Effects of cocaine on human aggression. *Pharmacology Biochemistry and Behavior, 45,* 549-552. (p. 120)

Lieberman, J. A. (2006). Comparative effectiveness of antipsychotic drugs. *Archives of General Psychiatry, 63,* 1069-1072. (p. 661)

Lieberman, J. A., & 11 others. (2005). Effectiveness of antipsychotic drugs in patients with chronic schizophrenia. *New England Journal of Medicine, 353,* 1209-1223. (p. 661)

Lieberman, M. D., Eisenberger, N. L., Crockett, M. J., Tom, S. M., Pfeifer, J. H., & Way, B. M. (2007). Putting feelings into words : Affect labeling disrupts amygdala activity in response to affective stimuli. *Psychological Science, 18,* 421-428. (p. 542)

Lilienfeld, S. O., & Arkowitz, H. (2007, April/May). Autism : An epidemic. *Scientific American Mind,* pp. 82-83. (p. 186)

Lilienfeld, S. O., & Arkowitz, H. (2007, December, 2006/January, 2007). Taking a closer look : Can moving your eyes back and forth help to ease anxiety ? *Scientific American Mind,* pp. 80-81. (p. 656)

Lilienfeld, S. O., Lynn, S. J., Kirsch, I., Chaves, J. F., Sarbin, T. R., Ganaway, G. K., & Powell, R. A. (1999). Dissociative identity disorder and the sociocognitive model : Recalling the lessons of the past. *Psychological Bulletin, 125,* 507-523. (p. 611)

Lilienfeld, S. O., Wood, J. M., & Garb, H. N. (2001, May). What's wrong with this picture ? *Scientific American,* pp. 81-87. (p. 560)

Lin, L., Faraco, J., Li, R., Kadotani, H., Rogers, W., Lin, X., Qiu, X., de Jong, P. J., Nishino, S., & Mignot E. (1999). The sleep disorder canine narcolepsy is caused by a mutation in the hypocretin (orexin) receptor 2 gene. *Cell, 98,* 365-376. (p. 102)

Linde, K., & 10 others. (2005). Acupuncture for patients with migraine : A randomized controlled trial. *Journal of the American Medical Association, 293,* 2118-2125. (p. 546)

Linder, D. (1982). Social trap analogs : The tragedy of the commons in the laboratory. In V. J. Derlega & J. Grzelak (Eds.), *Cooperative and helping behavior : Theories and research.* New York : Academic Press. (p. 715)

Lindskold, S. (1978). Trust development, the GRIT proposal, and the effects of conciliatory acts on conflict and cooperation. *Psychological Bulletin, 85,* 772-793. (p. 719)

Lindskold, S., & Han, G. (1988). GRIT as a foundation for integrative bargaining. *Personality and Social Psychology Bulletin, 14,* 335-345. (p. 719)

Linville, P. W., Fischer, G. W., & Fischhoff, B. (1992). AIDS risk perceptions and decision biases. In J. B. Pryor & G. D. Reeder (Eds.), *The social psychology of HIV infection.* Hillsdale, NJ : Erlbaum. (p. 381)

Lippa, R. A. (2002). Gender-related traits of heterosexual and homosexual men and women. *Archives of Sexual Behavior, 31,* 83-98. (p. 473)

Lippa, R. A. (2005). *Gender, nature, and nurture* (2nd ed.). Mahwah, NJ : Erlbaum. (p. 161)

Lippa, R. A. (2005). Sexual orientation and personality. *Annual Review of Sex Research, 16,* 119-153. (p. 472)

Lippa, R. A. (2006). Is high sex drive associated with increased sexual attraction to both sexes ? It depends on whether you are male or female. *Psychological Science, 17,* 46-52. (p. 472)

Lippa, R. A. (2006). The gender reality hypothesis. *American Psychologist, 61,* 639-640. (p. 161)

Lippa, R. A. (2007a). The relation between sex drive and sexual attraction to men and women : A cross-national study of heterosexual, bisexual, and homosexual men and women. *Archives of Sexual Behavior, 36,* 209-222. (p. 477)

Lippa, R. A. (2007b). The preferred traits of mates in a cross-national study of heterosexual and homosexual men and women : An examination of biological and cultural influences. *Archives of Sexual Behavior, 36,* 193-208. (pp. 472, 477, 707)

Lippa, R. A. (2008). Sex differences and sexual orientation differences in personality : Findings from the BBC Internet survey. *Archives of Sexual Behavior, Special Issue : Biological research on sex-dimorphic behavior and sexual orientation, 37*(1), 173-187. (pp. 146, 161, 477)

Lippa, R. A., Newton, S., Rego, A., & Fernandez, L. (2008). Hair whorl patterns and men's sexual orientation. Paper presented at the Western Psychological Association convention. (p. 476)

Lippman, J. (1992, October 25). Global village is characterized by a television in every home. *Los Angeles Times Syndicate* (in *Grand Rapids Press,* p. F9). (p. 321)

Lipps, H. M. (1999). *A new psychology of women : Gender, culture, and ethnicity.* Mountain View, CA : Mayfield Publishing. (p. 694)

Lipsey, M. W., & Wilson, D. B. (1993). The efficacy of psychological, educational, and behavioral treatment : Confirmation from meta-analyses. *American Psychologist, 48,* 1181-1209. (p. 426)

Lipsitt, L. P. (2003). Crib death : A biobehavioral phenomenon ? *Current Directions in Psychological Science, 12,* 164-170. (p. 178)

Livesley, W. J., & Jang, K. L. (2008). The behavioral genetics of personality disorder. *Annual Review of Clinical Psychology, 4,* 247-274. (p. 629)

Livingstone, M., & Hubel, D. (1988). Segregation of form, color, movement, and depth : Anatomy, physiology, and perception. *Science, 240,* 740-749. (p. 242)

LoBue, V., & DeLoache, J. S. (2008). Detecting the snake in the grass : Attention to fear-relevant stimuli by adults and young children. *Psychological Science, 19,* 284-289. (p. 607)

Loehlin, J. C., & Nichols, R. C. (1976). *Heredity, environment, and personality.* Austin : University of Texas Press. (p. 137)

Loehlin, J. C., Horn, J. M., Ernst, J. L. (2007). Genetic and environmental influences on adult life outcomes : Evidence from the Texas adoption project. *Behavior Genetics, 37,* 463-476. (p. 139)

Loehlin, J. C., McCrae, R. R., & Costa, P. T., Jr. (1998). Heritabilities of common and measure-specific components of the Big Five personality factors. *Journal of Research in Personality, 32,* 431-453. (p. 572)

Loewenstein, G., & Furstenberg, F. (1991). Is teenage sexual behavior rational ? *Journal of Applied Social Psychology, 21,* 957-986. (p. 308)

Loftus, E. (1995, March/April). Remembering dangerously. *Skeptical Inquirer,* pp. 20-29. (p. 561)

Loftus, E. F. (1979). The malleability of human memory. *American Scientist, 67,* 313-320. (p. 357)

Loftus, E. F. (1980). Memory : Surprising new insights into how we remember and why we forget. Reading, MA ; Addison-Wesley. (p. 109)

Loftus, E. F. (1993). The reality of repressed memories. *American Psychologist, 48,* 518-537. (p. 363)

Loftus, E. F. (2001, November). Imagining the past. *The Psychologist, 14,* 584-587. (p. 357)

Loftus, E. F., & Ketcham, K. (1994). *The myth of repressed memory.* New York : St. Martin's Press. (pp. 104, 363)

Loftus, E. F., & Loftus, G. R. (1980). On the permanence of stored information in the human brain. *American Psychologist, 35,* 409-420. (p. 340)

Loftus, E. F., & Palmer, J. C. (October, 1974). Reconstruction of automobile destruction : An example of the interaction between language and memory. *Journal of Verbal Learning & Verbal Behavior, 13(5),* 585-589. (p. 356)

Loftus, E. F., Coan, J., & Pickrell, J. E. (1996). Manufacturing false memories using bits of reality. In L. Reder (Ed.), *Implicit memory and metacognition.* Mahway, NJ : Erlbaum. (p. 362)

Loftus, E. F., Levidow, B., & Duensing, S. (1992). Who remembers best ? Individual differences in memory for events that occurred in a science museum. *Applied Cognitive Psychology, 6,* 93-107. (p. 357)

Loftus, E. F., Milo, E. M., & Paddock, J. R. (1995). The accidental executioner : Why psychotherapy must be informed by science. *The Counseling Psychologist, 23,* 300-309. (p. 362)

Logan, T. K., Walker, R., Cole, J., & Leukefeld, C. (2002). Victimization and substance abuse among women : Contributing factors, interventions, and implications. *Review of General Psychology, 6,* 325-397. (p. 124)

Logue, A. W. (1998a). Laboratory research on self-control : Applications to administration. *Review of General Psychology, 2,* 221-238. (p. 308)

Logue, A. W. (1998b). Self-control. In W. T. O'Donohue, (Ed.), *Learning and behavior therapy.* Boston, MA : Allyn & Bacon. (p. 308)

London, P. (1970). The rescuers : Motivational hypotheses about Christians who saved Jews from the Nazis. In J. Macaulay & L. Berkowitz (Eds.), *Altruism and helping behavior.* New York : Academic Press. (p. 321)

Looy, H. (2001). Sex differences : Evolved, constructed, and designed. *Journal of Psychology and Theology, 29,* 301-313. (p. 148)

Lopes, P. N., Brackett, M. A., Nezlek, J. B., Schutz, A., Sellin, II, & Salovey, P. (2004). Emotional intelligence and social interaction. *Personality and Social Psychology Bulletin, 30,* 1018-1034. (p. 412)

Lopez, D. J. (2002, January/February). Snaring the fowler : Mark Twain debunks phrenology. *Skeptical Inquirer* (www.csicop.org). (p. 48)

Lord, C. G., Lepper, M. R., & Preston, E. (1984). Considering the opposite : A corrective strategy for social judgment. *Journal of Personality and Social Psychology, 47,* 1231-1247. (p. 377)

Lord, C. G., Ross, L., & Lepper, M. (1979). Biased assimilation and attitude polarization : The effects of prior theories on subsequently considered evidence. *Journal of Personality and Social Psychology, 37,* 2098-2109. (p. 377)

Lorenz, K. (1937). The companion in the bird's world. *Auk, 54,* 245-273. (p. 189)

Louie, K., & Wilson, M. A. (2001). Temporally structured replay of awake hippocampal ensemble activity during rapid eye movement sleep. *Neuron, 29,* 145-156. (p. 105)

Lourenco, O., & Machado, A. (1996). In defense of Piaget's theory : A reply to 10 common criticisms. *Psychological Review, 103,* 143-164. (p. 187)

Lovaas, O. I. (1987). Behavioral treatment and normal educational and intellectual functioning in young autistic children. *Journal of Consulting and Clinical Psychology, 55,* 3-9. (p. 645)

Love, J. M., & 13 others (2003). Child care quality matters : How conclusions may vary with context. *Child Development, 74,* 1021-1033. (p. 193)

Lowry, P. E. (1997). The assessment center process : New directions. *Journal of Social Behavior and Personality, 12,* 53-62. (p. 583)

Lu, Z-L., Williamson, S. J., & Kaufman, L. (1992). Behavioral lifetime of human auditory sensory memory predicted by physiological measures. *Science, 258,* 1668-1670. (p. 338)

Lubinski, D., & Benbow, C. P. (1992). Gender differences in abilities and preferences among the gifted : Implications for the math-science pipeline. *Current Directions in Psychological Science, 1,* 61-66. (p. 432)

Lubinski, D., & Benbow, C. P. (2000). States of excellence. *American Psychologist,* 137-150. (p. 427)

Lubinski, D., & Benbow, C. P. (2006). Study of mathematically precocious youth after 35 years : Uncovering antecedents for the development of math-science expertise. *Perspectives on Psychological Science, 1,* 316-345. (p. 426)

Luborsky, L., Rosenthal, R., Diguer, L., Andrusyna, T. P., Berman, J. S., Levitt, J. T., Seligman, D. A., & Krause, E. D. (2002). The dodo bird verdict is alive and well – mostly. *Clinical Psychology : Science and Practice, 9,* 2-34. (p. 654)

Lucas, A., Morley, R., Cole, T. J., Lister, G., & Leeson-Payne, C. (1992). Breast milk and subsequent intelligence quotient in children born preterm. *Lancet, 339,* 261-264. (p. 18)

Lucas, R. E. (2007a). Adaptation and the set-point model of subjective well-being. *Current Directions in Psychological Science, 16,* 75-79. (p. 521)

Lucas, R. E. (2007b). Long-term disability is associated with lasting changes in subjective well-being : Evidence from two nationally representative longitudinal studies. *Journal of Personality and Social Psychology, 92,* 717-730. (p. 521)

Lucas, R. E. (2008). Personality and subjective well-being. In M. Eid & R. Larsen (Eds.), *The science of subjective well-being.* New York : Guilford. (p. 526)

Lucas, R. E., & Donnellan, M. B. (2007). How stable is happiness ? Using the STARTS model to estimate the stability of life satisfaction. *Journal of Research in Personality, 41,* 1091-1098. (p. 526)

Lucas, R. E., Clark, A. E., Georgellis, Y., & Diener, E. (2003). Re-examining adaptation and the setpoint model of happiness : Reactions to changes in marital status. *Journal of Personality and Social Psychology, 84,* 527-539. (p. 222)

Lucas, R. E., Clark, A. E., Georgellis, Y., & Diener, E. (2004). Unemployment alters the set point for life satisfaction. *Psychological Science, 15,* 8-13. (p. 526)

Luciano, M., Posthuma, D., Wright, M. J., de Geus, E. J. C., Smith, G. A., Geffen, G. M., Boomsma, D. I., & Martin, N. G. (2005). Perceptual speed does not cause intelligence, and intelligence does not cause perceptual speed. *Biological Psychology, 70,* 1-8. (p. 415)

Ludwig, A. M. (1995). *The price of greatness : Resolving the creativity and madness controversy.* New York : Guilford Press. (pp. 473, 613)

Luntz, F. (2003, June 10). Quoted by T. Raum, « Bush insists banned weapons will be found. » *Associated Press* (story.news.yahoo.com). (p. 679)

Luria, A. M. (1968). In L. Solotaroff (Trans.), *The mind of a mnemonist.* New York : Basic Books. (p. 327)

Lustig, C., & Buckner, R. L. (2004). Preserved neural correlates of priming in old age and dementia. *Neuron, 42,* 865-875. (p. 344)

Lutgendorf, S. K., Russell, D., Ullrich, P., Harris, T. B., & Wallace, R. (2004). Religious participation, Interleukin-6, and mortality in older adults. *Health Psychology, 23,* 465-475. (p. 549)

Lyall, S. (2005, November 29). What's the buzz ? Rowdy teenagers don't want to hear it. *New York Times* (www.nytimes.com). (p. 210)

Lykins, A. D., Meana, M., & Strauss, G. P. (2008). Sex differences in visual attention to erotic and non-erotic stimuli. *Archives of Sexual Behavior, 37,* 219-228. (p. 472)

Lykken, D. T. (1982, September). Fearlessness : Its carefree charm and deadly risks. *Psychology Today,* pp. 20-28. (p. 517)

Lykken, D. T. (1991). Science, lies, and controversy : An epitaph for the polygraph. Invited address upon receipt of the Senior Career Award for Distinguished Contribution to Psychology in the Public Interest, American Psychological Association convention. (p. 504)

Lykken, D. T. (1995). *The antisocial personalities.* Hillsdale, NJ : Erlbaum. (pp. 629, 699)

Lykken, D. T. (1999). *Happiness.* New York : Golden Books. (pp. 215, 427)

Lykken, D. T. (2001). Happiness – stuck with what you've got ? *The Psychologist, 14,* 470-473. (p. 139)

Lykken, D. T., & Tellegen, A. (1993) Is human mating adventitious or the result of lawful choice ? A twin study of mate selection. *Journal of Personality and Social Psychology, 65,* 56-68. (p. 217)

Lykken, D. T., & Tellegen, A. (1996). Happiness is a stochastic phenomenon. *Psychological Science, 7,* 186-189. (p. 526)

Lyman, D. R. (1996). Early identification of chronic offenders : Who is the fledgling psychopath ? *Psychological Bulletin, 120,* 209-234. (p. 630)

Lynch, G. (2002). Memory enhancement : The search for mechanism-based drugs. *Nature Neuroscience, 5* (suppl.), 1035-1038. (p. 340)

Lynch, G., & Staubli, U. (1991), Possible contributions of long-term potentiation to the encoding and organization of memory. *Brain Research Reviews, 16,* 204-206. (p. 340)

Lynn, M. (1988). The effects of alcohol consumption on restaurant tipping. *Personality and Social Psychology Bulletin, 14,* 87-91. (p. 115)

Lynn, R. (1991, Fall/Winter). The evolution of racial differences in intelligence. *The Mankind Quarterly, 32,* 99-145. (p. 434)

Lynn, R. (2001). *Eugenics : A reassessment.* Westport, CT : Praeger/Greenwood. (p. 434)

Lynn, R., & Harvey, J. (2008). The decline of the world's intelligence. *Intelligence, 36,* 112-120. (p. 421)

Lynn, S. J., Rhue, J. W., & Weekes, J. R. (1990). Hypnotic involuntariness : A social cognitive analysis. *Psychological Review, 97,* 169-184. (p. 110)

Lynne, S. D., Graber, J. A., Nichols, T. R., Brooks-Gunn, J., & Botvin, G. J. (2007). Links between pubertal timing, peer influences, and externalizing behaviors among urban students followed through middle school. *Journal of Adolescent Health, 40,* 181.e7-181.e13. (p. 198)

Lyons, L. (2002, June 25). Are spiritual teens healthier ? *Gallup Tuesday Briefing,* Gallup Organization (www.gallup.com/poll/tb/religValue/20020625b.asp). (p. 548)

Lyons, L. (2003, September 23). Oh, boy : Americans still prefer sons. *Gallup Poll Tuesday Briefing* (www.gallup.com). (p. 694)

Lyons, L. (2004, February 3). Growing up lonely : Examining teen alienation. *Gallup Poll Tuesday Briefing* (www.gallup.com). (p. 203)

Lyons, L. (2005, January 4). Teens stay true to parents' political perspectives. *Gallup Poll News Service* (www.gallup.com). (p. 205)

Lytton, H., & Romney, D. M. (1991). Parents' differential socialization of boys and girls : A meta-analysis. *Psychological Bulletin, 109,* 267-296. (p. 165)

Lyubomirsky, S. (2001). Why are some people happier than others ? The role of cognitive and motivational processes in well-being. *American Psychologist, 56,* 239-249. (p. 524)

Lyubomirsky, S., King, L., & Diener, E. (2005). The benefits of frequent positive affect : Does happiness lead to success ? *Psychological Bulletin, 131,* 803-855. (p. 519)

Lyubomirsky, S., Sousa, L., & Dickerhoof, R. (2006). The costs and benefits of writing, talking, and thinking about life's triumphs and defeats. *Journal of Personality and Social Psychology, 90,* 692-708. (p. 542)

Ma, L. (1997, September). On the origin of Darwin's ills. *Discover,* p. 27. (p. 603)

Maas, J. B. (1999). *Power sleep. The revolutionary program that prepares your mind for peak performance.* New York : HarperCollins. (pp. 98, 99, 102)

Maass, A., & Russo, A. (2003). Directional bias in the mental representation of spatial events : Nature or culture ? *Psychological Science, 14,* 296-301. (p. 392)

Maass, A., D'Ettole, C., & Cadinu, M. (2008). Checkmate ? The role of gender stereotypes in the ultimate intellectual sport. *European Journal of Social Psychology, 38,* 231-245. (p. 438)

Maass, A., Karasawa, M., Politi, F., & Suga, S. (2006). Do verbs and adjectives play different roles in different cultures ? A cross-linguistic analysis of person representation. *Journal of Personality and Social Psychology, 90,* 734-750. (p. 156)

Macaluso, E., Frith, C. D., & Driver, J. (2000). Modulation of human visual cortex by crossmodal spatial attention. *Science, 289,* 1206-1208. (p. 260)

Macan, T. H., & Dipboye, R. L. (1994). The effects of the application on processing of information from the employment interview. *Journal of Applied Social Psychology, 24,* 1291. (p. 485)

Maccoby, E. (1980). *Social development : Psychological growth and the parent-child relationship.* New York : Harcourt Brace Jovanovich. (p. 195)

Maccoby, E. E. (1990). Gender and relationships : A developmental account. *American Psychologist, 45,* 513-520. (p. 161)

Maccoby, E. E. (1995). Divorce and custody : The rights, needs, and obligations of mothers, fathers, and children. *Nebraska Symposium on Motivation, 42,* 135-172. (p. 164)

Maccoby, E. E. (1998). *The paradox of gender.* Cambridge, MA : Harvard University Press. (p. 162)

Maccoby, E. E. (2002). Gender and group process : A developmental perspective. *Current Directions in Psychological Science, 11,* 54-58. (p. 689)

MacDonald, G., & Leary, M. R. (2005). Why does social exclusion hurt ? The relationship between social and physical pain. *Psychological Bulletin, 131,* 202-223. (p. 481)

MacDonald, N. (1960). Living with schizophrenia. *Canadian Medical Association Journal, 82,* 218-221. (p. 622)

MacDonald, T. K., & Hynie, M. (2008). Ambivalence and unprotected sex : Failure to predict sexual activity and decreased condom use. *Journal of Applied Social Psychology, 38,* 1092-1107. (p. 470)

MacDonald, T. K., Zanna, M. P., & Fong, G. T. (1995). Decision making in altered states : Effects of alcohol on attitudes toward drinking and driving. *Journal of Personality and Social Psychology, 68,* 973-985. (p. 115)

MacFarlane, A. (1978, February). What a baby knows. *Human Nature,* pp. 74-81. (p. 176)

Macfarlane, J. W. (1964). Perspectives on personality consistency and change from the guidance study. *Vita Humana, 7,* 115-126. (p. 197)

Maciejewski, P. K., Zhang, B., Block, S. D., & Prigerson, H. G. (2007). An empirical examination of the stage theory of grief. *JAMA* (Journal of the American Medical Association), *297, 722-723.* (p. 222)

Mack, A., & Rock, I. (2000). *Inattentional blindness.* Cambridge, MA : MIT Press. (p. 90)

MacKinnon, D. W., & Hall, W. B. (1972). Intelligence and creativity. In *Proceedings, XVIIth International Congress of Applied Psychology (Vol. 2).* Brussels : Editest. (p. 410)

MacNeilage, P. F., & Davis, B. L. (2000). On the origin of internal structure of word forms. *Science, 288,* 527-531. (p. 385)

Maddieson, I. (1984). *Patterns of sounds.* Cambridge : Cambridge University Press. (p. 383)

Maddox, K. B. (2004). Perspectives on racial phenotypicality bias. *Personality and Social Psychology Review, 8,* 383-401. (p. 693)

Madrian, B. C., & Shea, D. F. (2001). The power of suggestion : Inertia in 401(k) participation and savings behavior. *Quarterly Journal of Economics, 116,* 1149-1187. (p. 382)

Maes, H. H. M., Neale, M. C., & Eaves, L. J. (1997). Genetic and environ-mental factors in relative body weight and human adiposity. *Behavior Genetics, 27,* 325-351. (p. 460)

Maestripieri, D. (2003). Similarities in affiliation and aggression between cross-fostered rhesus macaque females and their biological mothers. *Developmental Psychobiology, 43,* 321-327. (p. 139)

Maestripieri, D. (2005). Early experience affects the intergenerational transmission of infant abuse in rhesus monkeys. *Proceedings of the National Academy of Sciences, 102,* 9726-9729. (p. 192)

Magnusson, D. (1990). Personality research — challenges for the future. *European Journal of Personality, 4,* 1-17. (p. 629)

Magnusson, P. E. E., Rasmussen, F., Lawlor, D. A., Tynelius, P., & Gunnell, D. (2006). Association of body mass index with suicide mortality : A prospective cohort study of more than one million men. *American Journal of Epidemiology, 163,* 1-8. (p. 616)

Maguire, E. A., Spiers, H. J., Good, C. D., Hartley, T., Frackowiak, R. S. J., & Burgess, N. (2003a). Navigation expertise and the human hippocampus : A structural brain imaging analysis. *Hippocampus, 13,* 250-259. (p. 344)

Maguire, E. A., Valentine, E. R., Wilding, J. M., & Kapur, N. (2003b). Routes to remembering : The brains behind superior memory. *Nature Neuroscience, 6,* 90-95. (pp. 335, 344)

Mahowald, M. W., & Ettinger, M. G. (1990). Things that go bump in the night : The parsomias revisted. *Journal of Clinical Neurophysiology, 7,* 119-143. (p. 95)

Maier, S. F., Watkins, L. R., & Fleshner, M. (1994). Psychoneuroimmunology : The interface between behavior, brain, and immunity. *American Psychologist, 49,* 1004-1017. (p. 535)

Major, B., Carrington, P. I., & Carnevale, P. J. D. (1984). Physical attractiveness and self-esteem : Attribution for praise from an other-sex evaluator. *Personality and Social Psychology Bulletin, 10,* 43-50. (p. 707)

Major, B., Schmidlin, A. M., & Williams, L. (1990). Gender patterns in social touch : The impact of setting and age. *Journal of Personality and Social Psychology, 58,* 634-643. (p. 160)

Malamuth, N. M. (1996). Sexually explicit media, gender differences, and evolutionary theory. *Journal of Communication, 46,* 8-31. (p. 702)

Malamuth, N. M., & Check, J. V. P. (1981). The effects of media exposure on acceptance of violence against women : A field experiment. *Journal of Research in Personality, 15,* 436-446. (p. 468)

Malamuth, N. M., Linz, D., Heavey, C. L., Barnes, G., & Acker, M. (1995). Using the confluence model of sexual aggression to predict men's conflict with women : A 10-year follow-up study. *Journal of Personality and Social Psychology, 69,* 353-369. (p. 703)

Malamuth, N. M., Sockloskie, R. J., Koss, M. P., & Tanaka, J. S. (1991). Characteristics of aggressors against women : Testing a model using a national sample of college students. *Journal of Consulting and Clinical Psychology, 59,* 670-681. (p. 703)

Malan, D. H. (1978). « The case of the secretary with the violent father. » In H. Davanloo (Ed.), *Basic principles and techniques in short-term dynamic psychotherapy.* New York : Spectrum. (p. 640)

Malinosky-Rummell, R., & Hansen, D. J. (1993). Long-term consequences of childhood physical abuse. *Psychological Bulletin, 114,* 68-79. (p. 192)

Malkiel, B. (2004). *A random walk down Wall Street (8th ed.).* New York : Norton. (p. 377)

Malkiel, B. G. (1989). Is the stock market efficient ? *Science, 243,* 1313-1318. (p. 17)

Malkiel, B. G. (1995, June). Returns from investing in equity mutual funds 1971 to 1991. *Journal of Finance,* pp. 549-572. (p. 17)

Malle, B. F. (2006). The actor-observer asymmetry in attribution : A (surprising) meta-analysis. *Psychological Bulletin, 132,* 895-919. (p. 674)

Malle, B. F., Knobe, J. M., & Nelson, S. E. (2007). Actor-observe asymmetries in explanations of behavior : New answers to an old question. *Journal of Personality and Social Psychology, 93,* 491-514. (p. 674)

Malmquist, C. P. (1986). Children who witness parental murder : Post-traumatic aspects. *Journal of the American Academy of Child Psychiatry, 25,* 320-325. (p. 562)

Malnic, B., Hirono, J., Sato, T., & Buck, L. B. (1999). Combinatorial receptor codes for odors. *Cell, 96,* 713-723. (p. 261)

Manber, R., Bootzin, R. R., Acebo, C., & Carskadon, M. A. (1996). The effects of regularizing sleep-wake schedules on daytime sleepiness. *Sleep, 19,* 432-441. (p. 102)

Mandel, D. (1983, March 13). One man's holocaust : Part II. The story of David Mandel's journey through hell as told to David Kagan. *Wonderland Magazine* (*Grand Rapids Press*), pp. 2-7. (p. 447)

Maner, J. K., DeWall, C. N, Baumeister, R. F., & Schaller, M. (2007). Does social exclusion motivate interpersonal reconnection ? Resolving the « porcupine problem. » *Journal of Personality and Social Psychology, 92,* 42-55. (p. 481)

Mann, T., Tomiyama, A. J., Westling, E., Lew, A-M., Samuels, B., & Chatman, J. (2007). Medicare's search for effective obesity treatments : Diets are not the answer. *American Psychologist, 62,* 220-233. (p. 463)

Manson, J. E. (2002). Walking compared with vigorous exercise for the prevention of cardiovascular events in women. *New England Journal of Medicine, 347,* 716-725. (p. 544)

Maquet, P. (2001). The role of sleep in learning and memory. *Science, 294,* 1048-1052. (p. 105)

Maquet, P., Peters, J-M., Aerts, J., Delfiore, G., Degueldre, C., Luxen, A., & Franck, G. (1996). Functional neuroanatomy of human rapid-eyemovement sleep and dreaming. *Nature, 383,* 163-166. (p. 106)

Mar, R. A., & Oatley, K. (2008). The function of fiction is the abstraction and simulation of social experience. *Perspectives on Psychological Science, 3,* 173-192. (p. 319)

Marangell, L. B., Martinez, M., Jurdi, R. A., & Zboyan, H. (2007). Neurostimulation therapies in depression : A review of new modalities. *Acta Psychiatrica Scandinavica, 116,* 174-181. (p. 665)

Marcus, B., Machilek, F., & Schütz, A. (2006). Personality in cyberspace : Personal web sites as media for personality expressions and impressions. *Journal of Personality and Social Psychology, 90,* 1014-1031. (p. 575)

Marcus, G. F., Vijayan, S., Rao, S. B., & Vishton, P. M. (1999). Rule learning by seven-month-old infants. *Science, 283,* 77-80. (p. 387)

Maren, S. (2007). The threatened brain. *Science, 317,* 1043-1044. (p. 608)

Margolis, M. L. (2000). Brahms' lullaby revisited : Did the composer have obstructive sleep apnea ? *Chest, 118,* 210-213. (p. 103)

Markowitsch, H. J. (1995). Which brain regions are critically involved in the retrieval of old episodic memory ? *Brain Research Reviews, 21,* 117-127. (p. 344)

Markowitz, J. C., Svartberg, M., & Swartz, H. A. (1998). Is IPT time-limited psychodynamic psychotherapy ? *Journal of Psychotherapy Practice and Research, 7,* 185-195. (p. 640)

Markus, G. B. (1986). Stability and change in political attitudes : Observe, recall, and « explain. » *Political Behavior, 8,* 21-44. (p. 360)

Markus, H. R., Uchida, Y., Omoregie, H., Townsend, S. S. M., & Kitayama, S. (2006). Going for the gold : Models of agency in Japanese and American contexts. *Psychological Science, 17,* 103-112. (p. 156)

Markus, H., & Kitayama, S. (1991). Culture and the self : Implications for cognition, emotion, and motivation. *Psychological Review, 98,* 224-253. (pp. 156, 391, 518)

Markus, H., & Nurius, P. (1986). Possible selves. *American Psychologist, 41,* 954-969. (p. 584)

Marley, J., & Bulia, S. (2001). Crimes against people with mental illness : Types, perpetrators and influencing factors. *Social Work, 46,* 115-124. (p. 600)

Marmot, M. G., Bosma, H., Hemingway, H., Brunner, E., & Stansfeld, S. (1997). Contribution to job control and other risk factors to social variations in coronary heart disease incidents. *Lancet, 350,* 235-239. (p. 539)

Marschark, M., Richman, C. L., Yuille, J. C., & Hunt, R. R. (1987). The role of imagery in memory : On shared and distinctive information. *Psychological Bulletin, 102,* 28-41. (p. 335)

Marsh, A. A., Elfenbein, H. A., & Ambady, N. (2003). Nonverbal « accents » : Cultural differences in facial expressions of emotion. *Psychological Science, 14,* 373-376. (p. 512)

Marsh, H. W., & Craven, R. G. (2006). Reciprocal effects of self-concept and performance from a multidimensional perspective : Beyond seductive pleasure and unidimensional perspectives. *Perspectives on Psychological Science, 1,* 133-163. (p. 585)

Marsh, H. W., & Parker, J. W. (1984). Determinants of student self-concept : Is it better to be a relatively large fish in a small pond even if you don't learn to swim as well ? *Journal of Personality and Social Psychology, 47,* 213-231. (p. 525)

Marshall, M. J. (2002). *Why spanking doesn't work.* Springville, UT : Bonneville Books. (p. 310)

Marshall, R. D., Bryant, R. A., Amsel, L., Suh, E. J., Cook, J. M., & Neria, Y. (2007). The psychology of ongoing threat : Relative risk appraisal, the September 11 attacks, and terrorism-related fears. *American Psychologist, 62,* 304-316. (p. 376)

Marshall, W. L. (1989). Pornography and sex offenders. In D. Zillmann & J. Bryant (Eds.), *Pornography : Research advances and policy considerations.* Hillsdale, NJ : Erlbaum. (p. 702)

Marteau, T. M. (1989). Framing of information : Its influences upon decisions of doctors and patients. *British Journal of Social Psychology, 28,* 89-94. (p. 381)

Marti, M. W., Robier, D. M., & Baron, R. S. (2000). Right before our eyes : The failure to recognize non-prototypical forms of prejudice. *Group Processes and Intergroup Relations, 3,* 403-418. 409-416. (p. 371)

Martin, C. K., Anton, S. D., Walden, H., Arnett, C., Greenway, F. L., & Williamson, D. A. (2007). Slower eating rate reduces the food intake of men, but not women : Implications for behavioural weight control. *Behaviour Research and Therapy, 45,* 2349-2359. (p. 463)

Martin, C. L., & Ruble, D. (2004). Children's search for gender cues. *Current Directions in Psychological Science, 13,* 67-70. (p. 166)

Martin, C. L., Ruble, D. N., & Szkrybalo, J. (2002). Cognitive theories of early gender development. *Psychological Bulletin, 128,* 903-933. (p. 166)

Martin, R. A. (2001). Humor, laughter, and physical health : Methodological issues and research findings. *Psychological Bulletin, 127,* 504-519. (p. 540)

Martin, R. A. (2002). Is laughter the best medicine ? Humor, laughter, and physical health. *Current Directions in Psychological Science, 11,* 216-220. (p. 540)

Martin, R. J., White, B. D., & Hulsey, M. G. (1991). The regulation of body weight. *American Scientist, 79,* 528-541. (p. 451)

Martin, R. M., Goodall, S. H., Gunnell, D., & Smith, G. D. (2007). Breast feeding in infancy and social mobility : 60-year follow-up of the Boyd Orr cohort. *Archives of Disease in Childhood, 92,* 317-321. (p. 17)

Martin, S. J., Kelly, I. W., & Saklofske, D. H. (1992). Suicide and lunar cycles : A critical review over 28 years. *Psychological Reports, 71,* 787-795. (p. 631)

Martino, S. C., Collins, R. L., Kanouse, D. E., Elliott, M., & Berry, S. H. (2005). Social cognitive processes mediating the relationship between exposure to television's sexual content and adolescents' sexual behavior. *Journal of Personality and Social Psychology, 89,* 914-924. (p. 470)

Martins, Y., Preti, G., Crabtree, C. R., & Wysocki, C. J. (2005). Preference for human body odors is influenced by gender and sexual orientation. *Psychological Science, 16,* 694-701. (p. 475)

Marx, J. (2005). Preventing Alzheimer's : A lifelong commitment ? *Science, 309,* 864-866. (p. 212)

Marx, J. (2007). Evidence linking *DISC1* gene to mental illness builds. *Science, 318,* 1062-1063. (p. 627)

Masicampo, E. J., & Baumeister, R. F. (2008). Toward a physiology of dual-process reasoning and judgment : Lemonade, willpower, and the expensive rule-based analysis. *Psychological Science, 19,* 255-260. (p. 579)

Maslow, A. H. (1970). *Motivation and personality (2nd ed.).* New York : Harper & Row. (pp. 446, 447, 565)

Maslow, A. H. (1971). *The farther reaches of human nature.* New York : Viking Press. (p. 446)

Mason, C., & Kandel, E. R. (1991). Central visual pathways. In E. R. Kandel, J. H. Schwartz, & T. M. Jessell (Eds.), *Principles of neural science (3rd ed.).* New York : Elsevier. (p. 55)

Mason, H. (2003, March 25). Wake up, sleepy teen. *Gallup Poll Tuesday Briefing* (www.gallup.com). (p. 98)

Mason, H. (2003, September 2). Americans, Britons at odds on animal testing. *Gallup Poll News Service* (www.gallup.com). (p. 27)

Mason, H. (2005, February 22). How many teens are on mood medication ? The Gallup Organization (www.gallup.com). (p. 595)

Mason, H. (2005, January 25). Who dreams, perchance to sleep ? *Gallup Poll News Service* (www.gallup.com). (p. 98)

Mason, R. A., & Just, M. A. (2004). How the brain processes causal inferences in text. *Psychological Science, 15,* 1-7. (p. 78)

Masse, L. C., & Tremblay, R. E. (1997). Behavior of boys in kindergarten and the onset of substance use during adolescence. *Archives of General Psychiatry, 54,* 62-68. (p. 124)

Massimini, M., Ferrarelli, F., Huber, R., Esser, S. K., Singh, H., & Tononi, G. (2005). Breakdown of cortical effective connectivity during sleep. *Science, 309,* 2228-2232. (p. 93)

Mast, M. S., & Hall, J. A. (2006). Women's advantage at remembering others' appearance : A systematic look at the why and when of a gender difference. *Personality and Social Psychology Bulletin, 32,* 353-364. (p. 708)

Masten, A. S. (2001). Ordinary magic : Resilience processes in development. *American Psychologist, 56,* 227-238. (p. 192)

Masters, W. H., & Johnson, V. E. (1966). *Human sexual response.* Boston : Little, Brown. (p. 465)

Mastroianni, G. R. (2002). Milgram and the Holocaust : A reexamination. *Journal of Theoretical and Philosophical Psychology, 22,* 158-173. (p. 685)

Mastroianni, G. R., & Reed, G. (2006). Apples, barrels, and Abu Ghraib. *Sociological Focus, 39,* 239-250. (p. 678)

Masuda, T., & Kitayama, S. (2004). Perceiver-induced constraint and attitude attribution in Japan and the US : A case for the cultural dependence of the correspondence bias. *Journal of Experimental Social Psychology, 40,* 409-416. (p. 674)

Masuda, T., Ellsworth, P. C., Mesquita, B., Leu, J., Tanida, S., & Van de Veerdonk, E. (2008). Placing the face in context : Cultural differences in the perception of facial emotion. *Journal of Personality and Social Psychology, 94,* 365-381. (p. 513)

Mataix-Cols, D., Rosario-Campos, M. C., & Leckman, J. F. (2005). A multidimensional model of obsessive-compulsive disorder. *American Journal of Psychiatry, 162,* 228-238. (p. 607)

Mataix-Cols, D., Wooderson, S., Lawrence, N., Brammer, M. J., Speckens, A., & Phillips, M. L. (2004). Distinct neural correlates of washing, checking, and hoarding symptom dimensions in obsessive-compulsive disorder. *Archives of General Psychiatry, 61,* 564-576. (p. 607)

Mather, M., Canli, T., English, T., Whitfield, S., Wais, P., Ochsner, K., Gabrieli, J. D. E., & Carstensen, L. L. (2004). Amygdala responses to emotionally valenced stimuli in older and younger adults. *Psychological Science, 15,* 259-263. (p. 220)

Matsumoto, D. & 60 others (2008). Mapping expressive differences around the world : The relationship between emotional display rules and individualism versus collectivism. *Journal of Cross-Cultural Psychology, 39,* 55-74. (p. 512)

Matsumoto, D. (1994). *People : Psychology from a cultural perspective.* Pacific Grove, CA : Brooks/Cole. (p. 392)

Matsumoto, D., & Ekman, P. (1989). American-Japanese cultural differences in intensity ratings of facial expressions of emotion. *Motivation and Emotion, 13,* 143-157. (p. 512)

Matsumoto, D., & Willingham, B. (2006). The thrill of victory and the agony of defeat : Spontaneous expressions of medal winners of the 2004 Athens Olympic Games. *Journal of Personality and Social Psychology, 91,* 568-581. (p. 511)

Matsuzawa, T. (2007). Comparative cognitive development. *Developmental Science, 10,* 97-103. (p. 396)

Matthews, K. A. (2005). Psychological perspectives on the development of coronary heart disease. *American Psychologist, 60,* 783-796. (p. 533)

Matthews, R. N., Domjan, M., Ramsey, M., & Crews, D. (2007). Learning effects on sperm competition and reproductive fitness. *Psychological Science, 18,* 758-762. (p. 296)

Maurer, D., & Maurer, C. (1988). *The world of the newborn.* New York : Basic Books. (p. 176)

May, C., & Hasher, L. (1998). Synchrony effects in inhibitory control over thought and action. *Journal of Experimental Psychology : Human Perception and Performance, 24,* 363-380. (p. 92)

May, P.A., & Gossage, J.P. (2001). Estimating the prevalence of fetal alcohol syndrome : A summary. *Alcohol Research and Health, 25,* 159-167. (p. 175)

Mayberg, H. S. (2006). Defining neurocircuits in depression : Strategies toward treatment selection based on neuroimaging phenotypes. *Psychiatric Annals, 36,* 259-268. (p. 666)

Mayberg, H. S. (2007). Defining the neural circuitry of depression : Toward a new nosology with therapeutic implications. *Biological Psychiatry, 61,* 729-730. (p. 666)

Mayberg, H. S., Lozano, A. M., Voon, V., McNeely, H. E., Seminowicz, D., Hamani, C., Schwalb, J. M., & Kennedy, S. H. (2005). Deep brain stimulation for treatment-resistant depression. *Neuron, 45,* 651-660. (p. 666)

Mayberry, R. I., Lock, E., & Kazmi, H. (2002). Linguistic ability and early language exposure. *Nature, 417,* 38. (p. 388)

Mayer, J. D. Salovey, P., & Caruso, D. (2002). *The Mayer-Salovey-Caruso emotional intelligence test (MSCEIT).* Toronto : Multi-Health Systems, Inc. (p. 412)

Mayer, J. D., Salovey, P., & Caruso, D. R. (2008). Emotional intelligence : New ability or eclectic traits ? *American Psychologist, 63,* 503-517. (p. 412)

Mays, V. M., Cochran, S. D., & Barnes, N. W. (2007). Race, race-based discrimination, and health outcomes among African Americans. *Annual Review of Psychology, 58,* 201-225. (p. 531)

Mazur, A., & Booth, A. (1998). Testosterone and dominance in men. *Behavioral and Brain Sciences, 21,* 353-363. (p. 699)

Mazure, C., Keita, G., & Blehar, M. (2002). *Summit on women and depression : Proceedings and recommendations.* Washington, DC : American Psychological Association (www.apa.org/pi/wpo/women&depression.pdf). (p. 619)

Mazzoni, G., & Memon, A. (2003). Imagination can create false autobiographical memories. *Psychological Science, 14,* 186-188. (p. 357)

Mazzoni, G., & Vannucci, M. (2007). Hindsight bias, the misinformation effect, and false autobiographical memories. *Social Cognition, 25,* 203-220. (p. 360)

Mazzuca, J. (2002, August 20). Teens shrug off movie sex and violence. *Gallup Tuesday Briefing* (www.gallup.com/poll/tb/educayouth/20020820b.asp). (p. 322)

McAdams, D. P., & Pals, J. L. (2006). A new Big Five : Fundamental principles for an integrative science of personality. *American Psychologist, 61,* 204-217. (p. 553)

McAneny, L. (1996, September). Large majority think government conceals information about UFO's. *Gallup Poll Monthly,* pp. 23-26. (p. 348)

McBeath, M. K., Shaffer, D. M., & Kaiser, M. K. (1995). How baseball outfielders determine where to run to catch fly balls. *Science, 268,* 569-572. (p. 269)

McBurney, D. H. (1996). *How to think like a psychologist : Critical thinking in psychology.* Upper Saddle River, NJ : Prentice-Hall. (p. 72)

McBurney, D. H., & Collings, V. B. (1984). *Introduction to sensation and perception* (2nd ed.). Englewood Cliffs, NJ : Prentice-Hall. (pp. 271, 272)

McBurney, D. H., & Gent, J. F. (1979). On the nature of taste qualities. *Psychological Bulletin, 86,* 151-167. (p. 258)

McCain, N. L., Gray, D. P., Elswick, Jr., R. K., Robins, J. W., Tuck, I., Walter, J. M., Rausch, S. M., & Ketchum, J. M. (2008). A randomized clinical trial of alternative stress management interventions in persons with HIV infection. *Journal of Consulting and Clinical Psychology, 76,* 431-441. (p. 536)

McCann, I. L., & Holmes, D. S. (1984). Influence of aerobic exercise on depression. *Journal of Personality and Social Psychology, 46,* 1142-1147. (p. 543)

McCann, U. D., Eligulashvili, V., & Ricaurte, G. A. (2001). (+-)3,4-Methylenedioxymethamphetamine (« Ecstasy »)-induced serotonin neurotoxicity : Clinical studies. *Neuropsychobiology, 42,* 11-16. (p. 121)

McCarthy, A., Lee, K., Itakura, S., & Muir, D. W. (2006). Cultural display rules drive eye gaze during thinking. *Journal of Cross-Cultural Psychology, 37,* 717-722. (p. 513)

McCarthy, P. (1986, July). Scent : The tie that binds ? *Psychology Today,* pp. 6, 10. (p. 261)

McCaul, K. D., & Malott, J. M. (1984). Distraction and coping with pain. *Psychological Bulletin, 95,* 516-533. (p. 258)

McCauley, C. R. (2002). Psychological issues in understanding terrorism and the response to terrorism. In C. E. Stout (Ed.), *The psychology of terrorism, Vol. 3.* Westport, CT : Praeger/Greenwood. (p. 689)

McCauley, C. R., & Segal, M. E. (1987). Social psychology of terrorist groups. In C. Hendrick (Ed.), *Group processes and intergroup relations.* Beverly Hills, CA : Sage. (p. 689)

McClearn, G. E., Johansson, B., Berg, S., Pedersen, N. L., Ahern, F., Petrill, S. A., & Plomin, R. (1997). Substantial genetic influence on cognitive abilities in twins 80 or more years old. *Science, 276,* 1560-1563. (p. 428)

McClellan, J. M., Susser, E., & King, M-C. (2007). Schizophrenia : A common disease caused by multiple rare alleles. *British Journal of Psychiatry, 190,* 194-199. (p. 627)

McClendon, B. T., & Prentice-Dunn, S. (2001). Reducing skin cancer risk : An intervention based on protection motivation theory. *Journal of Health Psychology, 6,* 321-328. (p. 676)

McClintock, M. K., & Herdt, G. (December, 1996). Rethinking puberty : The development of sexual attraction. *Current Directions in Psychological Science, 5*(6), 178-183. (p. 198)

McClure, E. B. (2000). A meta-analytic review of sex differences in facial expression processing and their development in infants, children, and adolescents. *Psychological Bulletin, 126,* 424-453. (p. 432)

McConkey, K. M. (1995). Hypnosis, memory, and the ethics of uncertainty. *Australian Psychologist, 30,* 1-10. (p. 109)

McConnell, R. A. (1991). National Academy of Sciences opinion on parapsychology. *Journal of the American Society for Psychical Research, 85,* 333-365. (p. 282)

McCool, G. (1999, October 26). Mirror-gazing Venezuelans top of vanity stakes. *Toronto Star* (via web.lexis-nexis.com). (p. 707)

McCord, J. (1978). A thirty-year follow-up on treatment effects. *American Psychologist, 33,* 284-289. (p. 651)

McCord, J. (1979). Following up on Cambridge-Somerville. *American Psychologist, 34,* 727. (p. 651)

McCormick, C. M., & Witelson, S. F. (1991). A cognitive profile of homosexual men compared to heterosexual men and women. *Psychoneuroendocrinology, 16,* 459-473. (p. 477)

McCrae, R. R., & Costa, P. T., Jr. (1986). Clinical assessment can benefit from recent advances in personality psychology. *American Psychologist, 41,* 1001-1003. (p. 571)

McCrae, R. R., & Costa, P. T., Jr. (1990). *Personality in adulthood.* New York : Guilford. (p. 217)

McCrae, R. R., & Costa, P. T., Jr. (1994). The stability of personality : Observations and evaluations. *Current Directions in Psychological Science, 3,* 173-175. (pp. 225, 574)

McCrae, R. R., Costa, P. T., Jr., de Lirna, M. P., Simoes, A., Ostendorf, F., Angleitner, A., Marusic, I., Bratko, D., Caprara, G. V., Barbaranelli, C., Chae, J-H., & Piedmont, R. L. (1999). Age differences in personality across the adult life span : Parallels in five cultures. *Developmental Psychology, 35,* 466-477. (p. 571)

McCrink, K., & Wynn, K. (2004). Large-number addition and subtraction by 9-month-old infants. *Psychological Science, 15,* 776-781. (p. 182)

McCullough, M. E., & Laurenceau, J-P. (2005). Religiousness and the trajectory of self-rated health across adulthood. *Personality and Social Psychology Bulletin, 31,* 560-573. (p. 548)

McCullough, M. E., Hoyt, W. T., Larson, D. B., Koenig, H. G., & Thoresen, C. (2000). Religious involvement and mortality : A meta-analytic review. *Health Psychology, 19,* 211-222. (p. 548)

McDaniel, M. A. (2005). Big-brained people are smarter : A meta-analysis of the relationship between in vivo brain volume and intelligence. *Intelligence, 33,* 337-346. (p. 413)

McDermott, T. (2005). *Perfect soldiers : The 9/11 hijackers : Who they were, why they did it.* New York : HarperCollins. (p. 700)

McEvoy, S. P., Stevenson, M. R., & Woodward, M. (2007). The contribution of passengers versus mobile phone use to motor vehicle crashes resulting in hospital attendance by the driver. *Accident Analysis and Prevention, 39,* 1170-1176. (p. 89)

McEvoy, S. P., Stevenson, M. R., McCartt, A. T., Woodward, M., Hawroth, C., Palamara, P., & Ceracelli, R. (2005). Role of mobile phones in motor vehicle crashes resulting in hospital attendance : A case-crossover study. *British Medical Journal 33,* 428. (p. 89)

McFadden, D. (2002). Masculinization effects in the auditory system. *Archives of Sexual Behavior, 31,* 99-111. (p. 476)

McFarland, C., & Ross, M. (1987). The relation between current impressions and memories of self and dating partners. *Psychological Bulletin, 13,* 228-238. (p. 359)

McGarry-Roberts, P. A., Stelmack, R. M., & Campbell, K. B. (1992). Intelligence, reaction time, and event-related potentials. *Intelligence, 16,* 289-313. (p. 414)

McGaugh, J. I. (2003). *Memory and emotion : The making of lasting memories.* New York : Columbia University Press. (pp. 327, 341)

McGaugh, J. L. (1994). Quoted by B. Bower, Stress hormones hike emotional memories. *Science News, 146,* 262. (p. 341)

McGhee, P. E. (June, 1976). Children's appreciation of humor : A test of the cognitive congruency principle. *Child Development, 47(2),* 420-426. (p. 185)

McGlone, M. S., & Tofighbakhsh, J. (2000). Birds of a feather flock conjointly (?) : Rhyme as reason in aphorisms. *Psychological Science, 11,* 424-428. (p. 333)

McGrath, J. J., & Welham, J. L. (1999). Season of birth and schizophrenia : A systematic review and meta-analysis of data from the Southern hemisphere. *Schizophrenia Research, 35,* 237-242. (p. 625)

McGrath, J., Welham, J., & Pemberton, M. (1995). Month of birth, hemisphere of birth and schizophrenia. *British Journal of Psychiatry, 167,* 783-785. (p. 625)

McGue, M., & Bouchard, T. J., Jr. (1998). Genetic and environmental influences on human behavioral differences. *Annual Review of Neuroscience, 21,* 1-24. (p. 139)

McGue, M., & Lykken, D. T. (1992). Genetic influence on risk of divorce. *Psychological Science, 3,* 368-373. (p. 136)

McGue, M., Bouchard, T. J., Jr., Iacono, W. G., & Lykken, D. T. (1993). Behavioral genetics of cognitive ability : A life-span perspective. In R. Plomin & G. E. McClearn (Eds.), *Nature, nurture and psychology.* Washington, DC : American Psychological Association. (p. 428)

McGuire, M. T., Wing, R. R., Klem, M. L., Lang, W., & Hill, J. O. (1999). What predicts weight regain in a group of successful weight losers ? *Journal of Consulting and Clinical Psychology, 67,* 177-185. (p. 463)

McGuire, W. J. (1986). The myth of massive media impact : Savings and salvagings. In G. Comstock (Ed.), *Public communication and behavior.* Orlando, FL : Academic Press. (p. 322)

McGurk, H., & MacDonald, J. (1976). Hearing lips and seeing voices. *Nature, 264,* 746-748. (p. 260)

McHugh, P. R. (1995a). Witches, multiple personalities, and other psychiatric artifacts. *Nature Medicine, 1(2),* 110-114. (p. 610)

McHugh, P. R. (1995b). Resolved : Multiple personality disorder is an individually and socially created artifact. *Journal of the American Academy of Child and Adolescent Psychiatry, 34,* 957-959. (p. 611)

McKellar, J., Stewart, E., & Humphreys, K. (2003). Alcoholics Anonymous involvement and positive alcohol-related outcomes : Cause, consequence, or just a correlate ? A prospective 2-year study of 2,319 alcohol-dependent men. *Journal of Consulting and Clinical Psychology, 71,* 302-308. (p. 650)

McKenna, K. Y. A., & Bargh, J. A. (1998). Coming out in the age of the Internet : Identity « demarginalization » through virtual group participation. *Journal of Personality and Social Psychology, 75,* 681-694. (p. 689 : Identity demarginalization through virtual group participation. *Journal of Personality and Social Psychology, 75,* 681-694. (p. 706)

McKenna, K. Y. A., & Bargh, J. A. (2000). Plan 9 from cyberspace : The implications of the Internet for personality and social psychology. *Personality and Social Psychology Review, 4,* 57-75. (p. 706)

McKenna, K. Y. A., Green, A. S., & Gleason, M. E. J. (2002). What's the big attraction ? Relationship formation on the Internet. *Journal of Social Issues, 58,* 9-31. (p. 706)

McKone, E., Kanwisher, N., & Duchaine, B. C. (2007). Can generic expertise explain special processing for faces ? *Trends in Cognitive Sciences, 11,* 8-15. (p. 242)

McLaughlin, C. S., Chen, C., Greenberger, E., & Biermeier, C. (1997). Family, peer, and individual correlates of sexual experience among Caucasian and Asian American late adolescents. *Journal of Personality and Social Psychology : Journal of Research on Adolescence, 7,* 33-53. (p. 469)

McMahon, F. J. & 12 others (2006). Variation in the gene encoding the serotonin 2A receptor is associated with outcome of antidepressant treatment. *American Journal of Human Genetics, 78,* 804-814. (p. 616)

McMurray, B. (2007). Defusing the childhood vocabulary explosion. *Science, 317,* 631. (p. 384)

McMurray, C. (2004, January 13). U.S., Canada, Britain : Who's getting in shape ? *Gallup Poll Tuesday Briefing* (www.gallup.com). (p. 543)

McMurray, J. (2006, August 28). Cause of deadly Comair crash probed. Associated Press release. (p. 378)

McNally, R. J. (1999). EMDR and Mesmerism : A comparative historical analysis. *Journal of Anxiety Disorders, 13,* 225-236. (p. 656)

McNally, R. J. (2003). *Remembering trauma.* Cambridge, MA : Harvard University Press. (pp. 357, 362, 605)

McNally, R. J. (2007). Betrayal trauma theory : A critical appraisal. *Memory, 15,* 280-294. (p. 362)

McNally, R. J., Bryant, R. A., & Ehlers, A. (2003). Does early psychological intervention promote recovery from posttraumatic stress ? *Psychological Science in the Public Interest, 4,* 45-79. (p. 605)

McNeil, B. J., Pauker, S. G., & Tversky, A. (1988). On the framing of medical decisions. In D. E. Bell, H. Raiffa, & A. Tversky (Eds.), *Decision making : Descriptive, normative, and prescriptive interactions.* New York : Cambridge, 1988. (p. 381)

McPherson, J. M., Smith-Lovin, L., & Brashears, M. E. (2006). Social isolation in America : Changes in core discussion networks over two decades. *American Sociological Review, 71,* 353-375. (p. 620)

Meador, B. D., & Rogers, C. R. (1984). Person-centered therapy. In R. J. Corsini (Ed.), *Current psychotherapies (3rd ed.).* Itasca, IL : Peacock. (p. 642)

Medical Institute for Sexual Health. (1994, April). Condoms ineffective against human papilloma virus. *Sexual Health Update,* 2. (p. 470)

Medland, S. E., Perelle, I., De Monte, V., & Ehrman, L. (2004). Effects of culture, sex, and age on the distribution of handedness : An evaluation of the sensitivity of three measures of handedness. *Laterality : Asymmetries of Body, Brain, and Cognition, 9,* 287-297. (p. 79)

Mednick, S. A., Huttunen, M. O., & Machon, R. A. (1994). Prenatal influenza infections and adult schizophrenia. *Schizophrenia Bulletin, 20,* 263-267. (p. 625)

Mehl, M. R., & Pennebaker, J. W. (2003). The sounds of social life : A psychometric analysis of students' daily social environments and natural conversations. *Journal of Personality and Social Psychology, 84,* 857-870. (p. 12)

Mehl, M. R., Gosling, S. D., & Pennebaker, J. W. (2006). Personality in its natural habitat : Manifestations and implicit folk theories of personality in daily life. *Journal of Personality and Social Psychology, 90,* 862-877. (p. 575)

Mehl, M. R., Vazire, S., Ramirez-Esparza, N., Slatcher, R. B., & Pennebaker, J. W. (2007). Are women really more talkative than men ? *Science, 317,* 82. (p. 161)

Mehta, M. R. (2007). Cortico-hippocampal interaction during up-down states and memory consolidation. *Nature Neuroscience, 10,* 13-15. (p. 344)

Meichenbaum, D. (1977). *Cognitive-behavior modification : An integrative approach.* New York ; Plenum Press. (p. 648)

Meichenbaum, D. (1985). *Stress inoculation training.* New York : Pergamon. (p. 648)

Meltzoff, A. N. (1988). Infant imitation after a 1-week delay : Long-term memory for novel acts and multiple stimuli. *Developmental Psychology, 24,* 470-476. (p. 318)

Meltzoff, A. N., & Moore, M. K. (1989). Imitation in newborn infants : Exploring the range of gestures imitated and the underlying mechanisms. *Developmental Psychology, 25,* 954-962. (p. 318)

Meltzoff, A. N., & Moore, M. K. (1997). Explaining facial imitation : A theoretical model. *Early Development and Parenting, 6,* 179-192. (p. 318)

Melzack, R. (1990, February). The tragedy of needless pain. *Scientific American,* pp. 27-33. (p. 113)

Melzack, R. (1992, April). Phantom limbs. *Scientific American,* pp. 120-126. (p. 256)

Melzack, R. (1998, February). Quoted in Phantom limbs. *Discover,* p. 20. (p. 256)

Melzack, R. (1999). Pain and Stress : A new perspective. In R. J. Gatchel, & D. C. Turk (Eds.), *Psychosocial factors in pain : Critical perspectives.* New York : Guilford Press. (p. 257)

Melzack, R. (2005). Evolution of the neuromatrix theory of pain. *Pain Practice, 5,* 85-94. (pp. 256, 257)

Melzack, R., & Wall, P. D. (1965). Pain mechanisms : A new theory. *Science, 150,* 971-979. (p. 255)

Melzack, R., & Wall, P. D. (1983). *The challenge of pain.* New York : Basic Books. (p. 255)

Mendle, J., Turkheimer, E., & Emery, R. E. (2007). Detrimental psychological outcomes associated with early pubertal timing in adolescent girls. *Developmental Review, 27,* 151-171. (p. 198)

Mendolia, M., & Kleck, R. E. (1993). Effects of talking about a stressful event on arousal : Does what we talk about make a difference ? *Journal of Personality and Social Psychology, 64,* 283-292. (p. 542)

Merari, A. (2002). Explaining suicidal terrorism : Theories versus empirical evidence. Invited address to the American Psychological Association. (p. 689)

Merker, B. (2007). Consciousness without a cerebral cortex : A challenge for neuroscience and medicine. *Behavioral and Brain Sciences, 30,* 63-134. (p. 87)

Merskey, H. (1992). The manufacture of personalities : The production of multiple personality disorder. *British Journal of Psychiatry, 160,* 327-340. (p. 610)

Merton, R. K. (1938; reprinted 1970). *Science, technology and society in seventeenth-century England.* New York : Fertig. (p. 6)

Merton, R. K., & Kitt, A. S. (1950). Contributions to the theory of reference group behavior. In R. K. Merton & P. F. Lazarsfeld (Eds.), *Continuities in social research : Studies in the scope and method of the American soldier.* Glencoe, IL : Free Press. (p. 524)

Messinis, L., Kyprianidou, A., Malefaki, S., & Papathanasopoulos, P. (2006). Neuropsychological deficits in long-term frequent cannabis users. *Neurology, 66,* 737-739. (p. 122)

Mestel, R. (1997, April 26). Get real, Siggi. *New Scientist* (www.newscientist.com/ns/970426/siggi.html). (p. 104)

Meston, C. M., & Buss, D. M. (2007). Why humans have sex. *Archives of Sexual Behavior, 36,* 477-507. (p. 467)

Meston, C. M., & Frohlich, P. F. (2000). The neurobiology of sexual function. *Archives of General Psychiatry, 57,* 1012-1030. (p. 466)

Metcalfe, J. (1986). Premonitions of *insight* predict impending error. *Journal of Experimental Psychology : Learning, Memory, and Cognition, 12,* 623-634. (p. 372)

Metcalfe, J. (1998). Cognitive optimism : Self-deception or memory-based processing heuristics. *Personality and Social Psychology Review, 2,* 100-110. (p. 376)

Meyer, I. H. (2003). Prejudice, social stress, and mental health in lesbian, gay, and bisexual populations : Conceptual issues and research evidence. *Psychological Bulletin, 129,* 674-697. (p. 594)

Meyer-Bahlburg, H. F. L. (1995). Psychoneuroendocrinology and sexual pleasure : The aspect of sexual orientation. In P. R. Abramson & S. D. Pinkerton (Eds.), *Sexual nature/sexual culture.* Chicago : University of Chicago Press. (p. 475)

Mezulis, A. M., Abramson, L. Y., Hyde, J. S., & Hankin, B. L. (2004). Is there a universal positivity bias in attributions ? A meta-analytic review of individual, developmental, and cultural differences in the self-serving attributional bias. *Psychological Bulletin, 130,* 711-747. (p. 586)

Michaels, J. W., Bloomel, J. M., Brocato, R. M., Linkous, R. A., & Rowe, J. S. (1982). Social facilitation and inhibition in a natural setting. *Replications in Social Psychology, 2,* 21-24. (p. 687)

Michel, G. F. (1981). Right-handedness : A consequence of infant supine head-orientation preference ? *Science, 212,* 685-687. (p. 80)

Middlebrooks, J. C., & Green, D. M. (1991). Sound localization by human listeners. *Annual Review of Psychology, 42,* 135-159. (p. 249)

Mikhail, J. (2007). Universal moral grammar : Theory, evidence and the future. *Trends in Cognitive Sciences, 11,* 143-152. (p. 387)

Mikkelsen, T. S., & 66 others (2005). Initial sequence of the chimpanzee genome and comparison with the human genome. *Nature, 437,* 69-87. (p. 135)

Mikulincer, M., & Shaver, P. R. (2001). Attachment theory and intergroup bias : Evidence that priming the secure base schema attenuates negative reactions to our-groups. *Journal of Personality and Social Psychology, 81,* 97-115. (p. 696)

Mikulincer, M., Babkoff, H., Caspy, T., & Sing, H. (1989). The effects of 72 hours of sleep loss on psychological variables. *British Journal of Psychology, 80,* 145-162. (p. 98)

Mikulincer, M., Florian, V., & Hirschberger, G. (2003). The existential function of close relationships : Introducing death into the science of love. *Personality and Social Psychology Review, 7,* 20-40. (p. 563)

Milan, R. J., Jr., & Kilmann, P. R. (1987). Interpersonal factors in premarital contraception. *Journal of Sex Research, 23,* 289-321. (p. 470)

Miles, D. R., & Carey, G. (1997). Genetic and environmental architecture of human aggression. *Journal of Personality and Social Psychology, 72,* 207-217. (p. 698)

Milgram, S. (1963). Behavioral study of obedience. *Journal of Abnormal & Social Psychology, 67(4)*, 371-378. (p. 683)

Milgram, S. (1974). *Obedience to authority.* New York : Harper & Row. (pp. 683, 685, 686)

Millar, J. K. & 19 others (2005). DISC1 and PDE4B are interacting genetic factors in schizophrenia that regulate cAMP signaling. *Science, 310,* 1187-1191. (p. 627)

Miller, E. J., Smith, J. E., & Trembath, D. L. (2000). The « skinny » on body size requests in personal ads. *Sex Roles, 43,* 129-141. (p. 457)

Miller, E., & Halberstadt, J. (2005). Media consumption, body image and thin ideals in New Zealand men and women. *New Zealand Journal of Psychology, 34,* 189-195. (p. 454)

Miller, G. (2004). Axel, Buck share award for deciphering how the nose knows. *Science, 306,* 207. (p. 261)

Miller, G. (2005). The dark side of glia. *Science, 308,* 778-781. (p. 68)

Miller, G. (2008). Tackling alcoholism with drugs. *Science, 320,* 168-170. (p. 124)

Miller, G. A. (1956). The magical number seven, plus or minus two : Some limits on our capacity for processing information. *Psychological Review, 63,* 81-97. (p. 338)

Miller, G. E., & Blackwell, E. (2006). Turning up the heat : Inflammation as a mechanism linking chronic stress, depression, and heart disease. *Current Directions in Psychological Science, 15,* 269-272. (p. 533)

Miller, G. E., & Wrosch, C. (2007). You've gotta know when to fold 'em. *Psychological Science, 18,* 773-777. (p. 531)

Miller, G., Tybur, J. M., & Jordan, B. D. (2007). Ovulatory cycle effects on tip earnings by lap dancers : Economic evidence for human estrus ? *Evolution and Human Behavior, 28,* 375-381. (p. 466)

Miller, J. G., & Bersoff, D. M. (1995). Development in the context of everyday family relationships : Culture, interpersonal morality and adaptation. In M. Killen and D. Hart (Eds.), *Morality in everyday life : A developmental perspective.* New York : Cambridge University Press. (p. 201)

Miller, K. I., & Monge, P. R. (1986). Participation, satisfaction, and productivity : A meta-analytic review. *Academy of Management Journal, 29,* 727-753. (p. 578)

Miller, L. (2005, January 4). U.S. airlines have 34 deaths in 3 years. *Associated Press.* (p. 378)

Miller, L. K. (1999). The Savant Syndrome : Intellectual impairment and exceptional skill. *Psychological Bulletin, 125,* 31-46. (p. 407)

Miller, M. (2005, March 7). Effects of laughter and mental stress on endothelial function : Potential impact of entertainment. Paper presented to the Scientific Session of the American College of Cardiology, Orlando. (p. 540)

Miller, N. E. (1983). Understanding the use of animals in behavioral research : Some critical issues. *Annals of the New York Academy of Sciences, 406,* 113-118. (p. 27)

Miller, N. E. (1985, February). Rx : biofeedback. *Psychology Today,* pp. 54-59. (p. 545)

Miller, N. E. (1995). Clinical-experimental interactions in the development of neuroscience : A primer for nonspecialists and lessons for young scientists. *American Psychologist, 50,* 901-911. (p. 450)

Miller, N. E., & Brucker, B. S. (1979). A learned visceral response apparently independent of skeletal ones in patients paralyzed by spinal lesions. In N. Birbaumer & H. D. Kimmel (Eds.), *Biofeedback and self-regulation.* Hillsdale, NJ : Erlbaum. (p. 544)

Miller, P. A., Eisenberg, N., Fabes, R. A., & Shell, R. (1996). Relations of moral reasoning and vicarious emotion to young children's prosocial behavior toward peers and adults. *Developmental Psychology, 32,* 210-219. (p. 202)

Miller, P. J. O., Aoki, K., Rendell, L. E., & Amano, M. (2008). Stereotypical resting behavior of the sperm whale. *Current Biology, 18,* R21–R23. (p. 92)

Miller, S. D., Blackburn, T., Scholes, G., White, G. L., & Mamalis, N. (1991). Optical differences in multiple personality disorder : A second look. *Journal of Nervous and Mental Disease, 179,* 132-135. (p. 611)

Mills, M., & Melhuish, E. (1974). Recognition of mother's voice in early infancy. *Nature, 252,* 123-124. (p. 176)

Milton, J., & Wiseman, R. (2002). A response to Storm and Ertel (2002). *Journal of Parapsychology, 66,* 183-185. (p. 284)

Mineka, S. (1985). The frightful complexity of the origins of fears. In F. R. Brush & J. B. Overmier (Eds.), *Affect, conditioning and cognition : Essays on the determinants of behavior.* Hillsdale, NJ : Erlbaum. (p. 516)

Mineka, S. (1985). The frightful complexity of the origins of fears. In F. R. Brush & J. B. Overmier (Eds.), *Affect, conditioning and cognition : Essays on the determinants of behavior.* Hillsdale, NJ : Erlbaum. (p. 606)

Mineka, S. (2002). Animal models of clinical psychology. In N. Smelser & P. Baltes (Eds.), *International encyclopedia of the social and behavioral sciences.* Oxford, England : Elsevier Science. (p. 516)

Mineka, S., & Suomi, S. J. (1978). Social separation in monkeys. *Psychological Bulletin, 85,* 1376-1400. (p. 193)

Mineka, S., & Zinbarg, R. (1996). Conditioning and ethological models of anxiety disorders : Stress-in-dynamic-context anxiety models. In D. Hope (Ed.), *Perspectives on anxiety, panic, and fear.* Nebraska symposium on motivation. Lincoln, NE : University of Nebraska Press. (pp. 605, 607)

Mineka, S., Zinbarg, R. (2006). A contemporary learning theory perspective on the etiology of anxiety disorders : It's not what you thought it was. *American Psychologist, 61,* 10-26. (p. 606)

Miner-Rubino, K., & Winter, D. G., & Stewart, A. J. (2004). Gender, social class, and the subjective experience of aging : Self-perceived personality change from early adulthood to late midlife. *Personality and Social Psychology Bulletin, 30,* 1599-1610. (p. 220)

Mingroni, M. A. (2004). The secular rise in IQ : Giving heterosis a closer look. *Intelligence, 32,* 65-83. (p. 421)

Mingroni, M. A. (2007). Resolving the IQ paradox : Heterosis as a cause of the Flynn effect and other trends. *Psychological Review, 114,* 806-829. (p. 421)

Minsky, M. (1986). *The society of mind.* New York : Simon & Schuster. (p. 86)

Mirescu, C., & Gould, E. (2006). Stress and adult neurogenesis. *Hippocampus, 16,* 233-238. (p. 530)

Mischel, W. (1968). *Personality and assessment.* New York : Wiley. (p. 574)

Mischel, W. (1981). Current issues and challenges in personality. In L. T. Benjamin, Jr. (Ed.), *The G. Stanley Hall Lecture Series* (Vol. 1). Washington, DC : American Psychological Association. (p. 583)

Mischel, W. (1984). Convergences and challenges in the search for consistency. *American Psychologist, 39,* 351-364. (p. 574)

Mischel, W. (2004). Toward an integrative science of the person. *Annual Review of Psychology, 55,* 1-22. (p. 574)

Mischel, W., Shoda, Y., & Peake, P. K. (1988). The nature of adolescent competencies predicted by preschool delay of gratification. *Journal of Personality and Social Psychology, 54,* 687-696. (p. 202)

Mischel, W., Shoda, Y., & Rodriguez, M. L. (1989). Delay of gratification in children. *Science, 244,* 933-938. (pp. 202, 308)

Miserandino, M. (1991). Memory and the seven dwarfs. *Teaching of Psychology, 18,* 169-171. (p. 346)

Mita, T. H., Dermer, M., & Knight, J. (1977). Reversed facial images and the mere-exposure hypothesis. *Journal of Personality and Social Psychology, 35,* 597-601. (p. 706)

Mitchell, D. B. (2006). Nonconscious priming after 17 years : Invulnerable implicit memory ? *Psychological Science, 17,* 925-929. (p. 328)

Mitchell, T. M., Shinkareva, S. V., Carlson, A., Chang, K-M., Malave, V. L., Mason, R. A., & Just, M. A. (2008). Predicting human brain activity associated with the meanings of nouns. *Science, 320,* 1191-1195. (p. 390)

Mitchell, T. R., Thompson, L., Peterson, E., & Cronk, R. (1997). Temporal adjustments in the evaluation of events : The « rosy view. » *Journal of Experimental Social Psychology, 33,* 421-448. (p. 335)

Mitte, K. (2005). Meta-analysis of cognitive-behavioral treatments for generalized anxiety disorder : A comparison with pharmacotherapy. *Psychological Bulletin, 131,* 785-795. (p. 649)

Moffitt, T. E. (2005). The new look of behavioral genetics in developmental psychopathology : Gene-environment interplay in antisocial behaviors. *Psychological Bulletin, 131,* 533-554. (p. 630)

Moffitt, T. E., Caspi, A., & Rutter, M. (2006). Measured gene-environment interactions in psychopathology : Concepts, research strategies, and implications for research, intervention, and public understanding of genetics. *Perspectives on Psychological Science, 1,* 5-27. (p. 618)

Moffitt, T. E., Caspi, A., Harrington, H., & Milne, B. J. (2002). Males on the life-course-persistent and adolescence-limited antisocial pathways : Followup at age 26 years. *Development and Psychopathology, 14,* 179-207. (p. 224)

Moffitt, T. E., Caspi, A., Harrington, H., Milne, B. J., Melchior, M., Goldberg, D., & Poulton, R. (2007a). Generalized anxiety disorder and de-pression : Childhood risk factors in a birth cohort followed to age 32. *Psychological Medicine, 37,* 441-452. (p. 602)

Moffitt, T. E., Harrington, H., Caspi, A., Kim-Cohen, J., Goldberg, D., Gregory, A. M., & Poulton, R. (2007b). Depression and generalized anxiety disorder : Cumulative and sequential comorbidity in a birth cohort followed prospectively to age 32 years. *Archives of General Psychiatry, 64,* 651-660. (p. 602)

Moghaddam, F. M. (2005). The staircase to terrorism : A psychological exploration. *American Psychologist, 60,* 161-169. (p. 689)

Moises, H. W., Zoega, T., & Gottesman, I. I. (2002, 3 July). The glial growth factors deficiency and synaptic destabilization hypothesis of schizophrenia. *BMC Psychiatry, 2(8)* (www.biomedcentral.com/1471-244X/2/8). (p. 626)

Monaghan, P. (1992, September 23). Professor of psychology stokes a controversy on the reliability and repression of memory. *Chronicle of Higher Education,* pp. A9–A10. (p. 363)

Mondloch, C. J., Lewis, T. L., Budreau, D. R., Maurer, D., Dannemiller, J. L., Stephens, B. R., & Kleiner-Gathercoal, K. A. (1999). Face perception during early infancy. *Psychological Science, 10,* 419-422. (p. 176)

Money, J. (1987). Sin, sickness, or status ? Homosexual gender identity and psychoneuroendocrinology. *American Psychologist, 42,* 384-399. (pp. 474, 475)

Money, J. (1988). *Gay, straight, and in-between.* New York : Oxford University Press. (p. 702)

Money, J., Berlin, F. S., Falck, A., & Stein, M. (1983). *Antiandrogenic and counseling treatment of sex offenders.* Baltimore : Department of Psychiatry and Behavioral Sciences, The Johns Hopkins University School of Medicine. (p. 467)

Moody, R. (1976). *Life after life.* Harrisburg, PA : Stackpole Books. (p. 127)

Mook, D. G. (1983). In defense of external invalidity. *American Psychologist, 38,* 379-387. (p. 26)

Moorcroft, W. H. (2003). *Understanding sleep and dreaming.* New York : Kluwer/Plenum. (pp. 93, 100, 106)

Moore, D. W. (2004, December 17). Sweet dreams go with a good night's sleep. *Gallup News Service* (www.gallup.com). (p. 96)

Moore, D. W. (2005, June 16). Three in four Americans believe in paranormal. *Gallup News Service* (www.gallup.com). (p. 282)

Moore, D. W. (2006, February 6). Britons outdrink Canadians, Americans. *Gallup News Service* (poll.gallup.com). (p. 125)

Moore, D. W. (2006, March 10). Close to 6 in 10 Americans want to lose weight. *Gallup News Service* (poll.gallup.com). (p. 462)

Moos, R. H., & Moos, B. S. (2005). Sixteen-year changes and stable remission among treated and untreated individuals with alcohol use disorders. *Drug and Alcohol Dependence, 80,* 337-347. (p. 650)

Moos, R. H., & Moos, B. S. (2006). Participation in treatment and alcoholics anonymous : A 16-year follow-up of initially untreated individuals. *Journal of Clinical Psychology, 62,* 735-750. (p. 650)

Mor, N., & Winquist, J. (2002). Self-focused attention and negative affect : A meta-analysis. *Psychological Bulletin, 128,* 638-662. (p. 619)

Moreland, R. L., & Beach, S. R. (1992). Exposure effects in the classroom : The development of affinity among students. *Journal of Experimental Social Psychology, 28,* 255-276. (p. 706)

Moreland, R. L., & Zajonc, R. B. (1982). Exposure effects in person perception : Familiarity, similarity, and attraction. *Journal of Experimental Social Psychology, 18,* 395-415. (p. 705)

Morell, V. (1995). Zeroing in on how hormones affect the immune system. *Science, 269,* 773-775. (p. 534)

Morell, V. (2008, March). Minds of their own : Animals are smarter than you think. *National Geographic,* pp. 37-61. (p. 396)

Morelli, G. A., Rogoff, B., Oppenheim, D., & Goldsmith, D. (1992). Cultural variation in infants' sleeping arrangements : Questions of independence. *Developmental Psychology, 26,* 604-613. (p. 157)

Moreno, C., Laje, G., Blanco, C., Jiang, H., Schmidt, A. B., & Olfson, M. (2007). National trends in the outpatient diagnosis and treatment of bipolar disorder in youth. *Archives of General Psychiatry, 64,* 1032-1039. (p. 613)

Morey, R. A., Inan, S., Mitchell, T. V., Perkins, D. O., Lieberman, J. A., & Belger, A. (2005). Imaging frontostriatal function in ultra-high-risk, early, and chronic schizophrenia during executive processing. *Archives of General Psychiatry, 62,* 254-262. (p. 624)

Morgan, A. B., & Lilienfeld, S. O. (2000). A meta-analytic review of the relation between antisocial behavior and neuropsychological measures of executive function. *Clinical Psychology Review, 20,* 113-136. (p. 630)

Morgan, B., & Korschgen, A. (2001). Psychology career exploration made easy. *Eye on Psi Chi,* 35-36. (pp. A-2, A-11)

Morin, R., & Brossard, M. A. (1997, March 4). Communication breakdown on drugs. *Washington Post,* pp. A1, A6. (p. 205)

Morrison, A. R. (2003). The brain on night shift. *Cerebrum, 5(3),* 23-36. (p. 96)

Morrison, C. (2007). What does contagious yawning tell us about the mind ? Unpublished manuscript, University of Leeds. (p. 680)

Morse, M. L. (1994). Near death experiences and death-related visions in children : Implications for the clinician. *Current Problems in Pediatrics, 24,* 55-83. (p. 127)

Mortensen, E. L., Michaelsen, K. F., Sanders, S. A., & Reinisch, J. M. (2002). The association between duration of breastfeeding and adult intelligence. *Journal of the American Medical Association, 287,* 2365-2371. (p. 17)

Mortensen, P. B. (1999). Effects of family history and place and season of birth on the risk of schizophrenia. *New England Journal of Medicine, 340,* 603-608. (p. 625)

Moscovici, S. (1985). Social influence and conformity. In G. Lindzey & E. Aronson (Eds.), *The handbook of social psychology (3rd ed).* Hillsdale, N.J. : Erlbaum. (p. 691)

Moses, E. B., & Barlow, D. H. (2006). A new unified treatment approach for emotional disorders based on emotion science. *Current Directions in Psychological Science, 15,* 146-150. (p. 648)

Mosher, D. L., & Anderson, R. D. (1986). Macho personality, sexual aggression, and reactions to guided imagery of realistic rape. *Journal of Research in Personality, 20,* 77-94. (p. 116)

Mosher, W. D., Chandra, A., & Jones, J. (2005, September 15). Sexual behavior and selected health measures : Men and women 15-44 years of age, United States, 2002. *Advance Data from Vital and Health Statistics,* No. 362, National Center for Health Statistics, Centers for Disease Control and Prevention, U.S. Department of Health and Human Services., 472 : Men and women 15-44 years of age, United States, 2002. *Advance Data from Vital and Health Statistics,* No. 362. (p. 472)

Moss, A. J., Allen, K. F., Giovino, G. A., & Mills, S. L. (1992, December 2). Recent trends in adolescent smoking, smoking-update correlates, and expectations about the future. *Advance Data No. 221* (from Vital and Health Statistics of the Centers for Disease Control and Prevention). (p. 118)

Moss, H. A., & Susman, E. J. (1980). Longitudinal study of personality development. In O. G. Brim, Jr., & J. Kagan (Eds.), *Constancy and change in human development.* Cambridge, MA : Harvard University Press. (p. 224)

Motivala, S. J., & Irwin, M. R. (2007). Sleep and immunity : Cytokine pathways linking sleep and health outcomes. *Current Directions in Psychological Science, 16,* 21-25. (p. 99)

Moulton, S. T., & Kosslyn, S. M. (2008). Using neuroimaging to resolve the psi debate. *Journal of Cognitive Neuroscience, 20,* 182-192. (p. 284)

Moyer, K. E. (1983). The physiology of motivation : Aggression as a model. In C. J. Scheier & A. M. Rogers (Eds.), *G. Stanley Hall Lecture Series (Vol. 3).* Washington, DC : American Psychological Association. (p. 698)

Mroczek, D. K. (2001). Age and emotion in adulthood. *Current Directions in Psychological Science, 10,* 87-90. (p. 220)

Mroczek, D. K., & Kolarz, D. M. (1998). The effect of age on positive and negative affect : A developmental perspective on happiness. *Journal of Personality and Social Psychology, 75,* 1333-1349. (p. 216)

Muhlnickel, W. (1998). Reorganization of auditory cortex in tinnitus. *Proceedings of the National Academy of Sciences, 95,* 10340-10343. (p. 72)

Mulcahy, N. J., & Call, J. (2006). Apes save tools for future use. *Science, 312,* 1038-1040. (p. 396)

Muller, J. E., Mittleman, M. A., Maclure, M., Sherwood, J. B., & Tofler, G. H. (1996). Triggering myocardial infarction by sexual activity. *Journal of the American Medical Association, 275*, 1405-1409. (p. 465)

Mullin, C. R., & Linz, D. (1995). Desensitization and resensitization to violence against women : Effects of exposure to sexually violent films on judgments of domestic violence victims. *Journal of Personality and Social Psychology, 69*, 449-459. (p. 323)

Mulrow, C. D. (1999, March). Treatment of depression – newer pharmacotherapies, summary. *Evidence Report/Technology Assessment, 7.* Agency for Health Care Policy and Research, Rockville, MD. (http : //www.ahrq.gov/clinic/deprsumm.htm). (p. 662)

Munro, D. A., McCaul, M. E., Wong, D. F., Oswald, L. M., Zhou, Y., Brasic, J., Kuwabara, H., Kumar, A., Alexander, M., Ye, W., & Wand, G. S. (2006). Sex differences in striatal dopamine release in health adults. *Biological Psychiatry, 59*, 966-974. (p. 117)

Murphy, G. E., & Wetzel, R. D. (1990). The lifetime risk of suicide in alcoholism. *Archives of General Psychiatry, 47*, 383-392. (p. 616)

Murphy, K. R., & Cleveland, J. N. (1995). *Understanding performance appraisal : Social, organizational, and goal-based perspectives.* Thousand Oaks, CA : Sage. (p. 487)

Murphy, S. T., Monahan, J. L., & Miller, L. C. (1998). Inference under the influence : The impact of alcohol and inhibition conflict on women's sexual decision making. *Personality and Social Psychology Bulletin, 24*, 517-528. (p. 116)

Murphy, S. T., Monahan, J. L., & Zajonc, R. B. (1995). Additivity of nonconscious affect : Combined effects of priming and exposure. *Journal of Personality and Social Psychology, 69*, 589-602. (p. 504)

Murray, B. (1998, May). Psychology is key to airline safety at Boeing. *The APA Monitor*, p. 36. (p. 281)

Murray, C. (2006). Changes over time in the black-white difference on mental tests : Evidence from the children of the 1979 cohort of the National Longitudinal Survey of Youth. *Intelligence, 34*, 527-540. (p. 434)

Murray, C. (2007). The magnitude and components of change in the blackwhite IQ difference from 1920 to 1991: A birth cohort analysis of the Woodcock-Johnson standardizations. *Intelligence, 35*, 305-318. (p. 434)

Murray, C. A., & Herrnstein, R. J. (1994, October 31). Race, genes and I.Q. – An apologia. *New Republic*, pp. 27-37. (p. 434)

Murray, C. J., & Lopez, A. D. (Eds.) (1996). *The global burden of disease : A comprehensive assessment of mortality and disability from diseases, injuries, and risk factors in 1990 and projected to 2020.* Cambridge, MA : Harvard University Press. (p. 594)

Murray, H. (1938). *Explorations in personality.* New York : Oxford University Press. (p. 487)

Murray, H. A., & Wheeler, D. R. (1937). A note on the possible clairvoyance of dreams. *Journal of Psychology, 3*, 309-313. (pp. 10, 283)

Murray, J. P. (2008). Media violence : The effects are both real and strong. *American Behavioral Scientist, 51*, 1212-1230. (p. 322)

Murray, R. M., Morrison, P. D., Henquet, C., & Di Forti, M. (2007). Cannabis, the mind and society : The hash realities. *Nature Reviews ; Neuroscience, 8*, 885-895. (p. 122)

Murray, R., Jones, P., O'Callaghan, E., Takei, N., & Sham, P. (1992). Genes, viruses, and neurodevelopmental schizophrenia. *Journal of Psychiatric Research, 26*, 225-235. (p. 625)

Murray, S. L., Bellavia, G. M., Rose, P., & Griffin, D. W. (2003). Once hurt, twice hurtful : How perceived regard regulates daily marital interactions. *Journal of Personality and Social Psychology, 84*, 126-147. (p. 279)

Murray, S. L., Rose, P., Bellavia, G. M., Holmes, J. G., & Kusche, A. G. (2002). When rejection stings : How self-esteem constrains relationshipenhancement processes. *Journal of Personality and Social Psychology, 83*, 556-573. (p. 585)

Musallam, S., Corneil, B. D., Greger, B., Scherberger, H., & Andersen, R. A. (2004). Cognitive control signals for neural prosthetics. *Science, 305*, 258-262. (p. 70)

Musick, M. A., Herzog, A. R., & House, J. S. (1999). Volunteering and mortality among older adults : Findings from a national sample. *Journals of Gerontology, 54B*, 173-180. (p. 548)

Mustanski, B. S., & Bailey, J. M. (2003). A therapist's guide to the genetics of human sexual orientation, » *Sexual and Relationship Therapy, 18*, 1468-1479. (p. 475)

Mustanski, B. S., Bailey, J. M., & Kaspar, S. (2002). Dermatoglyphics, handedness, sex, and sexual orientation. *Archives of Sexual Behavior, 31*, 113-122. (p. 476)

Mydans, S. (2002, May 17). In Pakistan, rape victims are the « criminals. » *New York Times* (www.nytimes.com). (p. 697)

Myers, D. G. (1993). *The pursuit of happiness.* New York : Avon Books. (p. 526)

Myers, D. G. (2000). *The American paradox : Spiritual hunger in an age of plenty.* New Haven : Yale University Press. (p. 526)

Myers, D. G. (2001, December). Do we fear the right things ? *American Psychological Society Observer*, p. 3. (p. 378)

Myers, D. G. (2002). *Intuition : Its powers and perils.* New Haven : Yale University Press. (pp. 3, 17)

Myers, D. G. (2008). *Social Psychology*, 9th edition. New York : McGraw-Hill. (pp. 586, 587)

Myers, D. G., & Bishop, G. D. (1970). Discussion effects on racial attitudes. *Science, 169, 78-779.* (p. 689)

Myers, D. G., & Diener, E. (1995). Who is happy ? *Psychological Science, 6*, 10-19. (p. 526)

Myers, D. G., & Diener, E. (1996, May). The pursuit of happiness. *Scientific American.* (p. 526)

Myers, D. G., & Scanzoni, L. D. (2005). *What God has joined together ?* San Francisco : HarperSanFrancisco. (pp. 219, 472)

Myers, I. B. (1987). *Introduction to type : A description of the theory and applications of the Myers-Briggs Type Indicator.* Palo Alto, CA : Consulting Psychologists Press. (p. 568)

Myerson, J., Rank, M. R., Raines, F. Q., & Schnitzler, M. A. (1998). Race and general cognitive ability : The myth of diminishing returns to education. *Psychological Science, 9*, 139-142. (p. 437)

Nagourney, A. (2002, September 25). For remarks on Iraq, Gore gets praise and scorn. *New York Times* (www.nytimes.com). (p. 676)

Nairn, R. G. (2007). Media portrayals of mental illness, or is it madness ? A review. *Australian Psychologist, 42*, 138-146. (p. 600)

Napolitan, D. A., & Goethals, G. R. (1979). The attribution of friendliness. *Journal of Experimental Social Psychology, 15*, 105-113. (p. 674)

Naqvi, N. H., Rudrauf, D., Damasio, H., & Bechara, A. (2007). Damage to the insula disrupts addiction to cigarette smoking. *Science, 315*, 531-534. (p. 119)

Nasar, J., Hecht, P., & Wener, R. (2008). Mobile telephones, distracted attention, and pedestrian safety. *Accident Analysis and Prevention, 40, 69-75.* (p. 90)

Nash, M. R. (2001, July). The truth and the hype of hypnosis. *Scientific American*, pp. 47-55. (p. 110)

National Academy of Sciences, Institute of Medicine. (1982). *Marijuana and health.* Washington, DC : National Academic Press. (p. 122)

National Academy of Sciences. (1999). *Marijuana and medicine : Assessing the science base* (by J. A. Benson, Jr. & S. J. Watson, Jr.). Washington, DC ; National Academy Press. (p. 122)

National Academy of Sciences. (2001). *Exploring the biological contributions to human health : Does sex matter ?* Washington, DC : Institute of Medicine, National Academy Press. (p. 163)

National Center for Complementary and Alternative Medicine. (2006). What is complementary and alternative medicine. nccam.nih.gov/health/whatiscam. (p. 546)

National Center for Health Statistics. (1990). *Health, United States, 1989.* Washington, DC : U.S. Department of Health and Human Services. (p. 210)

National Center for Health Statistics. (2004, December 15). Marital status and health : United States, 1999-2002 (by Charlotte A. Schoenborn). *Advance Data from Vital and Human Statistics, number 351.* Centers for Disease Control and Prevention. (p. 541)

National Council on Aging (1999). *The consequences of untreated hearing loss in older persons.* Washington, DC : National Council on Aging (www.ncoa.org). (p. 251)

National Institute of Mental Health. (1982). *Television and behavior : Ten years of scientific progress and implications for the eighties.* Washington, DC : U. S. Government Printing Office. (p. 322)

National Institute of Mental Health. (1999). *ADHD : Attention deficity hyperactivity disorder.* Bethesda, MD : National Institute of Health Publication No. 96-3572, 1994, update July 1, 1999. (p. 595)

National Institute of Mental Health. (2003). *Attention deficit hyperactivity disorder.* Bethesda, MD : National Institute of Mental Health. (p. 595)

National Institute of Mental Health (2008). The numbers count : Mental disorders in America (nimh.nih.gov). (p. 598 : Mental disorders in America (www.nimh.nih.gov). (p. 631)

National Institute on Drug Abuse. (2004). NIDA InfoFacts : Marijuana. www.nida.nih.gov/Infofax/marijuana.html. (p. 122)

National Institutes of Health. (1998). Clinical guidelines on the identification evaluation and treatment of overweight and obesity in adults. Executive summary, Obesity Education Initiative, National Heart, Lung, and Blood Institute. (p. 463)

National Research Council. (1990). *Human factors research needs for an aging population.* Washington, DC : National Academy Press. (p. 210)

National Safety Council (2008). Transportation mode comparisons, from *Injury Facts* (via correspondence with Kevin T. Fearn, Research & Statistical Services Department). (p. 378)

Naylor, T. H. (1990). Redefining corporate motivation, Swedish style. *Christian Century, 107,* 566-570. (p. 492)

NCASA (2007). *Wasting the best and the brightest : Substance abuse at America's colleges and universities.* New York ; National Center on Addiction and Drug Abuse, Columbia University. (p. 125)

NCHS (2007). *Health, United States, 2007.* Hyattsville, MD : National Center for Health Statistics. (p. 456)

NCTV News. (1987, July-August). More research links harmful effects to non-violent porn, p. 12. (p. 702)

Neese, R. M. (1991, November/December). What good is feeling bad ? The evolutionary benefits of psychic pain. *The Sciences,* pp. 30-37. (pp. 255, 301)

Neidorf, S., & Morin, R. (2007, May 23). Four-in-ten Americans have close friends or relatives who are gay. Pew Research Center Publications (pewresearch.org). (p. 717)

Neisser, U. (1979). The control of information pickup in selective looking. In A. D. Pick (Ed.), *Perception and its development : A tribute to Eleanor J. Gibson.* Hillsdale, NJ ; Erlbaum. (p. 90)

Neisser, U. (1997a). The ecological study of memory. *Philosophical Transactions of the Royal Society of London, 352,* 1697-1701. (p. 420)

Neisser, U. (1998). *The rising curve : Long-term gains in IQ and related measures.* Washington, DC : American Psychological Association. (p. 420)

Neisser, U., Boodoo, G., Bouchard, T. J., Jr., Boykin, A. W., Brody, N., Ceci, S. J., Halpern, D. F., Loehlin, J. C., Perloff, R., Sternberg, R. J., & Urbina, S. (1996). Intelligence : Knowns and unknowns. *American Psychologist, 51,* 77-101. (pp. 427, 437)

Neisser, U., Winograd, E., & Weldon, M. S. (1991). Remembering the earthquake : « What I experienced » vs. « How I heard the news. » Paper presented to the Psychonomic Society convention. (p. 342)

Neitz, J., Geist, T., & Jacobs, G. H. (1989). Color vision in the dog. *Visual Neuroscience, 3,* 119-125. (p. 244)

Nelson, C. A., III, Zeanah, C. H., Fox, N. A., Marshall, P. J., Smyke, A. T., & Guthrie, D. (2007). Cognitive recovery in socially deprived young children : The Bucharest Early Intervention Project. *Science, 318,* 1937-1940. (p. 430)

Nelson, M. D., Saykin, A. J., Flashman, L. A., & Riordan, H. J. (1998). Hippocampal volume reduction in schizophrenia as assessed by magnetic resonance imaging. *Archives of General Psychiatry, 55,* 433-440. (p. 625)

Nelson, N. (1988). *A meta-analysis of the life-event/health paradigm : The influence of social support.* Philadelphia : Temple University Ph.D. dissertation. (p. 541)

Nemeth, C. J., & Ormiston, M. (2007). Creative idea generation : Harmony versus stimulation. *European Journal of Social Psychology, 37,* 524-535. (p. 690)

Nesca, M., & Koulack, D. (1994). Recognition memory, sleep and circadian rhythms. *Canadian Journal of Experimental Psychology, 48,* 359-379. (p. 354)

Nestoriuc, Y., Rief, W., & Martin, A. (2008). Meta-analysis of biofeedback for tension-type headache : Efficacy, specificity, and treatment moderators. *Journal of Consulting and Clinical Psychology, 76,* 379-396. (p. 545)

Neubauer, P. B., & Neubauer, A. 1990). *Nature's thumbprint : The new genetics of personality.* Reading, MA : Addison-Wesley. (p. 151)

Neumann, R., & Strack, F. (2000). « Mood contagion » : The automatic transfer of mood between persons. *Journal of Personality and Social Psychology, 79,* 211-223. (p. 514)

Neumann, R., & Strack, F. (2000). « Mood contagion » : The automatic transfer of mood between persons. *Journal of Personality and Social Psychology, 79,* 211-223. (p. 680)

Newberg, A., & D'Aquili, E. (2001). *Why God won't go away : Brain science and the biology of belief.* New York : Simon and Schuster. (p. 547)

Newcomb, M. D., & Harlow, L. L. (1986). Life events and substance use among adolescents : Mediating effects of perceived loss of control and meaninglessness in life. *Journal of Personality and Social Psychology, 51,* 564-577. (p. 124)

Newcombe, N. S., Drummey, A. B., Fox, N. A., Lie, E., & Ottinger-Alberts, W. (2000). Remembering early childhood : How much, how, and why (or why not). *Current Directions in Psychological Science, 9,* 55-58. (p. 179)

Newman, A. J., Bavelier, D., Corina, D., Jezzard, P., & Neville, H. J. (2002). A critical period for right hemisphere recruitment in American Sign Language processing. *Nature Neuroscience, 5,* 76-80. (p. 388)

Newman, L. S., & Baumeister, R. F. (1996). Toward an explanation of the UFO abduction phenomenon : Hypnotic, elaboration, extraterrestrial sadomasochism, and spurious memories. *Psychological Inquiry, 7,* 99-126. (p. 109)

Newman, L. S., & Ruble, D. N. (1988). Stability and change in self-understanding : The early elementary school years. *Early Child Development and Care, 40,* 77-99. (p. 195)

Newman, M. L., Pennebaker, J. W., Berry, D. S., & Richards, J. M. (2003). Lying words : Predicting deception from linguistic style. *Personality and Social Psychology Bulletin, 29,* 665-675. (p. 505)

Newman, R., Ratner, N. B., Jusczyk, A. M., Jusczyk, P. W., & Dow, K. A. (2006). Infants' early ability to segment the conversational speech signal predicts later language development : A retrospective analysis. *Developmental Psychology, 42,* 643-655. (p. 385)

Newport, E. L. (1990). Maturational constraints on language learning. *Cognitive Science, 14,* 11-28. (p. 388)

Newport, F. (2001, February). Americans see women as emotional and affectionate, men as more aggressive. *The Gallup Poll Monthly,* pp. 34-38. (p. 510)

Newport, F. (2002, July 29). Bush job approval update. *Gallup News Service* (www.gallup.com/poll/releases/pr020729.asp). (p. 717)

Newport, F. (2007, June 11). Majority of Republicans doubt theory of evolution. *Gallup Poll* (www.galluppoll.com). (p. 168)

Newport, F., Jones, J. M., Saad, L, & Carroll, J. (2007, April 27). Gallup poll review : 10 key points about public opinion on Iraq. *The Gallup Poll* (www.gallluppoll.com). (p. 160)

Newport, F., Moore, D. W., Jones, J. M., & Saad, L. (2003, March 21). Special release : American opinion on the war. *Gallup Poll Tuesday Briefing* (www.gallup.com). (p. 679)

Newton, E. L. (1991). The rocky road from actions to intentions. *Dissertation Abstracts International, 51*(8–B), 4105. (p. 281)

Neylan, T. C., Metzler, T. J., Best, S. R., Weiss, D. S., Fagan, J. A., Liberman, A., Rogers, C., Vedantham, K., Brunet, A., Lipsey, T. L., & Marmar, C. R. (2002). Critical incident exposure and sleep quality in police officers. *Psychosomatic Medicine, 64,* 345-352. (p. 102)

Nezlek, J. B. (2001). Daily psychological adjustment and the planfulness of day-to-day behavior. *Journal of Social and Clinical Psychology, 20,* 452-475. (p. 579)

Ng, S. H. (1990). Androcentric coding of *man* and *his* in memory by language users. *Journal of Experimental Social Psychology, 26,* 455-464. (p. 393)

Ng, W. W. H., Sorensen, K. L., & Eby, L. T. (2006). Locus of control at work : A meta-analysis. *Journal of Organizational Behavior, 27,* 1057-1087. (p. 578)

Nguyen, D. (2005, September 22). JetBlue passengers watched news of drama. Associated Press release. (p. 529)

NHTSA. (2000). Traffic safety facts 1999: Older population. Washington, DC : National Highway Traffic Safety Administration (National Transportation Library : www.ntl.bts.gov). (p. 211)

NHTSA (2006, April). The 100-car naturalistic driving study phase II : Results of the 100-car field experiment. U.S. Department of Transportation, National Highway Safety Administration (www.nhtsa.gov). (p. 89)

NICHD (2006). Child-care effect sizes for the NICHD study of early child care and youth development. *American Psychologist, 61,* 99-116. (p. 193)

NICHD Early Child Care Research Network. (2002). Structure/process/outcome : Direct and indirect effects of caregiving quality on young children's development. *Psychological Science, 13,* 199-206. (p. 193)

NICHD Early Child Care Research Network. (2003). Does amount of time spent in child care predict socioemotional adjustment during the transition to kindergarten ? *Child Development, 74,* 976-1005. (p. 193)

Nickell, J. (1996, May/June). A study of fantasy proneness in the thirteen cases of alleged encounters in John Mack's Abduction. *Skeptical Inquirer,* pp. 18-20, 54. (p. 109)

Nickerson, R. S. (1998). Applied experimental psychology. *Applied Psychology : An International Review, 47,* 155-173. (p. 280)

Nickerson, R. S. (1999). How we know – and sometimes misjudge – what others know : Imputing one's own knowledge to others. *Psychological Bulletin, 125,* 737-759. (p. 281)

Nickerson, R. S., & Adams, M. J. (1979). Long-term memory for a common object. *Cognitive Psychology, 11,* 287-307. (p. 351)

Nicol, S. E., & Gottesman, I. I. (1983). Clues to the genetics and neurobiology of schizophrenia. *American Scientist, 71,* 398-404. (p. 627)

Nicolaus, L. K., Cassel, J. F., Carlson, R. B., & Gustavson, C. R. (1983). Taste-aversion conditioning of crows to control predation on eggs. *Science, 220,* 212-214. (p. 300)

Nicolelis, M. A. L., & Chapin, J. K. (2002, October). Controlling robots with the mind. *Scientific American,* pp. 46-53. (p. 70)

NIDA. (2002). Methamphetamine abuse and addiction. *Research Report Series.* National Institute on Drug Abuse, NIH Publication Number 02-4210. (p. 117)

NIDA. (2005, May). Methamphetamine. *NIDA Info Facts.* National Institute on Drug Abuse. (p. 117)

Nielsen, K. M., Faergeman, O., Larsen, M. L., & Foldspang, A. (2006). Danish singles have a twofold risk of acute coronary syndrome : Data from a cohort of 138,290 persons. *Journal of Epidemiology and Community Health, 60,* 721-728. (p. 541)

Nier, J. A. (2004). Why does the « above average effect » exist ? Demonstrating idiosyncratic trait definition. *Teaching of Psychology, 31,* 53-54. (p. 587)

Nightingale, F. (1860/1969). *Notes on nursing.* Mineola, NY : Dover. (p. 541)

NIH. (2001, July 20). Workshop summary : Scientific evidence on condom effectiveness for sexually transmitted disease (STD) prevention. Bethesda : National Institute of Allergy and Infectious Diseases, National Institutes of Health. (p. 470)

NIH (2006, December 4). NIDA researchers complete unprecedented scan of human genome that may help unlock the genetic contribution to tobacco addiction. *NIH News,* National Institutes of Health (www.nih.gov). (p. 124)

NIMH. (2002, April 26). U.S. suicide rates by age, gender, and racial group. National Institute of Mental Health (www.nimh.nih.gov/research/suichart.cfm). (p. 616)

NIMH. (2003). *Attention deficit hyperactivity disorder.* Bethesda, MD : National Institute of Mental Health. (p. 595)

Nisbett, R. E. (1987). Lay personality theory : Its nature, origin, and utility. In N. E. Grunberg, R. E. Nisbett, & others, *A distinctive approach to psychological research : The influence of Stanley Schachter.* Hillsdale, NJ : Erlbaum. (p. 485)

Nisbett, R. E., & Cohen, D. (1996). *Culture of honor : The psychology of violence in the South.* Boulder, CO : Westview Press. (p. 701)

Nisbett, R. E., & Ross, L. (1980). *Human inference : Strategies and shortcomings of social judgment.* Englewood Cliffs, NJ : Prentice-Hall. (p. 374)

Nitschke, J. B., Dixon, G. E., Sarinopoulos, I., Short, S. J., Cohen, J. D., Smith, E. E., Kosslyn, S. M., Rose, R. M., & Davidson, R. J. (2006). Altering expectancy dampens neural response to aversive taste in primary taste cortex. *Nature Neuroscience 9,* 435-442. (p. 259)

Nixon, G., M., Thompson, J. M. D., Han, D. Y., Becroft, D. M., Clark, P. M., Robinson, E., Waldie, K E., Wild, C. J., Black, P. N., & Mitchell, E. A. (2008). Short sleep duration in middle childhood : Risk factors and consequences. *Sleep, 31,* 71-78. (p. 98)

Noel, J. G., Forsyth, D. R., & Kelley, K. N. (1987). Improving the performance of failing students by overcoming their self-serving attributional biases. *Basic and Applied Social Psychology, 8,* 151-162. (p. 580)

Noftle, E. E., & Robins, R. W. (2007). Personality predictors of academic outcomes : Big Five correlates of GPA and SAT scores. *Journal of Personality and Social Psychology, 93,* 116-130. (p. 572)

Noice, H., & Noice, T. (2006). What studies of actors and acting can tell us about memory and cognitive functioning. *Current Directions in Psychological Science, 15,* 14-18. (p. 334)

Nolen-Hoeksema, S. (2001). Gender differences in depression. *Current Directions in Psychological Science, 10,* 173-176. (p. 619)

Nolen-Hoeksema, S. (2003). *Women who think too much : How to break free of overthinking and reclaim your life.* New York : Holt. (p. 619)

Nolen-Hoeksema, S., & Larson, J. (1999). *Coping with loss.* Mahwah, NJ : Erlbaum. (p. 222)

NORC (2007). National Opinion Research Center (University of Chicago) General Social Survey data, 1972 through 2004, accessed via sda.berkeley.edu. (p. 480)

Nordgren, L. F., van der Pligt, J., & van Harreveld, F. (2006). Visceral drives in retrospect : Explanations about the inaccessible past. *Psychological Science, 17,* 635-640. (p. 448)

Nordgren, L. F., van der Pligt, J., & van Harreveld, F. (2007). Evaluating Eve : Visceral states influence the evaluation of impulsive behavior. *Journal of Personality and Social Psychology, 93,* 75-84. (p. 448)

Norem, J. K. (2001). The positive power of negative thinking : Using defensive pessimism to harness anxiety and perform at your peak. New York : Basic Books. (p. 581)

Norenzayan, A., & Hansen, I. G. (2006). Belief in supernatural agents in the face of death. *Personality and Social Psychology Bulletin, 32,* 174-187. (p. 563)

Norman, D. A. (2001). The perils of home theater (www.jnd.org/dn.mss/ProblemsOfHomeTheater.html). (p. 280)

Normand, M. P., & Dallery, J. (2007, June 20). Mercury rising : Exposing the vaccine-autism myth. *eSkeptic : The email newsletter of the Skeptics Society* (www.skeptic.com/eskep. (p. 186)

Noroozian, M., Lofti, J., Gassemzadeh, H., Emami, H., & Mehrabi, Y. (2003). Academic achievement and learning abilities in left-handers : Guilt or gift ? *Cortex, 38,* 779-785. (p. 80)

Norton, K. L., Olds, T. S., Olive, S., & Dank, S. (1996). Ken and Barbie at life size. *Sex Roles, 34,* 287-294. (p. 454)

Norton, M. B. (2002, October 31). *They called it witchcraft. New York Times* (www.nytimes.com). (p. 696)

Norton, P. J., & Price, E. C. (2007). A meta-analytic review of adult cognitive-behavioral treatment outcome across the anxiety disorders. *Journal of Nervous and Mental Disease, 195,* 521-531. (p. 649)

Nowak, R. (1994). Nicotine scrutinized as FDA seeks to regulate cigarettes. *Science, 263,* 1555-1556. (p. 119)

Nowell, A., & Hedges, L. V. (1998). Trends in gender differences in academic achievement from 1960 to 1994: An analysis of differences in mean, variance, and extreme scores. *Sex Roles, 39,* 21-43. (p. 433)

NSF (2008). *2008 sleep in America poll.* National Sleep Foundation (sleepfoundation.org). (p. 97)

NSF. (2001, October 24). Public bounces back after Sept. 11 attacks, national study shows. *NSF News,* National Science Foundation (www.nsf.gov/od/lpa/news/press/ol/pr0185.htm). (p. 530)

Nurnberger, Jr., J. I., & Bierut, L. J. (2007, April). Seeking the connections : Alcoholism and our genes. *Scientific American,* pp. 46-53. (p. 124)

Nuttin, J. M., Jr. (1987). Affective consequences of mere ownership : The name letter effect in twelve European languages. *European Journal of Social Psychology, 17,* 381-402. (p. 705)

O'Connor, A. (2004, February 6). Study details 30-year increase in calorie consumption. *New York Times* (www.nytimes.com). (p. 461)

O'Connor, A. (2004, May 14). Pressure to go along with abuse is strong, but some soldiers find strength to refuse. *New York Times* (www.nytimes.com). (p. 690)

O'Connor, P., & Brown, G. W. (1984). Supportive relationships : Fact or fancy ? *Journal of Social and Personal Relationships, 1,* 159-175. (p. 658)

O'Donnell, L., Stueve, A., O'Donnell, C., Duran, R., San Doval, A., Wilson, R. F., Haber, D., Perry, E., & Pleck, J. H. (2002). Long-term reduction in sexual initiation and sexual activity among urban middle schoolers in the reach for health service learning program. *Journal of Adolescent Health, 31,* 93-100. (p. 471)

O'Keeffe, C., & Wiseman, R. (2005). Testing alleged mediumship : Methods and results. *British Journal of Psychology, 96,* 165-179. (p. 573)

O'Neil, J. (2002, September 3). Vital Signs : Behavior : Parent smoking and teenage sex. *New York Times.* (p. 15)

O'Neill, M. J. (1993). The relationship between privacy, control, and stress responses in office workers. Paper presented to the Human Factors and Ergonomics Society convention. (p. 538)

O'Reardon, J. P. & 12 others (2007). Efficacy and safety of transcranial magnetic stimulation in the acute treatment of major depression : A multisite randomized controlled trial. *Biological Psychiatry, 62,* 1208-1216. (p. 666)

Oaten, M., & Cheng, K. (2006a). Longitudinal gains in self-regulation from regular physical exercise. *British Journal of Health Psychology, 11,* 717-733. (p. 579)

Oaten, M., & Cheng, K. (2006b). Improved self-control : The benefits of a regular program of academic study. *Basic and Applied Social Psychology, 28,* 1-16. (p. 579)

Oberlander, J., & Gill, A. J. (2006). Language with character : A stratified corpus comparison of individual differences in e-mail communication. *Discourse Processes, 42,* 239-270. (p. 575)

Oberman, L. M., & Ramachandran, V. S. (2007). The simulating social mind : The role of the mirror neuron system and simulation in the social and communicative deficits of autism spectrum disorders. *Psychological Bulletin, 133,* 310-327. (p. 187)

Oberman, L. M., Winkielman, P., & Ramachandran. V. S. (2007). Face to face : Blocking facial mimicry can selectively impair recognition of emotional expressions. *Social Neuroscience, 2,* 167-178. (p. 514)

Oddone-Paolucci, E., Genuis, M., & Violato, C. (2000). A meta-analysis of the published research on the effects of pornography. In C. Violato, E. Oddone-Paolucci, & M. Genuis (Eds.), *The changing family and child development.* Aldershot, England : Ashgate. (p. 702)

Oetting, E. R., & Beauvais, F. (1987). Peer cluster theory, socialization characteristics, and adolescent drug use : A path analysis. *Journal of Counseling Psychology, 34,* 205-213. (p. 125)

Oetting, E. R., & Beauvais, F. (1990). Adolescent drug use : Findings of national and local surveys. *Journal of Social and Personal Relationships, 1,* 159-175. (p. 125)

Oettingen, G., & Mayer, D. (2002). The motivating function of thinking about the future : Expectations versus fantasies. *Journal of Personality and Social Psychology, 83,* 1198-1212. (p. 580)

Oettingen, G., & Seligman, M. E. P. (1990). Pessimism and behavioural signs of depression in East versus West Berlin. *European Journal of Social Psychology, 20,* 207-220. (p. 580)

Offer, D., Kaiz, M., Howard, K. I., & Bennett, E. S. (2000). The altering of reported experiences. *Journal of the American Academy of Child and Adolescent Psychiatry, 39,* 735-742. (p. 360)

Offer, D., Ostrov, E., Howard, K. I., & Atkinson, R. (1988). *The teenage world : Adolescents' self-image in ten countries.* New York : Plenum. (p. 205)

Ogden, C. L., Fryar, C. D., Carroll, M. D., & Flegal, K. M. (2004, October 27). Mean body weight, heights, and body mass index, Unites States 1960-2002. *Advance Data from Vital and Health Statistics, No. 347.* (p. 461)

Öhman, A. (1986). Face the beast and fear the face : Animal and social fears as prototypes for evolutionary analyses of emotion. *Psychophysiology, 23,* 123-145. (p. 607)

Öhman, A., & Mineka, S. (2003). The malicious serpent : Snakes as a prototypical stimulus for an evolved module of fear. *Current Directions in Psychological Science, 12,* 5-9. (p. 517)

Öhman, A., Lundqvist, D., & Esteves, F. (2001). The face in the crowd revisited : A threat advantage with schematic stimuli. *Journal of Personality and Social Psychology, 80,* 381-396. (p. 508)

Oishi, S., Diener, E. F., Lucas, R. E., & Suh, E. M. (1999). Cross-cultural variations in predictors of life satisfaction : Perspectives from needs and values. *Personality and Social Psychology Bulletin, 25,* 980-990. (p. 446)

Oishi, S., Diener, E., & Lucas, R. E. (2007). The optimum level of well-being : Can people be too happy ? *Perspectives on Psychological Science, 2,* 346-360. (p. 520)

Okun, M. S., & 12 others (2004). What's in a « smile ? » Intra-operative observations of contralateral smiles induced by deep brain stimulation. *Neurocase, 10,* 271-279. (p. 502)

Olatunji, B. O., Cisler, J. M., & Tolin, D. F. (2007). Quality of life in the anxiety disorders : A meta-analytic review. *Clinical Psychology Review, 27,* 572-581. (p. 602)

Olds, J. (1958). Self-stimulation of the brain. *Science, 127,* 315-324. (p. 66)

Olds, J. (1975). Mapping the mind onto the brain. In F. G. Worden, J. P. Swazey, & G. Adelman (Eds.), *The neurosciences : Paths of discovery.* Cambridge, MA : MIT Press. (p. 66)

Olds, J., & Milner, P. (1954). Positive reinforcement produced by electrical stimulation of the septal area and other regions of rat brain. *Journal of Comparative and Physiological Psychology, 47,* 419-427. (p. 66)

Olff, M., Langeland, W., Draijer, N., & Gersons, B. P. R. (2007). Gender differences in posttraumatic stress disorder. *Psychological Bulletin, 135,* 183-204. (p. 605)

Olfson, M., Gameroff, M. J., Marcus, S. C., & Jensen, P. S. (2003). National trends in the treatment of attention deficit hyperactivity disorder. *American Journal of Psychiatry, 160,* 1071-1077. (p. 595)

Olfson, M., Marcus, S. C., Wan, G. J., & Geissler, E. C. (2004). National trends in the outpatient treatment of anxiety disorders. *Journal of Clinical Psychiatry, 65,* 1166-1173. (p. 662)

Olfson, M., Shaffer, D., Marcus, S. C., & Greenberg, T. (2003). Relationship between antidepressant medication treatment and suicide in adolescents. *Archives of General Psychiatry, 60,* 978-982. (p. 662)

Olin, S. S., & Mednick, S. A. (1996). Risk factors of psychosis : Identifying vulnerable populations premorbidly. *Schizophrenia Bulletin, 22,* 223-240. (p. 627)

Oliner, S. P., & Oliner, P. M. (1988). *The altruistic personality : Rescuers of Jews in Nazi Europe.* New York : Free Press. (p. 321)

Olshansky, S. J., Carnes, B. A., & Cassel, C. K. (1993, April). The aging of the human species. *Scientific American,* pp. 46-52. (p. 209)

Olshansky, S. J., Passaro, D. J., Hershow, R. C., Layden, J., Carnes, B. A., Brody, J., Hayflick, L., Butler, R. N., Allison, D. B., & Ludwig, D. S. (2005). A potential decline in life expectancy in the United States in the 21st century. *New England Journal of Medicine, 352,* 1138-1145. (p. 456)

Olson, M. A., & Fazio, R. H. (2001). Implicit attitude formation through classical conditioning. *Psychological Science, 12,* 413-417. (p. 296)

Olson, S. (2005). Brain scans raise privacy concerns. *Science, 307,* 1548-1550. (p. 569)

Olsson, A., & Phelps, E. A. (2004). Learned fear of « unseen » faces after Pavlovian, observational, and instructed fear. *Psychological Science, 15,* 822-828. (p. 606)

Olsson, A., Nearing, K. I., & Phelps, E. A. (2007). Learning fears by observing others : The neural systems of social fear transmission. *Social Cognitive and Affective Neuroscience, 2,* 3-11. (p. 516)

Olweus, D., Mattsson, A., Schalling, D., & Low, H. (1988). Circulating testosterone levels and aggression in adolescent males : A causal analysis. *Psychosomatic Medicine, 50,* 261-272. (p. 699)

Oman, D., Kurata, J. H., Strawbridge, W. J., & Cohen, R. D. (2002). Religious attendance and cause of death over 31 years. *International Journal of Psychiatry in Medicine, 32,* 69-89. (p. 548)

Onishi, N. (2008, June 13). Japan, seeking trim waists, measures millions. *New York Times* (www.nytimes.com). (p. 457)

ORB (2008, January). Update on Iraqi casualty data. Opinion Research Business (London) (www.opinion.co.uk). (p. 673)

Oren, D. A., & Terman, M. (1998). Tweaking the human circadian clock with light. *Science, 279,* 333-334. (p. 92)

Orlovskaya, D. D., Uranova, N. A., Zimina, I. S., Kolomeets, N. S., Vikhreva, O. V., Rachmanova, V. I., Black, J. E., Klintsova, A. Y., & Greenough, W. T. (1999). Effect of professional status on the number of synapses per neuron in the prefrontal cortex of normal human and schizophrenic brain. *Society for Neuroscience Abstracts,* 329.11, *25,* 818. (p. 413)

Orne, M. T., & Evans, F. J. (1965). Social control in the psychological experiment : Antisocial behavior and hypnosis. *Journal of Personality and Social Psychology, 1,* 189-200. (p. 109)

Osborne, C., Manning, W. D., & Smock, P. J. (2007). Married and cohabiting parents' relationship stability : A focus on race and ethnicity. *Journal of Marriage and Family, 69,* 1345-1366. (p. 218)

Osborne, J. W. (1997). Race and academic disidentification. *Journal of Educational Psychology, 89,* 728-735. (p. 438)

Osborne, L. (1999, October 27). A linguistic big bang. *New York Times Magazine* (www.nytimes.com). (p. 387)

Osgood, C. E. (1962). *An alternative to war or surrender.* Urbana : University of Illinois Press. (p. 719)

Osgood, C. E. (1980). *GRIT : A strategy for survival in mankind's nuclear age ?* Paper presented at the Pugwash Conference on New Directions in Disarmament. (p. 719)

OSS Assessment Staff. (1948). *The assessment of men.* New York : Rinehart. (p. 583)

Ost, L. G., & Hugdahl, K. (1981). Acquisition of phobias and anxiety response patterns in clinical patients. *Behaviour Research and Therapy, 16,* 439-447. (p. 606)

Ostfeld, A. M., Kasl, S. V., D'Atri, D. A., & Fitzgerald, E. F. (1987). *Stress, crowding, and blood pressure in prison.* Hillsdale, NJ : Erlbaum. (p. 539)

Oswald, A. J., & Powdthavee, N. (2006). Does happiness adapt ? A longitudinal study of disability with implications for economists and judges. Bonn : Institute for the Study of Labor, Discussion Paper No. 2208. (p. 521)

Oswald, A. J., & Powdthavee, N. (2007). Obesity, unhappiness, and *The Challenge of Affluence* : Theory and evidence. *Economic Journal.* (p. 458)

Ott, B. (2007, June 14). Investors, take note : Engagement boosts earnings. *Gallup Management Journal* (gmj.gallup.com). (p. 490)

Ott, C. H., Lueger, R. J., Kelber, S. T., & Prigerson, H. G. (2007). Spousal bereavement in older adults : Common, resilient, and chronic grief with defining characteristics. *Journal of Nervous and Mental Disease, 195,* 332-341. (p. 222)

Ouellette, J. A., & Wood, W. (1998). Habit and intention in everyday life : The multiple processes by which past behavior predicts future behavior. *Psychological Bulletin, 124,* 54-74. (pp. 485, 583)

Overmier, J. B., & Murison, R. (1997). Animal models reveal the « psych » in the psychosomatics of peptic ulcers. *Current Directions in Psychological Science, 6,* 180-184. (p. 538)

Owen, A. M., Coleman, M. R., Boly, M., Davis, M. H., Laureys, S., & Pickard, J. D. (2006). Detecting awareness in the vegetative state. *Science, 313,* 1402. (p. 87)

Owen, R. (1814). First essay in *New view of society or the formation of character.* Quoted in *The story of New Lamark.* New Lamark Mills, Lamark, Scotland : New Lamark Conservation Trust, 1993. (p. 489)

Oxfam (2005, March 26). Three months on : New figures show tsunami may have killed up to four times as many women as men. *Oxfam Press Release* (www.oxfam.org.uk). (p. 164)

Ozer, E. J., & Weiss, D. S. (2004). Who develops posttraumatic stress disorder. *Current Directions in Psychological Science, 13,* 169-172. (p. 605)

Ozer, E. J., Best, S. R., Lipsey, T. L., & Weiss, D. S. (2003). Predictors of posttraumatic stress disorder and symptoms in adults : A meta-analysis. *Psychological Bulletin, 129,* 52-73. (p. 605)

Özgen, E. (2004). Language, learning, and color perception. *Current Directions in Psychological Science, 13,* 95-98. (p. 392)

Pacifici, R., Zuccaro, P., Farre, M., Pichini, S., Di Carlo, S., Roset, P. N., Ortuno, J., Pujadus, M., Bacosi, A., Menoyo, E., Segura, J., & de la Torre, R. (2001). Effects of repeated doses of MDMA (« Ecstasy ») on cell-mediated immune response in humans. *Life Sciences, 69,* 2931-2941. (p. 121)

Paddock, S., Laje, G., Charney, D., Rush, A. J., Wilson, A. F., Sorant, A. J. M., Lipsky, R., Wisniewski, S. R., Manji, H., & McMahon, F. J. (2007). Association of GRIK4 with outcome of antidepressant treatment in the STAR*D cohort. *American Journal of Psychiatry, 164,* 1181-1188. (p. 616)

Padgett, V. R. (1989). Predicting organizational violence : An application of 11 powerful principles of obedience. Paper presented to the American Psychological Association convention. (p. 685)

Page, S. (1977). Effects of the mental illness label in attempts to obtain accommodation. *Canadian Journal of Behavioral Science, 9,* 84-90. (p. 600)

Page, S. E. (2007). *The difference : How the power of diversity creates better groups, firms, schools, and societies.* Princeton : Princeton University Press. (p. 690)

Pagnin, D., de Queiroz, V., Pini, S., & Cassano, G. B. (2004). Efficacy of ECT in depression : A meta-analytic review. *Journal of ECT, 20,* 13-20. (p. 664)

Paivio, A. (1986). *Mental representations : A dual coding approach.* New York : Oxford University Press. (p. 335)

Palace, E. M. (1995). Modification of dysfunctional patterns of sexual response through autonomic arousal and false physiological feedback. *Journal of Consulting and Clinical Psychology, 63,* 604-615. (p. 503)

Palladino, J. J., & Carducci, B. J. (1983). « Things that go bump in the night » : Students' knowledge of sleep and dreams. Paper presented at the meeting of the Southeastern Psychological Association. (p. 92)

Pallier, C., Colomé, A., & Sebastián-Gallés, N. (2001). The influence of native-language phonology on lexical access : Exemplar-based versus abstract lexical entries. *Psychological Science, 12,* 445-448. (p. 385)

Palmer, S., Schreiber, C., & Box, C. (1991). Remembering the earthquake : « Flashbulb » memory for experienced vs. reported events. Paper presented to the Psychonomic Society convention. (p. 342)

Pandelaere, M., & Dewitte, S. (2006). Is this a question ? Not for long. The statement bias. *Journal of Experimental Social Psychology, 42,* 525-531. (p. 361)

Pandey, J., Sinha, Y., Prakash, A., & Tripathi, R. C. (1982). Right-left political ideologies and attribution of the causes of poverty. *European Journal of Social Psychology, 12,* 327-331. (p. 675)

Panskepp, J. (2007). Neurologizing the psychology of affects : How appraisal-based constructivism and basic emotion theory can coexist. *Perspectives on Psychological Science, 2,* 281-295. (p. 501)

Pantev, C., Oostenveld, R., Engelien, A., Ross, B., Roberts, L. R., & Hoke, M. (1998). Increased auditory cortical representation in musicians. *Nature, 392,* 811-814. (p. 73)

Panzarella, C., Alloy, L. B., & Whitehouse, W. G. (2006). Expanded hopelessness theory of depression : On the mechanisms by which social support protects against depression. *Cognitive Theory and Research, 30,* 307-333. (p. 619)

Park, C. L. (2007). Religiousness/spirituality and health : A meaning systems perspective. *Journal of Behavioral Medicine, 30,* 319-328. (p. 548)

Park, D. C., Lautenschlager, G., Hedden, T., Davidson, N. S., Smith, A. D., & Smith, P. K. (2002). Models of visuospatial and verbal memory across the adult life span. *Psychology and Aging, 17,* 299-320. (p. 216)

Park, G., Lubinski, D., & Benbow, C. P. (2007). Contrasting intellectual patterns predict creativity in the arts and sciences. *Psychological Science, 18,* 948-952. (p. 426)

Park, J., Felix, K., & Lee, G. (2007). Implicit attitudes toward Arab-Muslims and the moderating effects of social information. *Basic and Applied Social Psychology, 29,* 35-45. (p. 296)

Park, R. L. (1999). Liars never break a sweat. *New York Times,* July 12, 1999 (www.nytimes.com). (p. 504)

Parker, C. P., Baltes, B. B., Young, S. A., Huff, J. W., Altmann, R. A., LaCost, H. A., & Roberts, J. E. (2003). Relationships between psychological climate perceptions and work outcomes : A meta-analytic review. *Journal of Organizational Behavior, 24,* 389-416. (p. 488)

Parker, E. S., Cahill, L., & McGaugh, J. L. (2006). A case of unusual autobiographical remembering. *Neurocase, 12,* 35-49. (p. 350)

Parker, S., Nichter, M., Nichter, M., & Vuckovic, N. (1995). Body image and weight concerns among African American and white adolescent females : Differences that make a difference. *Human Organization, 54,* 103-114. (p. 456)

Passell, P. (1993, March 9). Like a new drug, social programs are put to the test. *New York Times,* pp. C1, C10. (p. 19)

Pastalkova, E., Serrano, P., Pinkhasova, D., Wallace, E., Fenton, A. A., & Sacktor, T. C. (2006). Storage of spatial information by the maintenance mechanism of LTP. *Science, 313,* 1141-1144. (p. 340)

Patall, E. A., Cooper, H., & Robinson, J. C. (2008). The effects of choice on intrinsic motivation and related outcomes : A meta-analysis of research findings. *Psychological Bulletin, 134,* 270-300. (p. 313)

Pate, J. E., Pumariega, A. J., Hester, C., & Garner, D. M. (1992). Cross-cultural patterns in eating disorders : A review. *Journal of the American Academy of Child and Adolescent Psychiatry, 31,* 802-809. (p. 453)

Patel, S. R., Malhotra, A., White, D. P., Gottlieb, D. J., & Hu, F. B. (2006). Association between reduced sleep and weight gain in women. *American Journal of Epidemiology, 164,* 947-954. (p. 98)

Patrick, H., Knee, C. R., Canevello, A., Lonsbary, C. (2007). The role of need fulfillment in relationship functioning and well-being : A self-determination theory perspective. *Journal of Personality and Social Psychology, 92,* 434-457. (p. 479)

Patten, S. B., Wang, J. L., Williams, J. V. A., Currie, S., Beck, C. A., Maxwell, C. J., & el-Guebaly, N. (2006). Descriptive epidemiology of major depression in Canada. *Canadian Journal of Psychiatry, 51,* 84-90. (p. 612)

Patterson, D. R. (2004). Treating pain with hypnosis. *Current Directions in Psychological Science, 13,* 252-255. (p. 110)

Patterson, F. (1978, October). Conversations with a gorilla. *National Geographic,* pp. 438-465. (p. 398)

Patterson, G. R., Chamberlain, P., & Reid, J. B. (1982). A comparative evaluation of parent training procedures. *Behavior Therapy, 13,* 638-650. (pp. 311, 701)

Patterson, G. R., Reid, J. B., & Dishion, T. J. (1992). *Antisocial boys.* Eugene, OR : Castalia. (p. 701)

Patterson, M., Warr, P., & West, M. (2004). Organizational climate and company productivity : The role of employee affect and employee level. *Journal of Occupational and Organizational Psychology, 77,* 193-216. (p. 488)

Patterson, P. H. (2007). Maternal effects on schizophrenia risk. *Science, 318,* 576-577. (p. 625)

Patterson, R. (1951). *The riddle of Emily Dickinson.* Boston : Houghton Mifflin. (p. 621)

Patton, G. C., Coffey, C., Carlin, J. B., Degenhardt, L., Lynskey, M., & Hall, W. (2002). Cannabis use and mental health of young people : Cohort study. *British Medical Journal, 325,* 1195-1198. (p. 122)

Paulesu, E., Demonet, J-F., Fazio, F., McCrory, E., Chanoine, V., Brunswick, N., Cappa, S. F., Cossu, G., Habib, M., Frith, C. D., & Frith, U. (2001). Dyslexia : Cultural diversity and biological unity. *Science, 291,* 2165-2167. (p. 26)

Paulos, J. A. (1995). *A mathematician reads the newspaper.* New York : Basic Books. (p. 663)

Paulos, J. A. (2006, August 6). Who's counting : It's mean to ignore the median (www.ABCNews.com). (p. 22)

Paus, T., Zijdenbos, A., Worsley, K., Collins, D. L., Blumenthal, J., Giedd, J. N., Rapoport, J. L., & Evans, A. C. (1999) Structural maturation of neural pathways in children and adolescents : In vivo study. *Science, 283,* 1908-1911. (p. 177)

Pavlidis, G. T. (2005, January 17). Eye movements can diagnose preschoolers at high risk for attention deficit/hyperactivity disorder (ADHD). Press release, Brunel University (www.brunel.ac.uk). (p. 595)

Pavlov, I. (1927). *Conditioned reflexes : An investigation of the physiological activity of the cerebral cortex.* Oxford : Oxford University Press. (pp. 294, 298)

Payne, B. K. (2006). Weapon bias : Split-second decisions and unintended stereotyping. *Current Directions in Psychological Science, 15,* 287-291. (p. 693)

Payne, B. K., & Corrigan, E. (2007). Emotional constraints on intentional forgetting. *Journal of Experimental Social Psychology, 43,* 780-786. (p. 355)

Pedersen, N. L., Plomin, R., McClearn, G. E., & Friberg, L. (1988). Neuroticism, extraversion, and related traits in adult twins reared apart and reared together. *Journal of Personality and Social Psychology, 55,* 950-957. (p. 138)

Peeters, A., Barendregt, J. J., Willekens, F., Mackenbach, J. P., & Mamum, A. A. (2003). Obesity in adulthood and its consequences for life expectancy : A life-table analysis. *Annals of Internal Medicine, 138,* 24-32. (p. 457)

Peigneux, P., Laureys, S., Fuchs, S., Collette, F., Perrin, F., Reggers, J., Phillips, C., Degueldre, C., Del Fiore, G., Aerts, J., Luxen, A., & Maquet, P. (2004). Are spatial memories strengthened in the human hippocampus during slow wave sleep ? *Neuron, 44,* 535-545. (pp. 100, 344)

Pekkanen, J. (1982, June). Why do we sleep ? *Science, 82,* p. 86. (p. 101)

Pelham, B. W. (1993). On the highly positive thoughts of the highly depressed. In R. F. Baumeister (Ed.), *Self-esteem : The puzzle of low self-regard.* New York : Plenum. (p. 585)

Pendick, D. (1994, January/February). The mind of violence. *Brain Work : The Neuroscience Newsletter,* pp. 1-3, 5. (p. 699)

Penhune, V. B., Cismaru, R., Dorsaint-Pierre, R., Petitto, L-A., & Zatorre, R. J. (2003). The morphometry of auditory cortex in the congenitally deaf measured using MRI. *NeuroImage, 20,* 1215-1225. (p. 252)

Pennebaker, J. (1990). *Opening up : The healing power of confiding in others.* New York : William Morrow. (pp. 542, 562)

Pennebaker, J. W. (2002, January 28). Personal communication. (p. 717)

Pennebaker, J. W., & O'Heeron, R. C. (1984). Confiding in others and illness rate among spouses of suicide and accidental death victims. *Journal of Abnormal Psychology, 93,* 473-476. (p. 542)

Pennebaker, J. W., & Stone, L. D. (2003). Words of wisdom : Language use over the life span. *Journal of Personality and Social Psychology, 85,* 291-301. (p. 220)

Pennebaker, J. W., Barger, S. D., & Tiebout, J. (1989). Disclosure of traumas and health among Holocaust survivors. *Psychosomatic Medicine, 51,* 577-589. (p. 542)

Penny, H., & Haddock, G. (2007). Anti-fat prejudice among children : The « mere proximity » effect in 5-10 year olds. *Journal of Experimental Social Psychology, 43,* 678-683. (p. 458)

Peplau, L. A., & Fingerhut, A. W. (2007). The close relationships of lesbians and gay men. *Annual Review of Psychology, 58,* 405-424. (pp. 146, 218, 471)

Peplau, L. A., & Garnets, L. D. (2000). A new paradigm for understanding women's sexuality and sexual orientation. *Journal of Social Issues, 56,* 329-350. (p. 472)

Peppard, P. E., Szklo-Coxe, M., Hia, K. M., & Young, T. (2006). Longitudinal association of sleep-related breathing disorder and depression. *Archives of Internal Medicine, 166,* 1709-1715. (p. 103)

Pepperberg, I. M. (2006). Grey parrot numerical competence : A review. *Animal Cognition, 9,* 377-391. (p. 397)

Perani, D., & Abutalebi, J. (2005). The neural basis of first and second language processing. *Current Opinion in Neurobiology, 15,* 202-206. (p. 390)

Pereira, A. C., Huddleston, D. E., Brickman, A. M., Sosunov, A. A., Hen, R., McKhann, G. M., Sloan, R., Gage, F. H., Brown, T. R., & Small, S. A. (2007). An *in vivo* correlate of exercise-induced neurogenesis in the adult dentate gyrus. *Proceedings of the National Academic of Sciences, 104,* 5638-5643. (pp. 75, 211)

Pereira, G. M., & Osburn, H. G. (2007). Effects of participation in decision making on performance and employee attitudes : A quality circles metaanalysis. *Journal of Business Psychology, 22,* 145-153. (pp. 211, 492)

Perkins, A., & Fitzgerald, J. A. (1997). Sexual orientation in domestic rams : Some biological and social correlates. In L. Ellis and L. Ebertz (Eds.), *Sexual orientation : Toward biological understanding.* Westport, CT : Praeger Publishers. (p. 474)

Perlmutter, M. (1983). Learning and memory through adulthood. In M. W. Riley, B. B. Hess, & K. Bond (Eds.), *Aging in society : Selected reviews of recent research.* Hillsdale, NJ : Erlbaum. (p. 214)

Perls, T., & Silver, M. H., with Lauerman, J. F. (1999). *Living to 100 : Lessons in living to your maximum potential.* Thorndike, ME : Thorndike Press. (p. 535)

Perra, O., Williams, J. H. G., Whiten, A., Fraser, L., Benzie, H., & Perrett, D. I. (2008). Imitation and « theory of mind » competencies in discrimination of autism from other neurodevelopmental disorders. *Research in Autism Spectrum Disorders, 2,* 456-468. (p. 187)

Perrett, D. (2002, October 1). Perception laboratory, Department of Psychology, University of St. Andrews, Scotland (www.perception.st-and.ac.uk). (p. 708)

Perrett, D. I., Harries, M., Misflin, A. J., & Chitty, A. J. (1988). Three stages in the classification of body movements by visual neurons. In H. B. Barlow, C. Blakemore, & M. Weston Smith (Eds.), *Images and understanding.* Cambridge : Cambridge University Press. (p. 241)

Perrett, D. I., Hietanen, J. K., Oram, M. W., & Benson, P. J. (1992). Organization and functions of cells responsive to faces in the temporal cortex. *Philosophical Transactions of the Royal Society of London : Series B,* 335, 23-30. (p. 241)

Perrett, D. I., Lee, K. J., Penton-Voak, I., Rowland, D., Yoshikawa, S., Burt, D. M., Henzi, S. P., Castles, D. L., Akamatsu, S. (1998, August). Effects of sexual dimorphism on facial attractiveness. *Nature, 394,* 884-887. (p. 694)

Perrett, D. I., May, K. A., & Yoshikawa, S. (1994). Facial shape and judgments of female attractiveness. *Nature, 368,* 239-242. (p. 241)

Persky, S., & Blascovich, J. (2005). Consequences of playing violent video games in immersive virtual environments, In A. Axelsson & Ralph Schroeder (Eds.). *Work and Play in Shared Virtual Environments.* New York : Springer. (p. 705)

Person, C., Tracy, M., & Galea, S. (2006). Risk factors for depression after a disaster. *Journal of Nervous and Mental Disease, 194,* 659-666. (p. 615)

Pert, C. (1986). Quoted in J. Hooper & D. Teresi, *The three-pound universe.* New York : Macmillan. (p. 66)

Pert, C. B., & Snyder, S. H. (1973). Opiate receptor : Demonstration in nervous tissue. *Science, 179,* 1011-1014. (p. 53)

Perugini, E. M., Kirsch, I., Allen, S. T., Coldwell, E., Meredith, J., Montgomery, G. H., & Sheehan, J. (1998). Surreptitious observation of responses to hypnotically suggested hallucinations : A test of the compliance hypothesis. *International Journal of Clinical and Experimental Hypnosis, 46,* 191-203. (p. 111)

Peschel, E. R., & Peschel, R. E. (1987). Medical insights into the castrati in opera. *American Scientist, 75,* 578-583. (p. 467)

Peters, M., Reimers, S., & Manning, J. T. (2006). Hand preference for writing and associations with selected demographic and behavioral variables in 255,100 subjects : The BBC internet study. *Brain and Cognition, 62,* 177-189. (p. 79)

Peters, T. J., & Waterman, R. H., Jr. (1982). *In search of excellence : Lessons from America's best-run companies.* New York : Harper & Row. (p. 315)

Peterson, C. C., & Siegal, M. (1999). Representing inner worlds : Theory of mind in autistic, deaf, and normal hearing children. *Psychological Science, 10,* 126-129. (p. 185)

Peterson, C., & Barrett, L. C. (1987). Explanatory style and academic performance among university freshmen. *Journal of Personality and Social Psychology, 53,* 603-607. (p. 580)

Peterson, C., & Seligman, M. E. P. (2004). *Character strengths and virtues : A handbook and classification.* New York : Oxford. (p. 599)

Peterson, C., Peterson, J., & Skevington, S. (1986). Heated argument and adolescent development. *Journal of Social and Personal Relationships, 3,* 229-240. (p. 199)

Peterson, L. R., & Peterson, M. J. (1959). Short-term retention of individual verbal items. *Journal of Experimental Psychology, 58,* 193-198. (p. 338)

Petitto, L. A., & Marentette, P. F. (1991). Babbling in the manual mode : Evidence for the ontogeny of language. *Science, 251,* 1493-1496. (p. 385)

Petry, N. M., Barry, D., Pietrzak, R. H., & Wagner, J. A. (2008). Overweight and obesity are associated with psychiatric disorders : Results from the National Epidemiologic Survey on Alcohol and Related Conditions. *Psychosomatic Medicine, 70,* 288-297. (p. 458)

Pettegrew, J. W., Keshavan, M. S., & Minshew, N. J. (1993). 31P nuclear magnetic resonance spectroscopy : Neurodevelopment and schizophrenia. *Schizophrenia Bulletin, 19,* 35-53. (p. 624)

Petticrew, C., Bell, R., & Hunter, D. (2002). Influence of psychological coping on survival and recurrence in people with cancer : Systematic review. *British Medical Journal, 325,* 1066. (p. 536)

Petticrew, M., Fraser, J. M., & Regan, M. F. (1999). Adverse life events and risk of breast cancer : A meta-analysis. *British Journal of Health Psychology, 4,* 1-17. (p. 536)

Pettifor, J. P. (2004). Professional ethics across national boundaries. *European Psychologist, 9,* 264-272. (p. 29)

Pettigrew, T. F. (1998). Reactions toward the new minorities of western Europe. *Annual Review of Sociology, 24,* 77-103. (p. 692)

Pettigrew, T. F. (2006). A two-level approach to anti-immigrant prejudice and discrimination. In R. Mahalingam (Ed.), *Cultural psychology of immigrants.* Mahwah, NJ : Erlbaum. (p. 692)

Pettigrew, T. F., & Tropp, L. R. (2006). A meta-analytic test of intergroup contact theory. *Journal of Personality and Social Psychology, 90,* 751-783. (p. 716)

Pettigrew, T. F., Christ, O., Wagner, U., & Stellmacher, J. (2007). Direct and indirect intergroup contact effects on prejudice : A normative interpretation. *International Journal of Intercultural Relations, 31,* 411-425. (p. 717)

Pettus, A. (2008, January-February). A cultural symptom ? Repressed memory. *Harvard Magazine* (www.harvardmagazine.com). (p. 562)

Pew (2006, September 21). Publics of Asian powers hold negative views of one another. Pew Global Attitudes Project Report, Pew Research Center (pewresearch.org). (p. 695)

Pew (2007, January 24). Global warming : A divide on causes and solutions. Pew Research Center for the People and the Press. (p. 376)

Pew Research Center (2006, November 14). Attitudes toward homosexuality in African countries (pewresearch.org). (p. 471)

Pew Research Center (2007, July 18). Modern marriage : « I like hugs. I like kisses. But what I really love is help with the dishes. » Pew Research Center (www.pewresearch.org). (p. 711)

Pew. (2003). Views of a changing world 2003. The Pew Global Attitudes Project. Washington, DC : Pew Research Center for the People and the Press (http : //people-press.org/reports/pdf/185.pdf). (p. 165)

Pfammatter, M., Junghan, U. M., Brenner, H. D. (2006). Efficacy of psychological therapy in schizophrenia : Conclusions from meta-analyses. *Schizophrenia Bulletin, 32,* S64–S80. (p. 654)

Phelps, J. A., Davis J. O., & Schartz, K. M. (1997). Nature, nurture, and twin research strategies. *Current Directions in Psychological Science, 6,* 117-120. (pp. 135, 626)

Philip Morris Companies, Inc. (1999, Oct. 13). Referenced in Myron Levin, « Philip Morris' new campaign echoes medical experts, » *Los Angeles Times.* (p. 118)

Philip Morris. (2003). Philip Morris USA youth smoking prevention. Teenage attitudes and behavior study, 2002. In « Raising kids who don't smoke, » vol. 1(2). (p. 118)

Phillips, D. P. (1985). Natural experiments on the effects of mass media violence on fatal aggression : Strengths and weaknesses of a new approach. In L. Berkowitz (Ed.), *Advances in experimental social psychology* (Vol. 19). Orlando, FL : Academic Press. (p. 681)

Phillips, D. P., Carstensen, L. L., & Paight, D. J. (1989). Effects of mass media news stories on suicide, with new evidence on the role of story content. In D. R. Pfeffer (Ed.), *Suicide among youth : Perspectives on risk and prevention.* Washington, DC : American Psychiatric Press. (p. 681)

Phillips, J. L. (1969). *Origins of intellect : Piaget's theory.* San Francisco : Freeman. (p. 183)

Phillips, T. (2004, April 3). Quoted by T. Baldwin & G. Rozenberg, Britain « must scrap multiculturalism. » *The Times,* p. 1. (p. 718)

Phonak (2007). Hear the world (www.hear-the-world.com). (p. 251)

Piaget, J. (1930). *The child's conception of physical causality.* London : Routledge & Kegan Paul. (p. 179)

Piaget, J. (1932). *The moral judgment of the child.* New York : Harcourt, Brace & World. (p. 200)

Picchioni, M. M., & Murray, R. M. (2007). Schizophrenia. *British Medical Journal, 335,* 91-95. (p. 623)

Pieters, G. L. M., de Bruijn, E. R. A., Maas, Y., Hultijn, W., Vandereycken, W., Peuskens, J., & Sabbe, B. G. (2007). Action monitoring and perfectionism in anorexia nervosa. *Brain and Cognition, 63,* 42-50. (p. 454)

Pike, K. M., & Rodin, J. (1991). Mothers, daughters, and disordered eating. *Journal of Abnormal Psychology, 100,* 198-204. (p. 453)

Piliavin, J. A. (2003). Doing well by doing good : Benefits for the benefactor. In C. L. M. Keyes & J. Haidt (Eds.), *Flourishing : Positive psychology and the life well-lived.* Washington, DC : American Psychological Association. (p. 202)

Pillemer, D. (1998). *Momentous events, vivid memories.* Cambridge : Harvard University Press, 1998. (p. 213)

Pillemer, D. B., Ivcevic, Z., Gooze, R. A., & Collins, K. A. (2007). Selfesteem memories : Feeling good about achievement success, feeling bad about relationship distress. *Personality and Social Psychology Bulletin, 33,* 1292-1305. (p. 480)

Pillemer, D. G. (1995). *What is remembered about early childhood events ?* Invited paper presentation to the American Psychological Society convention. (p. 178)

Pillsworth, E. G., & Haselton, M. G. (2006). Male sexual attractiveness predicts differential ovulatory shifts in female extra-pair attraction and male mate retention. *Evolution and Human Behavior, 27,* 247-258. (p. 466)

Pillsworth, M. G., Haselton, M. G., & Buss, D. M. (2004). Ovulatory shifts in female desire. *Journal of Sex Research, 41,* 55-65. (p. 466)

Pinel, J. P. J. (1993). *Biopsychology (2nd ed).* Boston : Allyn & Bacon. (p. 450)

Pingitore, R., Dugoni, B. L., Tindale, R. S., & Spring, B. (1994). Bias against overweight job applicants in a simulated employment interview. *Journal of Applied Psychology, 79,* 909-917. (pp. 457, 458)

Pinker, S. (1990, September-October). Quoted by J. de Cuevas, « No, she holded them loosely. » *Harvard Magazine,* pp. 60-67. (p. 382)

Pinker, S. (1995). The language instinct. *The General Psychologist, 31,* 63-65. (pp. 384, 400, 401)

Pinker, S. (1998). Words and rules. *Lingua, 106,* 219-242. (p. 383)

Pinker, S. (1999, June 24). His brain measured up. *New York Times* (www.nytimes.com). (p. 41)

Pinker, S. (2002, September 9). A biological understanding of human nature : A talk with Steven Pinker. *The Edge Third Culture Mail List* (www.edge.org). (po. 139, 145)

Pinker, S. (2005, April 22). The science of gender and science : A conversation with Elizabeth Spelke. *Harvard University* (www.edge.org). (p. 43)

Pinker, S. (2006, January 1). Groups of people may differ genetically in their average talents and temperaments. *The Edge* (www.edge.org). (p. 43)

Pinker, S. (2007). *The stuff of thought.* New York : Viking. (p. 393)

Pinker, S. (2007, March 19). A history of violence. *New Republic* (available at www.edge.org). (p. 375)

Pinker, S. (2008). *The sexual paradox : Men, women, and the real gender gap.* New York : Scribner. (p. 161)

Pinstrup-Andersen, P. & Cheng, F. (2007). Still hungry. *Scientific American, 297,* 96-103. (p. 461)

Pipe, M-E. (1996). Children's eyewitness memory. *New Zealand Journal of Psychology, 25,* 36-43. (p. 361)

Pipe, M-E., Lamb, M. E., Orbach, Y., & Esplin, P. W. (2004). Recent research on children's testimony about experienced and witnessed events. *Developmental Review, 24,* 440-468. (p. 361)

Piper, A., Jr. (1998, Winter). Multiple personality disorder : Witchcraft survives in the twentieth century. *Skeptical Inquirer,* pp. 44-50. (p. 610)

Pipher, M. (2002). *The middle of everywhere : The world's refugees come to our town.* New York : Harcourt Brace. (pp. 480, 530)

Pitcher, D., Walsh, V., Yovel, G., & Duchaine, B. (2007). TMS evidence for the involvement of the right occipital face area in early face processing. *Current Biology, 17,* 1568-1573. (p. 242)

Pitman, R. K., & Delahanty, D. L. (2005). Conceptually driven pharmacologic approaches to acute trauma. *CNS Spectrums, 10*(2), 99-106. (p. 342)

Pitman, R. K., Sanders, K. M., Zusman, R. M., Healy, A. R., Cheema, F., Lasko, N. B., Cahill, L., & Orr, S. P. (2002). Pilot study of secondary prevention of posttraumatic stress disorder with propranolol. *Biological Psychiatry, 51,* 189-192. (p. 342)

Pittenger, D. J. (1993). The utility of the Myers-Briggs Type Indicator. *Review of Eduational Research, 63,* 467-488. (p. 568)

Plassmann, H., O'Doherty, J., Shiv, B., & Rangel, A. (2008). Marketing actions can modulate neural representations of experienced pleasantness. *Proceedings of the National Academy of Sciences, 105,* 1050-1054. (p. 259)

Pleck, J. H., Sonenstein, F. L., & Ku, L. C. (1993). Masculinity ideology : Its impact on adolescent males' heterosexual relationships. *Journal of Social Issues, 49,* 11-29. (p. 146)

Pleyers, G., Corneille, O., Luminet, O., & Yzerbyt, V. (2007). Aware and (dis)liking : Item-based analyses reveal that valence acquisition via evaluative conditioning emerges only when there is contingency awareness. *Journal of Experimental Psychology : Learning, Memory, and Cognition, 33,* 130-144. (p. 297)

Pliner, P. (1982). The effects of mere exposure on liking for edible substances. *Appetite : Journal for Intake Research, 3,* 283-290. (p. 452)

Pliner, P., Pelchat, M., & Grabski, M. (1993). Reduction of neophobia in humans by exposure to novel foods. *Appetite, 20,* 111-123. (p. 452)

Plöderl, M., & Fartacek, R. (2005). Suicidality and associated risk factors among lesbian, gay, and bisexual compared to heterosexual Austrian adults. *Suicide and Life-Threatening Behavior, 35,* 661-670. (p. 472)

Plomin, R. (1999). Genetics and general cognitive ability. *Nature, 402* (Suppl), C25-C29. (pp. 406, 42)

Plomin, R. (2001). Genetics and behaviour. *The Psychologist, 14,* 134-139. (p. 42)

Plomin, R. (2003). General cognitive ability. In R. Plomin, J. C. DeFries, I. W. Craig, & P. McGuffin (Eds.), *Behavioral genetics in a postgenomic world.* Washington, DC : APA Books. (p. 42)

Plomin, R., & Bergeman, C. S. (1991). The nature of nurture : Genetic influence on « environmental » measures. *Behavioral and Brain Sciences, 14,* 373-427. (p. 142)

Plomin, R., & Crabbe, J. (2000). DNA. *Psychological Bulletin, 126,* 806-828. (p. 143)

Plomin, R., & Daniels, D. (1987). Why are children in the same family so different from one another ? *Behavioral and Brain Sciences, 10,* 1-60. (p. 152)

Plomin, R., & DeFries, J. C. (1998, May). The genetics of cognitive abilities and disabilities. *Scientific American,* pp. 62-69. (p. 42)

Plomin, R., & Kovas, Y. (2005). Generalist genes and learning disabilities. *Psychological Bulletin, 131,* 592-617. (p. 42)

Plomin, R., & McGuffin, P. (2003). Psychopathology in the postgenomic era. *Annual Review of Psychology, 54,* 205-228. (pp. 616, 618)

Plomin, R., Corley, R., Caspi, A., Fulker, D. W., & DeFries, J. (1998). Adoption results for self-reported personality : Evidence for nonadditive genetic effects ? *Journal of Personality and Social Psychology, 75,* 211-219. (p. 139)

Plomin, R., DeFries, J. C., McClearn, G. E., & Rutter, M. (1997). *Behavioral genetics.* New York : Freeman. (pp. 136, 144, 428, 475, 626)

Plomin, R., Fulker, D. W., Corley, R., & DeFries, J. C. (1997). Nature, nurture and cognitive development from 1 to 16 years : A parent-offspring adoption study. *Psychological Science, 8,* 442-447. (p. 460)

Plomin, R., McClearn, G. E., Pedersen, N. L., Nesselroade, J. R., & Bergeman, C. S. (1988). Genetic influence on childhood family environ-ment perceived retrospectively from the last half of the life span. *Developmental Psychology, 24,* 37-45. (p. 142)

Plomin, R., Reiss, D., Hetherington, E. M., & Howe, G. W. (January, 1994). Nature and nurture : Genetic contributions to measures of the family environment. *Developmental Psychology, 30(1),* 32-43. (p. 142)

Plotkin, H. (1994). *Darwin machines and the nature of knowledge.* Cambridge, MA : Harvard University Press. (p. 615)

Plotnik, J. M., de Waal, F. B. M., & Reiss, D. (2006). Self-recognition in an Asian elephant. *Proceedings of the National Academy of Sciences, 103,* 17053-17057. (p. 195)

Plous, S. (1993). Psychological mechanisms in the human use of animals. *Journal of Social Issues, 49*(1), 11-52. (p. 28)

Plous, S., & Herzog, H. A. (2000). Poll shows researchers favor lab animal protection. *Science, 290,* 711. (p. 28)

Poldrack, R. A., & Wagner, A. D. (2004). What can neuroimaging tell us about the mind ? *Current Directions in Psychological Science, 13,* 177-181. (p. 333)

Polivy, J., & Herman, C. P. (1985). Dieting and binging : A causal analysis. *American Psychologist, 40,* 193-201. (p. 463)

Polivy, J., & Herman, C. P. (1987). Diagnosis and treatment of normal eating. *Journal of Personality and Social Psychology, 55,* 635-644. (p. 463)

Polivy, J., & Herman, C. P. (2002). Causes of eating disorders. *Annual Review of Psychology, 53,* 187-213. (p. 454)

Pollack, A. (2004, April 13). With tiny brain implants, just thinking may make it so. *New York Times* (www.nytimes.com). (p. 71)

Pollack, A. (2006, July 13). Paralyzed man uses thoughts to move a cursor. *New York Times* (www.nytimes.com). (p. 71)

Pollak, S. D., & Kistler, D. J. (2002). Early experience is associated with the development of categorical representations for facial expressions of emotion. *Proceedings of the National Academy of Sciences, 99,* 9072-9076. (p. 508)

Pollak, S. D., & Tolley-Schell, S. A. (2003). Selective attention to facial emotion in physically abused children. *Journal of Abnormal Psychology, 112,* 323-328. (p. 508)

Pollak, S., Cicchetti, D., & Klorman, R. (1998). Stress, memory, and emotion : Developmental considerations from the study of child maltreatment. *Developmental Psychopathology, 10,* 811-828. (p. 298)

Pollard, R. (1992). 100 years in psychology and deafness : A centennial retrospective. Invited address to the American Psychological Association convention, Washington, DC. (p. 393)

Pollick, A. S., & de Waal, F. B. M. (2007). Ape gestures and language evolution. *Proceedings of the National Academic of Sciences, 104,* 8184-8189. (p. 399)

Polusny, M. A., & Follette, V. M. (1995). Long-term correlates of child sexual abuse : Theory and review of the empirical literature. *Applied & Preventive Psychology, 4,* 143-166. (p. 192)

Poole, D. A., & Lindsay, D. S. (1995). Interviewing preschoolers : Effects of nonsuggestive techniques, parental coaching and leading questions on reports of nonexperienced events. *Journal of Experimental Child Psychology, 60,* 129-154. (p. 358)

Poole, D. A., & Lindsay, D. S. (2001). Children's eyewitness reports after exposure to misinformation from parents. *Journal of Experimental Psychology : Applied, 7,* 27-50. (p. 358)

Poole, D. A., & Lindsay, D. S. (2002). Reducing child witnesses' false reports of misinformation from parents. *Journal of Experimental Child Psychology, 81*, 117-140. (p. 358)

Poole, D. A., Lindsay, D. S., Memon, A., & Bull, R. (1995). Psychotherapy and the recovery of memories of childhood sexual abuse : U.S. and British practitioners' opinions, practices, and experiences. *Journal of Consulting and Clinical Psychology, 63*, 426-437. (p. 361)

Poon, L. W. (1987). Myths and truisms : Beyond extant analyses of speed of behavior and age. Address to the Eastern Psychological Association convention. (p. 210)

Pope, H. G., Poliakoff, M. B., Parker, M. P., Boynes, M., & Hudson, J. I. (2007). Is dissociative amnesia a culture-bound syndrome ? Findings from a survey of historical literature. *Psychological Medicine, 37*, 225-233. (p. 562)

Popenoe, D. (1993). *The evolution of marriage and the problem of stepfamilies : A biosocial perspective.* Paper presented at the National Symposium on Stepfamilies, Pennsylvania State University. (p. 157)

Popenoe, D., & Whitehead, B. D. (2002). *Should We Live Together ?*, 2nd Ed. New Brunswick, NJ : The National Marriage Project, Rutgers University. (p. 218)

Popkin, B. M. (2007, September). The world is fat. *Scientific American*, pp. 88-95. (pp. 460, 461)

Poremba, A., & Gabriel, M. (2001). Amygdalar efferents initiate auditory thalamic discriminative training-induced neuronal activity. *Journal of Neuroscience, 21, 270-278.* (p. 65)

Porter, D., & Neuringer, A. (1984). Music discriminations by pigeons. *Journal of Experimental Psychology : Animal Behavior Processes, 10*, 138-148. (p. 306)

Porter, S., & Peace, K. A. (2007). The scars of memory : A prospective, longitudinal investigation fo the consistency of traumatic and positive emotional memories in adulthood. *Psychological Science, 18*, 435-441. (p. 364)

Porter, S., & ten Brinke, L. (2008). Reading between the lies : Identifying concealed and falsified emotions in universal facial expressions. *Psychological Science, 19*, 508-514. (p. 509)

Porter, S., Birt, A. R., Yuille, J. C., & Lehman, D. R. (2000, Nov.). Negotiating false memories : Interviewer and rememberer characteristics relate to memory distortion. *Psychological Science, 11*, 507-510. (p. 357)

Porter, S., Yuille, J. C., & Lehman, D. R. (1999). The nature of real, implanted, and fabricated memories for childhood events : Implications for the recovered memory debate. *Law and Human Behavior, 23*, 517-537. (p. 363)

Posner, M. I., & Carr, T. H. (1992). Lexical access and the brain : Anatomical constraints on cognitive models of word recognition. *American Journal of Psychology, 105*, 1-26. (p. 390)

Posthuma, D., & de Geus, E. J. C. (2006). Progress in the molecular-genetic study of intelligence. *Current Directions in Psychological Science, 15*, 151-155. (p. 42)

Poulton, R., & Milne, B. J. (2002). Low fear in childhood is associated with sporting prowess in adolescence and young adulthood. *Behaviour Research and Therapy, 40*, 1191-1197. (p. 629)

Powell, J. (1989). *Happiness is an inside job.* Valencia, CA : Tabor. (p. 587)

Powell, K. E., Thompson, P. D., Caspersen, C. J., & Kendrick, J. S. (1987). Physical activity and the incidence of coronary heart disease. *Annual Review of Public Health, 8*, 253-287. (p. 544)

Powell, L. H., Schahabi, L., & Thoresen, C. E. (2003). Religion and spirituality : Linkages to physical health. *American Psychologist, 58*, 36-52. (p. 549)

Powell, R. A., & Boer, D. P. (1994). Did Freud mislead patients to confabulate memories of abuse ? *Psychological Reports, 74*, 1283-1298. (p. 561)

Powers, M. B., & Emmelkamp, P. M. G. (2008). Virtual reality exposure therapy for anxiety disorders : A meta-analysis. *Journal of Anxiety Disorders, 22*, 561-569. (p. 644)

Prairie Home Companion. (1999). *The Prairie Home Companion's Pretty Good Joke Book* (Vol. 4). St. Paul, MN : Prairie Home Companion. (p. 527)

Pratkanis, A. R., & Greenwald, A. G. (1988). Recent perspectives on unconscious processing : Still no marketing applications. *Psychology and Marketing, 5*, 337-353. (p. 234)

PRB. (2002). *2002 Women of our world.* Population Reference Bureau (www.prb.org). (p. 694)

PRB. (2004). *2004 world population data sheet.* Washington, DC : Population Reference Bureau. (p. 208)

Prentice, D. A., & Miller, D. T. (1993). Pluralistic ignorance and alcohol use on campus : Some consequences of misperceiving the social norm. *Journal of Personality and Social Psychology, 64*, 243-256. (p. 125)

Presley, C. A., Meilman, P. W., & Lyerla, R. (1997). *Alcohol and drugs on American college campuses : Issues of violence and harrassment.* Carbondale, IL ; Core Institute, Southern Illinois University. (p. 116)

Pressman, S. D., & Cohen, S. (2005). Does positive affect influence health ? *Psychological Bulletin, 131*, 925-971. (p. 519)

Price, G. M., Uauq, R., Breeze, E., Bulpitt, C. J., & Fletcher, A. E. (2006). Weight, shape, and mortality risk in older persons : Elevated waisthip ratio, not high body mass index, is associated with a greater risk of death. *American Journal of Clinical Nutrition, 84*, 449-460. (p. 456)

Prince Charles. (2000). BBC Reith Lecture. (p. 2)

Princeton Review. (2005) Guide to college majors, 2005 edition. Princeton, NJ : Author. (p. A-1)

Principe, G. F., Kanaya, T., Ceci, S. J., & Singh, M. (2006). Believing is seeing : How rumors can engender false memories in preschoolers. *Psychological Science, 17*, 243-248. (p. 360)

Pringle, P. J., Geary, M. P., Rodeck, C. H., Kingdom, J. C., Kayamba-Kay's, S., & Hindmarsh, P. C. (2005). The influence of cigarette smoking on antenatal growth, birth size, and the insulin-like growth factor axis. *Journal of Clinical Endocrinology and Metabolism, 90*, 2556-2562. (p. 175)

Prioleau, L., Murdock, M., & Brody, N. (1983). An analysis of psychotherapy versus placebo studies. *The Behavioral and Brain Sciences, 6*, 275-310. (p. 657)

Prior, H., Schwarz, A., & Güntürkün, O. (2008). Mirror-induced behavior in the magpie (*Pica pica*) : Evidence of self-recognition. *PloS Biology, 6*, 1642-1650. (p. 195)

Proffitt, D. R. (2006a). Embodied perception and the economy of action. *Perspectives on Psychological Science, 1*, 110-122. (p. 278)

Proffitt, D.R. (2006b). Distance perception. *Current Directions in Psychological Research, 15*, 131-135. (p. 278)

Project Match Research Group. (1997). Matching alcoholism treatments to client heterogeneity : Project MATCH posttreatment drinking outcomes. *Journal of Studies on Alcohol, 58*, 7-29. (p. 650)

Pronin, E. (2007). Perception and misperception of bias in human judgment. *Trends in Cognitive Sciences, 11*, 37-43. (pp. 587, 683)

Pronin, E., & Ross, L. (2006). Temporal differences in trait self-ascription : When the self is seen as an other. *Journal of Personality and Social Psychology, 90*, 197-209. (p. 675)

Pronin, E., & Wegner, D. M. (2006). Manic thinking : Independent effects of thought speed and thought content on mood. *Psychological Science, 17*, 807-813. (p. 613)

Propper, R. E., Stickgold, R., Keeley, R., & Christman, S. D. (2007). Is television traumatic ? Dreams, stress, and media exposure in the aftermath of September 11, 2001. *Psychological Science, 18*, 334-340. (p. 104)

Provine, R. R. (2001). *Laughter : A scientific investigation.* New York : Penguin. (p. 12)

Pryor, J. H., Hurtado, S., Saenz, V. B., Korn, J. S., Santos, J. L., & Korn, W. S. (2006). *The American Freshman : National norms for Fall 2006.* Los Angeles, UCLA Higher Education Research Institute. (pp. 433, 619)

Pryor, J. H., Hurtado, S., Saenz, V. B., Lindholm, J. A., Korn, W. S., & Mahoney, K. M. (2005). *The American freshman : National norms for Fall 2005.* Los Angeles : Higher Education Research Institute, UCLA. (p. 146)

Pryor, J. H., Hurtado, S., Sharkness, J., & Korn, W. S. (2007). *The American freshman : National norms for Fall 2007.* Los Angeles, UCLA Higher Education Research Institute. (pp. 161, 479)

***Psychologist**. (2003, April). Who's the greatest ?* The Psychologist, 16, *17.* (p. 186)

Puchalski, C. (2005, March 12). Personal correspondence from Director, George Washington Institute for Spirituality and Health. (p. 548)

Puhl, R. M., & Latner, J. D. (2007). Stigma, obesity, and the health of the nation's children. *Psychological Bulletin, 133*, 557-580. (p. 458)

Pulkkinen, L. (2004). A longitudinal study on social development as an impetus for school reform toward an integrated school day. *European Psychologist, 9*, 125-141. (p. 194)

Pulkkinen, L. (2006). The Jyväskylä longitudinal study of personality and social development (JYLS). In L. Pulkkinen, J. Kaprio, & R. J. Rose (Eds.),

Socioemotional development and health from adolescence to adulthood. Cambridge studies on child and adolescent health. New York : Cambridge University Press. (p. 194)

Putnam, F. W. (1991). Recent research on multiple personality disorder. *Psychiatric Clinics of North America, 14*, 489-502, 611)

Putnam, F. W. (1995). Rebuttal of Paul McHugh. *Journal of the American Academy of Child and Adolescent Psychiatry, 34*, 963. (p. 611)

Putnam, R. (2000). *Bowling alone*. New York : Simon and Schuster. (p. 155)

Pyszczynski, T. A., Solomon, S., & Greenberg, J. (2002). *In the wake of 9/11: The psychology of terror*. Washington, DC : American Psychological Association. (p. 696)

Pyszczynski, T., Hamilton, J. C., Greenberg, J., & Becker, S. E. (1991). Self-awareness and psychological dysfunction. In C. R. Snyder & D. O. Forsyth (Eds.), *Handbook of social and clinical psychology : The health perspective*. New York : Pergamon. (p. 619)

Qirko, H. N. (2004). « Fictive kin » and suicide terrorism. *Science, 304*, 49-50. (p. 689)

Quasha, S. (1980). *Albert Einstein : An intimate portrait*. New York : Forest. (p. 42)

Quinn, P. C. (2002). Category representation in young infants. *Current Directions in Psychological Science, 11*, 66-70. (p. 176)

Quinn, P. C., Bhatt, R. S., Brush, D., Grimes, A., & Sharpnack, H. (2002). Development of form similarity as a Gestalt grouping principle in infancy. *Psychological Science, 13*, 320-328. (p. 265)

Quinn, P. J., Williams, G. M., Najman, J. M., Andersen, M. J., & Bor, W. (2001). The effect of breastfeeding on child development at 5 years : A cohort study. *Journal of Pediatrics & Child Health, 3*, 465-469. (p. 17)

Rabbitt, P. (2006). Tales of the unexpected : 25 years of cognitive gerontology. *The Psychologist, 19*, 674-676. (p. 214)

Rabinowicz, T., deCourten-Myers, G. M., Petetot, J. M., Xi, G., & de los Reyes, E. (1996). Human cortex development : Estimates of neuronal numbers indicate major loss late during gestation. *Journal of Neuropathology and Experimental Neurology, 55*, 320-328. (p. 177)

Radin, D., Nelson, R., Dobyns, Y., & Houtkooper, J. (2006). Reexamining psychokinesis : Comment on Bösch, Steinkamp, and Boller (2006). *Psychological Bulletin, 132*, 529-532. (p. 284)

Rahman, Q., & Wilson, G. D. (2003). Born gay ? The psychobiology of human sexual orientation. *Personality and Individual Differences, 34*, 1337-1382. (pp. 474, 477)

Rahman, Q., Wilson, G. D., & Abrahams, S. (2003). Biosocial factors, sexual orientation and neurocognitive functioning. *Psychoneuroendocrinology, 29*, 867-881. (p. 477)

Raine, A. (1999). Murderous minds : Can we see the mark of Cain ? *Cerebrum : The Dana Forum on Brain Science 1(1)*, 15-29. (pp. 630, 698)

Raine, A. (2005). The interaction of biological and social measures in the explanation of antisocial and violent behavior. In D. M. Stoff & E. J. Susman (Eds.) *Developmental psychobiology of aggression*. New York : Cambridge University Press. (pp. 630, 698)

Raine, A., Brennan, P., Mednick, B., & Mednick, S. A. (1996). High rates of violence, crime, academic problems, and behavioral problems in males with both early neuromotor deficits and unstable family environments. *Archives of General Psychiatry, 53*, 544-549. (p. 630)

Raine, A., Lencz, T., Bihrle, S., LaCasse, L., & Colletti, P. (2000). Reduced prefrontal gray matter volume and reduced autonomic activity in antisocial personality disorder. *Archives of General Psychiatry, 57*, 119-127. (p. 630)

Rainville, P., Duncan, G. H., Price, D. D., Carrier, B., & Bushnell, M. C. (1997). Pain affect encoded in human anterior cingulate but not somatosensory cortex. *Science, 277*, 968-971. (p. 111)

Raison, C. L., Klein, H. M., & Steckler, M. (1999). The mood and madness reconsidered. *Journal of Affective Disorders, 53*, 99-106. (p. 631)

Rajendran, G., & Mitchell, P. (2007). Cognitive theories of autism. *Developmental Review, 27*, 224-260. (p. 186)

Ralston, A. (2004). Enough rope. Interview for ABC TV, Australia, by Andrew Denton (www.abc.net.au/enoughrope/stories/s1227885.htm). (p. 444)

Ramachandran, V. S., & Blakeslee, S. (1998). *Phantoms in the brain : Probing the mysteries of the human mind*. New York : Morrow. (pp. 57, 74, 257)

Ramachandran, V. S., & Oberman, L. M. (2006, November). Broken mirrors : A theory of autism. *Scientific American*, pp. 63-69. (pp. 187, 318)

Ramirez-Esparza, N., Gosling, S. D., Benet-Martínez, V., Potter, J. P., & Pennebaker, J. W. (2006). Do bilinguals have two personalities ? A special case of cultural frame switching. *Journal of Research in Personality, 40*, 99-120. (p. 392)

Rand, C. S. W., & Macgregor, A. M. C. (1990). Morbidly obese patients' perceptions of social discrimination before and after surgery for obesity. *Southern Medical Journal, 83*, 1390-1395. (p. 458)

Rand, C. S. W., & Macgregor, A. M. C. (1991). Successful weight loss following obesity surgery and perceived liability or morbid obesity. *Internal Journal of Obesity, 15*, 577-579. (p. 458)

Randi, J. (1999, February 4). 2000 Club mailing list e-mail letter. (p. 284)

Randi, J. (2008). 'Twas Brillig . . . . Last chance to win the million-dollar challenge. *Skeptic, 14*(1), p. 6. (p. 284)

Rapoport, J. L. (1989, March). The biology of obsessions and compulsions. *Scientific American*, pp. 83-89. (pp. 604, 607)

Räsänen, S., Pakaslahti, A., Syvalahti, E., Jones, P. B., & Isohanni, M. (2000). Sex differences in schizophrenia : A review. *Nordic Journal of Psychiatry, 54*, 37-45. (p. 624)

Rasch, B., Büchel, C., Gais, S., & Born, J. (2007). Odor cues during slowwave sleep prompt declarative memory consolidation. *Science, 315*, 1426-1429. (p. 101)

Ray, J. (2005, April 12). U.S. teens walk away from anger : Boys and girls manage anger differently. *The Gallup Organization* (www.gallup.com). (p. 518)

Ray, O., & Ksir, C. (1990). *Drugs, society, and human behavior* (5th ed.). St. Louis : Times Mirror/Mosby. (p. 120)

Raynor, H. A., & Epstein, L. H. (2001). Dietary variety, energy regulation, and obesity. *Psychological Bulletin, 127*, 325-341. (p. 451)

Raz, A., Fan, J., & Posner, M. I. (2005). Hypnotic suggestion reduces conflict in the human brain. *PNAS, 102*, 9978-9983. (p. 111)

Reason, J. (1987). The Chernobyl errors. *Bulletin of the British Psychological Society, 40*, 201-206. (p. 690)

Reason, J., & Mycielska, K. (1982). *Absent-minded ? The psychology of mental lapses and everyday errors*. Englewood Cliffs, NJ : Prentice-Hall. (p. 276)

Reed, P. (2000). Serial position effects in recognition memory for odors. *Journal of Experimental Psychology : Learning, Memory, and Cognition, 26*, 411-422. (p. 332)

Reed, T. E., & Jensen, A. R. (1992). Conduction velocity in a brain nerve pathway of normal adults correlates with intelligence level. *Intelligence, 16*, 259-272. (p. 41)

Rees, Martin (1999). *Just six numbers : The deep forces that shape the universe*. New York : Basic Books. (p. 169)

Regan, P. C., & Atkins, L. (2007). Sex differences and similarities in frequency and intensity of sexual desire. *Social Behavior and Personality, 34*, 95-102. (p. 146)

Reichenberg, A., & Harvey, P. D. (2007). Neuropsychological impairments in schizophrenia : Integration of performance-based and brain imaging findings. *Psychological Bulletin, 133*, 833-858. (p. 622)

Reichenberg, A., Gross, R., Weiser, M., Bresnahan, M., Silverman, J., Harlap, S., Rabinoqitz, J., Shulman, C., Malaspina, D., Lubin, G., Knobler, H Y., Davidson, M., & Susser, E. (2007). Advancing paternal age and autism. *Archives of General Psychiatry, 63*, 1026-1032. (p. 186)

Reichman, J. (1998). *I'm not in the mood : What every woman should know about improving her libido*. New York : Morrow. (p. 466)

Reifman, A., & Cleveland, H. H. (2007). Shared environment : A quantitative review. Paper presented to the Society for Research in Child Development, Boston, MA. (p. 139)

Reijmers, L. G., Perkins, B. L., Matsuo, N., & Mayford, M. (2007). Localization of a stable neural correlate of associative memory. *Science, 317*, 1230-1233. (p. 517)

Reiner, W. G., & Gearhart, J. P. (2004). Discordant sexual identity in some genetic males with cloacal exstrophy assigned to female sex at birth. *New England Journal of Medicine, 350*, 333-341. (p. 163)

Reis, D., & Marino, L. (2001). Mirror self-recognition in the bottlenose dolphin : A case of cognitive convergence. *PNAS, 98*, 5937-5942. (p. 195)

Reis, H. T., & Aron, A. (2008). Love : What is it, why does it matter, and how does it operate ? *Perspectives on Psychological Science, 3*, 80-86. (p. 711)

Reisenzein, R. (1983). The Schachter theory of emotion : Two decades later. *Psychological Bulletin, 94*, 239-264. (p. 503)

Reiser, M. (1982). *Police psychology.* Los Angeles : LEHI. (p. 283)

Reitzle, M. (2006). The connections between adulthood transitions and the self-perception of being adult in the changing contexts of East and West Germany. *European Psychologist, 11*, 25-38. (p. 206)

Remley, A. (1988, October). From obedience to independence. *Psychology Today*, pp. 56-59. (p. 157)

Renner, M. J., & Renner, C. H. (1993). Expert and novice intuitive judgments about animal behavior. *Bulletin of the Psychonomic Society, 31*, 551-552. (p. 150)

Renner, M. J., & Rosenzweig, M. R. (1987). *Enriched and impoverished environments : Effects on brain and behavior.* New York : Springer-Verlag. (p. 150)

Renninger, K. A., & Granott, N. (2005). The process of scaffolding in learning and development. *New Ideas in Psychology, 23*(3), 111-114. (p. 188)

Rentfrow, P. J., & Gosling, S. D. (2003). The Do Re Mi's of everyday life : The structure and personality correlates of music preferences. *Journal of Personality and Social Psychology, 84*, 1236-1256. (p. 575)

Rentfrow, P. J., & Gosling, S. D. (2006). Message in a ballad : The role of music preferences in interpersonal perception. *Psychological Science, 17*, 236-242. (p. 575)

Repetti, R. L., Taylor, S. E., & Seeman, T. E. (2002). Risky families : Family social environments and the mental and physical health of offspring. *Psychological Bulletin, 128*, 330-366. (p. 528)

Rescorla, R. A., & Wagner, A. R. (1972). A theory of Pavlovian conditioning : Variations in the effectiveness of reinforcement and nonreinforcement. In A. H. Black & W. F. Perokasy (Eds.), *Classical conditioning II : Current theory.* New York : Appleton-Century-Crofts. (p. 299)

Resnick, M. D., Bearman, P. S., Blum, R. W., Bauman, K. E., Harris, K. M., Jones, J., Tabor, J., Beuhring, T., Sieving, R., Shew, M., Bearinger, L. H., & Udry, J. R. (1997). Protecting adolescents from harm : Findings from the National Longitudinal Study on Adolescent Health. *Journal of the American Medical Association, 278*, 823-832. (pp. 15, 205)

Resnick, R. A., O'Regan, J. K., & Clark, J. J. (1997). To see or not to see : The need for attention to perceive changes in scenes. *Psychological Science, 8*, 368-373. (p. 90)

Resnick, S. M. (1992). Positron emission tomography in psychiatric illness. *Current Directions in Psychological Science, 1*, 92-98. (p. 624)

Responsive Community. (1996, Fall). Age vs. weight. Page 83 (reported from a *Wall Street Journal* survey). (p. 462)

Ressler, R. K., Burgess, A. W., & Douglas, J. E. (1988). *Sexual homicide patterns.* Boston : Lexington Books. (p. 702)

Reuters. (2000, July 5). Many teens regret decision to have sex (National Campaign to Prevent Teen Pregnancy survey). www.washingtonpost.com. (p. 470)

Reyna, V. F., & Farley, F. (2006). Risk and rationality in adolescent decision making : Implications for theory, practice, and public policy. *Psychological Science in the Public Interest, 7*(1), 1-44. (p. 199)

Reynolds, A. J., Temple, J. A., Robertson, D. L., & Manri, E. A. (2001). Long-term effects of an early childhood intervention on educational achievement and juvenile arrest. *Journal of the American Medical Association, 285*, 2339-2346. (p. 43)

Rhodes, G., Sumich, A., & Byatt, G. (1999). Are average facial configurations attractive only because of their symmetry ? *Psychological Science, 10*, 52-58. (p. 709)

Rhodes, S. R. (1983). Age-related differences in work attitudes and behavior : A review and conceptual analysis. *Psychological Bulletin, 93*, 328-367. (p. 210)

Rholes, W. S., & Simpson, J. A. (Eds.) (2004). *Adult attachment : Theory, research, and clinical implications.* New York : Guilford. (p. 191)

Rholes, W. S., Simpson, J. A., & Friedman, M. (2006). Avoidant attachment and the experience of parenting. *Personality and Social Psychology Bulletin, 32*, 275-285. (p. 191)

Ribeiro, R., Gervasoni, D., Soares, E. S., Zhou, Y., & Lin S-C., Pantoja, J., Lavine, M., & Nicolelis, M. A. L. (2004). Long-lasting novelty-induced neuronal reverberation during slow-wave sleep in multiple forebrain areas. *PloS Biology, 2(1)*, e37 (www.plosbiology.org). (p. 101)

Ricciardelli, L. A., & McCabe, M. P. (2004). A biopsychosocial model of disordered eating and the pursuit of muscularity in adolescent boys. *Psychological Bulletin, 130*, 179-205. (p. 454)

Rice, B. (1985, September). Performance review : The job nobody likes. *Psychology Today*, pp. 30-36. (p. 675)

Rice, M. E., & Grusec, J. E. (1975). Saying and doing : Effects on observer performance. *Journal of Personality and Social Psychology, 32*, 584-593. (p. 321)

Richardson, J. (1993). The curious case of coins : Remembering the appearance of familiar objects. *The Psychologist : Bulletin of the British Psychological Society, 6*, 360-366. (p. 351)

Richardson, J. T. E., & Zucco, G. M. (1989). Cognition and olfaction : A review. *Psychological Bulletin, 105*, 352-360. (p. 262)

Richeson, J. A., & Shelton, J. N. (2007). Negotiating interracial interactions. *Current Directions in Psychological Science, 16*, 316-320. (p. 717)

Rieff, P. (1979). *Freud : The mind of a moralist* (3rd ed.). Chicago : University of Chicago Press. (p. 564)

Rieger, G., Chivers, M. L., & Bailey, J. M. (2005). Sexual arousal patterns of bisexual men. *Psychological Science, 16*, 579-584. (p. 472)

Riis, J., Loewenstein, G., Baron, J., Jepson, C., Fagerlin, A., & Ubel, P. A. (2005). Ignorance of hedonic adaptation to hemodialysis : A study using ecological momentary assessment. *Journal of Experimental Psychology : General, 134*, 3-9. (p. 521)

Rindermann, H. (2007). The *g*-factor of international cognitive ability comparisons : The homogeneity of results in PISA, TIMSS, PIRLS and IQ-tests across nations. *European Journal of Personality, 21*, 667-7006. (p. 40)

Ring, K. (1980). *Life at death : A scientific investigation of the near-death experience.* New York ; Coward, McCann & Geoghegan. (p. 127)

Ripple, C. H., & Zigler, E. F. (2003). Research, policy, and the federal role in prevention initiatives for children. *American Psychologist, 58*, 482-490. (p. 43)

Riskind, J. H., Beck, A. T., Berchick, R. J., Brown, G., & Steer, R. A. (1987). Reliability of DSM-III diagnoses for major depression and generalized anxiety disorder using the structured clinical interview for DSM-III. *Archives of General Psychiatry, 44*, 817-820. (p. 598)

Rizzolatti, G., Fadiga, L., Fogassi, L., & Gallese, V. (2002). From mirror neurons to imitation : Facts and speculations. In A. N. Meltzoff & W. Prinz (Eds.), *The imitative mind : Development, evolution, and brain bases.* Cambridge : Cambridge University Press. (p. 318)

Rizzolatti, G., Fogassi, L., & Gallese, V. (2006, November). Mirrors in the mind. *Scientific American*, pp. 54-61. (p. 318)

Roberson, D., Davidoff, J., Davies, I. R. L., & Shapiro, L. R. (2004). The development of color categories in two languages : A longitudinal study. *Journal of Experimental Psychology : General, 133*, 554-571. (p. 392)

Roberson, D., Davies, I. R. L., Corbett, G. G., & Vandervyver, M. (2005). Free-sorting of colors across cultures : Are there universal grounds for grouping ? *Journal of Cognition and Culture, 5*, 349-386. (p. 392)

Roberts, B. W., & DelVecchio, W. F. (2000). The rank-order consistency of personality traits from childhood to old age : A quantitative review of longitudinal studies. *Psychological Bulletin, 126*, 3-25. (p. 574)

Roberts, B. W., & Mroczek, D. (2008). Personality trait change in adulthood. *Current Directions in Psychological Science, 17*, 31-35. (p. 225)

Roberts, B. W., Caspi, A., & Moffitt, T. E. (2001). The kids are alright : Growth and stability in personality development from adolescence to adulthood. *Journal of Personality and Social Psychology, 81*, 670-683. (p. 224)

Roberts, B. W., Caspi, A., & Moffitt, T. E. (2003). Work experiences and personality development in young adulthood. *Journal of Personality and Social Psychology, 84*, 582-593. (p. 225)

Roberts, B. W., Kuncel, N. R., Shiner, R., Caspi, A., & Goldberg, L. R. (2007). The power of personality : The comparative validity of personality traits, socioeconomic status, and cognitive ability for predicting important life outcomes. *Perspectives on Psychological Science, 2*, 313-345. (p. 574)

Roberts, B. W., Walton, K. E., & Viechtbauer, W. (2006). Patterns of mean-level change in personality traits across the life course : A meta-analysis of longitudinal studies. *Psychological Bulletin, 132*, 1-25. (p. 225)

Roberts, L. (1988). Beyond Noah's ark : What do we need to know ? *Science, 242*, 1247. (p. 539)

Roberts, T-A. (1991). Determinants of gender differences in responsiveness to others' evaluations. *Dissertation Abstracts International, 51*(8-B). (p. 161)

Robins, L. N., Davis, D. H., & Goodwin, D. W. (1974). Drug use by U.S. Army enlisted men in Vietnam : A follow-up on their return home. *American Journal of Epidemiology, 99*, 235-249. (p. 126)

Robins, L., & Regier, D. (Eds.). (1991). *Psychiatric disorders in America.* New York : Free Press. (p. 633)

Robins, R. W., & Trzesniewski, K. H. (2005). Self-esteem development across the lifespan. *Current Directions in Psychological Science, 14*(3), 158-162. (p. 220)

Robins, R. W., Trzesniewski, K. H., Tracy, J. L., Gosling, S. D., & Potter, J. (2002). Global self-esteem across the lifespan. *Psychology and Aging, 17*, 423-434. (p. 204)

Robinson, F. P. (1970). *Effective study.* New York : Harper & Row. (p. 12)

Robinson, J. (2002, October 8). What percentage of the population is gay ? *Gallup Tuesday Briefing* (www.gallup.com/poll/tb/religValue/20021008b.asp). (p. 472)

Robinson, J. P., & Martin, S. P. (2007, October). Not so deprived : Sleep in America, 1965-2005. *Public Opinion Pros* (www.publicopinionpros.com). (p. 97)

Robinson, T. E., & Berridge, K. C. (2003). Addiction. *Annual Review of Psychology, 54*, 25-53. (p. 114)

Robinson, T. N. (1999). Reducing children's television viewing to prevent obesity. *Journal of the American Medical Association, 282*, 1561-1567. (p. 463)

Robinson, T. N., Borzekowski, D. L. G., Matheson, D. M., & Kraemer, H. C. (2007). Effects of fast food branding on young children's taste preferences. *Archives of Pediatric and Adolescent Medicine, 161*, 792-797. (p. 276)

Robinson, V. M. (1983). Humor and health. In P. E. McGhee & J. H. Goldstein (Eds.), *Handbook of humor research : Vol. II. Applied studies.* New York : Springer-Verlag. (p. 540)

Rochat, F. (1993). How did they resist authority ? Protecting refugees in Le Chambon during World War II. Paper presented at the American Psychological Association convention. (p. 686)

Rock, I., & Palmer, S. (1990, December). The legacy of Gestalt psychology. *Scientific American*, pp. 84-90. (pp. 264, 265)

Rodin, J. (1986). Aging and health : Effects of the sense of control. *Science, 233*, 1271-1276. (pp. 538, 539)

Rodin, J. (1986). Aging and health : Effects of the sense of control. *Science, 233*, 1271-1276. (p. 580)

Roediger, H. (2001, September). Quoted by R. Herbert, Doing a number on memory. *APS Observer*, pp. 1, 7-11. (p. 354)

Roediger, H. L., & Karpicke, J. D. (2006). Test-enhanced learning : Taking memory tests improves long-term retention. *Psychological Science, 17*, 249-255. (p. 332)

Roediger, H. L., III, & Geraci, L. (2007). Aging and the misinformation effect : A neuropsychological analysis. *Journal of Experimental Psychology, 33*, 321-334. (p. 361)

Roediger, H. L., III, & McDaniel, M. A. (2007). Illusory recollection in older adults : Testing Mark Twain's conjecture. In M. Garry H. Hayne (Ed.), *Do justice and let the sky fall : Elizabeth F. Loftus and her contributions to science, law, and academic freedom.* Mahwah, NJ, 361)

Roediger, H. L., III, & McDermott, K. B. (1995). Creating false memories : Remembering words not presented in lists. *Journal of Experimental Psychology : Learning, Memory, and Cognition, 21*, 803-814. (p. 359)

Roediger, H. L., III, Wheeler, M. A., & Rajaram, S. (1993). Remembering, knowing, and reconstructing the past. In D. L. Medin (Ed.), *The psychology of learning and motivation : Advances in research and theory (Vol. 30).* Orlando, FL : Academic Press. (p. 357)

Roehling, M. V. (1999). Weight-based discrimination in employment : Psychological and legal aspects. *Personnel Psychology, 52*, 969-1016. (p. 457)

Roehling, M. V., Roehling, P. V., & Pichler, S. (2007). The relationship between body weight and perceived weight-related employment discrimination : The role of sex and race. *Journal of Vocational Behavior, 71*, 300-318. (p. 457)

Roehling, P. V., Roehling, M. V., & Moen, P. (2001). The relationship between work-life policies and practices and employee loyalty : A life course perspective. *Journal of Family and Economic Issues, 22*, 141-170. (p. 492)

Roenneberg, T., Kuehnle, T., Pramstaller, P. P., Ricken, J., Havel, M., Guth, A., Merrow, M. (2004). A marker for the end of adolescence. *Current Biology, 14*, R1038-9. (p. 92)

Roese, N. J., & Summerville, A. (2005). What we regret most . . . and why. *Personality and Social Psychology Bulletin, 31*, 1273-1285. (p. 220)

Roesser, R. (1998). What you should know about hearing conservation. *Better Hearing Institute* (www.betterhearing.org). (p. 248)

Rofé, Y. (2008). Does repression exist ? Memory, pathogenic, unconscious and clinical evidence. *Review of General Psychology, 12*, 63-85. (p. 562)

Rogaeva, E. & 40 others (2007). The neuronal sortilin-related receptor SORL1 is genetically associated with Alzehimer disease. *Nature Genetics, 39*, 168-177. (p. 212)

Rogers, C. R. (1958). Reinhold Niebuhr's The self and the dramas of history : A criticism. *Pastoral Psychology, 9*, 15-17. (p. 586)

Rogers, C. R. (1961). *On becoming a person : A therapist's view of psychotherapy.* Boston ; Houghton Mifflin. (p. 641)

Rogers, C. R. (1980). *A way of being.* Boston : Houghton Mifflin. (pp. 565, 566, 641)

Rogers, L. J. (2003, Fall). Seeking the right answers about right brain-left brain. *Cerebrum, 5*(4), 55-68. (p. 78)

Rohan, K. J., Roecklein, K. A., Lindsey, K. T., Johnson, L. G., Lippy, R. D., Lacy, T. J., & Barton, F. B. (2007). A randomized controlled trial of cognitivebehavioral therapy, light therapy, and their combination for seasonal affective disorder. *Journal of Consulting and Clinical Psychology, 75*, 489-500. (p. 657)

Rohan, M. J., & Zanna, M. P. (1996). Value transmission in families, » in C. Seligman, J. M. Olson, & M. P. Zanna (Eds.), *The psychology of values : The Ontario Symposium (Vol. 8).* Malwah, NJ : Erlbaum. (p. 139)

Rohner, R. P. (1986). The warmth dimension : Foundations of parental acceptance-rejection theory. Newbury Park, CA : Sage. (p. 158)

Rohner, R. P., & Veneziano, R. A. (2001). The importance of father love : History and contemporary evidence. *Review of General Psychology, 5*, 382-405. (pp. 191, 195)

Rohrer, D., & Pashler, H. (2007). Increasing retention without increasing study time. *Current Directions in Psychological Science, 16*, 183-186. (p. 332)

Roiser, J. P., Cook, L. J., Cooper, J. D., Rubinsztein, D. C., & Sahakian, B. J. (2005). Association of a functional polymorphism in the serotonin transporter gene with abnormal emotional processing in ecstasy users. *American Journal of Psychiatry, 162*, 609-612. (p. 121)

Rokach, A., Orzeck, T., Moya, M., & Exposito, F. (2002). Causes of loneliness in North America and Spain. *European Psychologist, 7*, 70-79. (p. 26)

Roney, J. R., Hanson, K. N., Durante, K. M., & Maestripieri, D. (2006). Reading men's faces : Women's mate attractiveness judgments track men's testosterone and interest in infants. *Proceedings of the Royal Society B, 273*, 2169-2175. (p. 148)

Rosch, E. (1978). Principles of categorization. In E. Rosch & B. L. Lloyd (Eds.), *Cognition and categorization.* Hillsdale, NJ : Erlbaum. (p. 370)

Rose, A. J., & Rudolph, K. D. (2006). A review of sex differences in peer relationship processes : Potential trade-offs for the emotional and behavioral development of girls and boys. *Psychological Bulletin, 132*, 98-131. (p. 160)

Rose, J. S., Chassin, L., Presson, C. C., & Sherman, S. J. (1999). Peer influences on adolescent cigarette smoking : A prospective sibling analysis. *Merrill-Palmer Quarterly, 45*, 62-84. (pp. 11, 152)

Rose, R. J. (2004). Developmental research as impetus for school reform. *European Psychologist, 9*, 142-144. (p. 194)

Rose, R. J., Kaprio, J., Winter, T., Dick, D. M., Viken, R. J., Pulkkinen, L., & Koskenvuo, M. (2002). Femininity and fertility in sisters with twin brothers : Prenatal androgenization ? Cross-sex socialization ? *Psychological Science, 13*, 263-266. (p. 473)

Rose, R. J., Viken, R. J., Dick, D. M., Bates, J. E., Pulkkinen, L., & Kaprio, J. (2003). It *does* take a village : Nonfamiliar environments and children's behavior. *Psychological Science, 14*, 273-277. (p. 152)

Rose, S. (1999). Precis of Lifelines : Biology, freedom, determinism. *Behavioral and Brain Sciences, 22*, 871-921. (p. 148)

Rose, S., Bisson, J., & Wessely, S. (2003). A systematic review of single-session psychological interventions (« debriefing ») following trauma. *Psychotherapy and Psychosomatics, 72*, 176-184. (p. 605)

Roselli, C. E., Larkin, K., Schrunk, J. M., & Stormshak, F. (2004). Sexual partner preference, hypothalamic morphology and aromatase in rams. *Physiology and Behavior, 83*, 233-245. (p. 474)

Roselli, C. E., Resko, J. A., & Stormshak, F. (2002). Hormonal influences on sexual partner preference in rams. *Archives of Sexual Behavior, 31*, 43-49. (p. 474)

Rosenbaum, M. (1986). The repulsion hypothesis : On the nondevelopment of relationships. *Journal of Personality and Social Psychology, 51*, 1156-1166. (p. 709)

Rosenberg, N. A., Pritchard, J. K., Weber, J. L., Cann, H. M., Kidd, K. K., Zhivotosky, L. A., & Feldman, M. W. (2002). Genetic structure of human populations. *Science, 298*, 2381-2385. (p. 145)

Rosenhan, D. L. (1973). On being sane in insane places. *Science, 179*, 250-258. (p. 599)

Rosenthal, R., Hall, J. A., Archer, D., DiMatteo, M. R., & Rogers, P. L. (1979). The PONS test : Measuring sensitivity to nonverbal cues. In S. Weitz (Ed.), *Nonverbal communication* (2nd ed.). New York : Oxford University Press. (pp. 432, 509)

Rosenzweig, M. R. (1984). Experience, memory, and the brain. *American Psychologist, 39*, 365-376. (p. 150)

Roseth, C. J., Johnson, D. W., & Johnson, R. T. (2008). Promoting early adolescents' achievement and peer relationships : The effects of cooperative, competitive, and individualistic goal structures. *Psychological Bulletin, 134*, 223-246. (p. 718)

Ross, J. (2006, December). Sleep on a problem . . . it works like a dream. *The Psychologist, 19*, 738-740. (p. 101)

Ross, M., McFarland, C., & Fletcher, G. J. O. (1981). The effect of attitude on the recall of personal histories. *Journal of Personality and Social Psychology, 40*, 627-634. (p. 355)

Ross, M., Xun, W. Q. E., & Wilson, A. E. (2002). Language and the bicultural self. *Personality and Social Psychology Bulletin, 28*, 1040-1050. (p. 392)

Rossi, A. S., & Rossi, P. H. (1993). *Of human bonding : Parent-child relations across the life course.* Hawthorne, NY : Aldine de Gruyter. (p. 162)

Rossi, P. J. (1968). Adaptation and negative aftereffect to lateral optical displacement in newly hatched chicks. *Science, 160*, 430-432. (p. 274)

Rostosky, S. S., Wilcox, B. L., Wright, M. L. C., & Randall, B. A. (2004). The impact of religiosity on adolescent sexual behavior : A review of the evidence. *Journal of Adolescent Research, 19*, 677-697. (p. 471)

Roth, T., Roehrs, T., Zwyghuizen-Doorenbos, A., Stpeanski, E., & Witting, R. (1988). Sleep and memory. In I. Hindmarch & H. Ott (Eds.), *Benzodiazepine receptor ligans, memory and information processing.* New York : Springer-Verlag. (p. 105)

Rothbart, M. K., Ahadi, S. A., & Evans, D. E. (2000). Temperament and personality : Origins and outcomes. *Journal of Personality and Social Psychology, 78*, 122-135. (p. 140)

Rothbart, M., Fulero, S., Jensen, C., Howard, J., & Birrell, P. (1978). From individual to group impressions : Availability heuristics in stereotype formation. *Journal of Experimental Social Psychology, 14*, 237-255. (p. 697)

Rothbaum, B. O. (2006). Virtual reality exposure therapy. In B. O. Rothbaum (Ed.), *Pathological anxiety : Emotional processing in etiology and treatment.* New York ; Guilford. (p. 644)

Rothbaum, F., & Tsang, B. Y-P. (1998). Lovesongs in the United States and China : On the nature of romantic love. *Journal of Cross-Cultural Psychology, 29*, 306-319. (p. 157)

Rothblum, E. D. (2007). Same-sex couples in legalized relationships : I do, or do I ? Unpublished manuscript, Women's Studies Department, San Diego State University. (p. 146)

Rothman, A. J., & Salovey, P. (1997). Shaping perceptions to motivate healthy behavior : The role of message framing. *Psychological Bulletin, 121*, 3-19. (p. 381)

Rothstein, W. G. (1980). The significance of occupations in work careers : An empirical and theoretical review. *Journal of Vocational Behavior, 17*, 328-343. (p. 219)

Rotton, J., & Kelly, I. W. (1985). Much ado about the full moon : A metaanalysis of lunar-lunacy research. *Psychological Bulletin, 97*, 286-306. (p. 631)

Rovee-Collier, C. (1989). The joy of kicking : Memories, motives, and mobiles. In P. R. Solomon, G. R. Goethals, C. M. Kelley, & B. R. Stephens (Eds.), *Memory : Interdisciplinary approaches.* New York : Springer-Verlag. (p. 179)

Rovee-Collier, C. (1993). The capacity for long-term memory in infancy. *Current Directions in Psychological Science, 2*, 130-135. (p. 347)

Rovee-Collier, C. (1997). Dissociations in infant memory : Rethinking the development of implicit and explicit memory. *Psychological Review, 104*, 467-498. (p. 179)

Rovee-Collier, C. (1999). The development of infant memory. *Current Directions in Psychological Science, 8*, 80-85. (p. 179)

Rowe, D. C. (1990). As the twig is bent ? The myth of child-rearing influences on personality development. *Journal of Counseling and Development, 68*, 606-611. (p. 139)

Rowe, D. C. (2005). Under the skin : On the impartial treatment of genetic and environmental hypotheses of racial differences. *American Psychologist, 60*, 60-70. (p. 43)

Rowe, D. C., Almeida, D. M., & Jacobson, K. C. (1999). School context and genetic influences on aggression in adolescence. *Psychological Science, 10*, 277-280. (p. 698)

Rowe, D. C., Jacobson, K. C., & Van den Oord, E. J. C. G. (1999). Genetic and environmental influences on vocabulary IQ : Parental education level as moderator. *Child Development, 70(5)*, 1151-1162. (p. 42)

Rowe, D. C., Vazsonyi, A. T., & Flannery, D. J. (1994). No more than skin deep : Ethnic and racial similarity in developmental process. *Psychological Review, 101(3)*, 396. (p. 158)

Rozin, P., Dow, S., Mosovitch, M., & Rajaram, S. (1998). What causes humans to begin and end a meal ? A role for memory for what has been eaten, as evidenced by a study of multiple meal eating in amnesic patients. *Psychological Science, 9*, 392-396. (p. 451)

Rozin, P., Millman, L., & Nemeroff, C. (1986). Operation of the laws of sympathetic magic in disgust and other domains. *Journal of Personality and Social Psychology, 50*, 703-712. (p. 298)

Ruback, R. B., Carr, T. S., & Hopper, C. H. (1986). Perceived control in prison : Its relation to reported crowding, stress, and symptoms. *Journal of Applied Social Psychology, 16*, 375-386. (p. 580)

Rubenstein, J. S., Meyer, D. E., & Evans, J. E. (2001). Executive control of cognitive processes in task switching. *Journal of Experimental Psychology : Human Perception and Performance, 27*, 763-797. (p. 89)

Rubin, D. C., Rahhal, T. A., & Poon, L. W. (1998). Things learned in early adulthood are remembered best. *Memory and Cognition, 26*, 3-19. (p. 212)

Rubin, J. Z., Pruitt, D. G., & Kim, S. H. (1994). *Social conflict : Escalation, stalemate, and settlement.* New York : McGraw-Hill. (p. 718)

Rubin, L. B. (1985). *Just friends : The role of friendship in our lives.* New York : Harper & Row. (p. 161)

Rubin, Z. (1970). Measurement of romantic love. *Journal of Personality and Social Psychology, 16*, 265-273. (p. 508)

Rubio, G., & López-Ibor, J. J. (2007). Generalized anxiety disorder : A 40-year follow-up study. *Acta Psychiatrica Scandinavica, 115*, 372-379. (p. 602)

Rubonis, A. V., & Bickman, L. (1991). Psychological impairment in the wake of disaster : The disaster-psychopathology relationship. *Psychological Bulletin, 109*, 384-399. (p. 530)

Ruchlis, H. (1990). *Clear thinking : A practical introduction.* Buffalo, NY : Prometheus Books. (p. 371)

Rudman, L. A., & Goodwin, S. A. (2004). Gender differences in automatic in-group bias : Why do women like women more than men like men ? *Journal of Personality and Social Psychology, 87*, 494-509. (p. 694)

Ruffin, C. L. (1993). Stress and health — little hassles vs. major life events. *Australian Psychologist, 28*, 201-208. (p. 531)

Rule, B. G., & Ferguson, T. J. (1986). The effects of media violence on attitudes, emotions, and cognitions. *Journal of Social Issues, 42*(3), 29-50. (p. 323)

Rumbaugh, D. M. (1977). *Language learning by a chimpanzee : The Lana project.* New York : Academic Press. (p. 398)

Rumbaugh, D. M., & Savage-Rumbaugh, S. (1978). Chimpanzee language research : Status and potential. *Behavior Research Methods & Instrumentation, 10*, 119-131. (p. 400)

Rumbaugh, D. M., & Savage-Rumbaugh, S. (1994, January/February). Language and apes. *Psychology Teacher Network*, pp. 2-5, 9. (p. 400)

Rumbaugh, D. M., & Washburn, D. A. (2003). *Intelligence of apes and other rational beings.* New Haven, CT : Yale University Press. (p. 400)

Rush, A. J. & 12 others from the STAR*D Study team (2006). Bupropion-SR, Sertaline, or Venlafaxine-XR after failure of SSRIs for depression. *New England Journal of Medicine, 354,* 1231-1242. (p. 663)

Rushton, J. P. (1975). Generosity in children : Immediate and long-term effects of modeling, preaching, and moral judgment. *Journal of Personality and Social Psychology, 31,* 459-466. (p. 321)

Rushton, J. P., & Jensen, A. R. (2005). Thirty years of research on race differences in cognitive ability. *Psychology, Public Policy, and Law, 11,* 235-294. (p. 43)

Rushton, J. P., & Jensen, A. R. (2006). The totality of available evidence shows the race IQ gap still remains. *Psychological Science, 17,* 921-922. (p. 43)

Russell, B. (1930/1985). *The conquest of happiness.* London : Unwin Paperbacks. (p. 525)

Russell, J. A., & Carroll, J. M. (1999b). The phoenix of bipolarity : Reply to Watson and Tellegan (1999). *Psychological Bulletin, 125,* 611-614. (p. 515)

Russell, J. A., & Carroll, J. M. (January, 1999a). On the bipolarity of positive and negative affect. *Psychological Bulletin, 125,* 3-30. (p. 515)

Russell, J. A., Lewicka, M., & Niit, T. (1989). A cross-cultural study of a circumplex model of affect. *Journal of Personality and Social Psychology, 57,* 848-856. (p. 515)

Rusting, C. L., & Nolen-Hoeksema, S. (1998). Regulating responses to anger : Effects of rumination and distraction on angry mood. *Journal of Personality and Social Psychology, 74,* 790-803. (p. 519)

Rutter, M., and the English and Romanian Adoptees (ERA) study team. (1998). Developmental catch-up, and deficit, following adoption after severe global early privation. *Journal of Child Psychology and Psychiatry, 39,* 465-476. (p. 192)

Ruys, K. I., & Stapel, D. A. (2008). The secret life of emotions. *Psychological Science, 19,* 385-391. (p. 504)

Ryan, R. (1999, February 2). Quoted by Alfie Kohn, In pursuit of affluence, at a high price. *New York Times* (www.nytimes.com). (pp. 523, 524)

Ryan, R. M., & Deci, E. L. (2004). Avoiding death or engaging life as accounts of meaning and culture : Comment on Pyszczynski et al. (2004). *Psychological Bulletin, 130,* 473-477. (p. 589)

Ryckman, R. M., Robbins, M. A., Kaczor, L. M., & Gold J. A. (1989). Male and female raters' stereotyping of male and female physiques. *Personality and Social Psychology Bulletin, 15,* 244-251. (p. 457)

Ryder, A. G., Yang, J., Zhu, X., Yao, S., Yi, J., Heine, S. J., & Bagby, R. M. (2008). The cultural shaping of depression : Somatic symptoms in China, psychological symptoms in North America ? *Journal of Abnormal Psychology, 117,* 300-313. (p. 608)

Saad, L. (2001, December 17). Americans' mood : Has Sept. 11 made a difference ? *Gallup Poll News* Service (www.gallup.com/poll/releases/pr011217.asp). (p. 531)

Saad, L. (2002, November 21). Most smokers wish they could quit. *Gallup News Service* (www.gallup.com). (p. 119)

Saad, L. (2006, August 10). Anti-Muslim sentiments fairly commonplace. Gallup News Service (poll.gallup.com). (p. 692)

Sabbagh, M. A., Xu, F., Carlson, S. M., Moses, L. J., & Lee, K. (2006). The development of executive functioning and theory of mind : A comparison of Chinese and U.S. preschoolers. *Psychological Science, 17,* 74-81. (p. 184)

Sabini, J. (1986). Stanley Milgram (1933-1984). *American Psychologist, 41,* 1378-1379. (p. 684)

Sachdev, P., & Sachdev, J. (1997). Sixty years of psychosurgery : Its present status and its future. *Australian and New Zealand Journal of Psychiatry, 31,* 457-464. (p. 667)

Sackett, P. R., & Lievens, F. (2008). Personnel selection. *Annual Review of Psychology, 59,* 419-450. (p. 484)

Sackett, P. R., Borneman, M. J., & Connelly, B. S. (2008). High-stakes testing in higher education and employment : Appraising the evidence for validity and fairness. *American Psychologist, 63,* 215-227. (p. 438)

Sackett, P. R., Hardison, C. M., & Cullen, M. J. (2004). On interpreting stereotype threat as accounting for African American-White differences on cognitive tests. *American Psychologist, 59,* 7-13. (p. 438)

Sacks, O. (1985). *The man who mistook his wife for a hat.* New York : Summit Books. (pp. 254, 343)

Sadato, N., Pascual-Leone, A., Grafman, J., Ibanez, V., Deiber, M-P., Dold, G., & Hallett, M. (1996). Activation of the primary visual cortex by Braille reading in blind subjects. *Nature, 380,* 526-528. (p. 74)

Saffran, J. R., Aslin, R. N., & Newport, E. L. (1996). Statistical learning by 8-month-old infants. *Science, 274,* 1926-1928. (p. 387)

Sagan, C. (1987, February 1). The fine art of baloney detection. *Parade.* (p. *283*)

Sakurai, T., Amemiya, A., Ishii, M., Matsuzaki, I., Chemelli, R. M., Tanaka, H., Williams, S. C., Richardson, J. A., Kozlowski, G. P., Wilson, S., Arch, J. R. S., Buckingham, R. E., Haynes, A. C., Carr, S. A., Annan, R. S., McNulty, D. E., Liu, W-S., Terrett, J. A., Elshourbagy, N. A., Bergsma, D. J., Yanagisawa, M. (1998). Orexins and orexin receptors : A family of hypothalamic neuropeptides and G protein-coupled receptors that regulate feeding behavior. *Cell, 92,* 573-585. (p. 449)

Salib, E., & Cortina-Borja, M. (2006). Effect of month of birth on the risk of suicide. *British Journal of Psychiatry, 188,* 416-422. (p. 616)

Salmela-Aro, K., & Nurmi, J-E. (2007). Self-esteem during university studies predicts career characteristics 10 years later. *Journal of Vocational Behavior, 70,* 463-477. (p. 585)

Salmon, P. (2001). Effects of physical exercise on anxiety, depression, and sensitivity to stress : A unifying theory. *Clinical Psychology Review, 21,* 33-61. (pp. 543, 544)

Salovey, P. (1990, January/February). Interview. *American Scientist,* pp. 25-29. (p. 520)

Salthouse, T. A. (2004). What and when of cognitive aging. *Current Directions in Psychological Science, 13,* 140-144. (p. 215)

Sampson, E. E. (2000). Reinterpreting individualism and collectivism : Their religious roots and monologic versus dialogic person–other relationship. *American Psychologist, 55,* 1425-1432. (p. 156)

Samuels, J., & Nestadt, G. (1997). Epidemiology and genetics of obsessivecompulsive disorder. *International Review of Psychiatry, 9,* 61-71. (p. 603)

Samuels, S., & McCabe, G. (1989). Quoted by P. Diaconis & F. Mosteller, Methods for studying coincidences. *Journal of the American Statistical Association, 84,* 853-861. (p. 17)

Sanders, A. R. & 22 others (2008). No significant association of 14 candidate genes with schizophrenia in a large European ancestry sample : Implications for psychiatric genetics. *American Journal of Psychiatry, 165,* 497-506. (p. 627)

Sanders, G., & Wright, M. (1997). Sexual orientation differences in cerebral asymmetry and in the performance of sexually dimorphic cognitive and motor tasks. *Archives of Sexual Behavior, 26,* 463-479. (p. 477)

Sanders, G., Sjodin, M., & de Chastelaine, M. (2002). On the elusive nature of sex differences in cognition hormonal influences contributing to within-sex variation. *Archives of Sexual Behavior, 31,* 145-152. (p. 476)

Sandfort, T. G. M., de Graaf, R., Bijl, R., & Schnabel, P. (2001). Samesex sexual behavior and psychiatric disorders. *Archives of General Psychiatry, 58,* 85-91. (p. 472)

Sandkühler, S., & Bhattacharya, J. (2008). Deconstructing insight : EEG cor-relates of insightful problem solving. *PloS ONE, 3,* e1459 (www.plosone.org). (p. 371)

Sandler, W., Meir, I., Padden, C., & Aronoff, M. (2005). The emergence of grammar : Systematic structure in a new language. *Proceedings of the National Academy of Sciences, 102,* 2261-2265. (p. 387)

Sanford, A. J., Fray, N., Stewart, A., & Moxey, L. (2002). Perspective in statements of quantity, with implications for consumer psychology. *Psychological Science, 13,* 130-134. (p. 382)

Sanz, C., Blicher, A., Dalke, K., Gratton-Fabri, L., McClure-Richards, T., & Fouts, R. (1998, Winter-Spring). Enrichment object use : Five chimpanzees' use of temporary and semi-permanent enrichment objects. *Friends of Washoe, 19(1,2),* 9-14. (p. 398)

Sanz, C., Morgan, D., Gulick, S. (2004). New insights into chimpanzees, tools, and termites from the Congo Basin. *American Naturalist, 164,* 567-581. (p. 396)

Sapadin, L. A. (1988). Friendship and gender : Perspectives of professional men and women. *Journal of Social and Personal Relationships, 5,* 387-403. (p. 161)

Sapolsky, B. S., & Tabarlet, J. O. (1991). Sex in primetime television : 1979 versus 1989. *Journal of Broadcasting and Electronic Media, 35,* 505-516. (pp. 470, 703)

Sapolsky, R. (2003, September). Taming stress. *Scientific American*, pp. 87-95. (pp. 529, 615)

Sapolsky, R. (2005). The influence of social hierarchy on primate health. *Science, 308*, 648-652. (p. 539)

Sapolsky, R. M., & Finch, C. E. (1991, March/April). On growing old. *The Sciences*, pp. 30-38. (p. 209)

Satel, S. (2006, March 1). For some, the war won't end. *New York Times* (www.nytimes.com). (p. 605)

Sato, K. (1987). Distribution of the cost of maintaining common resources. *Journal of Experimental Social Psychology, 23*, 19-31. (p. 715)

Saul, S. (2007, March 15). F.D.A. warns of sleeping pills' strange effects. *New York Times* (www.nytimes.com). (p. 101)

Saulny, S. (2006, June 21). A legacy of the storm : Depression and suicide. *New York Times* (www.nytimes.com). (p. 530)

Savage-Rumbaugh, E. S., Murphy, J., Sevcik, R. A., Brakke, K. E., Williams, S. L., & Rumbaugh, D. M., with commentary by Bates, E. (1993). Language comprehension in ape and child. *Monographs of the Society for Research in Child Development, 58* (no. 233), 1-254. (p. 400)

Savic, I., & Lindström, P. (2008). PET and MRI show differences in cerebral asymmetry and functional connectivity between homo- and heterosexual subjects. *Proceedings of the National Academy of Sciences, 105*, 9403-9408. (p. 474)

Savic, I., Berglund, H., & Lindstrom, P. (2005). Brain response to putative pheromones in homosexual men. *Proceedings of the National Academy of Sciences, 102*, 7356-7361. (p. 475)

Savitsky, K., & Gilovich, T. (2003). The illusion of transparency and the alleviation of speech anxiety. Journal *of Experimental Social Psychology, 39*, 618-625. (p. 585)

Savitsky, K., Epley, N., & Gilovich, T. (2001). Do others judge us as harshly as we think ? Overestimating the impact of our failures, shortcomings, and mishaps. *Journal of Personality and Social Psychology, 81*, 44-56. (p. 585)

Savoy, C., & Beitel, P. (1996). Mental imagery for basketball. *International Journal of Sport Psychology, 27*, 454-462. (p. 394)

Sawyer, M. G., Arney, F. M., Baghurst, P. A., Clark, J. J., Graetz, B. W., Kosky, R. J., Nurcombe, B., Patton, G. C., Prior, M. R., Raphael, B., Rey, J., Whaites, L. C., & Zubrick, S. R. (2000). *The mental health of young people in Australia.* Canberra : Mental Health and Special Programs Branch, Commonwealth Department of Health and Aged Care. (p. 615)

Saxe, R., & Powell, L. J. (2006). It's the thought that counts. *Psychological Science, 17*, 692-699. (p. 185)

Sayre, R. F. (1979). The parents' last lessons. In D. D. Van Tassel (Ed.), *Aging, death, and the completion of being.* Philadelphia : University of Pennsylvania Press. (p. 212)

Scarborough, E., & Furumoto, L. (1987). *Untold lives : The first generation of American women psychologists.* New York : Columbia University Press. (p. 4)

Scarr, S. (1984, May). What's a parent to do ? A conversation with E. Hall. *Psychology Today*, pp. 58-63. (p. 430)

Scarr, S. (1986). *Mother care/other care.* New York : Basic Books. (p. 193)

Scarr, S. (1989). Protecting general intelligence : Constructs and consequences for interventions. In R. J. Linn (Ed.), *Intelligence : Measurement, theory, and public policy.* Champaign : University of Illinois Press. (p. 408)

Scarr, S. (1990). Back cover comments on J. Dunn & R. Plomin (1990). *Separate lives : Why siblings are so different.* New York : Basic Books. (p. 142)

Scarr, S. (1993, May/June). Quoted by *Psychology Today*, Nature's thumbprint : So long, superparents, p. 16. (p. 152)

Scarr, S. (1997). Why child care has little impact on most children's development. *Current Directions in Psychological Science, 6*, 143-148. (p. 193)

Schab, F. R. (1991). Odor memory : Taking stock. *Psychological Bulletin, 109*, 242-251. (p. 262)

Schachter, S. (1982). Recidivism and self-cure of smoking and obesity. *American Psychologist, 37*, 436-444. (p. 464)

Schachter, S., & Singer, J. E. (1962). Cognitive, social and physiological determinants of emotional state. *Psychological Review, 69*, 379-399. (pp. 498, 503)

Schacter, D. L. (1992). Understanding implicit memory : A cognitive neuroscience approach. *American Psychologist, 47*, 559-569. (p. 343)

Schacter, D. L. (1996). *Searching for memory : The brain, the mind, and the past.* New York : Basic Books. (pp. 210, 343, 344, 360, 517, 562)

Schacter, D. L. (1999). The seven sins of memory : Insights from psychology and cognitive neuroscience. *American Psychologist, 54*, 182-201. (p. 350)

Schafer, G. (2005). Infants can learn decontextualized words before their first birthday. *Child Development, 76*, 87-96. (p. 385)

Schaie, K. W. (1994). The life course of adult intellectual abilities. *American Psychologist, 49*, 304-313. (p. 214)

Schaie, K. W., & Geiwitz, J. (1982). *Adult development and aging.* Boston : Little, Brown. (p. 214)

Schall, T., & Smith, G. (2000, Fall). Career trajectories in baseball. *Chance*, pp. 35-38. (p. 208)

Schechter, R., & Grether, J. K. (2008). Continuing increases in autism reported to California's developmental services system. *Archives of General Psychiatry, 65*, 19-24. (p. 186)

Scheier, M. F., & Carver, C. S. (1992). Effects of optimism on psychological and physical well-being : Theoretical overview and empirical update. *Cognitive Therapy and Research, 16*, 201-228. (p. 539)

Schein, E. H. (1956). The Chinese indoctrination program for prisoners of war : A study of attempted brainwashing. *Psychiatry, 19*, 149-172. (p. 676)

Schellenberg, E. G. (2006). Long-term positive associations between music lessons and IQ. *Journal of Educational Psychology, 98*, 457-468. (p. 430)

Schellengherg, E. G. (2005). Music and cognitive abilities. *Current Directions in Psychological Science, 14*, 317-320. (p. 430)

Scherer, K. R., Banse, R., & Wallbott, H. G. (2001). Emotion inferences from vocal expression correlate across languages and cultures. *Journal of Cross-Cultural Psychology, 32*, 76-92. (p. 508)

Schiavi, R. C., & Schreiner-Engel, P. (1988). Nocturnal penile tumescence in healthy aging men. *Journal of Gerontology : Medical Sciences, 43*, M146-150. (p. 96)

Schiffenbauer, A., & Schiavo, R. S. (1976). Physical distance and attraction : An intensification effect. *Journal of Experimental Social Psychology, 12*, 274-282. (p. 687)

Schilt, T., de Win, M. M. L, Koeter, M., Jager, G., Korf, D. J., van den Brink, W., & Schmand, B. (2007). Cognition in novice ecstasy users with minimal exposure to other drugs. *Archives of General Psychiatry, 64*, 728-736. (p. 121)

Schimel, J., Arndt, J., Pyszczynski, T., & Greenberg, J. (2001). Being accepted for who we are : Evidence that social validation of the intrinsic self reduces general defensiveness. *Journal of Personality and Social Psychology, 80*, 35-52. (p. 567)

Schimmack, U., & Lucas, R. (2007). Marriage matters : Spousal similarity in life satisfaction. *Schmollers Jahrbuch, 127*, 1-7. (p. 526)

Schimmack, U., Oishi, S., & Diener, E. (2005). Individualism : A valid and important dimension of cultural differences between nations. *Personality and Social Psychology Review, 9*, 17-31. (p. 156)

Schkade, D., Sunstein, C. R., & Hastie, R. (2006). What happened on deliberation day ? University of Chicago Law and Economics, Olin Working Paper No. 298. (p. 689)

Schlaug, G., Jancke, L., Huang, Y., & Steinmetz, H. (1995). In vivo evidence of structural brain asymmetry in musicians. *Science, 267*, 699-701. (p. 62)

Schlesinger, A. M., Jr. (1965). *A thousand days.* Boston : Houghton Mifflin. (p. 690)

Schmidt, F. L. (2002). The role of general cognitive ability and job performance : Why there cannot be a debate. *Human Performance, 15*, 187-210. (p. 485)

Schmidt, F. L., & Hunter, J. E. (1998). The validity and utility of selection methods in personnel psychology : Practical and theoretical implications of 85 years of research findings. *Psychological Bulletin, 124*, 262-274. (pp. 485, 486, 583)

Schmidt, F. L., & Zimmerman, R. D. (2004). A counterintuitive hypothesis about employment interview validity and some supporting evidence. *Journal of Applied Psychology, 89*, 553-561. (p. 486)

Schmitt, D. P. (2005). Sociosexuality from Argentina to Zimbabwe : A 48nation study of sex, culture, and strategies of human mating. *Behavioral and Brain Sciences, 28*, 247-311. (p. 147)

Schmitt, D. P. (2007). Sexual strategies across sexual orientations : How personality traits and culture relate to sociosexuality among gays, lesbians, bisexuals, and heterosexuals. *Journal of Psychology and Human Sexuality, 18*, 183-214. (pp. 146, 147)

Schmitt, D. P., & Allik, J. (2005). Simultaneous administration of the Rosenberg Self-esteem Scale in 53 nations : Exploring the universal and culture-specific features of global self-esteem. *Journal of Personality and Social Psychology, 89,* 623-642. (p. 587)

Schmitt, D. P., & Pilcher, J. J. (2004). Evaluating evidence of psychological adaptation : How do we know one when we see one ? *Psychological Science, 15,* 643-649. (p. 145)

Schmitt, D. P., Allik, J., McCrae, R. R., & Benet-Martínez, V., with many others (2007). The geographic distribution of Big Five personality traits : Patterns and profiles of human self-description across 56 nations. *Journal of Cross-Cultural Psychology, 38,* 173-212. (p. 571)

Schnaper, N. (1980). Comments germane to the paper entitled « The reality of death experiences » by Ernst Rodin. *Journal of Nervous and Mental Disease, 168,* 268-270. (p. 127)

Schneider, R. H., Alexander, C. N., Staggers, F., Rainforth, M., Salerno, J. W., Hartz, A., Arndt, S., Barnes, V. A., & Nidich, S. (2005). Long-term effects of stress reduction on mortality in persons > or = 55 years of age with systemic hypertension. *American Journal of Cardiology, 95,* 1060-1064. (p. 547)

Schneider, S. L. (2001). In search of realistic optimism : Meaning, knowledge, and warm fuzziness. *American Psychologist, 56,* 250-263. (p. 581)

Schneiderman, N. (1999). Behavioral medicine and the management of HIV/AIDS. *International Journal of Behavioral Medicine, 6,* 3-12. (p. 536)

Schoenborn, C. A., & Adams, P. F. (2008). Sleep duration as a correlate of smoking, alcohol use, leisure-time physical inactivity, and obesity among adults : United States, 2004-2006. Centers for Disease Control and Prevention (www.cdc.gov/nchs). (p. 98)

Schoeneman, T. J. (1994). Individualism. In V. S. Ramachandran (Ed.), *Encyclopedia of human behavior.* San Diego : Academic Press. (p. 157)

Schofield, J. W. (1986). Black-White contact in desegregated schools. In M. Hewstone & R. Brown (Eds.), *Contact and conflict in intergroup encounters.* Oxford : Basil Blackwell. (p. 717)

Schonfield, D., & Robertson, B. A. (1966). Memory storage and aging. *Canadian Journal of Psychology, 20,* 228-236. (p. 213)

Schooler, J. W., Gerhard, D., & Loftus, E. F. (1986). Qualities of the unreal. *Journal of Experimental Psychology : Learning, Memory, and Cognition, 12,* 171-181. (p. 357)

Schorr, E. A., Fox, N.A., van Wassenhove, V., & Knudsen, E.I. (2005). Auditory-visual fusion in speech perception in children with cochlear implants. *Proceedings of the National Academy of Sciences, 102,*18748-18750. (p. 250)

Schultheiss, D. E. P. (2008). *Psychology as a major : Is it right for me and what can I do with my degree ?* Washington, DC, US ; American Psychological Association. (p. A-11)

Schuman, H., & Scott, J. (June, 1989). Generations and collective memories. *American Sociological Review, 54*(3), 359-381. (p. 213)

Schwartz, B. (1984). *Psychology of learning and behavior (2nd ed.).* New York : Norton. (pp. 302, 606)

Schwartz, B. (2000). Self-determination : The tyranny of freedom. *American Psychologist, 55,* 79-88. (p. 580)

Schwartz, B. (2004). *The paradox of choice : Why more is less.* New York : Ecco/HarperCollins. (p. 580)

Schwartz, B. (2007, April 12). Unnatural selections. *New York Times* (www.nytimes.com). (p. 382)

Schwartz, J. M., Stoessel, P. W., Baxter, L. R., Jr., Martin, K. M., & Phelps, M. E. (1996). Systematic changes in cerebral glucose metabolic rate after successful behavior modification treatment of obsessive-compulsive disorder. *Archives of General Psychiatry, 53,* 109-113. (pp. 648, 667)

Schwartz, J., & Estrin, J. (2004, November 7). *Living for today, locked in a paralyzed body.* New York Times (www.nytimes.com). (p. 521)

Schwartz, S. H., & Rubel, T. (2005). Sex differences in value priorities : Cross-cultural and multimethod studies. *Journal of Personality and Social Psychology, 89,* 1010-1028. (p. 160)

Schwarz, A. (2007, April 6). Throwing batters curves before throwing a pitch. *New York Times* (www.nytimes.com). (p. 79)

Schwarz, N., Strack, F., Kommer, D., & Wagner, D. (1987). Soccer, rooms, and the quality of your life : Mood effects on judgments of satisfaction with life in general and with specific domains. *European Journal of Social Psychology, 17,* 69-79. (p. 349)

Sclafani, A. (1995). How food preferences are learned : Laboratory animal models. *Proceedings of the Nutrition Society, 54,* 419-427. (p. 452)

Scott, D. J., & others. (2004, November 9). U-M team reports evidence that smoking affects human brain's natural « feel good » chemical system (press release by Kara Gavin). University of Michigan Medical School (www.med.umich.edu). (p. 119)

Scott, D. J., Stohler, C. S., Egnatuk, C. M., Wang, H., Koeppe, R. A., & Zubieta, J-K. (2007). Individual differences in reward responding explain placebo-induced expectations and effects. *Neuron, 55,* 325-336. (p. 258)

Scott, W. A., Scott, R., & McCabe, M. (1991). Family relationships and children's personality : A cross-cultural, cross-source comparison. *British Journal of Social Psychology, 30,* 1-20. (p. 158)

Sdorow, L. M. (2005). The people behind psychology. In B. Perlman, L. McCann, & W. Buskist (Eds.), *Voices of experience : Memorable talks from the National Institute on the Teaching of Psychology.* Washington, DC : American Psychological Society. (p. 560)

Seal, K. H., Bertenthal, D., Miner, C. R., Sen, S., & Marmar, C. (2007). Bringing the war back home : Mental health disorders among 103,788 U.S. veterans returning from Iraq and Afghanistan seen at Department of Veterans Affairs facilities. *Archives of Internal Medicine, 167,* 467-482. (p. 604)

Seamon, J. G., Philbin, M. M., & Harrison, L. G. (2006). Do you remember proposing marriage to the Pepsi machine ? False recollections from a campus walk. *Psychonomic Bulletin and Review, 13,* 752-756. (p. 357)

Sebat, J. & 31 others (2007). Strong association of de novo copy number mutations with autism. *Science, 316,* 445-449. (p. 186)

Sechrest, L., Stickle, T. R., & Stewart, M. (1998). The role of assessment in clinical psychology. In A. Bellack, M. Hersen (Series eds.) & C. R. Reynolds (Vol. ed.), *Comprehensive clinical psychology : Vol 4 : Assessment.* New York : Pergamon. (p. 560)

Seeman, P., Guan, H-C., & Van Tol, H. H. M. (1993). Dopamine D4 receptors elevated in schizophrenia. *Nature, 365,* 441-445. (p. 624)

Segal, N. L. (1999). Entwined lives : Twins and what they tell us about human behavior. New York : Dutton. (p. 138)

Segal, N. L. (2000). Virtual twins : New findings on within-family environ-mental influences on intelligence. *Journal of Educational Psychology, 92,* 442-448. (p. 138)

Segal, N. L., McGuire, S. A., Havlena, J., Gill, P., & Hershberger, S. L. (2007). Intellectual similarity of virtual twin pairs : Developmental trends. *Personality and Individual Differences, 42,* 1209-1219. (p. 428)

Segall, M. H., Dasen, P. R., Berry, J. W., & Poortinga, Y. H. (1990). *Human behavior in global perspective : An introduction to cross-cultural psychology.* New York : Pergamon. (pp. 146, 164, 187)

Segerstrom, S. C. (2007). Stress, energy, and immunity. *Current Directions in Psychological Science, 16,* 326-330. (p. 528)

Segerstrom, S. C., Taylor, S. E., Kemeny, M. E., & Fahey, J. L. (1998). Optimism is associated with mood, coping, and immune change in response to stress. *Journal of Personality and Social Psychology, 74,* 1646-1655. (p. 540)

Seidler, G. H., & Wagner, F. E. (2006). Comparing the efficacy of EMDR and trauma-focused cognitive-behavioral therapy in the treatment of PTSD : A meta-analytic study. *Psychological Medicine, 36,* 1515-1522. (p. 656)

Seidlitz, L., & Diener, E. (1998). Sex differences in the recall of affective experiences. *Journal of Personality and Social Psychology, 74,* 262-271. (p. 619)

Self, C. E. (1994). *Moral culture and victimization in residence halls.* Dissertation : Thesis (M.A.). Bowling Green University. (p. 125)

Seligman, M. E. P. (1974, May). Submissive death : Giving up on life. *Psychology Today,* pp. 80-85. (p. 516)

Seligman, M. E. P. (1975). Helplessness : On depression, development and death. San Francisco : Freeman. (p. 579)

Seligman, M. E. P. (1991). *Learned optimism.* New York : Knopf. (pp. 85, 579, 620)

Seligman, M. E. P. (1994). *What you can change and what you can't.* New York : Knopf. (pp. 152, 544, 564, 585)

Seligman, M. E. P. (1995). The effectiveness of psychotherapy : The Consumer Reports study. *American Psychologist, 50,* 965-974. (pp. 620, 651, 654)

Seligman, M. E. P. (2002). *Authentic happiness : Using the new positive psychology to realize your potential for lasting fulfillment.* New York : Free Press. (pp. 581, 585, 648)

Seligman, M. E. P. (2004). Eudaemonia, the good life. A talk with Martin Seligman. www.edge.org. (p. 581)

Seligman, M. E. P., & Yellen, A. (1987). What is a dream ? Behavior Research and Therapy, 25, 1-24. (p. 93)

Seligman, M. E. P., Steen, T. A., Park, N., & Peterson, C. (2005). Positive psychology progress : Empirical validation of interventions. *American Psychologist, 60,* 410-421. (pp. 525, 581)

Sellers, H. (2010). *Face first.* New York : Riverhead Books. (p. 229)

Selye, H. (1936). A syndrome produced by diverse nocuous agents. *Nature, 138,* 32. (p. 529)

Selye, H. (1976). *The stress of life.* New York : McGraw-Hill. (p. 529)

Sen, A. (2003). Missing women – revisited. *British Medical Journal, 327,* 1297-1298. (p. 694)

Senate Intelligence Committee (2004, July 9). *Report of the select committee on intelligence on the U.S. intelligence community's prewar intelligence assessments on Iraq.* Washington, DC : Author. (p. 690)

Senghas, A., & Coppola, M. (2001). Children creating language : How Nicaraguan Sign Language acquired a spatial grammar. *Psychological Science, 12,* 323-328. (p. 387)

Sengupta, S. (2001, October 10). Sept. 11 attack narrows the racial divide. *New York Times* (www.nytimes.com). (p. 717)

Senju, A., Maeda, M., Kikuchi, Y., Hasegawa, T., Tojo, Y., & Osanai, H. (2007). Absence of contagious yawning in children with autism spectrum disorder. *Biology Letters, 3,* 706-708. (pp. 187, 318)

Sensenbrenner, F. J. (2004). Quoted by C. Hulse, Vote in house offers a shield in obesity suits. *New York Times,* March 11, 2004 (www.nytimes.com). (p. 457)

Serruya, M. D., Hatsopoulos, N. G., Paninski, L., Fellow, M. R., & Donoghue, J. P. (2002). Instant neural control of a movement signal. *Nature, 416,* 141-142. (p. 70)

Service, R. F. (1994). Will a new type of drug make memory-making easier ? Science, 266, 218-219. (p. 340)

Seto, M. C., & Barbaree, H. E. (1995). The role of alcohol in sexual aggression. *Clinical Psychology Review, 15,* 545-566. (p. 116)

Shadish, W. R., & Baldwin, S. A. (2005). Effects of behavioral marital therapy : A meta-analysis of randomized controlled trials. *Journal of Consulting and Clinical Psychology, 73,* 6-14. (p. 654)

Shadish, W. R., Matt, G. E., Navarro, A. M., & Phillips, G. (2000). The effects of psychological therapies under clinically representative conditions : A meta-analysis. *Psychological Bulletin, 126,* 512-529. (p. 654)

Shadish, W. R., Montgomery, L. M., Wilson, P., Wilson, M. R., Bright, I., & Okwumabua, T. (1993). Effects of family and marital psychotherapies : A meta-analysis. *Journal of Consulting and Clinical Psychology, 61,* 992-1002. (p. 649)

Shaffer, D. M., Krauchunas, S. M., Eddy, M., & McBeath, M. K. (2004). How dogs navigate to catch Frisbees, *Psychological Science, 15,* 437-441. (p. 269)

Shafir, E., & LeBoeuf, R. A. (2002). Rationality. *Annual Review of Psychology, 53,* 491-517. Times, p. B1. (p. 379)

Shamir, B., House, R. J., & Arthur, M. B. (1993). The motivational effects of charismatic leadership : A self-concept based theory. *Organizational Science, 4(4),* 577-594. (p. 492)

Shanahan, L., McHale, S. M., Osgood, D. W., & Crouter, A. C. (2007). Conflict frequency with mothers and fathers from middle childhood to late adolescence : Within- and between-families comparisons. *Developmental Psychology, 43,* 539-550. (p. 204)

Shanley, D. P., Sear, R., Mace, R., & Kirkwood, T. B. L. (2007). Testing evolutionary theories of menopause. *Proceedings of the Royal Society, 274,* 2943-2949. (p. 208)

Shapiro, F. (1989). Efficacy of the eye movement desensitization procedure in the treatment of traumatic memories. *Journal of Traumatic Stress, 2,* 199-223. (p. 656)

Shapiro, F. (1995). *Eye movement desensitization and reprocessing : Basic principles, protocols, and procedures.* New York ; Guilford. (p. 656)

Shapiro, F. (1999). Eye movement desensitization and reprocessing (EMDR) and the anxiety disorders : Clinical and research implications of an integrated psychotherapy treatment. *Journal of Anxiety Disorders, 13,* 35-67. (p. 656)

Shapiro, F. (Ed.) (2002). *EMDR as an integrative psychotherapy approach : Experts of diverse orientations explore the paradigm prism.* Washington, DC ; APA Books, 656 ; APA Books. (p. 656)

Shapiro, K. A., Moo, L. R., & Caramazza, A. (2006). Cortical signatures of noun and verb production. *Proceedings of the National Academic of Sciences, 103,* 1644-1649. (p. 390)

Shaprio, F. (2007). EMDR and case conceptualization from an adaptive information processing perspective. In F. Shapiro, F. W. Kaslow, & L. Maxfield (Eds.), *Handbook of EMDR and family therapy processes.* Hoboken, NJ : Wiley. (p. 656)

Sharma, A. R., McGue, M. K., & Benson, P. L. (1998). The psychological adjustment of United States adopted adolescents and their nonadopted siblings. *Child Development, 69,* 791-802. (p. 139)

Shattuck, P. T. (2006). The contribution of diagnostic substitution to the growing administrative prevalence of autism in US special education. *Pediatrics, 117,* 1028-1037. (p. 186)

Shaver, P. R., & Mikulincer, M. (2007). Adult attachment strategies and the regulation of emotion. In J. J. Gross (Ed.), *Handbook of emotion regulation.* New York : Guilford Press. (p. 191)

Shaver, P. R., Morgan, H. J., & Wu, S. (1996). Is love a basic emotion ? *Personal Relationships, 3,* 81-96. (p. 514)

Shaw, H. L. (1989-90). Comprehension of the spoken word and ASL translation by chimpanzees (Pan troglodytes). *Friends of Washoe, 9*(1/2), 8-19. (p. 400)

Shaw, P., Eckstrand, K., Sharp, W., Blumenthal, J., Lerch, J. P., Greenstein, D., Clasen, L., Evans, A., Giedd, J., & Rapoport, J. L. (2007). Attention-deficity/hyperactivity disorder is characterized by a delay in cortical maturation. *Proceedings of the National Academy of Sciences, 104,* 19649-19654. (p. 595)

Shaw, P., Greenstein, D., Lerch, J., Clasen, L., Lenroot, R., Gogtay, N., Evans, A., Rapoport, J., & Giedd, J. (2006). Intellectual ability and cortical development in children and adolescents. *Nature, 440,* 676-679. (p. 414)

Sheehan, S. (1982). *Is there no place on earth for me ?* Boston : Houghton Mifflin. (p. 622)

Sheldon, K. M., & Niemiec, C. P. (2006). It's not just the amount that counts : Balanced need satisfaction also affects well-being. *Journal of Personality and Social Psychology, 91,* 331-341. (p. 479)

Sheldon, K. M., Elliot, A. J., Kim, Y., & Kasser, T. (2001). What is satisfying about satisfying events ? Testing 10 candidate psychological needs. *Journal of Personality and Social Psychology, 80,* 325-339. (p. 479)

Sheldon, M. S., Cooper, M. L., Geary, D. C., Hoard, M., & DeSoto, M. C. (2006). Fertility cycle patterns in motives for sexual behavior. *Personality and Social Psychology Bulletin, 32,* 1659-1673. (p. 466)

Shenton, M. E. (1992). Abnormalities of the left temporal lobe and thought disorder in schizophrenia : A quantitative magnetic resonance imaging study. *New England Journal of Medicine, 327,* 604-612. (p. 625)

Shepard, R. N. (1990). *Mind sights.* New York : Freeman. (pp. 20, 277)

Shepherd, C. (1997, April). News of the weird. *Funny Times,* p. 15. (p. 137)

Shepherd, C. (1999, June). News of the weird. *Funny Times,* p. 21. (p. 461)

Shepherd, C., Kohut, J. J., & Sweet, R. (1990). *More news of the weird.* New York : Penguin/Plume Books. (p. 630)

Sheppard, L. D., & Vernon, P. A. (2008). Intelligence and speed of information-processing : A review of 50 years of research. *Personality and Individual Differences, 44,* 535-551. (p. 414)

Shergill, S. S., Bays, P. M., Frith, C. D., & Wolpert, D. M. (2003). Two eyes for an eye : The neuroscience of force escalation. *Science, 301,* 187. (p. 716)

Sherif, M. (1966). *In common predicament : Social psychology of intergroup conflict and cooperation.* Boston : Houghton Mifflin. (p. 717)

Sherman, P. W., & Flaxman, S. M. (2001). Protecting ourselves from food. *American Scientist, 89,* 142-151. (p. 452)

Shermer, M. (1999). *How we believe : The search for God in an age of science.* New York : Freeman. (p. 282)

Shermer, M. (1999). If that's true, what else would be true ? *Skeptic, 7* (4), 192-193. (p. 162)

Sherry, D., & Vaccarino, A. L. (1989). Hippocampus and memory for food caches in black-capped chickadees. *Behavioral Neuroscience, 103,* 308-318. (p. 344)

Shettleworth, S. J. (1973). Food reinforcement and the organization of behavior in golden hamsters. In R. A. Hinde & J. Stevenson-Hinde (Eds.), *Constraints on learning.* London : Academic Press. (p. 313)

Shettleworth, S. J. (1993). Where is the comparison in comparative cognition ? Alternative research programs. *Psychological Science, 4,* 179-184. (p. 339)

Shimizu, M., & Pelham, B. W. (2008). Postponing a date with the grim reaper. *Basic and Applied Social Psychology, 30,* 36-45. (p. 209)

Shinkareva, S. V., Mason, R. A., Malave, V. L., Wang, W., Mitchell, T. M., Just, M. A. (2008, January 2). Using fMRI brain activation to identify cognitive states associated with perceptions of tools and dwellings. *PloS One 3*(1): 31394. (p. 87)

Shotland, R. L. (1984, March 12). Quoted in Maureen Dowd, 20 years after the murder of Kitty Genovese, the question remains : Why ? *The New York Times,* p. B1. (p. 712)

Showers, C. (1992). The motivational and emotional consequences of considering positive or negative possibilities for an upcoming event. *Journal of Personality and Social Psychology, 63,* 474-484. (p. 581)

Shulman, P. (2000, June). The girl who loved math. *Discover,* pp. 67-70. (p. 432)

Shuwairi, S. M., Albert, M. K., & Johnson, S. P. (2007). Discrimination of possible and impossible objects in infancy. *Psychological Science, 18,* 303-307. (p. 182)

Sieff, E. M., Dawes, R. M., & Loewenstein, G. (1999). Anticipated versus actual reaction to HIV test results. *The American Journal of Psychology, 112,* 297-313. (p. 521)

Siegel, J. (2000, Winter). Recent developments in narcolepsy research : An explanation for patients and the general public. *Narcolepsy Network Newsletter,* pp. 1-2. (p. 102)

Siegel, J. (2001). The REM sleep-memory consolidation hypothesis. *Science, 294,* 1058-1063. (p. 105)

Siegel, J. M. (1990). Stressful life events and use of physician services among the elderly : The moderating role of pet ownership. *Journal of Personality and Social Psychology, 58,* 1081-1086. (p. 541)

Siegel, J. M. (2003, November). Why we sleep. *Scientific American,* pp. 92-97. (p. 100)

Siegel, R. K. (1977, October). Hallucinations. *Scientific American,* pp. 132-140. (p. 127)

Siegel, R. K. (1980). The psychology of life after death. *American Psychologist, 35,* 911-931. (p. 127)

Siegel, R. K. (1982, October). Quoted by J. Hooper, Mind tripping. *Omni,* pp. 72-82, 159-160. (p. 121)

Siegel, R. K. (1984, March 15). Personal communication. (p. 121)

Siegel, R. K. (1990). Intoxication. New York : Pocket Books. (pp. 113, 120, 122)

Siegel, S. (2005). Drug tolerance, drug addiction, and drug anticipation. *Current Directions in Psychological Science, 14,* 296-300. (pp. 292, 303)

Siegler, R. S., & Ellis, S. (1996). Piaget XE « Piaget, J. » on childhood. *Psychological Science, 7,* 211-215. (p. 180)

Silbersweig, D. A., Stern, E., Frith, C., Cahill, C., Holmes, A., Grootoonk, S., Seaward, J., McKenna, P., Chua, S. E., Schnorr, L., Jones, T., & Frackowiak, R. S. J. (1995). A functional neuroanatomy of hallucinations in schizophrenia. *Nature, 378,* 176-179. (p. 625)

Silva, A. J., Stevens, C. F., Tonegawa, S., & Wang, Y. (1992). Deficient hippocampal long-term potentiation in alpha-calcium-calmodulin kinase II mutant mice. *Science, 257,* 201-206. (p. 340)

Silva, C. E., & Kirsch, I. (1992). Interpretive sets, expectancy, fantasy proneness, and dissociation as predictors of hypnotic response. *Journal of Personality and Social Psychology, 63,* 847-856. (p. 108)

Silver, M., & Geller, D. (1978). On the irrelevance of evil : The organization and individual action. *Journal of Social Issues, 34,* 125-136. (p. 686)

Silveri, M. M., Rohan, M. L., Pimental, P. J., Gruber, S. A., Rosso, I. M., & Yurgelun-Todd, D. A. (2006). Sex differences in the relationship between white matter microstructure and impulsivity in adolescents. *Magnetic Resonance Imaging, 24,* 833-841. (p. 199)

Silverman, K., Evans, S. M., Strain, E. C., & Griffiths, R. R. (1992). Withdrawal syndrome after the double-blind cessation of caffeine consumption. *New England Journal of Medicine, 327,* 1109-1114. (p. 117)

Silverman, P. S., & Retzlaff, P. D. (1986). Cognitive stage regression through hypnosis : Are earlier cognitive stages retrievable ? *International Journal of Clinical and Experimental Hypnosis, 34,* 192-204. (p. 109)

Simek, T. C., & O'Brien, R. M. (1981). *Total golf : A behavioral approach to lowering your score and getting more out of your game.* Huntington, NY : B-MOD Associates. (p. 314)

Simek, T. C., & O'Brien, R. M. (1988). A chaining-mastery, discrimination training program to teach Little Leaguers to hit a baseball. *Human Performance, 1,* 73-84. (p. 314)

Simon, G. E., & Savarino, J. (2007). Suicide attempts among patients starting depression treatment with medications or psychotherapy. *American Journal of Psychiatry, 164,* 1029-1034. (p. 663)

Simon, G. E., Von Korff, M., Saunders, K., Miglioretti, D. L., Crane, P. K., van Belle, G., & Kessler, R. C. (2006). Association between obesity and psychiatric disorders in the U.S. population. *Archives of General Psychiatry, 63,* 824-830. (p. 458)

Simon, H. (1998, November 16). Flash of genius (interview with P. E. Ross). *Forbes,* pp. 98-104. (p. 492), 488)

Simon, H. (2001, February). Quoted by A. M. Hayashi, « When to trust your gut. » *Harvard Business Review,* pp. 59-65. (p. 381)

Simons, D. J. (1996). In sight, out of mind : When object representations fail. *Psychological Science, 7,* 301-305. (p. 90)

Simons, D. J., & Ambinder, M. S. (2005). Change blindness : Theory and consequences. *Current Directions in Psychological Science, 14,* 44-48. (p. 90)

Simons, D. J., & Chabris, C. F. (1999). Gorillas in our midst : Sustained inattentional blindness for dynamic events. *Perception, 28,* 1059-1074. (p. 90)

Simonton, D. K. (1988). Age and outstanding achievement : What do we know after a century of research ? *Psychological Bulletin, 104,* 251-267. (p. 216)

Simonton, D. K. (1990). Creativity in the later years : Optimistic prospects for achievement. *The Gerontologist, 30,* 626-631. (p. 216)

Simonton, D. K. (1992). The social context of career success and course for 2,026 scientists and inventors. *Personality and Social Psychology Bulletin,* 18, 452-463. (p. 411)

Simonton, D. K. (2000). Creativity : Cognitive, personal, developmental, and social aspects. *American Psychologist, 55,* 151-158. (p. 410)

Simonton, D. K. (2000). Methodological and theoretical orientation and the long-term disciplinary impact of 54 eminent psychologists. *Review of General Psychology, 4,* 13-24. (p. 323)

Sinclair, R. C., Hoffman, C., Mark, M. M., Martin, L. L., & Pickering, T. L. (1994). Construct accessibility and the misattribution of arousal : Schachter and Singer revisited. *Psychological Science, 5,* 15-18. (p. 503)

Singelis, T. M., & Sharkey, W. F. (1995). Culture, self-construal, and embarrassability. *Cross-Cultural Psychology, 26,* 622-644. (p. 156)

Singelis, T. M., Bond, M. H., Sharkey, W. F., & Lai, C. S. Y. (1999). Unpackaging culture's influence on self-esteem and embarrassability : The role of self-construals. *Journal of Cross-Cultural Psychology, 30,* 315-341. (p. 156)

Singer, J. L. (1981). Clinical intervention : New developments in methods and evaluation. In L. T. Benjamin, Jr. (Ed.), *The G. Stanley Hall Lecture Series (Vol. 1).* Washington, DC ; American Psychological Association. (p. 654)

Singer, T., Seymour, B., O'Doherty, J., Kaube, H., Dolan, R. J., & Frith, C. (2004). Empathy for pain involves the affective but not sensory components of pain. *Science, 303,* 1157-1162. (pp. 257, 319)

Singh, D. (1993). Adaptive significance of female physical attractiveness : Role of waist-to-hip ratio. *Journal of Personality and Social Psychology, 65,* 293-307. (p. 148)

Singh, D. (1995). Female health, attractiveness, and desirability for relationships : Role of breast asymmetry and waist-to-hip ratio. *Ethology and Sociobiology, 16,* 465-481. (pp. 148, 709)

Singh, D., & Randall, P. K. (2007). Beauty is in the eye of the plastic surgeon : Waist-hip ration (WHR) and women's attractiveness. *Personality and Individual Differences, 43,* 329-340. (p. 148)

Singh, S. (1997). *Fermat's enigma : The epic quest to solve the world's greatest mathematical problem.* New York : Bantam Books. (p. 410)

Singh, S., & Riber, K. A. (1997, November). Fermat's last stand. *Scientific American,* pp. 68-73. (p. 411)

Singleton, D.,Tate, A., & Kohout, J. (2003). *2002 Master's, specialist's, and related degrees employment survey.*Washington, DC : American Psychological Association. (p. A-4)

Sipski, M. L., & Alexander, C. J. (1999). Sexual response in women with spinal cord injuries : Implications for our understanding of the able bodied. *Journal of Sex and Marital Therapy, 25,* 11-22. (p. 58)

Sireteanu, R. (1999). Switching on the infant brain. *Science, 286,* 59, 61. (p. 274)

Sivard, R. L. (1996). *World military and social expenditures 1996,* 16th edition. Washington, DC : World Priorities. (p. 208)

Sjöstrum, L. (1980). Fat cells and body weight. In A. J. Stunkard (Ed.), *Obesity.* Philadelphia : Saunders. (p. 458)

Skinner, B. F. (1953). *Science and human behavior.* New York : Macmillan. (p. 309)

Skinner, B. F. (1956). A case history in scientific method. *American Psychologist, 11,* 221-233. (p. 309)

Skinner, B. F. (1957). *Verbal behavior.* Englewood Cliffs, NJ : Prentice-Hall. (p. 386)

Skinner, B. F. (1961, November). Teaching machines. *Scientific American,* pp. 91-102. (p. 309)

Skinner, B. F. (1983, September). Origins of a behaviorist. *Psychology Today,* pp. 22-33. (p. 314)

Skinner, B. F. (1985). *Cognitive science and behaviorism.* Unpublished manuscript, Harvard University. (p. 386)

Skinner, B. F. (1986). What is wrong with daily life in the western world ? *American Psychologist, 41,* 568-574. (p. 314)

Skinner, B. F. (1988). The school of the future. Address to the American Psychological Association convention. (p. 314)

Skinner, B. F. (1989). Teaching machines. *Science, 243,* 1535. (p. 314)

Skinner, B. F. (1990). Address to the American Psychological Association convention. (p. 311)

Skitka, L. J., Bauman, C. W., & Mullen, E. (2004). Political tolerance and coming to psychological closure following the September 11, 2001, terrorist attacks : An integrative approach. *Personality and Social Psychology Bulletin, 30,* 743-756. (p. 519)

Sklar, L. S., & Anisman, H. (1981). Stress and cancer. *Psychological Bulletin, 89,* 369-406. (p. 536)

Skoog, G., & Skoog, I. (1999). A 40-year follow-up of patients with obsessivecompulsive disorder. *Archives of General Psychiatry, 56,* 121-127. (p. 603)

Skov, R. B., & Sherman, S. J. (1986). Information-gathering processes : Diagnosticity, hypothesis-confirmatory strategies, and perceived hypothesis confirmation. *Journal of Experimental Social Psychology, 22,* 93-121. (p. 372)

Slater, E., & Meyer, A. (1959). *Confinia Psychiatra.* Basel : S. Karger AG. (p. 613)

Slater, L. (2000, November 19). How do you cure a sex addict ? *New York Times Magazine* (www.nytimes.com). (p. 663)

Slater, M., Antley, A., Davison, A., Swapp, D., Guger, C., Barker, C., Pistrang, N., & Sanchez-Vives, M. V. (2006). A virtual reprise of the Stanley Milgram obedience experiments. *PloS One, 1*(1): e39. Doi : 10.1371/ journal.pone.0000039. (p. 684)

Slatcher, R.B. & Pennebaker, J. W. (2006) How do I love thee ? Let me count the words : The social effects of expressive writing, *Psychological Science, 17,* 660-664. (p. 711)

Slavin, R. E., & Braddock, J. H., III (1993, Summer). Ability grouping : On the wrong track. *The College Board Review,* pp. 11-18. (p. 426)

Sleep Foundation (2006). The ABC's of back-to-school sleep schedules : The consequences of insufficient sleep. National Sleep Foundation (press release) (www.sleepfoundation.org). (p. 98)

Sloan, R. P. (2005). Field analysis of the literature on religion, spirituality, and health. Columbia University (available at www.metanexus.net/tarp). (p. 548)

Sloan, R. P., & Bagiella, E. (2002). Claims about religious involvement and health outcomes. *Annals of Behavioral Medicine, 24,* 14-21. (p. 548)

Sloan, R. P., Bagiella, E., & Powell, T. (1999). Religion, spirituality, and medicine. *Lancet, 353,* 664-667. (p. 548)

Sloan, R. P., Bagiella, E., VandeCreek, L., & Poulos, P. (2000). Should physicians prescribe religious activities ? *New England Journal of Medicine, 342,* 1913-1917. (p. 548)

Slovic, P. (2007). « If I look at the mass I will never act » : Psychic numbing and genocide. *Judgment and Decision Making, 2,* 79-95. (p. 376)

Slovic, P., Finucane, M., Peters, E., & MacGregor, D. G. (2002). The affect heuristic. In T. Gilovich, D. Griffin, & D. Kahneman (Eds.), *Intuitive judgment : Heuristics and biases.* New York ; Cambridge University Press. (p. 119)

Small, D. A., Loewenstein, G., & Slovic, P. (2007). Sympathy and callousness : The impact of deliberative thought on donations to identifiable and statistical victims. *Organizational Behavior and Human Decision Processes, 102,* 143-153. (p. 376)

Small, M. F. (1997). Making connections. *American Scientist, 85,* 502-504. (p. 158)

Small, M. F. (2002, July). What you can learn from drunk monkeys. *Discover,* pp. 40-45. (p. 124)

Smedley, A., & Smedley, B. D. (2005). Race as biology is fiction, racism as a social problem is real : Anthropological and historical perspectives on the social construction of race. *American Psychologist, 60,* 16-26. (p. 436)

Smelser, N. J., & Mitchell, F. (Eds.) (2002). *Terrorism : Perspectives from the behavioral and social sciences.* Washington, DC : National Research Council, National Academies Press. (p. 697)

Smith, A. (1983). Personal correspondence. (p. 624)

Smith, C. (2006, January 7). Nearly 100, LSD's father ponders his « problem child. » *New York Times* (www.nytimes.com). (pp. 121, 532)

Smith, E., & Delargy, M. (2005). Locked-in syndrome. *British Medical Journal, 330,* 406-409. (p. 521)

Smith, J. E., Waldorf, V. A., & Trembath, D. L. (1990). « Single white male looking for thin, very attractive... » *Sex Roles, 23,* 675-685. (p. 457)

Smith, M. B. (1978). Psychology and values. *Journal of Social Issues, 34,* 181-199. (p. 567)

Smith, M. L., & Glass, G. V. (1977). Meta-analysis of psychotherapy outcome studies. *American Psychologist, 32,* 752-760. (p. 654)

Smith, M. L., Cottrell, G. W., Gosselin, F., & Schyns, P. G. (2005). Transmitting and decoding facial expressions. *Psychological Science, 16,* 184-189. (p. 508)

Smith, M. L., Glass, G. V., & Miller, R. L. (1980). *The benefits of psychotherapy.* Baltimore : Johns Hopkins Press. (pp. 653, 654)

Smith, M., Franz, E. A., Joy, S. M., & Whitehead, K. (2005). Superior performance of blind compared with sighted individuals on bimanual estimations of object size. *Psychological Science, 16,* 11-14. (p. 252)

Smith, P. B., & Tayeb, M. (1989). Organizational structure and processes. In M. Bond (Ed.), *The cross-cultural challenge to social psychology.* Newbury Park, CA : Sage. (p. 492)

Smith, S. M., McIntosh, W. D., & Bazzini, D. G. (1999). Are the beautiful good in Hollywood ? An investigation of the beauty-and-goodness stereotype on film. *Basic and Applied Social Psychology, 21,* 69-80. (p. 707)

Smith, T. B., Bartz, J., & Richards, P. S. (2007). Outcomes of religious and spiritual adaptations to psychotherapy : A meta-analytic review. *Psychotherapy Research, 17,* 643-655. (p. 658)

Smith, T. W. (1998, December). American sexual behavior : Trends, sociodemographic differences, and risk behavior. National Opinion Research Center GSS Topical Report No. 25. (pp. 469, 471, 472)

Smith, T. W. (2005). Troubles in America : A study of negative life events across time and sub-groups. GSS Topical Report No 40., National Opinion Research Center, University of Chicago. (p. 651)

Smolak, L., & Murnen, S. K. (2002). A meta-analytic examination of the relationship between child sexual abuse and eating disorders. *International Journal of Eating Disorders, 31,* 136-150. (p. 453)

Smoreda, Z., & Licoppe, C. (2000). Gender-specific use of the domestic telephone. *Social Psychology Quarterly, 63,* 238-252. (p. 161)

Snedeker, J., Geren, J., & Shafto, C. L. (2007). Starting over : International adoption as a natural experiment in language development. *Psychological Science, 18,* 79-86. (p. 386)

Snodgrass, S. E., Higgins, J. G., & Todisco, L. (1986). The effects of walking behavior on mood. Paper presented at the American Psychological Association convention. (p. 514)

Snowdon, D. A., Kemper, S. J., Mortimer, J. A., Greiner, L. H., Wekstein, D. R., & Markesbery, W. R. (1996). Linguistic ability in early life and cognitive function and Alzheimer's disease in late life : Finds from the Nun Study. *Journal of the American Medical Association, 275,* 528-532. (p. 424)

Snyder, F., & Scott, J. (1972). The psychophysiology of sleep. In N. S. Greenfield & R. A. Sterbach (Eds.), *Handbook of psychophysiology*. New York : Holt, Rinehart & Winston. (p. 106)

Snyder, M. (1984). When belief creates reality. In L. Berkowitz (Ed.), *Advances in experimental social psychology (Vol. 18)*. New York : Academic Press. (p. 600)

Snyder, S. H. (1984). Neurosciences : An integrative discipline. *Science, 225*, 1255-1257. (p. 51)

Snyder, S. H. (1986). *Drugs and the brain*. New York : Scientific American Library. (p. 664)

Social Watch (2006, March 8). No country in the world treats its women as well as its men (www.socialwatch.org). (p. 165)

Society for Personality Assessment (2005). The status of the Rorschach in clinical and forensic practice : An official statement by the Board of Trustees of the Society for Personality Assessment. *Journal of Personality Assessment, 85*, 219-237. (p. 560)

Sokol, D. K., Moore, C. A., Rose, R. J., Williams, C. J., Reed, T., & Christian, J. C. (1995). Intrapair differences in personality and cognitive ability among young monozygotic twins distinguished by chorion type. *Behavior Genetics, 25*, 457-466. (p. 135)

Solomon, D. A., Keitner, G. I., Miller, I. W., Shea, M. T., & Keller, M. B. (1995). Course of illness and maintenance treatments for patients with bipolar disorder. *Journal of Clinical Psychiatry, 56*, 5-13. (p. 664)

Solomon, J. (1996, May 20). Breaking the silence. *Newsweek*, pp. 20-22. (p. 600)

Solomon, M. (1987, December). Standard issue. *Psychology Today*, pp. 30-31. (p. 707)

Sommer, R. (1969). *Personal space*. Englewood Cliffs, NJ : Prentice-Hall. (p. 154)

Söndergard, L., Kvist, K., Andersen, P. K., & Kessing, L. V. (2006). Do antidepressants prevent suicide ? *International Clinical Psychopharmacology, 21*, 211-218. (p. 663)

Song, S. (2006, March 27). Mind over medicine. *Time*, p. 47. (p. 110)

Sontag, S. (1978). *Illness as metaphor*. New York : Farrar, Straus, & Giroux. (p. 537)

Soon, C. S., Brass, M., Heinze, H., & Haynes, J. (2008). Unconscious determinants of free decisions in the human brain. *Nature Neuroscience, 11*, 543-545. (p. 88)

Sørensen, H. J., Mortensen, E. L., Reinisch, J. M., & Mednick, S. A. (2005). Breastfeeding and risk of schizophrenia in the Copenhagen Perinatal Cohort. *Acta Psychiatrica Scandinavica, 112*, 26-29. (p. 623)

Sørensen, H. J., Mortensen, E. L., Reinisch, J. M., & Mednick, S. A. (2006). Height, weight, and body mass index in early adulthood and risk of schizophrenia. *Acta Psychiatrica Scandinavica, 114*, 49-54. (p. 623)

Sorkhabi, N. (2005). Applicability of Baumrind's parent typology to collective cultures : Analysis of cultural explanations of parent socialization effects. *International Journal of Behavioral Development, 29*, 552-563. (p. 195)

Soussignan, R. (2001). Duchenne smile, emotional experience, and autonomic reactivity : A test of the facial feedback hypothesis. *Emotion, 2*, 52-74. (p. 514)

South, S. C., Krueger, R. F., Johnson, W., Iacono, W. G. (2008). Adolescent personality moderates genetic and environmental influences on rela tionships with parents. *Journal of Personality and Social Psychology, 94*, 899-912. (p. 196)

Sowell, T. (1991, May/June). Cultural diversity : A world view. *American Enterprise*, pp. 44-55. (p. 719)

Spalding, K. L. & 14 others (2008). Dynamics of fat cell turnover in humans. *Nature, 453*, 783-787. (p. 458)

Spanos, N. P. (1982). A social psychological approach to hypnotic behavior. In G. Weary & H. L. Mirels (Eds.), *Integrations of clinical and social psychology*. New York : Oxford. (p. 109)

Spanos, N. P. (1986). Hypnosis, nonvolitional responding, and multiple personality : A social psychological perspective. *Progress in Experimental Personality Research, 14*, 1-62. (p. 610)

Spanos, N. P. (1991). Hypnosis, hypnotizability, and hypnotherapy. In C. R. Snyder & D. R. Forsyth (Eds.), *Handbook of social and clinical psychology : The health perspective*. New York ; Pergamon Press. (p. 110)

Spanos, N. P. (1994). Multiple identity enactments and multiple personality disorder : A sociocognitive perspective. *Psychological Bulletin, 116*, 143-165. (pp. 110, 610)

Spanos, N. P. (1996). *Multiple identities and false memories : A sociocognitive perspective*. Washington, DC ; American Psychological Association Books. (pp. 110, 610)

Spanos, N. P., & Coe, W. C. (1992). A Social-psychological approach to hypnosis. In E. Fromm & M. R. Nash (Eds.), *Contemporary hypnosis research*. New York : Guilford. (p. 110)

Spelke, E. (2005). Sex differences in intrinsic aptitude for mathematics and science ? A critical review. *American Psychologist, 60*, 950-958. (p. 433)

Spelke, E. S., & Kinzler, K. D. (2007). Core knowledge. *Developmental Science, 10*, 89-96. (p. 182)

Spencer, J., Quinn, P. C., Johnson, M. H., & Karmiloff-Smith, A. (1997). Heads you win, tails you lose : Evidence for young infants categorizing mammals by head and facial attributes. *Early Development & Parenting, 6*, 113-126. (p. 176)

Spencer, K. M., Nestor, P. G., Perlmutter, R., Niznikiewicz, M. A., Klump, M. C., Frumin, M., Shenton, M. E., & McCarley, R. W. (2004). Neural synchrony indexes disordered perception and cognition in schizophrenia. *Proceedings of the National Academy of Sciences, 101*, 17288-17293. (p. 624)

Spencer, S. J., Steele, C. M., & Quinn, D. M. (1997). Stereotype threat and women's math performance. Unpublished manuscript, Hope College. (p. 438)

Sperling, G. (1960). The information available in brief visual presentations. *Psychological Monographs, 74* (Whole No. 498). (p. 337)

Sperry, R. W. (1964). Problems outstanding in the evolution of brain function. James Arthur Lecture, American Museum of Natural History, New York. Cited by R. Ornstein (1977), *The psychology of consciousness (2nd ed.)*. New York : Harcourt Brace Jovanovich. (p. 76)

Sperry, R. W. (1985). Changed concepts of brain and consciousness : Some value implications. *Zygon, 20*, 41-57. (p. 242)

Sperry, R. W. (1992, Summer). Turnabout on consciousness : A mentalist view. *Journal of Mind & Behavior, 13*(3), 259-280. (p. 81)

Speth, J. G. (2008). *Bridge at the edge of the world : Capitalism, the environment, and crossing from crisis to sustainability*. New Haven : Yale University Press. (p. 523)

Spiegel, D. (2007). The mind prepared : Hypnosis in surgery. *Journal of the National Cancer Institute, 99*, 1280-1281. (p. 110)

Spiegel, D. (2008, January 31). Coming apart : Trauma and the fragmentation of the self. Dana Foundation (www.dana.org). (p. 611)

Spiegel, K., Leproult, R., & Van Cauter, E. (1999). Impact of sleep debt on metabolic and endrocrine function. *Lancet, 354*, 1435-1439. (p. 99)

Spiegel, K., Leproult, R., L'Hermite-Balériaux, M., Copinschi, G., Penev, P. D., & Van Cauter, E. (2004). Leptin levels are dependent on sleep duration : Relationships with sympathovagal balance, carbohydrate regulation, cortisol, and thyrotropin. *Journal of Clinical Endocrinology and Metabolism, 89*, 5762-5771. (p. 98)

Spielberger, C., & London, P. (1982). Rage boomerangs. *American Health, 1*, 52-56. (p. 533)

Spitzer, R. L., & Skodol, A. E. (2000). *DSM-IV-TR casebook : A learning companion to the Diagnostic and Statistical Manual of Mental Disorders, Fourth Edition, Text Revision*. Washington, DC : American Psychiatric Publications. (p. 608)

Spitzer, R. L., Skodol, A. E., & Gibbon, M. (1982). Reply. *Archives of General Psychiatry, 39*, 623-624. (p. 615)

Spradley, J. P., & Phillips, M. (1972). Culture and stress : A quantitative analysis. *American Anthropologist, 74*, 518-529. (p. 154)

Sprecher, S. (1989). The importance to males and females of physical attractiveness, earning potential, and expressiveness in initial attraction. *Sex Roles, 21*, 591-607. (p. 707)

Sprecher, S., & Sedikides, C. (1993). Gender differences in perceptions of emotionality : The case of close heterosexual relationships. *Sex Roles, 28*, 511-530. (p. 510)

Spring, B. (2007). Evidence-based practice in clinical psychology : Why it is, why it matters ; what you need to know. *Journal of Clinical Psychology, 63*, 611-631. (p. 655)

Spring, B., Pingitore, R., Bourgeois, M., Kessler, K. H., & Bruckner, E. (1992). The effects and non-effects of skipping breakfast : Results of three studies. Paper presented at the American Psychological Association convention. (p. 463)

Squire, L. R. (1992). Memory and the hippocampus : A synthesis from findings with rats, monkeys, and humans. *Psychological Review, 99,* 195-231. (p. 344)

Srivastava, A., Locke, E. A., & Bartol, K. M. (2001). Money and subject well-being : It's not the money, it's the motives. *Journal of Personality and Social Psychology, 80,* 959-971. (p. 523)

Srivastava, S., John, O. P., Gosling, S. D., & Potter, J. (2003). Development of personality in early and middle adulthood : Set like plaster or persistent change ? *Journal of Personality & Social Psychology, 84,* 1041-1053. (p. 571)

Srivastava, S., McGonigal, K. M., Richards, J. M., Butler, E. A., & Gross, J. J. (2006). Optimism in close relationships : How seeing things in a positive light makes them so. *Journal of Personality and Social Psychology, 91,* 143-153. (p. 581)

St. Clair, D., Xu, M., Wang, P., Yu, Y., Fang, Y., Zhang, F., Zheng, X., Gu, N., Feng, G., Sham, P., & He, L. (2005). Rates of adult schizophrenia following prenatal exposure to the Chinese famine of 1959-1961. *Journal of the American Medical Association, 294,* 557-562. (p. 625)

Stack, S. (1992). Marriage, family, religion, and suicide. In R. Maris, A. Berman, J. Maltsberger, & R. Yufit (Eds.), *Assessment and prediction of suicide.* New York : Guilford Press. (p. 616)

Stafford, R. S., MacDonald, E. A., & Finkelstein, S. N. (2001). National patterns of medication treatment for depression, 1987 to 2001. *Primary Care Companion Journal of Clinical Psychiatry, 3,* 232-235. (p. 662)

Stager, C. L., & Werker, J. F. (1997). Infants listen for more phonetic detail in speech perception than in word-learning tasks. *Nature, 388,* 381-382. (p. 385)

Stanford University Center for Narcolepsy. (2002). Narcolepsy is a serious medical disorder and a key to understanding other sleep disorders (www.med.stanford.edu/school/Psychiatry/narcolepsy). (p. 102)

Stanley, J. C. (1997). Varieties of intellectual talent. *Journal of Creative Behavior, 31,* 93-119. (p. 426)

Stanovich, K. (1996). *How to think straight about psychology.* New York : HarperCollins. (p. 554)

Staples, B. (1999a, May 2). When the « paranoids » turn out to be right. *New York Times* (www.nytimes.com). (p. 692)

Staples, B. (1999b, May 24). Why « racial profiling » will be tough to fight. *New York Times* (www.nytimes.com). (p. 692)

Stark, R. (2002). Physiology and faith : Addressing the « universal » gender difference in religious commitment. *Journal for the Scientific Study of Religion, 41,* 495-507. (p. 162)

Stark, R. (2003a). *For the glory of God : How monotheism led to reformations, science, witch-hunts, and the end of slavery.* Princeton, NJ : Princeton University Press. (p. 6)

Stark, R. (2003b, October-November). False conflict : Christianity is not only compatible with science — it created it. *American Enterprise,* pp. 27-33. (p. 6)

Starr, J. M., Deary, I. J., Lemmon, H., & Whalley, L. J. (2000). Mental ability age 11 years and health status age 77 years. *Age and Ageing, 29,* 523-528. (p. 424)

Stathopoulou, G., Powers, M. B., Berry, A. C., Smiths, J. A. J., & Otto, M. W. (2006). Exercise interventions for mental health : A quantitative and qualitative review. *Clinical Psychology : Science and Practice, 13,* 179-193. (p. 543)

Statistics Canada (2007). Languages in Canada : 2001 Census (www. statcan.ca). (p. 393)

Statistics Canada (2007). Overweight and obesity, by province and territory, 2003 and 2005 (www.statcan.ca/english/freepub/16-253-XIE/2006000/t446_en.htm). (p. 456)

Statistics Canada. (1999). *Statistical report on the health of Canadians.* Prepared by the Federal, Provincial and Territorial Advisory Committee on Population Health for the Meeting of Ministers of Health, Charlottetown, PEI, September 16-17, 1999. (p. 204)

Statistics Canada. (2002). (www.statcan.ca). (p. 154)

Staub, E. (1989). *The roots of evil : The psychological and cultural sources of genocide.* New York : Cambridge University Press. (p. 677)

Staub, E., & Vollhardt, J. (2008). Altruism born of suffering : The roots of caring and helping after experiences of personal and political victimization. *American Journal of Orthopsychiatry,* in press. (p. 605)

Steel, P., Schmidt, J., & Schultz, J. (2008). Refining the relationship between personality and subject well-being. *Psychological Bulletin, 134,* 138-161. (p. 526)

Steele, C. (1990, May). A conversation with Claude Steele. *APS Observer,* pp. 11-17. (p. 434)

Steele, C. M. (1995, August 31). Black students live down to expectations. *New York Times.* (p. 438)

Steele, C. M. (1997). A threat in the air : How stereotypes shape intellectual identity and performance. *American Psychologist, 52,* 613-629. (p. 438)

Steele, C. M., & Josephs, R. A. (1990). Alcohol myopia : Its prized and dangerous effects. *American Psychologist, 45,* 921-933. (p. 116)

Steele, C. M., Spencer, S. J., & Aronson, J. (2002). Contending with group image : The psychology of stereotype and social identity threat. *Advances in Experimental Social Psychology, 34,* 379-440. (p. 438)

Steele, J. (2000). Handedness in past human population : Skeletal markers. *Laterality, 5,* 193-220. (p. 80)

Steenhuysen, J. (2002, May 8). Bionic retina gives six patients partial sight. *Reuters News Service.* (See also www.optobionics.com/artificialretina.htm). (p. 250)

Steinberg, L. (1987, September). Bound to bicker. *Psychology Today,* pp. 36-39. (p. 205)

Steinberg, L. (2007). Risk taking in adolescence : New perspectives from brain and behavioral science. *Current Directions in Psychological Science, 16,* 55-59. (p. 199)

Steinberg, L., & Morris, A. S. (2001). Adolescent development. *Annual Review of Psychology, 52,* 83-110. (pp. 195, 198, 205)

Steinberg, L., & Scott, E. S. (2003). Less guilty by reason of adolescence : Developmental immaturity, diminished responsibility, and the juvenile death penalty. *American Psychologist, 58,* 1009-1018. (p. 199)

Steinberg, N. (1993, February). Astonishing love stories (from an earlier United Press International report). *Games,* p. 47. (p. 706)

Steinhauer, J. (1999, November 29). Number of twins rises ; so does parental stress. *New York Times* (www.nytimes.com). (p. 136)

Steinmetz, J. E. (1999). The localization of a simple type of learning and memory : The cerebellum and classical eyeblink conditioning. *Contemporary Psychology, 7,* 72-77. (p. 345)

Stengel, E. (1981). Suicide. In *The new encyclopaedia britannica, macropaedia* (Vol. 17, pp. 777-782). Chicago : Encyclopaedia Britannica. (p. 616)

Stern, M., & Karraker, K. H. (1989). Sex stereotyping of infants : A review of gender labeling studies. *Sex Roles, 20,* 501-522. (p. 278)

Stern, S. L., Dhanda, R., & Hazuda, H. P. (2001). Hopelessness predicts mortality in older Mexican and European Americans. *Psychosomatic Medicine, 63,* 344-351. (p. 540)

Sternberg, E. (2006). A compassionate universe ? *Science, 311,* 611-612. (p. 412)

Sternberg, E. M. (2001). *The balance within : The science connecting health and emotions.* New York : Freeman. (p. 534)

Sternberg, R. J. (1985). *Beyond IQ : A triarchic theory of human intelligence.* New York : Cambridge University Press. (p. 409)

Sternberg, R. J. (1988). Applying cognitive theory to the testing and teaching of intelligence. *Applied Cognitive Psychology, 2,* 231-255. (p. 411)

Sternberg, R. J. (1999). The theory of successful intelligence. *Review of General Psychology, 3,* 292-316. (p. 409)

Sternberg, R. J. (2000). Presidential aptitude in Science. (p. 409)

Sternberg, R. J. (2003). Our research program validating the triarchic theory of successful intelligence : Reply to Gottfredson. *Intelligence, 31,* 399-413. (pp. 409, 411)

Sternberg, R. J. (2006). The Rainbow Project : Enhance the SAT through assessments of analytical, practical, and creative skills. *Intelligence, 34,* 321-350. (p. 409)

Sternberg, R. J. (2007, July 6). Finding students who are wise, practical, and creative. *The Chronicle Review* (www.chronicle.com). (p. 409)

Sternberg, R. J. (Ed.) (2002). *Career paths in psychology : Where your degree can take you.* Washington, DC ; APA. (p. A-11)

Sternberg, R. J., & Grajek, S. (1984). The nature of love. *Journal of Personality and Social Psychology, 47,* 312-329. (p. 711)

Sternberg, R. J., & Grigorenko, E. L. (2000). Theme-park psychology : A case study regarding human intelligence and its implications for education. *Educational Psychology Review, 12,* 247-268. (p. 427)

Sternberg, R. J., & Kaufman, J. C. (1998). Human abilities. *Annual Review of Psychology, 49,* 479-502. (p. 406)

Sternberg, R. J., & Lubart, T. I. (1991). An investment theory of creativity and its development. *Human Development,* 1-31. (p. 411)

Sternberg, R. J., & Lubart, T. I. (1992). Buy low and sell high : An investment approach to creativity. *Psychological Science, 1,* 1-5. (p. 411)

Sternberg, R. J., & Wagner, R. K. (1993). The g-ocentric view of intelligence and job performance is wrong. *Current Directions in Psychological Science, 2,* 1-5. (p. 409)

Sternberg, R. J., Grigorenko, E. L., & Kidd, K. K. (2005). Intelligence, race, and genetics. *American Psychologist, 60,* 46-59. (p. 436)

Sternberg, R. J., Wagner, R. K., Williams, W. M., & Horvath, J. A. (1995). Testing common sense. *American Psychologist, 50,* 912-927. (p. 409)

Stetter, F., & Kupper, S. (2002). Autogenic training : A meta-analysis of clinical outcome studies. *Applied Psychophysiology and Biofeedback, 27,* 45-98. (p. 545)

Stevenson, H. W. (1992, December). Learning from Asian schools. *Scientific American,* pp. 70-76. (p. 436)

Stevenson, H. W., & Lee, S-Y. (1990). Contexts of achievement : A study of American, Chinese, and Japanese children. *Monographs of the Society for Research in Child Development, 55* (Serial No. 221, Nos. 1-2). (p. 426)

Stevenson, R. J., & Tomiczek, C. (2007). Olfactory-induced synesthesias : A review and model. *Psychological Bulletin, 133,* 294-309. (p. 260)

Stewart, B. (2002, April 6). Recall of the wild. *New York Times* (www.nytimes.com). (p. 29)

Stice, E. (2002). Risk and maintenance factors for eating pathology : A metaanalytic review. *Psychological Bulletin, 128,* 825-848. (p. 453)

Stice, E., Shaw, H., & Marti, C. N. (2007). A meta-analytic review of eating disorder prevention programs : Encouraging findings. *Annual Review of Clinical Psychology, 3,* 233-257. (p. 455)

Stice, E., Spangler, D., & Agras, W. S. (2001). Exposure to mediaportrayed thin-ideal images adversely affects vulnerable girls : A longitudinal experiment. *Journal of Social and Clinical Psychology, 20,* 270-288. (p. 454)

Stickgold, R. (2000, March 7). Quoted by S. Blakeslee, For better learning, researchers endorse « sleep on it » adage. *New York Times,* p. F2. (p. 105)

Stickgold, R., Hobson, J. A., Fosse, R., & Fosse, M. (2001). Sleep, learning, and dreams : Off-line memory processing. *Science, 294,* 1052-1057. (p. 105)

Stickgold, R., Malia, A., Maquire, D., Roddenberry, D., & O'Connor, M. (2000, October 13). Replaying the game : Hypnagogic images in normals and amnesics. *Science, 290,* 350-353. (p. 104)

Stinson, D. A., Logel, C, Zanna, M. P., Holmes, J. G., Camerson, J. J., Wood, J. V., & Spencer, S. J. (2008). The cost of lower self-esteem : Testing a self- and social-bonds model of health. *Journal of Personality and Social Psychology, 94,* 412-428. (p. 542)

Stipek, D. (1992). The child at school. In M. H. Bornstein & M. E. Lamb (Eds.), *Developmental psychology : An advanced textbook.* Hillsdale, NJ : Erlbaum. (p. 195)

Stith, S. M., Rosen, K. H., Middleton, K. A., Busch, A. L., Lunderberg, K., & Carlton, R. P. (2000). The intergenerational transmission of spouse abuse : A meta-analysis. *Journal of Marriage and the Family, 62,* 640-654. (p. 321)

Stockton, M. C., & Murnen, S. K. (1992). Gender and sexual arousal in response to sexual stimuli : A meta-analytic review. Presented at the American Psychological Society convention. (p. 468)

Stone, A. A., & Neale, J. M. (1984). Effects of severe daily events on mood. *Journal of Personality and Social Psychology, 46,* 137-144. (p. 520)

Stone, A. A., Schwartz, J. E., Broderick, J. E., & Shiffman, S. S. (2005). Variability of momentary pain predicts recall of weekly pain : A consequences of the peak (or salience) memory heuristic. *Personality and Social Psychology Bulletin, 31,* 1340-1346. (p. 257)

Stone, G. (2006, February 17). Homeless man discovered to be lawyer with amnesia. *ABC News* (abcnews.go.com). (p. 609)

Stone, R. (2005). In the wake : Looking for keys to posttraumatic stress. *Science, 310,* 1605. (p. 604)

Stoolmiller, M. (1999). Implications of the restricted range of family environments for estimates of heritability and nonshared environment in behavior-genetic adoption studies. *Psychological Bulletin, 125,* 392-409. (p. 139)

Stoppard, J. M., & Gruchy, C. D. G. (1993). Gender, context, and expression of positive emotion. *Personality and Social Psychology Bulletin, 19,* 143-150. (p. 510)

Storbeck, J., Robinson, M. D., & McCourt, M. E. (2006). Semantic processing precedes affect retrieval : The neurological case for cognitive primary in visual processing. *Review of General Psychology, 10,* 41-55. (p. 506)

Storm, L. (2000). Research note : Replicable evidence of psi : A revision of Milton's (1999) meta-analysis of the ganzfeld data bases. *Journal of Parapsychology, 64,* 411-416. (p. 284)

Storm, L. (2003). Remote viewing by committee : RV using a multiple agent/multiple percipient design. *Journal of Parapsychology, 67,* 325-342. (p. 284)

Storms, M. D. (1973). Videotape and the attribution process : Reversing actors' and observers' points of view. *Journal of Personality and Social Psychology, 27,* 165-175. (p. 675)

Storms, M. D. (1981). A theory of erotic orientation development. *Psychological Review, 88,* 340-353. (p. 474)

Storms, M. D. (1983). *Development of sexual orientation.* Washington, DC : Office of Social and Ethical Responsibility, American Psychological Association. (p. 473)

Storms, M. D., & Thomas, G. C. (1977). Reactions to physical closeness. *Journal of Personality and Social Psychology, 35,* 412-418. (p. 687)

Strack, F., Martin, L., & Stepper, S. (1988). Inhibiting and facilitating conditions of the human smile : A nonobtrusive test of the facial feedback hypothesis. *Journal of Personality and Social Psychology, 54,* 768-777. (p. 514)

Strack, S., & Coyne, J. C. (1983). Social confirmation of dysphoria : Shared and private reactions to depression. *Journal of Personality and Social Behavior, 44,* 798-806. (p. 620)

Strahan, E. J., Spencer, S. J., & Zanna, M. P. (2002). Subliminal priming and persuasion : Striking while the iron is hot. *Journal of Experimental Social Psychology, 38,* 556-568. (p. 233)

Stranahan, A. M., Khalil, D., & Gould, E. (2006). Social isolation delays the positive effects of running on adult neurogenesis. *Nature Neuroscience, 9,* 526-533. (p. 75)

Strand, S., Deary, I. J., & Smith, P. (2006). Sex differences in cognitive abilities test scores : A UK national picture. *Brisith Journal of Educational Psychology, 76,* 463-480. (p. 434)

Stratton, G. M. (1896). Some preliminary experiments on vision without inversion of the retinal image. *Psychological Review, 3,* 611-617. (p. 274)

Straub, R. O., Seidenberg, M. S., Bever, T. G., & Terrace, H. S. (1979). Serial learning in the pigeon. *Journal of the Experimental Analysis of Behavior, 32,* 137-148. (p. 399)

Straus, M. A. (2008). Dominance and symmetry in partner violence by male and female university students in 32 nations. *Children and Youth Services Review, 30,* 252-275. (p. 160)

Straus, M. A., & Gelles, R. J. (1980). *Behind closed doors : Violence in the American family.* New York : Anchor/Doubleday. (p. 311)

Straus, M. A., Sugarman, D. B., & Giles-Sims, J. (1997). Spanking by parents and subsequent antisocial behavior of children. *Archives of Pediatric Adolescent Medicine, 151,* 761-767. (p. 311)

Strawbridge, W. J. (1999). Mortality and religious involvement : A review and critique of the results, the methods, and the measures. Paper presented at a Harvard University conference on religion and health, sponsored by the National Institute for Health Research and the John Templeton Foundation. (p. 548)

Strawbridge, W. J., Cohen, R. D., & Shema, S. J. (1997). Frequent attendance at religious services and mortality over 28 years. *American Journal of Public Health, 87,* 957-961. (p. 548)

Strawbridge, W. J., Shema, S. J., Cohen, R. D., & Kaplan, G. A. (2001). Religious attendance increases survival by improving and maintaining good health behaviors, mental health, and social relationships. *Annals of Behavioral Medicine, 23,* 68-74. (p. 548)

Strayer, D. L., & Drews, F A. (2007). Cell-phone-induced driver distraction. *Current Directions in Psychological Science, 16,* 128-131. (p. 89)

Strayer, D. L., & Johnston, W. A. (2001). Driven to distraction : Dual-task studies of simulated driving and conversing on a cellular telephone. *Psychological Science, 12*, 462-466. (p. 89)

Strayer, D. L., Drews, F. A., & Johnston, W. A. (2003). Cell phoneinduced failures of visual attention during simulated driving. *Journal of Experimental Psychology : Applied, 9*, 23-32. (p. 89)

Strenze, T. (2007). Intelligence and socioeconomic success : A meta-analytic review of longitudinal research. *Intelligence, 35*, 401-426. (p. 408)

Strickland, B. (1992, February 20). Gender differences in health and illness. Sigma Xi national lecture delivered at Hope College. (p. 209)

Striegel-Moore, R. H., Silberstein, L. R., & Rodin, J. (1993). The social self in bulimia nervosa : Public self-consciousness, social anxiety, and perceived fraudulence. *Journal of Abnormal Psychology, 102*, 297-303. (p. 454)

Striegel-Moore, R. M., & Bulik, C. M. (2007). Risk factors for eating disorders. *American Psychologist, 62*, 181-198. (p. 454)

Stroebe, M., Stroebe, W., & Schut, H. (2001). Gender differences in adjustment to bereavement : An empirical and theoretical review. *Review of General Psychology, 5*, 62-83. (p. 222)

Stroebe, M., Stroebe, W., Schut, H., Zech, E., & van den Bout, J. (2002). Does disclosure of emotions facilitate recovery from bereavement ? Evidence from two prospective studies. *Journal of Consulting and Clinical Psychology, 70*, 169-178. (p. 222)

Stroebe, W., Schut, H., & Stroebe, M. S. (2005). Grief work, disclosure and counseling : Do they help the bereaved ? *Clinical Psychology Review, 25*, 395-414. (p. 222)

Strupp, H. H. (1986). Psychotherapy : Research, practice, and public policy (How to avoid dead ends). *American Psychologist, 41*, 120-130. (p. 657)

Stumpf, H., & Jackson, D. N. (1994). Gender-related differences in cognitive abilities : Evidence from a medical school admissions testing program. *Personality and Individual Differences, 17*, 335-344. (p. 432)

Stumpf, H., & Stanley, J. C. (1998). Stability and change in gender-related differences on the college board advanced placement and achievement tests. *Current Directions in Psychology, 7*, 192-196. (p. 433)

Stunkard, A. J., Harris, J. R., Pedersen, N. L., & McClearn, G. E. (1990). A separated twin study of the body mass index. *New England Journal of Medicine, 322*, 1483-1487. (p. 460)

Subiaul, F., Cantlon, J. F., Holloway, R. L., & Terrace, H. S. (2004). Cognitive imitation in rhesus macaques. *Science, 305*, 407-410. (p. 317)

Suddath, R. L., Christison, G. W., Torrey, E. F., Casanova, M. F., & Weinberger, D. R. (1990). Anatomical abnormalities in the brains of monozygotic twins discordant for schizophrenia. *New England Journal of Medicine, 322, 789-794*. (p. 627)

Sue, S. (2006). Research to address racial and ethnic disparities in mental health : Some lessons learned. In S. I. Donaldson, D. E. Berger, & K. Pezdek (Eds.), *Applied psychology ; New frontiers and rewarding careers*. Mahwah, NJ ; Erlbaum. (p. 658)

Suedfeld, P. (1998). Homo invictus : The indomitable species. *Canadian Psychology, 38*, 164-173. (p. 605)

Suedfeld, P. (2000). Reverberations of the Holocaust fifty years later : Psychology's contributions to understanding persecution and genocide. *Canadian Psychology, 41*, 1-9. (p. 605)

Suedfeld, P., & Mocellin, J. S. P. (1987). The « sensed presence » in unusual environments. *Environment and Behavior, 19*, 33-52. (p. 127)

Sugita, Y. (2004). Experience in early infancy is indispensable for color perception. *Current Biology. 14*, 1267-1271. (p. 271)

Suinn, R. M. (1997). Mental practice in sports psychology : Where have we been, Where do we go ? *Clinical Psychology : Science and Practice, 4*, 189-207. (p. 394)

Sullivan, P. F., Neale, M. C., & Kendler, K. S. (2000). Genetic epidemiology of major depression : Review and meta-analysis. *American Journal of Psy chiatry, 157*, 1552-1562. (2000). Genetic epidemiology of major depression : Review and meta-analysis. *American Journal of Psychiatry, 157*, 1552-1562. (p. 615)

Suls, J. M., & Tesch, F. (1978). Students' preferences for information about their test performance : A social comparison study. *Journal of Experimental Social Psychology, 8*, 189-197. (p. 525)

Summers, M. (1996, December 9). Mister clean. *People Weekly*, pp. 139-142. (p. 593)

Sundet, J. M., Barlaug, D. G., & Torjussen, T. M. (2004). The end of the Flynn effect ? A study of secular trends in mean intelligence test scores of Norwegian conscripts during half a century. *Intelligence, 32*, 349-362. (p. 420)

Sundstrom, E., De Meuse, K. P., & Futrell, D. (1990). Work teams : Applications and effectiveness. *American Psychologist, 45*, 120-133. (p. 492)

Sunstein, C. R. (2007). On the divergent American reactions to terrorism and climate change. *Columbia Law Review, 107*, 503-557. (p. 376)

Suomi, S. J. (1986). Anxiety-like disorders in young nonhuman primates. In R. Gettleman (Ed.), *Anxiety disorders of childhood*. New York : Guilford Press. (p. 607)

Suomi, S. J. (1987). Genetic and maternal contributions to individual differences in rhesus monkey biobehavioral development. In N. A. Krasnegor & others (Eds.), *Perinatal development : A psychobiological perspective*. Orlando, FL : Academic Press. (p. 557)

Super, C., & Super, D. (2001). *Education and Training. Opportunities in psychology careers*, pp. 68-80. Chicago, IL : VGM Career Books. (p. A-3)

Suppes, P. Quoted by R. H. Ennis. (1982). Children's ability to handle Piaget's propositional logic : A conceptual critique. In S. Modgil & C. Modgil (Eds.), *Jean Piaget : Consensus and controversy*. New York : Praeger. (p. 185)

Surgeon General (2001). *The Surgeon General's Call to Action to Promote Sexual Health and Responsible Sexual Behavior 2001*. Office of the Surgeon General (www.surgeongeneral.gov/library). (p. 469)

Surgeon General. (1986). *The Surgeon General's workshop on pornography and public health*, June 22-24. Report prepared by E. P. Mulvey & J. L. Haugaard and released by Office of the Surgeon General on August 4, 1986. (p. 702)

Surgeon General. (1999). *Mental health : A report of the Surgeon General*. Rockville, MD : U.S. Department of Health and Human Services. (pp. 600, 617)

Susser, E. (1999). Life course cohort studies of schizophrenia. *Psychiatric Annals, 29*, 161-165. (p. 627)

Susser, E. S., Herman, D. B., & Aaron, B. (2002, August). Combating the terror of terrorism. *Scientific American*, pp. 70-77. (p. 604)

Susser, E., Neugenbauer, R., Hoek, H. W., Brown, A. S., Lin, S., Labovitz, D., & Gorman, J. M. (1996). Schizophrenia after prenatal famine. *Archives of General Psychiatry, 53(1)*, 25-31. (p. 625)

Susskind, J. M., Lee, D. H., Cusi, A., Feiman, R., Grabski, W., & Anderson, A. K. (2008). Expressing fear enhances sensory acquisition. *Nature Neuroscience, 11*, 843-850. (p. 516)

Sutcliffe, J. S. (2008). Insights into the pathogenesis of autism. *Science, 321*, 208-209. (p. 186)

Sutherland, A. (2006). *Bitten and scratched : Life and lessons at the premier school for exotic animal trainers*. New York : Viking. (p. 316)

Svebak, S., Romundstad, S., & Holmen, J. (2007). Sense of humor and mortality : A seven-year prospective study of an unselected adult county population and a sub-population diagnosed with cancer. The Hunt study. American Psychomatic Society 65th Annual Meeting, Budapest, Hungary. (p. 540)

Swann, Jr., W. B., Chang-Schneider, C., & McClarty, K. L. (2007). Do people's self-views matter : Self-concept and self-esteem in everyday life. *American Psychologist, 62*, 84-94. (p. 585)

Sweat, J. A., & Durm, M. W. (1993). Psychics : Do police departments really use them ? *Skeptical Inquirer, 17*, 148-158. (p. 283)

Swerdlow, N. R., & Koob, G. F. (1987). Dopamine, schizophrenia, mania, and depression : Toward a unified hypothesis of cortico-stiato-pallidothalamic function (with commentary). *Behavioral and Brain Sciences, 10*, 197-246. (p. 624)

Swim, J. K. (1994). Perceived versus meta-analytic effect sizes : An assessment of the accuracy of gender stereotypes. *Journal of Personality and Social Psychology, 66*, 21-36. (p. 694)

Symbaluk, D. G., Heth, C. D., Cameron, J., & Pierce, W. D. (1997). Social modeling, monetary incentives, and pain endurance : The role of selfefficacy and pain perception. *Personality and Social Psychology Bulletin, 23*, 258-269. (p. 257)

Symond, M. B., Harris, A. W. F., Gordon, E., & Williams, L. M. (2005). « Gamma synchrony » in first-episode schizophrenia : A disorder of temporal connectivity ? *American Journal of Psychiatry, 162*, 459-465. (p. 624)

Symons, C. S., & Johnson, B. T. (1997). The self-reference effect in memory : A meta-analysis. *Psychological Bulletin, 121*(3), 371-394. (p. 335)

TADS (Treatment for Adolescents with Depression Study Team). (2004). Fluoxetine, cognitive-behavioral therapy, and their combination for adolescents with depression : Treatment for adolescents with depression study (TADS) randomized controlled trial. *Journal of the American Medical Association, 292,* 807-820. (p. 663)

Taha, F. A. (1972). A comparative study of how sighted and blind perceive the manifest content of dreams. *National Review of Social Sciences, 9(3),* 28. (p. 104)

Taheri, S. (2004a, 20 December). Does the lack of sleep make you fat ? *University of Bristol Research News* (www.bristol.ac.uk). (p. 460)

Taheri, S. (2004b). The genetics of sleep disorders. *Minerva Medica, 95,* 203-212. (pp. 99, 102)

Taheri, S., Lin, L., Austin, D., Young, T., & Mignot, E. (2004). Short sleep duration is associated with reduced leptin, elevated ghrelin, and increased body mass index. *PloS Medicine, 1*(3): e62. (p. 460)

Taheri, S., Zeitzer, J. M., & Mignot, E. (2002). The role of hypocretins (orexins) in sleep regulation and narcolepsy. *Annual Review of Neuroscience, 25,* 283-313. (p. 102)

Tajfel, H. (Ed.). (1982). *Social identity and intergroup relations.* New York : Cambridge University Press. (p. 696)

Talal, N. (1995). Quoted by V. Morell, Zeroing in on how hormones affect the immune system. *Science, 269, 773-775.* (p. 534)

Talarico, J. M., & Rubin, D. C. (2003). Confidence, not consistency, characterizes flashbulb memories. *Psychological Science, 14,* 455-461. (p. 342)

Talarico, J. M., & Rubin, D. C. (2007). Flashbulb memories are special after all ; in phenomenology, not accuracy. *Applied Cognitive Psychology, 21,* 557-578. (p. 342)

Talbot, M. (2002, June 2). Hysteria hysteria. *New York Times* (www. nytimes .com). (p. 680)

Talwar, S. K., Xu, S., Hawley, E. S., Weiss, S. A., Moxon, K. A., & Chapin, J. K. (2002). Rat navigation guided by remote control. *Nature, 417,* 37-38. (p. 66)

Tamres, L. K., Janicki, D., & Helgeson, V. S. (2002). Sex differences in coping behavior : A meta-analytic review and an examination of relative coping. *Personality and Social Psychology Review, 6,* 2-30. (p. 162)

Tang, S-H., & Hall, V. C. (1995). The overjustification effect : A meta-analysis. *Applied Cognitive Psychology, 9,* 365-404. (p. 312)

Tangney, J. P., Baumeister, R. F., & Boone, A. L. (2004). High self-control predicts good adjustment, less pathology, better grades, and interpersonal success. *Journal of Personality, 72,* 271-324. (p. 579)

Tannen, D. (1990). *You just don't understand : Women and men in conversation.* New York : Morrow. (p. 27)

Tannen, D. (1990). *You just don't understand : Women and men in conversation.* New York : Morrow. (p. 161)

Tannenbaum, P. (2002, February). Quoted by R. Kubey & M. Csikszentmihalyi, Television addiction is no mere metaphor. *Scientific American,* pp. 74-80. (p. 235)

Tanner, J. M. (1978). *Fetus into man : Physical growth from conception to maturity.* Cambridge, MA : Harvard University Press. (p. 197)

Tarbert, J. (2004, May 14). Bad apples, bad command, or both ? *Dart Center for Journalism and Trauma* (www.dartcenter.org). (p. 678)

Tarmann, A. (2002, May/June). Out of the closet and onto the Census long form. *Population Today, 30,* pp. 1, 6. (p. 472)

Tasbihsazan, R., Nettelbeck, T., & Kirby, N. (2003). Predictive validity of the Fagan test of infant intelligence. *British Journal of Developmental Psychology, 21,* 585-597. (p. 423)

Taub, E. (2004). Harnessing brain plasticity through behavioral techniques to produce new treatments in neurorehabilitation. *American Psychologist, 59,* 692-698. (p. 74)

Taubes, G. (2001). The soft science of dietary fat. *Science, 291,* 2536-2545. (p. 463)

Taubes, G. (2002, July 7). What if it's all been a big fat lie ? *New York Times* (www.nytimes.com). (p. 463)

Tavris, C. (1982, November). Anger defused. *Psychology Today,* pp. 25-35. (p. 519)

Tavris, C., & Aronson, E. (2007). *Mistakes were made (but not by me).* Orlando, FL : Harcourt. (pp. 355, 678)

Taylor, P. J., Russ-Eft, D. F., & Chan, D. W. L. (2005). A meta-analytic review of behavior modeling training. *Journal of Applied Psychology, 90,* 692-709. (p. 320)

Taylor, S. E. (1989). Positive illusions. New York : Basic Books. (pp. 377, 587)

Taylor, S. E. (2002). The tending instinct : How nurturing is essential to who we are and how we live. New York : Times Books. (p. 162)

Taylor, S. E. (2006). Tend and befriend : Biobehavioral bases of affiliation under stress. *Current Directions in Psychological Science, 15,* 273-277. (p. 529)

Taylor, S. E., Cousino, L. K., Lewis, B. P., Gruenewald, T. L., Gurung, R. A. R., & Updegraff, J. A. (2000). Biobehavioral responses to stress in females : Tend-and-befriend, not fight-or-flight. *Psychological Review, 107,* 411-430. (p. 529)

Taylor, S. E., Pham, L. B., Rivkin, I. D., & Armor, D. A. (1998). Harnessing the imagination : Mental simulation, self-regulation, and coping. *American Psychologist, 53,* 429-439. (p. 394)

Taylor, S. P., & Chermack, S. T. (1993). Alcohol, drugs and human physical aggression. *Journal of Studies on Alcohol, Supplement No. 11,* 78-88. (p. 699)

Taylor, S., Kuch, K., Koch, W. J., Crockett, D. J., & Passey, G. (1998). The structure of posttraumatic stress symptoms. *Journal of Abnormal Psychology, 107,* 154-160. (p. 604)

Teasdale, T. W., & Owen, D. R. (2005). A long-term rise and recent decline in intelligence test performance : The Flynn Effect in reverse. *Personality and Individual Differences, 39,* 837-843. (p. 420)

Teasdale, T., & Owen, D. (2008). Secular declines in cognitive test scores : A reversal of the Flynn Effect. *Intelligence, 36,* 121-126. (p. 420)

Tedeschi, R. G., & Calhoun, L. G. (2004). Posttraumatic growth : Conceptual foundations and empirical evidence. *Psychological Inquiry, 15,* 1-18. (p. 605)

Teerlink, R., & Ozley, L. (2000). *More than a motorcycle : The leadership journey at Harley-Davidson.* Cambridge, MA : Harvard Business School Press. (p. 492)

Teghtsoonian, R. (1971). On the exponents in Stevens' law and thc constant in Ekinan's law. *Psychological Review, 78,* 71-80. (p. 234)

Teicher, M. (2002). McLean motion and attention test (M-MAT) : A new test to diagnose a troubling disorder. *McLean Hospital Annual Report* (www. mclean.harvard.edu). (p. 595)

Teicher, M. H. (2002, March). The neurobiology of child abuse. *Scientific American,* pp. 68-75. (p. 192)

Tenopyr, M. L. (1997). Improving the workplace : Industrial/organizational psychology as a career. In R. J. Sternberg (Ed.), *Career paths in psychology : Where your degree can take you.* Washington, DC : American Psychological Association. (p. 483)

Teran-Santos, J., Jimenez-Gomez, A., & Cordero-Guevara, J. (1999). The association between sleep apnea and the risk of traffic accidents. *New England Journal of Medicine, 340,* 847-851. (p. 102)

Terman, J. S., Terman, M., Lo, E-S., & Cooper, T. B. (2001). Circadian time of morning light administration and therapeutic response in winter depression. *Archives of General Psychiatry, 58,* 69-73. (p. 657)

Terman, L. M. (1916). *The measurement of intelligence.* Boston : Houghton Mifflin. (p. 417)

Terman, M., Terman, J. S., & Ross, D. C. (1998). A controlled trial of timed bright light and negative air ionization for treatment of winter depression. *Archives of General Psychiatry, 55,* 875-882. (p. 657)

Terracciano, A., Costa, Jr., P. T., & McCrae, R. R. (2006). Personality plasticity after age 30. *Personality and Social Psychology Bulletin, 32,* 999-1009. (pp. 158, 224)

Terrace, H. S. (1979, November). How Nim Chimpsky changed my mind. *Psychology Today,* pp. 65-76. (p. 399)

Terre, L., & Stoddart, R. (2000). Cutting edge specialties for graduate study in psychology. *Eye on Psi Chi,* 23-26. (p. A-5)

Tesser, A., Forehand, R., Brody, G., & Long, N. (1989). Conflict : The role of calm and angry parent-child discussion in adolescent development. *Journal of Social and Clinical Psychology, 8,* 317-330. (p. 204)

Tetlock, P. E. (1988). Monitoring the integrative complexity of American and Soviet policy rhetoric : What can be learned ? *Journal of Social Issues, 44,* 101-131. (p. 718)

Tetlock, P. E. (1998). Close-call counterfactuals and belief-system defenses : I was not almost wrong but I was almost right. *Journal of Personality and Social Psychology, 75,* 639-652. (p. 5)

Tetlock, P. E. (2005). *Expert political judgement : How good is it ? How can we know ?* Princeton, NJ : Princeton University Press. (p. 5)

Thaler, R. H., & Sunstein, C. R. (2008). *Nudge : Improving decisions about health, wealth, and happiness.* New Haven, CT : Yale University Press. (p. 382)

Thannickal, T. C., Moore, R. Y., Nienhuis, R., Ramanathan, L., Gulyani, S., Aldrich, M., Cornford, M., & Siegel, J. M. (2000). Reduced number of hypocretin neurons in human narcolepsy. *Neuron, 27,* 469-474. (p. 102)

Thatcher, R. W., Walker, R. A., & Giudice, S. (1987). Human cerebral hemispheres develop at different rates and ages. *Science, 236,* 1110-1113. (p. 177, 224)

Thayer, R. E. (1987). Energy, tiredness, and tension effects of a sugar snack versus moderate exercise. *Journal of Personality and Social Psychology, 52,* 119-125. (p. 543)

Thayer, R. E. (1993). Mood and behavior (smoking and sugar snacking) following moderate exercise : A partial test of self-regulation theory. *Personality and Individual Differences, 14,* 97-104. (p. 543)

Théoret, H., Halligan, H., Kobayashi, M., Fregni, F., Tager-Flusberg, H., & Pascual-Leone, A. (2005). Impaired motor facilitation during action observation in individuals with autism spectrum disorder. *Current Biology, 15,* R84–R85. (p. 187)

Thernstrom, M. (2006, May 14). My pain, my brain. *New York Times* (www.nytimes.com). (p. 258)

Thiel, A., Hadedank, B., Herholz, K., Kessler, J., Winhuisen, L., Haupt, W. F., & Heiss, W-D. (2006). From the left to the right : How the brain compensates progressive loss of language function. *Brain and Language, 98,* 57-65. (p. 74)

Thiele, T. E., Marsh, D. J., Ste. Marie, L., Bernstein, I. L., & Palmiter, R. D. (1998). Ethanol consumption and resistance are inversely related to neuropeptide Y levels. *Nature, 396,* 366-369. (p. 124)

Thomas, A., & Chess, S. (1977). *Temperament and development.* New York : Brunner/Mazel. (p. 139)

Thomas, A., & Chess, S. (1986). The New York Longitudinal Study : From infancy to early adult life. In R. Plomin & J. Dunn (Eds.), *The study of temperament : Changes, continuities, and challenges.* Hillsdale, NJ : Erlbaum. (p. 224)

Thomas, L. (1974). *The lives of a cell.* New York : Viking Press. (p. 262)

Thomas, L. (1983). *The youngest science : Notes of a medicine watcher.* New York : Viking Press. (p. 53)

Thomas, L. (1992). *The fragile species.* New York : Scribner's. (pp. 169, 387, 653)

Thompson, C. P., Frieman, J., & Cowan, T. (1993). Rajan's memory. Paper presented to the American Psychological Society convention. (p. 339)

Thompson, J. K., Jarvie, G. J., Lahey, B. B., & Cureton, K. J. (1982). Exercise and obesity : Etiology, physiology, and intervention. *Psychological Bulletin, 91,* 55-79. (p. 463)

Thompson, P. M., Cannon, T. D., Narr, K. L., van Erp, T., Poutanen, VP., Huttunen, M., Lönnqvist, J., Standerskjöld-Nordenstam, C-G., Kaprio, J., Khaledy, M., Dail, R., Zoumalan, C. I., & Toga, A. W. (2001). Genetic influences on brain structure. *Nature Neuroscience, 4,* 1253-1258. (p. 428)

Thompson, P. M., Giedd, J. N., Woods, R. P., MacDonald, D., Evans, A. C., & Toga, A. W. (2000). Growth patterns in the developing brain detected by using continuum mechanical tensor maps. *Nature, 404,* 190-193. (p. 177)

Thompson, R., Emmorey, K., & Gollan, T. H. (2005). « Tip of the fingers » experiences by Deaf signers. *Psychological Science, 16,* 856-860. (p. 353)

Thomson, R., & Murachver, T. (2001). Predicting gender from electronic discourse. *British Journal of Social Psychology, 40,* 193-208 (and personal correspondence from T. Murachver, May 23, 2002). (p. 161)

Thorndike, A. L., & Hagen, E. P. (1977). *Measurement and evaluation in psychology and education.* New York : Macmillan. (p. 419)

Thorne, J., with Larry Rothstein. (1993). You are not alone : Words of experience and hope for the journey through depression. New York : HarperPerennial. (p. 593)

Thornhill, R., & Gangestad, S. W. (1994). Human fluctuating asymmetry and sexual behavior. *Psychological Science, 5,* 297-302. (p. 709)

Thornton, B., & Moore, S. (1993). Physical attractiveness contrast effect : Implications for self-esteem and evaluations of the social self. *Personality and Social Psychology Bulletin, 19,* 474-480. (p. 707)

Thornton, G. C. III, & Rupp, D. E. (2005). *Assessment centers in human resource management : Strategies for prediction, diagnosis, and development.* Mahwah, NJ : Erlbaum. (p. 583)

Thorpe, W. H. (1974). *Animal nature and human nature.* London : Metheun. (p. 400)

Tickle, J. J., Hull, J. G., Sargent, J. D., Dalton, M. A., & Heatherton, T. F. (2006). A structural equation model of social influences and exposure to media smoking on adolescent smoking. *Basic and Applied Social Psychology, 28,* 117-129. (p. 118)

Tiedens, L. Z. (2001). Anger and advancement versus sadness and subjugation : The effect of negative emotion expressions on social status conferral. *Journal of Personality and Social Psychology, 80,* 86-94. (p. 519)

Tikkanen, T. (2001). Psychology in Europe : A growing profession with high standards and a bright future. *European Psychologist, 6,* 144-146. (p. 6)

Time. (1997, December 22). Greeting card association data, p. 19. (p. 161)

Time/CNN Survey. (1994). « Vox pop : Happy holidays, » *Time,* Dec. 19, 1994. (p. 612)

Timlin, M. T., Pereira, M. A., Story, M., & Neumark-Sztainer, D. (2008). Breakfast eating and weight change in a 5-year prospective analysis of adolescents : Project EAT (Eating Among Teens). *Pediatrics, 121,* e638–e645. (p. 13)

Timmerman, T. A. (2007). « It was a thought pitch » : Personal, situational, and target influences on hit-by-pitch events across time. *Journal of Applied Psychology, 92,* 876-884. (p. 700)

Tinbergen, N. (1951). *The study of instinct.* Oxford : Clarendon. (p. 444)

Tirrell, M. E. (1990). Personal communication. (p. 296)

Tolin, D. F., & Foa, E. B. (2006). Sex differences in trauma and posttraumatic stress disorder : A quantitative review of 25 years of research. *Psychological Bulletin, 132,* 959-992. (p. 605)

Tollefson, G. D., Fawcett, J., Winokur, G., Beasley, C. M., et al. (1993). Evaluation of suicidality during pharmacologic treatment of mood and nonmood disorders. *Annals of Clinical Psychiatry, 5(4),* 209-224. (p. 663)

Tollefson, G. D., Rampey, A. H., Beasley, C. M., & Enas, G. G. (1994). Absence of a relationship between adverse events and suicidality during pharmacotherapy for depression. *Journal of Clinical Psychopharmacology, 14,* 163-169. (p. 663)

Tolman, E. C., & Honzik, C. H. (1930). Introduction and removal of reward, and maze performance in rats. *University of California Publications in Psychology, 4,* 257-275. (p. 312)

Tolstoy, L. (1904). *My confessions.* Boston : Dana Estes. (p. 9)

Tondo, L., Jamison, K. R., & Baldessarini, R. J. (1997). Effect of lithium maintenance on suicidal behavior in major mood disorders. In D. M. Stoff & J. J. Mann (Eds.), *The neurobiology of suicide : From the bench to the clinic.* New York ; New York Academy of Sciences. (p. 664)

Toni, N., Buchs, P.-A., Nikonenko, I., Bron, C. R., & Muller, D. (1999). LTP promotes formation of multiple spine synapses between a single axon terminal and a dendrite. *Nature, 402,* 421-42. (p. 341)

Torrey, E. F. (1986). *Witchdoctors and psychiatrists.* New York : Harper & Row. (p. 658)

Torrey, E. F., & Miller, J. (2002). *The invisible plague : The rise of mental illness from 1750 to the present.* New Brunswick, NJ : London : Rutgers University Press. (p. 625)

Torrey, E. F., Miller, J., Rawlings, R., & Yolken, R. H. (1997). Seasonality of births in schizophrenia and bipolar disorder : A review of the literature. *Schizophrenia Research, 28,* 1-38. (p. 625)

Totterdell, P., Kellett, S., Briner, R. B., & Teuchmann, K. (1998). Evidence of mood linkage in work groups. *Journal of Personality and Social Psychology, 74,* 1504-1515. (p. 680)

Towler, G. (1986). From zero to one hundred : Coaction in a natural setting. *Perceptual and Motor Skills, 62,* 377-378. (p. 687)

Tracey, J. L., & Robins, R. W. (2004). Show your pride : Evidence for a discrete emotion expression. *Psychological Science, 15,* 194-197. (p. 514)

Tramontana, M. G., Hooper, S. R., & Selzer, S. C. (1988). Research on the preschool prediction of later academic achievement : A review. *Developmental Review, 8,* 89-146. (p. 423)

Tranel, D., Bechara, A., & Denburg, N. L. (2002). Asymmetric functional roles of right and left ventromedial prefrontal cortices in social conduct, decision-making and emotional processing. *Cortex, 38,* pp. 589-613. (p. 78)

Trautwein, U., Lüdtke, O., Köller, O., & Baumert, J. (2006). Self-esteem, academic self-concept, and achievement : How the learning environment moderates the dynamics of self-concept. *Journal of Personality and Social Psychology, 90,* 334-349. (p. 585)

Treffert, D. A., & Christensen, D. D. (2005, December). Inside the mind of a savant. *Scientific American,*, 407)

Treffert, D. A., & Wallace, G. L. (2002). Island of genius – The artistic brilliance and dazzling memory that sometimes accompany autism and other disorders hint at how all brains work. *Scientific American, 286,* 76-86. (p. 407)

Treisman, A. (1987). Properties, parts, and objects. In K. R. Boff, L. Kaufman, & J. P. Thomas (Eds.), *Handbook of perception and human performance.* New York : Wiley. (p. 265)

Tremblay, R. E., Pihl, R. O., Vitaro, F., & Dobkin, P. L. (1994). Predicting early onset of male antisocial behavior from preschool behavior. *Archives of General Psychiatry, 51,* 732-739. (p. 629)

Trewin, D. (2001). *Australian social trends 2001.* Canberra : Australian Bureau of Statistics. (pp. 164, 481)

Triandis, H. C. (1981). *Some dimensions of intercultural variation and their implications for interpersonal behavior.* Paper presented at the American Psychological Association convention. (p. 154)

Triandis, H. C. (1994). *Culture and social behavior.* New York : McGraw-Hill. (pp. 156, 157, 580, 701)

Triandis, H. C., Bontempo, R., Villareal, M. J., Asai, M., & Lucca, N. (1988). Individualism and collectivism : Cross-cultural perspectives on selfingroup relationships. *Journal of Personality and Social Psychology, 54,* 323-338. (p. 157)

Trickett, P. K., & McBride-Chang, C. (1995). The developmental impact of different forms of child abuse and neglect. *Developmental Review, 15,* 311-337. (p. 192)

Trillin, C. (2006, March 27). Alice off the page. *The New Yorker, 44.* (p. 566)

Trimble, J. E. (1994). Cultural variations in the use of alcohol and drugs. In W. J. Lonner & R. Malpass (Eds.), *Psychology and culture.* Boston : Allyn & Bacon. (p. 125)

Triplett, N. (1898). The dynamogenic factors in pacemaking and competition. *American Journal of Psychology, 9,* 507-533. (p. 687)

Trolier, T. K., & Hamilton, D. L. (1986). Variables influencing judgments of correlational relations. *Journal of Personality and Social Psychology, 50,* 879-888. (p. 15)

Troller, J. N., Anderson, T. M., Sachdev, P. S., Brodaty, H., & Andrews, G. (2007). Age shall not weary them : Mental health in the middle-aged and the elderly. *Australian and New Zealand Journal of Psychiatry, 41,* 581-589. (p. 220)

Trut, L. N. (1999). Early canid domestication : The farm-fox experiment. *American Scientist, 87,* 160-169. (p. 144)

Tsai, J. L., & Chentsova-Dutton, Y. (2003). Variation among European Americans in emotional facial expression. *Journal of Cross-Cultural Psychology, 34,* 650-657. (p. 513)

Tsai, J. L., Miao, F. F., Seppala, E., Fung, H. H., & Yeung, D. Y. (2007). Influence and adjustment goals : Sources of cultural differences in ideal affect. *Journal of Personality and Social Psychology, 92,* 1102-1117. (p. 513)

Tsang, Y. C. (1938). Hunger motivation in gastrectomized rats. *Journal of Comparative Psychology, 26,* 1-17. (p. 449)

Tsankova, N., Renthal, W., Kumar, A., & Nestler, E. J. (2007). Epigenetic regulation in psychiatric disorders. *Nature Reviews Neuroscience, 8,* 355-367. (p. 143)

Tse, D., Langston, R. F., Kakeyama, M., Bethus, I., Spooner P. A., Wood, E. R., Witter, M. P., & Morris, R. G. M. (2007). Schemas and memory consolidation. *Science, 316,* 76-82. (p. 344)

Tsien, J. Z. (2007, July). The memory code. *Scientific American,* pp. 52-59. (p. 340)

Tsuang, M. T., & Faraone, S. V. (1990). *The genetics of mood disorders.* Baltimore, MD : Johns Hopkins University Press. (p. 615)

Tuber, D. S., Miller, D. D., Caris, K. A., Halter, R., Linden, F., & Hennessy, M. B. (1999). Dogs in animal shelters : Problems, suggestions, and needed expertise. *Psychological Science, 10,* 379-386. (p. 28)

Tucker, K. A. (2002). I believe you can fly. *Gallup Management Journal* (www.gallupjournal.com/CA/st/20020520.asp). (p. 491)

Tuerk, P. W. (2005). Research in the high-stakes era : Achievement, resources, and no child left behind. *Psychological Science, 16,* 419-425. (p. 430)

Tully, T. (2003). Reply : The myth of a myth. *Current Biology, 13,* R426, 295)

Tulving, E. (1996, August 18). Quoted in J. Gatehouse, Technology revealing brain's secrets. *Montreal Gazette,* p. A3. (p. 344)

Tumulty, K. (2006, March 27). The politics of fat. *Time,* pp. 40-43. (p. 461)

Turkheimer, E., Haley, A., Waldron, M., D'Onofrio, B., & Gottesman, I. I. (2003). Socioeconomic status modifies heritability of IQ in young children. *Psychological Science, 14,* 623-628. (pp. 429, 430)

Turner, J. C. (1987). *Rediscovering the social group : A self-categorization theory.* New York : Basil Blackwell. (p. 695)

Turner, J. C. (2007) Self-categorization theory. In R. Baumeister & K. Vohs (Eds.), *Encyclopedia of Social Psychology*. Thousand Oaks, CA : Sage. (p. 695)

Turner, N., Barling, J., & Zacharatos, A. (2002). Positive psychology at work. In C. R. Snyder & S. J. Lopez (Eds.), *The handbook of positive psychology.* New York : Oxford University Press. (p. 492)

Turpin, A. (2005, April 3). The science of psi. *FT Weekend,* pp. W1, W2. (p. 282)

Tutu, D. (1999). *No future without forgiveness.* New York : Doubleday. (p. 479)

Tversky, A. (1985, June). Quoted in K. McKean, Decisions, decisions. *Discover,* pp. 22-31. (p. 375)

Tversky, A., & Kahneman, D. (1974). Judgment under uncertainty : Heuristics and biases. *Science, 185,* 1124-1131, 374)

Tversky, B. (2008, June/July). Glimpses of Chinese psychology : Reflections on the APS trip to China. *Observer,* pp. 13-14 (also at psychologicalscience.org/ observer). (p. 6)

Twenge, J. M., Gentile, B., DeWall, C. D., Ma, D., & Lacefield, K. (2008). A growing disturbance : Increasing psychopathology in young people 1938-2007 in a meta-analysis of the MMPI. Unpublished manuscript, San Diego State University. (p. 615)

Twenge, J. (2006). *Generation me.* New York : Free Press. (pp. 588, 608)

Twenge, J. M. (1997). Changes in masculine and feminine traits over time : A meta-analysis. *Sex Roles 36(5-6),* 305-325. (p. 167)

Twenge, J. M., & Campbell, W. K. (2001). Age and birth cohort differences in self-esteem : A cross-temporal meta-analysis. *Personality and Social Psychology Review, 5,* 321-344. (p. 204)

Twenge, J. M., & Nolen-Hoeksema, S. (2002). Age, gender, race, socioeconomic status, and birth cohort differences on the children's depression inventory : A meta-analysis. *Journal of Abnormal Psychology, 111,* 578-588. (p. 204)

Twenge, J. M., Baumeister, R. F., DeWall, C. N., Ciarocco, N. J., & Bartels, J. M. (2007). Social exclusion decreases prosocial behavior. *Journal of Personality and Social Psychology, 92,* 56-66. (p. 481)

Twenge, J. M., Baumeister, R. F., Tice, D. M., & Stucke, T. S. (2001). If you can't join them, beat them : Effects of social exclusion on aggressive behavior. *Journal of Personality and Social Psychology, 81,* 1058-1069. (pp. 481, 701)

Twenge, J. M., Catanese, K. R., & Baumeister, R. F. (2002). Social exclusion causes self-defeating behavior. *Journal of Personality and Social Psychology, 83,* 606-615. (pp. 481, 701)

Twenge, J. M., Catanese, K. R., & Baumeister, R. F. (2003). Social exclusion and the deconstructed state : Time perception, meaninglessness, lethargy, lack of emotion, and self-awareness. *Journal of Personality and Social Psychology, 85,* 409-423. (p. 701)

Twenge, J. M., Konrath, S., Foster, J. D., Campbell, W. K., & Bushman, B. J. (2008). Egos inflating over time : A cross-temporary meta-analysis of the Narcissistic Personality Inventory. *Journal of Personality, 76,* 875-902. (p. 588)

Twiss, C., Tabb, S., & Crosby, F. (1989). Affirmative action and aggregate data : The importance of patterns in the perception of discrimination. In F. Blanchard & F. Crosby (Eds.), *Affirmative action : Social psychological perspectives.* New York : Springer-Verlag. (p. 14)

Tyler, K. A. (2002). Social and emotional outcomes of childhood sexual abuse : A review of recent research. *Aggression and Violent Behavior, 7,* 567-589. (p. 192)

U. S. Department of State (2004, April). *Patterns of global terrorism 2003: Appendix G.* (www.state.gov). (p. 375)

U. S. National Center for Education Statistics (U. S. Department of Education, NCES). (2007a). *Digest of Education Statistics* (NCES 2008-022), table 261, data from U.S. Department of Education, NCES, 1990-91, 1995-96, and 2005-06 Integrated Postsecondary Education Data System, « Completions Survey » (IPEDS–C :91 and 96), and Fall 2006. (p. A-3)

U. S. National Center for Education Statistics (U. S. Department of Education, NCES). (2007b). *Digest of Education Statistics* (NCES 2008-022), tables 262, 263 and 270, data from U.S. Department of Education, NCES, 1990-91, 1995-96, and 2005-06 Integrated Postsecondary Education Data System, « Completions Survey » (IPEDS–C :91 and 96), and Fall 2006. (p. A-3)

U. S. Senate Select Committee on Intelligence (2004, July 9). *Report of the Intelligence Community's prewar intelligence assessments on Iraq.* www.gpoaccess.gov/serialset/creports/iraq.html. (pp. 8, 373)

Uchino, B. N., Cacioppo, J. T., & Kiecolt-Glaser, J. K. (1996). The relationship between social support and physiological processes : A review with emphasis on underlying mechanisms and implications for health. *Psychological Bulletin, 119,* 488-531. (p. 542)

Uchino, B. N., Uno, D., & Holt-Lunstad, J. (1999). Social support, physiological processes, and health. *Current Directions in Psychological Science, 8,* 145-148. (p. 542)

Uddin, L. Q., Kaplan, J. T., Molnar-Szakacs, I., Zaidel, E., & Iacoboni, M. (2005). Self-face recognition activates a frontoparietal « mirror » network in the right hemisphere : An event-related fMRI study. *NeuroImage, 25,* 926-935. (p. 79)

Uddin, L. Q., Molnar-Szakacs, Il., Zaidel, E., & Iacoboni, M. (2006). rTMS to the right inferior parietal lobule disrupts self-other discrimination. *Social Cognitive Affective Neuroscience, 1,* 65-71. (p. 79)

Udry, J. R. (2000). Biological limits of gender construction. *American Sociological Review, 65,* 443-457. (p. 163)

Uga, V., Lemut, M. C., Zampi, C., Zilli, I., & Salzarulo, P. (2006). Music in dreams. *Consciousness and Cognition, 15,* 351-357. (p. 104)

UK ECT Review Group. (2003). Efficacy and safety of electroconvulsive therapy in depressive disorders : A systematic review and meta-analysis. *Lancet, 361,* 799-808. (p. 664)

Ullman, E. (2005, October 19). The boss in the machine. *New York Times* (www.nytimes.com). (p. 482)

Ulrich, R. E. (1991). Animal rights, animal wrongs and the question of balance. *Psychological Science, 2,* 197-201. (p. 27)

UNAIDS. (2005). *AIDS epidemic update, December 2005.* United Nations (www.unaids.org). (p. 536)

UNAIDS. (2008). *Report on the global AIDS epidemic.* United Nations (www.unaids.org). (p. 536)

UNICEF (2006). *The state of the world's children 2007.* New York : UNICEF. (p. 164)

Unsworth, N., & Engle, R. W. (2007). The nature of individual differences in working memory capacity : Active maintenance in primary memory and controlled search from secondary memory. *Psychological Review, 114,* 104-132. (p. 329)

Urbany, J. E., Bearden, W. O., & Weilbaker, D. C. (1988). The effect of plausible and exaggerated reference prices on consumer perceptions and price search. *Journal of Consumer Research, 15,* 95-110. (p. 381)

Urry, H. L., Nitschke, J. B., Dolski, I., Jackson, D. C., Dalton, K. M., Mueller, C. J., Rosenkranz, M. A., Ryff, C. D., Singer, B. H., & Davidson, R. J. (2004). Making a life worth living : Neural correlates of well-being. *Psychological Science, 15,* 367-372. (p. 502)

Ursu, S., Stenger, V. A., Shear, M. K., Jones, M. R., & Carter, C. S. (2003). Overactive action monitoring in obsessive-compulsive disorder : Evidence from functional magnetic resonance imaging. *Psychological Science, 14,* 347-353. (p. 607)

USAID. (2004, January). *The ABCs of HIV prevention.* www.usaid.gov. (p. 536)

Uttal, W. R. (2001). *The new phrenology : The limits of localizing cognitive processes in the brain.* Cambridge, MA : MIT Press. (p. 73)

Vaidya, J. G., Gray, E. K., Haig, J., & Watson, D. (2002). On the temporal stability of personality : Evidence for differential stability and the role of life experiences. *Journal of Personality and Social Psychology, 83,* 1469-1484. (p. 571)

Vaillant, G. E. (1977). *Adaptation to life.* New York : Little, Brown. (p. 360)

Vaillant, G. E. (2002). *Aging well : Surprising guideposts to a happier life from the landmark Harvard study of adult development.* Boston : Little, Brown. (p. 541)

Valdes, A. M., Andrew, T., Gardner, J. P., Kimura, M., Oelsner, E., Cherkas, L. F., Aviv, A., & Spector, T. D. (2005). Obesity, cigarette smoking, and telomere length in women. *Lancet, 366,* 662-664. (p. 209)

Valenstein, E. S. (1986). *Great and desperate cures : The rise and decline of psychosurgery.* New York ; Basic Books. (p. 667)

Vallone, R. P., Griffin, D. W., Lin, S., & Ross, L. (1990). Overconfident prediction of future actions and outcomes by self and others. *Journal of Personality and Social Psychology, 58,* 582-592. (p. 5)

van Boxtel, H. W., Orobio de Castro, B., & Goossens, F. A. (2004). High self-perceived social competence in rejected children is related to frequent fighting. *European Journal of Developmental Psychology, 1,* 205-214. (p. 588)

Van Cauter, E., Holmback, U., Knutson, K., Leproult, R., Miller, A., Nedeltcheva, A., Pannain, S., Penev, P., Tasali, E., & Spiegel, K. (2007). Impact of sleep and sleep loss on neuroendocrine and metabolic function. *Hormone Research, 67,* Supp. 1: 2-9. (p. 98)

van den Boom, D. (1990). Preventive intervention and the quality of mother-infant interaction and infant exploration in irritable infants. In W. Koops, H. J. G. Soppe, J. L. van der Linden, P. C. M. Molenaar, & J. J. F. Schroots (Eds.), *Developmental psychology research in The Netherlands.* The Netherlands : Uitgeverij Eburon. Cited by C. Hazan & P. R. Shaver (1994). Deeper into attachment theory. *Psychological Inquiry, 5,* 68-79. (p. 190)

van den Boom, D. C. (1995). Do first-year intervention effects endure ? Follow-up during toddlerhood of a sample of Dutch irritable infants. *Child Development, 66,* 1798-1816. (p. 190)

van den Bos, K., & Spruijt, N. (2002). Appropriateness of decisions as a moderator of the psychology of voice. *European Journal of Social Psychology, 32,* 57-72. (p. 492)

Van der Maas, H. L. J., Dolan, C. V., Raoul, P. P. P., Grasman, R. P. P. P., Wicherts, J. M., Huizenga, H. M., & Raijmakers, M. E. J. (2006). A dynamical model of general intelligence : The positive manifold of intelligence by mutualism. *Psychological Review, 113,* 842-861. (p. 407)

Van der Werf, S. Y., Kaptein, K. I., de Jonge, P. , Spijker, J., de Graaf, R., & Korf, J. (2006). Major depressive episodes and random mood. *Archives of General Psychiatry, 63,* 509-518. (p. 615)

Van Dyke, C., & Byck, R. (1982, March). Cocaine. *Scientific American,* pp. 128-141. (p. 120)

van Engen, M. L., & Willemsen, T. M. (2004). Sex and leadership styles : A meta-analysis of research published in the 1990s. *Psychological Reports, 94,* 3-18. (p. 160)

Van Goozen, S. H. M., Fairchild, G., Snoek, H., & Harold, G. T. (2007). The evidence for a neurobiological model of childhood antisocial behavior. *Psychological Bulletin, 133,* 149-182. (p. 629)

van Hemert, D. A., Poortinga, Y. H., & van de Vijver, F. J. R. (2007). Emotion and culture : A meta-analysis. *Cognition and Emotion, 21,* 913-943. (p. 513)

Van Ijzendoorn, M. H., & Juffer, F. (2005). Adoption is a successful natural intervention enhancing adopted children's IQ and school performance. *Current Directions in Psychological Science, 14,* 326-330. (p. 428)

Van IJzendoorn, M. H., & Juffer, F. (2006). The Emanual Miller Memorial Lecture 2006 : Adoption as intervention. Meta-analytic evidence for massive catch-up and plasticity in physical, socio-emotional, and cognitive development. *Journal of Child Psychology and Psychiatry, 47,* 1228-1245. (pp. 139, 428)

van IJzendoorn, M. H., & Kroonenberg, P. M. (1988). Cross-cultural patterns of attachment : A meta-analysis of the strange situation. *Child Development, 59,* 147-156. (p. 190)

Van Leeuwen, M. S. (1978). A cross-cultural examination of psychological differentiation in males and females. *International Journal of Psychology, 13,* 87-122. (p. 164)

Van Lommel, P., van Wees, R., Meyers, V., & Elfferich, I. (2001). Near-death experience in survivors of cardiac arrest : A prospective study in the Netherlands. *Lancet, 358,* 2039-2045. (p. 127)

Van Rooy, D. L., & Viswesvaran, C. (2004). Emotional intelligence : A meta-analytic investigation of predictive validity and nomological net. *Journal of Vocational Behavior, 65,* 71-95. (p. 412)

van Schaik, C. P., Ancrenaz, M., Borgen, G., Galdikas, B., Knott, C. D., Singleton, I., Suzuki, A., Utami, S. S., & Merrill, M. (2003). Orangutan cultures and the evolution of material culture. *Science, 299,* 102-105. (p. 397)

Van Tassel-Baska, J. (1983). Profiles of precocity : The 1982 Midwest Talent Search finalists. *Gifted Child Quarterly, 27,* 139-145. (p. 423)

Van Yperen, N. W., & Buunk, B. P. (1990). A longitudinal study of equity and satisfaction in intimate relationships. *European Journal of Social Psychology, 20,* 287-309. (p. 711)

Van Zeijl, J., Mesman, J., Van Ijzendoorn, M. H., Bakermans-Kranenburg, M. J., Juffer, F., Stolk, M. N., Koot, H. M., & Alink, L. R. A. (2006). Attachment-based intervention for enhancing sensitive discipline in mothers of 1- to 3-year-old children at risk for externalizing behavior problems : A randomized controlled trial. *Journal of Consulting and Clinical Psychology, 74,* 994-1005. (p. 190)

Vance, E. B., & Wagner, N. N. (1976). Written descriptions of orgasm : A study of sex differences. *Archives of Sexual Behavior, 5,* 87-98. (p. 465)

Vandenberg, S. G., & Kuse, A. R. (1978). Mental rotations : A group test of three-dimensional spatial visualization. *Perceptual and Motor Skills, 47,* 599-604. (p. 433)

Vanman, E. J., Saltz, J. L., Nathan, L. R., & Warren, J. A. (2004). Racial discrimination by low-prejudiced Whites. *Psychological Science, 15,* 711-714. (p. 693)

Vaughn, K. B., & Lanzetta, J. T. (1981). The effect of modification of expressive displays on vicarious emotional arousal. *Journal of Experimental Social Psychology, 17,* 16-30. (p. 514)

Vazire, S., & Gosling, S. D. (2004). e-Perceptions : Personality impressions based on personal websites. *Journal of Personality and Social Psychology, 87,* 123-132. (p. 575)

Vecera, S. P., Vogel, E. K., & Woodman, G. F. (2002). Lower region : A new cue for figure-ground assignment. *Journal of Experimental Psychology : General, 13,* 194-205. (p. 268)

Vega, V., & Malamuth, N. M. (2007). Predicting sexaul aggression : The role of pornography in the context of general and specific risk factors. *Aggressive Behavior, 33,* 104-117. (p. 702)

Vekassy, L. (1977). Dreams of the blind. *Magyar Pszichologiai Szemle, 34,* 478-491. (p. 104)

Velliste, M., Perel, S., Spalding, M. C., Whitford, A. S., & Schwartz, A. B. (2008). Cortical control of a prosthetic arm for self-feeding. *Nature, 453,* 1098-1101. (p. 70)

Verbeek, M. E. M., Drent, P. J., & Wiepkema, P. R. (1994). Consistent individual differences in early exploratory behaviour of male great tits. *Animal Behaviour, 48,* 1113-1121. (p. 570)

Verhaeghen, P., & Salthouse, T. A. (1997). Meta-analyses of age-cognition relations in adulthood : Estimates of linear and nonlinear age effects and structural models. *Psychological Bulletin, 122,* 231-249. (p. 210)

Vernon, P. A. (1983). Speed of information processing and general intelligence. *Intelligence, 7,* 53-70. (p. 415)

Vertes, R., & Siegel, J. (2005). Time for the sleep community to take a critical look at the purported role of sleep in memory processing. *Sleep, 28,* 1228-1229. (p. 105)

Vigil, J. M., Geary, D. C., & Byrd-Craven, J. (2005). A life history assessment of early childhood sexual abuse in women. *Developmental Psychology, 41,* 553-561. (p. 198)

Vigliocco, G., & Hartsuiker, R. J. (2002). The interplay of meaning, sound, and syntax in sentence production. *Psychological Bulletin, 128,* 442-472. (p. 385)

Vining, E. P. G., Freeman, J. M., Pillas, D. J., Uematsu, S., Carson, B. S., Brandt, J., Boatman, D., Pulsifer, M. B., & Zukerberg, A. (1997). Why would you remove half a brain ? The outcome of 58 children after hemispherectomy — The Johns Hopkins Experience : 1968 to 1996. *Pediatrics, 100,* 163-171. (p. 74)

Vita, A. J., Terry, R. B., Hubert, H. B., & Fries, J. F. (1998). Aging, health risks, and cumulative disability. *New England Journal of Medicine, 338,* 1035-1041. (p. 119)

Vitello, P. (2006, June 12). A ring tone meant to fall on deaf ears. *New York Times* (www.nytimes.com). (pp. 210, 231)

Vitevitch, M. S. (2003). Change deafness : The inability to detect changes between two voices. *Journal of Experimental Psychology ; Human Perception and Performance, 29,* 333-342. (p. 90)

Vittengl, J. R., Clark, L. A., Dunn, T. W., & Jarrett, R. B. (2007). Reducing relapse and recurrence in unipolar depression : A comparative metaanalysis of cognitive-behavioral therapy's effects. *Journal of Consulting and Clinical Psychology, 75,* 475-488. (p. 663)

Voas, D. (2008, March/April). Ten million marriages : An astrological detective story. *Skeptical Inquirer,* pp. 52-55. (p. 572)

Vogel, S. (1999). *The skinny on fat : Our obsession with weight control.* New York : W. H. Freeman. (p. 142)

von Békésy, G. (1957, August). The ear. *Scientific American,* pp. 66-78. (p. 249)

von Hippel, W. (2007). Aging, executive functioning, and social control. *Current Directions in Psychological Science, 16,* 240-244. (p. 211)

von Senden, M. (1932: *The perception of space and shape in the congenitally blind before and after operation.* Glencoe, IL : Free Press. (p. 273)

Voyer, D., Postma, A., Brake, B., & Imperato-McGinley, J. (2007). Gender differences in object location memory : A meta-analysis. *Psychonomic Bulletin & Review, 14,* 23-38. (p. 432)

Vroom, V. H., & Jago, A. G. (2007). The role of the situation in leadership. *American Psychologist, 62,* 17-24. (p. 492)

Vyazovskiy, V. V., Cirelli, C., Pfister-Genskow, M., Faraguna, U., & Tononi, G. (2008). Molecular and electrophysiological evidence for net synaptic potentiation in wake and depression in sleep. *Nature Neuroscience, 11,* 200-208. (p. 100)

Waber, R. L., Shiv, B., Carmon, & Ariely, D. (2008). Commercial features of placebo and therapeutic efficacy. *JAMA, 299,* 1016-1017. (p. 18)

Wacker, J., Chavanon, M-L., & Stemmler, G. (2006). Investigating the dopaminergic basis of extraversion in humans : A multilevel approach. *Journal of Personality and Social Psychology, 91,* 177-187. (p. 569)

Wadden, T. A., Vogt, R. A., Foster, G. D., & Anderson, D. A. (1998). Exercise and the maintenance of weight loss : 1-year follow-up of a controlled clinical trial. *Journal of Consulting and Clinical Psychology, 66,* 429-433. (p. 463)

Wade, K. A., Garry, M., Read, J. D., & Lindsay, D. S. (2002). A picture is worth a thousand lies : Using false photographs to create false childhood memories. *Psychonomic Bulletin & Review, 9,* 597-603. (p. 357)

Wade, N. G., Worthington, Jr., E. L., & Vogel, D. L. (2006). Effectiveness of religiously tailored interventions in Christian therapy. *Psychotherapy Research, 17,* 91-105. (pp. 658, 659)

Wagar, B. M., & Cohen, D. (2003). Culture, memory, and the self : An analysis of the personal and collective self in long-term memory. *Journal of Experimental Social Psychology, 39,* 458-475. (p. 335)

Wager, T. D. (2005). The neural bases of placebo effects in pain. *Current Directions in Psychological Science, 14,* 175-179. (p. 258)

Wagner, U., Gais, S., Haider, H., Verleger, R., & Born, J. (2004). Sleep inspires insight. *Nature, 427,* 352-355. (p. 101)

Wagstaff, G. (1982). Attitudes to rape : The « just world » strikes again ? *Bulletin of the British Psychological Society, 13,* 275-283. (p. 675)

Wahlberg, D. (2001, October 11). *We're more depressed, patriotic, poll finds.* Grand Rapids Press, p. A15. (p. 530)

Wai, J., Lubinski, D., & Benbow, C. P. (2005). Creativity and occupational accomplishments among intellectually precocious youths : An age 13 to age 33 longitudinal study. *Journal of Educational Psychology, 97,* 484-492. (p. 426)

Wakefield, J. C. (1992). Disorder as a harmful dysfunction : A conceptual critique of DSM-III-R's definition of mental disorder. *Psychological Review, 99,* 232-247. (p. 595)

Wakefield, J. C. (2006). What makes a mental disorder mental ? *Philosophy, Psychiatry, and Psychology, 13,* 123-131. (p. 595)

Wakefield, J. C., & Spitzer, R. L. (2002). Lowered estimates — but of what ? *Archives of General Psychiatry, 59,* 129-130. (p. 605)

Wakefield, J. C., Schmitz, M.F., First, M. B., & Horwitz, A. V. (2007). Extending the bereavement exclusion for major depression to other losses : Evidence from the National Comorbidity Survey. *Archives of General Psychiatry, 64,* 433-440. (p. 612)

Walker, M. P., & Stickgold, R. (2006). Sleep, memory, and plasticity. *Annual Review of Psychology, 57,* 139-166. (p. 100)

Walker, W. R., Skowronski, J. J., & Thompson, C. P. (2003). Life is pleasant — and memory helps to keep it that way! *Review of General Psychology, 7,* 203-210. (p. 221)

Wall, P. D. (2000). *Pain : The science of suffering.* New York : Columbia University Press. (p. 255)

Wallace, D. S., Paulson, R. M., Lord, C. G., & Bond, C. F., Jr. (2005). Which behaviors do attitudes predict ? Meta-analyzing the effects of social pressure and perceived difficulty. *Review of General Psychology, 9(3),* 214-227. (p. 676)

Wallach, M. A., & Wallach, L. (1983). *Psychology's sanction for selfishness : The error of egoism in theory and therapy.* New York : Freeman. (p. 567)

Wallach, M. A., & Wallach, L. (1985, February). How psychology sanctions the cult of the self. *Washington Monthly,* pp. 46-56. (p. 567)

Walsh, T. & 35 others (2008). Rare structural variants disrupt multiple genes in neurodevelopmental pathways in schizophrenia. *Science, 320,* 539-543. (p. 627)

Walster (Hatfield), E., Aronson, V., Abrahams, D., & Rottman, L. (1966). Importance of physical attractiveness in dating behavior. *Journal of Personality and Social Psychology, 4,* 508-516. (p. 706)

Wampold, B. E. (2001). *The great psychotherapy debate : Models, methods, and findings.* Mahwah, NJ : Erlbaum. (pp. 657, 658)

Wampold, B. E. (2007). Psychotherapy : *The* humanistic (and effective) treatment. *American Psychologist, 62,* 857-873. (p. 654, 657)

Wampold, B. E., Mondin, G. W., Moody, M., & Ahn, H. (1997). The flat earth as a metaphor for the evidence for uniform efficacy of bona fide psychotherapies : Reply to Crits-Christoph (1997) and Howard et al. (1997). *Psychological Bulletin, 122,* 226-230. (p. 654)

Wang, S-H., Baillargeon, R., & Brueckner, L. (2004). Young infants' reasoning about hidden objects : Evidence from violation-of-expectation tasks with test trials only. *Cognition, 93,* 167-198. (p. 182)

Wansink, B., & van Ittersum, K. (2003). Bottoms up! The influence of elongation on pouring and consumption volume. *Journal of Consumer Research, 30,* 455-464. (p. 267)

Wansink, B., & van Ittersum, K. (2005). Shape of glass and amount of alcohol poured : Comparative study of effect of practice and concentration. *British Medical Journal, 331,* 1512-1514. (p. 267)

Wansink, B., van Ittersum, K., & Painter, J. E. (2006). Ice cream illusions : Bowls, spoons, and self-served portion sizes. *American Journal of Preventive Medicine, 31,* 240-243. (p. 452)

Ward, A., & Mann, T. (2000). Don't mind if I do : Disinhibited eating under cognitive load. *Journal of Personality and Social Psychology, 78,* 753-763. (p. 463)

Ward, C. (1994). Culture and altered states of consciousness. In W. J. Lonner & R. Malpass (Eds.), *Psychology and culture.* Boston : Allyn & Bacon. (p. 114)

Ward, J. (2003). State of the art synaesthesia. *The Psychologist, 16,* 196-199. (p. 260)

Ward, K. D., Klesges, R. C., & Halpern, M. T. (1997). Predictors of smok ing cessation and state-of-the-art smoking interventions. *Journal of Socies Issues, 53,* 129-145. (p. 119)

Ward, L. M., & Friedman, K. (2006). Using TV as a guide : Associations between television viewing and adolescents' sexual attitudes and behavior. *Journal of Research on Adolescence, 16,* 133-156. (p. 470)

Wardle, J., Cooke, L. J., Gibson, L., Sapochnik, M., Sheiham, A., Lawson, M. (2003). Increasing children's acceptance of vegetables ; a randomized trial of parent-led exposure. *Appetite, 40,* 155-162. (p. 259)

Wargo, E. (2007, December). Understanding the have-knots. *APS Observer,* pp. 18-21. (p. 547)

Warm, J. S., & Dember, W. N. (1986, April). Awake at the switch. *Psychology Today,* pp. 46-53. (p. 232)

Warr, P., & Payne, R. (1982). Experiences of strain and pleasure among British adults. *Social Science and Medicine, 16,* 1691-1697. (p. 540)

Wason, P. C. (1960). On the failure to eliminate hypotheses in a conceptual task. *Quarterly Journal of Experimental Psychology, 12,* 129-140. (p. 372)

Wason, P. C. (1981). The importance of cognitive illusions. *The Behavioral and Brain Sciences, 4,* 356. (p. 373)

Wasserman, E. A. (1993). Comparative cognition : Toward a general understanding of cognition in behavior. *Psychological Science, 4,* 156-161. (p. 306)

Wasserman, E. A. (1995). The conceptual abilities of pigeons. *American Scientist, 83,* 246-255. (p. 396)

Wastell, C. A. (2002). Exposure to trauma : The long-term effects of suppressing emotional reactions. *Journal of Nervous and Mental Disorders, 190,* 839-845. (p. 542)

Waterman, A. S. (1988). Identity status theory and Erikson's theory : Commonalities and differences. *Developmental Review, 8,* 185-208. (p. 204)

Watkins, E. R. (2008). Constructive and unconstructive repetitive thought. *Psychological Bulletin, 134,* 163-206. (p. 612)

Watkins, J. G. (1984). The Bianchi (L. A. Hillside Strangler) case : Sociopath or multiple personality ? *International Journal of Clinical and Experimental Hypnosis, 32,* 67-101. (p. 610)

Watson, D. (2000). *Mood and temperament.* New York : Guilford Press. (pp. 520, 543)

Watson, D., Suls, J., & Haig, J. (2002). Global self-esteem in relation to structural models of personality and affectivity. *Journal of Personality and Social Psychology, 83,* 185-197. (p. 585)

Watson, D., Wiese, D., Vaidya, J., & Tellegen, A. (1999). The two general activation systems of affect : Structured findings, evolutionary considerations, and psychobiological evidence. *Journal of Personality and Social Psychology, 76,* 820-838. (p. 515)

Watson, J. B. (1913). Psychology as the behaviorist views it. *Psychological Review, 20,* 158-177. (pp. 85, 294, 303)

Watson, J. B. (1924). The unverbalized in human behavior. *Psychological Review, 31,* 339-347. (p. 303)

Watson, J. B., & Rayner, R. (1920). Conditioned emotional reactions. *Journal of Experimental Psychology, 3,* 1-14. (p. 303)

Watson, R. I., Jr. (1973). Investigation into deindividuation using a cross-cultural survey technique. *Journal of Personality and Social Psychology, 25,* 342-345. (p. 688)

Watson, S. J., Benson, J. A., Jr., & Joy, J. E. (2000). NEWS AND VIEWS — Marijuana and medicine : Assessing the science base ; A summary of the 1999 Institute of Medicine report. *Archives of General Psychiatry, 57,* 547-553. (p. 122)

Wayment, H. A., & Peplau, L. A. (1995). Social support and well-being among lesbian and heterosexual women : A structural modeling approach. *Personality and Social Psychology Bulletin, 21,* 1189-1199. (p. 218)

Weaver, J. B., Masland, J. L., & Zillmann, D. (1984). Effect of erotica on young men's aesthetic perception of their female sexual partners. *Perceptual and Motor Skills, 58,* 929-930. (p. 468)

Webb, W. B. (1992). *Sleep : The gentle tyrant.* Bolton, MA, 101 ; *The gentle tyrant.* Bolton, MA ; Anker. (p. 95)

Webb, W. B., & Campbell, S. S. (1983). Relationships in sleep characteristics of identical and fraternal twins. *Archives of General Psychiatry, 40,* 1093-1095. (p. 97)

Wechsler, D. (1972). « Hold » and « Don't Hold » tests. In S. M. Chown (Ed.), *Human aging.* New York : Penguin. (p. 214)

Weed, W. S. (2001, May). Can we go to Mars without going crazy ? *Discover,* pp. 31-43. (p. 281)

Wegner, D. M. (2002). *The illusion of conscious will.* Cambridge, MA : MIT Press. (pp. 85, 88)

Weigel, G. (2005, March-April). Is Europe dying ? Notes on a crisis of civilizational morale. *New Atlantic Initiative,* American Enterprise Institute for Public Policy Research (www.aei.org/nai). (p. 209)

Weinberger, D. R., (2001, March 10). A brain too young for good judgment. *New York Times.* (p. 199)

Weingarten, G. (2002, March 10). Below the beltway. *Washington Post,* p. WO3. (p. 482)

Weinstein, N. D. (1980). Unrealistic optimism about future life events. *Journal of Personality and Social Psychology, 39,* 806-820. (p. 582)

Weinstein, N. D. (1982). Unrealistic optimism about susceptibility to health problems. *Journal of Behavioral Medicine, 5,* 441-460. (p. 582)

Weinstein, N. D. (1996, October 4). 1996 optimistic bias bibliography. Distributed via internet (weinstein@aesop.rutgers.edu). (p. 582)

Weis, S., & Sü ?, H-M. (2007) Reviving the search for social intelligence : A multitrait-multimethod study of its structure and construct validity. *Personality and Individual Differences, 42,* 3-14. (p. 412)

Weiskrantz, L. (1986). *Blindsight : A case study and implications.* Oxford, UK : Oxford University Press. (p. 242)

Weiss, A., Bates, T. C., & Luciano, M. (2008). Happiness is a personal(ity) thing. *Psychological Science, 19,* 205-210. (p. 526)

Weiss, A., King, J. E., & Enns, R. M. (2002). Subjective well-being is heritable and genetically correlated with dominance in chimpanzees (Pan troglodytes). *Journal of Personality and Social Psychology, 83,* 1141-1149. (p. 526)

Weiss, A., King, J. E., & Figueredo, A. J. (2000). The heritability of personality factors in chimpanzees (Pan troglodytes). *Behavior Genetics, 30,* 213-221. (p. 526)

Weiss, A., King, J. E., & Perkins, L. (2006). Personality and subjective well-being in orangutans *(Pongo pygmaeus* and *Pongo abelii). Journal of Personality and Social Psychology, 90,* 501-511. (p. 570)

Weiss, J. M. (1977). Psychological and behavioral influences on gastrointestinal lesions in animal models. In J. D. Maser & M. E. P. Seligman (Eds.), *Psychopathology : Experimental models.* San Francisco : Freeman. (p. 539)

Weissman, M. M. (1999). Interpersonal psychotherapy and the health care scene. In D. S. Janowsky (Ed.), *Psychotherapy indications and outcomes.* Washington, DC : American Psychiatric Press. (p. 640)

Weissman, M. M., Bland, R. C., Canino, G. J., Faravelli, C., Greenwald, S., Hwu, H-G., Joyce, P. R., Karam, E. G., Lee, C-K., Lellouch, J., Lepine, J-P., Newman, S. C., Rubio-Stepic, M., Wells, J. E., Wickramaratne, P. J., Wittchen, H-U., & Yeh, E-K. (1996). Cross-national epidemiology of major depression and bipolar disorder. *Journal of the American Medical Association, 276,* 293-299. (p. 614)

Weisz, J. R., Rothbaum, F. M., & Blackburn, T. C. (1984). Standing out and standing in : The psychology of control in America and Japan. *American Psychologist, 39,* 955-969. (p. 155)

Welch, J. M., Lu, J., Rodriquiz, R. M., Trotta, N. C., Peca, J., Ding, J-D., Feliciano, C., Chen, M., Adams, J. P., Luo, J., Dudek, S. M., Weinberg, R. J., Calakos, N., Wetsel, W. C., & Feng, G. (2007). Cortico-striatal synaptic defects and OCD-like behaviours in *Sapap3*-mutant mice. *Nature, 448,* 894-900. (p. 607)

Welch, W. W. (2005, February 28). Trauma of Iraq war haunting thousands returning home. *USA Today* (www.usatoday.com). (p. 604)

Weller, S., & Davis-Beaty, K. (2002). The effectiveness of male condoms in prevention of sexually transmitted diseases (Protocol). *Cochrane Database of Systematic Reviews,* Issue 4, Art. No. CD004090. (p. 470)

Wellings, K., Collumbien, M., Slaymaker, E., Singh, S., Hodges, Z., Patel, D., & Bajos, N. (2006). Sexual behaviour in context : A global perspective. *Lancet, 368,* 1706-1728. (p. 469)

Wellman, H. M., & Gelman, S. A. (1992). Cognitive development : Foundational theories of core domains. *Annual Review of Psychology, 43,* 337-375. (p. 182)

Wellman, H. M., Cross, D., & Watson, J. (2001). Meta-analysis of theoryof-mind development : The truth about false belief. *Child Development, 72,* 655-684. (p. 185)

Wells, B. L. (1986). Predictors of female nocturnal orgasms : A multivariate analysis. *Journal of Sex Research, 22,* 421-437. (p. 469)

Wells, G. L. (1981). Lay analyses of causal forces on behavior. In J. Harvey (Ed.), *Cognition, social behavior and the environment.* Hillsdale, NJ : Erlbaum. (p. 292)

Wells, G. L., Memon, A., & Penrod, S. D. (2006). Eyewitness evidence : Improving its probative value. *Psychological Science in the Public Interest, 7,* 45-75. (p. 360)

Wells, G., & Murray, D. M. (1984). Eyewitness confidence. In G. L. Wells & E. F. Loftus (Eds.), *Eyewitness testimony : Psychological perspectives.* New York : Cambridge University Press. (p. 359)

Wender, P. H., Kety, S. S., Rosenthal, D., Schulsinger, F., Ortmann, J., & Lunde, I. (1986). Psychiatric disorders in the biological and adoptive families of adopted individuals with affective disorders. *Archives of General Psychiatry, 43,* 923-929. (p. 616)

Wener, R., Frazier, W., & Farbstein, J. (1987, June). Building better jails. *Psychology Today,* pp. 40-49. (p. 580)

Westen, D. (1996). Is Freud really dead ? Teaching psychodynamic theory to introductory psychology. Presentation to the Annual Institute on the Teaching of Psychology, St. Petersburg Beach, Florida. (p. 559)

Westen, D. (1998). The scientific legacy of Sigmund Freud : Toward a psychodynamically informed psychological science. *Psychological Bulletin, 124,* 333-371. (p. 561)

Westen, D. (2007). *The political brain : The role of emotion in deciding the fate of the nation.* New York : PublicAffairs. (p. 507)

Westen, D., & Morrison, K. (2001). A multidimensional meta-analysis of treatments for depression, panic, and generalized anxiety disorder : An empirical examination of the status of empirically supported therapies. *Journal of Consulting and Clinical Psychology, 69,* 875-899. (p. 654)

Weuve, J., Kang, J. H., Manson, J. E., Breteler, M. M. B., Ware, J. H., & Grodstein, F. (2004). Physical activity, including walking, and cognitive function in older women. *Journal of the American Medical Association, 292,* 1454-1460. (p. 211)

Whalen, P. J., Kagan, J., Cook, R. G., Davis, F. C., Kim, H., Polis, S., McLaren, D. G., Somerville, L. H., McLean, A. A., Maxwell, J. S., & Johnstone, T. (2004). Human amygdala responsibility to masked fearful eye whites. *Science, 302,* 2061. (pp. 505, 506)

Whalen, P. J., Shin, L. M., McInerney, S. C., Fisher, H., Wright, C. I., & Rauch, S. L. (2001). A functional MRI study of human amygdala responses to facial expressions of fear versus anger. *Emotion, 1,* 70-83. (p. 501)

Whaley, S. E., Sigman, M., Beckwith, L., Cohen, S. E., & Espinosa, M. P. (2002). Infant-caregiver interaction in Kenya and the United States : The importance of multiple caregivers and adequate comparison samples. *Journal of Cross-Cultural Psychology, 33,* 236-247. (p. 194)

Whalley, L. J., & Deary, I. J. (2001). Longitudinal cohort study of childhood IQ and survival up to age 76. *British Medical Journal, 322,* 1-5. (pp. 424, 539)

Whalley, L., Starr, J. M. Athawes, R., Hunter, D., Pattie, A., & Deary, I. J. (2000). Childhood mental ability and dementia. *Neurology, 55,* 1455-1459. (p. 424)

Wheeler, B. W., Gunnell, D., Metcalfe, C., Stephens, P., & Martin, R. M. (2008). The population impact on incidence of suicide and non-fatal self harm of regulatory action against the use of selective serotonin reuptake inhibitors in under 18s in the United Kingdom : ecological study. *British Medical Journal, 336,* 542-545. (p. 663)

Wheelwright, J. (2004, August). Study the clones first. *Discover,* pp. 44-50. (p. 137)

White, G. L., & Kight, T. D. (1984). Misattribution of arousal and attraction : Effects of salience of explanations for arousal. *Journal of Experimental Social Psychology, 20,* 55-64. (p. 710)

White, H. R., Brick, J., & Hansell, S. (1993). A longitudinal investigation of alcohol use and aggression in adolescence. *Journal of Studies on Alcohol, Supplement No. 11,* 62-77. (p. 699)

White, K. M. (1983). Young adults and their parents : Individuation to mutuality. *New Directions for Child Development, 22,* 61-76. (p. 205)

White, L., & Edwards, J. (1990). Emptying the nest and parental well-being : An analysis of national panel data. *American Sociological Review, 55,* 235-242. (p. 219)

White, R. A. (1998). Intuition, heart knowledge, and parapsychology. *Journal of the American Society for Psychical Research, 92,* 158-171. (p. 284)

Whitehead, B. D., & Popenoe, D. (2001). *The state of our unions 2001: The social health of marriage in America.* Rutgers University : The National Marriage Project. (p. 218)

Whiten, A., & Boesch, C. (2001, January). Cultures of chimpanzees. *Scientific American,* pp. 60-67. (p. 397)

Whiten, A., & Byrne, R. W. (1988). Tactical deception in primates. *Behavioral and Brain Sciences, 11,* 233-244, 267-273. (p. 11)

Whiten, A., & van Schaik, C. P. (2007). The evolution of animal « cultures » and social intelligence. *Philosophical Trnasactions of the Royal Society, 362,* 603-620. (p. 397)

Whiten, A., Spiteri, A., Horner, V., Bonnie, K. E., Lambeth, S. P., Schapiro, S. J., & de Waal, F. B. M. (2007). Transmission of multiple traditions within and between chimpanzee groups. *Current Biology, 17,* 1038-1043. (p. 318)

Whiting, B. B., & Edwards, C. P. (1988). *Children of different worlds : The formation of social behavior.* Cambridge, MA : Harvard University Press. (p. 157)

Whitley, B. E., Jr. (1990). The relationships of heterosexuals' attributions for the causes of homosexuality to attitudes toward lesbians and gay men. *Personality and Social Psychology Bulletin, 16,* 369-377. (p. 477)

Whitley, B. E., Jr. (1999). Right-wing authoritarianism, social dominance orientation, and prejudice. *Journal of Personality and Social Psychology, 77,* 126-134. (p. 696)

Whitlock, J. R., Heynen, A. L., Shuler, M. G., & Bear, M. F. (2006). Learning induces long-term potentiation in the hippocampus. *Science, 313,* 1093-1097. (p. 340)

WHO (1979). *Schizophrenia : An international followup study.* Chicester, England : Wiley. (p. 624)

WHO (2000). Effectiveness of male latex condoms in protecting against pregnancy and sexually transmitted infections. World Health Organization (www.who.int). (p. 470)

WHO (2003). The male latex condom : Specification and guidelines for condom procurement. Department of Reproductive Health and Research, Family and Community Health, World Health Organization. (p. 470)

WHO. (2002). The global burden of disease. Geneva : World Health Organization (www.who.int/msa/mnh/ems/dalys/intro.htm). (p. 612)

WHO. (2002a, September 4). Suicide rates. World Health Organization (www5.who.int/mental_health). (p. 617)

WHO. (2004b). Prevalence, severity, and unmet need for treatment of mental disorders in the World Health Organization World Mental Health Surveys. *Journal of the American Medical Association, 291,* 2581-2590. (pp. 620, 631))

WHO (2008). Mental health (nearly 1 million annual suicide deaths). Geneva : World Health Organization (www.who.int/mental_health/en). (p. 616)

WHO (2008). Mental health and substance abuse : Facts and figures. Geneva ; World Health Organization (www.who.int). (p. 113)

WHO (2008). Schizophrenia. Geneva : World Health Organization (www.who.int). (p. 621)

WHO (2008). Suicide rates per 100,000 by country, year and sex. Geneva : World Health Organization (www.who.int). (p. 616)

WHO (2008). *WHO report on the global tobacco epidemic, 2008.* Geneva : World Health Organization (www.who.int). (p. 118)

WHO (2008b). Mental health and substance abuse : Facts and figures. Geneva : World Health Organization (www.who.int). (p. 593)

Whooley, M. A., & Browner, W. S. (1998). Association between depressive symptoms and mortality in older women. *Archives of Internal Medicine, 158,* 2129-2135. (p. 533)

Whorf, B. L. (1956). Science and linguistics. In J. B. Carroll (Ed.), *Language, thought, and reality : Selected writings of Benjamin Lee Whorf.* Cambridge, MA : MIT Press. (p. 391)

Wichman, H. (1992). *Human factors in the design of spacecraft.* Stony Brook, NY : State University of New York. (p. 281)

Wickelgren, I. (2005). Autistic brains out of sync ? *Science, 308,* 1856-1858. (p. 186)

Wickelgren, W. A. (1977). *Learning and memory.* Englewood Cliffs, NJ : Prentice-Hall. (p. 334)

Widiger, T. A., & Trull, T. J. (2007). Plate tectonics in the classification of personality disorder : Shifting to a dimensional model. *American Psychologist, 62,* 71-83. (p. 628)

Widom, C. S. (1989a). Does violence beget violence ? A critical examination of the literature. *Psychological Bulletin, 106,* 3-28. (p. 192)

Widom, C. S. (1989b). The cycle of violence. *Science, 244,* 160-166. (p. 192)

Wielkiewicz, R. M., & Stelzner, S. P. (2005). An ecological perspective on leadership theory, research, and practice. *Review of General Psychology, 9,* 326-341. (p. 492)

Wiens, A. N., & Menustik, C. E. (1983). Treatment outcome and patient characteristics in an aversion therapy program for alcoholism. *American Psychologist, 38,* 1089-1096. (p. 645)

Wierson, M., & Forehand, R. (1994). Parent behavioral training for child noncompliance : Rationale, concepts, and effectiveness. *Current Directions in Psychological Science, 3,* 146-149. (p. 315)

Wierzbicki, M. (1993). Psychological adjustment of adoptees : A metaanalysis. *Journal of Clinical Child Psychology, 22,* 447-454. (p. 139)

Wiesel, T. N. (1982). Postnatal development of the visual cortex and the influence of environment. *Nature, 299,* 583-591. (p. 274)

Wiesner, W. H., & Cronshow, S. P. (1988). A meta-analytic investigation of the impact of interview format and degree of structure on the validity of the employment interview. *Journal of Occupational Psychology, 61,* 275-290. (p. 486)

Wigdor, A. K., & Garner, W. R. (1982). *Ability testing : Uses, consequences, and controversies.* Washington, DC, 437)

Wike, R., & Grim, B. J. (2007, October 30). Widespread negativity : Muslims distrust Westerners more than vice versa. *Pew Research Center* (www.pewresearch.org). (p. 692)

Wilcox, A. J., Baird, D. D., Dunson, D. B., McConnaughey, D. R., Kesner, J. S., & Weinberg, C. R. (2004). On the frequency of intercourse around ovulation : Evidence for biological influences. *Human Reproduction, 19,* 1539-1543. (p. 466)

Wilder, D. A. (1981). Perceiving persons as a group : Categorization and intergroup relations. In D. L. Hamilton (Ed.), *Cognitive processes in stereotyping and intergroup behavior.* Hillsdale, NJ : Erlbaum. (p. 696)

Wildman, D. E., Uddin, M., Liu, G., Grossman, L. I., & Goodman, M. (2003). Implications of natural selection in shaping 99.4% nonsynonymous DNA identity between humans and chimpanzees : Enlarging genus Homo. *Proceedings of the National Academy of Sciences, 100,* 7181-7188. cal work. American Psychologist, 52, 941-946. (p. 135)

Wilford, J. N. (1999, February 9). New findings help balance the cosmological books. *New York Times* (www.nytimes.com). (p. 168)

Williams, C. L., & Berry, J. W. (1991). Primary prevention of acculturative stress among refugees. *American Psychologist, 46,* 632-641. (p. 530)

Williams, H. J., Owen, M. J., & O'Donovan, M. C. (2007). Is COMT a susceptibility gene for schizophrenia ? *Schizophrenia Bulletin, 33,* 635-641. (p. 627)

Williams, J. E., & Best, D. L. (1990). *Measuring sex stereotypes : A multination study.* Newbury Park, CA : Sage. (p. 160)

Williams, J. E., Paton, C. C., Siegler, I. C., Eigenbrodt, M. L., Nieto, F. J., & Tyroler, H. A. (2000). Anger proneness predicts coronary heart disease risk : Prospective analysis from the artherosclerosis risk in communities (ARIC) study. *Circulation, 101,* 17, 2034-2040. (p. 533)

Williams, J. H. G., Waister, G. D., Gilchrist, A., Perrett, D. I., Murray, A. D., & Whiten, A. (2006). Neural mechanisms of imitation and « mirror neuron » functioning in autistic spectrum disorder. *Neuropsychogia, 44,* 610-621. (p. 220)

Williams, J. H. G., Waister, G. D., Gilchrist, A., Perrett, D. I., Murray, A. D., & Whiten, A. (2006). Neural mechanisms of imitation and « mirror neuron » functioning in autistic spectrum disorder. *Neuropsychogia, 44,* 610-621. (p. 318)

Williams, K. D. (2007). Ostracism. *Annual Review of Psychology, 58,* 425-452. (pp. 480, 481)

Williams, K. D., & Zadro, L. (2001). Ostracism : On being ignored, excluded and rejected. In M. Leary (Ed.), *Rejection.* New York : Oxford University Press. (p. 480)

Williams, R. (1993). *Anger kills.* New York : Times Books. (p. 532)

Williams, S. L. (1987). Self-efficacy and mastery-oriented treatment for severe phobias. Paper presented to the American Psychological Association convention. (p. 644)

Willingham, W. W., Lewis, C., Morgan, R., & Ramist, L. (1990). *Predicting college grades : An analysis of institutional trends over two decades.* Princeton : Educational Testing Service. (p. 421)

Willis, J., & Todorov, A. (2006). First impressions : Making up your mind after a 100-ms. exposure to a face. *Psychological Science, 17,* 592-598. (p. 508)

Willmuth, M. E. (1987). Sexuality after spinal cord injury : A critical review. *Clinical Psychology Review, 7,* 389-412. (p. 468)

Wilson, A. E., & Ross, M. (2001). From chump to champ : People's appraisals of their earlier and present selves. *Journal of Personality and Social Psychology, 80,* 572-584. (p. 588)

Wilson, C. M., & Oswald, A. J. (2002). How does marriage affect physical and psychological health ? A survey of the longitudinal evidence. Working paper, University of York and Warwick University. (p. 541)

Wilson, D. B., & Shadish, W. R. (2006). On blowing trumpets to the tulips : To prove or not to prove the null hypothesis — Comment on Bösch, Steinkamp, and Boller (2006). *Psychological Bulletin, 132,* 524-528. (p. 284)

Wilson, J. Q. (1993). *The moral sense.* New York : Free Press. (p. 201)

Wilson, M., & Emmorey, K. (2006). Comparing sign language and speech reveals a universal limit on short-term memory capacity. *Psychological Science, 17,* 682-683. (p. 339)

Wilson, R. C., Gaft, J. G., Dienst, E. R., Wood, L., & Bavry, J. L. (1975). *College professors and their impact on students.* New York : Wiley. (p. 689)

Wilson, R. S. (1979). Analysis of longitudinal twin data : Basic model and applications to physical growth measures. *Acta Geneticae medicae et Gemellologiae, 28,* 93-105. (p. 178)

Wilson, R. S., & Bennett, D. A. (2003). Cognitive activity and risk of Alzheimer's disease. *Current Directions in Psychological Science, 12,* 87-91. (p. 212)

Wilson, R. S., & Matheny, A. P., Jr. (1986). Behavior-genetics research in infant temperament : The Louisville twin study. In R. Plomin & J. Dunn (Eds.), *The study of temperament : Changes, continuities, and challenges.* Hillsdale, NJ : Erlbaum. (p. 140)

Wilson, R. S., Arnold, S. E., Schneider, J. A., Tang, Y., & Bennett, D. A. (2007). The relationship between cerebral Alzheimer's disease pathology and odour identification in old age. *Journal of Neurology, Neurosurgery, and Psychiatry, 78,* 30-35. (p. 212)

Wilson, R. S., Beck, T. L., Bienias, J. L., & Bennett, D. A. (2007). Terminal cognitive decline : Accelerated loss of cognition in the last years of life. *Psychosomatic Medicine, 69,* 131-137. (p. 216)

Wilson, T. D. (2002). *Strangers to ourselves : Discovering the adaptive unconscious.* Cambridge ; Harvard University Press. (p. 89)

Wilson, T. D. (2006). The power of social psychological interventions. *Science, 313,* 1251-1252. (p. 438)

Wilson, W. A., & Kuhn, C. M. (2005). How addiction hijacks our reward system. *Cerebrum, 7*(2), 53-66. (p. 124)

Windholz, G. (1989, April-June). The discovery of the principles of reinforcement, extinction, generalization, and differentiation of conditional reflexes in Pavlov's laboratories. *Pavlovian Journal of Biological Science, 26,* 64-74. (p. 298)

Windholz, G. (1997). Ivan P. Pavlov : An overview of his life and psychological work. *American Psychologist, 52,* 941-946. (p. 296)

Winerman, L. (2006, January). Screening surveyed. *Monitor on Psychology,* pp. 28-29. (p. 232)

Wingfield, A., McCoy, S. L., Peelle, J. E., Tun, P.A., & Cox, L. C. (2005). Effects of adult aging and hearing loss on comprehension of rapid speech varying in syntactic complexity. *Journal of the American Academy of Audiology, 17,* 487-497. (p. 251)

Wink, P., & Dillon, M. (2002). Spiritual development across the adult life course : Findings from a longitudinal study. *Journal of Adult Development, 9,* 79-94. (p. 221)

Winner, E. (2000). The origins and ends of giftedness. *American Psychologist, 55,* 159-169. (p. 426)

Wiseman, R. (2002). *Laugh Lab – final results.* University of Hertfordshire (www.laughlab.co.uk). (p. 372)

Wiseman, R., Jeffreys, C., Smith, M., & Nyman, A. (1999). The psychology of the seance. *The Skeptical Inquirer, 23*(2), 30-33. (p. 357)

Wisman, A., & Goldenberg, J. L. (2005). From the grave to the cradle : Evidence that mortality salience engenders a desire for offspring. *Journal of Personality and Social Psychology, 89,* 46-61. (p. 196)

Witelson, S. F., Kigar, D. L., & Harvey, T. (1999). The exceptional brain of Albert Einstein. *The Lancet, 353,* 2149-2153. (pp. 73, 413)

Witt, J. K., & Proffitt, D. R. (2005). See the ball, hit the ball : Apparent ball size is correlated with batting average. *Psychological Science, 16,* 937-938. (p. 278)

Witvliet, C. V. O., & Vrana, S. R. (1995). Psychophysiological responses as indices of affective dimensions. *Psychophysiology, 32,* 436-443. (p. 501)

Witvliet, C. V. O., Ludwig, T., & Vander Laan, K. (2001). Granting forgiveness or harboring grudges : Implications for emotions, physiology, and health. *Psychological Science, 12,* 117-123. (p. 519)

Wixted, J. T., & Ebbesen, E. B. (1991). On the form of forgetting. *Psychological Science, 2,* 409-415. (p. 351)

Woerlee, G. M. (2004, May/June). Darkness, tunnels, and light. *Skeptical Inquirer,* pp. 28-32. (p. 127)

Woerlee, G. M. (2005). *Mortal minds : The biology of near-death experiences.* Buffalo, NY ; Prometheus Books. (p. 127)

Wolak, J., Mitchell, K., & Finkelhor, D. (2007). Unwanted and wanted exposure to online pornography in a national sample of youth Internet users. *Pediatrics, 119,* 247-257. (p. 702)

Wolfe, M. S. (2006, May). Shutting down Alzheimer's. *Scientific American,* pp. 73-79. (p. 212)

Wolfson, A. R., & Carskadon, M. A. (1998). Sleep schedules and daytime functioning in adolescents. *Child Development, 69,* 875-887. (p. 106)

Woll, S. (1986). So many to choose from : Decision strategies in videodating. *Journal of Social and Personal Relationships, 3,* 43-52. (p. 707)

Wolpe, J. (1958). *Psychotherapy by reciprocal inhibition.* Stanford, CA : Stanford University Press. (p. 643)

Wolpe, J., & Plaud, J. J. (1997). Pavlov's contributions to behavior therapy : The obvious and the not so obvious. *American Psychologist, 52,* 966-972. (p. 643)

Wonderlich, S. A., Joiner, Jr., T. E., Keel, P. K., Williamson, D. A., & Crosby, R. D. (2007). Eating disorder diagnoses : Empirical approaches to classification. *American Psychologist, 62,* 167-180. (p. 453)

Wong, D. F., Wagner, H. N., Tune, L. E., Dannals, R. F., et al. (1986). Positron emission tomography reveals elevated D2 dopamine receptors in drug-naive schizophrenics. *Science, 234,* 1588-1593. (p. 624)

Wong, M. M., & Csikszentmihalyi, M. (1991). Affiliation motivation and daily experience : Some issues on gender differences. *Journal of Personality and Social Psychology, 60,* 154-164. (p. 161)

Wood, C. J, & Aggleton, J. P. (1989). Handedness in « fast ball » sports : Do left-handers have an innate advantage ? *British Journal of Psychology, 80,* 227-240. (p. 80)

Wood, J. M. (2003, May 19). Quoted by R. Mestel, Rorschach tested : Blot out the famous method ? Some experts say it has no place in psychiatry. *Los Angeles Times* (www.latimes.com). (p. 560)

Wood, J. M. (2006, Spring). The controversy over Exner's Comprehensive System for the Rorschach : The critics speak. *Independent Practitioner* (works.bepress.com/james_wood/7). (p. 560)

Wood, J. M., Bootzin, R. R., Kihlstrom, J. F., & Schacter, D. L. (1992). Implicit and explicit memory for verbal information presented during sleep. *Psychological Science, 3,* 236-239. (p. 354)

Wood, J. M., Nezworski, M. T., Garb, H. N., & Lilienfeld, S. O. (2006). The controversy over the Exner Comprehensive System and the Society for Personality Assessment's white paper on the Rorschach. *Independent Practitioner, 26..* (p. 560)

Wood, J. N., Glynn, D. D., Phillips, B. C., & Hauser, M. C. (2007). The perception of rational, goal-directed action in nonhuman primates. *Science, 317,* 1402-1405. (p. 397)

Wood, J. V., Saltzberg, J. A., & Goldsamt, L. A. (1990a). Does affect in-duce self-focused attention ? *Journal of Personality and Social Psychology, 58,* 899-908. (p. 619)

Wood, J. V., Saltzberg, J. A., Neale, J. M., Stone, A. A., & Rachmiel, T. B. (1990b). Self-focused attention, coping responses, and distressed mood in everyday life. *Journal of Personality and Social Psychology, 58,* 1027-1036. (p. 619)

Wood, W. (1987). Meta-analytic review of sex differences in group performance. *Psychological Bulletin, 102,* 53-71. (p. 160)

Wood, W., & Eagly, A. (2002). A cross-cultural analysis of the behavior of women and men : Implications for the origins of sex differences. *Psychological Bulletin, 128,* 699-727. (pp. 148, 160, 162, 167)

Wood, W., & Eagly, A. H. (2007). Social structural origins of sex differences in human mating. In S. W. Gagestad & J. A. Simpson (Eds.), *The evolution of mind : Fundamental questions and controversies.* New York : Guilford Press. (pp. 148, 160, 162)

Wood, W., & Neal, D. T. (2007, October). A new look at habits and the habit-goal interface. *Psychological Review, 114,* 843-863. (p. 292)

Wood, W., Lundgren, S., Ouellette, J. A., Busceme, S., & Blackstone, T. (1994). Minority influence : A meta-analytic review of social influence processes. *Psychological Bulletin, 115,* 323-345. (p. 691)

Woods, N. F., Dery, G. K., & Most, A. (1983). Recollections of menarche, current menstrual attitudes, and premenstrual symptoms. In S. Golub (Ed.), *Menarche : The transition from girl to woman.* Lexington, MA : Lexington Books. (p. 198)

Woodward, B. (2002). *Bush at war.* New York : Simon & Schuster. (p. 2)

Woody, E. Z., & McConkey, K. M. (2003). What we don't know about the brain and hypnosis, but need to : A view from the Buckhorn Inn. *International Journal of Clinical and Experimental Hypnosis, 51,* 309-338. (p. 112)

Woolcock, N. (2004, September 3). Driver thought everyone else was on wrong side. *The Times,* p. 22. (p. 682)

World Federation for Mental Health. (2005). ADHD : The hope behind the hype. www.wfmh.org. (p. 595)

World Health Organization. (2004a). *Prevention of mental disorders : Effective interventions and policy options. Summary report.* Geneva : World Health Organization, Department of Mental Health and Substance Abuse. (p. 632)

World Health Organization. (2004b). Prevalence, severity, and unmet need for treatment of mental disorders in the World Health Organization World Mental Health Surveys. *Journal of the American Medical Association, 291,* 2581-2590. (p. 632)

World Health Organization (2007, accessed December 11). Obesity and overweight. http : //www.who.int/dietphysicalactivity/publications/facts/obesity/en/. (p. 456)

Worobey, J., & Blajda, V. M. (1989). Temperament ratings at 2 weeks, 2 months, and 1 year : Differential stability of activity and emotionality. *Developmental Psychology, 25,* 257-263. (p. 140)

Worthington, E. L., Jr. (1989). Religious faith across the life span : Implications for counseling and research. *The Counseling Psychologist, 17,* 555-612. (p. 199)

Worthington, E. L., Jr., Kurusu, T. A., McCullogh, M. E., & Sandage, S. J. (1996). Empirical research on religion and psychotherapeutic processes and outcomes : A 10-year review and research prospectus. *Psychological Bulletin, 119,* 448-487. (p. 659)

Wortman, C. B., & Silver, R. C. (1989). The myths of coping with loss. *Journal of Consulting and Clinical Psychology, 57,* 349-357. (p. 222)

Wren, C. S. (1999, April 8). Drug survey of children finds middle school a pivotal time. *New York Times* (www.nytimes.com). (p. 125)

Wright, I. C., Rabe-Hesketh, S., Woodruff, P. W. R., David, A. S., Murray, R. M., & Bullmore, E. T. (2000). Meta-analysis of regional brain volumes in schizophrenia. *American Journal of Psychiatry, 157,* 16-25. (p. 625)

Wright, J. (2006, March 16). Boomers in the bedroom : Sexual attitudes and behaviours in the boomer generation. Ipsos Reid survey (www.ipsos-na.com). (p. 208)

Wright, P. H. (1989). Gender differences in adults' same- and cross-gender friendships. In R. G. Adams & R. Blieszner (Eds.), *Older adult friendships : Structure and process.* Newbury Park, CA : Sage. (p. 161)

Wright, P., Takei, N., Rifkin, L., & Murray, R. M. (1995). Maternal influenza, obstetric complications, and schizophrenia. *American Journal of Psychiatry, 152,* 1714-1720. (p. 625)

Wright, W. (1998). *Born that way : Genes, behavior, personality.* New York : Knopf. (p. 138)

Wrzesniewski, A., & Dutton, J. E. (2001). Crafting a job : Revisioning employees as active crafters of their work. *Academy of Management Review, 26,* 179-201. (p. 482)

Wrzesniewski, A., McCauley, C. R., Rozin, P., & Schwartz, B. (1997). Jobs, careers, and callings : People's relations to their work. *Journal of Research in Personality, 31,* 21-33. (p. 482)

Wu, W., & Small, S. A. (2006). Imaging the earliest stages of Alzheimer's disease. *Current Alzheimer Research, 3,* 529-539. (p. 212)

Wuethrich, B. (2001, March). Features – GETTING STUPID – Surprising new neurological behavioral research reveals that teenagers who drink too much may permanently damage their brains and seriously compromise their ability to learn. *Discover, 56,* 56-64. (p. 115)

Wulsin, L. R., Vaillant, G. E., & Wells, V. E. (1999). A systematic review of the mortality of depression. *Psychosomatic Medicine, 61,* 6-17. (p. 533)

Wyatt, J. K., & Bootzin, R. R. (1994). Cognitive processing and sleep : Implications for enhancing job performance. *Human Performance, 7,* 119-139. (pp. 105, 354)

Wyatt, R. J., Henter, I., & Sherman-Elvy, E. (2001). Tantalizing clues to preventing schizophrenia. Cerebrum : *The Dana Forum on Brain Science, 3,* pp. 15-30. (p. 626)

Wynn, K. (1992). Addition and subtraction by human infants. *Nature, 358,* 749-759. (p. 182)

Wynn, K. (2000). Findings of addition and subtraction in infants are robust and consistent : reply to Wakeley, Rivera, and Langer. *Child Development, 71,* 1535-1536. (p. 182)

Wynn, K., Bloom, P., & Chiang, W-C. (2002). Enumeration of collective entities by 5-month-old infants. *Cognition, 83,* B55-B62. (p. 182)

Wynne, C. (2008). Aping language : A skeptical analysis of the evidence for nonhuman primate language. *Skeptic, 13*(4), 10-13. (p. 399)

Wynne, C. D. L. (2004). *Do animals think ?* Princeton, NJ : Princeton University Press. (p. 399)

Wysocki, C. J., & Gilbert, A. N. (1989). *National Geographic* Survey : Effects of age are heterogeneous. *Annals of the New York Academy of Sciences, 561,* 12-28. (p. 262)

Xu, Y., & Corkin, S. (2001). H.M. revisits the Tower of Hanoi puzzle. *Neuropsychology, 15,* 69-79. (p. 343)

Yach, D., Struckler, D., & Brownell, K. D. (2006). Epidemiologic and economic consequences of the global epidemics of obesity and diabetes. *Nature Medicine, 12,* 62-66. (p. 456)

Yalom, I. D. (1985). *The theory and practice of group psychotherapy* (3rd ed.). New York : Basic Books. (p. 649)

Yamagata, S. & 11 others (2006). Is the genetic structure of human personality universal ? A cross-cultural twin study from North America, Europe, and Asia. *Journal of Personality and Social Psychology, 90,* 987-998. (p. 572)

Yang, N., & Linz, D. (1990). Movie ratings and the content of adult videos : The sex-violence ratio. *Journal of Communication, 40(2),* 28-42. (p. 702)

Yang, S., Markoczy, L., & Qi, M. (2006). Unrealistic optimism in consumer credit card adoption. *Journal of Economic Psychology, 28,* 170-185. (p. 582)

Yankelovich Partners. (1995, May/June). Growing old. *American Enterprise,* p. 108. (p. 207)

Yarnell, P. R., & Lynch, S. (1970, April 25). Retrograde memory immediately after concussion. *Lancet,* pp. 863-865. (p. 341)

Yarrow, L. J., Goodwin, M. S., Manheimer, H., & Milowe, I. D. (1973). Infancy experience and cognitive and personality development at ten years. In L. J. Stone, H. T. Smith, & L. B. Murphy (Eds.), *The competent infant.* New York : Basic Books. (p. 193)

Yates, A. (1989). Current perspectives on the eating disorders : I. History, psychological and biological aspects. *Journal of the American Academy of Child and Adolescent Psychiatry, 28,* 813-828. (p. 453)

Yates, A. (1990). Current perspectives on the eating disorders : II. Treatment, outcome, and research directions. *Journal of the American Academy of Child and Adolescent Psychiatry, 29,* 1-9. (p. 453)

Yates, W. R. (2000). Testosterone in psychiatry. *Archives of General Psychiatry, 57,* 155-156. (p. 467)

Ybarra, O. (1999). Misanthropic person memory when the need to selfenhance is absent. *Personality and Social Psychology Bulletin, 25,* 261-269. (p. 585)

Yip, P. S. F. (1998). Age, sex, marital status and suicide : An empirical study of east and west. *Psychological Reports, 82,* 311-322. (p. 617)

Yonas, A., & Granrud, C. E. (2006). Infants' perception of depth from cast shadows. *Perception and Psychophysics, 68,* 154-160. (p. 266)

Young, R., Sweeting, H., & West, P. (2006). Prevalence of deliberate self harm and attempted suicide within contemporary Goth youth subculture : Longitudinal cohort study. *British Medical Journal, 332,* 1058-1061. (p. 15)

Youngentob, S. L., Kent, P. F., Scheehe, P. R., Molina, J. C., Spear, N. E., & Youngentob, L. M. (2007). Experience-induced fetal plasticity : The effect of gestational ethanol exposure on the behavioral and neurophysiologic olfactory response to ethanol odor in early postnatal and adult rats. *Behavioral Neuroscience, 121,* 1293-1305. (p. 175)

Yücel, M., Solowij, N., Respondek, C., Whittle, S., Fornito, A., Pantelis, C., & Lubman, D. I. (2008). Regional brain abnormalities associated with long-term cannabis use. *Archives of General Psychiatry, 65,* 694-701. (p. 122)

Yuki, M., Maddux, W. W., & Masuda. T. (2007). Are the windows to the soul the same in the East and West ? Cultural differences in using the eyes and mouth as cues to recognize emotions in Japan and the United States. *Journal of Experimental Social Psychology, 43,* 303-311. (p. 513)

Zabin, L. S., Emerson, M. R., & Rowland, D. L. (2005). Child sexual abuse and early *menarche* : The direction of their relationship and its implications. *Journal of Adolescent Health, 36,* 393-400. (p. 198)

Zaccaro, S. J. (2007). Triat-based perspectives of leadership. *American Psychologist, 62,* 6-16. (p. 492)

Zadra, A., Pilon, M., & Montplairsir, J. (2008). Polysomnographic diagnosis of sleepwalking : Effects of sleep deprivation. *Annals of Neurology, 63,* 513-519. (p. 103)

Zagorsky, J. L. (2007). Do you have to be smart to be rich ? The impact of IQ on wealth, income and financial distress. *Intelligence, 35,* 489-501. (p. 408)

Zajonc, R. B. (1965). Social facilitation. *Science, 149,* 269-274. (p. 687)

Zajonc, R. B. (1980). Feeling and thinking : Preferences need no inferences. *American Psychologist, 35,* 151-175. (p. 503)

Zajonc, R. B. (1984a). On the primacy of affect. *American Psychologist, 39,* 117-123. (p. 503)

Zajonc, R. B. (1984b, July 22). Quoted by D. Goleman, Rethinking IQ tests and their value. *The New York Times,* p. D22. (p. 417)

Zajonc, R. B. (1998). Emotions. In D. Gilbert, S. T. Fiske, & G. Lindzey (Eds.), *Handbook of social psychology, 4th ed.* New York : McGraw-Hill. (p. 706)

Zajonc, R. B. (2001). Mere exposure : A gateway to the subliminal. *Current Directions in Psychological Science, 10,* 224-228. (p. 705)

Zajonc, R. B., & Markus, G. B. (1975). Birth order and intellectual development. *Psychological Review, 82,* 74-88. (p. 25)

Zammit, S., Rasmussen, F., Farahmand, B., Gunnell, D., Lewis, G., Tynelius, P., & Brobert, G. P. (2007). Height and body mass index in young adulthood and risk of schizophrenia : A longitudinal study of 1,347,520 Swedish men. *Acta Psychiatrica Scandinavica, 116,* 378-385. (p. 623)

Zauberman, G., & Lynch, J. G., Jr. (2005). Resource slack and propensity to discount delayed investments of time versus money. *Journal of Experimental Psychology : General, 134,* 23-37. (p. 377)

Zeelenberg, R., Wagenmakers, E-J., & Rotteveel, M. (2006). The impact of emotion on perception. *Psychological Science, 17,* 287-291. (p. 504)

Zeidner, M. (1990). Perceptions of ethnic group modal intelligence : Reflections of cultural stereotypes or intelligence test scores ? *Journal of Cross-Cultural Psychology, 21,* 214-231. (p. 434)

Zeidner, M., Roberts, R. D., & Matthews, G. (2008). The science of emotional intelligence : Current consensus and controversies. *European Psychologist, 13,* 64-78. (p. 412)

Zeineh, M. M., Engel, S. A., Thompson, P. M., & Bookheimer, S. Y. (2003). Dynamics of the hippocampus during encoding and retrieval of face-name pairs. *Science, 299,* 577-580. (p. 344)

Zhang, J. V., Ren, P-G., Avsian-Kretchmer, O, Luo, C-W., Rauch, R., Klein, C., & Hsueh, A. J. W. (2005). Obestatin, a peptide encoded by the ghrelin gene, opposes ghrelin's effect on food intake. *Science, 310,* 996-999. (p. 450)

Zhang, P., Dilley, C., & Mattson, M. P. (2007). DNA damage responses in neural cells : Focus on the telomere. *Neuroscience, 145,* 1439-1448. (p. 209)

Zigler, E. F. (1987). Formal schooling for four-year-olds ? No. *American Psychologist, 42,* 254-260. (p. 430)

Zigler, E. F., & Styfco, S. J. (2001). Extended childhood intervention prepared children for school and beyond. *Journal of the American Medical Association, 285,* 2378-2380. (p. 431)

Zilbergeld, B. (1983). *The shrinking of America : Myths of psychological change.* Boston : Little, Brown. (pp. 651, 654)

Zillmann, D. (1986). Effects of prolonged consumption of pornography. Background paper for *The Surgeon General's workshop on pornography and public health,* June 22-24. Report prepared by E. P. Mulvey & J. L. Haugaard and released by Office of the Surgeon General on August 4, 1986. (p. 503)

Zillmann, D. (1989). Effects of prolonged consumption of pornography. In D. Zillmann & J. Bryant (Eds.), *Pornography : Research advances and policy considerations.* Hillsdale, NJ : Erlbaum. (pp. 468, 702)

Zillmann, D., & Bryant, J. (1984). Effects of massive exposure to pornography. In N. Malamuth & E. Donnerstein (Eds.), *Pornography and sexual aggression.* Orlando, FL : Academic Press. (p. 702)

Zimbardo, P. (2007, September). Person x situation x system dynamics. *The Observer* (Association for Psychological Science), p. 43. (p. 678)

Zimbardo, P. G. (1970). The human choice : Individuation, reason, and order versus deindividuation, impulse, and chaos. In W. J. Arnold & D. Levine (Eds.), *Nebraska Symposium on Motivation, 1969.* Lincoln, NE : University of Nebraska Press. (p. 688)

Zimbardo, P. G. (1972, April). Pathology of imprisonment. *Transaction/Society,* pp. 4-8. (p. 677)

Zimbardo, P. G. (2001, September 16). Fighting terrorism by understanding man's capacity for evil. Op Ed Essay distributed by spsp-discuss@stolaf.edu. (p. 696)

Zimbardo, P. G. (2005, May 25) Journalist interview re : Abu Ghraib prison abuses : Eleven answers to eleven questions. Unpublished manuscript, Stanford University. (p. 678)

Zimbardo, P. G. (2005, January 18). You can't be a sweet cucumber in a vinegar barrel. *The Edge* (www.edge.org). (p. 678)

Zimmermann, T. D., & Meier, B. (2006). The rise and decline of prospective memory performance across the lifespan. *Quarterly Journal of Experimental Psychology, 59,* 2040-2046. (p. 213)

Zogby, J. (2006, March). Survey of teens and adults about the use of personal electronic devices and head phones. *Zogby International.* (p. 248)

Zornberg, G. L., Buka, S. L., & Tsuang, M. T. (2000). At issue : The problem of obstetrical complications and schizophrenia. *Schizophrenia Bulletin, 26,* 249-256. (p. 625)

Zou, Z., Li, F., & Buck, L. B. (2005). From the cover : Odor maps in the olfactory cortex. *Proceedings of the National Academy of Sciences, 102,* 77247729. (p. 261)

Zubieta, J-K., Bueller, J. A., Jackson, L. R., Scott, D. J., Xu, Y., Koeppe, R. A., Nichols, T. E., & Stohler, C. S. (2005). Placebo effects mediated by endogenous opioid activity on μ-opioid receptors. *Journal of Neuroscience, 25,* 7754-7762. (p. 258)

Zubieta, J-K., Heitzeg, M. M., Smith, Y. R., Bueller, J. A., Xu, K., Xu, Y., Koeppe, R. A., Stohler, C. S., & Goldman, D. (2003). COMT val158met genotype affects μ-opioid neurotransmitter responses to a pain stressor. *Science, 299,* 1240-1243. (p. 256)

Zucco, G. M. (2003). Anomalies in cognition : Olfactory memory. *European Psychologist, 8,* 77-86. (p. 262)

Zucker, G. S., & Weiner, B. (1993). Conservatism and perceptions of poverty : An attributional analysis. *Journal of Applied Social Psychology, 23,* 925-943. (p. 675)

Zuckerman, M. (1979). *Sensation seeking : Beyond the optimal level of arousal.* Hillsdale, NJ : Erlbaum. (p. 446)

Zvolensky, M. J., & Bernstein, A. (2005). Cigarette smoking and panic psychopathology. *Current Directions in Psychological Science, 14,* 301-305. (p. 602)

Index des noms

Aarts, H., 508
Abbey, A., 116, 147
Abbott, R. D., 212
Abramowitz, J. S., 643
Abrams, D. B., 116, 582
Abrams, L., 353
Abrams, M., 273
Abramson, L. Y., 619
Abutalebi, J., 390
Ackerman, D., 51, 60
Actkinson, T. R., A-10
Adams, E. M., 17
Adams, M. J., 351
Adams, P. F., 98
Adelmann, P. K., 219
Adelson, R., 343, 505
Ader, R., 303
Adler, A., 478, 558, 559, 590
Adolphs, R., 508, 517
Affleck, G., 520
Agassi, A., 134
Agassi, J., 134
Aggleton, J. P., 80
Ai, A. L., 548
Aiello, J. R., 687
Ainsworth, M. D. S., 190
Airan, R. D., 618
Aird, E. G., 219
Åkerstedt, T., 102
Albarracín, D., 676
Albee, G. W., 669
Albert ("Little"), 303
Albert, B., 470
Albon, A. J., 361
Alcock, J. E., 348
Aldrich, M. S., 102
Aldridge-Morris, R., 610
Aleman, A., 623
Alexander the Great, 525
Alexander, C. J., 58
Alexander, C. N., 547
Allard, F., 336
Allen, J. B., 477
Allen, K., 541
Allen, M., 162
Allen, N. B., 612
Allen, W., 101, 563, 639
Allik, J., 587
Alloy, L. B., 620
Allport, G. W., 10, 568, 584, 694
Alter, A., 310
Altman, L. K., 536
Alwin, D. F., 157
Amabile, T. M., 411, 520, 585
Amato, P. R., 164
Ambady, N., 509, 511, 512, 575
Ambinder, M. S., 90
Amedi, A., 74
Amen, D. G., 698
Ames, A., 271, 504
Ames, D. R., 492
Ames, M. A., 475
Amsterdam, J. D., 662
Andersen, R. A., 71
Andersen, R. E., 463
Andersen, S. M., 202, 347
Anderson, A. K., 65
Anderson, B. L., 537
Anderson, C. A., 26, 322, 344, 700, 703, 704
Anderson, D. C., 700
Anderson, I. M., 662
Anderson, J. R., 680
Anderson, R. C., 346
Anderson, R. D., 116
Anderson, S. E., 198
Anderson, S. R., 400
Anderson, S., 616
Anderson, U. S., 215
Andrault, O., 456
Andreasen, N. C., 625
Andrew, M., 656
Angell, M., 546
Angelsen, N. K., 17
Angier, N., 465
Angoff, W. H., 423
Anisman, H., 536
Annan, K. A., 718
Antoni, M. H., 537
Antony, M. M., 606
Antrobus, J., 106
Apostolova, L. G., 212
Appleby, D., A-1
Appleby, D. C., A-10, A-11
Appleton, J., 371
Archer, J., 160
Archer, R., 562
Arendt, H., 201
Arenson, K. W., 432
Aries, E., 160
Aristotle, 2, 7, 47, 291, 369, 478, 704, 707
Arkowitz, H., 186, 654, 656
Armel, K. C., 257
Armony, J., 505
Arnett, J. J., 197, 206
Arnold, K., 9, A-10
Aron, A. P., 710, 711
Aronson, E., 205, 355, 678
Aronson, J., 438
Artiga, A. I., 451
Asch, S. E., 681, 682, 683, 686, 720
Aserinsky, A., 93
Aserinsky, E., 93
Ashbery, J., 622
Ashley (Lady), 168
Ashtari, M., 595
Askay, S. W., 110
Aspy, C. B., 470
Assanand, S., 451
Astin, A. W., 203
Astin, H. A., 203
Astington, J. W., 184
Atance, C. M., 448
Atkins, L., 146
Atkinson, R. C., 328, 329, 366
Atta, M., 686
Aubrecht, L., A-10
Auden, W. H., 479
Austin, E. J., 426
Autrey, W., 715
Autry, W., 714
Averill, J. R., 502, 518, 519
Avery, R. D., 434
Ax, A. F., 501
Axel, R., 261
Axinn, W., B-4
Ayres, M. M., 160
Azar, B., 254

Babad, E., 508
Babyak, M., 543
Bach, J. S., 169, 306
Bachman, J., 124, 125
Backman, L., 216, 252
Bacon, F., 373, 376
Badcock, P. B. T., 612
Baddeley, A. D., 329, 331, 347, 348
Baer, J., 613
Bagemihl, B., 474
Baguma, P., 456
Bahrick, H. P., 332, 345, 346, 351, 352
Bailenson, J. N., 707
Bailey, J. M., 146, 163, 471, 475
Bailey, R. E., 313
Baillargeon, R., 182
Bain, J., 467
Baird, G., 186
Baker, E. L., 109
Baker, T. B., 307
Bakermans-Kranenburg, M. J., 190
Balcetis, E., 279
Baldwin, S. A., 654
Bale, C., 469
Ballard, M. E., 704
Balsam, K. F., 218, 472
Baltes, P. B., 215
Banaji, M. R., 392
Bancroft, J., 466
Bandura, A., 217, 291, 319, 320, 323, 576, 577
Barash, D. P., 86
Barbaree, H. E., 116
Barber, C., 662
Barber, T. X., 110
Bard, P., 498, 499, 502, 550
Bargh, J. A., 562, 680, 689, 706
Bargh, J. A., 88
Bar-Haim, Y., 606
Barinaga, M. B., 74, 209, 262, 517, 544
Barkley, R. A., 595
Barlow, D. H., 648
Barnes, M. L., 510
Barnett, P. A., 620
Barnier, A. J., 108
Barnum, P. T., 573
Baron, R. A., 315
Baron, R. S., 371, 683
Baron-Cohen, S., 184, 186, 187
Barrett, L. C., 580
Barrett, L. F., 501, 502, 510
Barrow, J., 81
Barry, D., 27, 118, 210, 253, 262, 454, 572
Bartholow, B. C., 704
Bartlett, A., 472
Bashore, T. R., 210
Baskind, D. E., 644
Bassett, D. R., 461
Bat-Chava, Y., 251
Bauer, P. J., 178, 345
Baum, A., 536
Baumeister, H., 594, 631
Baumeister, R. F., 109, 146, 153, 205, 377, 472, 473, 478, 481, 562, 563, 579, 585, 588, 711
Baumgardner, A. H., 585
Baumrind, D., 195, 311, 478
Bavelier, D., 73, 232, 252, 387
Bayley, N., 423
Beach, S. R., 706
Beaman, A. L., 709
Beardsley, L. M., 596
Beatles (group), 5
Beaton, A. A., 79, 476
Beauchamp, G. K., 451
Beaujean, A. A., 428
Beauvais, F., 125
Beck, A. T., 616, 647, 670
Becker, D. V., 510
Becker, I. M., 303
Becker, S., 663
Beckham, D., 64
Becklen, R., 90
Beckman, M., 199
Beecher. H. W., 393
Beeman, M. J., 78
Beethoven, L. (von), 413
Behan, P. O., 80
Beilin, H., 186
Beitel, P., 394
Beitman, B. D., 637
Bell, A. P., 473
Bell, R. Q., 423
Bellows, G., 596
Bellugi, U., 383
Belmaker, R. H., 665, 666
Belot, M., 707
Belsher, G., 614
Belsky, J., 194, 630
Belyaev, D., 144
Bem, D. J., 284, 477
Bem, S. L., 165
Benbow, C. P., 426, 427, 432, 433

Benjet, C., 310
Bennett, R., 702
Bennett, W. I., 463
Ben-Shakhar, G., 504
Benson, H., 547
Benson, K., 354
Benson, P. L., 162
Benson, R., 462
Ben-Zeev, T., 438
Berenbaum, S. A., 163, 433
Berenson, A., 661
Berghuis, P., 122
Bergin, A. E., 658, 659
Berk, L. E., 185
Berk, L. S., 540
Berkel, J., 548
Berkowitz, L., 518, 700
Berman, M., 699
Berndt, T. J., 162
Bernhardt, P. C., 699
Bernieri, F., 508
Bernstein, A., 602
Berra, Y., 3
Berridge, K. C., 114, 504
Berry, D. S., 298
Berry, J. W., 530
Berscheid, E., 479, 707, 711
Bersoff, D. M., 201
Berti, A., 79
Bertua, C., 408
Best, D. L., 160
Bettencourt, B. A., 160
Beyerstein, B., 572
Beyerstein, D., 572
Bhatt, R. S., 306
Bhattacharya, J., 371
Bialystok, E., 393
Bianchi, K., 610
Bickman, L., 530
Biederman, I., 446, 595
Bierut, L. J., 124
Biggs, V., 510
Bigler, E. D., 413
bin Laden, O., 283
Binet, A., 416, 417, 422, 438, 440, 570, B-8
Binitie, A., 608
Birnbaum, G. E., 191
Birnbaum, S. G., 341
Bishop, D. G., 689
Bishop, G. D., 371, 689
Bisson, J., 656
Biswas-Diener, R., 521, 522, 523
Bjerkedal, T., 25
Bjork, R. A., 6, 109, 110, 568
Bjorklund, D. F., 188
Blackburn, E. H., 209
Blackmore, S., 127, 285
Blackwell, E., 533
Blajda, V. M., 140
Blakemore, S-J., 198, 253
Blakeslee, S., 57, 74, 186, 257, 318
Blanchard, R., 473
Blanchard-Fields, F., 216
Blanchflower, D. G., 220, 531
Blank, H., 3
Blanke, O., 127
Blankenburg, F., 233
Blascovich, J., 528, 705
Blass, T., 684
Blatt, S. J., 658
Bleustein, J., 492, 493
Bliss, C., 175
Block, J., 202
Bloom, B. C., 488
Bloom, B. J., 423
Bloom, F. E., 51
Bloom, P., 384
Blum, K., 67
Boag, S., 561
Boahen, K., 250
Bock, L., 485
Bocklandt, S., 475
Bodamer, M., 400
Bodenhausen, G. V., 693, 718
Bodkin, J. A., 662
Boehm, K. E., 205
Boehm-Davis, D. A., 280
Boer, D. P., 561
Boesch, C., 396, 397
Boesch-Achermann, H., 396
Bogaert, A. F., 472, 473, 474
Bogen, J., 75
Boggiano, A. K., 313
Boggiano, M. M., 451
Bohman, M., 139
Bohr, N., 3, 166
Bolger, N., 520
Bolt, R., 677
Bolwig, T. G., 664
Bonacci, A. M., 468
Bonanno, G. A., 222, 605
Bonaparte, N., 525
Bond, C. F., Jr., 509
Bond, M. H., 156
Bond, R., 683
Bonnie, K. E., 397
Bono, C., 509, 510
Bono, J. E., 492
Bono, L., 510
Bookheimer, S. H., 212
Bookwala, J., 458
Boos, H. B. M., 625
Booth, A., 699
Booth, D. A., 450
Booth, F. W., 544
Bootzin, R. R., 105, 128, 354
Boring, E. G., 275
Bornstein, M. H., 158, 387, 189, 349, 564, 706
Boscarino, J. A., 528
Bösch, H., 284
Bosma, H., 539
Bostwick, J. M., 616
Bosworth, R. G., 74
Bothwell, R. K., 359, 697
Botwin, M. D., 572
Bouchard, T. J., Jr., 137, 138, 139, 427, 428
Bouton, M. E., 606
Bowden, E. M., 78
Bower, B., 273
Bower, G. H., 333, 337, 347, 348
Bower, J. E., 536
Bower, J. M., 64
Bowers, K. S., 108
Bowers, T. G., 654
Bowlby, J., 193
Bowler, M. C., 583
Bowles, S., 480
Bowling, N. A., 488
Bowman, H., 398
Boyar, J., 458
Boyatzis, C. J., 323
Boyer, J. L., 242
Boynton, R. M., 244
Bradbury, T. N., 675
Braddock, J. H., III, 426
Braden, J. P., 251, 434
Bradley, D. R., 264
Bradley, R. B., 192
Braffman, W., 108
Bragger, J. D., 486
Braiker, B., 178
Brainerd, C. J., 179, 359
Brandon, S., 362
Brang, D., 260
Brannon, L. A., 470
Branscombe, N. R., 392
Bransford, J. D., 334, 335
Bratslavsky, E., 711
Braun, S., 120, 175
Braunstein, G. D., 467
Bray, D. W., 583
Bray, G. A., 459
Brayne, C., 215
Breedlove, S. M., 474
Brehm, J. M., 690
Brehm, S., 690
Breland, K., 313
Breland, M., 313
Breslau, J., 631
Bressan, P., 275
Brewer, C. L., 8, 142
Brewer, M. B., 156
Brewer, W. F., 333
Brewin, C. R., 341, 604
Bricker, J. B., 469
Brief, A. P., 488
Briers, B., 308
Briggs, K., 568
Briñol, P., 519
Brinson, S. L., 702
Briscoe, D., 165
Brisette, I., 102
Brislin, R. W., 153
Brissette, I., 620
Britton, W. B., 128
Broca, P., 389, 390, 402, 403
Broch, H., 283
Brock, T. C., 470
Brody, J. E., 99, 113, 198, 461, 604
Brody, N., 415
Brody, S., 478
Broks, P., 179
Broman, S. H., 423
Bronner, E., 432
Brontë, E., 613
Brookes, K., 595
Brooks, D., 209
Brooks, D. J., 543
Brooks, R., 318
Brossard, M. A., 205
Brown, A. S., 348, 354, 625, 626
Brown, E. L., 249
Brown, G. K., 654
Brown, G. W., 658
Brown, J. A., 338
Brown, J. D., 470
Brown, J. L., 430
Brown, R., 391, 516
Brown, S. L., 222
Brown, S. W., 355
Brownell, K. D., 461, 462
Browner, W. S., 533
Browning, C., 685
Browning, R., 713
Brownmiller, S., 469
Bruce, D., 178
Bruck, M., 360
Brucker, B. S., 544
Bruder, C. E. G., 135
Bruer, J. T., 430
Brumberg, J. J., 453
Bruun, S. E., 688
Bryant, A. N., 203
Bryant, J., 702
Bryant, R. A., 362
Buchan, J., 309
Buchanan, A., 191
Buchanan, T. W., 341
Buck, L. B., 261
Buckingham, M., 484, 488, 490
Buckley, C., 714
Buckley, K. E., 480
Buckner, R. L., 344
Bucy, P. C., 65
Buddha, The, 519
Buehler, R., 377
Bugelski, B. R., 335
Bugental, D. B., 508
Buka, S. L., 625, 626
Bulia, S., 600
Bulik, C. M., 454
Bullough, V., 471
Bumstead, C. H., 691
Bunde, J., 532
Buquet, R., 104
Burcusa, S. L., 614
Burgess, M., 491
Buri, J. R., 195
Burish, T. G., 302
Burke, D. M., 214
Burkholder, R., 525
Burks, N., 711
Burlingame, G. M., 649
Burman, B., 219
Burnett, N., 336
Burns, B. C., 381
Burns, J. F., 509
Burrell, B., 413
Burris, C. T., 392
Burton, C. M., 542
Bush, G. H., 561, 717, 719
Bush, G. W., 2, 377, 509, 555, 676, 696, 707, 709, 716
Bushman, B. J., 354, 468, 519, 588, 699, 704
Busnel, M. C., 175
Buss, A. H., 575
Buss, D. M., 141, 147, 148, 467
Busseri, M. A., 471
Buster, J. E., 467
Butcher, L. M., 428
Butler, A. C., 619
Butler, R. A., 445
Butterfield, F., 601
Butterworth, G., 194
Buunk, B. P., 711
Byatt, G., 276
Byck, R., 120
Byne, W., 477
Bynum, R., 255
Byrne, D., 296, 467, 709
Byrne, J., 283
Byrne, R. W., 11, 318, 398
Byron (Lord), 413

Cable, D. M., 485
Cacioppo, J. T., 10, 522
Cade, J., 664
Caesar, J., 525, 616
Cahill, L., 163, 342
Cahn, B. R., 547
Cale, E. M., 629
Calhoun, L. G., 605
Calkins, M. W., 4
Call, K. T., 469
Callaghan, T., 184
Calle, E. E., 457
Calment, J., 209
Calvo-Merino, B., 394
Camerer, C. F., 281
Cameron, L., 717
Campbell, D. T., 524, 567
Campbell, P. A., 138
Campbell, R., 138
Campbell, S., 276
Campbell, S. S., 97
Campbell, W. K., 204
Camper, J., 116
Camperio-Ciani, A., 475
Campos, J. J., 266, 516
Canli, T., 511, 607
Cannon, J., A-1, A-2, A-10
Cannon, W., 448, 449, 498, 499, 502, 528, 529, 550, 551
Cantor, N., 221, 412
Cantril, H., 691
Caplan, N., 152, 436
Caprara, G. V., 709
Caprara, M., 209
Caputo, D., 583
Carducci, B. J., 92, 710
Carere, C., 570
Carey, B., 598, 613
Carey, D. P., 413
Carey, E., 17
Carey, G., 607, 698
Carey, L., 17
Carey, M. P., 302
Carli, L., 160
Carli, L. L., 697
Carlin, G., 120, 279, 348
Carlson, C. L., 595
Carlson, J., 437
Carlson, M., 192, 713
Carlson, S., 572
Carlson, S. M., 393
Carnahan, T., 678
Carnelley, K. B., 221
Carpenter, B., 527, 528
Carpusor, A., 19, 692
Carr, T. H., 390
Carrière, G., 460
Carroll, D., 539
Carroll, J., 379, 527, 692
Carroll, J. M., 512, 515
Carroll, J. S., 702
Carroll, L., 600
Carroll, P., 582
Carron, A. V., 687
Carskadon, M., 98
Carskadon, M. A., 106
Carstensen, L. I., 216, 220
Cartwright, R. D., 95
Caruso, D., 412
Carver, C. S., 539
Caryl, P. G., 414
Casey, B. J., 199
Cash, T., 707
Cash, T. F., 454
Caspi, A., 140, 141, 224, 618, 629, 630
Cassel, L., 605
Cassidy, J., 189
Castillo, R. J., 596
Castonguay, L. G., 637
Catanese, K. R., 146, 701
Cato, 518
Cattell, R. B., 216
Cavalli-Sforza, L., 435
Cavigelli, S. A., 530
Cawley, B. D., 492
Ceci, S. J., 360, 361, 430
Centerwall, B. S., 322
Cepeda, N. J., 332
Cerella, J., 210
Cervone, D., 90
Chabris, C. F., 90, 433
Chambless, D. L., 656
Chamove, A. S., 321
Chang, E. C., 582
Chang, P. P., 533
Chapin, J. K., 70
Chaplin, W. F., 508
Charles (Ninth Earl of Spencer), 454
Charles, S. T., 220
Charpak, G., 283
Chartrand, T. L., 88, 680, 681
Chase, W. G., 336
Chaucer, G., 155
Check, J. V. P., 468
Cheek, J. M., 156
Cheit, R. E., 561
Chekhov, A., 613
Chen, E., 539
Chen, X., 98
Chen, Y-R., 156
Cheney, R., 567
Cheng, F., 461
Cheng, K., 344, 579
Cheng, M., 461
Chentsova-Dutton, Y., 513
Cherkas, L. F., 211
Chermack, S. T., 699
Chess, A., 224
Chess, S., 139, 190
Chesterfield (Lord), 62, 317
Chesterton, G. K., 158
Chiarello, C., 78
Chiles, J. A., 654
Chisholm, K., 192
Chisolm, T. H., 251
Chivers, M. L., 472, 473
Cho, S-H., 701
Choi, C. Q., 74
Choi, I., 156
Choi, Y., 156
Chomsky, N., 382, 386, 387, 402
Choy, M. H., 436
Christakis, D. S., 595
Christakis, N. A., 126, 460
Christensen, A., 658
Christensen, D. D., 407
Christie, A., 10, 109
Christina (Grand Duchess of Tuscany), 145
Christmas, L., 137
Christophersen, E. R., 643
Chugani, H., 177
Churchill, W., 143, 621
Cialdini, R. B., 676, 696
Ciarrochi, J., 412
Cicero, 436, 707
Cin, S. D., 118
Clack, B., 717
Clancy, S., 95
Clancy, S. A., 357
Clark, A., 540
Clark, L. A., 628
Clark, R., 531
Clark, R. D. III, 146, 147
Clarke, P. R. F., 105
Claudius (Emperor), 664
Clemens, S., 613
Cleveland, H. H., 139
Cleveland, J. N., 487
Clifton, D. O., 484
Clinton, H. R., 673, 693
Clum, G. A., 654
Coan, J. A., 540, 541
Cochran, J., 333
Coe, W. C., 110
Coffey, C. E., 617
Cogan, J. C., 456, 464
Cohen, D., 335, 461, 610, 701
Cohen, K. M., 477
Cohen, N., 303
Cohen, P., 564
Cohen, S., 102, 438, 519, 535, 539, 541, 542
Colangelo, N., 427
Colapinto, J., 163
Colarelli, S. M., 145, 160
Colbert, S., 57
Colcombe, S. J., 211
Cole, K. C., 117
Coleman, P. D., 211
Collings, V. B., 271, 272
Collins, D. W., 433
Collins, F., 135, 168
Collins, N. L., 711
Collins, R. L., 13
Collinson, S. L., 625
Collishaw, S., 615
Colom, R., 414, 421
Colombo, J., 190
Comer, R. J., 594
Comfort, A., 208
Comstock, G., 322
Conard, M. A., 572
Confucius, 27, 141, 377
Connor-Smith, J. K., 538
Conway, M. A., 212
Cook, M., 516
Cooke, L. J., 259
Cooper, H., 526
Cooper, K. J., 323, 681
Cooper, M. L., 116
Coopersmith, S., 195
Copernicus, 411
Coppola, M., 387
Corballis, M. C., 80, 399
Corbett, S. W., 451
Coren, S., 80, 97, 100, 101
Corey, D. P., 247
Corina, D. P., 78
Corkin, S., 343
Corman, M. D., 699
Corneille, O., 370
Corp, N., 11
Correll, J., 693
Corrigan, E., 355
Costa, P. T., Jr., 217, 221, 225, 510, 571, 574
Costello, C. G., 614
Costello, E. J., 632
Coughlin, J. F., 210
Couli, J. T., 482
Courage, M. L., 194
Courneya, K. S., 687
Courtney, J. G., 536
Covin, R., 649
Cowan, G., 702
Cowan, N., 338, 339
Cowart, B. J., 259
Cox, J. J., 256
Coyle, J. T., 624
Coyne, J. C., 620
Crabbe, J. C., 123, 143
Crabtree, S., 490
Craik, F. I. M., 215, 332, 333, 334
Crain-Thoreson, C., 423
Crandall, C. S., 453, 457
Crandall, J. E., 567
Craven, R. G., 585
Crawford, M., 433
Crawley, J. N., 187
Crews, F., 199, 564
Crews, F. T., 115
Crick, F., 50
Crocker, J., 589, 696
Croft, R. J., 121
Crofton, C., 709
Cromwell, T., 677
Cronshaw, S. P., 486
Crook, T. H., 213
Cross, S., 584
Crowell, J. A., 189
Crowley, M., 713
Csikszentmihalyi, M., 161, 204, 221, 321, 482
Culbert, K. M., 454
Cullen, L. T., 706
Cullum, J., 682
Cummins, R. A., 522
Cunningham, M. R., 708
Cunningham, W. A., 693
Curtis, G. C., 603
Curtis, R. C., 709
Cushman, F., 201
Cutler, B. L., 359
Cynkar, A., 165
Czeisler, C. A., 93

D'Aquili, E., 547
da Vinci, L., 80, 238, 364, 633
Dabbs, J. M., Jr., 467, 699, 713
Dahmer, J., 601
Dal Martello, M. F., 275
Dale, P. S., 423
Daley, T. C., 420
Dallenbach, K. M., 353
Dallery, J., 186
Damasio, A. R., 412, 507, 502
Damasio, H., 73
Damon, W., 194, 203
Daniels, D., 152
Danner, D. D., 540
Danso, H., 438
Dante, 216
Dapretto, M., 187
Darby, J., 690
Darley, J. M., 310, 712, 713
Darrach, B., 629
Darwin, C., 3, 7, 145, 168, 170, 194, 256, 299, 301, 408, 416, 444, 512, 513, 564, 603, 612
Daskalakis, Z. J., 665

Daum, I., 345
Davey, G. C. L., 302, 607
Davey, T. C., 423
David (King), 243
Davidoff, J., 392
Davidson, J. R. T., 633
Davidson, R. J., 502, 547, 617, 698
Davies, D. R., 217
Davies, M. F., 572, 573
Davies, P., 169
Davis, B. E., 178
Davis, B. L., 385
Davis, H., IV, 617
Davis, J. O., 135, 626
Davis, K. C., 116
Davis, M., 661
Davis, S., 467
Davis-Beaty, K., 470
Davison, K. P., 649
Dawes, R. M., 585, 715
Dawkins, R., 85, 143, 168
Dawood, K., 466
Dawson, D. A., 126, B-3
de Beauvoir, S., 30
de Boysson-Bardies, B., 385
de Courten-Myers, G. M., 57, 68, 177
de Cuevas, J., 386
de Fermat, P., 410
de Geus, E. J. C., 428
De Graaf, N. S., 139
de Hoogh, A. H. B., 492
De Houwer, J., 296, 297
De Koninck, J., 104
de Montaigne, M., 573
de Montaigne, M. E., 200
de Quervain, D. J-F., 342
De Vogli, R., 541
de Waal, F., 11
de Waal, F. B. M., 163, 318, 399
de Waard, F., 548
De Wolff, M. S., 190
Deacon, B. J., 643
Dean, G. A., 572
DeAngelis, T., 655
Deary, I. J., 414, 421, 423, 424, 431, 434, 539, 574, 696
DeBruine, L. M., 706
Decety, J., 394
Deci, E. L., 312, 313, 479, 589
Deeley, Q., 630
Deffenbacher, K., 249
DeFries, J. C., 429, 475
DeHart, T., 116
Dehne, K. L., 470
DeLamater, J. D., 208
Delaney, H. D., 658
Delaney, P. F., 339
Delargy, M., 521
Delgado, J. M. R., 70
DeLoache, J. S., 180, 183, 607
DelVecchio, W. F., 574
Dember, W. N., 232
Dement, W. C., 93, 94, 95, 97, 98, 99, 102, 103, 104, B-2, B-7
Demir, E., 475
Denes-Raj, V., 381
DeNeve, K. M., 526
Dennett, D., 7, 299
Denollet, J., 533
Denton, K., 115, 201
Denton, R., 682
DePaulo, B. M., 509, 510, 576
Der, G., 17, 414
Dermer, M., 525, 710
Deroche-Garmonet, V., 114
DeRubeis, R. J., 654
Descartes, R., 7, 400
Desmond, D., 254
DeSteno, D., 349, 519
Detterman, D. K., 418
Dettman, J. R., 145
Dettman, S. J., 250
Deutsch, J. A., 67
DeValois, K. K., 245
DeValois, R. L., 245
Devilly, G. J., 605, 656
Devine, P. G., 706
Devlin, B., 427
Dew, M. A., 99
DeWall, C. N., 579
Diaconis, P., 17
Diamond, J., 145
Diamond, L. M., 472
Diamond, R., 477
DiBiasi, P., 138
Dick, D. M., 428, 629
Dickens, C., 11
Dickens, W. T., 434
Dickerson, S. S., 538
Dickinson, E., 143, 594, 621
Dickinson, H. O., 521
Dickson, B. J., 475
Diener, E., 140, 221, 479, 520, 521, 522, 523, 524, 526, 619, 707
Dietz, W. H., 463
DiFranza, J. R., 119
DiGiulio, G., 654
Dijksterhuis, A., 380, 508
DiLalla, D. L., 138, 615
Dill, K. E., 704
Dillard, A., 357
Dillon, M., 221
Dimberg, U., 318, 505, 514
Dindia, K., 162
Dindo, M., 397
Dinges, N. G., 392
Dingfelder, S., 505
Dion, K. K., 157, 165
Dion, K. L., 157, 165, 492
Dipboye, R. L., 485
Dix, D., 448, 637
Dixon, J., 716
Dixon, R. A., 252
Dobbs, D., 666
Dobel, C., 392
Dobkins, K. R., 74
Doherty, E. W., 119
Doherty, W. J., 119
Dohrenwend, B. P., 531, 604, 632
Doidge, N., 74
Dolan, C. M., 456
Dolan, R. J., 390
Dole, R., 675
Dolezal, H., 274
Domhoff, G. W., 104, 105, 106
Domjan, M., 296, 300
Donahoe, J. W., 316
Donnellan, M. B., 526, 572, 577, 589
Donnerstein, E., 322, 323
Doolittle, B., 230
Dorner, G., 475
Dostoevsky, F., 613
Doty, R. L., 210, 262
Doucette, M., 97
Dovidio, J. F., 717
Dowd, M., 708
Downing, P. E., 241
Downs, A. C., 198
Doyle, A. C., 275, 60, 339
Doyle, R., 146
Draguns, J. G., 594, 620
Drake, R. A., 78, 502
Drake, T., 291
Dreman, D., 376
Druckman, D., 109, 110, 568
Duckworth, A. L., 488
Duclos, S. E., 513
Duenwald, M., 662
Duffy, M., 679
Dugatkin, L. A., 318
Duggan, J. P., 450
Dugger, C. W., 379
Dumont, K. A., 192
Duncan, J., 414
Duncker, K., 373, 374
Dunn, A. L., 543
Dunn, E. W., 714
Dunning, D., 279, 582, 583, 587
Dunson, D. B., 207
Durgin, F. H., 254
Durm, M. W., 283
Dush, C. M. K., 218
Dutton, D. G., 710
Dweck, C. S., 431

Eagly, A. H., 148, 149, 160, 162, 167, 492, 694, 707, 713
Eastman, C. L., 93, 657
Eastwick, P. W., 706, 707
Ebbesen, E. B., 351, 518
Ebbinghaus, H., 331, 332, 334, 351, 352, 355
Eberhardt, J. L., 693
Eccles, J. S., 433
Eckensberger, L. H., 201
Eckert, E. D., 607
Ecklund-Flores, L., 175
Edelman, M. W., 682
Edelman, R., 518
Edelman, S., 536
Edison, T. A., 93, 97, 371, 411
Edwards, C. P., 157
Edwards, J., 219
Edwards, K. J., 643
Ehrmann, M., 588
Eibl-Eibesfeldt, I., 512
Eich, E., 105
Eichmann, A., 686
Einstein, A., 73, 168, 393, 408, 413, 423
Einstein, G. O., 213
Eisenberg, N., 511
Eisenberger, N. I., 481
Eisenberger, R., 313
Eiser, J. R., 118
Ekman, P., 505, 509, 511, 512
El Greco, 613
Elaad, E., 504
Elbert, T., 150, 608
Elfenbein, H. A., 511, 512
Eliot, C., 12
Eliot, T. S., 369, 408, 485
Elizabeth (Queen), 282
Elkind, D., 199
Ellenbogen, J. M., 101
Elliot, A. J., 191, 300, 301, 491
Ellis, A., 303, 648, 659
Ellis, B. J., 206, 471
Ellis, L., 475
Ellis, S., 180
Elzinga, B. M., 611
Emerson, R. W., 516, 593
Emery, G., 283
Emmelkamp, P. M. G., 644
Emmons, R. A., 525
Emmons, S., 593, 623
Emmorey, K., 252, 339
Empson, J. A. C., 105
Emslie, C., 454
Endler, N. S., 618, 665
Engemann, K. M., 707
Engen, T., 262
Engle, R. W., 329
Epel, E. S., 530
Epicharmus, 243
Epley, N., 29, 183, 587
Epstein, J., 625
Epstein, L. H., 451
Epstein, S., 412, 575
Eratosthenes, 637
Erdberg, P., 560
Erdelyi, M. H., 561, 562
Erel, O., 193, 219
Erickson, K. I., 544
Erickson, M. F., 219
Ericsson, K. A., 409, 431, 488
Erikson, E. H., 191, 202, 203, 204, 217, 223, 224, 226, , B-4
Erikson, J., 191
Ernsberger, P., 463, 464
Ertmer, D. J., 386
Escobar-Chaves, S. L., 470
Esser, J. K., 690
Esses, V., 438
Esterson, A., 561
Estrin, J., 521
Esty, A., 523
Eszterhas, J., 118
Etkin, A., 608
Ettinger, M. G., 95
Etzioni, A., 718
Euston, D. R., 344
Evans, C. R., 492
Evans, F. J., 109
Evans, G. W., 193, 532, 539
Evans, R. I., 118
Everson, S. A., 540
Ewing, R., 461
Exline, J. J., 579
Exner, J. E., 560
Eysenck, H. J., 547, 569, 571, 598, 653
Eysenck, M. W., 577
Eysenck, S. B. G., 569

Faber, N., 410
Fagan, J. F., III, 423, 436
Fairburn, C. G., 454
Fantz, R. L., 176
Farah, M. J., 73
Faraone, S. V., 615
Farina, A., 596, 599
Farley, F., 199
Farley, M., 604
Farley, T., 461
Farooqi, I. S., 450
Farrington, D. P., 629
Fartacek, R., 472
Fast, L. A., 576
Fatsis, S., 583
Fazio, R. H., 296
Feder, H. H., 466
Feeney, D. M., 28
Feeney, J. A., 191
Feigenson, L., 182

Feinberg, I., 354
Feinberg, T. E., 79
Feingold, A., 454, 707, 708
Fellinger, J., 251
Fellowes, D., 546
Feng, J., 433
Fenton, W. S., 624
Ferguson, E. D., 478, 558
Ferguson, T. J., 323
Fergusson, D. M., 13, 614
Fernandez, E., 258
Fernández-Ballesteros, R., 209
Fernández-Dols, J-M., 512
Ferri, M., 650
Ferris, C. F., 192
Festinger, L., 678
Feynman, R., 3, 410, 413
Fiedler, F. E., 491
Fiedler, K., 349
Field, A. P., 296., 606
Field, T., 150, 194
Fields, R. D., 49, 68, 341
Filkins, D., 509
Finch, C. E., 209
Fincham, F. D., 675
Fingerhut, A. W., 146, 218, 471
Fink, G. R., 344
Finkel, E. J., 706, 707
Finlay, S. W., 650
Finney, E. M., 252
Finzi, E., 514
Fischer, P., 563, 703
Fischhoff, B., 376, 377
Fischtein, D. S., 146
Fishbach, A., 491
Fisher, H. E., 217, 218, 465
Fisher, H. T., 643
Fisher, K., 164
Fisher, R. P., 360
Fiske, S. T., 678
Fitzgerald, J. A., 474
Fitzgerald, P. B., 665
Flachsbart, C., 538
Flaxman, S. M., 452
Fleming, I., 539
Fleming, J. H., 490, 511
Fletcher, G. J. O., 675
Fletcher, P. C., 562
Flier, J. S., 460
Flood, D. G., 211
Flood, M., 702
Flora, S. R., 314
Flouri, E., 191
Flynn, F. J., 492
Flynn, J. R., 420, 421, 425, 429, 434
Foa, E. B., 605, 644
Fodor, J. D., 285, 60
Foerster, O., 69
Fogg, N. P., A-2, A-4
Follette, V. M., 192
Ford, E. S., 544
Ford, H., 561
Foree, D. D., 313
Forehand, R., 315
Forer, B. R., 572
Forgas, J. P., 349, 507, 620
Forhan, S. E., 470
Forman, D. R., 321
Forste, R., B-4
Foss, D. J., 561
Foster, R. G., 92
Foulkes, D., 106
Fouts, R. S., 400
Fowler, J. H., 126, 460
Fowler, M. J., 354
Fowler, R. C., 616
Fowles, D. C., 624
Fox, B. H., 536
Fox, E., 508
Fox, R., 312
Foy, E., 516
Fozard, J. L., 210
Fracassini, C., 262
Fraley, R. C., 191
Francesconi, M., 707
Frank, A., 197
Frank, J. D., 657, 658
Frank, R., 155
Frank, S. J., 205
Frankel, A., 570
Frankenburg, W., 178
Franklin, B., 102
Franz, E. A., 76
Fraser, S. C., 677
Frasure-Smith, N., 533
Frattaroli, J., 542
Frayling, T. M., 460
Frederick, D. A., 454
Fredrickson, B. L., 335, 454, 520
Freedman, D. J., 396
Freedman, J. L., 322, 677, 687
Freedman, L. R., 627
Freeman, W. J., 245
Frensch, P. A., 562
Freud, S., 5, 105, 106, 107, 217, 355, 363, 408, 481, 553, 554, 555, 556, 557, 558, 559, 560, 561, 562, 563, 564, 566, 568, 590, 602, 606, 608, 615, 634, 638, 639, 640, 670, 695, B-10
Frey, K., 513
Frey, M. C., 418
Freyd, J. J., 192, 362
Friedman, K., 470
Friedman, M., 532, 545
Friedman, M. A., 547
Friedrich, O., 594
Friend, T., 400
Friesen, W. V., 511
Frijda, N., 524
Frith, C., 186
Frith, U., 186
Fritsch, G., 69
Frohlich, P. F., 466
Fromkin, V., 383, 386
Fry, A. F., 210
Fryar, C., 466
Fuhriman, A., 649
Fujiki, N., 102
Fuller, M. J., 198
Fuller, T., 518
Fulmer, I. S., 489
Fulton, R., 691
Funder, D. C., 202, 571, 575, 576, 620
Furlow, F. B., 465
Furnham, A., 4, 432, 456, 675, 692
Furr, R. M., 620
Furstenberg, F., 308
Furumoto, L., 4

Gable, S. L., 219
Gabriel, M., 65
Gabrieli, J. D. E., 344
Gaertner, L., 701
Gaertner, S. L., 717
Gaeth, G. J., 382
Gage, F. H., 75
Gage, P., 72, 73
Gaillot, M. T., 579
Gajendran, R. S., 580
Galambos, N. L., 205, 206
Galanter, E., 231
Galati, D., 512
Galea, S., 604, 605, 615
Galileo, 145, 168, 369
Gall, F., 47, 48
Gallagher, B., 186
Gallup, G. G., Jr., 127, 194, 195
Gallup, G. H., Jr., 650, 716
Galton, F., 173, 416, 423
Gándara, P., 393
Gandhi, I., 717
Gandhi, M., 28, 321, 408, 691
Gangestad, S. W., 148, 709
Garb, H. N., 560
Garber, K., 187
Garcia, J., 300, 301
Gardner, B. I., 398
Gardner, H., 152, 407, 408, 409, 410, 413, 415, 418, 440
Gardner, J., 522
Gardner, J. W., 492
Gardner, M., 362
Gardner, R. A., 398
Gardner, R. M., 457
Garfield, C., 393
Garlick, D., 413
Garner, W. R., 437
Garnets, L. D., 472
Garnets, L., 471
Garon, N., 177
Garrett, B. L., 359
Garry, M., 357
Gatchel, R. J., 255
Gates, G. A., 250
Gates, W., 22, 166, 379, 409, 706
Gatz, M., 212
Gauguelin, M., 573
Gawande, A., 257
Gawin, F. H., 120
Gazzaniga, M. S., 75, 76, 77, 113, 114, 505
Gearhart, J. P., 163
Geary, D. C., 148, 433, 436
Geen, R. G., 323, 518
Gehring, W. J., 607
Geier, A. B., 452
Geiselman, R. E., 360
Geisler, C., 623
Geiwitz, J., 214
Geldard, F. A., 243
Geller, D., 686
Gelles, R. J., 311
Gelman, D., 512
Gelman, S. A., 182
Genain, H., 627
Genain, I., 627
Genain, M., 627
Genain, N., 627
Genesee, F., 393
Genevro, J. L., 222
Genovese, K., 712, 713, 719
Gent, J. F., 258
Gentile, D. A., 322, 704
George, L. K., 548, 549
George, M. S., 665, 666
Geraci, L., 361
Geraerts, E., 362
Gerard, D. A., 572
Gerard, R., 663
Gerbner, G., 125, 379, 703
Gernsbacher, M. A., 186
Gerrard, M., 470
Gershoff, E. T., 310
Gerstorf, D., 221
Geschwind, N., 80, 389
Gfeller, J. D., 110
Giancola, P. R., 699
Gibbons, F. X., 526
Gibbons, R. D., 663
Gibbs, J. C., 201
Gibbs, W. W., 70, 384, 456
Gibran, K., 196
Gibson, E. J., 266
Gibson, H. B., 109
Gigerenzer, G., 378, 380
Gilbert, A. N., 262
Gilbert, D. T., 4, 219, 301, 356, 369, 503, 521, 612
Gilbertson, M. W., 605
Giles, D. E., 95
Gill, A. J., 575
Gill, C., 584
Gillaspy, J. A., Jr., 313
Gillham, J. E., 669
Gilligan, C., 160
Gilovich, T., 15, 16, 17, 220, 485
Gilovich, T. D., 585
Giltay, E. J., 540
Gingerich, O., 1, 169
Giuliano, T. A., 161
Glaberson, W., 583
Gladue, B. A., 475, 477
Gladwell, M., 486, 709
Glaser, R., 536
Glasman, L. R., 676
Glass, R. I., 379
Glass, R. M., 664
Gleaves, D. H., 611
Gleitman, L., 391
Glenn, N. D., 219
Glick, P., 573, 694
Glickman, M. E., 433
Gluhoski, V. L., 304
Godden, D. R., 347, 348
Goel, V., 390
Goethals, G., 674
Goff, D. C., 610
Goff, L. M., 357
Gold, M., 205
Goldapple, K., 663
Goldberg, L. R., 224
Golden, R. N., 657
Goldenberg, J. L., 196
Goldfried, M. R., 616, 637, 657, 658
Golding, J. M., 605, 702
Goldin-Meadow, S., 399
Goldstein, A. P., 701
Goldstein, D., 382
Goldstein, I., 19
Goldstein, L., 57
Goleman, D., 412, 487, 502
Gombrich, E. H., 278
Gómez, R. L., 101
Gonsalkorale, K., 481
Gonsalves, B., 357
Goodale, M. A., 87, 88
Goodall, J., 11, 151, 696
Goodchilds, J., 207
Goode, E., 257, 639
Goodhart, D. E., 581
Goodman, G. S., 361, 362

Goodstein, L., 583
Goodwin, F. K., 27
Goodwin, S. A., 694
Gopnik, A., 393
Goranson, R. E., 5
Gordon, A. H., 511
Gordon, P., 392
Gore, A., 675, 718
Gore-Felton, C., 362
Gorini, A., 644
Gortmaker, S. L., 457, 463
Gosling, S. D., 570, 575
Gossage, J. P., 175
Gotlib, I. H., 620
Gottesman, I. I., 626, 627
Gottfredson, L. S., 408
Gottfried, J. A., 295
Gottman, J., 219
Gougoux, F., 252
Gould, E., 74, 530
Gould, S. J., 148, 169, 413, 417
Grabe, S., 454
Grady, C. L., 350
Grady, D., 212
Graf, P., 214
Graf, S., 134
Graham, J. E., 542
Graham, M., 408
Grajek, S., 711
Granott, N., 188
Granrud, C. E., 266
Grant, B. F., 126, B-3
Gray, P. B., 467
Gray-Little, B., 711
Green, B., 487
Green, B. L., 188
Green, C. S., 232
Green, D. M., 249
Green, J. D., 561
Green, J. T., 345
Green, R., 163
Greenberg, J., 563, 585
Greene, J., 201
Greene, R. L., 333
Greenfeld, L. A., 699
Greenfield, S., 87
Greenwald, A. G., 234, 562, 693
Greenwood, M. R. C., 456
Greer, G., 467
Greers, A. E., 387
Gregg, L., 644
Gregory of Nyssa, 613
Gregory of Sinai, 547
Gregory, R. L., 273, 278
Greif, E. B., 198
Greist, J. H., 602
Greitemeyer, T., 703
Grello, C. M., 116
Grether, J. K., 186
Grèzes, J., 394
Griffiths, M., 114
Grigorenko, E. L., 427
Grill-Spector, K., 370
Grilo, C. M., 460
Grim, B. J., 692
Grinker, R. R., 186
Grobstein, C., 174
Groothuis, T. G. G., 570
Gross, A. E., 709
Gross, A. M., 147
Gross, M., 666
Grossarth-Maticek, R., 547
Grossberg, S., 277
Grossman, M., 510
Gruchy, C. D. G., 510
Gruder, C. L., 525
Grunebaum, M. F., 663
Grusec, J. E., 321
Guerin, B., 383, 687
Guiso, L., 433
Gundersen, E., 321
Güntürkün, O., 79
Gura, T., 450
Gustafson, D., 212, 456
Gustavson, A. R., 301
Gustavson, C. R., 300
Gutierres, S. E., 468
Gutsell, J. N., 579
Guttentag, M., 694

H. M., 342, 343
H., S., 562
Ha, Y-W., 372
Haber, R. N., 328, 355
Haddock, G., 458, 694
Haesler, S., 386
Hagen, E. P., 419
Haidt, J., 60, 200, 201
Haier, R. J., 413, 414
Hakes, D. T., 561
Hakuta, K., 388
Halberstadt, J. B., 277, 358, 454, 695
Haldane, J. B. S., 235
Haldeman, D. C., 472
Hale, S., 210
Hall, C. S., 104, 563
Hall, G., 302
Hall, G. S., 197
Hall, J., 432
Hall, J. A., 160, 509, 510, 708
Hall, J. A. Y., 476
Hall, J. G., 136
Hall, S. S., 174
Hall, V. C., 312
Hall, W., 122
Hall, W. B., 410
Halpern, B. P., 259
Halpern, D. F., 80, 432, 433, 434, 471
Hamamura, T., 587
Hamann, S., 468
Hamilton, D. L., 15
Hamilton, R. H., 252
Hammack, P. L., 471, 474
Hammen, C. L., 620
Hammersmith, S. K., 473
Hammerstein, O., 513, 709
Hampson, R., 461
Hampson, S. E., 224
Hancock, K. J., 697
Handel, G. F., 143, 613
Hankin, B. L., 619
Hansen, C. H., 508
Hansen, I. G., 563
Hansen, R. D., 508
Haraguchi, A., 339
Harbaugh, W. T., 714
Harber, K. D., 693
Hardin, C., 392
Hare, R. D., 629
Hariri, A. R., 517
Harjo, J., 393
Harker, L. A., 520
Harkins, S. G., 688
Harlow, H. F., 188, 189
Harlow, L. L., 124
Harlow, M. K., 188, 189
Harlow, R. E., 221
Harmon-Jones, E., 502
Harper, C., 701
Harris, A., 600
Harris, B., 303
Harris, J. A., 699
Harris, J. R., 138, 152, 190
Harris, R. J., 702
Harrison, D. A., 580
Harrison, Y., 99
Harrow, M., 623
Harrower, M., 562
Hart, D., 194, 204
Harter, J., 489
Härter, M., 594, 631
Hartmann, E., 103
Harton, 682
Hartsuiker, R. J., 385
Harvey, F., 249
Harvey, J., 421
Harvey, P. D., 622
Haselton, M. G., 466
Hasher, L., 92
Hasin, D. S., 612
Haslam, N., 477
Haslam, S. A., 678
Hassan, B., 477
Hatfield, E., 146, 707, 710, 711
Hatfield, J., 15
Hathaway, S. R., 570
Hauck, C., 109
Hauser, M., 201, 387
Hauser, M. D., 384
Havas, D. A., 514
Hawking, S., 405
Hawthorne, N., 677
Haxby, J. V., 241
Hayes, T. L., 489
Haynes, J-D., 233
Hazan, C., 193
Hazelrigg, M. D., 649
Heaps, C. M., 363
Hebb, D. O., 302, 497
Hebl, M. R., 458
Hedges, L. V., 432, 433
Hedström, P., 617
Heider, F., 673
Heiman, J. R., 468
Heine, S. J., 587
Heins, M., 705
Hejmadi, A., 508
Helgeson, V. S., 541, 605
Heller, W., 79
Helmreich, W. B., 192, 561
Helms, J. E., 436
Helmuth, L., 666
Helson, H., 524
Helweg-Larsen, M., 582
Hembree, R., 501
Hemenover, S. H., 542
Hemingway, E., 613
Henderlong, J., 313
Henderson, J. M., 235
Henkel, L. A., 358
Henley, N. M., 393
Hennessey, B. A., 411
Henning, K., 467, 469
Henninger, P., 611
Henry, J. D., 213
Henry, P. E., 454
Hepper, P., 174
Hepper, P. G., 80
Herbert, B., 118
Herbert, J. D., 656
Herek, G. M., 472
Hering, E., 244, 286
Herman, C. P., 452, 454, 463
Herman-Giddens, M. E., 197
Hernandez, A. E., 387
Herrmann, D., 364
Herrmann, E., 318
Herrnstein, R. J., 306, 434
Hershenson, M., 270
Hertenstein, M. J., 189, 253
Herz, R. S., 262
Herzog, H. A., 28
Hesburgh, T., 718
Hess, E. H., 274
Hetherington, M. M., 452
Hettema, J. M., 607
Hewlett, B. S., 191
Hezlett, S. A., 421
Hickok, G., 78
Hilgard, E. R., 111
Hill, C. E., 641
Hill, H., 511
Hinckley, J., 601
Hines, M., 163
Hingson, R. W., 125
Hintzman, D. L., 336
Hinz, L. D., 453
Hippocrates, 528
Hirsch, J., 458
Hirt, E. R., 621
Hitzig, E., 69
Hobson, J. A., 105, 106
Hochberg, L. R., 71
Hodgkinson, V. A., 714
Hoebel, B. G., 450
Hoeft, F., 114
Hoffman, C., 694
Hoffman, D. D., 242
Hoffman, H. G., 258
Hofmann, A., 121
Hogan, J., 420
Hogan, R., 574
Hogarth, W., 638
Hoge, C. W., 604
Hogg, M. A., 695
Hohmann, G. W., 502
Hokanson, J. E., 518
Holahan, C. K., 426
Holden, C., 98, 138, 627
Holden, G. W., 196
Holland, C. R., 436
Holliday, R. E., 361
Hollis, K. L., 296
Hollon, S. D., 654, 663
Holm-Denoma, J., 461
Holmes, D. S., 543
Holmes, O. W., 11, 378
Holstege, G., 465
Holt, H., 4
Holt, L., 383
Holzman, P. S., 234
Homer, 613
Homer, B. D., 117
Honorton, C., 284
Honzik, C. H., 312
Hooper, J., 67
Hooykaas, R., 6
Hopkins, W. D., 79, 80
Hopper, L. M., 318
Horace, 518
Horn, J. L., 216
Horne, J. A., 99
Horner, V., 397
Horney, K., 558, 559, 590, 653

Horowitz, T. S., 99
Horrigan, K., A-9, A-10
Horwood, L. J., 13
House, J. S., 541
House, R. J., 492
Houts, A. C., 643
Hovatta, I., 607
Howe, M. L., 194, 361
Howell, C. J., 522
Howell, R. T., 522
Hoy, W., 393
Hoyer, G., 616
Hu, F. B., 461
Hu, X-Z., 607, 616
Huart, J., 370
Hubel, D. H., 234, 241
Hubbard, E. M., 260
Hubel, D., 242
Hublin, C., 103
Hucker, S. J., 467
Hudson, J. I., 453
Huey, E. D., 72
Huff, C., 29
Huffcutt, A. I., 486
Hugdahl, K., 606
Hugenberg, K., 693
Hughes, H. C., 231
Hugick, L., 161
Huizink, A. C., 122
Hulbert, A., 426
Hull, H. R., 98
Hull, J. G., 116
Hull, J. M., 346, 707
Hull, P., 392
Hulme, C., 338
Hume, D., 291, 690
Hummer, R. A., 548, 549
Humphrey, S. E., 580
Humphreys, L. G., 423
Hunsberger, J. G., 544
Hunsley, J., 654
Hunt, C., 602
Hunt, E., 414, 437
Hunt, M., 2, 4, 5, 47, 203, 303, 426, 469
Hunt, J. M., 430
Hunter, J., 204
Hunter, J. E., 25, 485, 486, 583
Hunter, S., 216
Hurst, M., 97
Hurst, N., 694
Huss, M., A-10
Hussein, S., 373, 679, 681, 696, 716
Huston, A. C., 321
Huxley, T. H., 599
Hvistendahl, M., 694
Hyde, J., 159
Hyde, J. S., 356, 432, 614
Hyman, M., 156
Hyman, R., 572, 573
Hynie, M., 470

Iacoboni, M., 318
Iacono, W. G., 614
Ickes, W., 577
Idson, L. C., 674
Ikonomidou, C., 175
Ilardi, S. S., 544, 618, 667, 668
Ingham, A., 688
Inglehart, R., 220, 480, 482, 522, 580
Ingram, N., 685
Inman, M. L., 371
Insana, R., 491
Inzlicht, M., 438, 579
Ironson, G., 549
Irvine, A. A., 674
Irwin, M. R., 99, 101
Ishai, A., 475
Ishida, A., 657
Iso, H., 75
Ito, T. A., 514, 699
Iuzzini, J., 701
Iversen, L. L., 122
Iverson, J. M., 399
Iyengar, S. S., 580
Izard, C. E., 511, 514

Jablensky, A., 625
Jackson, D. N., 432
Jackson, J. M., 688
Jackson, J. S., 692
Jackson, L. A., 572
Jackson, S. W., 658
Jacobi, C., 453
Jacobs, B. L., 121, 544, 618, 663
Jacobson, N. S., 658
Jacoby, L. L., 361
Jacques, C., 229
Jacques-Tiura, A. J., 675
Jaffe, E., 279
Jago, A. G., 492
James, K., 347
James, W., 3, 4, 5, 12, 57, 111, 175, 252, 347, 349, 364, 498, 499, 502, 513, 514, 519, 550, 584, 593, 679, B-1
Jameson, D., 271
Jamison, K. R., 613, 664
Janda, L. H., 707
Jang, K. L., 629
Janis, I. L., 373, 689, 690
Janoff-Bulman, R., 697
Javitt, D. C., 624
Jefferson, T., 6, 565
Jeffery, R. W., 463
Jenkins, J. G., 353
Jenkins, J. M., 184
Jennings, J. R., 532
Jensen, A. R., 414, 421, 434, 437
Jensen, J. P., 658
Jensen, P. S., 595
Jepson, C., 25, B-1
Jessberger, S., 74
Job, D. E., 625
Johanowicz, D. L., 318
Johansson, P., 90
John Paul II (Pope), 168, 692
John, O. P., 571
Johnson, B. T., 335, 600
Johnson, C. B., 147
Johnson, D. F., 4
Johnson, D. L., 569
Johnson, D. W., 718
Johnson, E. ("Magic"), 582
Johnson, E. J., 382
Johnson, J. A., 678
Johnson, J. G., 453
Johnson, J. S., 388
Johnson, K., 630
Johnson, L. B., 376, 678
Johnson, L. C., 378
Johnson, M. E., 109
Johnson, M. H., 176, 190
Johnson, M. K., 334, 335
Johnson, R. E., 491
Johnson, R. T., 718
Johnson, S. C., 212
Johnson, S. K., 608
Johnson, V. E., 465, 466, 494
Johnson, W., 224
Johnston, A., 511
Johnston, L. D., 120, 123, 124, 125
Johnston, R. E., 512
Johnston, W. A., 89
Johnstone, E. C., 627
Joiner, T. E., Jr., 617, 681
Jolly, A., 396
Jonas, E., 563
Jones, A. C., 570
Jones, J. M., 119, 602
Jones, J. T., 705
Jones, L., 573
Jones, M., 630
Jones, M. C., 643
Jones, M. V., 279
Jones, S. S., 318, 512
Jones, W. H., 26
Jonides, J., 339
Jorm, A. F., 211
Joseph, J., 138
Josephs, R. A., 116
Joubert, J., 318, 682
Judd, L., 615
Judge, T. A., 488, 492
Juffer, F., 139, 195, 428
Jung, C., 196, 558, 559, 568, 590
Jung, R. E., 413
Jung-Beeman, M., 371, 372
Just, M. A., 78
Juvenal, 208

Kagan, J., 81, 140, 188, 190, 191, 224, 569
Kahlor, L., 702
Kahneman, D., 16, 998, 257, 335, 374, 375, 520, 521, 524, 588, 652
Kail, R., 210
Kaltman, S., 222
Kamarck, T., 532
Kamena, M., 361
Kamil, A. C., 344
Kaminski, J., 398
Kanawaza, S., 539
Kanaya, T., 425
Kanazawa, S., 406
Kandel, D. B., 126
Kandel, E. R., 55, 340
Kane, M. J., 329
Kant, I., 272
Kanwisher, N., 370
Kaplan, A., 454
Kaplan, H. I., 661
Kaplan, K. J., 623
Kaplan, R. M., 541
Kaprio, J., 531
Kaptchuk, T. J., 258
Karacan, I., 96
Karau, S. J., 688
Kark, J. D., 548
Karni, A., 105, 151
Karno, M., 603
Karpicke, J. D., 332
Karraker, K. H., 278
Karremans, J. C., 233
Kasen, S., 162
Kashdan, T. B., 602
Kashima, Y., 156
Kasimatis, M., 513
Kasindorf, M., 480
Kasser, T., 523
Kassirer, J. P., 546
Kaufman, A. S., 216
Kaufman, J., 192
Kaufman, J. C., 406, 613
Kaufman, J. H., 270
Kaufman, L., 270
Kavsek, M., 423
Kayser, C., 260
Kazdin, A. E., 310
Keats, J., 168
Keenan, J. P., 79
Keesey, R. E., 451
Keillor, G., 587
Keith, S. W., 460
Kellehear, A., 127
Keller, H., 177, 250, 251
Keller, J., 103
Keller, M. B., 663
Keller, M. C., 615
Kellerman, J., 508
Kellermann, A. L., 698
Kelley, J., 139
Kelling, S. T., 259
Kellner, C. H., 665
Kelly, A. E., 647
Kelly, D. J., 697
Kelly, I. W., 572, 631
Kelly, T. A., 658
Keltner, D., 520
Kemeny, M. E., 538
Kempe, C. C., 192
Kempe, R. S., 192
Kempermann, G., 211
Kendall-Tackett, K. A., 192, 362
Kendler, K. S., 123, 196, 577, 607, 614, 615
Kennedy, J. F., 667, 689, 690, 719
Kennedy, S., 58
Kenny, D. A., 576
Kenrick, D., 468
Kenrick, D. T., 148, 149, 575
Kensinger, E. A., 341
Keough, K. A., 555
Kepler, J., 238
Kern, P., 138
Kernahan, C., 160
Kernis, M. H., 589
Kerr, N. L., 688
Kerry, J., 707, 709
Kessler, M., 669
Kessler, R. C., 537, 598, 604, 613, 619, 631, 655
Ketcham, K., 104, 340, 363
Keyes, E., 205
Keynes, M., 613
Keys, A., 448, 451
Khaliq, A. (Abdur-Rahman), 331
Kidman, A. D., 536
Kiecolt-Glaser, J. K., 535, 536, 541
Kierkegaard, S., 3
Kight, T. D., 710
Kihlstrom, J. F., 112, 355, 356, 412, 562, 564, 611
Killeen, P. R., 112
Killham, E., 491, 580
Kilmann, P. R., 470
Kim, B. S., 658
Kim, H., 156
Kim, K. A., 390
Kim, P., 539
Kimata, H., 540
Kimble, G., 299
Kimbro, W., 690
Kimmel, A. J., 29

Kimmel, D., 471
Kimura, D., 433, 476
King, L., 359
King, L. A., 520, 542
King, M., 472
King, M. L., Jr., 321
King, R. "Suki", 408
King, R. N., 572
Kinkel, K., 601
Kinnier, R. T., 220
Kinzler, K. D., 182
Kipling, R., 696
Kirby, D., 471
Kirkpatrick, B., 624
Kirkpatrick, L., 189
Kirmayer, L. J., 608
Kirsch, I., 18, 108, 110, 663
Kisley, M. A., 220
Kisor, H., 251
Kistler, D. J., 508
Kitayama, S., 156, 391, 518, 674
Kitt, A. S., 524
Kitts, R. L., 472
Kivimaki, M., 539
Klar, A. J. S., 476
Klayman, J., 372
Klein, D. N., 658
Klein, E., 666
Kleinfeld, J., 434
Kleinke, C. L., 508
Kleinmuntz, B., 505
Kleitman, N., 93
Klemm, W. R., 63
Klentz, B., 709
Kline, D., 210
Kline, G. H., 218
Klineberg, O., 511, 718
Klinesmith, J., 699
Klinke, R., 274
Kluft, R. P., 610
Klump, K. L., 454
Klüver, H., 65
Knapp, S., 362
Knäuper, B., 470
Knickmeyer, E., 454
Knight, R. T., 73
Knight, W., 260
Knoblich, G., 372
Knutson, K. L., 98
Ko, C-K., 114
Koch, C., 87
Koch, G., A-10
Koehler, D. J., 572
Koelling, R. A., 300, 301
Koenig, H. G., 548, 549
Koenig, L. B., 139
Koenig, O., 57
Koenigs, M., 73, 201
Koestner, R., 491
Kohlberg, L., 199, 200, 201, 223, 224, 227, B-4
Kohler, I., 274
Köhler, W., 396
Kohn, P. M., 531
Kohout, J., A-4
Kokkalis, J., 121
Kolarz, D. M., 216
Kolassa, I-T., 608
Kolata, G., 463, 616
Kolb, B., 74, 150, 411
Koletsky, R. J., 463
Kolivas, E. D., 147
Kolker, K., 703
Kolodziej, M. E., 600
Koltko-Rivera, M. E., 446
Koob, G. F., 624
Koole, S. L., 563
Kopta, S. M., 654
Koriat, A., 358
Korschgen, A., A-2, A-11
Kosslyn, S. M., 57, 111, 284, 388, 430, 605
Kotchick, B. A., 470
Kotkin, M., 651
Koulack, D., 354
Kovas, Y., 428
Kozak, M. J., 644
Kracen, A. C., A-11
Kraft, C., 280
Kraft, R. N., 363
Kramer, A. F., 211, 544
Krantz, D. H., 25, B-1
Kranz, F., 475
Kraus, N., 381
Krauss, R. M., 399
Kraut, R. E., 512
Krebs, D. L., 115, 149, 201, 202
Kring, A. M., 511
Krishnamurti, 596
Kristensen, P., 25
Kristof, N. D., 712
Kroll, R., 467
Kronick, R. G., 541
Kroonenberg, P. M., 190
Krosnick, J. A., 233
Krueger, A., 700
Krueger, J., 491, 580
Kruger, J., 183, 509, 582
Krull, D. S., 4
Krupa, D. J., 345
Krützen, M., 397
Ksir, C., 120
Kubey, R., 321
Kübler, A., 521
Kubzansky, L. D., 533
Kuester, L. W., 221
Kuhl, B. A., 353
Kuhl, P. K., 385
Kuhn, B. R., 311
Kuhn, C. M., 124
Kuhn, D., 199
Kujala, U. M., 544
Kuncel, C. R., 408
Kuncel, N. R., 421
Kung, L-C., 393
Kunkel, D., 470, 703
Kuntsche, E., 125
Kupper, N., 533
Kupper, S., 545
Kurdek, L. A., 472
Kurtz, P., 6, 573
Kuse, A. R., 433
Kushner, M. G., 661
Kutas, M., 92
Kutcher, E. J., 486

L'Engle, M., 3, 438, 613
Labouvie-Vief, G., 214
Lacayo, R., 10
Lacey, H. P., 220
Lacey, M., 718
Lachman, M. E., 216
Ladd, E. C., 126
Ladd, G. T., 85
Lafleur, D. L., 607
Laird, J. D., 508, 513
Lakin, J. L., 681
Lalumière, M. L., 476
Lam, R. W., 657
Lambert, A. J., 709
Lambert, K. G., 544
Lambert, W. E., 393
Lamberth, J., 692
Lambird, K. H., 589
Lammers, B., A-11
Lampinen, J. M., 348
Landau, M. J., 696
Landauer, T. K., 364, 528
Landrum, E., A-2, A-11
Landry, M. J., 121
Lange, C., 498, 499, 502, 550
Langer, E. J., 252, 580, 600
Langleben, D. D., 505
Langlois, J. H., 707, 708
Lángström, N., 475
Lanzetta, J. T., 514
Larkin, K., 474
LaRoche, K., A-11
Larsen, J., 509, 510
Larsen, R. J., 140, 507, 513
Larson, D. B., 549
Larson, G., 411
Larson, J., 222
Larson, R., 221
Larson, R. W., 436
Larsson, H., 629
Larzelere, R. E., 311
Lashley, K. S., 340
Lassiter, G. D., 674
Latané, B., 688, 712, 713
Latham, G. P., 491
Latner, J. D., 458
Laudenslager, M. L., 538
Laumann, E. O., 146, 472
Laws, K. R., 121
Lazaruk, W., 393
Lazarus, R. S., 506, 507, 528, 531, 550
Le Grand, R., 273
Lea, S. E. G., 28
Leach, P., 311
Leaper, C., 160
Leary, M. R., 478, 479, 480, 481, 585
Leary, W. E., 208
Leask, S. J., 79
LeBoeuf, R. A., 379
Ledger, H., 113
LeDoux, J. E., 64, 150, 345, 505, 507, 550
Lee, K., 276
Lee, L., 276
Lee, S-Y., 426
Lefcourt, H. M., 578
LeFleur, D. L., 607
Legrand, L. N., 125
Lehavot, K., 709
Lehman, A. F., 661
Lehman, D. R., 222
Leigh, B. C., 116
Leitenberg, H., 467, 469
Lemonick, M. D., 450
Lennon, R., 511
Lennox, B. R., 72
Lenzenweger, M. F., 661
Leonard, J. B., 697
Lepper, M. R., 313, 580
Lerner, M. J., 697
Leserman, J., 536
Lesperance, F., 533
Lessard, N., 252
Lester, W., 692
Leucht, S., 661
Leung, A. K-Y., 411
LeVay, S., 474
Levenson, R. W., 501
Lever, J., 454
Levesque, M. J., 576
Levin, I. P., 382
Levin, R., 104
Levine, J. A., 459, 460
Levine, R., 12, 711
Levine, R. V., 154
Levy, B., 252
Levy, P. E., 487
Levy, S. R., 477
Lewald, J., 252
Lewandowski, G. W., Jr., 709
Lewicki, P., 347, 562
Lewinsohn, P. M., 349, 614
Lewis, B., 137
Lewis, C. S., 3, 203, 351, 501, 563
Lewis, D. O., 192, 611, 698
Lewis, J., 137, 508
Lewis, J. A., 137
Lewis, L., 137
Lewis, M., 349
Lewontin, R., 145, 435
Li, J., 222
Li, J. C., 697
Li, P., 387
Li, W., 233
Libet, B., 88
Licata, A., 120
Licoppe, C., 161
Lieberman, J. A., 661
Lieberman, M. D., 542
Lievens, F., 484
Lilienfeld, S. O., 186, 560, 611, 629, 630, 654, 656
Lin, L., 102
Lincoln, A., 143, 351, 407, 565, 633
Lindbergh, C., 283
Linde, K., 546
Linder, D., 715
Lindoerfer, J. S., 690
Lindsay, D. S., 358
Lindskold, S., 719
Lindström, P., 474
Lindzey, G., 563
Linville, P. W., 381
Linz, D., 323, 702
Lippa, R. A., 146, 161, 472, 473, 476, 477, 707
Lippman, J., 321
Lippmann, W., 709
Lipps, H. M., 694
Lipsey, M. W., 426
Lipsitt, L. P., 178
Livesley, W. J., 629
Livingstone, M., 242
Lobel, A., 709
LoBue, V., 607
Locke, E. A., 491
Locke, J., 7, 272, 273, 291
Loehlin, J. C., 137, 139, 572
Loewenstein, G., 308
Loftus, E. F., 104, 109, 340, 356, 357, 362, 363
Loftus, G., 340
Logan, T. K., 124
Loges, W. E., 19, 692
Logue, A. W., 308
LoLordo, V. M., 313
Lombardi, V., 488
London, P., 321, 533
Looy, H., 148
Lopes, P. N., 412

Lopez, A. D., 594
Lopez, D. J., 48
López-Ibor, J. J., 602
Lord, C. G., 377
Lorenz, K., 189
Lott, J., 630
Louie, K., 105
Lourenco, O., 187
Lovaas, O. I., 645
Love, J. M., 193
Loveland, D. H., 306
Lowenstein, G., 376
Lowry, P. E., 583
Lu, Z-L., 338
Lubart, T. I., 411
Lubinski, D., 426, 427, 432
Luborsky, L., 654
Lucas, A., 18
Lucas, G., 470
Lucas, H. L., 629
Lucas, R. E., 222, 521, 526
Lucas, R., 526
Luciano, M., 415
Ludwig, A. M., 473, 613
Lund, E., 616
Lundberg, G., 546
Luntz, F., 679
Luria, A. M., 327
Lurigio, A. J., 600
Lustig, C., 344
Lutgendorf, S., 537, 549
Luus, C. A. E., 470
Lyall, S., 210
Lykins, A. D., 472
Lykken, D. T., 136, 139, 215, 217, 427, 504, 517, 526, 629, 699
Lyman, D. R., 630
Lynch, G., 340
Lynch, J. G., Jr., 377
Lynch, S., 340, 341
Lynn, M., 115
Lynn, R., 421, 434
Lynn, S. J., 110
Lynne, S. D., 198
Lyons, L., 203, 205, 548, 694
Lytton, H., 165
Lyubomirsky, S., 519, 524, 542

M'Naughten, D., 601
Ma, L., 603
Ma, Y-Y., 350
Maas, J. B., 98, 99, 102
Maass, A., 156, 392, 438
Macaluso, E., 260
Macan, T. H., 485
Maccoby, E. E., 161, 162, 164, 195, 689
MacDonald, G., 349, 448, 481, 709
MacDonald, J., 260
Macdonald, J. E., 531
MacDonald, N., 622
MacDonald, S. W., 216
MacDonald, T. K., 115, 470
MacFarlane, A., 176
Macfarlane, J. W., 197
Macgregor, A. M. C., 458
Machado, A., 187
Maciejewski, P. K., 222
Mack, A., 90
MacKinnon, D. W., 410
MacNeilage, P. F., 385
Maddieson, I., 383
Maddox, K. B., 693
Madonna, 282
Madrian, B. C., 382
Madsen, T. M., 664
Maes, H. H. M., 460
Maestripieri, D., 139, 192
Magellan, F., 62
Magnusson, D., 629
Magnusson, P. E. E., 616
Magoun, H. W., 63, 64
Maguire, E. A., 335, 344
Mahadevan, R., 339
Mahler, G., 660
Mahowald, M. W., 95
Maier, S. F., 535
Maimonides, 547
Major, B., 160, 707
Malamuth, N. M., 468, 702, 703
Malan, D. H., 640
Maliki, J. (al-), 509
Malinosky-Rummell, R., 192
Malkiel, B., 377
Malkiel, B. G., 17
Malle, B. F., 674
Mallory, G., 446
Malmquist, C. P., 562
Malnic, B., 261
Malott, J. M., 258
Manber, R., 102
Mandel, D., 447, 448
Maner, J. K., 481
Manilow, B., 585
Mann, T., 463, 589
Mannix, L. M., 458
Manson, J. E., 544
Maquet, P., 105, 106
Mar, R. A., 319
Marangell, L. B., 665
Maratos-Flier, E., 460
Marcus, B., 575
Marcus, G. F., 387
Maren, S., 608
Marentette, P. F., 385
Margolis, M. L., 103
Marino, L., 195
Markowitsch, H. J., 344
Markowitz, J. C., 640
Markus, G. B., 25, 360
Markus, H., 156, 391, 518, 584
Marley, J., 600
Marmot, M. G., 539
Marschark, M., 335
Marsh, A. A., 512
Marsh, H. W., 525, 585
Marshall, M. J., 310
Marshall, R. D., 376
Marshall, W. L., 702
Marteau, T. M., 381
Marti, M. W., 371
Martin, C. K., 463
Martin, C. L., 166
Martin, R. A., 540
Martin, R. J., 451
Martin, R. M., 17
Martin, S., 426
Martin, S. J., 631
Martin, S. P., 97
Martino, S. C., 470
Martins, Y., 475
Marx, J., 212, 627
Masicampo, E. J., 579
Maslow, A. H., 5, 444, 446, 447, 448, 481, 494, 553, 564, 565, 566, 567, 585, 590
Mason, C., 55
Mason, H., 27, 98, 595
Mason, R. A., 78
Masse, L. C., 124
Massimini, M., 93
Mast, M. S., 708
Masten, A. S., 192
Masters, C., 706
Masters, W. H., 465, 466, 494
Mastroianni, G. R., 678, 685
Masuda, T., 513, 674
Mataix-Cols, D., 607
Matheny, A. P., Jr., 140
Mather, M., 220
Matisse, H., 484
Matsumoto, D., 392, 511, 512
Matsuzawa, T., 396
Matthews, G., 574
Matthews, K. A., 533
Matthews, R. N., 296
Matthyss, S., 234
Maurer, C., 176
Maurer, D., 176
May, C., 92
May, M., 273
May, P. A., 175
May, R., 135
Mayberg, H. S., 666
Mayberry, R. I., 388
Mayer, D., 580
Mayer, J. D., 412
Mays, V. M., 531
Mays, W., 208
Mazella, R., 708
Mazur, A., 699
Mazure, C., 619
Mazzella, R., 454
Mazzoni, G., 357, 360
Mazzuca, J., 322
McAdams, D. P., 553
McAneny, L., 348
McArthur, L. Z., 298
McBeath, M. K., 269
McBride-Chang, C., 192
McBurney, D. H., 72, 258, 271, 272
McCabe, G., 17
McCabe, M. P., 454
McCain, J., 359, 673
McCain, N. L., 536
McCann, I. L., 543
McCann, U. D., 121
McCarthy, A., 513
McCarthy, P., 261
McCarty, O., 585
McCaul, K. D., 258
McCauley, C. R., 689
McClearn, G. E., 428, 475
McClellan, J. M., 627
McClendon, B. T., 676
McClintock, M. K., 198, 530
McClure, E. B., 432
McConkey, K. M., 108, 109, 112
McConnell, R. A., 282
McConnell, S., 212
McCool, G., 707
McCord, J., 651
McCormick, C. M., 477
McCrae, R. R., 217, 225, 571, 574
McCrink, K., 182
Mc-Cullough, M. E., 548
McDaniel, M. A., 361, 413
McDermott, K. B., 359
McDermott, T., 700
McEvoy, S. P., 89
McFadden, D., 476
McFarland, C., 359
McFarland, S., 678
McGarry-Roberts, P. A., 414
McGaugh, J. I., 327
McGaugh, J. L., 341
McGhee, P. E., 185
McGlashan, T. H., 624
McGlone, M. S., 333
McGrath, J., 625
McGregor, H. A., 491
McGue, M., 136, 139, 428
McGuffin, P., 616, 618
McGuire, M. T., 463
McGuire, W. J., 322
McGurk, H., 260
McHugh, P. R., 610, 611
McKellar, J., 650
McKenna, K. Y. A., 689, 706
McKone, E., 242
McLanahan, S., 701
McLaughlin, C. S., 469
McLaughlin, M., 582
McMahon, F. J., 616
McMurray, B., 384
McMurray, C., 543
McMurray, J., 378
McNabb, D., 255
McNally, R. J., 357, 362, 605, 656
McNeil, B. J., 381
McPherson, J. M., 620
Meador, B. D., 642
Medland, S. E., 79
Mednick, S. A., 625, 627
Medvec, V. H., 220
Mehl, M., 12
Mehl, M. R., 161, 575
Mehta, M. R., 344
Meichenbaum, D., 648
Meier, B., 213
Meier, P., 412
Melchior, L. A., 156
Melhuish, E., 176
Mellor, G., 476
Meltzoff, A. N., 318, 319, 385, 393
Meltzoff, C. M., 448
Melville, H., 11, 594, 673
Melzack, R., 113, 255, 256, 257
Memon, A., 357
Menander of Athens, 104
Mendle, J., 198
Mendolia, M., 542
Menustik, C. E., 645
Merari, A., 689
Merker, B., 87
Merskey, H., 610
Merton, R. K., 6, 524
Mesmer, F. A., 656
Messinis, L., 122
Mestel, R., 104
Meston, C. M., 466, 467
Metcalfe, J., 372, 376
Metha, A. T., 220
Meyer, A., 613
Meyer, I. H., 594
Meyer-Bahlburg, H. F. L., 475
Mezulis, A. M., 586
Michaels, J. W., 687
Michel, G. F., 80
Michelangelo, 80, 206
Middlebrooks, J. C., 249
Mikels, J. A., 216, 220
Mikhail, J., 387
Mikkelsen, T. S., 135
Mikulincer, M., 98, 191, 563, 696

Milan, R. J., Jr., 470
Miles, D. R., 698
Milgram, S., 683, 684, 685, 686, 720
Millar, J. K., 627
Miller, D. T., 125
Miller, E., 454
Miller, E. J., 457
Miller, G., 68, 124, 261, 466
Miller, G. A., 338
Miller, G. E., 531, 533
Miller, J. G., 201
Miller, K., 709
Miller, K. I., 578
Miller, L., 378
Miller, L. C., 711
Miller, L. K., 407
Miller, M., 540
Miller, N. E., 27, 450, 544, 545
Miller, P. A., 202
Miller, P. C., 196
Miller, S. D., 611
Mills, M., 176
Milne, B. J., 629
Milner, D. A., 88
Milner, P., 66
Milton, J., 284
Mineka, S., 193, 516, 517, 605, 606, 607
Miner-Rubino, K., 220
Ming, S-M., 277
Mingroni, M. A., 421
Minsky, M., 86
Mirescu, C., 530
Mischel, W., 202, 308, 574, 575, 583, 674
Miserandino, M., 346
Mita, T. H., 706
Mitchell, D. B., 328
Mitchell, F., 697
Mitchell, P., 186
Mitchell, T. M., 390
Mitchell, T. R., 335
Mitte, K., 649
Miyamoto, R. T., 250
Mocellin, J. S. P., 127
Moffitt, T. E., 224, 602, 618, 630
Moghaddam, F. M., 689
Moises, H. W., 626
Molyneux, W., 273
Monaghan, P., 363
Mondloch, C. J., 176
Money, J., 467, 474, 475, 702
Moniz, E., 667
Monroe, M., 148, 681, 708
Moody, R., 127
Mook, D. G., 26
Moorcroft, W. H., 93, 100
Moore, B., 221
Moore, D. W., 96, 125, 282, 462
Moore, J., 462
Moore, M. K., 318
Moore, S., 707
Moos, B. S., 650
Moos, R. H., 650
Mor, N., 619
Moreland, R. L., 705, 706
Morell, V., 396, 534
Morelli, G. A., 157
Moreno, C., 613
Morey, R. A., 624
Morgan, A. B., 630
Morgan, B., A-2, A-11
Morin, R., 205, 717
Morris, A. S., 195, 198, 205
Morris, R., 699
Morris, S. C., 391
Morrison, A. R., 27, 96
Morrison, C., 680
Morrison, D., 702
Morrison, K., 654
Morrow, D. G., 333
Morse, M. L., 127
Morsella, E., 562
Mortensen, E. L., 17
Mortensen, P. B., 625
Morton, J., 176
Moruzzi, G., 63
Moscovici, S., 691
Moses, 5
Moses (Grandma), 214
Moses, E. B., 648
Mosher, D. L., 116
Mosher, W. D., 472
Moss, A. J., 118
Moss, H. A., 224
Mosteller, F., 17
Motivala, S. J., 99
Moullec, C., 189
Moulton, S. T., 284
Mowrer, O. H., 643
Moyer, K. E., 698
Mozart, W. A., 426, 430, 613
Mroczek, D. K., 216, 220
Muhlnickel, W., 72
Mulcahy, N. J., 396
Mulder, E. J., 122
Muller, J. E., 465, 530
Mullin, C. R., 323
Mulrow, C. D., 662
Munro, D. A., 117
Murachver, T., 161
Murison, R., 538
Murnen, S. K., 453, 468
Murphy, G. E., 616
Murphy, K. R., 487
Murphy, S. T., 116, 504
Murray, B., 281
Murray, C., 434
Murray, C. A., 434
Murray, C. J., 594
Murray, D. M., 359
Murray, H., 487, 559
Murray, H. A., 10, 283
Murray, J. P., 322
Murray, R., 625
Murray, R. M., 122, 623
Murray, S., 585
Murray, S. L., 279
Musallam, S., 70
Musick, M. A., 548
Mustanski, B. S., 475, 476
Mycielska, K., 276
Mydans, S., 697
Myers, D. G., 3, 17, 219, 472, 525, 526, 586, 587, 689
Myers, I. B., 568
Myers, L. R., 502
Myers, R., 75
Myerson, J., 437

Nagourney, A., 676
Nairn, R. G., 600
Nakayama, E. Y., 641
Napoleon, 567
Napolitan, D., A., 674
Naqvi, N. H., 119
Nasar, J., 90
Nash, M., 363
Nash, M. R., 110, 112
Naylor, T. H., 492
Neal, D. T., 292
Neale, J. M., 520
Neese, R. M., 255, 301
Neidorf, S., 717
Neisser, U., 90, 342, 420, 427, 437
Neitz, J., 244
Nelson, C. A., 430
Nelson, M. D., 625
Nelson, N., 541
Nemeth, C. J., 690
Nesca, M., 354
Nestadt, G., 603
Nestle, M., 461
Nestoriuc, Y., 545
Neubauer, A., 151
Neubauer, P. B., 151
Neufer, P. D., 544
Neumann, R., 514, 680
Neuringer, A., 306
Newberg, A., 547
Newcomb, M. D., 124
Newcombe, N. S., 179
Newman, A. J., 388
Newman, L. S., 109, 195
Newman, M. L., 505
Newman, R., 385
Newport, E. L., 388
Newport, F., 160, 168, 510, 679, 717
Newton, E. L., 281
Newton, I., 168, 243, 411, 633
Newton, T. L., 541
Neylan, T. C., 102
Nezlek, J. B., 579
Ng, S. H., 393
Ng, W. W. H., 578
Nguyen, D., 529
Nicassio, P. M., 101
Nichols, R. C., 137
Nickell, J., 109
Nickerson, R. S., 280, 281, 351
Nicol, S. E., 627
Nicolaus, L. K., 300
Nicolelis, M. A. L., 70
Niebuhr, R., 581
Niedenthal, P. M., 358
Nielsen, K. M., 541
Nielsen, T. A., 104
Niemiec, C. P., 479
Nier, J. A., 587
Niesta, D., 300, 301
Nightingale, F., 541
Nisbett, R. E., 25, 374, 485, 701, B-1
Nitschke, J. B., 259
Nixon, G. M., 98
Nixon, R. M., 511
Noel, J. G., 580
Noftle, E. E., 572
Noice, H., 334
Noice, T., 334
Nolen-Hoeksema, S., 204, 222, 519, 619
Noller, P., 191
Nordgren, L. F., 448
Norem, J. K., 581
Norenzayan, A., 12, 154, 563
Norman, D. A., 279, 280
Normand, M. P., 186
Noroozian, M., 80
Norris, J., 629
Northall, G. F., 301
Norton, K. L., 454
Norton, M. B., 696
Norton, P. J., 649
Nostradamus, 283
Nowak, R., 119
Nowell, A., 432, 433
Nurius, P., 584
Nurmi, J-E., 585
Nurnberger, J. I., Jr., 124
Nuttin, J. M., Jr., 705

O'Brien, R. M., 314
O'Connor, A., 461, 690
O'Connor, P., 658
O'Donnell, L., 471
O'Heeron, R. C., 542
O'Keeffe, C., 573
O'Neil, J., 15
O'Neill, E., 364
O'Neill, M. J., 538
O'Reardon, J. P., 666
O'Rourke, P. J., 204
Oaten, M., 579
Oates, J. C., 349
Oatley, K., 319
Obama, B., 673
Oberlander, J., 575
Oberman, L. M., 187, 318, 514
Odbert, H. S., 568
Oddone-Paolucci, E., 702
Oellinger, M., 372
Oetting, E. R., 125
Oettingen, G., 580
Offer, D., 205, 360
Ogden, C. L., 461
Öhman, A., 508, 517, 607
Oishi, S., 446, 520, 522
Okun, M. S., 502
Olatunji, B. O., 602
Olds, J., 66
Olff, M., 605
Olfson, M., 595, 662
Olin, S. S., 627
Oliner, P. M., 321
Oliner, S. P., 321
Olsen, M-K., 453
Olshansky, S. J., 209, 456
Olson, M. A., 296
Olson, S., 569
Olsson, A., 516, 606
Olweus, D., 699
Oman, D., 548
Onishi, N., 457
Oppenheimer, J. R., 5
Oren, D. A., 92
Orlovskaya, D. D., 413
Ormiston, M., 690
Orne, M. T., 109
Osborne, C., 218
Osborne, J. W., 438
Osborne, L., 387
Osburn, H. G., 492
Osgood, C. E., 719
Ost, L. G., 606
Ostfeld, A. M., 539
Oswald, A. J., 220, 458, 521, 522, 531, 541
Ott, B., 490
Ott, C. H., 222
Ouellette, J. A., 485, 583
Over, R., 58
Overmier, J. B., 538
Owen, A. M., 87
Owen, D. R., 420
Owen, R., 489
Owyang, M. T., 707

Ozer, E. J., 605
Özgen, E., 392
Ozley, L., 492

Pacifici, R., 121
Padawer,W., 657
Paddock, S., 616
Padgett, V. R., 685
Page, S., 600
Page, S. E., 690
Pagnin, D., 664
Pahlavi, F., 523
Paivio, A., 335
Palace, E. M., 503
Palladino, J. J., 92
Pallier, C., 385
Palmer, J. C., 356
Palmer, S., 264, 265, 342
Pals, J. L., 553
Pandelaere, M., 361
Pandey, J., 675
Pankratz, V. S., 616
Panksepp, J., 501
Pantev, C., 73
Panzarella, C., 619
Park, C. L., 548
Park, D. C., 216
Park, G., 426
Park, J., 296
Park, L. E., 589
Park, R. L., 504
Parker, C. P., 488
Parker, E. S., 350
Parker, J. W., 525
Parker, S., 456
Parks, R., 690
Parsons, B., 477
Parsons, L. M., 64
Parva, S., 537
Pascal, 233
Pashler, H., 332
Passell, P., 19
Pastalkova, E., 340
Pasteur, L., 27, 411
Patall, E. A., 313
Pate, J. E., 453
Patel, S. R., 98
Patrick, H., 479
Patten, S. B., 612
Patterson, D. R., 110
Patterson, F., 398
Patterson, G. R., 311, 701
Patterson, M., 488
Patterson, P. H., 625
Patterson, R., 621
Patton, G. C., 122
Paulesu, E., 26
Paulos, J. A., 22, 663
Paus, T., 177
Pavlidis, G. T., 595
Pavlov, I., 4, 291, 294, 295, 296, 297, 298, 299, 302, 303, 323, 324, 369, 643
Payne, B. K., 355, 693
Payne, R., 540
Peace, K. A., 364
Pedersen, N., 138
Peek, K., 407
Peeters, A., 457
Peigneux, P., 100, 344
Pekkanen, J., 101
Pelham, B. W., 4, 209, 585
Pendick, D., 699
Penfield, W., 69
Penhune, V. B., 252
Pennebaker, J. W., 12, 220, 542, 562, 711, 717
Penny, H., 458
Penrod, S. D., 359
Peplau, L. A., 146, 218, 471, 472
Peppard, P. E., 103
Pepperberg, I. M., 397
Perani, D., 390
Pereira, A. C., 75, 211
Pereira, G. M., 211, 492
Perkins, A., 474
Perlick, D., 687
Perlmutter, M., 214
Perls, T., 535
Perra, O., 187
Perrett, D. I., 241, 694, 708
Perry, N., 179
Persky, S., 705
Person, C., 615
Pert, C. B., 53, 66
Perugini, E. M., 111
Peschel, E. R., 467
Peschel, R. E., 467
Peters, M., 79
Peters, T. J., 315
Peterson, C., 199, 580, 599
Peterson, C. C., 185
Peterson, L. R., 338
Peterson, M. J., 338
Petiot, Dr., 573
Petitto, L. A., 385
Petry, N. M., 458
Pettegrew, J. W., 624
Petticrew, M., 536
Pettifor, J. P., 29
Pettigrew, T. F., 692, 716, 717
Pfammatter, M., 654
Phelps, E. A., 65, 606
Phelps, J. A., 135, 626
Phelps, M. E., 177
Phillips, D. P., 681
Phillips, J. L., 183
Phillips, M., 154
Phillips, T., 718
Piaget, J., 5, 9, 179, 180, 181, 182, 183, 185, 186, 187, 188, 196, 199, 200, 223, 224, 226, 227, 358, 426, B-4
Picasso, P., 80, 408
Picchioni, M. M., 623
Piercy, M., 469
Pieters, G. L. M., 454
Pike, K. M., 453
Pilcher, J. J., 145
Piliavin, J. A., 202
Pillemer, D. B., 213, 480
Pillemer, D. G., 178
Pillsworth, E. G., 466
Pillsworth, M. G., 466
Pinel, J. P. J., 450
Pinel, P., 596, 637
Pingitore, R., 457, 458
Pinker, S., 85, 139, 145, 146, 161, 285, 375, 382, 383, 384, 393, 400, 401, 413, 433, 437
Pinstrup-Andersen, P., 461
Pipe, M-E., 361
Piper, A., Jr., 610
Pipher, M., 138, 480, 530
Pirandello, L., 573, 574, 620
Pirsig, R. M., 7, 652
Pitcher, D., 242
Pitman, R. K., 342
Pitt, B., 346
Pittenger, D. J., 568
Plassmann, H., 259
Plato, 7, 47, 122, 415, 416, 564
Plaud, J. J., 643
Pleck, J. H., 146
Pleyers, G., 297
Pliner, P., 452
Plöderl, M., 472
Plomin, R., 136, 139, 142, 143, 144, 152, 406, 427, 428, 429, 460, 475, 616, 618, 626
Plotkin, H., 615
Plotnik, J. M., 195
Plous, S., 28
Pogue-Geile, M. F., 460
Poldrack, R. A., 333
Polich, J., 547
Polivy, J., 454, 463
Pollack, A., 71
Pollak, S. D., 298, 508
Pollard, R., 393
Pollick, A. S., 399
Pollitt, E., 430
Polusny, M. A., 192
Poole, D. A., 358, 359, 361
Poon, L. W., 210
Pope, H. G., 562
Popenoe, D., 157, 218
Popkin, B. M., 460, 461
Popkin, S. J., 210
Poremba, A., 65
Porter, D., 306
Porter, S., 357, 363, 364, 509
Posluszny, D. M., 536
Posner, M. I., 390
Posthuma, D., 428
Poulton, R., 629
Powdthavee, N., 458, 521
Powell, J., 587
Powell, K. E., 544
Powell, L. H., 549
Powell, L. J., 185
Powell, R. A., 561
Powers, M. B., 644
Pratkanis, A. R., 234
Premack, D., 184
Prentice, D. A., 125
Prentice-Dunn, S., 676
Presley, C. A., 116
Presley, E., 5, 554
Pressman, S. D., 519
Price, E. C., 649
Price, G. M., 456
Pridgen, P. R., 584
Prince Charles (Earl of Spencer), 2
Princess Diana (of Wales), 283, 454
Principe, G. F., 360
Pringle, P. J., 175
Prioleau, L., 657
Prior, H., 195
Proffitt, D. R., 278
Pronin, E., 587, 613, 675, 683
Propper, R. E., 104
Proust, M., 262
Provine, R. R., 12
Pryor, J. H., 146, 161, 433, 479, 619
Puchalski, C., 548
Puhl, R. M., 458
Pulkkinen, L., 194
Putnam, F. W., 611
Putnam, R., 155
Putt, A., 521
Putt, D., 521
Pyszczynski, T. A., 563, 619, 696, 710

Qirko, H. N., 689
Quanty, M. B., 518
Quasha, S., 423
Quinn, P. C., 176, 265
Quinn, P. J., 17

Rabbitt, P., 214
Rabinowicz, T., 177
Radin, D., 284
Rahman, Q., 474, 475, 477
Raine, A., 630, 698
Rainville, P., 111
Raison, C. L., 631
Rajendran, G., 186
Ralston, A., 443, 444, 446
Ramachandran, V. S., 57, 74, 187, 257, 318
Ramírez-Esparza, N., 392
Ramón y Cajal, S., 51
Rand, C. S., 458
Randall, P. K., 148
Randi, J., 6, 284, 285
Rapoport, J. L., 604, 607
Räsänen, S., 624
Rasch, B., 101
Raveis, V. H., 126
Rawles, R., 692
Rawlings, J., 199
Ray, J., 518
Ray, O., 120
Rayner, R., 5, 303
Raynor, H. A., 451
Raz, A., 111
Reagan, R., 561, 601, 718
Reason, J., 276, 690
Reed, G., 678
Reed, P., 332
Reed, T. E., 414
Rees, G., 233
Rees, Martin (Sir), 169
Regan, P. C., 146
Regier, D., 633
Reichenberg, A., 186, 622
Reichman, J., 466
Reifman, A., 139
Reijmers, L. G., 517
Reimer, D., 163
Reiner, W. G., 163
Reis, D., 195
Reis, H. T., 191, 711
Reisenzein, R., 503
Reiser, M., 283
Reite, M. L., 538
Reitzle, M., 206
Remley, A., 157
Renner, C. H., 150
Renner, M. J., 150
Renninger, K. A., 188
Renshon, J., 588
Rentfrow, P. J., 575
Repetti, R. L., 528
Rescorla, R. A., 299
Resnick, M. D., 15, 205
Resnick, R. A., 90
Resnick, S. M., 624
Ressler, R. K., 702
Retzlaff, P. D., 109
Reyna, V. F., 199, 359
Reynolds, A. J., 431

Rhoades, L., 313
Rhodes, G., 276, 697, 709
Rhodes, M. G., 361
Rhodes, S. R., 210
Rholes, W. S., 191
Ribeiro, R., 101
Riber, K. A., 411
Ricciardelli, L. A., 454
Rice, B., 675
Rice, M. E., 321
Richardson, J., 351
Richardson, J. T. E., 262
Richardson, K. D., 696
Richeson, J. A., 717
Riedner, G., 470
Rieff, P., 564
Rieger, G., 472
Riis, J., 521
Rindermann, H., 408
Ring, K., 127
Ripple, C. H., 431
Riskind, J. H., 598
Ritzler, B., 562
Rizzolatti, G., 318
Roberson, D., 392
Roberts, B. W., 224, 225, 574
Roberts, L., 539
Roberts, T-A., 161
Robertson, B. A., 213
Robins, L., 633
Robins, L. N., 126
Robins, R. W., 204, 220, 514, 572
Robinson, F. P., 12
Robinson, J., 472
Robinson, J. P., 97
Robinson, T. E., 114
Robinson, T. N., 276, 463
Robinson, V. M., 540
Rochat, F., 686
Rock, I., 90, 264, 265
Rock, J., 214
Rockefeller, J. D., Sr., 567
Rodgers, R., 513, 709
Rodin, J., 453, 538, 539, 580
Rodman, R., 383, 386
Rodriguez, A., 524
Roediger, H. L., III, 332, 354, 357, 359, 361
Roehling, M. V., 457
Roehling, P. V., 492
Roenneberg, T., 92
Roese, N. J., 220
Roesser, R., 248
Rofé, Y., 562
Rogaeva, E., 212
Rogers, C. R., 5, 553, 564, 565, 566, 567, 585, 586, 590, 641, 642, 670
Rogers, K., 531
Rogers, L. J., 78
Roggman, L. A., 708
Rohan, K. J., 657
Rohan, M. J., 139
Rohner, R. P., 158, 191, 195
Rohrer, D., 332
Roiser, J. P., 121
Rokach, A., 26
Romney, D. M., 165
Ronaldo, L., 241
Roney, J. R., 148
Roosevelt, E., 225, 565
Roosevelt, F. D. (FDR), 343
Rorschach, H., 560
Rosch, E., 370
Rose, A. J., 160
Rose, J. S., 118, 152
Rose, R. J., 152, 194, 473
Rose, S., 148, 605
Roselli, C. E., 474
Rosemary, R., 667
Rosenbaum, M., 349, 709
Rosenberg, N. A., 145
Rosengren, K. S., 180
Rosenhan, D. L., 599, 600
Rosenman, R., 532
Rosenthal, R., 432, 508, 509, 575
Rosenzweig, M. R., 149, 150
Roseth, C. J., 718
Ross, J., 101
Ross, L., 279, 374, 675
Ross, M., 355, 359, 392, 588
Rossi, A. S., 162
Rossi, P. H., 162
Rossi, P. J., 274
Rossion, B., 229
Rostosky, S. S., 471
Roth, T., 105
Rothbart, M. K., 140, 697
Rothbaum, B. O., 644
Rothbaum, F., 157
Rothblum, E. D., 146
Rothman, A. J., 381
Rothstein, W. G., 219
Rotter, J., 578
Rotton, J., 631
Rousseau, J-J., 179
Rovee-Collier, C., 178, 179, 347
Rowe, D. C., 139, 158, 429, 435, 698
Rowling, J. K., 431
Rozin, P., 298, 451
Ruback, R. B., 580
Rubel, T., 160
Rubenstein, J. S., 89
Rubin, D. C., 212, 342
Rubin, J. Z., 718
Rubin, L. B., 161
Rubin, Z., 508
Rubio, G., 602
Ruble, D. N., 166, 195
Rubonis, A. V., 530
Ruchlis, H., 371
Rudman, L. A., 694
Rudner, R., 92
Rudolph, K. D., 160
Ruffin, C. L., 531
Ruiz-Belda, M-A., 512
Rule, B. G., 323
Rumbaugh, D. M., 398, 400
Rumsfeld, D., 377
Rünger, D., 562
Rupp, D. E., 583
Rusesabagina, P., 712
Rush, A. J., 663
Rush, B., 638
Rushton, J. P., 321, 434
Russell, B., 104, 525
Russell, J. A., 512, 515
Russell, P., 346
Russo, A., 392
Russon, A. E., 318
Rusting, C. L., 519
Rutland, A., 717
Rutter, M., 192, 475
Ruys, K. I., 504
Ryan, R. M., 313, 479, 589, 523, 524
Ryckman, R. M., 457
Ryder, A. G., 608
S., 327
Saad, L., 119., 531, 692
Sabbagh, M. A., 184
Sabini, J., 684
Sachdev, J., 667
Sachdev, P., 667
Sackett, P. R., 438, 484
Sacks, O., 254, 343
Sadato, N., 74
Saddam, S., 719
Saddock, B. J., 661
Sadi, 255
Saffran, J. R., 387
Sagan, C., 7, 60, 168, 283
Sagi, D., 105
Sakurai, T., 449
Salib, E., 616
Salk, J., 412
Salmela-Aro, K., 585
Salmon, P., 543, 544
Salovey, P., 381, 412., 520
Salthouse, T. A., 210, 215
Sampson, E. E., 156
Samuels, J., 603
Samuels, S., 17
Sanders, A. R., 627
Sanders, G., 476, 477
Sandfort, T. G. M., 472
Sandkühler, S., 371
Sandler, W., 387
Sanford, A. J., 382
Sanz, C., 396, 398
Sapadin, L. A., 161
Sapirstein, G., 18
Sapolsky, B. S., 470, 703
Sapolsky, R., 209, 529, 539, 615
Saribay, S. A., 347
Sartorius, N., 608
Sartre, J-P., 168
Satel, S., 605
Sato, K., 715
Saul, S., 101
Saulny, S., 530
Saunders, S., 117
Savage-Rumbaugh, E. S., 400
Savage-Rumbaugh, S., 400
Savarino, J., 663
Savic, I., 474, 475
Savitsky, K., 585
Savoy, C., 394
Sawyer, M. G., 615
Saxe, R., 185
Sayre, R. F., 212
Scanzoni, L. D., 219, 472
Scarborough, E., 4
Scarr, S., 142, 152, 193, 408, 430
Schab, F. R., 262
Schachter, S., 464, 498, 499, 503, 507, 550
Schacter, D. L., 210, 343, 344, 350, 360, 517, 562
Schafer, G., 385
Schaie, K. W., 214
Schall, T., 208
Schechter, R., 186
Scheier, M. F., 539
Schein, E. H., 676
Schell, D. A., 214
Schellenberg, E. G., 430
Scherer, K. R., 508
Schiavi, R. C., 96
Schiavo, R. S., 687
Schieber, F., 210
Schiffenbauer, A., 687
Schilt, T., 121
Schimel, J., 567
Schimmack, U., 156, 526
Schkade, D., 689
Schlaug, G., 62
Schlesinger, A. M., Jr., 689, 690
Schmidt, F. L., 485, 486, 489, 583
Schmitt, D. P., 145, 146, 147, 571, 587
Schnaper, N., 127
Schneider, R. H., 547
Schneider, S. L., 581
Schneiderman, N., 536
Schoenborn, C. A., 98
Schoenema, T. J., 157
Schofield, J. W., 717
Schonfield, D., 213
Schooler, J. W., 357
Schopenhauer, A., 300
Schorr, E. A., 250
Schreiner-Engel, P., 96
Schugens, M. M., 345
Schultheiss, D. E. P., A-11
Schuman, H., 213
Schumann, R., 613
Schwartz, B., 302, 382, 580, 606
Schwartz, J., 521
Schwartz, J. H., 340
Schwartz, J. M., 648, 667
Schwartz, S. H., 160
Schwarz, A., 79
Schwarz, N., 349
Schwarzenegger, A., 276
Sclafani, A., 452
Scott, B. A., 511
Scott, D. J., 119, 258
Scott, E. S., 199
Scott, G., 278
Scott, J., 106, 213
Scott, W. A., 158
Sdorow, L. M., 560
Seal, K. H., 604
Seamon, J. G., 357
Sears, R. R., 426
Sebat, J., 186
Sechrest, L., 560
Secord, P. F., 694
Sedgwick, J., 5
Sedikides, C., 510
Seeman, P., 624
Segal, M. E., 689
Segal, N. L., 138, 428
Segall, M. H., 146, 164, 187
Segerstrom, S. C., 528, 540
Seidler, G. H., 656
Seidlitz, L., 619
Self, C. E., 125
Seligman, M. E. P., 85, 93, 152, 479, 488, 516, 525, 544, 564, 579, 580, 581, 585, 599, 619, 620, 648, 651, 654
Sellers, H., 229, 241
Selye, H., 529, 530, 551
Sen, A., 694
Seneca, 208, 332, 524, 580, 711
Senghas, A., 387
Sengupta, S., 717
Senju, A., 187, 318
Sensenbrenner, F. J., 457
Serruya, M. D., 70
Service, R. F., 340
Seto, M. C., 116
Seuss (Geisel, Theodor Seuss), 271
Shadish, W. R., 284, 649, 654

Shaffer, D. M., 269
Shafir, E., 379
Shafto, M. A., 214
Shakespeare, W., 92, 135, 186, 285, 339, 369, 407, 507, 518, 557, 601, 611, 613, 616, 709
Shamir, B., 492
Shanahan, L., 204
Shanley, D. P., 208
Shapiro, F., 656
Shapiro, K. A., 390
Sharma, A. R., 139
Shattuck, P. T., 186
Shaver, P. R., 189, 191, 193, 514, 696
Shaw, G. B., 690, 711
Shaw, H. L., 400
Shaw, P., 414, 595
Shea, D. F., 382
Sheehan, S., 622
Sheldon, K. M., 479
Sheldon, M. S., 466
Shelton, J. N., 717
Shenton, M. E., 625
Shepard, R. N., 277, 29
Shepherd, C., 137, 461, 630
Sheppard, L. D., 414
Shereshevskii, 327
Shergill, S. S., 716
Sherif, M., 717
Sherman, P. W., 452
Sherman, S. J., 372
Shermer, M., 162, 282
Sherrington, C., 51
Sherry, D., 344
Shettleworth, S. J., 313, 339
Shiffrin, R. M., 328, 329, 366
Shimizu, M., 209
Shinkareva, S., 87
Shotland, R. L., 712
Showers, C., 581
Shulman, P., 432
Shuwairi, S. M., 182
Sieff, E. M., 521
Siegal, M., 185
Siegel, J. M., 100, 102, 105, 541
Siegel, R. K., 113, 120, 121, 122, 127
Siegel, S., 292, 303
Siegler, R. S., 180
Sigmund, B. B., 536
Sigvardsson, S., 139
Silbersweig, D. A., 625
Sill, M., 208
Silva, A. J., 340
Silva, C. E., 108
Silver, M., 686
Silver, R. C., 222
Silveri, M. M., 199
Silverman, K., 117
Silverman, P. S., 109
Simek, T. C., 314
Simms, C. A., 610
Simon, G. E., 458, 663
Simon, H. A., 336, 381, 488
Simon, P., 322
Simon, T., 416
Simons, D. J., 90
Simonton, D. K., 216, 323, 410, 411
Simpson, J. A., 148, 191
Simpson, O. J., 333
Sinclair, R. C., 503
Singelis, T. M., 156
Singer, J. E., 498, 499, 503, 507, 550
Singer, J. L., 654
Singer, T., 257, 319
Singh, D., 148, 709
Singh, J. V., 492
Singh, S., 410, 411
Singleton, C., 601
Singleton, D., A-4
Sipski, M. L., 58
Sirenteanu, R., 274
Sivard, R. L., 208
Sjöstrum, L., 458
Skinner, B. F., 5, 6, 291, 305, 306, 307, 309, 311, 312, 313, 314, 315, 323, 324, 386, 387, 402, 488, 564, 619
Skitka, L. J., 519
Sklar, L. S., 536
Skodol, A. E., 608
Skoog, G., 603
Skoog, I., 603
Skov, R., 372
Slatcher, R. B., 711
Slater, E., 613
Slater, L., 663
Slater, M., 684
Slavin, R. E., 426
Sloan, R. P., 548
Slovic, P., 119, 376
Small, D. A., 376
Small, M. F., 124, 158
Small, S. A., 212
Smedley, A., 436
Smedley, B. D., 436
Smelser, N. J., 697
Smith, A., 624, 715
Smith, A. N., 113
Smith, C., 121, 532
Smith, E., 521
Smith, G., 208
Smith, J. E., 457
Smith, M., 252
Smith, M. B., 567
Smith, M. L., 508, 653, 654
Smith, P. B., 492, 683
Smith, S. M., 707
Smith, T. B., 658
Smith, T. W., 469, 471, 472, 651
Smolak, L., 453
Smoreda, Z., 161
Snedeker, J., 386
Snodgrass, S. E., 514
Snowdon, D. A., 424
Snyder, F., 106
Snyder, M., 600
Snyder, S. H., 51, 53, 664
Sokol, D. K., 135
Solomon, D., 405
Solomon, D. A., 664
Solomon, J., 600
Solomon, M., 707
Solomon, S., 563
Sommer, R., 154
Sonergård, L., 663
Song, S., 110
Sontag, S., 537
Soon, C. S., 88
Sørensen, H. J., 623
Sorkhabi, N., 195
Soukupova, H., 455
Soussignan, R., 514
South, S. C., 196
Sowell, T., 719
Spalding, K. L., 458
Spanos, N. P., 109, 110, 610
Spearman, C., 406, 407, 410, 440
Specht, J. C., 567
Spelke, E. S., 182, 433
Spencer, D. (Princess Diana of Wales), 283, 454
Spencer, J., 176
Spencer, K. M., 624
Spencer, S. J., 438
Sperling, G., 337
Sperry, R. W., 75, 76, 80, 81, 242
Speth, J. G., 523
Spiegel, D., 110, 611
Spiegel, K., 98
Spielberg, S., 383
Spielberger, C., 533
Spinoza, B., 1
Spitzer, R. L., 605, 608, 615
Spooner, W. A., 561
Spradley, J. P., 154
Sprecher, S., 510, 707
Spring, B., 463, 655
Springer, J. A., 137, 138
Spruijt, N., 492
Squire, L. R., 344
Srivastava, A., 523
Srivastava, S., 571, 581
St. Augustine, 168
St. Clair, D., 625
St. John, 613
Stack, S., 616
Stafford, R. S., 662
Stager, C. L., 385
Stagg, A. A., 215
Stanley, J. C., 426, 433
Stanovich, K., 554
Stapel, D. A., 504
Staples, B., 692
Stark, R., 6, 162
Starr, J. M., 424
Stathopoulou, G., 543
Staub, E., 605, 677
Staubli, U., 340
Steel, P., 526
Steele, C. M., 116, 434, 438
Steele, J., 80
Steenhuysen, J., 250
Steer, R. A., 616
Steger, M. F., 602
Steinberg, L., 195, 198, 199, 205
Steinberg, N., 706
Steinhauer, J., 136
Steinmetz, J. E., 345
Stelzner, S. P., 492
Stengel, E., 616
Stern, M., 278
Stern, S. L., 540
Stern, W., 417
Sternberg, E. M., 412, 534
Sternberg, R. J., 406, 407, 409, 410, 411, 415, 427, 436, 440, 510, 711, A-11
Stetter, F., 545
Stevens, W., 16
Stevenson, H. W., 426, 436
Stevenson, R. J., 260
Stevenson, R. L., 484, 610
Stewart, B., 29
Stice, E., 453, 454, 455
Stickgold, R., 100, 104, 105
Stinson, D. A., 542
Stipek, D., 195
Stith, S. M., 321
Stockton, M. C., 468
Stoddart, R., A-5
Stohr, O., 138
Stokoe, W., 251
Stone, A. A., 257, 520
Stone, G., 609
Stone, L. D., 220
Stone, R., 604
Stoolmiller, M., 139
Stoppard, J. M., 510
Storbeck, J., 506
Storm, L., 284
Storms, M. D., 473, 474, 674, 687
Stough, C., 414
Strack, F., 514, 680
Strack, S., 620
Strahan, E. J., 233
Stranahan, A. M., 75
Strand, S., 434
Stratton, G. M., 274
Straub, R. O., 399
Straus, M. A., 160, 311
Stravinsky, I., 306, 408
Strawbridge, W. J., 548
Strayer, D. L., 89
Strenze, T., 408
Strickland, B., 209
Strickland, F., 630
Striegel-Moore, R. M., 454
Stroebe, M., 222
Strupp, H. H., 657
Stumpf, H., 432, 433
Stunkard, A. J., 460
Suarez, S. D., 194
Subiaul, F., 317
Suddath, R. L., 627
Sue, S., 658
Suedfeld, P., 127, 605
Sugita, Y., 271
Suinn, R. M., 394
Sullivan, A., 177
Sullivan, P. F., 615
Suls, J. M., 525, 532
Summers, M., 593
Summerville, A., 220
Sundel, M., 216
Sundet, J. M., 420
Sundstrom, E., 492
Sunstein, C. R., 376, 382
Suomi, S. J., 193, 557, 607
Super, C., A-3
Super, D., A-3
Suppes, P., 185
Susman, E. J., 224
Süß, H-M., 412
Susser, E., 625, 627
Susser, E. S., 604
Susskind, J. M., 516
Sutcliffe, J. S., 186
Sutherland, A., 316
Sutton, D., 690
Svebak, S., 540
Swann, W. B., Jr., 585
Sweat, J. A., 283
Swerdlow, N. R., 624
Swift, J., 3
Swim, J. K., 694
Symbaluk, D. G., 257
Symond, M. B., 624
Symons, C. S., 335
Szucko, J. J., 505
Szymanski, K., 688

Tabarlet, J. O., 470, 703
Taha, F. A., 104
Taheri, S., 99, 102, 460
Tajfel, H., 696

Takahashi, N., 156
Talal, N., 534
Talarico, J. M., 342
Talbot, M., 680
Talwar, S. K., 66
Tamres, L. K., 162
Tanfer, K., B-4
Tang, S-H., 312
Tangney, J. P., 579
Tannen, D., 27, 161
Tannenbaum, P., 235
Tanner, J. M., 197
Tarbert, J., 678
Tarmann, A., 472
Tarrier, N., 644
Tasbihsazan, R., 423
Taub, E., 74
Taubes, G., 463
Tavris, C., 355, 519, 560, 678
Tayeb, M., 492
Taylor, P. J., 320
Taylor, S., 587, 604
Taylor, S. E., 162, 377, 394, 529
Taylor, S. P., 699
Teasdale, T. W., 420
Tedeschi, R. G., 605
Teerlink, R., 492
Teghtsoonian, R., 234
Teicher, M. H., 192, 595
Teitelbaum, P., 450
Tellegen, A., 217, 515, 526
Teller, E., 413
ten Brinke, L., 509
Tennyson, A., 162
Tenopyr, M. L., 483
Teran-Santos, J., 102
Teresa (Mother), 376
Teresi, D., 67
Terman, L. M., 416, 417, 426, 440
Terman, M., 92, 657
Terracciano, A., 158, 224
Terrace, H. S., 9, 399
Terre, L., A-5
Tertullian, 696
Tesch, F., 525
Tesser, A., 204
Tetlock, P. E., 5, 718
Thaler, R. H., 382
Thannickal, T., 102
Thatcher, R. W., 177
Thayer, R. E., 543
Théoret, H., 187
Thernstrom, M., 258
Thiel, A., 74
Thiele, T. E., 124
Thomas, A., 139, 190, 224
Thomas, G. C., 687
Thomas, L., 53, 262, 387, 653, 660
Thomas, S. L., 323
Thompson, C. P., 339
Thompson, D., 360
Thompson, J. K., 463
Thompson, P. M., 177, 428
Thompson, R., 353
Thomson, R., 161
Thoreau, H. D., 278
Thorndike, E., 305, 324, 412, 419
Thorne, J., 593
Thornhill, R., 465, 709
Thornton, A., B-4
Thornton, B., 707
Thornton, G. C. III, 583
Thorpe, W. H., 400
Thurstone, L. L., 406, 407, 410, 440
Tice, D. M., 205, 701
Tickle, J. J., 118
Tiedens, L. Z., 519
Tiger, L., 312
Tikkanen, T., 6
Tillmann, H. C., 478
Timlin, M. T., 13
Timmerman, T. A., 700
Tinbergen, N., 444
Tirrell, M. E., 296, 298
Titchener, E. B., 3, 4, 5, 60, B-1
Tockerman, Y. R., 457
Todorov, A., 508
Tofighbakhsh, J., 333
Tolin, D. F., 605
Tolkien, J.R.R., 553, 573, 574
Tollefson, G. D., 663
Tolley-Schell, S. A., 508
Tolman, E. C., 312
Tolstoy, L., 9, 143, 197, 217, 612, 633
Tomiczek, C., 260
Tondo, L., 664
Toni, N., 341
Toole, E., 629
Tordoff, V., 338
Torrey, E. F., 625, 658
Totterdell, P., 680
Towler, G., 687
Townshend, P., 220
Tracey, J. L., 514
Tramontana, M. G., 423
Tranel, D., 78
Traub, J., 217
Trautwein, U., 585
Treffert, D. A., 407
Treisman, A., 265
Tremblay, R. E., 124, 629
Trewin, D. 164, 481
Triandis, H. C., 154, 156, 157, 580, 701
Trickett, P. K., 192
Trillin, A., 566
Trillin, C., 566
Trimble, J. E., 125
Triplett, N., 687
Trolier, T. K., 15
Troller, J. N., 220
Tropp, L. R., 716
Trull, T. J., 628
Truman, H. S., 343, 690
Trut, L. N., 144
Trzesniewski, K. H., 220
Tsai, J. L., 513
Tsang, B. Y-P., 157
Tsang, Y, C., 449
Tsankova, N., 143
Tschaikovsky, P. I., 393
Tse, D., 344
Tsien, J. Z., 340
Tsuang, M. T., 615
Tuber, D. S., 28
Tucker, K. A., 491
Tuerk, P. W., 430
Tully, T., 295
Tulving, E., 333, 334, 344
Tumulty, K., 461
Turk, D. C., 258
Turkheimer, E., 429, 430
Turner, J. C., 695
Turner, N., 492
Turpin, A., 282
Tutu, D., 479
Tversky, A., 16, 374, 375
Tversky, B., 6
Twain, M., 47, 48, 11, 119, 140, 313, 358, 429, 586, 613, 647
Twenge, J. M., 167, 204, 481, 588, 608, 615, 701
Twiss, C., 14
Tyler, K. A., 192

Uchino, B. N., 542
Uddin, L. Q., 79
Udry, J. R., 163
Uga, V., 104
Ullman, E., 482
Ulman, K. J., 198
Ulmer, D., 532, 545
Ulrich, R. E., 27
Unsworth, N., 329
Urbany, J. E., 381
Urry, H. L., 502
Ursu, S., 607
Uttal, D. H., 180
Uttal, W. R., 73

Vaccarino, A. L., 344
Vaidya, J. G., 571
Vaillant, G. E., 360, 541
Valdes, A. M., 209
Valenstein, E. S., 667
Vallone, R. P., 5
van Boxtel, H. W., 588
Van Cauter, E., 98
van den Boom, D., 190
van den Bos, K., 492
van der Maas, H. L. J., 407
van der Werf, S. Y., 615
Van Dyke, C., 120
van Engen, M. L., 160
van Gogh, V., 143
van Goozen, S. H. M., 629
van Hemert, D., 513
Van Hesteren, F., 202
van IJzendoorn, M. H., 139, 190, 195, 428
van Ittersum, K., 267
Van Leeuwen, M. S., 164
Van Lommel, P., 127
Van Rooy, D. L., 412
van Schaik, C. P., 397
Van Tassel-Baska, J., 423
Van Yperen, N. W., 711
Van Zeijl, J., 190
Vance, E. B., 465
VandeCreek, L., 362
Vandenberg, S. G., 433
Vanman, E. J., 693
Vannucci, M., 360
Vaughn, K. B., 514
Vazire, S., 575
Vecera, S. P., 268
Vega, V., 702
Vegas, R., 316
Vekassy, L., 104
Velliste, M., 70
Venditte, P., 79
Veneziano, R. A., 191, 195
Venter, J. C., 136
Verbeek, M. E. M., 570
Verhaeghen, P., 210
Verier, R. L., 530
Verma, S., 436
Vernon, P. A., 414, 415
Vertes, R., 105
Vessel, E. A., 446
Vigil, J. M., 198
Vigliocco, G., 385
Vining, E. P. G., 74
Virgil, 17, 500, 518
Viswesvaran, C., 412
Vita, A. J., 119
Vitello, P., 210, 231
Vitevitch, M. S., 90
Vittengl, J. R., 663
Voas, D., 572
Vogel, P., 75
Vogel, S., 142
Vohs, K. D., 146
Vollhardt, J., 605
von Békésy, G., 249
Von Ebner-Eschenbach, M., 215
von Helmholtz, H., 244, 249
von Hippel, W., 211
von Senden, M., 273
Voyer, D., 432
Vrana, S. R., 501
Vroom, V. H., 492
Vyazovski, V. V., 100
Vygotsky, L., 185, 188

Waber, R. L., 18
Wacker, J., 569
Wadden, T. A., 463
Wade, K. A., 357
Wade, N. G., 658, 659
Wagar, B. M., 335
Wager, T. D., 258, 608
Wagner, A. D., 333
Wagner, A. R., 299
Wagner, F. E., 656
Wagner, N. N., 465
Wagner, R. K., 409
Wagner, U., 101
Wagstaff, G., 675
Wahlberg, D., 530
Wai, J., 426
Wakefield, J. C., 595, 605, 612
Waldrop, M. F., 423
Walk, R. D., 266
Walker, M. P., 100
Walker, W. R., 221
Wall, P. D., 255, 256
Wallace, D. S., 676
Wallace, G. L., 407
Wallace, I. J., A-11
Wallach, L., 567
Wallach, M. A., 567
Waller, J., 686
Walsh, T., 627
Walster (Hatfield), E., 706
Wampold, B. E., 654, 657, 658
Wang, S-H., 182
Wangchuk, J. S., 523
Wansink, B., 267, 452
Ward, A., 463
Ward, C., 114
Ward, J., 260
Ward, K. D., 119
Ward, L. M., 470
Wardle, J., 259
Wargo, E., 547
Warm, J. S., 232
Warr, P., 540
Warren, R., 277
Washburn, A. L., 448, 449
Washburn, M. F., 4
Wason, P. C., 372, 373
Wasserman,. E., 514
Wasserman, E. A., 306, 396
Wastell, C. A., 542
Waterman, A. S., 204

Waterman, I., 254
Waterman, R. H., Jr., 315
Waters, E., 189
Watkins, E. R., 612
Watkins, J. G., 610
Watkins, M. J., 332, 333
Watson, D., 515, 520, 543, 585
Watson, J. B., 5, 85, 294, 299, 303, 323
Watson, R. I., Jr., 688
Watson, S. J., 122
Watson, T., 315
Wayment, H. A., 218
Weaver, J. B., 468
Webb, W. B., 95, 97, 101
Weber, E., 234
Wechsler, D., 214, 418, 420, 437
Weed, W. S., 281
Wegner, D. M., 85, 88, 613
Weigel, G., 209
Weil, A., 546
Weinberger, D. R., 199
Weiner, B., 675
Weingarten, G., 482
Weinstein, N. D., 582
Weir, M., 80
Weis, S., 412
Weiskrantz, L., 242
Weiss, A., 526, 570
Weiss, D. S., 605
Weiss, H. M., 488
Weiss, J. M., 539
Weissman, M. M., 614, 640
Weisz, J. R., 155
Weitzman, M. S., 714
Welch, J. M., 607
Welch, W. W., 604
Weller, S., 470
Wellings, K., 469
Wellman, H. M., 182, 185
Wells, B. L., 469
Wells, G., 359
Wells, G. L., 292, 360
Wender, P. H., 616
Wener, R., 580
Werker, J. F., 385
Wernicke, C., 389, 390, 402, 403
West, R. L., 213
Westen, D., 507, 559, 561, 654
Wetzel, R. D., 616
Weuve, J., 211
Whalen, P. J., 501, 505, 506
Whaley, S. E., 194
Whalley, L. J., 423, 424, 539
Whalley, P., 423
Wheeler, B. W., 663
Wheeler, D. R., 10, 283
Wheelwright, J. 137
Whishaw, I. Q., 150, 411
White, G. L., 710
White, H. R., 699
White, K. M., 205
White, L., 219
White, R. A., 284
Whitehead, B. D., 218
Whiten, A., 11, 318, 397
Whiting, B. B., 157
Whiting, J. W. M., 528
Whitley, B. E., Jr., 477, 696
Whitlock, J. R., 340
Whitman, C., 501
Whitman, W., 50, 613
Whitmore, J. K., 436
Whooley, M. A., 533
Whorf, B. L., 391, 402
Wicherski, M., A-4
Wichman, H., 281
Wickelgren, I., 186
Wickelgren, W. A., 334
Widiger, T. A., 628
Widom, C. S., 192
Wielkiewicz, R. M., 492
Wiens, A. N., 645
Wierson, M., 315
Wierzbicki, M., 139
Wiesel, T. N., 241, 274
Wiesner, W. H., 486
Wiest, J. R., 704
Wigdor, A. K., 437
Wike, R., 692
Wilcox, A. J., 466
Wilde, O., 587
Wilder, D. A., 696
Wildman, D. E., 135
Wiles, A., 410, 411, 412
Wilford, J. N., 168
Wilkens, C., 712
Willemsen, T. M., 160
Williams, C. "Andy", 480
Williams, C. L., 530
Williams, H. J., 627
Williams, J. E., 160, 533
Williams, J. H. G., 220, 318
Williams, K. D., 480, 481, 688
Williams, R. E., 532
Williams, S., 312
Williams, S. L., 644
Williams, W. M., 430
Williamson, D. A., 453
Willingham, B., 511
Willingham, W. W., 421
Willis, J., 508
Willmuth, M. E., 468
Wilson, A. E., 392, 588
Wilson, C. M., 541
Wilson, D. B., 284, 426
Wilson, G. D., 474, 475, 477
Wilson, G. T., 116
Wilson, J. Q., 201
Wilson, M., 339
Wilson, M. A., 105
Wilson, R. C., 689
Wilson, R. S., 140, 178, 212, 216
Wilson, T. D., 89, 301, 438
Wilson, W. A., 124
Wiltshire, S., 407
Windholz, G., 296, 298
Winerman, L., 232
Winfrey, O., 166 346, 464
Wingfield, A., 251
Wink, P., 221
Winkielman, P., 504
Winner, E., 426
Winquist, J., 619
Wiseman, R., 284, 357, 372, 573
Wisman, A., 196
Witelson, S. F., 413, 477, 73
Witt, J. K., 278
Wittgenstein, L., 169
Witvliet, C. V. O., 501, 519
Wixted, J. T., 351
Woehr, D. J., 583
Woerlee, G. M., 127
Wojtowicz, J. M., 663
Wolak, J., 702
Wolfe, M. S., 212
Wolfe, T., 48
Wolfson, A. R., 106
Woll, S., 707
Wolpe, J., 643
Wolpert, E. A., 104
Wonder, S., 252
Wonderlich, S. A., 453
Wong, D. F., 624
Wong, M. M., 161
Wood, C. J., 80
Wood, J. M., 354, 560
Wood, J. N., 397
Wood, J. V., 619
Wood, M., 432
Wood, W., 148, 149, 160, 162, 167, 292, 485, 510, 583, 691
Woodruff, G., 184
Woodruff-Pak, D. S., 214, 345
Woods, N. F., 198
Woods, T., 98, 312, 436
Woodward, B., 2
Woodward, L. G., 614
Woody, E. Z., 112
Woodyard, D., 306
Woolcock, N., 682
Woolf, V., 613
Worobey, J., 140
Worthington, E. L., Jr., 199, 659
Wortman, C. B., 222, 304
Wren, C. S., 125
Wright, F. L., 215
Wright, I. C., 625
Wright, J., 208
Wright, P., 625
Wright, P. H., 161
Wright, W., 138
Wrosch, C., 531
Wrzesniewski, A., 482
Wu, W., 212
Wuethrich, B., 115
Wulsin, L. R., 533
Wundt, W., 2, 3, 4, 5, 13, B-1
Wyatt, J. K., 105, 354
Wyatt, R. J., 626
Wynn, K., 182
Wynne, C. D. L., 399
Wysocki, C. J., 262

Xu, Y., 343
Xun, W. Q. E., 392

Yach, D., 456
Yalom, I. D., 649
Yamagata, S., 572
Yang, N., 702
Yang, S., 582
Yanof, D. S., 205
Yarnell, P. R., 341
Yarrow, L. J., 193
Yates, A., 453, 601
Yates, W. R., 467
Ybarra, O., 585
Yellen, A., 93
Yip, P. S. F., 617
Yonas, A., 266
Young, R., 15
Young, T., 244
Youngentob, S. L., 175
Youngman, H., 105
Yücel, M., 122
Yufe, J., 138
Yuki, M., 513

Zabin, L. S., 198
Zaccaro, S. J., 492
Zadra, A., 103
Zadro, L., 480
Zagorsky, J., 408
Zajonc, R. B., 25, 417, 503, 506, 507, 550, 687, 705, 706
Zammit, S., 623
Zanna, M. P., 139, 694
Zauberman, G., 377
Zeelenberg, R., 504
Zeidner, M., 412, 434
Zeineh, M. M., 344
Zeno, 642
Zhang, J. V., 450
Zhang, P., 209
Zigler, E. F., 192, 430, 431
Zilbergeld, B., 651, 654
Zillmann, D., 468, 503, 702
Zillmer, E., 562
Zimbardo, P. G., 677, 678, 688, 696
Zimmerman, R. D., 486
Zimmerman, T. D., 213
Zinbarg, R., 605, 606, 607
Zogby, J., 248
Zornberg, G. L., 625
Zou, Z., 261
Zubieta, J-K., 256, 258
Zucco, G. M., 262
Zucker, G. S., 675
Zucker, K. J., 471
Zuckerman, M., 446
Zvolensky, M. J., 602

Index des sujets

AA (Alcooliques Anonymes), 650
Abu Ghraib, prison d', 678
Acceptation, dans le traitement centré sur la personne de Rogers, 565
Accidents
alcoolisme et, 115
attention sélective et, 89-90
privation de sommeil et, 99-100
Accommodation
dans le développement cognitif, 180
visuelle, 237
Acétylcholine (ACh), 52-54
Acide
désoxyribonucléique (ADN), 134
stress et, 530
lysergique diéthylamide (LSD), 121
Acouphènes, 257
Acquisition, dans le conditionnement classique, 296-297
Action morale, 201-202
Activation, optimale, 445-446
Adaptation
neuro-adaptation, 113
perceptive, 274-275
sensorielle, 234-236
ADN (acide désoxyribonucléique), 134
stress et, 530
Adolescence, 196-206
développement cognitif pendant l', 199-202
développement physique pendant l', 197-199
développement social pendant l', 202-205
émergence de l'âge adulte et, 205-206
grossesse pendant l', 469-470
sexualité pendant l', 469-471
Adrénaline, 59
Aérobic
pour le contrôle du stress, 543-544
lors de dépression, 668
Affect abrasé, dans la schizophrénie, 623
Âge, *voir aussi les périodes d'âge spécifiques*
adulte, 206-223
développement cognitif pendant l', 212-216
développement physique pendant l', 207-212
développement social pendant l', 216-222
émergence de l', 205-206
engagement dans l', 217-219
milieu de l', changements physiques du, 207-208
stades de l', 216-217
mental, 416
suicide et, 616
Agoraphobie, 603
Agressivité, 698-705
amygdale et, 65
biologie de l', 698-699
facteurs psychologiques et, 700
facteurs socioculturels et, 701-705
sexe et, 160
violence à la télévision et, 321-322
Aire(s)
associatives, 72-73
de Broca, 389
de Wernicke, 389
Alcool, 114-116, 123
activité sexuelle et, 116
agressivité et, 699
conscience de soi et contrôle de soi et, 116
désinhibition due à l', 115
effet attendu de l', 116
grossesse des adolescents et, 470
ralentissement du traitement neural dû à l', 115
situations sexuelles et, 116
syndrome d'alcoolisme fœtal et, 175
troubles de la mémoire et, 115
Alcooliques Anonymes (AA), 650
Algorithmes, 371
Alimentation, *voir aussi* Faim
écologie de l', 452-453
obésité et, 460-461
troubles de l', 453-455
Altruisme, 712-714
effet des témoins et, 712-713
normes pour donner de l'aide et, 714
Alzheimer, maladie d', 212, 341
American Psychological Association (APA), 4, 6
branches de l', A-5, A-6
Amnésie, 342-343
infantile, 178, 345
de la source, 358
Amorçage, 232, 347
Amour, 217-219
passionnel, 710
romantique, 710-712
Amphétamines, 117
Amygdale, 65
crainte et, 517
troubles de l'anxiété et, 607
Analyse
factorielle
des traits de la personnalité, 569
intelligence et, 406
de liaison, 616
Animaux
attirance pour le même sexe chez les, 474
capacité numérique chez les, 396-397
de compagnie, gestion du stress avec des, 541
langage chez les, 398-401
pensée chez les, 395-398
recherche utilisant les, 40-42
Anorexie mentale, 453-455
Antagonistes, 54
Antidépresseurs, 662-663
Anxiolytiques, 661-662
APA (*American Psychological Association*), 4, 6
branches de l', A-5-A-6
Aphasie, 389
Apnée du sommeil, 102-103
Appartenance, besoin d', 478-481
émotion et, 479
ostracisme et, 480-481
relations soutenues et, 480
survie et, 478-479
Apprentissage, 291-325
par association, 291-293. *Voir aussi* Apprentissage par observation ; Conditionnement classique ; Conditionnement opérant
définition de l', 291
fractionné, 364
implicite, 562
latent, 312
en masse, 332
des nouveau-nés, 175-176
par observation, 293, 317-323
de l'agressivité, 702
application de l', 320
effets antisociaux de l', 321-323
effets prosociaux de l', 321
expériences de Bandura sur l', 319-320
neurones miroirs et, 318-319
troubles anxieux et, 606
de la peur, 516
social, théorie de l', de l'identité sexuée, 165
Approche
biopsychosociale, 8. *Voir aussi* Culture ; Influences biologiques ; Influences psychologiques ; Influences sociales ; *et les facteurs spécifiques*
de l'être humain, 667
des troubles de la personnalité antisociale, 630
des troubles psychologiques, 596-597
empirique, 18
Aptitude(s)
sensorielles, de l'âge adulte, 210
spatiale, orientation sexuelle et, 476-477
Assimilation, développement cognitif, 180
Association libre, 554
Astrologie, 572-573
Attachement, 188-194
différences d', 190-191
non assuré, 190
origines de l', 188-190
privation d', 192-194
rupture d', 193
soins quotidiens et, 193-194
stable, 190
Attentes, des participants aux tests, 438

Attention
  dans la schizophrénie, 622
  sélective, 89-91, 622
    hypnose et, 111
    dans la schizophrénie, 622
Attirance, 705-712
  amour et, 710-712
  physique, séduction et, 706-709
  psychologie de l', 705-710
  théorie de l'effet renforçateur de l', 710
Attitudes, 675-679. *Voir aussi* Croyances
  effet du comportement sur les, 676-679
  effet sur le comportement des, 675-676
  scientifiques, 18-20
Attribution dispositionnelle, 674
Audition, 245-252
  culture des Sourds et, 250-252
  développement du langage et, 388
  ondes sonores et, 245-246
  oreille et, 250-252
  perte d', 246-250
Autisme, 186-187
Autodépréciation, sentiment d', dépression et, 618-620
Autonomie versus honte et doute, 202
Aversion gustative, conditionnement classique de l', 300-301
Axones, 49
  perméabilité sélective des, 50

Bachotage, 332
Bâillement, 93
Barbituriques, 116
Bâtonnets, 238-239
Bébés
  difficiles, 139
  lents à s'échauffer, 139
Behaviorisme (comportementalisme), 5, 85, 294
Besoins
  d'appartenance, 478-481
  hiérarchie des, 446-447
Biais
  de l'après-coup, 16-17, 697
  de l'autosatisfaction, 586-589
  de confirmation, 372-373
  de groupe, 696
  oubli et, 350
  dans les tests d'intelligence, 437-438
  de l'unité, 452
Bien-être
  au cours de la vie, 220-221
  richesse et, 522-523
  subjectif, 520
Big Five, facteurs de la personnalité, 571-572
Blindsight (vision aveugle), 242
Blocage, oubli et, 350
Boîte de Skinner, 305
Bonheur, 519-526
  augmentation du, 525
  durée des hauts et bas émotionnels et, 520-521
  expériences passées et, 524
  facteurs prédictifs de, 526
  niveau de réussite des autres et, 524-526
  richesse et, 522-523
Bouc émissaire, théorie du, 696
Boulimie, 453
Bulbe rachidien, 63
Buts
  motivation d'accomplissement et, 491
  d'ordre supérieur, 717

Ça, 555
Cadre
  mental, 373
  perceptif, 275-279
    développement du langage et, 399
    effet du contexte et, 277-278
    émotion et motivation et, 278-279
Caféine, 117, 123
Cage à conditionnement opérant, 305
Canaux semi-circulaires, 254
Cancer, stress et, 536-537
Cannon-Bard, théorie de, 498
Caractères sexuels
  primaires, 197
  secondaires, 197-198
Carcinogènes, 536
Carrières en psychologie, A-1-A-10
  champs de la psychologie et, A-5-A-9
  se préparer aux, A-1-A-5
  se préparer tôt aux études supérieures et, A-9-A-10
Cartes cognitives, 312
Cas marquants, préjugés et, 697
Catastrophes, 530
Catatonie, lors de schizophrénie, 623
Catégorisation, préjugés et, 696-697
Catharsis, 518
Cause, corrélation versus, 27-28, 196
Cécité
  à la cécité au choix, 91
  au changement, 90
  au choix, 90-91
  inattentionnelle, 90
  à sa propre incompétence, 582-583
  aux visages, 229
Cellules
  adipeuses, obésité et, 458
  bipolaires, 238-239
  ciliées, 246-247
  ganglionnaires, 238
  natural killer (NK), 534
Centres de la récompense, dans l'hypothalamus, 66-67
Cerveau, 60-81
  absence de conscience de son fonctionnement, 64
  de l'adulte, 210-212
  autisme et, 186-187
  besoin d'appartenance et, 481
  conscience et, 86-91
  cortex cérébral du, *voir* Cortex cérébral
  démence et, 211-212
  dépression et, 617-618
  développement du, *voir* Développement du cerveau
  divisé, 75-78
    conscience et, 87
  douleur et, 258
  électroencéphalographie et, 61
  études du, 61-62
  études sur le cerveau partagé, 75-80
  faim et, 449-450
  hémisphères du, 75-79
  hormones sexuelles et, 163
  imagerie du, *voir* Neuro-imagerie
  intelligence et, 413-415
  langage et, 389-391
  latéralité et, 79-80
  léser le, 61
  lésions du, 73-75
  lobes du, 68
  mémoire et, 340-345
  neuro-imagerie et, 62
  orientation sexuelle et, 474-475
  peur et, 517
  plasticité du, 73-75
  rêves et, 106-107
  et schizophrénie, 624-626
  sens du goût et, 259
  stockage des souvenirs dans le, 340-345
  structures inférieures (primitives) du, 62-67
  traits de la personnalité et, 569
  troubles anxieux et, 607-608
  vision et, 241-243
Cervelet, 64
  mémoire et, 345
Chagrin, 221
Changement, *voir* Stabilité et changement
Charisme des leaders, 492
Chimpanzés, langage chez les, 398-401
Choix, tyrannie du, 580
Chromosome(s)
  sexuels, 162
  X, 162
  Y, 162
Classification Internationale des Maladies (CIM-10), 597
Cocaïne, 119-120, 123
Cochlée, 246
Coefficients de corrélation, 25
Cognition, 179, 369-382. *Voir aussi* Pensée
  concepts et, 370-371
  conditionnement classique et, 299
  conditionnement opérant et, 311-313
  détection de mensonge et, 504-505
  émotion et, 503-507
  de l'identité sexuelle, 165-166
  influence du langage sur la, 392-393
  pensée et langage chez les animaux et, 395-401
  penser en images et, 393-394
  préjugés et, 696-697
  prise de décision et jugements et, 373-382
  résolution de problème et, 371-373
Colère, 518-519
  en tant qu'émotion masculine, 510
  maladies cardiaques et, 532-533
Collectivisme, individualisme versus, 155-157
Communautés directives, 195
Communication, *voir aussi* Développement du langage ; Langage
  conflits et, 718
  facilitée, 655

Communication (*suite*)
neuronale
altération par des drogues et des substances chimiques, 53-54
neuromédiateurs et, 51-54
neurones et, 49-51
processus de la, 51
non verbale, 507-511
sexe et, 509-511
Compétence
créativité et, 411
versus infériorité, stade, 202
Compléments nutritionnels, lors de la dépression, 668
Complicité amoureuse, 710-712
Comportement
opérant, 304
répondant, 304
sexuel, hormones et, 466-467
Concept(s), 370-371
de soi, 566
pendant l'enfance, 194-195
Conception, 173-174
Conciliation, 718-719
Conditionnement
aversif, 644-645
classique, 292-303
acquisition pendant le, 296-297
applications du, 302-303
aversif, 644-645
comparaison avec le conditionnement opérant, 316-317
discrimination et, 299
expériences de Pavlov sur le, 294-299
extinction et récupération spontanée lors du, 297-298
généralisation et, 298
de la peur, trouble anxieux et, 606
prédispositions biologiques et, 299-302
processus cognitifs et, 299
dans les thérapies comportementales, 643-645
traumatismes en tant que, 304
opérant, 293, 304-317
applications du, 314-315
cognition et, 311-313
conditionnement classique, comparaison avec le, 316-317
développement du langage et, 386
expériences de Skinner sur le, 305-311
modelage du comportement et, 305-307
prédispositions biologiques et, 313
programme de renforcement, 308-309
punition et, 310-311
dans la thérapie comportementale, 645-646
type de renforcement, 307-308
d'ordre supérieur, 296
du second degré, 296
Cônes, 238-239
Confiance
basale, 191
versus méfiance, stade, 202
psychothérapie et, 657-658
Confidence, complicité amoureuse et, 711
Conflits, 714-716
communication et, 718
conciliation et, 718-719
contact et, 716-717
coopération et, 717-718
matrimoniaux, 219
parents/enfants, 204-205
perception de l'ennemi et, 715-716
piège social et, 715
Conformisme, 680-683, 686
pression du groupe et, 681-683
Connexionisme, 328
Connexité sociale
dépression et, 668
en fonction du sexe, 160-162
groupement de stimuli et, 265
Conscience, 85-130
cerveau et, 86-91
divisée, hypnose comme, 111-112
double traitement de l'information et, 87-91
drogues et, *voir* Drogues psychoactives
états de la, 86
expérience au seuil de la mort et, 126-128
hypnose et, 108-112
neurosciences cognitives et, 86-87
rêves et, 103-107
du soi, alcoolisme et, 116
sommeil et, *voir* Sommeil
Conseillers, 659
Conseils, personne donnant des, 196
Conservation, dans la théorie de Piaget, 183
Considération positive inconditionnelle, dans la thérapie centrée sur la personne, 565, 642
Constance perceptive, 269-272
de la brillance, 271
des couleurs, 271-272
de la forme et de la taille, 269-271
de la luminosité, 271
Construction mnésique, 356-364
amnésie de la source et, 358
discerner les vrais des faux souvenirs et, 358-360
effet de désinformation et d'imagination et, 356-358
souvenirs des maltraitances et, 361-364
témoignages oculaires d'enfants et, 360-361
Contact
conflit et, 716-717
physique, attachement et, 188-189
Contenu
latent, 555
des rêves, 105
manifeste, 555
des rêves, 104
Contexte, retrait et, 347-348
Continuité
groupement de stimuli et, 265
et stades, *voir aussi* Stades et développement, 173, 223-224
Contrôle
hypnotique, 109
personnel
impuissance acquise versus, 579-580
lieu de, 578
perçu, 538-539
pouvoir en tant qu'individu et, 690-691
« du portillon », théorie du, de la douleur, 255
social, contrôle personnel et, 690
de soi
alcoolisme et, 116
diminution et renforcement, 579
Coopération, 717-718
Coping
centré sur les émotions, 538
centré sur le problème, 538
Cornée, 237
Corps calleux, 75
Corrélation, 25-30
causalité versus, 27-28, 196
illusoire, 28-29
percevoir un ordre dans des événements fortuits et, 29-30
Cortex
auditif, 246
cérébral, 68-75
fonctions du, 69-73
intelligence et, 414
plasticité et, 73-75
structure du, 68
cingulaire antérieur
besoin d'appartenance et, 481
troubles anxieux et, 607
moteur, 69-71
cartographie, 69-70
prothèses neurales et, 70-71
sensoriel, 71-72
Cortisol, 529
Courbe normale, 36, 419-420
Créativité
intelligence et, 410-412
sommeil et, 101
versus stagnation, stade, 202
Crise du milieu de vie, 216
Cristallin, 237
Critère, validité d'un test et, 421
Croissance
post-traumatique, 605
sommeil et, 101
Croyances, *voir aussi* Attitudes
sentiment d'auto-dépréciation, dépression et, 618-620
Culture(s), 153-158. *Voir aussi* Perspective socioculturelle
comportement et, 39-40
douleur et, 257
éducation des enfants et, 157-158
expression de l'émotion et, 511-513
normes de, 154
préférences gustatives et, 452
psychothérapie et, 657-658
similarité développementale entre les groupes et, 158
soi et, 155-157
des Sourds, 250-252
usage de drogues et, 124-126
variations avec le temps, 155
variations entre les, 154
Curiosité, science et, 19
Cyber-ostracisme, 481
Cycle de la réponse sexuelle, 465-466
phase d'excitation du, 465
phase de plateau du, 465
phase de résolution du, 466

Darwin, *De l'origine des espèces*, 7, 145
Débat personne/situation, 574-576
Debriefing ou intervention de crise, 655
Déclin terminal, 216
Déconditionnement, 643
Déficits cognitifs, légers, 341
Définitions opérationnelles, 21
Déjà vu, 348
Démence, 211-212
Dendrites, 49
Déni de la réalité, 558
Dépendance
  aux drogues, 113-114
  physique à la drogue, 113
  psychologique, 113
Déplacement, 558
Dépolarisation, 50
Dépresseurs, 114-117, 123
  alcool, 114-116, 123
  barbituriques, 116, 123
  opiacés, 116-117, 123
Dépression, *voir aussi* Troubles de l'humeur
  affections cardiaques et, 533
  cercle vicieux de la, 620-621
  saisonnière, 656-657
  thérapie de Beck de la, 647-648
Désensibilisation systématique, 643-644
Désindividualisation, 688
Désinformation, effet de, 357
Désinhibition, alcoolisme et, 115
Détection
  de caractéristiques, 241
  du mensonge, 504-505
  du signal, théorie de la, 231-232
Déterminisme
  linguistique, 391-392
  réciproque, 577-578
Développement
  du cerveau
    pendant l'adolescence, 198
    pendant la première et la seconde enfance, 177
    premières expériences et, 149-151
    processus de *pruning*, 150, 177, 198
  cognitif
    pendant l'adolescence, 199-202
    pendant l'âge adulte, 212-216
    pendant l'enfance, 179-188
    moralité et, 200-202
    pouvoir de raisonnement et, 199
    rêves et, 106-107
    théorie de Piaget du, 179-188
  de l'identité, 203-204
  du langage, 384-388
    événements importants, 385-386
    processus du, 386-388
  moral, 200-202
  moteur, durant la première et la seconde enfance, 178
  personnel, 565
  physique
    pendant l'adolescence, 197-199
    à l'âge adulte, 207-212
    pendant la première enfance et la seconde enfance, 177-179
  prénatal, 173-175. *Voir aussi* Grossesse
    conception et, 173-174
    hormones pendant le, orientation sexuelle et, 475-477
  psychosocial, théorie des stades d'Erikson, 202-204
  sexuel, 159-166
    influences biologiques sur le, 162-163
    influences sociales sur le, 164-166
    similitudes et différences entre les sexes et, 159-162
  social,
    à l'adolescence, 202-205
    à l'âge adulte, 216-222
    attachement et, 188-194
    conception du soi et, 194-195
    mode d'éducation parental et, 195-196
    pendant la première et la seconde enfance, 188-196
  structures appropriées sur le plan du, 427
Diagnostic and Statistical Manual of Mental Disorders (4e édition) (DSM-IV-TR), 597-598
Différence(s)
  entre groupes, héritabilité et, 141
  individuelles, héritabilité et, 140-141
  tout juste détectable, 234
Diffusion de la responsabilité, effet témoin, 713
Diplômes de troisième cycle, carrières en psychologie et, A-3-A-5, A-9-A-10
Discordance cognitive, théorie de la, 678-679
Discours, *voir aussi* Langage
  aspects statistiques du, 387-388
  télégraphique, 386
Discrimination, 691
  conditionnement classique et, 299
Disparité rétinienne, 267
Distraction, 350
Division du travail, 153
Dopamine, 53
  schizophrénie et, 624
Double traitement, 87-91
  attention sélective et, 89-91
  les deux voies de l'esprit et, 87-89
Douleur, 255-258
  contrôle de la, 258
  hypnose pour soulager la, 109-110
  influences biologiques sur la, 255-257
  influences psychologiques sur la, 257
  influences socioculturelles sur la, 257
Down (syndrome de), 425
Drogues psychoactives, 85, 112-116. *Voir aussi* Alcool
  addiction et, 113-114
  dépendance et, 113
  dépresseurs, 114-117
  hallucinogènes, 121-122
  influences biologiques sur l'utilisation de, 123-124
  influences psychologiques sur l'utilisation de, 124-126
  influences socioculturelles sur l'utilisation de, 124-126
  stimulants, 117-121
DSM-IV-TR (*Diagnostic and Statistical Manual of Mental Disorders*, 4e édition), 597-598
Dyskinésie tardive, 661
Écart type, 35-36
Échafaudage, 188
Échange social, théorie de l', 714
Échantillonnage randomisé, méthodes d'enquêtes et, 23-24
Échantillons, généralisation à partir d', 37
Échelles
  comportementales, pour l'évaluation des performances, 487
  pour l'évaluation des performances, 487
  graphiques d'appréciation, pour l'évaluation des performances, 487
Éclaircissement, lors de la thérapie centrée sur la personne, 642
Économie de jetons, 646
Écoute active, 642
Ecstasy (drogue), 120-121, 123
Éducation
  pour les carrières en psychologie, A-1-A-5, A-9-A-10
  conditionnement opérant et, 314
  des enfants
    culture et, 157-158
    identité sexuelle et, 165-166
    type d'éducation parentale et, 195-196
  immersion et, 425
  intelligence et, 430-431
  structures appropriées sur le plan du développement et, 427
EEG (électroencéphalogramme), 61
  stades du sommeil et, 93-95
Effet(s)
  3D, 267
  antisociaux de l'apprentissage par observation, 321-323
  des attentes, alcoolisme et, 116
  caméléon, 680
  cocktail, 89
  de contexte, 277-278
  facial, 513-514
  Flynn, 420
  de halo, 487
  Mozart, 430
  de l'observation de la violence, 322
  d'ombre et lumière, 267-268
  de l'ordre des naissances des fratries, 473
  placebo, 31, 546, 652
  de présentation, 381-382
  de primauté, 333
  de sélection, influence des pairs et, 152
  témoin, 712-713
  du test, 332
  trans-ethnique, 697
  de voix, motivation d'accomplissement et, 492
Égocentrisme, dans la théorie de Piaget, 183
Éjaculation précoce, 466
Électroconvulsivothérapie (électrochocs), 664-665
Électroencéphalogramme (EEG), 61
  stades du sommeil et, 93-95
Embryons, 174
EMDR (mouvements oculaires de désensibilisation et de retraitement), 656
Émergence de l'âge adulte, 205-206

Émotion(s), 497-527. *Voir aussi les émotions spécifiques*
  amygdale et, 65
  appartenance et, 479
  cadre perceptif et, 278
  cognition et, 503-507
  comportement non verbal et, 509-511
  culture et, 511-513
  détection du mensonge et, 504-505
  détection des, 508-509
  différences entre, 501-502
  expressions du visage et, 513-514
  exprimées, 507-514
  inappropriées, dans la schizophrénie, 623
  mémoire et, 348-349
  physiologie des, 500-502
  préjugés et, 696
  sexe et, 509-511
  théories de l', 498-499
  vécues, 514-527
Empathie
  en tant que caractéristique du sexe féminin, 511
  psychothérapie et, 657-658
  dans la thérapie centrée sur la personne de Rogers, 565-566
Emplacement, théorie de l', 249
Empreinte, attachement et, 189-190
Enclume (os), 246
Encodage, 328, 330-337
  acoustique, 333-334
  niveau de traitement et, 333-335
  organiser l'information pour l', 335-337
  sémantique, 356
  traitement automatique et, 330
  traitement contrôlé et, 331-333
  visuel, 333-335
Endorphines, 53, 117, 256
Enfance
  attachement pendant l', 191-194
  développement du cerveau pendant l', 177
  développement cognitif pendant l', 179-188
  développement du langage pendant l', 386
  développement moteur pendant l', 178
  image de soi pendant l', 194-195
  relation avec les pairs pendant l', 152
  styles d'éducation parentale et, 195-196
  témoignage oculaire pendant l', 360-361
Enfant de moins de trois ans, *voir aussi* Nouveau-né
  développement cérébral de l', 177
  développement du langage chez l', 385-386
  développement moteur chez l', 178
  environnement de l', intelligence et, 430
  mémoire chez l', 178-179, 345
  position sur le dos pour dormir chez l', 178
  tempérament de l', 139-140
Engagement
  de l'âge adulte, 217-219
  de l'employé, 488-490
Enquêtes, 23-24
Enrichissement humain assisté, 430
Entretien
  d'embauche, 485-486
  non structuré, 485
  structuré, 485-486
Épisodes maniaques, 613
Épuisement, dans le syndrome général d'adaptation, 530
Équité, complicité amoureuse et, 711
Érection, troubles de l', 96, 466
Erikson
  théorie du développement psychologique d', 202-204
  théorie des stades d', développement psychosocial, 166-167
Erreur
  par effet de récence, 487
  fondamentale d'attribution, 674
  liée à une trop grande indulgence, 487
  liée à une trop grande sévérité, 487
Espace personnel, 154
Espacement, effet de l', 332
Espérance de vie, 208-209
Espoir, psychothérapie et, 657
Esprit
  à deux voies, 87-89
    hypnose et, 111-112
  fonction de l', 3-4
  interactions avec le corps, 537
  en tant que produit du cerveau, 60
  structure de l', 3
  théorie de l', 184-185, 318
Essais cliniques randomisés, 653
Estime de soi
  assurée, 589
  avantages de l', 585-586
  défensive, 589
  différence entre les sexes et, 159
États de la conscience, 86
Étendue (ou *range*), 35
Éthique, dans les expériences de recherche, 42
Ethnicité
  intelligence et, 434-437
  suicide et, 616
Étiqueter les troubles psychologiques, 599-600
Étrier (os), 246
Étude(s)
  d'adoption, de l'intelligence, 428-429
  de cas, 22-23
  fragmentation du temps d', 332, 364
  de jumeaux, de l'intelligence, 427-428
  longitudinales, du déclin intellectuel, 214-215
  transversales, du déclin intellectuel, 214
Événements
  pénibles, agressivité et, 700
  de la vie, stressants, 530-531
Évolution, controverses concernant l', 168-169
Excès de confiance, 18, 376-377
  dans les aptitudes à faire passer des entretiens, 485
Exercice physique,
  pour la dépression, 668
  gestion du stress et, 543-544
  santé et, 544
Expérience(s), 166. *Voir aussi* Problématique nature/culture
  élevées, 565
  précoces, développement du cerveau et, 149-151
  au seuil de la mort, 126-128
Expérimentation(s), 30-33
  animaux, sujets d', 40-42
  éthique et, 42
  homme, sujet d', 42
  en relation avec la vie de tous les jours, 39
  répartition aléatoire et, 31
  variables dépendante et indépendante et, 32-33
Expressions du visage
  culture et, 511-513
  effets des, 513-514
  sexe et interprétation des, 509-511
Extinction, dans le conditionnement classique, 297-298
Eysenck, questionnaire de la personnalité d', 569

Facilitation sociale, 687
  manger et, 452
Facteurs
  humains, psychologie des, 279-281, 482
  de stress, 528
    événements de la vie en tant que, 530-531
Faim, 447-464
  influences psychologiques et culturelles sur la, 451-455
  obésité et contrôle du poids et, 455-464
  physiologie de la, 448-451
Faire face au stress, 538-542
  animaux de compagnie et, 541
  coping centré sur les émotions, 538
  coping centré sur le problème, 538
  optimisme et, 539-540
  perception du contrôle et, 538-539
  soutien social et, 540-542
Falaise virtuelle, 266
Familiarité, attachement et, 189-190
Faux jumeaux, 135-137
Faux souvenirs, 361-364
Femmes, *voir aussi* Genre
  grossesse et, *voir* Grossesse
  ménarche et, 198
  ménopause et, 207-208
  en psychologie, 4
Fenêtre ovale, 246
Fente synaptique, 51
Fermat, dernier théorème de, 410
Fermeture, groupement des stimuli et, 265
Fiabilité, des tests d'intelligence, 421
Figure-fond, relation, 264
Fixation, 373-374, 556
Flux, 482
Fœtus, 174-175
Foi, gestion du stress et, 547-549
Folie, défense, 601
Fonctionnalisme, 3-4
Formation
  réactionnelle, 557
  réticulée, 63-64
Formulation, des enquêtes, 23
Fovéa, 239
Fuseaux de sommeil, 95

GABA (Acide gamma-aminobutyrique), 53
Gaine de myéline, 49
GAS (Syndrome général d'adaptation), 529-530

Gène(s), 134-135, 166
anxiété et, 607
autorégulation des, 141
interaction avec l'environnement, 142
Généralisation
dans le conditionnement classique, 298
à partir d'échantillons, 37
du stimulus, troubles anxieux et, 606
Génétique
comportementale, 134-143
gènes et, 134-135
génétique moléculaire et, 142-143
héritabilité et, 140-141
interaction des gènes et de l'environnement et, 242
jumeaux séparés et, 137-138
parents biologiques versus parents adoptifs et, 138-139
tempérament et, 139-140
vrais jumeaux versus faux jumeaux et, 135-137
moléculaire, comportementale, 142-143
Génome, 135
Genre (sexe), *voir aussi* Femmes
agressivité et, 160
comportement et, 40
éducation des enfants et, 165-166
émotion et, 509-511
espérance de vie et, 209
estime de soi et, 159
intelligence et, 431-434
pouvoir social et, 160
réseau social et, 160-162
sexualité et, 146-147
suicide et, 616
troubles de l'alimentation et, 454
Gestalt, 263-264
Gestion
centralisée et dirigiste, 492-493
efficace, 490-493
par objectifs, 491
du stress, 543-549
aérobic pour la, 543-544
biofeedback, relaxation et méditation et, 544-545, 547
spiritualité et, 547-549
de la terreur, théorie de la, 563
Ghréline, 450
Glandes surrénales, 59
Glucose, faim et, 449
Glutamate, 53
troubles anxieux et, 607
Goût, 258-260
acide, 259
amer, 259
salé, 259
sucré, 259
Graduated and Reciprocated Initiatives in Tension-Reduction (GRIT), 719
Grammaire, 384
GRIT (*Graduated and Reciprocated Initiatives in Tension-Reduction*), 719
Grossesse, *voir aussi* Développement prénatal
adolescentes, 469-470
infection virale pendant la, schizophrénie et, 625-626
Groupe
d'appartenance et de non-appartenance, préjugés et, 695-696
contrôle, 31
expérimental, 31
Groupement, 335-336
perception de la forme et, 264-265

Habituation, 292, 468
chez le nouveau-né, 175-176
Hallucinations, 95
dans la schizophrénie, 622-623
Hallucinogènes, 121-123
Handicap intellectuel, 425-426
Hauteur
relative, 268
tonale, 246
perception de la, 249
Head start, programme, 430-431
Hémisphère(s),
ablation d'un, 74
spécialisation des, 75-80
dans le cerveau intact, 78-80
recherches sur le cerveau partagé et, 75-78
Hérédité, *voir* Génétique comportementale ; Influences génétiques ; Problématique nature/culture
Héritabilité, 140-141
de l'intelligence, 429
Héroïne, 123
Hétérosexualité, 474
Heuristique(s), 371, 374-376
de la disponibilité, 375-376
Hiérarchies
des besoins, 446-447
traitement de l'information et, 336-337
Hippocampe
dépression et, 617
mémoire et, 344
Homéostasie, 445
Homosexualité, *voir* Orientation sexuelle
Horloge
biologique, 92-93
sociale, 217
Hormones, 58-60
agressivité et, 699
comportement sexuel et, 466-467
faim et, 450
prénatales, orientation sexuelle et, 475-477
réponse au stress et, 528-530
sexuelles, 162
stress, mémoire et, 341-342
syndrome de stress post-traumatique et, 605
Humeur
aérobic et, 543-544
durée des hauts et des bas et, 520-521
lien de l', 680
médicaments régulateurs de l', 664
mémoire et, 348-349
troubles de l', 611-621
perspective biologique sur les, 615-618
perspective sociocognitiviste sur les, 618-621
trouble bipolaire, 612-613
trouble dépressif majeur, 612
Humilité, science et, 19
Hyperphagie boulimique, 453
Hypertension, 527
Hypnose, 108-112
action contre la volonté d'un individu et, 109
capacité à être sous, 108
en tant qu'état divisé de la conscience, 111-112
en tant que phénomène social, 110
rappel et, 109
pour le traitement de la douleur, 110
utilisation thérapeutique de l', 109-110
Hypnothérapeutes, 109
Hypochondrie, 609
Hypophyse, 59-60
Hypothalamus, 66-67
faim et, 449-450
latéral, faim et, 449
ventromédian, faim et, 449-450
Hypothèses, 21
de la catharsis, 704-705

Idées délirantes, dans la schizophrénie, 622
Identification, 556
sexuée, 165
Identité
sexuée, 165-166, 556
sociale, 203-204, 695
versus confusion des rôles, stade, 202
Illusion
horizontale-verticale, 267
de l'intervieweur, 485
lunaire, 270
de la main en caoutchouc, 253-254
du masque concave, 88
perceptive, 270-271
Imagerie, 335
par résonance magnétique (IRM), 62
par résonance magnétique fonctionnelle (IRMf), 62
conscience et, 87
langage et, 390
Images, penser en, 393-395
Imagination, effets de l', 357-358
Imitation, 323
Immersion, 425
Implant cochléaire, 251
Impuissance acquise, 579-580
dépression et, 618-619
Inactivité, obésité et, 461
Inattention sélective, 90-91
Incitations, 445
Incompétence personnelle, cécité à l', 582-583
Inconscient, 554. *Voir aussi* Théorie psychanalytique
collectif, 559
perspective moderne de l', 562-563
tests projectifs et, 559-560
Indices
binoculaires, 266-267
monoculaires, 267-268
Individualisme
collectivisme versus, 155-157
développement moral et, 201
psychologie humaniste et, 567
Inégalités sociales, préjugés et, 694

Infections
  sexuellement transmissibles (IST), 469-471, 536
  virales
    schizophrénie et, 625-626
    transmises sexuellement, 469, 536
Inférences statistiques, 37-38
Infériorité, complexe d', 558
Influences biochimiques, *voir aussi* Drogues psychoactives ; Hormones ; Neuromédiateurs ; *et les substances spécifiques*
  agressivité et, 699
Influences biologiques, *voir aussi* Approche biopsychosociale ; Drogues psychoactives ; Hormones ; Influences génétiques ; Neuromédiateurs ; Problématique nature/culture ; *et les influences spécifiques*
  sur l'agressivité, 698-699
  sur l'autisme, 186-187
  sur la crainte, 516-517
  sur le développement sexuel, 162-163
  sur la douleur, 255-257
  sur la personnalité, 569-570
  sur les préférences gustatives, 451
  sur l'usage de drogues, 123-124
Influences de l'environnement, 134. *Voir aussi* Expérience ; Problématique nature/culture
  créativité et, 411-412
  sur l'intelligence, 429-431
  interaction avec les gènes, 142
  sur la puberté, 198
Influences génétiques, *voir aussi* Génétique comportementale ; Problématique nature/culture
  sur l'agressivité, 698
  sur l'intelligence, 427-429
  sur la latéralité, 80
  sur l'obésité, 460
  sur l'orientation sexuelle, 475
  sur la puberté, 198
  sur la schizophrénie, 626-627
  sur les traits de la personnalité, 569
  sur les troubles de l'alimentation, 454
  sur les troubles anxieux, 607
  sur les troubles de l'humeur, 615-616
  sur les troubles de la personnalité antisociale, 630
Influences du groupe, 687-690
  désindividualisation et, 688
  facilitation sociale et, 687
  paresse sociale et, 688
  pensée de groupe et, 689-690
  polarisation du groupe et, 689
Influences nerveuses, agressivité et, 698-699
Influences psychologiques, *voir aussi* Approche biopsychosociale
  sur la consommation de drogues, 124-126
  sur la douleur, 257
  sur la schizophrénie, 627-628
Influence(s) sociale(s), 679-691
  agressivité et, 701-705
  conformisme et, 680-683
  sur la consommation de drogues, 124-126
  sur le développement sexuel, 164-166
  sur la douleur, 257
  influence du groupe et, 687-690
  informationnelle, 682-683
  normative, 682
  obéissance et, 683-686
  pouvoir des individus et, 690-691
Influences socioculturelles, *voir* Approche biopsychosociale ; Culture ; Influences sociales
Inhibiteurs sélectifs de la recapture de la sérotonine (ISRS), 662
Initiative versus culpabilité, stade, 202
Innovation, préservation de l', 153
Insight (prise de conscience), 371
  chez l'animal, 396
Insomnie, 101-102
Instincts, 444-445
Insuline, faim et, 449
Intégrité versus désespoir, stade, 202
Intelligence, 405-411
  analytique, 409
  en tant que capacité mentale générale, 406-407, 410
  cerveau et, 413-415
  corporelle, kinesthésique, 408
  créative, 409
  créativité et, 410-412
  cristallisée, 215-216
  définition de l', 406
  émotionnelle, 412-413
  évaluation de l', *voir* Tests d'intelligence
  fluide, 215-216
  générale (*facteur g*), 406-407, 410
  héritabilité de l', 429
  influences de l'environnement sur l', 429-431
  influences génétiques sur l', 427-429
  interpersonnelle, 408
  intrapersonnelle, 408
  mathématique, logique, 408
  multiple, 407-410
  musicale, 408
  naturaliste, 408
  pratique, 409
  retard mental, 425-426
  similitudes et différences ethniques et, 434-437
  similitudes et différences sexuelles et, 431-434
  spatiale, 408
  stabilité de l', 422-424
  surdoués, 426-427
  verbale, 408
  vieillissement et, 214-216
Intensité des sons, 246
  perception de l', 248
Interaction
  gène/environnement, 142
  sensorielle, 259-260
Interface d'utilisation de l'utilisateur, 482
Interférence(s)
  minimiser les, 365
  oubli et, 353-354
  proactive, 353
  rétroactive, 353-354
International Union of Psychological Science, 6
Interneurones, 49
Interposition, 268
Interprétation, en psychanalyse, 639
Intimité, 204
  complicité amoureuse et, 711-712
  versus isolement, stade, 202
Introspection, 3
Intuition, 378-381
  surestimation de l', 16-18
Intuitionnisme social, développement moral et, 201
Inventaire de la personnalité, 570
Ions, échange d', par les neurones, 50
Iris, 237
IRM (imagerie par résonance magnétique), 62
  fonctionnelle (IRMf), 62
    conscience et, 87
    langage et, 390
IST (infections sexuellement transmissibles), 469-471, 536

James-Lange, théorie de, 498
Jeu de rôle, attitude et, 677-678
Jeux vidéo, agressivité et, 703-705
Jugement, 373-382
  excès de confiance et, 376-377
  heuristique et, 374-375
  intuition et, 378-381
  persévération des préjugés et, 377
  présentation et, 381-382
  de valeur, 42-43
Jumeaux
  faux, 135-137
  séparés, 137-138
  virtuels, 138
  vrais, 135-137

Kinesthésie, 254

Langage, 382-395
  chez les animaux, 395-401
  appareil d'acquisition du, 386
  cerveau et, 389-391
  développement du, 384-388
  influence du, sur la pensée, 391-393
  productif, 385-386
  réceptif, 385
  seconde langue, apprentissage, 388
  des signes
    développement du langage et, 388
    utilisé par les chimpanzés, 399
  structure du, 383-384
  universel, 386-387
Latéralisation, 75-80
  dans le cerveau intact, 78-80
  études sur le cerveau partagé, 75-78
Latéralité manuelle, 79-80
  facteurs génétiques de la, 80
Leadership
  fonctionnel, 491
  social, 492
  style de, 491-493
  transformationnel, 492
Leptine, 450
Lésions, 61
Licence, carrières en psychologie et, A-1, A-3
Lieu de contrôle
  externe, 578
  interne, 578

Lignes de la main, lire les, 572-573
Liste de contrôle pour l'évaluation des performances, 487
Lithium, 664
Lobes
frontaux, 68
maturation pendant l'adolescence, 199
occipitaux, 68
pariétaux, 68
temporaux, 68
Lobotomie, 667
Loi de l'effet, 305
LSD (acide lysergique diéthylamide), 121
LTP (potentialisation à long terme), 340-341
Lumière, 236-237
intensité de la, 237
longueur d'ondes de la, 237
Luminosité
constance de la, 271
relative, 271
Luminothérapie, 656-657, 668
Lymphocytes, 534
B, 534
T, 534

Maladie(s)
coronarienne, stress et, 532-533
mentales, *voir* Troubles psychologiques
psychophysiologique, 534
sensibilité aux, stress et, 534-537
sexuellement transmissibles (MST), 469-471, 536
stress et, 527-531
Mariage, 218-219
Marijuana, 122
Marteau (os de l'oreille), 246
Masquage des stimuli, 232-233
Masters, diplômes, carrières en psychologie et, A-3
Matière grise
intelligence et, 414
en fonction du sexe, 163
Maturation, 177
du cerveau, chez l'adolescent, 199
mémoire de l'enfant de moins de trois ans et, 178-179
Mauvais traitements, souvenirs des, refoulés versus fabriqués, 361-364
Mauvaise attribution
oubli et, 350
source, 374
McGurk, effet de, 260
MDMA (méthylène-dioxy-méthamphétamine), 120-121, 123
Mécanisme de défense, 557-558
Médecine(s)
comportementale, 527
douces et médecines parallèles, 546
Médiane, 34
Méditation, gestion du stress, 547
Mélatonine, rythme circadien et, 92
Membrane basilaire, 246
Membre fantôme, sensation du, 256
Mémoire(s), 327-367
alcoolisme et, 115
amélioration de la, 364-365
caractère transitoire de la, et oubli, 350
cerveau et, 340-345
congruente à l'humeur, 349
construction de la, *voir* Construction mnésique
à court terme, 329, 338-339
déclarative, 343
dépendant de l'état, 349
donner une signification à la, 214, 364
de la douleur, 257
échoïque, 338
encodage et, 328, 330-337
explicite (déclarative), 343
hormones du stress et, 341-342
hypnose et, 109
iconographique, 337
implicite (procédurale ou non déclarative), 343-344
à long terme, 329, 339
modèles de traitement de l'information et, 328-329
non déclarative, 343-344
oubli et, *voir* Amnésie ; Oubli
pendant la petite enfance, 178-179
potentielle, vieillissement et, 213
prospective, vieillissement et, 213
rappel et, 328, 345-349
refoulée versus fabriquée, 361-364
rêves et, 105-106
sensorielle, 329, 337-338
sommeil et, 100-101
stockage de la, 328, 337-345
de travail, 329, 338-339
Ménarche, 198
Ménopause, 207-208
Mesure de la tendance centrale, 34-35
Méta-analyse, 653-654
Métabolisme basal, 451
Méthamphétamine, 117, 123
Méthode
corrélationnelle, 33
descriptive, 33
d'étude PIL2R, 12, 364
expérimentale, 33
des préférences, 176
scientifique, 21-22
Méthylène-dioxy-méthamphétamine (MDMA), 120-121, 123
Migration en chaîne, 480
Mimétisme, 317, 320-323
comportemental, 320-323
Minnesota Multiphasic Personality Inventory (MMPI), 570
Minorités, influence des, 691
Mise en relation en ligne, 706
MMPI (*Minnesota Multiphasic Personality Inventory*), 570
Mnémotechniques, 335, 346
Mode, 34
de vie, modification du, thérapeutique, 667-668
Modelage, 305-307
Modèle
médical, 596
prosocial, 321
de traitement de l'information, de la mémoire, 328-329
Modification
du comportement, 645-646
thérapeutique du mode de vie, 667-668
Moelle épinière, 57-58
Moi, 584-589
évaluation du, 566
Mondialisation de la psychologie, 6
Moralité conventionnelle, 200
Morphèmes, 384
Mort et mourir
à l'âge adulte, 221-222
au cours de la petite enfance, 178
suicide et, 616-617
Motivation, 443-495
d'accomplissement, 487-493
bien diriger et, 490-493
satisfaction et engagement et, 488-490
activation optimale et, 445-446
besoin d'appartenance et, 478-481
cadre perceptif, 279-280
créativité et, 411
définition de la, 443
extrinsèque, 312
faim et, *voir* Faim
hiérarchie des besoins et, 446-447
incitations et, 445
instinct et, 444-445
intrinsèque, 312-313
pulsions et, 445
sexuelle, stimuli internes et externes influençant la, 468-469
sexuelle, *voir* Sexualité
au travail
évaluer les performances et, 486-487
exploiter les dons, 483-486
mode de direction efficace et, 490-493
psychologie organisationnelle et, 482, 487-493
psychologie du personnel et, 482-487
psychologie du travail (industrielle et organisationnelle), 482
satisfaction et engagement, 488-490
Mouvement
oculaire de désensibilisation et de retraitement (EMDR), 656
relatif, 268
stroboscopique, 269
Moyenne, 34-35
MST (maladies sexuellement transmissibles), 469-471, 536
Mutations, 144
Myéline, maturation du cerveau et, 199

Narcolepsie, 102
Necker, cube de, 263-264
Néophobie, 452
Nerf, 55
auditif, 246
optique, 238
Neuroadaptation, 113
Neurogenèse, 74
Neuro-imagerie, 62
conscience et, 87
langage et, 390
dans la schizophrénie, 625
Neuroleptique (antipsychotique), 661

Neuromédiateurs, 51-54
  dépression et, 617-618
  dans la schizophrénie, 624
  stockage des souvenirs et, 340
Neurones, 49-51
  communication entre les, 51. *Voir aussi* Neuromédiateurs
  interneurones, 49
  miroirs, 187, 318-319
  moteurs, 49
  pruning, 150, 177, 198
  sensoriels, 49
Neuropsychologues, A-8
  cliniciens, A-8
Neurosciences cognitives, 5, 86-87
New Lanak Mills, 489
Nicotine, 117-119, 123
Niveaux d'analyse, 8-10
NK (*natural killer*) cellules, 534
Noradrénaline, 53, 59
  dépression et, 617-618
Norme(s), 120
  de l'assistance, 714
  des cultures, 154
  de réciprocité, 714
Nouveau-né, 175-176. *Voir aussi* Enfant de moins de trois ans
  sommeil et, 97
Noyau suprachiasmatique, rythme circadien et, 92
Nuage de points, 25-26

Obéissance, 683-686
Obésité, 455-464
  effets sociaux de l', 457-458
  niveau d'activité et, 461
  perte de poids et, 462-464
  physiologie de l', 458-462
Obestatine, 450
Objectifs de réalisation, 491
Observation naturaliste, 24-25
Odorat, 260-263
Œdipe, complexe d', 556
Œil, 237-240
Œstrogène, comportement sexuel et, 466
Olfaction, 260-263
Ondes
  alpha, 94
  delta, 95
  sonores, 245-246
    amplitude des, 246
    fréquence des, 246
Opérations formelles, 199
Opiacés, 116-117
Optimisme, 580-583
  cécité à sa propre incompétence et, 582-583
  excessif, 581-582
  santé et, 539-540, 581
Oreille, 246-250
  externe, 246
  interne, 246, 254
  localisation des sons et, 249-250
  moyenne, 246
  ouïe et, 246-250
  perception de la hauteur tonale et, 249
  perception de l'intensité des sons et, 248
  sens de l'équilibre et, 254
Orexine, 449
Orgasme, 465-466
Orientation sexuelle, 471-477
  animaux et, 474
  cerveau et, 474-475
  gènes et, 475
  hormones prénatales et, 475-477
  origine de l', 473-477
  spirale des cheveux et, 476
  statistiques sur l', 472-473
Ostracisme, 480-481
Oubli, 349-356
  amnésie et, 178, 342-343, 345, 358
  déclin du stockage et, 351-352
  échec de l'encodage et, 350-351
  échec du rappel et, 352-355
  interférence et, 353-354
  motivé, 354-355
Ouïe, 245. *Voir aussi* Audition

Papilles gustatives, 259
Paraphraser, dans la thérapie centrée sur la personne, 642
Parapsychologie, 282
Parent(s)
  autoritaires, 195
  développement et, 151-152
  directifs, 195
  parents adoptifs versus parents biologiques, 138-139
  permissifs, 195
  relation des adolescents avec leurs, 204-205
Parentalité
  conditionnement opérant et, 315
  styles de, 195-196
Paresse sociale, 688
Pause d'éloignement, 311
Pensée, *voir aussi* Cognition
  convergente, 411
  critique, 20
  désorganisée, lors de la schizophrénie, 622
  divergente, 411
  de groupe, 689-690
  imaginative, créativité et, 411
Perception, 230, 263-285
  adaptation de la, 274-275
  du bruit, 248
  constance perceptive et, 269-272
  du contrôle, 538-539
  de l'ennemi, 715-716
  extrasensorielle (PES), 282-285
    affirmations en faveur de la, 282
    prémonition ou prétention et, 282-285
    tests expérimentaux sur la, 283-285
  facteur humain et, 279-281
  de la forme, 264-265
  de la hauteur tonale, 249
  image en miroir, 715-716
  interprétation perceptive et, 272-281
  du mouvement, 269
  organisation de la perception et, 263-272
  de la profondeur, 266-268
  sensation versus, 229
  trouble de la, dans la schizophrénie, 622-623
  des visages, 273, 276
Percevoir un ordre dans les événements fortuits, 29-30
Performance(s)
  évaluation de la, 486-487
  sportives, conditionnement opérant et, 314
Période
  critique
    attachement et, 189
    développement du langage et, 387-388
    perception et, 274
  réfractaire, 50, 466
Permanence de l'objet, 181-182
Persévération des préjugés, 377
Persistance, oubli et, 350
Personnalité, 553-591
  aventurière, créativité et, 411
  créativité et, 411
  excitation cérébrale et, 569
  histrionique, 628
  maladie cardiaque et, 532
  le Moi et la, *voir* Moi
  perspective humaniste et, 564-567
  perspective psychanalytique et, 554-564
  perspective sociocognitiviste de la, 576-584
  schizotypique, 628
  traits de, 567-576
  de type A, 532
  de type B, 532
Perspective de l'apprentissage, sur les troubles anxieux, 606
Perspective biologique
  et troubles de l'anxiété, 606-608
  et troubles de l'humeur, 615-618
Perspective centrée sur la personne, 565-566
Perspective cognitiviste, 9
Perspective comportementale, 9
Perspective évolutionniste, 9
  critique de la, 248-249
Perspective de la génétique comportementale, 514
Perspective linéaire, 268
Perspective neuroscientifique, 9
Perspective psychodynamique, 9
Perspective sociocognitiviste
  sur la personnalité, 576-584
    contrôle personnel et, 578-583
    déterminisme réciproque et, 577-578
    évaluation de la, 584
    évaluation de la situation sur le comportement et, 583
  sur les troubles de l'humeur, 618-621
Perspective socioculturelle, 9
Perspective des traits de personnalité, 567-576
  analyse factorielle et, 569
  Big Five et, 571-572
  évaluation de la, 573-576
  évaluation des traits et, 570
  facteurs biologiques et, 569-570
Persuasion subliminale, 232-234
Perte de poids, 462-464
PES, *voir* Perception extrasensorielle (PES)
Pessimisme, versus optimisme, 580-583

Peur, 378-379, 516-517
amygdale et, 65
apprentissage de la, 516
biologie de la, 516-517
conditionnement de la, 606
de l'étranger, 188
Phase de résistance du syndrome général d'adaptation, 530
Phénomène
du « doigt dans l'engrenage », 676-677
du « je l'ai toujours su », 16-17
du monde équitable, préjugés et, 697
du niveau d'adaptation, 524
phi, 269
du « qui se sent bien, agit bien », 520
du report de la mort, 209
de rétroaction du comportement, 514
Phobies, 517, 603
sociales, 603
spécifiques, 603
Phonèmes, 383
Phrénologie, 47-48
Piaget, théorie du développement cognitif, 179-188
Pièges sociaux, 715
Placenta, 175
Plasticité
du cerveau, 73-75
érotique, 473
PNI (psycho-neuro-immunologie), 534-535
Poids corporel
obésité et, 455-464
point de réglage et, 451, 459-460
Point
aveugle, 238
de référence, 451, 459-460
de réglage, 451
Polarisation du groupe, 689
Polygraphes, 504-505
Ponzo, illusion de, 270
Population, 24
Position
dans la série, effet de, 332-333
de sommeil sur le dos pour les bébés, 178
Potentialisation à long terme (LTP), 340-341
Potentiel
d'action, 49-51
de préparation, 88
de repos, 50
Pouvoir social, genre et, 160
Pratique basée sur les preuves, 655
Prédispositions biologiques
dans le conditionnement classique, 299-302
dans le conditionnement opérant, 313
Préférences
d'accouplement, sélection naturelle et, 147-148
gustatives, 451-452
Préjugés, 691-697
automatiques, 693
envers les personnes obèses, 457-458
niveaux de, 692, 694
origines cognitives des, 696-697
origines émotionnelles des, 696
origines sociales des, 694-696
Première éjaculation (spermarche), 198
Prémonition, 282
Préservation de l'innovation, 153
Pression du groupe, conformisme et, 683-686
Principe
de frustration-agression, 700
de plaisir, 555
de réalité, 555
de la salve, 249
Principles of Psychology (James), 4
Prise de décision, 373-382
Prison de Stanford, expérience de la, 677-678
Privation
relative, 524-526
sensorielle, restauration de la vision et, 273-274
Problématique nature/culture (inné/acquis), 7-8, 133, 166-169. *Voir aussi* Culture ; Expérience ; Génétique comportementale ; Influences biologiques ; Influences de l'environnement ; Influences génétiques
controverses concernant l'évolution et, 168-169
développement et, 173
héritabilité et, 141
influences des pairs et, 126-128
influences parentales et, 152
Procédure en double aveugle, 31
Processus de *pruning* lors du développement cérébral, 150
chez l'adolescent, 198
au cours de la petite enfance, 177
Programme(s)
en 12 étapes, 650
à intervalles fixes, 309-310
à intervalles variables, 309-310
à proportion fixe, 309-310
à proportion variable, 309-310
de remplacement de l'agressivité, 701
de renforcement, 308-309
Projection, 557
Projet Head Start, 430-431
Prosopagnosie, 229
Protection, sommeil et, 100
Prothèses neurales, 70-71
Prototypes, 370-371
Proximité
attirance et, 705-706
groupement des stimuli et, 265
Psychanalyse, 554, 638-640
méthodes de, 638-639
objectifs de la, 638
Psychiatres, 11, 659
Psychochirurgie, 667
Psychologie
champs de la, 10-11
communautaire, A-6-A-7
du conseil, 10, A-7
contemporaine, 6-11
définition de la, 5-6, 85
du développement, 173-227. *Voir aussi* Développement prénatal ; *et les stades de la vie spécifiques*
questions majeures de la, 173
évolutionniste, 143-149
instinct et, 444-445
sélection naturelle et, 143-148
sexualité humaine et, 146-149
les femmes et la, 4
humaniste, 5, 564-567
développement personnel de Maslow et, 565
évaluation de la, 566-567
évaluation du concept de soi et, 566
perspective centrée sur la personne de Rogers, 565-566
industrielle et organisationnelle, 482
mondialisation de la, 6
niveaux d'analyse de la, 8-10
organisationnelle, 482, 487-493
organisationnelle et industrielle, 482
origines de la, 2-4
du personnel, 482-487
positive, 520, 581
quantitative, A-8-A-9
questions souvent posées sur la, 38-43
de la santé, 527
science de la
développement de la, 4-6
naissance de la, 2-3
scientifique
besoin d'une, 15-20
sociale, 673-721
attitudes et actions et, 675-679
attribution et, 673-675
influence et, *voir* Influences sociales
relations sociales et, *voir* Relations sociales
trucs et astuces pour étudier la, 12
Psychologues
biologistes, 48
cliniciens, 10-11, 659, A-5
cognitivistes, 369, A-5-A-6
du développement, A-7
expérimentaux, A-7-A-8
industriels et organisationnels, 10, A-8
légaux, A-8
psychométriciens, A-8-A-9
en réinsertion, A-9
de la santé, 549, A-8
scolaires, A-7, A-9
sociaux, A-9
du sport, A-9
du travail, 10, A-8
Psycho-neuro-immunologie (PNI), 534-535
Psychopathologie, 629
Psychopharmacologie, 660
Psychophysique, 231
Psychothérapie(s), 637-660
approche éclectique de la, 637
caractères communs aux, 657-658
centrée sur la personne, 641-642
cognitive, 646-649
communication facilitée, 655
comparaison des, 650
comportementale, 642-646
cultures et valeurs dans la, 658-659
débriefing ou intervention de crise, 655
désensibilisation et retraitement par les mouvements oculaires, 656

Psychothérapie(s) (*suite*)
efficacité de la, 651-655
évaluation des, 650-660
familiale, 649
de groupe, 649-650
humaniste, 641-642
de l'*insight*, 641
intégrative, 637
interpersonnelle, 640
luminothérapie, 656-657
non directive, 641
perception du client des, 651-652
perception du clinicien des, 652
psychanalytique, 638-640
psychodynamique, 640
rebirth thérapie, 655
résultat des recherches sur les, 653-654
thérapie d'exposition, 643-644
thérapie par récupération de souvenirs, 655
thérapies énergétiques, 655
Puberté, 197-198
Punition, 310-311
Pupille, 237
PYY, 450

Quotient intellectuel (QI), 405, 417

Radicaux libres, fonctions réparatrices du sommeil et, 100
Raisonnement
développement du, 199
moral, 200-202
Rappel, 328, 345-349
échec du, 352-355
effets du contexte et, 347-348
humeur et, 348-349
indices de, 346-349, 365
des mots de passe ou des codes, 354
des souvenirs, 345
hypnose et, 109
témoignage oculaire d'enfants, 360-361
vieillissement et, 213
Rationalisation, 557
RC (réponse conditionnée), 295
Réaction(s)
d'alarme, 529-530
au stress, 528
Réapprentissage, 345
Rebirth thérapie, 655
Rebond en REM, 107
Recapture, 51
Récence, effet de, 333
Récepteurs cannabinoïdes, 122
Recherche(s)
appliquée, 10-11
corrélationnelle, 25-30, 33
descriptive, 22-25
enquêtes pour la, 23-24
étude de cas, 22-23
observation naturaliste et, 24-25
sur l'efficacité, 653-654
expérimentale, 30-33
fondamentale, 10
méthode scientifique et, 21-22
réplication de, 21
statistiques et, *voir* Statistiques
Récompenses, retardées, 202
Reconnaissance, 345
vieillissement et, 213
Récupération spontanée, 663
dans le conditionnement classique, 297-298
Reflet des sentiments, dans la thérapie centrée sur la personne, 642
Réflexes, 57
Réflexion critique, 20
Refoulement, 355, 557, 561-562
Règles d'affichage des émotions, 512
Régression, 557
hypnose et, 109
à la moyenne, 652
Réification, 405
Relations
appartenance et, 480
conflits dans les, *voir* Conflits
avec les pairs, 152, 204-205
pendant l'adolescence, 152, 204-205
pendant l'enfance, 152
en psychothérapie, 657-658
sociales, 691-719
agressivité et, 698-705
altruisme et, 712-714
attirance et, 705-712
conflit et apaisement et, 714-719
préjugés et, 691-697
Relaxation
pour la gestion du stress, 545, 547
progressive, 644
Rémission spontanée, 546
Renforçateur, 307-308
conditionné (secondaire), 307-308
différé, 308
immédiat, 308
primaire, 307
renforcement primaire et, 307
Renforcement
conditionné, 307-308
continu, 308
différé, 308
immédiat, 308
négatif, 307
partiel (intermittent), 308-309
positif, 307
secondaire, 307-308
du soi, 315
troubles anxieux et, 606
Répartition au hasard (randomisée), 31
Répétition, 331
mémoire et, 365
Réplication, 21
Réponse
conditionnée (RC), 295
de « fuite ou de combat », 528-530, 700
inconditionnelle (RI), 295
de relaxation, 547
Représentativité, heuristique de la, 374-375
Réseau neural, 57
Résilience, 192
Résistance, 639
Résolution de problème, 371-373
obstacles à la, 372-373
Responsabilité
diffusion de, intervention des témoins et, 713
sociale, norme de, 714
Retard mental, 425-426
Rétine, 237-240
Rétrocontrôle
biologique (*biofeedback*), et gestion du stress, 544-545
omnidirectionnel, 487
Rêves, 103-107
contenu des, 103-105
fonctions des, 105-107
point de vue psychanalytique sur les, 555
REM, 104
Révolution cognitive, 5, 646
RI (réponse inconditionnelle), 295
Rigidité fonctionnelle, 373-374
Rites initiatiques, 205
Rôle(s), 164, 677
sexués, 164-165
Rythme
biologique du sommeil, 92-95
circadien, 92-93

Sacs vestibulaires, 254
SAF (syndrome d'alcoolisme fœtal), 175
Salade de mots, dans la schizophrénie, 622
Santé, *voir aussi* Maladies
de l'adulte, 210-212
exercice physique et, 544
optimisme et, 581
promouvoir la, 538-549
faire face au stress et, 538-542
gestion du stress et, 543-549
SC (stimulus conditionnel), 295
Scénarios sociaux, agressivité et, 703
Scepticisme, science et, 19
Schéma(s)
dans le développement cognitif, 180
sexué, 165-166
Schizophrénie, 621-628
aiguë (réactionnelle), 624
anomalies cérébrales, 624-626
catatonique, 623
chronique (processuelle), 624
début et développement de, 623-624
désorganisée, 623
facteurs génétiques et, 626-627
facteurs psychologiques de la, 627-628
non différenciée, 623
paranoïde, 623
résiduelle, 623
symptômes négatifs, 623-624
symptômes positifs, 623
types de, 623
Sélection naturelle, 7, 143-146
adaptation et, 144
préférences d'accouplement et, 147-148
similitudes et, 144-146
troubles anxieux et, 606-607
Sémantique, 384
Sens
de l'équilibre, 254
moral post-conventionnel, 200
moral préconventionnel, 200
du toucher, 252-254

Sensation, 229-263
  adaptation sensorielle et, 234-236
  auditive, 245-252
  de la douleur, 255-259
  gustative, 258-260
  hypnagogique, 95
  des odeurs, 260-263
  seuil et, 231-234
  toucher et, 252-254
  traitement de bas en haut et, 230
  traitement de haut en bas et, 230
  versus perception, 229
  visuelle, *voir* Vision
Sentiments moraux, 201
Sérotonine, 53
  dépression et, 618
  stockage des souvenirs et, 340
Seuil, 50, 231-234
  absolu, 231
  détection du signal et, 231-232
  différentiel, 24
  stimulation subliminale et, 232-234
Sevrage de la drogue, 113
Sexualité
  chez l'adolescent, 469-471
  cycle de la réponse sexuelle, 465-466
  différence selon le sexe, 146-147
  explication évolutive de la, 146-149
  préférences d'accouplement et, 147-148
SI (stimulus inconditionnel), 295
SIDA, stress et, 536
Signaux
  excitateurs, 50
  inhibiteurs, 50
Signification
  écologique, conditionnement classique et, 300
  statistique, 37-38
Similarité
  attirance et, 709-710
  groupement de stimuli et, 265
  réussite évolutive et, 144-146
Simple exposition, effet de, 190, 706
Simulation de prison, 677-678
Sincérité, dans la thérapie centrée sur la personne de Rogers, 656
Situation, évaluation du comportement en, 583
SMTr (stimulation magnétique transcrânienne répétée), 665-666
SNC (système nerveux central), 55-58. *Voir aussi* Cerveau ; Cortex cérébral
SNP (système nerveux périphérique), 55-56
Sociopathie, 629
Soif, 443-445
Soins quotidiens, attachement et, 193-194
Sommeil, 91-103
  besoins de, 97
  pour la dépression, 668
  étude et, 365
  fonctions du, 100-101
  paradoxal, 96
  perte du, effets de la, 97-100
  raisons du, 97-101
  REM (mouvement oculaire rapide pendant le sommeil), 93, 95-96, 105-106
    rebond en REM et, 107
  réparation et, 100-101
  rêves et, *voir* Rêves
  rythme circadien et, 92-93
  stades du, 93-95
  troubles du, 101-103
Somnambulisme, 103
Somniloquie, 103
Soucis quotidiens, 531
Souhaits, rêves à accomplir, 105
Sous-objectifs, 491
Sous-traitance, 482
Soutien social, gestion du stress et, 540-542
Souvenirs
  congruents à l'humeur, 349
  flash, 342
  refoulés, 361-364
Spectre électromagnétique, 236
Speed dating, 706
Spiritualité, gestion du stress et, 547-549
Sport, conditionnement opérant et, 314
Spotlight, effet, 585
SSRI (inhibiteurs sélectifs de la recapture de la sérotonine), 662
Stabilité et changement
  développement et, 173, 224-225
  de l'intelligence, 422-424
  personnalité et, 573-576
Stade(s)
  du babillage, 385
  à deux mots, 386
  développement et, 173, 223-224
  du développement cognitif, 181-188
  du mot-phrase, 385
  des opérations concrètes, 181, 185
  des opérations formelles, 181, 185
  préopératoire, 181, 183
  psychosexuels, 556
  sensori-moteur, 181-182
Standardisation des tests, 419-421
Stanford-Binet, test de, 417
Statistiques, 33-38
  descriptives, 34-36
    mesures de la tendance centrale et, 34-35
    mesures de la variation et, 35-36
  inférence et, 37-38
Stéréotype(s), 691
  menace du, 438
Stimulants, 117-121, 123
  caféine, 117, 123
  cocaïne, 119-120, 123
  ecstasy, 120-121, 123
  méthamphétamines, 117, 123
  nicotine, 117-119, 123
Stimulation
  cérébrale, thérapeutique, 664-666
  magnétique transcrânienne répétée (SMTr), 665-666
  profonde du cerveau, 666
  subliminale, 232-234
Stimulus(i)
  conditionnel (SC), 295
  discriminatif, 306
  imaginaires, motivation sexuelle et, 468-469
  inconditionnel (SI), 295
  masque, 232-233
  motivation sexuelle et, 467-469
  subliminal, 232-234
Stockage, 328, 337-345
  déclin du, 351-352
  hormones de stress et, 341-342
  dans la mémoire à court terme (de travail), 338-339
  dans la mémoire à long terme, 339
  dans la mémoire sensorielle, 337-338
  modifications synaptiques et, 340-341
  des souvenirs implicites et explicites, 342-345
Stress, 532-537
  agressivité et, 700
  cœur et, 532-533
  faire face au, 538-542
    animaux de compagnie et, 541
  fragilité aux maladies et, 534-537
  gestion du, 542-549
  maladies et, 527-531
  réponse au, 528-530
  syndrome de stress post-traumatique, 604-605
Structuralisme, 3
Style explicatif négatif, dépression et, 618, 619
Substance blanche
  en fonction du sexe, 163
  intelligence et, 414
Suggestibilité, oubli et, 350
Suggestions post-hypnotiques, 109
Suicide, 616-617
Supercellules, amas de, 241
Surdité, 246-250
  de conduction, 251
  culture des Sourds et, 250-252
  développement du langage et, 388
  de perception ou neurosensorielle, 251
Surmoi, 555-556
Survie, besoin d'appartenance et, 478-479
Synapses, 51
  stockage des souvenirs et, 340-341
Syndrome
  d'alcoolisme fœtal (SAF), 175
  d'Asperger, 186
  de déficience de la récompense, 67
  général d'adaptation (GAS), 529-530
  de la réponse masculine, 161
  du savant, 407
  de stress post-traumatique, 604
Synesthésie, 260
Syntaxe, 384
Système endocrinien, 58-60
Système limbique, 65-67
  syndrome de stress post-traumatique et, 605
Système nerveux
  autonome, 55
    émotion et, 500-501
  central (SNC), 55-58. *Voir aussi* Cerveau ; Cortex cérébral
  parasympathique, 56
    émotion et, 500
  périphérique (SNP), 55-56
  somatique, 55
  sympathique, 55-56
    émotions et, 500

Tabagisme, 117-119
  dépression et, 618
Taijin-kyofusho, 597
Taille relative, 268
TAT (*Thematic Apperception Test*), 559-560
TDAH (trouble du déficit de l'attention avec hyperactivité), 595
Technique d'interrogatoire cognitif, 360
Technologie de sonorisation assistée, 281
Teinte, de la lumière, 237
Télépathie, 282
Télévision, violence à la, 321-322
Télomères, 209, 530
Témoignage oculaire, chez l'enfant, 360-361
Tempérament
  attachement et, 190
  hérédité et, 139-140
TEP scan (tomographie par émission de positons), 62
  lors de schizophrénie, 625
Tératogènes, 175
Terreurs nocturnes, 103
Testostérone, 162
  agressivité et, 699
  comportement sexuel et, 466-467
Test(s)
  d'aptitude, 418
  des taches d'encre de Rorschach, 560
Tests d'intelligence, 406, 415-422
  attente des participants aux, 438-439
  biais des, 437-438
  de connaissance, 418
  construction des, 419-422
  empiriques, 570
  fiabilité, 421
  modernes, 418-419
  origine des, 415-417
  projectifs, 559-560
  standardisation et, 419-421
  Stanford-Binet, 417
  validité des, 421-422
Thalamus, 64
The Animal Mind (Washburn), 4
The Language of God (Collins), 168
The Values in Action Classification of Strenghs, 599
Thematic Apperception Test (TAT), 559-560
Théorie, 21
  de l'activation-synthèse des rêves, 106
  de l'attribution, 673-675
  bifactorielle des émotions, 498-499
  du contrôle des pulsions, 445
  des couleurs complémentaires, 244-245
  de l'effet renforçateur de l'attirance, 710
  de l'esprit, 184-185, 318
  des fréquences, 249
  du « grand homme », des dirigeants, 492
  de l'influence sociale, de l'hypnose, 110
  néo-freudienne de la personnalité, 558-559
  psychanalytique, 554-564
    du développement de la personnalité, 556
    évaluation de la, 561-564
    freudienne, 554-558
    mécanismes de défense, 557-558
    néo-freudienne, 558-559
    psychodynamique, 559
    de la structure de la personnalité, 555-556
  psychodynamique, 559
  triarchique de l'intelligence, 409-411
Thérapeutes
  types de, 659
  valeur des, 658-659
Thérapie(s), 637-671. *Voir aussi* Psychothérapies ; Thérapies biomédicales
  biomédicale, 637, 660-668
    modification thérapeutique du mode de vie, 667-668
    psychochirurgie, 667
    stimulation du cerveau, 664-666
    traitement pharmacologique, 660-664
  centrée sur la personne, 641-642
    empathie, 565-566
    paraphraser, 642
    reflet des sentiments, 642
    sincérité, 656
  cognitive, 646-649
    de Beck, pour le traitement de la dépression, 647-648
  cognitivo-comportementale, 648-649
  comportementales, 642-646
    techniques du conditionnement classique dans les, 643-645
    techniques du conditionnement opérant dans les, 645-646
  par contrainte induite, 74
  énergétique, 655
  d'exposition, 643-644
  d'exposition et réalité virtuelle, 644
  familiale, 649
  de groupe, 650
  humaniste, 641-642
  par l'hypnose, 109-110
  de l'*insight*, 641
  non directive, 641-642
  psychodynamique, 640
  par récupération des souvenirs, 655
TOC (trouble obsessionnel compulsif), 603-604
Tolérance aux drogues, 113
Tomographie par émission de positons (TEP), 62
  dans la schizophrénie, 625
Toxine botulinique (botuline), 54
Traces mnésiques, 340
Traitement
  automatique, 330
  de bas en haut, 230
  contrôlé, 331-333
  de haut en bas, 230
  de l'information
    groupement et, 335-336
    hiérarchie et, 336-337
    visuelle, 240-243
  nerveux, alcoolisme et, 115
  parallèle, 242-243
  pharmaceutique, 660-664
Traits de personnalité, perspective des, 567-576
  analyse factorielle et, 569
  Big Five et, 571-572
  évaluation de la, 573-576
  évaluation des traits et, 570
  facteurs biologiques et, 569-570
Tranquillisants, 116
Transcendance du soi, 565
Transduction, 236
Transfert
  positif, 354
  en psychanalyse, 639
Travail, 219
  conditionnement opérant et, 315
  comme emploi, carrière ou vocation, 482
  entretien d'embauche et, 485-486
  intellectuel, 482
  motivation et, *voir* Motivation au travail
Travailleurs sociaux en psychiatrie, 659
Tronc cérébral, 63-64
Trouble autistique, 186
Trouble bipolaire, 612-613
Trouble de déficit d'attention avec hyperactivité (TDAH), 595
Trouble dépressif majeur, 612
Trouble dissociatif de l'identité, 609-611
Trouble obsessionnel compulsif (TOC), 603-604
Trouble panique, 602
Troubles anxieux, 601-608
  anxiété généralisée, 602
  perspective biologique sur les, 606-608
  perspective de l'apprentissage sur les, 606
  phobies, 603
  trouble obsessionnel compulsif, 603-604
  trouble panique, 602
Troubles de conversion, 608-609
Troubles dissociatifs, 609-611
Troubles de l'humeur, 611-621
  perspective biologique sur les, 615-618
  perspective sociocognitiviste sur les, 618-621
  trouble bipolaire, 612-613
  trouble dépressif majeur, 612
Troubles de l'orgasme, 466
Troubles de la personnalité, 628-631
  antisociale, 629-630
  évitante, 628
  histrionique, 628
  multiple, 609-611
  narcissique, 628
  schizoïde, 628
Troubles psychologiques, 593-635
  anxieux, 601-608
  approche biopsychosociale des, 596-597
  classification des, 597-598
  définition des, 594-595
  étiqueter les, 599-600
  de l'humeur, *voir* Troubles de l'humeur
  modèle médical, 596
  de la personnalité, 628-631
  prévention des, 668-669
  schizophrénie, 621-628
  taux des, 631-633
  trouble du déficit de l'attention avec hyperactivité en tant que, 595
  troubles dissociatifs, 609-611
  troubles somatoformes, 608-609
Troubles sexuels, 466

Troubles du sommeil, 101-103
Trucs et astuces pour étudier, 12, 364-365
Tympan, 246
Tyrannie du choix, 580

Umami, 259
Utilisation d'outils par les animaux, 396

Valeurs
  comportement sexuel et, 477-478
  donner des avis et, 196
  en psychothérapie, 658-659
Validité
  de contenu, 421
  prédictive, 421
  des tests d'intelligence, 421-422
Variable
  dépendante, 32-33
  indépendante, 32-33
Variation, mesure de la, 35-36
Vie, bien-être tout au long de la, 220-221
Vieillissement,
  du cerveau, 210-212
  intelligence et, 214-216
  mémoire et, 212-214
  théories du, 209
VIH, stress et, 536
Violence, folie comme mode de défense, 601
Visages, perception des, 273, 276
Vision, 236-245
  chez l'adulte, 210
  des couleurs, 239, 243-245
  énergie lumineuse et, 236-237
  œil et, 237-240
  récupération de la, 273-274
  en tant que système de traitement double, 88
  traitement de l'information et, 240-243
Vision commune, 492-493
Vitesse
  neurologique, intelligence et, 414-415
  de la perception, intelligence et, 414
Voie(s)
  centrale de la persuasion, 676
  nerveuses, rêves et, 106
  périphérique de la persuasion, 676
Voyance, 282
Vrais jumeaux, 135-137

Weber, loi de, 234
Wechsler Adult Intelligence Scale (WAIS) pour adulte, 418-419

Young-Helmholtz, théorie trichromatique de, 244

Zygotes, 174